BOUQUINS

Collection fondée par Guy Schoeller
et dirigée par Jean-Luc Barré

Le Livre des Mille et une Nuits

Traduit par
le Dr J.C. Mardrus

*

PRÉSENTATION DE
MARC FUMAROLI

ROBERT LAFFONT

ISBN : 978-2-221-13369-9

Dépôt légal : mars 2013 – N° d'éditeur : 52926/01

PRÉSENTATION DE L'ÉDITION ORIGINALE

Pour la première fois en Europe, une traduction complète et fidèle des ALF LAILAH OUA LAILAH (MILLE NUITS ET UNE NUIT) est offerte au public[1].

Le lecteur y trouvera le mot à mot pur, inflexible. Le texte arabe a simplement changé de caractères : ici il est en caractères français, voilà tout.

Origine et date

Les MILLE NUITS ET UNE NUIT sont un recueil de contes populaires. Deux documents, l'un[2] du IXe siècle, l'autre[3] du Xe, établissent que ce monument de la littérature imaginative arabe a eu pour prototype un recueil persan, le HAZAR AFSANAH. À ce livre, aujourd'hui perdu, sont empruntés le dispositif des MILLE NUITS ET UNE NUIT (c'est-à-dire l'artifice de Schahrazade) et le sujet d'une partie des histoires. Les conteurs qui s'évertuèrent sur ces thèmes les transformèrent au gré de la religion, des mœurs et de l'esprit arabes, au gré aussi de leur fantaisie. D'autres légendes, d'origine nullement persane, d'autres encore, purement arabes, se constituèrent dans le répertoire des conteurs. Le monde musulman sunnite tout entier, de Damas au Caire et de Baghdad au Maroc, se réfléchissait enfin au miroir des MILLE NUITS ET UNE NUIT. Nous sommes donc en présence non pas d'une œuvre consciente, d'une œuvre d'art proprement dite, mais d'une œuvre dont la formation lente est due à des conjonctures très diverses et qui s'épanouit en plein folklore islamite, œuvre arabe, malgré le point de départ persan, et qui, traduite de l'arabe en persan, turc, hindoustani, se répandit dans tout l'Orient.

Vouloir assigner à la forme comme définitive de telle de ces histoires une origine, une date, en se fondant sur des considérations linguistiques, est une

1. Les traductions anglaises de Payne et de Burton, intégrales elles aussi, parurent en « éditions privées » (deux ou trois cents souscripteurs), et sont aujourd'hui introuvables. Une deuxième édition de Burton fut, il est vrai, livrée au public, mais expurgée.

2. Dans le MOUROUF AL DAHAB OUA MAADINE AL DJANHAR, de l'historien arabe Aboul Hassan Ali Al-Massoudi.

3. Dans le KITAB AL FIHRIST (987), de Mohammad ben Is'hak Al-Nadim.

entreprise décevante, puisqu'il s'agit d'un livre qui n'a pas d'auteur et qui, copié et recopié par des scribes enclins à faire intervenir leur dialecte natal dans le dialecte des manuscrits d'après lesquels ils opéraient, est le réceptacle confus de toutes les formes de l'arabe. Par des considérations tirées principalement de l'histoire comparée des civilisations, la critique actuelle semble avoir imposé quelque chronologie à cet amas de contes. Voici les résultats qu'elle propose :

Seraient, en majeure partie, du xe siècle, ces treize contes, qui se retrouvent dans tous les textes (au sens philologique du mot) des ALF LAILAH OUA LAILAH, – savoir, les Histoires : 1° du roi Schahriar et de son frère le roi Schahzamân (soit l'Introduction) ; 2° du Marchand avec l'Efrit ; 3° du Pêcheur avec l'Efrit ; 4° du Portefaix avec les Jeunes Filles ; 5° de la Femme coupée, des Trois Pommes et du Nègre Rihan ; 6° du Vizir Noureddine… ; 7° du Tailleur, du Bossu… ; 8° de Nar Al-Din et Anis Al-Djalis ; 9° de Ghamin ben Ayoub ; 10° d'Ali ben Bakkar et Shams Al-Nahar ; 11° de Kamar Al-Zaman ; 12° du Cheval d'ébène ; 13° de Djoulnar, fils de la Mer. L'Histoire de Sindbad le Marin et celle du Roi Djiliad seraient antérieures. – La grande masse des contes se situeraient entre le xe et le xvie siècle. L'Histoire de Kamar Al-Zaman II et celle de Maarouf seraient du xvie.

Manuscrits et éditions arabes

Il existe comme « textes » des ALF LAILAH OUA LAILAH plusieurs éditions imprimées et des manuscrits. Ces manuscrits concordent mal entre eux : ils sont plus ou moins complets, diffèrent de rédaction, d'étendue, parfois d'affabulation.

Les éditions critiques (avant le xixe siècle, aucune n'avait paru, pas plus en Orient qu'en Europe) sont :

1° l'édition (inachevée) du cheikh El Yemeni, à Calcutta, deux volumes, 1814-1818 ;

2° l'édition Habicht, à Breslau, douze volumes, dont le premier parut en 1825, le dernier en 1843 ;

3° l'édition Mac Noghten, à Calcutta, quatre volumes, 1830-1842 ;

4° l'édition de Boulak, au Caire, deux volumes, 1835 ;

5° les éditions de l'Ezbékieh, au Caire ;

6° l'édition écourtée, revue et disloquée des pères jésuites, à Beyrouth, quatre volumes ;

7° l'édition de Bombay, quatre volumes.

Traductions françaises

La première en date, et la plus importante, est celle de Galland, douze volumes petit in-12, chez la veuve de Claude Barbin, Paris, 1704-1717. Exemple curieux de la déformation que peut subir un texte en traversant le cerveau d'un lettré au siècle de Louis XIV, l'adaptation de Galland, faite pour la Cour, a été systématiquement émasculée de toute hardiesse et filtrée de tout le sel premier. Même comme adaptation, elle est incomplète, car elle comprend à peine le quart des contes : *les contes qui forment les trois autres quarts, et non les moins intéressants, sont inconnus en France.* De plus, les contes mêmes qui ont subi l'adaptation de Galland ont été écourtés, déformés, expurgés de tous les vers, poèmes et citations de poètes ; les sultans et les vizirs et les femmes de l'Arabie ou de l'Inde s'y expriment comme à Versailles et à Marly. En un mot, cette adaptation surannée n'a rien à voir, d'aucune manière, avec le texte des contes arabes.

Cazotte et Chavis ont continué Galland, dans les tomes XXXVIII, XXXIX, XL et XLI du *Cabinet des Fées*, Genève, 1784-1793, sous le titre « les Veillées du Sultan Schahriar ». Trébutien (de Caen) a publié à Paris, en 1824, trois volumes in-8° de « Contes inédits des Mille et une nuits », traduction de traductions.

Les réimpressions de la version de Galland sont nombreuses. La meilleure est celle du « Panthéon Littéraire », avec notes de Loiseleur-Deslongchamps, un volume in-8°, Paris, 1840. D'autres, celle de Caussin de Perceval, neuf volumes in-8°, Paris, 1806, celle de Destaings, avec préface de Charles Nodier, six volumes in-8°, Paris, 1822, celle de Gauttier, sept volumes in-8°, Paris, 1822, sont augmentées de quelques contes.

Cette traduction

Le Dr. J.C. Mardrus l'a exécutée sur l'édition égyptienne de Boulak, qui lui a paru la plus riche en expressions de pur terroir arabe et, à différents points de vue, la plus parfaite (quoi qu'en ait pu penser Burton). Elle est, en outre, la plus concise. Mais il ne s'en est pas uniquement contenté, ayant puisé, pour certains détails, dans l'édition Mac Noghten, dans celle de Breslau et surtout dans les différents manuscrits.

Souhaitons maintenant au lecteur le plaisir goûté par Stendhal, qui rêvait d'oublier deux choses : DON QUICHOTTE et les féeries des MILLE ET UNE NUITS – pour, chaque année, éprouver à les relire une volupté nouvelle.

DÉDICATAIRES DE L'ÉDITION ORIGINALE DES MILLE ET UNE NUITS

TOME I : Dédicace générale à Stéphane Mallarmé ; dédicace du volume à Paul Valéry, (*Revue Blanche*, 1899).

TOME II : Dédicace à Anatole France, (*Revue Blanche*, 1899).

TOME III : Dédicace à José-Maria de Hérédia, (*Revue Blanche*, 1900).

TOME IV : Dédicace à André Gide, (*Revue Blanche*, 1900).

TOME V : Dédicace à Lucie Delarue, (*Revue Blanche*, 1900).

TOME VI : Dédicace à Maurice Maeterlinck, (*Revue Blanche*, 1901).

TOME VII : Dédicace à Henri de Régnier, (*Revue Blanche*, 1901).

TOME VIII : Dédicace à Pierre Louÿs, (*Revue Blanche*, 1901).

TOME IX : Dédicace au professeur Hartwig-Derembourg : « L'un des rares savants qui sache la différence entre une gaze de soie et un treillis de fer », (*Revue Blanche*, 1901).

TOME X : Dédicace au Dr. Lucien de Beurman, (*Revue Blanche*, 1902).

TOME XI : Dédicace à Pierre de Nolhac, « Sultan de Versailles », (*Revue Blanche*, 1902).

TOME XII : Dédicace à Sylvain Lévi : « Aum ! Quand la résurrection du sanscrit est notoire de par le fait magicien du brahme Sylvain Lévi, mon amitié ne peut que marquer ici cette date sous l'invocation des pures syllabes : Aum ! Im ! Um ! Rim ! » (*Charpentier et Fasquelle*, 1903).

TOME XIII : Dédicace à Rémy de Gourmont, (*Charpentier et Fasquelle*, 1903).

TOME XIV : Dédicace à « Sidi Robert de Montesquiou, ben Artagnan al Fezenzaki », (*Charpentier et Fasquelle*, 1903).

TOME XV : Dédicace : « Au grand Cheikh du Savoir et des Grimoires, mon ami Marcel Schwob », (*Charpentier et Fasquelle*, 1904).

TOME XVI : Dédicace à Félix Fénon, (*Charpentier et Fasquelle*, 1904).

PRÉFACE DE L'ÉDITION ORIGINALE

J'OFFRE,
toutes nues, vierges,
intactes, naïves,
pour mes délices et le
plaisir de mes amis,
CES NUITS ARABES
vécues, rêvées et traduites sur
leur terre natale et sur l'eau.

Elles me furent douces durant les loisirs des longues mers, sous le ciel du loin.

C'est pourquoi je les donne.

Naïves elles sont, et souriantes, et pleines d'ingénuité, à l'égal de la musulmane Schahrazade, leur succulente mère, qui les enfanta dans le mystère en fermentant avec émoi dans le sein d'un prince sublime – lubrique et farouche – sous l'œil attendri d'Allah Clément et Miséricordieux.

Dès leur venue elles furent délicatement dorlotées par les mains de la lustrale Doniazade, leur tante, qui grava leurs noms sur des feuilles d'or colorées d'humides pierreries, et les soigna sous le velours de ses prunelles jusqu'à l'adolescence dure, pour les épandre, voluptueuses et libres, sur le Monde Oriental éternisé de leur sourire.

Je les juge et les donne telles, en leur fraîcheur de chair et de roche.

Car… une méthode, seule, existe, honnête et logique, de traduction : *la littéralité*, impersonnelle, à peine atténuée pour juste le rapide pli de paupière et savourer longuement… Elle produit, suggestive, la plus grande puissance littéraire. Elle fait le plaisir évocatoire. Elle recrée en indiquant. Elle est le plus sûr garant de vérité. Elle plonge, ferme, en sa nudité de pierre. Elle fleure l'arome primitif et le cristallise. Elle dévide et délie… Elle fixe.

Certes, si la littéralité enchaîne l'esprit divaguant et le dompte, elle arrête l'infernale facilité de la plume. Je ne m'en plaindrai pas. Car où trouver chez un traducteur le génie simple, anonyme ! et libéré de *la niaise manie de son nom ?*… Mais pour les difficultés du terroir originel, si dures au professionnel en thème, elles ne sauraient, aux doigts de l'amoureux de l'oriental babil, se concentrer en plus de spires qu'il ne faut à la joie de les dénouer.

Quant à l'accueil… L'Occident maniéré, pâli dans l'étouffoir des conventions verbales, peut-être simulera-t-il l'ahurissement à l'audition du franc langage – gazouillant et simple et sonore de tout le rire – de ces brunes filles saines, natives des tentes abolies.

Or…

Elles n'y entendent point malice, les houris !

Et les peuples primitifs, dit le Sage, appellent les choses par leur nom, – et ne trouvent guère condamnable ce qui est naturel, ni licencieuse l'expression du naturel. (J'entends par peuples primitifs ceux sans encore nulle tare en la chair ou l'esprit, et nés au monde sous le sourire de la Beauté…)

D'ailleurs, il est totalement ignoré de la littérature arabe, ce produit hideux de la vieillesse spirituelle : l'intention pornographique. Les Arabes voient toute chose sous l'aspect hilarant. Leur sens érotique ne mène qu'à la gaîté. Et ils rient de tout cœur, là où le puritain palperait du scandale.

Quiconque, artiste, a vagabondé et connu les voyages et cultivé amoureusement les bancs ajourés des adorables cafés populaires dans les vraies villes musulmanes et arabes, le vieux Caire aux rues pleines d'ombre et si fraîches, les souks de Damas, Sana du Yémen, Mascate ou Baghdad ; dormi sur la natte immaculée du Bédouin de Palmyre ; rompu le pain et goûté le sel fraternellement, dans la gloire du désert, avec Ibn-Rachid somptueux, ce type net de l'Arabe authentique ; savouré tout l'exquis d'une causerie de simplicité antique avec le pur descendant du Prophète, le chérif Hussein ben Ali ben Aoun, émir de La Mecque Sainte, – a pu noter l'expression des physionomies pittoresques réunies. Unique, un sentiment tient toute l'assistance : une hilarité folle. Elle flambe par saccades vitales aux sorties les plus libres de l'héroïque conteur public gesticulant, mimant sur tout et bondissant entre les spectateurs épanouis… Et la griserie vous saisit, suscitée par les mots, par les sons, par la fumée ou l'aphrodisie de l'air, par la subodeur discrète du hachisch, don dernier d'Allah !… Et l'on est navigateur aérien dans la nuit…

Là, on n'applaudit point : ce geste barbare, inharmonique et féroce, ce vestige indéniable des races caraïbes ancestrales dansant autour du poteau de couleurs, et dont l'Europe a fait le symbole de l'horrible jouissance bourgeoise tassée sous le gaz, est essentiellement inconnu.

L'Arabe – à une musique, notes de roseaux et de flûtes, à une plainte de *kânoun* ou d'*oûd*, à un rythme de *darabouka* profonde, à un chant de muezzin ou d'almée, à un conte coloré, à un poème d'allitérations en cascades, à une odeur subtile de jasmin, à une danse de fleur ou vol d'oiseau, à la nudité d'ambre ou de perle d'une solide courtisane onduleuse aux yeux étoilés – répond en sourdine ou de toute la voix par un A – hah !… *long, savant, modulé, extatique, architectural.*

C'est que : l'Arabe est un instinctif, mais affiné et exquis. Il aime la ligne pure et la devine, irréalisée.

Mais… il étreint, sans paroles, infiniment…

Et maintenant,

Je puis promettre, sans crainte de mentir, que le rideau ne se relèvera que sur la plus étonnante, la plus compliquée et la plus splendide vision qu'ait jamais allumée, sur la neige du papier, le fragile outil du conteur.

Dr J.C. MARDRUS.

NOTICE SUR LE DOCTEUR JOSEPH CHARLES MARDRUS (1848-1949)

La seule étude disponible jusqu'ici sur le traducteur des *Mille nuits et une nuit*[1] était l'ouvrage d'Émile-François Julia, *Les Mille et une nuits de l'Enchanteur Mardrus* (S.F.E.L.T. 1935) dont le ton apologétique, le style diffus et pompeux, pour ne pas dire pompier, ont toute chance de refléter, dans le miroir déformant de l'admirateur-thuriféraire, la version de lui-même que l'imaginatif Docteur souhaitait voir se répandre. Sans aucune prétention biographique, en revanche, le « portrait » que Natalie Barney a tracé du Docteur Mardrus, dans ses *Souvenirs indiscrets* (Flammarion, 1960) sous le titre « Les Mardrus » (pages 147-185) a le mérite d'être écrit avec talent. Il va de soi que, chez Miss Barney, le Dr. Mardrus n'est vu que de profil, l'essentiel du portrait étant consacré à Lucie Delarue, la belle et romanesque poétesse qui fut, de 1900 à 1914, la première épouse du médecin-écrivain. Mieux encore peut-être que Lucie Delarue elle-même, qui parle beaucoup de son ex-mari dans *Mes mémoires* (Gallimard, 1938). L'Amazone avec ce simple profil esquissé nous fait deviner le charme du jeune médecin égyptien, au zénith de sa carrière littéraire et de ses succès mondains, sa fantaisie hâbleuse et non dépourvue d'humour, voire de poésie, qui lui avait valu d'être adopté et fêté par le Paris des gens de lettres et de gens du monde. Un air de légende orientale, traduction oblige, flottait autour de lui, et il le cultivait sans se forcer, avec une réussite certaine. Il fallait qu'une thèse de doctorat vînt commencer à dissiper ces aimables nuées et compléter ces témoignages très subjectifs. C'est chose faite avec *Le Docteur Mardrus, traducteur des Mille et une nuits*, de Mme Hiam Abul-Hussein (thèse dactylographiée, nov. 1970, Sorbonne. 5). L'auteur établit que, né au Caire le 11 novembre 1848, dans une famille fortunée d'origine caucasienne (qui avait fui son pays d'origine occupé par les troupes russes), Joseph-Charles Mardrus a fait d'excellentes études secondaires chez les Jésuites de Beyrouth, où il fut formé à la fois aux humanités classiques et à l'arabe littéraire. Après avoir commencé des études de médecine à Beyrouth même, toujours chez les Jésuites, il les termina à Paris où il soutint sa thèse de doctorat en 1895. Il commença alors une carrière de médecin sur les navires des Messageries maritimes, qui l'amena à visiter, d'escale en escale, le Moyen-Orient, l'Asie du Sud-Est et la Chine. En 1899, alors que la 3e édition des deux volumes déjà parus de sa traduction des *Mille nuits et une nuit* lui assurait de suffisants revenus, il est mis en disponibilité sur sa demande et se fixe à Paris. C'est à cette époque qu'il

1. Le premier titre donné par Mardrus à sa traduction était, jusqu'au tome III inclus, *Les Mille nuits et une nuit.* À partir du tome IV, le titre est devenu *Le livre des Mille nuits et une nuit.* Pour simplifier les choses, et se conformer à une tradition ancrée dans la langue depuis la traduction de Galland, nous avons intitulé cette réédition : *Les Mille et une nuits.*

épouse Lucie Delarue. Le Dr. Mardrus jouit alors d'une position littéraire enviable, due à la fois aux nombreuses relations et sympathies dont il dispose depuis son arrivée à Paris dans ce milieu, et à l'accueil réservé à sa traduction, qui répondait à une attente diffuse et avait su combler cette attente. Arrivé pour la première fois à Paris aux alentours de 1892, le jeune Égyptien avait fréquenté le 89, rue de Rome, chez Mallarmé, où il avait pu être encouragé par le Maître et se lier avec ses nombreux disciples ou amis, parmi lesquels André Gide et Paul Valéry. C'est là aussi qu'il rencontra Félix Fénéon, véritable directeur de *La Revue Blanche*, qui publia la première édition des *Mille nuits et une nuit*. Il avait fréquenté aussi le salon littéraire de José-Maria de Hérédia, où il put se lier avec les deux gendres du poète, Pierre Louÿs et Henri de Régnier, et rencontrer Henri Bordeaux, Catulle Mendès, Octave Mirbeau, Marcel Schwob, et de nouveau Paul Valéry. Dans ces serres chaudes d'une littérature française où foisonnaient alors talents et génies, le beau jeune homme de type oriental sut se faire adopter et apprécier ; il sut aussi deviner quelle niche il pouvait occuper dans un monde littéraire travaillé à la fois par le mirage de l'Orient, par un goût alexandrin pour les formes sensuelles, et une aspiration épicurienne pour les plaisirs raffinés, y compris ceux de l'imagination et du merveilleux. L'Islam de Mardrus, à l'heure des *Nourritures terrestres* (1897), allait au devant de ces vœux. Il y aurait d'ailleurs toute une étude à faire sur l'amitié entre Gide et Mardrus et sur l'influence que celui-ci eut, un temps, sur l'imaginaire de l'auteur de l'*Immoraliste* (1902). Lorsque parurent, en 1899, les premiers volumes de la traduction nouvelle des *Mille et une nuits*, préparée par une campagne publicitaire de *La Revue Blanche* et de *La Revue politique et littéraire*, parée d'un style où la solide leçon des Jésuites s'enveloppait de blandices à la Pierre Louÿs, l'accueil fut triomphal chez les écrivains. Les recensions de Léon Blum et d'André Gide furent enthousiastes. Le succès s'étendit aux gens du monde, entraînés par le « Chef des odeurs suaves », Robert de Montesquiou, et il ne se démentait plus au fur et à mesure que les nouveaux tomes paraissaient, à *La Revue Blanche*, jusqu'en 1902, chez Charpentier-Fasquelle pour les derniers volumes en 1903-1904. À la veille de la guerre, Paul Poiret donna une fête restée fameuse dont le Dr. Mardrus était en grande partie le metteur en scène et qui s'intitula tout naturellement « La Mille et deuxième nuit ».

L'accueil fut moins unanime dans les milieux savants qui, depuis la fondation de l'École des langues orientales en 1795, et selon une tradition qui allait de Silvestre de Sacy à Renan, avait par ses travaux érudits rendu possible ce que Raymond Schwab appela « La Renaissance orientale ». Mardrus, qui n'appartenait pas au monde universitaire, y suscita critiques et jalousies. L'orientaliste Victor Chauvin, dans les fascicules IV à VII de sa *Bibliographie des ouvrages arabes publiés dans l'Europe chrétienne* (1897-1904), émit de sévères réserves sur la valeur de Mardrus traducteur. La question est d'ailleurs difficile à trancher, car les *Mille et une nuits*, œuvre de tradition orale, connaissent une foule de versions, plus ou moins amplifiées, plus ou moins différentes. Et même dans le monde savant, le choix de Mardrus, initié de l'intérieur à la tradition orale de l'Orient, trouva un avocat autorisé en la personne du Professeur Hartwig-Derembourg, directeur d'études à l'École pratique des hautes études et titulaire de la chaire d'arabe à l'École des langues orientales, qui prit la défense de la valeur scientifique du travail de Mardrus dans un article du *Journal des Savants* de janvier 1902. En remerciement pour cette caution, le tome IX des *Mille nuits et une nuit* fut dédié au courageux professeur. Le débat ne pourrait être clos que par une édition critique qui, étant donné la nature du texte, présente des difficultés immenses et n'est pas près de voir le jour. Un autre débat, plus feutré, oppose les partisans de la traduction de Galland, d'une élégance classique, à celle de Mardrus, abondante, suggestive, sensuelle, et qui porte avec bonheur la marque du goût parnassien et symboliste. Marcel Proust, dans la *Recherche* toute pénétrée de réminiscences des *Mille et une nuits*, suggère une préférence pour la version de Galland (Bibliothèque de la Pléiade, t. II, p. 836-837). Mais on est tenté de préférer, avec Gide, la traduction de Mardrus et de partager un enthousiasme qui ne s'est pas seulement exprimé dans les essais publiés (*Prétextes*, Mercure de

France, rééd. 1963, p. 74-78 et 100-106) mais dans la correspondance entre l'auteur des *Nourritures* et son ami traducteur. Citons pour conclure une de ces lettres, écrite par Gide après la réception du tome III, dédié à Hérédia, et du tome IV, à lui-même dédié, avec une épigraphe tirée des *Nourritures :* « Tu disais… » :

« Ö Mardrus, mon œil ! Il faut que je vous voie, venez vite… Enseignez-nous de nouvelles sagesses, au chant du vent du Sud, tout ce que je croyais solide a sombré !

De retour de Bruxelles, où j'étais allé parler de vous avec le phallologue Ruÿter, je trouve lettre et livre, et vous renvoyai ma dépêche aussitôt. Échanson de délices, dans quelles oasis d'oubli, de solitude et de silence souhaiterais-je boire à votre coupe parfumée ! Quand je suis avec vous, Schahrazade, le meilleur ami qui me survient m'importune. Savez-vous où je me réfugie pour vous lire ? Au Hammam. Je m'y figure un Orient véritable et les bruits étouffés que j'entends ne me rappellent pas à la vie.

Ö Mardrus, venez ! Venez vite ! Attisez en moi des désirs pour de nouvelles gourmandises, des plats d'amandes décortiquées, chairs suaves au monticule doux, éclatant, arrondi, cultivé, chants souples, étoffes remuées.

Venez, Mardrus, orner de quelques lignes de votre main mes beaux exemplaires de vous sur papier Hollande, et causer avec moi de la reliure qui siéra.

Les vers du tome III sont pour la plupart admirables et vous l'êtes de les traduire ainsi. Le suc m'en grise et votre sagacité d'écrivain. Je vous compare à « Muley le voleur qui, même ivre, avait une belle écriture » (Saki Mameh).

Telles phrases sont d'un pur *et d'un rythme parfait :* … Car la beauté n'apparaît qu'à celui qui la cherche avec amour… (*p. 185*). … C'est l'aile de la nuit qui se repose sur la sérénité du matin (*admirable*). … Eau du ruisseau qui t'attache aux tiges des fleurs, *etc.*

Ö Mardrus ! ! ! Ya Allah ! Ya Allah !

Et que dire du livre (du récit) lui-même, de ton si différent, pareil parfois à celui d'anciennes chroniques. Admirable la séparation de Daoulé Makan et de sa sœur aux approches de Baghdad : « … Car la brise qui en venait ne pouvait venir que de la seule Baghdad. »

Et de telles joies ne peuvent nous venir que de vous. Qu'Allah vous garde et vous ramène en hâte où vous attend votre écouteur grisé.

André GIDE

(Lettre inédite publiée pour la première fois avec l'aimable autorisation de Mme Catherine Gide et de M. François Chapon, Conservateur de la Bibliothèque Jacques-Doucet, que nous remercions très vivement.)

Marc FUMAROLI

CE QUE VEUT ALLAH !

Au nom d'Allah le Clément, le Miséricordieux !

La louange à Allah, maître de l'Univers ! et la prière et la paix sur le prince des envoyés, notre seigneur et suzerain Mohammad ! Et, sur tous les siens, prière et paix à jamais essentiellement unies jusqu'au jour de la rétribution.

Et ensuite ! que les légendes des Anciens soient une leçon pour les Modernes, afin que l'homme voie les événements qui arrivèrent à d'autres qu'à lui : alors il respectera et considérera attentivement les paroles des peuples passés et ce qui leur advint, et il se réprimandera.

Aussi gloire à qui réserva les récits des premiers comme leçon à l'intention des derniers !

Or, c'est d'entre ces leçons-là que sont tirés les contes nommés MILLE NUITS ET UNE NUIT, *et tout ce qu'il y a en eux de choses extraordinaires et de maximes.*

HISTOIRE DU ROI SCHAHRIAR ET DE SON FRÈRE, LE ROI SCHAHZAMAN

Il est raconté – mais Allah est plus savant et plus sage et plus puissant et plus bienfaisant – qu'il y avait – dans ce qui s'écoula et se présenta en l'antiquité du temps et le passé de l'âge et du moment – un roi d'entre les rois de Sassan, dans les îles de l'Inde et de la Chine[1]*. Il était maître d'armées, d'auxiliaires, de serviteurs et d'une nombreuse suite. Et il avait deux enfants, l'un d'eux grand et le dernier petit. Tous les deux étaient d'héroïques cavaliers ; mais le grand était meilleur cavalier que le petit. Ce grand régna sur les pays et gouverna avec justice entre les humains ; aussi l'aimèrent les habitants du pays et du royaume. Son nom était le roi Schahriar*[2]*. Quant à son frère le petit, son nom était le roi Schahzaman*[3]*, et il était roi de Samarkand Al-Ajam.*

Cet état de choses ne cessant point, ils résidèrent dans leur pays ; et chacun d'eux fut, dans son royaume, gouverneur juste de ses ouailles durant l'espace de vingt années. Et ils furent tous deux à la limite de la dilatation et de l'épanouissement.

Et ils ne cessèrent d'être ainsi, jusqu'à ce que le roi le grand eût l'ardent désir de voir son frère le petit. Alors il ordonna à son vizir de partir, et de revenir avec lui. Le vizir lui répondit : « J'écoute et j'obéis ! »

Puis il partit et arriva en toute sécurité par la grâce d'Allah : il entra chez le frère, lui transmit la paix[4]*, et lui apprit que le roi Schahriar désirait ardemment le voir, et que le but de ce voyage était de l'inviter à aller visiter son frère. Le roi Schahzaman lui répondit : « J'écoute et j'obéis ! » Puis il fit faire ses préparatifs de départ et sortir ses tentes, ses chameaux, ses mulets, ses serviteurs et ses auxiliaires. Ensuite il éleva son propre vizir gouverneur du pays, et sortit demandant les contrées de son frère.*

Mais, vers le milieu de la nuit, il se rappela une chose oubliée au palais, et revint et entra dans le palais. Et il trouva son épouse étendue sur sa couche et accolée par un esclave noir d'entre les esclaves. À cette vue, le monde noircit sur son visage. Et il dit en son âme : « Si telle aventure est survenue alors que je viens à peine de quitter ma ville, quelle serait la conduite de cette débauchée si je m'absentais quelque temps chez mon frère ? » Sur ce, il tira son épée et, frappant les deux, les tua sur les tapis de la couche. Puis il s'en retourna au moment même et à l'heure même, et ordonna le départ du campement. Et il voyagea la nuit jusqu'à ce qu'il fût arrivé à la ville de son frère.

Alors se réjouit son frère de son approche, et sortit vers lui et, en le recevant, lui souhaita la paix ; et il se réjouit à la limite de la joie, et décora pour lui la ville, et se mit à lui parler avec expansion. Mais le roi Schahzaman se souvenait de l'aventure de son épouse, et un nuage de chagrin lui voilait la face ; et jaune était devenu son teint et faible son corps. Aussi, lorsque le roi Schahriar le vit dans cet état, il pensa en son âme que cela était dû à l'éloignement du roi Schahzaman hors de son pays et de son royaume et, ne lui demandant plus rien à ce sujet, il le laissa à sa voie. Mais, un de ces jours, il lui dit : « Ô mon frère, je ne sais ! mais je vois ton corps maigrir et ton teint jaunir ! » Il répondit : « Ô mon frère, j'ai en mon être intime une plaie vive. » Mais il ne lui révéla pas ce qu'il avait vu faire à son épouse. Le roi Schahriar lui dit : « Je désire fort que tu partes avec moi à la chasse à pied et à courre, car peut-être ainsi se dilatera ta poitrine. » Mais le roi Schahzaman ne voulut point accepter ; et son frère partit seul à la chasse.

Or, il y avait, dans le palais du Roi, des fenêtres ayant vue sur le jardin, et, comme le roi Schahzaman s'y était accoudé pour regarder, la porte du palais s'ouvrit et en sortirent vingt esclaves femmes et vingt esclaves hommes ; et la femme du Roi, son frère, était au milieu d'eux qui se promenait dans toute son éclatante beauté. Arrivés à un bassin, ils se dévêtirent tous et se mêlèrent entre eux. Et soudain la femme du Roi s'écria : « Ô Massaoud ! Ya Massaoud ! » Et aussitôt accourut vers elle un solide nègre noir qui l'accola ; et elle aussi l'accola. Alors le nègre la renversa sur le dos et la chargea. À ce signal, tous les autres esclaves hommes firent de même avec les femmes. Et tous continuèrent longtemps ainsi et ne mirent fin à leurs baisers, accolades, copulations et autres choses semblables qu'avec l'approche du jour.

À cette vue, le frère du Roi dit en son âme : « Par Allah ! ma calamité est bien plus légère que cette calamité-ci ! » Et aussitôt il laissa s'évanouir son affliction et son chagrin, en se disant : « En vérité, cela est plus énorme que tout ce qui m'advint ! » Et, dès ce moment, il se reprit à boire et à manger sans discontinuer.

Sur ces entrefaites le Roi, son frère, revint de voyage, et tous deux se souhaitèrent mutuellement la paix. Puis le roi Schahriar se mit à observer son frère le roi Schahzaman ; et il vit que ses couleurs et son teint étaient revenus et que son visage s'était revivifié ; que, de plus, il mangeait de toute son âme après avoir été si longtemps modique de nourriture. Et il s'en étonna et dit : « Ô mon frère, je te voyais naguère jaune de teint et de visage, et maintenant voici que les couleurs te sont revenues ! Raconte-moi donc ton état. » Il lui répondit : « Je te mentionnerai la cause de ma pâleur première ; mais dispense-moi de te narrer pourquoi les couleurs me sont revenues ! » Le Roi lui dit : « Raconte-moi donc premièrement, pour que je t'entende, la cause de ton changement de teint et de ton affaiblissement. » Il répondit : « Ô mon frère, sache que lorsque tu as envoyé ton vizir vers moi requérir ma présence entre tes mains, je fis mes préparatifs de départ, et je sortis de ma ville. Mais ensuite je me rappelai le joyau que je te destinais et que je t'ai donné au palais : aussi je revins sur mes pas et je trouvai mon épouse couchée avec un esclave noir, endormis sur les tapis de mon lit ! Je les tuai tous deux, et je vins vers toi, et j'étais bien torturé à la pensée de cette aventure ; et c'est là le motif de ma pâleur première et de mon amaigrissement. Quant au retour de mon teint, dispense-moi de te le mentionner ! »

Lorsque son frère entendit ces paroles, il lui dit : « Par Allah ! je t'adjure de me raconter la cause du retour de ton teint ! » Alors le roi Schahzaman lui répéta tout ce qu'il avait vu. Et le roi Schahriar dit : « Il me faut avant tout voir cela de mon propre œil ! » Son frère lui dit : « Alors fait semblant de partir à la chasse à pied et à courre ; mais cache-toi chez moi, et tu seras témoin du spectacle et tu le vérifieras par la vue ! »

À l'heure même, le Roi fit proclamer le départ par le crieur public ; et les soldats sortirent avec les tentes en dehors de la ville ; et le Roi sortit aussi et s'établit sous les tentes, et dit à ses jeunes esclaves : « Qu'il n'entre chez moi personne ! » Ensuite il se déguisa et sortit en cachette et se dirigea vers le palais, là où était son frère ; et, en arrivant, il se mit à la fenêtre qui avait vue sur le jardin. Une heure s'était à peine écoulée que les esclaves femmes, entourant leur maîtresse, entrèrent ainsi que les esclaves hommes : et ils firent tout ce qu'avait dit Schahzaman, et ils passèrent le temps dans ces ébats jusqu'à l'asr[1].

Lorsque le roi Schahriar vit cet état de choses, sa raison s'envola de sa tête ; et il dit à son frère Schahzaman : « Allons-nous-en, et partons voir l'état de notre destinée sur le chemin d'Allah ; car nous ne devons avoir plus rien de commun avec la royauté et cela jusqu'à ce que nous puissions trouver quelqu'un qui ait éprouvé une aventure pareille à la nôtre : sinon notre mort serait, en vérité, préférable à notre vie ! » À cela, son frère fit la réponse qu'il fallait. Puis tous deux sortirent par une porte secrète du palais. Et ils ne cessèrent de voyager jour et nuit jusqu'à ce qu'ils fussent arrivés enfin à un arbre au milieu d'une prairie solitaire, près de la mer salée. Dans cette prairie, il y avait un œil d'eau douce[2] *: ils burent à cet œil et s'assirent se reposer.*

Une heure s'était à peine écoulée de la journée que la mer se mit à s'agiter, et, tout à coup, il en sortit une colonne de fumée noire qui monta vers le ciel et se dirigea vers cette prairie. À cette vue, ils furent effrayés et montèrent au plus haut de l'arbre qui était haut, et se mirent à regarder ce que pouvait bien être l'affaire. Or voici que cette colonne se changea en un genni[3] *de haute taille, de forte carrure et de large poitrine, et qui portait sur sa tête une caisse. Il mit pied à terre et vint vers l'arbre sur lequel ils étaient et se tint au-dessous. Il enleva alors le couvercle de la caisse et en tira une grande boîte qu'il ouvrit, et aussitôt apparut une jeune fille désirable, éclatante de beauté, lumineuse à l'égal du soleil – comme dit le poète :*

Flambeau dans les ténèbres, elle apparaît, et c'est le jour ! Elle apparaît et de sa lumière s'illuminent les aurores.

Les soleils s'irradient de sa clarté et les lunes du sourire de ses yeux !

Que les voiles de son mystère se déchirent, et aussitôt les créatures à ses pieds se prosternent ravies :

Et devant les doux éclairs de son regard, l'humidité des larmes passionnées mouille les coins de toute paupière !

Lorsque le genni eut bien regardé la belle adolescente, il lui dit : « Ô souveraine des soieries ! ô toi que j'ai ravie le jour même de tes noces ! Je voudrais bien dormir un peu ! » Et le genni, posant la tête sur les genoux de la jeune fille, s'endormit.

Alors l'adolescente leva la tête vers le sommet de l'arbre et vit les deux rois cachés dans l'arbre. Aussitôt elle souleva la tête du genni de dessus ses genoux, la posa par terre et, se tenant debout au-dessous de l'arbre, elle leur dit par signes : « Descendez et n'ayez pas peur de cet éfrit[4]*. » Ils lui répondirent par signes : « Oh ! par Allah sur toi ! dispense-nous de cette dangereuse affaire-là ! » Elle leur dit : « Par Allah sur vous deux ! descendez au plus vite, sinon je* *vais prévenir l'éfrit et il vous fera mourir de la pire mort ! » Alors ils eurent peur et descendirent près d'elle ; et elle se leva pour les recevoir et leur dit aussitôt : « Allons ! Percez-moi de la lance un percement violent et dur ! Sinon je vais aviser l'éfrit ! » La frayeur fit que Schahriar dit à Schahzaman : « Ô mon frère, toi le premier fais ce qu'elle ordonne ! » Il répondit : « Oh ! je n'en ferai rien avant que tu ne me donnes l'exemple, toi, mon aîné ! » Et tous deux se mirent à s'inviter mutuellement en se faisant avec les yeux des signes de copulation. Alors elle leur dit : « Pourquoi vous vois-je ainsi cligner des yeux ? Si tout de suite vous n'avancez pas et ne me le faites pas, je préviens immédiatement l'éfrit ! » – Alors, à cause de leur peur du genni, ils firent d'elle tous deux ce qu'elle leur avait ordonné. Quand ils se furent bien vidés, elle leur dit : « Que vous êtes vraiment experts ! » Puis elle sortit de sa poche un petit sac et en tira un collier composé de cinq cent soixante-dix sceaux, et leur dit : « Savez-vous ce que c'est ? » Ils lui dirent : « Nous ne savons pas. » Alors elle leur dit : « Les propriétaires de ces sceaux tous ont copulé avec moi sur les insensibles cornes de cet éfrit. Ainsi donc, vous les deux frères, donnez-moi les vôtres. » Alors ils lui donnèrent, les sortant de leurs mains, deux sceaux. Elle leur dit alors : « Sachez que cet éfrit m'enleva la nuit de mes noces, me plaça dans une boîte et, mettant la boîte dans la caisse, fixa sur la caisse sept cadenas, et me mit alors au fond de la mer mugissante qui se heurte et s'entrechoque avec les vagues. Mais il ne savait point que lorsqu'une femme d'entre nous désire quelque chose, rien ne saurait la vaincre. Et le poète dit, d'ailleurs :*

« Ami ! ne te fie point aux femmes et souris à leurs promesses ! car leur bonne ou mauvaise humeur dépend du caprice de leur vulve !

Elles prodiguent l'amour mensonger, alors que la perfidie les emplit et forme la bourre de leurs vêtements.

Souviens-toi avec respect des paroles de Youssouf. Et n'oublie point qu'Eblis fit expulser Adam à cause de la Femme.

Cesse aussi ton blâme, ami. Il ne sert ! car demain, chez celui que tu blâmes, à l'amour simple succédera la passion folle.

Et ne dis point : « Si je suis amoureux, j'éviterai les folies des amoureux ! » Ne le dis point. « Ce serait un prodige unique, en vérité, de voir un homme se tirer sain et sauf de la séduction des femmes. »

— À ces paroles, les deux frères s'émerveillèrent à la limite de l'émerveillement, et ils se dirent l'un à l'autre : « Si celui-là est un éfrit, et qu'en dépit de sa puissance il lui soit arrivé des choses bien plus énormes qu'à nous, c'est là une aventure qui doit nous consoler ! »

Alors ils quittèrent, à l'heure même, la jeune femme, et retournèrent chacun vers sa ville.

Quand le roi Schahriar entra dans son palais, il fit couper le cou à son épouse, et de la même façon le cou des esclaves femmes et des esclaves hommes. Puis il ordonna à son vizir de lui amener chaque nuit une jeune fille vierge. Et chaque nuit, il prenait ainsi une jeune fille vierge et lui ravissait sa virginité. Et, la nuit écoulée, il la tuait. Et il ne cessa d'agir de la sorte durant la longueur des trois années. Aussi les humains furent dans les cris de douleur et le tumulte de la terreur, et ils s'enfuirent avec ce qui leur restait de filles. Et il ne resta dans la ville aucune fille en état de servir à l'assaut du monteur. Sur ces entrefaites, le Roi ordonna au vizir de lui amener une jeune fille, comme d'habitude. Et le vizir sortit et chercha, mais ne trouva point de fille ; et, tout triste, tout affligé, il revint vers sa demeure, l'âme pleine de terreur à cause du Roi.

Or ce vizir avait lui-même deux filles pleines de beauté, de charmes, d'éclat, de perfection, et d'un goût délicieux. Le nom de l'aînée était Schahrazade[1], et le nom de la petite était Doniazade[2]. L'aînée, Schahrazade, avait lu des livres, les annales, les légendes des rois anciens et les histoires des peuples passés. On dit aussi qu'elle possédait mille livres d'histoires ayant trait aux peuples des âges passés et aux rois de l'Antiquité et aux poètes. Et elle était fort éloquente et très agréable à écouter.

À la vue de son père, elle dit : « Pourquoi vous vois-je ainsi changé, portant le fardeau des chagrins et des afflictions ? Car sache, ô père, que le poète dit : « Ô toi qui te chagrines, console-toi ! Rien ne saurait durer : toute joie s'évanouit et tout chagrin s'oublie ! »

Lorsque le vizir entendit ces paroles, il raconta à sa fille tout ce qui était arrivé, depuis le commencement jusqu'à la fin, concernant le Roi. Alors Schahrazade lui dit : « Par Allah ! ô père, marie-moi avec ce Roi, car, ou je vivrai, ou je serai une rançon pour les filles des Mousslemine[3] et la cause de leur délivrance d'entre les mains du Roi ! » Alors il lui dit : « Par Allah sur toi ! ne t'expose pas ainsi au péril jamais ! » Elle lui dit : « Il faut absolument faire cela ! » Alors il dit : « Prends garde qu'il ne t'arrive ce qui arriva à l'âne et au bœuf avec le maître du labour ! Écoute donc :

FABLE DE L'ÂNE ET DU BŒUF ET DU MAÎTRE DE LABOUR

Sache, ô ma fille, qu'il y avait un commerçant, maître de grandes richesses et de bétail, marié et père d'enfants. Allah Très-Haut lui donna aussi la connaissance des langues des animaux et des oiseaux. Or le lieu d'habitation de ce commerçant était un pays fertile sur le bord d'un fleuve. Dans la demeure de ce commerçant, il y avait aussi un âne et un bœuf.

Un jour, le bœuf arriva à l'endroit occupé par l'âne, et trouva cet endroit balayé, arrosé ; dans l'auge il y avait de l'orge bien criblée et de la paille bien criblée ; et l'âne était couché bien au repos ; ou bien quand son maître le montait, c'était seulement pour une petite course qui par hasard était urgente ; et l'âne revenait bien vite à son repos. Or, ce jour-là, le commerçant entendit le bœuf qui disait à l'âne : « Mange avec délices ! et que cela te soit sain, profitable et de bonne digestion ! Moi, je suis fatigué, et toi, reposé ; tu manges l'orge bien criblée et tu es servi ! Et si, des fois parmi les moments, ton maître te monte, il te ramène bien vite ! Quant à moi, je ne sers qu'au labour et au travail du moulin ! » Alors l'âne lui dit : « Lorsque tu sortiras au champ et qu'on te mettra le joug sur le cou, jette-toi à terre et ne te lève point, même si on te frappait ; et quand tu te seras levé, vite recouche-toi pour la seconde fois. Et si alors on te fait retourner à l'étable et qu'on te présente les fèves, n'en mange point, tout comme si tu étais malade. Ainsi, efforce-toi de ne pas manger ni boire durant un jour ou deux ou trois. De cette façon-là, tu te reposeras de la fatigue et de la peine ! »

Or, le commerçant était là, qui entendait leurs paroles. Lorsque le meneur du bétail vint près du bœuf pour lui donner le fourrage, il le vit manger très peu de chose ; et quand, le matin, il le prit au labour, il le trouva malade. Alors le commerçant dit au meneur du bétail : « Prends l'âne et fais-le labourer à la place du bœuf durant toute la journée ! » Et l'homme revint et prit l'âne à la place du bœuf, et le fit labourer durant tout le jour.

Lorsque l'âne retourna à l'étable à la fin du jour, le bœuf le remercia pour sa bienveillance et pour l'avoir laissé se reposer de la fatigue durant ce jour. Mais l'âne ne lui répondit aucune réponse, et se repentit le plus fort repentir.

Le lendemain le semeur vint et prit l'âne et le fit labourer jusqu'à la fin du jour. Et l'âne ne retourna que le cou écorché et exténué de fatigue. Et le bœuf, l'ayant vu dans cet état, se mit à le remercier avec effusion et à le glorifier de louanges. Alors l'âne lui dit : « J'étais bien tranquille auparavant : or, rien ne me nuisit que mes bienfaits. » Puis il ajouta : « Pourtant il faut que tu saches que je vais te donner un bon conseil ; j'ai entendu notre maître qui disait : « Si le bœuf ne se lève pas de sa place, il faut le donner à l'égorgeur pour qu'il l'immole et qu'il fasse de sa peau un cuir pour la table ! » Et moi j'ai bien peur pour toi, et je t'avise du salut ! »

Lorsque le bœuf entendit les paroles de l'âne, il le remercia et dit : « Demain j'irai librement avec eux vaquer à mes occupations. » Là-dessus, il se mit à manger et avala tout le fourrage et même il lécha le boisseau avec la langue.

Tout cela ! et leur maître écoutait leurs paroles.

Lorsque parut le jour, le commerçant sortit avec son épouse vers l'habitation des bœufs et des vaches et tous deux s'assirent. Alors le conducteur vint, et prit le bœuf et sortit. À la vue de son maître, le bœuf se mit à agiter la queue, à péter avec bruit et à galoper follement en tous sens. Alors le commerçant fut pris d'un tel rire qu'il se renversa sur le derrière. Alors son épouse lui dit : « De quelle chose ris-tu ? » Il lui dit : « D'une chose que j'ai vue et entendue, et que je ne puis divulguer sans mourir. » Elle lui dit : « Il faut absolument que tu me la racontes et que tu me dises la raison de ton rire, même si tu devais en mourir ! » Il lui dit : « Je ne puis te divulguer cela à cause de ma peur de la mort. » Elle lui dit : « Mais alors tu ne ris que de moi ! » Puis elle ne cessa de se quereller avec lui et de le harceler de paroles avec opiniâtreté, tant qu'à la fin il fut dans une grande perplexité. Alors il fit venir ses enfants en sa présence, et envoya mander le kadi[1] et les témoins. Puis il voulut faire son testament avant de révéler le secret à sa femme et de mourir : car il aimait sa femme d'un amour considérable, vu qu'elle était la fille de son oncle paternel et la mère des enfants, et qu'il avait déjà vécu avec elle cent vingt années de son âge. De plus, il envoya quérir tous les parents de sa femme et les habitants du quartier, et il raconta à tous son histoire et qu'à l'instant même où il dirait son secret il mourrait ! Alors tous les gens qui étaient là dirent à la femme : « Par Allah sur toi ! laisse de côté cette affaire de peur que ne meure ton mari, le père de tes enfants ! » Mais elle leur dit : « Je ne lui laisserai la paix qu'il ne m'ait dit son secret, même dût-il en mourir ! » Alors ils cessèrent de lui parler. Et le marchand se leva de près d'eux et se dirigea du côté de l'étable, dans le jardin, pour faire d'abord ses ablutions, et retourner ensuite dire son secret et mourir.

Or, il avait un vaillant coq capable de satisfaire cinquante poules, et il avait aussi un chien ; et il entendit le chien qui appelait le coq et l'injuriait et lui disait : « N'as-tu pas honte d'être joyeux alors que notre maître va mourir ! » Alors le coq dit au chien : « Mais comment cela ? » Alors le chien répéta l'histoire, et le coq lui dit : « Par Allah ! notre maître est bien pauvre d'intelligence ! Moi, j'ai cinquante épouses, et je sais me tirer d'affaire en contentant l'une et en grondant l'autre ! Et lui n'a qu'une seule épouse et il ne sait ni le bon moyen de la façon dont il faut la prendre ! Or, c'est bien simple ! Il n'a qu'à couper à son intention quelques bonnes tiges de mûrier, et entrer brusquement dans son appartement réservé et la frapper jusqu'à ce qu'elle meure ou se repente : et elle ne recommencera plus à l'importuner de questions sur quoi que ce soit ! » Il dit. Lorsque le commerçant eut entendu les paroles du coq discourant avec le chien, la lumière revint à sa raison et il résolut de battre sa femme. »

Ici le vizir s'arrêta dans son récit et dit à sa fille Schahrazade : « Il est possible que le Roi fasse de toi comme a fait le commerçant de son épouse ! » Elle lui dit : « Et que fit-il ? » Le vizir continua :

« Le commerçant entra dans la chambre réservée de sa femme, après avoir coupé à son intention les tiges de mûrier et les avoir cachées, et il lui dit en l'appelant : « Viens dans la chambre réservée pour que je te dise mon secret et que personne ne puisse me voir ; et puis je mourrai ! » Alors elle entra avec lui, et il ferma la porte de la chambre réservée sur eux deux, et il lui tomba dessus à coups redoublés jusqu'à la faire s'évanouir. Alors elle lui dit : « Je me repens ! Je me repens ! » Puis elle se mit à embrasser les deux mains et les deux pieds de son mari, et elle se repentit vraiment. Et alors, elle sortit avec lui. Aussi toute l'assistance se réjouit, et se réjouirent aussi tous les parents. Et tout le monde fut dans l'état le plus heureux et le plus fortuné jusqu'à la mort. »

Il dit. Et lorsque Schahrazade, la fille du vizir, eut entendu ce récit de son père, elle dit : « Ô père, je veux tout de même que tu fasses ce que je te demande ! » Alors le vizir, sans plus insister, fit préparer le trousseau de sa fille Schahrazade, puis monta prévenir le roi Schahriar.

Pendant ce temps, Schahrazade fit des recommandations à sa jeune sœur et lui dit : « Lorsque je serai près du Roi, je t'enverrai mander : et lorsque tu seras venue et que tu auras vu le Roi terminer sa chose avec moi, tu me diras : « Ô ma sœur, raconte-moi des contes merveilleux qui nous fassent passer la soirée ! » Alors, moi, je te raconterai des contes qui, si Allah le veut, seront la cause de la délivrance des filles des Mousslemine ! »

Après quoi, son père le vizir vint la prendre et monta avec elle chez le Roi. Et le Roi fut tout heureux et dit au vizir : « C'est bien là ce qu'il faut ? » Et le vizir dit respectueusement : « Oui ! »

Lorsque le Roi voulut prendre la jeune fille, elle se mit à pleurer, et le Roi lui dit : « Qu'as-tu ? » Elle dit : « Ô Roi ! j'ai une petite sœur à qui je désire faire mes adieux. » Alors le Roi envoya chercher la petite sœur qui vint et se jeta au cou de Schahrazade, et finit par se blottir auprès du lit.

Alors le Roi se leva, et, prenant la vierge Schahrazade, il lui ravit sa virginité. Puis on se mit à causer.

Alors Doniazade dit à Schahrazade : « Par Allah sur toi ! ô ma sœur, raconte-nous un conte qui nous fasse passer la nuit ! » Et Schahrazade lui répondit : « De tout cœur et comme un devoir d'hommage dus ! Si toutefois veut bien me le permettre ce Roi bien élevé et doué de bonnes manières ! » Lorsque le Roi entendit ces paroles, et comme d'ailleurs il avait de l'insomnie, il ne fut pas fâché d'entendre le conte de Schahrazade.

Et Schahrazade, cette première nuit, commença le conte suivant :

HISTOIRE DU MARCHAND AVEC L'ÉFRIT

Première nuit. Schahrazade dit :

Il m'est parvenu, ô Roi fortuné, qu'il y avait un marchand d'entre les marchands, maître de nombreuses richesses et d'affaires commerciales dans tous les pays.

Un jour, il monta à cheval et partit pour quelques localités où l'appelaient ses affaires. Comme la chaleur était devenue trop forte, il s'assit sous un arbre, et, mettant la main à son sac de provisions, il en tira un morceau et aussi des dattes. Quand il eut fini de manger les dattes, il en jeta au loin les noyaux ; mais soudain apparut devant lui un éfrit, grand de taille, qui, brandissant une épée, s'approcha du marchand et s'écria : « Lève-toi, que je te tue comme tu as tué mon enfant ! » Et le marchand lui dit : « Comment ai-je tué ton enfant ? » Il lui dit : « Quand, les dattes mangées, tu jetas les noyaux, les noyaux vinrent frapper mon fils à la poitrine : alors c'en fut fait de lui et il mourut à l'heure même. » Alors le marchand dit à l'éfrit : « Sache, ô grand éfrit, que je suis un croyant, et que je ne saurais te mentir. Or j'ai beaucoup de richesses, et j'ai aussi des enfants et une épouse ; de plus, j'ai chez moi des dépôts qui me furent confiés. Permets-moi donc de m'en aller à ma maison, que je puisse donner à qui de droit son droit : cela fait je reviendrai vers toi. Ainsi tu as ma promesse et mon serment que je retournerai ensuite près de toi. Et alors tu feras de moi ce que tu voudras. Et Allah est garant de mes paroles ! » Alors le genni eut confiance et laissa partir le marchand.

Et le marchand revint dans son pays, se défit de toutes ses attaches, et fit parvenir les droits à qui de droit. Puis il révéla à son épouse et à ses enfants ce qui lui était arrivé : et tous se mirent à pleurer, les parents, les femmes et les enfants. Ensuite le commerçant fit son testament ; et il resta avec les siens jusqu'à la fin de l'année ; après quoi il résolut de repartir et, prenant son linceul sous son aisselle, il fit ses adieux à ses proches, à ses voisins et à ses parents, et s'en alla en dépit de son nez. Alors on se mit à se lamenter sur lui et à pousser des cris de deuil.

Quant au commerçant, il continua à voyager, et il arriva au jardin en question ; et ce jour-là était le premier jour de la nouvelle année. Or, pendant qu'il était assis à pleurer sur ce qui lui arrivait, voici qu'un vieux cheikh[1] se dirigea vers lui en conduisant une gazelle enchaînée. Il salua le marchand, lui souhaita une vie prospère et lui dit : « Quelle est la cause de ton stationnement, tout seul, en cet endroit qui est hanté par les genn[2] ? » Alors le marchand lui raconta ce qui lui était arrivé avec l'éfrit, et la cause de son stationnement dans cet endroit. Et le cheikh, maître de la gazelle, fut grandement étonné et dit : « Par Allah ! ô mon frère, ta foi est une grande foi ! Et ton histoire est une histoire si prodigieuse que, si elle était écrite avec l'aiguille sur le coin intérieur de l'œil, elle serait une matière à réflexion à qui réfléchit respectueusement ! » Puis il s'assit à côté de lui et dit : « Par Allah ! ô mon frère, je ne cesserai de rester près de toi tant que je n'aurai pas vu ce qui va t'arriver avec l'éfrit. » Et il resta, en effet, et se mit à causer avec lui, et le vit même s'évanouir de peur et de terreur, en proie à une profonde affliction et à des pensées tumultueuses. Et le maître de la gazelle continuait à rester là, quand soudain arriva un second cheikh qui se dirigea vers eux, en conduisant deux chiens lévriers de l'espèce des chiens noirs. Il s'approcha, leur souhaita la paix et leur demanda la cause de leur stationnement en cet endroit hanté par les genn. Alors ils lui racontèrent l'histoire depuis le commencement jusqu'à la fin. Mais à peine s'était-il assis qu'un troisième cheikh se dirigea vers eux en conduisant une mule couleur d'étourneau. Il leur souhaita la paix et leur demanda la cause de leur stationnement en cet endroit. Et ils lui racontèrent l'histoire depuis le commencement jusqu'à la fin. Mais il n'y a aucune utilité à la répéter.

Sur ces entrefaites, un tourbillon de poussière se leva et une tempête souffla avec violence en s'approchant du milieu de la prairie. Puis, la poussière s'étant dissipée, le genni en question apparut, un glaive finement aiguisé à la main ; et des étincelles jaillissaient de ses paupières. Il vint à eux et, saisissant le marchand au milieu d'eux, il lui dit : « Viens, que je te tue comme tu as tué mon enfant, le souffle de ma vie et le feu de mon cœur ! » Alors le marchand se mit à pleurer et à se lamenter ; et aussi les trois cheikhs se mirent notoirement à pleurer, à gémir et à sangloter.

Mais le premier cheikh, le maître de la gazelle, finit par s'enhardir, et, embrassant la main du genni, il lui dit : « Ô genni, ô le chef des rois des genn et leur couronne, si je te raconte mon histoire avec cette gazelle, et que tu en sois émerveillé, en récompense tu me feras grâce du tiers du sang de ce marchand ! » Le genni dit : « Oui, certes, vénérable cheikh ! Si tu me racontes l'histoire, et que je la trouve extraordinaire, je t'accorderai en grâce le tiers de ce sang ! »

CONTE DU PREMIER CHEIKH

Le premier cheikh dit :

« Sache, ô grand éfrit, que cette gazelle-ci était la fille de mon oncle[1], et qu'elle était de ma chair et de mon sang. Je l'épousai alors qu'elle était encore jeune et je vécus avec elle près de trente ans. Mais Allah ne m'accordait d'elle aucun enfant. Aussi je pris une concubine qui, avec la grâce d'Allah, me donna un enfant mâle beau comme la lune à son lever ; il avait des yeux magnifiques et des sourcils qui se rejoignaient et des membres parfaits. Il grandit petit à petit jusqu'à ce qu'il fût un garçon de quinze ans. À cette époque, je fus obligé de partir pour une ville éloignée, à cause d'une grosse affaire de commerce.

Or, la fille de mon oncle, cette gazelle-ci, était initiée dès son enfance à la sorcellerie et à l'art des enchantements. Par sa science de la magie, elle métamorphosa mon fils en veau, et l'esclave sa mère en vache ; puis elle les mit sous la garde de notre berger.

Moi, après une longue durée de temps, je revins de voyage. Je m'informai de mon fils et de sa mère, et la fille de mon oncle me dit : « Ton esclave est morte ; et ton fils s'est enfui et je ne sais où il est allé ! »

Alors, durant une année, je restai accablé sous l'affliction de mon cœur et les pleurs de mes yeux.

Quand arriva la fête annuelle du Jour des Sacrifices, j'envoyai dire au berger de me réserver une vache bien grasse ; et il m'apporta une vache bien grasse – mais c'était ma concubine ensorcelée par cette gazelle-ci ! – Alors je relevai mes manches et les pans de ma robe et, le couteau à la main, je me préparai à sacrifier la vache. Tout à coup cette vache se mit à se lamenter et à pleurer des pleurs abondants. Alors je m'arrêtai ; mais j'ordonnai au berger de la sacrifier.

Il le fit ; puis il l'écorcha. Mais nous ne trouvâmes en elle ni graisse ni viande : simplement la peau et les os. Je me repentis alors de l'avoir sacrifiée ; mais à quoi me servait le repentir ? Puis je la donnai au berger et lui dis : « Apporte-moi un veau bien gras. » Et il m'apporta mon fils l'ensorcelé en veau.

Quand ce veau me vit, il coupa sa corde, courut à moi et se roula à mes pieds ; et quels gémissements ! et quels pleurs ! Alors j'eus pitié de lui, et je dis au berger : « Apporte-moi une vache, et laisse celui-ci ! »

À ce moment de sa narration, Schahrazade vit apparaître le matin et, discrète, se tut sans profiter davantage de la permission. Alors sa sœur Doniazade lui dit : « Ô ma sœur, que tes paroles sont douces et gentilles et savoureuses et délicieuses au goût ! » Et Schahrazade répondit : « Mais elles ne sont vraiment rien comparées à ce que je vous raconterai à tous deux, la nuit prochaine, si toutefois je suis encore en vie et si le Roi veut bien me conserver ! » Et le Roi se dit en lui-même : « Par Allah ! je ne la tuerai que lorsque j'aurai entendu la suite de son conte ! »

Puis le Roi et Schahrazade passèrent toute la nuit enlacés. Après quoi le Roi sortit présider aux affaires de sa justice. Et il vit le vizir arrivé avec, sous le bras, le linceul destiné à sa fille Schahrazade qu'il croyait déjà morte. Mais le Roi ne lui dit rien à ce sujet, et continua à rendre la justice et à nommer les uns aux emplois et à destituer les autres, et cela jusqu'à la fin de la journée. Et le vizir fut dans la perplexité et à la limite de l'étonnement. Quand le diwan[1] fut terminé, le roi Schahriar rentra dans son palais.

Et lorsque fut la deuxième nuit. Doniazade dit à sa sœur Schahrazade : « Ô ma sœur, finis-nous, je t'en prie, le conte qui est l'histoire du marchand avec le genni ! » Et Schahrazade répondit : « De tout cœur et comme hommage dû ! – si toutefois le Roi me le permet. » Alors le Roi lui dit : « Tu peux parler ! » Elle dit :

Il est parvenu jusqu'à moi, ô Roi fortuné, ô doué d'idées justes et droites, que, lorsque le marchand vit pleurer le veau, son cœur fut pris de pitié, et qu'il dit au berger : « Laisse ce veau parmi les bestiaux ! »

Tout cela ! Et le genni s'étonnait prodigieusement de cette histoire étonnante. Puis le cheikh, maître de la gazelle, continua : « Ô seigneur des rois des genn, tout cela est arrivé ! Et la fille de mon oncle, cette gazelle-ci, était là qui regardait et disait : « Oh ! il nous faut sacrifier ce veau, car il est gras à point ! » Mais moi, je ne pouvais, par pitié, me résoudre à le sacrifier ; et j'ordonnai au berger de le reprendre ; et il le reprit et s'en alla avec lui.

Le second jour, j'étais assis quand le berger vint à moi et me dit : « Ô mon maître, je vais te dire une chose qui te réjouira, et dont la bonne nouvelle me vaudra une gratification. » Je lui répondis : « Certainement. » Il dit : « Ô marchand illustre, j'ai ma fille qui est sorcière et a appris la sorcellerie d'une vieille femme qui logeait chez nous. Or, hier, quand tu m'eus donné le veau, j'entrai avec lui chez ma fille. À peine l'eut-elle vu qu'elle se couvrit le visage de son voile, et se mit à pleurer, et puis à rire. Ensuite elle me dit : « Ô père, ma valeur est-elle descendue si bas à tes yeux, que tu laisses ainsi pénétrer chez moi les hommes étrangers ? » Je lui dis : « Mais où sont-ils, ces hommes étrangers ? Et pourquoi as-tu pleuré et ensuite ri ? » Elle me dit : « Ce veau, qui est avec toi, est le fils de notre maître le marchand, mais il est ensorcelé. Et c'est sa belle-mère qui l'a ainsi ensorcelé, lui, et sa mère avec lui. Et c'est de sa mine de veau que je ne pus m'empêcher de rire. Et si j'ai pleuré, c'est à cause de la mère du veau sacrifiée par le père. » À ces paroles de ma fille, je fus prodigieusement surpris, et j'attendis impatiemment le retour du matin pour venir te mettre au courant. »

Lorsque, ô puissant genni, continua le cheikh, j'entendis les paroles de ce berger, je sortis à la hâte avec lui, et je me sentais ivre sans vin, par la quantité de joie et de félicité qui m'advenait de revoir mon fils. Quand donc j'arrivai à la maison du berger, la jeune fille me souhaita la bienvenue et me baisa la main. Puis le veau vint à moi et se roula à mes pieds. Alors je dis à la fille du berger : « Est-ce vrai, ce que tu racontes sur ce veau ? » Elle dit : « Oui, certes, mon maître ! C'est ton fils, la flamme de ton cœur ! » Je lui dis : « Ô gentille et secourable adolescente, si tu délivres mon fils, je te donnerai tout ce que j'ai de bétail et de propriétés sous la main de ton père ! » Elle sourit à mes paroles et me dit : « Ô mon maître, je ne veux accepter la richesse qu'à ces deux conditions : la première est que je me marierai avec ton fils ! et la seconde est que tu me laisseras ensorceler et emprisonner qui je veux ! Sans quoi je ne réponds pas de l'efficacité de mon intervention contre les perfidies de ta femme. »

Lorsque j'entendis, ô puissant genni, les paroles de la fille du berger, je lui dis : « Soit ! et, par-dessus le marché, tu auras les richesses qui se trouvent sous la main de ton père ! Pour ce qui est de la fille de mon oncle, je te permets de disposer de son sang ! »

Lorsqu'elle eut entendu mes paroles, elle prit un petit bassin en cuivre, le remplit d'eau et prononça sur l'eau des conjurations magiques ; puis elle en aspergea le veau, et lui dit : « Si Allah t'a créé veau, reste veau sans changer de forme ! Mais si tu es enchanté, reviens à ta première forme créée, et cela avec la permission d'Allah Très-Haut ! »

Elle dit. Et aussitôt le veau se mit à s'agiter en se secouant, et redevint un être humain. Alors je me jetai sur lui en l'embrassant. Puis je lui dis : « Par Allah sur toi ! raconte-moi ce que la fille de mon oncle fit de toi et de ta mère ! » Et il me raconta tout ce qui leur était arrivé. Je dis alors : « Ô mon enfant, Allah Maître des Destinées te réservait quelqu'un pour te sauver et sauver tes droits ! »

Après quoi, ô bon genni, je mariai mon fils avec la fille du berger. Et elle, par sa science de la sorcellerie, ensorcela la fille de mon oncle et la métamorphosa en cette gazelle-ci que tu vois ! Et moi, comme je passais par cet endroit-ci, je vis ces bonnes personnes assemblées, je leur demandai ce qu'elles faisaient, et j'appris d'elles ce qui était arrivé à ce marchand-ci, et je m'assis pour voir ce qui pouvait survenir. Et telle est mon histoire ! »

Alors le genni s'écria : « Cette histoire est assez étonnante : aussi je t'accorde en grâce le tiers du sang demandé. » À ce moment s'avança le deuxième cheikh, le maître des deux chiens lévriers, et dit :

CONTE DU DEUXIÈME CHEIKH

« Sachez, ô seigneur des rois des genn, que ces deux chiens-ci sont mes frères, et moi je suis le troisième. Or, lorsque mourut notre père, il nous laissa en héritage trois mille dinars[1]. Et moi, avec ma part, j'ouvris une boutique où je me mis à vendre et à acheter. Et l'un de mes frères se mit à voyager pour faire le commerce et s'absenta loin de nous la longueur d'une année, avec les caravanes. Quand il revint, il n'avait plus rien. Alors je lui dis : « Ô mon frère, ne t'avais-je pas conseillé de ne point voyager ? » Alors il se mit à pleurer et dit : « Ô mon frère, Allah, qui est puissant et grand, a permis que cela m'arrivât. Aussi tes paroles maintenant ne peuvent plus m'être profitables, car je ne possède plus rien. » Alors je l'emmenai avec moi à la boutique, puis je le conduisis au hammam, et lui donnai une robe magnifique de première qualité. Ensuite nous nous assîmes ensemble pour manger ; puis je lui dis : « Ô mon frère, je vais faire le compte du gain de ma boutique d'une année à l'autre ; et, sans toucher au capital, je diviserai ce gain par moitié entre moi et toi ! » Et, en effet, je fis le compte du gain rapporté par l'argent de la boutique, et je trouvai pour cette année-là un bénéfice de mille dinars. Alors je remerciai Allah, qui est puissant et grand, et je me réjouis de la plus intense joie. Puis je divisai le gain en deux parties égales entre mon frère et moi. Et nous demeurâmes ensemble des jours et des jours.

Mais, de nouveau, mes frères résolurent de partir, et ils voulurent me faire partir avec eux. Mais je n'acceptai point, et leur dis : « Qu'avez-vous donc gagné, vous autres, à voyager, pour que je sois tenté de vous imiter ? » Alors ils se mirent à me faire des reproches ; mais sans fruit, car je ne leur obéis point. Au contraire, nous continuâmes à rester dans nos boutiques respectives, à vendre et à acheter, durant une année entière. Mais alors ils recommencèrent à me proposer le voyage, et moi je continuai à ne pas accepter – et cela dura ainsi six années entières. Enfin je finis par tomber d'accord avec eux pour le départ, et leur dis : « Ô mes frères, comptons ce que nous avons d'argent. » Nous comptâmes et nous trouvâmes en tout six mille dinars. Je leur dis alors : « Enfouissons-en la moitié sous terre, pour pouvoir l'utiliser si un malheur nous atteignait. Et prenons chacun mille dinars pour faire le commerce en petit. » Ils répondirent : « Qu'Allah favorise l'idée ! » Alors je pris l'argent, je le divisai en deux parties égales, j'enfouis trois mille dinars, et, quant aux trois mille autres, je les distribuai judicieusement à chacun de nous trois. Puis nous fîmes nos emplettes de marchandises diverses, nous louâmes un navire, nous y transportâmes tous nos effets, et nous partîmes.

Le voyage dura un mois entier, au bout duquel nous entrâmes dans une ville où nous vendîmes nos marchandises ; et nous fîmes un bénéfice de dix dinars pour chaque dinar ! Puis nous quittâmes cette ville.

Comme nous arrivions au bord de la mer, nous trouvâmes une femme, vêtue d'habits vieux et usés, qui s'approcha de moi, me baisa la main et me dit : « Ô mon maître, peux-tu me secourir et me rendre service ? et je saurai bien, en retour, reconnaître ton bienfait ! » Je lui dis : « Oui, certes ! je sais secourir et obliger ; mais ne te crois pas obligée de m'en être reconnaissante. » Elle me répondit : « Ô mon maître, alors marie-toi avec moi, et emmène-moi dans ton pays, et je te vouerai mon âme ! Oblige-moi donc, car je suis de celles qui savent le prix d'une obligation et d'un bienfait. Et n'aie point honte de ma pauvre condition ! » Lorsque j'entendis ces paroles, je fus pris pour elle d'une cordiale pitié : car il n'y a rien qui ne se fasse avec la volonté d'Allah, *qui est puissant et grand* ! Je l'emmenai donc, je la vêtis de riches habits ; puis j'étendis pour elle, dans le navire, de magnifiques tapis, et je lui fis un accueil hospitalier et large, plein d'urbanité. Puis nous partîmes.

Et mon cœur l'aima d'un grand amour. Et depuis je ne la délaissai ni jour ni nuit. Et moi seul, parmi mes frères, je pouvais œuvrer avec elle. Aussi mes frères furent pleins de jalousie ; et ils m'envièrent aussi pour ma richesse et la belle qualité de mes marchandises ; et ils jetèrent avidement leurs regards sur tout ce que je possédais, et ils concertèrent ma mort et le rapt de mon argent : car le Cheitane[1] leur fit voir leur action sous les plus belles couleurs.

Un jour que je dormais aux côtés de mon épouse, ils vinrent à nous, et nous enlevèrent et nous jetèrent tous deux à la mer ; et mon épouse se réveilla dans l'eau. Alors tout d'un coup elle changea de forme et se mua en éfrita[2]. Elle me prit alors sur ses épaules et me déposa dans une île. Puis elle disparut pour toute la nuit, et revint vers le matin, et me dit : « Ne me reconnais-tu pas ? Je suis ton épouse ! Je t'ai enlevé, et t'ai sauvé de la mort, avec la permission d'Allah le Très-Haut. Car, sache-le bien, je suis une gennia[3]. Et, dès l'instant que je t'ai aperçu, mon cœur t'a aimé, simplement parce qu'Allah l'a voulu et que je suis une croyante en Allah et en son Prophète, qu'il [le Prophète] soit béni et préservé par Allah ! Lorsque je suis venue à toi dans la pauvre condition où j'étais, tu as bien voulu tout de même te marier avec moi. Et alors, moi, en retour, je t'ai sauvé de cette mort dans l'eau. Quant à tes frères, je suis pleine de fureur contre eux, et certainement il faut que je les tue ! »

À ces paroles, je fus fort stupéfait, et je la remerciai pour son acte, et je lui dis : « Quant à la perte de mes frères, vraiment il ne faut pas ! » Puis je lui racontai ce qui m'était advenu avec eux depuis le commencement jusqu'à la fin. Lorsqu'elle eut entendu mes paroles, elle dit : « Moi, cette nuit, je m'envolerai vers eux et je ferai sombrer leur navire : et ils périront ! » Je lui dis : « Par Allah sur toi ! ne le fais point, car le Maître des Proverbes dit : Ô bienfaiteur d'un homme indigne ! sache que le criminel est puni suffisamment par son crime même ! Or quoi qu'il en soit, ils sont tout de même mes frères ! » Elle dit : « Il faut absolument que je les tue ! » Et j'implorai vainement son indulgence. Après quoi, elle me prit sur ses épaules, et s'envola, et me déposa sur la terrasse de ma maison. Alors j'ouvris les portes de ma maison. Puis je retirai les trois mille dinars de leur cachette. Et j'ouvris ma boutique, après avoir fait les visites nécessaires et les saluts d'usage ; et je fis de nouvelles emplettes de marchandises. Lorsque vint la nuit je fermai ma boutique, et, en entrant dans ma maison, je trouvai ces deux chiens-ci attachés dans un coin. Quand ils me virent, ils se levèrent et se mirent à pleurer et à s'attacher à mes vêtements ; mais tout de suite accourut mon épouse qui me dit : « Ce sont là tes frères. » Je lui dis : « Mais qui a pu les mettre dans cet état ? » Elle répondit : « Moi ! J'ai prié ma sœur, qui est bien plus versée que moi dans les enchantements, et elle les mit dans cet état, dont ils ne pourront sortir qu'au bout de dix années. »

C'est pourquoi, ô puissant genni, moi, je vins en cet endroit-ci, car je me rends auprès de ma belle-sœur pour la prier de les délivrer, puisque voici déjà les dix années écoulées. À mon arrivée ici, je vis ce bon jeune homme, j'appris son aventure, et ne voulus point bouger avant d'avoir vu ce qui pouvait survenir entre toi et lui ! Et tel est mon conte. »

Le genni dit : « C'est vraiment un conte étonnant : aussi je t'accorde le tiers du sang en rachat du crime. »

Alors s'avança le troisième cheikh, le maître de la mule, et dit au genni : « Moi je te raconterai une histoire plus merveilleuse que celle des deux autres. Et tu m'accorderas en grâce le reste du sang en rachat du crime. » Le genni répondit : « Qu'il en soit ainsi ! » Et le troisième cheikh dit :

CONTE DU TROISIÈME CHEIKH

« Ô sultan, ô toi le chef des genn ! cette mule-ci était mon épouse. J'avais été une fois en voyage et m'étais absenté loin d'elle une année entière ; et, quand j'eus terminé mes affaires, je revins pendant la nuit auprès d'elle, et je la trouvai couchée avec un esclave noir sur les tapis du lit ; et tous deux étaient là qui causaient, et minaudaient, et riaient, et s'embrassaient, et s'excitaient en folâtrant. Aussitôt qu'elle me vit, elle se leva vite et se jeta sur moi en tenant une cruche d'eau ; elle murmura quelques paroles sur cette cruche, m'aspergea avec l'eau, et me dit : « Sors de ta propre forme et deviens l'image d'un chien ! » Et immédiatement je devins un chien ; et elle me chassa de ma maison. Et je sortis, et depuis lors je ne cessai d'errer, et je finis par arriver à la boutique d'un boucher. Je m'approchai et me mis à manger des os. Lorsque le maître de la boutique me vit, il me prit, et vint avec moi à sa demeure.

Lorsque la fille du boucher me vit, aussitôt elle se voila le visage à cause de moi, et dit à son père : « Est-ce ainsi que l'on fait ? Tu emmènes un homme et tu entres chez nous avec lui ! » Son père dit : « Mais où est cet homme ? » Elle répondit : « Ce chien est un homme. Et c'est une femme qui l'a ensorcelé. Et moi je suis capable de le délivrer. » À ces paroles, le père dit : « Par Allah sur toi ! ô ma fille, délivre-le ! » Elle prit une cruche d'eau et, après avoir murmuré sur cette eau quelques paroles, elle m'aspergea avec quelques gouttes, et dit : « Sors de cette forme-ci et reviens à ta forme première ! » Alors je revins à ma forme première, et je baisai la main de la jeune fille, et je dis : « Je désire maintenant que tu ensorcelles mon épouse comme elle m'a ensorcelé. » Elle me donna alors un peu d'eau et me dit : « Si tu trouves ton épouse endormie, arrose-la avec cette eau, et elle deviendra selon ton désir ! » En effet, je la trouvai endormie, je l'aspergeai avec l'eau, et je dis : « Sors de cette forme-ci et deviens l'image d'une mule ! » Et à l'heure même elle devint mule. Et c'est elle-même que tu vois là de ton propre œil, ô sultan et chef des rois des genn ! » Alors le genni se tourna vers la mule et lui dit : « Est-ce vrai cela ? » Et elle se mit à hocher la tête et dit par signes : « Oh oui ! oh oui ! cela est vrai. »

Toute cette histoire fit que le genni se convulsa d'émotion et de plaisir, et fit don au vieillard du dernier tiers du sang.

Là, Schahrazade vit apparaître le matin, et, discrète, elle cessa de parler, sans profiter davantage de la permission. Alors sa sœur Doniazade lui dit : « Ô ma sœur, que tes paroles sont douces, et gentilles, et savoureuses, et délicieuses en leur fraîcheur ! » Schahrazade répondit : « Mais qu'est cela, comparé à ce que je te raconterai la nuit prochaine, si je suis encore en vie, et si le Roi veut bien me conserver ! » Et le Roi se dit : « Par Allah ! je ne la tuerai que lorsque j'aurai entendu la suite de son récit, qui est étonnant ! »

Puis le Roi et Schahrazade passèrent cette nuit-là enlacés jusqu'au matin. Après quoi, le Roi sortit vers la salle de sa justice. Et le vizir et les officiers entrèrent, et le diwan fut plein de monde. Et le Roi jugea et nomma, et destitua, et termina les affaires, et donna ses ordres, et cela jusqu'à la fin de la journée. Puis le diwan fut levé, et le roi Schahriar rentra dans son palais.

Et lorsque fut la troisième nuit. Doniazade dit : « Ô ma sœur ! je t'en prie, complète-nous ta narration. » Et Schahrazade répondit : « De tout cœur amical et généreux ! » Puis elle continua :

Il m'est parvenu, ô Roi fortuné, que, lorsque le troisième cheikh raconta au genni le conte le plus étonnant des trois, le genni s'émerveilla prodigieusement, se convulsa de plaisir et d'émotion, et dit : « Je t'accorde le reste en rachat du crime. Et je relâche le marchand. »

Alors le marchand, tout heureux, alla au-devant des cheikhs, et les remercia beaucoup. Et eux, à leur tour, le félicitèrent pour sa délivrance.

Et chacun d'eux retourna dans son pays.

— Mais, continua Schahrazade, cela n'est pas plus étonnant que l'histoire du pêcheur. Alors le Roi dit à Schahrazade : « Quelle histoire de pêcheur ? » Et Schahrazade dit :

HISTOIRE DU PÊCHEUR AVEC L'ÉFRIT

Il m'est parvenu, ô Roi fortuné, qu'il y avait un pêcheur, homme très avancé en âge, marié, père de trois enfants, et très pauvre de son état.

Il avait coutume de jeter son filet quatre fois par jour, rien de plus. Or, un jour d'entre tous les jours, à l'heure de midi, il alla au bord de la mer, déposa son panier, jeta son filet, et patienta jusqu'à ce que le filet allât reposer au fond de l'eau. Alors il rassembla les fils, et trouva le filet fort pesant, et ne réussit pas à le tirer à lui. Il porta alors le bout à terre, et l'attacha à un pieu enfoncé en terre. Puis il se dévêtit, plongea dans l'eau autour du filet, et ne cessa de se débattre qu'il ne l'eût fait sortir. Il se réjouit, se rhabilla, et, s'étant approché du filet, il y trouva un âne mort. À cette vue, il se désola, et dit : « Il n'y a de puissance et de force qu'en Allah le Très-Haut, le Tout-Puissant ! » Puis il dit : « Mais, en vérité, ce don d'Allah est étonnant ! » Et il récita ce vers :

« Ô plongeur ! tu roules dans les ténèbres de la nuit et la perdition, aveuglément ! Va, cesse les travaux pénibles ; car la Fortune n'aime pas le mouvement ! »

Puis il retira le filet, en exprima l'eau, et lorsqu'il eut fini de l'exprimer, il étendit ce filet. Puis il descendit dans l'eau et dit : « Au nom d'Allah ! » et jeta de nouveau le filet dans l'eau, et attendit que le filet eût touché le fond ; il essaya alors de le retirer, mais il constata que le filet était fort pesant et adhérait encore plus au fond que la première fois. Aussi crut-il que c'était du gros poisson. Il attacha alors le filet à terre, se dévêtit, plongea, et fit tant qu'il le retira ; et, l'ayant porté sur le rivage, il y trouva une jarre énorme remplie de boue et de sable. À cette vue, il se lamenta et récita quelques vers :

« Ô vicissitudes du sort, assez ! Et prenez les humains en pitié !

Quelle tristesse ! Sur la terre, nulle récompense n'est égale au mérite et n'est digne de l'action.

Des fois je sors de ma maison pour, naïvement, chercher la Fortune. Et on m'apprend qu'il y a longtemps que la Fortune est morte.

Misère ! est-ce ainsi, ô Fortune, qu'à l'ombre tu relègues les sages pour laisser les sots gouverner le monde ?... »

Puis il jeta la jarre loin de lui, tordit le filet, le nettoya, demanda pardon à Allah pour son mouvement de révolte, et revint vers la mer une troisième fois ; il jeta le filet, attendit que le filet eût atteint le fond et, l'ayant retiré, il y trouva des pots cassés et des verres en morceaux. À cette vue il récita encore un vers d'un poète :

« Ô Poète, le vent de la Fortune jamais de ton côté ne soufflera ! Ignores-tu, naïf, que ni ta plume de roseau ni les lignes harmonieuses de l'écriture ne t'enrichiront jamais ?... »

Et, levant la tête au ciel, il s'écria : « Allah ! Tu le sais ! je ne jette mon filet que quatre fois. Or, voici que je l'ai déjà jeté trois fois ! » Après cela, il invoqua encore une fois le nom d'Allah, et jeta son filet dans la mer, et attendit qu'il reposât au fond. Et cette fois, malgré tous ses efforts, il ne réussit point à retirer le filet, qui s'accrochait encore davantage aux roches du fond. Alors il s'écria : « Il n'y a de force et de puissance qu'en Allah ! » Puis il se dévêtit, plongea tout autour du filet et se mit à manœuvrer jusqu'à ce qu'il l'eût dégagé et ramené à terre. Il l'ouvrit et y trouva, cette fois, un grand vase de cuivre jaune, plein et intact ; son embouchure était scellée avec du plomb portant l'empreinte du sceau de notre seigneur Soleïman[1], fils de Daoud. À cette vue le pêcheur se réjouit beaucoup, et se dit : « Voilà une chose que je vendrai dans le souk[2] des chaudronniers, car cela vaut bien au moins dix dinars d'or ! » Il essaya alors de faire ballotter le vase, mais il le trouva trop pesant, et il se dit : « Il me faut absolument l'ouvrir et voir son contenu, que je mettrai dans mon sac ; et je vendrai ensuite le vase au souk des chaudronniers. » Il prit alors son couteau et se mit à manœuvrer jusqu'à ce qu'il eût descellé le plomb ; il renversa alors le vase et le secoua pour verser son contenu par terre. Mais rien ne sortit du vase, si ce n'est une fumée qui monta jusqu'à l'azur du ciel et se déroula à la surface du sol. Et le pêcheur fut prodigieusement étonné. Puis la fumée sortit entièrement, se condensa, se secoua et devint un éfrit dont la tête touchait aux nuages et les pieds traînaient dans la poussière. La tête de cet éfrit était comme une coupole, ses mains comme des fourches, ses pieds comme des mâts, sa bouche comme une caverne, ses dents comme des cailloux, son nez comme une gargoulette, ses yeux comme deux torches ; ses cheveux étaient en désordre et poudreux. À la vue de cet éfrit, le pêcheur fut épouvanté, ses muscles tremblèrent, ses dents se serrèrent violemment, sa valise sécha, et ses yeux s'aveuglèrent à la lumière.

Lorsque l'éfrit vit le pêcheur, il s'écria : « Il n'y a point d'autre Dieu qu'Allah, et Soleïman est le prophète d'Allah ! » et, s'adressant au pêcheur, il lui dit : « Et toi, ô grand Soleïman, prophète d'Allah, ne me tue pas, car jamais plus je ne te désobéirai et ne me mutinerai contre tes ordres ! » Alors le pêcheur lui dit : « Ô géant rebelle et audacieux, tu oses dire que Soleïman est le prophète d'Allah ! D'ailleurs Soleïman est mort depuis déjà mille huit cents ans, et nous sommes à la fin des temps ! Quelle est donc cette histoire ? Et que racontes-tu là ? Et quelle est la cause de ton entrée dans ce vase ? » À ces paroles, le genni dit au pêcheur : « Il n'y a d'autre Dieu qu'Allah ! Laisse-moi t'annoncer une bonne nouvelle, ô pêcheur ! » Le pêcheur dit : « Et que vas-tu m'annoncer ? » Il répondit : « Ta mort ! Et à cette heure même, et de la plus terrible façon ! » Le pêcheur répondit : « Tu mérites pour cette nouvelle, ô lieutenant des afarit[3], que le ciel te retire sa protection ! Et puisse-t-il t'éloigner de nous ! Pourquoi donc veux-tu ma mort ? Et qu'ai-je fait pour mériter la mort ? Je t'ai délivré du vase, je t'ai sauvé de ce long séjour dans la mer et je t'ai ramené sur la terre ! » Alors l'éfrit dit : « Pèse et choisis l'espèce de mort que tu préfères et la façon dont tu aimes le mieux être tué ! » Le pêcheur dit : « Quel est mon crime pour mériter une telle punition ? » L'éfrit dit : « Écoute mon histoire, ô pêcheur. »

Le pêcheur dit : « Parle ! et abrège ton discours, car d'impatience mon âme est sur le point de sortir de mon pied ! » L'éfrit dit :

« Sache que je suis un genni rebelle ! Je m'étais mutiné contre Soleïman, fils de Daoud. Mon nom est Sakhr El-Genni ! Et Soleïman dépêcha vers moi son vizir Assef, fils de Barkhia, qui m'emmena, malgré mes efforts, et me conduisit entre les mains de Soleïman. Et mon nez en ce moment-là devint bien humble. À ma vue, Soleïman fit sa conjuration à Allah, et m'enjoignit d'embrasser sa religion et d'entrer sous son obédience. Mais moi, je refusai. Alors il fit apporter ce vase et m'y emprisonna. Puis il le scella avec du plomb et y imprima le nom du Très-Haut. Puis il donna ses ordres aux genn fidèles, qui m'enlevèrent sur leurs épaules et me jetèrent au milieu de la mer. Je séjournai cent ans au fond de l'eau, et je disais en mon cœur : « J'enrichirai éternellement celui qui me délivrera ! » Mais les cent années passèrent et personne ne me délivra. Quand j'entrai dans la seconde période de cent années, je me dis : « Je découvrirai et donnerai les trésors de la terre à celui qui me délivrera ! » Mais personne ne me délivra. Et quatre cents années s'écoulèrent, et je me dis : « J'accorderai trois choses à celui qui me délivrera ! » Mais personne ne me délivra ! Alors je me mis dans une effroyable colère, et je dis en mon âme : « Maintenant je tuerai celui qui me délivrera, mais je lui accorderai le choix de sa mort ! » C'est alors que toi, ô pêcheur, tu vins me délivrer. Et je t'accordai de choisir ton genre de mort ! »

À ces paroles de l'éfrit, le pêcheur dit : « Ô Allah ! Quelle chose prodigieuse ! Il a fallu que ce fût juste moi qui l'aie délivré ! Ô éfrit, fais-moi grâce et Allah te le rendra ! Mais, si tu me fais périr, Allah te suscitera quelqu'un pour te faire périr à ton tour. » Alors l'éfrit lui dit : « Mais si je veux te tuer, c'est justement parce que tu m'as délivré ! » Et le pêcheur dit : « Ô cheikh des afarit, est-ce ainsi que tu me rends le mal pour le bien ! Aussi le proverbe ne ment point ! » Et le pêcheur récita des vers sur ce sujet :

« Veux-tu goûter à l'amertume des choses ? – Sois bon et serviable.
Oui, je te le jure sur ma vie ! Les scélérats ignorent toute gratitude.
Si tu le veux, essaie ! Et ton sort sera celui de la pauvre Magir, mère d'Amer ! »

Mais l'éfrit lui dit : « Assez abusé des paroles ! Sache qu'il me faut absolument ta mort ! » Alors le pêcheur se dit en lui-même : « Moi, je ne suis qu'un homme, et lui est un genni ; mais Allah m'a donné une raison bien assise ; aussi je vais arranger une combinaison pour le perdre, un stratagème de ma finesse. Et je verrai bien si lui, à son tour, pourra combiner quelque chose avec sa malice et son astuce. » Alors il dit à l'éfrit : « As-tu vraiment décidé ma mort ? » L'éfrit répondit : « N'en doute point. » Alors il dit : « Par le nom du Très-Haut, qui est gravé sur le sceau de Soleïman, je te conjure de répondre avec vérité à ma question ! » Quand l'éfrit entendit le nom du Très-Haut, il fut très ému et très frappé, et répondit : « Tu peux me questionner et je te répondrai avec vérité. » Alors le pêcheur dit : « Comment as-tu pu être contenu tout entier dans ce vase qui peut à peine contenir ton pied ou la main ! »

L'éfrit dit : « Est-ce que, par hasard, tu douterais de la chose ? » Le pêcheur répondit : « En effet, je ne le croirai jamais, à moins de te voir de mon propre œil entrer dans le vase ! »

Mais à ce moment Schahrazade vit apparaître le matin, et cessa les paroles permises.

Et lorsque fut la quatrième nuit. Elle dit :

Il m'est parvenu, ô roi fortuné, que, lorsque le pêcheur dit à l'éfrit : « Je ne te croirai jamais, à moins de t'y voir de mon propre œil ! » l'éfrit s'agita, se secoua et redevint une fumée qui monta jusqu'au firmament, se condensa et commença à entrer dans le vase, petit à petit, jusqu'à la fin. Alors le pêcheur prit rapidement le couvercle de plomb empreint du sceau de Soleïman et en obstrua l'orifice du vase. Puis il héla l'éfrit et lui dit : « Hé ! estime et pèse le genre de mort dont tu préfères mourir, sinon je vais te jeter à la mer, et je me bâtirai une maison sur le rivage, et j'empêcherai quiconque de pêcher, en disant : Ici il y a un éfrit ; délivré, il voudra tuer son libérateur et lui énumérera les variétés de mort pour lui en laisser le choix ! » Quand l'éfrit entendit les paroles du pêcheur, il essaya de sortir, mais il ne le put ; et il vit qu'il était emprisonné, avec, au-dessus de lui, le sceau de Soleïman. Il comprit alors que le pêcheur l'avait enfermé dans le cachot contre lequel ne peuvent prévaloir ni les plus faibles ni les plus puissants parmi les afarit ! Et, comprenant que le pêcheur le portait du côté de la mer, il dit : « Non ! non ! » Et le pêcheur dit : « Il faut ! oh ! il faut ! » Alors le genni commença à adoucir ses termes ; il se soumit et dit : « Ô pêcheur, que vas-tu faire de moi ? » Il dit : « Te jeter à la mer ! Car, si tu y as séjourné mille huit cents ans, moi je vais t'y fixer jusqu'à l'heure du jugement ! Car ne t'ai-je pas prié de me conserver pour qu'Allah te conservât ? et de ne pas me tuer pour qu'Allah ne te tuât point ? Or, tu as repoussé ma prière, et tu as agi avec scélératesse ! Aussi Allah t'a livré entre mes mains. Et je n'ai nul remords de te trahir ! » Alors l'éfrit dit : « Ouvre-moi le vase et je te comblerai de bienfaits ! » Il répondit : « Tu mens, ô maudit ! D'ailleurs, entre toi et moi, il se passe exactement ce qui s'est passé entre le vizir du roi Iounane et le médecin Rouiane ! »

Et l'éfrit dit : « Mais qu'étaient le vizir du roi Iounane et le médecin Rouiane ? Et quelle est cette histoire ? » Le pêcheur dit :

HISTOIRE DU VIZIR DU ROI IOUNANE ET DU MÉDECIN ROUIANE

« Sache, ô toi l'éfrit, qu'il y avait, en l'antiquité du temps et le passé de l'âge et du moment, dans la ville de Fars, au pays des Roumann[1], un roi nommé Iounane. Il était riche et puissant, maître d'armées, de forces considérables et d'alliés de toutes les espèces d'hommes. Mais son corps était affligé d'une lèpre dont avaient désespéré les médecins et les savants. Ni drogues, ni pilules, ni pommades ne produisaient sur lui d'effet et aucun des médecins ne pouvait lui trouver un remède efficace. Or, un jour, un vieux médecin renommé, appelé Rouiane, vint dans la ville du roi Iounane. Il était versé dans les livres grecs, persans, romains, arabes et syriens ; il avait étudié la médecine et l'astronomie, dont il savait fort bien les principes et les règles, et les bons et mauvais effets ; il possédait les vertus des plantes et des herbes grasses et sèches, et leurs bons et mauvais effets ; il avait enfin étudié la philosophie et toutes les sciences médicales et d'autres sciences encore. Aussi, lorsque le médecin fut entré dans la ville et y eut séjourné quelques jours, il apprit l'histoire du roi et de la lèpre qui affligeait son corps par la volonté d'Allah, et aussi l'insuccès absolu des traitements de tous les médecins et savants. À cette nouvelle, le médecin passa la nuit fort préoccupé. Mais, quand il se réveilla le matin – et que brilla la lumière du jour et que le soleil salua le monde, ce magnifique décor du Très-Bon –, il s'habilla de ses plus beaux vêtements, et entra chez le roi Iounane. Puis il baisa la terre entre ses mains[1], et fit des vœux pour la durée éternelle de sa puissance et des grâces d'Allah et de toutes les meilleures choses. Ensuite il parla et lui apprit qui il était, et dit : « J'ai appris le mal qui t'a frappé dans ton corps ; et j'ai su que la plupart des médecins n'ont pu trouver le moyen de l'enrayer. Or, moi, je vais te traiter, ô roi, et je ne te ferai point boire de médicaments et je ne t'enduirai pas de pommades ! » À ces paroles, le roi Iounane s'étonna prodigieusement, et dit : « Comment feras-tu, Or, par Allah ! si tu me guéris, je t'enrichirai jusqu'aux fils de tes fils, et je t'accorderai tous tes souhaits et leur réalisation, et tu seras mon compagnon de boisson et mon ami ! » Là-dessus le roi lui donna une belle robe et des présents, et lui dit : « Vraiment, tu me guériras de cette maladie sans médicaments ni pommades ? » Il répondit : « Oui, certes ! Je te guérirai sans fatigue ni peines dans ton corps. » Alors le roi s'étonna de la plus prodigieuse façon, et lui dit : « Ô grand médecin, quel jour et quel moment verra se réaliser ce que tu viens d'avancer ? Hâte-toi de le faire, ô mon enfant ! » Il répondit : « J'écoute et j'obéis ! »

Alors il descendit de chez le roi, et loua une maison où il mit ses livres, ses remèdes et ses plantes aromatiques. Puis il fit des extraits de ses médicaments et de ses simples, en confectionna un maillet court et recourbé dont il creusa l'extrémité, et il y adapta une canne ; et il fit aussi une boule le mieux qu'il put. Quand il eut terminé complètement son travail, il monta chez le roi, le second jour, entra chez lui et baisa la terre entre ses mains. Puis il lui prescrivit d'aller au meïdane[2], à cheval, et de jouer de la boule et du maillet.

Le roi fut accompagné par ses émirs, ses chambellans, ses vizirs et les chefs du royaume. À peine s'était-il rendu au meïdane que le médecin Rouiane arriva et lui remit le maillet, disant : « Prends ce maillet et empoigne-le de cette façon-ci ; frappes-en le sol du meïdane et la balle, de toute ta force. Et fais en sorte que tu arrives à transpirer de la paume et de tout le corps. De cette façon le remède pénétrera dans ta paume et circulera dans tout ton corps. Lorsque tu auras transpiré et que le remède aura eu le temps d'agir, retourne au palais, et va ensuite au hammam te baigner. Et alors tu seras guéri. Et maintenant que la paix soit avec toi ! »

Alors le roi Iounane prit le maillet du médecin et le saisit à pleine main. De leur côté, des cavaliers choisis montèrent à cheval et lui lancèrent la boule. Alors il se mit à galoper derrière elle, à l'atteindre et à la frapper avec violence, en tenant toujours à la main le maillet fortement serré. Et il ne cessa de frapper la boule, jusqu'à ce qu'il eût bien transpiré de la paume et de tout le corps. Aussi le remède pénétra par la paume et circula dans tout le corps. Lorsque le médecin Rouiane vit que le remède avait circulé dans le corps, il ordonna au roi de retourner au palais et d'aller au hammam prendre un bain immédiatement. Et le roi Iounane revint aussitôt, et ordonna qu'on lui préparât le hammam. On le lui prépara, et, à cet effet, les tapissiers se hâtèrent activement et les esclaves se pressèrent avec émulation et apprêtèrent le linge. Alors le roi entra au hammam et prit un bain, puis se rhabilla à l'intérieur même du hammam, d'où il sortit pour remonter à cheval et retourner au palais, y dormir.

Voilà pour le roi Iounane. Quant au médecin Rouiane, il revint se coucher à la maison, se réveilla le matin, monta chez le roi, lui demanda la permission d'entrer, ce que le roi lui permit, entra, baisa la terre entre ses mains et commença par lui déclamer quelques strophes avec gravité :

« Si l'Éloquence te choisissait comme père, elle en refleurirait ! Et nul autre que toi elle ne saurait plus élire !

Ô rayonnant visage dont la clarté effacerait la flamme d'un tison ardent !

Puisse ce glorieux visage rester assez longtemps lumineux dans sa fraîcheur pour voir les rides sillonner le visage du Temps !

Tu m'as couvert des bienfaits de ta générosité comme le nuage bienfaisant couvre la colline !

Tes hauts exploits t'ont fait atteindre aux sommets de la gloire, et tu es le chéri du Destin qui n'a plus rien à te refuser ! »

Les vers récités, le roi se leva debout sur ses deux pieds, et se jeta au cou du médecin avec affection. Puis il le fit asseoir à côté de lui, et lui fit cadeau de magnifiques robes d'honneur.

En effet, quand le roi était sorti du hammam, il avait regardé son corps et n'y avait plus trouvé trace de lèpre ; et sa peau était devenue pure comme l'argent vierge. Il s'était réjoui alors de la plus excessive joie, et sa poitrine s'était élargie et dilatée. Quand le matin s'était levé, le roi était entré au diwan, et s'était assis sur son trône : et les chambellans et les grands du royaume étaient entrés ; et aussi le médecin Rouiane : c'est alors qu'à sa vue le roi s'était levé avec empressement et l'avait fait asseoir à ses côtés. Alors on leur servit à tous les deux les mets et les aliments et les boissons durant toute la journée. À la tombée de la nuit, le roi donna au médecin deux mille dinars, sans compter les robes d'honneur et les présents, et lui donna son propre coursier à monter. Et c'est ainsi que le médecin prit congé et retourna à sa maison.

Quant au roi, il ne cessait d'admirer prodigieusement l'art du médecin et de dire : « Il m'a traité par l'extérieur de mon corps, sans m'enduire de pommade ! » Or, par Allah ! c'est là une science sublime ! Il me faut donc combler cet homme des bienfaits de ma générosité, et le prendre comme compagnon et ami affectueux pour toujours ! » Et le roi Iounane se coucha joyeux de toute sa joie en se voyant sain de corps et délivré de sa maladie.

Quand donc le roi vint le matin et s'assit sur son trône, les chefs de la nation se tinrent debout entre ses mains, et les émirs et les vizirs s'assirent à sa droite et à sa gauche. Il fit alors demander le médecin Rouiane qui vint et baisa la terre entre ses mains. Alors le roi se leva pour lui, le fit asseoir à ses côtés, mangea avec lui, lui souhaita une longue vie et lui donna des robes d'honneur et d'autres choses encore. Puis il ne cessa de s'entretenir avec lui qu'à l'approche de la nuit ; et il lui fit donner, comme rémunération, cinq robes d'honneur et mille dinars. Et c'est ainsi que retourna le médecin à sa maison, en faisant des vœux pour le roi.

Quand se leva le matin, le roi sortit et entra au diwan, et fut entouré par les émirs, les vizirs et les chambellans. Or, parmi les vizirs, il y avait un vizir d'aspect repoussant, au visage sinistre et de mauvais augure, terrible, sordidement avare, envieux et pétri de jalousie et de haine. Lorsque ce vizir vit le roi placer à ses côtés le médecin Rouiane et lui accorder tous ses bienfaits, il en fut jaloux et résolut secrètement sa perte, d'après le proverbe qui dit : « L'envieux s'attaque à toute personne, l'oppression se tient en embuscade dans le cœur de l'envieux : la force la révèle et la faiblesse la tient latente. » Le vizir s'approcha alors du roi Iounane, baisa la terre entre ses mains, et dit : « Ô roi du siècle et du temps, toi qui enveloppas les humains de tes bienfaits, tu as chez moi un conseil de prodigieuse importance, et que je ne saurais te cacher sans être vraiment un fils adultérin : si tu m'ordonnes de te le révéler, je te le révélerai ! » Alors le roi, tout troublé par les paroles du vizir, dit : « Et quel est ton conseil ? » Il répondit : « Ô roi glorieux, les anciens ont dit : Celui qui ne regarde pas la fin et les conséquences, n'aura pas la fortune comme amie –, et je viens justement de voir le roi manquer de jugement, en accordant ses bienfaits à son ennemi, à celui qui désire l'anéantissement de son règne, en le comblant de faveurs, en l'accablant de générosités. Or, moi, je suis, à cause de cela, dans la plus grande crainte pour le roi ! » À ces paroles, le roi fut extrêmement troublé, changea de couleur, et dit : « Quel est celui que tu prétends être mon ennemi, et qui aurait été comblé de mes faveurs ? » Il répondit : « Ô roi, si tu es endormi, réveille-toi ! car je fais allusion au médecin Rouiane ! » Le roi lui dit : « Celui-là est mon bon ami, et il m'est le plus cher des hommes, car il m'a traité avec une chose que j'ai tenue à la main, et m'a délivré de ma maladie, qui avait désespéré les médecins ! Or, certes ! il n'y en a point comme lui en ce siècle, dans le monde entier, en Occident comme en Orient ! Aussi, comment, toi, oses-tu raconter ces choses sur lui ? Quant à moi, dès ce jour, je vais lui allouer des gages et des appointements, pour qu'il ait par mois mille dinars ! D'ailleurs, même si je lui donnais la moitié de mon royaume, ce serait peu de chose pour lui ! Aussi je crois fort que tu ne dis tout cela que par jalousie, comme il est raconté dans l'histoire, qui m'est parvenue, du roi Sindabad ! »

À ce moment, Schahrazade fut surprise par le matin, et s'arrêta dans sa narration.

Alors Doniazade lui dit : « Ô ma sœur, que tes paroles sont douces, et gentilles, et délicieuses, et pures ! » Et Schahrazade lui dit : « Mais qu'est cela, comparé à ce que je vous raconterai à tous deux, la nuit prochaine, si je suis encore en vie, et que le Roi veuille bien me conserver ! » Alors le Roi dit en son âme : « Par Allah ! je ne la tuerai point avant d'avoir entendu la suite de son histoire, qui est une histoire merveilleuse, en vérité ! » Puis ils passèrent tous deux la nuit, enlacés jusqu'au matin. Et le Roi sortit vers la salle de sa justice, et le diwan fut rempli de monde. Et le Roi jugea et nomma aux emplois, et destitua, et gouverna, et termina les affaires pendantes, et cela jusqu'à la fin de la journée. Puis le diwan fut levé, et le Roi entra dans son palais. Quand s'approcha la nuit, il fit sa chose ordinaire avec Schahrazade, la fille du vizir.

Quand fut la cinquième nuit. Schahrazade dit :

Il m'est parvenu, ô Roi fortuné, que le roi Iounane dit à son vizir : « Ô vizir, tu as laissé l'envie entrer en toi contre le médecin, et tu veux que je le tue, pour qu'ensuite je m'en repente comme se repentit le roi Sindabad après avoir tué le faucon ! » Le vizir répondit : « Et comment cela s'est-il fait ? »

Alors le roi Iounane raconta :

LE FAUCON DU ROI SINDABAD

« On dit qu'il y avait un roi d'entre les rois de Fars qui était grand amateur de divertissements, de promenades dans les jardins et de toutes les espèces de chasse. Aussi il avait un faucon qu'il avait lui-même élevé et qui ne le quittait ni le jour ni la nuit : car, même durant la nuit, il le portait sur son poing ; et, quand il allait à la chasse, il le prenait avec lui, et il lui avait suspendu au cou un gobelet d'or où il le faisait boire. Un jour qu'il était assis dans son palais, soudain voici venir le wekil chargé des oiseaux de chasse, qui lui dit : « Ô roi des siècles, c'est juste l'époque d'aller à la chasse ! » Alors le roi fit ses préparatifs de départ, et prit le faucon sur sa main. Puis on partit et on arriva dans un vallon où on dressa les filets de chasse. Et tout à coup une gazelle tomba dans le filet. Alors le roi dit : « Je tuerai celui à côté de qui passera la gazelle ! » Puis on se mit à rétrécir le filet de chasse autour de la gazelle, qui s'approcha alors du roi, se haussa sur ses pattes de derrière et rapprocha de sa poitrine ses pattes de devant comme si elle voulait baiser la terre devant le roi. Alors le roi fit claquer ses mains l'une contre l'autre pour faire fuir la gazelle, qui alors bondit et fila en passant au-dessus de sa tête et s'enfonça dans le loin des terres. Alors le roi se tourna vers les gardes et les vit qui clignaient de l'œil sur lui. À cette vue, il dit au vizir : « Qu'ont-ils donc, ces soldats, à se faire ainsi des signes ? » Il répondit : « Ils disent que tu as juré de mettre à mort quiconque verra passer la gazelle à son côté ! » Et le roi dit : « Par la vie de ma tête ! il nous faut poursuivre cette gazelle et la ramener ! » Puis le roi se mit à galoper sur les traces de la gazelle ; et le faucon la frappait du bec sur les yeux, et tellement qu'il l'aveugla, et lui donna le vertige. Alors le roi prit son casse-tête, l'en frappa et la fit rouler ; puis il descendit, l'égorgea, l'écorcha et en suspendit la dépouille à l'arçon de la selle. – Or, il faisait chaud, et l'endroit était désert, aride et sans eau. Aussi le roi eut soif et le cheval eut soif. Et le roi se retourna et vit un arbre d'où coulait de l'eau comme du beurre. Or, le roi avait sa main couverte d'un gant de peau ; aussi prit-il le gobelet du cou du faucon, le remplit de cette eau et le plaça devant l'oiseau ; mais l'oiseau donna un coup de patte au gobelet et le renversa. Le roi prit le gobelet une deuxième fois, le remplit, et, pensant toujours que l'oiseau avait soif, le plaça devant lui ; mais le faucon pour la seconde fois donna un coup de patte au gobelet et le renversa. Et le roi se mit en colère contre le faucon, et prit le gobelet une troisième fois, mais le présenta au cheval : et le faucon renversa le gobelet de son aile. Alors le roi dit : « Qu'Allah t'enfouisse, ô le plus néfaste des oiseaux de mauvais augure ! Tu m'as empêché de boire, tu t'en es privé toi-même et aussi tu en as privé le cheval. » Puis il frappa le faucon avec son épée, et lui jeta à bas les ailes. Alors le faucon se mit à lever la tête et à dire par signes : « Regarde ce qu'il y a sur l'arbre ! » Et le roi leva les yeux, et vit sur l'arbre un serpent ; et ce qui coulait était son venin. Alors le roi se repentit d'avoir coupé les ailes au faucon. Puis il se leva, remonta à cheval, partit en emportant avec lui la gazelle, et arriva à son palais. Il jeta alors la gazelle au cuisinier et lui dit : « Prends-la et cuisine-la ! » Puis le roi s'assit sur son trône, ayant sur sa main le faucon. Alors le faucon eut un hoquet et mourut. À cette vue le roi poussa des cris de deuil et d'affliction pour avoir tué le faucon qui l'avait sauvé de la perdition. Et telle est l'histoire du roi Sindabad ! »

Quand le vizir eut entendu le récit du roi Iounane, il lui dit : « Ô grand roi plein de dignité, quel mal ai-je commis dont tu aurais vu de funestes effets ? Je n'agis ainsi avec toi que par pitié pour toi. Et tu apprendras la vérité de mon dire ! Si tu m'écoutes, tu es sauvé, sinon tu périras comme a péri un vizir rusé qui avait trompé un fils de roi d'entre les rois.

HISTOIRE DU PRINCE ET DE LA GOULE

Le roi en question avait un fils fort enflammé pour la chasse à courre, et il avait aussi un vizir. Ce roi ordonna à ce vizir d'être avec son fils partout où il irait. Ce fils, un jour d'entre les jours, sortit à la chasse et à la chasse à courre, et avec lui sortit le vizir de son père. Et tous deux s'en allèrent, et virent une bête monstrueuse. Et le vizir dit au fils du roi : « À toi ! sus à cette bête fauve et poursuis-la ! » Et le prince se mit à poursuivre la bête jusqu'à ce qu'il disparût aux yeux. Et tout à coup la bête disparut dans le désert. Et le prince fut fort perplexe, et ne savait plus où aller, quand il vit au haut du chemin une jeune esclave qui pleurait. Le prince lui dit : « Qui es-tu ? » Elle répondit : « La fille d'un roi d'entre les rois de l'Inde. Pendant que je cheminais dans le désert avec la caravane, l'envie de dormir me prit et je tombai de ma monture sans m'en apercevoir. Et je me trouvai abandonnée toute seule et fort perplexe ! » Quand le prince entendit ces paroles, il fut touché de compassion et la porta sur le dos de sa monture et la mit en croupe et partit. En passant dans une petite île déserte, l'esclave lui dit : « Ô mon maître, je désirerais faire passer une nécessité ! » Alors il la descendit dans l'îlot, et, voyant qu'elle tardait trop et qu'elle était trop lente, il entra derrière elle sans qu'elle s'en aperçût : or c'était une goule ! Et elle disait à ses enfants : « Ô mes enfants, aujourd'hui je vous ai amené un jeune garçon bien gras ! » Et ils lui dirent : « Oh ! porte-le-nous, ô notre mère, pour que nous le mangions dans nos ventres ! » Lorsque le prince entendit leurs paroles, il ne douta plus de sa mort, et ses muscles frémirent, et il fut plein de terreur pour lui-même, et il revint. Quand la goule sortit [de sa tanière] elle vit qu'il avait peur comme un poltron et qu'il tremblait, et elle lui dit : « Qu'as-tu à avoir peur ? » Il répondit : « J'ai un ennemi dont j'ai peur. » Et la goule lui dit : « Toi, tu m'as bien dit ceci : Je suis un prince… ? » Il répondit : « Oui, en vérité. » Elle lui dit : « Alors pourquoi ne donnes-tu pas quelque argent à ton ennemi pour le satisfaire ? » Il répondit : « Oh ! il ne se satisfait pas avec l'argent, et il ne se satisfait qu'avec l'âme ! Or, moi j'en ai bien peur, et je suis un homme victime de l'injustice ! » Elle dit : « Si tu es opprimé, comme tu le prétends, tu n'as qu'à demander l'aide d'Allah contre ton ennemi. Alors le prince leva la tête vers le ciel, et dit : « Ô Toi, qui réponds à l'opprimé s'il T'implore, et lui découvres le mal, fais-moi triompher de mon ennemi, et éloigne-le de moi, car Tu as le pouvoir sur tout ce que Tu désires ! » – Lorsque la goule entendit cette prière, elle disparut. Et le prince retourna auprès du roi, son père, et lui rapporta le mauvais conseil du vizir ! Et le roi ordonna la mort du vizir ! »

[Ensuite le vizir du roi Iounane continua en ces termes :]

« Et toi, ô roi, si tu te fies à ce médecin, il te fera mourir de la pire des morts. Et, bien que tu l'aies comblé de faveurs, et que tu en aies fait ton intime, il prépare tout de même ta mort. Ne vois-tu pas pourquoi il t'a délivré de la maladie par l'extérieur de ton corps avec une chose que tu as tenue à la main ? Et ne crois-tu pas que c'est simplement pour causer ta perte avec une seconde chose qu'il te fera tenir encore ? » Alors le roi Iounane dit : « Tu dis vrai ! Qu'il soit fait selon ton avis, ô mon vizir de bon conseil. Car il est fort probable que ce médecin est venu en cachette comme un espion pour causer ma perte. En effet, s'il m'a délivré avec une chose que j'ai tenue à la main, il peut fort bien me perdre avec, par exemple, une chose qu'il me ferait sentir ! » Puis le roi Iounane dit à son vizir : « Ô vizir, que devons-nous faire de lui ? » Et le vizir répondit : « Il faut envoyer immédiatement près de lui quelqu'un le mander ; et, quand il se présentera ici, il faut le frapper à travers la nuque, et tu arrêteras ainsi ses maléfices, et tu en seras débarrassé, et tu seras tranquille. Trahis-le donc avant qu'il ne te trahisse ! » Et le roi Iounane dit : « Tu dis vrai, ô vizir ! » Puis le roi envoya mander le médecin qui se présenta joyeux, ignorant ce qu'avait décidé le Clément. – Le poète dit en vers : « Ô toi, qui redoutes les coups du Destin, tranquillise-toi ! Ne sais-tu que tout est entre les mains de Celui qui a formé la terre ?

Car ce qui est écrit est écrit et ne s'efface point ! Et quant à ce qui n'est pas écrit, tu n'as point à le redouter.

— Et toi, Seigneur ! pourrais-je jamais passer un jour sans chanter tes louanges ! Et pour qui réserverais-je le don merveilleux de mon style rythmé et ma langue de Poète !

Chaque nouveau don que je reçois de tes mains, Seigneur, est plus beau que le précédent, et me vient même avant son désir !

Aussi, comment pourrais-je ne point chanter ta gloire, toute ta gloire, et te louer en mon âme et en public !

Mais, je dois te l'avouer, jamais ma bouche n'aura d'éloquence assez belle, mon dos assez de force, soit pour chanter, soit pour porter les bienfaits dont tu m'as comblé !

— Ô toi, qui es dans la perplexité, remets tes affaires entre les mains d'Allah, le seul Sage ! Et cela fait, ton cœur n'a plus rien à redouter de la part des hommes.

Sache aussi que rien ne se fait par ta volonté, mais par la volonté seule du Sage des Sages !

Ne désespère donc jamais, et oublie toutes les tristesses et tous les soucis ! Ne sais-tu que les soucis usent le cœur du plus ferme et du plus fort ?

Laisse donc tout. Nos projets ne sont que projets d'esclaves impuissants en face du seul Ordonnateur ! Laisse-toi aller ! Et tu goûteras la félicité durable. »

Quand donc se présenta le médecin Rouiane, le roi lui dit : « Sais-tu pourquoi je t'ai fait venir en ma présence ? » Et le médecin répondit : « Nul ne sait l'inconnu, si ce n'est Allah le Très-Haut ! » Le roi lui dit : « Je t'ai fait venir pour ta mort, et pour te retirer ton âme ! » Et le médecin Rouiane, à ces paroles, fut prodigieusement étonné du plus prodigieux étonnement, et dit : « Ô roi, pourquoi me tueras-tu, et quelle faute a été par moi commise ? » Et le roi répondit : « On dit que tu es un espion, et que tu es venu pour me tuer. Or, moi, je vais te tuer avant que tu ne me tues ! » Puis le roi cria au porte-glaive et lui dit : « Frappe le cou de ce traître, et délivre-nous de ses maléfices ! » Et le médecin dit : « Conserve-moi, et Allah te conservera ! Et ne me tue pas, sinon Allah te tuera ! »

— Puis il lui réitéra sa prière, comme moi je l'avais fait en m'adressant à toi, ô toi, l'éfrit, sans que tu m'aies exaucé ; et, au contraire, tu persistais à vouloir ma mort.

Ensuite le roi Iounane dit au médecin : « Je ne saurais avoir confiance ni être tranquille avant de t'avoir tué. Car si tu m'as délivré avec une chose que j'ai tenue à la main, je crois fort que tu me tueras avec une chose que je sentirai, ou d'une autre façon ! » Et le médecin dit : « Ô roi, est-ce là ma récompense ? Est-ce ainsi que tu rends le mal pour le bien ! » Mais le roi dit : « Il faut absolument ta mort sans retard ! » Lorsque le médecin eut bien vérifié que le roi voulait sa mort sans recours, il pleura et s'affligea à cause des services rendus à ceux qui n'en étaient point dignes. – Sur ce sujet le poète dit :

« La jeune et folle Maïmouna est vraiment dénuée de toute élévation d'esprit ! Mais son père, au contraire, est un homme plein de cœur et compte parmi les plus doués. Aussi, regardez-le ! il ne marche qu'une lumière à la main, et, de la sorte, il évite la boue des chemins, la poussière des routes, et les glissades dangereuses !… »

Après cela, le porte-glaive s'avança, banda les yeux du médecin et, tirant son glaive, il dit au roi : « Avec ta permission ! » Mais le médecin continuait à pleurer et à dire au roi : « Conserve-moi, et Allah te conservera ; et ne me tue pas, sinon Allah te tuera ! » Et il récita les vers du poète :

« Mes conseils à moi n'ont eu aucun succès, et les conseils des ignorants ont réussi ! Et je n'ai récolté que le mépris.

Aussi, si je vis encore, je me garderai bien de donner un conseil ! Et si je meurs, mon exemple servira aux autres pour empêcher leur langue de parler. »

Puis il dit au roi : « Est-ce là ma récompense ? Voici que tu me traites comme l'a fait un crocodile ! » Alors le roi dit : « Mais quelle est cette histoire de crocodile ? » Et le médecin dit : « Oh ! il m'est impossible de te la raconter pendant que je suis dans cet état. Oh ! par Allah sur Toi ! conserve-moi, et Allah te conservera ! » Puis il se mit à verser des larmes abondantes. Alors quelques-uns des favoris du roi se levèrent et dirent : « Ô roi, fais-nous grâce du sang de ce médecin, car nous ne l'avons jamais vu en faute contre toi ; au contraire nous l'avons vu te délivrer de ta maladie qui avait résisté aux médecins et aux savants ! » – Le roi leur répondit : « Vous ignorez le motif de la mort de ce médecin : si je le conservais, je serais perdu sans recours, car celui qui m'a libéré de la maladie en me faisant tenir une chose à la main pourra bien me tuer en me donnant quelque chose à sentir. Or, moi, j'ai bien peur qu'il ne me tue pour toucher le prix convenu de ma mort : car c'est probablement un espion qui n'est venu ici que pour me tuer. Sa mort est donc nécessaire. Après quoi je serai sans crainte pour moi-même ! » Alors le médecin dit : « Conserve-moi pour qu'Allah te conserve, et ne me tue pas, sinon Allah te tuera ! »

— Mais, ô toi l'éfrit ! lorsque le médecin s'assura que le roi devait le tuer sans recours, il lui dit : « Ô roi ! si ma mort est réellement nécessaire, accorde-moi un délai que je descende à ma maison, pour me libérer de toutes choses et recommander à mes parents et à mes voisins de se charger de mon enterrement, et surtout pour donner en cadeau mes livres de médecine. D'ailleurs, j'ai un livre qui est vraiment l'extrait des extraits et le rare des rares, que je veux t'offrir en présent pour que tu le conserves précieusement dans ton armoire. » Alors le roi dit au médecin : « Et quel est ce livre ? » Il répondit : « Il contient des choses inestimables, et le moindre des secrets qu'il révèle est celui-ci : Si tu me coupes la tête, ouvre le livre et compte trois feuilles en les tournant ; lis ensuite trois lignes de la page de gauche, et alors la tête coupée te parlera et te répondra à toutes les questions que tu lui poseras ! » À ces paroles, le roi s'émerveilla à la limite de l'émerveillement, et se trémoussa de joie et d'émotion, et dit : « Ô médecin !... Même si je te coupais la tête, tu parlerais ? » Il répondit : « Oui, en vérité, ô roi ! c'est bien là, en effet, une chose prodigieuse. » Alors le roi lui permit de s'en aller, mais entre des gardiens ; et le médecin descendit à sa maison et termina ce jour-là ses affaires, et le second jour aussi. Puis il remonta au diwan, et aussi vinrent les émirs, les vizirs, les chambellans, les nawabs[1] et tous les chefs du royaume, et le diwan devint comme un jardin plein de fleurs. Alors le médecin entra au diwan et se tint debout devant le roi, en tenant un livre très vieux et une petite boîte à collyre contenant une poudre. Puis il s'assit et dit : « Qu'on m'apporte un plateau ! » On lui apporta un plateau ; il y versa la poudre et l'étendit à la surface. Il dit alors : « Ô roi ! prends ce livre, mais ne t'en sers pas avant de me couper la tête. Lorsque tu l'auras coupée, pose-la sur ce plateau, et ordonne qu'on la presse contre cette poudre pour étancher le sang ; puis tu ouvriras le livre ! » Mais le roi, dans sa hâte, ne l'écoutait déjà plus : il prit le livre et l'ouvrit mais il trouva les feuilles collées les unes aux autres. Alors il mit son doigt à la bouche, le mouilla avec sa salive, et réussit à ouvrir la première feuille. Et il fit le même manège pour la deuxième et la troisième feuille, et chaque fois les feuilles ne s'ouvraient qu'avec grande difficulté. De cette manière, le roi ouvrit six feuilles, essaya de lire, mais ne put y trouver aucune espèce d'écriture. Et le roi dit : « Ô médecin, il n'y a rien d'écrit ! » Le médecin répondit : « Tourne davantage de la même manière ! » Et le roi continua à tourner davantage les feuillets. Mais à peine quelques moments s'étaient-ils écoulés, que le poison circula dans le système du roi, à l'instant et à l'heure mêmes : car le livre était empoisonné. Et alors le roi tomba en de terribles convulsions, et s'écria : « Le poison circule ! » Et là-dessus le médecin Rouiane se mit à improviser des vers, disant :

« Ces juges ! Ils ont jugé, mais en outrepassant leurs droits, et en dépit de toute justice ! Et pourtant, ô Seigneur, la justice existe !

À leur tour, on les a jugés ! S'ils avaient été intègres et bons, on les eût épargnés ! Mais ils ont opprimé, et le sort les a opprimés et les a accablés des pires tribulations !

Ils sont devenus un objet de risée et la pitié du passant ! C'est la loi ! Ceci à cause de cela ! Et la Destinée n'a fait que s'accomplir avec logique ! »

Comme Rouiane, le médecin, finissait sa récitation, le roi à l'instant même tomba mort.

Or, maintenant apprends, ô toi, l'éfrit ! que si le roi Iounane avait conservé le médecin Rouiane, Allah l'aurait conservé à son tour. Mais il avait refusé, et avait résolu sa mort.

Et toi, ô l'éfrit ! si tu avais voulu me conserver, Allah t'aurait conservé.

À ce moment de sa narration, Schahrazade vit luire le matin, et s'arrêta discrètement. Et sa sœur Doniazade lui dit : « Que tes paroles sont délicieuses ! » Elle répondit : « Mais qu'est cela comparé à ce que je vous raconterai la nuit prochaine, si je suis encore en vie et que le Roi veuille me conserver ! » Et ils passèrent cette nuit-là dans le bonheur complet et la félicité jusqu'au matin. Puis le roi monta à son diwan. Et lorsqu'il eut levé le diwan, il rentra dans son palais et se réunit avec les siens.

Lorsque fut la sixième nuit. Schahrazade dit :

Il m'est parvenu, ô Roi fortuné, que lorsque le pêcheur dit à l'éfrit : « Si tu m'avais conservé, je t'aurais conservé ; mais tu n'as voulu que ma mort, et moi, je te ferai mourir emprisonné dans ce vase, et je te jetterai dans cette mer ! » Alors l'éfrit s'écria et dit : « Par Allah sur toi ! ô pêcheur, ne le fais pas ! Et conserve-moi généreusement, sans trop me gronder pour mon action, car si, moi, j'ai été criminel, toi, sois bienfaisant ; et les proverbes connus disent : Ô toi qui fais le bien à celui qui fait le mal, pardonne entièrement le crime du malfaiteur ! Et toi, ô pêcheur, ne me fais point comme a fait Oumama avec Atika ! » Le pêcheur dit : « Et quel est leur cas ? » L'éfrit répondit : « Ce n'est pas le temps de raconter, alors que je suis en prison ; lorsque tu m'auras fait sortir, je te parlerai de leur cas ! » Le pêcheur dit : « Oh, non ! il faut absolument que je te jette à la mer, sans qu'il puisse te rester un moyen d'en sortir ! Lorsque je t'implorais et que j'avais recours à toi, tu ne souhaitais que ma mort sans que j'eusse commis ni une faute à ton égard ni une bassesse quelconque ; et je ne t'ai fait que du bien, car je t'ai libéré du cachot. Aussi lorsque tu t'es ainsi comporté avec moi, j'ai compris que tu étais d'une race mauvaise d'origine. Or, sache bien que je ne vais te jeter à la mer que pour aviser de ton cas quiconque essayerait de te retirer, et il te rejettera une seconde fois, et alors tu séjourneras dans cette mer jusqu'à la fin des temps pour goûter tous les genres de supplice ! » L'éfrit lui répondit :

« Relâche-moi, car c'est maintenant le moment de te raconter l'histoire. D'ailleurs, je te promets de ne jamais plus te faire de mal, et je te serai d'une grande utilité dans une affaire qui t'enrichira pour toujours. » Alors le pêcheur prit acte de cette promesse que, s'il le délivrait, l'éfrit ne lui ferait jamais plus de mal, mais lui rendrait service. Puis lorsqu'il se fut fermement assuré de sa foi et de sa promesse, et qu'il lui eut fait prêter serment sur le nom d'Allah Tout-Puissant, le pêcheur ouvrit le vase. Alors la fumée se mit à monter jusqu'à ce qu'elle fût sortie complètement ; et elle devint un éfrit épouvantable de laideur quant à la figure. L'éfrit donna un coup de pied au vase et le jeta dans la mer. Lorsque le pêcheur vit le vase prendre le chemin de la mer, il fut certain indubitablement de sa propre perdition, il urina dans ses vêtements, et dit : « Ce n'est vraiment pas là un bon signe ! » Puis il essaya de se raffermir le cœur, et dit : « Ô éfrit, Allah le Très-Haut a dit : Il vous faut tenir le serment, car il vous en sera demandé compte ! Or, toi, tu m'as promis et juré que tu ne me trahiras pas. Si donc tu me trahis, Allah te punira, car Il est jaloux ! et, s'Il est patient, Il n'est pas oublieux ; et, moi, je t'ai dit ce qu'a dit le médecin Rouiane au roi Iounane : Conserve-moi et Allah te conservera ! » – À ces paroles, l'éfrit se mit à rire, et marcha devant lui, et dit : « Ô pêcheur, suis-moi ! » Et le pêcheur se mit à marcher derrière sans trop croire à son salut, et ainsi ils sortirent complètement de la ville et la perdirent de vue, et montèrent sur une montagne, et descendirent dans une vaste solitude au milieu de laquelle se trouvait un lac. Alors l'éfrit s'arrêta et ordonna au pêcheur de jeter son filet et de pêcher ; et le pêcheur regarda dans l'eau et vit des poissons blancs, rouges, bleus et jaunes. À cette vue, le pêcheur s'émerveilla ; puis il jeta son filet, et, l'ayant retiré, il y vit quatre poissons, chaque poisson de couleur différente. À cette vue, il se réjouit, et l'éfrit lui dit : « Entre avec ces poissons chez le sultan et offre-les-lui, et il te donnera de quoi t'enrichir. Et maintenant, par Allah ! veuille bien agréer mes excuses, car maintenant j'ai oublié les bonnes manières depuis le temps que je suis dans la mer, voici déjà plus de mille huit cents ans, sans voir le monde à la surface de la terre ! Quant à toi, tu viendras tous les jours pêcher ici, mais rien qu'une fois ! Et maintenant, qu'Allah te tienne sous Sa protection ! » Sur ce, l'éfrit frappa de ses deux pieds la terre, qui s'entrouvrit et l'engloutit.

Alors le pêcheur s'en retourna à la ville tout émerveillé de ce qui lui était arrivé avec l'éfrit ; puis il prit les poissons et les porta à sa maison ; ensuite, ayant pris un pot de terre cuite, il le remplit d'eau et y plaça les poissons, qui se mirent à frétiller dans l'eau contenue dans le pot. Puis, ayant chargé le pot sur sa tête, il s'achemina vers le palais du roi, comme le lui avait prescrit l'éfrit. Lorsque le pêcheur monta chez le roi et lui offrit les poissons, le roi s'émerveilla au comble de l'émerveillement à la vue de ces poissons que lui offrait le pêcheur, car il n'en avait jamais vu de sa vie de semblables en qualité et espèce, et il dit : « Qu'on remette ces poissons à notre négresse la cuisinière ! » Or, cette esclave lui avait été offerte en cadeau, depuis seulement trois jours, par le roi des Roum, et on n'avait pas encore eu le temps d'expérimenter sa cuisine. Aussi le vizir lui ordonna-t-il de frire le poisson, lui disant : « Ô bonne négresse, le roi me charge de te dire ceci : Je ne te garde précisément comme un trésor, ô toi la goutte de mon œil, que simplement pour le jour de l'attaque ! – Or, fais-nous voir aujourd'hui la preuve de ton art en la cuisson, et la bonté de tes plats ; car le sultan vient de recevoir un homme porteur de cadeaux ! » Ayant dit cela, le vizir s'en retourna après avoir fait toutes ses recommandations ; et le roi lui ordonna de donner au pêcheur quatre cents dinars. Le vizir les lui ayant donnés, le pêcheur les mit dans le pan de sa robe, et revint à sa maison, près de son épouse, tout content et joyeux. Puis il acheta à ses enfants tout ce dont ils pouvaient avoir besoin. – Et voilà pour ce qui est du pêcheur !

Quant à ce qui est de la négresse, elle prit le poisson, le nettoya et le rangea dans la poêle ; puis elle le laissa bien cuire sur un côté, et le tourna ensuite sur le second côté. Mais tout d'un coup le mur de la cuisine s'entrouvrit, et laissa entrer dans la cuisine une jeune fille à la taille élancée, aux joues pleines et lisses, aux qualités parfaites, aux paupières fardées de kôhl noir, au visage gentil, au corps gracieusement penché ; elle avait sur la tête une écharpe de soie bleue, des boucles aux oreilles, des bracelets aux poignets, et aux doigts des bagues avec de précieuses pierreries ; et elle tenait à la main une baguette en bambou. Elle s'approcha et, enfonçant la baguette dans la poêle, elle dit : « Ô poisson, tiens-tu toujours ta promesse ? » À cette vue, l'esclave s'évanouit ; et la jeune fille répéta une seconde fois et une troisième fois sa question. Alors tous les poissons levèrent la tête de l'intérieur de la poêle et dirent : « Oh, oui ! oh, oui ! » Puis ils entonnèrent en chœur cette strophe :

« Si tu reviens sur tes pas, nous t'imiterons ; si tu remplis ta promesse, nous remplirons la nôtre ; mais si tu essaies d'échapper, nous insisterons jusqu'à ce que tu te sois exécutée ! »

À ces paroles la jeune fille renversa la poêle, et sortit par l'endroit même d'où elle était entrée, et le mur de la cuisine se souda de nouveau. Quand l'esclave se réveilla de son évanouissement, elle vit que les quatre poissons avaient brûlé et étaient devenus comme le charbon noir, et elle se dit à elle-même : « Ce pauvre poisson ! À peine à l'attaque, que le voilà débandé ! » Et pendant qu'elle continuait à se lamenter, voici que le vizir survint derrière elle au-dessus de sa tête, et lui dit : « Porte les poissons au sultan ! » Et l'esclave se mit à pleurer et apprit au vizir l'histoire et ce qui s'ensuivit ; et le vizir fut fort étonné et dit : « C'est vraiment une bien étrange histoire ! » Et il envoya quérir le pêcheur, et, une fois le pêcheur amené, il lui dit : « Il faut absolument que tu nous reviennes avec quatre poissons semblables à ceux que tu avais apportés la première fois ! » Et le pêcheur se dirigea vers l'étang, jeta son filet et le ramena contenant quatre poissons qu'il prit et apporta au vizir. Et le vizir entra les porter à la négresse en lui disant : « Lève-toi les faire frire en ma présence pour que je voie ce qu'il en est de cette affaire ! » Et la négresse se leva, apprêta les poissons, et les mit dans la poêle sur le feu. Or, à peine quelques moments s'étaient-ils écoulés que voici le mur se fendre et la jeune fille apparaître vêtue toujours de ses mêmes vêtements et tenant toujours la baguette à la main. Elle enfonça la baguette dans la poêle et dit : « Ô poissons, ô poissons ! tenez-vous toujours votre promesse ancienne ? » Et les poissons levèrent tous la tête et entonnèrent en chœur cette stance :

« Si tu reviens sur tes pas, nous t'imiterons ; si tu accomplis ton serment, nous l'accomplirons ; mais si tu renies tes engagements, nous crierons tant que tu nous en dédommageras ! »

À ce moment, Schahrazade vit apparaître le matin, et s'arrêta discrètement dans son récit.

Lorsque fut la septième nuit. Elle dit :

Il m'est parvenu, ô Roi fortuné, que, lorsque les poissons se mirent à parler, la jeune fille renversa la poêle de sa baguette, et sortit par l'endroit d'où elle était entrée, et que le mur se souda. Alors le vizir se leva et dit : « C'est là une affaire que je ne saurais vraiment cacher au roi ! » Puis il se rendit auprès du roi et lui raconta ce qui s'était passé en sa présence. Et le roi dit : « Il me faut voir cela de mon propre œil ! » Et il envoya quérir le pêcheur, et lui enjoignit de revenir avec quatre poissons semblables aux premiers, et lui donna dans ce but trois jours de temps. Mais le pêcheur retourna vite à l'étang et en rapporta immédiatement quatre poissons. Alors le roi ordonna qu'on lui donnât quatre cents dinars ; et, se tournant vers le vizir, il dit : « Prépare toi-même, devant moi, ces poissons ! » Et le vizir répondit : « J'exécute et j'obéis ! » Alors il fit porter la poêle devant le roi et y mit les poissons frire, après les avoir bien nettoyés ; ensuite, une fois cuits sur un côté, il les tourna sur l'autre côté. Et tout d'un coup le mur de la cuisine se fendit et en sortit un nègre semblable à un buffle d'entre les buffles ou à un des géants de la tribu de Had ; et il tenait à la main une branche d'un arbre vert ; et il dit d'une voix distincte et terrible : « Poissons, ô poissons ! tenez-vous toujours votre ancienne promesse ? » Et les poissons levèrent la tête de l'intérieur de la poêle et dirent : « Oui, certes ! oui, certes ! » Et en chœur ils déclamèrent cette construction de vers :

« Si tu reviens en arrière, nous reviendrons ! Si tu tiens ta promesse, nous tiendrons la nôtre ! Mais si tu regimbes, nous crierons tant que tu t'exécuteras bien ! »

Puis le nègre s'approcha de la poêle et la renversa avec la branche, et les poissons brûlèrent et devinrent du charbon noir. Le nègre s'en alla alors par le même endroit d'où il était entré. Lorsqu'il disparut de devant leurs yeux à tous, le roi dit : « C'est là une affaire sur laquelle nous ne pouvons vraiment garder le silence. D'ailleurs, il n'y a pas de doute, ces poissons doivent avoir une histoire étrange. » Il ordonna alors de faire venir le pêcheur et, une fois le pêcheur arrivé, il lui dit : « D'où vient ce poisson ? » Il répondit : « D'un étang situé entre quatre collines derrière la montagne qui domine ta ville ! » Et le roi se tourna vers le pêcheur et lui dit : « Combien faut-il de jours pour y arriver ? » Il répondit : « Ô notre seigneur le sultan ! il faut seulement une demi-heure ! » Et le sultan fut fort surpris et ordonna aux gardes d'accompagner le pêcheur à l'instant même. Et le pêcheur, fort contrarié, se mit à maudire secrètement l'éfrit. Et le roi et tous partirent, et montèrent sur une montagne, et descendirent dans une vaste solitude que jamais de leur vie ils n'avaient vue auparavant. Et le sultan et les soldats s'étonnaient de cette étendue déserte située entre quatre montagnes, et de cet étang où se jouaient des poissons de quatre différentes couleurs : rouge, blanc, jaune et bleu. Et le roi s'arrêta et dit aux soldats et à tous ceux qui étaient présents : « Y a-t-il quelqu'un d'entre vous qui ait vu auparavant ce lac dans ce lieu ? » Ils répondirent tous : « Oh, non ! » Et le roi dit : « Par Allah ! je ne rentrerai point dans ma ville et ne m'assoirai point sur le trône de mon royaume avant de connaître la vérité sur ce lac et sur les poissons qu'il contient ! » Et il ordonna aux soldats de cerner ces montagnes ; et les soldats le firent. Alors le roi appela son vizir. Ce vizir était un érudit, un homme sage, éloquent, versé dans toutes les sciences. Lorsqu'il se présenta entre les mains du roi, le roi lui dit : « J'ai l'intention de faire une chose et vais d'abord te mettre au courant : il m'est venu l'idée de m'isoler complètement cette nuit, et de chercher seul l'explication du mystère de ce lac et de ses poissons. Toi, donc, tu te tiendras à la porte de ma tente et tu diras aux émirs, aux vizirs et aux chambellans : « Le sultan est indisposé et m'a donné l'ordre de ne laisser entrer personne chez lui ! » Et tu ne révéleras à personne mon intention ! » De cette façon le vizir ne pouvait guère désobéir. Alors le roi se déguisa, ceignit son épée et se glissa loin de son entourage sans être vu. Et il se mit à marcher toute la nuit jusqu'au matin sans arrêt, jusqu'au moment où la chaleur, devenue trop forte, le força à se reposer. Après quoi, il se remit à marcher durant tout le reste de la journée et la deuxième nuit jusqu'au matin. Et voici qu'il vit dans le lointain une chose noire ; il s'en réjouit et se dit : « Il est probable que je vais trouver là quelqu'un qui me racontera cette histoire du lac et de ses poissons ! » En s'approchant de cette chose noire, il vit que c'était un palais entièrement bâti avec des pierres noires, consolidé par de larges lames de fer, et il vit que la porte avait un battant ouvert et l'autre fermé. Alors il se réjouit et, s'arrêtant à la porte, il frappa doucement ; mais, n'entendant pas de réponse, il frappa une deuxième et une troisième fois ; puis, n'entendant pas de réponse, il frappa une quatrième fois, mais très violemment : et personne ne lui répondait. Alors il se dit : « Il n'y a pas de doute, ce palais est désert. » Alors, se donnant du courage, il pénétra par la porte du palais et arriva à un corridor. Là, à haute voix il dit : « Ô maîtres du palais, je suis un étranger, un passant du chemin, et je vous demande un peu de provisions pour le voyage ! » Puis il réitéra sa demande une deuxième et une troisième fois ; mais n'entendant pas de réponse, il se raffermit le cœur et se fortifia l'âme et pénétra par le corridor jusqu'au milieu du palais. Et il n'y trouva personne. Mais il vit que tout le palais était somptueusement tendu de tapisseries, et qu'au milieu de la cour intérieure il y avait un bassin surmonté de quatre lions en or rouge et qui laissaient l'eau jaillir de leur gueule en perles éclatantes et en pierreries ; tout autour il y avait de nombreux oiseaux qui ne pouvaient s'envoler hors du palais, empêchés par un large filet qui s'étendait au-dessus du palais. Et le roi s'émerveilla de tout cela, mais il s'affligea de ne pouvoir trouver personne qui pût lui révéler enfin l'énigme du lac, des poissons, des montagnes et du palais. Puis il s'assit entre deux portes en songeant profondément. Mais tout à coup il entendit une plainte faible qui venait comme d'un cœur triste, et il entendit une voix douce qui chantonnait en sourdine ces vers :

« Mes souffrances ! oh ! je n'ai pu les tenir secrètes, et mon mal d'amour fut révélé. Et maintenant le sommeil de mes yeux s'est changé en insomnie dans la nuit.

Oh, l'amour ! Il est venu à ma voix, mais aussi quelles tortures à mes pensées !

Pitié ! Laisse-moi goûter le repos ! Et surtout ne t'en va pas visiter Celle qui est toute mon âme, pour la faire souffrir ! Car Elle est ma consolation dans les peines et les périls ! »

Lorsque le roi entendit ces plaintes murmurées, il se leva et se dirigea du côté d'où il les entendait venir. Il trouva une porte sur laquelle un rideau retombait. Il leva ce rideau, et, dans une grande salle, il vit un jeune homme assis sur un grand lit élevé d'une coudée. Ce jeune homme était beau, d'une taille pliante, doué d'un parler doux et éloquent ; son front était comme une fleur, ses joues comme la rose ; et au milieu de l'une des joues il y avait un grain de beauté comme une goutte d'ambre noir. Et le poète dit :

« Svelte et doux, le jeune garçon ! Des cheveux de ténèbres, si noirs qu'ils font la nuit ! Un front de clarté, si blanc qu'il illumine la nuit ! Jamais les yeux des hommes ne furent à telle fête qu'au spectacle de ses grâces.

Tu le reconnaîtras entre tous les jeunes garçons au grain de beauté, unique, qu'il a sur la rose de sa joue, juste au-dessous de l'un de ses yeux ! »

À sa vue, le roi se réjouit et lui dit : « La paix soit avec toi ! » Et le jeune homme continua à rester assis sur le lit, vêtu de sa robe de soie brodée d'or ; mais, avec l'accent d'une tristesse répandue sur toute sa personne, il rendit au roi le salut et lui dit : « Ô seigneur, excuse-moi de ne me point lever ! » Mais le roi lui dit : « Ô jeune adolescent, éclaire-moi sur l'histoire de ce lac et de ses poissons colorés, et aussi sur ce palais et sur ta solitude et sur la cause de tes larmes ! » À ces paroles, l'adolescent versa d'abondantes larmes qui coulèrent le long de ses joues, et le roi s'étonna et dit : « Ô jeune homme, qu'est-ce qui te fait pleurer ? » Et le jeune homme répondit : « Comment pourrais-je ne point pleurer, alors que je suis dans cet état-ci ? » Et le jeune homme allongea la main vers les longs pans de sa robe et les releva. Et alors le roi vit que toute la moitié inférieure du jeune homme était en marbre, et l'autre moitié, de l'ombilic aux cheveux de la tête, était celle d'un homme. Et le jeune homme dit au roi : « Sache, ô seigneur, que l'histoire des poissons est une chose étrange qui, si elle était écrite avec le poinçon sur le coin intérieur de l'œil pour être vue de tous, serait une leçon pour l'observateur attentif ! »

Et l'adolescent raconta ainsi cette histoire :

HISTOIRE DU JEUNE HOMME ENSORCELÉ ET DES POISSONS

« Seigneur, sache donc que mon père était roi de cette ville. Son nom était Mahmoud, et il était le maître des Îles-Noires et de ces quatre montagnes. Mon père régna soixante-dix ans, après quoi il s'éteignit dans la miséricorde du Rétributeur. Après sa mort, j'acquis le sultanat et je me mariai avec la fille de mon oncle. Elle m'aimait d'un amour si puissant que, si par hasard je m'absentais loin d'elle, elle ne mangeait et ne buvait qu'elle ne m'eût revu. Et elle demeura sous ma protection durant cinq années, jusqu'à ce qu'elle allât un jour au hammam après avoir ordonné au cuisinier de nous apprêter les mets pour le souper. Et moi j'entrai dans ce palais et je m'endormis dans l'endroit habituel où je m'endormais, et j'ordonnai à deux de mes esclaves femmes de me faire de l'air avec un éventail. Alors l'une se mit derrière ma tête et l'autre à mes pieds. Mais je fus pris d'insomnie en songeant à l'absence de mon épouse et aucun sommeil ne voulait de moi : car, si même mon œil se fermait, mon âme restait en éveil ! Alors j'entendis l'esclave qui était derrière ma tête dire à celle qui était à mes pieds : « Ô Massaouda, combien notre maître a une jeunesse infortunée ! Et quel dommage pour lui d'avoir pour épouse notre maîtresse, cette perfide, cette criminelle ! » Et l'autre répondit : « Qu'Allah maudisse les femmes adultères ! Car cette fille adultérine pourrait-elle jamais avoir quelqu'un d'aussi bon caractère que notre maître, elle qui passe toutes ses nuits dans des lits variés ! » Et l'esclave qui se tenait derrière la tête répondit : « Vraiment notre maître doit être bien insouciant pour ne point tenir compte des actes de cette femme ! » Et l'autre dit : « Mais qu'avances-tu là ? Est-ce que notre maître peut se douter de ce qu'elle fait ? Ou bien crois-tu qu'elle le laisse agir en liberté ? Apprends donc que cette perfide mêle toujours quelque chose à la soupe que boit chaque nuit notre maître avant de s'endormir : elle y met du banj[1] ; et il tombe dans le sommeil. En cet état il ne peut savoir ce qui se passe, ni où elle va, ni ce qu'elle fait. Or, après lui avoir fait boire le vin, elle s'habille et s'en va en le laissant seul, et elle s'absente jusqu'à l'aurore. Quand elle revient, elle lui brûle sous le nez quelque chose à sentir, et alors il se réveille de son sommeil. »

Lorsque j'entendis, seigneur, les paroles des esclaves, la lumière se changea à mes yeux en ténèbres. Et il me tardait fort de voir s'approcher la nuit pour être de nouveau avec la fille de mon oncle. Elle revint enfin du hammam. Alors nous tendîmes la nappe et nous mangeâmes durant une heure en nous servant mutuellement à boire comme d'habitude. Après quoi je demandai le vin que je buvais chaque nuit avant mon sommeil, et elle me tendit la coupe. Alors je me gardai bien de la boire ; mais je fis semblant de la porter à mes lèvres, comme à l'ordinaire ; et je la versai rapidement dans le creux du haut de ma robe, et à l'heure même et à l'instant même je m'étendis sur mon lit en faisant semblant de dormir. Et elle dit alors : « Dors ! Et puisses-tu ne te réveiller jamais plus ! Pour moi, par Allah ! je te déteste, et je déteste jusqu'à ton image ; et mon âme est rassasiée de ta fréquentation ! » Puis elle se leva, mit ses plus beaux vêtements, se parfuma, ceignit une épée, ouvrit la porte du palais et sortit. Alors je me levai et la suivis jusqu'à ce qu'elle fût sortie du palais. Et elle traversa tous les souks de la ville, et enfin elle arriva aux portes de la ville. Alors elle s'adressa aux portes dans une langue que je ne compris point, et les verrous tombèrent et les portes s'ouvrirent, et elle sortit. Et je me mis à marcher derrière elle, sans qu'elle s'en aperçût, jusqu'à ce qu'elle fût arrivée aux collines formées par l'amoncellement des déchets et à une citadelle surmontée d'une coupole et bâtie en terre cuite : elle entra par la porte, et, moi, je montai sur la terrasse de la coupole et me mis à la surveiller de haut. Et voici qu'elle entra chez un nègre noir. Ce nègre horrible avait sa lèvre supérieure comme un couvercle de marmite et sa lèvre inférieure comme la marmite elle-même, et ces deux lèvres pendaient si bas qu'elles pouvaient trier les cailloux d'avec le sable. Et il était pourri de maladies ; et il était étendu sur un peu de paille de canne à sucre. À sa vue, la fille de mon oncle baisa la terre entre ses mains ; et lui, il releva la tête vers elle et lui dit : « Malheur à toi ! Pourquoi as-tu tardé jusqu'à cette heure ? J'ai invité tes nègres qui se sont mis à boire les vins et se sont mêlés à leurs amoureuses. Quant à moi, je n'ai point voulu boire, à cause de toi. » Elle dit : « Ô mon maître et le chéri de mon cœur ! ne sais-tu pas que je suis mariée avec le fils de mon oncle ; et que je déteste jusqu'à son image ; et que je me fais horreur d'être avec lui ? D'ailleurs, n'eût été la crainte de te voir toi-même lésé, j'aurais depuis longtemps ruiné la ville de fond en comble et fait que seule la voix du hibou et du corbeau eût été entendue ; et j'aurais transporté les pierres des ruines derrière le mont Caucase ! » Le nègre répondit : « Tu mens, ô débauchée ! Or, moi, je jure sur l'honneur, et sur les qualités viriles des nègres, et sur notre supériorité infinie d'hommes par rapport aux blancs, que si une autre fois, à partir de ce jour, tu te mets ainsi en retard, je répudierai ton amitié et je ne mettrai plus mon corps sur ton corps ! Ô perfide traîtresse ! tu n'es ainsi en retard que parce que tu rassasies ailleurs tes désirs de femelle, ô pourriture, ô la plus infime des femmes blanches ! »

— Ainsi narra le prince en s'adressant au roi. Et il continua : « Lorsque j'entendis cette conversation et vis de mes yeux ce qui s'ensuivit entre eux deux, le monde se changea en ténèbres devant ma face, et je ne sus plus où je me trouvais. Ensuite la fille de mon oncle se mit à pleurer et à se lamenter humblement entre les mains du nègre, et à dire : « Ô mon amant, ô fruit de mon cœur, il ne me reste que toi ! Si tu me chasses, alors malheur à moi ! Ô mon chéri, ô lumière de mon œil ! » Et elle ne cessa de pleurer et de l'implorer jusqu'à ce qu'il lui pardonnât. Elle fut alors tout heureuse, se leva, se déshabilla de tous ses vêtements et de son caleçon et resta toute nue. Puis elle dit : « Ô mon maître, as-tu de quoi nourrir ton esclave ? » Et le nègre lui répondit : « Enlève le couvercle de la marmite, et tu y trouveras un ragoût fait avec des os de souris que tu mangeras jusqu'à moudre les os ; puis prends ce pot que tu vois et tu y trouveras de la bouza[1] que tu boiras ! » Et elle se leva, et mangea, et but, et se lava les mains ; puis elle revint et se coucha avec le nègre sur la paille de roseaux ; et, toute nue, elle se blottit contre le nègre sous les loques infectes.

Quand je vis toutes ces choses que faisait la fille de mon oncle, je ne pus plus me posséder et je descendis du haut de la coupole, et, me précipitant dans la salle, je pris l'épée que portait la fille de mon oncle, résolu à les tuer tous deux. Je commençai par frapper le nègre, le premier, sur le cou, et je crus qu'il avait trépassé. »

À ce moment, Schahrazade vit approcher le matin et s'arrêta discrètement. Et lorsque luisit le matin, le roi Schahriar entra dans la salle de justice, et le diwan fut bondé jusqu'à la fin de la journée. Puis le Roi rentra dans son palais, et Doniazade dit à sa sœur : « Continue, je t'en prie, ton récit ! » Elle répondit : « De tout cœur et comme hommage dû ! »

Quand donc fut la huitième nuit. Schahrazade dit :

Il m'est parvenu, ô Roi fortuné, que le jeune homme ensorcelé dit au roi :

« Ayant frappé le nègre pour lui couper la tête, je lui coupai en effet le gosier, la peau et la chair, et je crus l'avoir tué, car il râla un râle terrible et haut. La fille de mon oncle, qui pendant cette scène dormait profondément, se réveilla après mon départ, prit l'épée, qu'elle remit au fourreau, revint à la ville, entra dans le palais et se coucha dans mon lit jusqu'au matin. Le lendemain donc je vis que la fille de mon oncle avait coupé ses cheveux et mis des habits de deuil. Puis elle me dit : « Ô fils de mon oncle, ne me blâme point de ce que je fais, car je viens d'apprendre que ma mère est morte, que mon père a été tué dans la guerre sainte, que l'un de mes frères est mort piqué par un scorpion et que l'autre a été enterré vivant sous la chute d'un édifice. J'ai donc le droit de pleurer et de m'affliger. » À ces paroles je ne voulus faire semblant de rien, et je lui dis : « Fais ce que tu crois nécessaire, car je ne te le défends pas. » Et elle resta enfermée dans son deuil, ses pleurs et ses accès de douleur folle durant une année entière, depuis le commencement jusqu'à l'autre commencement. L'année finie, elle me dit : « Je veux bâtir pour moi dans ton palais un tombeau en forme de dôme, et je m'y isolerai dans la solitude et les larmes, et je le nommerai la Maison des Deuils ! » Je lui répondis : « Fais ce que tu crois le nécessaire ! » Et elle se bâtit cette Maison des Deuils surmontée d'une coupole, et contenant une tombe comme une fosse. Puis elle y transporta et y plaça le nègre, qui n'était pas mort, mais qui était devenu très malade et très faible, et qui vraiment ne pouvait plus être d'aucune utilité à la fille de mon oncle. Mais cela ne l'empêchait pas de boire tout le temps du vin et de la bouza. Et depuis le jour de sa blessure il ne pouvait plus parler, et il continuait à vivre, car son terme n'était pas échu. Et elle, tous les jours, entrait chez lui dans la coupole, à l'aube et à la nuit, et était prise près de lui d'accès de pleurs et de folie ; et elle lui donnait à boire des boissons et des choses bouillies. Et elle ne cessa d'agir de la sorte, matin et soir, durant toute la seconde année. Et moi, je patientai sur elle tout le temps ; mais un jour, entrant chez elle à l'improviste, je la trouvai en train de pleurer et de se frapper le visage et de dire ces vers d'une voix triste :

« Toi parti, ô bien-aimé, je délaissai les humains et vécus solitaire, car mon cœur ne saurait plus rien aimer, toi parti, ô bien-aimé !

Si tu viens à repasser près de ta bien-aimée, ô recueille, de grâce, sa dépouille mortelle en souvenir de sa vie terrestre, et donne-lui le repos de la tombe, où tu voudras, mais près de toi, si tu viens à repasser près de ta bien-aimée !

Ta voix ! qu'elle se souvienne de mon nom de jadis pour me parler sur la tombe ! Oh ! mais de ma tombe tu n'entendras que le triste son de mes os entrechoqués ! »

Quand elle eut fini sa plainte, je lui dis, et l'épée nue à la main : « Ô traîtresse, voilà les paroles des perfides qui renient les liaisons passées et foulent l'amitié ! » Et, levant le bras, je m'apprêtais à la frapper, quand elle se leva tout à coup et, apprenant ainsi que l'auteur de la blessure du nègre était moi, elle se leva debout sur ses pieds, et prononça des paroles que je ne compris point, et dit : « Que, par la vertu de ma sorcellerie, Allah te change moitié en pierre et moitié en homme ! » Et à l'heure même, seigneur, je devins comme tu me vois. Et je ne pouvais plus ni bouger ni faire un mouvement ; de la sorte, je ne suis ni un mort ni un vivant. Après qu'elle m'eut mis dans cet état, elle ensorcela les quatre îles de mon royaume et les changea en montagnes avec le lac au milieu ; et elle changea mes sujets en poissons. Mais ce n'est pas tout ! Chaque jour, elle me torture et me fouette avec une lanière de cuir et me donne cent coups jusqu'au sang. Et ensuite elle me met directement sur la peau, en dessous de mes vêtements, une robe en poil couvrant toute ma partie supérieure ! »

Le jeune homme, après ces paroles, se mit à pleurer et récita ces vers :

« Dans l'attente de la justice, ô mon Dieu, et de ton jugement, je patiente, puisque tel est ton bon vouloir !

Mais j'étouffe dans mes malheurs ! Et je n'ai d'autre recours que toi, Seigneur, ô Dieu qu'adore notre Prophète béni ! »

Alors le roi se tourna vers le jeune homme et lui dit : « Tu as ajouté une peine à mes peines ! Mais, dis-moi, où donc se trouve cette femme ? » Il répondit : « Dans le tombeau où se trouve le nègre sous la coupole. Elle vient chez moi chaque jour. Après quoi, elle vient à moi et me déshabille de mes habits et me frappe cent coups de fouet pendant que, moi, je pleure et je crie, et que je ne puis faire un mouvement pour me défendre contre elle. Puis, après m'avoir ainsi châtié, elle s'en retourne auprès du nègre, lui portant matin et soir des vins et des boissons bouillies. » Le roi dit : « Par Allah ! ô brave jeune homme, il me faut te rendre un mémorable service et un bienfait qui passera, après moi, dans le domaine de l'histoire ! » Ensuite le roi continua la conversation jusqu'à l'approche de la nuit. Puis le roi se leva et attendit que vînt l'heure nocturne des sorciers. Alors il se déshabilla, ceignit son épée, et se dirigea vers l'endroit où se trouvait le nègre. Là, il vit les chandelles et les lampions suspendus ; il vit aussi l'encens, les parfums et toutes les pommades. Puis il alla directement au nègre, le frappa et le tua. Ensuite il le chargea sur son dos et le jeta au fond d'un puits qui se trouvait dans le palais. Puis il revint, et s'habilla avec les habits du nègre, et se promena un instant sous la coupole en brandissant à la main son glaive nu dans toute sa longueur.

Après une heure, vint la sorcière, la débauchée, auprès du jeune homme. À peine entrée, elle déshabilla le fils de son oncle et prit un fouet et l'en frappa. Alors il cria : « Aïe ! Aïe ! ça suffit ! mon malheur est déjà assez terrible ! Oh ! aie pitié de moi ! » Elle répondit : « Et toi, as-tu eu pitié de moi ? M'as-tu conservé mon amant ? Non ! Eh bien, attends ! » Alors elle lui mit l'habit de poil de chèvre, et plaça les autres vêtements en dessus. Après quoi, elle descendit auprès du nègre, lui portant la coupe de vin et le bol des plantes bouillies. Et elle entra sous la coupole, et pleura et se lamenta en criant : « Ouh ! ouh ! » et dit : « Ô mon maître, parle-moi ! Ô mon maître, cause avec moi ! » Puis elle récita ces vers douloureusement :

« Durera-t-il encore, ô mon cœur ! cet éloignement si dur ? L'amour dont tu m'as pénétrée m'est déjà une torture au-delà des forces ! Oh ! jusques à quand ainsi continueras-tu à me fuir !... Si tu n'as voulu que ma détresse et ma misère triste, va, sois heureux, ton souhait est accompli ! »

Puis elle éclata en sanglots et répéta : « Ô maître, parle-moi, que je t'entende ! » Alors le nègre (prétendu) mit sa langue de travers et se mit à imiter le parler nègre, et dit : « Ha ! ha ! Il n'y a de force et de puissance que par l'aide d'Allah ! » Lorsqu'elle entendit ses paroles (depuis si longtemps qu'il n'avait pas parlé), elle cria de joie et s'évanouit ; mais elle revint à elle et dit : « Oh ! est-ce que mon maître est guéri ! » Alors le roi déguisa sa voix et la rendit très faible et dit : « Ô libertine ! tu ne mérites guère que je t'adresse la parole ! » Elle dit : « Et pourquoi donc ? » Il répondit : « Parce que tous les jours tu ne fais que châtier ton mari, et, lui, de crier et de demander du secours, et tout cela m'enlève le sommeil toute la nuit jusqu'au matin. Et ton mari ne cesse de t'implorer et de te demander grâce, tellement que sa voix me donne l'insomnie. Sans tout cela, depuis longtemps j'aurais repris mes forces. Et c'est justement cela qui m'empêche de te répondre. » Elle dit : « Alors, puisque tu l'ordonnes, je le délivrerai de l'état où il se trouve ! » Et le roi lui dit : « Oui ! délivre-le et rends-nous la tranquillité ! » Elle dit : « J'entends et j'obéis ! » Puis elle se leva et sortit de la coupole. Entrée au palais, elle prit un bol de cuivre rempli d'eau et prononça dessus des paroles magiques. Et l'eau se mit à bouillir comme l'eau bout dans la marmite. Alors elle en aspergea le jeune homme et dit : « Par la force des paroles prononcées, je te somme de sortir de cette forme pour reprendre ta forme première ! » Et le jeune homme se secoua et se leva debout sur ses pieds, et se réjouit de sa délivrance, et s'écria : « J'atteste qu'il n'y a d'autre dieu qu'Allah, et Mohammad est le prophète d'Allah ! Que la bénédiction et la paix d'Allah soient sur lui ! » Puis elle lui dit : « Va-t'en et ne reviens plus ici, sinon je te tuerai ! » Et elle lui cria à la face. Alors il s'en alla d'entre ses mains. Et elle retourna à la coupole et descendit et dit : « Ô mon maître, lève-toi, que je te voie ! » Et lui, très faible, dit : « Oh ! tu n'as encore rien fait ! Tu ne m'as rendu qu'une partie de ma tranquillité, mais tu n'as pas supprimé la cause principale de mon trouble ! » Et elle dit : « Ô mon chéri, mais quelle est cette cause principale ? » Il dit : « Les poissons du lac, qui ne sont autre chose que les habitants de l'ancienne ville et des quatre îles d'autrefois, ne cessent, tous les minuits, de lever la tête hors de l'eau et de faire des imprécations contre moi et toi. Et tel est le motif qui m'empêche de reprendre mes forces. À toi donc de les délivrer ! Et alors tu pourras venir me prendre par la main et m'aider à me lever, car certainement je serai revenu à la santé ! »

Lorsqu'elle entendit les paroles du roi, qu'elle croyait être le nègre, elle lui dit, toute joyeuse : « Ô mon maître, ta volonté je la mets sur ma tête et dans mon œil ! » Et ayant dit : « Au nom d'Allah ! » elle se leva toute heureuse et se mit à courir et, arrivée au lac, elle prit un peu d'eau et...

À ce moment, Schahrazade vit poindre le matin, et s'arrêta discrètement dans son récit.

Lorsque fut la neuvième nuit. Elle dit :

Il m'est parvenu, ô Roi fortuné, que lorsque la jeune sorcière prit un peu d'eau du lac et prononça dessus des paroles mystérieuses, les poissons se mirent à s'agiter et levèrent la tête et redevinrent des fils d'Adam à l'instant même, et la magie se dénoua qui tenait les habitants de la ville. Et la ville devint une ville florissante avec des souks bien construits, et chaque habitant se mit à exercer son métier. Et les montagnes devinrent des îles comme autrefois. Après quoi, la jeune femme revint immédiatement auprès du roi, croyant toujours qu'il était le nègre, et lui dit : « Ô mon chéri, donne-moi ta main généreuse pour que je l'embrasse ! » Et le roi lui répondit à voix basse : « Approche-toi près de moi ! » Elle s'approcha. Et tout à coup il saisit sa bonne épée et lui en perça la poitrine si fort que la pointe sortit par le dos ; puis il l'en frappa de nouveau et la coupa en deux moitiés. Cela fait, il sortit et il trouva le jeune homme ensorcelé qui l'attendait debout. Alors il lui fit des compliments sur sa délivrance ; et le jeune homme lui baisa la main et le remercia avec effusion. Ensuite le roi lui dit : « Veux-tu rester dans ta ville ou venir avec moi dans ma ville ? » Et le jeune homme lui dit : « Ô roi des temps, sais-tu quelle distance il y a d'ici à ta ville ? » Et le roi dit : « Deux jours et demi. » Alors le jeune homme lui dit : « Ô roi, si tu es endormi, réveille-toi ! D'ici pour aller à ta ville, tu mettras une année entière, avec la volonté d'Allah ! Car si tu es venu ici en deux jours et demi, c'est parce que la ville était ensorcelée. D'ailleurs, moi, ô roi, je ne te quitterai pas l'espace d'un clin d'œil ! » Et le roi se réjouit à ces paroles, et dit : « Louange à Allah qui voulut bien te mettre sur mon chemin ! Car désormais tu es mon fils, puisque Allah jusqu'ici ne m'a point accordé d'enfant ! » Alors ils se jetèrent au cou l'un de l'autre, et se réjouirent à la limite de la joie.

Ensuite ils se mirent à marcher jusqu'au palais du jeune roi qui avait été ensorcelé. Et le jeune roi annonça aux notables de son royaume qu'il allait partir pour le saint pèlerinage de La Mecque. Alors on lui fit tous les préparatifs nécessaires. Ensuite lui et le sultan partirent, et le cœur du sultan brûlait pour sa ville, car il en était absent depuis un an. Ils se mirent donc en marche, ayant avec eux cinquante mamalik[1] chargés de cadeaux à offrir. Et ils ne cessèrent de voyager nuit et jour durant une année entière jusqu'à ce qu'ils fussent proches de la ville du sultan. Alors le vizir sortit avec les soldats à la rencontre du sultan, après avoir désespéré de le retrouver. Et les soldats s'approchèrent et baisèrent la terre entre ses mains, et lui souhaitèrent la bienvenue. Alors il entra dans le palais et s'assit sur le trône. Puis il appela le vizir près de lui et le mit au courant de tout ce qui était arrivé. Lorsque le vizir apprit l'histoire du jeune homme, il lui fit ses compliments sur sa délivrance et son salut.

Sur ces entrefaites le sultan gratifia beaucoup de personnes ; puis il dit au vizir : « Fais vite venir ici le pêcheur qui m'avait, dans le temps, porté les poissons. » Et le vizir envoya chercher le pêcheur qui avait été la cause de la délivrance des habitants de la ville. Et le roi le fit approcher et lui fit don de robes d'honneur, et l'interrogea sur sa vie et lui demanda s'il avait des enfants ; et le pêcheur lui dit avoir un fils et deux filles. Alors le roi se maria avec l'une des deux filles, et le jeune homme se maria avec l'autre. Puis le roi garda le père près de lui, et le nomma trésorier-caissier en chef. Ensuite il envoya le vizir à la ville du jeune homme, située dans les Îles-Noires, le nomma sultan de ces îles, et envoya avec lui les cinquante mamalik qui l'avaient jadis accompagné lui-même, et envoya avec lui beaucoup de robes d'honneur pour tous les émirs. Alors le vizir lui baisa les deux mains, et sortit pour le départ. Et le sultan et le jeune homme continuèrent à habiter ensemble – Quant au pêcheur, devenu trésorier-caissier en chef, il s'enrichit et devint l'homme le plus riche de son temps. Et ses deux filles étaient les épouses des rois. Et c'est dans cet état qu'ils moururent !

Mais, continua Schahrazade, ne croyez pas que cette histoire soit plus merveilleuse que celle du Portefaix.

HISTOIRE DU PORTEFAIX AVEC LES JEUNES FILLES

Il y avait, dans la ville de Bagdad, un homme qui était célibataire et aussi portefaix.

Un jour d'entre les jours, pendant qu'il était dans le souk, nonchalamment appuyé sur sa hotte, voici que devant lui s'arrêta une femme enveloppée de son ample voile en étoffe de Mossoul, en soie parsemée de paillettes d'or et doublée de brocart. Elle souleva un peu son petit voile de visage, et, d'en dessous, alors, apparurent des yeux noirs avec de longs cils et quelles paupières ! Et elle était svelte et fine d'extrémités, parfaite de qualités. Puis elle dit avec la douceur de sa prononciation : « Ô portefaix, prends ta hotte et suis-moi ! » Et le portefaix, tout saisi, ne pouvait croire aux paroles entendues ; pourtant il prit sa hotte et suivit la jeune femme, qui enfin s'arrêta devant la porte d'une maison. Elle frappa à la porte, et tout de suite un homme nousrani[1] descendit et lui donna, pour un dinar, une mesure d'olives qu'elle mit dans la hotte, en disant au portefaix : « Porte cela et suis-moi ! » Et le portefaix s'écria : « Par Allah ! quel jour béni ! » Et il porta la hotte et suivit la jeune femme. Elle s'arrêta devant la boutique d'un fruitier et acheta des pommes de Syrie, des coings osmani, des pêches d'Oman, des jasmins d'Alep, des nénuphars de Damas, des concombres du Nil, des limons d'Égypte, des cédrats sultani, des baies de myrthe, des fleurs de henné, des anémones rouge-sang, des violettes, des fleurs de grenadier et des narcisses. Et elle mit le tout dans la hotte du portefaix et lui dit : « Porte ! » et il porta et la suivit jusqu'à ce qu'elle fût arrivée devant un boucher auquel elle dit : « Coupe dix artal[2] de viande. » Il coupa les dix artal ; et elle les enveloppa avec des feuilles de bananier, les mit dans la hotte, et dit : « Porte, ô portefaix ! » Il porta et la suivit pour s'arrêter devant le vendeur d'amandes, chez qui elle prit de toutes les espèces d'amandes, et dit : « Porte et suis-moi ! » Et il porta la hotte et la suivit jusque devant la boutique du marchand de douceurs ; là elle acheta un plateau et le couvrit de tout ce qu'il y avait chez le marchand ; des entrelacs de sucre au beurre, des pâtes veloutées parfumées au musc et farcies délicieusement, des biscuits appelés *sahoun*, des petits pâtés, des tourtes au limon, des confitures savoureuses, des sucreries appelées *mouchabac*, des petites bouchées soufflées appelées *loucmet-el-kadi*, et d'autres appelées *assabih-zeinab*, faites au beurre, au miel et au lait. Puis elle mit toutes ces variétés de friandises sur le plateau et mit le plateau sur la hotte. Alors le portefaix dit : « Si tu m'avais averti, je serais venu avec un mulet pour charger toutes ces choses ! » Et elle sourit à ces paroles. Puis elle s'arrêta chez le distillateur, et lui acheta dix sortes d'eaux : de l'eau de rose, de l'eau de fleur d'oranger, et bien d'autres aussi ; elle prit aussi une mesure de boissons enivrantes ; elle acheta également un aspersoir d'eau de rose musquée, des grains d'encens mâle, du bois d'aloès, de l'ambre gris et du musc ; elle prit enfin des chandelles en cire d'Alexandrie. Elle mit le tout dans la hotte et dit : « Porte la hotte et suis-moi ! » Et il porta la hotte et suivit tout en portant la hotte, jusqu'à ce que la jeune dame fût arrivée à un palais magnifique ayant sur le jardin de derrière une cour spacieuse ; et il était très élevé, de forme carrée, et imposant ; le portail avait deux battants en ébène, lamés de lames d'or rouge.

Alors l'adolescente s'arrêta à la porte et sonna d'une façon de sonner gentille ; et la porte s'ouvrit avec ses deux battants. Le portefaix regarda alors celle qui lui avait ouvert la porte, et il trouva que c'était une jeune fille de taille élégante et gracieuse, un vrai modèle pour les seins arrondis et saillants, pour sa joliesse, son élégance, sa beauté, et toutes les perfections de sa taille et de son maintien ; son front était blanc comme la première lueur de la nouvelle lune, ses yeux comme les yeux des gazelles, ses sourcils comme le croissant du mois de Ramadan, ses joues comme l'anémone, sa bouche comme le sceau de Soleïman, son visage comme la pleine lune à son lever, ses deux seins comme deux grenades jumelles ; quant à son jeune ventre élastique et pliant, il se cachait sous les vêtements comme une lettre précieuse sous le rouleau qui l'enveloppe.

Aussi, à sa vue, le portefaix sentit sa raison s'envoler et la hotte tomber de dessus sa tête, et il se dit : « Par Allah ! de ma vie je n'ai eu un jour plus béni que ce jour-ci ! »

Alors cette jeune portière, tout en restant à l'intérieur, dit à sa sœur la pourvoyeuse et au portefaix : « Entrez ! Et que l'accueil ici vous soit large et bon ! »

Alors ils entrèrent et finirent par arriver dans une salle spacieuse donnant sur la cour centrale, toute ornée de brocarts de soie et d'or, et pleine de meubles bien exécutés et incrustés de parcelles d'or, et aussi de vases et de sièges sculptés, et de rideaux et de garde-robes soigneusement fermés. Au milieu de la salle, il y avait un lit de marbre incrusté de perles éclatantes et de pierreries ; au-dessus de ce lit était tendue une moustiquaire de satin rouge, et sur le lit il y avait une jeune fille merveilleuse, avec des yeux babyloniens, une taille droite comme la lettre *aleph*, et un visage si beau qu'il remplissait de confusion le soleil lumineux. Elle était comme une d'entre les brillantes étoiles, et vraiment comme une noble femme d'Arabie, d'après le dire du poète :

« Celui qui mesure ta taille, ô jeune fille, et la compare à la délicatesse du rameau pliant, ne dit point toute la vérité, et juge avec erreur, malgré son talent. Car ta taille n'a point d'égale, ni ton corps un frère !

Car le rameau n'est joli que sur l'arbre et tout nu ; mais toi ! De toute façon, tu es belle, et les habits qui te cachent ne sont qu'un délice de plus ! »

Alors la jeune fille se leva de dessus le lit, fit quelques pas pour être au milieu de la salle près de ses deux sœurs, et leur dit : « Pourquoi restez-vous ainsi immobiles ? Enlevez le fardeau de dessus la tête du portefaix. » Alors la pourvoyeuse vint devant le portefaix, la portière se mit derrière lui, et, aidées de leur troisième sœur, elles le soulagèrent du fardeau. Ensuite elles enlevèrent tout ce qui était dans la hotte, rangèrent chaque chose à sa place, donnèrent deux dinars au portefaix et lui dirent : « Tourne ton visage et va-t'en, ô portefaix ! » Mais le portefaix regarda les jeunes filles et se mit à admirer toute leur beauté et leurs perfections, et il pensa qu'il n'avait jamais rien vu de pareil. Pourtant il remarqua qu'il n'y avait chez elles aucun homme. Ensuite il vit tout ce qu'il y avait là de boissons, de fruits, de fleurs odorantes et d'autres bonnes choses, et il s'émerveilla à la limite de l'émerveillement, et n'eut plus aucune envie de s'en aller.

Alors l'aînée des jeunes filles lui dit : « Mais qu'as-tu ainsi à ne pas bouger ? Trouverais-tu modique ton salaire ? » Et elle se tourna vers sa sœur, la pourvoyeuse, et lui dit : « Donne-lui encore un troisième dinar. » Mais le portefaix dit : « Par Allah, ô mes maîtresses, mon salaire ordinaire n'est seulement que deux demi-dinars ! Et je n'ai point trouvé modique ce salaire-ci. Mais mon cœur et mon être intime travaillent à votre sujet. Et je me demande quelle peut être votre vie, puisque vous habitez seules et que vous n'avez ici aucun homme qui vous tienne compagnie humaine. Ne savez-vous pas qu'un minaret n'est vraiment bien qu'à la condition d'être l'un des quatre minarets de la mosquée ? Or, ô mes maîtresses, vous n'êtes que trois et il vous manque un quatrième ! Or, vous savez que le bonheur des femmes ne devient parfait qu'avec les hommes ! Et, comme dit le poète, un accord ne saurait être harmonieux à moins de quatre instruments réunis : une harpe, un luth, une cithare et un flageolet ! Or, ô mes maîtresses, vous n'êtes que trois, et il vous manque le quatrième instrument, le flageolet, qui serait un homme sage, plein de cœur et d'intelligence, artiste habile et sachant garder un secret ! »

Et les jeunes filles lui dirent : « Mais, ô portefaix, ne sais-tu pas que nous sommes vierges ? Aussi avons-nous bien peur de nous confier à un indiscret. Et nous avons lu les poètes qui disent : Méfie-toi de toute confidence, car un secret révélé est aussitôt perdu ! »

À ces paroles, le portefaix s'écria : « Je le jure sur votre vie, ô mes maîtresses ! Je suis un homme sage, sûr et fidèle, qui a lu les livres et étudié les annales ! Je ne raconte que des choses agréables, et je garde soigneusement, sans en parler, toutes les choses tristes. En toute occasion j'agis d'après le dire du poète :

« Seul l'homme bien doué sait taire le secret. Seuls savent tenir une promesse les meilleurs des humains.

Chez moi le secret est enfermé dans une maison aux solides cadenas dont la clef est perdue et la porte scellée ! »

En entendant les vers du portefaix, et toutes les strophes qu'il leur récita et ses créations de rythmes, elles s'adoucirent beaucoup ; mais, pour faire semblant seulement, elles lui dirent : « Tu sais, ô portefaix, que nous avons dépensé pour ce palais une très forte somme d'argent. As-tu donc sur toi de quoi nous en dédommager ? Car nous ne t'inviterons à t'asseoir avec nous qu'à la condition, pour toi, de dépenser de l'or. Ton désir n'est-il pas de rester chez nous, de devenir notre compagnon de boisson, et surtout de nous faire veiller toute la nuit jusqu'à l'apparition de l'aurore sur nos visages ? » Puis l'aînée des jeunes filles, maîtresse de la maison, ajouta : « Un amour sans argent ne peut, dans le plateau de la balance, servir de bon contrepoids ! » Et la portière dit : « Si tu n'as rien, va-t'en sans rien ! » Mais, à ce moment, la pourvoyeuse intervint, et elle dit : « Ô mes sœurs, cessons ! car, par Allah ! ce garçon n'a en rien diminué notre journée ! D'ailleurs, aurait-il été un autre qu'il n'aurait pas eu cette patience à notre égard. D'ailleurs, tout ce qui lui reviendra comme dépense, je me charge de le payer à sa place. »

Alors le portefaix se réjouit extrêmement et dit à la pourvoyeuse : « Par Allah ! le premier gain de la journée, c'est à toi seule que je le dois ! » Alors toutes les trois lui dirent : « Ô brave portefaix, reste donc ici, et sois certain que tu seras sur notre tête et dans notre œil ! » Aussitôt la pourvoyeuse se leva et se serra la taille.

Puis elle rangea les flacons, clarifia le vin en le décantant, prépara la place de réunion tout près de la pièce d'eau, et apporta en leur présence tout ce dont ils pouvaient avoir besoin. Puis elle offrit le vin, et tout le monde s'assit ; et le portefaix, au milieu d'elles, s'imaginait qu'il rêvait dans le sommeil. Alors la pourvoyeuse offrit le flacon de vin : et on remplit la coupe et on la but, et une deuxième fois, et une troisième fois. Puis la pourvoyeuse la remplit de nouveau et la présenta à ses sœurs, puis au portefaix. Et le portefaix dit quelques vers :

« Bois ce vin ! Il est la cause de toute allégresse. Il rend son buveur possesseur des forces et de la santé. Il est pour tous les maux le seul remède guérisseur !

Nul ne boit le vin, cause de toute allégresse, sans en être agréablement ému ! Seule l'ivresse est capable de nous saturer de volupté ! »

Puis il baisa les mains des trois jeunes filles, et vida la coupe. Puis il alla auprès de la maîtresse de la maison et lui dit : « Ô ma maîtresse, je suis ton esclave, ta chose et ta propriété ! » et récita en son honneur un vers du poète :

« À la porte, un esclave de tes yeux est debout, le moindre de tes esclaves peut-être ! »

Mais il connaît sa maîtresse ! Il est au courant de sa générosité et de ses bienfaits. Et surtout il sait les remerciements qui lui sont dus.

Alors elle lui dit : « Bois, ô mon ami ! et que cette boisson te soit saine et de délicieuse digestion ! Et qu'elle te donne les forces dans le chemin de la vraie santé ! » Alors le portefaix prit la coupe, baisa la main de la jeune femme et, d'une voix douce et modulée, en sourdine, il chanta ces vers du poète :

« J'offris à mon amie[1] un vin resplendissant à l'égal de ses joues, ses joues si lumineuses que la clarté seule d'une flamme pourrait en rendre l'éclatante vie !

Elle daigna l'accepter, mais elle me dit toute rieuse :

Comment veux-tu me faire boire mes propres joues ?...

Je lui dis : Bois, ô flamme de ce cœur ! Cette liqueur, ce sont mes larmes précieuses, sa rougeur est mon sang, et son mélange dans la coupe est toute mon âme ! »

Alors l'adolescente prit du portefaix la coupe, la porta à ses lèvres, puis elle alla s'asseoir auprès de sa sœur. Et tous se mirent à danser, à chanter et à jouer avec les fleurs exquises ; et pendant tout ce temps le portefaix les prenait dans ses bras et les embrassait ; et l'une lui disait des plaisanteries, et l'autre l'attirait à elle, et la troisième le frappait avec des fleurs. Et ils continuèrent à boire jusqu'à ce que le ferment eût joué dans leur raison. Lorsque le vin régna tout à fait, la jeune portière se leva, se dépouilla de tous ses vêtements et devint toute nue. Puis elle jeta son âme[2] dans la pièce d'eau et se mit à jouer avec l'eau ; puis elle prit l'eau dans sa bouche et en aspergea avec bruit le portefaix. Ensuite elle se lava tous les membres et fit courir l'eau entre ses jeunes cuisses. Puis elle sortit de l'eau et se jeta dans le sein du portefaix en s'étendant sur le dos et lui dit en faisant signe vers la chose située entre ses cuisses :

« Ô mon chéri, sais-tu le nom de ça ? » Et le portefaix répondit « Ha ! Ha ! d'ordinaire ça s'appelle la maison de la miséricorde ! » Alors elle s'écria : « Youh ! Youh ! N'as-tu pas honte ? » Et elle le prit par le cou et se mit à frapper dessus. Alors il dit : « Non ! Non ! ça s'appelle une vulve ! » Mais elle dit : « Autre chose ! » Et le portefaix dit : « Alors c'est ton morceau de derrière ! » Et elle répliqua : « Autre chose ! » Alors il dit : « C'est ton frelon ! » Elle se mit, à ces paroles, à le frapper si fort sur le cou qu'elle usa la peau. Alors il lui dit : « Dis-moi donc son nom ! » Et elle répondit : « Le basilic des ponts ! » Alors le portefaix s'écria : « Enfin la louange soit à Allah pour ton salut, ô mon basilic des ponts ! »

Après cela on fit circuler la coupe et la soucoupe. Puis la seconde jeune fille ôta ses vêtements et se jeta dans la pièce d'eau : elle fit comme sa sœur, puis sortit et alla se jeter dans le giron du portefaix. Là, faisant signe du doigt vers ses cuisses et la chose située entre ses cuisses, elle dit au portefaix : « Ô lumière de mon œil ! quel est le nom de ça ? » Il lui répondit : « Ta fissure ! » Elle s'écria : « Oh ! les paroles abominables de ce garçon-là ! » Et elle le frappa et le souffleta si fort que toute la salle en retentit. Et il dit : « Alors c'est le basilic des ponts ! » Elle répondit : « Non ! Non ! » et se remit à le frapper sur le cou. Alors il lui demanda : « Mais quel est son nom ? » Elle répondit : « Le sésame décortiqué ! »

La troisième jeune fille alors se leva, se déshabilla et descendit dans le bassin où elle fit comme ses deux sœurs ; puis elle remit ses vêtements et alla s'étendre sur les jambes du portefaix, et lui dit : « Devine son nom ! » en lui faisant signe vers ses parties délicates. Alors il se mit à lui dire : « Il s'appelle comme ceci, il s'appelle comme cela ! » et finit par lui demander, pour qu'elle cessât de le frapper : « Alors dis-moi son nom ! » Elle répondit : « Le khân[1] de Aby-Mansour ! »

Alors le portefaix se leva, ôta ses vêtements et descendit dans la pièce d'eau : et son glaive nageait à la surface de l'eau ! Il se lava tout le corps comme les jeunes filles s'étaient lavées ; puis il sortit du bassin et se jeta dans le giron de la portière et allongea ses deux pieds dans celui de la pourvoyeuse. Puis, d'un signe montrant son mâle, il dit à la maîtresse du logis : « Ô ma souveraine, quel est son nom ? » À ces paroles elles furent toutes les trois prises d'un tel rire qu'elles se renversèrent sur leur derrière, et s'écrièrent : « Ton zebb ! » Il dit : « Mais non ! » et prit de chacune d'elles une morsure. Elles dirent alors : « Ton outil ! » Il répondit : « Que non ! » et prit de chacune un pincement de sein. Et elles, étonnées, lui dirent : « Mais c'est bien ton outil, il est ardent ! c'est bien ton zebb, il est mouvementé ! » Et le portefaix chaque fois hochait la tête, puis les embrassait, les mordait, les pinçait et les serrait dans ses bras ; et elles riaient extrêmement. Elles finirent par lui demander : « Dis-nous donc son nom ! » Alors le portefaix réfléchit un instant, regarda entre ses cuisses, cligna de l'œil, et dit : « Ô mes maîtresses, voici les paroles que vient de me dire cet enfant qui est mon zebb : « Mon nom est : le mulet puissant et non châtré, qui broute et paît le basilic des ponts, se délecte à se rationner au sésame décortiqué, et se loge à l'auberge de mon père Mansour ! »

À ces paroles, elles se mirent à rire tellement qu'elles se renversèrent sur leur derrière. Puis on recommença à boire dans la même coupe jusqu'à l'approche de la nuit. Alors elles dirent au portefaix : « Maintenant tourne ton visage et va-t'en en nous faisant voir la largeur de tes épaules ! » Mais le portefaix s'écria : « Par Allah ! il est plus aisé à mon âme de sortir de mon corps qu'à moi de quitter votre maison, ô mes maîtresses ! Joignons cette nuit avec le jour qui vient de s'écouler, et demain chacun pourra s'en aller voir l'état de sa destinée sur le chemin d'Allah ! » Alors la jeune pourvoyeuse intervint et dit : « Par ma vie ! ô mes sœurs, invitons-le à passer la nuit chez nous : nous rirons beaucoup de lui, car c'est un mauvais sujet sans pudeur, et d'ailleurs tout plein de gentillesse ! » Alors elles dirent au portefaix : « Eh bien ! tu pourras loger, cette nuit, chez nous, à la condition d'entrer sous notre gouverne et de ne nous demander aucune explication sur ce que tu verras ou sur le motif de quoi que ce soit ! » Alors il dit : « Oui, certes ! ô mes maîtresses ! » Et elles lui dirent : « Lève-toi alors et lis ce qui est inscrit sur la porte ! » Et il se leva et trouva sur la porte ces paroles écrites avec la peinture d'or :

« Ne parle point de ce qui ne te concerne point, sinon tu entendras des choses qui ne t'agréeront pas ! »

Alors le portefaix dit : « Ô mes maîtresses, je vous prends à témoin que je ne parlerai point de ce qui ne me concerne pas ! »

À ce moment, Schahrazade vit apparaître le matin et se tut discrètement.

Mais lorsque fut la dixième nuit. Doniazade lui dit : « Ô ma sœur, achève le récit ! » Et Schahrazade répondit : « Amicalement et comme un devoir de générosité ! » Et elle continua :

Il m'est parvenu, ô Roi fortuné, que, lorsque le portefaix eut fait cette promesse aux jeunes filles, la pourvoyeuse se leva et rangea les mets devant eux, et tous mangèrent avec délices. Après quoi, on alluma les chandelles, on brûla les bois odorants et l'encens ; puis tout le monde se remit à boire et à manger de toutes les friandises achetées au souk, surtout le portefaix, qui en même temps disait toujours des vers bien rythmés en fermant les yeux et hochant la tête. Et soudain on entendit des coups frappés à la porte ; mais cela ne les troubla pas dans leurs plaisirs ; pourtant la jeune portière se leva et se dirigea vers la porte, puis revint et leur dit : « Notre nappe va, en vérité, se trouver au complet cette nuit, car je viens de trouver à la porte trois Ahjam[1] à la barbe rasée et tous trois borgnes de l'œil gauche. Et, vraiment, c'est là une coïncidence étonnante ! J'ai vite vu que c'étaient des étrangers qui doivent venir du pays des Roum ; et chacun d'eux a une physionomie différente, mais tous les trois sont parfaitement réjouissants de figure, tant ils sont ridicules. Si donc nous les faisions entrer, nous nous amuserions bien à leurs dépens ! » Puis elle continua à dire des paroles persuasives à ses compagnes qui enfin lui dirent : « Dis-leur alors qu'ils peuvent entrer, mais pose-leur bien la condition en leur disant : « Ne parlez pas de ce qui ne vous concerne point, sinon vous entendrez des choses qui ne vous agréeront pas ! » Et la jeune fille courut toute joyeuse à la porte et revint en amenant les trois borgnes : et, en effet, ils avaient la barbe rasée, et, de plus, ils avaient des moustaches tordues et retroussées et tout en eux indiquait qu'ils appartenaient à la confrérie des mendiants appelés saâlik[2]. À peine entrés, ils souhaitèrent la paix à l'assistance en se reculant tour à tour. À leur vue, les jeunes filles se tinrent debout et les invitèrent à s'asseoir. Une fois assis, les trois hommes regardèrent le portefaix qui était en pleine ivresse et, quand ils l'eurent bien observé, ils supposèrent qu'il appartenait à leur confrérie et se dirent : « Oh ! mais c'est aussi un saâlouk comme nous ! il va donc pouvoir nous tenir compagnie amicalement ! » Mais le portefaix, qui avait entendu leur réflexion, se leva tout d'un coup, et leur fit de gros yeux et mit ses yeux de travers et leur dit : « Allez ! Allez ! restez donc tranquilles, car je n'ai que faire de vos bonnes grâces ! Et commencez par observer ce qui est écrit là, sur la porte ! » À ces paroles, les jeunes filles éclatèrent de rire et se dirent : « Nous allons bien nous amuser des saâlik et du portefaix ! » Puis elles offrirent à manger aux saâlik, qui mangèrent bien ! Puis la portière leur offrit à boire, et les saâlik se mirent à boire tour à tour et à se passer fréquemment la coupe des mains de la jeune portière. Lorsque la coupe fut en pleine circulation, le portefaix leur dit : « Hohé ! nos frères ! Avez-vous dans vos sacs quelque bonne histoire ou quelque aventure merveilleuse qui puisse nous amuser ? » À ces paroles ils furent fortement stimulés et chauffés, et demandèrent qu'on leur apportât les instruments de plaisir. Alors la portière leur apporta aussitôt un tambour de Mossoul garni de grelots, un luth d'Irak et un flageolet de Perse. Et les trois saâlik se tinrent debout : l'un prit le tambour à grelots, le second prit le luth et le troisième le flageolet. Et tous les trois commencèrent à jouer, et les jeunes filles les accompagnaient en chantant ; quant au portefaix, il se démenait de plaisir et disait : « Ha ! ya Allah ! » tant il était émerveillé de la voix magnifique et harmonieuse des exécutants.

Sur ces entrefaites on entendit de nouveau frapper à la porte. Et la portière se leva pour voir qui il y avait à la porte. Or, voici quelle était la cause des coups frappés à la porte : Cette nuit-là le khalifat Haroun Al-Rachid était descendu parcourir sa ville pour voir et entendre par lui-même les choses qui pouvaient se passer ; et il était accompagné de son vizir Giafar Al-Barmaki[1] et de son porte-glaive Massrour, l'exécuteur de ses vengeances. Car il avait pris l'habitude de se déguiser souvent en marchand.

Donc pendant qu'il se promenait cette nuit-là dans les rues de la ville, il trouva cette demeure sur sa route et il entendit le son des instruments et le bruit de la fête. Et le khalifat dit à Giafar : « Je veux que nous entrions dans cette demeure pour voir à qui appartiennent ces voix. » Mais Giafar répondit : « Ce doit être une troupe d'ivrognes. Aussi gardons-nous d'entrer de peur qu'il ne nous en arrive quelque mauvais tour. » Mais le khalifat dit : « Il faut absolument que nous entrions. Et je veux que tu trouves un expédient qui nous permette d'entrer et de les surprendre. » Et Giafar, à cet ordre, répondit : « J'écoute et j'obéis. » Alors Giafar s'avança et frappa à la porte. Et c'est en ce moment que la portière vint ouvrir.

La jeune portière ouvrit donc la porte, et Giafar lui dit : « Ô ma maîtresse ! nous sommes des marchands de Tabariat[2]. Il y a dix jours déjà que nous sommes venus à Bagdad avec de la marchandise, et nous logeons dans le khân des marchands. Aussi l'un des marchands du khân nous avait cette nuit invités chez lui et nous avait offert le repas. Après le repas, qui dura une heure et où il nous avait fait bien manger et bien boire, il nous laissa libres de nous en aller. Nous sortîmes donc ; mais il faisait nuit et nous étions des étrangers : aussi nous perdîmes le chemin du khân où nous logions. Et maintenant nous nous adressons avec ferveur à votre générosité pour que vous nous permettiez d'entrer et de passer la nuit chez vous. Et Allah vous tiendra compte de cette bonne œuvre ! »

Alors la portière les regarda et trouva qu'ils avaient bien la mine de marchands et aussi l'aspect fort respectable. Alors elle alla trouver ses deux compagnes et leur demanda leur avis. Elles lui dirent : « Fais-les entrer ! » Alors elle revint leur ouvrir la porte ; et ils lui demandèrent : « Pouvons-nous entrer, avec votre permission ? » Elle dit : « Entrez ! » Alors le khalifat et Giafar et Massrour entrèrent, et, à leur vue, les jeunes filles se tinrent debout et se mirent à leur service et leur dirent : « Soyez les bienvenus, et que l'accueil ici vous soit large et amical ! Prenez vos valises, ô nos convives ! Mais nous avons à vous poser une condition : « Ne parlez pas de ce qui ne vous concerne point, sinon vous entendrez des choses qui ne vous agréeront pas ! » Ils répondirent : « Oui, certes ! » Et ils s'assirent, et ils furent invités à boire et à faire circuler entre eux la coupe. Puis le khalifat regarda les trois saâlik et vit qu'ils étaient borgnes de l'œil gauche, et il s'en étonna fort. Il regarda ensuite les jeunes filles et vit toute leur beauté et leurs grâces, et il fut fort perplexe et surpris. Mais les jeunes filles continuèrent à s'entretenir avec les convives et à les inviter à boire avec eux ; puis elles présentèrent un vin exquis au khalifat ; mais il refusa en disant : « Je suis un bon hadj[1] ! » Alors la portière se leva et plaça devant lui une petite table incrustée finement, sur laquelle elle mit une tasse en porcelaine de Chine : elle versa dans la tasse de l'eau de source qu'elle rafraîchit avec un morceau de neige, et mélangea le tout avec du sucre et de l'eau de rose, puis le présenta au khalifat. Il l'accepta et remercia beaucoup la jeune fille, et se dit en lui-même : « Il faut que demain je la récompense pour son action et tout le bien qu'elle fait ! »

Les jeunes filles continuèrent à remplir leurs devoirs d'hospitalité et à servir à boire. Mais, lorsque le vin produisit ses effets, la maîtresse de la maison se leva, leur demanda encore leurs ordres, puis elle prit la pourvoyeuse par la main et lui dit : « Ô ma sœur, lève-toi, que nous accomplissions nos devoirs ! » Elle lui répliqua : « À tes ordres ! » Alors la portière se leva, dit aux saâlik de se lever du milieu de la salle et de se ranger contre les portes, enleva tout ce qu'il y avait au milieu de la salle et la nettoya. Quant aux deux autres jeunes filles, elles appelèrent le portefaix et lui dirent : « Allah ! que ton amitié est peu efficace ! Voyons ! tu n'es point un étranger ici, tu es de la maison ! » Alors le portefaix se leva, releva les pans de sa robe, se serra la taille, et dit : « Ordonnez et j'obéis ! » Et elles lui dirent : « Attends à ta place ! » Après quelques instants, la pourvoyeuse lui dit : « Suis-moi et viens m'aider ! » Et il la suivit hors de la salle, et il vit deux chiennes de l'espèce des chiens noirs, et qui avaient des chaînes passées autour du cou. Le portefaix les prit et les conduisit au milieu de la salle. Alors la maîtresse du logis s'approcha, releva ses manches, prit un fouet et dit au portefaix : « Amène ici l'une des chiennes ! » Et il entraîna une des chiennes en la tirant par sa chaîne et la fit s'approcher et la chienne se mit à pleurer et à lever la tête vers la jeune fille. Mais la jeune fille, sans en tenir compte, lui tomba dessus en la frappant avec le fouet sur la tête, et la chienne criait et pleurait ; et la jeune fille ne cessa de la frapper que lorsque ses bras furent las. Alors elle jeta le fouet de sa main, et prit la chienne dans ses bras, la serra contre sa poitrine, essuya ses larmes, et lui embrassa la tête en la tenant entre ses deux mains. Puis elle dit au portefaix : « Remmène-la, et amène-moi la seconde ! » Et le portefaix fit s'approcher la chienne : et la jeune fille la traita comme elle avait traité la première.

Alors le khalifat sentit son cœur se remplir de pitié et sa poitrine se rétrécir de tristesse, et il cligna de l'œil à Giafar pour lui signifier d'interroger la jeune fille à ce sujet. Mais Giafar lui répondit par signes qu'il était préférable de se taire.

Ensuite la maîtresse du logis se tourna vers ses sœurs et leur dit : « Allons ! faisons ce que nous avons l'habitude de faire. » Elles répondirent : « Nous obéissons. » Alors la maîtresse du logis monta sur son lit de marbre lamé d'or et d'argent et dit à la portière et à la pourvoyeuse : « Faites-nous voir maintenant ce que vous savez. » Alors la portière se leva et monta sur le lit à côté de sa sœur, et la pourvoyeuse sortit, alla dans son appartement et en rapporta un sac de satin entouré de franges de soie verte ; elle s'arrêta devant les jeunes filles, ouvrit le sac et en tira un luth. Elle le tendit à la portière qui l'accorda et, le pinçant, chanta des strophes sur l'amour et ses tristesses :

« De grâce ! rendez à mes paupières le sommeil qui s'est enfui, et dites-moi où ma raison s'en est allée !

Lorsque je consentis à loger l'amour dans ma demeure, le sommeil alors se fâcha contre moi et me délaissa ! »

Ils me répondirent : « Qu'as-tu fait, notre ami, toi, que nous savions être de ceux qui marchent dans la voie droite et sûre ? Dis-nous qui a pu ainsi t'égarer. »

Je leur dis : « Ce n'est point moi, mais elle qui vous éclairera ! Moi, je vous répondrai toujours que mon sang, tout mon sang, lui appartient. Je vous répondrai toujours que je préfère de beaucoup le répandre pour elle que le garder en moi dans sa lourdeur !

J'ai choisi une femme pour, en elle, mettre mes pensées, mes pensées qui reflètent son image même ! Aussi, si je chassais cette image, je mettrais le feu à mes entrailles, le feu dévorateur.

Vous m'excuseriez en la voyant ! Car Allah lui-même a orfévré ce bijou, avec la liqueur de vie ; et, avec ce qui est resté de cette liqueur, il a formé la grenade et les perles ! »

Ils me dirent : « Trouves-tu vraiment, ô naïf, dans ton objet aimé, autre chose que des plaintes, des pleurs, des peines et de rares plaisirs ?

Ne sais-tu qu'en te regardant dans l'eau limpide, tu ne verrais plus que l'ombre de toi-même ! Tu bois à une source où l'on est rassasié avant d'avoir pu la goûter seulement. »

Je leur répondis : « Ne croyez point que c'est en la buvant que l'ivresse m'a tenu, mais c'est en la regardant seulement ! Et cela seul a chassé à jamais le sommeil de mes yeux !

Et ce ne sont point les choses passées qui m'ont ainsi consumé, mais seulement son passé à elle ! Et ce ne sont point les choses aimées dont je me suis séparé qui m'ont mis dans cet état, mais seulement sa séparation d'avec moi.

Et maintenant, tourner mes regards vers une autre, le pourrais-je ? moi dont toute l'âme est attachée à son corps parfumé, aux parfums d'ambre et de musc de son corps ! »

Lorsqu'elle eut fini son chant, sa sœur lui dit : « Puisse Allah te consoler, ô ma sœur ! » Mais la jeune portière fut prise d'une telle affliction qu'elle déchira ses vêtements et tomba par terre tout à fait évanouie. Mais, par ce mouvement, comme son corps était mis à nu, le khalifat s'aperçut que ce corps portait l'empreinte de coups de fouet et de coups de verges, et il fut étonné à la limite de l'étonnement. Mais la pourvoyeuse s'approcha et jeta un peu d'eau sur le visage de sa sœur évanouie qui recouvra ses sens ; puis elle lui porta une nouvelle robe et l'en revêtit.

Alors le khalifat dit à Giafar : « Tu n'as pas l'air de t'émouvoir ! Ne vois-tu pas l'empreinte des coups sur cette femme ? Quant à moi, je ne puis plus garder le silence, et je n'aurai de repos que je n'aie découvert la vérité sur tout cela et aussi sur l'incident des deux chiennes ! » Et Giafar répondit : « Ô seigneur et maître, rappelle-toi la condition imposée : – Ne parle point de ce qui ne te concerne pas, sinon tu entendras des choses qui ne t'agréeront point ! »

Sur ces entrefaites, la pourvoyeuse se leva et prit le luth : elle l'appuya sur son sein arrondi, le pinça du bout des doigts et chanta :

« Si l'on venait se plaindre à nous de l'amour, que répondrions-nous ? Si nous-mêmes nous étions abîmées par l'amour, que ferions-nous ?

Car, si nous chargeons un interprète de répondre pour nous, l'interprète, en vérité, ne saura point rendre toutes les plaintes d'un cœur amoureux.

Et si, nous patientons et souffrons en silence la fuite du bien-aimé, la douleur aura bientôt fait de nous mettre à deux doigts de la mort !

Ô douleur ! Il n'y a plus pour nous que les regrets, le deuil, et les larmes ruisselantes sur les joues.

Et toi, cher absent, qui as fui les regards de mes yeux et coupé les liens qui t'attachaient à mes entrailles,

Dis ! as-tu, du moins, gardé en toi une trace de notre amour passé, une petite trace qui durerait en dépit du temps ?

Ou as-tu oublié, grâce à l'absence, la cause qui a épuisé toutes tes forces, et, par toi, m'a mis dans cet état de maigreur et de faiblesse ?

Si donc l'exil doit ainsi être mon partage, je demanderai un jour compte à Dieu, notre Seigneur, de toutes mes souffrances ! »

À ce chant triste, la maîtresse du logis déchira ses habits, comme sa première sœur, pleura et tomba évanouie. Et la pourvoyeuse se leva et l'habilla d'une seconde robe, après avoir pris soin de lui jeter de l'eau sur la figure et de la faire revenir à elle-même. Alors la maîtresse du logis, remise un peu, s'assit sur le lit et dit à la pourvoyeuse : « Je t'en prie, chante encore pour que nous puissions payer nos dettes ! Encore une fois seulement ! » Alors la pourvoyeuse accorda de nouveau le luth et chanta ces strophes :

« Jusques à quand cet éloignement et cet abandon si dur ? Ne sais-tu que mes yeux n'ont plus de larmes à répandre ?...

Tu me délaisses ! Mais penses-tu ainsi déserter longtemps encore l'ancienne amitié ? Oh ! si ton but n'était qu'allumer en moi la jalousie, tu as réussi !

Si le destin perfide devait toujours favoriser les hommes amoureux, les pauvres femmes ne trouveraient plus un seul jour pour faire leurs reproches aux amants infidèles !

Mais moi, hélas ! à qui dois-je me plaindre pour me décharger un peu de mes malheurs, de mes malheurs par ta main, ô meurtrier de ce cœur !... Hélas ! hélas ! quelle déception n'attend-elle pas le plaignant qui aurait perdu la preuve écrite de sa créance ou d'une dette payée !...

Et la tristesse de mon cœur endolori ne fait qu'augmenter de la folie de ton désir ! Je te désire ! Tu m'as promis ! Mais où es-tu ?

Ô frères, musulmans ! je vous laisse le soin de me venger de l'infidèle ! Qu'il éprouve d'égales souffrances ! Qu'à peine son œil va-t-il se fermer pour le repos, qu'aussitôt l'insomnie le rouvre largement !

Il m'a fait atteindre, par l'amour, aux pires humiliations ! Aussi je souhaite qu'un autre, à ma place, éprouve les plus grandes satisfactions, à ses dépens !

C'est moi jusqu'ici qui me suis dépensé pour son amour ! Mais c'est à lui, demain, à lui qui me blâme, de souffrir ! »

Alors de nouveau la portière tomba évanouie, et son corps mis à nu parut tout couvert de l'empreinte des fouets et des verges.

À cette vue les trois saâlik se dirent les uns aux autres : « Comme il aurait mieux valu pour nous ne pas entrer dans cette maison, même au risque de passer toute la nuit couchés sur les tas de terre, car ce spectacle vient de nous chagriner à nous démolir l'épine dorsale ! » Alors le khalifat se tourna vers eux et leur dit : « Et pourquoi cela ? » Ils répondirent : « C'est que nous sommes si intimement préoccupés de ce qui vient de se passer ! » Alors le khalifat leur demanda : « Alors, vous autres, n'êtes-vous donc pas de la maison ? » Ils répondirent : « Mais non ! Aussi pensons-nous que cette maison appartient à cet homme qui est là à côté de toi ! » Alors le portefaix s'écria : « Ha ! par Allah ! c'est pour la première fois, cette nuit même, que je suis entré dans cette demeure ! Comme il aurait été préférable pour moi d'avoir couché sur les monceaux de terre des décombres plutôt que dans cette maison ! »

Alors tous se concertèrent et dirent : « Nous sommes ici sept hommes, et elles ne sont en tout que trois femmes, pas une de plus ! Demandons-leur l'explication de cet état de choses. Si elles ne veulent pas nous répondre de bonne grâce, elles nous répondront de force ! » Et là-dessus tous tombèrent d'accord, excepté Giafar qui dit : « Trouvez-vous que ce soit là une idée juste et honnête ? Songez que nous sommes leurs hôtes, et qu'elles nous ont fait leurs conditions que nous devons suivre avec droiture ! D'ailleurs voici la nuit qui va finir, et chacun de nous va s'en aller voir l'état de sa destinée sur le chemin d'Allah ! » Puis il cligna de l'œil au khalifat et, le prenant à part, lui dit : « Nous n'avons plus qu'une heure à passer ici. Et je te promets que demain je les amènerai entre tes mains, et nous leur demanderons leur histoire ! » Mais le khalifat refusa et dit : « Je n'ai plus la patience d'attendre jusqu'à demain ! » Puis comme ils continuaient leur dialogue en disant : comme ceci et comme cela ! ils finirent tout de même par se demander : « Mais qui d'entre nous leur posera la question ? » Et quelques-uns opinèrent que cela revenait au portefaix.

Sur ces entrefaites, les jeunes filles leur demandèrent : « Ô bonnes gens, de quoi parlez-vous ? » Alors le portefaix se leva, se tint devant la maîtresse de la maison et lui dit : « Ô ma souveraine, je te demande et te conjure au nom d'Allah, de la part de tous ces convives, de nous dire l'histoire de ces deux chiennes, et pourquoi tu les as ainsi châtiées pour ensuite pleurer sur elles et les embrasser ! Et dis-nous aussi, pour que nous l'entendions, la cause de l'empreinte des coups de fouet et de verges sur le corps de ta sœur ! Et telle est notre demande ! Et maintenant que la paix soit avec toi ! »

Alors la maîtresse de la maison demanda à tous ceux qui étaient réunis : « Est-ce vrai ce que le portefaix dit en votre nom ? » Et tous, à l'exception de Giafar, répondirent : « Oui, c'est vrai ! » Et Giafar ne dit pas un mot.

Alors la jeune fille, en entendant leur réponse, dit : « Par Allah ! ô nos hôtes, voici que vous venez de commettre à notre égard la pire des offenses et la plus criminelle ! Or, précédemment, nous vous avions posé la condition que si quelqu'un parlait de ce qui ne le regardait pas, il entendrait des choses qui ne lui agréeraient point ! Et ne vous a-t-il pas suffi d'être entrés dans notre maison et d'avoir mangé de nos provisions ? Mais ce n'est point de votre faute, mais de la faute de notre sœur qui vous a amenés chez nous ! »

À ces paroles, elle retroussa ses manches sur ses poignets, frappa le sol trois fois de son pied et s'écria : « Hé ! Accourez vite ! » Et aussitôt s'ouvrit la porte d'une des garde-robes sur lesquelles étaient abaissés les rideaux, et en sortirent sept nègres solides brandissant à la main des glaives aiguisés. Et elle leur dit : « Attachez les bras de ces gens à la langue trop longue, et liez-les les uns aux autres ! » Et les nègres exécutèrent l'ordre, et dirent : « Ô notre maîtresse, ô fleur cachée loin du regard des hommes, nous permets-tu de leur trancher la tête ? » Elle répondit : « Patientez encore une heure sur eux ! Car je veux, avant de leur couper le cou, les interroger pour savoir qui ils sont ! »

Alors le portefaix s'écria : « Par Allah ! ô ma maîtresse, ne me tue pas pour le crime fait par d'autres ! Eux tous ici ont failli et commis un vrai crime, mais pas moi ! Oh, par Allah ! quelle nuit heureuse et agréable nous aurions passée si nous avions été indemnes de la vue de ces saâlik de malheur ! car ces saâlik de mauvais augure mettraient en ruine, par leur seule présence, la ville la plus florissante rien qu'en y entrant ! » Et là-dessus il récita une strophe :

« Qu'il est beau le pardon de la part du fort, qu'il est beau, surtout accordé à un être sans défense !…

Et toi, je te conjure, par l'amitié inviolable qui est entre nous, ne tue point l'innocent à cause du coupable.

Lorsque le portefaix eut fini de parler, la jeune fille se mit à rire.

À ce moment, Schahrazade vit approcher le matin, et elle se tut discrètement.

Mais lorsque fut la onzième nuit. Elle dit :

Il m'est parvenu, ô Roi fortuné, que lorsque la jeune fille se mit à rire après s'être mise en colère, elle s'approcha de la compagnie et dit : « Racontez-moi tout ce qu'il faut me raconter, car vous n'avez plus qu'une heure à vivre ! D'ailleurs, si je patiente ainsi, c'est que vous êtes de pauvres gens ; car si vous étiez parmi les plus considérés ou les plus grands de votre tribu, ou si vous étiez des gouvernants, il est certain que je vous aurais expédiés plus vite encore pour vous punir ! »

Alors le khalifat dit à Giafar : « Malheur à nous, ô Giafar ! Révèle-lui qui nous sommes, sinon elle va nous tuer ! » Et Giafar répondit : « Nous n'avons que ce que nous avons mérité ! » Mais le khalifat lui dit : « Il ne faut pas faire de plaisanterie au moment où il faut être sérieux, car chaque chose a son temps ! »

Alors la jeune fille s'approcha des saâlik et leur dit : « Êtes-vous frères ? » Ils lui répondirent : « Non, par Allah ! Nous ne sommes que les plus pauvres des pauvres, et nous vivons de notre métier en posant des ventouses et en faisant des scarifications ! » Alors elle s'adressa à chacun d'eux et lui demanda : « Es-tu né borgne ? » Il répondit : « Non, par Allah ! mais l'histoire de la perte de mon œil est une histoire tellement étonnante que, si elle était écrite avec l'aiguille sur le coin de l'œil, elle serait une leçon à qui la lirait avec respect ! » Et le second et le troisième lui firent la même réponse. Puis tous ensemble lui dirent : « Chacun de nous est d'un pays différent et nos histoires sont étonnantes et nos aventures prodigieusement étranges ! » Alors la jeune fille se tourna vers eux et leur dit : « Que chacun de vous raconte son histoire et la cause de sa venue à notre maison. Et ensuite que chacun de vous porte la main à son front pour nous remercier et qu'il s'en aille à sa destinée ! »

Alors le premier qui s'avança fut le portefaix, qui dit : « Ô ma maîtresse, moi, de mon état d'homme, je suis portefaix, rien de plus ! La pourvoyeuse que voici me fit porter une charge et vint ici avec moi. Et il m'est arrivé avec vous autres ce que vous savez fort bien, et que je ne veux pas répéter ici, vous comprenez pourquoi. Et telle est toute mon histoire, car je n'ajouterai pas un mot de plus. Et je vous souhaite la paix ! »

Alors la jeune fille lui dit : « Allons ! porte un peu la main à ta tête pour voir si elle est bien à sa place, lisse tes cheveux et va-t'en ! » Mais le portefaix dit : « Non, par Allah ! je ne m'en irai que lorsque j'aurai entendu le récit de mes compagnons que voici. »

Alors le premier saâlouk d'entre les saâlik s'avança pour raconter son histoire, et dit :

HISTOIRE DU PREMIER SAÂLOUK

« Je vais, ô ma maîtresse, t'apprendre le motif qui m'obligea à raser ma barbe et à perdre mon œil !

Sache donc que mon père était roi. Il avait un frère, et ce frère était roi dans une autre ville. Pour ce qui est de ma naissance, il y eut cette coïncidence que ma mère m'enfanta le jour même de la naissance du fils de mon oncle.

Puis les années passèrent, et puis des années et des jours, et moi et le fils de mon oncle nous grandissions. Il faut que je te dise qu'il m'arrivait d'aller, à des intervalles de quelques années, faire une visite à mon oncle, et même de rester chez lui de nombreux mois. La dernière fois que je lui fis visite, le fils de mon oncle me reçut avec un accueil des plus larges et des plus généreux ; il fit égorger des moutons en mon honneur, et clarifier des vins nombreux. Puis nous commençâmes à boire, et tellement que le vin fut plus fort que nous. Alors le fils de mon oncle me dit : « Ô fils de mon oncle ! toi que j'aime d'une façon toute particulière, j'ai à te demander une chose importante, et je voudrais ne te voir pas me la refuser ou m'empêcher de faire ce que j'ai résolu ! » Je lui répondis : « Certainement, et de tout cœur amical et généreux ! » Alors, pour avoir toute confiance, il me fit prêter le serment le plus sacré en me faisant jurer sur notre sainte religion. Il se leva aussitôt, s'absenta quelques instants, puis s'en revint avec, derrière lui, une femme toute parée, toute parfumée délicieusement, vêtue de vêtements somptueux qui devaient coûter un prix fort considérable. Et il se tourna vers moi, avec la femme derrière lui, et me dit : « Prends cette femme, et précède-moi vers l'endroit que je vais t'indiquer. (Et il m'indiqua l'endroit en me le spécifiant de telle sorte que je le compris bien.) Et là tu trouveras telle tombe au milieu des autres tombes, et tu m'y attendras ! » Et je ne pus lui refuser cela, ni me récuser devant cette demande, à cause du serment que j'avais juré avec ma main droite ! Et je pris la femme et je m'en allai et j'entrai sous le dôme de la tombe avec elle, et nous nous assîmes à attendre le fils de mon oncle que nous vîmes bientôt arriver portant avec lui une tasse remplie d'eau, un sac contenant du plâtre et une hachette. Il déposa tout cela, ne garda avec lui que la hachette, et alla vers la pierre de la tombe sous le dôme ; il enleva les pierres une à une et les rangea de côté ; puis, avec cette hachette, il se mit à creuser la terre jusqu'à ce qu'il eût mis à découvert un couvercle grand comme une petite porte ; il l'ouvrit et au-dessous apparut un escalier voûté. Alors il se tourna vers la femme et lui dit en lui faisant signe : « Allons ! tu n'as qu'à choisir ! » Et la femme tout de suite descendit l'escalier et disparut. Alors il se tourna vers moi et me dit : « Ô fils de mon oncle ! je te prie de compléter le service que tu viens de me rendre. Lorsque je serai descendu là-dedans, tu refermeras le couvercle et tu le recouvriras de terre comme il était auparavant. Et ainsi tu compléteras le service rendu. Quant à ce plâtre qui est dans le sac, et quant à cette eau qui est dans la tasse, tu les mélangeras bien ; puis tu remettras les pierres comme avant, et avec ce mélange tu plâtreras les pierres à leurs jointures comme avant, et tu feras en sorte que nul ne puisse deviner et dire : « Voici une fosse fraîche dont le plâtrage est récent, mais les pierres vieilles ! » Car, ô fils de mon oncle, voici une année entière que j'y travaille, et il n'y a qu'Allah qui le sache ! Et telle est ma prière ! » Puis il ajouta : « Et maintenant puisse Allah ne pas trop m'accabler de tristesse pour ton absence loin de moi, ô le fils de mon oncle ! » Puis il descendit l'escalier et s'enfonça dans la tombe. Quand il eut disparu à mes regards, je me levai, je refermai le couvercle, et je fis comme il m'avait ordonné de faire, de sorte que la tombe redevint comme elle était.

Je revins alors au palais de mon oncle ; mais mon oncle était à la chasse à pied et à courre ; et alors je m'en allai me coucher cette nuit-là. Puis, quand vint le matin, je me mis à réfléchir sur toutes ces choses de la nuit dernière, et sur tout ce qui était survenu entre moi et le fils de mon oncle ; et je me repentis de l'action que j'avais faite. Mais le repentir ne sert jamais ! Alors je retournai vers les tombes, et je cherchai la tombe en question, sans pouvoir arriver à la reconnaître. Et je continuai mes recherches jusqu'à l'approche de la nuit sans pouvoir en retrouver le chemin. Je retournai alors au palais, et je ne pus ni boire ni manger, et toutes mes idées travaillaient au sujet du fils de mon oncle, et je ne pus tout de même découvrir quoi que ce soit ! Alors je m'affligeai d'une affliction considérable, et je passai toute ma nuit fort affligé jusqu'au matin. Je revins alors une seconde fois au cimetière en pensant à tout ce qu'avait fait le fils de mon oncle, et je me repentis fort de l'avoir écouté ; puis je me remis à chercher la tombe au milieu de toutes les autres tombes, sans pouvoir la découvrir. Je continuai ainsi mes recherches durant sept jours, et je ne trouvai point le vrai chemin. Alors mes soucis et les mauvaises suggestions augmentèrent tellement que je fus sur le point de devenir fou.

Pour trouver un remède et un repos à mes chagrins, je songeai au voyage et je partis pour retourner chez mon père. Au moment même où j'arrivais aux portes de la ville de mon père, une troupe d'hommes surgit, se jeta sur moi et me lia les bras. Alors je fus complètement stupéfait de cette action, vu que j'étais le fils du sultan de la ville, et que ceux-là étaient les serviteurs de mon père et aussi mes jeunes esclaves. Et j'eus une peur considérable, et je me dis en moi-même : « Qui sait ce qui a pu arriver à mon père ! » Alors je me mis à questionner à ce sujet ceux qui m'avaient lié les bras ; et ils ne me rendirent aucune réponse. Mais, peu d'instants après, l'un d'eux, qui était un de mes jeunes esclaves, me dit : « La destinée du temps s'est montrée agressive à l'égard de ton père. Les soldats l'ont trahi et le vizir l'a fait mettre à mort. Quant à nous, nous étions en embuscade pour attendre ta chute entre nos mains. »

Là-dessus, ils m'enlevèrent, et moi je n'appartenais vraiment plus à ce monde, tant ces nouvelles entendues m'avaient consterné, tant la mort de mon père m'avait saisi de douleur. Et ils me traînèrent soumis entre les mains du vizir qui avait tué mon père. Or, entre ce vizir et moi, il y avait une vieille inimitié. Le motif de cette inimitié, c'est que j'étais très enflammé pour le tir à l'arbalète. Or, il y eut cette coïncidence qu'un jour d'entre les jours, où j'étais sur la terrasse du palais de mon père, un grand oiseau descendit sur la terrasse du palais de mon père, un grand oiseau descendit sur la terrasse du palais du vizir, alors que le vizir s'y trouvait : je voulus atteindre l'oiseau avec l'arbalète, mais l'arbalète manqua l'oiseau et atteignit l'œil du vizir et l'abîma avec la volonté et le jugement écrit d'Allah ! Comme dit le poète :

« Laisse les destinées s'accomplir, et n'essaie de remédier qu'aux actions des juges de la terre !

Devant toute chose n'aie point de joie et n'aie point d'affliction car les choses ne sont point éternelles !

Nous avons accompli notre destinée, nous avons suivi à la lettre les lignes qui pour nous ont été écrites par le Sort ; car celui pour qui une ligne a été tracée par le Sort ne saurait que la parcourir. »

Le saâlouk continua ainsi : Lorsque j'abîmai ainsi irrémédiablement l'œil du vizir, le vizir n'osa rien dire, car mon père était le roi de la ville. Et telle était la cause de l'inimitié entre moi et lui. Quand donc, les bras liés, je fus amené devant lui, il ordonna de me couper le cou ! Alors je lui dis : « Vas-tu me tuer sans un crime de moi ? » Il répondit : « Et quel crime plus considérable que celui-ci ? » Et il me fit signe vers son œil perdu. Alors je lui dis : « Je fis cela par mégarde. » Mais il me répondit : « Si, toi, tu le fis par mégarde, moi, je le ferai d'une façon préméditée ! » Puis il s'écria : « Qu'on l'amène entre mes mains ! » Et on m'amena entre ses mains. Alors il allongea la main et enfonça son doigt dans mon œil gauche, et me l'abîma complètement. Et c'est depuis ce temps-là que je suis borgne, comme vous le voyez tous.

Après cela, le vizir me fit lier et mettre dans une caisse. Puis il dit au porte-glaive : « Je te confie celui-ci. Sors ton sabre du fourreau. Et emmène-le d'ici. Prends-le en dehors de la ville, tue-le, et laisse-le là manger par les bêtes fauves. »

Alors le porte-glaive m'emmena et s'en alla jusqu'à ce qu'il sortît de la ville. Il me tira alors de la caisse, lié des mains et enchaîné des pieds, et voulut me bander les yeux avant de me mettre à mort. Je me mis à pleurer et à réciter ces quelques strophes :

« Je t'ai pris comme une cuirasse à toute épreuve pour me garantir des javelots ennemis : et tu as été toi-même le fer de lance, le fer aigu qui transperce !

Pour moi, quand la puissance était mon lot, ma main droite, qui devait punir, s'abstenait, en passant l'arme à ma main gauche impuissante. Ainsi j'agissais.

Épargnez-moi donc, de grâce, les reproches cruels et les blâmes, et laissez mes ennemis seulement me lancer les flèches de douleur !

À ma pauvre âme éprouvée par les tortures ennemies, accordez le don du silence, et ne la comprimez pas par la dureté des paroles et leur poids !

— J'ai pris mes amis pour me servir de solides cuirasses ! Ils le furent ! Mais contre moi, entre les mains de mes ennemis !

Je les ai pris pour me servir de flèches meurtrières ! Ils le furent ! Mais dans mon cœur !

J'ai cultivé des cœurs avec ferveur pour les rendre fidèles. Ils furent fidèles ! Mais en d'autres amours !

Je les ai soignés avec toute ma ferveur pour qu'ils soient constants ! Ils furent constants ! Mais dans la trahison ! »

Lorsque le porte-glaive entendit mes vers, il se rappela alors qu'il avait été le porte-glaive de mon père et que je l'avais moi-même comblé de bienfaits, et il me dit : « Comment allais-je te tuer ? Et je suis ton esclave soumis ! » Puis il me dit : « Bondis ! Tu as la vie sauve ! Et ne reviens plus dans cette contrée, car tu périrais et tu me ferais périr avec toi ; comme dit le poète :

« Va ! libère-toi, ami, et sauve ton âme de la tyrannie de tous les liens ! Et laisse les maisons servir de tombeaux à ceux qui les ont bâties !

Va ! Tu trouveras d'autres terres que les tiennes, d'autres pays que ton pays ; mais jamais tu ne trouveras d'autre âme que ton âme !

Songe ! quelle étonnante chose, quelle chose insensée de vivre dans un pays d'humiliations, quand la terre d'Allah est large à l'infini !

Pourtant ! il est écrit !... il est écrit que l'homme dont la destinée est de mourir dans une terre, ne pourra que mourir dans la terre de sa destinée ! Mais toi, connais-tu la terre de ta destinée ?...

Et, surtout, n'oublie point que le cou du lion ne se développe et grossit que lorsque l'âme du lion s'est développée, en toute liberté ! »

Quand il eut fini ces vers, je lui embrassai les mains. Et je ne crus vraiment à mon salut qu'en me voyant déjà au loin envolé.

Par la suite, je me consolai de la perte de mon œil en songeant à ma délivrance de la mort. Et je continuai à voyager, et j'arrivai à la ville de mon oncle. J'entrai donc chez lui, et je lui appris ce qui était arrivé à mon père et ce qui m'était arrivé, à moi, pour perdre ainsi mon œil. Alors il se mit à pleurer beaucoup de pleurs, et s'écria : « Ô fils de mon frère ! tu viens d'ajouter une affliction à mes afflictions et une douleur à mes douleurs. Car je dois t'apprendre que le fils de ton pauvre oncle qui est devant toi s'est perdu depuis des jours et des jours, et je ne sais ce qui lui est arrivé, et personne ne peut me dire où il est ! » Puis il se mit à pleurer tellement qu'il s'évanouit. Lorsqu'il revint à lui, il me dit : « Ô mon enfant ! je suis affligé d'une affliction considérable pour le fils de ton oncle, moi ton oncle ! Et toi, tu viens d'ajouter une peine à mes peines, en me racontant ce qui t'est arrivé et ce qui est arrivé à ton père ! Mais pour toi, ô mon enfant, il vaut encore mieux avoir perdu l'œil que la vie ! »

À ces paroles, je ne pus plus me taire sur ce qui était arrivé au fils de mon oncle, son enfant à lui. Je lui révélai donc toute la vérité. À mes paroles, mon oncle se réjouit à la limite de la joie, vraiment il se réjouit fort à mes paroles sur son fils. Et il me dit : « Oh ! fais-moi vite voir cette tombe. » Et je lui répondis : « Par Allah ! ô mon oncle, je ne sais son emplacement. Car je suis allé bien des fois la rechercher, sans pouvoir en trouver l'emplacement ! »

Alors, moi et mon oncle, nous allâmes au cimetière, et, cette fois, en regardant à droite et en regardant à gauche, je finis par reconnaître la tombe. Alors, moi et mon oncle, nous fûmes à la limite de la joie, et nous entrâmes sous le dôme ; nous enlevâmes la terre et puis le couvercle ; et, moi et mon oncle, nous descendîmes cinquante marches d'escalier. Lorsque nous arrivâmes au bout de l'escalier, nous vîmes une fumée monter vers nous, qui nous aveugla. Mais aussitôt mon oncle prononça la Parole qui enlève toute crainte à qui la prononce, celle-ci : « Il n'y a de pouvoir et de force qu'en Allah le Très-Haut, le Tout-Puissant ! »

Alors nous marchâmes, et nous arrivâmes dans une grande salle remplie de farine, de grains de toutes les espèces, de mets de toutes sortes, et de bien d'autres choses aussi. Et nous vîmes, au milieu de la salle, un rideau abaissé sur un lit. Alors mon oncle regarda à l'intérieur du lit, et trouva et reconnut son fils, qui était là aux bras de la femme qui était descendue avec lui ; mais tous deux étaient devenus du charbon noir, absolument comme s'ils avaient été jetés dans une fosse de feu !

À cette vue, mon oncle cracha au visage de son fils et s'écria : « Tu le mérites bien, ô scélérat ! Ceci c'est le supplice de ce bas monde, mais il te reste encore le supplice de l'autre monde, qui est plus terrible et plus durable ! » Et ce disant, mon oncle après avoir craché à la figure de son fils, se déchaussa de sa babouche, et de la semelle il le frappa à la face.

À ce moment de son récit, Schahrazade vit s'approcher le matin, et, discrète, ne voulut point profiter davantage de la permission accordée.

Mais lorsque fut la douzième nuit. Elle dit :

Il m'est parvenu, ô Roi fortuné, que le saâlouk dit à la jeune fille, pendant que toute l'assemblée, ainsi que le khalifat et Giafar, écoutait le récit :

Donc, après que mon oncle, avec la semelle de sa babouche, eut frappé au visage son fils qui était étendu là comme du charbon noir, moi, je fus prodigieusement étonné de ce coup-là. Et je m'affligeai beaucoup sur le fils de mon oncle, en les voyant devenus ainsi du charbon noir, lui et l'adolescente ! Puis je m'écriai : « Par Allah ! ô mon oncle, allons ! allège un peu les soucis de ton cœur ! Car, moi, mon cœur travaille beaucoup ainsi que mon être intime au sujet de ce qui arrive à ton enfant ! Et surtout je m'afflige de le voir ainsi devenu, lui, et la jeune fille, du charbon noir ; et de te voir, toi, son père, ne pas te contenter de cela et le frapper avec la semelle de ta babouche ! » Alors mon oncle me raconta ceci :

« Ô fils de mon frère ! sache que cet enfant, qui est le mien, dès son enfance s'enflamma d'amour pour sa propre sœur. Et, moi, toujours je l'éloignais d'elle, et je me disais en moi-même : « Sois tranquille ! ils sont encore trop jeunes ! » Mais pas du tout ! À peine étaient-ils devenus pubères, qu'entre eux survint la mauvaise action, et je l'appris ! Mais, vraiment, je ne le crus pas tout à fait ! Pourtant je le réprimandai, une réprimande terrible, et je lui dis : « Prends bien garde à ces actions scélérates, que nul n'a faites avant toi et que nul ne fera après toi ! Sinon, nous serons, parmi les rois, dans la honte et l'ignominie jusqu'à la mort ! Et les courriers à cheval propageront nos histoires dans le monde entier ! Garde-toi donc bien de ces actes, sinon je te maudirai et je te tuerai ! » Puis je pris soin de le séparer d'elle, et de la séparer de lui. Mais il faut croire que cette scélérate l'aimait d'un amour considérable ! Car le Cheitan consolida son œuvre en eux !

Quand donc mon fils vit que je l'avais séparé de sa sœur, il dut alors faire cette place qui est sous terre, sans rien dire à personne. Et, comme tu le vois, il y transporta des mets, et tout cela ! Et il profita de mon absence, quand j'étais à la chasse, pour venir ici avec sa sœur !

C'est alors que la justice du Très-Haut et Très-Glorieux fut émue ! Et elle les brûla tous les deux ici même ! Mais le supplice du monde futur est encore plus terrible et plus durable ! »

Et là-dessus mon oncle se mit à pleurer, et moi aussi avec lui. Puis il me dit : « Désormais tu seras mon enfant à la place de l'autre ! »

Alors, moi, pendant une heure, je me mis à méditer sur les affaires de ce monde d'ici-bas, et, entre autres choses, à la mort de mon père par ordre du vizir, à son trône usurpé, à mon œil abîmé que vous voyez, vous tous ! et à tout ce qui était arrivé au fils de mon oncle en fait de choses étranges ; et je ne pus m'empêcher de pleurer ! Après cela, nous sortîmes de la tombe ; et nous refermâmes le couvercle ; puis nous le couvrîmes de terre et nous mîmes la tombe dans l'état où elle était auparavant ; et ensuite nous retournâmes à notre demeure.

À peine y étions-nous arrivés et assis, que nous entendîmes des sons d'instruments de guerre, de tambours et de trompettes, et nous vîmes courir des guerriers : et toute la ville fut pleine de rumeurs, de bruit et de la poussière soulevée par les sabots des chevaux. Et vraiment notre esprit devint fort perplexe de ne pas pouvoir arriver à connaître la cause de tout cela. Enfin le roi, mon oncle, finit par en demander la raison, et on lui répondit : « Ton frère a été tué par son vizir, qui s'est hâté de rassembler tous les soldats et toutes les troupes et de venir ici au plus vite, pour prendre subitement la ville d'assaut ! Mais les habitants de la ville ont vu qu'ils ne pouvaient lui résister : aussi lui ont-ils livré la ville à discrétion ! »

À ces paroles, moi, je me dis en moi-même : « Sûrement, il me tuerait si je tombais entre ses mains ! » Et, de nouveau, les chagrins et les soucis s'amoncelèrent en mon âme, et je me remis à me remémorer tristement tous les malheurs survenus à mon père et à ma mère. Et je ne savais plus que faire. D'un autre côté, si je venais à me montrer, les habitants de la ville et les soldats de mon père me reconnaîtraient, et chercheraient à me tuer et à me perdre ! Et je ne trouvai guère d'autre expédient que celui de me raser la barbe. Aussi je me rasai la barbe, je me déguisai sous d'autres habits et je quittai la ville. Et je me mis en marche vers cette ville de Bagdad, où j'espérais arriver en sécurité et trouver quelqu'un qui me fît parvenir jusqu'au palais de l'émir des Croyants, le khalifat du Maître des Univers, Haroun Al-Rachid, à qui je voulais raconter mon histoire et mes aventures.

Je finis par arriver en sécurité dans cette ville de Bagdad, cette nuit même. Et je ne sus où aller ni où venir, et je devins fort perplexe. Mais tout à coup je me trouvai face avec ce saâlouk-ci. Alors je lui souhaitai la paix et lui dis : « Je suis étranger. » Il me répondit : « Je suis étranger, moi aussi. » Nous causions amicalement, quand nous vîmes arriver vers nous ce saâlouk-là, notre troisième compagnon. Il nous souhaita la paix et nous dit : « Je suis étranger. » Nous lui répondîmes : « Nous sommes étrangers, nous aussi. » Alors nous marchâmes ensemble jusqu'à ce que les ténèbres nous eussent surpris. Alors la destinée nous conduisit heureusement jusqu'ici, auprès de vous, nos maîtresses ! Et telle est la cause de ma barbe rasée et de mon œil abîmé ! »

À ce récit du premier saâlouk, la jeune fille lui dit : « Allons ! c'est bien ! et maintenant caresse un peu ta tête[1]. Et va-t'en vite ! » Mais le premier saâlouk lui répondit : « Ô ma maîtresse, vraiment je ne m'en irai que lorsque j'aurai entendu le récit de tous mes compagnons que voici. »

Pendant ce temps, toute l'assistance était émerveillée de cette histoire étonnante, et le khalifat dit même à Giafar : « Certes, de ma vie je n'ai entendu une aventure pareille à celle de ce saâlouk ! »

Alors le premier saâlouk alla s'asseoir en se croisant les jambes ; et le deuxième saâlouk s'avança, baisa la terre entre les mains de la jeune maîtresse de la maison, et raconta ceci :

HISTOIRE DU DEUXIÈME SAÂLOUK

« Vraiment, ô ma maîtresse, moi je ne suis pas né borgne. Mais mon histoire, que je vais te raconter, est si étonnante que, si elle était écrite avec l'aiguille sur le coin intérieur de l'œil, elle servirait de leçon à qui est capable de s'instruire !

Tel que tu me vois, je suis roi, fils de roi ! Sache aussi que je ne suis point un ignorant : j'ai lu le Koran ; j'en ai lu les sept narrations ; j'ai lu aussi les livres capitaux, les livres essentiels des maîtres de la science ; j'ai lu la science des astres et les paroles des poètes. Enfin, je me suis appliqué tellement dans l'étude de toutes les sciences, que j'ai surpassé tous les vivants de mon siècle.

Aussi mon nom grandit-il auprès de tous les écrivains. De plus, ma renommée s'étendit dans tous les districts et dans toutes les contrées, et ma valeur fut connue de tous les rois. C'est alors que le roi de l'Inde en entendit parler. Et il envoya prier mon père de m'envoyer auprès de lui, et, en même temps qu'il me demandait, il envoya à mon père des cadeaux somptueux et des présents vraiment dignes des rois. Aussi mon père consentit, et me fit préparer six navires pleins de toutes les choses, et je partis.

Notre voyage par mer dura un mois entier, après quoi nous arrivâmes à une terre. Là, nous débarquâmes nos chevaux, qui étaient avec nous dans les navires, et nos chameaux ; et nous chargeâmes dix de nos chameaux de cadeaux destinés au roi de l'Inde. Mais, à peine étions-nous en marche, qu'un nuage de poussière s'éleva en s'approchant, et couvrit toutes les régions du ciel et de la terre, et dura ainsi pendant une heure de la journée ; puis il se dissipa, et d'en dessous apparurent soixante cavaliers semblables à des lions en courroux. Lorsque nous les eûmes bien regardés, nous vîmes que c'étaient des Arabes du désert, des bandits coupeurs de routes ! Et lorsqu'ils nous eurent aperçus, alors que nous commencions à fuir et que nous avions avec nous dix charges de cadeaux destinés au roi de l'Inde, ils coururent derrière nous et dirigèrent leur galop, toutes rênes lâchées, de notre côté. Alors, nous, nous leur fîmes des signes avec nos doigts, et nous leur dîmes : « Nous sommes des envoyés pour le puissant roi de l'Inde ! Ne nous faites donc pas de mal ! » Et ils nous dirent : « Nous ne sommes pas sur sa terre ni sous sa dépendance ! » Là-dessus, ils tuèrent quelques-uns de mes jeunes serviteurs, pendant que, les autres et moi, nous prenions la fuite dans toutes les directions, moi après avoir été blessé d'une blessure énorme. Pendant ce temps, les Arabes du désert s'occupèrent à piller nos richesses et nos cadeaux restés sur le dos des chameaux.

Quant à moi, dans ma fuite, je ne sus plus ni où j'étais ni ce que je devais faire. Hélas ! naguère encore, j'étais dans les grandeurs, et maintenant dans la misère et la pauvreté ! Et je persistai dans ma fuite jusqu'à ce que je fusse arrivé au sommet d'une montagne, où je trouvai une grotte ; et je pus enfin m'y reposer et passer la nuit.

Le matin, je sortis de la grotte, et je continuai à marcher jusqu'à ce que je fusse arrivé à une ville splendide et prospère, au climat si merveilleux que l'hiver n'avait sur elle aucune prise et que le printemps la couvrait toujours de ses roses. Aussi je me réjouis fort de ma venue en cette ville, surtout dans l'état de fatigue où je me trouvais, accablé que j'étais par la marche et la fuite. Et vraiment j'étais dans un état triste de pâleur. Et j'étais bien changé.

Dans cette ville, je ne savais où me diriger, quand, passant à côté d'un tailleur qui cousait dans sa boutique, j'allai à lui et je lui souhaitai la paix ! Il me rendit mon souhait de paix, et m'invita cordialement à m'asseoir, et m'embrassa, et m'interrogea avec bonté sur la cause qui m'éloignait de mon pays. Alors je lui racontai tout ce qui m'était arrivé, depuis le commencement jusqu'à la fin. Alors il fut très affligé pour moi, et me dit : « Ô tendre jeune homme, il ne faut rien dire de toute cette histoire à qui que ce soit ! Car j'ai bien peur pour toi du roi de cette ville : c'est le plus grand ennemi de ton père, et il a une ancienne vengeance à tirer de lui ! »

Après cela, il me prépara à manger et à boire ; et moi, je mangeai et je bus, et lui aussi avec moi. Et nous passâmes la nuit à causer ; et il me donna une place dans un coin de sa boutique, où je m'étendis, et lui aussi, pour dormir. Ensuite il m'apporta tout ce dont je pouvais avoir besoin, un matelas et une couverture.

Je demeurai de la sorte chez lui pendant trois jours, après lesquels il me demanda : « Sais-tu un métier qui puisse te faire gagner ta vie ? » Et je lui répondis : « Certes ! je suis un savant versé dans la jurisprudence, maître passé dans les sciences ; je sais lire et je sais compter ! » Mais il me répliqua : « Mon ami, tout ça, ce n'est pas un métier ! Ou plutôt c'est un métier, si tu veux (car il me voyait fort navré), mais il n'est guère achalandé sur le marché de notre ville ! Ici, dans notre ville, personne ne sait ni étudier, ni écrire, ni lire, ni compter. Mais simplement, on sait gagner sa vie. » Alors je fus fort contrit, et je ne pus que lui répéter : « En vérité, par Allah ! je ne sais rien faire que ce que je viens de t'énumérer ! » Et il me dit : « Allons, mon garçon, serre ta taille ! Et prends une hache et une corde, et va abattre des bûches dans la campagne, jusqu'à ce qu'Allah veuille t'accorder un meilleur sort ! Et surtout, ne révèle à personne ta condition, car on te tuerait ! » À ces paroles, il alla m'acheter une hache et une corde, et m'envoya abattre du bois avec les autres bûcherons, après qu'il eut pris soin de me bien recommander à eux.

Je sortis alors avec les bûcherons et me mis à bûcher. Puis je mis ma charge de bois sur ma tête, je la portai en ville et la vendis pour un demi-dinar. J'achetai de quoi manger pour un peu de petite monnaie, et je gardai soigneusement le restant de la monnaie. Et ainsi, pendant toute une année, je continuai à travailler, et j'allai chaque jour faire visite à mon ami le tailleur, dans sa boutique, où je me reposais au frais, en me croisant les jambes dans mon coin.

Un jour, selon mon habitude, j'étais allé faire du bois à la campagne, et, en y arrivant, je trouvai une forêt touffue où il y avait beaucoup de bûches à faire. Je choisis alors un arbre qui était desséché, et me mis à enlever la terre tout autour de ses racines ; mais, comme j'y travaillais, la hache tout à coup fut prise dans un anneau de cuivre. Alors je retirai la terre tout autour, et je trouvai un couvercle de bois où était attaché l'anneau de cuivre. Et je l'enlevai. Et je découvris, au-dessous, un escalier. Je descendis jusqu'au bas de l'escalier et je trouvai une porte. J'entrai par la porte et je trouvai une magnifique salle d'un palais merveilleux et bien bâti. Et je trouvai à l'intérieur une adolescente admirable à l'égal de la plus belle des perles. Et telle, en vérité, que sa vue effaçait du cœur tout souci, toute affliction et tout malheur. Je la regardai, et aussitôt je m'inclinai dans l'adoration du Créateur qui lui avait dispensé tant de perfections et cette beauté.

Alors elle me regarda et me dit : « Es-tu un être humain ou un genni ? » Je lui répondis : « Un être humain. » Et elle me dit : « Mais, alors, qui a pu te conduire en ce lieu où je me trouve depuis vingt ans sans avoir jamais vu un être humain ? » À ces paroles, que je trouvai pleines de délices et de douceur, je lui dis : « Ô ma maîtresse, c'est Allah qui m'a conduit à ta demeure, pour qu'enfin soient oubliées toutes mes peines et mes douleurs. » Et je lui racontai tout ce qui m'était arrivé, depuis le commencement jusqu'à la fin. Et cela lui fit pour moi beaucoup de peine vraiment, car elle pleura et me dit : « Moi aussi, je vais te raconter mon histoire :

« Sache donc que je suis la fille du roi Aknamus, le dernier roi de l'Inde, maître de l'île d'Ébène. Il m'avait marié avec le fils de mon oncle. Mais, la nuit même de mes noces, avant que j'eusse perdu ma virginité, un éfrit m'enleva, qui s'appelait Georgirus, fils de Rajmus, fils d'Eblis lui-même ! Il m'emporta et s'envola et me déposa en cet endroit-ci, où il transporta tout ce que je pouvais désirer en fait de confitures et de sucreries, de robes, d'étoffes précieuses, de meubles, de vivres et de boissons. Depuis ce temps-là, il vient me voir tous les dix jours, et couche une nuit avec moi, ici même, et s'en va le matin. Il me prévint aussi que, si j'avais besoin de lui pendant les dix jours réguliers qu'il passait loin de moi, je n'avais, fît-il jour ou fît-il nuit, qu'à toucher de la main ces deux lignes qui sont là écrites, sous la coupole de cette salle. Et, en effet, depuis lors, sitôt que je touche cette inscription, je le vois apparaître. Cette fois-ci, il y a déjà quatre jours qu'il n'est venu, et il lui reste encore six jours à être absent. Aussi pourrais-tu, toi, rester chez moi cinq jours, pour t'en aller ensuite un jour avant son arrivée. »

Et je répondis : « Certes ! je le peux. » Alors elle fut très joyeuse ; elle se leva toute droite, me prit la main, me fit passer à travers une porte à arceaux, et me conduisit finalement à un hammam gentil et agréable et plein d'une douce atmosphère. Alors, tout de suite, je me déshabillai, et elle aussi se déshabilla toute nue ; et tous deux nous entrâmes dans le bain. Après le bain, nous nous assîmes sur l'estrade du hammam, elle à côté de moi, et elle se mit à m'offrir à boire du sirop au musc et elle mit devant moi des pâtisseries délicieuses. Puis nous continuâmes à causer gentiment et à manger de tout cela qui était le bien de l'éfrit, son ravisseur. Ensuite elle me dit : « Pour ce soir tu vas dormir et te bien reposer de tes fatigues, pour être ensuite bien dispos. » Et moi, ô ma maîtresse, je voulus bien dormir, après l'avoir beaucoup remerciée. Et j'oubliai, en vérité, tous mes soucis !

À mon réveil, je la trouvai assise à côté de moi, et elle me massait agréablement les membres et les pieds. Alors j'invoquai Allah pour appeler sur elle toutes les bénédictions, et nous nous assîmes à causer pendant une heure, et elle me dit des choses fort gentilles. Elle me dit : « Par Allah ! auparavant, toute seule dans ce palais souterrain, j'avais bien de la tristesse et je sentais ma poitrine se rétrécir, car je ne trouvais personne avec qui causer, et cela pendant vingt ans ! Mais la louange à Allah ! Qu'il soit glorifié pour t'avoir ainsi conduit près de moi ! »

Puis, de sa voix douce, elle me chanta cette stance :

« Si de ta venue
Nous avions été d'avance prévenues,
Pour tapis à tes pieds nous aurions étendu
Le pur sang de nos cœurs et le noir velours de nos yeux !
Nous aurions étendu la fraîcheur de nos joues
Et la jeune chair de nos cuisses soyeuses
Pour ta couche, ô voyageur de la nuit !
Car ta place est au-dessus de nos paupières ! »

À l'audition de ces vers, je la remerciai, la main sur le cœur ; et son amour s'incrusta encore plus violemment en moi ; et s'envolèrent mes soucis et mes peines. Ensuite nous nous mîmes à boire dans la même coupe, et cela jusqu'à la nuit : alors, cette nuit-là, je me couchai avec elle, dans la félicité. Et jamais de ma vie je n'eus une nuit semblable à cette nuit-là. Aussi, quand vint le matin, nous nous levâmes fort contents l'un de l'autre et dans le bonheur, en vérité !

Alors, moi, tout enflammé encore et surtout pour allonger mon bonheur, je lui dis : « Veux-tu que je te fasse sortir de dessous terre, et que je te débarrasse ainsi de ce genni-là ? » Alors elle se mit à rire, et me dit : « Tais-toi donc, et contente-toi de ce que tu as ! Voyons ! ce pauvre éfrit n'aura qu'un jour sur dix, et, toi, je te promets chaque fois les neuf autres jours ! » Alors, moi, emporté par l'ardeur de la passion, je m'avançai fort loin en paroles, car je lui dis : « Pas du tout ! je vais immédiatement détruire de fond en comble cette coupole où sont gravées ces inscriptions magiques, pour qu'ainsi l'éfrit vienne à ma portée et que je puisse le tuer ! Car, dès longtemps, je suis habitué à me faire un jeu du massacre de tous les éfrits de dessus et de dessous terre ! »

À ces paroles, et pour me calmer, elle se mit à me réciter ces vers :

« Ô toi qui demandes un délai avant la séparation, et qui trouves dur l'éloignement, ne sais-tu qu'il est le moyen sûr de ne point s'attacher, mais simplement d'aimer ?

Ne sais-tu songer et te dire que la lassitude est la règle même de tout attachement, et que la rupture est la conclusion de toute amitié !... »

Mais moi, sans faire attention à ces vers qu'elle me récitait, je donnai un violent coup de pied à la coupole !...

À ce moment de sa narration, Schahrazade vit apparaître le matin, et se tut discrètement.

Et lorsque fut la treizième nuit. Elle dit :

Il m'est parvenu, ô Roi fortuné, que le deuxième saâlouk continua ainsi son récit à la jeune maîtresse de la maison :

Quand donc, ô ma maîtresse, j'allongeai à la coupole ce violent coup de pied, la femme me dit : « Voici l'éfrit ! Il arrive à nous ! Ne t'avais-je pas prévenu ? Or, par Allah ! tu me perds ! Pourtant songe, toi, à te sauver, et sors par le même endroit d'où tu es venu ! »

Alors, moi, je me précipitai dans l'escalier. Mais malheureusement, à cause de la violence de ma terreur, j'oubliai en bas mes sandales et ma hache. Aussi, comme à peine j'avais grimpé quelques marches de l'escalier, je me retournai un peu pour jeter un dernier coup d'œil à mes sandales et à ma hache ; mais je vis la terre s'entrouvrir et en sortir un grand éfrit, horriblement hideux, qui dit à la femme : « Pourquoi cette terrible secousse dont tu viens de m'épouvanter ? Quel malheur t'arrive-t-il donc ? » Elle répondit : « Aucun malheur, en vérité, si ce n'est que tout à l'heure, je sentais ma poitrine se rétrécir de ma solitude, et je me levais pour aller boire quelque boisson rafraîchissante qui fît se dilater ma poitrine, et, comme je me levais trop brusquement pour le faire, je glissai et tombai contre la coupole. » Mais l'éfrit lui dit : « Ô l'effrontée libertine ! comme tu sais mentir ! » Puis il se mit à regarder dans le palais, à droite, à gauche, et il finit par trouver mes sandales et ma hache. Alors il s'écria : « Hein ! que signifient ces ustensiles-là ? Dis ! D'où te viennent ces objets d'êtres humains ? » Elle répondit : « Tu viens à l'instant de me les montrer ! Je ne les ai jamais auparavant aperçus. Probablement ils étaient accrochés derrière ton dos, et tu les auras toi-même apportés ici. » Alors, le genni, au comble de la fureur, s'écria : « Quelles paroles absurdes, louches et détournées ! Elles ne sauraient avoir de prise sur moi, ô débauchée ! »

À ces paroles, il la mit toute nue, la mit en croix entre quatre pieux fichés en terre, et, l'ayant mise à la torture, il commença à la questionner sur ce qui était arrivé. Mais, moi, je ne pus tolérer cela davantage ni entendre ses pleurs ; et je montai vite l'escalier en tremblant de terreur ; et, arrivé enfin au-dehors, je replaçai le couvercle comme il était, et je le dérobai aux regards en le recouvrant de terre. Et je me repentis de mon action à la limite du repentir. Et je me mis à penser à l'adolescente, à sa beauté, et aux tortures que lui infligeait ce maudit-là, alors qu'elle était avec lui depuis déjà vingt ans. Et surtout je fus bien peiné à la pensée qu'il la torturait à cause de moi. Et, en ce moment, je me remis à penser aussi à mon père et à son royaume et à la misérable condition de bûcheron où j'étais, et, tout en pleurant, je récitai un vers sur ce triste sujet.

Après quoi, je continuai à marcher jusqu'à ce que je fusse arrivé chez mon camarade le tailleur. Et je le trouvai qui, à cause de mon absence, était assis comme s'il eût été sur le feu dans une poêle à frire. Et il était là qui m'attendait avec impatience. Et il me dit : « Hier, ne te voyant pas arriver comme à l'ordinaire, je passai la nuit avec mon cœur chez toi ! Et j'avais peur pour toi d'une bête fauve ou de quelque autre chose semblable dans la forêt. Mais que la louange soit à Allah pour ton salut ! » Alors, moi, je le remerciai pour sa bonté, j'entrai dans la boutique et m'assis dans mon coin ; et je me mis à penser à ce qui m'était arrivé, et à me blâmer moi-même pour le coup de pied que j'avais donné à la coupole. Tout à coup, mon bon ami le tailleur entra et me dit : « Il y a, à la porte de la boutique, une personne, une sorte de Persan, qui te demande et qui a avec lui ta hache et tes sandales. Il les avait portées chez tous les tailleurs de la rue en leur disant : « Je sortis à l'aube pour aller à la prière du matin à l'appel du muezzin, et je trouvai sur ma route ces objets-là sans arriver à savoir à qui ils pouvaient appartenir. Dites-moi donc, vous autres, quel en est le propriétaire ! » Alors les tailleurs de notre rue qui te connaissent, en voyant la hache et les sandales, surent qu'ils t'appartenaient et donnèrent avec empressement ton adresse à ce Persan. Et il est là, qui t'attend à la porte de la boutique. Sors donc, et remercie-le pour sa peine, et prends ta hache et tes sandales. » Mais moi, à ces paroles, je sentis mon teint jaunir et tout mon corps s'affaisser de terreur. Et, pendant que j'étais dans cette prostration, tout d'un coup, la terre, devant mon coin, s'entrouvrit, et le Persan en question en sortit. C'était l'éfrit ! Il avait, pendant ce temps-là, mis sa jeune femme à la torture, et quelle torture ! Mais elle ne lui avait rien avoué. Alors il avait pris la hache et les sandales, et lui avait dit : « Je vais te prouver que je suis toujours Georgirus, de la postérité d'Eblis ! Et tu verras si je puis ou non t'amener ici le propriétaire de cette hache et de ces sandales ! »

C'est alors qu'il était venu employer cette ruse, dont j'ai parlé, auprès des tailleurs.

Il entra donc brusquement chez moi, de dessous terre, et aussitôt, sans perdre un instant, il m'enleva ! Il s'envola et s'éleva dans les airs ; puis il descendit et s'enfonça dans la terre ! Quant à moi, je perdis toute connaissance. C'est alors qu'il entra avec moi dans le palais souterrain où j'avais goûté la volupté. Et je vis l'adolescente toute nue, et le sang qui coulait de ses flancs ! Alors mes yeux furent mouillés de larmes. Mais l'éfrit se dirigea vers elle et, l'empoignant, lui dit : « Ô débauchée ! le voici, ton amant ! » Alors l'adolescente me regarda et dit : « Je ne le connais point. Et je ne l'ai jamais vu qu'en ce moment-ci seulement. » Et l'éfrit lui dit : « Comment ? Voici devant toi le corps même du délit et tu n'avoues pas ! » Alors elle dit : « Je ne le connais pas. Et de ma vie je ne l'ai vu. Et il ne me convient pas de mentir à la face d'Allah ! » Alors l'éfrit lui dit : « Si vraiment tu ne le connais point, prends ce sabre et coupe-lui la tête ! » Alors elle prit le sabre, vint à moi et s'arrêta en face de moi. Alors, moi, jaune de terreur, je lui fis un signe négatif avec mes sourcils (pour la prier d'avoir pitié) et mes larmes coulaient le long de mes joues. Alors elle aussi me cligna de l'œil ; mais elle dit à haute voix : « C'est toi qui es la cause de tous nos malheurs ! » Alors, moi, de nouveau je lui fis signe avec mes sourcils, et de ma langue je lui dis des vers à double sens (que l'éfrit ne pouvait bien comprendre) :

« Mes yeux savent assez te parler pour que ma langue devienne inutile ! Mes yeux seuls te révèlent les secrets recelés dans mon cœur !

Quand tu m'es apparue, les douces larmes ruisselèrent, et je me fis muet : car mes yeux te parlaient assez de ma flamme !

Les paupières, en clignant, nous expriment tout sentiment ; et nul besoin, pour l'intelligent, de l'usage de ses doigts.

Nos sourcils nous tiennent lieu de toutes les autres choses. Silence donc ! et laissons la parole seulement à l'amour. »

Alors la jeune femme comprit et mes signes et mes vers, et elle jeta de ses mains le sabre de l'éfrit. Alors l'éfrit prit le sabre et me le tendit et me dit : « Coupe-lui le cou, et je te relâcherai et je ne te ferai aucun mal ! » Et moi, je dis : « Oui ! » Et je pris le sabre, et je m'avançai courageusement, et je levai le bras ! Alors elle me dit, en me faisant signe avec ses sourcils : « Moi, ai-je lésé tes droits ? » Alors mes yeux furent remplis de larmes, et je jetai de mes mains le sabre et je dis à l'éfrit : « Ô puissant éfrit, ô héros robuste et invincible ! si cette femme était, comme tu le crois, de peu de foi et de raison, elle aurait trouvé licite la chute de ma tête coupée ! Or, au contraire, c'est le sabre lui-même qu'elle a jeté loin d'elle. Comment donc pourrais-je, à mon tour, trouver licite de lui couper le cou, surtout étant donné que jamais je ne l'ai vue avant cette heure-ci ? Donc, jamais je ne commettrai cette action, même si tu devais me faire boire la coupe de la mauvaise mort ! » À ce discours l'éfrit s'écria : « Ha ! je constate bien maintenant l'amour qui est entre vous deux ! »

Et alors, ô ma maîtresse, ce maudit prit le sabre, en frappa la main de l'adolescente et la coupa ; puis il en frappa l'autre main et la coupa de même ; puis il coupa son pied droit ; puis il coupa son pied gauche. Et ainsi, avec quatre coups, il coupa les quatre membres, Et, moi, je regardais cela de mes yeux et je pensais mourir certainement.

À ce moment, la jeune femme me regarda à la dérobée et me cligna de l'œil. Mais, hélas ! l'éfrit vit ce clignement d'œil, et il s'écria : « Ô fille de putain ! tu viens de commettre un adultère avec ton œil ! » Et alors il la frappa au cou avec le sabre, et lui coupa la tête. Ensuite il se tourna vers moi et me dit : « Sache, ô toi l'être humain, que, dans notre loi à nous, les genni, il nous est permis, et il nous est même licite et recommandable, de tuer l'épouse adultère ! Sache donc que cette adolescente, je l'ai enlevée la nuit de ses noces, quand elle n'avait encore que douze ans, et avant qu'aucun autre eût couché avec elle ou l'eût connue ! Je l'ai portée ici, et je venais la voir un jour sur dix, pour passer la nuit avec elle, et je copulais avec elle sous l'aspect d'un Persan ! Mais du jour que j'ai constaté qu'elle me trompait, je l'ai tuée ! D'ailleurs elle ne m'a trompé qu'avec son œil seulement, l'œil qu'elle a cligné en te regardant. Quant à toi, comme je n'ai pu constater que tu eusses forniqué avec elle pour l'aider à me tromper, je ne te tuerai pas. Mais, tout de même, je veux, pour que tu ne puisses pas rire sur mon dos, te faire quelque mal qui t'enlève ta superbe ! Mais je te laisse choisir la variété que tu préfères parmi tous les maux. »

Alors, moi, ô ma maîtresse, je fus réjoui à la limite de la réjouissance en me voyant échapper à la mort. Et cela m'encouragea à abuser de la grâce. Et je lui dis : « Je ne sais vraiment que choisir au milieu de tous les maux ! Je préfère aucun ! » Alors l'éfrit courroucé frappa le sol du pied et s'écria : « Je te dis de choisir ! Ainsi, choisis sous quelle image tu préfères que je t'ensorcelle ! Préfères-tu l'image d'un âne ? Non ! L'image d'un chien ? L'image d'un mulet ? L'image d'un corbeau ? Ou bien l'image d'un singe ? » Alors je lui répondis, toujours en abusant, car j'avais l'espoir d'une grâce complète : « Par Allah ! ô mon maître, Georgirus, de la postérité du puissant Eblis ! si tu me fais grâce, Allah te fera grâce ! car il te saura gré du pardon accordé à un homme bon mouslem, qui ne t'a jamais fait de tort ! » Et je continuai à l'implorer à la limite de la prière, en me tenant humblement debout entre ses mains, et je lui dis : « Tu me condamnes injustement ! » Alors il me répondit : « Assez de paroles comme cela, sinon la mort ! N'abuse donc pas de ma bonté, car il me faut absolument t'ensorceler ! »

À ces paroles, il m'enleva, fendit la coupole et la terre au-dessus de nous, et s'envola avec moi dans les airs, et si haut que je ne voyais plus la terre que sous l'aspect d'une écuelle d'eau. Alors il descendit sur le sommet d'une montagne et m'y déposa ; il prit un peu de terre dans sa main, grommela quelque chose dessus en grognant comme ça : « Hum ! hum ! hum ! », prononça quelques paroles, puis jeta cette terre sur moi en s'écriant : « Sors de ta forme-ci et prends la forme d'un singe ! » Et, à l'instant même, ô ma maîtresse, je devins un singe, et quel singe ! Vieux d'au moins cent ans et assez laid ! Alors, moi, quand je me vis sous cet aspect, je fus d'abord mécontent et me mis à sauter ; et je sautais, en vérité ! Puis, comme cela ne me servait de rien, je me mis à pleurer sur moi-même et sur mon moi passé. Et l'éfrit riait d'une façon épouvantable, puis il disparut.

Alors je me mis à réfléchir sur les injustices du sort, et j'appris, à mes dépens, qu'en vérité le sort ne dépend point de la créature.

Après cela, je me mis à dégringoler du sommet de la montagne jusqu'au bas tout à fait. Et je me mis à voyager, en dormant la nuit dans les arbres, et cela durant un mois, jusqu'à ce que je fusse arrivé sur le rivage de la mer salée. Je m'arrêtai là près d'une heure, et je finis par voir au milieu de la mer un navire que le vent favorable poussait vers le rivage, de mon côté. Alors, moi, je me cachai derrière un rocher et j'attendis. Quand je vis les hommes arriver et aller et venir, moi, je m'enhardis et je finis par sauter au milieu du navire. Alors l'un des hommes s'écria : « Chassez vite cet être de mauvaise augure ! » Et un autre s'écria : « Non ! tuons-le ! » Et un troisième s'écria : « Oui ! tuons-le avec ce sabre ! » Alors, moi, je me mis à pleurer et j'arrêtai de ma patte le bout du sabre, et mes larmes coulaient abondamment.

Alors le capitaine eut pitié de moi, et leur dit : « Ô marchands, ce singe vient de m'implorer, et j'écoute sa prière ; il est sous ma protection ! Que personne ne l'arrête et ne le chasse ou l'incommode ! » Puis le capitaine se mit à m'appeler et à me dire des paroles agréables et bonnes ; et moi je comprenais toutes ses paroles. Aussi il me prit comme serviteur ; et moi je lui faisais toutes ses affaires et je le servais dans le navire.

Le vent nous fut favorable pendant cinquante jours, et nous atterrîmes à une ville énorme et si pleine d'habitants qu'Allah seul peut en compter le nombre !

À notre arrivée, nous vîmes s'avancer vers notre navire des mamalik qui étaient envoyés par le roi de la ville. Ils s'approchèrent et souhaitèrent la bienvenue aux marchands, et leur dirent : « Notre roi vous fait des compliments pour votre bonne arrivée, et il nous charge de vous communiquer ce rouleau et parchemin », et il dit : « Que chacun de vous y écrive une ligne de sa belle écriture ! »

Alors, moi, toujours sous mon aspect de singe, je me levai et brusquement je saisis de leurs mains le rouleau de parchemin, et je sautai avec un peu plus loin. Alors ils eurent peur de me voir le déchirer et le jeter à l'eau. Et ils m'appelèrent avec des cris, et voulurent me tuer. Alors je leur fis signe que je savais et voulais écrire ! Et le capitaine leur dit : « Laissez-le écrire ! Si nous le voyons griffonner, nous l'empêcherons de continuer ; mais si, en vérité, il savait la belle écriture, je l'adopterais pour mon fils ! Car, de ma vie, je n'ai jamais vu un singe plus intelligent. »

Alors, moi, je pris le calam, je l'appuyai sur le tampon de l'encrier, en étendant bien l'encre sur les deux faces du calam, et je commençai à écrire. J'écrivis ainsi quatre strophes improvisées, chacune d'une écriture différente et selon un style différent : la première strophe d'après le mode *Rikaa* ; la seconde sur le mode *Rihani* ; la troisième sur le mode *Çoulci* ; et la quatrième selon le mode *Mouchik* :

« Le temps a déjà marqué les bienfaits et les dons des hommes généreux ; mais il a désespéré de pouvoir arriver à dénombrer les tiens jamais !

Après Allah, le genre humain n'a recours qu'à toi, car tu es vraiment le père de tous les bienfaits !

Je vous parlerai de sa plume :

Sa plume ! C'est la première et l'origine des plumes ! Sa puissance est une chose surprenante ; c'est elle qui l'a mis au nombre des savants les plus remarquables.

De cette plume, tenue entre la pulpe de ses cinq doigts, coulent sur le monde cinq fleuves d'éloquence et de poésie !

Je vous parlerai de son immortalité :

Il n'y a point d'écrivain que ne meure : mais le temps éternise l'écriture de ses mains !

Aussi, ne laisse ta plume écrire que des choses qui pourraient te rendre fier au jour de la Résurrection !

Si tu ouvres l'encrier, ne t'y plonge que pour tracer des lignes de donateur, des lignes bienfaisantes !

Mais, si tu ne peux t'en servir pour écrire des donations, du moins que tu t'y plonges pour la beauté ! Et, de la sorte, tu seras parmi ceux qui comptent parmi les plus grands des écrivains ! »

Quand j'eus fini d'écrire, je leur tendis le rouleau de parchemin. Et tous furent dans la plus grande admiration, puis chacun inscrivit à tour de rôle une ligne de sa plus belle écriture.

Après quoi, les esclaves s'en allèrent porter le rouleau au roi. Lorsque le roi eut pris connaissance de toutes les écritures, il ne fut satisfait que de mon écriture à moi, qui était faite de quatre manières différentes, et pour laquelle j'étais réputé dans le monde entier, quand j'étais encore fils du roi.

Alors le roi dit à tous ses amis qui étaient présents et à ses esclaves : « Allez tous auprès du maître de cette belle écriture, et donnez-lui cette robe d'honneur pour qu'il s'en revête, et faites-le monter sur la plus belle de mes mules, et portez-le en triomphe aux sons des instruments, et amenez-le entre mes mains ! »

À ces paroles, tous se mirent à sourire. Et le roi, qui s'en aperçut, fut très fâché et s'écria : « Comment ! je vous donne un ordre, et vous riez de moi ! » Et ils répondirent : « Ô roi du siècle, nous prendrions bien garde de rire de tes paroles ! mais nous devons te dire que celui qui a écrit cette écriture si belle n'est point un fils d'Adam, mais un singe qui appartient au capitaine du navire ! » Alors le roi fut prodigieusement étonné de leurs paroles, puis il se convulsa d'aise et d'hilarité, et s'écria : « Je désire acheter ce singe ! » Là-dessus, il ordonna à toutes les personnes de sa cour d'aller au navire recevoir le singe et de prendre avec eux la mule et la robe d'honneur, et leur dit : « Il faut absolument que vous le revêtiez de cette robe d'honneur, que vous le fassiez monter sur la mule et que vous l'ameniez ici ! »

Alors tous vinrent au navire et m'achetèrent très cher au capitaine, qui ne voulait pas d'abord ! Puis, moi, je fis signe au capitaine pour lui dire que j'étais très affligé de le quitter. Puis, eux, m'emmenèrent, m'habillèrent avec la robe d'honneur, me firent monter sur la mule, et nous partîmes tous au son des instruments harmonieux de cette ville ; et tous les habitants et toutes les créatures humaines de la ville furent dans la stupéfaction et se mirent à regarder avec un intérêt énorme ce spectacle étonnant et prodigieux.

Lorsqu'on m'eut amené devant le roi et que je le vis, je vaisai la terre entre ses mains à trois reprises et puis je restai immobile. Alors le roi m'invita à m'asseoir, et, moi, je me mis à genoux. Alors tous les assistants furent émerveillés de ma bonne éducation et de ma politesse admirable ; mais c'est encore le roi qui fut dans le plus grand émerveillement. Et aussitôt que je me fus mis ainsi à genoux, le roi ordonna à tout le monde de s'en aller, et tout le monde s'en alla. Il ne resta dans la salle que le roi, l'eunuque en chef, et un jeune esclave favori, et moi, ô ma maîtresse !

Alors le roi ordonna qu'on apportât de quoi manger. Et on apporta une nappe sur laquelle se trouvaient tous les mets qu'une âme peut souhaiter et désirer ; et toutes les choses qui font les délices des yeux. Et le roi me fit signe de manger. Alors je me levai et je baisai la terre entre ses mains à sept reprises différentes, et je m'assis très poliment, et je me mis à manger en me rappelant toute mon éducation passée.

Lorsqu'on leva la nappe, je me levai, moi aussi, pour aller me laver les mains ; puis je revins, après m'être lavé les mains, et je pris l'encrier, le calam et une feuille de parchemin, et j'écrivis deux strophes sur l'excellence des pâtisseries arabes :

« Ô pâtisseries, douces, fines et sublimes pâtisseries enroulées par les doigts ! Vous êtes la thériaque, antidote de tout poison ! En dehors de vous, pâtisseries, je ne saurais aimer jamais rien ; et vous êtes mon seul espoir, toute ma passion !

Ô frémissements de mon cœur à la vue d'une nappe tendue où, en son milieu, s'aromatise une kenafa[1] nageant au milieu du beurre et du miel, dans le grand plateau !

Ô kenafa ! kenafa amincie en une chevelure appétissante, réjouissante ! mon désir, le cri de mon désir vers toi, ô kenafa, est extrême ! Et je ne pourrais, au risque de mourir, passer un jour de ma vie sans toi sur ma nappe, ô kenafa, ya kenafa !

Et ton sirop ! ton adorable, délicieux sirop ! Haï ! en mangerais-je, en boirais-je jour et nuit, que j'en reprendrais dans la vie future ! »

Après quoi, je déposai le calam et la feuille, et je me levai et m'en allai m'asseoir respectueusement plus loin. Alors le roi regarda ce que j'avais écrit et le lut, et il s'en émerveilla étonnamment et s'écria : « Est-ce possible qu'un singe puisse posséder une telle éloquence et surtout une si belle écriture ? Par Allah ! c'est la merveille des merveilles ! »

À ce moment, on apporta au roi un jeu d'échecs, et le roi me demanda par signes : « Sais-tu jouer ? » Et moi, avec ma tête, je fis : « Oui, je sais ! » Alors je m'approchai, je rangeai le jeu et je me mis à jouer avec le roi. Et par deux fois je le vainquis ! Alors le roi ne sut plus que penser, et sa raison fut dans la perplexité, et il dit : « Si c'était un fils d'Adam, il aurait surpassé tous les vivants de son siècle ! »

Alors le roi dit à l'eunuque : « Va chez ta jeune maîtresse ma fille, et dis-lui : « Viens vite, ô ma maîtresse, chez le roi ! » car je veux que ma fille puisse jouir de ce spectacle et voir ce singe merveilleux ! »

Alors l'eunuque s'en alla, et il revint bientôt avec sa jeune maîtresse, la fille du roi, qui, à peine m'eut-elle aperçu, se couvrit le visage de son voile et dit : « Ô mon père, comment as-tu pu te résoudre à m'envoyer chercher pour me faire apercevoir par les hommes étrangers ? » Et le roi lui dit : « Ô ma fille, il n'y a ici chez moi que mon jeune esclave, cet enfant que tu vois, et l'eunuque qui t'a élevée, et ce singe, et moi ton père ! De qui donc ici te couvres-tu le visage ? » Alors la jeune fille répondit : « Sache, ô mon père, que ce singe est le fils d'un roi ! Le roi, son père, s'appelle Aymarus, et il est le maître d'un pays de l'intérieur lointain. Ce singe est simplement ensorcelé ; et c'est l'éfrit Georgirus, de la postérité d'Eblis, qui l'a ensorcelé, après avoir tué sa propre épouse la fille du roi Aknamus, maître de l'île d'Ébène. Ce singe, que tu crois un vrai singe, est donc un homme, mais savant, instruit et fort sage ! »

À ces paroles, le roi s'étonna beaucoup, me regarda, et me dit : « Est-ce vrai, ce que dit de toi ma fille ? » Alors je répondis avec la tête : « Oui ! c'est vrai ! » et je me mis à pleurer. Alors le roi demanda à sa fille : « Mais d'où as-tu appris à discerner s'il est ensorcelé ? » Elle répondit : « Ô mon père, quand j'étais petite, la vieille femme qui était chez ma mère était une vieille sorcière pleine d'artifices et fort versée dans la magie. C'est elle qui m'enseigna l'art de la sorcellerie. Et, depuis, je l'approfondis encore davantage, je m'y perfectionnai et j'appris ainsi près de cent soixante-dix articles de magie ; et le plus insignifiant d'entre ces articles me rendrait capable de transporter ton palais en entier avec toutes ses pierres, et toute la ville derrière le mont Caucase, de transformer toute cette contrée en un miroir de mer et de changer tous les habitants en poissons ! »

Alors son père s'écria : « Par la vérité du nom d'Allah sur toi ! ô ma fille, délivre alors ce jeune homme, pour que je puisse en faire mon vizir ! Comment ! tu possèdes un talent aussi considérable et je l'ignore ? Oh ! délivre-le pour que vite j'en fasse mon vizir, car ce doit être un jeune homme gentil et plein d'intelligence ! »

Et la jeune fille répondit : « De tout cœur amical et généreux, comme hommages dus ! »

À ce moment de sa narration, Schahrazade vit s'approcher le matin, et s'arrêta discrètement.

Mais lorsque fut la quatorzième nuit. Elle dit :

Il m'est parvenu, ô Roi fortuné, que le deuxième saâlouk dit à la maîtresse de la maison :

Ô ma maîtresse, la jeune fille, à ces paroles, prit à la main un couteau sur lequel étaient gravées des paroles en langue hébraïque, et avec ce couteau elle traça un cercle au milieu du palais, et au milieu de ce cercle elle écrivit des noms propres et des lignes talismaniques ; puis elle se mit au milieu de ce cercle et marmotta des paroles magiques, et lut dans un très vieux livre des choses que nul ne comprenait, et continua ainsi quelques instants. Tout d'un coup, l'endroit du palais où nous étions fut dans des ténèbres si épaisses que nous crûmes avoir été enterrés vivants sous les ruines du monde. Et, soudain, devant nous apparut l'éfrit Georgirus, sous l'aspect le plus horrible et le plus hideux, avec des mains comme des fourches, des pieds comme des mâts et des yeux comme deux tisons enflammés. Alors, nous tous, nous en fûmes terrifiés. Mais la fille du roi lui dit : « Je ne te souhaite point la bienvenue ! Et je ne te fais pas un accueil cordial, ô toi l'éfrit ! » Alors l'éfrit lui dit : « Ô perfide ! comment peux-tu trahir ton serment ? Ne m'as-tu pas juré et ne sommes-nous pas tombés d'accord que nul de nous deux ne s'occuperait des affaires de l'autre et ne chercherait à les contrarier ? Aussi, ô traîtresse, tu mérites bien le sort qui t'attend ! Attrape ça ! » Et aussitôt l'éfrit se changea en un lion effroyable qui ouvrit la gueule de toute sa largeur et se précipita sur la jeune fille. Alors, elle, d'un geste rapide, s'arracha un cheveu de ses cheveux, l'approcha de ses lèvres et marmotta dessus des paroles magiques, et aussitôt le cheveu devint un sabre finement aiguisé. Alors elle saisit le sabre, en frappa violemment le lion, et le coupa en deux moitiés. Mais tout de suite la tête coupée du lion devint un scorpion qui rampa vers le talon de la jeune fille pour le mordre ; mais aussitôt la jeune fille se changea en un serpent gigantesque qui se précipita sur le maudit scorpion, image de l'éfrit, et tous deux engagèrent une bataille serrée. Mais le scorpion tout à coup se changea en un vautour, et aussitôt le serpent devint un aigle qui fondit sur le vautour et se mit à sa poursuite ; il allait l'atteindre, au bout d'une heure de poursuite, quand soudain le vautour se changea en un chat noir, et aussitôt la jeune fille devint un loup : alors, au milieu du palais, le chat et le loup se battirent et se livrèrent une bataille terrible ; et le chat, se voyant vaincu, se changea encore et devint une grosse grenade, rouge et très grosse. Et cette grenade se laissa tomber au fond du bassin qui était dans la cour ; mais le loup se jeta dans le bassin et allait la saisir, quand la grenade s'éleva dans l'air. Mais, comme elle était trop grosse, elle tomba lourdement sur le marbre et elle se fendit : alors tous les grains s'effritèrent un à un, et couvrirent tout le sol de la cour. Alors le loup se changea en un coq qui se mit à les ramasser du bec et à les avaler un à un, et il ne restait plus qu'un seul grain, que le coq allait aussi avaler, quand tout à coup ce grain tomba du bec du coq, car ainsi le voulaient la fatalité et le destin, et alla se loger dans un interstice, près du bassin, et de telle sorte que le coq ne sut plus où. Alors le coq se mit à crier et à battre des ailes et à nous faire signe du bec ; mais nous ne comprenions point son langage ni ce qu'il nous disait. Alors il jeta un cri si terrible, vers nous qui ne le comprenions pas, qu'il nous sembla que le palais s'était effondré sur nous. Puis le coq se mit à tournoyer au milieu de la cour et à chercher le grain jusqu'à ce qu'il l'eût trouvé dans le trou du bassin, et il se précipita dessus pour le becqueter, quand soudain le grain tomba dans l'eau, au milieu du bassin, et se changea en un poisson qui s'enfonça dans l'eau. Alors le coq se changea en une baleine monstrueuse qui sauta dans l'eau et s'y enfonça à la poursuite du poisson et disparut à nos regards pendant une heure de temps. Au bout de ce temps, nous entendîmes de hauts cris et nous tremblâmes de peur. Et aussitôt nous vîmes apparaître l'éfrit sous sa forme hideuse d'éfrit, mais il était tout en feu comme un charbon ardent, et de sa bouche sortait la flamme, et de ses yeux et de ses narines sortaient la flamme et la fumée ; et derrière lui apparut la jeune fille sous sa forme de fille du roi, mais elle était tout en feu, comme un métal en fusion, et elle se mit à la poursuite de l'éfrit qui arrivait déjà sur nous ! Alors tous nous eûmes une peur terrible d'être brûlés vifs et de perdre la vie, et nous allions nous précipiter tous dans l'eau, quand l'éfrit nous arrêta soudain par un cri épouvantable et sauta sur nous au milieu de la salle qui donnait sur la cour, et souffla du feu sur nos visages ! Mais la jeune fille l'atteignit et souffla du feu sur son visage aussi. Mais tout cela fit que le feu nous atteignit, nous aussi, venant d'elle et de lui ; mais son feu à elle ne nous fit aucun mal, mais son feu à lui au contraire ! Ainsi une étincelle m'atteignit, moi, à mon œil gauche de singe et me l'abîma sans retour ! Et une étincelle atteignit le roi au visage et lui en brûla toute la moitié inférieure, y compris la barbe et la bouche, et lui fit tomber toutes les dents inférieures. Et une étincelle atteignit l'eunuque à la poitrine, et il prit entièrement feu et brûla et mourut à l'instant et à l'heure mêmes !

Pendant ce temps, la jeune fille poursuivait toujours l'éfrit et lui soufflait du feu. Mais tout à coup nous entendîmes une voix qui disait : « Allah est le seul grand ! Allah est le seul puissant ! Il écrase, domine et délaisse le renégat qui renie la foi de Mohammad, maître des hommes ! » Or cette voix était celle de la fille du roi, qui nous fit signe du doigt et nous montra l'éfrit, qui, entièrement brûlé, était devenu un amas de cendres. Puis elle vint à nous et nous dit : « Vite ! apportez-moi une tasse d'eau ! » On la lui apporta. Alors elle prononça dessus des paroles incompréhensibles, puis m'aspergea avec l'eau et me dit : « Sois délivré, au nom et par la vérité du seul Vrai ! Et, par la vérité du nom d'Allah le Tout-Puissant, reviens à ta première image ! »

Alors je devins un être humain, comme par le passé, mais je restai borgne ! Alors la jeune fille, en manière de consolation, me dit : « Le feu est redevenu feu, mon pauvre enfant ! » Et elle dit la même chose à son père, qui avait la barbe brûlée et les dents tombées ! Puis elle dit : « Quant à moi, ô père, je dois fatalement mourir, car cette mort m'a été écrite ! Pour ce qui est de l'éfrit, je n'aurais pas eu tant de peine à l'anéantir s'il avait été un simple être humain ; je l'aurais tué dès la première fois ! Mais ce qui me fatigua et me donna de la peine, c'est l'éparpillement des grains de la grenade, car le grain que je n'avais pas pu d'abord becqueter était justement le grain principal, qui contenait, à lui seul, l'âme du genni ! Ah ! si j'avais pu l'attraper, ce grain, cet éfrit aurait été anéanti à l'instant même. Mais, hélas ! je ne l'avais pas vu. Car c'était la fatalité du destin ! Et c'est ainsi que j'ai été obligée de lui livrer tant de terribles batailles sous terre, dans l'air et dans l'eau ; et, chaque fois qu'il ouvrait une porte de salut, je lui ouvrais une porte de perdition, jusqu'à ce qu'il ouvrît enfin la terrible porte du feu ! Or, quand la porte du feu est une fois ouverte, on doit mourir ! Mais le destin me permit tout de même de brûler l'éfrit avant d'être brûlée moi-même ! Mais, avant de le tuer, je voulus le décider à embrasser notre foi, qui est la sainte religion des Islams ; mais il refusa, et je le brûlai ! Et moi, à mon tour, je vais mourir ! Et Allah tiendra ma place auprès de vous autres et vous consolera ! »

À ces paroles, elle se mit à implorer le feu jusqu'au moment où, enfin, des étincelles noires jaillirent et montèrent vers sa poitrine et son visage. Et lorsque le feu atteignit son visage, elle pleura, puis elle dit : « Je témoigne qu'il n'y a point d'autre Dieu qu'Allah ! Et je témoigne que Mohammad est l'apôtre d'Allah ! » À peine ces paroles prononcées, nous la vîmes devenir un amas de cendres, tout à côté de l'amas de l'éfrit.

Alors nous fûmes pour elle dans l'affliction. Et moi, j'eusse souhaité être à sa place, plutôt que de voir sous l'aspect d'un amas de cendres cette figure radieuse de jadis, cette jeune fille qui m'avait rendu un tel bienfait ! Mais il n'y a rien à répliquer à l'ordre d'Allah.

Lorsque le roi vit sa fille devenir un amas de cendres, il s'arracha ce qui lui restait de barbe, et se frappa les joues, et déchira ses vêtements. Et je fis de même. Et tous deux nous pleurâmes sur elle. Ensuite vinrent les chambellans et les chefs du gouvernement, et ils trouvèrent le sultan dans un état d'anéantissement, assis à pleurer à côté de deux amas de cendres. Ils furent fort surpris, et se mirent à tourner autour du roi sans oser lui parler, et cela pendant une heure. Alors le roi revint un peu à lui et leur raconta ce qui était arrivé à sa fille avec l'éfrit. Et ils s'écrièrent : « Allah ! Allah ! quel grand malheur ! quelle calamité ! »

Ensuite vinrent toutes les femmes du palais avec leurs esclaves femmes ; et, pendant sept jours entiers, on fit toutes les cérémonies des condoléances et du deuil. Puis le roi ordonna la construction d'une grande coupole pour les cendres de sa fille, et la fit terminer en grande hâte, et y fit allumer les chandelles et les lanternes jour et nuit. Quant aux cendres de l'éfrit, on les dispersa dans l'air sous la malédiction d'Allah.

Mais le sultan, après toutes ces peines, fit une maladie telle qu'il faillit en mourir. Cette maladie dura un mois entier. Et, quand les forces lui furent un peu revenues, il me fit appeler, et me dit : « Ô jeune homme, nous tous ici, avant ton arrivée, nous vivions notre vie dans le plus parfait bonheur, à l'abri des méfaits du sort ! Et il a fallu ta venue chez nous pour nous attirer toutes les afflictions. Puissions-nous ne t'avoir jamais vu, ni toi ni ta face de mauvais augure, ta face de malheur qui nous jeta dans cet état de désolation ! Car, premièrement, tu as été la cause de la perte de ma fille, qui, certes, valait plus de cent hommes ! Et, deuxièmement, à cause de toi, il m'est arrivé, en fait de brûlure, ce que tu sais ! et mes dents sont perdues et les autres abîmées ! Et, troisièmement, mon pauvre eunuque, ce bon serviteur qui avait élevé ma fille, a été tué aussi ! Mais ce n'est point de ta faute, et maintenant ta main ne peut y porter remède : et tout cela nous est arrivé, à nous et à toi, par l'ordre d'Allah ! D'ailleurs, Allah soit loué qui a permis à ma fille de te délivrer, toi, en se perdant elle-même ! C'est le destin ! Sors donc, mon enfant, de ce pays ! Car ce qui nous est déjà arrivé à cause de toi nous suffit. Mais tout cela fut décrété par Allah ! Sors donc et va en paix ! »

Alors moi, ô ma maîtresse, je sortis de chez le roi, ne croyant pas tout à fait à mon salut. Et je ne sus où aller. Et je me rappelai, dans mon cœur, ce qui m'était arrivé, depuis le commencement jusqu'à la fin : comment les brigands du désert m'avaient laissé sain et sauf, mon voyage pendant un mois et mes fatigues, mon entrée dans la ville en étranger, et ma rencontre avec le tailleur, ma rencontre et mon intimité si délicieuse avec l'adolescente de dessous terre, ma délivrance d'entre les mains de l'éfrit qui voulait d'abord me massacrer, et enfin tout depuis le commencement jusqu'à la fin, y compris mon changement en singe devenu le domestique du capitaine marin, mon achat par le roi pour un prix fort cher, à cause de ma belle écriture, ma délivrance, enfin tout ! Même et surtout, hélas ! le dernier incident qui occasionna la perte de mon œil. Mais je remerciai Allah en disant : « Mieux vaut la perte de mon œil que de ma vie ! » Après cela, et avant de quitter la ville, j'allai au hammam prendre un bain. C'est là que je me suis rasé la barbe, ô ma maîtresse, pour pouvoir voyager en sécurité dans cet état de saâlouk ! Et, depuis, je ne cessai chaque jour de pleurer et de penser à tous les malheurs que j'avais endurés et surtout à la perte de mon œil gauche. Et, chaque fois que j'y pense, les larmes me viennent à l'œil droit et m'empêchent de voir, mais ne m'empêcheront jamais de penser à ces vers du poète :

« De ma perplexité, Allah miséricordieux se doute-t-il ? Les malheurs sur moi se sont abattus, et trop tard je les ai sentis !

Pourtant je prendrai patience en face de mes insupportables maux, pour que le monde sache bien que j'ai patienté sur une chose plus amère encore que la patience elle-même !

Car la patience a sa beauté, surtout pratiquée par l'homme pieux ! Quoi qu'il en soit, ce qu'Allah a décidé sur ses créatures doit courir !

Ma mystérieuse bien-aimée connaît tous les secrets de mon lit. Nul secret, fût-il le secret des secrets, ne saurait lui être caché.

Quant à celui qui dit qu'il y a des délices en ce monde, répondez-lui qu'il goûtera bientôt des jours plus amers que le suc de la myrrhe ! »

Je partis donc et je quittai cette ville, et je voyageai par les pays, et je traversai les capitales, et je me dirigeai vers la Demeure de Paix, Bagdad, où j'espérais arriver auprès de l'émir des Croyants pour lui raconter tout ce qui m'était arrivé.

Après de longs jours, j'arrivai enfin à Bagdad, cette nuit même. Et je trouvai ce frère-ci, le premier saâlouk, qui était là fort perplexe, et je lui dis : « La paix sur toi ! » Et il me répondit : « Et sur toi la paix ! et la miséricorde d'Allah ! et toutes ses bénédictions ! » Alors, je me mis à causer avec lui, et nous vîmes approcher notre frère, ce troisième, qui, après les souhaits de paix, nous dit qu'il était un homme étranger. Et nous lui dîmes : « Nous autres aussi, nous sommes deux étrangers, et nous sommes arrivés cette nuit même dans cette ville bénie ! » Puis, tous trois, nous marchâmes ensemble, et pas un de nous ne savait l'histoire de l'autre. Et le sort et le destin nous conduisirent devant cette porte, et nous entrâmes chez vous ! Et tels sont, ô ma maîtresse, les motifs de ma barbe rasée et de mon œil abîmé ! »

Alors la jeune maîtresse de la maison dit à ce deuxième saâlouk : « Ton histoire est vraiment extraordinaire ! Aussi, allons ! lisse un peu tes cheveux sur ta tête et va-t'en voir l'état de ton chemin sur la voie d'Allah ! »

Mais il répondit : « En vérité, je ne sortirai d'ici que je n'aie entendu le récit de mon troisième compagnon ! »

Alors le troisième saâlouk s'avança et dit :

HISTOIRE DU TROISIÈME SAÂLOUK

« Ô dame pleine de gloire, ne crois pas que mon histoire soit aussi merveilleuse que celle de mes deux compagnons ! Car mon histoire est infiniment plus étonnante.

Si à mes compagnons, ces deux-là, les malheurs furent infligés simplement par le destin et la fatalité, moi, c'est autre chose ! Le motif de ma barbe rasée et de mon œil abîmé, c'est que, moi-même, par ma faute, je me suis attiré la fatalité et me suis rempli le cœur de soucis et de chagrins.

Voici ! Je suis un roi, fils de roi. Mon père s'appelait Kassib, et je suis son fils. Lorsque le roi, mon père, mourut, j'héritai du royaume, et je régnai, et je gouvernai avec justice, et je fis beaucoup de bien à mes sujets.

Mais j'avais un grand amour pour les voyages par mer. Et je ne m'en privais pas, car ma capitale était située au bord de la mer ; et, sur une très large étendue de mer, j'avais des îles qui m'appartenaient, et qui étaient fortifiées en état de défense et de bataille. Et je voulus un jour aller visiter toutes mes îles, et je fis préparer dix grands navires, et j'y fis mettre des provisions pour un mois, et je partis. Le voyage de visite dura vingt jours, au bout desquels, une nuit d'entre les nuits, nous vîmes se déchaîner contre nous les vents contraires, et cela jusqu'à l'aube ; alors, comme le vent s'était un peu calmé et la mer radoucie, au lever du soleil nous vîmes une petite île où nous pûmes nous arrêter un peu : nous allâmes à terre, nous fîmes un peu de cuisine pour manger, nous mangeâmes, nous nous reposâmes deux jours, pour attendre la fin de la tempête, et nous repartîmes. Le voyage dura encore vingt jours, jusqu'à ce qu'un jour nous perdîmes notre route ; les eaux où nous naviguions nous devinrent inconnues, à nous et aussi au capitaine. Car le capitaine, en vérité, ne reconnaissait plus du tout cette mer ! Alors nous dîmes à la vigie : « Regarde la mer avec attention ! »

Et la vigie monta sur le mât, puis descendit, et nous dit et dit au capitaine : « À ma droite, j'ai vu des poissons à la surface de l'eau ; et, au milieu de la mer, j'ai distingué au loin quelque chose qui paraissait tantôt noir et tantôt blanc ! »

À ces paroles de la vigie, le capitaine fut épouvanté ; il jeta par terre son turban, s'arracha la barbe et nous dit à nous tous : « Je vous annonce notre perte à tous ! Et pas un seul ne sortira sain et sauf ! » Puis il se mit à pleurer, et nous aussi, avec lui, nous nous mîmes à pleurer sur nous-mêmes. Puis je demandai au capitaine : « Ô capitaine, explique-nous les paroles du veilleur ! » Il répondit : « Ô mon seigneur, sache que du jour où souffla le vent contraire nous perdîmes notre route, et elle est perdue ainsi depuis déjà onze jours ; et il n'y a point de vent favorable qui puisse nous faire revenir dans la bonne voie. Or, sache la signification de cette chose noire et blanche et de ces poissons surnageant à proximité : demain nous allons arriver à une montagne de roches noires, qui s'appelle la montagne d'Aimant, et les eaux nous entraîneront de force du côté de cette montagne, et notre navire sera mis en pièces, car tous les clous du navire s'envoleront, attirés par la montagne d'Aimant, et se colleront sur ses flancs ; car Allah Très-Haut doua d'une vertu secrète cette montagne d'Aimant qui, ainsi, attire à elle toute chose en fer ! Aussi tu ne peux t'imaginer la quantité énorme de choses en fer qui se sont accumulées, suspendues à cette montagne, depuis le temps que les navires sont attirés à elle de force ! Allah seul en connaît la quantité. De plus, on voit luire, de la mer, au sommet de cette montagne, un dôme en cuivre jaune soutenu par dix colonnes ; et sur ce dôme il y a un cavalier sur un cheval de cuivre ; et à la main de ce cavalier il y a une lance de cuivre ; et sur la poitrine de ce cavalier il y a, suspendue, une plaque de plomb gravée entièrement de noms inconnus et talismaniques ! Or, sache, ô roi, que tant que ce cavalier sera sur ce cheval, tous les navires qui passeront au-dessous seront mis en pièces, et tous les passagers seront perdus à jamais, et tous les fers des navires iront se coller contre la montagne ! Il n'y aura donc point de salut possible avant que ce cavalier ne soit précipité à bas de ce cheval ! »

À ces paroles, ô ma maîtresse, le capitaine se mit à pleurer des pleurs abondants, et nous fûmes certains de notre perte sans recours, et chacun de nous fit ses adieux à ses amis.

Et, en effet, à peine le matin venu, nous fûmes tout proches de cette montagne aux roches noires d'Aimant, et les eaux nous entraînèrent de force de son côté. Puis, quand nos dix navires arrivèrent au bas de la montagne, tout d'un coup les clous des navires se mirent à s'envoler par milliers, avec tous les fers, et allèrent se coller sur la montagne ; et nos navires s'entrouvrirent, et nous fûmes tous précipités à la mer.

Alors, toute la journée, nous fûmes en la puissance de la mer, et nous fûmes les uns noyés et les autres sauvés, mais la plus grande partie fut noyée ; et ceux qui furent sauvés ne purent jamais ni se connaître ni se retrouver, car les vagues terribles et les vents contraires les dispersèrent de tous côtés.

Quant à moi, ô ma maîtresse, Allah Très-Haut m'a sauvé pour me réserver d'autres peines, de grandes souffrances et de grands malheurs. Je pus m'accrocher à une planche d'entre les planches, et les vagues et le vent me jetèrent sur la côte, au pied de cette montagne d'Aimant !

Alors je trouvai un chemin qui conduisait jusqu'au sommet de la montagne, et qui était construit en forme d'escaliers taillés dans la roche. Et tout de suite j'invoquai le nom d'Allah Très-Haut, et...

À ce moment de sa narration, Schahrazade vit luire le matin, et, discrète, arrêta son récit.

Et lorsque fut venue la quinzième nuit. Elle dit :

Il m'est parvenu, ô Roi fortuné, que le troisième saâlouk, s'adressant à la jeune maîtresse de la maison pendant que les autres compagnons étaient assis les bras croisés, surveillés par les sept nègres qui tenaient l'épée nue à la main, continua ainsi :

J'invoquai donc le nom d'Allah, et je l'implorai et je me mis dans l'extase de la prière ; puis je m'accrochai, comme je pus, aux rochers et aux excavations, et je réussis, le vent s'étant enfin calmé par l'ordre d'Allah, à faire l'ascension de cette montagne ; et je me réjouis fort de mon salut à la limite de la joie ! Et il ne me restait plus qu'à atteindre le dôme ; je l'atteignis enfin et je pus y pénétrer. Alors je me mis à deux genoux, et je fis ma prière, et je remerciai Allah pour ma délivrance.

En ce moment, la fatigue me brisait tellement, que je me jetai à terre et m'endormis. Et, pendant mon sommeil, j'entendis une voix qui me disait : « Ô fils de Kassib ! quand tu te réveilleras de ton sommeil, creuse sous tes pieds, et tu trouveras un arc en cuivre et trois flèches en plomb sur lesquelles sont gravés des talismans. Tu prendras cet arc et tu en frapperas le cavalier qui est sur le dôme, et tu rendras ainsi la tranquillité aux humains en les débarrassant de ce fléau terrible ! Lorsque tu auras frappé le cavalier, ce cavalier tombera dans la mer, et l'arc tombera de tes mains sur le sol : alors tu prendras l'arc et tu l'enfouiras sous terre à l'endroit même où il sera tombé ! Cependant, la mer se mettra à bouillonner, puis à déborder jusqu'à atteindre ce sommet où tu te trouves. Et, alors tu verras sur la mer une barque et, dans la barque, une personne. Mais c'est une autre personne que le cavalier jeté à la mer. Cette personne viendra à toi en tenant à la main un aviron. Et toi, sans crainte, monte avec elle dans la barque ! Mais prends bien garde de nommer le saint nom d'Allah, prends bien garde ! Il ne faut pas, et à aucun prix ! Une fois dans la barque, cette personne te conduira et te fera naviguer pendant dix jours jusqu'à ce qu'elle te fasse arriver à la Mer du Salut. En arrivant dans cette mer, tu y trouveras quelqu'un qui te fera parvenir jusqu'à ton pays. Mais, n'oublie pas que tout cela ne se fera qu'à la condition, pour toi, de ne jamais nommer le nom d'Allah ! »

À ce moment, ô ma maîtresse, je me réveillai de mon sommeil, et, plein de courage, je me mis aussitôt à exécuter l'ordre de la voix. Avec l'arc et les flèches trouvées, je frappai le cavalier et le fis tomber. Il tomba à la mer. Et l'arc tomba de ma main ; alors, à la place même, je l'enterrai : et aussitôt la mer s'agita, bouillonna et déborda en atteignant le sommet de la montagne où j'étais. Et, au bout de quelques instants, je vis apparaître au milieu de la mer une barque qui se dirigeait de mon côté. Alors je remerciai Allah Très-Haut. Et, quand la barque arriva tout près, j'y trouvai un homme de cuivre qui avait, sur la poitrine, une plaque de plomb sur laquelle étaient gravés des noms et des talismans. Alors je descendis dans la barque, mais sans prononcer une seule parole. Et l'homme de cuivre se mit à me conduire pendant un jour, pendant deux jours, pendant trois jours, et ainsi de suite jusqu'à la fin du dixième jour. Et alors je vis apparaître, au loin, des îles : c'était le salut ! Alors je me réjouis au comble de la joie et, à cause de la plénitude de mon émotion et de ma gratitude pour le Très-Haut, je nommai le nom d'Allah et le glorifiai et je dis : « Allahou akbar ! Allahou akbar[1] ! »

Mais, à peine avais-je prononcé ces mots sacrés, que l'homme de cuivre me saisit et me lança de la barque dans la mer, puis il s'enfonça au loin et disparut.

Comme je savais nager, je me mis à nager durant le jour entier jusqu'à la nuit, tellement que mes bras furent exténués, et mes épaules fatiguées, et que j'étais anéanti ! Alors, voyant la mort s'approcher, je fis mon acte de foi et me préparai à mourir. Mais, à l'instant même, une vague, plus énorme que toutes les vagues de la mer, accourut de loin comme une citadelle gigantesque et m'enleva et me lança si fort et si loin que je me trouvai du coup sur le rivage d'une des îles que j'avais vues. Ainsi Allah l'avait voulu.

Alors je montai sur le rivage, et je me mis à exprimer l'eau de mes habits ; et j'étendis mes habits par terre pour les faire sécher ; et je m'endormis pour toute la nuit. À mon réveil, je m'habillai de mes habits devenus secs, et je me levai pour voir où me diriger. Et je trouvai, devant moi, une petite vallée fertile ; j'y pénétrai et je la parcourus en tous sens, puis je fis le tour entier de la place où je me trouvais, et je vis que j'étais dans une petite île, entourée qu'elle était par la mer. Alors je me dis en moi-même : « Quelle calamité ! chaque fois que je suis délivré d'un malheur, je retombe dans un autre pire ! » Pendant que j'étais ainsi enfoncé dans de tristes pensées, qui me faisaient désirer la mort avec ferveur, je vis s'approcher sur la mer une barque contenant des gens. Alors, de crainte qu'il ne m'arrivât encore quelque accident fâcheux, je me levai et je grimpai sur un arbre et j'attendis en regardant. Je vis la barque atterrir et en sortir dix esclaves qui tenaient chacun une pelle ; ils marchèrent jusqu'à ce qu'ils fussent au milieu de l'îlot, et, là, ils se mirent à creuser la terre, et finirent par mettre à découvert un couvercle qu'ils enlevèrent, et ouvrirent une porte qui se trouvait au-dessous. Cela fait, ils s'en revinrent vers la barque, et en tirèrent une grande quantité d'objets qu'ils chargèrent sur leurs épaules : du pain, de la farine, du miel, du beurre, des moutons, des sacs remplis, et beaucoup d'autres choses, et toutes les choses que l'habitant d'une maison peut souhaiter ; et les esclaves continuèrent à aller et venir de la porte du souterrain à la barque et de la barque au couvercle jusqu'à ce qu'ils eussent complètement vidé la barque des gros objets ; alors ils en tirèrent des habits somptueux et des robes magnifiques qu'ils mirent sur leurs bras ; et alors je vis sortir de la barque, au milieu des esclaves, un vénérable vieillard, très âgé, cassé par les ans et amaigri par les vicissitudes du temps, et tellement qu'il en était devenu une apparence d'homme. Ce vieillard tenait par la main un jeune garçon d'une beauté affolante, moulé en vérité dans le moule de la perfection, aussi délicat qu'une branche tendre et pliante, aussi adorable que la beauté pure, digne de servir comme le modèle et l'exemple d'un corps parfait, enfin au charme si ensorceleur qu'il m'ensorcela le cœur et fit frémir toute la pulpe de ma chair ! Ils marchèrent jusqu'à ce qu'ils fussent arrivés à la porte, et descendirent, et disparurent à mes yeux ; mais, après quelques instants, tous remontèrent, excepté le jeune garçon ; ils retournèrent vers la barque, y descendirent et s'éloignèrent sur la mer.

Quand je les vis disparaître tout à fait, je me levai et descendis de l'arbre et courus vers l'endroit qu'ils avaient recouvert de terre. Je me mis à enlever de nouveau la terre et à travailler jusqu'à ce que j'eusse mis à découvert le couvercle ; je vis que ce couvercle était en bois de la grosseur d'une meule de moulin ; je l'enlevai tout de même, avec l'aide d'Allah, et je vis, en dessous, un escalier voûté ; je descendis dans cet escalier de pierre, quoique je fusse fort étonné, et je finis par arriver au bas. Au bas, je trouvai une salle spacieuse, tendue de tapis d'une grande valeur et d'étoffes de soie et de velours, et, sur un divan bas, entre des chandelles allumées et des vases pleins de fleurs et des pots remplis de fruits et d'autres remplis de douceurs, le jeune garçon était assis et se faisait de l'air avec un éventail. À ma vue, il fut pris d'une grande frayeur, mais, avec ma voix la plus harmonieuse, je lui dis : « Que la paix soit avec toi ! » Et il me répondit alors, rassuré : « Et sur toi la paix, et la miséricorde d'Allah et ses bénédictions ! » Et je lui dis : « Ô mon seigneur, que la tranquillité soit ton partage ! Tel que je suis, je suis pourtant un fils de roi, et roi moi-même ! Allah m'a conduit vers toi pour que je te délivre de ce lieu souterrain où j'ai vu des gens te faire descendre pour te faire mourir. Et je viens te délivrer. Et tu seras mon ami, car déjà ta vue seulement m'a ravi la raison ! »

Alors le jeune garçon sourit à mes paroles, avec un sourire de ses lèvres, et m'invita à aller m'asseoir à côté de lui sur le divan, et me dit : « Ô seigneur, je ne suis point en cet endroit pour mourir, mais pour éviter la mort. Sache que je suis le fils d'un très grand joaillier connu, dans le monde entier, pour ses richesses et la quantité de ses trésors ; et sa réputation s'est étendue dans toutes les contrées, par les caravanes qu'il envoyait au loin vendre les pierreries aux rois et aux émirs de la terre. À ma naissance sur le tard de sa vie, mon père fut avisé, par les maîtres de la divination, que ce fils devait mourir avant son père et sa mère ; et mon père, ce jour-là, malgré la joie de ma naissance et la félicité de ma mère, qui m'avait mis au monde après les neuf mois du terme par la volonté d'Allah, fut dans un chagrin considérable, surtout quand les savants, qui avaient lu mon sort dans les astres, lui eurent dit : « Ce fils sera tué par un roi, fils d'un roi nommé Kassib, et cela quarante jours après que ce roi aura jeté dans la mer le cavalier de cuivre de la montagne magnétique ! » Et mon père, le joaillier, fut dans l'affliction. Mais il prit soin de moi, et m'éleva avec beaucoup d'attention jusqu'à ce que j'eusse atteint quinze ans d'âge. Et c'est alors que mon père apprit que le cavalier avait été jeté à la mer, et il se mit à pleurer et à s'affliger tant, et ma mère avec lui, qu'il changea de teint, maigrit de corps et fut tel qu'un très vieux homme cassé par les ans et les malheurs. C'est alors qu'il m'amena dans cette demeure sous terre, dans cette île où, depuis ma naissance, il avait fait travailler les hommes, pour me soustraire aux recherches du roi qui devait me tuer à l'âge de quinze ans, après avoir renversé le cavalier de cuivre. Et mon père et moi nous fûmes certains que le fils de Kassib ne pourrait pas venir me trouver dans cette île inconnue. Et telle est la cause de mon séjour en cet endroit. »

Alors, moi, je pensai en mon âme : « Comment les hommes qui lisent dans les astres peuvent-ils se tromper autant que cela ! Car par Allah ! ce jeune garçon est la flamme de mon cœur, et, pour le tuer, il faut que je me tue moi-même ! » Puis je lui dis : « Ô mon enfant, Allah Tout-Puissant ne voudra jamais qu'une fleur comme toi soit coupée ! Et moi, je suis ici pour te défendre et je resterai avec toi toute ma vie ! » Alors il me répondit : « Mon père viendra de nouveau me prendre à la fin du quarantième jour, car, après ce temps, il n'y aura plus de danger. » Et je lui dis : « Par Allah ! ô mon enfant, je resterai avec toi ces quarante jours, et, après, je dirai à ton père de te laisser venir avec moi dans mon royaume où tu seras mon ami et l'héritier de mon trône ! »

Alors le jeune garçon, fils du joaillier, me remercia avec des paroles gentilles, et je remarquai combien il était plein de politesse, et combien il avait d'inclination pour moi, et moi pour lui. Et nous nous mîmes à causer amicalement, et à manger de toutes les choses délicieuses de ses provisions, qui pouvaient suffire pendant un an à cent invités. Et, après avoir mangé, je constatai combien mon cœur était ravi par les charmes de ce jeune garçon. Et alors nous nous étendîmes et nous nous couchâmes pour toute la nuit. À l'approche du matin, je me réveillai, et je me lavai, et je portai au jeune garçon le bassin de cuivre rempli d'eau parfumée, et il se lava ; et, moi, je préparai la nourriture, et nous mangeâmes ensemble ; et puis nous nous mîmes à causer, puis à jouer ensemble des jeux et à rire jusqu'au soir ; alors nous étendîmes la nappe et nous mangeâmes un mouton farci d'amandes, de raisins secs, de noix muscades, de clous de girofle et de poivre, et nous bûmes de l'eau douce et fraîche, et nous mangeâmes des pastèques, des melons, des gâteaux au miel et au beurre, d'une pâtisserie aussi douce et légère qu'une chevelure et où le beurre n'était pas épargné, ni le miel, ni les amandes, ni la cannelle. Et alors, comme la nuit précédente, nous nous couchâmes, et je constatai combien nous étions devenus amis ! Et nous restâmes ainsi dans les plaisirs et la tranquillité jusqu'au quarantième jour.

Alors, comme c'était le dernier jour, et que le joaillier devait venir, le jeune garçon voulut prendre un grand bain, et je chauffai l'eau dans le grand chaudron, j'allumai le bois, puis je versai l'eau chaude dans le grand baquet de cuivre, j'ajoutai de l'eau froide pour la rendre douce et agréable, et le jeune garçon se mit dedans, et je le lavai moi-même, et je le frottai, et je le massai, et je le parfumai, puis je le transportai dans le lit, et je le couvris de la couverture, et je lui entourai la tête d'une étoffe de soie brodée d'argent, et je lui donnai à boire un sorbet délicieux, et il dormit.

Quand il se fut réveillé, il voulut manger, et je choisis la plus belle des pastèques et la plus grosse, je la mis sur un plateau, je plaçai le plateau sur le tapis, et je montai sur le lit pour prendre le grand couteau qui était suspendu au mur au-dessus de la tête du jeune garçon, et le jeune garçon, pour s'amuser, tout à coup, me chatouilla la jambe, et je fus tellement sensible que je tombai sur lui malgré moi, et le couteau que j'avais pris s'enfonça dans son cœur, et il expira à l'instant même.

À cette vue, ô ma maîtresse, je me frappai la figure et je poussai des cris et des gémissements, et je me déchirai les vêtements, et je me jetai sur le sol dans le désespoir et les pleurs. Mais mon jeune ami était mort, et sa destinée s'était accomplie, pour ne pas faire mentir les paroles des astrologues. Mais je levai mes regards et mes mains vers le Très-Haut et je dis : « Ô Maître de l'Univers, si j'ai commis un crime, je suis prêt à être châtié par la justice ! » Et, en ce moment, j'étais plein de courage en face de la mort. Mais, ô ma maîtresse, notre souhait n'est jamais exaucé ni pour le mal ni pour le bien !

Aussi je ne pus supporter davantage la vue de cet endroit, et, comme je savais que le père, le joaillier, devait venir à la fin du quarantième jour, je montai l'escalier, je sortis, et je fermai le couvercle, et le couvris de terre, comme avant.

Quand je fus dehors, je me dis : « Il faut absolument que je regarde ce qui va arriver ; mais il faut que je me cache, sinon je serai massacré par les dix esclaves qui me tueront de la pire mort ! » Et alors je montai sur un grand arbre, qui était près de la place du couvercle, et je m'assis et je regardai. Une heure après, je vis sur la mer apparaître la barque avec le vieillard et les esclaves ; ils descendirent tous à terre et arrivèrent en toute hâte sous l'arbre, mais ils virent la terre toute fraîche encore, et ils furent dans une grande crainte, et le vieillard sentit son âme s'en aller, mais les esclaves creusèrent la terre, ouvrirent la terre et tous descendirent. Alors le vieillard se mit à appeler son fils par son nom, d'une voix haute, et le jeune garçon ne répondit pas, et ils se mirent à chercher partout, et ils le trouvèrent le cœur percé, étendu sur le lit.

À cette vue, le vieillard sentit son âme s'en aller, et s'évanouit, et les esclaves se mirent à se lamenter et à s'affliger, puis ils portèrent, sur leurs épaules, le vieillard en dehors de l'escalier, puis le jeune garçon mort, et ils creusèrent la terre et ensevelirent le jeune garçon dans le linceul. Puis ils transportèrent le vieillard dans la barque, et toutes les richesses qui étaient restées et toutes les provisions, et ils disparurent au loin sur la mer.

Alors, moi, dans un état malheureux, je descendis de l'arbre, et je pensai à ce malheur, et je pleurai beaucoup, et me mis à marcher dans la petite île pendant tout le jour et toute la nuit, dans la désolation. Et je ne cessais de rester ainsi, quand enfin je remarquai que la mer diminuait d'instant en instant, et s'éloignait, et laissait à sec tout l'endroit situé entre l'île et la terre en face. Alors je remerciai Allah, qui voulait enfin me délivrer de la vue de cette île maudite, et j'arrivai de l'autre côté, sur le sable ; puis je montai sur la terre ferme, et me mis à marcher, en invoquant le nom d'Allah. Et ainsi jusqu'à l'heure du coucher du soleil. Et, soudain, je vis au loin apparaître un grand feu rouge ; et je me dirigeai vers ce feu rouge où je pensais trouver des êtres humains en train de cuire un mouton ; mais, quand je fus plus près, je vis que ce feu rouge était un grand palais en cuivre jaune que le soleil brûlait de la sorte, à son coucher.

Alors je fus à la limite de l'étonnement, à la vue de cet imposant palais tout en cuivre jaune, et je regardais la solidité de sa construction, quand soudain je vis sortir, par la grande porte du palais, dix jeunes hommes d'une taille merveilleuse et d'une figure qui louait le Créateur qui l'avait faite si belle ; mais je vis que ces dix jeunes hommes étaient tous borgnes de l'œil gauche, excepté un vieillard vénérable et imposant, qui était le onzième.

À cette vue, je me dis : « Par Allah ! quelle coïncidence étrange ! Comment dix borgnes ont-ils pu faire pour avoir, chacun, l'œil gauche ainsi abîmé, ensemble ? » Pendant que j'étais enfoncé dans ces pensées, les dix jeunes hommes s'approchèrent et me dirent : « Que la paix soit sur toi ! » Et je leur rendis leur souhait de paix, et je leur racontai mon histoire, depuis le commencement jusqu'à la fin ; et je trouve inutile de la répéter, devant toi, une seconde fois, ô ma maîtresse.

À mes paroles, ils furent au comble de l'étonnement et me dirent : « Ô seigneur, entre dans cette demeure, et que l'accueil ici te soit large et généreux ! » J'entrai, et eux avec moi, et nous traversâmes des salles nombreuses et toutes tendues d'étoffes de satin, et enfin nous arrivâmes dans la dernière salle, spacieuse, plus belle que toutes les autres ; au milieu de cette grande salle, il y avait dix tapis étendus sur des matelas ; et, au milieu de ces dix couches magnifiques, il y avait un onzième tapis, sans matelas, mais aussi beau que les dix autres. Alors le vieillard s'assit sur ce onzième tapis, et les dix jeunes hommes chacun sur le sien, et ils me dirent : « Assieds-toi, seigneur, vers le haut de la salle, et ne nous demande rien sur quoi que ce soit de ce que tu verras ici ! »

Alors, après quelques instants, le vieillard se leva, sortit, et revint plusieurs fois en apportant des mets et des boissons, et tous mangèrent et burent, et moi avec eux.

Après cela, le vieillard ramassa tout ce qui restait, et revint s'asseoir. Alors les jeunes gens lui dirent : « Comment peux-tu t'asseoir avant de nous apporter de quoi remplir nos devoirs ! » Et le vieillard, sans parler, se leva et sortit dix fois, et rentra chaque fois avec, sur la tête, un bassin recouvert d'une étoffe en satin et, à la main, une lanterne, et il déposait chaque bassin et chaque lanterne devant chacun des jeunes hommes. Mais il ne me donna rien à moi, et je fus dans une grande contrariété. Mais, lorsqu'ils eurent enlevé l'étoffe, je vis que chaque bassin contenait de la cendre et de la poudre de charbon et du kôhl. Puis ils prirent la cendre et la jetèrent sur leur tête, le charbon, sur leur visage, et le kôhl, sur leur œil droit ; et ils se mirent à se lamenter et à pleurer et à dire : « Nous n'avons que ce que nous avons mérité par nos méfaits et nos fautes ! » Et ils ne cessèrent de la sorte qu'avec l'approche du jour. Alors ils se lavèrent dans d'autres bassins apportés par le vieillard, et mirent de nouvelles robes, et ils devinrent comme avant.

Lorsque je vis tout cela, ô ma maîtresse, je fus dans l'étonnement le plus considérable ; mais je n'osai rien demander, à cause de l'ordre imposé. Et, la nuit suivante, ils firent comme la première, et la troisième nuit, et la quatrième. Alors, moi, je ne pus retenir plus longtemps ma langue, et je m'écriai : « Ô mes seigneurs, je vous prie de m'éclairer sur le motif de votre œil gauche abîmé, et de la cendre, du charbon et du kohl que vous mettez sur votre tête, car, par Allah ! je préfère même la mort à cette perplexité où vous m'avez jeté ! » Alors ils s'écrièrent : « Ô malheureux, que demandes-tu ? C'est ta perte ! » Je répondis : « Je préfère ma perte à cette perplexité ! » Alors ils me dirent : « Crains pour ton œil gauche ! » Et je dis : « Je n'ai pas besoin de mon œil gauche si je dois rester dans la perplexité ! » Alors ils me dirent : « Que ton destin s'accomplisse ! Il va t'arriver ce qui nous est arrivé, mais ne te plains pas, car ce sera ta faute ! Et, d'ailleurs, après la perte de ton œil, tu ne pourras pas revenir ici, car nous sommes déjà dix, et il n'y a point de place pour un onzième ! »

À ces paroles, le vieillard apporta un mouton vivant qu'on égorgea, qu'on écorcha, et dont on nettoya la peau. Puis ils me dirent : « Tu vas être cousu dans cette peau de mouton, et tu seras exposé sur la terrasse de ce palais en cuivre. Alors le grand vautour nommé Rokh, qui est capable d'enlever un éléphant, te prendra pour un vrai mouton, et fondra sur toi et t'enlèvera jusqu'aux nuages, puis te déposera sur le sommet d'une haute montagne inaccessible aux êtres humains, pour te dévorer dans son gosier ! Mais alors, toi, avec ce couteau que nous te donnons, tu fendras la peau du mouton et tu sortiras tout entier ; alors le terrible Rokh, qui ne mange pas les hommes, ne te mangera pas et disparaîtra à ta vue ! Alors, toi, tu marcheras jusqu'à ce que tu atteignes un palais dix fois plus grand que notre palais, et mille fois plus magnifique. Ce palais est tout lamé de lames d'or, et toutes ses murailles sont incrustées de grosses pierreries et surtout d'émeraudes et de perles. Alors tu entreras par la porte ouverte, comme nous entrâmes nous-mêmes, et tu verras ce que tu verras ! Quant à nous, nous y avons laissé notre œil gauche, et nous supportons encore la punition méritée, et nous l'expions en faisant chaque nuit ce que tu nous as vu faire. Telle est notre histoire, en résumé, car, en détail, elle remplirait les feuilles d'un gros livre carré ! Quant à toi, que maintenant ta destinée s'accomplisse ! »

À ces paroles, comme je tenais à ma résolution, ils me donnèrent le couteau, me cousirent dans la peau du mouton, et m'exposèrent sur la terrasse du palais, et s'éloignèrent. Et, soudain, je me sentis enlever par le terrible oiseau Rokh, qui s'envola ; et, aussitôt que je me sentis déposer à terre sur le sommet de la montagne, je fendis, avec le couteau, la peau du mouton, et je sortis en entier en criant : « Kesch ! Kesch ! » pour chasser le terrible Rokh qui s'envola lourdement, et je vis que c'était un grand oiseau blanc, aussi gros que dix éléphants et aussi grand que vingt chameaux !

Alors je me mis à marcher, et à me hâter, tant j'étais sur le feu de l'impatience, et, au milieu du jour, j'arrivai au palais. À la vue de ce palais, malgré la description des dix jeunes hommes, je fus émerveillé à la limite de l'émerveillement, car il était bien plus magnifique que les paroles. La grande porte d'or, par laquelle j'entrai dans le palais, était entourée par quatre-vingt-dix-neuf portes en bois d'aloès et en bois de sandal, et les portes des salles étaient en ébène incrusté d'or et de diamants ; et toutes ces portes conduisaient à des salles et à des jardins où je vis toutes les richesses accumulées de la terre et de la mer.

Dans la première salle où j'entrai, je me trouvai immédiatement au milieu de quarante adolescentes, qui étaient si merveilleuses de beauté que l'esprit ne pouvait se retrouver au milieu d'elles ni les yeux se reposer de préférence sur l'une, et je fus si plein d'admiration que je m'arrêtai en sentant ma tête tourner.

Alors toutes ensemble se levèrent à ma vue, et, d'une voix agréable, elles me dirent : « Que notre maison soit ta maison, ô notre convive, et que ta place soit sur nos têtes et dans nos yeux ! » Et elles m'invitèrent à m'asseoir, et me placèrent sur une estrade, et s'assirent toutes au-dessous de moi, sur les tapis, et me dirent : « Ô notre seigneur, nous sommes tes esclaves et ta chose, et tu es notre maître et la couronne sur nos têtes ! »

Puis toutes se mirent à me servir : l'une apporta l'eau chaude et les étoffes, et me lava les pieds ; l'autre me versa sur les mains de l'eau parfumée contenue dans une aiguière d'or ; la troisième m'habilla d'une robe toute en soie avec une ceinture brodée de fils d'or et d'argent ; la quatrième me présenta une coupe pleine d'une boisson délicieuse et parfumée aux fleurs ; et celle-ci me regardait, et celle-là me souriait, et l'une me clignait de l'œil, et l'autre me récitait des vers, et celle-là s'étirait les bras devant moi, et l'autre tordait devant moi sa taille sur ses cuisses, et l'une disait : « Ah ! » et l'autre : « Ouh ! » et celle-ci me disait : « Ô toi mon œil ! » et celle-là : « Ô toi mon âme ! » et l'autre : « Mes entrailles ! » et une autre : « Mon foie ! » et une : « Ô flamme de mon cœur ! »

Puis toutes s'approchèrent de moi et se mirent à me masser et à me caresser, et me dire : « Ô notre convive, raconte-nous ton histoire, car nous sommes ici seules, depuis longtemps, sans un homme, et notre bonheur est maintenant complet ! » Alors, moi, je devins plus calme et je leur racontai une partie de mon histoire seulement, et cela jusqu'à l'approche de la nuit.

Alors on apporta les chandelles par quantité prodigieuse, et la salle fut éclairée comme par le soleil le plus éclatant. Puis on tendit la nappe et on servit les mets les plus exquis et les boissons les plus enivrantes, et on joua des instruments de plaisir et on chanta de la voix la plus enchanteresse, et quelques-unes se mirent à danser, pendant que je continuais à manger.

Après toutes ces réjouissances, elles me dirent : « Ô mon chéri, c'est maintenant le temps du plaisir solide et du lit ; choisis, d'entre nous, celle de ton choix, et sois sans crainte de nous offenser, car chacune de nous aura son tour pendant une nuit, nous les quarante sœurs ; et, après, chacune à son tour recommencera à jouer avec toi dans le lit, toutes les nuits. »

Alors, moi, ô ma maîtresse, je ne sus laquelle des sœurs je devais choisir, car toutes étaient aussi désirables. Alors je fermai les yeux, je tendis les bras et saisis l'une, et j'ouvris les yeux ; mais je les refermai vite, à cause de l'éblouissement de sa beauté. Elle me tendit alors la main et me conduisit dans son lit. Et je passai toute la nuit avec elle. Je la chargeai quarante fois une charge de chargeur ! et elle aussi ! et elle me disait chaque fois : « Youh ! ô mon œil ! Youh ! ô mon âme ! » Et elle me caressait, et je la mordais, et elle me pinçait, et de la sorte toute la nuit.

Et je continuai de la sorte, ô ma maîtresse, chaque nuit avec l'une des sœurs, et chaque nuit beaucoup d'assauts, de part et d'autre ! Et cela pendant une année entière, dans la dilatation et l'épanouissement. Et, après chaque nuit, au matin, l'adolescente de la nuit prochaine venait à moi, et me conduisait au hammam, et me lavait tout le corps, et me massait énergiquement, et me parfumait avec tous les parfums qu'Allah accorde à ses serviteurs.

Et nous arrivâmes ainsi jusqu'à la fin de l'année. Le matin du dernier jour, je vis toutes les adolescentes accourir vers mon lit, et elles pleuraient beaucoup et se dénouaient les cheveux d'affliction et se lamentaient, puis elles me dirent : « Sache, ô lumière de nos yeux, que nous devons te quitter, comme nous avons quitté les autres avant toi, car tu dois savoir que tu n'es pas le premier, et qu'avant toi beaucoup de chargeurs nous ont montées, comme toi, et nous le firent, comme toi ! Seulement toi, tu es, en vérité, le sauteur le plus riche en sauts et en mesure de large et de long ! Et aussi tu es certes le plus libertin et le plus gentil de tous. C'est pour ces motifs que nous ne pourrons jamais vivre sans toi. » Et je leur dis : « Mais dites-moi pourquoi vous devez me quitter. Car, moi non plus, je ne veux pas perdre la joie de ma vie en vous ! » Elles me répondirent : « Sache que nous sommes toutes les filles d'un roi, mais de mères différentes. Depuis notre puberté, nous vivons dans ce palais, et, chaque année, Allah nous conduit sur notre chemin un chargeur qui nous satisfait, et nous aussi de même ! Mais, chaque année, nous devons nous absenter durant quarante jours, pour aller voir notre père et nos mères. Et, aujourd'hui, c'est le jour ! » Alors je dis : « Mais, ô délicieuses, je resterai dans la maison à louer Allah jusqu'à votre retour ! » Elles me répondirent : « Que ton désir s'accomplisse ! Voici toutes les clefs du palais, qui ouvrent sur toutes les portes. Ce palais est ta demeure, et tu en es le maître. Mais prends bien garde d'ouvrir la porte de cuivre qui est au fond du jardin, sinon tu ne pourras plus nous revoir et il t'arrivera fatalement un grand malheur. Prends donc bien garde d'ouvrir la porte de cuivre ! » À ces paroles, toutes vinrent m'accoler et m'embrasser l'une après l'autre, en pleurant et en me disant : « Qu'Allah soit avec toi ! » Et elles me regardèrent en pleurant, et elles partirent.

Alors moi, ô ma maîtresse, je sortis de la salle en tenant les clefs à la main, et je commençai à visiter ce palais, que jusqu'à ce jour-là je n'avais pas eu le temps de voir, tellement mon corps et mon âme avaient été enchaînés dans le lit aux bras de ces adolescentes. Et je me mis, avec la première clef, à ouvrir la première porte.

Lorsque j'ouvris la première porte, je vis un grand jardin tout rempli d'arbres à fruits, tellement grands et tellement beaux que, de ma vie, je n'en avais vu de semblables dans le monde entier ; des eaux dans de petits canaux arrosaient tous les arbres et si bien que les fruits de ces arbres étaient d'une grosseur et d'une beauté merveilleuses. Je mangeai de ces fruits, spécialement des bananes, des dattes longues comme les doigts d'une noble Arabe, des grenades, des pommes et des pêches. Lorsque j'eus fini de manger, je remerciai Allah de ses dons, et j'ouvris la deuxième porte avec la deuxième clef.

Lorsque j'ouvris cette porte, mes yeux et mon nez furent charmés par les fleurs qui remplissaient un grand jardin arrosé par de petits ruisseaux. Il y avait, dans ce jardin, toutes les fleurs qui poussent dans les jardins des émirs de la terre : des jasmins, des narcisses, des roses, des violettes, des jacinthes, des anémones, des œillets, des tulipes, des renoncules et toutes les fleurs de tous les temps. Quand j'eus fini de sentir toutes les fleurs, je cueillis un jasmin et je l'enfonçai dans mon nez et je l'y laissai, pour le respirer, et je remerciai Allah Très-Haut pour ses bontés.

J'ouvris ensuite la troisième porte, et mes oreilles furent charmées par les voix des oiseaux de toutes les couleurs et de toutes les espèces de la terre. Ces oiseaux étaient tous dans une grande cage faite avec des baguettes en bois d'aloès et de sandal ; l'eau à boire de ces oiseaux était contenue dans de petites soucoupes en jade et en jaspe fin et coloré ; les grains étaient contenus dans de petites tasses en or ; le sol était balayé et arrosé ; et les oiseaux bénissaient le Créateur. J'écoutais les voix de ces oiseaux, quand la nuit s'approcha ; et je me retirai ce jour-là.

Mais le lendemain, je sortis en hâte et j'ouvris la quatrième porte, avec la quatrième clef. Et alors, ô ma maîtresse, je vis des choses que même en songe un être humain ne pourrait jamais voir. Au milieu d'une grande cour, je vis une coupole d'une construction merveilleuse : cette coupole avait des escaliers en porphyre qui montaient pour arriver à quarante portes en bois d'ébène incrustées d'or et d'argent ; ces portes, dont les battants étaient ouverts, laissaient voir chacune une salle spacieuse ; chaque salle contenait un trésor différent, et chaque trésor valait plus que mon royaume tout entier. Je vis que la première salle était remplie de grands monceaux alignés de grosses perles et de petites perles, mais les plus grosses étaient plus nombreuses que les petites, et chacune était aussi grosse qu'un œuf de colombe et aussi brillante que la lune dans tout son éclat. Mais la seconde salle surpassait la première en richesse : elle était remplie, jusqu'au haut, de diamants, de rubis rouges, et de rubis bleus[1] et d'escarboucles. Dans la troisième, il y avait seulement des émeraudes ; dans la quatrième, des morceaux d'or naturel ; dans la cinquième, des dinars d'or de toute la terre ; dans la sixième, de l'argent vierge ; dans la septième, des dinars d'argent de toute la terre. Mais les autres salles étaient remplies de toutes les pierreries du sein de la terre et des mers, de topazes, de turquoises, d'hyacinthes, de pierres de l'Yémen, de cornalines de toutes les couleurs, de vases de jade, de colliers, de bracelets, de ceintures, de tous les joyaux employés à la cour des émirs et des rois.

Et moi, ô ma maîtresse, je levai mes mains et mes regards et je remerciai Allah Très-Haut pour ses bienfaits. Et je continuai ainsi, chaque jour, à ouvrir une ou deux ou trois portes, jusqu'au quarantième jour, et mon émerveillement augmentait chaque jour, et il ne me restait plus que la dernière clef, qui était la clef de la porte en cuivre. Et je pensai aux quarante adolescentes, et je fus dans la plus grande félicité en pensant à elles, et à la douceur de leurs manières, et à la fraîcheur de leur chair, et à la dureté de leurs cuisses, et à l'étroitesse de leurs vulves, et à la rondeur et au volume de leurs derrières, et à leurs cris quand elles me disaient : « You ! ô mon œil ! You ! ô ma flamme ! » Et je m'écriai : « Par Allah ! notre nuit va être une nuit bénie, une nuit de blancheur ! »

Mais le Maudit me faisait sentir la clef de cette porte de cuivre, et elle me tenta énormément, et la tentation fut plus forte que moi, et j'ouvris la porte de cuivre. Mais mes yeux ne virent rien, et mon nez seul sentit une odeur très forte et très hostile à mes sens, et je m'évanouis à l'instant et à l'heure même, et je tombai en deçà de la porte, qui se referma. Lorsque je me réveillai, je persistai dans cette résolution inspirée par le Cheitan, et j'ouvris la porte de nouveau, et j'attendis que l'odeur devînt moins forte.

Alors j'entrai, et je trouvai une salle spacieuse, toute jonchée de safran, et illuminée avec des chandelles parfumées à l'ambre gris et à l'encens et par des lampes magnifiques en or et en argent contenant des huiles aromatiques qui rendaient en brûlant cette odeur forte. Et, entre les flambeaux d'or et les lampes d'or, je vis un merveilleux cheval noir qui avait une étoile blanche sur le front ; et son pied gauche et sa main droite étaient tachetés de blanc à leurs extrémités ; sa selle était en brocart et sa bride était une chaîne d'or ; son auge était pleine de grains de sésame et d'orge bien criblée ; son abreuvoir contenait de l'eau fraîche parfumée à l'eau de rose. Et moi, ô ma maîtresse, comme ma grande passion était les beaux chevaux et que j'étais le cavalier le plus illustre de mon royaume, je pensai que ce cheval me conviendrait fort ; et je le pris par la bride et je l'amenai dans le jardin, et je montai dessus ; mais il ne bougea pas. Alors je le frappai au cou avec la chaîne d'or. Et aussitôt, ô ma maîtresse, le cheval étendit deux grandes ailes noires que je n'avais pas vues jusqu'à cet instant, cria d'une façon épouvantable, frappa trois fois le sol avec son sabot, et s'envola avec moi dans les airs.

Alors, ô ma maîtresse, la terre tourna devant mes yeux ; mais je serrai mes cuisses et je me tins comme un bon cavalier, et, enfin, le cheval descendit et s'arrêta sur la terrasse du palais en cuivre rouge où j'avais trouvé les dix jeunes hommes borgnes. Et alors il se cabra si terriblement et se secoua si vite qu'il me renversa, et il s'approcha de moi, et abaissa son aile vers mon visage, et enfonça le bout de son aile dans mon œil gauche, et me l'abîma irrémédiablement. Puis il s'envola dans les airs et disparut.

Et moi, je mis ma main sur mon œil perdu, et je marchai de long en large sur la terrasse en me lamentant et en secouant ma main de douleur ! Et tout à coup, je vis apparaître les dix jeunes hommes qui, en me voyant, me dirent : « Tu n'as pas voulu nous écouter ! Et voilà le fruit de ta funeste résolution. Et nous ne pouvons te recevoir au milieu de nous, car nous sommes déjà dix. Mais, en suivant telle et telle route, tu arriveras dans la ville de Bagdad chez l'émir des Croyants, Haroun Al-Rachid, dont la renommée est arrivée jusqu'à nous, et ta destinée sera entre ses mains ! »

Et je partis, et je voyageai jour et nuit, après avoir rasé ma barbe et pris ces habits de saâlouk, pour n'avoir pas à supporter d'autres malheurs, et je ne cessai de marcher jusqu'à ce que je fusse arrivé dans cette demeure de paix, Bagdad, et je trouvai ces deux borgnes-ci, et je les saluai et leur dis : « Je suis un étranger. » Et ils me répondirent : « Nous aussi, nous sommes étrangers. » Et c'est ainsi que nous arrivâmes tous trois dans cette maison bénie, ô ma maîtresse !

Et telle est la cause de mon œil perdu et de ma barbe rasée ! »

À cette histoire extraordinaire, la jeune maîtresse de la maison dit au troisième saâlouk : « Allons ! caresse un peu ta tête et va-t'en. Je te pardonne ! » Mais le troisième saâlouk répondit : « Je ne m'en irai, par Allah ! que lorsque j'aurai entendu les histoires de tous les autres. » Alors la jeune fille se tourna vers le khalifat, vers Giafar et vers Massrour et leur dit : « Racontez-moi votre histoire ! »

Alors Giafar s'approcha et lui raconta l'histoire qu'il avait déjà dite, à la jeune portière, en entrant dans la demeure. Aussi, après avoir entendu les paroles de Giafar, la jeune fille leur dit à tous : « Je vous pardonne à tous, les uns et les autres. Mais allez au plus vite ! »

Et tous sortirent et arrivèrent dans la rue. Alors le khalifat dit aux saâlik : « Compagnons, où allez-vous ainsi ? » Ils répondirent : « Nous ne savons où nous devons aller. » Et le khalifat leur dit : « Venez passer la nuit chez nous. » Et il dit à Giafar : « Prends-les chez toi et amène-les-moi demain, et nous verrons ce qu'il y aura à faire. » Et Giafar ne manqua pas d'exécuter les ordres du khalifat.

Alors le khalifat monta dans son palais, et il ne put goûter aucun sommeil cette nuit-là. Puis, le matin, il se réveilla, et il s'assit sur le trône du royaume ; et fit entrer tous les chefs de son empire. Puis, après que tous les chefs de l'empire furent partis, il se tourna vers Giafar et lui dit : « Amène-moi ici les trois jeunes filles et les deux chiennes et les trois saâlik. Et Giafar partit aussitôt et les amena tous entre les mains du khalifat ; et les jeunes filles se couvrirent de leurs voiles et se tinrent devant le khalifat. Alors Giafar leur dit : « Nous vous tenons quittes, parce que, sans nous connaître, vous nous avez pardonné et que vous nous avez fait du bien. Et voici que maintenant vous êtes entre les mains du cinquième des descendants d'Abbas, le khalifat Haroun Al-Rachid ! Il faut donc que vous ne lui racontiez que la vérité. »

Lorsque les adolescentes eurent entendu les paroles de Giafar, qui parlait pour le prince des Croyants, l'aînée s'avança et dit : « Ô prince des Croyants, l'histoire qui est mienne est tellement surprenante que, si elle était écrite avec les aiguilles sur le coin intérieur de l'œil, elle serait une leçon à qui la lirait avec respect ! »

À ce moment de sa narration, Schahrazade vit apparaître le matin, et s'arrêta discrètement dans son récit.

Mais lorsque fut la seizième nuit. Elle dit :

Il m'est parvenu, ô Roi fortuné, que l'aînée des jeunes filles s'avança entre les mains de l'émir des Croyants et raconta ainsi cette histoire :

HISTOIRE DE ZOBÉIDA, LA PREMIÈRE ADOLESCENTE

« Ô prince des Croyants, sache donc que je m'appelle Zobéida ; ma sœur qui t'a ouvert la porte s'appelle Amina ; et ma plus jeune sœur s'appelle Fahima. Nous sommes toutes les trois nées du même père, mais pas de la même mère. Quant à ces deux chiennes-ci, elles sont mes propres sœurs à moi, du même père et de la même mère.

Lorsque notre père mourut, il nous laissa cinq mille dinars qui furent partagés en toute égalité entre nous ; alors ma sœur Amina et ma sœur Fahima nous quittèrent pour habiter dans la maison de leur mère ; et moi et mes deux autres sœurs, nous restâmes ensemble, et moi, je suis la plus jeune de nous trois ; mais je suis moins jeune que mes sœurs de l'autre mère, Amina et Fahima.

Peu de temps après la mort de notre père, mes deux sœurs aînées se préparèrent au mariage et se marièrent chacune avec un homme, et continuèrent à rester quelque temps avec moi, ensemble dans la même maison. Mais bientôt leurs maris se préparèrent pour un voyage commercial, prirent les mille dinars de leurs épouses pour en acheter des marchandises, emmenèrent leurs épouses et partirent tous ensemble, et me laissèrent toute seule.

Ils furent absents de la sorte durant quatre années. Pendant ce temps, les maris de mes sœurs se ruinèrent et perdirent toutes leurs marchandises, et s'en allèrent en abandonnant leurs femmes à elles-mêmes au milieu du pays des étrangers. Et mes sœurs endurèrent toutes les misères et finirent par arriver chez moi sous l'aspect de pauvres mendiantes. À la vue de ces deux mendiantes, je fus loin de reconnaître en elles mes sœurs, et je m'en éloignai. Mais alors elles me parlèrent et je les reconnus et je leur dis : « Comment se fait-il, ô mes sœurs, que vous soyez en cet état ? » Elles me répondirent : « Ô notre sœur, les paroles maintenant ne peuvent plus servir de rien, car le calam a couru sur ce qu'avait ordonné Allah[1] ! » À ces paroles, mon cœur fut plein de pitié pour elles, et je les envoyai au hammam, et je vêtis chacune d'elles avec une belle robe neuve, et je leur dis : « Ô mes sœurs, vous êtes les deux grandes et moi je suis la petite ! Et je vous considère comme me tenant lieu de père et de mère ! D'ailleurs, l'héritage qui m'est revenu comme à vous autres a été béni par Allah et s'est accru considérablement. Vous en mangerez avec moi le fruit, et notre vie sera respectable et honorable, et nous serons désormais ensemble ! »

En effet, je les comblai de bienfaits, et elles demeurèrent chez moi durant la longueur d'une année complète, et mon bien était leur bien. Mais, un jour, elles me dirent : « En vérité, le mariage vaut mieux pour nous ; nous ne pouvons plus guère nous en passer, et notre patience, ainsi seules, est épuisée. » Alors je leur dis : « Ô mes sœurs, vous ne trouverez rien de bon dans le mariage, car l'homme vraiment honnête et bon est une chose bien rare en ce temps-ci ! Et n'avez-vous pas déjà essayé du mariage ? Et oubliez-vous ce que vous y avez trouvé ? »

Mais elles n'écoutèrent pas mes paroles, et voulurent, tout de même, se marier sans mon consentement. Alors je les mariai de mon propre argent et je leur fis le trousseau nécessaire. Puis elles s'en allèrent avec leurs maris.

Mais il y avait à peine quelque temps qu'elles étaient parties, que leurs maris se jouèrent d'elles, et leur prirent tout ce que je leur avais donné, et partirent en les abandonnant. Alors elles revinrent chez moi, toutes nues. Et elles me firent beaucoup d'excuses et me dirent : « Ne nous blâme pas, ô sœur ! Tu es, il est vrai, la plus petite en âge d'entre nous, mais la plus parfaite en raison. Nous te promettons, d'ailleurs, de ne jamais plus dire même le mot mariage. » Alors je leur dis : « Que l'accueil chez moi vous soit hospitalier, ô mes sœurs ! Je n'ai personne de plus cher que vous deux ! » Et je les embrassai, et je les comblai encore davantage de générosité.

Nous demeurâmes en cet état une année entière, après laquelle je songeai à charger un navire de marchandises et partir faire le commerce à Bassra[2]. Et, en effet, je préparai un navire, et je le chargeai de marchandises et d'emplettes et de tout ce qui pouvait m'être nécessaire durant le voyage du navire, et je dis à mes sœurs : « Ô mes sœurs, préférez-vous demeurer dans ma maison pendant tout le temps que durera mon voyage jusqu'à mon retour, ou bien aimez-vous mieux partir avec moi ? » Et elles me répondirent : « Nous partirons avec toi, car nous ne pourrons jamais supporter ton absence ! » Alors je les pris avec moi et nous partîmes.

Mais, avant mon départ, j'avais pris soin de diviser mon argent en deux parties : j'en pris avec moi la moitié, et je cachai la seconde moitié en me disant : « Il est possible qu'il arrive malheur au navire et que nous ayons la vie sauve. Dans ce cas, à notre retour, si nous revenons jamais, nous trouverons là quelque chose qui nous sera utile. »

Nous ne cessâmes de voyager jour et nuit ; mais, par malheur, le capitaine perdit la route. Le courant nous entraîna vers la mer extérieure, et nous entrâmes dans une mer tout autre que celle vers laquelle nous nous dirigions. Et un vent très fort nous poussait, qui ne cessa de dix jours. Alors, dans le lointain, nous aperçûmes vaguement une ville, et nous demandâmes au capitaine : « Quel est le nom de cette ville sur laquelle nous nous dirigeons ? » Il répondit : « Par Allah ! je ne sais point. Je ne l'ai jamais vue, et de ma vie je ne suis entré dans cette mer. Mais enfin, l'important, c'est que nous sommes heureusement hors de danger. Aussi il ne vous reste plus qu'à entrer dans cette ville, et à étaler vos marchandises. Et si vous pouvez les vendre, je vous conseille de les vendre. »

Une heure après, il revint vers nous et nous dit : « Hâtez-vous de sortir vers la ville, et de voir les merveilles d'Allah dans sa création ! Et invoquez son saint nom, pour qu'il vous garde des malheurs ! »

Alors nous allâmes vers la ville, et, à peine y étions-nous arrivés, que nous fûmes dans la plus grande stupéfaction : nous vîmes que tous les habitants de cette ville étaient métamorphosés en pierres noires. Mais les habitants seulement étaient pétrifiés ; car, dans tous les souks et dans toutes les rues des marchands, nous trouvâmes les marchandises telles quelles, et toutes les choses en or et en argent telles quelles. À cette vue, nous fûmes très contents et nous dîmes : « Il est certain que la cause de tout cela doit être une chose étonnante. » Alors nous nous séparâmes, et chacun alla de son côté dans les rues de la ville, et chacun se mit à travailler et à ramasser pour son compte tout ce qu'il pouvait porter en or, en argent et en étoffes précieuses.

Quant à moi, je montai à la citadelle, et je trouvai qu'elle contenait le palais du roi. J'entrai dans le palais par un grand portail en or massif, et je soulevai le grand rideau de velours, et je vis que tous les meubles à l'intérieur et tous les objets étaient en or et en argent. Et dans la cour et dans toutes les salles, les gardes et les chambellans étaient debout ou assis, mais tous pétrifiés et comme vivants. Et dans la dernière salle, remplie de chambellans, de lieutenants et de vizirs, je vis le roi assis sur son trône, pétrifié, habillé de vêtements si somptueux et si riches que c'était à en perdre la raison, et il était entouré de cinquante mamalik vêtus de robes de soie et tenant à la main leurs épées nues. Le trône du roi était incrusté de perles et de pierreries, et chaque perle brillait comme une étoile. Et, en vérité, je faillis en devenir folle.

Mais je continuai à marcher, et j'arrivai dans la salle du harem, et je la trouvai encore plus merveilleuse, et tout, jusqu'aux treillis des fenêtres, était en or ; les murs étaient recouverts de tentures de soie ; sur les portes et les fenêtres, il y avait des rideaux en velours et en satin. Et je vis enfin, au milieu des femmes pétrifiées, la reine elle-même, vêtue d'une robe semée de perles nobles, et ayant sur la tête une couronne enrichie de toutes les espèces de pierres fines, et au cou des colliers et des réseaux d'or admirablement ciselés ; mais elle aussi était pétrifiée en pierre noire.

De là, je continuai à marcher, et je trouvai une porte ouverte, dont les deux battants étaient en argent vierge, et à l'intérieur je vis un escalier en porphyre composé de sept marches ; je montai cet escalier, et, en arrivant au haut, je trouvai une grande salle tout en marbre blanc, recouverte de tapis tissés d'or ; et au milieu de cette salle, entre de grands flambeaux d'or, je vis une estrade d'or parsemée d'émeraudes et de turquoises, et sur cette estrade il y avait un lit d'albâtre incrusté de perles et de pierreries et étoffé d'étoffes précieuses et de broderies. Et je vis, dans le fond, une lumière qui brillait ; je m'approchai et je trouvai que cette lumière était un brillant aussi gros qu'un œuf d'autruche, posé sur un tabouret, et dont les facettes lançaient cette lumière : ce brillant était la perfection même et sa lumière seule éclairait toute la salle. Pourtant il y avait aussi les flambeaux allumés, mais ils avaient honte devant ce diamant. Et, moi, je me dis : « Si ces flambeaux sont allumés, c'est que quelqu'un les a allumés. »

Alors je continuai à marcher et j'entrai dans d'autres salles, et partout je m'émerveillai, et partout je tâchai de découvrir un être vivant. Et je fus si occupée que je m'oubliai moi-même, et mon voyage, et mon navire, et mes sœurs. Et j'étais encore dans cet émerveillement quand vint la nuit ; alors je voulus sortir du palais, mais je m'égarai, je ne retrouvai plus le chemin, et je finis par arriver dans la salle où il y avait le lit d'albâtre et le brillant et les flambeaux d'or allumés. Alors je m'assis sur le lit, je me couvris à demi de la couverture de satin bleu brodée d'argent et de perles, je pris le saint livre, notre Koran, et, dans ce livre, qui était écrit d'une écriture magnifique en caractères d'or avec du rouge et des enluminures de toutes les couleurs, je me mis à lire quelques versets pour me sanctifier et remercier Allah et me réprimander, et je méditai les paroles du Prophète, qu'Allah bénisse ! puis je m'étendis pour dormir et j'essayai de dormir ; mais je ne le pus. Et l'insomnie me tint éveillée jusqu'au milieu de la nuit.

À ce moment, j'entendis une voix qui récitait Al-Koran, une voix agréable et douce et sympathique. Alors, je me levai en hâte, et je me dirigeai du côté de la voix qui récitait. Et je finis par arriver à une chambre dont la porte était ouverte ; j'entrai doucement par la porte, en posant au-dehors le flambeau qui m'éclairait dans mes recherches, et je regardai l'endroit et je vis que c'était un sanctuaire ; il était éclairé par des lampes en verre vert suspendues ; et au milieu il y avait un tapis de prière étendu du côté de l'Orient, et sur ce tapis était assis un jeune homme d'aspect très beau qui lisait Al-Koran attentivement et à voix haute, avec beaucoup de rythme. Et je fus dans le plus grand étonnement, et je me demandai comment ce jeune homme pouvait, seul, avoir échappé au sort de toute la ville. Alors je m'avançai et je me tournai vers lui et lui fis mon souhait de paix ; et il tourna vers moi ses regards et me rendit le souhait de paix. Alors je lui dis : « Je te conjure, par la vérité sainte des versets que tu récites du livre d'Allah, de répondre à ma question ! »

Alors il sourit avec tranquillité et douceur, et me dit : « Révèle-moi d'abord, toi la première, ô femme, la cause de ton entrée en cet oratoire, et, à mon tour, je répondrai à la question que tu me fais. » Alors je lui racontai mon histoire, qui l'étonna beaucoup, et je lui demandai alors quelle était cette situation extraordinaire de la ville. Et il me dit : « Attends un peu ! » Alors il ferma le livre sacré et le fit entrer dans un sac en satin ; et il me dit de m'asseoir à côté de lui. Je m'assis et je le regardai alors attentivement, et je vis qu'il était comme la pleine lune, parfait de qualités, tout plein de sympathie, admirable d'aspect, fin et proportionné de taille ; ses joues étaient comme le cristal, sa figure, de la couleur des dattes fraîches, comme si c'était lui que visait le poète en ces strophes :

« Le liseur des astres observait dans la nuit ! Et soudain, devant ses yeux apparut la sveltesse du charmant garçon ! Et il pensa :

« C'est Zohal[1] lui-même, qui donna à cet astre cette noire chevelure éployée, qu'on prendrait pour une comète !

Et quant à l'incarnat de ses joues, c'est Mirrikh[2] qui prit soin de l'étendre ! Et quant aux rayons perçants de ses yeux, ce sont les flèches mêmes de l'Archer aux sept étoiles !

Mais c'est Houtared[1] qui lui fit don de cette merveilleuse sagacité, tandis que c'est Abylssouha qui mit en lui cette valeur d'or ! »

Aussi l'observateur des astres ne sut plus que penser et fut dans la perplexité. C'est alors que l'astre s'inclina vers lui et sourit ! »

À le regarder ainsi, sa vue me jeta dans le trouble des sens le plus violent, dans les regrets les plus ardents de ne l'avoir pas connu jusqu'à ce jour ; et des braises rouges s'allumèrent dans mon cœur. Et je lui dis : « Ô mon maître et suzerain, raconte-moi maintenant ce que je t'ai demandé ! » Et il me répondit : « J'écoute et j'obéis ! » Et il me raconta :

« Sache, ô dame pleine d'honneur, que cette ville était la ville de mon père. Et elle était habitée par tous ses parents et ses sujets. Mon père est ce roi que tu as vu assis sur le trône, et métamorphosé en pierre. Pour ce qui est de la reine que tu as vue, c'est ma mère. Mon père et ma mère étaient des mages, adorateurs du terrible Nardoun. Ils juraient et prêtaient serment sur le feu et la lumière, sur l'ombre et la chaleur, et sur les astres tourneurs !

« Pendant longtemps, mon père n'eut point d'enfant ; et ce n'est qu'à la fin de sa vie que je naquis comme le fils de sa vieillesse. Et mon père m'éleva avec beaucoup de soin ; cependant je grandissais : c'est alors que je fus élu pour la vraie félicité.

« En effet, nous avions chez nous, au palais, une vieille femme très avancée en âge, musulmane, une croyante en Allah et en son Envoyé. Elle y croyait en cachette, et extérieurement elle faisait semblant d'être d'accord avec mes parents. Et mon père avait en elle une très grande confiance, pour ce qu'il voyait en elle de fidélité et de chasteté. Il était pour elle très généreux et il la comblait de sa générosité. Et il croyait fermement qu'elle était de sa foi et de sa religion.

« Aussi, comme je grandissais, il me confia à elle et lui dit : « Prends-le et élève-le bien ; et enseigne-lui les lois de notre religion ; et donne-lui une excellente éducation ; et sers-le bien en en prenant beaucoup de soin ! »

« Et la vieille me prit ; mais elle m'enseigna la religion des Islams, depuis les devoirs de la purification et les devoirs des ablutions jusqu'aux saintes formules de la prière. Et elle m'enseigna et m'expliqua Al-Koran dans la langue du Prophète. Et lorsqu'elle eut complètement terminé mon instruction, elle me dit : « Ô mon enfant, il faut que tu caches cela soigneusement devant ton père, et que tu en gardes absolument le secret, sinon il te tuerait ! »

« Et moi, en effet, je gardai le secret. Et il n'y avait pas longtemps que mon instruction était achevée, quand la sainte vieille mourut, en me faisant ses dernières recommandations. Et je continuai à être en secret un croyant en Allah et en son Prophète. Mais les habitants de la ville ne faisaient que s'endurcir dans leur incrédulité, leur rébellion et leurs ténèbres. Mais un jour qu'ils continuaient à être comme ils étaient, une voix haute de muezzin invisible se fit entendre ; et elle dit d'un ton aussi haut que le tonnerre et qui parvint aussi bien aux oreilles du proche qu'à celles de l'éloigné : « Ô vous autres, habitants de la ville, renoncez à l'adoration du feu et de Nardoun, et adorez le Roi Unique et Puissant ! »

« À cette voix, il y eut une grande terreur dans le cœur des habitants, qui s'assemblèrent chez mon père, le roi de la ville, et lui demandèrent : « Quelle est cette voix terrifiante que nous venons d'entendre ? Nous sommes encore tout terrifiés de ce holà ! » Mon père leur dit : « Ne soyez point terrifiés de cette voix, et n'en soyez pas épouvantés. Et croyez fermement à vos anciennes croyances. »

« Et alors leur cœur se pencha volontiers vers les paroles de mon père ; et ils ne cessèrent point d'être attachés fermement et enclins à l'adoration du feu. Et ils restèrent dans leur état d'erreur aveugle durant encore une année, jusqu'à l'époque anniversaire du jour où ils avaient entendu la première voix ! Et alors, pour la seconde fois, la voix se fit entendre, puis une deuxième fois, et une troisième fois, et cela une fois chaque année, durant trois années de suite. Mais ils ne cessèrent pas d'être assidus à observer leurs pratiques erronées. Et c'est alors qu'un matin, à l'aube, le malheur et la malédiction s'abattirent sur eux du ciel, et ils furent pétrifiés en pierres noires, eux et leurs chevaux et leurs mulets et leurs chameaux et leurs bestiaux ! Et de tous les habitants, moi seul je fus quitte de ce malheur. Car j'étais le seul croyant.

« Et c'est depuis ce jour-là que je me tiens ici dans la prière, le jeûne et la récitation d'Al-Koran.

« Mais, ô dame pleine d'honneur et de perfections, je suis bien las de la solitude où je me trouve, sans avoir auprès de moi personne qui me tienne compagnie humaine ! »

À ces paroles, je lui dis : « Ô jeune homme plein de qualités, peux-tu venir avec moi dans la ville de Bagdad ? Là, tu trouveras des savants et de vénérables cheikhs versés dans les lois et la religion. Et, en leur compagnie, tu augmenteras encore en science et en connaissance du droit divin. Et moi, bien que je sois une personne de marque, je serai ton esclave et ta chose ! Je suis, en effet, la maîtresse de mes gens, et j'ai sous mes ordres des hommes, des serviteurs et des jeunes garçons ! Et ici j'ai avec moi un navire chargé entièrement de marchandises. Mais le destin nous rejeta sur cette côte, et nous fit connaître cette ville, et nous causa cette aventure. Et le sort a voulu ainsi nous réunir ! »

Puis je ne cessai de lui inspirer le désir du départ avec moi, jusqu'à ce qu'il m'eût répondu par l'affirmative. »

À ce moment de sa narration, Schahrazade vit apparaître le matin et, discrète selon son habitude, s'arrêta dans son récit.

Mais lorsque fut la dix-septième nuit. Elle dit :

Il m'est parvenu, ô Roi fortuné, que l'adolescente Zobéida ne cessa d'intéresser le jeune homme et de lui inspirer le désir de la suivre jusqu'à ce qu'il eût consenti.

Et tous deux ne cessèrent de causer que lorsque le sommeil l'emporta sur eux. Alors la jeune Zobéida se coucha et s'endormit cette nuit-là aux pieds du jeune homme. Et elle ne se sentait pas de joie et de bonheur !

(Puis Zobéida continua ainsi son récit au khalifat Haroun Al-Rachid, à Giafar et aux trois saâlik) :

« Lorsque brilla le matin, nous nous levâmes, et nous entrâmes ouvrir tous les trésors, et nous prîmes tout ce qui n'était pas trop lourd à porter et ce qui avait le plus de valeur, et nous descendîmes de la citadelle vers la ville, et nous rencontrâmes mes esclaves et le capitaine qui me cherchaient depuis longtemps. Et lorsqu'ils me virent, ils furent très contents, et me questionnèrent sur le motif de mon absence. Alors je leur racontai ce que j'avais vu, ainsi que l'histoire du jeune homme, et la cause de la métamorphose des habitants de la ville, avec tous les détails. Et ils furent très étonnés à mon récit.

Quant à mes sœurs, à peine me virent-elles avec ce beau jeune homme qu'elles furent très jalouses, et m'envièrent, et furent remplies de haine, et complotèrent secrètement la perfidie contre moi.

Sur ces entrefaites, nous allâmes tous au navire, et j'étais fort heureuse, et ma félicité augmentait encore de l'amour du jeune homme. Et nous attendîmes que le vent nous fût favorable, et nous déployâmes les voiles et nous partîmes. Quant à mes sœurs, elles continuèrent à nous tenir compagnie ; et un jour elles me dirent en particulier : « Ô notre sœur, que penses-tu faire de ce beau jeune homme ? » Et je leur dis : « Mon but est de le prendre comme époux. » Puis je me tournai vers lui, et je me rapprochai de lui, et je lui déclarai : « Ô mon maître, mon désir est de devenir ta chose ! Je te prie donc de ne pas me refuser ! » Alors il me répondit : « J'écoute et j'obéis ! » À ces paroles, je me tournai vers mes sœurs et je leur dis : « Je me contente de ce jeune homme pour tout bien ! Quant à toutes mes richesses, dès ce moment elles deviennent votre propriété ! » Et elles me répondirent : « Ta volonté est notre agrément ! » Mais en elles-mêmes elles me réservaient la trahison et le mal.

Nous continuâmes ainsi à naviguer avec un vent favorable, et nous sortîmes de la mer de l'Épouvante et nous entrâmes dans la mer de la Sécurité. Dans cette mer, nous naviguâmes encore pendant quelques jours, et alors nous fûmes tout proches de la ville de Bassra, et nous vîmes, dans le loin, apparaître ses bâtisses. Mais, comme la nuit approchait, nous nous arrêtâmes ; et bientôt tous nous dormîmes.

Mais, pendant notre sommeil, mes deux sœurs se levèrent, et m'enlevèrent, moi et le jeune garçon, avec nos matelas et tout, et nous jetèrent à la mer. Pour le jeune homme, comme il ne savait pas nager, il se noya ; car il était écrit par Allah qu'il serait du nombre des martyrs. Quant à moi, j'étais écrite parmi ceux qui devaient avoir la vie sauve. Aussi, lorsque je tombai à la mer, Allah me gratifia d'un morceau de bois sur lequel je me mis à cheval, et avec lequel je fus emportée par les vagues et jetée sur le rivage d'une île pas trop éloignée. Là, je fis sécher mes habits, je passai toute la nuit, et le matin je me réveillai et je cherchai une route. Et je trouvai une route sur laquelle il y avait des traces de pas d'êtres humains fils d'Adam ! Cette route commençait au rivage et s'enfonçait dans l'île. Alors, moi, après avoir mis mes vêtements devenus secs, je suivis cette route, et je ne cessai de marcher jusqu'à ce que je fusse sur le rivage opposé de l'île, en face de la terre ferme où j'aperçus au loin la ville de Bassra. Et soudain je vis une couleuvre qui courait vers moi, et immédiatement derrière elle courait un gros et grand serpent qui voulait la tuer. Cette couleuvre était tellement lasse et fatiguée de sa course que sa langue pendait hors de sa bouche ! Alors, moi, je fus prise de pitié pour elle, et je saisis une grosse pierre et je la lançai à la tête du serpent, que j'écrasai et que je tuai à l'instant même. Mais aussitôt la couleuvre déploya deux ailes et s'envola dans l'air et disparut. Et je fus au comble de la surprise.

Mais, comme j'étais accablée de fatigue, je m'assis à cette place, puis je m'étendis et je dormis encore pendant une heure de temps. Et, à mon réveil, je trouvai, assise à mes pieds, une jolie négresse qui me massait les pieds et me caressait. Alors, moi, je retirai vivement mes pieds et j'eus une grande honte, car je ne savais pas ce que la jolie négresse voulait de moi ! Et je lui dis : « Qui es-tu et que désires-tu ? » Et elle me répondit : « Je me suis hâtée de venir auprès de toi qui m'as rendu ce grand service en tuant mon ennemi. Car je suis la couleuvre que tu as sauvée du serpent. Et je suis une gennia. Et ce serpent aussi était un genni. Mais il était mon ennemi, et il voulait me violer et me tuer. Et c'est toi seule qui m'as délivrée de ses mains. Alors, moi, à peine délivrée, je m'envolai avec le vent, et je me dirigeai en hâte vers le navire d'où t'avaient précipitée tes deux sœurs. J'ensorcelai tes deux sœurs sous la forme de deux chiennes noires ; et je te les apporte. » Et alors je vis les deux chiennes attachées à un arbre derrière moi. Puis la gennia continua : « Ensuite, je transportai dans ta maison de Bagdad toutes les richesses qui étaient dans le navire, et je le coulai. Quant au jeune homme, il s'est noyé ; et je ne puis rien contre la mort. Car Allah seul est Tout-Puissant ! »

À ces mots, elle me prit dans ses bras, détacha les deux chiennes, mes sœurs, et les enleva aussi, et nous transporta toutes, en s'envolant, et nous déposa saines et sauves sur la terrasse de ma maison à Bagdad, ici même !

Et je visitai ma maison, et j'y trouvai, rangés en bon ordre, toutes les richesses et tous les objets qui étaient dans le navire. Et aucune chose n'était perdue ni endommagée.

Puis la gennia me dit : « Je t'adjure, par l'inscription sainte du sceau de Soleïman, de frapper chacune de ces deux chiennes, tous les jours, trois cents coups de fouet. Si tu oublies un seul jour d'exécuter cet ordre, j'accourrai et je te changerai, toi aussi, en la même forme ! »

Et moi, je fus obligée de lui répondre : « J'écoute et j'obéis ! » Et c'est depuis ce temps-là, ô prince des Croyants, que je me mis à les fouetter, pour ensuite avoir pitié d'elles et les embrasser ! Et telle est mon histoire !

Mais voici ma sœur Amina, ô prince des Croyants, qui te racontera son histoire qui est encore bien plus étonnante que la mienne. »

À ce récit, le khalifat Haroun Al-Rachid fut au comble de l'émerveillement. Mais il avait hâte de satisfaire pleinement sa curiosité. Aussi il se tourna vers la jeune Amina, qui lui avait ouvert la porte la nuit précédente, et lui demanda : « Mais toi, ô gracieuse, quel est donc le motif de ces traces de coups qui sont sur ton corps ? »

HISTOIRE D'AMINA, LA DEUXIÈME ADOLESCENTE

À ces paroles du khalifat, la jeune Amina s'avança et dit : « Ô émir des Croyants, je ne te répéterai pas les paroles de ma sœur Zobéida sur nos parents. Sache donc que, lorsque notre père mourut, moi et ma sœur la plus petite de nous cinq, Fahima, nous allâmes vivre seules avec notre mère, tandis que ma sœur Zobéida et les deux autres allaient vivre avec leur mère à elles.

Peu de temps après, ma mère me maria avec un vieux riche, l'homme le plus riche de la ville et de son temps. Aussi, une année après, mon vieil époux mourut dans la paix d'Allah, et me laissa comme ma part légale d'héritage, d'après notre code officiel, quatre-vingt mille dinars d'or.

Aussi, moi, je me hâtai de me commander dix robes magnifiques, chaque robe pour mille dinars. Et je ne me privai de rien.

Un jour d'entre les jours, comme j'étais assise à mon aise, une vieille entra me visiter. Cette vieille, je ne l'avais jamais vue auparavant. Elle était horrible : sa figure était une figure aussi laide qu'un vieux derrière ; elle avait un nez écrasé, des sourcils pelés, des yeux de vieille libertine, des dents cassées, un nez qui suintait, et le cou de travers. D'ailleurs elle est bien décrite par le poète qui dit : « Cette vieille de mauvais augure ! Si Eblis la voyait, elle lui enseignerait toutes les fraudes, même sans parler, rien que par son silence ! Elle pourrait débrouiller mille mulets têtus qui se seraient embrouillés dans une toile d'araignée, et elle ne déchirerait pas la toile d'araignée ! Elle sait jeter le mauvais sort et commettre toutes les horreurs : elle a chatouillé le cul d'une petite fille, elle a copulé avec une adolescente, elle a forniqué avec une femme mûre, et elle a allumé une vieille femme en l'excitant ! »

Donc cette vieille entra chez moi et me salua et me dit : « Ô dame pleine de grâces et de qualités ! J'ai chez moi une jeune fille orpheline, et cette nuit est la nuit de ses noces. Et moi je viens te prier – et Allah saura t'accorder la récompense et la rétribution de ta bonté ! – de vouloir nous honorer en assistant aux noces de cette pauvre fille si affligée et si humble, qui ne connaît ici personne et qui n'a pour elle qu'Allah le Très-Haut ! » À ces paroles, la vieille se mit à pleurer et à m'embrasser les pieds. Et moi, qui ne connaissais pas toute sa perfidie, j'eus pitié et compassion d'elle et je lui dis : « J'écoute et j'obéis ! » Alors elle me dit : « Maintenant je vais m'en aller, avec ta permission, et toi, pendant ce temps, prépare-toi et habille-toi, car moi, vers le soir, je reviendrai te prendre. » Puis elle me baisa la main et s'en alla.

Alors, moi, je me levai, et j'allai au hammam, et je me parfumai ; puis je choisis la plus belle de mes dix robes neuves et je m'en habillai ; puis je mis mon beau collier de perles nobles, mes bracelets, mes pendeloques et tous mes bijoux ; puis je mis mon grand voile bleu de soie et d'or, je m'entourai la taille de ma ceinture de brocart, et je mis mon petit voile de visage, après m'être allongé les yeux de kôhl. Et voici revenir la vieille qui me dit : « Ô ma maîtresse, la maison est déjà pleine de parentes de l'époux, qui sont les dames les plus nobles de la ville. Je les ai avisées de ton arrivée certaine, et elles ont été très heureuses, et maintenant toutes t'attendent avec impatience. » Alors, moi, j'emmenai avec moi quelques-unes de mes esclaves, et nous sortîmes toutes et nous marchâmes jusqu'à ce que nous fussions arrivées dans une rue large et bien arrosée et où la brise fraîche se jouait. Et nous vîmes un grand portail de marbre surmonté d'une coupole soutenue par des arceaux, et toute en albâtre, et monumentale. Et par ce portail nous vîmes, à l'intérieur, un palais si haut qu'il touchait aux nues. Alors nous entrâmes et, arrivées à la porte de ce palais, la vieille frappa à la porte et l'on ouvrit. Nous pénétrâmes, et nous trouvâmes d'abord un corridor tendu de tapis et de tentures, et au plafond des lampes colorées étaient suspendues et éclairées, et des flambeaux allumés étaient posés tout le long ; et il y avait aussi, suspendus aux murs, des objets en or et en argent, des joyaux, et des armes en métal précieux. Et nous traversâmes ce corridor, et nous arrivâmes dans une salle si merveilleuse qu'il est inutile de la décrire.

Au milieu de cette salle, qui était toute tendue de soieries, il y avait un lit d'albâtre enrichi de perles fines et de pierres précieuses, et recouvert d'une moustiquaire en satin.

À notre vue, une jeune fille sortit de l'intérieur du lit, et elle était comme la lune. Et elle me dit : « Marhaba ! Ahlan ! oua sahlan ! Ô ma sœur, tu nous fais le plus grand honneur humain ! Anastina[1] ! Et tu nous es une douce consolation et tu es notre orgueil ! » Puis, en mon honneur, elle récita ces vers du poète :

« Si les pierres mêmes de la maison avaient appris la visite de l'hôte charmant, elles se seraient réjouies, elles se seraient mutuellement annoncé la bonne nouvelle, elles se seraient inclinées sur la trace de ses pas !

Elles se seraient, dans leur langage, écriées : « Ahlah ! oua sahlan ! pour les gens pleins de générosité et de grandeur ! »

Puis elle s'assit et me dit : « Ô ma sœur ! je dois te dire que j'ai un frère qui t'a vue un jour à une noce. C'est un jeune homme très bien fait, et bien plus beau que moi. Et, depuis cette nuit-là, il t'a aimée d'un cœur amoureux et très ardent. Et c'est lui qui a donné quelque argent à la vieille femme pour qu'elle allât chez toi et t'amenât ici par l'expédient qu'elle employa. Et il fit cela pour se rencontrer avec toi, chez moi ; car mon frère n'a d'autre désir que de se marier avec toi en cette année-ci bénie par Allah et par son Envoyé. Et il n'y a point de honte à faire les choses licites ! »

Lorsque j'entendis ses paroles, et que je me vis connue et estimée dans cette demeure, je dis à l'adolescente : « J'écoute et j'obéis ! » Alors elle fut remplie de joie, et elle frappa ses mains l'une contre l'autre. À ce signal, une porte s'ouvrit, et un jeune homme comme la lune entra ; d'après le dire du poète :

« Il a atteint un tel degré de beauté qu'il est devenu une œuvre vraiment digne du créateur ! un bijou vraiment à la gloire de l'orfèvre qui l'a ciselé !

Il est parvenu à la perfection même de la beauté, à son unité ! Aussi, ne t'étonne point de le voir affoler d'amour tous les humains !

Sa beauté éclate aux yeux, car elle est inscrite sur ses traits. Aussi, je te jure qu'il n'y a d'autre beauté que la sienne ! »

À sa vue, mon cœur inclina vers lui. Alors il s'avança et s'assit près de sa sœur ; et aussitôt le kadi entra avec quatre témoins ; ils saluèrent et s'assirent ; puis le kadi écrivit mon contrat avec ce jeune homme, et les témoins apposèrent leur sceau sur le contrat, et ils s'en allèrent tous.

Alors le jeune homme s'approcha de moi et me dit : « Que notre nuit soit une nuit bénie ! » Puis il dit : « Ô ma maîtresse, je voudrais bien te poser une condition ! » Je lui dis : « Ô mon maître, parle ! Quelle est cette condition ? » Alors il se leva, apporta le Livre Sacré, et me dit : « Tu vas me jurer sur Al-Koran, que jamais tu ne choisiras un autre que moi, et que tu n'auras jamais d'inclination pour un autre ! » Et moi, je lui prêtai serment pour cette condition. Alors il se réjouit extrêmement et me jeta ses bras autour du cou, et je sentis son amour me pénétrer jusqu'à mes entrailles et jusqu'à la masse de mon cœur !

Ensuite les esclaves nous préparèrent la nappe, et nous mangeâmes et nous bûmes jusqu'à satiété. Puis, la nuit venue, il me prit et s'étendit avec moi sur le lit ; et nous passâmes toute la nuit en accolades aux bras l'un de l'autre, jusqu'au matin.

Nous restâmes en cet état durant un mois, dans la félicité et la joie. À la fin de ce mois, je demandai à mon époux la permission d'aller au souk pour acheter quelques étoffes. Il m'accorda cette permission. Alors je mis mes habits et j'emmenai avec moi la vieille femme, qui, depuis, était restée à la maison, et je descendis au souk. Je m'arrêtai à la boutique d'un jeune marchand de soieries que la vieille me recommandait beaucoup pour la qualité de ses étoffes, et qu'elle connaissait depuis longtemps, me disait-elle. Puis elle ajouta : « C'est un jeune garçon qui, à la mort de son père, hérita de beaucoup d'argent et de richesses ! » Puis, se tournant vers le marchand, elle lui dit : « Fais voir ce que tu as de mieux et de plus cher, parmi toutes les étoffes, car c'est pour cette belle adolescente ! » Et il dit : « J'écoute et j'obéis ! » Puis la vieille, pendant que le jeune marchand était occupé à nous déployer les étoffes, continua à me faire son éloge et à me faire remarquer ses qualités ; et, moi, je lui répondis : « Je n'ai que faire de ces qualités et des éloges que tu m'en fais ! car notre but est d'acheter de lui ce dont nous avons besoin, puis de retourner à notre demeure. »

Lorsque nous eûmes choisi l'étoffe voulue, nous offrîmes au marchand l'argent du prix. Mais il refusa de toucher l'argent, et nous dit : « Pour aujourd'hui je n'accepte de vous autres aucun argent ; ceci est un cadeau pour le plaisir et l'honneur que vous me faites de venir à ma boutique ! » Alors, moi, je dis à la vieille : « S'il ne veut pas accepter l'argent, rends-lui son étoffe ! » Alors il s'écria : « Par Allah ! je ne prendrai rien de vous autres ! Tout cela est un cadeau de moi. Maintenant, en retour, accorde-moi, ô belle adolescente, un seul baiser, un seul ! Je considère ce baiser comme de plus haut prix que toutes tes marchandises réunies dans ma boutique ! » Et la vieille lui dit en riant : « Ô beau jeune homme, tu es bien fou de considérer ce baiser comme une chose aussi inestimable ! » Puis elle me dit : « Ô ma fille, tu viens d'entendre ce que dit ce jeune marchand ! Sois tranquille, rien de fâcheux ne saurait t'arriver pour un petit baiser qu'il prendrait de toi, et toi, en retour, tu pourrais choisir et prendre selon ton désir parmi toutes ces étoffes précieuses ! » Alors je répondis : « Ne sais-tu pas que je suis liée par le serment ? » Et elle répliqua : « Laisse-le t'embrasser, mais, toi, ne parle pas et ne fais pas de mouvement ; de la sorte tu n'auras rien à te reprocher. Et, de plus, tu reprendras cet argent, qui est le tien, et les étoffes aussi. » Enfin, cette vieille continua de la sorte à m'embellir cet acte et je dus consentir à faire entrer ma tête dans le sac et à accepter cette offre. Pour cela, je me couvris les yeux, et j'étendis le pan de mon voile afin que les passants ne vissent pas la chose. Et, alors, le jeune homme passa sa tête sous mon voile, approcha sa bouche de ma joue et m'embrassa. Mais, en même temps, il me mordit à la joue et une morsure si terrible qu'il me coupa la chair ! Et je m'évanouis de douleur et d'émotion.

Quand je revins à moi, je me trouvai étendue sur les genoux de la vieille, qui avait l'air d'être fort affligée pour moi. Quant à la boutique, elle était fermée et le jeune marchand avait disparu. Alors, la vieille me dit : « Qu'Allah soit loué de nous avoir épargné un malheur pire ! » Puis elle me dit : « Maintenant, il nous faut retourner à la maison. Mais, toi, tu feras semblant d'être indisposée, et moi, je t'apporterai un remède que tu appliqueras sur la morsure, et tu guériras à l'instant. » Alors je ne tardai pas à me lever, et, toute à mes pensées et à ma terreur des conséquences, je me mis à marcher jusqu'à ce que je fusse à la maison ; et ma terreur augmentait à mesure que je m'approchais. En y arrivant, j'entrai dans ma chambre et je fis semblant d'être malade.

Sur ces entrefaites, mon époux entra et, tout préoccupé, me dit : « Ô ma maîtresse, quel malheur t'est-il arrivé durant ta sortie ? » Je lui répondis : « Ce n'est rien. Je suis bien portante. » Alors il me regarda avec attention et me dit : « Mais qu'est-ce que cette blessure qui est sur ta joue, juste à l'endroit le plus doux et le plus fin ? » Alors je lui dis : « Lorsque, avec ta permission, je suis sortie aujourd'hui pour acheter ces étoffes, un chameau, qui était chargé de bûches de bois, m'a serrée dans la rue encombrée, et m'a déchiré mon voile et m'a blessée à la joue comme tu vois. Oh ! ces rues étroites de Bagdad ! » Alors il fut plein de colère et me dit : « Dès demain, je vais aller chez le gouverneur et porter plainte contre les chameliers et les bûcherons, et le gouverneur les fera tous pendre jusqu'au dernier ! » Alors, moi, pleine de compassion, je lui dis : « Par Allah sur toi ! ne te charge pas des péchés d'autrui ! D'ailleurs, c'est de ma faute à moi seule, car je suis montée sur un âne qui se mit à ruer et à galoper, et je suis tombée par terre, et par hasard un morceau de bois s'est trouvé là qui m'a écorché la figure et m'a blessée ainsi à la joue ! » Alors il s'écria : « Demain, je vais monter chez Giafar Al-Barmaki, et je lui raconterai cette histoire, et il tuera tous les âniers de cette ville ! » Alors je m'écriai : « Tu vas donc tuer tout le monde à cause de moi ? Sache donc que cela m'est simplement arrivé par la volonté d'Allah et par le Destin qu'il commande ! » À ces paroles, mon époux ne put plus contenir sa fureur, et s'écria : « Ô perfide ! assez de mensonges ! Tu vas endurer la punition de ton crime ! » Et il me traita avec les paroles les plus dures, et frappa le sol du pied, et cria d'une voix forte en appelant : alors la porte s'ouvrit et sept nègres terribles entrèrent, qui m'arrachèrent de mon lit et me jetèrent au milieu de la cour de la maison. Alors mon époux ordonna à l'un des nègres de me tenir par les épaules et de s'asseoir sur moi ; et il ordonna à un autre nègre de s'asseoir sur mes genoux et de me tenir les pieds. Alors un troisième nègre vint, qui tenait un glaive à la main, et dit : « Ô mon maître, je vais la frapper du glaive et je la couperai en deux parties ! » Et un autre nègre ajouta : « Et chacun de nous coupera un gros morceau de sa chair, et le jettera en pâture aux poissons dans le fleuve de la Dejla[1] ! Car telle doit être la punition de toute personne qui trahit le serment et l'amitié ! » Et, pour appuyer son dire, il récita ces vers :

« Si je m'apercevais que j'ai un associé pour celui que j'aime, mon âme se révolterait et s'arracherait à cet amour de perdition ! Et je dirais à mon âme : « Ô mon âme, il vaut mieux pour nous mourir nobles ! Car il n'y a point de bonheur dans un amour avec un ennemi. »

Alors mon époux dit au nègre qui tenait le glaive : « Ô brave Saâd, frappe cette perfide ! » Et Saâd leva le glaive ! Et mon époux me dit : « Et toi, maintenant, dis à voix haute ton acte de foi. Puis remémore-toi un peu toutes les choses et les vêtements et les effets qui t'appartiennent et fais ton testament : car c'est la fin de ta vie ! » Alors je lui dis : « Ô serviteur d'Allah Très-Bon ! donne-moi seulement le temps de faire mon acte de foi et mon testament ! » Puis je levai ma tête vers le ciel, je l'abaissai vers moi-même et je me mis à me considérer et à réfléchir sur l'état misérable et ignominieux où je me trouvais, et les larmes me vinrent et je pleurai, et je récitai ces strophes :

« Vous avez allumé la passion dans mes entrailles, pour ensuite rester froid ! Vous avez fait veiller mes yeux durant de longues nuits, pour ensuite vous endormir !

Mais moi ! Je vous avais mis dans un lieu situé entre mon cœur et mes yeux ! Aussi comment mon cœur pourrait-il vous oublier, ou mes yeux cesser de vous pleurer ?…

Vous m'aviez juré une constance inépuisable ; mais à peine aviez-vous conquis mon cœur que vous vous êtes repris !

Et maintenant vous ne voulez point prendre ce cœur en pitié ni compatir à ma tristesse ! N'êtes-vous donc né que pour causer mon malheur et celui de toute jeunesse ?

— Oh ! mes amis, je vous conjure par Allah ! quand je mourrai, écrivez sur la pierre de ma tombe : « Ici est un grand coupable ! Il a aimé ! »

— De la sorte, le passant affligé qui connaît les souffrances de l'amour, en regardant ma tombe, y jettera un regard de compassion ! »

Et, ayant terminé ces vers, je pleurai encore. Lorsqu'il entendit mes vers et vit mes larmes, mon époux fut encore plus furieux et plus excité, et il me dit ces stances :

« Si j'ai quitté celui qu'aimait mon cœur, ce n'est point par ennui ni par lassitude ! Il a commis une faute qui mérite l'abandon !

Il a désiré m'associer un autre dans notre commune passion, tandis que mon cœur et mes sens et ma raison ne pouvaient pencher vers une telle association ! »

Lorsqu'il eut fini ces vers, je me remis à pleurer, pour le toucher, et je me dis en moi-même : « Je vais faire la soumise et l'humble. Et je vais adoucir mes termes. Et peut-être qu'ainsi il me fera grâce de la mort, quitte à prendre tout ce qui m'appartient de richesses ! » Et je me mis à l'implorer et je lui récitai gentiment ces strophes :

« En vérité, je te le jure, si tu voulais être juste, tu ne me ferais pas mourir ! Mais on sait que celui qui a jugé la séparation inévitable n'a jamais su être juste !

Tu m'as fait porter tout le poids des conséquences d'amour, alors que mes épaules pouvaient à peine supporter le poids de la chemise fine, ou un poids plus léger même !

Et pourtant ce n'est point de ma mort que je m'étonne, mais je m'étonne simplement de voir mon corps, après la rupture, continuer à te désirer ! »

Lorsque j'eus finis ces vers, je pleurai. Alors il me regarda, et me repoussa violemment du geste, et m'injuria beaucoup, et me récita ces vers :

« Vous vous êtes occupé d'une toute autre amitié que la mienne, et vous m'avez fait sentir tout votre abandon ! Est-ce ainsi que nous étions ?

Mais je vous délaisserai, comme vous m'avez délaissé et avez méprisé mon désir ! Et pour vous j'aurai la même patience que celle par vous témoignée !

Et je me passionnerai pour un autre que vous, puisque pour un autre vous vous êtes incliné ! Et pour toujours la rupture entre nous sera, non point à cause de moi, mais de toi seulement. »

Et lorsqu'il eut achevé ces vers, il héla le nègre et lui dit : « Coupe-là en deux moitiés ! Elle ne nous est plus rien ! »

Lorsque le nègre s'avança vers moi, je fus certaine de ma mort et je désespérai de ma vie, et je ne pensai plus qu'à confier mon sort à Allah Très-Haut. Et, au moment même, je vis entrer la vieille femme qui se jeta aux pieds du jeune homme, et se mit à les embrasser, et lui dit : « Ô mon enfant, je te conjure, moi ta nourrice, au nom des soins que je t'ai donnés, de pardonner à cette adolescente, car elle n'a pas commis une faute qui mérite un tel châtiment ! D'ailleurs, tu es encore jeune, et je crains que sa malédiction ne retombe sur toi ! » Puis la vieille se mit à pleurer, et à continuer à le presser de prières pour le convaincre jusqu'à ce qu'il lui eût dit : « Eh bien, à cause de toi, je lui fais grâce ! Mais il me faut tout de même lui faire une marque qui apparaisse sur elle durant le reste de sa vie ! »

À ces mots, il donna des ordres aux nègres qui, aussitôt, me dépouillèrent de mes vêtements, et m'exposèrent ainsi toute nue. Alors il prit lui-même un rameau flexible de cognassier, et me tomba dessus, et se mit à en fustiger tout mon corps, et spécialement mon dos, ma poitrine et mes flancs, et tellement et si fort et si furieusement que je perdis connaissance, après avoir perdu tout espoir de survivre à de tels coups. Il cessa alors de me frapper, et s'en alla, en me laissant étendue sur le sol et en ordonnant aux esclaves de m'abandonner en cet état jusqu'à la nuit, pour, ensuite, à la faveur de l'obscurité, me transporter à mon ancienne maison et me jeter là comme une chose inerte. Et les esclaves firent ainsi, et me jetèrent dans mon ancienne maison, selon l'ordre de leur maître.

Quand je revins à moi, je restai longtemps sans pouvoir bouger à cause de mes meurtrissures ; puis je me traitai avec divers médicaments, et peu à peu je finis par guérir ; mais les traces des coups et les cicatrices restèrent sur mes membres et sur ma chair, comme si j'avais été frappée par des lanières et des fouets ! Et vous avez tous vu ces traces.

Lorsque, au bout de quatre mois de traitement, je finis par guérir, je voulus aller jeter un coup d'œil du côté du palais où j'avais subi cette violence ; mais il était ruiné entièrement, lui, et aussi toute la rue où il était, depuis un bout jusqu'à l'autre ; et à la place de toutes ces merveilles, il n'y avait plus que des monceaux d'ordures accumulées par les déchets de la ville. Et, malgré toutes mes recherches, je ne pus arriver à avoir des nouvelles de mon époux.

C'est alors que je revins auprès de ma plus jeune sœur Fahima, qui était toujours une jeune fille vierge ; et toutes deux nous allâmes faire visite à notre sœur du même père, notre sœur Zobéida, celle-là même qui t'a raconté son histoire avec ses deux sœurs changées en chiennes. Et elle me raconta son histoire, et je lui racontai mon histoire, mais après les salutations d'usage ! Et alors ma sœur Zobéida me dit : « Ô ma sœur, nul en ce monde n'est exempt des malheurs du sort ! Mais, grâce à Allah ! nous sommes encore toutes deux en vie ! Restons donc désormais ensemble. Et surtout que jamais plus le mot mariage ne soit cité, et il nous faut même en perdre le souvenir ! »

Et aussi notre jeune sœur Fahima resta avec nous. Et c'est elle qui remplit à la maison l'office de pourvoyeuse, qui descend au souk faire le marché tous les jours et nous acheter toutes les choses nécessaires ; moi, je suis chargée spécialement d'ouvrir la porte à ceux qui frappent et de recevoir nos invités ; quant à notre grande sœur Zobéida, c'est elle qui range les choses de la maison.

Et nous ne cessâmes de vivre ainsi très heureuses, sans hommes, jusqu'au jour où notre sœur Fahima nous amena le portefaix chargé d'une grande quantité de choses et que nous l'invitâmes à se reposer chez nous un instant. Et c'est alors qu'entrèrent les trois saâlik qui nous racontèrent leurs histoires ; et ensuite vous autres, sous l'aspect de trois marchands. Et tu sais ce qui est arrivé, et comment nous avons été amenées entre tes mains, ô prince des Croyants !

Et telle est mon histoire ! »

Alors le khalifat fut extrêmement émerveillé, et...

Mais à ce moment de sa narration, Schahrazade vit apparaître le matin et, discrète, arrêta son récit.

Mais lorsque fut la dix-huitième nuit. Schahrazade continua en ces termes :

Il m'est parvenu, ô Roi fortuné, qu'au récit de ces deux histoires des adolescentes Zobédia et Amina, qui étaient là avec leur jeune sœur Fahima et les deux chiennes noires et les trois saâlik, le khalifat Haroun Al-Rachid fut extrêmement émerveillé, et ordonna que ces deux histoires, ainsi que celles des trois saâlik, fussent écrites par les scribes des bureaux, avec une très belle écriture bien soignée, et qu'ensuite les manuscrits fussent déposés dans ses archives.

Ensuite il dit à l'adolescente Zobéida : « Et maintenant, ô dame pleine de noblesse, n'as-tu plus eu des nouvelles de l'éfrita qui a ensorcelé tes deux sœurs sous l'image de ces deux chiennes-ci ? » Et Zobéida répondit : « Émir des Croyants, je pourrais le savoir, car elle m'a donné une mèche de ses cheveux et m'a dit : « Lorsque tu auras besoin de moi, tu n'auras qu'à brûler un de ces cheveux, et aussitôt je t'apparaîtrai, en quelque endroit éloigné que je puisse être, même si j'étais derrière le mont Caucase ! » Alors le khalifat lui dit : « Oh ! apporte-moi ces cheveux ! » Et Zobéida lui remit la mèche ; et le khalifat en prit un cheveu et le brûla. Et à peine fut sentie l'odeur du cheveu brûlé, qu'il y eut un tremblement dans tout le palais, et une forte secousse ; et tout à coup la gennia apparut sous la forme d'une jeune fille richement habillée. Comme elle était musulmane, elle ne manqua pas de dire au khalifat : « Que la paix soit avec toi, ô vicaire d'Allah ! » Et le khalifat lui répondit : « Et que sur toi descendent la paix, la miséricorde d'Allah et ses bénédictions ! » Alors elle lui dit : « Sache, ô prince des Croyants, que cette adolescente, qui vient de me faire apparaître sur ton désir, m'a rendu un grand service et a semé en moi des grains qui ont germé ! Aussi, quoi que je fasse pour elle, je ne pourrai jamais reconnaître suffisamment le bien qu'elle m'a fait. Quant à ses sœurs, je les ai changées en chiennes ; et si je ne les ai point fait mourir, c'est simplement pour ne pas occasionner à leur sœur un trop grand chagrin. Maintenant, si toi, ô prince des Croyants, tu désires leur délivrance, je les délivrerai par égard pour toi et pour leur sœur ! Et, d'ailleurs, je n'oublie point que je suis musulmane ! » Alors il lui dit : « Certes ! je désire que tu les délivres ! Après cela, nous examinerons le cas de la jeune femme au corps meurtri de coups ; et si vraiment je constatais la vérité de son récit, je prendrais sa défense et je la vengerais de celui qui l'aurait ainsi injustement punie ! » Alors l'éfrita dit : « Émir des Croyants, moi, dans un instant, je t'indiquerai celui qui a ainsi traité la jeune Amina et l'a opprimée et lui a pris ses richesses ! Car sache bien qu'il t'est le plus proche parmi les humains ! »

Puis l'éfrita prit une tasse d'eau, et fit sur elle des conjurations ; puis elle en aspergea les deux chiennes et leur dit : « Revenez vite à votre ancienne forme humaine ! » Et, à l'heure même, les deux chiennes devinrent deux adolescentes belles à faire honneur à qui les a créées !

Puis la gennia se tourna du côté du khalifat et dit : « L'auteur de tout ce mauvais traitement contre la jeune Amina est ton propre fils El-Amin ! » Et elle lui raconta l'histoire, que le khalifat put ainsi contrôler par la bouche d'une seconde personne non point humaine, mais gennia !

Alors le khalifat fut très étonné, mais conclut : « Louanges à Allah pour la délivrance de ces deux chiennes par mon entremise ! » Puis il fit venir son fils El-Amin en sa présence, et lui demanda des explications ; et El-Amin lui répondit en lui racontant la vérité. Alors le khalifat fit assembler les kadis et les témoins, dans la même salle où étaient les trois saâlik, fils de rois, et les trois adolescentes avec leurs deux sœurs qui avaient été ensorcelées.

Et alors, par les kadis et les témoins, il remaria son fils El-Amin avec la jeune Amina ; il maria la jeune Zobéida avec le premier saâlouk, fils de roi ; il maria les deux autres jeunes femmes avec les deux autres saâlik, fils de rois ; et, lui-même, fit faire son contrat de mariage avec la plus jeune des cinq sœurs, la vierge Fahima, la pourvoyeuse agréable et douce !

Et il fit bâtir un palais pour chaque couple, et donna à tous de grandes richesses pour qu'ils puissent vivre heureux. Et lui-même, à peine la nuit venue, se hâta d'aller s'étendre entre les bras de la jeune Fahima, avec laquelle il passa fort agréablement cette nuit-là !

Mais, continua Schahrazade en s'adressant au roi Schahriar, ne crois point, ô Roi fortuné, que cette histoire soit plus étonnante que celle qui va suivre !

HISTOIRE DE LA FEMME COUPÉE, DES TROIS POMMES ET DU NÈGRE RIHAN

Schahrazade dit :

Une nuit d'entre les nuits, le khalifat Haroun Al-Rachid dit à Giafar Al-Barmaki : « Je veux que nous descendions cette nuit vers la ville, pour nous informer des actes des gouverneurs et des walis. Et j'ai l'intention bien arrêtée de destituer tous ceux contre lesquels des plaintes me seraient portées ! » Et Giafar répondit : « J'écoute et j'obéis ! »

Et le khalifat et Giafar et Massrour le porte-glaive se déguisèrent et descendirent et se mirent à marcher à travers les rues de Bagdad, lorsqu'en passant dans une ruelle ils virent un vieillard fort âgé qui portait sur la tête un filet de pêche et une couffe, et qui tenait à la main un bâton ; et ce vieillard s'en allait lentement en fredonnant ces strophes :

« Ils m'ont dit : « Ô sage ! par ta science tu es entre les humains comme la lune dans la nuit ! »

Je leur répondis : « De grâce épargnez-moi ces paroles ! Il n'y a point d'autre science que celle du Destin ! »

Car moi, avec toute ma science, tous mes manuscrits et mes livres et mon encrier, je ne saurais contrebalancer la force de la Destinée pendant un jour seulement ! Et ceux-là qui parieraient pour moi ne pourraient que perdre leurs arrhes !

En effet, quoi de plus désolant que le pauvre, l'état du pauvre et le pain du pauvre et sa vie !

Si c'est l'été, il épuise ses forces ! Si c'est l'hiver, il n'a pour se chauffer que le cendrier.

S'il cesse de marcher, les chiens se précipitent pour le chasser ! Il est misérable ! Il est un objet d'offenses et de moqueries ! Oh ! qui donc plus que lui est misérable ?

S'il ne se décide point à crier sa plainte aux hommes et à montrer sa misère, quel est celui qui le plaindra ?

Oh ! si telle est la vie du pauvre, que la tombe pour lui est donc préférable ! »

En entendant ces vers plaintifs, le khalifat dit à Giafar : « Les vers et l'aspect de ce pauvre homme indiquent une grande misère. » Puis il s'approcha du vieux et lui dit : « Ô cheikh, quel est ton métier ? » Il répondit : « Ô mon maître, pêcheur ! Et bien pauvre ! Et j'ai une famille ! Et, depuis midi jusqu'à maintenant, je suis hors de chez moi à travailler, et Allah ne m'a point gratifié encore du pain qui doit nourrir mes enfants ! Aussi je suis dégoûté de moi-même et de la vie, et je ne souhaite plus que la mort ! » Alors le khalifat lui dit : « Peux-tu revenir avec nous vers le fleuve, et jeter, de la rive, ton filet dans le Tigre, et cela en mon nom, pour voir un peu ma chance ? Et tout ce que tu retireras de l'eau, je te l'achèterai et te le payerai cent dinars. » Et le vieux se réjouit à ces paroles et répondit : « J'accepte l'offre et la mets sur ma tête ! »

Et le pêcheur revint avec eux vers le Tigre et y jeta son filet et attendit ; puis il tira la corde du filet et le filet sortit. Et le vieux pêcheur trouva dans le filet une caisse fermée, fort lourde à soulever. Et le khalifat aussi, après essai, la trouva fort lourde. Mais il se hâta de donner les cent dinars au pêcheur, qui s'en alla consolé.

Alors Giafar et Massrour se chargèrent de la caisse et la transportèrent jusqu'au palais. Et le khalifat fit allumer les flambeaux, et Giafar et Massrour s'approchèrent de la caisse et la brisèrent. Ils trouvèrent à l'intérieur une grande couffe en feuilles de palmier cousue avec de la laine rouge ; ils coupèrent le fil de laine et ils trouvèrent dans la couffe un tapis ; ils enlevèrent le tapis et, en dessous, ils trouvèrent un grand voile blanc de femme ; ils soulevèrent le voile et, en dessous, ils trouvèrent, blanche comme le vierge argent, une jeune femme massacrée et coupée en morceaux.

À cette vue, le khalifat laissa couler les larmes sur ses joues ; puis il se tourna, plein de fureur, vers Giafar et s'écria : « Ô chien de vizir ! voici que maintenant, sous mon règne, les assassinats se commettent et les victimes sont noyées ! Et leur sang retombera sur moi au jour du jugement, et sera lourdement attaché sur ma conscience ! Or, par Allah ! il faut que j'use de représailles envers l'assassin et que je le tue. Et quant à toi, ô Giafar, je jure par la vérité de ma descendance directe des khalifes Bani-Abbas, que, si tu n'amènes en ma présence l'assassin de cette femme que je veux venger, je te ferai crucifier sur la porte de mon palais, toi et quarante des Baramka[1] tes cousins ! » Et le khalifat était plein de colère ; et Giafar lui dit : « Accorde-moi un délai de trois jours ! » Il répondit : « Je te l'accorde. » Alors Giafar sortit du palais, et, plein d'affliction, il marcha par la ville et se dit en lui-même : « Comment pourrai-je jamais connaître celui qui a tué cette jeune femme, et où le trouver pour l'amener devant le khalifat ? D'un autre côté, si je lui amenais un autre que l'assassin pour que cet autre meure à sa place, cette action pèserait sur ma conscience. Aussi je ne sais plus que faire. » Et Giafar arriva ainsi à sa maison et y resta durant les trois jours du délai, au désespoir. Et le quatrième jour, le khalifat l'envoya demander. Et lorsqu'il se présenta entre ses mains, le khalifat lui demanda : « Où est le massacreur de la jeune femme ? » Giafar répondit : « Puis-je deviner l'invisible et le caché, pour connaître l'assassin au milieu de toute une ville ? » Alors le khalifat devint très furieux, et ordonna le crucifiement de Giafar sur la porte du palais, et ordonna aux crieurs publics de crier la chose par toute la ville et les environs en disant : « Quiconque désire assister au spectacle du crucifiement de Giafar Al-Barmaki, vizir du khalifat, et au crucifiement de quarante d'entre les Baramka, ses parents, sur la porte du palais, n'a qu'à sortir pour assister à ce spectacle ! »

Et tous les habitants de Bagdad sortirent de toutes les rues pour assister au crucifiement de Giafar et de ses cousins ; mais personne n'en savait la cause ; et tout le monde était désolé et se lamentait, car Giafar et tous les Baramka étaient aimés pour leurs bienfaits et leur générosité.

Lorsque le bois du supplice fut dressé, on plaça les condamnés au-dessous, et on attendit la permission du khalifat pour l'exécution. Tout à coup, pendant que tous les habitants pleuraient, un beau jeune homme, très proprement habillé, fendit la foule avec rapidité et arriva entre les mains de Giafar et lui dit : « Que la délivrance te soit donnée, ô le maître et le plus grand des grands seigneurs, ô toi l'asile des pauvres gens ! Car c'est moi qui ai tué la femme coupée en morceaux et qui l'ai mise dans la caisse que vous avez pêchée dans le Tigre ! Tue-moi donc en retour, et use de représailles envers moi ! »

Lorsque Giafar entendit les paroles du jeune homme, il se réjouit fort pour lui-même, mais il s'attrista beaucoup pour le jeune homme. Il se mit donc à lui demander des explications plus détaillées, quand soudain un vénérable vieillard écarta la foule et s'avança vivement du côté de Giafar et du jeune homme, les salua et leur dit : « Ô vizir, n'ajoute point foi aux paroles de ce jeune homme, car il n'y a point d'autre assassin de la jeune femme que moi seul ! Et c'est de moi seul que tu dois la venger ! » Mais le jeune homme dit : « Ô vizir, ce vieux cheikh radote et ne sait ce qu'il dit. Je te répète que c'est moi qui l'ai tuée ! C'est donc moi seul qui dois être puni de la même manière ! » Alors le cheikh dit : « Ô mon enfant ! tu es encore jeune, et tu dois aimer la vie ! Mais moi, je suis vieux, et je me suis rassasié de ce monde. Et je servirai de rançon pour toi, pour le vizir et ses cousins. Je te répète donc que c'est moi l'assassin. Et c'est envers moi qu'on doit user de représailles. »

Alors Giafar, avec l'assentiment du chef des gardes, emmena le jeune homme et le vieillard et monta avec eux chez le khalifat. Et il dit : « Émir des Croyants, voici devant toi l'assassin de la jeune femme ! » Et le khalifat demanda : « Où est-il ? » Giafar dit : « Ce jeune homme prétend et affirme qu'il est, lui-même, le meurtrier ; mais ce vieillard dément la chose et affirme à son tour qu'il est, lui-même, le meurtrier. » Alors le khalifat regarda le cheikh et le jeune homme et leur dit : « Qui de vous deux a tué la jeune femme ? » Le jeune homme répondit : « C'est moi ! » et le cheikh dit : « Non ! c'est moi seul ! » Alors le khalifat, sans en demander davantage, dit à Giafar : « Prends les deux et crucifie-les ! » Mais Giafar répliqua : « S'il n'y a qu'un seul meurtrier, la punition du second serait une grande injustice ! » Alors le jeune homme s'écria : « Je jure, par Celui qui a élevé les cieux à la hauteur où ils sont et a étendu la terre à la profondeur où elle est, que c'est moi seul qui ai tué la jeune femme ! Et en voici les preuves ! » Et alors le jeune homme décrivit la trouvaille faite et connue seulement du khalifat, de Giafar et de Massrour. Aussi le khalifat fut convaincu de la culpabilité du jeune homme et fut dans le plus extrême étonnement, et il dit au jeune homme : « Mais pourquoi ce meurtre ? Pourquoi cet aveu de ta part sans y être forcé par les coups de bâton ? Et comment se fait-il que tu demandes ainsi à être puni en retour ? » Alors le jeune homme dit :

« Sache, ô prince des Croyants, que la jeune femme était mon épouse, la fille de ce vieux cheikh qui est mon beau-père. Je me suis marié avec elle quand elle était toute jeune et vierge. Aussi Allah m'a accordé d'elle trois enfants mâles. Et elle continuait toujours à m'aimer et à me servir ; et moi, je continuais à ne rien remarquer en elle de répréhensible.

« Mais, au commencement de ce mois-ci, elle tomba gravement malade ; et aussitôt je fis venir les médecins les plus savants, qui ne manquèrent pas de la guérir bientôt, avec la permission d'Allah ! Et moi, comme, depuis le commencement de sa maladie, je n'avais pas couché avec elle, et que le désir m'en venait en ce moment, je voulus lui faire prendre un bain d'abord. Mais elle me dit : « Avant d'entrer au hammam j'ai une envie que je veux satisfaire. » Et je lui dis : « Et quelle est cette envie ? » Elle me dit : « J'ai envie d'une pomme pour la sentir et y mordre une morsure. » Et moi, immédiatement je m'en allai en ville pour acheter la pomme, dût-elle être au prix d'un dinar d'or ! Et je cherchai chez tous les fruitiers ; mais ils n'avaient point de pommes ! Et je m'en retournai tout triste à la maison, et je n'osai point voir mon épouse, et je passai toute la nuit à penser au moyen de trouver une pomme. Le lendemain, à l'aube, je sortis de ma maison et me dirigeai vers les jardins et me mis à les visiter un par un, arbre par arbre, sans résultat. Mais sur mon chemin je rencontrai un gardien de jardin, un homme âgé, et je me renseignai auprès de lui sur les pommes. Il me dit : « Mon enfant, c'est une chose fort rare à trouver, pour la simple raison qu'elle ne se trouve nulle part, si ce n'est à Bassra, dans le verger du commandeur des Croyants. Mais, là aussi, il est bien difficile d'en avoir, car le gardien réserve les pommes soigneusement pour l'usage du khalifat. »

« Alors, moi, je m'en retournai auprès de mon épouse, et je lui racontai la chose ; mais l'amour que j'avais pour elle me porta à me préparer tout de suite pour le voyage. Et je partis, et je mis quinze jours entiers, nuit et jour, pour aller à Bassra et en revenir ; mais le sort me favorisa, et je revins auprès de mon épouse, porteur de trois pommes achetées au gardien du verger de Bassra pour la somme de trois dinars.

« J'entrai donc fort joyeux et j'offris les trois pommes à mon épouse ; mais elle, à leur vue, ne montra guère de marques de contentement, et les jeta négligemment à côté d'elle. Je vis pourtant que, pendant mon absence, la fièvre avait repris mon épouse, et très violemment, et continuait à la tenir ; et mon épouse resta encore malade dix jours pendant lesquels je ne la quittai pas un instant. Mais, grâce à Allah, au bout de ce temps elle recouvra la santé ; et je pus alors sortir et aller à ma boutique ; et je me remis à vendre et à acheter.

« Or, pendant que j'étais ainsi assis dans ma boutique, vers midi, je vis passer devant moi un nègre qui tenait à la main une pomme avec laquelle il jouait. Alors je lui dis : « Hé ! mon ami, où as-tu pu prendre cette pomme, dis-moi, pour que j'aille moi aussi en acheter de semblables ? » À mes paroles, le nègre se mit à rire et dit : « Je l'ai prise de mon amoureuse ! Comme j'étais allé la voir, et qu'il y avait déjà un certain temps que je ne l'avais vue, je l'ai trouvée indisposée, et à côté d'elle il y avait trois pommes ; et, comme je la questionnais, elle me dit : « Imagine-toi, ô mon chéri, que ce triste cornu de mari que j'ai est parti expressément à Bassra pour me les acheter, et il les acheta pour trois dinars d'or ! » Puis elle me donna cette pomme que j'ai à la main ! »

« À ces paroles du nègre, ô prince des Croyants, mes yeux virent le monde en noir ; et je fermai aussitôt ma boutique, et je revins à la maison après avoir, en route, perdu toute ma raison par la force explosive de ma fureur. Et je regardai sur le lit, et je ne trouvai point, en effet, la troisième pomme. Et je dis alors à mon épouse : « Mais où est la troisième pomme ? » Elle me répondit : « Je ne sais point, et je n'en ai aucune connaissance. » De la sorte je vérifiai les paroles du nègre. Alors je me précipitai sur elle, un couteau à la main, je mis mes genoux sur son ventre et je la hachai à coups de couteau : je lui coupai ainsi la tête et les membres, puis je mis le tout dans la couffe, en toute hâte, puis je la couvris avec le voile et le tapis et la mis dans la caisse, que je clouai. Je chargeai la caisse sur ma mule et j'allai tout de suite la jeter dans le Tigre, et cela de mes propres mains !

« Ainsi donc, ô commandeur des Croyants, je vous supplie de hâter ma mort en punition de mon crime, que j'expierai de la sorte, car j'ai bien peur d'en rendre compte au jour de la Résurrection !

« Je la jetai donc dans le Tigre, sans être vu de personne, et je revins à la maison. Et je trouvai mon fils aîné qui pleurait ; et, quoique je fusse certain qu'il ignorait la mort de sa mère, je lui demandai pourtant : « Pourquoi pleures-tu ? » Il me répondit : « C'est parce que j'avais pris une des pommes qu'avait ma mère, et que, comme j'étais descendu dans la rue pour jouer avec mes frères, j'ai vu un grand nègre qui passa près de moi et m'arracha la pomme des mains et me dit : « D'où est venue cette pomme ? » Je lui répondis : « Elle m'est venue de mon père, qui était parti et l'avait rapportée à ma mère avec deux autres semblables achetées à Bassra pour trois dinars. » Malgré mes paroles, le nègre ne me rendit pas la pomme, il me frappa et s'en alla avec ! Et moi, maintenant j'ai peur que ma mère ne me frappe à cause de la pomme ! »

« À ces paroles de l'enfant, je compris que le nègre avait émis des propos mensongers sur le compte de la fille de mon beau-père et qu'ainsi je l'avais injustement tuée !

« Alors je me mis à verser d'abondantes larmes, puis je vis arriver mon beau-père, ce vénérable cheikh qui est ici avec moi. Et je lui racontai la triste histoire. Alors il s'assit à côté de moi et se mit à pleurer. Et nous ne cessâmes de pleurer tous deux jusqu'à minuit. Et nous fîmes durer les cérémonies funèbres durant cinq jours. Et, d'ailleurs, jusqu'aujourd'hui nous continuâmes à nous lamenter sur cette mort.

« Je te conjure donc, ô prince des Croyants, par la mémoire sacrée de tes ancêtres, de hâter mon supplice et d'user envers moi de représailles pour venger ce meurtre ! »

À ce récit, le khalifat fut plein d'étonnement et s'écria : « Par Allah ! je ne veux tuer que ce nègre perfide !... »

Mais, à ce moment de sa narration, Schahrazade vit apparaître le matin et, discrètement, elle se tut.

Mais lorsque fut la dix-neuvième nuit. Elle dit :

Il m'est parvenu, ô Roi fortuné, que le khalifat jura qu'il ne tuerait que le nègre, vu que le jeune homme était excusable. Puis le khalifat se tourna vers Giafar et lui dit : « Amène en ma présence ce nègre perfide qui a été la cause de cette affaire ! Et si tu ne peux me le trouver, je te ferai mourir à sa place ! »

Et Giafar sortit en pleurant, et en se disant : « D'où vais-je pouvoir l'amener en sa présence ? De même que c'est par hasard qu'une cruche qui tombe ne se casse pas, de même, moi, c'est par hasard que j'ai échappé à la mort la première fois. Mais maintenant ?... Pourtant, Celui qui a voulu me sauver la première fois, s'il le veut me sauvera encore la seconde fois ! Quant à moi, par Allah ! je vais m'enfermer dans ma maison, sans bouger, ces trois jours de délai. Car à quoi bon faire des recherches vaines ? Et je me fie à la volonté du Juste Très-Haut ! »

Et, en effet, Giafar ne bougea pas de sa maison durant les trois jours du délai. Et, le quatrième jour, il fit venir le kadi, et fit son testament devant lui ; et il fit ses adieux à ses enfants en pleurant. Puis vint l'envoyé du khalifat qui lui dit que le khalifat était toujours disposé à le tuer si le nègre n'était pas trouvé. Et Giafar pleura encore davantage, et ses enfants pleurèrent avec lui. Puis il prit la plus jeune de ses filles pour l'embrasser une dernière fois, vu qu'il l'aimait plus que tous ses enfants ; et il la serra contre sa poitrine, et versa d'abondantes larmes en pensant qu'il était obligé de l'abandonner. Mais soudain, comme il la pressait contre lui, il sentit quelque chose de rond dans la poche de la fillette, et il lui dit : « Qu'as-tu dans ta poche ? » Elle répondit : « Ô mon père, une pomme ! C'est notre nègre Rihan[1] qui me l'a donnée. Et je l'ai depuis quatre jours avec moi. Mais je ne pus l'avoir qu'après avoir donné deux dinars à Rihan. »

À ces mots de nègre et de pomme, Giafar eut une grande émotion de joie, et s'écria : « Ô Libérateur ! » Puis il ordonna qu'on fît venir Rihan le nègre. Et Rihan vint, et Giafar lui demanda : « D'où cette pomme ? » Il répondit : « Ô mon maître, il y a cinq jours, en marchant à travers la ville, j'entrai dans une ruelle, et je vis des enfants jouer et, parmi eux, il y en avait un qui tenait cette pomme ; je la lui ravis, et je le frappai ; alors il pleura et me dit : « Elle est à ma mère. Et ma mère est malade. Elle avait eu envie d'une pomme, et mon père était parti la lui chercher à Bassra, avec deux autres pommes, au prix de trois dinars d'or. Et, moi, je pris l'une pour en jouer. » Puis il se mit à pleurer. Mais moi, sans tenir compte de ses pleurs, je vins à la maison avec cette pomme et je la donnai pour deux dinars à ma maîtresse ta petite ! »

À ce récit, Giafar fut dans le plus grand étonnement de voir survenir tous ces troubles et la mort de la jeune femme par la faute de son nègre Rihan. Aussi ordonna-t-il qu'il fût jeté tout de suite au cachot. Puis il se réjouit d'avoir ainsi échappé lui-même à une mort certaine, et il récita ces deux vers :

« Si tes malheurs ne sont dus qu'à ton esclave, comment ne songes-tu point à te débarrasser de cet esclave ?

Ne sais-tu que les esclaves pullulent, mais que ton âme est une et ne peut être remplacée !… »

Mais il se ravisa, et prit le nègre et l'emmena devant le khalifat, à qui il raconta l'histoire.

Et le khalifat Haroun Al-Rachid fut si émerveillé qu'il ordonna que cette histoire fût mise dans les annales pour servir de leçon aux humains.

Mais Giafar lui dit : « Ne t'émerveille pas trop de cette histoire, ô commandeur des Croyants, car elle est loin d'égaler celle du vizir Noureddine et de son frère Chamseddine. »

Et le khalifat s'écria : « Et quelle est cette histoire qui est plus étonnante que celle que nous venons d'entendre ? » Et Giafar dit : « Ô prince des Croyants, je ne te la raconterai qu'à la condition que tu pardonnes à mon nègre Rihan son acte inconsidéré ! » Et le khalifat répondit : « Soit ! je t'accorde la grâce de son sang[1]. »

HISTOIRE DU VIZIR NOUREDDINE, DE SON FRÈRE LE VIZIR CHAMSEDDINE ET DE HASSAN BADREDDINE

Alors Giafar Al-Barmaki dit :

Sache, ô commandeur des Croyants, qu'il y avait, dans le pays de Mesr[2], un sultan juste et bienfaisant. Ce sultan avait un vizir sage et érudit, versé dans les sciences et les lettres, et ce vizir était un vieillard fort âgé ; mais il avait deux enfants semblables à deux lunes : le grand s'appelait Chamseddine et le petit s'appelait Noureddine[3] ; mais Noureddine, le petit, était certainement plus beau et mieux fait que Chamseddine, qui, d'ailleurs, était parfait ; mais Noureddine n'avait pas son égal dans le monde entier. Il était si admirable que sa beauté était connue dans toutes les contrées, et beaucoup de voyageurs venaient en Égypte des pays les plus éloignés, rien que pour le plaisir de contempler sa perfection et les traits de son visage.

Le sort fit que le vizir, leur père, mourut. Et le sultan en fut fort affligé. Aussi il fit venir les deux enfants, et les fit s'approcher de lui, et leur fit revêtir une robe d'honneur, et leur dit : « Dès ce moment vous occuperez auprès de moi les fonctions de votre père. » Alors ils se réjouirent et embrassèrent la terre entre les mains du sultan. Puis ils firent durer tout un mois les cérémonies funèbres de leur père ; et, après cela, ils entrèrent dans leur nouvelle charge de vizirs ; et chacun d'eux remplissait à tour de rôle, pendant une semaine, les fonctions du vizirat. Et quand le sultan allait en voyage, il ne prenait avec lui que l'un des deux frères.

Or, une nuit d'entre les nuits, il se fit que, le sultan devant partir le lendemain matin, et le tour du vizirat pour cette semaine étant échu à Chamseddine, l'aîné, les deux frères s'entretenaient de choses et d'autres pour passer la soirée. Dans le courant de la causerie, l'aîné dit au cadet : « Ô mon frère, je dois te dire que mon intention est que nous songions à nous marier ; et que ce mariage se fasse la même nuit pour nous deux. » Et Noureddine répondit : « Agis selon ta volonté, ô mon frère, car je suis d'accord avec toi sur toutes choses. » Une fois que ce premier point eut été convenu entre eux, Chamseddine dit à Noureddine : « Lorsque, avec l'agrément d'Allah, nous nous serons unis à deux jeunes filles, et que nous aurons couché avec elles la même nuit, et lorsqu'elles auront enfanté le même jour et – si Allah le veut ! – donné le jour, ton épouse, à une petite fille et, mon épouse, à un petit garçon, eh bien, alors il nous faudra marier les enfants l'un à l'autre, en tant que cousins ! » Alors Noureddine répondit : « Ô mon frère, et alors que penses-tu demander à mon fils comme dot pour lui donner ta fille ? » Et Chamseddine dit : « Je prendrai de ton fils, comme prix de ma fille, trois mille dinars d'or, trois vergers et trois villages des meilleurs en Égypte. Et vraiment cela sera bien peu de chose en compensation de ma fille. Et si le jeune homme, ton fils, ne voulait pas accepter ce contrat, rien ne serait fait entre nous. » À ces paroles, Noureddine répondit : « Tu n'y songes pas ! Quelle est, en vérité, cette dot que tu veux demander à mon fils ? Oublies-tu que nous sommes deux frères, et que nous sommes, même, deux vizirs en un seul ? Au lieu de cette demande tu devrais offrir à mon fils ta fille en présent, sans songer à lui réclamer une dot quelconque. D'ailleurs, ne sais-tu pas que le mâle vaut toujours plus que la femelle ? Or, mon fils est un mâle, et tu me réclames une dot que ta fille devrait elle-même apporter ! Tu fais comme ce marchand qui, ne voulant pas céder sa marchandise, commence, pour rebuter le client, par hausser au quadruple le prix du beurre ! » Alors Chamseddine lui dit : « Je vois bien que tu t'imagines vraiment que ton fils est plus noble que ma fille. Or, cela me prouve que tu manques tout à fait de raison et de bon sens, et surtout de gratitude. Car, du moment que tu parles du vizirat, oublies-tu que c'est à moi seul que tu dois tes hautes fonctions, et, si je t'ai associé à moi, c'est simplement par pitié pour toi et pour que tu puisses m'aider dans mes travaux. Mais, soit ! tu peux dire ce que bon te semble ! Mais, moi, du moment que tu parles de la sorte, je ne veux plus marier ma fille à ton fils, même au poids de l'or ! » À ces paroles, Noureddine fut très peiné et dit : « Moi non plus, je ne veux plus marier mon fils à ta fille ! » Et Chamseddine répondit : « Oui ! C'est bien fini ! Et maintenant, comme demain je dois partir avec le sultan, je n'aurai pas le temps de te faire sentir toute l'inconvenance de tes paroles. Mais après, tu verras ! À mon retour, si Allah le veut, il arrivera ce qui arrivera ! »

Alors Noureddine s'éloigna, fort affligé de toute cette scène, et s'en alla dormir seul, tout à ses tristes pensées.

Le lendemain matin, le sultan, accompagné du vizir Chamseddine, sortit pour faire son voyage, et se dirigea du côté du Nil, qu'il traversa en barque pour arriver à Guésirah ; et de là il s'en alla du côté des Pyramides.

Quant à Noureddine, après avoir passé cette nuit-là en fort méchante humeur, à cause du procédé de son frère, il se leva de bon matin, fit ses ablutions et dit la première prière du matin : puis il se dirigea vers son armoire, où il prit une besace qu'il remplit d'or, tout en continuant à penser aux paroles méprisantes de son frère à son égard, et à l'humiliation subie ; et il se rappela alors ces strophes, qu'il récita :

« Pars, ami ! quitte tout et pars ! Tu trouveras bien d'autres amis que ceux que tu laisses ! Va ! sors des maisons et dresse tes tentes ! Habite sous la tente ! C'est là, et rien que là, qu'habitent les délices de la vie !

Dans les demeures stables et civilisées, il n'y a point de ferveur, il n'y a point d'amitié ! Crois-moi ! fuis ta patrie ! déracine-toi du sol de ta patrie ! Et enfonce-toi dans les pays étrangers !

Écoute ! j'ai remarqué que l'eau qui stagne se pourrit ! Elle pourrait tout de même guérir de sa pourriture en se remettant à courir ! Mais autrement elle est incurable !

J'ai observé aussi la lune dans son plein, et j'ai appris le nombre de ses yeux, de ses yeux de lumière ! Mais si je ne m'étais donné la peine de faire le tour de ses révolutions dans l'espace, aurais-je connu les yeux de chaque quartier, les yeux qui me regardaient ?

Et le lion ? Aurais-je pu chasser le lion à courre si je n'étais sorti de la forêt touffue ?… Et la flèche ? Serait-elle meurtrière, la flèche, si elle ne s'était détachée avec force de l'arc bandé ?

Et l'or ou l'argent ? Ne seraient-ils point comme une vile poussière, si l'on ne les tirait de leurs gisements ? Et quant au luth harmonieux, tu le sais ! il ne serait qu'une bûche de bois, si l'ouvrier ne l'avait déraciné de la terre pour le façonner !

Expatrie-toi donc et tu seras aux sommets ! Mais si tu restes attaché à ton sol, jamais tu ne pourras parvenir aux hauteurs ! »

Lorsqu'il finit de dire les vers, il ordonna à l'un de ses jeunes esclaves de lui seller une mule couleur d'étourneau, grande et rapide à la marche. Et l'esclave apprêta la plus belle des mules, la sella avec une selle garnie de brocart et d'or, avec des étriers indiens, une housse de velours d'Ispahan, et il fit si bien que la mule parut telle qu'une nouvelle mariée habillée de neuf et toute brillante. Puis Noureddine ordonna encore qu'on mît par-dessus tout cela un grand tapis de soie et un petit tapis de prière ; et, cela fait, il mit la besace pleine d'or et de bijoux entre le grand et le petit tapis.

Cela fait, il dit à l'enfant et à tous les autres esclaves : « Je vais de ce pas faire un tour en dehors de la ville, du côté de Kalioubia, où je compte coucher trois nuits, car je sens que j'ai un rétrécissement de poitrine et je veux aller me dilater là-bas en respirant le grand air. Mais je défends à quiconque de me suivre ! »

Puis, ayant encore pris quelques provisions de route, il monta sur la mule et s'éloigna rapidement. Une fois sorti du Caire, il marcha si bien qu'à midi il arriva à Belbéis, où il s'arrêta ; il descendit de sa mule, pour se reposer et la laisser se reposer, mangea un morceau, acheta à Belbéis tout ce dont il pouvait avoir besoin, soit pour lui soit pour les rations de sa mule, et se remit en route. Deux jours après, à midi précis, grâce à sa bonne mule, il arriva dans la ville sainte, Jérusalem. Là il descendit de sa mule, se reposa, laissa reposer sa mule, tira du sac à provisions quelque chose qu'il mangea ; cela fait, il mit le sac sous sa tête, par terre, après avoir étendu le grand tapis de soie, et s'endormit, tout en pensant toujours avec colère à la conduite de son frère à son égard.

Le lendemain, à l'aube, il remonta en selle, et ne cessa cette fois de marcher à une bonne allure jusqu'à ce qu'il fût arrivé dans la ville d'Alep. Là il se logea dans un des khâns de la ville, et passa trois jours bien tranquillement à se reposer et à laisser se reposer sa mule ; puis, quand il eut bien respiré le bon air d'Alep, il songea à repartir. À cet effet, il remonta sur sa mule, après avoir acheté de ces bonnes sucreries qu'on fait si bien à Alep et qui sont toutes farcies de pistaches et d'amandes avec une croûte de sucre, toutes choses qu'il appréciait beaucoup depuis son enfance.

Et il laissa aller sa mule à sa guise, car il ne savait plus où il était, une fois sorti d'Alep. Et il marcha jour et nuit, si bien qu'un soir, après le coucher du soleil, il parvint à la ville de Bassra ; mais, lui, ne savait pas du tout que cette ville fût Bassra. Car il ne sut le nom de la ville qu'une fois arrivé au Khân, où on le renseigna. Il descendit alors de sa mule, déchargea la mule des tapis, des provisions et de la besace, et chargea le portier du khân de promener un peu la mule, pour qu'elle ne prît pas froid en se reposant tout de suite. Et quant à Noureddine lui-même, il étendit son tapis et s'assit se reposer au khân.

Le portier du khân prit donc la mule par la bride et se mit à la faire marcher. Or, il y eut cette coïncidence que, juste à ce moment-là, le vizir de Bassra était assis devant la fenêtre de son palais et regardait dans la rue. Il aperçut donc la belle mule, et vit son magnifique harnachement de grande valeur, et pensa que cette mule devait nécessairement appartenir à quelque vizir d'entre les vizirs étrangers, ou même à quelque roi d'entre les rois. Il se mit donc à la regarder, et fut dans une grande perplexité ; puis il donna ordre à un de ses jeunes esclaves de lui amener tout de suite le portier qui conduisait la mule. Et l'enfant courut chercher le portier et l'amena devant le vizir. Alors le portier s'avança et embrassa la terre entre les mains du vizir, qui était un vieillard très âgé et très respectable. Et le vizir dit au portier : « Quel est le maître de cette mule, et quelle est sa condition ? » Le portier répondit : « Ô mon seigneur, le maître de cette mule est un tout jeune homme fort beau, en vérité, plein de séduction, richement habillé comme un fils de quelque grand marchand ; et toute sa mine impose le respect et l'admiration. »

À ces paroles du portier, le vizir se leva sur ses pieds, et monta à cheval, et alla en toute hâte au khân, et entra dans la cour. À la vue du vizir, Noureddine se leva sur ses pieds et courut à sa rencontre, et l'aida à descendre de cheval. Alors le vizir lui fit le salut d'usage, et Noureddine le lui rendit et le reçut très cordialement ; et le vizir s'assit à côté de lui et lui dit : « Mon enfant, d'où viens-tu et pourquoi es-tu à Bassra ? » Et Noureddine lui dit : « Mon seigneur, je viens du Caire, qui est ma ville et où je suis né. Mon père était le vizir du sultan d'Égypte, mais il est mort pour aller en la miséricorde d'Allah ! » Puis Noureddine raconta au vizir l'histoire depuis le commencement jusqu'à la fin. Et il ajouta : « Mais j'ai bien pris la ferme résolution de ne jamais plus retourner en Égypte, que je n'aie d'abord voyagé partout et visité toutes les villes et toutes les contrées ! »

Aux paroles de Noureddine, le vizir dit : « Mon enfant, ne suis pas ces funestes idées du voyage continuel, car elles te conduiraient à ta perte. Le voyage, sais-tu, dans les pays étrangers, c'est la ruine et la fin des fins ! Écoute mes conseils, mon enfant, car je crains beaucoup pour toi les accidents de la vie et du temps ! »

Puis le vizir ordonna aux esclaves de desseller la mule et desserrer les tapis et les soies ; et il emmena Noureddine avec lui à la maison, et lui donna une chambre, et le laissa se reposer, après lui avoir donné tout ce qui pouvait lui être nécessaire.

Noureddine resta ainsi quelque temps chez le vizir ; et le vizir le voyait tous les jours et le comblait de prévenances et de faveurs. Et il finit par aimer énormément Noureddine, et tellement qu'un jour il lui dit : « Mon enfant, je me fais bien vieux, et je n'ai pas eu d'enfant mâle. Mais Allah m'a accordé une fille qui, en vérité, t'égale en beauté et en perfections ; et jusqu'à présent, j'ai refusé tous ceux qui me la demandaient en mariage. Mais maintenant, toi, je t'aime d'un si grand amour de cœur, que je viens te demander si tu veux consentir à accepter chez toi ma fille comme une esclave à ton service ! Car je souhaite fort que tu deviennes l'époux de ma fille. Si tu veux bien accepter, je monterai tout de suite chez le sultan, et je lui dirai que tu es mon neveu, nouvellement arrivé d'Égypte, et que tu viens à Bassra expressément pour me demander ma fille en mariage. Et le sultan, à cause de moi, te prendra à ma place comme vizir. Car je deviens fort vieux, et le repos m'est devenu nécessaire. Et ce sera avec un grand plaisir que je réintégrerai ma maison, pour ne plus la quitter. »

À cette proposition du vizir, Noureddine se tut et baissa les yeux ; puis il dit : « J'écoute et j'obéis ! »

Alors le vizir fut au comble de la joie, et immédiatement il ordonna aux esclaves de préparer le festin, d'orner et d'illuminer la salle de réception, la plus grande, celle réservée spécialement aux plus grands parmi les émirs.

Puis il réunit tous ses amis, et invita tous les grands du royaume et tous les grands marchands de Bassra ; et tous vinrent se présenter entre ses mains. Alors le vizir, pour leur expliquer le choix qu'il avait fait de Noureddine en le préférant à tous les autres, leur dit : « J'avais un frère qui était vizir à la cour d'Égypte, et Allah l'avait favorisé de deux fils comme il m'a, moi, vous le savez, favorisé d'une fille. Or, mon frère, avant sa mort, m'avait bien recommandé de marier ma fille à l'un de ses enfants, et je le lui avais promis. Or, justement, voici devant vous ce jeune homme qui est l'un des deux fils de mon frère le vizir. Et il est venu ici dans ce but. Et moi, je désire beaucoup écrire son contrat avec ma fille, et qu'il vienne habiter avec elle chez moi. » Alors tous répondirent : « Oui, certainement ! Ce que tu fais est sur nos têtes ! »

Et alors tous les invités prirent part au grand festin, burent toutes sortes de vins et mangèrent d'une quantité prodigieuse de pâtisseries et de confitures ; puis, après avoir aspergé les salles avec l'eau de rose, selon la coutume, ils prirent congé du vizir et de Noureddine.

Alors le vizir ordonna à ses jeunes esclaves d'emmener Noureddine au hammam et de lui faire prendre un bain excellent. Et le vizir lui donna une des plus belles robes de ses propres robes ; puis il lui envoya les serviettes, les bassins de cuivre pour le bain, les brûle-parfums et toutes les autres choses nécessaires. Et Noureddine prit le bain, et sortit du hammam après avoir revêtu la belle robe neuve, et il devint aussi beau que la pleine lune dans la plus belle des nuits. Puis Noureddine enfourcha sa mule couleur d'étourneau, et alla au palais du vizir, en passant par les rues où toute la population l'admira et s'exclama sur sa beauté et sur l'œuvre d'Allah, il descendit de sa mule, et entra chez le vizir, et lui baisa la main. Alors le vizir…

Mais, à ce moment de son récit, Schahrazade vit apparaître le matin, et, discrète comme elle était, ne voulut point parler davantage cette nuit-là.
Mais lorsque fut la vingtième nuit. Schahrazade continua :

Il m'est parvenu, ô Roi fortuné, que le vizir se leva alors, il accueillit avec une grande joie le beau Noureddine, et lui dit : « Va, mon fils, cours et entre chez ton épouse, et sois heureux ! Et demain je monterai avec toi chez le sultan. Et maintenant je n'ai plus qu'à demander pour toi à Allah toutes ses faveurs et tous ses biens. »

Alors Noureddine baisa encore une fois la main du vizir, son beau-père, et entra dans l'appartement de la jeune fille. Et il arriva ce qui arriva !

Voilà pour Noureddine !

Quant à son frère Chamseddine, au Caire… voici. Lorsque le voyage qu'il fit avec le sultan d'Égypte, en allant du côté des Pyramides et de là ailleurs, fut terminé, il revint à la maison. Et il fut tout inquiet de ne pas trouver son frère Noureddine. Il demanda de ses nouvelles aux serviteurs, qui lui répondirent : « Lorsque tu partis avec le sultan, le jour même notre maître Noureddine monta sur sa mule harnachée en grand apparat comme pour les jours de cortège, et nous dit : « Je vais du côté de Kalioubia, et je resterai absent un jour ou deux, car je sens que ma poitrine est rétrécie et qu'elle a besoin d'un peu d'air. Mais que nul de vous ne me suive ! » Et, depuis ce jour-là jusqu'aujourd'hui, nous n'avons plus eu de ses nouvelles. »

Alors Chamseddine fut fort peiné de l'absence de son frère, et sa peine devint de jour en jour plus forte, et il finit par ressentir la plus extrême affliction. Et il pensa : « Certainement, il n'y a d'autre cause de ce départ que les paroles dures que je lui ai dites la veille de mon voyage avec le sultan. Et c'est probablement ce qui l'a poussé à me fuir. Aussi me faut-il réparer mes torts envers ce bon frère, et envoyer à sa recherche. »

Et Chamseddine monta immédiatement chez le sultan, et le mit au courant de la situation. Et le sultan fit écrire des plis cachetés de son sceau, et les envoya, par les courriers à cheval, dans toutes les directions, à tous ses lieutenants dans toutes les contrées, en leur disant, dans ces plis, que Noureddine avait disparu et qu'il fallait le chercher partout.

Mais, quelque temps après, tous les courriers revinrent, sans résultat, car pas un n'était allé à Bassra, où était Noureddine. Alors Chamseddine se lamenta à la limite des lamentations et se dit : « Tout cela est de ma faute ! Et cela n'est arrivé qu'à cause de mon peu de discernement et de tact ! »

Mais, comme toute chose a une fin, Chamseddine se consola à la fin, et après quelque temps il se fiança avec la fille d'un des gros marchands du Caire, et fit son contrat de mariage avec cette jeune fille, et se maria avec elle. Et il arriva ce qui arriva !

Or, il y eut cette coïncidence que la nuit même de la pénétration de Chamseddine dans la chambre nuptiale était justement celle de la pénétration de Noureddine, à Bassra, dans la chambre de sa femme, la fille du vizir. Mais c'est Allah qui permit cette coïncidence du mariage des deux frères la même nuit, pour bien faire voir qu'il est le maître de la destinée de ses créatures !

De plus, tout se passa comme l'avaient combiné les deux frères avant leur querelle, à savoir que les deux épouses furent engrossées la même nuit, et accouchèrent le même jour, à la même heure : la femme de Chamseddine, vizir d'Égypte, accoucha d'une fille qui n'avait pas sa seconde en beauté dans toute l'Égypte ; et la femme de Noureddine, à Bassra, mit au monde un fils qui n'avait pas son second en beauté dans le monde entier de son temps ! Comme dit le poète :

« L'enfant !... Est-il gentil ! et fin ! et sa taille !... Boire à même sa bouche ! boire cette bouche et oublier les coupes pleines et les vases débordants !

Boire à ses lèvres, se désaltérer à la fraîcheur de ses joues, se mirer aux sources de ses yeux, oh ! et oublier la pourpre des vins, leurs arômes, leur saveur et toute l'ivresse !

— Si la Beauté en personne venait se mesurer à cet enfant, la Beauté baisserait la tête de confusion !

Et si tu lui demandais : « Ô Beauté ! que penses-tu ? As-tu jamais vu son pareil ? » Elle répondrait : « Comme lui ? en vérité, jamais ! »

Le fils de Noureddine, à cause de sa beauté, fut nommé Hassan Badreddine[1].

Sa naissance fut une occasion de grandes réjouissances publiques. Et le septième jour après sa naissance, on donna des festins et des banquets vraiment dignes des fils des rois.

Une fois les fêtes terminées, le vizir de Bassra prit Noureddine et monta avec lui chez le sultan. Alors Noureddine baisa la terre entre les mains du sultan, et, comme il était doué d'une grande éloquence de langage, d'un cœur vaillant, et très ferré sur les beautés de la littérature, il récita au sultan ces vers du poète :

« C'est lui devant qui le plus grand des bienfaiteurs s'incline et s'efface ; car il a gagné le cœur de tous les êtres d'élection !

Je chante ses œuvres, car ce ne sont pas des œuvres, mais des choses si belles qu'on devrait pouvoir en faire un collier qui ornerait le cou !

Et si je baise le bout de ses doigts, c'est que ce ne sont plus des doigts, mais les clefs de tous les bienfaits. »

Le sultan, ravi de ces vers, fut fort généreux de dons à l'égard de Noureddine et du vizir, son beau-père, sans savoir un mot du mariage de Noureddine, ni même de son existence ; car il demanda au vizir, après avoir complimenté Noureddine pour ses beaux vers : « Qui est donc ce jeune homme éloquent et beau ? »

Alors le vizir raconta l'histoire au sultan depuis le commencement jusqu'à la fin, et lui dit : « Ce jeune homme est mon neveu ! » Et le sultan lui dit : « Comment se fait-il que je n'en aie pas encore entendu parler ? » Le vizir dit : « Ô mon seigneur et suzerain, je dois te dire que j'avais un frère vizir à la cour d'Égypte. À sa mort, il laissa deux fils dont l'aîné devint vizir à la place de mon frère, tandis que le second, que voici, vint me voir, car j'avais promis et juré à son père de donner ma fille en mariage à l'un de mes neveux. Aussi, à peine était-il arrivé que je le mariais avec ma fille ! C'est un jeune homme, comme tu vois ; et, moi, je me fais vieux, et aussi un peu sourd, et inattentif aux affaires du royaume. Je viens donc demander à mon suzerain le sultan de vouloir bien agréer mon neveu, qui est en même temps mon gendre, comme mon successeur au vizirat ! Et je puis t'assurer qu'il est vraiment digne d'être ton vizir, car il est homme de bon conseil, fertile en idées excellentes et très versé dans la manière de conduire les affaires ! »

Alors le sultan regarda encore mieux le jeune Noureddine, et il fut charmé de cet examen, et agréa le conseil de son vieux vizir, et, sans plus tarder, il nomma Noureddine comme grand vizir à la place de son beau-père, et lui fit présent d'une robe d'honneur magnifique, la plus belle qu'il put trouver, et d'une mule de ses propres écuries, et lui désigna ses gardes et ses chambellans. Noureddine baisa alors la main du sultan, et sortit avec son beau-père, et tous deux revinrent à leur maison au comble de la joie, et allèrent embrasser le nouveau-né Hassan Badreddine et dirent : « La venue au monde de cet enfant nous a porté bonheur ! »

Le lendemain, Noureddine alla au palais pour remplir ses nouvelles fonctions, et, en arrivant, il baisa la terre entre les mains du sultan et il récita ces deux strophes :

« Pour toi les félicités sont tous les jours nouvelles, et les prospérités aussi ! et si bien que l'envieux en a séché de dépit !

Oh ! pour toi puissent tous les jours être blancs ; et noirs les jours de tous les envieux ! »

Alors le sultan lui permit de s'asseoir sur le divan du vizirat, et Noureddine s'assit sur le divan du vizirat. Et il commença à remplir sa charge, et à conduire les affaires courantes, et à rendre la justice, tout comme s'il était vizir depuis de longues années, et il s'en acquitta si bien, et tout cela sous les yeux du sultan, que le sultan fut émerveillé de son intelligence, de sa compréhension des affaires et de la manière admirable dont il rendait la justice ; et il l'en aima encore davantage, et fit de lui son intime.

Quant à Noureddine il continua à s'acquitter à merveille de ses hautes fonctions ; mais cela ne lui fit pas oublier l'éducation de son fils Hassan Badreddine, malgré toutes les affaires du royaume. Car Noureddine, de jour en jour, devenait plus puissant et plus en faveur auprès du sultan, qui lui fit augmenter le nombre de ses chambellans, de ses serviteurs, de ses gardes et de ses coureurs. Et Noureddine devint si riche que cela lui permit de faire le commerce en grand, comme d'armer lui-même des navires de commerce qui allaient dans le monde entier, de construire des maisons de rapport, de bâtir des moulins et des roues à faire monter l'eau, de planter de magnifiques jardins et vergers. Et tout cela jusqu'à ce que son fils Hassan Badreddine eût atteint l'âge de quatre ans.

À ce moment, le vieux vizir, beau-père de Noureddine, vint à mourir ; et Noureddine lui fit un enterrement solennel ; et lui et tous les grands du royaume suivirent l'enterrement.

Et c'est alors que Noureddine se voua entièrement à l'éducation de son fils. Il le confia au savant le plus versé dans les lois religieuses et civiles. Ce savant vénérable vint tous les jours donner des leçons de lecture à domicile au jeune Hassan Badreddine ; et peu à peu, au fur et à mesure, il l'initia à la connaissance d'Al-Koran, que le jeune Hassan finit par apprendre entièrement par cœur ; après cela le vieux savant, pendant des années et des années, continua à enseigner à son élève toutes les connaissances utiles. Et Hassan ne cessa de croître en beauté, en grâce et en perfection, comme dit le poète :

« Ce jeune garçon ! il est la lune et, comme elle, il ne fait que resplendir et croître en beauté, si bien que le soleil emprunte l'éclat de ses rayons aux anémones de ses joues !

Il est le roi de la beauté par sa distinction sans égale. Et l'on est tout porté à supposer que les splendeurs des prairies et des fleurs lui sont empruntées ! »

Mais, pendant tout ce temps, le jeune Hassan Badreddine ne quitta pas un seul instant le palais de son père Noureddine, car le vieux savant exigeait une grande attention à ses leçons. Mais quand Hassan eut atteint sa quinzième année et qu'il n'eut plus rien à apprendre du vieux savant, son père Noureddine le prit, et lui mit une robe la plus magnifique qu'il put trouver parmi ses robes, et le fit monter sur une mule la plus belle d'entre ses mules et la plus en forme, et se dirigea avec lui vers le palais du sultan, en traversant en grand cortège les rues de Bassra. Aussi tous les habitants, à la vue du jeune Hassan Badreddine, poussèrent des cris d'admiration pour sa beauté, la finesse de sa taille, ses grâces, ses manières charmantes ; et ils ne pouvaient s'empêcher de s'exclamer : « Ya Allah ! qu'il est beau ! Quelle lune ! Qu'Allah le préserve du mauvais œil ! » Et cela jusqu'à l'arrivée de Badreddine et de son père au palais ; et c'est alors que les gens comprirent le sens de ces strophes du poète[1].

Quant au sultan, lorsqu'il vit le jeune Hassan Badreddine et sa beauté, il fut si stupéfait qu'il en perdit la respiration et oublia cette respiration pendant un bon moment. Et il le fit s'approcher de lui et l'aima beaucoup ; il en fit son favori, le combla de bienfaits, et dit à son père Noureddine : « Vizir, il faut absolument que tu me l'envoies ici tous les jours, car je sens que je ne pourrai plus me passer de lui ! » Et le vizir Noureddine fut bien obligé de répondre : « J'écoute et j'obéis ! »

Sur ces entrefaites, alors que Hassan Badreddine était devenu l'ami et le favori du sultan, Noureddine son père tomba gravement malade, et, sentant qu'il ne tarderait pas à être appelé chez Allah, il manda son fils Hassan, et lui fit ses dernières recommandations et lui dit : « Sache, ô mon enfant, que ce monde est une demeure périssable, mais le monde futur est éternel ! Aussi, avant de mourir, je veux te donner quelques conseils ; écoute-les donc bien et ouvre-leur ton cœur ! » Et Noureddine se mit à donner à Hassan les meilleures règles pour se conduire dans la société de ses semblables et pour se diriger dans l'existence.

Après cela, Noureddine se remémora son frère Chamseddine le vizir d'Égypte, son pays, ses parents et tous ses amis du Caire ; et, à ce souvenir, il ne put s'empêcher de pleurer de n'avoir pu les revoir. Mais bientôt il pensa qu'il avait encore des recommandations à faire à son fils Hassan, et il lui dit : « Mon enfant, retiens bien les paroles que je vais te dire, car elles sont très importantes. Sache donc que j'ai, au Caire, un frère nommé Chamseddine ; c'est ton oncle, et de plus il est vizir en Égypte. Dans le temps, nous nous sommes quittés un peu brouillés, et moi, je suis ici, à Bassra, sans son consentement. Je vais donc te dicter mes dernières instructions à ce sujet ; prends donc un papier et un roseau, et écris sous ma dictée. »

Alors Hassan Badreddine prit une feuille de papier, sortit l'écritoire de sa ceinture, tira de l'étui le meilleur calam qui était le mieux taillé, plongea le calam dans l'étoupe imbibée d'encre à l'intérieur de l'écritoire ; puis il s'assit, plia la feuille de papier sur sa main gauche et, tenant le calam de la main droite, il dit à son père Noureddine : « Ô mon père, j'écoute tes paroles ! » Et Noureddine commença à dicter : « Au nom d'Allah le Clément, le Miséricordieux… » et il continua à dicter ensuite à son fils toute son histoire depuis le commencement jusqu'à la fin ; de plus il lui dicta la date de son arrivée à Bassra, de son mariage avec la fille du vieux vizir ; il lui dicta sa généalogie complète, ses ascendants directs et indirects, avec leurs noms, les noms de leur père et de leur grand-père, son origine, son degré de noblesse personnelle acquise, et enfin toute sa lignée paternelle et maternelle.

Puis il lui dit : « Conserve soigneusement cette feuille de papier. Et si, par la force du destin, il t'arrivait un malheur dans ta vie, retourne dans le pays d'origine de ton père, là où je suis né, moi ton père Noureddine, au Caire la ville prospère ; là tu demanderas l'adresse de ton oncle le vizir, qui demeure dans notre maison ; et salue-le de ma part en lui transmettant la paix, et dis-lui que je suis mort, affligé de mourir à l'étranger, loin de lui, et qu'avant de mourir je n'avais d'autre désir que de le voir ! Voilà, mon fils Hassan, les conseils que je voulais te donner. Je te conjure donc de ne pas les oublier ! »

Alors Hassan Badreddine plia soigneusement le papier, après l'avoir sablé et séché et scellé avec le sceau de son père le vizir ; puis il le mit dans la doublure de son turban, entre l'étoffe et le bonnet, et le cousit ; mais, pour le préserver de l'humidité, il prit bien soin, avant de le coudre, de le bien envelopper d'un morceau de toile cirée.

Cela fait, il ne songea plus qu'à pleurer en baisant la main de son père Noureddine, et en s'affligeant à cette pensée qu'il devait rester seul, tout jeune encore, et être privé de la vue de son père : et Noureddine ne cessa de faire ses recommandations à son fils Hassan Badreddine jusqu'à ce qu'il rendît l'âme.

Alors Hassan Badreddine fut dans un grand deuil et le sultan aussi, ainsi que tous les émirs, et les grands et les petits. Puis on l'enterra selon son rang.

Quant à Hassan Badreddine, il fit durer deux mois les cérémonies du deuil ; et, pendant tout ce temps, il ne quitta pas un seul instant sa maison ; et oublia même de monter au palais, et d'aller voir le sultan selon sa coutume.

Le sultan, ne comprenant pas que l'affliction seule retenait le bel Hassan loin de lui, pensa que Hassan le délaissait et l'évitait. Aussi il fut fort irrité, et au lieu de nommer Hassan comme vizir successeur de son père Noureddine, il nomma à cette charge un autre, et prit en amitié un autre jeune chambellan. Non content de cela, le sultan fit plus. Il ordonna de sceller et de confisquer tous ses biens, toutes ses maisons et toutes ses propriétés ; puis il ordonna qu'on se saisît de Hassan Badreddine lui-même, et qu'on le lui amenât enchaîné. Et aussitôt le nouveau vizir prit avec lui quelques-uns d'entre les chambellans et se dirigea du côté de la maison du jeune Hassan, qui ne se doutait pas du malheur qui le menaçait.

Or, il y avait, parmi les jeunes esclaves du palais, un jeune mamelouk qui aimait beaucoup Hassan Badreddine. Aussi, à cette nouvelle, le jeune mamelouk courut très vite et arriva près du jeune Hassan qu'il trouva fort triste, la tête penchée, le cœur endolori, et pensant toujours à son père défunt. Il lui apprit alors ce qui allait lui arriver. Et Hassan lui demanda : « Mais ai-je encore au moins le temps de prendre de quoi subsister dans ma fuite à l'étranger ? » Et le jeune mamelouk lui répondit : « Le temps presse. Aussi ne songe qu'à te sauver avant tout. »

À ces paroles, le jeune Hassan, habillé tel qu'il était, et sans rien prendre avec lui, sortit en toute hâte, après avoir relevé les pans de sa robe au-dessus de sa tête pour qu'on ne le reconnût pas. Et il se mit à marcher jusqu'à ce qu'il fût hors de la ville.

Quant aux habitants de Bassra, à la nouvelle de l'arrestation projetée du jeune Hassan Badreddine, fils du défunt Noureddine le vizir, de la confiscation de ses biens et de sa mort probable, ils furent tous dans la plus grande affliction et se mirent à dire : « Ô quel dommage pour sa beauté et pour sa charmante personne ! » Et, en traversant les rues sans être reconnu, le jeune Hassan entendit ces regrets et ces exclamations. Mais il se hâta encore davantage et continua à marcher encore plus vite jusqu'à ce que le sort et la destinée fissent que justement il passât à côté du cimetière où était la turbeh[1] de son père. Alors il entra dans le cimetière, et se dirigea entre les tombes, et parvint à la turbeh de son père. Alors seulement il abaissa sa robe, dont il s'était couvert la tête, et entra sous le dôme de la turbeh et résolut d'y passer la nuit.

Or, pendant qu'il était là assis en proie à ses pensées, il vit venir à lui un Juif de Bassra, qui était un marchand fort connu de toute la ville. Ce marchand juif revenait d'un village voisin et regagnait la ville. En passant auprès de la turbeh de Noureddine, il regarda à l'intérieur et vit le jeune Hassan Badreddine, qu'il reconnut aussitôt. Alors il entra, s'approcha de lui respectueusement et lui dit : « Mon seigneur, oh ! comme tu as la mine défaite et changée, toi si beau ! Un malheur nouveau te serait-il arrivé en plus de la mort de ton père le vizir Noureddine que je respectais et qui m'aimait aussi et m'estimait ? Mais qu'Allah l'ait en sa sainte miséricorde ! » Mais le jeune Hassan Badreddine ne voulut pas lui dire le motif exact de son changement de mine, et lui répondit : « Comme j'étais endormi, cet après-midi, dans mon lit, à la maison, soudain, dans mon sommeil, je vis mon défunt père m'apparaître et me reprocher sévèrement mon peu d'empressement à visiter sa turbeh. Alors, moi, plein de terreur et de regrets, je me réveillai en sursaut et, tout bouleversé, j'accourus ici en toute hâte. Et tu me vois encore sous cette impression pénible. »

Alors le Juif lui dit : « Mon seigneur, il y a déjà quelque temps que je devais aller te voir pour te parler d'une affaire ; mais le sort aujourd'hui me favorise, puisque je te rencontre. Sache donc, mon jeune seigneur, que le vizir ton père, avec qui j'étais en affaires, avait envoyé au loin des navires qui maintenant reviennent chargés de marchandises en son nom. Si donc tu voulais me céder le chargement de ces navires, je t'offrirais mille dinars pour chaque chargement, et je te les paierais au comptant, sur l'heure. »

Et le Juif tira de sa robe une bourse remplie d'or, compta mille dinars, et les offrit aussitôt au jeune Hassan, qui ne manqua pas d'accepter cette offre, voulue par Allah pour le tirer de l'état de dénuement où il était. Puis le Juif ajouta : « Maintenant, mon seigneur, écris-moi ce papier pour le reçu et appose dessus ton sceau ! » Alors Hassan Badreddine prit le papier que lui tendait le Juif, et le roseau aussi, trempa le roseau dans l'écritoire de cuivre et écrivit ceci sur le papier : « J'atteste que celui qui a écrit ce papier est Hassan Badreddine, fils du vizir Noureddine le défunt – qu'Allah l'ait en sa miséricorde ! – et qu'il a vendu au Juif *tel*, fils de *tel*, marchand à Bassra, le chargement du premier navire qui arrivera à Bassra, le navire faisant partie des navires ayant appartenu à son père Noureddine ; et ce, pour la somme de mille dinars, sans plus. » Puis il scella de son sceau le bas de la feuille et la remit au Juif, qui s'en alla après l'avoir salué avec respect.

Alors Hassan se prit à pleurer en pensant à son défunt père et à sa position passée et à son sort présent. Mais, comme il faisait déjà nuit, pendant qu'il était ainsi étendu sur la tombe de son père le sommeil lui vint, et il s'endormit dans la turbeh. Et il resta ainsi endormi jusqu'au lever de la lune ; à ce moment, sa tête ayant roulé de dessus la pierre de la tombe, il fut obligé de se tourner tout entier et de se coucher sur le dos : de la sorte, son visage se trouva en plein éclairé par la lune, et brilla ainsi de toute sa beauté.

Or, ce cimetière était un lieu hanté par les genn de la bonne espèce, des genn musulmans, des croyants. Et, par hasard aussi, une charmante gennia prenait l'air à cette heure, sous les rayons de la lune, et, dans sa promenade, passa à côté de Hassan endormi, et le vit, et remarqua sa beauté et ses belles proportions, et elle fut fort émerveillée et dit : « Gloire à Allah ! oh, le beau garçon ! En vérité, je suis amoureuse de ses beaux yeux, car je les devine d'un noir ! et d'un blanc !... » Puis elle se dit : « En attendant qu'il se réveille, je vais un peu m'envoler pour continuer ma promenade en l'air. » Et elle prit son vol, et monta très haut pour prendre le frais ; là-haut, dans sa course, elle fut charmée de rencontrer en chemin un de ses camarades, un genni mâle, un croyant aussi. Elle le salua gentiment et il lui rendit le salut avec déférence. Alors elle lui dit : « D'où viens-tu, compagnon ? » Il lui répondit : « Du Caire. » Elle lui dit : « Les bons croyants du Caire vont-ils bien ? » Il lui répondit : « Grâce à Allah, ils vont bien. » Alors elle lui dit : « Veux-tu, compagnon, venir avec moi pour admirer la beauté d'un jeune homme qui est endormi dans le cimetière de Bassra ? » Le genni lui dit : « À tes ordres ! » Alors ils se prirent la main et descendirent ensemble au cimetière et s'arrêtèrent devant le jeune Hassan endormi. Et la gennia dit au genni, en lui clignant de l'œil : « Hein ! n'avais-je pas raison ? » Et le genni, étourdi par la merveilleuse beauté de Hassan Badreddine, s'écria : « Allah ! Allah ! il n'a pas son pareil ; il est créé pour mettre en combustion toutes les vulves. » Puis il réfléchit un instant et ajouta : « Pourtant, ma sœur, je dois te dire que j'ai vu quelqu'un qu'on peut comparer à ce charmant jeune garçon. » Et la gennia s'écria : « Pas possible ! » Le genni dit : « Par Allah ! j'ai vu ! et c'est sous le climat d'Égypte, au Caire ! et c'est la fille du vizir Chamseddine ! » La gennia lui dit : « Mais je ne la connais pas ! » Le genni dit : « Écoute. Voici son histoire :

« Le vizir Chamseddine, son père, est dans le malheur à cause d'elle. En effet, le sultan d'Égypte, ayant entendu parler par ses femmes de la beauté extraordinaire de la fille du vizir, la demanda en mariage au vizir. Mais le vizir Chamseddine, qui avait résolu autre chose pour sa fille, fut dans une grande perplexité, et dit au sultan : « Ô mon suzerain et maître, aie la bonté d'agréer mes excuses les plus humbles et de me pardonner dans cette affaire. Car tu sais l'histoire de mon pauvre frère Noureddine qui était ton vizir avec moi. Tu sais qu'il est parti un jour et que nous n'en avons plus entendu parler. Et ce fut, en vérité, pour un motif pas sérieux du tout ! » Et il raconta au sultan le motif en détail. Puis il ajouta : « Aussi, par la suite, je jurai devant Allah, le jour de la naissance de ma fille, que, quoi qu'il pût arriver, je ne la marierais qu'au fils de mon frère Noureddine. Et il y a déjà de cela dix-huit ans. Mais, heureusement, j'ai appris, il y a quelques jours seulement, que mon frère Noureddine s'était marié avec la fille du vizir de Bassra, et qu'il avait eu d'elle un fils. Aussi ma fille à moi, qui est née de mes œuvres avec sa mère, est destinée et écrite au nom de son cousin, le fils de mon frère Noureddine ! Quant à toi, ô mon seigneur et suzerain, tu peux avoir n'importe quelle jeune fille ! L'Égypte en est remplie ! Et il y en a qui sont des morceaux dignes des rois ! »

« Mais, à ces paroles, le sultan fut dans une grande fureur, et s'écria : « Comment, misérable vizir ! je voulais te faire l'honneur d'épouser ta fille, et de descendre jusqu'à toi, et toi, tu oses, sous un prétexte bien stupide et bien froid, me la refuser ! Soit ! Mais, par ma tête ! je vais te forcer à la donner en mariage, en dépit de ton nez, au plus misérable de mes gens ! » Or, le sultan avait un petit palefrenier contrefait et bossu, avec une bonne par-devant et une bosse par-derrière. Le sultan le fit venir sur l'heure, fit écrire son contrat de mariage avec la fille du vizir Chamseddine, malgré les supplications du père ; puis il ordonna au petit bossu de coucher la nuit même avec la jeune fille. De plus, le sultan ordonna que l'on fît une grande noce en musique.

« Quant à moi, ma sœur, sur ces entrefaites, je les laissai ainsi, au moment où les jeunes esclaves du palais entouraient le petit bossu, et lui décochaient des plaisanteries égyptiennes très drôles, et tenaient déjà, chacun à la main, les chandelles de la noce allumées pour accompagner le marié. Quant au marié, je le laissai en train de prendre son bain au hammam, au milieu des railleries et des rires des jeunes esclaves qui disaient : « Pour nous, nous préférerions tenir l'outil d'un âne pelé que le zebb piteux de ce bossu ! » Et, en effet, ma sœur, il est bien laid, ce bossu, et fort dégoûtant. » Et le genni, à ce souvenir, cracha par terre en faisant une horrible grimace. Puis il ajouta : « Quant à la jeune fille, c'est la plus belle créature que j'aie vue dans ma vie. Je t'assure qu'elle est encore plus belle que cet adolescent. Elle s'appelle d'ailleurs Sett El-Hosn[1], et elle l'est ! Je l'ai laissée qui pleurait amèrement, loin de son père auquel on a défendu d'assister à la fête. Elle est toute seule, dans la fête, au milieu des joueurs d'instruments, des danseuses et des chanteuses ; le misérable palefrenier sortira bientôt du hammam ; on n'attend plus que cela pour commencer la fête ! »

À ce moment de sa narration, Schahrazade vit apparaître le matin, et, discrète, remit son récit au lendemain.

Et lorsque fut la vingt et unième nuit. Schahrazade dit :

Il m'est parvenu, ô Roi fortuné, qu'à ce récit du genni qui concluait en disant : « Et on n'attend plus que la sortie du bossu du hammam ! » la gennia dit : « Oui ! mais, compagnon, je pense fort que tu te trompes beaucoup en m'affirmant que Sett El-Hosn est plus belle que cet adolescent. Ce n'est pas possible. Car, moi, je t'affirme qu'il est le plus beau de ce temps ! » Mais l'éfrit répondit : « Par Allah ! ô ma sœur, je t'assure que la jeune fille est plus belle encore. D'ailleurs, tu n'as qu'à venir la voir avec moi. C'est facile. Nous profiterons de l'occasion pour frustrer le maudit bossu de cette merveille de chair. Les deux jeunes gens sont dignes l'un de l'autre, et ils se ressemblent tellement qu'on dirait deux frères ou tout au moins deux cousins. Quel dommage ce serait, que le bossu pût copuler avec Sett El-Hosn ! »

Alors la gennia répondit : « Tu as raison, mon frère. Oui, transportons sur nos bras l'adolescent endormi et unissons-le à la jeune fille dont tu parles. De la sorte, nous ferons une chose belle, et, de plus, nous verrons bien quel est le plus beau des deux ! » Et l'éfrit répondit : « J'écoute et j'obéis, car tes paroles sont pleines de bon sens et de justesse ! Allons-y ! » Sur ce, l'éfrit prit le jeune homme sur son dos, et s'envola suivi de près par l'éfrita qui l'aidait pour aller plus vite ; et tous deux, ainsi chargés, finirent par arriver au Caire, à toute vitesse. Là, ils se déchargèrent du bel Hassan, et le déposèrent, toujours endormi, sur un banc dans une rue près de la cour du palais qui était rempli de monde ; et ils le réveillèrent.

Hassan se réveilla, et fut dans le plus extrême ébahissement de ne plus se voir étendu dans la turbeh, sur la tombe de son père, à Bassra. Il regarda à droite. Il regarda à gauche. Et tout lui fut inconnu. Ce n'était plus la même ville, mais une ville tout à fait différente de Bassra. Il fut si surpris qu'il ouvrit la bouche pour crier ; mais aussitôt il vit devant lui un homme très grand et barbu, qui lui cligna de l'œil pour lui dire de ne pas crier. Et Hassan se retint. Cet homme (c'était le genni !) lui présenta une chandelle allumée, et lui enjoignit de se mêler à la foule des gens qui, tous, portaient des chandelles allumées pour accompagner la noce, et lui dit : « Sache que je suis un genni, un croyant ! C'est moi-même qui t'ai transporté ici, pendant ton sommeil. Cette ville, c'est Le Caire. Je t'y ai transporté, car je te veux du bien, et je veux te rendre service pour rien, simplement pour l'amour d'Allah et pour ta beauté ! Prends donc cette chandelle allumée, mêle-toi à la foule et va avec elle jusqu'à ce hammam que tu vois. Là, tu verras sortir une espèce de petit bossu, qu'on conduira au palais ; tu suivras ! ou plutôt tu marcheras aux côtés du bossu, qui est un nouveau marié, et tu entreras avec lui dans ce palais, et arrivé dans la grande salle de réunion, tu te mettras à droite du bossu nouveau marié, comme si tu étais de la maison. Et alors, chaque fois que tu verras arriver en face de vous autres un joueur d'instrument ou une danseuse ou une chanteuse, tu plongeras ta main dans ta poche que, par mes soins, tu trouveras toujours pleine d'or ; et tu prendras l'or à grandes poignées, sans hésiter, et tu le jetteras négligemment à tous ceux-là ! Et n'aie aucune crainte de voir l'or s'épuiser : je m'en charge ! Tu donneras donc une poignée d'or à tous ceux qui t'approcheront. Et prends un air sûr de toi, et ne crains rien ! Et fie-toi à Allah qui t'a créé si beau, et à moi aussi qui t'aime ! D'ailleurs, tout ce qui t'arrive là t'arrive par la volonté et la puissance d'Allah Très-Haut ! » À ces paroles, le genni disparut.

Alors Hassan Badreddine, de Bassra, à ces paroles de l'éfrit, se dit en lui-même : « Que peut bien signifier tout cela ? Et de quel service à me rendre a-t-il voulu parler, cet étonnant éfrit ? » Mais, sans s'arrêter davantage à s'interroger, il marcha, et ralluma sa chandelle, qui s'était éteinte, à la chandelle de l'un des invités, et arriva au hammam juste au moment où le bossu, qui avait fini de prendre son bain, en sortait à cheval et habillé tout de neuf.

Alors Hassan Badreddine, de Bassra, se mêla à la foule, et manœuvra si bien qu'il arriva en tête du cortège, aux côtés du bossu. C'est alors que toute la beauté de Hassan parut dans son merveilleux éclat. D'ailleurs, Hassan était toujours habillé de ses habits somptueux de Bassra : sur la tête, il avait comme coiffure un tarbouche entouré d'un magnifique turban de soie, tout brodé or et argent, et roulé à la mode de Bassra ; et il avait un manteau tissé avec la soie entremêlée de fils d'or. Et cela ne faisait que rehausser son air imposant et sa beauté.

Chaque fois donc qu'une chanteuse ou une danseuse se détachait du groupe des joueurs d'instruments durant la marche du cortège et s'approchait de lui, en face du bossu, aussitôt Hassan Badreddine plongeait la main dans sa poche et, la retirant pleine d'or, il jetait cet or par grosses poignées tout autour de lui, et il en mettait aussi de grosses poignées dans le petit tambour à grelots de la jeune danseuse ou de la jeune chanteuse, et le leur remplissait chaque fois ; et cela avec une façon et une grâce sans pareilles.

Aussi toutes ces femmes, ainsi que toute la foule, étaient dans la plus grande admiration, et, de plus, tous étaient ravis de sa beauté et de ses charmes.

Le cortège finit par arriver au palais. Là, les chambellans écartèrent la foule, et ne laissèrent entrer que les joueurs d'instruments et la troupe des danseuses et des chanteuses, derrière le bossu. Et personne d'autre. Alors les chanteuses et les danseuses, à l'unanimité, interpellèrent les chambellans et leur dirent : « Par Allah ! vous avez raison d'empêcher les hommes d'entrer avec nous dans le harem, pour assister à l'habillement de la nouvelle mariée ! Mais nous refusons absolument, nous aussi, d'entrer, si vous ne faites entrer avec nous ce jeune homme qui nous a comblées de ses bienfaits ! Et nous refusons de faire fête à la mariée, à moins que ce ne soit en présence de ce jeune homme, notre ami ! »

Et de force, les femmes s'emparèrent du jeune Hassan, et l'emmenèrent avec elles dans le harem, au milieu de la grande salle de réunion. Il était ainsi le seul homme, avec le petit palefrenier bossu, au milieu du harem, en dépit du nez du bossu qui ne put empêcher la chose. Dans la salle de réunion étaient assemblées toutes les dames, épouses des émirs, des vizirs et des chambellans du palais. Toutes ces dames s'alignèrent sur deux rangs, en tenant chacune une grande chandelle ; et toutes avaient le visage couvert de leur voilette de soie blanche, à cause de la présence des deux hommes. Et Hassan et le bossu nouveau marié passèrent entre les deux files et allèrent s'asseoir sur une estrade élevée, en traversant ces deux rangs de femmes qui s'étendaient depuis la salle de réunion jusqu'à la chambre nuptiale, d'où devait bientôt sortir la nouvelle mariée pour la noce.

À la vue de Badreddine Hassan, de sa beauté, de ses charmes, de son visage lumineux comme le croissant nouveau de la lune, les femmes, d'émotion, s'arrêtèrent de respirer, et sentirent leur raison s'envoler. Et chacune d'elles brûlait de pouvoir enlacer cet adolescent merveilleux, et se jeter dans son giron, et y rester attachée durant une année, ou un mois, ou tout au moins une heure, seulement le temps d'être chargée une fois, et de le sentir en elle !

À un moment donné, toutes ces femmes, à la fois, ne purent plus tenir davantage, et découvrirent leur visage en enlevant leur voile ! Et elles se montrèrent sans retenue, oubliant la présence du bossu ! Et elles se mirent toutes à s'approcher de Hassan Badreddine pour l'admirer de plus près, et pour lui dire une parole ou deux d'amour ou tout au moins pour lui faire un signe de l'œil qui pût lui faire voir combien elles le désiraient. D'ailleurs, les danseuses et les chanteuses renchérissaient encore là-dessus en racontant la générosité de Hassan, et en encourageant ces dames à le servir du mieux. Et les dames se disaient : « Allah ! Allah ! voilà un jeune homme ! Celui-là, oui ! peut dormir avec Sett El-Hosn ! Ils sont faits l'un pour l'autre ! Mais ce maudit bossu, qu'Allah le confonde ! »

Pendant que les dames, dans la salle, continuaient à louer Hassan et à faire des imprécations contre le bossu, soudain les joueuses d'instruments frappèrent sur leurs instruments, la porte de la chambre nuptiale s'ouvrit, et la nouvelle mariée, Sett El-Hosn, entourée des eunuques et des suivantes, fit son entrée dans la salle de réception.

Sett El-Hosn, la fille du vizir Chamseddine, entra au milieu des femmes, et elle brillait comme une houria, et les autres, à côté d'elle, n'étaient que des astres pour lui faire cortège, comme les étoiles entourent la lune sortant de dessous un nuage ! Elle était parfumée à l'ambre, au musc et à la rose ; elle s'était peignée, et sa chevelure brillait sous la soie qui la recouvrait ; ses épaules se dessinaient admirables sous les habits somptueux qui les recouvraient. Elle était, en effet, royalement vêtue ; entre autres choses, sur elle, elle avait une robe toute brodée d'or rouge, et, sur l'étoffe, étaient dessinées des figures de bêtes et d'oiseaux ; mais ce n'était là que la robe extérieure ; car pour les autres robes d'en dessous, Allah seul serait capable de les connaître et de les estimer à leur valeur ! Au cou, elle avait un collier qui pouvait valoir qui sait combien de milliers de dinars ! Chaque pierrerie qui le composait était si rare que nul homme, simple vivant, fût-il le roi en personne, n'en avait vu de semblables. En un mot, Sett El-Hosn, la nouvelle mariée, était aussi belle que, durant sa quatorzième nuit, l'est la pleine lune !

Quant à Hassan Badreddine, de Bassra, il était toujours assis, faisant l'admiration de tout le groupe des dames. Aussi ce fut de son côté que se dirigea la nouvelle mariée. Elle s'approcha de l'estrade en imprimant à son corps des mouvements forts gracieux, de droite et de gauche. Alors, aussitôt, se leva le palefrenier bossu et se précipita pour l'embrasser. Mais elle le repoussa avec horreur, et se retourna lestement, et, d'un mouvement, se plaça devant le bel Hassan. Et dire que c'était son cousin, et qu'elle ne le savait pas, ni lui non plus !

À la vue de cette scène, toutes les femmes présentes se mirent à rire, surtout quand la jeune mariée s'arrêta devant le bel Hassan, pour lequel elle fut à l'instant consumée d'ardeur, et s'écria en levant les mains au ciel : « Allahoumma ! fais que ce beau garçon devienne mon époux ! Et débarrasse-moi de ce palefrenier bossu ! »

Alors Hassan Badreddine, selon l'avis du genni, plongea la main dans sa poche et la retira pleine d'or, et jeta l'or par poignées aux suivantes de Sett El-Hosn et aux danseurs et aux chanteuses, qui s'écrièrent : « Ah ! puisses-tu posséder, toi, la mariée ! » Et Badreddine sourit gentiment à ce souhait et à leurs compliments. Quant au bossu, durant toute cette scène, il était délaissé avec mépris, et il siégeait tout seul, aussi laid qu'un singe. Et toutes les personnes qui s'approchaient par hasard de lui, en passant près de lui, éteignaient leur chandelle pour se moquer de lui. Et il resta ainsi tout le temps à se morfondre et à se faire du mauvais sang en son âme. Et toutes les femmes ricanaient en le regardant, et lui décochaient des plaisanteries salées. L'une lui disait : « Singe ! tu pourras te masturber à sec et copuler avec l'air ! » L'autre lui disait : « Vois ! tu es à peine aussi gros que le zebb de notre beau maître ! Et tes deux bosses sont juste la mesure de ses œufs ! » Une troisième disait : « S'il te donnait un coup avec son zebb, il t'enverrait à l'écurie sur ton derrière ! » Et tout le monde riait.

Quant à la nouvelle mariée, sept fois de suite, et chaque fois vêtue d'une façon différente, elle fit le tour de la salle, suivie de toutes les dames ; et elle s'arrêtait, après chaque tour, devant Hassan Badreddine El-Bassraoui. Et chaque robe nouvelle était de beaucoup plus belle que la précédente, et chaque parure dépassait infiniment les autres parures. Et tout le temps, pendant que la nouvelle mariée s'avançait ainsi lentement et pas à pas, les joueuses d'instruments faisaient merveille, et les chanteuses disaient les chansons les plus éperdument amoureuses et excitantes, et les danseuses, en s'accompagnant de leur petit tambour à grelots, dansaient comme des oiseaux ! Et, chaque fois, Hassan Badreddine El-Bassraoui ne manquait pas de jeter l'or par poignées en le répandant par toute la salle ; et toutes les femmes se précipitaient dessus pour avoir quelque chose à toucher de la main de l'adolescent. Il y en eut même qui profitèrent de l'hilarité et de l'excitation générales, du son des instruments et de la griserie du chant, pour simuler, étendues l'une sur l'autre par terre, une copulation, en regardant Hassan assis et souriant ! Et le bossu regardait tout cela fort désolé. Et sa désolation augmentait chaque fois qu'il voyait l'une des femmes se tourner vers Hassan, et, de la main étendue et abaissée brusquement, l'inviter, par signes, vers sa vulve ; ou une autre agiter son doigt du milieu, en clignant de l'œil ; ou une autre, en agitant ses hanches et en se tordant, faire claquer sa main droite ouverte sur sa main gauche fermée ; ou une autre, avec un geste encore plus lubrique, se taper sur les fesses et dire au bossu : « Tu en mordras au temps des abricots ! » Et tout le monde de rire.

À la fin du septième tour, la noce était finie, car elle avait duré une bonne partie de la nuit. Aussi les joueuses d'instruments cessèrent de pincer leurs instruments, les danseuses et les chanteuses s'arrêtèrent, et, avec toutes les dames, elles passèrent devant Hassan, soit en lui baisant les mains, soit en lui touchant le pan de la robe ; et tout le monde sortit en regardant une dernière fois Hassan comme pour lui dire de rester là. Et, en effet, il ne resta plus dans la salle que Hassan, le bossu et la nouvelle mariée avec ses suivantes. Alors les suivantes conduisirent l'épouse dans la chambre de déshabillage, la déshabillèrent de ses robes une à une, et en disant chaque fois : « Au nom d'Allah ! » pour conjurer le mauvais œil. Puis elles partirent en la laissant seule avec sa vieille nourrice, qui, avant de la conduire dans la chambre nuptiale, devait attendre que le nouveau marié, le bossu, y arrivât le premier.

Le bossu se leva donc de l'estrade, et, voyant Hassan toujours assis, lui dit sur un ton très sec : « En vérité, seigneur, tu nous as grandement honorés de ta présence et tu nous as comblés de tes bienfaits cette nuit. Mais maintenant attends-tu, pour t'en aller d'ici, que l'on te chasse ? » Alors Hassan, qui, en somme, ne savait au juste ce qu'il devait faire, répondit en se levant : « Au nom d'Allah ! » et il se leva et sortit. Mais à peine était-il hors de la porte de la salle qu'il vit le genni apparaître et lui dire : « Où vas-tu ainsi, Badreddine ? Arrête-toi et écoute-moi bien et suis mes instructions. Le bossu vient d'aller au cabinet d'aisances ; et moi, je m'en charge ! Toi, en attendant, va de ce pas dans la chambre nuptiale, et quand tu verras entrer la nouvelle mariée, tu lui diras : « C'est moi qui suis ton vrai mari ! Le sultan, ton père, n'usa de ce stratagème que par crainte pour toi du mauvais œil des gens envieux ! Quant au palefrenier, c'est le plus misérable de nos palefreniers ; et, pour le dédommager, on lui prépare à l'écurie un bon pot de lait caillé pour qu'il s'en rafraîchisse à notre santé ! » Puis tu la prendras, sans crainte, et, sans hésiter, tu lui enlèveras son voile, et tu lui feras ce que tu lui feras ! » Puis le genni disparut.

Le bossu arriva, en effet, au cabinet d'aisances, pour se décharger avant d'arriver chez la nouvelle mariée, et s'accroupit sur le marbre, et commença ! Mais aussitôt le genni prit la forme d'un gros rat et sortit du trou du cabinet d'aisances, et fit entendre des cris de rat : « Zik ! zik ! » Et le palefrenier frappa des mains pour le faire fuir, et lui dit : « Hesch ! hesch ! » Aussitôt le rat se mit à grossir et devint un gros chat, aux yeux terriblement brillants, qui se mit à miauler de travers. Puis, comme le bossu continuait à faire ses besoins, le chat se mit à grossir et devint un gros chien qui aboya : « Haou ! haou ! » Alors le bossu commença à s'effrayer et lui cria : « Va-t'en, vilain ! » Alors le chien grossit et s'enfla et devint un âne, qui se mit à braire à la figure du bossu : « Hâk ! hi hâk ! » et aussi à péter avec un bruit terrible. Alors le bossu fut plein de terreur, sentit tout son ventre se fondre en diarrhée, et eut à peine la force de crier : « À mon secours, habitants de la maison ! » Alors, de crainte qu'il ne s'échappât de là, l'âne grossit encore et devint un buffle monstrueux, qui obstrua complètement la porte du cabinet d'aisances, et ce buffle, cette fois, parla avec la voix des hommes, et dit : « Malheur à toi, bossu de mon cul ! ô le plus infect des palefreniers ! » À ces paroles, le bossu sentit le froid de la mort l'envahir, il glissa avec sa diarrhée sur les carreaux, par terre, à moitié habillé, et ses mâchoires claquèrent l'une sur l'autre, et finirent par se souder d'épouvante ! Alors le buffle lui cria : « Bossu de bitume ! n'as-tu pu trouver une autre femme à charger de ton ignoble outil que ma maîtresse ? » Et le palefrenier, plein d'épouvante, ne put articuler un mot. Et le genni lui dit : « Réponds-moi, ou je te ferai mordre tes excréments ! » Alors le bossu, à cette effroyable menace, put dire : « Par Allah ! ce n'est point de ma faute ! On m'y a forcé ! Et d'ailleurs, ô souverain puissant des buffles, je ne pouvais point deviner que la jeune fille eût un amant parmi les buffles ! Mais, je le jure, je m'en repens et j'en demande pardon à Allah et à toi ! » Alors le genni lui dit : « Tu vas me jurer par Allah que tu vas obéir à mes ordres ! » Et le bossu se hâta de prêter serment. Alors le genni lui dit : « Tu vas rester ici toute la nuit jusqu'au lever du soleil ! Et alors seulement tu pourras t'en aller ! Mais tu ne diras pas un mot à personne de tout cela, sinon je te casserai la tête en mille morceaux ! Et jamais plus ne remets les pieds du côté de ce palais, dans le harem ! Sinon, je te le répète, je t'écraserai la tête et je t'enfouirai dans la fosse des excréments ! » Puis il ajouta : « Maintenant je vais te mettre dans une position dont je te défends de bouger jusqu'à l'aube ! » Alors le buffle saisit avec ses dents le palefrenier par les pieds et l'enfonça, la tête la première, au fond du trou béant de la fosse du cabinet d'aisances, et lui laissa seulement les pieds hors du trou. Et il lui répéta : « Et surtout prends bien garde de bouger ! » Puis il disparut. Voilà pour le bossu !

Quant à Hassan Badreddine El-Bassraoui, il laissa le bossu et l'éfrit aux prises, et il pénétra dans les appartements privés, et de là dans la chambre nuptiale, où il s'assit tout au fond. Et à peine était-il là que la nouvelle mariée entra, soutenue par sa vieille nourrice qui s'arrêta à la porte en laissant Sett El-Hosn entrer seule. Et, sans distinguer qui était assis au fond, la vieille, croyant parler au bossu, lui dit : « Lève-toi, vaillant héros, prends ton épouse, et agis brillamment ! Et maintenant, mes enfants, qu'Allah soit avec vous ! » Puis elle se retira.

Alors l'épousée, Sett El-Hosn, le cœur bien faible, s'avança en se disant en elle-même : « Non ! plutôt rendre l'âme que de me livrer à cet immonde palefrenier bossu ! » Mais à peine eut-elle fait quelques pas qu'elle reconnut le merveilleux Badreddine ! Alors elle poussa un cri de félicité, et dit : « Ô mon chéri ! que tu es gentil de m'attendre pendant tout ce temps ! Tu es seul ? Quel bonheur ! Je t'avouerai que j'avais d'abord pensé, en te voyant assis, dans la salle de réunion, côte à côte avec le vilain bossu, que tous deux vous vous étiez associés sur moi ! » Badreddine répondit : « Ô ma maîtresse, que dis-tu là ? Et comment pourrait-il être mon associé sur toi ? » Sett El-Hosn répondit : « Mais enfin qui de vous deux est mon mari, toi ou lui ? » Badreddine répondit : « C'est moi, maîtresse ! Toute cette farce du bossu n'a été montée que pour nous faire rire ; et aussi pour t'éviter le mauvais œil, car toutes les femmes du palais ont entendu parler de ta beauté unique ; et ton père a loué ce bossu pour qu'il servît de repoussoir au mauvais œil ; ton père l'a gratifié de dix dinars ; et maintenant, d'ailleurs, le bossu est à l'écurie en train d'avaler, à notre santé, un pot de lait caillé frais ! »

À ces paroles de Badreddine, Sett El-Hosn fut au comble du plaisir ; elle se prit à sourire gentiment et à rire plus gentiment encore ; puis, soudain, ne pouvant plus se retenir, elle s'écria : « Par Allah ! mon chéri, prends-moi ! prends-moi ! Serre-moi ! Fixe-moi sur ton giron ! » Et, comme Sett El-Hosn avait enlevé ses habits d'en dessous, elle se trouva être toute nue sous sa robe. Aussi, en disant ces paroles : « Fixe-moi sur ton giron ! » elle souleva légèrement sa robe à hauteur de sa vulve et dévoila ainsi dans toute leur magnificence ses cuisses et son cul de jasmin. À cette vue et à l'aspect des détails de cette chair de houria, Badreddine sentit le désir faire le tour de son corps et soulever l'enfant endormi ! Et aussitôt il se leva avec hâte, se déshabilla et se défit de ses vastes culottes à plis innombrables ; il enleva la bourse contenant les mille dinars que lui avait donnée le Juif de Bassra, et la mit sur le divan, au-dessous des culottes ; puis il enleva son turban si beau et le mit sur une chaise et se couvrit d'un léger turban de nuit qu'on avait mis là pour le bossu ; et il ne resta vêtu que de la fine chemise en mousseline de soie brodée d'or et de l'ample caleçon en soie bleue, attaché à la taille avec un cordon à glands d'or.

Badreddine défit les cordons et s'élança sur Sett El-Hosn qui lui tendait tout son corps ; et ils s'enlacèrent ; et Badreddine enleva Sett El-Hosn et la renversa sur la couche, et fondit sur elle ! Il s'accroupit les jambes écartées, et saisit les cuisses de Sett El-Hosn et les attira à lui en les écartant. Et alors il pointa le bélier, qui était tout prêt, dans la direction du fort, et poussa ce vaillant bélier en l'enfonçant dans la brèche : et aussitôt la brèche céda. Et Badreddine exulta en constatant que la perle était imperforée, et que nul bélier avant le sien ne l'avait pénétrée ni même touchée du bout du nez ! Et il vérifia aussi que ce derrière de bénédiction n'avait jamais été chargé sous l'assaut d'un monteur !

Aussi, au comble de la jouissance, il lui ravit cette virginité, et se délecta tout à son aise au goût de cette jeunesse. Et, clou sur clou, le bélier fonctionna quinze fois de suite, à entrer et à sortir, sans interruption ; et il ne s'en trouva pas mal du tout.

Aussi, dès cet instant, sans aucun doute Sett El-Hosn fut engrossée, comme tu le verras dans la suite, ô émir des Croyants.

Comme Badreddine finissait d'enfoncer les quinze poteaux, il se dit : « C'est probablement assez, pour l'instant. » Et alors il s'étendit à côté de Sett El-Hosn, lui mit la main doucement sous la tête et Sett El-Hosn également l'entoura de ses bras ; et tous deux s'enlacèrent étroitement et, avant de s'endormir, se récitèrent ces strophes admirables :

« Ne crains point ! Et que ta lance pénètre l'objet de ton amour ! Et néglige les conseils de l'envieux ; car ce n'est point ton envieux qui servira ton amour !

Songe ! le Clément n'a point créé un spectacle plus beau que celui de deux amants enlacés sur leur couche !

Regarde-les ! les voici collés l'un sur l'autre, couverts de bénédictions ! Leurs mains et leurs bras leur servent d'oreillers !

Lorsque le monde voit deux cœurs liés par l'ardente passion, il essaie de les frapper avec le fer froid !

Mais toi, passe outre ! Toutes les fois que ta destinée met une beauté sur ta route, c'est elle qu'il faut aimer ; c'est avec elle qu'il faut vivre, uniquement ! »

Voilà pour Hassan Badreddine et Sett El-Hosn, la fille de son oncle ! Quant au genni, il se hâta d'aller chercher la gennia, sa compagne, et tous deux vinrent admirer les deux jeunes gens endormis, après avoir assisté à leurs jeux et compté les coups de bélier. Puis l'éfrit dit à l'éfrita, sa compagne : « Allons, ma sœur, tu vois que j'avais raison ! » Puis il ajouta : « Maintenant il faut qu'à ton tour tu enlèves le jeune homme, et que tu le transportes au même endroit où je l'avais pris, au cimetière de Bassra, dans la turbeh de son père Noureddine ! Et fais vite, et moi, je t'y aiderai, car voici le matin qui va paraître ; et il ne faut pas, vraiment ! » Alors l'éfrita souleva le jeune Hassan endormi, le chargea sur ses épaules, habillé tel qu'il était avec la chemise seulement, car le caleçon n'avait pu tenir au milieu de ses ébats, et elle s'envola avec lui, suivie de près par l'éfrit. À un moment donné, dans cette course à travers l'air, l'éfrit eut des idées lubriques sur l'éfrita, et voulut la violer ainsi chargée du bel Hassan ; et l'éfrita se serait bien laissé faire par l'éfrit ; mais elle eut peur pour Hassan. D'ailleurs, Allah intervint heureusement, et envoya contre l'éfrit des anges qui lancèrent sur lui une colonne de feu qui le brûla. Et l'éfrita et Hassan furent ainsi délivrés du terrible éfrit qui les aurait peut-être abîmés : car l'éfrit est terrible en copulation !

Alors l'éfrita descendit à terre, à l'endroit même où avait été précipité l'éfrit avec lequel elle aurait bien copulé, sans la présence de Hassan pour lequel elle craignait beaucoup.

Or, il était écrit de par le Destin que l'endroit où l'éfrita déposerait le jeune Hassan Badreddine, en n'osant plus le porter plus loin à elle seule, serait tout près de la ville de Damas, dans le pays de Scham[1]. Alors l'éfrita porta Hassan tout près de l'une des portes de la ville, le déposa doucement à terre, et s'envola.

Au lever du jour, on ouvrit les portes de la ville, et les gens, en sortant, furent bien étonnés de voir ce merveilleux adolescent endormi, habillé seulement d'une chemise, portant sur la tête, au lieu d'un turban, un bonnet de nuit, et, de plus, sans caleçon ! Et ils se dirent : « C'est étonnant ce qu'il a dû veiller, pour maintenant être enfoncé dans un si profond sommeil ! » Mais d'autres dirent : « Allah ! Allah ! le bel adolescent ! Heureuse et pleine de chance la femme qui a couché avec lui ! Mais pourquoi est-il ainsi tout nu ? » D'autres répondirent : « Probablement le pauvre jeune homme aura passé au cabaret plus de temps qu'il ne fallait ! Et il a bu plus que sa capacité ! Et en rentrant, le soir, il a dû trouver les portes de la ville fermées, et il s'est décidé à dormir par terre ! »

Or, pendant qu'ils s'entretenaient ainsi, la brise du matin se leva et vint caresser le bel Hassan et souleva sa chemise : on vit alors apparaître un ventre, un ombilic, des cuisses et des jambes, le tout comme le cristal ! un zebb et des œufs fort bien proportionnés. Et cette vue émerveilla tous les gens qui admiraient tout cela.

À ce moment, Badreddine se réveilla et se vit étendu près de cette porte inconnue et entouré par tous ces gens ; aussi fut-il fort surpris et s'écria : « Où suis-je, bonnes gens ? Dites-le-moi, je vous prie ! Et pourquoi m'entourez-vous ainsi ? Qu'y a-t-il donc ! » Ils répondirent : « Pour nous, nous nous sommes arrêtés pour te regarder, simplement pour le plaisir ! Mais, pour toi, ne sais-tu pas que tu es à la porte de Damas ! Où donc as-tu pu passer la nuit pour être ainsi tout nu ? » Hassan répondit : « Par Allah ! bonnes gens, que me dites-vous ? Moi, j'ai passé la nuit au Caire. Et vous dites que je suis à Damas ? » Alors tous furent dans la plus grande hilarité, et l'un d'eux dit : « Ô le grand mangeur de haschich ! » Et d'autres dirent : « Mais sûrement tu es fou ! Quel dommage qu'un si merveilleux adolescent soit fou ! » Et d'autres dirent : « Mais enfin quelle est cette étrange histoire que tu nous racontes là ? » Alors Hassan Badreddine dit : « Par Allah ! bonnes gens, je ne mens jamais ! Je vous assure donc, et je vous répète, qu'hier j'ai passé la nuit au Caire, et avant-hier à Bassra, ma ville ! » À ces paroles, l'un s'écria : « Quelle chose étonnante ! » Un autre : « C'est un fou ! » Et quelques-uns se mirent à se ployer de rire et à frapper leurs mains l'une contre l'autre. Et d'autres dirent : « En vérité, n'est-ce point dommage que cet admirable adolescent ait perdu ainsi la raison ! Mais aussi quel fou incomparable ! » Et un autre, plus sage, lui dit : « Mon fils reprends un peu tes sens. Et ne dis pas de pareilles sottises. » Alors Hassan dit : « Je sais ce que je dis. Et, de plus, apprenez que durant cette nuit d'hier, au Caire, j'ai passé de fort agréables moments comme nouveau marié ! » Alors tous furent de plus en plus persuadés de sa folie ; et l'un d'eux en riant s'écria : « Vous voyez bien que le pauvre jeune homme s'est marié en rêve ! Était-ce bon, le mariage en rêve ? Combien de fois ? Était-ce une houria ou une putain ? » Mais Badreddine commença à être fort contrarié, et leur dit : « Eh bien, oui ! c'était une houria ! Et je n'ai point copulé en rêve, mais quinze fois entre ses cuisses ; et j'ai pris la place d'un infect bossu, et j'ai même mis le bonnet de nuit qui lui était destiné, et que voici ! » Puis il réfléchit un instant et s'écria : « Mais, par Allah ! braves gens, où est mon turban, où est mon caleçon, où sont ma robe et mes culottes ? Et surtout où est ma bourse ? »

Et Hassan se leva, et chercha autour de lui ses habits. Et tout le monde alors se mit à cligner de l'œil et à se faire signe que l'adolescent était absolument fou.

Alors le pauvre Hassan se décida à entrer en ville dans son accoutrement, et il fût bien obligé de traverser les rues et les souks, au milieu d'un grand cortège d'enfants et de personnes qui criaient : « C'est un fou ! c'est un fou ! » et le pauvre Hassan ne savait plus que devenir, quand Allah eut peur que ce beau garçon ne fut violenté, et il le fit passer à côté de la boutique d'un pâtissier qui venait justement d'ouvrir sa boutique. Et Hassan se précipita dans la boutique, s'y réfugia ; et comme ce pâtissier était un solide gaillard dont les exploits étaient fort réputés en ville, tout le monde eut peur et se retira, laissant Hassan tranquille.

Lorsque le pâtissier, qui s'appelait El-Hadj Abdallah, vit le jeune Hassan Badreddine, il put l'examiner à son aise, et il s'émerveilla à l'aspect de sa beauté, de ses charmes et de ses dons naturels ; et à l'instant même l'amour emplit son cœur, et il dit au jeune Hassan : « Ô jeune garçon gentil, dis-moi, d'où viens-tu ? et sois sans crainte ; raconte-moi ton histoire, car je t'aime déjà plus que mon âme ! » Alors Hassan raconta toute son histoire au pâtissier Hadj Abdallah, et cela depuis le commencement jusqu'à la fin.

Le pâtissier fut extrêmement émerveillé, et dit à Hassan : « Mon jeune seigneur Badreddine, cette histoire est, en vérité, fort surprenante, et ton récit est extraordinaire. Mais, ô mon enfant, je te conseille de n'en plus parler à personne, car c'est dangereux de faire des confidences. Et je t'offre ma boutique, et tu demeureras avec moi, et cela jusqu'à ce qu'Allah daigne finir les disgrâces dont tu es affligé. D'ailleurs, moi, je n'ai point d'enfants, et tu me rendrais fort heureux si tu voulais m'accepter comme père ! Et moi je t'adopterai pour mon fils ! » Alors Hassan Badreddine lui répondit : « Brave oncle ! qu'il soit fait selon ton désir ! »

Aussitôt le pâtissier alla au souk, et acheta des habits somptueux dont il revint le vêtir. Puis il l'emmena chez le kadi, et, devant témoins, il adopta Hassan Badreddine pour son fils.

Et Hassan resta dans la boutique du pâtissier, comme son fils ; et c'est lui qui touchait l'argent des clients, et qui leur vendait les pâtisseries, les pots de confitures, les porcelaines remplies de crème et toutes les douceurs réputées dans Damas ; et il apprit en peu de temps l'art de la pâtisserie, pour lequel il avait un penchant tout particulier, à cause des leçons que lui avait données sa mère, la femme du vizir Noureddine de Bassra, qui préparait les pâtisseries et les confitures devant lui pendant son enfance.

Et la beauté de Hassan, le beau jeune homme de Bassra, le fils adoptif du pâtissier, fut connue de toute la ville de Damas ; et la boutique du pâtissier El-Hadj Abdallah devint la boutique la plus achalandée de toutes les boutiques des pâtissiers de Damas. Voilà pour Hassan Badreddine !

Mais, pour ce qui est de la nouvelle mariée Sett El-Hosn, la fille du vizir Chamseddine du Caire, voici !

Lorsque Sett El-Hosn se réveilla, le matin de cette première nuit de noces, elle ne trouva pas le bel Hassan à côté d'elle. Aussi elle s'imagina que Hassan était allé au cabinet d'aisances ! Et elle se mit à attendre son retour.

Sur ces entrefaites, le vizir Chamseddine, son père, vint la trouver pour prendre de ses nouvelles. Et il était fort anxieux. Et il était fort révolté en son âme de l'injustice du sultan qui l'avait obligé à marier ainsi la belle Sett El-Hosn, sa fille, avec le palefrenier bossu. Et, avant d'entrer chez sa fille, le vizir s'était dit : « Certainement, je tuerai ma fille si je sais qu'elle s'est livrée à cet immonde bossu ! »

Il frappa donc à la porte de la chambre nuptiale, et appela : « Sett El-Hosn ! » Elle répondit de l'intérieur : « Oui, mon père, je cours t'ouvrir ! » Et elle se leva à la hâte, et courut ouvrir à son père. Et elle était encore devenue plus belle que d'habitude, et son visage était comme éclairé, et son âme toute réjouie d'avoir senti les étreintes merveilleuses de ce beau cerf ! Aussi elle arriva toute coquette devant son père, et s'inclina et embrassa ses mains. Mais son père, à cette vue de sa fille réjouie au lieu d'être affligée de son union avec le bossu, s'écria : « Ah ! fille éhontée ! Comment oses-tu paraître devant moi avec cette figure réjouie après avoir couché avec cet infect palefrenier bossu ? » À ces paroles Sett El-Hosn se prit à sourire d'un air entendu, et dit : « Par Allah ! ô père, la plaisanterie a assez duré ! C'est déjà pour moi fort suffisant d'avoir été la risée de tous les invités qui me plaisantaient sur mon prétendu époux, ce bossu qui ne vaut même pas la rognure d'ongle de mon bel amoureux, mon vrai mari de cette nuit ! Oh ! cette nuit ! comme elle a été pleine de délices pour moi aux côtés de mon bien-aimé ! Cesse donc cette plaisanterie, mon père, et ne me parle plus de ce bossu ! » À ces paroles de sa fille, le vizir fut plein de courroux, et ses yeux devinrent bleus de fureur, et il s'écria : « Malheur ! Que dis-tu là ? Comment ! le bossu n'a pas couché avec toi dans cette chambre ? » Elle répondit : « Par Allah sur toi, ô père ! assez me citer le nom de ce bossu ! Qu'Allah le confonde, lui et son père et sa mère et toute sa famille ! Tu sais bien que je connais maintenant la supercherie que tu as faite pour que j'évite le mauvais œil ! » Et elle donna tous les détails des noces et de la nuit à son père. Et elle ajouta : « Oh ! comme j'étais bien, enfoncée dans le giron de mon bien-aimé mari, le bel adolescent aux manières raffinées, aux splendides yeux noirs, aux sourcils arqués ! »

À ces paroles, le vizir s'écria : « Ma fille, es-tu donc folle ? Que dis-tu ? Et où est-il ce jeune homme que tu nommes ton mari ? » Sett El-Hosn répondit : « Il est allé au cabinet d'aisances ! » Alors le vizir, fort inquiet, se précipita au-dehors et courut vers le cabinet d'aisances. Et il y trouva le bossu les pieds en l'air et la tête enfoncée profondément dans le trou du cabinet, et immobile ! Et le vizir, extrêmement stupéfait, s'écria : « Que vois-je ? n'est-ce point toi, bossu ? » Et il répéta sa question à haute voix. Mais le bossu ne répondit point, car, toujours terrifié, il s'imagina que c'était le genni qui lui parlait…

À ce moment de sa narration, Schahrazade vit apparaître le matin et se tut discrètement.

Mais lorsque fut la vingt-deuxième nuit. Elle dit :

Il m'est parvenu, ô Roi fortuné, que Giafar continua ainsi l'histoire au khalifat Haroun Al-Rachid :

Le terrifié bossu, pensant que c'était le genni qui lui parlait, eut une peur terrible de répondre. Alors le vizir s'écria, furieux : « Réponds-moi, maudit bossu, ou je vais te trancher le corps avec ce glaive ! » Alors le bossu, la tête toujours enfoncée dans le trou, répondit du fond : « Par Allah ! ô chef des éfrits et des genn, aie pitié de moi ! je te jure que je n'ai pas bougé d'ici toute la nuit, et je t'ai obéi ! »

À ces paroles le vizir ne sut plus que penser, et s'écria : « Mais que dis-tu là ? Je ne suis pas un éfrit. Je suis le père de la mariée. » Alors le bossu poussa un gros soupir, et dit : « Toi, tu peux filer d'ici ! Je n'ai rien à voir avec toi ! File vite avant que ne vienne le terrible éfrit ravisseur des âmes ! D'ailleurs, je ne veux plus te voir ; tu es la cause de mon malheur ; tu m'as donné en mariage l'amante des buffles, des ânes et des éfrits ! Maudit sois-tu, toi et ta fille et tous les malfaiteurs ! » Alors le vizir lui dit : « Fou ! allons, sors d'ici, que je puisse entendre un peu ce que tu racontes ! » Mais le bossu répondit : « Je suis peut-être fou, mais je ne serai pas assez insensé pour m'en aller d'ici sans la permission du terrible éfrit ! Car il m'a bien défendu de sortir du trou avant le lever du soleil. Va-t'en donc et laisse-moi en paix ici ! Mais, dis-moi avant, est-ce que le soleil va tarder encore à se lever, ou non ? » Et le vizir, de plus en plus perplexe, répondit : « Mais qu'est-ce donc que cet éfrit dont tu parles ? » Alors le bossu lui raconta l'histoire, son arrivée au cabinet d'aisances où satisfaire ses besoins avant d'entrer chez la nouvelle mariée, l'apparition de l'éfrit sous diverses formes, rat, chat, chien, âne et buffle, et enfin la défense faite et le traitement subi. Puis le bossu se mit à gémir.

Alors le vizir s'approcha du bossu, le saisit par les pieds, et le tira hors du trou. Et le bossu, la figure toute barbouillée et jaune et misérable, cria à la figure du vizir : « Maudit sois-tu, toi et ta fille, l'amante des buffles ! » Et, de crainte de voir apparaître de nouveau l'éfrit, le terrifié bossu se mit à courir de toutes ses forces, en hurlant et en n'osant pas se retourner. Et il arriva au palais, et monta chez le sultan, et lui raconta son aventure avec l'éfrit.

Quant au vizir Chamseddine, il revint comme fou chez sa fille Sett El-Hosn, et lui dit : « Ma fille, je sens ma raison s'envoler ! Éclaire-moi sur cette aventure ! » Alors Sett El-Hosn dit : « Sache donc, mon père, que le jeune homme charmant qui eut l'honneur de la noce pendant toute la nuit, a couché avec moi et a joui de ma virginité ; et sûrement je ferai un enfant. Et, pour te donner une preuve de ce que je t'affirme, voici son turban sur la chaise, ses culottes sur le divan, et son caleçon dans mon lit. De plus, tu trouveras dans ses culottes une chose qu'il y a cachée et que je n'ai pu deviner. » À ces paroles, le vizir se dirigea vers la chaise, et prit le turban et l'examina et le retourna dans tous les sens, puis s'écria : « Mais c'est là un turban comme celui des vizirs de Bassra et de Mossoul ! » Puis il déroula l'étoffe, et trouva sur le bonnet un pli cousu, qu'il se hâta de prendre ; il examina ensuite les culottes et les souleva et y trouva la bourse de mille dinars que le Juif avait donnée à Hassan Badreddine. Dans cette bourse, il y avait en outre un petit papier sur lequel ces mots étaient écrits de la main du Juif : « J'affirme, moi *tel*, commerçant à Bassra, avoir livré cette somme de mille dinars, de gré à gré, au seigneur Hassan Badreddine, fils du vizir Noureddine qu'Allah ait en grâce ! pour le chargement du premier navire qui aura abordé à Bassra ! » À la lecture de ce papier, le vizir Chamseddine jeta un grand cri et tomba évanoui. Quand il revint à lui, il se hâta d'ouvrir le pli trouvé dans le turban, et immédiatement il reconnut l'écriture de son frère Noureddine. Et alors il se mit à pleurer et à se lamenter en disant : « Ah ! mon pauvre frère, mon pauvre frère ! »

Lorsqu'il se fut un peu calmé, il dit : « Allah est tout-puissant ! » Puis il dit à sa fille : « Ma fille, sais-tu le nom de celui auquel tu t'es donnée cette nuit ? C'est mon neveu, le fils de ton oncle Noureddine, c'est Hassan Badreddine ! Et ces mille dinars, c'est ta dot ! Qu'Allah soit loué ! » Puis il récita ces deux strophes :

« Je revois ses traces et aussitôt, tout entier, je fonds de désir, je fonds entièrement ! Et au souvenir de la demeure de bonheur, je verse toutes les larmes de mes yeux.

Et je me demande, et je crie sans réponse : « Qui m'a ainsi arraché loin de lui ? Oh ! que celui-là, l'auteur de mes peines, ait pitié et me permette le retour ! »

Ensuite il relut avec attention le mémoire de son frère, et il y trouva relatée toute l'histoire de Noureddine et la naissance de son fils Badreddine. Et il fut fort émerveillé, surtout quand il eut vérifié et confronté les dates données par son frère avec les dates de son propre mariage au Caire et de la naissance de sa fille Sett El-Hosn. Et il trouva que ces dates se correspondaient point par point.

Il fut si émerveillé qu'il se hâta d'aller trouver le sultan et de lui raconter toute l'histoire, en lui montrant les papiers. Et le sultan, à son tour, fut si émerveillé qu'il ordonna aux écrivains du palais de relater cette histoire admirable et de la conserver soigneusement dans l'armoire.

Quant au vizir Chamseddine, il revint à la maison près de sa fille, et se mit à attendre le retour de son neveu, le jeune Hassan Badreddine. Mais il finit par constater que Hassan avait disparu, sans arriver à en comprendre la cause, et il se dit : « Par Allah ! quelle aventure extraordinaire est cette aventure ! En vérité, on n'en a jamais vu de pareille !... »

À ce moment de sa narration, Schahrazade vit apparaître le matin, et, discrète, arrêta son récit pour ne point fatiguer le sultan Schahriar, roi des îles de l'Inde et de la Chine !

Mais lorsque fut la vingt-troisième nuit. Elle dit :

Il m'est parvenu, ô Roi fortuné, que Giafar Al-Bamarki, vizir du roi Haroun Al-Rachid, continua ainsi l'histoire au khalifat :

Lorsque le vizir Chamseddine vit que son neveu Hassan Badreddine avait disparu, il se dit : « Il est prudent, car le monde est fait de vie et de mort ! que je prenne mes précautions pour que, à son retour, mon neveu Hassan puisse voir la maison dans l'état même où il l'a laissée ! » Le vizir Chamseddine prit donc une écritoire et un calam et une feuille de papier, et inscrivit, objet par objet, toutes les choses et tous les meubles de sa maison. Ainsi il écrivit : « Telle armoire est située en tel endroit ; tel rideau est en tel endroit » ; et ainsi de suite... Quand il eut fini, il cacheta le papier après l'avoir lu à sa fille Sett El-Hosn, et le serra soigneusement dans la caisse à papiers. Après cela, il ramassa le turban, le bonnet, les culottes, la robe et la bourse, et en fit un paquet qu'il enferma avec beaucoup de soin.

Quant à Sett El-Hosn, la fille du vizir, elle devint grosse en effet, à la suite de sa première nuit de noces et, au bout de neuf mois pleins, elle accoucha à terme d'un fils comme la lune, qui ressemblait à son père en tous points, aussi beau ! aussi gentil ! aussi parfait ! À sa naissance, les femmes le nettoyèrent et lui noircirent les yeux avec du kohl ; puis on lui coupa le cordon, et on le confia aux bonnes et à la nourrice. Et, à cause de sa beauté surprenante, on le nomma Agib[1].

Lorsque l'admirable Agib eut atteint, jour par jour, mois par mois, année par année, l'âge de sept ans, le vizir Chamseddine, son aïeul, l'envoya à l'école d'un maître fort réputé, et le recommanda beaucoup à ce maître d'école. Et Agib, tous les jours, accompagné de l'esclave noir Saïd, le bon eunuque de son père, allait à l'école, pour revenir à midi et le soir à la maison. Et il alla ainsi à l'école durant cinq ans, jusqu'à ce qu'il eût ainsi atteint l'âge de douze ans. Mais, pendant ce temps, Agib s'était rendu insupportable aux autres enfants de l'école ; il les battait et les injuriait et leur disait : « Qui de vous est comme moi ? Je suis le fils du vizir d'Égypte ! » À la fin, les enfants se réunirent, et allèrent porter plainte au maître d'école, qui voyait que les exhortations au fils du vizir étaient vaines et qui, à cause de son père le vizir, ne voulait pas lui-même le renvoyer, dit aux enfants : « Je vais vous enseigner une chose que vous lui direz, et qui l'empêchera dorénavant de revenir à l'école. Demain donc, pendant le temps du jeu, réunissez-vous tous autour d'Agib et dites-vous les uns aux autres : « Par Allah ! nous allons jouer à un jeu fort intéressant ! Mais nul ne pourra prendre part à ce jeu qu'à la condition de dire à haute voix son nom et le nom de son père et de sa mère ! Car celui qui ne pourra pas dire le nom de son père et de sa mère sera considéré comme un fils adultérin et ne pourra jouer avec nous ! »

Aussi, le matin, à l'arrivée d'Agib à l'école, les enfants se réunirent autour de lui, se concertèrent entre eux, et l'un d'eux s'écria : « Ah, vraiment oui ! c'est un jeu merveilleux ! Mais nul ne pourra jouer à ce jeu qu'à la condition de dire son nom et le nom de son père et de sa mère ! Allons ! chacun à son tour ! » Et il leur cligna de l'œil.

Alors un des enfants s'avança et dit : « Moi, je m'appelle Nabih ! Ma mère s'appelle Nabiha ! Et mon père s'appelle Izeddine ! » Puis un autre s'avança et dit : « Moi, je m'appelle Naguib ! Ma mère s'appelle Gamila ! Et mon père s'appelle Mustapha ! » Puis le troisième et le quatrième et d'autres aussi dirent de la même manière. Quand vint le tour d'Agib, Agib très fier dit : « Moi, je suis Agib ! Ma mère est Sett El-Hosn ! Et mon père est Chamseddine, vizir d'Égypte ! »

Alors les enfants s'écrièrent tous : « Non, par Allah ! le vizir n'est point ton père ! » Et Agib furieux s'écria : « Qu'Allah vous confonde ! Le vizir est mon père, en vérité ! » Mais les enfants se mirent à ricaner et à frapper des mains, et lui tournèrent le dos en lui criant : « Va-t'en ! tu ne connais pas le nom de ton père ! Chamseddine n'est point ton père ! C'est ton grand-père, le père de ta mère ! Tu ne joueras pas avec nous ! » Et les enfants se débandèrent en éclatant de rire.

Alors Agib sentit sa poitrine se rétrécir, et fut étranglé par les sanglots ! Mais aussitôt le maître d'école s'approcha de lui et lui dit : « Comment, Agib, ne sais-tu pas encore que le vizir n'est point ton père, mais ton grand-père, le père de ta mère Sett El-Hosn ! Quant à ton père, ni toi, ni nous, ni personne ne le connaît. Car le sultan avait marié Sett El-Hosn au palefrenier bossu ; mais le palefrenier ne put coucher avec Sett El-Hosn, et il a raconté par toute la ville que, la nuit de ses noces, les genn l'avaient enfermé, lui palefrenier, pour coucher, eux, avec Sett El-Hosn. Et il a raconté aussi des histoires étonnantes de buffles et d'ânes et de chiens et autres êtres semblables. Ainsi donc, Agib, nul ne connaît le nom de ton père ! Sois donc humble devant Allah et tes camarades qui te considèrent comme un fils adultérin. D'ailleurs, Agib, tu es absolument dans la même situation qu'un enfant vendu sur le marché qui ne connaîtrait point son père. Encore une fois, sache que le vizir Chamseddine est ton grand-père seulement, et que ton père est inconnu. Sois donc modeste dorénavant. »

À ce discours du maître d'école, le petit Agib s'enfuit en courant chez sa mère Sett El-Hosn, et il était tellement étranglé par les pleurs qu'il ne put d'abord rien articuler. Alors sa mère se mit à le consoler, et, le voyant tellement ému, son cœur fondit de pitié, et elle lui dit : « Mon enfant, dis à ta mère la cause de ce chagrin ! » et elle l'embrassa et le caressa. Alors le petit Agib dit : « Dis-moi, ma mère, quel est mon père ? » Et Sett El-Hosn fort étonnée lui dit : « Mais c'est le vizir ! » Et Agib lui répondit en pleurant : « Oh, non ! il n'est pas mon père ! Ne me cache pas la vérité ! Le vizir est ton père, à toi ! Mais il n'est pas mon père ! Non, non ! Dis-moi la vérité ou je vais tout de suite me tuer avec ce poignard-ci ! » Et le petit Agib répéta à sa mère les paroles du maître d'école.

Alors au souvenir de son cousin et mari, la belle Sett El-Hosn se mit à se rappeler sa première nuit de noces et toute la beauté et tous les charmes du merveilleux Hassan Badreddine El-Bassri ! Et, à ce souvenir, elle pleura d'émotion, et soupira ses strophes :

« Il alluma le désir dans mon cœur et s'en alla au loin ! Il s'en alla hors de la demeure !

Ma pauvre raison partie ne reviendra qu'à son retour ! Mais moi, en l'attendant, j'ai perdu le sommeil apaisant et toute ma patience !

Il me quitta, et avec lui mon bonheur me quitta, et il me ravit le repos ! Et depuis lors j'ai perdu tout repos !

Il me quitta, et les larmes de mes yeux pleurent son absence ; elles coulent et leurs ruisseaux rempliraient les mers ;

Qu'un jour puisse se passer sans que mon désir ne me reporte vers lui, sans que mon cœur ne palpite de la douleur de son absence,

Aussitôt son image se lève devant moi, se lève devant mon âme, et je redouble d'amour, de désirs et de souvenirs !

Oh ! c'est toujours lui dont l'image aimée se présente la première à mes yeux dès la première heure du jour ! Et c'est toujours ainsi, car je n'ai point d'autre pensée, ni d'autres amours ! »

Puis elle ne fit que sangloter. Et Agib, voyant sa mère pleurer, se mit lui aussi à pleurer. Et, pendant que chacun pleurait de son côté, le vizir Chamseddine, entendant des cris et des pleurs, entra. Et il fut aussi fort tourmenté et eut le cœur en peine en voyant ainsi pleurer ses enfants, et il leur dit : « Mes enfants, pourquoi pleurez-vous ainsi ? » Alors Sett El-Hosn lui raconta l'aventure du petit Agib avec les enfants de l'école. Et le vizir, à cette histoire, se ressouvint de tous les malheurs passés, déjà arrivés à lui, à son frère Noureddine, à son neveu Hassan Badreddine et enfin au petit Agib, et, à tous ces souvenirs réunis, il ne put s'empêcher de pleurer lui aussi. Et, désespéré, il monta chez le sultan, lui raconta toute l'histoire, lui dit que cette situation ne pouvait plus durer pour son nom et le nom de ses enfants, et lui demanda la permission de partir vers les pays du Levant pour atteindre la ville de Bassra où il comptait retrouver son neveu Hassan Badreddine. Puis il demanda également au sultan de lui écrire des décrets qu'il prendrait avec lui et qui lui permettraient, dans tous les pays où il irait, de faire les recherches nécessaires pour retrouver et ramener son neveu. Puis il se mit à pleurer amèrement. Et le sultan eut le cœur touché, et lui écrivit les décrets nécessaires pour tous les pays et toutes les provinces. Alors le vizir fut fort réjoui, et fit beaucoup de remerciements au sultan et aussi beaucoup de vœux pour sa grandeur, et se prosterna en baisant la terre entre ses mains ; puis il prit congé et sortit. Et, à l'heure même, il fit les préparatifs nécessaires pour le départ ; puis il emmena sa fille Sett El-Hosn et le petit Agib, et partit.

Ils marchèrent le premier jour, puis le deuxième jour et le troisième jour et ainsi de suite, dans la direction de Damas, et enfin ils arrivèrent avec sécurité à Damas. Et ils s'arrêtèrent tout près des portes, au Midan de Hasba, et ils y dressèrent leurs tentes pour se reposer deux jours avant de continuer leur route. Et ils trouvèrent que Damas était une ville admirable, pleine d'arbres et d'eaux courantes, et qu'elle était bien la ville chantée par le poète :

« À Damas, j'ai passé un jour et une nuit. Damas ! Son créateur a juré que jamais plus il ne pourrait faire œuvre pareille !

La nuit couvre Damas de ses ailes, amoureusement. Et le matin étend sur elle l'ombrage des arbres touffus.

La rosée sur les branches de ses arbres n'est point rosée, mais perles, perles neigeant au gré de la brise qui les secoue !

Là, dans ses bosquets, c'est la nature qui fait tout : l'oiseau fait sa lecture matinale ; l'eau vive, c'est la page blanche ouverte ; la brise répond et écrit sous la dictée de l'oiseau, et les blancs nuages font pleuvoir leurs gouttes pour l'écriture ! »

Aussi les gens du vizir ne manquèrent pas d'aller visiter la ville et ses souks pour acheter les choses dont ils avaient besoin et aussi pour vendre les choses rapportées d'Égypte ; et ils ne manquèrent pas d'aller prendre des bains dans les hammams fameux et d'aller à la mosquée des Bani-Ommiah[1], située au centre de la ville et qui n'a pas sa pareille dans le monde entier.

Quant à Agib, lui aussi, accompagné du bon eunuque Saïd, il alla se distraire en ville. Et l'eunuque marchait à quelques pas derrière lui et tenait à la main un fouet capable d'assommer un chameau ; car il connaissait de réputation les habitants de Damas et voulait avec ce fouet les empêcher de s'approcher du joli Agib, son maître. Et, en effet, il ne se trompait pas ; car, à peine eurent-ils vu le bel Agib, les habitants de Damas remarquèrent combien il était gracieux et charmant, et qu'il était plus doux que la brise du Nord, plus délicieux au goût que l'eau fraîche du palais de l'altéré, plus exquis que la santé au convalescent ; et aussitôt tous les gens de la rue et des maisons et des boutiques se mirent à courir derrière Agib et l'eunuque, et à suivre Agib tout le temps sans le quitter, malgré le grand fouet de l'eunuque ; et d'autres couraient encore plus vite, dépassaient Agib, et s'asseyaient par terre sur son passage pour le contempler mieux et plus longuement. Enfin, par la volonté du Destin, Agib et l'eunuque arrivèrent devant une boutique de pâtissier, et, pour échapper à cette foule indiscrète, ils s'arrêtèrent.

Or, cette boutique était justement celle de Hassan Badreddine, père d'Agib. Le vieux pâtissier, le père adoptif de Hassan, était mort, et Hassan avait hérité de la boutique. Donc, ce jour-là, Hassan était en train de préparer un délicieux plat avec des graines de grenade et d'autres choses sucrées et savoureuses. Aussi, lorsqu'il vit Agib et l'esclave s'arrêter, Hassan fut charmé par la beauté du petit Agib, et non seulement charmé, mais ému d'une façon divine et toute cordiale et tout à fait extraordinaire, et il s'écria plein d'amour : « Ô mon jeune seigneur, toi qui viens de conquérir mon cœur et qui règnes déjà sur mon être intime, toi vers lequel je me sens tout attiré du fond de mes entrailles, peux-tu me faire l'honneur d'entrer dans ma boutique ? peux-tu me faire ce plaisir de goûter à mes douceurs, simplement par compassion ! » Et à ces paroles, Hassan malgré lui, eut les yeux remplis de larmes, et il pleura beaucoup au souvenir qui lui revenait en même temps de sa situation passée et de son sort présent.

Lorsque Agib entendit les paroles de son père, il eut aussi le cœur tout attendri, et il se tourna vers l'esclave et lui dit : « Saïd ! ce pâtissier vient de m'attendrir le cœur. Je m'imagine qu'il doit avoir quitté au loin un enfant à lui, et que, moi, je lui rappelle cet enfant. Entrons donc chez lui pour lui faire plaisir et goûtons de ce qu'il veut nous offrir. Et, si nous compatissons ainsi à sa peine, il est probable qu'Allah aura pitié de nous et nous fera réussir à notre tour dans nos recherches pour mon père ! »

Aux paroles d'Agib, l'eunuque Saïd se récria : « Par Allah ! ô mon maître, il ne faut vraiment pas ! oh ! pas du tour ! Il ne sied point au fils d'un vizir d'entrer dans la boutique d'un pâtissier dans le souk et surtout de manger, comme ça, publiquement ! Ah ! non ! Toutefois, si c'est par crainte de ces vauriens et de ces gens qui te suivent que tu veux entrer dans cette boutique, je saurai bien les éloigner et te défendre contre eux avec ce bon fouet ! Quant à entrer dans la boutique, non, vraiment, jamais ! »

Aux paroles de l'eunuque, le pâtissier Hassan Badreddine fut très affecté, et il se tourna vers l'eunuque avec les yeux pleins de larmes et les joues inondées, et lui dit : « Ô grand ! pourquoi ne veux-tu point compatir et me faire ce plaisir d'entrer dans ma boutique ? Ô toi qui es noir comme la châtaigne, mais blanc intérieurement comme elle ! ô toi qu'ont louangé tous nos poètes par des vers admirables, je puis te révéler le secret de devenir aussi blanc au-dehors que tu l'es au-dedans ! » Alors le brave eunuque se mit à rire beaucoup et s'écira : « Vraiment ? Vraiment ? Tu le peux ? Et comment donc ? Par Allah ! hâte-toi de me le dire ! » Aussitôt Hassan Badreddine lui a récité d'admirables vers à la louange des eunuques :

« C'est sa politesse exquise et la douceur de ses manières et sa noblesse de maintien qui l'ont mis comme le gardien respecté des maisons des rois !

Pour le harem, quel incomparable serviteur n'est-il point ! À cause de sa gentillesse, les anges du ciel, à leur tour, descendent pour le servir ! »

Ces vers étaient, en effet, si merveilleux et si bien à propos et si bien récités, que l'eunuque en fut touché et aussi énormément flatté ; et, prenant la main d'Agib, il entra avec lui dans la boutique du pâtissier.

Alors Hassan Badreddine fut au comble de la joie, et se dépensa en beaucoup de mouvements pour leur faire honneur. Puis il prit le plus joli de ses bols de porcelaine, le remplit de grains de grenade apprêtés au sucre, aux amandes décortiquées, et parfumés délicieusement et juste à point ; puis il leur présenta le bol sur le plus somptueux de ses plateaux de cuivre repoussé et ciselé. Et, les voyant en manger avec des signes de satisfaction, il fut très flatté et très content, et leur dit : « Vraiment, quel honneur pour moi ! Et quelle bonne fortune ! Et puisse cela vous être agréable et de délicieuse digestion ! »

Alors le petit Agib, après les premières bouchées, ne manqua pas d'inviter le pâtissier à s'asseoir en lui disant : « Tu peux rester avec nous et manger avec nous ! Et Allah ainsi nous récompensera en nous faisant réussir dans nos recherches ! » Alors Hassan Badreddine lui dit : « Comment, mon enfant ! Toi, si jeune et déjà éprouvé par la perte de quelqu'un de cher ? » Et Agib répondit : « Mais oui, brave homme, mon cœur est déjà éprouvé et brûlé par l'absence d'un être cher ! Et cet être si cher n'est autre que mon propre père. Et mon grand-père et moi, nous sommes sortis de notre pays pour aller à sa recherche en battant toutes les contrées. » Puis le petit Agib se mit à pleurer à ce souvenir, et Badreddine aussi ne put s'empêcher de prendre part à ces pleurs, et il pleura. Et l'eunuque lui-même hochait la tête avec beaucoup d'assentiment. Mais tout cela ne les empêcha pas de faire honneur au délicieux bol de grenades parfumées et apprêtées avec tant d'art. Et ils mangèrent jusqu'à satiété, tant c'était exquis.

Mais, comme le temps pressait, Hassan ne put en savoir plus long ; et l'eunuque emmena Agib et s'en alla pour rejoindre les tentes du vizir.

À peine Agib parti, Badreddine sentit son âme s'en aller avec lui, et, ne pouvant résister au désir de le suivre, ferma vite sa boutique et, sans soupçonner aucunement que le petit Agib fût son fils, il sortit et hâta le pas en les suivant et les atteignit avant qu'ils n'eussent franchi la grande porte de Damas.

Alors l'eunuque s'aperçut que le pâtissier les avait suivis, et il se retourna et dit : « Pourquoi nous suis-tu, pâtissier ? » Et Badreddine répondit : « Simplement parce que j'ai une petite affaire à régler en dehors de la ville, et j'ai voulu me joindre à vous deux pour faire route commune, et m'en retourner ensuite. D'ailleurs, votre départ m'a arraché l'âme du corps ! »

À ces paroles, l'eunuque fut très en colère, et s'écria : « En vérité, ce bol nous coûte fort cher ! Quel bol de malheur ! Ce pâtissier va maintenant nous faire tourner la digestion ! Le voilà maintenant qui se met à nos trousses d'un endroit à l'autre ! »

Alors Agib se retourna et vit le pâtissier, et il devint fort rouge et balbutia : « Saïd, laisse-le ! Le chemin d'Allah est libre pour tous les musulmans ! » Puis il ajouta : « Mais s'il continue à nous suivre jusqu'aux tentes, nous saurons alors que vraiment c'est moi qu'il est en train de suivre, et nous ne manquerons pas de le chasser ! »

Puis Agib baissa la tête et continua sa route, et l'eunuque derrière lui à quelques pas.

Quant à Hassan, il continua à les suivre jusqu'au Midan de Hasba, là où étaient dressées les tentes. Alors Agib et l'eunuque se retournèrent et le virent à quelques pas derrière eux. Aussi Agib, cette fois, se fâcha et craignit fort que l'eunuque n'allât raconter tout au grand-père : qu'Agib était entré dans la boutique d'un pâtissier et que le pâtissier avait ensuite suivi Agib ! À cette idée qui le terrifia, il prit une pierre, regarda Hassan qui était debout, immobile dans une contemplation et dont les yeux avaient une lueur étrange ; et Agib, pensant que cette flamme des yeux du pâtissier était une flamme équivoque, fut encore bien plus furieux, et, de toutes ses forces, il lança la pierre sur lui, et l'atteignit gravement au front ; puis Agib et l'eunuque se hâtèrent vers les tentes. Quant à Hassan Badreddine, il tomba à terre, évanoui, et eut la figure toute couverte de sang. Mais heureusement il ne tarda pas à revenir à lui-même, et il étancha son sang, et, déchirant un lambeau de l'étoffe de son turban, il se banda le front. Puis il se mit à se réprimander et se dit : « Allah karim[1] ! » et s'en retourna en ville, rouvrit sa boutique et se remit à faire des pâtisseries comme avant et à les vendre, tout en pensant avec douleur à sa pauvre mère à Bassra qui lui avait donné, tout enfant, les premières leçons en l'art du pâtissier ; et il pleura, et, pour se consoler, il se récita cette strophe :

« Ne demande point de justice de la part du Sort : tu n'aurais que désillusion ! Car ce n'est point le Sort qui te rendra jamais justice. »

Quant au vizir Chamseddine, l'oncle du pâtissier Hassan Badreddine, au bout de trois jours de repos à Damas, il fit lever le campement du Midan, et continuant son voyage vers Bassra, il prit la route de Homs, puis de Hama, et d'Alep. Et partout il ne manquait pas de faire des recherches. D'Alep il alla à Mardine, puis à Mossoul et à Diarbékir. Et enfin il finit par atteindre la ville de Bassra.

À peine eut-il pris quelque repos qu'il se hâta d'aller se présenter au sultan de Bassra, qui aussitôt le fit entrer, et le reçut avec beaucoup de condescendance, et s'informa avec bonté du sujet qui l'amenait à Bassra. Et Chamseddine lui raconta toute l'histoire et lui dit qu'il était le frère de son ancien vizir Noureddine. Et le sultan, au nom de Noureddine, dit : « Qu'Allah l'ait en sa grâce ! » et il ajouta : « Oui, mon ami, Noureddine était en effet mon vizir et je l'aimais beaucoup, et il est mort, en vérité, il y a de cela quinze ans ! Il laissa, en effet, un fils, Hassan Badreddine, qui était mon favori le plus aimé, et qui, tout à coup, un jour, disparut. Et nous n'en avons plus entendu parler. Mais il y a encore ici, à Bassra, sa mère, l'épouse de ton frère Noureddine, la fille de mon vieux vizir le prédécesseur de Noureddine. »

À cette nouvelle, Chamseddine fut au comble de la joie, et dit : « Ô roi ! je voudrais bien voir ma belle-sœur ! » Et le roi le lui permit.

Aussitôt Chamseddine courut vers la demeure de son défunt frère Noureddine, après s'en être fait donner l'adresse et la direction, et ne tarda pas bientôt à y arriver, tout en pensant, en route, à son frère Noureddine mort loin de lui dans la tristesse de ne l'avoir pu embrasser ! Et il pleura, et il se récita ces deux strophes :

« Oh ! que je retourne vers la demeure de mes nuits passées ! Et que j'en embrasse les murs, tout autour !

Mais ce n'est point l'amour des murs de la maison qui m'a blessé au milieu du cœur, mais l'amour de celui qui habitait la maison ! »

Il pénétra par une grande porte dans une grande cour, au fond de laquelle s'élevait la maison. La porte de la maison était une merveille de granit et d'arceaux, avivée par des marbres de toutes les couleurs. Au bas de cette porte, sur un marbre magnifique, il trouva le nom de Noureddine, son frère, gravé en lettres d'or. Alors il s'inclina, et baisa le nom et fut très ému et pleura en se récitant ces strophes :

« Au matin, chaque jour, je demande de tes nouvelles au soleil qui se lève. Et chaque nuit j'en demande à l'éclair qui brille !

Si je dors, même si je dors, le désir, l'aiguillon du désir, le poids du désir, la scie dentée du désir, me travaille ! Et jamais je ne clame mes douleurs !

Ô mon doux ami, n'allonge point davantage l'absence dure ! Mon cœur est en morceaux, coupé en morceaux par la douleur de l'absence !

Quel jour béni, quel jour incomparable ne serait point celui où nous pourrions enfin nous réunir !

Mais ne va point croire que ton absence m'a occupé l'esprit de l'amour d'un autre ! Car mon cœur n'est pas assez large pour contenir un second amour ! »

Puis il entra dans la maison et traversa tous les appartements, jusqu'à ce qu'il arrivât à la pièce réservée où se tenait d'ordinaire sa belle-sœur, la mère de Hassan Badreddine El-Bassri.

Or, depuis la disparition de son fils Hassan, elle s'était tenue enfermée dans cette pièce, à pleurer nuit et jour et à sangloter. Et elle y avait fait bâtir, au milieu, un petit édifice en dôme pour figurer le tombeau de son pauvre enfant qu'elle croyait mort depuis longtemps. Et c'est là qu'elle passait tout son temps, dans les larmes, et c'est là qu'épuisée par la douleur, elle reposait sa tête pour dormir.

Lorsqu'il fut arrivé tout près de la porte de la pièce, Chamseddine entendit la voix de sa belle-sœur, et cette voix douloureuse récitait ces vers :

« Ô tombeau ! par Allah, dis-moi ! la beauté, les charmes de mon ami sont-ils effacés ! S'est-il à jamais évanoui, ce spectacle réjouissant de sa beauté ?

Ô tombeau ! certes tu n'es ni le jardin des délices ni le ciel élevé ; mais, dis-moi ! alors comment se fait-il que je voie dans ton intérieur briller la lune et fleurir le rameau ?… »

Alors le vizir Chamseddine entra. Il salua sa belle-sœur avec le plus grand respect, et lui apprit qu'il était le frère de Noureddine, son époux. Puis il lui raconta toute l'histoire, et comment son fils Hassan, à elle, avait couché une nuit avec sa fille Sett El-Hosn, comment il avait disparu au matin, et enfin comment Sett El-Hosn avait été engrossée et avait accouché d'Agib. Puis il ajouta : « Agib est venu avec moi. C'est ton enfant, puisqu'il est le fils de ton fils par ma fille. »

La veuve, qui s'était tenue assise jusqu'à ce moment comme une femme en grand deuil qui a renoncé aux usages du monde, à cette nouvelle que son enfant était vivant, que son petit-fils était là, et que c'était bien là, en effet, son beau-frère Chamseddine le vizir d'Égypte, se leva vivement et se jeta à ses pieds en les embrassant, et récita ces deux strophes en son honneur :

« Par Allah ! comble de dons celui qui vient de m'annoncer cette nouvelle heureuse, car il m'a annoncé la nouvelle la plus heureuse et la meilleure de celles entendues !

Et s'il veut accepter et se contenter de cadeaux, je lui ferai cadeau d'un cœur déchiré par les adieux ! »

Et le vizir envoya aussitôt chercher Agib, qui arriva. Alors la grand-mère se leva et se jeta au cou d'Agib en pleurant. Et Chamseddine lui dit : « Ô mère, en vérité ce n'est point le moment des larmes, mais des préparatifs de ton départ avec nous vers l'Égypte. Et puisse Allah nous réunir tous avec ton fils Hassan, mon neveu ! » Et la grand-mère d'Agib répondit : « J'écoute et j'obéis ! » Et, à l'instant même, elle se leva, et réunit toutes les choses nécessaires et toutes ses munitions de bouche et toutes ses servantes, et fut bientôt prête.

Alors le vizir Chamseddine monta faire ses adieux au sultan de Bassra. Et le sultan le chargea de présents et de cadeaux pour lui et pour le sultan d'Égypte. Puis Chamseddine, les deux dames et Agib se mirent en route, accompagnés de toute leur suite.

Ils ne cessèrent de marcher jusqu'à ce qu'ils fussent de nouveau à Damas. Ils s'arrêtèrent sur la place du Kânoun et y dressèrent les tentes. Et le vizir dit : « Nous allons maintenant nous arrêter une semaine entière à Damas pour avoir le temps d'acheter des cadeaux et des présents dignes d'être offerts au sultan d'Égypte. »

Aussi, pendant que le vizir était tout entier pris par les riches marchands venus sous les tentes offrir leurs marchandises, Agib dit à l'eunuque : « Baba Saïd, j'ai bien envie d'aller me distraire. Allons-nous-en au souk de Damas, pour nous mettre au courant des nouvelles et aussi pour savoir un peu ce qui a pu advenir au pâtissier dont nous avions mangé les douceurs et dont, en retour, nous avions fendu la tête avec un coup de pierre, alors que nous n'avions eu qu'à nous louer de son hospitalité. En vérité, nous lui avons rendu le mal pour le bien ! » Et l'eunuque répondit : « J'écoute et j'obéis ! »

Alors Agib et l'eunuque sortirent des tentes, car Agib agissait ainsi sous une impulsion aveugle suscitée par l'amour filial inconscient. Arrivés en ville, ils ne cessèrent de marcher dans les souks jusqu'à ce qu'ils fussent arrivés à la boutique du pâtissier. C'était l'heure où les croyants se rendaient à la mosquée des Bani-Ommiah pour la prière de l'*asr*.

Juste à ce moment, Hassan Badreddine était dans sa boutique occupé à confectionner le même délicieux plat que l'autre fois : grains de grenade aux amandes, sucre et parfums à point ! Aussi Agib put bien observer le pâtissier, et il vit sur son front la trace du coup de pierre qu'il lui avait porté. Alors son cœur en fut encore plus attendri, et il dit : « Que la paix soit avec toi ? ô pâtissier *tel* ! C'est l'intérêt que je te porte qui me pousse à venir prendre de tes nouvelles. Ne me reconnais-tu pas ? » À peine Hassan l'eut-il vu qu'il sentit ses entrailles se bouleverser, son cœur battre à coups désordonnés, et sa tête se pencher vers le sol comme pour tomber, et sa langue se coller à son palais sans pouvoir articuler un mot. Enfin il put relever la tête vers l'enfant, et tout humilié, tout soumis, il lui récita ces strophes :

« J'avais résolu de faire des reproches à mon amoureux ; mais à sa vue seulement j'ai tout laissé là et je n'ai pu maîtriser ni ma langue ni mes yeux !

Je me suis tu et j'ai baissé les yeux devant son aspect imposant et fier ; et j'ai essayé de donner le change sur ce que j'éprouvais ; mais je n'ai pu y réussir.

J'avais donc écrit des feuillets et des feuillets de reproches ; mais, en me retrouvant avec lui, je n'ai pu lire un seul mot. »

Puis il ajouta : « Ô mes maîtres, veuillez entrer, simplement par condescendance, et goûter de mon plat. Car, par Allah ! ô jeune garçon, à peine t'ai-je vu, l'autre fois, que mon cœur s'est porté vers toi ! Et je me repens de t'avoir suivi : c'était vraiment folie ! » Mais Agib répondit : « Par Allah ! tu es un ami fort dangereux ! Pour un morceau que tu nous avais fait manger, tu as failli nous perdre ! Or, maintenant, je n'entrerai et ne mangerai chez toi que tu ne m'aies prêté serment de ne point sortir derrière nous ni de nous suivre. Sinon, jamais plus nous ne reviendrons ici : car sache bien que nous allons passer toute une semaine à Damas, le temps que mon grand-père puisse acheter des cadeaux pour le sultan ! » Alors Badreddine s'écria : « J'en fais le serment devant vous deux ! » Alors Agib et l'eunuque entrèrent, et tout de suite Badreddine leur offrit une porcelaine remplie de la délicieuse spécialité aux grains de grenade. Et Agib lui dit : « Viens manger avec nous. Et de la sorte peut-être qu'Allah nous fera réussir dans nos recherches ! » Et Hassan en fut fort heureux, et s'assit en face d'eux. Mais, durant tout le temps, il ne put s'empêcher de contempler Agib ; et il le regardait d'une façon si extraordinaire et si persistante qu'Agib, gêné, lui dit : « Allah ! quel amoureux importun et gênant et lourd tu es, bon homme ! Je te l'avais déjà reproché ! Cesse enfin de me contempler de la sorte et de dévorer ainsi ma figure avec tes yeux ! »

À ces paroles Badreddine répondit par ces strophes :

« J'ai pour toi, au plus profond de mon cœur, un secret que je ne puis révéler, une pensée intime et cachée que jamais je ne pourrai traduire par les mots !

Ô toi, qui couvres de confusion la brillante lune fière de sa beauté, qui fais honte au matin et à la brillante aurore, ô toi figure radieuse !

Je t'ai voué un culte sans paroles, je t'ai voué, ô vase d'élection, un signe immortel et des vœux qui ne font qu'augmenter et embellir !

Et maintenant, tout entier je fonds en brûlant ! Ton visage, c'est mon paradis ! Sûr ! Je vais mourir de ma soif ardente ! Et pourtant, ô toi, tes lèvres pourraient me désaltérer, et me rafraîchir de leur miel ! »

Après ces strophes, il en récita d'autres aussi belles, mais d'un autre sens, à l'adresse de l'eunuque. Et il continua ainsi, pendant une heure, à réciter des vers, tantôt à l'intention d'Agib, tantôt à l'intention de l'eunuque. Après quoi, comme ils s'étaient bien rassasiés, Hassan se hâta de leur porter tout ce qu'il fallait pour se laver les mains. Pour cela, il leur porta une jolie aiguière en cuivre fort propre et leur versa de l'eau parfumée sur les mains, puis il leur essuya les mains avec une belle serviette en soie de couleur qu'il tenait suspendue à sa ceinture. Puis il les aspergea avec de l'eau de rose contenue dans un aspersoir d'argent qu'il gardait précieusement, pour les grandes occasions, sur l'étagère la plus élevée de la boutique. Et ce ne fut pas tout ! Il sortit un instant de la boutique pour revenir aussitôt en tenant à la main deux gargoulettes remplies de sorbet à l'eau de rose musquée, et leur offrit une gargoulette à chacun, et leur dit : « Veuillez ! Vous mettrez ainsi le comble à votre condescendance ! » Alors Agib prit la gargoulette et but, puis la passa à l'eunuque, qui but et la repassa à Agib, qui but et la repassa à l'eunuque, et ainsi de suite jusqu'à ce qu'ils se fussent bien rempli le ventre et qu'ils fussent rassasiés comme jamais ils ne l'avaient été de leur vie. Après quoi, ils remercièrent le pâtissier et se retirèrent ce soir-là au plus vite, pour arriver aux tentes avant le coucher du soleil.

Arrivés aux tentes, Agib se hâta d'aller baiser la main à sa grand-mère et à sa mère Sett El-Hosn. Et la grand-mère l'embrassa et se rappela son fils Badreddine, et soupira beaucoup et pleura beaucoup. Après quoi elle récita ces deux strophes :

« Si je n'espérais point que les objets séparés doivent un jour être réunis, de ma vie je ne t'aurais jamais plus espéré après ton départ !

Or, moi, je me fis ce serment de ne jamais en mon cœur mettre un autre amour que ton amour. Et Allah mon Seigneur est témoin de mon serment et connaît tous les secrets ! »

Puis elle dit à Agib : « Mon enfant, où as-tu été te promener ? » Il répondit : « Dans les souks de Damas ! » Elle dit : « Alors tu dois maintenant avoir bien faim ! » Et elle se leva et lui apporta un bol de porcelaine rempli du fameux mélange à base de grains de grenade, cette délicieuse spécialité où elle était fort experte et dont elle avait donné les premières notions à Badreddine, son fils, encore enfant, à Bassra.

Elle dit aussi à l'esclave : « Tu peux manger avec ton maître Agib ! » Mais l'eunuque en lui-même fit la grimace et se dit : « Par Allah ! je n'ai vraiment plus d'appétit ! Je ne pourrai pas avaler une bouchée ! » Il s'assit pourtant à côté d'Agib.

Quant à Agib, lui aussi il s'assit, mais il avait également le ventre tout bourré des choses qu'il avait mangées et bues chez le pâtissier. Il prit pourtant une bouchée et la goûta. Mais il ne put, en vérité, l'avaler tant il était bourré. Et, d'ailleurs, il trouva que ça manquait un peu de sucre. Cela n'était pas vrai. Il était tout simplement rassasié. Aussi, faisant une grimace, il dit à sa grand-mère : « Ça n'est vraiment pas bon, grand-mère ! » Alors la grand-mère fut suffoquée de dépit et s'écria : « Comment, mon enfant, oses-tu prétendre que ma cuisine ne soit pas bonne ! Ne sais-tu point qu'il n'y a pas dans le monde entier quelqu'un qui sache comme moi faire la cuisine, les pâtisseries et les douceurs si ce n'est peut-être ton père Hassan Badreddine, qui d'ailleurs l'a appris de moi ? » Mais Agib répondit : « Par Allah ! grand-mère, ton plat n'a pas le fini désirable. Il manque un peu de sucre. Et puis ce n'est pas ça. Si tu savais ! Nous venons, je te l'avoue, de faire la connaissance, dans le souk (mais ne le dis pas à grand-père et à ma mère) d'un pâtissier qui nous a offert de ce même plat. Mais… Rien qu'à son fumet on sentait le cœur se dilater de plaisir ! Et quant à son goût, c'était si délicieux qu'il aurait mis en appétit même l'âme d'un individu atteint d'indigestion ! Et quant à ta préparation, en vérité, on ne saurait la comparer à l'autre ni de près ni de loin, et en aucune façon, vraiment, grand-mère ! »

À ces paroles, grand-mère fut dans une colère considérable, et jeta un regard de travers sur l'eunuque et lui dit...

Mais, à ce moment de sa narration, Schahrazade vit s'approcher le matin, et, discrète, arrêta son récit.

Alors sa sœur, la jeune Doniazade, lui dit : « Ô ma sœur, que tes paroles sont douces et agréables, et que ce conte est délicieux et charmant ! »

Et Schahrazade lui sourit et dit : « Oui ma sœur, mais qu'est cela comparé à ce que je vous raconterai à tous deux la nuit prochaine, si je suis encore en vie, par la grâce d'Allah et le bon plaisir du Roi ! »

Et le roi dit en son âme : « Par Allah ! je ne la tuerai point avant d'avoir entendu la suite de son histoire, qui est une histoire merveilleuse et étonnante extrêmement, en vérité ! »

Puis le roi Schahriar et Schahrazade passèrent tous deux le reste de la nuit, enlacés jusqu'au jour.

Alors le roi Schahriar sortit vers la salle de sa justice ; et le diwan fut rempli de la foule des vizirs, des chambellans, des gardes et des gens du palais. Et le Roi jugea et nomma aux emplois, et destitua, et gouverna et termina les affaires pendantes, et cela jusqu'à la fin de la journée.

Puis le diwan fut levé, et le Roi rentra dans le palais. Et, quand vint la nuit, il alla trouver Schahrazade, la fille du vizir, et ne manqua pas de faire sa chose ordinaire avec elle.

Et c'était la vingt-quatrième nuit. Et la jeune Doniazade ne manqua pas, une fois la chose terminée, de se lever du tapis et de dire à Schahrazade :

« Ô ma sœur, je t'en prie, achève ce conte savoureux qui est l'histoire du bel Hassan Badreddine et de son épouse, la fille de son oncle Chamseddine ! Tu en étais juste à ces mots : « Grand-mère jeta alors un regard de travers sur l'eunuque Saïd et lui dit... » Que lui a-t-elle dit, de grâce ? »

Et Schahrazade sourit à sa sœur et lui dit : « Oui, certes ! c'est de tout cœur et de la meilleure volonté que j'achèverai le récit, mais pas avant que ce Roi bien élevé ne me le permette ! »

Alors le Roi, qui attendait la fin avec un grand désir, dit à Schahrazade : « Tu peux parler. »

Et Schahrazade dit :

Il m'est parvenu, ô Roi fortuné, que la grand-mère d'Agib fut courroucée, regarda l'esclave de travers et lui dit : « Malheur ! serait-ce toi qui aurais perverti cet enfant ? Comment as-tu osé le faire entrer dans la boutique des cuisiniers et des pâtissiers ! » À ces paroles de la grand-mère d'Agib, l'eunuque fut très effrayé et se hâta de nier énergiquement la chose. Il dit : « Nous ne sommes point entrés dans la boutique ; nous n'avons fait que passer devant ! » Mais l'entêté Agib s'écria : « Par Allah nous y sommes fort bien entrés et nous y avons mangé ! » Et il ajouta malicieusement : « Et je te le répète, grand-mère, c'était bien meilleur que ce que tu nous offres là ! »

Alors grand-mère fut encore plus dépitée, et alla en maugréant informer son beau-frère le vizir du « terrible délit de l'eunuque de goudron ! » Et elle excita tellement le vizir contre l'esclave, que Chamseddine, qui de sa nature était fort colère et qui, volontier, se déversait en cris sur les gens, se hâta de se rendre avec sa belle-sœur sous la tente où se trouvaient Agib et l'eunuque. Et il s'écria : « Saïd ! Es-tu entré, oui ou non, avec Agib, dans la boutique d'un pâtissier ? » Et l'eunuque terrifié répondit : « Nous n'y sommes point entrés ! » Mais le malicieux Agib s'écria : « Mais si ! nous y sommes entrés ! Et quant à ce que nous y avons mangé, haha !… grand-mère !… c'était si bon que nous nous en sommes fourré jusque-là ! et ensuite nous avons bu un sorbet délicieux à la neige hachée ! Allah ! que c'était bon ! Et le brave pâtissier n'y avait pas ménagé le sucre, comme grand-mère ! » Alors la colère du vizir redoubla contre l'eunuque auquel la même question fut réitérée ; mais l'eunuque continua à nier. Alors le vizir lui dit : « Saïd ! tu es un menteur, et tu as l'audace de démentir cet enfant qui certainement dit la vérité. Pourtant je consentirai à te croire si tu peux avaler tout ce bol préparé par ma belle-sœur ! Cela me prouvera que tu es à jeun ! »

Alors Saïd, quoique gonflé à la suite de sa séance chez Badreddine, voulut bien se soumettre à l'épreuve, et il s'assit devant le bol aux grains de grenade et se mit en devoir de commencer ; mais il fut obligé de s'arrêter à la première bouchée, tant il était rempli jusqu'au gosier. Et il rejeta la bouchée qu'il avait déjà prise. Mais il se hâta de dire que, la veille, il avait tellement mangé, sous la tente, avec les autres esclaves, qu'il en avait attrapé une indigestion. Mais le vizir comprit tout de suite que l'eunuque était entré réellement, ce jour même, chez le pâtissier. Il le fit alors étendre par terre par les esclaves, et il lui tomba dessus à coups redoublés et de toute sa force. Alors l'eunuque, roué de coups, finit par demander grâce, tout en continuant à crier : « Ô mon maître, c'est hier que j'ai attrapé une indigestion ! » Comme le vizir était fatigué à force de frapper, il s'arrêta et dit à Saïd : « Voyons ! avoue la vérité ! » Alors l'eunuque se décida et dit : « Eh bien, oui ! seigneur, cela est vrai ! Nous sommes entrés chez un pâtissier dans le souk ! Et son plat était si délicieux que, de ma vie, je n'ai goûté quelque chose d'aussi bon ! Mais aussi quel malheur d'avoir goûté maintenant à ce détestable et horrible plat-ci ! Allah ! que ceci est mauvais ! »

Alors le vizir se mit à rire beaucoup ; mais la grand-mère ne put plus se contenir de dépit, et mortifiée jusqu'au sang, elle s'écria : « Ah ! menteur ! je te défie bien de nous apporter du plat de ton pâtissier ! c'est de ton invention tout ça ! Oui, je te permets d'aller nous chercher une porcelaine contenant de cette même composition ! Et d'ailleurs, si tu l'apportais, cela nous servirait du moins à faire la comparaison entre son travail et le mien ! Mon beau-frère sera juge ! » Et l'eunuque répondit : « Oui, certainement ! » Alors la grand-mère lui donna de la monnaie d'un demi-dinar et un bol de porcelaine vide.

L'eunuque sortit alors et finit par arriver à la boutique et dit au pâtissier : « Voici ! nous venons de faire un pari sur ton plat avec les gens de la maison qui, eux aussi, ont préparé un plat de grains de grenade. Donne-m'en donc pour un demi-dinar. Et surtout soigne-le bien et mets-y tout ton art. Sans cela, je vais encore manger de la bastonnade comme tout à l'heure ! Je t'assure que je suis encore tout fourbu ! » Alors Hassan Badreddine se mit à rire et dit : « Sois sans crainte ! Car ce plat que je vais te donner, il n'y a pas dans le monde une autre personne qui sache réussir le pareil, si ce n'est ma mère ! Et ma mère est maintenant dans des pays si éloignés… ! »

Puis Badreddine remplit la porcelaine de l'esclave avec très grand soin, et termina sa préparation en y ajoutant encore un peu de musc et d'eau de rose. Et l'eunuque prit la porcelaine et s'en revint rapidement vers les tentes. Alors la grand-mère d'Agib la prit et se hâta d'en goûter le contenu pour se rendre compte de son degré de saveur et de bonté. Mais à peine l'eut-elle porté à ses lèvres qu'elle jeta un grand cri et tomba à la renverse… Elle avait deviné la main de son fils Hassan.

Alors le vizir, ainsi que tout le monde, fut dans la stupeur, et on se hâta de jeter de l'eau de rose au visage de la grand-mère qui, au bout d'une heure, finit par revenir à elle. Et elle dit : « Allah ! l'auteur de ce plat à la grenade ne peut être que mon fils Hassan Badreddine, et pas un autre ! J'en suis sûre ! Il n'y a que moi seule qui sache l'apprêter de cette façon, et c'est moi qui l'ai appris à Hassan ! »

À ces paroles, le vizir fut au comble de la joie et de l'impatience de revoir son neveu et s'écria : « Allah va enfin permettre notre réunion ! » Et aussitôt il fit venir ses serviteurs, réfléchit un instant, combina un projet, et leur dit : « Que vingt hommes d'entre vous autres aillent aussitôt à la boutique du pâtissier Hassan, connu dans le souk sous le nom de Hassan El-Bassri, et qu'ils ruinent cette boutique de fond en comble ! Quant au pâtissier, qu'on lui attache les bras avec la toile de son turban, et qu'on me l'amène ici de force, mais en prenant bien garde de lui faire le moindre mal. Allez ! »

Quant au vizir, il monta immédiatement à cheval, après s'être muni des lettres écrites par le sultan d'Égypte, et se rendit à la maison du gouvernement, le Dâr El-Salam, chez le lieutenant-gouverneur qui représentait à Damas le sultan d'Égypte, son maître ! Arrivé à Dâr El-Salam le vizir communiqua les lettres du sultan au lieutenant-gouverneur, qui aussitôt s'inclina et les embrassa avec respect et les porta à sa tête avec vénération. Puis il s'adressa au vizir et lui dit : « Ordonne ! de qui veux-tu te saisir ? » Il répondit : « C'est simplement d'un pâtissier du souk ! » Et le gouverneur dit : « Rien n'est plus facile ! » Et il ordonna à ses gardes d'aller prêter main forte aux gens du vizir. Le vizir prit alors congé du lieutenant-gouverneur, et revint sous les tentes.

Quant à Hassan Badreddine, il vit arriver à lui tous ces gens armés de bâtons, de pioches et de haches, qui envahirent sa boutique, et mirent tout en pièces, et renversèrent par terre toutes les pâtisseries et les sucreries, et démolirent toute la boutique ; puis ils se saisirent de l'effaré Hassan, et le ligotèrent avec la toile de son turban, sans prononcer un mot. Et l'effaré Hassan pensait : « Allah ! ce doit être le plat de grenades qui est la cause de tout cela ! Qui sait ce qu'ils ont pu y trouver ! »

On finit par emmener Hassan sous les tentes, devant le vizir. Et Hassan Badreddine pleura beaucoup et s'écria : « Seigneur ! quel crime ai-je pu commettre ? » Le vizir lui demanda : « C'est bien toi qui as apprêté ce plat de grenades ? » Il répondit : « Oui, mon Seigneur ! Auriez-vous trouvé dans ce plat quelque chose qui dût me faire trancher la tête, par hasard ? » Et le vizir répondit avec sévérité : « Te trancher la tête ? Mais ce serait le châtiment le plus doux ! Attends-toi à bien pis ! Tu vas voir ! »

Or, le vizir avait dit aux deux dames de le laisser agir à sa guise ; car il ne voulait leur rendre compte de ses recherches que seulement à son arrivée au Caire. Il appela donc ses jeunes esclaves et leur dit : « Faites venir ici un de nos chameliers. Et apportez aussi une grande caisse en bois. » Et les esclaves obéirent à l'instant. Puis, sur l'ordre du vizir, ils s'emparèrent du terrifié Hassan et le firent entrer dans la caisse, et refermèrent soigneusement le couvercle. Puis ils le chargèrent sur le chameau, et on leva le camp, et on se mit en route.

On se mit à marcher jusqu'à la nuit. Alors on s'arrêta pour prendre quelque nourriture ; et on fit sortir un moment Hassan de la caisse ; on lui donna aussi à manger, et on le réintégra dans la caisse. Et on continua la route. Et de temps en temps on s'arrêtait, et on faisait sortir Hassan pour l'enfermer de nouveau, après un nouvel interrogatoire du vizir qui lui demandait chaque fois : « C'est bien toi qui as apprêté le plat de grenades ? » Et l'effaré Hassan répondait invariablement : « Oui, seigneur ! » Et le vizir s'écriait : « Liez cet homme et remettez-le dans sa caisse ! »

On continua à voyager de la sorte jusqu'à ce qu'on arrivât au Caire. Mais, avant d'entrer en ville, on s'arrêta dans le faubourg de Zaïdaniah, et le vizir fit de nouveau sortir Hassan de la caisse, et le fit traîner devant lui. Et alors il dit : « Qu'on m'amène vite un charpentier ! » Et le charpentier vint, et le vizir lui dit : « Prends la mesure en long et en large de cet homme, et dresse tout de suite un poteau à sa taille, et adapte ce poteau à un chariot traîné par une paire de buffles ! » Et Hassan épouvanté s'écria : « Seigneur ! Que vas-tu faire de moi ? » Et il répondit : « Te clouer au pilori, et te faire ainsi entrer en ville pour être en spectacle à tous les habitants ! » Et Hassan s'écria : « Mais quel est le crime qui mérite une telle punition ? » Alors le vizir Chamseddine lui dit : « Pour la négligence que tu as apportée dans la préparation du plat de grenades ! Tu n'y as pas mis assez de condiments ni assez de parfums ! » À ces mots Hassan Badreddine se frappa les joues et s'écria : « Ya Allah ! et c'est là mon crime ? Et c'est pour cela que tu m'as fait subir ce long supplice du voyage, et que tu ne m'as donné à manger qu'une fois par jour, et que maintenant tu veux me clouer sur le poteau ? » Et le vizir, fort gravement, répondit : « Mais certainement, c'est à cause du manque d'assaisonnement ! Mais oui ! »

Alors Hassan Badreddine fut à la limite de la stupéfaction, et leva les mains vers le ciel, et se mit à réfléchir profondément ! Et le vizir lui dit : « À quoi penses-tu ? » Il répondit : « Oh ! pas à grand-chose ! Simplement aux imbéciles dont tu es certes le chef ! Car, si tu n'étais pas le premier des imbéciles, tu ne me traiterais pas de la sorte pour une pincée d'aromates en moins dans un plat de grenades ! » Et le vizir lui dit : « Mais faut-il encore que je t'apprenne à ne plus récidiver ! Or, pour cela, il n'y avait que ce moyen-là ! » Et Hassan Badreddine lui dit : « En tout cas tes agissements à mon égard sont un crime bien plus considérable ! Et tu devrais te châtier toi-même le premier ! » Alors le vizir lui répondit : « Il n'y a pas à dire, c'est la croix qu'il te faut ! » Pendant cette conversation, le charpentier, à côté d'eux, continuait à confectionner le bois du supplice et de temps en temps coulait sur Hassan un regard à la dérobée, comme pour lui dire : « Hou ! tu ne l'as pas volé ! »

Sur ces entrefaites, la nuit tomba. Alors on se saisit de Hassan et on lui fit réintégrer sa caisse. Et le vizir lui cria : « C'est pour demain, ton crucifiement ! » Puis il attendit quelques heures, jusqu'à ce que Hassan se fût endormi dans la caisse. Alors il fit charger la caisse à dos de chameau, et donna l'ordre du départ, et on marcha jusqu'à ce qu'on arrivât enfin à la maison, au Caire !

Et ce ne fut qu'alors seulement que le vizir voulut révéler la chose à sa fille et à sa belle-sœur. Il dit en effet à sa fille Sett El-Hosn : « Louange à Allah qui nous a permis enfin, ô ma fille, de retrouver ton cousin Hassan Badreddine ! Il est là ! Lève-toi, ma fille et sois heureuse ! Et prends bien soin de replacer les meubles et les tapis de la maison et de ta chambre nuptiale exactement dans le même état où ils se trouvaient la première nuit de tes noces ! Et aussitôt Sett El-Hosn, quoique au comble de l'émotion et de la félicité, donna les ordres nécessaires aux servantes, qui se levèrent aussitôt et se mirent à l'œuvre et allumèrent les flambeaux. Et le vizir leur dit : « Je vais aider votre souvenir ! » Et il ouvrit son armoire et en tira le papier sur lequel il avait la liste des meubles et de tous les objets avec leurs places respectives. Et il leur lut lentement cette liste, et veilla à ce que chaque chose fût remise à sa place première. Et les choses furent si bien faites, que l'observateur le plus attentif se serait cru en train d'assister encore à la nuit de noces de Sett El-Hosn avec le bossu palefrenier.

Ensuite, le vizir plaça de sa propre main, à leur place occupée jadis, les habits de Badreddine : son turban sur la chaise, son caleçon de nuit dans le lit en désordre, ses culottes et son manteau sur le divan, avec, au-dessous d'eux, la bourse contenant les mille dinars et l'étiquette du Juif, et il ne manqua de recoudre le pli de toile cirée entre le bonnet et la toile du turban.

Puis il dit à sa fille de s'habiller de la même façon que la première nuit, d'entrer dans la chambre nuptiale et de se préparer à recevoir son cousin et époux Hassan Badreddine, et, quand il serait entré, de lui dire : « Oh ! comme tu as tardé au cabinet d'aisances ! Par Allah ! si tu es indisposé, pourquoi ne me le dis-tu pas ? Ne suis-je pas ta chose et ton esclave ? » Il lui recommanda aussi, quoique Sett El-Hosn n'eût guère besoin de cette recommandation, d'être fort gentille pour son cousin et de lui faire passer la nuit le plus agréablement possible, sans oublier la causerie et les beaux vers des poètes.

Puis le vizir marqua la date de ce jour heureux. Et il se dirigea du côté de la chambre où se trouvait la caisse où logeait Hassan ligoté. Il l'en fit extraire pendant son sommeil, délia ses jambes, qui étaient attachées, le déshabilla et lui mit seulement une chemise fine et un bonnet sur la tête, tout comme la nuit des noces. Cela fait, le vizir s'esquiva promptement, en ouvrant les portes qui conduisaient à la chambre nuptiale, et laissa Hassan se réveiller tout seul.

Et Hassan se réveilla bientôt et, tout ahuri de se trouver ainsi presque nu dans ce corridor merveilleusement éclairé et qui ne lui semblait pas inconnu, se dit en lui-même : « Voyons, mon garçon ! es-tu dans le plus profond des songes ou à l'état de veille ? »

Après les premiers moments de stupéfaction, il se hasarda à se lever et à faire quelques pas hors du corridor par l'une des portes qui s'y ouvraient. Et aussitôt il cessa de respirer : il venait de reconnaître exactement la salle où s'était passée la fameuse fête en son honneur et au détriment du bossu, et, par la porte ouverte donnant sur la chambre nuptiale, tout au fond, il vit sur la chaise son turban, et sur le divan ses culottes et ses habits. Alors la sueur lui vint au front, et il l'essuya avec la main. Et il se dit : « Lah ! Lah ! suis-je éveillé ? suis-je endormi ? Tsoh ! Tsoh ! Suis-je fou ? » Il se mit pourtant à s'avancer, mais en avançant d'un pied et en reculant de l'autre, sans oser davantage et en essuyant toujours son front humide de sueur froide. Puis enfin il s'écria : « Mais, par Allah ! il n'y a plus de doute, c'est bien ça, mon garçon ! Ce n'est point un rêve ! Et tu étais, tu as raison, bien enfermé et ligoté dans une caisse ! Non, ce n'est point un rêve ! » Et, en disant cela, il était arrivé à la porte de la chambre nuptiale, et prudemment il y hasarda la tête.

Et aussitôt, de l'intérieur de la moustiquaire de soie bleue et fine, Sett El-Hosn, étendue dans toute sa beauté nue, souleva gentiment le rebord de la moustiquaire et lui dit : « Ô mon maître chéri ! que tu as tardé dans ce cabinet d'aisances ! Oh ! viens vite ! viens ! »

À ces paroles, le pauvre Hassan se mit à rire aux éclats comme un mangeur de haschich ou un fumeur d'opium et se mit à hurler : « Hou ! Hi ! hou ! quel rêve étonnant ! quel rêve incohérent ! » Puis il continua à s'avancer, comme s'il marchait sur des serpents, avec d'infinies précautions, en relevant les pans de sa chemise d'une main et en tâtant l'air de l'autre main, comme un aveugle ou un ivrogne.

Puis, n'en pouvant plus d'émotion, il s'assit sur le tapis et se mit à penser profondément, en faisant avec les mains des signes fous de stupéfaction. Pourtant il voyait là, devant lui, ses culottes telles qu'elles étaient, bouffantes et avec des plis bien réguliers, son turban de Bassra, sa pelisse et, au-dessous, les cordons de la bourse, qui pendaient !

Et, de nouveau, Sett El-Hosn parla de l'intérieur du lit et lui dit : « Qu'as-tu donc, mon chéri ? Je te vois fort perplexe et un peu tremblant. Ah ! tu n'étais pas ainsi au commencement ! Est-ce que, par hasard… ? »

Alors Badreddine, tout en restant assis et en se tenant le front à deux mains, se mit à ouvrir et à fermer la bouche dans un mouvement de rire fou, et put enfin dire : « Ha ! ha ! tu dis que je n'étais pas ainsi au commencement ! Quel commencement ? Et quelle nuit ? Par Allah ! mais il y a des années et des années que je suis absent ! Ha ! ha ! »

Alors Sett El-Hosn lui dit : « Ô mon chéri, calme-toi ! par le nom d'Allah sur toi et tout autour de toi ! calme-toi ! Je parle de cette nuit-ci que tu viens de passer dans mes bras, de celle-ci même où le bélier est entré puissamment quinze fois dans ma brèche ! Mon chéri ! Tu es simplement sorti pour aller au cabinet d'aisances pour faire quelque chose. Et tu as tardé là près d'une heure ! Oh ! je vois que tu dois être indisposé ! Viens donc, que je te réchauffe, viens, mon ami, viens, mon cœur, mes yeux ! »

Mais Badreddine continua à rire comme un fou, puis il dit : « Peut-être dis-tu vrai ! Pourtant… ! J'ai donc dû certainement m'endormir au cabinet d'aisances, et là, tout tranquillement, faire un songe fort désagréable ! » Puis il ajouta : « Oh oui ! fort désagréable ! Imagine-toi que j'ai rêvé que j'étais quelque chose comme cuisinier ou pâtissier dans une ville nommée Damas, en Syrie, très loin ! Oui ! et que j'y ai passé dix ans dans ce métier ! J'ai rêvé aussi d'un jeune garçon, un fils de noble assurément, accompagné d'un eunuque ! Et il m'est arrivé avec eux telle et telle aventure… » Et le pauvre Hassan, sentant la sueur mouiller son front, l'essuya, mais, dans ce mouvement, il sentit la trace de la pierre qui l'avait blessé, et il sauta en criant : « Mais non ! Voici la trace d'un coup de pierre assené par cet enfant ! Il n'y a pas à dire, cela est bien violent ! » Puis il réfléchit un instant et ajouta : « Ou plutôt non ! C'est bien un rêve en effet ! Ce coup est peut-être un coup que j'ai reçu tout à l'heure de toi, Sett El-Hosn, dans nos ébats ! » Puis il dit : « Je te continue mon songe. Dans cette ville de Damas, j'arrivai, je ne sais comment, un matin, là, comme tu me vois, en chemise seulement et en bonnet blanc ! Le bonnet du bossu ! Et les habitants ! Je ne sais trop ce qu'ils me voulaient ! J'héritai, comme ça, de la boutique d'un pâtissier, un vieux brave homme !… Mais oui ! mais oui ! ce n'est point un songe ! J'ai fait un plat de grains de grenade qui, paraît-il, ne contenait pas suffisamment d'aromates !… Et alors !… Voyons !… Ai-je bien rêvé tout cela ? Et n'est-ce point la réalité ? »

Alors Sett El-Hosn s'écria : « Mon chéri, vraiment quel songe extraordinaire tu as fait ! De grâce, dis-le-moi en entier ! »

Et Hassan Badreddine, tout en s'interrompant pour s'exclamer, raconta à Sett El-Hosn toute l'histoire, songe ou réalité, depuis le commencement jusqu'à la fin. Puis il ajouta : « Et dire que j'ai failli être crucifié ! Et je l'aurais déjà été, si, heureusement, le rêve ne s'était dissipé à temps. Allah ! je suis encore tout en sueur de cette caisse ! »

Et Sett El-Hosn lui demanda : « Mais pourquoi voulait-on te crucifier ? » Il répondit : « Mais toujours à cause du peu d'aromates dans le plat de grains de grenade ! Oui ! le pilori terrible était là qui m'attendait avec le chariot traîné par une paire de buffles du Nil ! Mais enfin, grâce à Allah, tout cela n'était qu'un rêve, car vraiment la perte de ma boutique de pâtisserie, ruinée de fond en comble, comme ça, m'aurait causé énormément de peine ! »

Alors Sett El-Hosn, n'en pouvant plus, s'élança du lit, et vint se jeter au cou de Hassan Badreddine et le pressa contre sa poitrine en l'embrassant et le dévorant de baisers. Et lui, n'osait pas bouger. Et tout à coup il s'écria : « Non ! non ! tout cela n'est point un rêve ! Allah ! où suis-je ? où est la vérité ? »

Et le pauvre Hassan, transporté doucement au lit aux bras de Sett El-Hosn, s'étendit épuisé et tomba dans un lourd sommeil, veillé par Sett El-Hosn, qui l'entendait murmurer, dans le sommeil, tantôt ces mots : « C'est un rêve ! » tantôt ces mots : « Non ! c'est la réalité ! »

Avec le matin, le calme revint dans les esprits de Hassan Badreddine qui, en se réveillant, se retrouva dans les bras de Sett El-Hosn et vit devant lui, debout au pied du lit, son oncle le vizir Chamseddine, qui aussitôt lui souhaita la paix. Et Badreddine lui dit : « Mais n'est-ce point toi-même, par Allah ! qui m'avais fait lier les bras et qui avais fait ruiner ma boutique ? Et tout cela à cause de la petite quantité d'aromates dans le plat de grains de grenade ? »

Alors le vizir Chamseddine, n'ayant plus aucune raison de se taire, dit : « Ô mon enfant, voici la vérité ! Tu es Hassan Badreddine, mon neveu, le fils de mon défunt frère Noureddine, le vizir de Bassra ! Et moi, je ne t'ai fait souffrir tout ce traitement que pour avoir une preuve de plus de ton identité et m'assurer que c'est bien toi qui es entré dans le lit de ma fille, la première nuit de ses noces. Et cette preuve, je l'ai eue en te voyant reconnaître (car j'étais caché derrière toi) la maison et les meubles, puis ton turban, tes culottes et ta bourse, et surtout l'étiquette de la bourse et le pli cacheté du turban qui contient les instructions de ton père Noureddine. Tu m'excuseras donc, mon enfant ! car je n'avais que ce moyen en main pour te reconnaître, moi qui ne t'avais jamais vu auparavant, puisque tu es né à Bassra ! Ah ! mon enfant ! tout cela est dû à un petit malentendu, survenu tout à fait dans le commencement entre ton père, qui est mon frère Noureddine, et moi, ton oncle ! »

Et le vizir lui raconta toute l'histoire, puis il lui dit : « Ô mon enfant ! quant à ta mère je l'ai amenée de Bassra, et tu vas la voir, ainsi que ton fils Agib, le fruit de ta première nuit de noces avec sa mère ! » Et le vizir courut les chercher.

Et le premier qui arriva fut Agib, qui, cette fois, se jeta au cou de son père, sans le craindre comme il craignait le pâtissier amoureux ; et Badreddine, dans sa joie, récita ces vers :

« Après ton départ, je me mis à pleurer, à longtemps pleurer. Et les larmes débordèrent de mes paupières.

Et je fis vœu, si jamais Allah réunissait les amants affligés de leur séparation, de ne jamais sur mes lèvres faire tenir le mot de séparation ancienne !

Aussi le bonheur vient de fondre sur moi, et avec tant de rapidité, et je fus dans une telle félicité, que malgré moi je versai les larmes de mes yeux !

Le destin a juré de toujours rester mon ennemi et la cause de mes peines ! Et moi, ô Destin, ô Temps, j'ai violé ton serment ! C'est une impiété !
Le bonheur a tenu sa promesse et acquitté ses dettes. Et mon ami m'est revenu ! Toi donc, lève-toi vers celui qui a apporté le bonheur, et relève les pans de ta robe pour le servir ! »

À peine avait-il fini de les réciter, que la grand-mère d'Agib, sa mère à lui Badreddine, arriva en sanglotant et se jeta dans ses bras presque évanouie de joie.

Et, après de grands épanchements, dans les larmes de la joie, ils se racontèrent mutuellement leurs histoires et leurs peines et toutes leurs souffrances.

Puis tous remercièrent Allah pour les avoir enfin tous réunis sains et saufs, et recommencèrent à vivre dans la félicité et dans le bonheur parfait et dans les pures délices, et cela jusqu'à la fin de leurs jours qui furent très nombreux, et en laissant de nombreux enfants tous aussi beaux que la lune et les étoiles. »

Et telle est, ô Roi fortuné, dit Schahrazade au roi Schahriar, l'histoire merveilleuse que le vizir Giafar Al-Barmaki raconta au khalifat Haroun Al-Rachid, l'émir des Croyants, dans la ville de Bagdad !

Oui ! c'est là l'histoire des aventures du vizir Chamseddine, de son frère le vizir Noureddine et de Hassan Badreddine, fils de Noureddine !

— Aussi le khalifat Haroun Al-Rachid ne manqua pas de dire : « Par Allah ! que tout cela est étonnant et admirable ! » Et, dans son contentement, non seulement il accorda à son vizir Giafar la grâce du nègre Rihan, mais aussi il prit en grande amitié le jeune homme qui était le mari de la femme coupée dans l'histoire des trois pommes, et, pour le consoler de la perte de son épouse injustement sacrifiée, il lui fit don d'une des plus jolies vierges, comme concubine, lui fit de somptueux émoluments, et l'attacha à lui comme son ami intime et son compagnon de table. Puis il ordonna aux écrivains du palais d'écrire cette merveilleuse histoire avec leur plus belle écriture, et de l'enfermer soigneusement dans l'armoire des papiers pour servir de leçon aux enfants de leurs enfants.

« Mais, continua la fine et discrète Schahrazade en s'adressant au roi Schahriar, sultan des îles de l'Inde et de la Chine, ne crois point, ô Roi fortuné, que cette histoire soit aussi admirable que celle que je me réserve de te raconter, si tu n'es pas fatigué ! » Et le roi Schahriar lui dit : « Et quelle est cette histoire ? » Schahrazade répondit : « Elle est de beaucoup plus admirable que toutes les autres ! » Et Schahriar lui dit : « Et quel est son nom ? » Elle répondit :

« C'est l'histoire du tailleur, du bossu, du Juif, du chrétien et du barbier de Bagdad ! »

Et le roi Schahriar répondit : « Certes, tu peux la raconter ! »

HISTOIRE DU BOSSU AVEC LE TAILLEUR

Alors Schahrazade dit au roi Schahriar :

Il m'est parvenu, ô Roi fortuné, qu'il y avait, en l'antiquité du temps et le passé des âges et des siècles, dans une ville de la Chine, un homme qui était tailleur et fort satisfait de sa condition. Il aimait les distractions et les plaisirs et avait coutume, de temps en temps, de sortir avec son épouse, se promener et se réjouir les yeux au spectacle de la rue et des jardins. Or, un jour que tous deux avaient passé la journée entière hors de leur demeure et que, le soir arrivé, ils revenaient chez eux, ils rencontrèrent sur leur chemin un bossu à l'aspect si drôle qu'il chassait toute mélancolie, faisait rire l'homme le plus triste et éloignait tout chagrin et toute affliction. Aussitôt le tailleur et son épouse s'approchèrent du bossu, s'amusèrent beaucoup de ses plaisanteries et tellement qu'ils l'invitèrent à les accompagner à leur maison pour qu'il fût leur hôte cette nuit-là. Et le bossu se hâta de faire à cette invitation la réponse qu'il fallait, et se joignit à eux et arriva avec eux à la maison. Là, le tailleur quitta un instant le bossu pour courir au souk acheter, avant que les marchands n'eussent fermé leurs boutiques, de quoi faire honneur à son invité. Il acheta du poisson frit, du pain frais, des limons et un gros morceau de halaoua[1] pour le dessert. Puis il s'en revint, mit toutes ces choses devant le bossu ; et tout le monde s'assit pour manger.

Pendant qu'on mangeait ainsi gaiement, la femme du tailleur prit un gros morceau de poisson entre ses doigts et, par manière de plaisanterie, le fourra tout entier dans la bouche du bossu, lui couvrit la bouche de sa main pour empêcher qu'il rejetât le morceau et lui dit : « Par Allah ! il faut absolument que tu avales cette bouchée d'un seul coup et sans arrêt, sinon je ne te lâche pas. »

Alors le bossu se mit à faire de grands efforts, mais il finit par avaler la bouchée. Malheureusement pour lui, il était de son destin qu'une grosse arrête se trouvât dans la bouchée : elle s'arrêta dans son gosier et fit qu'il mourut à l'heure même.

À ce moment de sa narration, Schahrazade, la fille du vizir, vit s'approcher le matin et, discrète selon son habitude, ne voulut pas prolonger davantage le récit, pour ne pas abuser de la permission accordée par le roi Schahriar.

Alors, sa sœur, la jeune Doniazade, lui dit : « Ô ma sœur, que tes paroles sont gentilles, douces, savoureuses et pures ! » Elle répondit : « Mais que diras-tu alors, la nuit prochaine, en entendant la suite, si toutefois je suis encore en vie et que ce soit le bon plaisir de ce Roi plein de bonnes manières et de politesse ! »

Et le roi Schahriar dit en son âme : « Par Allah ! je ne la tuerai que lorsque j'aurais entendu le reste de son histoire, qui est bien étonnante ! »

Puis le roi Schahriar prit Schahrazade dans ses bras ; et tous deux passèrent le reste de la nuit enlacés jusqu'au matin. Puis le roi se leva et alla dans la salle de sa justice. Et aussitôt entra le vizir, et entrèrent aussi les émirs, les chambellans et les gardes, et le diwan fut tout plein de monde. Et le Roi se mit à juger, à régler les affaires, à nommer celui-ci à un emploi, à destituer celui-là, à terminer les procès pendants, et à s'occuper de la sorte jusqu'à la fin de la journée. Le diwan terminé, le Roi entra dans ses appartements et alla retrouver Schahrazade.

Et comme c'était la vingt-cinquième nuit. Doniazade dit à Schahrazade : « Ô ma sœur, je t'en prie, conte-nous la suite de cette histoire du bossu avec le tailleur et sa femme ! » Elle répondit : « De tout cœur et comme hommage dû ! Mais je ne sais si le Roi y consent ! » Alors le Roi se hâta de dire : « Tu peux ! »

Et Schahrazade dit :

Il m'est parvenu, ô Roi fortuné, que lorsque le tailleur vit le bossu mourir de la sorte, il s'écria : « Il n'y a de force et de pouvoir qu'en Allah le Très-Haut, le Tout-Puissant ! Quel malheur que ce pauvre homme soit ainsi venu mourir juste entre nos mains ! » Mais la femme s'écria : « Quel errement est donc le tien ! Ne connais-tu point ces vers du poète ?

« Ô mon âme, pourquoi t'enfoncer dans l'absurde et t'en rendre malade, et te préoccuper de ce dont ne surgira la peine ou le souci ?

Ne crains-tu donc point le feu, pour t'y asseoir ? Et ne sais-tu pas qu'à s'approcher du feu, on risque de flamber ? »

Alors son mari dit : « Et que me faut-il faire maintenant ? » Elle répondit : « Lève-toi donc ! Et à nous deux nous allons porter le corps ; nous le couvrirons d'une écharpe de soie, et nous le transporterons, toi en marchant derrière moi et moi en te précédant, et cela cette nuit même ! Et tout le long de la route tu diras à voix haute : « C'est mon enfant ! Et celle-ci, c'est sa mère ! Nous sommes à la recherche d'un médecin qui le puisse traiter ! Où y a-t-il un médecin ? »

Aussi lorsque le tailleur entendit ces paroles, il se leva, prit le bossu entre ses bras et, précédé de sa femme, sortit de la maison. Et la femme, de son côté, se mit à dire : « Ô mon pauvre enfant ! Puisses-tu te tirer de là sain et sauf ! Dis ! Où souffres-tu ? Ah ! cette maudite petite vérole ! Sur quelle partie de ton corps as-tu des éruptions ? » À ces paroles, chaque passant se disait : « C'est le père et la mère ! Ils portent leur enfant atteint de la petite vérole ! » et se hâtait alors de s'éloigner.

Quant au tailleur et à sa femme, ils continuèrent ainsi à s'acheminer, tout en s'informant du logis d'un médecin, jusqu'à ce qu'on les eût conduits à la porte d'un médecin juif. Alors ils frappèrent à la porte, et aussitôt une négresse descendit, ouvrit la porte et vit cet homme qui portait un enfant dans ses bras, et aussi la mère qui l'accompagnait. Et celle-ci lui dit : « Nous avons avec nous cet enfant que nous désirons faire voir au médecin. Prends donc cet argent, un quart de dinar, et donne-le d'avance à ton maître, en le priant de descendre voir mon enfant qui est bien malade. »

Alors la servante remonta ; et aussitôt la femme du tailleur franchit le seuil de la maison, fit entrer son mari et lui dit : « Dépose vite ici le corps du bossu et hâtons-nous de filer au plus tôt. » Et le tailleur déposa le corps du bossu sur une des marches de l'escalier, contre le mur, et se hâta de sortir, suivi de sa femme.

Quant à la négresse, elle entra chez le médecin juif, son maître, et lui dit : « En bas, il y a un malade accompagné d'une femme et d'un homme qui m'ont donné pour toi ce quart de dinar afin que tu prescrives à ce malade quelque chose qui lui fasse du bien. » Lorsque le médecin juif vit le quart de dinar, il se réjouit et se hâta de se lever, et, dans sa hâte, il ne songea pas à prendre avec lui de la lumière pour descendre. Si bien qu'il buta du pied contre le bossu et le renversa. Et tout effrayé de voir ainsi rouler un homme, il se hâta de l'examiner et constata la mort et pensa qu'il était la cause de sa mort. Alors il s'écria : « Seigneur ! Ah ! Dieu vengeur ! Par les dix Paroles Saintes ! » Et il continua à invoquer Haroun, Iouschah[1] fils de Noun, et les autres. Et il dit : « Voici que je viens de buter contre ce malade et de le faire rouler jusqu'au bas de l'escalier ! Aussi, comment pourrai-je maintenant sortir de ma maison avec un homme mort ? » Pourtant il finit par le prendre et par le transporter de la cour dans sa maison, et il le fit voir à sa femme et lui révéla la chose. Et sa femme terrifiée s'écria : « Ah ! non ! pas de ça ici ! Vite fais-le sortir ! Car, s'il reste ici jusqu'au lever du soleil, nous sommes perdus sans rémission. Aussi nous allons tous deux le transporter sur la terrasse de la maison, et de là nous le jetterons dans la maison de notre voisin le musulman. Car tu sais que notre voisin est l'intendant pourvoyeur de la cuisine du sultan, et que sa maison est infestée par les rats, les chats et les chiens qui descendent chez lui par la terrasse pour faire des dégâts et manger les provisions de beurre, de graisse, d'huile et de farine. Aussi ces animaux ne manqueront pas de manger ce corps mort et de le faire disparaître. »

Alors le médecin juif et sa femme prirent le bossu, montèrent sur leur terrasse, et de là ils firent descendre doucement le corps dans la maison de l'intendant, et l'appliquèrent debout contre le mur de la cuisine. Puis ils s'en allèrent et redescendirent tranquillement chez eux.

Or, il y avait à peine quelques instants que le bossu était ainsi appliqué debout contre le mur que l'intendant, qui s'était absenté, revint à la maison, ouvrit la porte, alluma une chandelle et entra. Et il trouva un fils d'Adam debout dans un coin contre le mur de la cuisine. Et l'intendant, fort surpris, s'écria : « Qu'est cela ? Par Allah ! je vois maintenant que le voleur habituel de mes provisions est un homme, et non point un animal ! C'est lui qui me dérobe la viande et les graisses, que j'enferme pourtant soigneusement par crainte des chats et des chiens ! Aussi je constate qu'il aurait été bien inutile de tuer, comme je pensais à le faire, tous les chats et tous les chiens du quartier, puisque cet individu-là est seul à descendre ici par la terrasse ! » Et aussitôt l'intendant prit un énorme gourdin, courut à l'homme, l'en frappa violemment, le fit tomber et se mit à lui assener des coups sur la poitrine. Mais comme l'homme ne bougeait pas, l'intendant vit qu'il était mort. Alors il fut dans la désolation et dit : « Il n'y a de force et de pouvoir qu'en Allah le Très-Haut, le Tout-Puissant ! » Puis il fut très effrayé et dit : « Maudits soient le beurre, les graisses, la viande et cette nuit-ci ! Faut-il que je sois assez malchanceux pour avoir de la sorte tué cet homme qui me reste ainsi entre les mains ! » Puis il le regarda plus attentivement et vit que c'était un bossu. Et il dit : « Il ne te suffisait donc plus d'être bossu ! Tu voulais encore être voleur, et voler la viande et les graisses de mes provisions ! Ô Dieu protecteur, protège-moi sous le voile de ta puissance ! » Sur ce, comme la nuit marchait vers sa fin, l'intendant chargea le bossu sur ses épaules, descendit de sa maison et se mit à marcher jusqu'à ce qu'il fût arrivé au commencement du souk. Il s'arrêta alors, plaça le bossu debout, à l'angle d'une boutique, au détour d'une rue, le laissa là et s'en alla.

Il n'y avait pas longtemps que le bossu était là que vint à passer un chrétien. C'était le courtier du sultan. Il était, ce soir, ivre, et allait, en cet état, prendre un bain au hammam. Son ivresse l'incitait à de curieuses choses et lui disait : « Va ! tu approches du Messie lui-même ! » Il allait donc ainsi en zigzaguant et en titubant, et il finit par se trouver face à face avec le bossu, sans le voir. À ce moment, il s'arrêta, se tourna du côté du bossu et se mit en posture d'uriner. Mais tout à coup il vit le bossu juste devant lui, contre le mur. À la vue de cet homme immobile, il pensa que c'était un voleur, celui peut-être qui lui avait volé son turban, au commencement de la soirée ; car le courtier chrétien était, en effet, nu-tête. Alors le chrétien se précipita contre l'homme et lui assena sur la nuque un coup violent qui le fit rouler à terre. Puis il lança de hauts cris en appelant le gardien du souk. Et il tomba sur le bossu en le frappant à coups redoublés, dans l'excitation de l'ivresse, et s'apprêta même à l'étrangler en lui serrant le cou de ses deux mains. À ce moment, arriva le gardien du souk, et il vit le chrétien qui tenait sous lui renversé le musulman et le frappait et était sur le point de l'étrangler. Et le gardien s'écria : « Laisse cet homme et lève-toi ! » Et le chrétien se leva.

Alors le gardien du souk s'approcha du bossu musulman, étendu par terre, l'examina et vit qu'il était mort. Il s'écria alors : « Oh ! a-t-on jamais vu ainsi un chrétien avoir l'audace de toucher à un musulman et de le tuer ! » Puis le gardien se saisit du chrétien, lui lia les bras derrière le dos et le conduisit à la maison du wali[1]. Et le chrétien se lamentait et disait : « Ô Messie ! ô Vierge ! Comment ai-je pu tuer cet homme ! Et comme il est mort vite, d'un seul coup de poing ! Passée l'ivresse, voici maintenant la réflexion ! »

Arrivés à la maison du wali, le chrétien et le bossu mort furent enfermés toute la nuit jusqu'à ce que le wali se fût réveillé, le matin. Et le wali interrogea le chrétien qui ne put nier les faits rapportés par le gardien du souk. Aussi le wali ne put que condamner à mort ce chrétien qui avait tué un musulman. Et il ordonna au porte-glaive, l'exécuteur des condamnés, de crier par toute la ville la sentence de mort du courtier chrétien. Puis il fit dresser la potence, et ordonna d'amener le condamné sous la potence. Alors vint le porte-glaive qui prépara la corde, fit le nœud coulant, le passa au cou du courtier et allait hisser, lorsque soudain l'intendant du sultan fendit la foule amassée, et se fraya un chemin jusqu'au chrétien debout sous la potence, et cria au porte-glaive : « Arrête ! c'est moi qui ai tué l'homme ! » Alors le wali lui dit : « Et pourquoi donc l'as-tu tué ? » Il dit : « Voici ! Cette nuit, en entrant dans ma maison, je l'ai vu qui s'était introduit chez moi en descendant de la terrasse, pour voler mes provisions. Et moi, je l'ai frappé à la poitrine avec un gourdin, et aussitôt je l'ai vu tomber et mourir. Alors je l'ai porté sur mes épaules et je suis venu au souk et je l'ai mis debout contre une boutique, à tel endroit, dans telle rue ! Malheureux que je suis ! Voici maintenant que j'allais être cause par mon silence, de la mort de ce chrétien, après avoir moi-même tué un musulman ! Aussi c'est moi que l'on doit pendre ! »

Lorsque le wali eut entendu les paroles de l'intendant, il fit relâcher le courtier chrétien et dit au porte-glaive : « Tu vas tout de suite pendre cet homme-ci, qui vient d'avouer de sa propre bouche ! »

Alors le porte-glaive prit la corde qu'il avait d'abord passée au cou du chrétien, en entoura le cou de l'intendant, amena l'intendant juste sous la potence et allait le suspendre en l'air, lorsque tout à coup le médecin juif fendit la foule et cria au porte-glaive en disant : « Attends ! ne fais rien ! C'est moi seul qui l'ai tué ! » Puis il raconta ainsi la chose : « En effet, sachez tous que cet homme est venu me trouver pour me consulter afin que je le guérisse. Et comme je descendais l'escalier pour le voir, et qu'il faisait nuit, je l'ai heurté du pied : alors il a roulé jusqu'au bas de l'escalier et il est mort. Ainsi donc on ne doit pas tuer l'intendant, mais moi seulement ! »

Alors le wali ordonna la mort du médecin juif. Et le porte-glaive enleva la corde du cou de l'intendant et la mit au cou du médecin juif et allait exécuter le médecin, quand on vit arriver le tailleur qui fendit la foule et dit au porte-glaive : « Oh ! arrête-toi ! C'est moi seul qui l'ai tué ! Voici ! Hier je passai ma journée à flâner, et je revins, vers le soir, à la maison. En route, je rencontrai ce bossu, qui était ivre et fort gai, et il tenait à la main un tambour à grelots dont il s'accompagnait en chantant de tout son cœur et d'une façon fort réjouissante. Alors je m'arrêtai pour le voir et m'amuser, et j'en éprouvai un tel plaisir que je l'invitai à m'accompagner à la maison. Comme j'avais, entre autres choses, acheté du poisson, ma femme, lorsque nous nous fûmes assis pour manger, prit un morceau de poisson qu'elle mit dans un morceau de pain, et elle en fit une bouchée qu'elle fourra dans la bouche du bossu ; et la bouchée étouffa le bossu, qui mourut aussitôt. Alors, moi et ma femme, nous le prîmes et nous le portâmes à la maison du médecin juif. Une négresse descendit qui nous ouvrit la porte ; et je lui dis :

« Dis à ton maître qu'il y a à la porte une femme et un homme qui apportent un malade. Il faut donc descendre le voir pour lui prescrire un médicament ! » Puis je donnai à cette négresse un quart de dinar pour son maître. Alors elle se hâta de monter, et moi, je mis le bossu debout contre le mur de l'escalier ; et moi et ma femme, nous nous en allâmes au plus vite. Pendant ce temps, le médecin juif était descendu pour voir le malade ; mais il heurta le corps du bossu qui tomba ; et le juif pensa qu'il l'avait lui-même tué ! »

À ce moment le tailleur se tourna du côté du médecin juif et lui dit : « N'est-ce point vrai ? » Il répondit : « Oui, en vérité ! » Alors le tailleur se tourna vers le wali et lui dit : « Il faut donc relâcher ce juif et me pendre, moi ! »

Le wali, à ces paroles, s'étonna prodigieusement et dit : « Vraiment cette histoire du bossu mérite d'être mise dans les annales et les livres ! » Puis il ordonna au porte-glaive de relâcher le juif et de pendre le tailleur, qui s'avouait coupable. Alors le porte-glaive amena le tailleur sous la potence, lui mit la corde au cou et dit : « Cette fois-ci, c'est la dernière. Je n'échangerai plus personne ! » Et il saisit la corde.

Voilà pour ceux-là.

Quant au bossu, on dit qu'il était le bouffon du sultan, et que le sultan ne pouvait s'en séparer une heure. Or, le bossu, après s'être enivré, cette nuit-là, s'était échappé du palais et était resté ainsi absent toute la nuit ; et, le lendemain, on vint dire au sultan qui demandait de ses nouvelles : « Seigneur, le wali te dira que le bossu est mort et que son meurtrier est sur le point d'être pendu. En effet, le wali avait fait mettre le meurtrier sous la potence, et le porte-glaive allait l'exécuter lorsqu'on vit arriver un deuxième individu, puis un troisième, et chacun d'eux disait : « C'est moi seul qui ai tué le bossu ! » Et chacun d'eux racontait au wali le motif du meurtre. »

Lorsque le sultan entendit ces paroles, il ne put en entendre davantage, il cria et appela un chambellan et lui dit : « Descends vite et cours près du wali et dis-lui de m'amener sur l'heure tout ce monde-là ! » Et le chambellan descendit et arriva près de la potence, juste au moment où le porte-glaive allait exécuter le tailleur. Et le chambellan s'écria : « Arrête ! » Puis il raconta au wali que cette histoire du bossu était parvenue aux oreilles du roi. Et il l'emmena, et il emmena aussi le tailleur, le médecin juif, le courtier chrétien et l'intendant, fit emporter également le corps du bossu, et s'en alla avec eux tous chez le roi.

Lorsque le wali se présenta entre les mains du roi, il se courba et baisa la terre, et raconta au roi toute l'histoire du bossu, dans tous ses détails, depuis le commencement jusqu'à la fin. Mais il est vraiment inutile de la répéter !

Le roi, en entendant cette histoire, s'émerveilla fort et fut pris d'une grande hilarité. Puis il ordonna aux scribes du palais d'écrire cette histoire avec l'eau d'or. Ensuite il demanda à tous les assistants : « Avez-vous jamais entendu une histoire pareille à celle du bossu ? »

Alors le courtier chrétien s'avança, baisa la terre entre les mains du roi et dit : « Ô roi des siècles et du temps, moi, je connais une histoire bien plus étonnante que notre aventure avec le bossu ! Si tu me le permets, je te la raconterai, car elle est de beaucoup plus merveilleuse, plus étrange et plus délicieuse que l'histoire du bossu ! »

Et le roi lui dit : « Oui ! déballe-nous, qu'on le voie, ce que tu possèdes ! »

Alors le courtier chrétien dit :

RÉCIT DU COURTIER CHRÉTIEN

« Sache, ô roi du temps, que je ne suis venu dans ces pays que pour une affaire commerciale. Je suis un étranger que la destinée a dirigé vers ton royaume. Je suis né, en effet, dans la ville du Caire et je suis un copte d'entre les coptes. Et c'est également au Caire que j'ai été élevé, et c'est là que mon père, avant moi, était courtier.

Lorsque mourut mon père, j'étais déjà parvenu à l'âge d'homme ; aussi je me fis courtier à sa place, attendu que je me voyais toutes sortes de bonnes dispositions pour ce métier, spécial à nous autres coptes.

Or, un jour d'entre les jours, j'étais assis devant la porte du khân des marchands de grains, et je vis passer un jeune homme, le plus beau qui se pût voir, et vêtu des habits les plus somptueux, et monté sur un âne sellé d'une belle selle rouge. Lorsque ce jeune homme me vit, il me salua ; et moi, je me levai aussitôt par égard pour lui. Alors il tira un mouchoir qui contenait une petite quantité de sésame, en échantillon, et me dit : « Combien vaut l'ardeb[1] de cette espèce de sésame-ci ! » Je lui dis : « Cela vaut bien cent drachmes. » Il me répondit : « Prends alors avec toi les hommes qui mesurent les grains et dirige-toi vers le khân Al-Gaouali au quartier de Bab Al-Nassr : tu m'y trouveras. » Puis il me laissa et s'éloigna, après m'avoir donné le mouchoir qui contenait l'échantillon de sésame.

Alors je me mis à faire le tour des marchands acheteurs de grains et je leur fis voir l'échantillon que, moi, j'avais estimé cent drachmes. Et les marchands l'estimèrent cent vingt drachmes pour chaque ardeb. Alors je fus dans la plus grande joie et je pris avec moi quatre mesureurs, et j'allai aussitôt retrouver le jeune homme qui m'attendait, en effet, au khân. Lorsqu'il me vit, il vint à moi et me conduisit à un magasin où se trouvaient les grains, et les mesureurs remplirent des sacs et mesurèrent les grains, qui montèrent en tout à cinquante mesures en ardebs. Et le jeune homme me dit : « Tu toucheras pour ta part de courtage dix drachmes par ardeb vendu à cent drachmes. Mais tu toucheras pour moi tout l'argent et tu me le garderas soigneusement chez toi jusqu'à ce que je te le réclame. Comme le total du prix est cinq mille drachmes, tu en prélèveras pour toi cinq cents, et il m'en restera ainsi quatre mille cinq cents. Pour moi, sitôt que j'aurai fini mes affaires, je viendrai chez toi prendre l'argent. » Alors je lui répondis : « Qu'il soit fait selon ton désir ! » Puis je lui baisai les mains et je m'éloignai.

Et, en effet, ce jour-là même, je gagnai de la sorte mille drachmes de courtage, cinq cents du vendeur et cinq cents des acheteurs, et je prélevai de la sorte le vingt pour cent, selon nos usages de courtiers égyptiens.

Quant au jeune homme, au bout d'un mois d'absence, il vint me voir et me dit : « Où sont les drachmes ? » Et je lui dis aussitôt : « À tes ordres. Les voici tout préparés dans ce sac. » Mais il me dit : « Garde-les encore chez toi quelque temps jusqu'à ce que je revienne les prendre. » Et il s'en alla et s'absenta de nouveau un mois, et revint et me dit : « Où sont les drachmes ? » Alors je me levai et le saluai et lui dis : « Ils sont à ta disposition. Les voici. » Puis je lui dis : « Maintenant veux-tu honorer ma maison en acceptant d'y venir manger avec moi un morceau ? » Mais il refusa et me dit : « Pour l'argent, je te prie de le garder encore jusqu'à ce que je revienne te le réclamer, après avoir terminé quelques affaires pressantes. » Puis il s'éloigna. Et moi, je serrai soigneusement l'argent qui lui appartenait et me mis à attendre son retour. Au bout d'un mois, il revint et me dit : « Ce soir, je repasserai ici prendre l'argent ! » Alors je tins l'argent tout prêt ; mais j'eus beau l'attendre jusqu'à la nuit, puis les autres jours, il ne revint qu'au bout d'un mois pendant que, moi, je me disais : « Comme ce jeune homme est plein de confiance ! De ma vie, depuis le temps que je suis courtier dans les khâns et les souks, je n'ai vu confiance pareille ! » Il vint donc à moi, et il était toujours sur son âne et vêtu d'habits somptueux, et il était aussi beau que la lune dans son plein, et avait le visage brillant et frais comme au sortir du hammam, et les joues roses et le front comme une fleur éclatante et, sur un coin de ses lèvres, un grain noir de beauté comme une goutte d'ambre noir, d'après le dire du poète :

« La lune dans son plein, au haut de la tour, se rencontra avec le soleil ; et tous deux étaient dans leur éclat et leur beauté.

Tels étaient les deux amants. Et ceux qui les regardaient ne pouvaient que les admirer et les aimer, et leur souhaiter le bonheur.

Et maintenant ils sont si beaux et si merveilleux que par eux on se sent l'âme toute captive.

Aussi gloire à Allah qui accomplit de tels prodiges. Il façonne ses créatures au gré de son désir. »

Lorsque je le vis, je lui baisai les mains et j'appelai sur lui toutes les bénédictions d'Allah et je lui dis : « Ô mon maître, j'espère que cette fois tu vas toucher ton argent ! » Il me répondit : « Patiente encore un peu, que je finisse de terminer mes affaires, et alors je viendrai te reprendre l'argent. » Puis il tourna le dos et s'éloigna. Et moi je pensai qu'il resterait encore longtemps, et je pris l'argent et le plaçai à un placement de vingt pour cent comme il est d'usage dans notre pays, et ainsi le fis bien valoir pour mon compte. Et je dis en mon âme : « Par Allah ! lorsqu'il reviendra, je le prierai d'accepter mon invitation, et je le recevrai avec une grande largesse, car son argent m'a été d'un bien grand profit et voici que je deviens fort riche ! »

Une année s'écoula de la sorte, au bout de laquelle il vint ; et il était vêtu d'une robe bien plus somptueuse que les autres fois, et toujours monté sur son âne blanc de race.

Alors je le conjurai avec ferveur de venir avec moi à la maison et de vouloir bien être mon invité. Et il me répondit : « Je veux bien, mais à la condition que tu ne prélèves point les dépenses que tu vas faire sur l'argent qui m'appartient et qui est chez toi ! » Et il se mit à rire. Et moi aussi. Et je lui dis : « Oui, certes, et de grand cœur ! » Et je l'emmenai dans ma maison, et le priai de s'asseoir ; et je courus au souk acheter toutes sortes de provisions, de boissons et autres choses semblables et je mis le tout entre ses mains sur la nappe et je l'invitai à commencer en disant : « Au nom d'Allah ! »

Alors il s'approcha des mets servis et avança sa main gauche et se mit à manger avec cette main gauche. Alors je fus grandement surpris et je ne sus que penser. Lorsque nous eûmes fini de manger, il se lava cette main gauche sans s'aider de sa main droite ; et je lui tendis la serviette pour qu'il s'essuyât ; puis nous nous assîmes pour causer.

Alors je lui dis : « Ô mon maître, de grâce ! soulage-moi d'un poids qui me pèse et d'une tristesse qui me désole. Pourquoi as-tu mangé avec la main gauche ? Aurais-tu par hasard un mal douloureux à la main droite ? » À ces paroles le jeune homme récita ces deux strophes :

« Ne me demande point ce que j'ai de souffrances dans l'âme et de douleurs aiguës. Tu verrais mon infirmité.

Et surtout ne me demande point si je suis heureux. Je le fus. Mais il y a si longtemps ! Depuis, tout est changé. Toutefois, contre l'inévitable, il faut user de sagesse. »

Puis il tira sa main droite de la manche de sa robe : et je vis que cette main était coupée, car le bras n'avait plus de poignet. Et je fus énormément étonné. Mais il me dit : « Que cela ne t'étonne point ! Et surtout ne pense plus que c'est par manque d'égards envers toi que j'ai mangé avec ma main gauche ; car tu vois maintenant que c'est parce que ma main droite est coupée. Et la cause en est bien étonnante ! » Alors je lui demandai : « Et quelle est cette cause ? » Et il me dit : « Sache que je suis de Bagdad. Mon père était l'un des grands et l'un des principaux de la ville. Et moi, jusqu'à ce que j'eusse atteint l'âge d'homme, j'écoutais les récits des voyageurs, des pèlerins et des marchands, qui nous racontaient, chez mon père, les merveilles des pays d'Égypte. Et moi, je retins en moi-même tous ces récits en les cultivant secrètement, et cela jusqu'à ce que mon père fût mort. Alors je pris toutes les richesses que je pus amasser, et beaucoup d'argent, et j'achetai une grande quantité de marchandises en étoffes de Bagdad et de Mossoul, et bien d'autres marchandises de prix et de la plus belle qualité ; et je mis toutes ces choses en paquets et je partis de Bagdad. Et comme Allah avait écrit que je devais arriver sain et sauf à destination, je ne tardai pas à arriver bientôt dans cette ville du Caire, qui est ta ville. »

Puis le jeune homme se mit à pleurer et récita ces strophes :

« Souvent l'aveugle, l'aveugle de naissance, sait éviter la fosse où tombera le clairvoyant, l'homme éclairé.

Souvent l'insensé sait éviter la parole qui, prononcée par le sage, causera la perte du sage et du savant.

Souvent l'homme pieux, le croyant, souffrira de la misère, alors que l'impie, le fou sera dans la félicité.

Aussi ! que l'homme sache bien son impuissance ! Seule la fatalité règne sur le monde. »

Les vers finis, il continua de la sorte son récit : « J'entrai donc au Caire et j'allai au khân Serour, je défis mes paquets, je déchargeai mes chameaux et je serrai mes marchandises dans le local que je pris soin de louer. Puis je donnai quelque argent à mon serviteur pour qu'il nous achetât de quoi manger ; ensuite je m'endormis un peu, et, à mon réveil, j'allai faire un tour du côté de Baïn Al-Kassrein ; puis je revins au khân Serour, où je passai la nuit.

« Lorsque je me réveillai le matin, je défis un paquet d'étoffes et je dis en mon âme : « Je vais porter ces étoffes au souk et voir un peu le cours des affaires. » Alors je chargeai les étoffes sur les épaules de l'un de mes jeunes serviteurs, et je me dirigeai vers le souk et j'arrivai à l'endroit principal des affaires, une grande bâtisse entourée de portiques, de boutiques de toutes sortes et de fontaines ; c'est là, comme tu sais, que se tiennent les courtiers ; et on appelle ce lieu : kaïssariat Guerguess.

« À mon arrivée, tous les courtiers, qui étaient déjà avertis de ma venue, m'entourèrent et je leur donnai les étoffes, et ils partirent dans toutes les directions soumettre mes étoffes aux acheteurs principaux des souks. Mais ils revinrent bientôt et me dirent que le prix que l'on offrait de mes marchandises ne couvrait ni mon prix d'achat ni mes frais depuis Bagdad jusqu'au Caire. Et comme je ne savais que faire, le cheikh principal des courtiers me dit : « Je sais le moyen qu'il te faut employer pour arriver à faire quelque gain : c'est simplement de faire comme font tous les marchands. Cela consiste à vendre tes marchandises, en détail, aux marchands qui tiennent boutique, et cela pour un temps déterminé, devant témoins, et par écrit de part et d'autre, et par l'intermédiaire d'un changeur. Et alors régulièrement, chaque jeudi et chaque lundi, tu toucheras l'argent qui en sera résulté. Et, de la sorte, chaque drachme te rapportera deux drachmes et même davantage. De plus, pendant ce temps, tu auras tout le loisir de bien visiter le Caire et d'admirer le Nil, qui le traverse. »

« Lorsque j'entendis ces paroles, je dis : « C'est vraiment là une idée excellente ! » Et aussitôt j'emmenai les courtiers et les crieurs avec moi jusqu'au khân Serour et je leur donnai toutes mes marchandises qu'ils portèrent à la kaïssariat. Et je vendis le tout en détail, aux marchands, après qu'on eut, écrit les clauses devant témoins et par l'intermédiaire d'un changeur de la kaïssariat.

« Cela fait, je revins à mon khân et j'y séjournai tranquillement, et je ne me privai d'aucun plaisir et ne ménageai aucune dépense. Tous les jours, je déjeunais somptueusement, avec la coupe de vin sur la nappe. Et j'avais toujours de bonne viande de mouton et toutes sortes de douceurs et de confitures. Et je continuai de la sorte jusqu'à ce que le mois fût échu, où je devais prélever mon revenu régulier. Et, en effet, à partir de la première semaine de ce mois-là, je me mis à toucher régulièrement mon argent ; chaque jeudi et chaque lundi, j'allais m'asseoir dans la boutique de chacun des marchands, mes débiteurs ; et le changeur et l'écrivain public arrivaient, faisaient un tour chez chaque marchand, touchaient l'argent et me l'apportaient.

« Je pris donc l'habitude d'aller ainsi m'asseoir tantôt dans une boutique, tantôt dans une autre, quand un jour (j'étais sorti du hammam où j'étais allé prendre mon bain, je m'étais ensuite un peu reposé, j'avais déjeuné d'un poulet et bu quelques coupes de vin, je m'étais ensuite lavé les mains et m'étais parfumé aux essences aromatiques) je vins au quartier de la kaïssariat Guerguess et m'assis dans la boutique d'un marchand d'étoffes, appelé Badreddine Al-Bostani. Lorsqu'il me vit, il me reçut avec beaucoup de cordialité et d'égards, et nous nous mîmes à causer une heure de temps.

« Or, pendant que nous étions ainsi à causer, nous vîmes arriver une femme couverte d'un grand voile de soie bleue ; et elle entra dans la boutique pour acheter des étoffes et s'assit sur un escabeau à côté de moi. Et le bandeau qui lui serrait la tête et lui couvrait légèrement le visage était disposé un peu de côté, et laissait échapper des parfums délicieux et les arômes les plus délicats. Aussi elle me ravit la raison par sa beauté et ses charmes, surtout lorsqu'elle eut écarté son voile et que j'eus aperçu le noir de ses prunelles ! Elle s'assit donc et salua Badreddine, qui lui rendit son souhait de paix et se tint debout devant elle et se mit à lui parler en lui montrant diverses sortes d'étoffes. Et moi, en entendant cette voix douce et pleine de charmes, je sentis encore davantage l'amour se consolider en mon cœur.

« Lorsqu'elle eut examiné quelques étoffes, et comme elle ne les trouvait pas assez belles, elle dit à Badreddine : « N'as-tu point par hasard une pièce de soie blanche tissée avec des fils d'or pur ? J'en aurais besoin pour me faire une robe. » Et Badreddine alla au fond de sa boutique, ouvrit une petite armoire et, de dessous plusieurs pièces d'étoffe, il retira une pièce de soie blanche tissée avec des fils d'or pur et l'apporta, et la déplia devant la dame. Et elle la trouva juste à sa convenance et elle dit au marchand : « Comme je n'ai pas d'argent sur moi, tu pourras, je pense, selon l'habitude, me la donner dès maintenant ; et moi, en arrivant à la maison, je t'en enverrai le prix. » Mais le marchand lui dit : « Cette fois-ci, je ne le puis pas, ô ma maîtresse ; car cette étoffe ne m'appartient pas, mais elle est à ce commerçant que tu vois ; et je me suis engagé à lui payer mon terme aujourd'hui même. » Alors elle fut dans un grand courroux et elle dit : « Malheur ! Oublies-tu donc que j'ai toujours l'habitude de t'acheter des étoffes de très grand prix et te faire gagner bien plus que tu ne me réclames toi-même ? Et oublies-tu que je n'ai jamais différé de t'en envoyer le prix ? » Et il répondit : « Certes ! tu as raison, ô ma maîtresse ! Mais aujourd'hui je suis réduit à l'obligation d'avoir de l'argent immédiatement. » Lorsqu'elle entendit ces paroles, elle saisit la pièce d'étoffe et la lui lança à la poitrine et lui dit : « Vous êtes tous les mêmes dans cette maudite corporation ! Vous ne savez avoir d'égards pour personne ! » Puis elle se leva dans une très grande colère et lui tourna le dos pour s'en aller.

« Mais moi, je sentis mon âme qui s'en allait avec elle ; et je me levai avec hâte et me tins debout et lui dis : « Ô ma maîtresse, de grâce ! fais-moi l'amitié de te tourner un peu de mon côté, et de revenir généreusement sur tes pas ! » Alors elle tourna son visage de mon côté, sourit un peu et revint sur ses pas et me dit : « Je veux bien rentrer dans cette boutique ; mais c'est uniquement pour toi ! » Puis elle vint s'asseoir en face de moi dans la boutique. Alors, je dis à Badreddine : « Cette pièce d'étoffe, quel en est pour toi le prix coûtant ? » Il me répondit : « Mille et cent drachmes ! » Alors je lui dis : « Soit ! et moi je te donne, en plus, cent drachmes de bénéfice. Donne-moi donc un papier pour que je puisse t'en donner le prix par écrit. » Et je pris de lui la pièce de soie tissée d'or ; et, en échange, je lui en donnai le prix par écrit ; puis je remis la pièce d'étoffe à la dame et lui dis : « Prends-la ! et maintenant tu peux aller sans t'inquiéter davantage du prix, que tu me paieras quand tu voudras. Pour cela tu n'auras qu'à venir me trouver un de ces jours dans le souk, où je suis toujours assis dans une boutique ou une autre ! Et même, si tu veux bien me faire l'honneur de l'accepter de moi comme hommage, elle t'appartient ! » Alors elle me répondit : « Qu'Allah te le rende en toutes sortes de faveurs ! Puisses-tu posséder toutes les richesses qui sont en ma possession, et cela en devenant mon maître et la couronne de ma tête ! Ah ! puisse Allah daigner exaucer mon souhait ! » Alors je lui répondis : « Ô ma maîtresse, accepte donc cette pièce de soie ! Et d'ailleurs elle ne sera pas la seule ! Mais, je t'en prie, accorde-moi cette faveur d'admirer ton visage qui m'est caché ! » Alors elle releva l'étoffe légère qui lui voilait le bas de la figure et qui ne laissait apercevoir que les yeux.

« Lorsque je vis son visage, ce seul coup d'œil suffit à me jeter dans un trouble extrême, à river l'amour en mon cœur et à m'enlever la raison. Mais elle se hâta d'abaisser son voile, prit l'étoffe et me dit : « Ô mon maître, que ton absence ne dure pas trop longtemps, ou je mourrai de désolation ! » Puis elle s'éloigna ; et je restai seul avec le marchand, dans le souk, jusqu'au déclin du jour.

« Et moi, j'étais là, tout à fait comme si j'avais perdu mes sens et ma raison, et tout entier possédé par la folie de cette passion soudaine. Et la violence de ce sentiment fit que je me hasardai à questionner le marchand au sujet de la dame. Avant donc de me lever pour m'en aller, je lui dis : « Sais-tu qui est cette dame ? » Il me dit : « Oui, certes. C'est une dame fort riche. Son père était un émir illustre, qui est mort et lui a laissé beaucoup de biens et de richesses. »

« Alors je pris congé du marchand et je m'éloignai, et revins au khân Serour, où je logeais. Et mes serviteurs m'offrirent à manger : mais je pensais à elle et ne pus toucher à rien ; et je m'étendis pour dormir, mais aucun sommeil ne me vint ; et je passai ainsi toute la nuit à veiller, jusqu'au matin.

« Alors je me levai et me vêtis d'une robe encore plus belle que celle que j'avais la veille ; et je bus une coupe de vin et je déjeunai d'un petit morceau et je retournai à la boutique du marchand ; je le saluai et m'assis à ma place accoutumée. J'étais à peine assis que je vis arriver l'adolescente ; et elle était accompagnée d'une esclave. Elle entra, s'assit et me salua sans faire le moindre souhait de paix à Badreddine. Et, d'une voix suave et d'une façon de parler incomparable et d'une douceur sans pareille, elle me dit : « Envoie quelqu'un avec moi pour toucher les mille et deux cents drachmes, prix de la pièce de soie. » Et je lui répondis : « Mais il n'y a rien qui presse. Pourquoi donc cette hâte ? » Et elle me dit : « Que tu es munificent ! Mais encore faut-il que je ne sois pas pour toi une cause de perte. » Puis elle se décida à me mettre elle-même dans la main le prix de l'étoffe. Et nous nous mîmes à causer, et soudain je m'enhardis à lui révéler, par signes, la vivacité de mon sentiment. Et elle comprit aussitôt que je désirais ardemment mon union avec elle. Alors elle se leva vivement et s'éloigna rapidement après m'avoir pourtant dit, par politesse, un mot pour prendre congé. Alors, moi, je ne pus tenir davantage, et je sortis de la boutique, le cœur violemment attiré vers elle et me mis à marcher derrière elle, de fort loin, jusqu'à ce que je fusse arrivé hors du souk. Et tout à coup je la perdis de vue ; mais, à l'instant même, je vis venir à moi une jeune fille que je ne connaissais point et que je ne pouvais deviner à cause de son voile ; et elle me dit : « Ô mon maître, viens auprès de ma maîtresse qui a à te parler ! » Alors je fus très surpris et dis : « Mais nul ici ne me connaît ! » Et la jeune fille me dit : « Oh ! comme tu oublies vite ! Ne te rappelles-tu pas que je suis la servante que tu as vue tout à l'heure dans le souk avec la jeune dame, dans la boutique du marchand *tel* ? » Alors je me mis à marcher derrière elle jusqu'à ce que j'eusse vu sa maîtresse dans un coin de la rue des Changeurs. Lorsqu'elle me vit, elle s'avança vivement de mon côté, me prit dans l'angle de la rue et me dit : « Mon chéri, sache que tu occupes toute ma pensée, et que tu remplis mon cœur d'amour. Et, depuis l'heure où je t'ai vu, je ne goûte plus le repos du sommeil, et je ne mange ni ne bois ! » Et je lui répondis : « Et moi aussi, c'est bien la même chose ! Mais mon bonheur présent me défend toute plainte. » Elle me dit : « Mon chéri, dis-moi ! faut-il que j'aille chez toi, ou bien, toi, viendras-tu dans ma maison ? » Je lui dis : « Je suis un homme étranger ; et je n'ai d'autre habitation que le khân, qui est vraiment un endroit trop fréquenté ! Aussi, si tu as assez de confiance en mon amitié pour m'accepter chez toi, mon bonheur sera à son comble. » Elle me répondit : « Certainement ! mais cette nuit, c'est la nuit du vendredi, et on ne peut vraiment !... Mais demain, après la prière de midi, monte sur ton âne et informe-toi du quartier Habbaniat ; et, lorsque tu y seras arrivé, tu demanderas où se trouve la demeure de Barakat, l'ancien gouverneur, connu sous le nom d'Aby-Schâma. C'est là même que j'habite. Et surtout ne manque pas d'y venir, car je serai là à t'attendre. »

« Alors, moi je fus dans une joie extrême ; puis nous nous séparâmes. Et moi, je revins au khân Serour, où j'habitais, et je passai toute la nuit sans pouvoir dormir. Mais au point du jour, je me hâtai de me lever, et je changeai de vêtements ; je me parfumai avec les odeurs les plus suaves, et je me munis de cinquante dinars d'or que je mis dans un mouchoir ; et je sortis du khân Serour et je me dirigeai vers l'endroit nommé Bab-Zaouilat ; là je louai un âne et je dis à l'ânier : « Allons au quartier de Habbaniat ! » Et aussitôt, en moins d'un clin d'œil, il m'y conduisit ; et nous arrivâmes dans une rue appelée Darb Al-Mônkari ; et je dis à l'ânier : « Informe-toi maintenant, dans cette rue, de la maison du nakib[1] Aby-Schâma. » L'ânier s'en alla et revint au bout de quelques instants avec le renseignement demandé et me dit : « Tu peux descendre de l'âne. » Alors je mis pied à terre et lui dis : « Marche devant moi pour me montrer le chemin. » Et il me mena à la maison et je lui dis : « Demain matin, tu reviendras ici me chercher pour me reconduire à mon khân. » Et l'ânier me répondit : « À tes ordres ! » Alors je lui donnai un quart de dinar d'or ; et il le prit et le porta à ses lèvres, puis à son front, pour me remercier, et s'en alla.

« Alors je frappai à la porte de la demeure. Et la porte me fut ouverte par deux fillettes, deux jeunes vierges aux seins droits et blancs arrondis comme deux lunes ; et elles me dirent : « Entre, seigneur ! Notre maîtresse est dans l'impatience de l'attente. Elle ne dort plus la nuit, à cause de l'ardeur de sa passion pour toi. » J'entrai alors dans une cour et je vis une superbe bâtisse avec sept portes ; et toute la façade était ornée de fenêtres donnant sur un vaste jardin. Ce jardin contenait des arbres fruitiers de toutes les espèces et de toutes les couleurs : il était arrosé par des eaux courantes ; on y entendait le parler des oiseaux. Quant à la maison, elle était toute en marbre blanc et diaphane et si poli qu'on pouvait y voir se refléter sa propre image ; et des ors en couvraient tous les plafonds intérieurs ; et tout autour couraient des inscriptions et des dessins de toutes les formes ; et elle contenait toutes les choses qui pouvaient charmer les yeux. Elle était entièrement pavée de marbre de très grande valeur et de toutes les couleurs. Au milieu de la grande salle, il y avait un bassin de marbre blanc tout incrusté de perles et de pierreries ; des tapis de soie couvraient tout le parquet, et des étoffes de toutes les couleurs étaient tendues aux murs ; de larges sofas meublaient la salle.

« Il y avait à peine quelques instants que j'étais entré et que je m'étais assis…

Mais, à ce moment de sa narration, Schahrazade vit s'approcher le matin et, discrète, s'arrêta dans son récit.

Mais lorsque fut la vingt-sixième nuit. Elle dit :

Il m'est parvenu, ô Roi fortuné, que le marchand continua ainsi son histoire au courtier copte du Caire, qui la racontait à son tour au sultan, dans cette ville de la Chine :

« Je vis venir à moi l'adolescente toute parée de perles et de pierreries, le visage lumineux et les yeux allongés de kôhl. Elle me sourit, elle me prit contre elle et me serra sur sa poitrine. Puis elle mit sa bouche sur la mienne et se mit à me sucer la langue. Et moi aussi. Elle me dit : « Est-ce vraiment toi que je vois ici, ou bien est-ce que je rêve ? » Et je lui répondis : « Je suis ton esclave ! » Et elle dit : « Oh ! quel jour béni ! Quel bonheur ! Par Allah ! je ne vis plus, je ne goûte plus le plaisir du manger et du boire ! » Je lui répondis : « Et moi également ! » Puis nous nous assîmes à causer ; et moi, j'étais vraiment tout confus de cette réception et je tenais ma tête baissée.

« Au bout de quelques instants, on tendit la nappe et on nous présenta des mets somptueux : des viandes rôties, des poulets farcis et des pâtes de toutes sortes. Et tous deux nous mangeâmes jusqu'à satiété, et elle me mettait elle-même les morceaux à la bouche, et m'invitait chaque fois avec les termes les plus pressants. Ensuite on me présenta l'aiguière et le bassin de cuivre, et je me lavai les mains, et elle aussi ; puis nous nous parfumâmes à l'eau de rose musquée ; et nous nous assîmes à nous entretenir. Et elle me récita ces deux strophes :

« Si de ta venue j'avais été d'avance prévenue, pour tapis à tes pieds j'aurais étendu la pourpre de mon cœur et le noir de mes yeux ;

J'aurais étendu pour ta couche la fraîcheur de mes joues ! Et toi, ô voyageur, je t'aurais mis, contente, sur mes paupières. »

« Puis elle se mit à me raconter ses peines intimes ; et je fis de même : et cela fit que je devins encore beaucoup plus amoureux. Alors nous commençâmes nos ébats et nos jeux ; et nous nous mîmes à nous embrasser et à nous faire mille caresses jusqu'à la tombée de la nuit. Alors les servantes nous apportèrent à manger et à boire en abondance. Et nous ne cessâmes de boire jusqu'à minuit. Alors nous allâmes nous étendre et nous enlacer, et cela jusqu'au matin. Et de ma vie je n'eus une nuit comme cette nuit-là.

« Le lendemain matin je me levai, je glissai doucement sous le chevet du lit la bourse qui contenait les cinquante pièces d'or, je pris congé de l'adolescente et me disposai à sortir. Mais elle se mit à pleurer et me dit : « Ô mon maître, quand reverrai-je ton beau visage ? » Je lui dis : « Je reviendrai ici ce soir même. »

« Lorsque je m'en allai, je trouvai à la porte l'âne qui m'avait porté la veille ; et l'ânier aussi était là qui m'attendait. Je montai sur l'âne et j'arrivai au khân Serour ; je mis pied à terre et donnai un demi-dinar d'or à l'ânier et lui dis : « Reviens ce soir vers le coucher du soleil. » Il me répondit : « Tes ordres sont sur ma tête ! » J'entrai alors au khân et j'y déjeunai ; puis je sortis pour aller recueillir chez les débitants le prix de mes marchandises ; je touchai l'argent et je revins ; je fis préparer un mouton grillé et j'achetai des douceurs ; et j'appelai un portefaix auquel je donnai l'adresse et la description de la maison de la dame et le payai d'avance et lui dis d'aller porter ces choses là-bas. Et moi, je continuai à m'occuper de mes affaires jusqu'au soir ; et alors l'ânier vint me chercher et je pris cinquante dinars d'or que je mis dans un mouchoir et je partis.

« Lorsque j'entrai dans la maison, je vis qu'on avait tout nettoyé, qu'on avait lavé le parquet, fourbi les ustensiles de cuisine, préparé les flambeaux, allumé les lanternes, apprêté les mets et décanté les boissons et les vins. Et elle, à ma vue, se jeta dans mes bras, se mit à me caresser et me dit : « Oh ! que j'ai envie de toi ! » Après quoi, nous nous mîmes à manger jusqu'à satiété. Puis les servantes enlevèrent la nappe et nous apportèrent les boissons. Et nous ne cessâmes de boire et de casser des amandes et des noisettes et des pistaches jusqu'à minuit. Alors nous nous couchâmes jusqu'au matin ; et je me levai et lui remis les cinquante dinars d'or, selon mon habitude, et je sortis. À la porte, je trouvai l'âne, que j'enfourchai, et j'allai au khân, où je m'endormis. Et le soir je me levai et fis préparer le dîner ; j'apprêtai un plat de riz sauté au beurre et panaché de noix et d'amandes, puis un plat de topinambours frits, et bien d'autres choses aussi. Puis j'achetai des fruits, diverses espèces d'amandes et beaucoup de fleurs, et les envoyai là-bas. Et moi-même, je pris avec moi cinquante dinars d'or dans un mouchoir et je sortis. J'enfourchai le même âne et j'arrivai à la maison, où j'entrai. Là nous nous assîmes à manger et à boire, puis à copuler jusqu'au matin. Lorsque je me levai, je lui glissai le mouchoir et retournai à mon khân selon mon habitude.

« Cet état de choses ne cessant point, je finis, du jour au lendemain, par me ruiner complètement, et je ne fus maître ni d'un dinar ni même d'une seule drachme. Alors je ne sus que dire ; et je pensai en mon âme que tout cela était l'œuvre du démon. Et je récitai ces strophes :

« Que la fortune un instant délaisse l'homme riche ou l'appauvrisse, et le voici éteint, sans gloire, comme vers le coucher jaunit le soleil.

Et, désormais, s'il disparaît, son souvenir ne peut que s'effacer de toute mémoire. Et, s'il revient un jour, la chance jamais plus ne lui sourira.

La honte le prendra de se montrer dans les rues ; et, seul avec lui-même, il pleurera toutes les larmes de ses yeux.

Ouallah ! je le jure, l'homme n'a rien à attendre de ses amis. Que la misère fonde sur lui et le voici renié de ses parents eux-mêmes. »

« Alors je ne sus plus que faire et, tout à mes pensées affligeantes, je sortis du khân pour marcher un peu et j'arrivai à la place publique de Baïn Al-Kasraïn, près de la porte de Zaouïlat. Là, je trouvai un grand rassemblement et une foule qui remplissait toute la place, car c'était un jour de fête et de foire. Alors je me mêlai à la foule et vis près de moi, par l'effet du destin, un cavalier fort bien mis ; et, à cause de la grande presse, je fus serré contre lui malgré moi, et ma main vint juste contre sa poche et toucha cette poche ; et je sentis qu'elle contenait un petit paquet arrondi ; alors j'enfonçai vivement la main dans la poche et je tirai adroitement le petit paquet, mais pas assez légèrement pour qu'il ne sentît pas ou ne vît mon mouvement. Alors ce cavalier, sentant que sa poche avait diminué de poids, mit la main à sa poche et constata qu'elle ne contenait plus rien. Alors il se tourna vers moi en fureur, brandit sa masse d'armes et m'en assena un grand coup sur la tête ; aussitôt je tombai à terre et je fus entouré par un grand cercle de gens, dont quelques-uns empêchèrent le cavalier de passer outre, en arrêtant le cheval par la bride et en disant au cavalier : « C'est honteux de ta part de profiter ainsi d'un rassemblement pour frapper un homme sans défense ! » Mais le cavalier leur cria : « Sachez, vous tous, que cet individu n'est qu'un voleur ! » À ces mots, je revins de l'évanouissement dans lequel je me trouvais et j'entendis les gens qui disaient : « Mais non ! c'est un jeune homme trop bien et de trop de distinction pour voler quoi que ce soit ! » Et toutes les personnes qui étaient là étaient à se demander si j'avais volé ou si je n'avais pas volé ; et les explications contraires de part et d'autre et les discussions allaient leur train ; et je finis par être entraîné dans le courant de la foule et j'allais probablement pouvoir échapper à la surveillance du cavalier, qui ne voulait pas me lâcher, lorsque, par l'effet du destin, le wali et les gardes vinrent à passer par là, traversèrent la porte de Zaouïlat, s'approchèrent du rassemblement dont nous étions le centre, et le wali demanda : « Qu'y a-t-il donc par ici ? » Et le cavalier répondit : « Par Allah ! ô émir, voici un voleur ! J'avais dans ma poche une bourse bleue contenant vingt dinars d'or ; il trouva le moyen, au milieu du rassemblement, de me l'enlever. » Et le wali demanda au cavalier : « As-tu quelqu'un qui l'ait vu pour en témoigner ? » Et le cavalier répondit : « Non ! » Alors le wali appela le mokâdem, chef de la police, et lui dit : « Saisis-toi de cet homme et fouille-le ! » Alors le mokâdem me prit, car la protection d'Allah n'était plus sur moi, et me dépouilla de tous mes vêtements et finit par trouver la bourse qui, en effet, était en soie bleue. Et le wali prit la bourse, compta l'argent et trouva qu'en effet elle contenait exactement vingt dinars d'or, comme l'avait affirmé le cavalier.

« Alors le wali, tout furieux, appela ses gardes et les hommes de sa suite : « Faites approcher cet homme ! » Alors on me fit approcher entre ses mains, et il me dit : « Il faut, jeune homme, m'avouer la vérité. Dis-moi donc si tu reconnais toi-même avoir volé cette bourse. » Alors, tout honteux, je baissai la tête, réfléchis un moment en pensant en mon âme : « Si je dis : Ce n'est pas moi ! on ne me croira pas, puisqu'on vient de trouver la bourse sur moi ; et si je dis : Je l'ai volée ! je me fais tout de suite attraper. » Mais je finis par me décider et je dis : « Oui, c'est moi qui l'ai volée ! »

« Lorsque le wali entendit ces paroles, il fut fort surpris, et appela les témoins et leur fit entendre mes paroles en me les faisant répéter devant eux. Et toute cette scène se passait à Bab-Zaouïlat.

« Alors le wali ordonna au porte-glaive de me couper la main. Et le porte-glaive aussitôt me trancha la main droite. À cette vue, le cavalier eut pitié de moi, et intercéda auprès du wali pour qu'on ne me coupât pas l'autre main. Et le wali accorda cette grâce et s'éloigna. Et les gens qui étaient là eurent compassion de moi et me donnèrent à boire un verre de vin pour me réconforter, à cause de la quantité de sang que j'avais perdue et de l'état de faiblesse où j'étais. Quant au cavalier, il s'approcha de moi et me tendit la bourse et me la mit dans la main et me dit : « Tu es un jeune homme distingué, et le métier de voleur ne te convient pas, mon ami. » Alors j'acceptai la bourse et récitai ces strophes :

« Ouallah ! sache, toi, ô le meilleur des hommes, que voleur, de ma vie je ne l'ai été, ni brigand non plus ;

Mais du haut de mon char le malheur m'a précipité, et la destinée farouche ! Et depuis lors je ne fais que m'enfoncer dans les peines, les soucis et la misère.

Et ce n'est certes pas moi qui me suis mis dans cet état. Mais le Seigneur, quand j'étais roi, de sa main me jeta le javelot : et la couronne aussitôt de ma tête s'envola ! »

« Alors le cavalier me laissa et s'en alla, après m'avoir ainsi obligé à accepter la bourse. Et moi aussi, je m'éloignai, je m'enveloppai le bras avec mon mouchoir et le cachai dans la manche de ma robe. Et j'étais devenu bien pâle et j'étais dans un triste état, de tout ce qui était arrivé.

« Et, sans trop savoir où j'allais, je me dirigeai du côté de la maison de mon amie. En arrivant, je me jetai sur le lit, exténué. Et l'adolescente vit ma pâleur et mon accablement et me dit : « De quoi souffres-tu ? Et pourquoi ce changement de teint et cette pâleur ? » Et je lui répondis : « La tête me fait mal, et je ne suis pas bien portant ! » À ces paroles elle fut fort attristée et me dit : « Ô mon maître, ne me brûle pas ainsi le cœur. Assieds-toi, je t'en prie, et lève un peu la tête vers moi, et dis-moi ce qui a pu t'arriver aujourd'hui. Car je lis bien des choses sur ton visage ! » Alors je lui dis : « De grâce, épargne-moi la peine de te répondre ! » Elle se mit alors à pleurer et me dit : « Ah ! je vois bien, à présent que je n'ai plus rien à t'accorder de mes faveurs, que tu es las et fatigué de moi ! Car tu n'es plus avec moi comme d'habitude ! » Puis elle versa d'abondantes larmes entrecoupées de soupirs ; et elle s'arrêtait, de temps en temps, pour me réitérer ses questions, auxquelles je ne faisais aucune réponse, et cela jusqu'à la nuit. Alors on nous apporta de quoi manger, et on nous présenta les mets, selon l'habitude. Mais moi, je pris bien garde d'accepter, car j'aurais eu honte de prendre la nourriture de la main gauche et peur qu'elle ne m'en demandât la raison. Je lui dis donc : « Je n'ai à cette heure aucune envie de manger. » Alors elle me dit : « Tu vois bien que je devinais. Dis-moi donc ce qui a pu t'arriver aujourd'hui, et pourquoi je te vois ainsi affligé, triste et le cœur et l'esprit en deuil. » Alors je finis par lui dire : « Tout à l'heure je te raconterai la chose, peu à peu et lentement. » À ces paroles, elle me dit d'un air dégagé, en me tendant une coupe de vin : « Allons ! mon ami, bannis les tristes pensées. Voici de quoi chasser toute mélancolie. Bois donc ce vin ; et tu me raconteras ensuite le sujet de tes peines. »

Et je répondis : « Si tu le veux absolument, alors donne-moi toi-même à boire, avec ta main. » Et elle approcha la coupe de mes lèvres et l'inclina doucement, et me la fit boire. Puis elle la remplit de nouveau et me la tendit. Alors je fis un effort sur moi-même, je tendis la main gauche et pris d'elle la coupe. Mais je ne pus retenir mes larmes et je récitai ces strophes :

« Les doigts du Très-Haut tiennent toutes les destinées. Il peut, à son gré, nous rendre sourds, aveugles, ignorants.

Il peut, s'il le veut, nous arracher la raison aussi aisément qu'on arrache un cheveu.

Il peut aussi, s'il le veut, nous rendre la raison, mais pour que nous puissions reconnaître nos erreurs. »

« En finissant de réciter ces vers, je sanglotai de toute mon âme. Lorsqu'elle me vit ainsi pleurer, elle ne put elle-même se retenir davantage ; elle me prit la tête entre les mains et s'écria éperdument : « Oh ! de grâce, dis-moi enfin le motif de tes pleurs ! Tu m'as brûlé le cœur ! Et dis-moi aussi comment il se fait que tu prennes ainsi de moi la coupe avec ta main gauche. » Alors je lui répondis : « J'ai un abcès à la main droite. » Et elle me dit : « Découvre-moi cet abcès que je le crève et tu seras soulagé. » Je lui répondis : « Ce n'est guère le moment de faire cette opération. N'insiste donc pas davantage, car je suis bien résolu à ne pas découvrir ma main. » À ces paroles, je vidai entièrement la coupe, et je continuai à boire chaque fois qu'elle m'offrait la coupe remplie, et cela jusqu'à ce que je fusse tout à fait pris d'ivresse. Alors je m'étendis à ma place et m'endormis.

« Alors elle profita de mon sommeil pour découvrir mon bras, et elle vit que je n'avais plus de main. Et elle se mit à me fouiller, et trouva dans ma poche la bourse bleue qui contenait l'or. Aussi, à la vue de mon malheur, elle entra dans un désespoir sans bornes et ressentit une douleur que nul au monde n'avait jamais ressentie.

« Lorsque, le lendemain matin, je revins de mon sommeil, je vis qu'elle m'avait déjà préparé le déjeuner ; je trouvai sur une assiette quatre poulets bouillis et du bouillon de poulet et du vin en abondance. Et elle m'offrit de tout cela. Et moi je mangeai et bus ; puis je voulus prendre congé et m'en aller. Mais elle m'arrêta et me dit : « Où vas-tu ainsi t'en aller ? » Je lui répondis : « À un endroit quelconque pour me distraire et chasser des soucis qui m'accablent et me compriment le cœur ! » Elle dit : « Oh ! ne t'en va pas ! Reste encore ! » Alors je m'assis, et elle me regarda longuement et me dit : « Mon ami, quelle folie est la tienne ! Ton amour pour moi t'a affolé, je le vois, et t'a fait dépenser pour moi tout ton argent. De plus, c'est certainement à moi, je le devine, qu'est due la perte de ta main droite. Or, je te le jure, et Allah m'est témoin, jamais plus je ne me séparerai de toi et ne te laisserai loin de moi ! Et tu verras que je dis la vérité ! Et même je veux maintenant me marier avec toi légalement ! »

« À ces paroles, elle envoya chercher les témoins, qui vinrent ; et elle leur dit : « Soyez témoins de mon mariage avec ce jeune homme. Vous allez donc écrire mon contrat avec lui, et attester que j'ai touché de lui la dot du mariage. »

« Alors les témoins écrivirent notre contrat de mariage. Et elle leur dit : « Je vous prends tous à témoin que toutes les richesses qui m'appartiennent et qui sont là, dans ce coffre que vous voyez, et tout ce que je possède, devient dès cet instant la propriété de ce jeune homme. » Et les témoins attestèrent et prirent note de sa déclaration et aussi de mon acceptation, et s'en allèrent après avoir touché leur salaire.

« Alors l'adolescente me prit par la main et me conduisit vers une armoire, l'ouvrit, me montra une grande caisse, qu'elle ouvrit également, et me dit : « Regarde un peu ce qu'il y a dans cette caisse. » Je regardai et je vis que cette caisse était remplie de mouchoirs formant chacun un petit paquet. Et elle me dit : « Tout cela est ton propre bien, celui que, dans le temps, j'avais accepté de toi. En effet, chaque fois que tu me donnais un mouchoir contenant cinquante dinars d'or, je prenais soin de le serrer soigneusement et de le cacher dans cette caisse. Et maintenant reprends ton bien. C'est Allah qui te l'a réservé et te l'a écrit dans ta destinée. Aujourd'hui Allah te protège et m'a choisie pour l'accomplissement des choses par lui écrites ! Mais aussi c'est à cause de moi, sans aucun doute, que tu as perdu la main droite. Et je ne puis vraiment te rémunérer à la mesure de ton dévouement pour moi et de mon amour ; même si je sacrifiais mon âme, ce ne serait pas assez, et tu y perdrais toujours. » Puis elle ajouta : « Prends possession de ton bien ! » Et moi, je m'exécutai, et fis acheter une caisse neuve, où je mis un à un les objets que j'enlevais, au fur et à mesure, de la caisse de l'adolescente ; je récupérai ainsi l'argent que je lui avais donné, et mon cœur fut rempli de joie et tout mon chagrin s'évanouit.

« Je me levai alors et je la serrai dans mes bras ; et nous nous assîmes tous deux à boire gaiement ensemble. Et elle continua à me dire les paroles les plus douces et les plus gentilles et à s'excuser du peu qu'elle faisait pour moi en comparaison de ce que j'avais fait pour elle. Puis, voulant encore mettre le comble à tout ce qu'elle avait déjà fait pour moi, elle se leva et inscrivit à mon nom tout ce qui était en sa possession en fait de vêtements de prix, bijoux, valeurs et propriétés bâties, et terrains, et cela par un certificat cacheté de sa propre main et devant témoins.

« Et cette nuit-là, malgré tous les ébats auxquels nous nous livrâmes, elle s'endormit fort attristée du malheur qu'elle disait m'être arrivé à cause d'elle et que j'avais fini par lui raconter dans tous les détails.

« Mais, dès ce moment, elle ne cessa de se lamenter pour moi et de s'affliger, et tellement qu'au bout d'un mois passé de la sorte, elle tomba dans le mal de langueur, qui s'accentua de jour en jour et s'aggrava et fit qu'au bout de cinquante jours elle finit par expirer et être des élus de l'autre monde.

« Alors moi, je fis pour elle tous les préparatifs des funérailles, et la mis moi-même en terre, et fis faire toutes les cérémonies qui servent de clôture à l'enterrement ; et je ne ménageai point les dépenses d'argent. Après quoi je revins du cimetière et entrai dans la maison et examinai tous les legs et dons qu'elle m'avait faits ; et je vis qu'elle m'avait, en effet, laissé beaucoup de richesses, de propriétés et d'immeubles, et, entre autres choses, de grands magasins remplis de grains de sésame. Et c'est justement ce sésame-là que je te chargeai de me vendre, ô seigneur, et pour lequel tu as bien voulu accepter le faible courtage qui est au-dessous de tes mérites.

« Quant aux absences que je faisais et dont tu as pu t'étonner, je les faisais parce que j'étais obligé de liquider toutes les choses qu'elle m'avait laissées et c'est à peine si maintenant je suis au bout de mes rentrées d'argent et autres choses semblables.

« Je te prie donc de ne pas refuser la gratification que je veux te faire, ô toi qui me donnes ainsi l'hospitalité dans ta maison et me fais partager ton repas. Tu m'obligeras donc en acceptant de moi tout l'argent que tu m'as gardé chez toi et que tu as touché de la vente que tu as faite des grains de sésame.

« Et telle est mon histoire et la cause qui fait que je mange toujours de la main gauche ! »

Alors moi, ô roi puissant, je dis au jeune homme : « Vraiment, tu me combles de tes bienfaits et de tes faveurs ! » Et il me répondit : « Cela n'est rien ! Maintenant, seigneur courtier, veux-tu te joindre à moi et m'accompagner dans mon pays, à Bagdad ? Je viens de faire de grands achats de marchandises d'Alexandrie et du Caire, que je pense revendre avec grands profits à Bagdad. Veux-tu donc être mon compagnon de route et mon associé dans les bénéfices ? » Et moi, je répondis : « Ton désir est un ordre ! » Puis je lui fixai la fin du mois comme date de notre départ.

Pendant ce temps, je m'occupai de vendre toutes mes propriétés sans rien y perdre ; et, avec l'argent que j'en retirai, j'achetai également des marchandises, et je partis en compagnie du jeune homme pour Bagdad, son pays, et de là, avec un très gros bénéfice et d'autres marchandises, nous fîmes route pour ce pays-ci, qui est ton empire, ô roi des siècles !

Quant au jeune homme, il ne tarda pas, lui, à vendre ici sa marchandise et à repartir pour l'Égypte, où il m'a précédé et où j'allais le rejoindre, quand, cette nuit qui vient de s'écouler, j'eus avec le bossu cette aventure, qui est due à mon ignorance de ce pays, où je ne suis qu'un étranger qui voyage pour son commerce.

Et telle est, ô roi des siècles, l'histoire que je crois plus extraordinaire que celle du bossu ! »

Mais le roi répondit : « Eh non ! Je ne trouve pas, moi ! Elle n'est pas si merveilleuse que cela, ton histoire, ô courtier ! Aussi je vais immédiatement vous faire tous pendre, pour vous punir du crime commis sur la personne de mon bouffon, ce pauvre bossu que vous avez tué ! »

À ce moment de sa narration, Schahrazade vit s'approcher le matin et, discrète, s'arrêta dans son récit.

Mais lorsque fut la vingt-septième nuit. Elle dit :

Il m'est parvenu, ô Roi fortuné, que lorsque le roi de la Chine dit : « Je vais vous faire tous pendre ! » l'intendant alors s'élança, se prosterna devant le roi et lui dit : « Si tu me le permets, je te raconterai une histoire qui m'est arrivée ces jours-ci et qui est bien plus étonnante et plus merveilleuse que celle du bossu. Si donc tu la jugeais ainsi après l'avoir entendue, tu nous ferais grâce à nous tous ! » Et le roi de la Chine dit : « Soit ! Voyons un peu ton histoire ! » Alors il dit :

RÉCIT DE L'INTENDANT DU ROI DE LA CHINE

« Sache, ô roi des siècles et du temps, que la nuit dernière j'étais invité à un repas de noces où se trouvaient beaucoup de docteurs de la loi et de savants versés dans le Livre Saint. Lorsque la lecture du Koran fut terminée, on tendit la nappe, on rangea les mets et on apporta tout ce qu'il fallait pour le festin. Or, entre autres choses sur la nappe, il y avait un plat à l'ail, nommé *rozbaja,* qui a une grande réputation et qui est fort délicieux surtout si le riz qui en fait la base est bien à point et si l'ail et les aromates qui l'assaisonnent sont à la dose voulue. Alors, nous tous, les invités, nous commençâmes à en manger avec un grand appétit, excepté l'un de nous qui refusa absolument de toucher à ce plat de rozbaja. Et comme nous le pressions fort d'en goûter, ne fût-ce qu'une bouchée, il jura qu'il n'en ferait rien. Alors nous redoublâmes nos instances ; mais il nous dit : « De grâce ! assez me presser de la sorte. J'ai été assez éprouvé comme cela, pour une fois que j'ai eu le malheur d'y goûter. » Et il nous récita cette strophe :

« Si tu ne veux plus reconnaître ton ancien ami, et si tu le veux éviter, ne perds point ton temps à user de stratagèmes : fuis-le ! »

Alors nous ne voulûmes pas insister davantage. Mais nous lui demandâmes : « Par Allah ! et quel est donc le motif qui t'empêche de manger de cette délicieuse rozbaja ? » Il répondit : « J'ai fait le serment de ne manger de rozbaja qu'après m'être lavé les mains quarante fois de suite avec de la soude, quarante fois avec de la potasse et quarante fois avec du savon, en tout cent vingt fois. » Alors le maître de la maison ordonna à ses serviteurs d'apporter sur l'heure de l'eau et les choses qu'avait demandées l'invité. Et l'invité alors se mit à se laver les mains exactement le nombre de fois qu'il avait mentionné ; puis il revint s'asseoir, mais bien à contrecœur, et il avança la main vers le plat commun où nous mangions tous, et, tout tremblant et tout hésitant, il se mit à manger de ce plat de rozbaja. Et nous étions très étonnés de cela ; mais nous fûmes encore bien plus étonnés lorsque nous regardâmes sa main : nous vîmes que cette main manquait de pouce et n'avait que quatre doigts. Et l'invité ne mangeait ainsi qu'avec quatre doigts. Alors nous dîmes : « Par Allah sur toi ! dis-nous comment il se fait que tu n'aies plus de pouce ! Ou bien est-ce une déformation que tu as de naissance, et qui est simplement l'œuvre d'Allah ? Ou bien es-tu victime d'un accident ? » Alors il répondit : « Mes frères, vous n'avez pas tout vu ! Ce n'est pas seulement un pouce qui me manque, mais les deux. Car je n'ai pas non plus de pouce à la main gauche. Et mes deux pieds aussi n'ont que quatre orteils. D'ailleurs, voyez par vous-mêmes ! » Et il nous montra l'autre main et nous découvrit ses deux pieds, et nous vîmes qu'en effet chacun n'avait que quatre orteils. Alors notre étonnement augmenta encore, et nous lui dîmes : « Notre impatience est à son comble, et nous désirerions vivement apprendre la cause qui t'a fait ainsi perdre tes deux pouces et tes deux gros orteils, et le motif qui t'a fait aussi te laver les mains cent vingt fois de suite. » Alors il nous raconta ainsi la chose :

« Sachez, ô vous tous, que mon père était un marchand d'entre les grands marchands ; et il était même le plus grand des marchands de la ville de Bagdad, au temps du khalifat Haroun Al-Rachid. Mon père était un grand amateur de bons vins et de plaisirs ; il aimait la musique de nos instruments à cordes, l'aoûd et le kânoun. Aussi lorsqu'il mourut il ne me laissa nul argent, car il avait tout dépensé. Mais tout de même, comme c'était mon père, je lui fis un enterrement selon son rang, je donnai des festins funèbres en son honneur, et je pris le deuil pour lui durant des jours et des nuits. Après quoi, j'allai voir la boutique qui avait été sienne, je l'ouvris et je n'y trouvai plus rien qui eût quelque valeur ; au contraire, je constatai qu'il laissait de grosses dettes. Alors j'allai trouver les créanciers de mon père, je leur fis prendre patience et les rassurai le mieux que je pus. Puis je me mis à l'œuvre, à vendre et à acheter, et à payer les dettes, semaine par semaine, selon le gain que je faisais. Et je ne cessai de faire de la sorte jusqu'à ce que j'eusse payé toutes les dettes et même augmenté mon premier capital par mes gains réguliers.

« Or, un jour que j'étais assis dans ma boutique, je vis une adolescente, et de ma vie je ne vis de mes yeux quelque chose de plus beau. Elle était habillée de vêtements magnifiques, et était montée sur une mule. Devant elle, marchait un eunuque et, derrière elle, un autre eunuque. Elle arrêta sa mule au commencement du souk, mit pied à terre, et entra dans le souk, suivie de l'un des deux eunuques. Et cet eunuque lui dit : « Ô ma maîtresse, de grâce ! n'entre pas ainsi dans le souk, et ne te montre pas ainsi aux passants. Tu vas nous attirer de grandes calamités. Allons-nous-en d'ici ! » Et l'eunuque essaya de l'arrêter. Mais elle ne fit guère attention à ses paroles, et se mit à inspecter toutes les boutiques du souk, l'une après l'autre, et elle ne vit point de boutique mieux tenue et plus belle que la mienne. Alors elle se dirigea de mon côté, toujours suivie de l'eunuque, s'assit dans ma boutique et me souhaita la paix. Et moi, jamais de ma vie je n'avais entendu une voix plus douce ni des paroles plus délicieuses. Et elle se découvrit le visage. Alors je la regardai, et sa seule vue me jeta dans le plus grand trouble et me ravit le cœur. Et je ne pus détacher mes regards de son visage, et je récitai ces deux strophes :

« Dis à la belle au voile doux, aussi doux que l'aile du ramier,

Dis-lui combien secourable me serait la mort si je songe à mes souffrances.

Dis-lui d'être bonne, un peu ! Pour elle j'ai renoncé à ma tranquillité et pour m'approcher de son aile ! »

« Lorsqu'elle entendit ces vers, elle me donna aussitôt la réplique par ces strophes-ci :

« Mon cœur, je l'ai usé à t'aimer. Et ce cœur pourtant se refuse à d'autres amours.

Et mes yeux, si par hasard ils apercevaient jamais une beauté étrangère, mes yeux ne sauraient plus s'en réjouir.

J'ai prêté serment de ne jamais arracher ton amour de mon cœur. Et pourtant mon cœur est triste et altéré de ton amour.

J'ai bu à une coupe où j'ai trouvé le pur amour. Oh ! que n'as-tu mouillé tes lèvres à cette coupe où j'ai trouvé l'amour !... »

« Puis elle me dit : « Ô jeune marchand, as-tu de belles étoffes à nous faire voir ? » Je dis : « Ô ma maîtresse, ton esclave est un pauvre marchand, et n'a rien qui soit digne de toi. Aie donc la patience d'attendre un peu. Car, comme il est encore grand matin, les autres marchands n'ont pas encore ouvert leurs boutiques. Tout à l'heure j'irai moi-même t'acheter chez eux tout ce dont tu pourrais avoir besoin en étoffes de prix. » Puis je me mis à causer avec elle et j'étais noyé dans la mer de son amour et perdu dans la folie de l'ardeur qu'elle m'inspirait. Mais lorsque les autres marchands ouvrirent leurs boutiques, je me levai et sortis lui acheter tout ce qu'elle m'avait commandé ; et tout l'achat que je fis, et que je pris à mon compte, monta à la somme de cinq mille drachmes. Et je remis le tout à l'esclave ; et elle partit avec lui et se dirigea du côté où l'autre esclave l'attendait avec le mulet, à l'entrée du souk, et elle s'éloigna. Mais elle ne me demanda aucun compte, et ne me fit aucune mention de l'argent qu'elle me devait et que j'avais pris sur moi de payer aux marchands. Et elle ne me dit même pas qui elle était, ni où était sa maison. Et moi, de mon côté, j'eus honte de lui en parler ; et je m'engageai alors à payer aux marchands les cinq mille drachmes à la fin de la semaine, car j'espérais que l'adolescente viendrait me payer. Puis je rentrai chez moi enivré d'amour. Et on m'apporta le dîner ; mais je le touchai à peine, car j'étais tout à la pensée de sa beauté et de ses charmes. Et lorsque je voulus m'endormir, je n'eus aucun sommeil.

« Et je restai en cet état durant une semaine, au bout de laquelle les marchands vinrent me réclamer l'argent ; mais, comme je n'avais pas encore eu de nouvelles de la dame, je les priai de patienter un peu et de m'accorder encore un crédit d'une semaine. Et ils y consentirent. En effet, au bout d'une semaine, je la vis arriver un matin de bonne heure, montée sur sa mule ; et elle était accompagnée d'un serviteur et de deux eunuques. Elle me salua et dit : « Ô mon maître, excuse-nous d'avoir ainsi différé un peu trop de venir te payer. Mais voici l'argent. Fais venir un changeur pour vérifier les pièces d'or et toucher l'argent. » Et je fis venir le changeur ; et un des eunuques lui remit l'argent, qu'il contrôla et trouva de bonne nature. Alors je pris l'argent ; puis je me mis à causer avec l'adolescente jusqu'à ce que le souk fût ouvert et que les marchands fussent venus dans leurs boutiques. Alors elle me dit : « J'ai encore besoin de telle et telle chose. Va donc me les acheter. » Et je lui achetai, à mon compte, tout ce qu'elle avait demandé, et je le lui remis. Et elle le prit et s'en alla sans me dire quoi que ce soit au sujet de l'argent qu'elle me devait. Alors moi, quand je la vis s'éloigner, je me repentis d'avoir ainsi agi avec trop de confiance, car l'achat m'avait coûté mille dinars d'or. Et lorsque je l'eus perdue de vue, je dis en mon âme : « Je ne comprends plus rien à cette passion et à cette amitié qu'elle a pour moi ! Elle m'apporte la valeur de quatre cents dinars et elle me prend pour mille dinars de marchandises ! Si cela marche de cette façon-là, je n'ai plus devant moi que la faillite et la perte du bien des autres. Et, d'ailleurs, c'est à moi seul que les marchands frustrés viendront s'attaquer. Et j'ai bien peur que cette femme soit une trompeuse pleine d'astuce qui vient me circonvenir de ses charmes et de sa beauté, une rusée qui profite de ce que je suis un pauvre marchand sans protection et sans appui pour se moquer de moi et rire sur mon dos. Et moi qui ne lui ai pas demandé l'adresse de sa demeure ! »

« Je restai ainsi rempli de soucis et de pensées torturantes pendant un mois entier, au bout duquel les marchands vinrent me réclamer leur argent et insistèrent tellement que je me vis obligé, pour les contenter, de leur dire que j'allais tout vendre, ma boutique et ce qu'elle contenait, ma maison et tous mes biens. Et je fus ainsi tout près de ma ruine ; et je m'assis fort soucieux tout à ces pensées tristes, quand soudain je la vis apparaître au haut du souk, franchir la porte du souk et se diriger de mon côté. Lorsque je la vis, je sentis aussitôt s'évanouir mes soupçons et mes soucis, et j'oubliais l'état malheureux où j'avais été durant tout le temps de son absence. Et elle s'approcha de moi et se mit à causer avec moi en me parlant de sa voix si belle et en me disant de ces paroles si délicieuses qu'elle savait dire. Puis elle me dit : « Apporte le trébuchet et pèse l'argent que je t'apporte ! » Et elle me donna, en effet, tout ce qui me revenait et même plus, pour prix des achats que j'avais faits pour elle.

« Ensuite elle s'assit à côté de moi, et se mit à me parler avec beaucoup de laisser-aller et d'aisance. Et moi, je faillis mourir de joie et de bonheur. Et elle finit par me dire : « Es-tu célibataire ou as-tu une épouse ? » Alors je dis : « Eh non ! je ne connais point de femme ! » Et je pleurai en disant cela. Alors elle me dit : « Qu'as-tu à pleurer ? » Et je répondis : « C'est une chose qui vient de me passer par l'esprit. » Puis je pris le serviteur au fond de la boutique, lui tendis quelques dinars d'or et le priai de servir d'intermédiaire entre elle et moi pour cette affaire. Alors il se mit à rire et me dit : « Mais sache donc qu'elle aussi est amoureuse de toi, et beaucoup plus que toi d'elle ! Et elle n'avait aucune envie d'acheter des étoffes, et elle n'en a acheté que pour pouvoir te parler, et te dire sa passion pour toi. Aussi tu peux lui parler et lui dire ce que tu veux ; et certainement elle n'y trouvera rien à reprendre et ne te contrariera pas. »

« Mais elle, au moment où elle allait s'éloigner et prendre congé de moi, me vit tendre les dinars au serviteur qui l'accompagnait. Alors elle rentra dans la boutique et s'assit en souriant. Et je lui dis : « Accorde à ton esclave la grâce qu'il va te demander et pardonne-lui d'avance ce qu'il a à te dire ! » Puis je l'entretins de ce que j'avais dans l'esprit. Et je vis que cela lui agréait, et elle me répondit gentiment et me dit : « Ce serviteur t'apportera ma réponse à ta demande, et ma volonté ! Et toi fais exactement tout ce qu'il te dira de faire. » Puis elle se leva et s'en alla.

« Alors j'allai remettre leur argent aux marchands et le gain qu'ils méritaient. Quant à moi, ce ne fut guère un gain que je fis, mais j'eus une grande affliction en voyant, au bout d'un certain temps, que je n'avais plus de ses nouvelles. Et, dès l'instant que je ne la vis plus, je perdis tout sommeil durant toutes mes nuits. Mais enfin, au bout de quelques jours, son serviteur vint me trouver ; et je le reçus avec empressement et générosité et le priai de me donner des nouvelles. Il dit : « Elle était malade ces jours derniers. » Alors je dis : « Donne-moi donc quelques détails sur elle ! » Il dit : « Cette adolescente a été élevée par notre maîtresse Zobéida, l'épouse favorite de Haroun Al-Rachid, et elle devint l'une de ses suivantes. Et notre maîtresse Zobéida l'aime comme sa propre fille et ne lui refuse rien. L'autre jour, la jeune fille demanda à sa maîtresse la permission de sortir en lui disant : « Mon âme désire se promener et rentrer ensuite au palais ! » Et la permission lui fut accordée. Et, depuis ce jour, elle ne cessa d'aller en ville et de rentrer au palais, et si souvent qu'elle finit par être fort experte dans les achats et devint ainsi la pourvoyeuse de notre maîtresse Zobéida. C'est alors qu'elle te vit et parla de toi à sa maîtresse et la pria de te marier à elle. Et sa maîtresse dit : « Je ne puis le faire avant de voir moi-même ce jeune homme. Si je constate qu'il te ressemble en qualités, je te marierai à lui ! » Or, maintenant, je viens te voir pour te dire que notre but, à cette heure-ci, est de te faire entrer dans le palais. Si donc nous pouvons t'y faire entrer sans que personne s'en doute, tu peux être certain de l'avoir en mariage ; mais, si l'affaire est découverte, tu es sûr d'avoir la tête coupée. Qu'en dis-tu ? » Je répondis : « Certainement, j'irai avec toi. Tu n'as donc qu'à persister dans cette combinaison dont tu viens de me parler. » Alors le serviteur me dit : « Lorsque la nuit sera venue, dirige-toi vers la mosquée que la dame Zobéida a fait construire sur le Tigre ; entre et fais ta prière et reste là à attendre ! » Et je répondis : « J'obéis, j'aime et j'honore ! »

« Lorsque le soir vint, j'allai à la mosquée, où j'entrai et me mis en prières, et j'y passai toute la nuit. Au point du jour, je vis arriver des esclaves dans une barque ; et ils avaient avec eux des caisses vides qu'ils introduisirent dans la mosquée et ils retournèrent vers leur barque. Mais l'un d'eux resta en arrière des autres ; et je l'examinai et je vis que c'était celui qui me servait d'intermédiaire. Et au bout de quelques instants je vis monter à la mosquée et venir à moi mon amie la suivante de Sett-Zobéida. Comme elle s'approchait, j'allai vivement à elle et l'embrassai, et elle m'embrassa aussi ; et nous nous assîmes un moment pour causer, et elle m'expliqua sa résolution. Puis elle me prit et me mit dans l'une des caisses, qu'elle ferma à clef ; et moi je n'avais pas encore eu le temps de réfléchir que j'étais déjà dans le palais du khalifat. Et on me fit sortir de la caisse, et on m'apporta des effets et des vêtements qui valaient certainement cinquante mille drachmes. Puis je vis vingt autres esclaves blanches, toutes aux seins merveilleux et toutes des vierges. Et au milieu d'elles se trouvait Sett-Zobéida, qui ne pouvait se mouvoir à cause de tout ce qu'elle avait sur elle de bijoux et de robes magnifiques. Devant elle, lorsqu'elle fut toute proche, les suivantes se mirent sur deux rangs, et je m'avançai et je baisai la terre entre ses mains. Alors elle me fit signe de m'asseoir ; et je m'assis entre ses mains. Alors elle se mit à me questionner sur mes affaires et mes parents et ma lignée. Et je répondis à toutes les choses qu'elle me demanda. Alors elle fut très contente et dit : « Ouallah ! je vois maintenant que je n'ai pas perdu mes peines à élever cette jeune fille, puisque je lui trouve un tel époux ! » Puis elle me dit : « Sache que nous tenons cette suivante pour l'égale de l'enfant même de notre moelle. Et elle te sera une épouse soumise et douce devant Allah et devant toi ! » Alors je m'inclinai et baisai la terre, et consentis à me marier avec la suivante.

« Alors elle m'invita à rester au palais dix jours. Et je restai ces dix jours, durant lesquels je ne sus ce qu'était devenue la jeune fille. Et, pour mes repas, c'étaient d'autres jeunes suivantes qui m'apportaient à déjeuner et à dîner et me servaient.

« Au bout du laps de temps nécessaire pour les préparatifs du mariage, Sett-Zobéida pria l'émir des Croyants de lui accorder la permission de marier leur suivante ; et il le lui permit et fit don à la suivante de dix mille dinars d'or. Alors Sett-Zobéida envoya chercher le kâdi et les témoins, qui écrivirent le contrat de mariage. Puis, cela terminé, on commença la fête. On prépara les douceurs de toutes sortes et les mets d'usage ; et on mangea et on but ; et on distribua des mets sur des assiettes à toute la ville. Et on fit durer le festin dix jours entiers. Alors seulement on fit entrer la jeune femme au hammam pour me la préparer selon l'usage.

« Pendant ce temps, on tendit la nappe pour moi et mes invités, et on apporta des mets exquis ; et entre autres choses il y avait, au milieu de poulets rôtis, de pâtisseries de toutes sortes, de farces délicieuses et de sucreries parfumées au musc et à l'eau de rose, un plat de rozbaja capable de rendre fou l'homme le plus sage et l'esprit le plus posé ! Et moi, à peine assis devant la nappe, par Allah ! je ne pus m'empêcher de me précipiter sur cette rozbaja et de m'en gorger. Puis je m'essuyai les mains, mais en oubliant de les laver…

« Après cela, je me levai et restai tranquille jusqu'à la nuit. Alors on alluma les flambeaux, et on fit entrer les chanteuses et les joueuses d'instruments ; et on se mit, à plusieurs reprises, à habiller la nouvelle mariée et chaque fois de façon différente ; et chaque fois, à chaque tour, chaque invité mettait une pièce d'or dans le plateau qu'on faisait circuler selon l'usage. Et le palais était entièrement rempli de la foule des invités ; et cela dura ainsi jusqu'à la fin. Alors j'entrai dans la chambre réservée, et on m'amena la nouvelle mariée, et les suivantes la déshabillèrent de tous ses vêtements et sortirent.

« Lorsque je la vis ainsi toute nue et que nous fûmes tous deux seuls sur notre couche, je la pris dans mes bras et je ne croyais pas, dans ma joie, que je la possédais vraiment. Mais, à ce moment même elle sentit l'odeur de ma main avec laquelle j'avais mangé la rozbaja, et lorsqu'elle sentit cette odeur, elle jeta un grand cri ! Et aussitôt accoururent vers nous de tous côtés les suivantes, pendant que, moi, j'étais tout tremblant d'émotion et ne savais guère quel était le motif de tout cela. Et les suivantes dirent : « Ô notre sœur, que t'arrive-t-il ? » Elle leur dit : « Oh ! débarrassez-moi vite de cet homme stupide que j'avais cru être un homme doué de bonnes manières ! » Et je lui dis : « Et qu'as-tu donc constaté de ma stupidité et de ma folie ? » Elle dit : « Insensé que tu es ! Pourquoi donc as-tu mangé de la rozbaja et ne t'es-tu pas ensuite lavé les mains ? Et moi, maintenant, par Allah, je ne veux plus de toi, à cause de ton peu de jugement et de ton action mauvaise et criminelle ! » À ces paroles, elle saisit un fouet qui était près d'elle et me tomba sur le dos à grands coups, ainsi que sur les fesses, et tellement fort et si longtemps qu'à force de recevoir des coups, je perdis toute connaissance. Alors elle s'arrêta et dit aux suivantes : « Prenez-le et conduisez-le chez le gouverneur de la ville pour qu'il lui fasse couper la main dont il s'est servi pour manger la rozbaja, cette main qu'il n'a pas ensuite lavée ! » Mais moi, je revins à moi lorsque j'entendis ces paroles et je m'écriai : « Il n'y a de recours et de force qu'en Allah le Tout-Puissant ! Est-ce parce que j'ai mangé de la rozbaja sans me laver la main que cette main doit être coupée ? A-t-on jamais vu une chose pareille ? » Alors les suivantes se mirent à intercéder pour moi auprès d'elle et lui dirent : « Ô notre sœur, ne le châtie pas cette fois-ci pour son action ! De grâce, pardonne-lui ! » Alors elle dit : « Soit, je ne lui ferai pas couper la main cette fois ; mais il me faut tout de même lui couper quelque chose d'entre ses extrémités ! » Puis elle sortit et me laissa seul.

« Et quant à moi, je restai ainsi seul durant dix jours sans la voir. Mais au bout de ces dix jours, elle vint me trouver et me dit : « Ô toi à la figure pleine de noir[1] ! Je suis donc si peu de chose à tes yeux pour que tu aies mangé de la rozbaja sans te laver les mains ! » Puis elle cria à ses suivantes et leur dit : « Liez-lui les bras et les jambes ! » Alors on me lia les bras et les jambes ; et elle prit un rasoir au tranchant bien affilé, et me coupa les deux pouces des mains et les deux pouces des pieds. Et c'est pourquoi, ô vous tous, vous me voyez ainsi, sans pouces ni aux mains ni aux pieds.

« Quant à moi, je tombai évanoui. Alors elle saupoudra mes plaies avec une poudre de racine aromatique, et aussitôt mon sang cessa de couler. Et c'est alors que je dis en mon âme, et ensuite à haute voix : « Jamais plus je ne mangerai de rozbaja sans me laver ensuite les mains quarante fois avec de la potasse, quarante fois avec de la soude et quarante fois avec du savon ! » À ces paroles, elle me fit prêter serment pour cette promesse que je venais de faire, à savoir de ne jamais plus manger de rozbaja sans faire exactement ce que je venais de dire.

« Aussi, quand vous autres, tous ici assemblés, vous m'avez pressé de manger de la rozbaja qui est sur cette nappe, j'ai changé de couleur et mon teint a jauni, et je me suis dit en moi-même : « Voilà cette rozbaja cause de la perte de mes pouces ! » Et quand vous m'avez absolument obligé d'en manger, je me suis vu obligé, par mon serment, de faire ce que j'ai fait ! »

Alors, moi, ô Roi des siècles, continua l'intendant qui racontait l'histoire, je dis au jeune marchand de Bagdad, pendant que tous les assistants écoutaient : « Mais que t'est-il ensuite arrivé avec ton épouse ? » Il dit : « Lorsque j'eus prêté le serment devant elle, son cœur se calma à mon égard et elle finit par me pardonner. Et alors, moi, je la pris et je couchai avec elle. Et nous restâmes ainsi un long temps unis en cet état. Au bout de ce temps, elle me dit : « Il faut bien que tu saches que personne à la cour du khalifat n'a appris ce qui s'est passé entre moi et toi ! Nul, si ce n'est toi, n'a jamais pu s'introduire dans ce palais. Et, si toi tu es entré ici, ce n'est que grâce aux bons soins d'El-Saïedat[2] Zobéida ! » Puis elle me remit cinquante mille dinars d'or et me dit : « Prends toute cette somme et va nous acheter, pour nous deux, une belle et vaste demeure, que nous y habitions ensemble. »

« Alors je sortis et j'achetai une maison magnifique et vaste. Puis j'y transportai toutes les richesses de mon épouse, tous les dons qu'on lui avait faits, les objets précieux, les belles étoffes et les beaux meubles et toutes les belles choses. Et je mis tout cela dans cette maison que j'avais ainsi achetée. Et nous y vécûmes ensemble fort heureux.

« Mais au bout d'une année, par la volonté d'Allah, mon épouse mourut ; et alors je ne pris point d'autre femme, et voulus voyager. Je sortis alors de Bagdad, après avoir vendu tous mes biens ; et je pris tout mon argent et je me mis à voyager jusqu'à ce que je fusse arrivé en cette ville-ci. »

Et telle est, ô Roi de ce temps, continua l'intendant, l'histoire que me raconta le jeune marchand de Bagdad ! Alors nous qui étions les invités de cette maison nous continuâmes à manger ; puis nous nous en allâmes. Et c'est quand je fus sorti que m'est arrivée cette aventure-là, pendant la nuit, avec le bossu. Et c'est alors qu'il est arrivé ce qui est arrivé. Et telle est mon histoire ! Et je suis persuadé qu'elle est plus étonnante encore que celle qui nous est arrivée avec le bossu ! Ouassalam[1] ! » Alors le roi de la Chine dit : « Tu te trompes ! Cela n'est pas du tout plus merveilleux que l'aventure du bossu, au contraire ; l'aventure du bossu est, de beaucoup, plus étonnante que tout cela ! Aussi, il n'y a pas à hésiter, je vais vous faire tous crucifier, jusqu'au dernier ! »

Mais, à ce moment, s'avança le médecin juif qui baisa la terre et dit : « Ô roi de ce temps, moi, je vais te raconter une histoire qui est certainement, cette fois, bien plus extraordinaire que tout ce que tu as entendu et que l'aventure même du bossu ! »

Alors le roi de la Chine lui dit avec impatience : « Donne ce que tu as, car je ne peux plus attendre ! »

Et le médecin juif dit :

RÉCIT DU MÉDECIN JUIF

« La chose la plus extraordinaire qui me soit arrivée au temps de ma jeunesse est justement cette histoire.

J'étudiais alors la médecine et les sciences dans la ville de Damas. Et lorsque j'eus bien appris mon métier, je commençai à le pratiquer et à gagner ma vie.

Or, un jour d'entre les jours, un esclave de la maison du gouverneur de Damas vint chez moi et me dit de l'accompagner, et me conduisit à la maison du gouverneur. Et là, au milieu de la grande salle, je vis un lit de marbre lamé d'or. Sur ce lit était couché un fils d'Adam, malade. C'était un jeune homme si beau qu'on ne pouvait voir son pareil dans le monde de ce temps-là. Alors je me tins à son chevet et lui souhaitai une prompte guérison et la santé. Mais il me répondit seulement en me faisant signe des yeux. Et je lui dis : « Seigneur, donne-moi la main. » Alors il me tendit la main gauche, de quoi je fus fort étonné, et je me dis en moi-même : « Allah ! quelle chose surprenante ! Voilà un jeune homme qui a l'air très convenable et il est d'une très haute condition. Et pourtant il n'a aucune politesse. Quelle chose étonnante ! » Mais cela ne m'empêcha pas de lui tâter le pouls et de lui écrire une recette. Et depuis je continuai à aller le voir pendant dix jours, au bout desquels il reprit ses forces et put se lever comme d'habitude. Alors je lui prescrivis d'aller au hammam prendre un bain, pour ensuite revenir se reposer à la maison.

Pour me marquer alors sa reconnaissance, le gouverneur de Damas me fit revêtir une très riche robe d'honneur et me nomma son propre médecin, et aussi médecin de l'hôpital de Damas. Quant au jeune homme, qui pendant toute sa maladie avait continué à me tendre la main gauche, il me pria de l'accompagner au hammam, que l'on avait spécialement réservé pour lui seul en empêchant tous les clients d'entrer. Lorsque nous arrivâmes au hammam, les domestiques s'approchèrent du jeune homme, l'aidèrent à se déshabiller, prirent ses habits et lui en donnèrent d'autres, propres et neufs. Le jeune homme une fois nu, je remarquai qu'il n'avait pas de main droite. À cette vue, je fus extrêmement surpris et peiné ; et mon étonnement augmenta encore lorsque je vis des traces de coups de verges sur tout son corps. Alors le jeune homme se tourna vers moi et me dit : « Ô médecin du siècle ! ne t'étonne point de me voir en cet état, car je me propose de t'en dire bientôt la cause, et tu entendras un récit bien extraordinaire. Mais, pour cela, il faut attendre que nous soyons sortis du hammam. »

Après avoir quitté le hammam, nous arrivâmes à la maison, où nous nous assîmes pour nous reposer et ensuite manger, tout en causant. Et le jeune homme me dit : « Ne préfères-tu pas que nous montions dans la salle haute ? » Je lui dis : « Mais certainement ! » Alors il ordonna aux gens de la maison de nous faire griller un mouton à la broche et de nous le monter ensuite dans la salle haute, où nous montâmes nous-mêmes. Et les esclaves nous apportèrent bientôt le mouton grillé et aussi toutes sortes de fruits. Et nous nous mîmes à manger, mais lui, toujours en se servant de sa main gauche. Alors je lui dis : « Maintenant raconte-moi cette histoire ! » Il me répondit : « Ô médecin du siècle ! je vais te la raconter. Écoute donc.

« Sache que je suis natif de la ville de Mossoul où ma famille compte parmi les plus importantes de la ville. Mon père était l'un des dix enfants que mon grand-père avait laissés à sa mort et il était l'aîné d'entre ses frères ; et mon père, comme tous mes oncles, à la mort de mon grand-père était déjà marié. Mais lui seul avait eu un enfant, qui est moi ; et aucun de mes oncles n'avait eu d'enfant. Aussi, moi, je gagnai en grandissant l'affection de tous mes oncles, qui m'aimaient et se réjouissaient en me regardant.

« Un jour que j'étais avec mon père dans la grande mosquée de Mossoul pour faire la prière du vendredi, je vis qu'après la prière tout le monde s'était retiré, excepté mon père et mes oncles, qui étaient là aussi. Ils s'assirent tous sur la grande natte et je m'assis avec eux. Et ils se mirent à causer, et la conversation tomba sur les voyages et les merveilles des pays étrangers et des grandes villes du loin. Mais c'est surtout de la ville du Caire et de l'Égypte que l'on parla. Et mes oncles nous redirent les récits admirables des voyageurs qui avaient visité l'Égypte et qui disaient qu'il n'y avait pas sur terre de pays plus beau, ni un fleuve plus merveilleux que le Nil. Aussi les poètes ont-ils eu raison de chanter ce pays et son Nil ; et il est bien dans le vrai, le poète qui s'écrie :

« Par Allah ! je te conjure, tu diras au fleuve de mon pays, au Nil de mon pays, tu lui diras qu'ici ma soif ne peut s'étancher, qu'ici l'Euphrate ne peut me guérir de la soif qui m'altère !

« Mes oncles se mirent donc à nous énumérer les merveilles de l'Égypte et de son fleuve, et avec tant d'éloquence et tant de chaleur que, lorsqu'ils cessèrent de parler et qu'ils s'en allèrent chacun chez soi, je demeurai tout saisi et songeur ; et mon esprit ne pouvait plus se détacher du souvenir agréable de toutes ces choses que je venais d'entendre au sujet de ce pays admirable. Et quand je revins à la maison, je ne pus fermer l'œil de toute la nuit, et je perdis l'appétit et refusai de manger et de boire.

« Sur ces entrefaites, j'appris, quelques jours plus tard, que mes oncles avaient fait les préparatifs d'un voyage en Égypte, et je me mis à supplier tellement mon père et à pleurer tellement pour qu'il me laissât partir avec eux, qu'il consentit et même m'acheta des marchandises pour en faire commerce ; il recommanda toutefois à mes oncles de ne pas me garder avec eux jusqu'en Égypte, mais de me laisser, sur leur route, à Damas, où je réaliserai le gain de mes marchandises. Je fis donc mes adieux à mon père, je me joignis à mes oncles et, tous ensemble, nous quittâmes Mossoul et nous partîmes.

« Nous voyageâmes ainsi jusqu'à Alep, où nous nous arrêtâmes quelques jours, et de là nous fîmes route pour Damas, que nous ne tardâmes pas à atteindre.

« Nous vîmes que cette ville de Damas était un lieu enfoui au milieu des jardins, des eaux courantes, des arbres, des fruits et des oiseaux. C'était un paradis tout de délices ; mais ce qui surtout y abondait, c'étaient les fruits pleins de saveur, toutes les espèces de fruits.

« Nous prîmes notre logement dans un des khâns ; et mes oncles restèrent à Damas jusqu'à ce qu'ils eussent vendu leurs marchandises de Mossoul, et acheté des marchandises de Damas pour les vendre au Caire ; et ils vendirent aussi mes marchandises et si avantageusement que chaque drachme de marchandise me rapporta cinq drachmes d'argent. Aussi cela ne manqua pas de me réjouir fort. Puis mes oncles me laissèrent seul à Damas et firent route vers l'Égypte.

« Quant à moi, je continuai à habiter Damas, où je louai une maison merveilleuse et dont la langue humaine serait impuissante à énumérer les beautés. Elle me coûtait par mois deux dinars d'or. Mais ce n'est pas tout. Je me mis à faire de larges dépenses et à vivre en satisfaisant toutes mes envies, et à ne me priver d'aucun mets ni d'aucune espèce de boisson. Et cela dura de la sorte jusqu'à ce que j'eusse dépensé tout l'argent que je possédais.

« Sur ces entrefaites, comme j'étais un jour assis à prendre l'air à la porte de ma maison, je vis s'approcher de moi une adolescente richement vêtue et dépassant en élégance tout ce que j'avais vu en ma vie. Je me levai vivement et l'invitai à honorer ma maison de sa présence. Elle n'y mit pas de façons et, gentiment, elle franchit le seuil et pénétra dans l'intérieur. Je refermai alors la porte derrière nous et, tout joyeux, je l'enlevai dans mes bras et la transportai dans la grande salle. Là, elle se découvrit, enleva son grande voile et m'apparut dans toute sa beauté. Je la trouvai si ravissante que je devins complètement éperdu d'amour.

« Aussi je ne manquai pas de courir aussitôt chercher la nappe, que je couvris de mets succulents, des fruits les plus choisis et de tout ce que comportait mon devoir en pareille circonstance. Et nous nous mîmes à manger et à nous ébattre, puis à boire, tellement que nous nous grisâmes complètement. Je la pris alors. Et la nuit que je passai avec elle jusqu'au matin comptera parmi les meilleures, c'est évident. Aussi je crus faire largement les choses en lui offrant, le matin, dix dinars d'or. Mais elle refusa et jura que jamais elle ne saurait accepter de moi quoi que ce fût. Puis elle me dit : « D'ailleurs, mon chéri, je reviendrai te voir dans trois jours, au crépuscule. Attends-moi donc sans faute. Et comme c'est moi qui m'invite chez toi, je ne veux pas être pour toi une cause de dépense. C'est moi donc qui vais te donner de l'argent pour préparer un festin comme celui d'aujourd'hui. » À ces paroles, elle me tendit dix dinars d'or qu'elle me força d'accepter ; puis elle me fit ses adieux et me quitta en prenant toute ma raison avec elle. Mais, comme elle me l'avait promis, au bout de trois jours elle revint me voir ; et elle était vêtue encore bien plus richement que la première fois, et si bellement que la langue essaierait vainement de décrire les étoffes brodées d'or et les soieries qui l'ornaient. De mon côté, j'avais préparé tout ce qu'il fallait, et vraiment je n'avais rien ménagé. Aussi nous nous mîmes à manger et à boire comme la dernière fois, et nous ne manquâmes certes pas de coucher ensemble, et cela jusqu'au matin. Elle me promit qu'elle reviendrait dans trois jours. Et, de fait, elle vint comme il était convenu, et, de mon côté, je la reçus avec tous les honneurs qui lui étaient dus. C'est alors qu'elle me dit : « Mon maître aimé, vraiment me trouves-tu belle ? » Je répondis : « Eh ! certes, par Allah ! » Elle dit : « Alors je peux bien te demander la permission d'amener ici avec moi une adolescente plus belle encore que moi et plus jeune, pour qu'elle s'amuse avec nous et que nous puissions rire et jouer ensemble ; car c'est elle-même qui m'a priée de la faire sortir avec moi pour que nous nous divertissions ensemble et fassions des folies à nous trois. » Alors moi, j'acceptai de grand cœur ; elle me donna, cette fois, vingt dinars d'or et me recommanda de ne rien négliger pour préparer tout ce qu'il fallait et les recevoir dignement à leur arrivée, elle et l'adolescente, sa compagne. Puis elle me fit ses adieux et s'en alla.

« Donc moi, le quatrième jour, je ne manquai pas, selon l'habitude, de tout faire largement, étant donné surtout qu'il fallait recevoir dignement la nouvelle venue. Et, à peine le soleil couché, je vis arriver mon amie accompagnée d'une autre qui était enveloppée d'un grand voile. Elles entrèrent et s'assirent. Et moi, tout joyeux, je me levai, j'allumai les flambeaux, et me mis entièrement à leurs ordres. Elles se défirent alors de leurs voiles et je pus contempler la nouvelle jeune femme. Allah ! Allah ! elle était comme la lune dans son plein ; et je pensais à part moi qu'elle était encore bien plus belle que tout ce que nos yeux avaient vu jusque-là ! Aussi je m'empressai de les servir et de leur apporter les plateaux remplis de mets et de boissons ; et elles se mirent à manger et à boire. Et moi, pendant ce temps, j'embrassais la nouvelle jeune femme et lui remplissais la coupe et buvais avec elle. Mais cela ne manqua pas de rendre jalouse la première adolescente, qui cependant n'en fit rien paraître et qui même me dit : « Par Allah ! cette jeune femme est délicieuse ! Et d'ailleurs ne trouves-tu pas qu'elle est bien mieux que moi ? » Je répondis naïvement : « Tu as raison, en vérité ! » Elle me dit : « Prends-la donc et va dormir avec elle, cela me fera plaisir ! » Je répondis : « Tes ordres, je les respecte et les mets sur ma tête et dans mes yeux ! » Elle se leva alors et nous prépara elle-même le lit et nous y entraîna. Et aussitôt je m'étendis contre ma nouvelle amie et la possédai jusqu'au matin.

« Mais voici qu'en me réveillant je trouvai ma main couverte de sang ; je crus voir la chose en rêve et me frottai les yeux pour bien me rendre compte, et je vis que c'était bien réel. Comme il faisait déjà grand jour, je voulus réveiller l'adolescente encore endormie, et je lui touchai légèrement la tête. Et aussitôt la tête se sépara du corps et roula sur le sol.

« La jalousie de l'autre avait fait son œuvre.

« Ne sachant à quoi me résoudre, je restai une heure à réfléchir, puis je me décidai à me lever, à me dévêtir et à creuser une fosse dans la salle même où nous étions. J'enlevai donc les dalles de marbre et me mis à piocher et fis un trou assez grand pour contenir le corps, que j'enfouis aussitôt ; puis je comblai la fosse et remis les dalles de marbre dans le même état qu'auparavant.

« Cela fait je me vêtis, je pris tout ce qui me restait encore d'argent, je sortis et allai trouver le propriétaire de la maison et lui payai d'avance le prix d'une nouvelle année de bail et lui dis : « Je suis obligé de partir pour l'Égypte, rejoindre mes oncles qui m'y attendent. » Et je partis.

« Lorsque j'arrivai au Caire, j'y trouvai mes oncles, qui furent dans une grande joie en me voyant et me demandèrent la cause qui m'avait décidé à venir en Égypte. Je leur répondis : « Simplement le grand désir de vous revoir, et la crainte de dépenser à Damas ce qui me reste d'argent. » Ils m'invitèrent alors à demeurer avec eux ; j'acceptai. Et je restai ainsi avec eux pendant toute une année à m'amuser, à boire, à manger, à visiter les choses intéressantes de la ville, à admirer le Nil et à me réjouir de toutes les façons. Malheureusement, au bout de ce temps, mes oncles, qui avaient réalisé leur gain en vendant leurs marchandises, songèrent à retourner à Mossoul ; mais, comme je ne voulais point les y accompagner, je disparus pour les éviter ; et ils partirent seuls en se disant : « Il est probable qu'il est parti pour Damas nous y devancer afin de préparer le logement, puisqu'il connaît bien cette ville. »

« Après leur départ je me remis à dépenser et à manger mon argent, et je restai ainsi au Caire durant encore trois ans ; et chaque année j'envoyai régulièrement le prix du loyer de ma maison à mon propriétaire de Damas. Au bout de ces trois années, comme il me restait à peine de quoi faire le voyage, je me décidai, à cause aussi de l'ennui et du désœuvrement où j'étais, à regagner Damas.

« Je partis donc et j'arrivai à Damas et allai aussitôt à ma maison où, à peine sur le seuil, je fus reçu avec une très grande joie par mon propriétaire, qui me souhaita la bienvenue et me remit les clefs de ma maison et me montra que la serrure était encore intacte et cachetée toujours de mon sceau. Et, en effet, j'entrai et je vis que toute chose était identiquement dans l'ordre où je l'avais mise.

« La première chose que je fis fut de laver aussitôt le parquet pour faire disparaître toute trace du sang de la jeune femme tuée par sa jalouse amie ; et alors seulement, tranquillisé, je me dirigeai vers le lit pour m'y reposer des fatigues du voyage. Et comme je soulevais le coussin pour l'arranger, je vis, sous le coussin, un collier d'or avec, d'espace en espace, trois rangs de perles nobles parfaites. C'était justement le collier de la jeune femme, qui avait été mis sous l'oreiller la nuit de nos ébats. À ce souvenir, je me mis à verser des larmes de regret et à déplorer la mort de cette adolescente. Puis je cachai soigneusement le collier dans une doublure de mon vêtement.

« Au bout de trois jours de repos dans ma maison, je songeai à aller au souk pour essayer de trouver une occupation et pour voir mes connaissances. Arrivé au souk, il était écrit par l'ordre du Destin que je devais être tenté par le Cheïtane et succomber à la tentation : car toute destinée ne peut que s'accomplir. Et je fus, en effet, tenté de me débarrasser du collier d'or et de perles en le vendant. Je le tirai donc de la doublure de mon vêtement et le montrai au plus habile courtier du souk. Le courtier m'invita à m'asseoir dans sa boutique, et, lui-même, sitôt le souk bien en train, prit le collier, me pria d'attendre son retour, et s'en alla le soumettre aux offres des marchands et des clients. Et, au bout d'une heure, il revint et me dit : « Je croyais d'abord que ce collier était en or véritable et en perles vraies, et qu'il devait valoir au moins mille dinars d'or. Mais je me trompais. Ce collier est faux. Il est façonné d'après les artifices des Francs, qui savent imiter l'or, les perles et les pierres précieuses. Aussi on ne m'en a offert, au souk, que mille drachmes seulement au lieu de mille dinars. » Je lui répondis : « Oui, vraiment, tu as raison. Ce collier est faux. Je l'avais fait faire simplement pour me moquer d'une femme à laquelle je l'avais donné en cadeau. Et, par le plus grand des hasards, cette femme vient de mourir et l'a laissé en héritage à mon épouse. Aussi nous avons décidé de le vendre à n'importe quel prix. Prends-le donc et vends-le à ce prix-là, et rapporte-moi les mille drachmes en question ! »

Mais, à ce moment de sa narration, Schahrazade vit apparaître le matin et, discrète, se tut.

Mais lorsque fut la vingt-huitième nuit. Elle continua :

Il m'est parvenu, ô Roi fortuné, que le médecin juif raconta ainsi la suite.

Lorsque le jeune homme dit au courtier : « Tu peux le vendre à mille drachmes ! » le courtier comprit que le jeune homme ne connaissait pas la valeur du collier et qu'il l'avait volé ou trouvé, et que la chose devait être éclaircie. Il prit donc le collier et alla le porter au chef principal des courtiers du souk, qui aussitôt le prit et alla trouver le wali de la ville et lui dit : « Voici ! ce collier m'avait été volé ! Et justement nous venons de trouver le voleur. C'est un homme qui est mis comme les fils des marchands, et il est à *tel* endroit, chez le courtier *tel* ! »

Et le jeune homme continua à me raconter ainsi son histoire :

« Aussitôt, et pendant que j'attendais le retour du courtier avec l'argent, je me vis entouré et saisi par les gardes, qui me traînèrent de force chez le wali. Et le wali me questionna sur le collier, et je lui racontai la même histoire qu'au courtier. Alors le wali se mit à rire et me dit : « Je vais t'apprendre, moi, le prix exact de ce collier ! » Il fit signe à ses gardes, qui m'appréhendèrent, me dépouillèrent de mes vêtements et me tombèrent dessus à coups de verges et de fouets jusqu'à me mettre tout le corps en sang. Alors de douleur je m'écriai : « Je vais vous dire la vérité. Ce collier, oui, c'est moi qui l'ai volé au chef des courtiers ! » Et je pensai en mon âme qu'il valait encore mieux pour moi dire cela qu'avouer la vérité terrible de l'assassinat de la jeune femme dans ma maison. Car sûrement j'aurais été condamné à mort et tué de la même façon, en rachat de son meurtre.

« Mais à peine m'étais-je accusé de ce vol qu'on se saisit de mon bras, et on me trancha la main droite, comme punition de ce vol ; et on fit cuire mon bras dans l'huile bouillante pour cicatriser la plaie. Et aussitôt je tombai évanoui de douleur. Et on me donna à boire quelque chose qui me fit recouvrer mes sens. Alors je ramassai ma main coupée et je revins à ma maison.

« Lorsque j'arrivai à ma maison, le propriétaire qui avait appris la chose me dit : « Du moment que tu as été reconnu coupable de larcin et de choses illicites, je ne peux plus te garder dans ma maison. Tu vas donc reprendre tes effets et t'en aller chercher un gîte ailleurs ! » Je lui répondis : « Mon seigneur, je te prie de m'accorder seulement deux ou trois jours de délai pour que j'aie le temps de me trouver un autre logement ! » Et il me dit : « Je veux bien t'accorder ce délai. » Puis il me laissa et partit.

« Quant à moi, je me jetai à terre et me mis à pleurer et à me dire à moi-même : « Comment pourrais-je désormais retourner à Mossoul, mon pays, et avoir le courage de revoir mes parents avec ma main coupée ! Et mes parents ne me croiront pas lorsque je leur dirai que je suis innocent ! Aussi maintenant je n'ai plus qu'à me laisser aller à la volonté d'Allah, qui seul peut m'envoyer un moyen de salut ! »

« La peine et les chagrins que je continuai à avoir me rendirent malade, et je ne pus aller chercher une autre maison. Aussi, comme j'étais couché, le troisième jour, je vis tout à coup ma maison envahie par les gens du gouverneur général de

Damas, et je vis s'avancer vers moi le propriétaire de la maison et le chef des courtiers. Et le propriétaire me dit : « Je dois te dire que le wali a mis le gouverneur général au courant du vol de ce collier. Et maintenant il ressort de tout cela que ce collier appartenait en réalité, non point à ce chef des courtiers, mais au gouverneur général lui-même, ou plutôt à l'une de ses filles, qui a disparu, elle aussi, voilà bientôt trois ans ! Et l'on vient pour se saisir de toi ! »

« À ces paroles, toutes mes jointures se mirent à trembler et tous mes membres aussi, et je pensai : « Maintenant, sans recours désormais, on va sûrement me mettre à mort. Il vaut mieux que je dise toute la vérité au gouverneur général. Et lui seul sera juge de ma mort ou de ma vie. » Mais déjà j'étais saisi et garrotté et traduit, la chaîne au cou, devant le gouverneur entre les mains duquel on me laissa, moi et le chef des courtiers. Et le gouverneur dit à ses gens, en me regardant : « Ce jeune homme que vous m'amenez n'est point un voleur, et sa main a été coupée injustement, j'en suis sûr ! Quant à ce chef des courtiers, c'est un menteur et un accusateur à faux ! Saisissez-vous donc de lui et jetez-le dans le cachot ! » Puis le gouverneur dit à ce chef-courtier : « Tu vas tout de suite dédommager ce jeune homme pour sa main coupée, sinon je te ferai pendre et je confisquerai tous tes biens et toutes tes richesses, ô courtier de malédiction ! » Et il s'écria, en s'adressant aux gardes : « Emmenez-le de devant ma face, et sortez tous ! » Et alors il ne resta plus dans la salle que le gouverneur et moi. Mais je n'avais plus ni le carcan au cou ni les bras liés. Lorsque nous fûmes ainsi seuls le gouverneur me regarda avec une grande pitié et me dit : « Mon enfant, tu vas maintenant me parler avec franchise et me dire toute la vérité sans me rien cacher. Raconte-moi donc comment ce collier est parvenu entre tes mains. » Je lui répondis : « Ô mon maître et suzerain, je vous dirai la vérité ! » Et alors je lui racontai tout ce qui m'était arrivé avec la première adolescente, comment elle m'avait procuré et avait amené chez moi la deuxième adolescente, et comment ensuite, prise de jalousie, elle avait sacrifié sa compagne. Et je lui narrai la chose dans tous ses détails.

« En entendant mes paroles, le gouverneur, de douleur et d'affliction, inclina la tête sur sa poitrine, se couvrit la figure de son mouchoir et se mit à longtemps pleurer. Puis il se rapprocha de moi et me dit : « Sache donc, ô mon enfant, que la première adolescente est ma fille aînée. Dès son enfance elle fut pleine de perversité, et fut, pour cette raison, tenue par moi avec une grande sévérité. Mais, à peine fut-elle pubère, que je me hâtai de la marier, et, dans ce but, je l'envoyai au Caire chez son oncle, mon frère, pour l'unir à l'un de mes neveux, son propre cousin. Elle se maria donc ; mais, peu de temps après, son époux mourut, et elle me revint et réintégra ma maison. Mais elle n'avait pas manqué de profiter de son séjour en Égypte pour apprendre des Égyptiens tous les vices, toutes les corruptions et tous les genres de libertinage. Et tu sais, puisque tu as été en Égypte, combien expertes dans la débauche sont les femmes de ce pays. Les hommes ne leur suffisent point, et elles s'aiment et se mêlent entre elles, et s'enivrent et se perdent. Aussi, à peine de retour ici, elle te rencontra et se donna à toi et t'alla trouver quatre fois de suite. Mais cela ne lui suffisait point. Comme elle avait déjà eu le temps de pervertir ma seconde fille, sa sœur, et de se faire passionnément aimer d'elle, elle n'eut pas de peine à la persuader de venir chez toi, après lui avoir raconté tout ce qu'elle faisait avec toi. Ma seconde fille me demanda donc la permission d'accompagner sa sœur au souk, et moi, je le lui permis. Et il arriva ce qui arriva ! Donc lorsque ma fille aînée revint sans sa sœur, je lui demandai où était sa sœur. Elle ne me répondit que par des pleurs, et finit par me dire, toute en larmes : « Je l'ai tout à fait perdue dans le souk, et je ne sais pas du tout ce qu'elle est devenue ! » C'est ce qu'elle me dit, à moi. Mais bientôt elle s'ouvrit à sa mère et finit par lui raconter, en secret, toute l'histoire et la mort de sa sœur, tuée de ses propres mains, dans ta maison. Et depuis lors elle est dans les larmes et ne cesse de répéter jour et nuit : « Je dois pleurer jusqu'à mourir ! » Quant à tes paroles, ô mon enfant, elles n'ont fait que me confirmer dans ce que je savais déjà, et m'ont démontré qu'elle disait la vérité. Tu vois donc, mon fils, combien je suis malheureux ! Aussi j'ai un souhait à faire et une prière à t'adresser, et tu ne refuseras pas. Je désire ardemment faire de toi un membre de ma famille, et te donner en mariage ma troisième fille qui est une jeune fille sage, ingénue et vierge, et qui n'a aucun des vices de ses sœurs. Et je ne te demanderai aucune dot, pour ce mariage ; au contraire je te rémunérerai largement moi-même, et tu resteras chez moi, dans ma maison, comme un fils ! »

« Alors je lui répondis : « Qu'il soit fait suivant ta volonté, seigneur. Mais auparavant, comme j'ai appris dernièrement que mon père était mort, je voudrais envoyer recueillir son héritage. »

« Aussitôt le gouverneur fit envoyer un exprès à Mossoul, ma ville natale, pour recueillir, en mon nom, l'héritage laissé par mon père. Et moi, en effet, je me mariai avec la fille du gouverneur ; et, depuis ce jour, nous tous ici nous vivons de la vie la plus prospère et la plus douce.

« Et toi-même, ô médecin, tu as pu constater de tes propres yeux combien je suis aimé et honoré dans cette maison. Et tu ne me tiendras pas compte de l'incivilité que j'ai commise à ton égard, durant toute ma maladie, en te tendant ma main gauche, puisque ma main droite était coupée ! »

Pour moi, continua le médecin juif, je fus fort émerveillé de cette histoire, et je félicitai le jeune homme de s'être tiré de la sorte de cette aventure. Et il me combla de présents, et me retint trois jours près de lui dans le palais, et me renvoya chargé de richesses et de biens.

Et alors, moi, je me mis à voyager et à parcourir le monde, pour mieux m'instruire dans mon art. Et c'est ainsi que j'arrivai dans ton empire, ô roi puissant et généreux ! Et c'est alors que, la nuit dernière, il m'est advenu cette aventure, désagréable plutôt, avec le bossu ! Et voilà mon histoire !

Alors le roi de la Chine dit : « Cette histoire m'a assez intéressé. Mais tu te trompes, ô médecin ! elle n'est ni aussi merveilleuse ni aussi étonnante que l'aventure du bossu. Donc il ne me reste plus qu'à vous faire pendre tous les quatre, et surtout ce tailleur de malédiction qui est la cause et le commencement de votre crime ! »

À ces paroles, le tailleur s'avança entre les mains du roi de la Chine et dit : « Ô roi plein de gloire, avant de nous faire pendre, permets-moi, à moi aussi, de parler, et je te raconterai une histoire qui, à elle seule, contient des choses plus extraordinaires que toutes les autres histoires réunies, et dépasse en prodiges l'histoire même du bossu ! »

Et le roi de la Chine dit : « Si tu dis vrai, je vous pardonnerai à tous ! Mais malheur à toi si tu me racontes une histoire faible d'intérêt et dénuée de choses sublimes. Car je n'hésiterai pas à vous empaler, toi et tes compagnons, en vous faisant forer d'outre en outre, de la base jusqu'au sommet ! »

Alors le tailleur dit :

RÉCIT DU TAILLEUR

« Sache donc, ô roi du temps, qu'avant mon aventure avec le bossu, j'ai été invité dans une maison où l'on donnait un festin aux principaux membres des corporations de notre ville : tailleurs, savetiers, vendeurs d'étoffes, barbiers, menuisiers et d'autres aussi.

Et c'était de bon matin. Aussi, dès le lever du jour, nous nous étions tous assis en rond pour commencer le premier repas et nous n'attendions plus que le maître du logis, lorsque nous le vîmes entrer accompagné d'un adolescent étranger, beau, bien fait et gentil, et vêtu à la mode de Bagdad. Et il était aussi beau qu'on pouvait le souhaiter et aussi bien habillé qu'on pouvait l'imaginer. Mais il était ostensiblement boiteux. Il entra donc au milieu de nous et nous souhaita la paix, et nous nous levâmes tous pour lui rendre son salut. Puis nous allions tous nous asseoir, et lui avec nous, quand soudain nous le vîmes changer de couleur, s'abstenir de s'asseoir et se retirer pour sortir. Alors nous tous, avec le maître de la maison, nous fîmes nos efforts pour le retenir au milieu de nous, et le maître du logis insista beaucoup et l'adjura et lui dit : « En vérité nous ne comprenons rien à la chose. Je t'en prie, dis-nous au moins la cause qui te pousse à nous quitter ! » Le jeune homme répondit : « Par Allah ! seigneur, je te supplie de ne point davantage insister pour me retenir. Car il y a ici, au milieu de vous, quelqu'un qui est la cause qui m'oblige à m'en aller. Et c'est ce barbier que voilà assis au milieu de vous ! »

À ces paroles le maître du festin fut extrêmement surpris et nous dit : « Comment peut-il se faire que ce jeune homme, qui vient d'arriver de Bagdad, puisse être incommodé par la présence de ce barbier qui est ici ? » Alors nous tous, les invités, nous nous tournâmes vers le jeune homme et nous lui dîmes : « De grâce, raconte-nous le motif de ta répulsion pour ce barbier ! » Il répondit : « Seigneurs, ce barbier à la figure de goudron et à l'âme de bitume est la cause d'une aventure extraordinaire qui m'est arrivée à Bagdad, ma ville, et c'est lui aussi, ce maudit, qui est la cause que je suis boiteux. Aussi j'ai juré de ne jamais habiter la ville où demeurerait ce barbier et de ne jamais m'asseoir dans un endroit où il serait assis.

Et c'est pour cela que j'ai été obligé de quitter Bagdad, ma ville, et de venir jusque dans ce pays éloigné. Mais voici que je le retrouve ici même. Aussi, dès ce moment, je vais m'en aller, et, ce soir, je serai déjà loin de cette ville et de la rue de cet homme de malheur ! »

À ce discours, le barbier devint jaune de teint, baissa les yeux et ne prononça pas une parole. Alors nous insistâmes tant auprès du jeune homme qu'il voulut bien nous raconter ainsi cette histoire :

HISTOIRE DU JEUNE HOMME BOITEUX

« Sachez donc, ô vous tous ici présents, que je suis né d'un père qui était l'un des principaux marchands de Bagdad, et, par la volonté d'Allah, mon père n'eut guère que moi pour enfant. Mon père, quoique fort riche et estimé de toute la ville, menait dans sa maison une vie paisible, calme et pleine de repos. Et il m'éleva dans cette voie, et, lorsque j'eus atteint l'âge d'homme, il me laissa toutes ses richesses, me rendit maître de tous ses serviteurs et de toute sa famille, et mourut dans la miséricorde d'Allah, à qui il alla rendre compte de la dette de sa vie. Et moi, je continuai, comme par le passé, à vivre largement, à me vêtir des habits les plus somptueux et à manger les mets les plus exquis. Mais je dois vous dire qu'Allah, qui est Tout-Puissant et Très-Glorieux, m'avait mis dans le cœur l'horreur de la femme, de toutes les femmes, et tellement que leur simple vue m'était un objet de souffrance et de désagrément. Je vivais donc sans me soucier d'elles, fort heureux d'ailleurs, et ne souhaitais rien de plus.

Un jour d'entre les jours, je marchais dans une des rues de Bagdad lorsque je vis venir de mon côté une troupe nombreuse de femmes. Aussitôt, pour les éviter, je pris vivement la fuite et me précipitai dans une ruelle, qui se terminait en cul-de-sac. Au fond de cette ruelle, il y avait un banc sur lequel je m'assis pour me reposer.

J'étais assis depuis déjà un certain temps, lorsque je vis en face de moi s'ouvrir une croisée, et une jeune femme y parut, qui tenait à la main un petit arrosoir, avec lequel elle se mit à arroser des fleurs placées dans des vases sur le bord de la croisée.

Seigneurs, je dois vous dire qu'à la vue de cette adolescente je sentis en moi se produire quelque chose que de ma vie je n'avais senti. Elle était, en effet, aussi belle que la lune dans son plein ; elle avait un bras aussi blanc et diaphane que le cristal, et elle arrosait ses fleurs avec une gentillesse qui me ravit l'âme. Aussi, à la minute même, mon cœur fut enflammé et complètement captif, ma tête et mes pensées ne travaillèrent qu'à son sujet, et toute mon horreur ancienne des femmes se transforma en un désir brûlant. Mais elle, une fois qu'elle eut arrosé ses plantes, elle regarda un peu distraitement à gauche, puis à droite, me vit et me lança un regard allongé qui me retira entièrement l'âme du corps. Puis elle referma la croisée et disparut. Et j'eus beau attendre là jusqu'au coucher du soleil, je ne la vis plus apparaître ; et j'étais comme un somnambule ou comme quelqu'un qui n'est plus de ce monde.

Pendant que j'étais assis dans cet état, voici venir et descendre de sa mule, près de la porte de la maison, le kâdi lui-même de la ville, précédé de ses nègres et suivi de ses serviteurs. Le kâdi entra alors dans la maison à la fenêtre de laquelle j'avais vu l'adolescente, et je compris qu'il devait être son père.

Je revins alors chez moi dans un état d'esprit déplorable, et, tout plein de chagrins et de soucis, je me laissai tomber sur mon lit. Et alors vinrent à moi toutes les femmes de ma maison, mes parents et mes serviteurs, et tous s'assirent en rond autour de moi et se mirent à me questionner et à m'importuner sur la cause de mon état. Mais je ne voulus leur rien dire à ce sujet et ne leur fis aucune réponse. Mais mon chagrin augmenta tellement, de jour en jour, que je tombai sérieusement malade et fus tout le temps l'objet des soins et des visites de tous mes parents et amis.

Un jour, je vis entrer chez moi une vieille femme qui, au lieu de gémir sur mon état et de me plaindre, vint s'asseoir au chevet de mon lit et se mit à me dire des paroles fort douces pour me calmer ; puis elle me regarda attentivement, m'examina longuement, et dit en particulier à tous mes gens de me laisser seul avec elle. Alors elle me dit : « Mon enfant, je sais la cause de ta maladie, mais il faut que tu me donnes des détails ! » Alors je lui donnai tous les détails de la chose, et elle me dit : « En effet, mon enfant, cette adolescente est la fille du kâdi de Bagdad, et cette maison est bien sa maison. Mais sache que le kâdi n'habite pas au même étage que sa fille, mais à l'étage situé plus bas ; et, tout de même, cette jeune femme, quoique habitant seule, est très grandement surveillée et bien gardée. Mais sache aussi que je suis une habituée de cette maison, dont je suis l'amie ; tu peux donc être sûr que tu ne pourras arriver à tes fins que par mon entremise. Hardi donc ! et prends courage ! »

Ces paroles m'armèrent de fermeté et me donnèrent du courage ; et aussitôt je me levai et me sentis le corps tout à fait dispos et revenu complètement à la santé. Et, à cette vue, tous mes parents furent dans la joie. Et là-dessus la vieille femme me quitta, en me promettant de revenir le lendemain me rendre compte de l'entrevue qu'elle allait avoir avec l'adolescente, fille du kâdi de Bagdad. Le lendemain elle revint. Mais, à la seule vue de son visage, je compris que la nouvelle n'était pas bonne. La vieille femme me dit : « Mon enfant, ne me questionne pas sur ce qui vient de m'arriver ! J'en suis encore tout émue. Imagine-toi qu'à peine lui avais-je glissé à l'oreille l'objet de ma visite qu'elle se leva toute droite et me dit avec la plus grande colère : « Si tout de suite tu ne te tais pas, ô vieille de malheur, et ne cesse tes propositions malséantes, je vais te faire punir comme tu le mérites. » Alors moi, mon enfant, je ne dis plus rien ; mais je me promis de revenir à la charge une seconde fois. Car il ne sera pas dit que j'aie entrepris en vain un projet comme celui-là, où je suis experte comme pas une au monde ! » Puis elle me quitta et partit. Mais moi, je retombai encore plus gravement malade, et je cessai de boire et de manger.

Cependant la vieille femme, comme elle me l'avait promis, au bout de quelques jours revint chez moi, et son visage était éclairé, et elle me dit en souriant : « Allons ! mon enfant, donne-moi la gratification de ma bonne nouvelle ! » À ces paroles, je sentis de joie mon âme revenir dans mon corps, et je dis à la vieille : « Certes, ma bonne mère, je te suis redevable de tout bienfait ! » Alors elle me dit : « Je suis retournée hier chez l'adolescente en question ; lorsqu'elle vit que j'avais l'air tout à fait humble et abattu, et les yeux tout en larmes, elle me dit : « Ma pauvre tante, je te vois la poitrine bien oppressée ! Qu'as-tu donc ? » Alors je me mis à pleurer encore davantage et je lui dis : « Ô ma fille et ma maîtresse, ne te rappelles-tu point que je suis venue te parler d'un jeune homme passionnément épris de tes charmes ? Eh bien ! aujourd'hui ce jeune homme est juste sur le point de mourir à cause de toi. » Elle me répondit, avec le cœur pris de compassion et adouci extrêmement : « Mais qui est donc exactement ce jeune homme dont tu me parles ? » Je lui dis : « C'est mon propre fils, le fruit de mes entrailles. Il t'a vue, il y a quelques jours, à ta croisée, au moment où tu arrosais les fleurs, et il a pu voir un instant les traits de ton visage, et aussitôt, lui qui, jusqu'à ce jour, se refusait à voir n'importe quelle femme et avait horreur du commerce des femmes, s'est senti éperdu d'amour pour toi. Aussi lorsque, il y a quelques jours, je lui annonçai le mauvais accueil que tu m'avais fait, il retomba encore dans un état pire de maladie. Et maintenant je viens de le laisser étendu sur les coussins du lit, prêt à rendre son dernier souffle à son Créateur ! Et je pense même qu'il n'y a plus aucun espoir de le sauver ! » À ces paroles, l'adolescente devint toute pâle et me dit : « Et tout cela à cause de moi ? » Je répondis : « Mais oui, par Allah ! Aussi que comptes-tu faire à présent ? Je suis ta servante et tes ordres sont sur ma tête et sur mon œil ! » Elle dit : « Va au plus vite auprès de lui, et transmets-lui le salut de ma part, et dis-lui que j'ai beaucoup de peine de sa peine. Et ensuite tu lui diras que demain, vendredi, avant la prière, je l'attends ici même. Qu'il vienne donc chez moi, et je dirai à mes gens : « Ouvrez-lui la porte », et je le ferai monter dans mon appartement et nous passerons ensemble une heure entière. Mais il faudra qu'il s'en aille tout de suite après, avant que mon père revienne de la prière ! »

Lorsque j'eus entendu les paroles de la vieille, je sentis les forces me revenir et s'évanouir toutes mes souffrances et se reposer mon cœur. Et je tirai de ma robe une bourse remplie de dinars et je priai la vieille de l'accepter. Elle me dit alors : « Maintenant raffermis ton cœur et sois content ! » Je lui répondis : « En vérité, c'est bien fini ! » Et, en effet, mes parents s'aperçurent vite de ma guérison, et furent au comble de la joie, ainsi que mes amis.

J'attendis donc de la sorte le jour du vendredi, et je vis arriver la vieille, qui me demanda des nouvelles de ma santé, et je lui dis que j'étais dans le bonheur et la bonne santé. Et nous nous mîmes à causer jusqu'à l'heure où tout le monde devait aller à la prière. Alors je me levai et je mis mes plus beaux habits et me parfumai à l'essence de rose, et j'allais courir chez l'adolescente lorsque la vieille me dit : « Tu as encore largement le temps. Il vaut donc beaucoup mieux, en attendant, aller d'abord au hammam prendre un bon bain et te faire masser et te faire raser et épiler, surtout maintenant que tu relèves de maladie. Et tu ne t'en trouveras que mieux ! » Je répondis : « En vérité, c'est là une idée excellente et pleine de justesse. Mais il vaut mieux d'abord que je fasse appeler ici même un barbier pour qu'il me rase la tête ; et ensuite j'irai au hammam prendre le bain. »

J'ordonnai alors à un de mes jeunes serviteurs d'aller me chercher un barbier, en lui disant : « Va vite au souk, et cherche-moi un barbier qui ait la main légère, mais qui soit surtout un homme sage, discret, modique de paroles et de curiosité, et qui ne me fende pas la tête de ses paroles et de sa loquacité, comme le font la plupart des individus de sa corporation ! » Et mon serviteur courut à la hâte et me revint bientôt en m'amenant un vieux barbier. Et ce barbier, c'est ce maudit-là que vous voyez tous là devant vous, ô mes seigneurs !

Lorsqu'il fut entré, il me souhaita la paix, et je lui rendis son souhait de paix. Et il me dit : « Qu'Allah dissipe loin de toi tout chagrin, toute peine, tout souci, tout deuil et toute adversité ! » Je répondis : « Puisse Allah exaucer tes bons souhaits ! » Il continua : « Voici que je t'annonce la bonne nouvelle, ô mon maître, et le retour de tes forces et de ta santé. Et maintenant que dois-je faire ? Te raser ou te tirer du sang ? Car tu n'ignores pas que notre grand Ibn-Abbas a dit : « Celui qui se fait raccourcir les poils le jour du vendredi se rend favorable Allah, qui éloigne de lui soixante-dix sortes de calamités ! » Et c'est le même Ibn-Abbas qui a dit également : « Mais celui qui se fait tirer du sang le jour du vendredi ou, ce jour-là, se fait appliquer des ventouses scarifiées, risque de perdre la vue et court la chance de s'attirer toutes les maladies ! » Alors je lui répondis : « Ô cheikh, assez user de telles plaisanteries, et lève-toi sur l'heure me raser la tête, et fais vite, car je suis faible et je ne dois ni parler beaucoup ni attendre. »

Il se leva alors, et prit un paquet entouré par un mouchoir, où il devait y avoir son bassin, ses rasoirs et ses ciseaux ; il l'ouvrit et en tira, non point un rasoir, mais un astrolabe à sept faces. Il le prit, s'en alla au milieu de la cour de ma maison, leva gravement la tête vers le soleil, le regarda avec attention, examina l'astrolabe et revint et me dit : « Tu dois savoir que ce jour de vendredi est le dixième du mois de Safar de l'an sept cent soixante-trois de l'Hégire de notre saint Prophète (que soient sur lui la meilleure des prières et la paix !). Or, ce que je sais de la science des nombres m'apprend que ce jour de vendredi coïncide exactement avec le moment précis où se fait la conjonction de la planète Mirrik et de la planète Houtared, et cela par sept degrés et six minutes. Or, cela démontre que l'action de se raser la tête aujourd'hui même est une action faste et tout à fait excellente. Cela m'indique aussi clairement qu'aujourd'hui tu as l'intention d'avoir une entrevue avec une personne, dont le sort m'est démontré heureux. J'aurais encore à te raconter des choses qui doivent t'arriver, mais ce sont des choses que je dois taire ! »

Je répondis : « Par Allah ! tu m'étouffes avec tous tes discours et tu me fais sortir l'âme. Et, de plus, tu as l'air d'augurer des choses désagréables. Or, je ne t'ai fait venir ici que pour me raser la tête. Lève-toi donc et rase-moi la tête sans allonger davantage ton discours ! » Il répondit : « Par Allah ! si tu savais la vérité de la chose, tu me demanderais encore bien plus de détails et de démonstrations. En tout cas, il faut que tu saches que si je suis un barbier, je ne suis pas seulement barbier. En effet, quoique je sois le barbier le plus réputé de Bagdad, outre l'art de la médecine, des plantes et des médicaments, je connais admirablement la science des astres, les règles de notre langue, l'art des strophes et des vers, l'éloquence, la science des nombres, la géométrie, l'algèbre, la philosophie, l'architecture, l'histoire et les traditions de tous les peuples de la terre. Donc c'est avec raison que je te conseille, mon seigneur, de faire exactement ce que t'ordonne l'horoscope que je viens de prendre, grâce à ma science et à l'examen des calculs astraux. Rends donc grâces à Allah qui m'a fait venir chez toi, et ne me désobéis pas, car je te conseille le bien et c'est par intérêt pour toi que je te parle. Et, d'ailleurs, je ne demande qu'à te servir et à rester à ton service, même une année entière, et cela sans aucune rémunération ! Mais aussi faut-il reconnaître que je suis un homme de quelque mérite et me rendre cette justice ! »

À ces paroles, je lui dis : « Tu es un véritable assassin et, il n'y a pas à dire, tu as résolu de me faire mourir d'impatience et de folie ! »

Mais, à ce moment de sa narration, Schahrazade vit s'approcher le matin et, discrète, arrêta son récit.

Et lorsque fut la vingt-neuvième nuit. Elle dit :

Il m'est parvenu, ô Roi fortuné, que lorsque le jeune homme dit au barbier : « Tu as résolu de me faire mourir d'impatience et de folie », le barbier répondit :

« Sache pourtant, ô mon maître, que je suis cet homme que tout le monde connaît sous le nom d'El-Sâmet[1], à cause de mon peu de loquacité. Aussi tu ne me rends point justice en me croyant un bavard, surtout si tu veux bien une minute prendre la peine de me comparer à mes frères ! Car sache que j'ai six frères qui, eux, certainement, sont bien bavards ; et, pour te les faire connaître, voici que je vais te dire leurs noms. Le plus grand s'appelle El-Bacbouk ou Celui qui, en bavardant, produit un glouglou comme une cruche ; le second, El-Haddâr ou Celui qui mugit coup sur coup comme un chameau ; le troisième, Bacbac ou le Glousseur enflé ; le quatrième, El-Kouz El-Assouani ou le Cruchon incassable d'Assouan ; le cinquième, El-Aschâr ou la Chamelle enceinte ou le Grand Chaudron ; le sixième, Schakâlik ou le Pot fêlé ; et le septième, El-Sâmet ou le Silencieux. Et ce silencieux, c'est moi, ton serviteur ! »

Lorsque j'entendis toutes ces paroles volubiles du barbier, je sentis d'impatience éclater ma poche à fiel congestionnée, et je m'écriai en m'adressant à l'un de mes jeunes serviteurs : « Donne vite un quart de dinar à cet homme et fais-le déguerpir loin de moi, pour le respect d'Allah ! Car je renonce absolument à me faire raser la tête ! » Lorsque le barbier entendit cet ordre, il dit : « Ô mon maître, quelles paroles dures je viens d'entendre ! Par Allah ! sache bien que c'est sans aucune rétribution que je veux avoir l'honneur de te servir ; et il me faut absolument te servir, car cela m'est un devoir d'être entièrement à ton service et d'exécuter toutes tes volontés. Et je me croirais déshonoré pour toujours si j'acceptais ce que généreusement tu veux me donner. Car si, toi, tu n'as aucune idée de ma valeur, moi, en revanche, j'ai ta valeur en très haute estime, et je suis sûr que tu es le digne fils de ton défunt père (qu'Allah l'ait en sa compassion !) ; car ton père était mon créancier pour tous les bienfaits dont il me comblait ; c'était un homme plein de générosité et de grandeur, et il me tenait en très haute estime, et tellement qu'un jour il envoya me mander ; et c'était un jour aussi béni que celui-ci. Lorsque j'arrivai chez lui, je le trouvai entouré de beaucoup de visiteurs ; il les quitta aussitôt pour se lever et venir à ma rencontre, et me dit : « Je te prie de me tirer un peu de sang. » Alors, je pris mon astrolabe, je mesurai la hauteur du soleil, j'examinai attentivement les calculs et je découvris que l'heure était néfaste et que l'action de tirer le sang était ce jour-là fort difficile. Et je fis part aussitôt de mes appréhensions à ton défunt père, qui se soumit docilement à mes paroles et prit patience jusqu'à ce que fût venue l'heure faste et propice pour l'opération. Je lui tirai alors une bonne mesure de sang ; et il se laissa docilement faire et me remercia très chaudement ; et me remercièrent aussi tous les assistants. Et pour me rémunérer du sang que je venais de lui tirer, ton défunt père me donna sur l'heure cent dinars d'or. »

À ces paroles, je dis au barbier : « Puisse Allah n'avoir jamais en sa compassion mon défunt père qui a été assez aveugle pour avoir recours à un barbier tel que toi ! » Et le barbier, en entendant cela, se mit à rire en hochant la tête et dit : « Il n'y a point d'autre Dieu qu'Allah, et Mahomet est l'Envoyé d'Allah ! Béni soit le nom de Celui qui transforme et ne se transforme point ! Or, moi, ô jeune homme, je te croyais doué de raison, et maintenant je constate que la maladie que tu as eue t'a complètement tourné la raison et t'a fait devenir un radoteur. Mais, cela ne m'étonne point trop, car je connais les Paroles Saintes qu'Allah a dites dans notre Saint et Précieux Livre dans le verset qui commence par ces mots : « Ceux qui compriment leur colère et font grâce aux hommes coupables… » Donc je veux bien oublier tes torts à mon égard et tes manquements, et je t'excuse pour toute chose ! Mais, vraiment, je ne comprends rien à ton impatience et à sa cause. Ne sais-tu point que ton père n'entreprenait jamais rien sans me consulter, et qu'en cela il suivait le proverbe qui dit : « L'homme qui prend conseil se met à l'abri. » Et moi, sois-en bien sûr, je suis un homme fort précieux, et tu ne trouveras jamais un homme d'aussi bon conseil que moi ni plus versé dans les préceptes de la sagesse et dans l'art de conduire habilement les affaires. Me voici donc debout sur mes deux pieds et attendant tes ordres et tout entier dévoué à ton service. Mais, dis-moi, comment se fait-il donc que, moi, je ne sois point ennuyé de toi, et que, toi, tu sois tellement ennuyé et furieux ? Il est vrai que si, moi, j'use vis-à-vis de toi de tant de patience, c'est uniquement par égard pour la mémoire de ton père, à qui je suis redevable de tant de bienfaits. » Alors je répondis : « Par Allah ! c'en est trop, vraiment ! Tu viens de me tuer avec ta volubilité et ton bavardage. Je te répète donc que je ne t'ai fait venir ici que pour que tu me rases la tête et t'en ailles ensuite au plus vite ! »

Et, en lui disant ces paroles, je me levai fort en colère et voulus le chasser et m'en aller, bien qu'il m'eût déjà mouillé le crâne et savonné. Alors il me dit sans s'émouvoir : « En vérité, je m'aperçois maintenant fort clairement que je t'ai causé un ennui insurmontable. Mais je ne t'en veux nullement pour cela, car je vois fort bien que tu as une intelligence faible et que tu es encore bien jeune, et il n'y a pas fort longtemps que je te portais encore, enfant, à cheval sur mon épaule, et que je te transportais de la sorte à l'école où tu ne voulais pas aller ! » Je lui répondis : « Voyons ! mon frère, par Allah, je te conjure, et par sa sainte vérité, de t'en aller d'ici pour me laisser vaquer à mes occupations ! Va-t'en donc en l'état de ton chemin ! » Et, en disant ces mots, je fus pris d'une telle crise d'impatience que je me déchirai les habits et me mis à pousser des cris inarticulés, comme un fou.

Lorsque le barbier me vit agir de la sorte, il se décida à prendre son rasoir et à le repasser sur le cuir qui était attaché à sa ceinture. Mais il mit tant de temps à repasser et à repasser ce rasoir sur le cuir que je fus sur le point de sentir mon âme sortir de mon corps. Enfin il finit par s'approcher de ma tête, commença à me raser sur un côté et m'enleva, en effet, quelques poils. Puis il s'arrêta, releva sa main et me dit : « Ô mon jeune maître, l'emportement est une tentation du Cheïtane. » Et il me récita ces strophes :

« Ô sage ! tu dois longtemps mûrir ton projet, et ne jamais te hâter dans tes résolutions ! Et surtout quand tu es choisi pour être un juge de la terre.

Ô juge ! ne juge point avec dureté, et tu trouveras pour toi la miséricorde lors de ton tour fatal.

Et n'oublie point qu'il n'y a point sur la terre de si puissante main qui ne puisse être abaissée par la main d'Allah qui la domine.

Et n'oublie point que l'homme impie et tyrannique trouvera toujours un tyran qui l'opprimera. »

Puis il me dit : « Ô mon maître, je vois fort bien que tu n'as aucune considération pour mes mérites et mes talents. Et pourtant c'est cette même main, qui te rase aujourd'hui, qui touche aussi et caresse la tête des rois, des émirs, des vizirs, des gouverneurs et de tous les gens nobles et illustres. Et c'est à mon intention, ou en l'honneur de quelqu'un qui me ressemblait fort, que le poète a dit :

« Tous les métiers je les considère comme des colliers précieux, mais ce barbier est lui-même la plus belle perle du collier.

Il dépasse en sagesse et en grandeur d'âme les plus sages et les plus grands ; et sa main tient sous elle la tête des rois. »

En réplique à toutes ces paroles, je dis au barbier : « Veux-tu enfin t'occuper de ton métier, ou non ? En vérité tu m'as rétréci la poitrine et complètement abîmé la cervelle ! » Alors il me dit : « Je finis par croire que tu es un peu pressé d'en finir. » Et je m'écriai : « Mais oui, certes ! mais oui, certes ! mais oui, certes ! » Il dit : « Apprends donc un peu à ton âme la patience et la modération, car la hâte est une suggestion du Tentateur, et elle ne peut que procurer le repentir et tous les échecs de fortune ! Et d'ailleurs notre suzerain Mohammad (que sur lui soient la prière et la paix !) a dit : « La plus belle chose au monde est celle faite avec lenteur et toute mûre ! » Mais ce que tu viens de me dire excite grandement mon intérêt, et je te prie de m'expliquer le motif qui te rend si impatient et pour lequel tu es si pressé. J'espère pour toi que c'est un motif agréable, et j'aurai bien de la peine s'il en était autrement. Mais vraiment il faut que je m'interrompe un peu, car il ne me reste plus que quelques heures de soleil favorable. » Alors il laissa le rasoir de côté, et prit son astrolabe et s'en alla au soleil et resta un bon moment dans la cour, et mesura la hauteur du soleil, mais toutefois sans me perdre de vue et en m'adressant de temps à autre quelque question. Puis il revint vers moi et me dit : « Si c'est pour la prière de midi que tu es si pressé, en vérité tu peux attendre tranquillement, car il nous reste encore trois bonnes heures ni plus ni moins. Je ne me trompe jamais dans mes calculs. » Je lui dis : « Par Allah sur toi ! épargne-moi tous ces discours, car tu m'as mis le foie en miettes ! »

Alors il reprit son rasoir, et se mit à le repasser comme il avait fait auparavant, et recommença à me raser un peu la tête ; mais il ne put s'empêcher de continuer de parler et me dit : « Je suis bien peiné de ton impatience ; et si tu voulais m'en révéler la cause, cela te serait un bien et un profit. Car tu sais maintenant combien ton défunt père me tenait en estime, et qu'il n'entreprenait jamais rien sans me consulter. » Je vis alors qu'il n'y avait plus pour moi de moyen de délivrance et je pensai en mon âme : « Voici qu'approche déjà le temps de la prière, et il faut que je sois chez la jeune femme, sinon ce sera trop tard et à peine serai-je là que les gens auront terminé la prière et sortiront des mosquées. Et tout alors serait perdu pour moi ! » Je dis donc au barbier : « Abrège enfin, et loin de toi toutes ces paroles vaines et cette curiosité indiscrète ! Je suis, si tu veux absolument le savoir, obligé de me rendre auprès d'un de mes amis pour une pressante invitation à un festin ! »

À ces mots d'invitation et de festin, le barbier me dit : « Qu'Allah te bénisse ! et que ce jour te soit plein de prospérité ! car justement tu viens de me faire souvenir que j'ai invité chez moi, pour aujourd'hui, plusieurs de mes amis, et que j'ai complètement oublié de leur préparer le repas. J'y pense seulement en ce moment où c'est déjà trop tard ! » Alors je lui dis : « Ne te préoccupe point de ce retard, j'y vais remédier tout de suite. Du moment que je ne mange point moi-même à la maison et que je suis invité à un festin, je veux bien te donner tout ce que j'ai chez moi de mets, de vivres et de boissons, mais à la condition que tout de suite tu mettes un terme à toute cette affaire et que tu achèves vite de me raser la tête ! » Il me répondit : « Puisse Allah te combler de ses dons, et qu'il te le rende un jour en bénédictions ! Mais, ô mon maître, aie la bonté de m'énumérer un peu les choses dont tu veux me gratifier, pour que je les connaisse ! » Je lui dis : « J'ai à ta disposition cinq marmites remplies de toutes sortes de choses délicieuses : aubergines et courges farcies, feuilles de vigne farcies et assaisonnées au citron, boulettes soufflées au blé concassé et à la viande écrasée, du riz aux tomates avec de petits morceaux de filet de mouton, du ragoût aux petits oignons ; de plus j'ai dix poulets rôtis et un mouton grillé ; puis deux grands plateaux, l'un de kenafa[1] et l'autre de pâtisserie au fromage doux et au miel ; des fruits de toutes sortes : des concombres, des melons, des pommes, des limons et des dattes fraîches, et bien d'autres encore ! » Il me dit alors : « Fais donc apporter tout cela en ma présence, que je voie ! » Et moi, je fis apporter toutes ces choses, et il les examina et goûta à chaque chose, et il me dit : « Ta générosité est une grande générosité. Mais il manque les boissons ! » Je lui dis : « J'ai cela ! » Il me dit : « Fais apporter cela ! » Et je fis apporter six pots remplis de six espèces de boissons, et il goûta à chacune et me dit : « Puisse Allah te munir de toutes ses grâces ! Que ton âme est généreuse ! Mais il manque l'encens, le benjoin et les parfums à brûler dans la salle, et aussi l'eau de rose et l'eau de fleur d'oranger pour en asperger mes hôtes ! » Je lui fis alors apporter une cassette remplie d'ambre gris, de bois d'aloès, de nadd, de musc, d'encens et de benjoin, le tout valant plus de cinquante dinars d'or ; et je n'oubliai pas non plus les essences aromatiques et les aspersoirs d'argent contenant les eaux de senteur. Et comme le temps était devenu aussi étroit que l'était ma poitrine, je dis au barbier : « Prends tout cela ! mais finis de me raser toute la tête, par la vie de Mohammad

– que sur lui soient la prière et la paix d'Allah ! » Le barbier me dit alors : « Par Allah ! je ne prendrai point cette cassette avant de l'ouvrir et d'en voir tout le contenu ! » Alors j'ordonnai à mon jeune serviteur d'ouvrir la cassette, et le barbier laissa de côté son astrolabe, et s'accroupit par terre et se mit à manipuler tous les parfums, encens, benjoin, musc, ambre gris, bois d'aloès qui étaient dans la cassette, et il les reniflait l'un après l'autre et avec tant de lenteur et de temporisation que je sentis mon âme sur le point de délaisser mon corps. Après cela il se leva et me remercia et prit son rasoir et se mit en demeure de continuer à me raser la tête. Mais à peine avait-il commencé qu'il s'arrêta net et me dit :

« Par Allah ! ô mon enfant, je ne sais trop qui de vous deux je dois bénir et louer aujourd'hui, de toi ou de ton défunt père ! Car, en vérité, le festin que je dois donner chez moi est tout entier dû à ton initiative généreuse et à tes dons magnanimes. Mais te le dirais-je ? Je n'ai vraiment chez moi comme invités que des personnes peu dignes de tout ce festin somptueux, car ce sont comme moi des gens des différents métiers. Mais ils sont délicieux et pleins d'intérêt par leur personne. Et, s'il faut te les énumérer, ce sont : d'abord l'admirable Zeïtoun, le masseur du hammam ; le gai et plaisant Salih, vendeur de pois chiches torréfiés et concassés ; Hâoukal, le vendeur de fèves fermentées ; Hakraschat, le vendeur de légumes ; Hamid, le balayeur de fumier ; et enfin, Hakaresch, le vendeur de lait caillé !

Tous ces amis que j'ai invités, pas plus que moi, ton serviteur, ne sont ni des bavards ni d'indiscrets curieux ; mais ce sont de fort bons vivants qui chassent toute mélancolie. Le moindre d'entre eux a plus de valeur, à mes yeux, que le roi le plus puissant. Sache, en effet, que chacun d'eux est réputé dans toute la ville de Bagdad pour une danse et une chanson différente. Et, si cela te fait plaisir, je vais te danser et chanter la danse et la chanson de chacun d'eux.

« Ainsi regarde-moi et vois bien ! Voici la danse de mon ami Zeïtoun, le masseur ! La voilà ! Quant à sa chanson, la voici :

« Elle est gentille, mon amie, et l'agneau le plus doux n'égale en rien sa douceur ! Je l'aime avec brûlure ! Et elle aussi ! Et tellement m'aime-t-elle qu'à peine loin d'elle pour un instant, je la vois accourir et se jeter sur ma couche !

Elle est gentille, mon amie, et l'agneau le plus doux n'égale en rien sa douceur ! »

Mais, ô mon maître, continua le barbier, pour ce qui est de mon ami Hamid le balayeur d'ordures, voici sa danse !... Tu vois comme elle est suggestive et pleine de science et de gaieté ! Mais quant à sa chanson, la voici :

« Ma femme ! elle est avare ! et, à l'écouter, je mourrais de faim !

Ma femme ! elle est laide ! et, à l'écouter, dans ma maison pour toujours je m'enfermerais !

Ma femme ! le pain, elle le cache dans l'armoire ! Mais si je ne mange point de pain, et comme elle est laide à faire fuir un nègre au nez aplati, il me faudra bientôt me châtrer pour toujours ! »

Puis le barbier, sans me donner le temps de faire un signe de protestation, imita toutes les danses de ses amis, et chanta toutes leurs chansons. Puis il me dit : « Voici ce que peuvent faire mes amis à moi... Si donc tu voulais bien rire, je te conseille dans ton intérêt et pour notre plaisir à tous, de venir chez moi faire partie de notre compagnie, et de laisser là les amis chez lesquels tu m'as dit avoir l'intention de te rendre. Car je vois que tu as encore sur la figure des traces de fatigue, et tu relèves de maladie ; et il est possible que tu rencontres parmi tes amis des individus amateurs de vains discours et ennuyeux parleurs et indiscrets curieux ; et ils te feront retomber dans une maladie bien plus grave que la première ! »

Alors je dis au barbier : « Pour aujourd'hui il ne m'est guère possible d'accepter ton invitation, mais ce sera pour un autre jour ! » Il me répondit : « La chose qui est la plus avantageuse pour toi, je te le répète, est de hâter le moment de ta visite chez moi, et de venir sans retard goûter toute l'urbanité de mes amis et profiter de leurs admirables qualités. Et ainsi tu agiras selon le dire du poète :

« Ami, ne diffère jamais de profiter de la jouissance qui s'offre, et ne remets jamais au lendemain la volupté qui passe ! Car la volupté ne passe pas tous les jours et la jouissance à tes lèvres tous les jours n'offre point ses lèvres. Sache que la fortune est femme et, comme la femme, varie ! »

Alors, devant toutes ces harangues et tous ces bavardages, je ne pus m'empêcher de rire mais, avec le cœur tout bourré de pesante fureur ; puis je lui dis : « Maintenant je t'ordonne de terminer l'opération pour laquelle je t'ai fait venir, et de me laisser m'en aller sur la voie d'Allah et sous sa sainte protection ; et de ton côté tu t'en iras retrouver tes amis qui, à l'heure actuelle, doivent t'attendre avec impatience ! » Il me répondit : « Mais pourquoi refuses-tu ? En vérité je ne te demande qu'une chose : me laisser te faire faire la connaissance de mes amis, ces délicieux compagnons, qui sont loin d'être des gens indiscrets, car je t'assure qu'une fois que tu les auras vus tu ne voudras plus en fréquenter d'autres, et tu délaisseras tes amis de l'heure actuelle ! » Je lui dis : « Qu'Allah augmente encore davantage le bonheur que tu éprouves de leur amitié ! Et, d'ailleurs, je te promets qu'un jour je les inviterai moi-même à venir à un festin que je donnerai spécialement pour eux ! »

Alors ce maudit barbier consentit à être de mon avis, mais me dit : « Du moment que je vois que tu préfères tout de même pour aujourd'hui le festin de tes amis et leur société à la société de mes amis, aie donc assez de patience pour attendre que je coure porter chez moi tous ces vivres que je dois à ta générosité ; je les mettrai sur la nappe devant mes invités, et, comme mes amis n'auront point la sottise de se scandaliser si je les laisse seuls faire honneur à ma nappe, je leur dirai de n'avoir ni à compter sur moi ni à attendre mon retour ; et tout de suite je reviendrai te rejoindre, et je t'accompagnerai où que tu désires aller ! » – Alors je m'écriai : « Oh ! il n'y a de recours ni de pouvoir qu'en Allah le Très-Haut et le Tout-Puissant ! Ô homme, va donc enfin retrouver tes amis et réjouis-toi avec eux dans l'épanouissement, et laisse-moi m'en aller retrouver mes amis qui doivent attendre mon arrivée pour justement cette heure-ci ! » Et le barbier me dit : « Ah non ! jamais je ne consentirai à te laisser aller seul ! » Je lui répondis, en faisant de grands efforts sur moi-même pour ne pas l'insulter : « Mais sache enfin que l'endroit où je vais ne peut être visité que par moi tout seul ! » Il me dit : « Alors je comprends ! je pense que tu as un rendez-vous avec une femme ! Sans cela, tu me prendrais avec toi. Et pourtant sache que je mérite cet honneur plus que n'importe qui au monde, et qu'en plus je te serai d'une très grande aide pour tout ce que tu voudras faire. Et puis j'ai bien peur que cette femme ne soit une perfide étrangère. Alors, malheur à toi si tu es tout seul ! Tu y laisseras certes ton âme ! Car cette ville de Bagdad ne se prête guère à ces sortes de rendez-vous, oh ! pas du tout ! Et surtout depuis que nous avons ce nouveau gouverneur qui est d'une terrible rigueur pour ces sortes de choses ; car on dit qu'il est sans zebb ni œufs, et que c'est par haine et jalousie qu'il punit si sévèrement ces sortes d'aventures ! »

À ces paroles, je ne pus plus tenir en place, et je m'écriai avec violence : « Ô toi le plus maudit d'entre les perfides et les bourreaux ! vas-tu, oui ou non, mettre un terme à tous ces bavardages dont tu m'assommes ?... » Alors le barbier consentit à se taire un bon moment pendant lequel il reprit son rasoir et enfin acheva de me raser toute la tête. Mais tout cela avait fait que le temps de la prière de midi était venu ; et même la prière devait être déjà assez avancée et on devait être au sermon.

Alors je lui dis, pour pouvoir le faire déguerpir : « Va chez tes amis leur porter tous ces mets et toutes ces boissons ; et moi, je te promets d'attendre ton retour pour que tu puisses m'accompagner à ce rendez-vous ! » Et j'insistai beaucoup pour le décider. Alors il me dit : « Je vois bien que tu veux me circonvenir pour te débarrasser de moi et t'en aller seul. Mais je te préviens que, ce faisant, tu te jettes dans des calamités dont tu ne pourras plus trouver l'issue ni te délivrer. Je te conjure donc, dans ton intérêt, de ne point quitter cet endroit avant que je ne revienne te prendre et t'accompagner pour savoir comment va se terminer ton aventure ! » Je lui dis : « Oui ! mais, par Allah ! ne sois pas trop lent à revenir ! »

Alors le barbier me pria de l'aider à mettre sur son dos toutes les choses que je lui avais données, et sur sa tête les deux grands plateaux de pâtisseries, et, tout chargé, il sortit de chez moi. Mais, le maudit ! à peine était-il dehors qu'il appela deux portefaix, leur remit sa charge, leur dit de porter le tout chez lui à tel endroit ; et lui-même s'embusqua dans une ruelle obscure, à attendre ma sortie.

Quant à moi, immédiatement je me levai, je me lavai le plus vite possible, et je m'habillai de mes plus beaux habits et je sortis de ma maison. Et à l'instant même j'entendis la voix des muezzins sur les minarets qui appelaient les croyants à la prière de midi en ce jour saint du vendredi :

« Bismillahi'rrahmani'rrahim ! Au nom d'Allah, le Clément-sans-bornes, le Miséricordieux !

La louange à Allah, Maître des humains, le Clément, le Miséricordieux !

Suprême souverain, Arbitre absolu au jour de la Rétribution,

C'est toi que nous adorons, c'est toi dont nous implorons le secours !

Dirige-nous dans le sentier droit,

Dans le sentier de ceux que tu as comblés de tes bienfaits.

Non pas de ceux qui ont encouru ta colère, ni de ceux qui sont dans l'égarement ! »

Une fois hors de chez moi, je me dirigeai en toute hâte vers la maison de l'adolescente. Lorsque je fus arrivé à la porte du kâdi, je me retournai par hasard et je vis le maudit barbier à l'entrée de la ruelle. Alors, comme la porte de la maison était entrouverte pour moi, je me précipitai à l'intérieur et fermai vivement la porte. Et je vis dans la cour la vieille femme, qui me conduisit aussitôt à l'étage supérieur, où se trouvait l'adolescente.

Mais à peine étais-je entré que nous entendîmes des gens arriver dans la rue : c'était le kâdi, père de la jeune femme, et sa suite, qui revenaient de la prière. Et je vis, dans la rue, le barbier qui était debout et qui m'attendait. Quant au kâdi, la jeune femme me tranquillisa et me dit que son père ne la visitait que rarement, et que, d'ailleurs, il y avait toujours pour moi un moyen de ne pas être aperçu.

Mais, pour mon malheur, Allah voulut qu'il se produisit un incident qui me devait être fatal. En effet, il y eut cette coïncidence que justement ce jour-là une des jeunes esclaves du kâdi avait mérité un châtiment. Et le kâdi, à peine entré, se mit à donner la bastonnade à cette jeune esclave, et il devait lui fouetter très fort le derrière, car elle se mit à pousser des hurlements de travers ; et alors l'un des nègres de la maison entra pour essayer d'intercéder pour elle, et le kâdi furieux lui tomba dessus à coups de verges ; et ce nègre se mit aussi à hurler. Il y eut alors un tel tumulte que toute la rue fut mise en émoi, et le barbier de malheur crut que c'était moi qui étais pris et châtié et qui poussais ces cris. Alors il se mit à pousser des cris lugubre, à déchirer ses vêtements, à se couvrir la tête de poussière, et à implorer le secours des passants qui commençaient à se rassembler autour de lui. Et il pleurait et disait : « On vient d'assassiner mon maître dans la maison du kâdi ! » Puis, tout en criant, il courut chez moi suivi de toute une foule et prévint de la chose tous les gens de ma maison et mes serviteurs, qui aussitôt s'armèrent de bâtons et accoururent vers la maison du kâdien vociférant et en s'excitant mutuellement. Et ils arrivèrent tous, et le barbier à leur tête, qui continuait à se déchirer les habits et à crier à tue-tête, devant la porte du kâdi, là où j'étais moi-même. Lorsque le kâdi entendit tout ce tumulte devant sa maison, il regarda par la fenêtre et vit tout ce monde d'énergumènes qui frappaient contre la porte avec leurs bâtons. Alors, trouvant que la chose était pas trop grave, il descendit et ouvrit la porte et s'écria : « Ô bonnes gens, qu'y a-t-il donc ? » Et mes serviteurs lui crièrent : « C'est toi qui as tué notre maître ! » Il leur dit : « Mais qui donc est votre maître et qu'a-t-il donc commis pour que je l'aie tué ? »

Mais, à ce moment de sa narration Schahrazade vit apparaître le matin, et se tut discrètement.

Mais lorsque fut la trentième nuit. Elle dit :

Il m'est parvenu, ô Roi fortuné, que le kâdi, étonné, leur dit : « Et qu'a-t-il donc commis, votre maître, pour que je l'aie tué ? Et que vient-il faire au milieu de vous, ce barbier qui crie et qui se démène comme un âne ? » Alors le barbier s'écria : « C'est bien toi qui, il y a un moment, avais assommé mon maître à coups de bâton, alors que j'étais dans la rue et que j'entendais ses cris ! » Le kâdi répondit : « Mais qui donc est-il, ton maître ? D'où vient-il ? Où va-t-il ? Qui a pu l'introduire ici ? Et qu'a-t-il fait pour mériter les coups de bâton ? » Le barbier dit : « Ô kâdi de malheur, ne fais donc pas le rusé, car je connais toute l'histoire, la cause de l'entrée de mon maître dans ta maison et tous les détails de la chose. Je sais, en effet, et je veux maintenant que tout le monde le sache, que ta fille est éprise de mon maître et que mon maître le lui rend bien ! Et je l'ai accompagné moi-même jusqu'ici. Et alors, toi, tu l'as surpris dans le lit avec ta fille et tu l'as assommé à coups de bâton, aidé de tes serviteurs. Or, de ce pas je vais t'obliger à venir avec moi chez notre seul juge, le khalifat, à moins que tu ne préfères nous rendre sur-le-champ notre maître, et le dédommager des mauvais traitements que tu lui as fait subir, et nous le livrer sain et sauf, à moi et à ses parents. Sans quoi, je vais être forcé d'entrer dans ta maison par la force et de le délivrer moi-même. Hâte-toi donc de nous le rendre ! »

À ces paroles, le kâdi fut interloqué et plein de confusion et accablé de honte devant tous les assistants qui écoutaient. Mais il dit tout de même au barbier : « Si tu n'es point un menteur, tu n'as qu'à entrer toi-même dans ma maison, je te le permets, et à le chercher partout pour le délivrer ! » Alors le barbier se précipita dans la maison.

Quant à moi, qui assistais de la fenêtre, derrière le treillis de bois, à cette scène, lorsque je vis que le barbier s'était précipité dans la maison à ma recherche, je voulus m'enfuir. Mais j'eus beau chercher une issue, il n'y en avait pas à ma portée qui pût ne pas être aperçue par les gens de la maison ou qui ne fût pas à la portée du barbier. Je trouvai alors, dans une des chambres où je cherchais une issue, un grand coffre vide en bois, et je me hâtai d'y entrer me cacher, et je refermai le couvercle sur moi, et je coupai ma respiration.

Pour le barbier, lorsqu'il eut fureté dans toute la maison, il finit par entrer dans la chambre, dut regarder à droite et à gauche et apercevoir le coffre. Alors, le maudit, sans rien dire, comprit que j'étais là-dedans, prit le coffre, le chargea sur sa tête et l'emporta ; et il gagna la sortie au plus vite, pendant que je me sentais mourir d'épouvante. Mais, par la force de la fatalité, pendant qu'il me portait, la populace amassée voulut voir ce qu'il y avait dans le coffre, et tout à coup le couvercle fut enlevé. Alors ne pouvant souffrir la honte et les huées, je me levai précipitamment et je sautai à terre, mais si vite que je me cassai la jambe. Et c'est depuis ce temps que je suis boiteux. Mais, pour le moment, je ne songeais qu'à fuir et à me cacher ; et, comme je trouvais là une foule extraordinaire, je me mis à lui lancer des poignées d'or ; et je profitai de l'empressement de tous ces gens à ramasser l'or pour me dérober et courir à toute vitesse. Je me mis ainsi à parcourir une grande partie des rues les plus obscures de Bagdad. Mais combien ne fus-je point terrifié lorsque je vis soudain le barbier derrière moi et que je l'entendis crier à haute voix : « Ô bonnes gens ! grâce à Allah, j'ai retrouvé mon maître ! Mais Allah n'a point permis le triomphe des méchants et me les a fait vaincre et m'a désigné pour le sauver d'entre leurs mains ! » Puis il me dit en courant derrière moi : « Ô mon maître, tu vois maintenant combien tu as mal fait d'agir avec impatience et de ne point écouter mes conseils. Et sans le secours d'Allah, qui m'a suscité pour ta délivrance, tu aurais subi le pire traitement, et on t'aurait abîmé pour toujours ! Demande donc à Allah de me conserver pour que je sois toute ma vie à ton service, et que je sois pour toi un guide perspicace ; car, tu l'as constaté, tu as l'esprit faible, emporté, et tu es un peu sot ! Mais, seigneur, où cours-tu ainsi ? Attends-moi ! » Alors, moi, ne sachant plus comment me sauver de ce barbier, si ce n'est par la mort, je m'arrêtai et lui dis : « Ô barbier, ne t'a-t-il point suffi de me réduire en l'état où je suis ! Veux-tu donc ma mort ? »

Mais, comme je finissais de lui parler, je vis juste en face de moi, dans le souk, la boutique ouverte d'un marchand que je connaissais. Je me précipitai dans l'intérieur de la boutique et priai le propriétaire d'empêcher ce maudit d'entrer derrière moi. Et il put l'en empêcher en lui montrant un énorme gourdin et en lui faisant des yeux terribles. Mais le barbier ne partit qu'en maudissant le marchand, le père et le grand-père du marchand, et en lui disant toutes les injures qu'il connaissait.

Le marchand alors me questionna, et je lui racontai mon histoire avec ce barbier, et le priai de me laisser dans la boutique jusqu'à la guérison de ma jambe ; car je ne voulais plus retourner dans ma maison, de peur d'être hanté tout le temps par le barbier dont la figure m'était plus insupportable que la pire calamité. Puis, immédiatement après ma guérison, je pris tout l'argent que je possédais ; puis je fis venir les témoins et fis un testament par lequel je léguais à mes parents tout le restant de ma fortune, mes biens et mes propriétés, mais à leur revenir seulement après ma mort ; et je nommai un homme sûr comme intendant pour veiller sur tout cela, et le chargeai de bien traiter tous les miens, grands et petits. Et, pour en finir définitivement avec ce barbier, je résolus de quitter Bagdad, ma ville, et d'aller dans un endroit où je ne risquerais plus de me trouver face à face avec mon ennemi.

Je partis donc de Bagdad et ne cessai de voyager jusqu'à ce que je fusse arrivé dans ce pays-ci, où je crus avoir réussi à me débarrasser de mon persécuteur. Mais ce fut peine perdue, puisque je viens, ô mes seigneurs, de le trouver ici au milieu de vous autres, à ce festin où vous m'aviez invité !

Aussi vous pensez bien que je ne puis plus avoir de tranquillité avant que j'aie quitté ce pays comme je quittai l'autre, et tout cela à cause de ce maudit, de ce pervers, de ce barbier assassin qu'Allah confonde, lui, sa famille et toute sa postérité ! »

Lorsque le jeune boiteux, continua le tailleur devant le roi de la Chine, eut prononcé ces mots, il se leva tout jaune de teint, nous souhaita la paix et sortit sans que nous eussions pu l'en empêcher.

Quant à nous tous, à cette histoire surprenante, nous regardâmes le barbier, qui se tenait silencieux et les yeux baissés, et nous lui dîmes : « Mais trouves-tu que le jeune homme ait dit la vérité ? Et, dans ce cas, pourquoi donc as-tu agi de la sorte et lui as-tu occasionné tous ces malheurs ? » Alors le barbier leva la tête et nous dit : « Par Allah ! c'est bien en connaissance de cause que j'ai agi, et je l'ai fait pour lui éviter de pires calamités. Car, sans moi, il était indubitablement perdu. Il n'a donc qu'à remercier Allah et à me remercier de ce qu'il ait perdu seulement l'usage de sa jambe au lieu de se perdre entièrement. Quant à vous autres, mes seigneurs, pour que vous ayez la preuve que je ne suis ni un bavard, ni un indiscret, ni semblable d'aucune manière à l'un quelconque de mes six frères, et pour vous démontrer que je suis un homme utile et bien avisé, et surtout très silencieux, je vais vous raconter mon histoire, et vous jugerez ! »

Sur ces paroles, nous tous, continua le tailleur, nous écoutâmes en silence cette histoire du barbier :

HISTOIRES DU BARBIER DE BAGDAD ET DE SES DIX FRÈRES

Le barbier dit : « Sachez donc, ô mes maîtres, que je vivais à Bagdad sous le règne de l'émir des Croyants, El-Montasser-Billah[1]. On vivait heureux sous son pouvoir, car il aimait les pauvres et les petits, et la société des savants, des sages et des poètes.

Or, un jour d'entre les jours, le khalifat eut à se plaindre de dix individus qui habitaient non loin de la ville, et il ordonna au gouverneur-lieutenant de lui chercher ces dix individus. Et le destin voulut que, justement au moment où on leur faisait traverser le Tigre en barque, je fusse sur la rive du fleuve. Et je vis ces hommes dans la barque et je me dis en moi-même : « Sûr ! ces hommes se sont donné rendez-vous dans cette barque pour y passer toute la journée à s'amuser, à manger et à boire. Aussi il faut absolument que je sois leur invité et fasse partie du festin ! » Je m'approchai alors de l'eau et, sans dire un mot, moi le Silencieux, je sautai dans la barque et me mêlai à tous ceux-là. Mais soudain je vis arriver les gardes du wali, qui se saisirent d'eux, leur mirent à chacun un carcan au cou et des chaînes aux mains, et finirent par se saisir aussi de moi et me mettre également un carcan au cou et des chaînes aux mains. Tout cela ! et je ne soufflai pas un mot et n'articulai pas une parole : ce vous est une preuve, mes seigneurs, de ma fermeté de caractère et de mon peu de loquacité. Je me laissai donc faire sans protester, et me vis conduit avec les dix individus jusqu'entre les mains de l'émir des Croyants, le khalifat Montasser-Billah.

À notre vue, le khalifat appela son porte-glaive et lui dit : « Coupe immédiatement la tête à ces dix scélérats ! » Alors le porte-glaive nous rangea tous dans la cour, à la file, sous les yeux du khalifat, et, levant son glaive, il frappa la première tête et la fit sauter, puis la deuxième et la troisième et jusqu'à la dixième. Mais lorsqu'il arriva à moi, le nombre des têtes coupées était dix et il n'avait pas l'ordre d'en couper davantage. Il s'arrêta donc et dit au khalifat que son ordre était exécuté. Alors le khalifat se tourna et me vit encore debout et s'écria : « Ô porte-glaive, je t'ai ordonné de couper la tête aux dix scélérats ! Comment se fait-il que ce dixième ait été épargné par toi ? » Le porte-glaive répondit : « Par les grâces d'Allah sur toi et par les tiennes sur nous ! j'ai coupé dix têtes ! » Il répondit : « Voyons ! compte-les un peu devant moi ! » On les compta et on trouva en effet le nombre de dix. Alors le khalifat me regarda et me dit : « Mais qui es-tu donc, toi ? et que fais-tu ici au milieu de ces amateurs de sang ? » Alors moi, ô mes maîtres, et alors seulement, devant cette question de l'émir des Croyants, je me décidai à parler. Je lui dis : « Ô émir des Croyants ! c'est moi qui suis le cheikh surnommé El-Samet à cause de mon peu de loquacité. De sagesse il y a beaucoup chez moi ; mais, pour ce qui est de la droiture de mon jugement, de la gravité de mes paroles, de l'excellence de ma raison, de la finesse de mon intelligence, de mon peu de verbiage, je ne t'en dirai rien, car ces qualités en moi sont infinies. Quant à mon métier, c'est la coiffure. Et je suis l'un des sept fils de mon père, et mes six frères sont tous vivants. Mais voici l'aventure ! Ce matin même, je me promenais le long du Tigre ; et je vis ces dix individus-là qui sautaient dans une barque ; et je me mêlai à eux et je descendis avec eux et je crus qu'ils étaient conviés à un festin sur l'eau. Mais, à peine arrivé à l'autre rive, je m'aperçus que je me trouvais au milieu de criminels ; car je vis les gardes nous assaillir et nous mettre le carcan au cou. Et moi, quoique étranger à ces gens, je ne voulus point parler, ni protester, et cela à cause de mon excès de fermeté habituelle et de mon peu de loquacité. Je fus donc conduit avec tous ceux-là entre tes mains, ô émir des Croyants. Et tu ordonnas que l'on coupât la tête à ces dix criminels, et je restai seul entre les mains du porte-glaive ; et, malgré tout, je ne dis pas un mot. Je trouve, moi, que cela est du courage et de la fermeté bien considérable. Et, d'ailleurs, rien que ce seul acte de me faire spontanément l'associé de dix inconnus, à lui seul est le plus grand acte de bravoure que je sache. Mais ne sois point étonné de mon action, ô émir des Croyants, car toute ma vie j'ai toujours agi de la sorte en obligeant des inconnus ! »

Lorsque le khalifat entendit mes paroles et apprit ainsi que j'étais plein de courage et de virilité, aimant le silence et la gravité, détestant la curiosité et l'indiscrétion quoi qu'en ait pu dire ce jeune boiteux qui était là tout à l'heure, ce jeune boiteux que j'ai sauvé de toutes sortes de calamités, il me dit : « Ô vénérable cheikh, barbier spirituel et grave ! dis-moi un peu, et tes frères les six ?... Sont-ils comme toi ? Ont-ils en eux autant de sagesse, de science et de discrétion ? » Je répondis : « Qu'Allah m'en préserve ! Combien loin de moi ils sont situés ! Ô émir des Croyants, en vérité tu viens de m'affliger d'un grand blâme en me comparant à ces six fous qui n'ont rien de commun avec moi, ni de près ni de loin. Car, à cause de leur bavardage insensé et de leur indiscrétion et de leur poltronnerie, ils s'attirèrent bien des misères et, chacun d'eux, une difformité physique ; contrairement à moi, qui suis sain et complet de corps et d'esprit. En effet, le premier de mes frères est boiteux ; le second, est borgne ; le troisième, brèche-dent ; le quatrième, aveugle ; le cinquième a les oreilles coupées et le nez coupé ; et le sixième, les lèvres fendues !

Mais, ô émir des Croyants, ne crois point que j'exagère les défauts de mes frères et mes qualités. Car, si je te racontais leur histoire, tu verrais combien je suis différent d'eux tous. Et comme leur histoire est infiniment suggestive, je vais, sans plus tarder, te la raconter :

Histoire de Bacbouk, le premier frère du barbier

« Ainsi ! sache, ô commandeur des Croyants, que le plus âgé de mes frères, le devenu boiteux, s'appelait El-Bacbouk ainsi nommé parce que, lorsqu'il se mettait à bavarder, l'on croyait entendre le glouglou d'une cruche. De son métier, il était tailleur à Bagdad. Il exerçait son métier de tailleur dans une petite boutique qu'il avait louée d'un homme très farci d'argent et de richesses. Cet homme habitait au haut de la maison même où était située la boutique de mon frère Bacbouk ; et, tout à fait dans le bas de la maison, il y avait un moulin où habitait un meunier et aussi le bœuf du meunier.

Un jour donc que mon frère Bacbouk était assis à coudre dans sa boutique, soudain, en levant la tête, il aperçut au-dessus de lui, à la lucarne supérieure, une femme comme la lune à son lever, et qui s'amusait à regarder les passants. C'était l'épouse du propriétaire de la maison. À sa vue, mon frère Bacbouk sentit son cœur s'éprendre passionnément, et il lui fut impossible de coudre ou de faire autre chose que de regarder la lucarne ; et ce jour-là il resta ainsi hébété et en contemplation jusqu'au soir. Et le lendemain matin, dès le point du jour, il se remit à sa place et, tout en causant un peu, il levait la tête vers la lucarne et, à chaque point qu'il faisait avec l'aiguille, il se piquait les doigts, car chaque fois il dirigeait son regard vers la lucarne. Il resta dans cet état pendant plusieurs jours, durant lesquels il ne travailla et ne fit d'ouvrage même pas pour une drachme.

Quant à l'adolescente, elle comprit tout de suite les sentiments de Bacbouk mon frère, et résolut de les mettre à profit de toute manière et de s'en divertir beaucoup. Un jour donc que mon frère était encore plus hébété que d'habitude, elle lui jeta un regard rieur qui aussitôt transperça Bacbouk ; et Bacbouk regarda l'adolescente, mais si drôlement qu'elle rentra aussitôt pour rire tout à son aise. Et le sot Bacbouk fut au comble de la joie, ce jour-là, en pensant combien on l'avait regardé avantageusement.

Aussi, le lendemain, Bacbouk ne fut point considérablement étonné en voyant venir dans sa boutique, avec, sous le bras, une belle pièce d'étoffe recouverte d'un foulard de soie, le propriétaire de la maison, qui lui dit : « Je t'apporte une pièce d'étoffe pour que tu m'en tailles des chemises. » Alors Bacbouk ne douta plus que le propriétaire ne fût envoyé par son épouse, et il lui dit : « Sur mon œil et sur ma tête ! ce soir même les chemises seront prêtes. » En effet, mon frère se mit à travailler avec tant d'activité, se privant même de toute nourriture, que le soir, à l'arrivée du propriétaire, les chemises, au nombre de vingt, étaient taillées et cousues et pliées dans le foulard de soie. Et le propriétaire lui demanda : « Combien dois-je te payer ? » Mais juste à ce moment, à la lucarne furtivement apparut la jeune femme qui lança une œillade à Bacbouk et lui fit signe avec les sourcils de ne point accepter de rémunération. Et mon frère ne voulut rien accepter du propriétaire, quoiqu'il fût en ce moment dans une très grande gêne et qu'une seule obole lui eût été d'un grand secours. Mais il s'estima fort heureux de travailler et d'obliger le mari pour l'amour et les beaux yeux de l'épouse. Mais cela n'était que le commencement des tribulations de ce Bacbouk de folie. En effet, le lendemain, à l'aube, le propriétaire vint avec, sous le bras, une nouvelle pièce d'étoffe et dit à mon frère : « Voici ! chez moi on m'a dit qu'il fallait que j'eusse des caleçons neufs pour les porter en même temps que mes chemises neuves. Et je t'apporte une nouvelle pièce pour que tu m'en tailles des caleçons. Et qu'ils soient bien amples ! Et n'épargne point les plis ni l'étoffe ! » Mon frère répondit : « J'écoute et j'obéis ! » Et il fut durant trois jours entiers à l'ouvrage, et il ne prenait comme nourriture que le strict nécessaire, afin de ne pas perdre de temps, et surtout parce qu'il n'avait plus une seule drachme d'argent pour s'acheter le nécessaire. Lorsqu'il eut fini le travail des caleçons, il les plia dans le grand foulard et, tout heureux et ne se possédant plus de joie, il monta lui-même les porter au propriétaire.

Il est superflu de te dire, ô commandeur des Croyants, que la jeune femme s'était entendue avec son mari pour se moquer de mon benêt de frère et pour lui faire les tours les plus surprenants. En effet, lorsque mon frère eut remis au propriétaire les caleçons neufs, le propriétaire fit mine de vouloir le payer. Mais aussitôt, dans l'embrasure de la porte, la jolie tête de la femme apparut, ses yeux lui sourirent et ses sourcils lui firent signe de refuser. Et Bacbouk se refusa absolument à recevoir n'importe quoi du mari. Alors le mari s'absenta un instant pour rejoindre son épouse, qui avait disparu, et revint bientôt auprès de mon frère et lui dit : « Moi et mon épouse avons résolu, pour reconnaître tes bons services, de te donner en mariage notre esclave blanche, qui est très belle et très gentille ; et, de la sorte, tu seras de la maison ! » Et mon Bacbouk pensa aussitôt que c'était là une excellente ruse de la jeune femme pour lui procurer ses entrées libres dans la maison, et il accepta aussitôt ; et aussitôt on fit venir la jeune esclave et on la maria avec Bacbouk mon frère.

Lorsque, le soir venu, Bacbouk voulut s'approcher de l'esclave blanche, elle lui dit : « Non, non ! pas ce soir ! » Et il ne put, malgré tout son désir, prendre même un baiser de la jolie esclave.

Or, pour l'occasion, comme Bacbouk logeait d'ordinaire dans la boutique, on lui dit de dormir, ce soir-là, dans le moulin situé dans le bas de la maison pour qu'ils eussent plus de place, lui et sa nouvelle épouse. Et, après le refus de copulation de l'esclave qui était remontée chez sa maîtresse, Bacbouk fut obligé de se coucher tout seul. Mais, le matin, à l'aube, comme il dormait encore, soudain entra le meunier, qui disait à voix haute : « Ce bœuf ! il y a déjà quelque temps qu'il est au repos. Aussi je vais tout de suite l'atteler au moulin pour lui faire moudre le blé qui s'amasse en quantité considérable ! Les clients attendent que je leur livre la farine. » Il s'approcha alors de mon frère en faisant semblant de le prendre pour le bœuf, et lui dit : « Allons ! paresseux, lève-toi que je t'attelle ! » Et mon frère Bacbouk ne voulut point parler et se laissa prendre et atteler au moulin. Le meunier l'attacha par le milieu du corps au mât du moulin et, lui assenant un grand coup de fouet, lui cria : « Yallah ! » Lorsqu'il eut reçu le coup, Bacbouk ne put s'empêcher de beugler comme un bœuf. Et le meunier continua à lui donner de grands coups de fouet et à lui faire tourner le moulin pendant longtemps ; et mon frère beuglait absolument comme un bœuf et reniflait sous les coups.

Mais bientôt vint le propriétaire qui le vit, dans cet état, en train de tourner le moulin et de recevoir les coups. Et il alla aussitôt prévenir son épouse qui dépêcha vers mon frère la jeune esclave ; et elle le délia du moulin et lui dit avec beaucoup de compassion dans la voix : « Ma maîtresse me charge de te dire qu'elle vient d'apprendre les mauvais traitements qu'on t'a fait subir, et qu'elle est très peinée de la chose, et que nous tous nous prenons part à tes souffrances. » Mais le malheureux Bacbouk avait reçu tant de coups et était tellement recru qu'il ne put articuler un seul mot de réponse.

Pendant qu'il était dans cet état, vint le cheikh, qui avait écrit son contrat de mariage avec la jeune esclave ; le cheikh lui souhaita la paix et lui dit : « Qu'Allah t'accorde une longue vie ! Et puisses-tu avoir un mariage béni ! Je suis sûr que tu viens de passer une nuit dans le bonheur pur, dans les ébats les plus amusants et les plus intimes et dans les embrassades, baisers et fornications depuis le soir jusqu'au matin ! » Mon frère Bacbouk lui dit : « Qu'Allah confonde les menteurs et les perfides de ton espèce, ô traître à la millième puissance ! Tu ne m'as jeté là-dedans que pour me faire tourner le moulin à la place du bœuf du meunier, et cela jusqu'au matin ! » Le cheikh l'invita alors à raconter les détails de la chose ; et il les raconta. Alors le cheikh dit : « C'est très simple ! Ton étoile ne s'accorde point avec l'étoile de la jeune femme ! » Bacbouk dit : « Ô maudit ! va-t'en voir si tu peux inventer encore d'autres perfidies ! » Puis mon frère s'en alla réintégrer sa boutique, où il se mit en devoir d'attendre quelque travail qui lui permît de gagner son pain, lui qui avait tant travaillé sans être payé.

Or, pendant qu'il était assis, voici venir à lui la jeune esclave blanche, qui lui dit : « Ma maîtresse te désire ardemment ; et elle me charge de te dire qu'elle vient de monter sur la terrasse pour, de la lucarne, avoir le plaisir de te contempler. » Et, de fait, à l'instant même, mon frère vit apparaître à la lucarne la jeune femme qui était tout en larmes, qui se lamentait et qui disait : « Pourquoi, mon chéri, as-tu l'air ainsi boudeur, et tellement fâché que tu ne me regardes même pas ? Je te jure sur ta vie que tout ce qui s'est passé dans le moulin s'est passé à mon insu ! Et quant à cette esclave folle, je ne veux même plus que tu lui fasses l'honneur de la regarder. Moi seule désormais je serai tienne ! » Alors mon frère Bacbouk leva la tête et regarda la jeune femme ; et sa seule vue lui fit oublier toutes les tribulations passées, et il se reposa les yeux à contempler sa beauté et ses charmes. Puis il se mit à lui parler, et elle aussi, jusqu'à ce qu'il se fût persuadé que tous ces malheurs étaient arrivés à d'autres qu'à lui.

Bacbouk, dans l'espoir de revoir la jeune femme, continua à tailler et coudre chemises, caleçons, robes de dessus et robes de dessous jusqu'à ce que la jeune esclave fût venue un jour le trouver et lui dit : « Ma maîtresse te salue et te dit que, cette nuit même, mon maître, son époux, s'absente à un festin chez un de ses amis, et cela jusqu'au matin. Aussi t'attend-elle avec impatience pour coucher avec toi et passer cette nuit dans les délices et toutes sortes d'amusements ! » Et ce Bacbouk stupide faillit complètement perdre la raison à cette nouvelle.

Or, la perfide jeune femme avait combiné un dernier plan, de connivence avec son mari, pour se débarrasser de mon frère et, de cette façon, se dispenser, elle et son mari, de lui payer le prix de tous les habits qu'on lui avait commandés. Le propriétaire avait donc dit à sa femme : « Comment faudra-t-il faire pour le décider à pénétrer chez toi et, de cette façon, le surprendre et le traîner chez le wali ? » Elle répondit : « Laisse-moi agir à ma guise, et je le tromperai d'une telle tromperie et le compromettrai d'une telle compromission qu'il sera honni de toute la ville ! » Et Bacbouk mon frère ne s'en doutait nullement ! Et il ignorait, d'ailleurs, toutes les ruses et toutes les embûches dont sont capables les femmes. Aussi, le soir venu, la jeune esclave vint le prendre et le conduisit auprès de sa maîtresse, qui aussitôt se leva, le salua, lui sourit et dit : « Par Allah ! ô mon maître, comme j'arde de te voir enfin près de moi ! » Et Bacbouk lui dit : « Moi aussi ! mais vite, et avant tout un baiser ! Et ensuite… » Mais il n'avait pas encore achevé de parler que la porte de la salle s'ouvrit, et entra le mari de la jeune femme, suivi de deux esclaves noirs qui se précipitèrent sur mon frère Bacbouk, le garrottèrent, le jetèrent à terre, et, pour commencer, lui caressèrent le dos de leurs fouets. Puis ils le chargèrent sur leurs épaules et le transportèrent chez le wali, qui aussitôt le condamna à la peine suivante : après une administration de deux cents coups de lanières, on le hissa sur le dos d'un chameau, on l'y lia et on le promena par toutes les rues de Bagdad ; et un crieur public criait à haute voix : « Voilà comment est puni tout homme qui assaille les femmes de ses semblables ! »

Or, pendant qu'on le promenait de la sorte, soudain le chameau devint furieux et se mit à faire de grands écarts. Et Bacbouk ne put que tomber à terre, et du coup il se cassa la jambe. Et, depuis ce temps, il est devenu le boiteux qu'il est. De plus, le wali le condamna à l'exil, et Bacbouk, la jambe cassée, sortit de la ville. Mais, juste à temps, je fus prévenu de tout cela, ô commandeur des Croyants, moi son frère, et je courus derrière lui, et je le ramenai ici secrètement, je dois te l'avouer, et me chargeai de sa guérison, de ses dépenses et de tous ses besoins. Et je continue ! »

À cette histoire de Bacbouk que je racontai, ô mes maîtres, au khalifat Montasser-Billah, il se mit à rire aux éclats et me dit : « Comme tu racontes bien ! et quel joli récit ! » Je répondis : « En vérité je ne mérite point encore ces louanges de ta part ! Car alors que diras-tu lorsque tu auras entendu l'histoire de chacun de mes autres frères ! Mais j'ai bien peur que tu ne me croies un bavard ou un indiscret ! » Et le khalifat répondit : « Loin de toi ! Hâte-toi, au contraire, de me raconter ce qu'il est advenu de tes autres frères, pour orner mes oreilles de cette histoire comme de boucles d'or, et ne crains point de me la détailler longuement, car je prévois qu'elle sera délicieuse et pleine de saveur ! » Je dis alors :

Histoire d'El-Haddar, le second frère du barbier

« Sache donc, ô émir des Croyants, que mon second frère s'appelait El-Haddar, car il mugissait comme un chameau, et il était brèche-dent. Comme métier, il ne faisait absolument rien, et il me donnait beaucoup de tracas, par ses aventures avec les femmes, dont voici l'une, entre mille.

Un jour qu'il marchait sans but précis dans les rues de Bagdad, il vit s'avancer de son côté une vieille femme qui lui dit à voix basse : « Écoute, l'homme ! j'ai à te faire une proposition que tu es libre d'accepter ou de refuser, selon ton agrément. » Et mon frère cessa de marcher et dit : « J'écoute. » La vieille continua : « Mais je ne puis te proposer cette chose que si tu me promets de ne point te laisser aller à être bavard ou prolixe en paroles. » Et mon frère Haddar répondit : « Tu n'as qu'à parler. » Elle lui dit : « Que penserais-tu d'un beau palais avec de l'eau courante, des arbres fruitiers, où le vin coulerait dans des coupes jamais vides, où tu verrais des visages ravissants, où tu trouverais des joues lisses à baiser, des tailles fines et pliantes à posséder, et toutes choses à l'avenant, et où tu resterais, de la sorte, du soir jusqu'au matin ? Et pour tout cela, pour jouir de tout cela, tu n'aurais seulement qu'à te conformer à la condition posée ! » À ces paroles de la vieille, mon frère El-Haddar dit : « Mais, ô ma maîtresse, comment se fait-il que tu viennes me faire cette proposition précisément à moi, à l'exclusion de tout autre, parmi les créatures d'Allah ? Et quelle est en moi la chose qui a pu te plaire et te faire me préférer ? » Elle répondit : « Je viens justement de te dire, il y a un instant, de ne point être prolixe en paroles, de savoir te taire, et d'agir en silence. Suis-moi donc et ne dis plus rien. » Puis la vieille s'éloigna vivement, et mon frère, alléché par la prévision de toutes les choses promises, se mit à la suivre jusqu'à ce qu'ils fussent arrivés tous deux à un palais de très belle apparence, où la vieille pénétra et fit pénétrer mon frère Haddar. Et mon frère vit que l'intérieur en était très beau, mais que ce qui y était contenu était encore bien plus beau : il tomba au milieu d'un groupe formé par quatre jeunes filles incomparables ; étendues sur les tapis, elles chantaient d'une voix délicieuse des chansons qui auraient ému les roches les plus dures.

Après les cérémonies d'usage, l'une d'elles se leva, remplit une coupe et la but. Et mon frère Haddar crut de son devoir de lui dire : « Que cela te soit sain et délicieux et plein de forces ! » Et il s'approcha vivement d'elle pour prendre d'elle la coupe vide et se mettre à son service. Mais elle, aussitôt, remplit la coupe et la lui offrit ; et Haddar prit la coupe et but. Et l'adolescente, pendant qu'il buvait, se mit à lui caresser la nuque, mais un peu trop vivement, car elle lui donna un fort coup avec la paume de la main. Alors mon frère Haddar se fâcha fort, et se leva pour s'en aller, oubliant sa promesse de tout supporter sans protester. Mais la vieille s'approcha un peu de lui et lui cligna de l'œil pour lui signifier : « Il ne faut pas ! Reste plutôt et attends la fin ! » Et mon frère obéit et resta et supporta patiemment toutes les fantaisies de la jeune fille, qui le piquait, le pinçait, et lui caressait vivement la nuque d'une manière, en somme, pleine de malice et désagréable. Et les trois autres rivalisaient de leur mieux à qui lui jouerait la meilleure farce ; l'une lui tirait l'oreille à l'arracher, l'autre lui donnait des chiquenaudes à le faire pleurer, et la troisième s'appliquait de préférence à le pincer avec les ongles. Et mon frère patientait beaucoup, car la vieille lui faisait toujours signe de ne rien dire. Enfin, comme pour le récompenser de sa patience, la plus belle des jeunes filles se leva et lui dit de se déshabiller complètement ; et il le fit sans objection. Alors elle prit un aspersoir d'eau de rose et l'en aspergea et lui dit : « Tu me plais beaucoup. Mais tu as une barbe et des moustaches que je n'aime pas. Je n'aime pas les moustaches et les poils de barbe qui me piqueraient la peau. Si donc tu veux venir avec moi, il te faudra auparavant te raser complètement la face. » Il répondit : « Cela m'est bien difficile, car ce serait la plus grande honte qui me pût arriver ! » Elle dit : « Je ne pourrai jamais t'aimer autrement ! Il le faut ! » Alors mon frère se laissa conduire par la vieille dans la chambre voisine ; et la vieille lui coupa toute la barbe et la lui rasa, puis les moustaches et les sourcils. Après quoi, elle lui farda la figure de rouge et de blanc et le reconduisit au milieu des jeunes filles. À cette vue, elles se mirent à rire et tellement qu'elles se renversèrent sur leur derrière.

Puis la plus belle des jeunes filles s'avança vers lui et dit : « Ô mon maître, tu viens maintenant de conquérir mon âme par la vue de tes charmes. Aussi je n'ai plus qu'une grâce à te demander, c'est d'exécuter devant nous, ainsi nu et joli, quelque danse suggestive et élégante ! » Et comme El-Haddar se refusait un peu, elle lui dit : « Je t'adjure, par ma vie, de le faire ! Et ensuite tu me posséderas ! » Alors El-Haddar, au son de la darabouka, rythmiquement maniée par la vieille, s'entoura la taille d'un foulard de soie et, s'avançant au milieu de la pièce, dansa.

Il dansa et avec tant de drôlerie et de contorsions que les jeunes filles ne pouvaient plus se tenir de rire ; et elles se mirent à lui lancer à la tête tout ce qu'elles avaient sous la main : les oreillers, les fruits, les boissons et jusqu'aux flacons.

Mais c'est alors seulement que se passa la dernière chose. La plus belle des jeunes filles se leva, et un par un, et en prenant toutes sortes de poses, et en regardant mon frère avec des yeux en coulisse et comme éperdus de passion, elle se mit à enlever ses vêtements et il ne lui resta plus que la chemise fine et l'ample caleçon de soie. Et, à cette vue, El-Haddar, qui avait interrompu sa danse, s'écria : « Allah ! Allah ! » et il s'affola extrêmement.

Alors la vieille femme s'approcha de lui et lui dit : « Maintenant, il s'agit d'attraper ton amoureuse à la course. Car ma maîtresse a l'habitude, une fois excitée par les danses et la boisson, de se dévêtir toute, et de ne se livrer à l'amoureux que si, après l'examen de ses membres nus, de son zebb en érection et de sa légèreté à la course, elle le juge digne d'elle. Tu vas donc la poursuivre partout, de chambre en chambre, et le zebb debout, jusqu'à ce que tu puisses l'attraper. Et c'est alors seulement qu'elle te laissera monter sur elle ! »

À ces paroles, mon frère rejeta la ceinture de soie, et s'apprêta à la course. De son côté, la jeune fille rejeta sa chemise fine et son caleçon, et apparut aussi nette qu'un jeune palmier frissonnant sous la brise ; et elle prit son élan et s'élança, en riant aux éclats, et fit deux fois le tour de la salle. Et mon frère Haddar, le zebb debout en avant, la poursuivait.

Mais, à ce moment de sa narration, Schahrazade vit apparaître le matin et, pleine de discrétion, n'en dit pas davantage.

Mais lorsque fut la trente et unième nuit. Elle dit :

Il m'est parvenu, ô Roi fortuné, que le tailleur de la ville de la Chine raconta ainsi au roi la suite de l'histoire que le barbier de Bagdad avait racontée aux invités, concernant son second frère El-Haddar, et qu'il avait racontée pour la première fois au khalifat Montasser-Billah :

« Mon frère Haddar, le zebb debout et en avant, se mit à la poursuite de l'adolescente légère et rieuse. Et à cette vue, les trois jeunes filles et la vieille, devant la figure peinte et sans barbe ni moustaches ni sourcils de mon frère Haddar dont le zebb nu s'érigeait follement, furent prises d'un rire considérable, et se mirent à trépigner et à battre des mains.

Quant à la jeune fille nue, après deux tours dans la salle, elle enfila une longue galerie, puis d'autres chambres, l'une après l'autre, et toujours suivie et serrée de près par mon frère qui haletait et dont le zebb s'érigeait à la folie. Et elle courait toujours, rieuse de toutes ses dents et mouvementée de ses hanches.

Mais soudain, à un détour, la jeune fille disparut, et mon frère, en ouvrant une porte par où il croyait la jeune fille sortie, se trouva au milieu d'une rue. Et cette rue était la rue des corroyeurs de Bagdad. Et tous les corroyeurs virent El-Haddar, la barbe rasée, et les moustaches et les sourcils rasés, et la figure peinte comme une putain, et ils le huèrent, et ils prirent des courroies et se mirent à le fustiger, tout en riant aux éclats, et à le battre si fort qu'il perdit toute connaissance. Après cela ils le juchèrent sur un âne, à rebours, et lui firent faire le tour de tous les souks, puis finirent par l'amener devant le wali. Le wali leur dit : « Qui est celui-ci ? » Ils répondirent : « Celui-ci est un qui est tombé au milieu de nous, sortant soudain de la maison du grand vizir. Et nous le trouvâmes dans cet état ! » Alors le wali fit donner à mon frère Haddar cent coups de fouet sur la plante des pieds et le chassa de la ville.

Alors moi, ô commandeur des Croyants, je courus derrière lui et le ramenai en secret et le mis à l'abri. Puis je lui allouai de quoi vivre à ma charge. Et tu peux juger maintenant que, si je n'étais pas un homme plein de courage et de qualités, je n'aurais pas supporté un pareil sot ! Mais, pour ce qui est de mon troisième frère et de son histoire, c'est bien autre chose, comme tu vas voir !

Histoire de Bacbac, le troisième frère du barbier

« Bacbac l'aveugle, dit le Glousseur enflé, est mon troisième, et de son métier il était mendiant, et il comptait parmi les principaux de la confrérie des mendiants, à Bagdad, notre ville.

Un jour, le vouloir d'Allah et la destinée voulurent que mon frère arrivât, tout en mendiant, à la porte d'une maison assez vaste. Et mon frère Bacbac, tout en criant ses invocations habituelles pour demander l'aumône : « Ô donateur ! ô généreux ! » frappa de son bâton à la porte de la maison. Or, il faut que je te le dise, ô commandeur des Croyants, mon frère Bacbac, comme les plus rusés de sa confrérie, avait coutume de ne jamais répondre quand, ayant frappé à la porte d'une maison, il entendait : « Qui va là ? » Il se taisait ainsi pour forcer les gens de l'intérieur à ouvrir ; sans quoi, habitués qu'ils étaient aux mendiants, ils n'ouvraient pas et répondaient simplement de l'intérieur : « Qu'Allah te prenne en pitié ! » C'est la façon de renvoyer les mendiants.

Aussi, ce jour-là, on eut beau demander de l'intérieur : « Qui est à la porte ? » mon frère se taisait. Aussi finit-il par entendre des pas se rapprocher et la porte s'ouvrir. Apparut un homme auquel Bacbac, s'il n'eût pas été aveugle, n'aurait certes pas demandé l'aumône. Mais c'était sa destinée. Et chaque homme porte sa destinée attachée à son cou.

L'homme lui demanda : « Que désires-tu ? » Mon frère Bacbac lui répondit : « Quelque chose, au nom d'Allah le Très-Haut ! » L'homme lui demanda : « Serais-tu aveugle ? » Il lui dit : « Oui, mon maître, et bien pauvre ! » L'homme répondit : « Dans ce cas, donne-moi la main, que je te conduise. » Il lui donna la main, et l'homme l'introduisit et lui fit monter des marches jusqu'à le faire arriver à la terrasse, qui était fort haute. Et mon frère, essoufflé, pensait : « Il va certes me donner les restes de quelque grand festin. »

Arrivés tous deux à la terrasse, l'homme lui dit : « Que veux-tu, l'aveugle ? » Mon frère, assez étonné, répondit : « L'aumône, pour Allah ! » Il répondit : « Qu'Allah t'ouvre ailleurs la journée ! » Alors Bacbac dit : « Ô toi *tel* ! ne pouvais-tu donc me signifier ta réponse alors que j'étais encore en bas ? » L'homme répondit : « Ô toi qui es plus bas que mon cul, pourquoi ne répondais-tu donc pas, toi-même, quand je criais de l'intérieur : « Qui est là ? Qui est à la porte ? » Déguerpis donc d'ici au plus vite, ou je vais te faire rouler comme une boule, ô mendiant visqueux et de malheur ! » Et Bacbac fut obligé, aveugle qu'il était, de descendre au plus vite l'escalier, tout seul. Il lui restait encore une vingtaine de marches à descendre, quand il fit un faux pas et tomba et se mit à dégringoler l'escalier jusqu'à la porte. Et, dans cette chute, il se contusionna fortement la tête, et se mit à geindre, tout en se remettant à marcher dans la rue. Alors plusieurs de ses compagnons mendiants, qui le virent geindre ainsi, lui en demandèrent la raison, et il la leur fit connaître. Puis il leur dit : « Maintenant, compagnons, il faudrait m'aider à retourner prendre chez moi quelque argent pour que j'achète de quoi manger dans cette journée infructueuse et maudite. Je suis ainsi obligé de toucher à nos économies qui, vous le savez, sont assez considérables, et dont vous m'avez constitué le dépositaire. »

Or, derrière lui, était descendu l'homme en question, qui s'était mis à le suivre doucement et en le serrant de tout près, pour le surveiller un peu. Et il se mit donc à marcher derrière mon frère et les deux autres aveugles, sans qu'ils pussent s'en douter, jusqu'à ce qu'ils fussent tous arrivés au gîte de Bacbac. Ils entrèrent, et l'homme se faufila derrière eux vivement, avant qu'ils eussent eu le temps de refermer la porte. Et Bacbac dit à ses deux compagnons : « Avant tout, cherchez bien s'il n'y a pas quelque étranger qui se soit caché dans la chambre. » À ces paroles, l'homme, qui était un voleur de profession et fort réputé parmi ceux de son métier, vit une corde qui était attachée au plafond, saisit la corde et grimpa lestement et sans bruit jusqu'au plafond où il s'assit tranquillement sur une poutre. Alors les deux mendiants se mirent à chercher par toute la chambre et en firent tout le tour à plusieurs reprises en tâtant dans les coins avec leurs bâtons. Cela fait, ils revinrent près de mon frère qui alors retira de la cachette tout l'argent dont il était le dépositaire et le compta avec ses deux compagnons. Et ils trouvèrent qu'il y avait juste dix mille drachmes. Puis chacun d'eux prit deux ou trois drachmes, et on remit tout l'argent dans les sacs, et on cacha de nouveau les sacs. Ensuite l'un des trois mendiants sortit un instant pour acheter de quoi manger, et revint bientôt, et tira de son bissac trois pains, trois oignons et quelques dattes. Et les trois compagnons s'assirent en rond pour manger.

Alors le voleur se laissa doucement glisser le long de la corde et vint s'accroupir à côté des mendiants, et se mit à manger avec eux. Et comme il s'était mis à côté de Bacbac, qui avait l'ouïe très fine, Bacbac l'entendit qui faisait du bruit avec ses mâchoires en mangeant, et il s'écria : « Il y a un étranger au milieu de nous ! » et il tendit vivement la main du côté d'où il entendait venir le bruit des mâchoires, et justement sa main tomba sur le bras du voleur. Alors Bacbac et les deux mendiants se précipitèrent sur le voleur et se mirent à crier et à le frapper de leurs bâtons, en aveugles qu'ils étaient ; et ils appelèrent les voisins au secours, en hurlant : « Ô musulmans ! accourez à notre aide ! c'est un voleur ! Il veut nous enlever le peu d'argent de nos économies ! » Et les voisins accoururent et trouvèrent Bacbac qui tenait solidement, aidé de ses deux compagnons, le voleur qui essayait de se défendre et de se dégager. Mais le voleur, à l'arrivée des voisins, feignit d'être aveugle lui aussi et ferma les yeux et s'écria : « Par Allah ! ô musulmans, je suis un aveugle et l'associé de ces trois qui veulent me frustrer de ma part dans les dix mille drachmes d'économies que nous possédons en commun. Je vous le jure par Allah ! par le sultan ! par l'émir ! D'ailleurs, conduisez-moi devant le wali ! » Alors arrivèrent les gardes du wali qui se saisirent des quatre hommes et les conduisirent entre les mains du wali, qui demanda : « Quels sont ces hommes ? » Et le voleur s'écria : « Écoute mes paroles, ô wali juste et perspicace, et la vérité t'apparaîtra. Et même, si tu ne veux pas me croire, mets-moi immédiatement à la torture, moi le premier, pour me forcer à dire la vérité ; et tu mettras ensuite mes autres compagnons à la torture ; et ils seront bien obligés de t'éclairer sur notre affaire ! » Et le wali s'écria : « Saisissez cet homme et jetez-le par terre et frappez-le jusqu'aux aveux ! » Alors les gardes se saisirent du faux aveugle, et l'un d'eux lui prit les deux pieds, et les autres se mirent à lui appliquer dessus de grands coups de fouet. Dès les dix premiers coups, le faux aveugle se mit à hurler, puis soudain ouvrit l'un de ses yeux, qu'il avait tenu constamment fermé ; et après quelques autres coups, il ouvrit ostensiblement son second œil.

À cette vue, le wali furieux s'écria : « Quelle est cette perfidie, ô trompeur effronté ? » Il répondit : « Fais suspendre ma peine et je t'expliquerai tout ! » Et le wali fit suspendre la peine, et le voleur dit : « Nous sommes ici quatre faux aveugles qui trompons les gens pour recevoir l'aumône, et surtout pour avoir la facilité d'entrer dans les maisons, de regarder les femmes à découvert, et de les corrompre et de les monter et de les charger, et de les voler ensuite, et d'inspecter l'intérieur des maisons et de préparer le vol à coup sûr. Et comme nous exerçons ce métier lucratif depuis déjà un certain temps, nous avons pu amasser à nous quatre la somme de dix mille drachmes. Or, aujourd'hui, je réclamai ma part à mes compagnons, qui refusèrent de me la donner et, en revanche, me rouèrent de coups, et m'auraient assommé si les gardes ne m'avaient tiré de leurs mains. Telle est la vérité, ô wali ! Maintenant, pour forcer mes compagnons à avouer, eux aussi, il n'y a qu'à leur appliquer le fouet comme à moi ! Et ils parleront ! Mais que les coups soient bien assenés, sinon mes compagnons, qui sont fort endurcis, n'avoueront rien et se garderont bien d'ouvrir les yeux comme je le fis moi-même ! » Alors le wali fit saisir mon frère le premier. Mon frère eut beau protester, il eut beau crier qu'il était aveugle de naissance, on lui appliqua une torture bien plus forte encore, tellement qu'il s'évanouit. Revenu à lui, il n'ouvrit pas les yeux, et le wali lui fit donner trois cents autres coups de bâton, puis trois cents autres ; et la même chose aux deux autres aveugles, qui n'ouvrirent d'ailleurs pas les yeux, malgré les coups et les conseils du seul faux aveugle, leur compagnon improvisé. Ensuite le wali fit quérir par le faux aveugle l'argent caché dans la chambre de Bacbac, mon frère, et donna le quart de cet argent, deux mille cinq cents drachmes, au voleur, et il garda tout le reste.

Quant à mon frère et à ses deux compagnons, les deux aveugles mendiants, le wali, après le châtiment leur dit : « Misérables trompeurs ! vous mangez le pain, don d'Allah ! et vous jurez par son nom que vous êtes aveugles ! Sortez d'ici et qu'on ne vous revoie jamais plus à Bagdad ! »

Alors moi, ô commandeur des Croyants, ayant appris tout cela, je sortis de la ville à la recherche de Bacbac, et le trouvai et le ramenai secrètement à Bagdad, et le logeai chez moi, et me chargeai de sa nourriture et de son habillement, et cela pour toujours !

Et telle est l'histoire de mon troisième frère, Bacbac l'aveugle ! »

À ce récit, le khalifat Montasser-Billah se mit à rire et dit : « Qu'on donne une gratification à ce barbier pour sa peine, et qu'il s'en aille ensuite ! » Mais moi, ô mes seigneurs, je répondis : « Par Allah ! ô commandeur des Croyants, je ne saurais rien accepter avant de raconter ce qui est advenu à mes trois autres frères, et cela en peu de mots, pour te bien prouver combien je suis concis en paroles et peu bavard de mon tempérament ! » Le khalifat répondit : « Soit ! je veux bien subir le supplice d'avoir les oreilles rompues par tes radotages et endurer encore quelques-unes de tes importunités et lourdeurs, qui, d'ailleurs, ne manquent pas d'agrément. » Alors je dis :

Histoire d'El-Kouz, le quatrième frère du barbier

« Mon quatrième frère, le borgne El-Kouz El-Assouani, le Cruchon incassable, exerçait à Bagdad le métier de boucher. Il excellait dans la vente des viandes et des hachis, et savait à merveille faire l'élevage et engraisser les moutons à grosse queue. Et il savait à qui vendre la bonne viande et à qui réserver la mauvaise. Aussi les principaux clients de la ville et les plus riches des marchands ne s'approvisionnaient que chez lui et n'achetaient guère d'autre viande que celle de ses moutons, de sorte qu'en peu de temps il devint fort riche et propriétaire de grands troupeaux et de grandes propriétés.

Cet état de prospérité ne cessant pas, mon frère El-Kouz était, un jour d'entre les jours, assis dans sa boutique, quand entra un grand cheikh à longue barbe blanche qui lui donna de l'argent et lui dit : « Coupe-m'en, de la bonne viande ! » Et mon frère lui coupa ce qu'il avait de meilleure viande, prit l'argent et rendit son salut au cheikh qui s'éloigna.

Alors mon frère examina les pièces d'argent qu'il venait de recevoir de l'inconnu, et constata qu'elles étaient toutes neuves et d'une blancheur éblouissante. Aussi se hâta-t-il de les mettre de côté, dans un coffret spécial, et se dit : « Voilà des pièces qui me porteront bonheur ! »

Cinq mois durant, le vieux cheikh à la longue barbe blanche ne cessa de venir tous les jours remettre à mon frère El-Kouz quelques-unes de ces pièces d'argent, blanches et neuves, pour de la viande fraîche et de bonne qualité ; et chaque fois, El-Kouz prenait soin de mettre cet argent à part. Mais, un jour, El-Kouz voulut compter tout l'argent qu'il avait amassé de cette manière, pour ensuite en acheter de beaux moutons et surtout quelques béliers qu'il voulait dresser à se battre entre eux, exercice fort recherché à Bagdad, ma ville. Mais à peine avait-il ouvert le coffret où il avait mis l'argent du cheikh à la barbe blanche, qu'il s'aperçut qu'il n'y avait aucune espèce de monnaie, et il ne trouva à la place que quelques rondelles de papier blanc. À cette vue, il se mit à se donner de grands coups sur la figure et la tête et à crier en se lamentant. Et il fut bientôt le centre d'une grande quantité de passants, auxquels il raconta sa mésaventure, sans que personne sût bien s'expliquer la cause de la disparition de cet argent. Et El-Kouz continuait à crier et à dire : « Fasse Allah que ce maudit cheikh revienne maintenant, et je lui arracherai la barbe et le turban de mes propres mains ! »

À peine avait-il fini de prononcer ces dernières paroles, que le vieillard apparut soudain et fendit vivement la foule assemblée et s'approcha de mon frère le boucher, comme pour lui donner de l'argent, selon son habitude. Et aussitôt mon frère se précipita sur lui et le tint à la poitrine en s'écriant : « Ô musulmans, accourez ! secourez-moi ! Voici l'effronté voleur ! » Mais le cheikh ne perdit rien de son grand calme, et sans bouger, répondit à mon frère de façon à n'être entendu que de lui : « Choisis ! préfères-tu te taire ou aimes-tu mieux te compromettre publiquement ? Car l'affront que je te ferai sera bien plus terrible que celui dont tu veux me charger ! » El-Kouz répondit : « Mais quel affront peux-tu me faire, ô cheikh de bitume, et de quelle façon penses-tu me compromettre ? » Il dit : « Je prouverai devant tous que tu vends habituellement aux gens de la viande humaine au lieu de viande de mouton ! » Mon frère répliqua : « Tu mens, ô mille fois menteur et mille fois maudit ! » Le cheikh dit : « N'est maudit et n'est menteur que celui qui a dans sa boutique, en ce moment même, un cadavre suspendu au crochet de sa boucherie à la place d'un mouton ! » Mon frère protesta vivement : « Si la chose est prouvée comme tu le dis, ô chien fils de chien, mes biens et mon sang t'appartiennent légitimement ! » Alors le cheikh se tourna vers la foule et cria de toute sa voix : « Ô vous tous, mes amis, voyez ce boucher ! Jusqu'aujourd'hui il nous a tous trompés, et a enfreint les préceptes de notre Livre ! Cet homme, tous les jours, au lieu de moutons, égorge des fils d'Adam et nous vend leur viande comme viande de mouton ! Et si vous voulez contrôler la vérité de mon dire, vous n'avez qu'à entrer tous examiner sa boutique ! »

Aussitôt une clameur s'éleva de la foule qui se précipita dans la boutique de mon frère et la prit d'assaut. Et, à la vue de tous, un cadavre d'homme apparut suspendu au crochet, écorché, préparé, nettoyé et vidé ; et sur la planche aux têtes, ils virent trois têtes humaines écorchées et nettoyées et préparées au four pour être vendues ! Et, en effet, le cheikh à la longue barbe blanche n'était autre qu'un sorcier versé dans l'art de la magie et des envoûtements et brusquement il avait pu faire aux yeux de tous d'une chose une autre chose.

À cette vue, tous les assistants se jetèrent sur mon frère en lui criant : « Impie ! sacrilège ! fourbe ! » et lui tombèrent dessus, les uns à coups de bâton, les autres à coups de fouet ; et les plus acharnés à lui porter les plus cruels étaient ses anciens clients et les meilleurs de ses amis. Quant au vieux cheikh, il se chargea pour sa part d'assener un violent coup de poing sur l'œil de mon frère, et le lui creva du coup irrémédiablement. Puis on prit le prétendu cadavre de l'égorgé, on garrotta mon frère El-Kouz, et tout le monde, précédé du cheikh, arriva devant l'exécuteur de la loi. Et le cheikh lui dit : « Ô émir ! voici que nous amenons entre tes mains, pour qu'il subisse la peine de ses crimes, cet homme qui, dès longtemps, égorgeait ses semblables pour en vendre la chair comme viande de mouton. Tu n'as plus qu'à prononcer la sentence et à faire marcher la justice d'Allah, car voici tous les témoins. »

Quant à mon frère, il eut beau se défendre, le juge ne voulut rien entendre de plus et le condamna à subir cinq cents coups de bâton sur le dos et le derrière ! Puis on confisqua tous ses biens et toutes ses propriétés ; et il eut bien de la chance d'avoir tant de richesses, car sans cela la peine pour lui eût été la mort sans remède. Puis on prononça contre lui la peine de l'exil.

Mon frère, devenu borgne, le dos meurtri de coups, presque mourant, sortit de la ville, et marcha droit devant lui, sans savoir où, jusqu'à ce qu'il fût arrivé à une ville éloignée et inconnue de lui. Il s'y arrêta et résolut d'y fixer son habitation et d'y exercer le métier de savetier, qui ne demande guère d'autre capital que de bonnes mains.

Il fixa donc sa résidence habituelle dans une encoignure, à l'angle de deux rues, et se mit à travailler pour gagner son pain. Mais un jour qu'il était en train de coudre une pièce à une vieille babouche, il entendit des hennissements de chevaux et le bruit de la marche de nombreux cavaliers. Il demanda la cause de tout ce tumulte et on lui répondit : « C'est le roi qui s'en va, selon son habitude, faire la chasse à pied et à courre, accompagné de toute sa suite. » Alors mon frère El-Kouz laissa un moment son aiguille et son marteau, et se leva pour voir passer le cortège du roi. Et pendant qu'il était debout et pensif, et rêvant à son état passé et présent, et aux circonstances qui, de boucher réputé, avaient fait de lui le dernier des savetiers, le roi vint à passer à la tête de son merveilleux cortège ; et, par hasard, il y eut cette coïncidence que les yeux du roi tombèrent sur l'œil crevé de mon frère El-Kouz. À cette vue le roi changea de couleur et s'écria : « Qu'Allah me garde des malheurs de ce jour maudit et de mauvais augure ! » Puis il fit tourner immédiatement bride à sa jument et rebroussa chemin, lui et toute sa suite et tous ses soldats. Mais il donna en même temps l'ordre à ses esclaves de se saisir de mon frère et de lui administrer le châtiment mérité. Et aussitôt les esclaves se précipitèrent sur mon frère El-Kouz et lui donnèrent tant de coups qu'ils le laissèrent pour mort sur la route. Lorsqu'ils se furent éloignés, El-Kouz se releva et regagna douloureusement son retrait sous la petite toile qui l'abritait au coin de la rue, et il était moulu et à peine vivant. Et comme, par hasard, un homme de la suite du roi était en retard et passait devant son retrait, il l'adjura de s'arrêter, lui raconta le traitement qu'il venait de subir, et le pria de lui en dire le motif. L'homme se mit à rire aux éclats et lui répondit : « Mon frère, sache que notre roi ne peut tolérer la vue d'un borgne, surtout si le borgne est borgne de l'œil gauche ; cela lui porte malheur, et il fait toujours tuer le borgne sans rémission. Aussi je suis fort étonné que tu sois encore en vie. »

À ces paroles, mon frère, sans en entendre davantage, ramassa ses outils et ce qui lui restait de forces et, sans tarder, il prit la fuite et ne se reposa qu'une fois sorti de la ville. Et il se mit à marcher jusqu'à ce qu'il fût arrivé à une autre ville fort éloignée qui n'avait point de roi ni de tyran comme l'autre.

Il résida assez longtemps dans cette ville, en prenant soin, par précaution, de ne se montrer nulle part. Mais un jour qu'il était plus triste qu'à l'ordinaire, il sortit un peu pour respirer l'air et flâner quelque peu en regardant ; il entendit derrière lui des hennissements de chevaux et aussitôt, se rappelant sa mésaventure dernière, il s'enfuit au plus vite et se mit à la recherche de quelque coin où se cacher ; mais il n'en trouva point. Toutefois il vit devant lui une grande porte, et il poussa cette porte, qui céda, et il se précipita à l'intérieur. Devant lui s'allongeait un grand corridor obscur, où il se cacha. Il y était à peine caché que soudain deux hommes devant lui se dressèrent et se saisirent de lui et l'enchaînèrent et lui dirent : « Allah soit loué, qui nous a permis enfin de te trouver, ô l'ennemi d'Allah et des hommes ! Voilà trois jours et trois nuits que nous te cherchons sans relâche, et tu nous as enlevé tout sommeil et tout repos. Et tu nous as fait goûter l'amertume de la mort ! » Et mon frère El-Kouz dit : « Mais, ô bonnes gens, à quoi Allah m'a-t-il donc condamné ? Et quel ordre vous a-t-il donc donné contre moi ? » Ils répondirent : « Tu veux nous perdre et perdre avec nous le maître de cette maison ! Ne t'a-t-il donc point suffi d'avoir réduit tous tes amis à la misère, et le maître de cette maison à la dernière pauvreté ? Et tu veux maintenant nous assassiner ! Où est le couteau que tu tenais hier à la main, quand tu courais derrière l'un de nous ? » À ces paroles, ils se mirent à le fouiller et trouvèrent à sa ceinture le couteau qui lui servait à couper le cuir du ressemelage. Alors ils terrassèrent El-Kouz et allaient l'égorger, quand il s'écria : « Écoutez-moi, bonnes gens, je ne suis ni un voleur ni un assassin ; mais j'ai une histoire surprenante à vous raconter, et c'est ma propre histoire ! » Mais ils ne voulurent point l'écouter ; ils le foulèrent aux pieds et le battirent et lui déchirèrent ses habits. Lorsqu'ils eurent ainsi déchiré ses habits et mis son dos à nu, ils virent sur son dos les cicatrices de tous les coups de bâton et de fouet qu'il avait reçus dans les derniers temps, et ils s'écrièrent : « Ô maudit scélérat ! voici les traces des coups anciens sur ton dos qui nous prouvent tous tes crimes passés ! » Et là-dessus, ils traînèrent le pauvre El-Kouz entre les mains du wali ; et El-Kouz réfléchissait à tous ses malheurs et se disait : « Combien grands doivent être mes péchés pour les ainsi expier, alors que je suis innocent de toute faute ! Pourtant je n'ai recours qu'en Allah le Très-Haut ! »

Lorsqu'il fut entre les mains du wali, le wali le regarda avec colère et lui dit : « Effronté misérable ! certes les coups dont les traces sont sur ton dos nous sont une preuve suffisante de toutes tes malversations passées et présentes. » Il dit et il ordonna qu'on lui administrât aussitôt cent coups de verges ! Après quoi, on le hissa et ficela sur le dos d'un chameau, et les crieurs le promenèrent à travers toute la ville en criant : « Voilà la punition de celui qui s'introduit criminellement dans la maison d'autrui ! »

Mais la nouvelle de toutes ces mésaventures de mon frère El-Kouz, ce malheureux, ne resta pas longtemps sans me parvenir. Et je me mis aussitôt à sa recherche, et je finis par le retrouver et cela juste au moment où on le descendait évanoui de sur le dos du chameau. Alors moi, ô commandeur des Croyants, je me fis un devoir de le recueillir, de le soigner et de le ramener en secret à Bagdad, où je lui allouai de quoi manger et boire tranquillement jusqu'à la fin de ses jours.

C'est là l'histoire de ce malheureux El-Kouz. Quant à mon cinquième frère, son aventure est surprenante et te prouvera, ô commandeur des Croyants, combien je suis de beaucoup le plus prudent et le plus sage de mes frères.

Histoire d'El-Aschar, le cinquième frère du barbier

« C'est justement, ô commandeur des Croyants, celui de mes frères qui avait les oreilles coupées et le nez également. On l'avait nommé El-Aschar, soit parce qu'il était grand et avait le ventre développé comme une chamelle enceinte, soit aussi parce qu'il était comme un grand chaudron. Mais cela ne l'empêchait point d'être d'une paresse extraordinaire le jour, alors que, la nuit, il faisait toutes sortes de commissions et gagnait de l'argent pour la journée suivante par toutes sortes de moyens illicites et assez bizarres.

Mais, à la mort de notre père, nous héritâmes chacun de cent drachmes d'argent. El-Aschar, comme chacun de nous, prit les cent drachmes qui lui revenaient, mais ne sut guère quel usage en faire. Enfin il eut l'idée, entre mille, de s'acheter un lot de verreries diverses et de les vendre au détail ; et cela de préférence à tout autre métier, à cause du peu de mouvement que comportait ce métier-là. Mon frère El-Aschar devint donc marchand de verreries : à cet effet, il acheta un grand panier où il mit les verreries, choisit un coin d'une rue fréquentée, et s'y installa en mettant devant lui le panier de verreries. Il s'accroupit tranquillement, s'appuya le dos contre le mur d'une maison, et se mit à offrir sa marchandise aux passants, en la criant : « Ô verres ! ô gouttes de soleil ! ô seins des adolescentes d'albâtre ! yeux de ma nourrice ! ô verres ! ô verres ! »

Mais le plus souvent El-Aschar se taisait et, le dos bien appuyé à la muraille, il se laissait aller à rêver tout haut. Et voici ce que, durant un de ces jours, au moment de la prière du vendredi, El-Aschar pensait :

« Je viens de placer tout mon capital dans l'achat de ces verreries, à savoir cent drachmes. J'arriverai certes à vendre le tout deux cents drachmes. Avec ces deux cents drachmes j'achèterai encore d'autres verreries, et je les vendrai quatre cents drachmes. Et je continuerai à vendre, à acheter et à vendre jusqu'à ce que je sois devenu possesseur d'un grand capital. Alors j'achèterai de toutes les espèces de marchandises, droguerie et parfums, et je ne cesserai de vendre qu'après m'être fait de très importants bénéfices. Alors je pourrai acheter un grand palais, des esclaves, des chevaux, et des selles avec des housses de brocart ouvragé d'or ; et je mangerai et je boirai ; et il n'y aura pas une chanteuse en ville que je n'invite à venir chanter dans ma maison. Puis je me mettrai en rapport avec toutes les marieuses les plus expertes de Bagdad et je les enverrai auprès des filles des rois et des vizirs ; et il ne se passera point un long temps que je ne me marie avec, au moins, la fille du grand vizir ! Car il m'est parvenu que cette jeune fille est particulièrement belle et parfaite en perfections ; aussi je lui constituerai une dot de mille dinars d'or. Et je ne doute pas que son père, le grand vizir, ne consente immédiatement à ce mariage ; mais, s'il n'y veut pas consentir, eh bien ! j'irai lui enlever sa fille en dépit de son nez, et je la conduirai dans mon palais. Alors je m'achèterai dix jeunes garçons pour mon service particulier. Après cela, je me ferai faire des habits royaux comme n'en portent que les sultans et les émirs ; et je commanderai au bijoutier le plus habile de me faire une selle d'or incrustée de perles et de pierreries. Et alors, monté sur le plus beau cheval, que j'achèterai au chef des Bédouins du désert ou que je ferai venir de la tribu des Anezi, je me promènerai par la ville avec des esclaves nombreux autour de moi, devant moi et derrière moi ; et, de la sorte, j'arriverai au palais du grand vizir qui, à mon approche, se lèvera en mon honneur et me cédera sa place et se tiendra debout au-dessous de moi et s'estimera bien honoré d'être mon beau-père. Et moi, j'aurai avec moi deux jeunes esclaves porteurs d'une grande bourse chacun, et dans chaque bourse il y aura mille dinars. Je donnerai l'une des bourses au grand vizir comme dot de sa fille, et je lui ferai cadeau de l'autre bourse simplement pour lui montrer ma générosité, ma magnanimité et combien à mes yeux le monde entier est peu de chose. Puis je retournerai avec gravité chez moi ; et lorsque ma fiancée m'enverra une personne pour me faire parvenir ses compliments, je comblerai d'or cette personne et je lui ferai cadeau d'étoffes précieuses et de robes magnifiques. Et si le vizir vient à m'envoyer quelque cadeau de noces, je ne l'accepterai pas et je le lui retournerai, même si c'était un cadeau de très grand prix, et tout cela pour lui bien prouver que j'ai l'âme haut placée et que je suis incapable de la moindre indélicatesse. Après quoi, je fixerai moi-même le jour de mes noces et les détails de la cérémonie ; et je donnerai mes ordres pour que rien ne soit épargné, tant pour le festin que pour le nombre et la qualité des joueurs d'instruments, des chanteurs, des chanteuses et des danseuses. Et je ferai dans mon palais tous les préparatifs nécessaires, je l'ornerai et le tendrai partout de tapis, et je joncherai le sol de fleurs, depuis l'entrée jusqu'à la salle du festin, et je ferai arroser le sol avec de l'eau de rose et d'autres eaux de senteur.

« La nuit de mes noces, je revêtirai mes plus beaux habits et monterai m'asseoir sur un trône placé sur une estrade élevée, toute tendue d'étoffes brodées de soie avec des dessins de fleurs et des lignes colorées agréablement. Et pendant tout le temps que dureront les cérémonies et que l'on promènera, au milieu de la salle, ma femme avec tous ses atours et plus brillante que la pleine lune du mois de Ramadan, moi, je resterai immobile et grave et ne la regarderai même pas, et ne tournerai la tête ni à droite ni à gauche, et cela pour bien faire voir la gravité de mon caractère et ma sagesse ! Et on finira par conduire ma femme devant moi, dans toute la fraîcheur de sa beauté et toute parfumée délicieusement. Et je ne bougerai pas davantage, au contraire ! Et je resterai ainsi indifférent et grave jusqu'à ce que toutes les femmes présentes à la noce se soient approchées de moi et m'aient dit : « Ô notre maître et la couronne de nos têtes, voici ton épouse et ton esclave qui se tient respectueusement entre tes mains, et qui attend que tu lui fasses la grâce d'un regard. Elle est si fatiguée d'être ainsi debout ! et elle n'espère que ton ordre pour s'asseoir ! » Mais, moi, je ne prononcerai pas une seule parole, et ferai encore mieux désirer ma réponse. Et alors toutes les femmes et toutes les invitées se prosterneront en baisant la terre beaucoup de fois devant ma grandeur. C'est seulement alors que je consentirai à abaisser mes yeux et à daigner regarder ma femme, mais rien qu'une fois, d'un seul regard ; après quoi, je relèverai les yeux et reprendrai mon air de grande indifférence. Et les servantes emmèneront ma femme et, moi, je me lèverai et je descendrai changer de vêtements pour en mettre d'autres bien plus riches et bien plus somptueux. Et on ramènera, une seconde fois, devant mon estrade, la nouvelle mariée revêtue d'autres habits et avec d'autres atours et disparaissant sous l'amas des bijoux, de l'or et des pierreries, et parfumée avec d'autres parfums bien plus agréables. Et j'attendrai que l'on m'en ait prié, à diverses reprises, pour regarder mon épouse, et tout de suite je relèverai les yeux pour ne la plus voir. Et je continuerai d'agir de la sorte jusqu'à ce que toutes les cérémonies soient complètement terminées.

Mais, à ce moment de sa narration, Schahrazade vit apparaître le matin et, discrète, ne voulut point abuser davantage, cette nuit-là, de la permission accordée.

Et lorsque fut la trente-deuxième nuit. Elle continua ainsi à conter l'histoire au roi Schahriar :

Il m'est parvenu, ô Roi fortuné, que le barbier narra de la façon suivante la suite de l'aventure de son cinquième frère El-Aschar :

« … jusqu'à ce que toutes les cérémonies soient complètement terminées. Alors j'ordonnerai à quelques-uns de mes jeunes esclaves de prendre une bourse contenant cinq cents dinars en petite monnaie, et de jeter cette monnaie par poignées dans toute la salle et d'en distribuer autant à tous les joueurs d'instruments et chanteurs, et autant à toutes les suivantes de mon épouse. Et les suivantes, après cela, conduiront mon épouse dans sa chambre, où je me rendrai moi-même après m'être fait longtemps attendre. Lorsque j'entrerai chez elle, j'irai, sans la regarder, et en traversant les rangs des femmes alignées sur deux files dans la chambre, m'asseoir sur le divan, et je demanderai une coupe d'eau parfumée et sucrée, et je la boirai tranquillement, après avoir rendu grâces à Allah.

« Quant à mon épouse, je continuerai à ne pas m'apercevoir de sa présence sur le lit, toute prête à me recevoir ; et pour l'humilier et lui faire bien sentir ma supériorité et le peu de cas que je fais d'elle, je ne lui adresserai pas une seule fois la parole et je lui apprendrai de cette façon comment j'entends en user à l'avenir avec elle. Car ce n'est point autrement qu'on arrive à rendre les femmes dociles, douces et tendres. Et, en effet, bientôt je verrai entrer et s'approcher la femme de mon oncle, qui se mettra à m'embrasser la tête et les mains et à me dire : « Ô mon maître, daigne regarder ton esclave, ma fille, qui désire ardemment ton approche, et lui faire l'aumône d'une parole seulement ! » Mais moi, malgré les paroles respectueuses de la femme de mon oncle, qui n'aura pas osé m'appeler son gendre par crainte de paraître familière, je ne lui ferai aucune réponse. Alors elle continuera à me supplier pour me toucher et elle finira, j'en suis sûr, par se jeter à mes pieds, qu'elle baisera ainsi que le pan de ma robe, et cela bien des fois, et par me dire : « Ô mon maître, je te jure par Allah que ma fille est belle et vierge ! Je te jure par Allah qu'aucun homme n'a jamais vu ma fille à découvert ni connu la couleur de ses yeux ! De grâce, cesse de lui faire cet affront et de l'humilier aussi grandement ! Regarde comme elle est humble et soumise ; elle n'attend plus qu'un signe de toi pour te satisfaire en toutes choses ! »

« Là-dessus, la femme de mon oncle se lèvera et me remplira une coupe d'un vin exquis, et donnera la coupe à sa fille qui aussitôt viendra me l'offrir avec soumission et toute tremblante. Et moi, nonchalamment appuyé sur les coussins de velours brodé d'or du divan, je la laisserai se présenter entre mes mains et je me plairai, sans la regarder, à la voir debout, elle, la fille du grand vizir, devant moi, l'ancien marchand de verreries qui criait sa marchandise au coin des rues :

« Ô gouttes de soleil ! seins des adolescentes d'albâtre ! yeux de ma nourrice ! souffle durci et froid des vierges, ô verres ! ombilic d'enfant, ô verres, miel coloré, ô verres !

« Et elle, devant tant de noblesse et de grandeur, ne pourra que me prendre pour un fils de quelque illustre sultan dont la gloire remplit le monde. Et elle me dira, les larmes aux yeux : « Ô mon seigneur, de grâce ! ne refuse pas cette coupe et ne la repousse pas des mains de ton esclave ! Car je suis la dernière de tes esclaves ! » Mais, moi, à ces paroles je ne ferai aucune réponse. Et elle alors finira par s'enhardir un peu, devant mon silence, et insistera auprès de moi pour me faire prendre la coupe de vin, et l'approchera elle-même gentiment de mes lèvres. Mais moi, devant une pareille familiarité, je deviendrai furieux, je la regarderai terriblement et lui appliquerai sur la figure un grand soufflet et lui allongerai dans le ventre un violent coup de pied, là, comme ceci... »

Mon frère, continua le barbier, en prononçant ces paroles, fit le geste d'allonger le violent coup de pied à sa prétendue femme, et le coup porta en plein sur le panier fragile qui contenait les verreries devant lui ; et le panier, avec tout son contenu, roula au loin ! et il ne resta que des débris de tout ce qui constituait toute la fortune de ce fou. Ah ! si j'avais été là à ce moment, ô émir des Croyants, je l'aurais châtié comme il le méritait, ce frère plein d'insupportable vanité et de fausse grandeur d'âme !

Mais, devant ces dégâts sans remède, El-Aschar se mit à se donner de grands coups sur la figure et à déchirer ses habits de désespoir et à pleurer et à se lamenter tout en continuant à se frapper. Et alors, comme ce jour-là était précisément un vendredi et que la prière de midi allait commencer dans les mosquées, les gens qui sortaient de chez eux virent mon frère dans cet état, et les uns s'arrêtèrent à s'apitoyer sur lui, et les autres continuèrent leur chemin en le traitant de fou et en riant extrêmement, une fois qu'ils eurent appris, d'un voisin, les détails de l'extravagance de mon frère.

Pendant que mon frère se lamentait de la sorte en déplorant la perte de son capital avec les intérêts, voici qu'une femme de haut rang vint à passer par là, se rendant à la mosquée pour la prière du vendredi. Elle dépassait en beauté les femmes les plus belles ; de toute elle, se dégageait une vivifiante odeur de musc ; elle était montée sur une mule harnachée de velours et de brocart d'or ; elle était accompagnée d'un nombre considérable de serviteurs et d'esclaves. À la vue de tous ces verres cassés et de mon frère qui se lamentait si fort en pleurant, la compassion entra en son cœur et la pitié, et elle s'informa du motif d'un tel désespoir. Il lui fut répondu que le pauvre homme avait un panier de verreries dont la vente le faisait vivre, que c'était là tout son capital, mais qu'il ne lui en restait plus rien après l'accident qui lui avait tout cassé en morceaux. Alors cette femme appela l'un de ses serviteurs et lui dit : « Donne à ce pauvre homme tout ce que tu portes d'argent sur toi. Et le serviteur détacha immédiatement de son cou, où elle était fixée par un cordon, une grande bourse qu'il remit à mon frère. El-Aschar la prit, l'ouvrit et y trouva, après les avoir comptés, cinq cents dinars d'or. À cette vue il faillit mourir d'émotion et de la force de sa joie, et il se mit à appeler sur sa bienfaitrice toutes les grâces et les bénédictions d'Allah.

Devenu ainsi riche d'un moment à l'autre, El-Aschar, la poitrine dilatée de plaisir, se rendit à sa maison pour y mettre cette fortune, et il s'apprêtait à sortir pour aller à la recherche de quelque belle maison à louer où vivre à son aise, quand il entendit frapper doucement à la porte. Il se leva et courut ouvrir et vit une vieille femme qu'il ne connaissait point et qui lui dit : « Ô mon enfant, sache que le temps de la prière en ce jour saint du vendredi est presque écoulé, et je n'ai pas encore pu faire mes ablutions d'avant la prière. Je te prie donc de me permettre d'entrer un instant chez toi faire mes ablutions à l'abri des indiscrets. » Et mon frère lui répondit : « J'écoute et j'obéis ! » et lui ouvrit toute grande la porte et l'introduisit et la mena à la cuisine, où il la laissa seule.

Au bout de quelques instants, la vieille vint retrouver mon frère dans sa chambre, et là elle se tint sur le vieux morceau de natte qui servait de tapis dans la chambre, y fit quelques génuflexions assez à la hâte, puis elle termina sa prière en faisant pour mon frère des vœux fort bien dits et pleins de componction. Et mon frère, qui d'ailleurs ne se possédait pas de bonheur, la remercia vivement et, tirant de sa ceinture deux dinars d'or, les lui tendit généreusement. La vieille les repoussa avec dignité et s'écria : « Ô mon enfant, qu'Allah soit loué qui t'a fait si généreux ! Aussi je ne m'étonne plus que tu saches si vite inspirer de la sympathie aux gens, même à ceux qui, comme moi, ne t'ont vu qu'une seule fois. Quant à cet argent que tu veux bien m'offrir, remets-le dans ta ceinture, car, à en juger à ta mine, tu dois être un pauvre saâlouk, et cet argent te doit être plus nécessaire qu'à moi, qui n'en ai guère besoin. Et si vraiment, toi-même, tu peux aussi t'en dispenser, tu n'as qu'à le rendre à la noble femme qui te l'avait donné en voyant tes verres cassés en morceaux. » Mon frère répondit : « Comment ! ma bonne mère, tu connais donc cette femme ? Dans ce cas, je te prie de me rendre le service de m'indiquer le moyen de la revoir. » La vieille répondit : « Mon fils, cette jeune femme, qui est fort belle, ne t'a fait cette générosité que pour t'exprimer son penchant pour toi, qui es jeune, beau et vigoureux, alors que son mari est impuissant et bien en retard, une fois au lit, avec elle ; car il est affligé d'une paire d'œufs froids à faire pitié. Lève-toi donc, mets tout ton or dans ta ceinture, de peur qu'on ne te le vole dans cette maison sans cadenas, et viens avec moi. Car je dois te dire que je suis au service de cette jeune dame depuis longtemps, et c'est moi qui lui fais toutes ses commissions secrètes. Une fois que je t'aurai introduit, ne manque pas d'être très empressé auprès d'elle, de lui dire toutes sortes de paroles gentilles et de lui faire tout ce dont tu es capable ; et plus ce sera, mieux tu te l'attacheras ; car elle, de son côté, n'épargnera rien pour te procurer tous les plaisirs, et tu seras le maître absolu de sa beauté et de ses richesses, entièrement ! »

Lorsque mon frère entendit ces paroles de la vieille, il se leva, fit comme elle lui avait dit et suivit la vieille qui se mit à marcher, et mon frère marcha derrière elle, jusqu'à ce qu'ils fussent arrivés tous deux à un grand portail que la vieille heurta d'une façon particulière. Et mon frère était dans une très grande émotion et ne se sentait pas de bonheur.

Au signal donné par la vieille femme, une jeune esclave grecque fort jolie vint ouvrir la porte très gentiment et leur souhaita la bienvenue en souriant d'un sourire engageant. La vieille entra et mon frère la suivit ; et il fut introduit par la petite Grecque dans une salle grande et magnifique, située au milieu de cette vaste demeure, et tendue de grands rideaux de soie brodés d'or fin, et tapissée somptueusement. Et mon frère, se trouvant seul, s'assit sur un divan et enleva son turban, qu'il déposa sur ses genoux, et s'essuya le front. Mais à peine était-il là que les rideaux s'écartèrent, et apparut une adolescente incomparable et que rien ne pouvait égaler devant les regards émerveillés des hommes ; et elle avait sur elle tout ce qu'on pouvait imaginer de beau en fait de vêtements. Et mon frère El-Aschar se leva debout sur ses deux pieds.

Et l'adolescente, lorsqu'elle le vit, se mit à lui sourire de ses yeux, et se hâta d'aller fermer la porte, qui avait été laissée ouverte. Elle s'approcha alors de mon frère, lui prit la main, et l'attira à elle sur le divan de velours d'or. Là il serait inutile de détailler tout ce que, une heure durant, mon frère et l'adolescente se firent l'un à l'autre en embrassades, copulations, baisers, morsures, caresses, coups de zebb, torsions, contorsions, variations, premièrement, deuxièmement, troisièmement, et autrement.

Après ces ébats, la jeune femme se releva et dit à mon frère : « Mon œil, ne bouge pas d'ici avant que je ne revienne ! » Puis elle sortit vivement et disparut. Et voici que soudain, horrible et l'œil en feu, à la porte brusquement ouverte, un nègre apparut, grand et tenant un glaive nu à la main, un glaive aux éclairs aveuglants. Et il cria au terrifié El-Aschar : « Malheur à toi, misérable ! Comment as-tu osé pénétrer dans ce lieu, ô fils de putain, fils adultérin, produit mêlé de tous les œufs pourris des scélérats ! » À ce langage assez violent mon frère ne sut quelle réponse apporter, et sa langue se paralysa et tous ses muscles s'annihilèrent et il devint jaune de teint et affaissé de corps. Alors le nègre le prit, le mit complètement nu, et, pour allonger son supplice, se mit à lui donner de grands coups du plat de son sabre, et de la sorte plus de quatre-vingts coups ; puis il lui enfonça son sabre dans les chairs en plusieurs endroits, jusqu'à ce que mon frère tombât à terre et que le nègre le crût mort. Alors il appela d'une voix terrible, et aussitôt arriva une négresse avec un plateau rempli de sel. Elle posa le plateau à terre et se mit à remplir de ce sel les blessures de mon frère qui, malgré ses souffrances horribles, n'osait donner de la voix de peur qu'on l'achevât. Puis elle le couvrit entièrement de ce sel et s'en alla. Alors le nègre poussa un second cri aussi épouvantable que le premier, et la vieille femme se présenta et, aidée du nègre, fouilla les habits et la ceinture de mon frère, et en enleva tout l'or ; puis elle prit mon frère par les pieds et le traîna à travers les chambres jusqu'à un endroit de la cour où, par une ouverture, elle le lança au fond d'un trou noir où elle avait l'habitude de précipiter les cadavres de tous ceux que ses artifices attiraient dans cette maison pour servir de monteurs solides à l'assaut de sa jeune maîtresse, et pour ensuite être dépouillés et jetés dans ce souterrain, après avoir été recouverts de sel afin que leurs corps ne sentissent pas mauvais.

Le souterrain au fond duquel mon frère El-Aschar fut jeté était grand et plein de ténèbres, et les corps de ceux qui y avaient été précipités s'amassaient en tas les uns sur les autres. Et il demeura là-dedans deux jours pleins, dans l'impossibilité d'aucun mouvement par suite de ses blessures et de sa chute. Mais Allah (qu'il soit glorifié et loué !) voulut que le sel dont mon frère avait été bourré fût justement la cause de sa guérison et empêchât le sang de se corrompre et l'étanchât. Ses blessures en voie de cicatrisation et ses forces un peu revenues, mon frère put se dégager d'entre les corps des morts, et se traîner tout le long du souterrain à la faveur d'une faible lumière qui lui parvenait du fond ; cette lumière provenait d'une lucarne au mur qui fermait le souterrain. Il put se hisser jusqu'à la lucarne et de là revenir à la clarté du jour, hors du souterrain.

Il se hâta alors de regagner sa maison, où je vins le trouver et le soignai avec des remèdes que je savais tirer des plantes et des sucs végétaux, et, au bout d'un certain temps, mon frère, complètement guéri, résolut de faire expier à la vieille femme et aux autres le supplice qu'il avait enduré. Il se mit à la recherche de la vieille et suivit ses traces et remarqua l'endroit où elle venait tous les jours pour attirer les jeunes gens qui devaient satisfaire sa maîtresse et devenir ensuite ce qu'ils devenaient. Et, un jour, il se déguisa en Persan étranger, s'entoura la taille d'une ceinture qu'il remplit de morceaux de verre pour faire croire que c'était de l'or, cacha un grand sabre sous sa longue robe de Persan, et alla attendre l'arrivée de la vieille, qui ne tarda pas à paraître. Aussitôt il s'approcha d'elle, fit semblant de mal parler l'arabe, notre langue, et imita le parler barbare des Persans pour dire à la vieille femme : « Bonne vieille, je suis un étranger et je voudrais savoir où trouver un trébuchet pour peser et contrôler ces neuf cents dinars d'or, que j'ai là dans ma ceinture et que je vends de toucher pour la vente des marchandises que j'avais apportées de mon pays. » La maudite vieille de malheur lui repondit : « Mais certes, mon jeune ami ! tu tombes bien, car justement mon fils, qui est un beau garçon comme toi, est changeur de sa profession et te prêtera bien son trébuchet. Viens donc, que je te conduise chez lui ! » Il lui dit : « Marche alors devant moi ! » Et elle marcha devant lui et lui derrière elle jusqu'à ce qu'ils fussent arrivés à la maison en question. Et la même jeune esclave grecque leur vint ouvrir, en souriant agréablement, et la vieille lui dit à voix basse : « Cette fois, j'apporte à notre maîtresse des muscles solides et de la chair bien à point ! » Et la jeune esclave prit mon frère par la main et le conduisit dans la salle aux soieries, et resta avec lui à l'amuser quelques instants, puis alla prévenir sa maîtresse, qui arriva et fit avec mon frère tout ce qu'elle avait fait la première fois : et il n'y a aucune utilité à le répéter. Puis elle se retira et soudain apparut l'horrible nègre avec le glaive nu à la main, qui lui cria de se lever et de le suivre en le traitant comme la première fois. Et alors mon frère, qui marchait derrière le nègre, sortit tout à coup le sabre de dessous sa robe, et d'une seule fois coupa net la tête du nègre. Au bruit de la chute, accourut la négresse, qui subit le même sort, puis l'esclave grecque, dont la tête vola d'un seul coup. Puis vint le tour de la vieille, qui accourait, prête à mettre la main sur le butin. À la vue de mon frère, le bras couvert de sang et le sabre à la main, elle fut épouvantée et tomba sur le sol ; et mon frère la prit par les cheveux et lui cria : « Me reconnais-tu, ô vieille putain, fille de putain, ô pourrie de malheur ? » Et la vieille répondit : « Ô mon maître, je ne te reconnais pas ! » Mon frère dit : « Sache donc, ô vieille avaleuse de zebbs, que je suis celui-là même chez lequel tu étais venue faire tes ablutions, ô cul de vieux singe ! celui que tu avais entraîné ici pour qu'il montât ta maîtresse et la satisfît, celui que tu avais traîné par les pieds pour le jeter dans le souterrain ! » Et, ce disant, mon frère, d'un seul coup de sabre, trancha la vieille et en fit deux morceaux ; puis, cela fait, il se mit à la recherche de la jeune femme qui avait par deux fois copulé avec lui.

Il la trouva bientôt, occupée à s'attifer et à se parfumer, dans une pièce retirée. À sa vue, elle jeta un cri terrifié et se précipita à ses pieds en implorant la vie sauve ; et mon frère, se souvenant des plaisirs vrais qu'elle lui avait procurés et qu'elle avait eus avec lui, lui accorda généreusement la vie sauve, et lui dit : « Mais comment se fait-il que tu sois au milieu de cette maison, sous la gouverne de cet horrible nègre que j'ai tué de ma main et qui a dû te faire bien des horreurs ? » Elle répondit : « Ô mon maître, avant d'être enfermée dans cette maison maudite, j'étais la propriété d'un riche marchand de la ville ; et cette vieille était une amie de la maison et venait souvent nous voir et me témoignait, à moi surtout, beaucoup d'attachement. Un jour d'entre les jours, elle vint à moi et me dit : « Je suis invitée à une noce qui n'a jamais eu sa pareille, et personne au monde n'en a encore vu une semblable. Et je viens pour t'emmener avec moi ! » Je lui répondis : « Certes, j'écoute et j'obéis ! » Je me levai, je mis mes plus beaux habits et je pris avec moi une bourse contenant cent dinars et je partis avec la vieille. Nous arrivâmes bientôt à cette maison, où la vieille m'introduisit et où je tombai, par sa ruse, entre les mains et sous la puissance du nègre atroce qui, après m'avoir ravi ma virginité, me retint ici par la force et me fit servir ses desseins criminels, aux dépens de la vie des jeunes gens riches que la vieille lui procurait. Et c'est ainsi que depuis trois ans je ne suis qu'une chose entre les mains de la misérable vieille. » Alors mon frère lui dit : « Comme ton sort fut malheureux ! Mais, dis-moi, depuis le temps que tu es ici, tu dois savoir s'il y a beaucoup de richesses amassées par ces criminels ! » Elle répondit : « Certes, il y en a ! et tant, en vérité, que je doute fort que tu puisses tout emporter à toi seul ; car dix hommes n'y suffiraient pas. Viens, d'ailleurs, voir de ton propre œil ! » Et elle prit mon frère et lui fit voir de grands coffres remplis de monnaies de tous les pays et de bourses de toutes les formes. Et mon frère en resta tout ébloui et immobile. Elle lui dit alors : « Ce n'est pas là le moyen de faire sortir tout cet or ! Va donc chercher une quantité de portefaix et reviens avec eux pour les charger de tout cet or. Et, pendant ce temps, je vais moi-même préparer les charges. »

Mon frère se hâta alors de courir à la recherche des portefaix, et, au bout d'un certain temps, il revint avec dix hommes tenant chacun une grande couffe vide.

Mais, en arrivant à la maison, mon frère trouva la grande porte largement ouverte ; et la jeune femme avait disparu, elle et tous les grands coffres. Et il comprit qu'elle s'était jouée de lui pour emporter à elle seule les principales richesses. Pourtant il se consola, en voyant toutes les belles choses qui restaient dans la maison et toutes les valeurs qui étaient enfermées dans les armoires, toutes choses qui pouvaient le rendre riche pour le restant de ses jours. Aussi se promit-il de transporter tout cela le lendemain ; et, comme il était brisé de fatigue, il s'étendit sur le grand lit somptueux et s'endormit.

Le lendemain, en se réveillant, il fut à la limite de la terreur quand il se vit entouré par vingt gardes du wali, qui lui dirent : « Lève-toi tout de suite et viens avec nous chez le wali, qui te demande ! » Et ils l'emmenèrent, et refermèrent et scellèrent les portes, et le livrèrent aux mains du wali, qui lui dit : « J'ai appris toute ton histoire et les assassinats que tu as commis et le vol que tu allais faire. » Alors mon frère s'écria : « Ô wali, donne-moi le signe de la sécurité et je te raconterai la vérité ! » et le wali alors lui donna le petit voile, signe de la sécurité, et mon frère lui raconta toute l'histoire depuis le commencement jusqu'à la fin ; et il n'y a aucun profit à la répéter. Puis mon frère ajouta : « Maintenant, ô wali plein d'idées justes et droites, si tu veux, je consens à partager avec toi tout ce qui reste dans cette maison, et cela à parts égales ! » Mais le wali répliqua : « Comment ! tu oses prétendre au partage ! Or, par Allah ! tu n'auras rien, car je dois prendre le tout et ne te rien laisser ! Et tu dois t'estimer fort heureux d'avoir la vie sauve ! D'ailleurs, tu vas immédiatement quitter la ville et ne plus y paraître, sinon tu subiras le pire châtiment ! » Et le wali, qui craignait que le khalifat vînt à savoir l'histoire de l'enlèvement de l'argent pour son seul compte à lui, wali, exila mon frère. Et mon frère fut ainsi obligé de fuir au loin. Mais, pour que la destinée s'accomplît entièrement, à peine était-il hors des portes de la ville, qu'il fut assailli par des brigands qui, ne trouvant sur lui ni or ni valeurs, se contentèrent de lui prendre les habits qu'il avait sur lui, de le mettre nu, et de lui donner une quantité de coups de bâton ; et ils finirent, pour le punir de les frustrer d'une aubaine sur laquelle ils comptaient, par lui couper les oreilles et le nez également.

Et c'est alors que moi, ô commandeur des Croyants, je finis par apprendre les mésaventures de ce pauvre El-Aschar. Alors je me mis à sa recherche, et je n'eus de paix qu'en le retrouvant. Et je le menai chez moi, je le soignai, je le guéris et lui allouai de quoi manger et boire pour le restant de ses jours.

Là est l'histoire d'El-Aschar. Mais pour ce qui est de l'histoire de mon sixième frère et dernier, ô émir des Croyants, elle mérite d'être entendue avant que je ne prenne le temps de me reposer.

Histoire de Schakâlik, le sixième frère du barbier

« Il s'appelait Schakâlik, le Pot fêlé, ô commandeur des Croyants, et c'est lui, d'entre mes frères, qui avait les lèvres coupés, et non seulement les lèvres, mais aussi le zebb. Et son zebb ainsi que ses lèvres furent coupées à la suite de circonstances étonnantes extrêmement.

Schakâlik, ce sixième frère, était d'entre nous sept le plus pauvre ; il était tout à fait pauvre. Je ne parle pas des cent drachmes de l'héritage de notre père, car ces cent drachmes, Schakâlik, qui n'avait jamais vu de sa vie autant d'argent à la fois, se hâta de les manger en une nuit en compagnie des chiffes déplorables du quartier gauche de Bagdad.

Il n'était donc possesseur d'aucune des vanités de ce monde périssable, et ne vivait que grâce aux aumônes des gens qui le recevaient chez eux à cause de ses bons mots et de ses drôleries.

Un jour d'entre les jours, Schakâlik était sorti à la recherche de quelque subsistance pour soutenir son corps exténué par les privations, et il se trouva, en marchant par les rues, devant la façade d'une magnifique maison qui s'ouvrait par un grand portique élevé de plusieurs marches. Et, sur les marches et à l'entrée, il y avait un nombre considérable de serviteurs, de jeunes esclaves, d'officiers et de portiers. Et mon frère Schakâlik s'approcha de quelques-uns de ceux qui stationnaient là et leur demanda à qui appartenait cette merveilleuse bâtisse. Ils répondirent : « Elle est la propriété d'un homme d'entre les fils des rois. » Puis mon frère s'approcha des portiers qui étaient assis sur un grand banc au haut des marches et leur demanda l'aumône, pour Allah ! Ils lui répondirent : « Mais d'où viens-tu donc pour ignorer que tu n'as qu'à entrer te présenter à notre maître pour qu'aussitôt tu sois comblé de ses dons ? » Alors mon frère entra, franchit le grand portique, traversa la cour spacieuse et le jardin, qui était rempli des plus beaux arbres et d'oiseaux chanteurs. Cette cour était pavée des plus beaux marbres blancs et noirs, et le jardin était incomparable de tenue, et nul humain n'en avait jamais vu le pareil. Tout autour, régnait une galerie à jour pavée de marbre ; de grands rideaux y entretenaient la fraîcheur pendant les heures chaudes. Et mon frère continua à marcher et entra dans la salle principale, qui était toute couverte de carreaux de porcelaine colorés de bleu, de vert et d'or, avec des fleurs et des feuillages entrelacés ; au milieu de la salle, il y avait un beau bassin d'albâtre où coulait l'eau fraîche avec un bruit fort doux. Une merveilleuse natte colorée tapissait la moitié surélevée du sol ; et, appuyé sur des coussins de soie brodée d'or, sur la natte était assis à son aise un très beau vieillard à la longue barbe blanche et à la figure éclairée par un sourire bienveillant. Et mon frère s'avança et dit au vieillard à la belle barbe : « Que la paix soit avec toi ! » Et le vieillard aussitôt se leva et répondit : « Et que sur toi soient la paix et la miséricorde d'Allah et ses bénédictions ! Que souhaites-tu, ô toi *tel* ! » Mon frère répondit : « Ô mon maître, te demander seulement l'aumône, car je suis exténué par la faim et les privations ! »

À ces paroles, le vieillard montra une grande commisération, et fut pris d'une telle douleur en apprenant cet état infortuné de mon frère, qu'il fut sur le point de se déchirer les habits, et il s'écria : « Par Allah ! est-il possible que je sois dans une ville et qu'un être humain soit dans cet état de faim où tu te trouves ! Vraiment c'est là une chose que je ne puis supporter avec patience ! » Et mon frère s'écria en élevant ses deux mains vers le ciel : « Qu'Allah t'accorde ses bénédictions ! et bénis soient tes générateurs ! » Le vieillard dit : « Il faut absolument que tu restes ici pour partager mon repas et goûter au sel de ma nappe ! » Et mon frère s'écria : « Ô mon maître, que je te remercie car je ne puis me tenir plus longtemps à jeun, ou je mourrai de faim ! » Alors le vieillard frappa ses mains l'une contre l'autre et dit au jeune esclave qui se présenta aussitôt : « Vite ! apporte l'aiguière d'argent et le bassin pour que nous nous lavions les mains ! » Et il dit à mon frère Schakâlik : « Ô mon hôte, approche-toi et lave-toi les mains ! »

À ces paroles, le vieillard se leva et s'approcha lui-même, quoique le jeune garçon n'eût plus reparu, et fit le geste de laisser couler sur ses mains l'eau d'une invisible aiguière, et de se frotter les mains comme si l'eau était versée dessus réellement. À cette vue, mon frère Shakâlik ne sut que penser ; mais, comme le vieillard insistait pour le faire s'approcher à son tour, il s'imagina que c'était une plaisanterie, et, comme il était lui-même réputé pour ses drôleries et ses tours amusants, il s'avança et se mit à faire le geste de se laver les mains, tout comme le vieillard. Alors le vieillard dit : « Ô vous autres, hâtez-vous de tendre la nappe et de nous apporter à manger, car ce pauvre homme est pressé par la faim ! » Et aussitôt accoururent de nombreux serviteurs qui se mirent à aller et venir, tout comme s'ils tendaient la nappe et la couvraient de mets nombreux et de plats remplis jusqu'au bord. Et Schakâlik, quoique fort affamé, se dit que les pauvres devaient endurer les caprices des riches et se garda bien de faire voir le moindre signe d'impatience. Alors le vieillard lui dit : « Ô mon hôte, assieds-toi là, à côté de moi, et hâte-toi de faire honneur à ma nappe ! » Et mon frère vint s'asseoir à côté de lui, près de cette nappe imaginaire ; et le vieillard se mit aussitôt à faire semblant de toucher à des plats, de prendre des bouchées et de faire mouvoir ses mâchoires et ses lèvres, tout comme s'il mâchait réellement ; et il disait à mon frère : « Ô mon hôte, ma maison est ta maison, et ma nappe ta nappe ; ne te gêne donc pas, et mange ton plein, sans honte ! Tiens, regarde ce pain ; comme il est blanc et bien à point ! que penses-tu de ce pain ? » Schakâlik dit : « Ce pain est très blanc et, en vérité, délicieux et tel que, de ma vie, je n'en ai goûté le pareil ! » Le vieillard dit : « Je crois bien ! la négresse qui l'a pétri est fort habile, et je l'ai achetée pour cinq cents dinars d'or ! Mais, ô mon hôte, prends et mange de ce plateau où tu vois se dorer cette admirable pâte losangée de kébéba au beurre, cuite au four ! Crois bien que la cuisinière n'y a épargné ni la viande rouge bien battue, ni le blé mondé et concassé, ni le cardamome, ni le poivre ! Mange donc, pauvre affamé, et dis-moi, que penses-tu de son goût, de son odeur et de son parfum ? » Mon frère répondit : « Cette kébéda est délicieuse à mon palais, et son odeur me dilate la poitrine ! Quant à la manière dont elle est réussie, je dois te dire que, même dans les palais des rois, on n'en goûte de semblable ! » Et, en disant ces paroles, Schakâlik se mit à agiter ses mâchoires, à mâcher, à agiter ses joues et à avaler, tout comme s'il faisait la chose réellement. Le vieillard dit : « Comme tu me fais plaisir, ô mon hôte ! mais je pense que je ne mérite pas ces louanges, car alors que dirais-tu de ce mets qui est là, à ta gauche, de ces merveilleux poulets rôtis, farcis aux pistaches, aux amandes, au riz, au raisin sec, au poivre, à la cannelle et à la viande hachée de mouton ? Et que dis-tu de leur fumet ! » Mon frère s'écria : « Allah ! Allah ! que leur fumet est délicieux, et que leur goût est savoureux et leur farce admirable ! » Le vieillard dit : « En vérité, que tu es plein de bonnes manières et d'indulgence pour ma cuisine ! Aussi je veux te faire, de mes propres doigts, goûter de cet incomparable plat-ci ! » Et le vieillard fit le geste de confectionner une bouchée qu'il aurait prise à un plat sur la nappe et, l'approchant des lèvres de mon frère, lui dit : « Prends et mange cette bouchée, ô mon hôte, et tu me donneras ton opinion sur ce plat où les aubergines farcies nagent dans leur sauce appétissante ! » Et mon frère fit le geste d'allonger le cou, d'ouvrir la bouche et d'avaler la bouchée ; puis il dit en fermant les yeux de plaisir : « Ya Allah ! que c'est agréable et bon à digérer ! Je constate avec un plaisir inouï que nulle part ailleurs que dans ta demeure je n'ai goûté d'aussi bonnes aubergines farcies ! Tout y est ménagé avec l'art de doigts experts : la viande hachée d'agneau, les pois chiches, les pépins de pin, les grains de cardamome, la noix muscade, les clous de girofle, le gingembre, le poivre et les herbes aromatiques. Et je perçois, tant c'est bien fait, le goût de chaque aromate ! » Le vieillard dit : « Aussi, ô mon hôte, je n'attends pas moins de ta faim et de ta politesse que de te voir avaler les quarante-quatre aubergines farcies qui sont dans ce plat ! » Mon frère dit : « Il m'est aisé de les avaler, car elles sont plus délicieuses que le sein de ma nourrice et plus caressantes à mon palais que les doigts des jeunes filles ! » Et mon frère fit le geste de prendre chaque aubergine farcie l'une après l'autre et de l'avaler, en hochant la tête de plaisir et en faisant claquer sa langue sur son palais. Et il pensait en lui-même à tous ces mets, et sa faim s'exaspérait, et il se disait qu'il se contenterait fort bien, pour assouvir sa faim, d'un simple pain sec de fèves moulues ou de maïs. Mais il se garda bien de trahir son sentiment.

Le vieillard lui dit alors : « Ô mon hôte, que ton langage est d'un homme bien élevé et accoutumé à manger en compagnie des rois et des grands ! Mange, mon ami, et que cela te soit sain et de délicieuse digestion ! » Et mon frère dit : « En vérité, pour ce qui est des mets, j'en ai assez mangé ! » Alors le vieillard frappa ses mains l'une contre l'autre et s'écria : « Vous autres ! enlevez cette nappe, et tendez-nous la nappe du dessert ! et portez-nous toutes les pâtisseries, toutes les confitures et tous les fruits les plus choisis ! » Et aussitôt accoururent les jeunes esclaves qui se mirent à aller et venir, et à agiter leurs mains, et à élever leurs bras arrondis au-dessus de leur tête, et à changer la nappe pour en mettre une autre ; puis, à un geste du vieillard, ils se retirèrent. Et le vieillard dit à mon frère Schakâlik : « C'est maintenant, ô mon hôte, le moment de nous dulcifier. Commençons par les pâtisseries. N'est-elle pas réjouissante à l'infini, cette pâte fine, légère, dorée, arrondie, et farcie aux amandes, au sucre et aux grenades, dans cette assiette, cette pâte de kataïefs sublimes ! Par ma vie ! goûte une ou deux pour voir ! Hein ! le sirop en est-il assez lié et juste à point, et la poudre de cannelle gentiment saupoudrée au-dessus ! On en mangerait, sans se rassasier, une cinquantaine ; mais il faut réserver une place pour cette excellente kenafa du plateau de cuivre ciselé. Regarde comme ma pâtissière est habile, et comme elle a su enrouler artistement les écheveaux de la pâte ! Ah ! de grâce, hâte-toi de t'en réjouir le palais avant que son julep ne s'écoule et qu'elle ne s'effrite : elle est si délicate ! Oh ! regarde ! et cette mahallabieh à l'eau de rose et saupoudrée de pistaches pulvérisées ! Et ces porcelaines remplies de crème soufflée, relevée d'aromates et d'eau de fleur d'oranger ! Mange, mon hôte, et plonge ta main sans restriction, là, bien ! » Et le vieillard donnait l'exemple à mon frère, et portait gloutonnement la main à la bouche, et avalait, tout comme dans la réalité. Et mon frère l'imitait excellemment, tout en sentant, de convoitise et de faim, l'eau lui mouiller les lèvres.

Le vieillard continua : « Aux confitures maintenant et aux fruits ! Comme confitures, ô mon hôte tu n'as que l'embarras du choix, comme tu peux le constater. Tu vois là, devant toi, des confitures sèches, et des confitures dans leur jus. Je te conseille beaucoup les sèches, que je préfère, quoique les autres me tiennent à cœur également. Vois cette transparente et rutilante confiture sèche d'abricots, étalée en large lames fines, fondantes, sympathiques ! et cette confiture sèche de cédrats au sucre cristallisé, parfumée à l'ambre ! et l'autre, l'arrondie en boules roses, de pétales de roses et de pétales de fleurs d'oranger ! oh ! celle-là surtout, vois-tu, j'en mourrai un jour ! Réserve-toi ! Réserve-toi ! car je te conseille de te plonger un peu dans cette confiture humide de dattes farcies d'amandes et de clous de girofle. Elle me vient du Caire, car à Bagdad on ne la fait pas si bien. Aussi ai-je chargé un de mes amis d'Égypte de m'envoyer cent pots remplis de cette délicieuse-là ! Mais ne va pas si vite, quoique ton empressement et ton appétit m'honorent extrêmement ! Je veux que tu me donnes particulièrement ton avis sur cette confiture sèche de carottes au sucre, aux noix et parfumée au musc ! » Mon frère Schakâlik dit : « Oh ! celle-là dépasse tous mes rêves et mon palais est dans l'adoration de ses délices ! Mais, à mon goût, je trouve que le musc en est un peu fort ! » Le vieillard lui répondit : « Oh, non ! oh, non ! je ne trouve pas ; au contraire ! car je suis accoutumé à ce parfum, et à l'ambre aussi, et mes cuisinières et mes pâtissières m'en mettent des tas et des tas dans toutes mes pâtisseries, mes confitures et mes douceurs ! Le musc et l'ambre sont les deux soutiens de mon âme ! »

Le vieillard continua : « Mais n'oublie pas ces fruits ! car j'espère que tu as encore de la place. Voilà des limons, des bananes, des figues, des dattes fraîches, des pommes, des coings, des raisins et d'autres et d'autres ! Puis voici les amandes fraîches, les noisettes, les noix fraîches et d'autres ! Mange, ô mon hôte ! »

Mais mon frère, qui, à force de mâcher à vide, ne pouvait plus remuer les mâchoires, et dont l'estomac était plus excité que jamais par le rappel incessant de toutes ces bonnes choses, dit : « Ô seigneur, je dois t'avouer que je suis rempli, et qu'une bouchée de plus ne saurait s'introduire dans mon gosier ! » Le vieillard répondit : « C'est étonnant que tu te sois si vite rassasié ! Mais nous allons boire. Nous n'avons pas encore bu. »

Alors le vieillard frappa des mains, et accoururent les jeunes garçons aux manches et aux robes relevées soigneusement, et firent le geste de tout enlever, puis de mettre sur la nappe deux coupes et des flacons et des gargoulettes et des pots lourds et précieux. Et le vieillard fit semblant de verser du vin dans les coupes, et prit une coupe imaginaire et la présenta à mon frère, qui l'accepta avec gratitude et la porta à sa bouche et la but et dit : « Allah ! ya Allah ! quel vin exquis ! » et il fit le geste de se caresser la poitrine de plaisir. Et le vieillard fit semblant de prendre un grand pot de vieux vin et d'en verser délicatement dans la coupe, que mon frère but à nouveau. Et ils ne cessèrent de faire de la sorte, jusqu'à ce que mon frère eût fait semblant d'être dominé par les vapeurs de toutes ces boissons ; et il commença à hocher la tête et à dire des mots un peu vifs. Et à part soi il pensait : « C'est maintenant pour moi le temps de faire expier à ce vieillard tous les supplices qu'il m'impose ! »

Alors mon frère se leva d'un coup comme ivre absolument, leva le bras si haut que son aisselle se découvrit, et l'abaissa brusquement en assenant un coup si violent de la paume sur la nuque du vieillard que toute la salle en retentit ; et, relevant de nouveau son bras, il lui porta un second coup encore bien plus violent. Alors le vieillard se mit dans une grande indignation et s'écria : « Qu'as-tu fait, ô le plus vil d'entre les gens de la terre entière ! » Mon frère Schakâlik répondit : « Ô mon maître et la couronne de ma tête, je suis ton esclave soumis, celui-là même que tu viens de combler de tes dons, que tu as accepté dans l'intérieur de ta demeure, que tu as nourri à ta nappe avec les mets les plus exquis, des mets comme n'en ont jamais goûté les rois mêmes, celui que tu as dulcifié avec les confitures, les compotes et les pâtisseries les plus douces, et dont tu as fini par assouvir l'ardente soif avec les vins les plus vieux et les plus précieux ! Mais qu'y faire ? il a tellement bu de ces vins qu'il s'est enivré, qu'il a perdu toute retenue et qu'il a levé la main sur son bienfaiteur. Mais, de grâce ! excuse-le, cet esclave, car tu as l'âme plus haut placée que la sienne, et pardonne-lui sa folie ! »

À ces paroles de mon frère, le vieillard, loin de se montrer courroucé, se mit à rire haut et longtemps, puis finit par dire à Schakâlik : « Voilà déjà un long temps passé que je cherche dans le monde entier, parmi les gens réputés les plus drôles et les plus plaisants, un homme de ton esprit, de ton caractère et de ta patience ! Et nul n'a su tirer aussi heureux parti que toi de mes plaisanteries et de mes tours badins. Et tu es jusqu'ici l'unique qui ait pu se plier à mon humeur et à mon goût, et qui ait enduré jusqu'à la fin ma plaisanterie, et qui ait eu le bon esprit d'entrer dans mon jeu ! Aussi, non seulement je te pardonne ta conclusion, mais je veux que réellement, à la minute même, tu me tiennes compagnie devant une nappe réellement couverte de tous les mets et de toutes les douceurs et de tous les fruits en question ! Et jamais plus je ne me séparerai de toi désormais ! »

Et, en disant ces paroles, le vieillard ordonna réellement à ses jeunes esclaves de les servir tout de suite et ne rien épargner. Ce qui fut fait sans retard.

Après qu'ils eurent mangé les mets et se furent dulcifiés avec les pâtisseries, les confitures et les fruits, le vieillard invita mon frère à passer avec lui dans la seconde salle, celle spécialement réservée aux boissons. Et, dès leur entrée, ils furent reçus au son des instruments d'harmonie et aux chants des esclaves blanches toutes plus belles que des lunes. Ces jeunes chanteuses, pendant que mon frère et le vieillard buvaient délicieusement les vins les plus exquis, ne cessèrent de chanter sur tous les tons toutes les mélodies les plus charmantes et avec des modulations et une valeur des sons et un accent admirables. Puis, légères, quelques-unes dansèrent comme les oiseaux et fraîches et les ailes rapides et parfumées. Et ce jour-là la fête se termina par des baisers et des jouissances plus délicieuses qu'en songe.

Depuis lors, le vieillard s'attacha à mon frère d'une façon très solide, et en fit son ami intime et inséparable, et il l'aima d'un amour considérable, et lui fit chaque jour un présent nouveau et plus riche chaque fois. Et ils ne cessèrent de manger, de boire et de vivre dans les délices et cela durant encore vingt années.

Mais la destinée était inscrite et devait se consommer. En effet, au bout de ces vingt ans, le vieillard mourut, et aussitôt le wali fit saisir tous ses biens et les confisqua à son profit, car il n'y avait pas d'héritiers, et mon frère n'était point son fils. Alors mon frère, obligé de fuir la persécution et les mauvais desseins du wali, dut chercher le salut en quittant Bagdad, notre ville.

Mon frère Schakâlik sortit donc de Bagdad et se mit à voyager, et résolut de traverser le désert pour se rendre à La Mecque, se sanctifier. Mais, un jour, la troupe à laquelle il s'était joint fut attaquée par des Arabes nomades, des brigands coupeurs de routes, de mauvais musulmans ne pratiquant point les préceptes de notre Prophète, que sur lui soient la prière et la paix d'Allah ! Tous furent dépouillés et réduits en esclavage, et mon frère échut au plus féroce d'entre ces brigands bédouins. Et ce Bédouin conduisit mon frère dans sa tribu lointaine, et en fit son esclave. Et tous les jours il le battait et lui faisait subir tous les supplices et lui disait : « Tu dois être fort riche dans ton pays, rachète-toi donc et paie-moi ta rançon ! Sinon je te ferai subir les pires tortures et finirai par te massacrer de ma main ! » Et mon frère se lamentait et disait en pleurant : « Moi, par Allah ! je ne possède rien, ô cheikh des Arabes, et je ne connais même pas la route qui conduit à la richesse, et je suis dénué de tout, et maintenant je suis ton esclave et ta propriété, et je suis tout entier entre tes mains. Fais donc de moi ce que tu veux ! »

Or, le Bédouin avait sous sa tente, comme épouse, une merveille d'entre les femmes, aux sourcils noirs et aux yeux de nuit ; et elle était chaude et brûlante en copulation. Aussi elle ne manquait pas, chaque fois que son mari le Bédouin s'éloignait de sa tente, de se proposer à mon frère et de venir s'offrir à lui de tout son corps, ce produit du désert arabe. Quant à mon frère Schakâlik, qui, contrairement à nous tous, n'était pas fameux en assauts et en foutreries, il se refusait à cette Bédouine, par honte d'être vu par Allah le Très-Haut ! Pourtant, un jour d'entre les jours, cette Bédouine enflammée réussit à troubler la continence de Schakâlik, mon frère, en rôdant sans cesse autour de lui avec des mouvements fort excitants de hanches, de seins et de ventre harmonieux. Et mon frère la prit, joua avec elle des jeux de circonstance et finit par la prendre sur ses cuisses. Et pendant qu'ils étaient tous deux dans cette posture, en train de s'entrebaiser, soudain le Bédouin terrible fit irruption dans la tente et vit le spectacle de son propre œil. Alors le Bédouin plein de férocité tira de sa ceinture un coutelas large à trancher d'un seul coup la tête d'un chameau d'une veine jugulaire à l'autre. Et il saisit mon frère et commença par lui couper les deux lèvres adultérines, et les lui enfonça ensuite dans la bouche. Et il s'écria : « Malheur à toi, ô traître perfide, voilà que maintenant tu as réussi à corrompre mon épouse ! » Et, en disant ces paroles, le Bédouin dur saisit le zebb encore chaud de Schakâlik, mon frère, et le trancha à la racine d'un seul coup, lui et les deux œufs. Puis il traîna Schakâlik par les pieds et le jeta sur le dos d'un chameau et le conduisit au sommet d'une montagne où il le jeta, et partit en l'état de son chemin.

Comme cette montagne est située sur la route des pèlerins, plusieurs, qui étaient de Bagdad, le découvrirent sur leur passage, et reconnurent en lui Schakâlik le Pot fêlé, qui les faisait tant rire par ses drôleries. Et ils vinrent en hâte m'aviser, après lui avoir donné à manger et à boire.

Alors moi, ô commandeur des Croyants, je courus à sa recherche, et je le portai sur mes épaules, et je le fis rentrer à Bagdad. Puis je le guéris de ses blessures, et je lui allouai de quoi se suffire jusqu'à la fin de ses jours.

Et voici que moi, ô commandeur des Croyants, je suis maintenant entre tes mains, et que j'ai mis une grande hâte à te raconter, en peu de mots, l'histoire de mes six frères, quoique j'eusse pu te la raconter bien plus longuement. Mais j'ai préféré m'en abstenir pour ne point abuser de ta patience, pour te montrer combien je suis peu porté au bavardage, et pour te prouver que je suis, non seulement le frère, mais le père de mes frères, dont, d'ailleurs, le mérite disparaît quand je suis là, moi que l'on appelle El-Sâmet ! »

— À cette histoire, continua le barbier aux invités, que je racontai au khalifat Montasser-Billah, le khalifat se mit à rire extrêmement et me dit : « En vérité, ô Sâmet, tu parles fort peu et tu es loin d'être affligé d'indiscrétion, de curiosité et de mauvaises qualités ! Mais, et j'ai des raisons pour cela, je veux que sur l'heure tu abandonnes Bagdad et que tu t'en ailles ailleurs. Mais hâte-toi surtout ! » Et le khalifat m'exila ainsi, injustement et sans me dire le motif d'une telle punition.

Alors, moi, ô mes maîtres, je ne cessai de voyager par tous les pays et par tous les climats, jusqu'à ce que j'eusse appris la mort de Montasser-Billah et le règne de son successeur le khalifat El-Mostasem. Je revins alors à Bagdad ; mais je trouvai que tous mes frères étaient morts. Et c'est alors que le jeune homme, qui vient de nous quitter si malhonnêtement, m'a appelé chez lui pour se faire raser la tête. Et, contrairement à ce qu'il a dit, je vous assure, ô mes maîtres, que je ne lui ai fait que le plus grand bien, et probablement que, sans le secours que je lui ai porté, il aurait été tué par ordre du kâdi, père de l'adolescente. Aussi tout ce qu'il a raconté sur mon compte est calomnie, et tout ce qu'il vous a rapporté de moi sur ma prétendue curiosité, mon indiscrétion, mon verbiage, mon caractère grossier et mon manque de tact et de goût est absolument faux, mensonger et imaginaire, ô vous tous, les assistants ! »

Telle est, ô Roi fortuné, continua Schahrazade, l'histoire en sept parties que le tailleur de la Chine raconta au roi. Puis il ajouta :

« Quand le barbier El-Sâmet eut achevé cette histoire, nous tous, les invités, nous n'eûmes pas besoin d'en entendre davantage pour nous convaincre que ce barbier étonnant était réellement le plus extraordinaire des bavards et le plus indiscret des barbiers qui se soient vus sur toute la surface de la terre. Et nous fûmes persuadés, sans autre preuve que ce que nous venions d'entendre, que le jeune boiteux de Bagdad avait été la victime de l'indiscrétion insupportable de ce barbier. Alors, quoique toutes ses histoires nous eussent grandement amusés, nous jugeâmes qu'il fallait tout de même le punir. Nous nous saisîmes de lui, malgré ses cris, et nous l'enfermâmes seul dans une chambre obscure habitée par les rats. Et, nous autres, les invités, nous continuâmes notre festin et à manger, à boire et à nous réjouir jusqu'à l'heure de la prière de l'asr. Et c'est alors seulement que chacun de nous se retira, et que moi je revins chez moi pour donner à manger à mon épouse.

Mais, à mon arrivée à la maison, je trouvai que ma femme me tournait le dos et était de fort méchante humeur. Et elle me dit : « Est-ce ainsi que tu m'abandonnes toute la journée et que, pendant que tu es dans la dilatation du plaisir et de l'épanouissement, tu me laisses à la maison toute seule, triste et déplorable ! Aussi, si tout de suite tu ne me fais pas sortir et ne me promènes pendant le reste de la journée, il n'y aura plus que le kâdi entre moi et toi, et je lui demanderai le divorce, sans différer ! »

Alors moi, qui n'aimais pas la mauvaise humeur et les scènes d'intérieur, pour avoir la paix et malgré ma fatigue, je sortis promener ma femme. Et nous restâmes à parcourir les rues et les jardins jusqu'au coucher du soleil.

Et c'est alors, comme nous retournions au logis, que nous fîmes la rencontre fortuite du petit bossu qui t'appartient, ô roi puissant et généreux. Et le bossu, qui était dans le plus grand état d'ivresse et de gaieté, était en train de dire des bons mots fort plaisants à ceux qui l'entouraient, et il récitait ces deux strophes :

« Entre la coupe transparente et colorée et le vin subtil et purpurin, mon choix hésite et ne sait ce qu'il faudrait élire !

Car la coupe est comme le vin subtil et purpurin ! Et le vin est comme cette coupe transparente et colorée ! »

Puis le petit bossu s'interrompait, soit pour décocher aux assistants quelque plaisanterie divertissante, soit pour danser en s'accompagnant de son petit tambour. Et moi et mon épouse, nous pensâmes que ce bossu nous serait un agréable compagnon de table et nous l'invitâmes à venir partager notre repas. Et nous restâmes à manger ensemble, et mon épouse resta avec nous, car elle ne considérait pas que la présence du bossu fût celle d'une homme entier, autrement elle ne serait pas restée à manger en présence d'un étranger.

Et c'est alors que mon épouse eut cette idée de plaisanter avec le bossu et de lui enfoncer dans la bouche le gros morceau de poisson qui l'étouffa.

Et c'est alors, ô roi puissant, que nous prîmes le bossu mort et que nous réussîmes à nous en décharger dans la maison du médecin juif qui est ici avec nous. Et le médecin juif, à son tour, le jeta dans la maison de l'intendant qui, à son tour, en rendit responsable le courtier copte.

Et telle est, ô roi généreux, la plus extraordinaire d'entre les histoires racontées aujourd'hui devant toi ! Et elle est certainement, cette histoire du barbier et de ses frères, bien plus surprenante et délicieuse que l'histoire du bossu ! »

Lorsque le tailleur eut fini de parler, le roi de la Chine dit : « En vérité, je dois reconnaître que ton histoire, ô tailleur, est fort intéressante, et qu'elle est peut-être plus suggestive que l'aventure de mon pauvre bossu ! Mais ce barbier étonnant, où est-il ? Je veux d'abord le voir et l'entendre avant de prendre une décision à votre égard à tous les quatre. Puis nous songerons à enterrer notre bossu, car il est mort déjà depuis hier. Et nous lui construirons un beau tombeau, puisqu'il m'a tant amusé de son vivant et qu'il m'a été, même après sa mort, un motif de joie en me procurant l'occasion d'entendre cette histoire du jeune boiteux avec le barbier et ses six frères, et les trois autres histoires ! »

À ces paroles, le roi ordonna à ses chambellans de prendre le tailleur pour aller à la recherche du barbier. Et, une heure plus tard, le tailleur et les chambellans, qui étaient allés délivrer le barbier de la chambre obscure, l'amenèrent au palais et le placèrent debout entre les mains du roi.

Et le roi examina le barbier et trouva que c'était un vieux cheikh âgé d'au moins quatre-vingt-dix ans, à la figure fort noire, à la barbe fort blanche et aux sourcils également blancs, aux oreilles pendantes et percées, au nez d'une longueur étonnante, et au maintien plein de morgue et de fierté. À cette vue, le roi de la Chine se mit à rire bruyamment et lui dit : « Ô Silencieux, il m'est parvenu que tu savais raconter des histoires admirables et pleines de merveilleux. Aussi je voudrais t'entendre me raconter quelque peu de ces histoires que tu connais si bien. » Le barbier répondit : « Ô roi du temps, on ne t'a pas trompé en te rapportant mes qualités. Mais, avant toutes choses, je voudrais savoir moi-même ce que font ici, réunis tous à la fois, ce courtier chrétien, ce juif, ce musulman et ce bossu couché par terre, mort. Et pourquoi cette réunion étrange ? » Et le roi de la Chine rit beaucoup et dit : « Mais pourquoi m'interroges-tu au sujet de ceux-là qui sont pour toi des inconnus ? » Le barbier dit : « J'interroge pour simplement démontrer à mon roi que je suis loin d'être un parleur indiscret, que je ne m'occupe jamais de ce qui ne me concerne point, et que je suis complètement innocent des calomnies racontées sur mon compte, à savoir que je suis un bavard extraordinaire et le reste. Et sache aussi que je suis digne de porter ce surnom de Silencieux que je porte. Comme dit le poète :

« Lorsque tes yeux voient un homme avec un surnom, sache que, si tu cherches bien, pour toi surgira toujours le sens de ce surnom. »

Alors le roi dit : « Ce barbier me plaît infiniment. Je veux donc lui raconter l'histoire du bossu, puis celle racontée par le chrétien, celle du juif, celle de l'intendant, et celle du tailleur ! » Et le roi raconta au barbier toutes ces histoires, sans omettre un détail. Et il n'y a point d'utilité ici à les répéter.

Lorsque le barbier eut entendu ces histoires et la cause de la mort du bossu, il se mit à hocher gravement la tête et dit : « Par Allah ! voilà une chose étonnante et qui me surprend extrêmement. Vous autres ! levez le voile qui recouvre le corps de ce bossu mort, que je le voie ! » Et le barbier, une fois le corps du bossu à découvert, s'approcha, s'assit par terre, prit la tête du bossu sur ses genoux, et le regarda attentivement à la figure. Et soudain il partit d'un éclat de rire et tel qu'il se renversa sur son derrière par la force explosive de son rire. Puis il dit : « En vérité, à toute mort une cause d'entre les causes ! Or, la cause de la mort de ce bossu est la plus étonnante chose d'entre les choses étonnantes ! Et elle mérite d'être inscrite en très belle écriture d'or sur les registres du règne, pour l'instruction des hommes futurs ! »

Et le roi fut surpris à l'excès en entendant les paroles du barbier et dit : « Ô barbier, ô Silencieux, explique-nous le sens de tes paroles ! » Il répondit : « Ô roi, je le jure par ta grâce et tes bienfaits, sache que ton bossu a l'âme en lui ! Et tu vas la voir ! » Et aussitôt le barbier tira de sa ceinture une fiole qui contenait un onguent, dont il enduisit le cou du bossu, et couvrit le cou d'un morceau de laine, et attendit que vînt la moiteur. Alors il tira de sa ceinture de longues tenailles en fer, les introduisit dans le gosier du bossu, les manipula et les retira bientôt avec, au bout, tout le gros morceau de poisson et l'arête, cause de l'étouffement du bossu. Et, à l'heure même, le bossu eut un fort éternuement, ouvrit les yeux, revint à lui complètement, se caressa la figure de ses deux mains et sauta debout sur ses deux pieds, et s'écria : « La ilah ill'Allah ! et Mohammad est l'Envoyé d'Allah ! que sur lui soient la prière et le salut d'Allah ! »

À cette vue, tous les assistants furent stupéfaits et dans une grande admiration pour le barbier. Puis, revenus un peu de ce premier sentiment, le roi et tous les assistants ne purent s'empêcher de rire aux éclats de la mine du bossu. Et le roi dit : « Par Allah ! qu'elle est prodigieuse, cette aventure ! De ma vie je n'ai vu chose plus étrange et plus extraordinaire ! » Puis il ajouta : « Ô vous tous, musulmans ici présents, y a-t-il quelqu'un parmi vous qui ait vu de la sorte un homme mourir puis ressusciter ? Or, si, par les bienfaits d'Allah, nous n'avions pas eu le barbier, le cheikh El-Sâmet, ce jour aurait été le dernier du bossu. Et ce n'est que grâce à la science et au mérite de ce barbier admirable et plein de capacité que nous devons la vie sauve de notre bossu ! » Et tous les assistants répondirent : « Oui, certes, ô roi ! et cette aventure est le prodige des prodiges et le miracle des miracles ! »

Alors le roi de la Chine, plein de joie, ordonna que l'on mît immédiatement par écrit, en lettres d'or, cette histoire du bossu et celle du barbier, et qu'on les conservât dans l'armoire du règne : ce qui fut exécuté sur l'heure. Ensuite il fit cadeau d'une magnifique robe d'honneur à chacun des inculpés, au médecin juif, au courtier chrétien, à l'intendant et au tailleur, et les attacha tous quatre à sa personne et au service du palais, et leur fit faire la paix avec le bossu. Et il fit présent de cadeaux merveilleux au bossu qu'il combla de richesses et nomma à de hauts emplois et dont il fit son compagnon de table et de boisson. Quant au barbier, il eut pour lui des égards tout particuliers, lui fit revêtir une somptueuse robe d'honneur, lui fit faire un astrolabe d'or, des instruments en or et des ciseaux et des rasoirs incrustés de perles et de pierreries, et le nomma barbier et coiffeur de sa personne et du royaume, et en fit également son compagnon intime.

Et ils ne cessèrent tous de vivre de la vie la plus délicieuse et la plus prospère jusqu'à ce que fût venue mettre un terme à leur bonheur la Ravisseuse de toute jouissance, la Dislocatrice de toute intimité, la Mort.

Mais, dit Shahrazade au roi Schahriar, sultan des îles de l'Inde et de la Chine, ne crois point que cette histoire soit plus admirable que celle de la belle Douce-Amie[1] *! » Et le sultan Schahriar s'écria : « Quelle Douce-Amie ? » Alors Schahrazade dit :*

HISTOIRE DE DOUCE-AMIE ET D'ALI-NOUR

Il m'est parvenu, ô Roi fortuné, qu'il y avait sur le trône de Bassra un sultan tributaire de son suzerain le khalifat Haroun Al-Rachid. Il s'appelait le roi Mohammad ben-Soleiman El-Zeini. Il aimait les pauvres et les mendiants, prenait en pitié ses sujets malheureux, et distribuait de sa fortune à ceux d'entre eux qui étaient des croyants en notre prophète Mohammad – que sur lui soient la prière et la paix d'Allah ! Et il était de tous points digne de ce que dit le poète sur ses vertus et sa vaillance, dans l'ode qui commence par cette strophe :

« Le fer de lance devint sa plume, le cœur des ennemis sa feuille d'écriture, et leur sang son encre habituelle. »

Et il avait deux vizirs : l'un d'eux s'appelait El-Mohin ben-Sâoui, et l'autre s'appelait El-Fadl ben-Khacân. Mais il faut savoir qu'El-Fadl ben-Khacân était l'homme le plus généreux de son temps, doué d'un caractère fort agréable, de mœurs admirables et de qualités qui le faisaient aimer de tous les cœurs et estimer des hommes de sagesse et de science qui venaient le consulter et lui demander son avis dans les questions difficiles ; et tous les habitants du royaume, sans exception, faisaient des vœux pour sa longue vie et sa prospérité, tant il faisait le bien et évitait de commettre le mal et l'injustice. Quant au deuxième vizir, le nommé Ben-Sâoui, c'était bien autre chose : il détestait ses semblables et avait horreur du bien et cultivait le mal, et tellement qu'un poète qui le connut nous dit de lui :

« Je le vis ! Et aussitôt je me ramassai pour fuir la souillure de son approche et je relevai les pans de ma robe pour éviter le contact de sa turpitude. Et je demandai le salut à mon coursier, loin de cet élément impur. »

Aussi à chacun de ces deux vizirs si différents on peut appliquer un vers différent d'un autre poète :

« Savoure avec délices la société de l'homme noble, à l'âme noble, fils de noble ; car tu trouveras toujours que l'homme noble est né noble, d'un père noble !

Mais fuis au loin le contact de l'homme vil, à l'âme vile, d'extraction vile ; car tu trouveras que l'homme vil est né de père vil ! »

D'ailleurs, les gens avaient autant de haine et de répulsion pour le vizir El-Mohin ben-Sâoui qu'ils avaient d'amour et d'attachement pour le vizir Fadleddine ben-Khacân. Aussi le vizir Sâoui avait voué une grande inimitié au bon vizir Fadleddine et ne manquait aucune occasion de lui porter préjudice dans l'esprit du roi.

Or, un jour d'entre les jours, le roi de Bassra, Mohammad Ibn-Soleiman El-Zeini, était assis sur le trône de son royaume dans la salle de sa justice, et il était entouré de tous les émirs et des principaux notables et des grands de sa cour. Et le jour même on avait appris l'arrivée à Bassra, sur le marché des esclaves, d'une nouvelle fournée de jeunes esclaves de tous les pays. Aussi le roi se tourna vers son vizir Fadleddine et lui dit : « Je veux que tu me trouves une jeune esclave qui n'ait point sa pareille dans le monde, qui soit à la fois parfaite en beauté, supérieure en perfections et admirable de douceur de caractère ! »

À ces paroles du roi adressées au vizir Fadleddine, le vizir Sâoui, plein de jalousie de voir le roi mettre plutôt sa confiance en son rival, et voulant rebuter le roi, s'écria : « Mais, en admettant que l'on puisse trouver une femme pareille, il faudrait y mettre comme prix au moins dix mille dinars d'or ! » Alors le roi, plutôt excité par cette difficulté, appela sur-le-champ son trésorier et lui dit : « Prends tout de suite dix mille dinars d'or et va les porter chez mon vizir Fadleddine ben-Khacân ! » Et le trésorier se hâta d'exécuter l'ordre. En même temps, le vizir Fadleddine sortit du palais pour satisfaire au désir du roi.

Le vizir Fadleddine se rendit aussitôt au souk des esclaves, mais ne trouva rien qui approchât de près ou de loin des conditions requises pour l'achat. Alors il fit venir tous les courtiers qui s'occupaient au souk de l'achat et de la vente des esclaves blanches et noires, et leur recommanda de faire toutes recherches pour lui trouver une jeune esclave telle que la voulait le roi, et leur dit : « Il faut, chaque fois qu'une esclave atteint au souk le prix d'au moins mille dinars d'or, que vous m'avisiez aussitôt ; et je verrai si elle peut convenir ! »

Et, en effet, désormais il ne se passa pas de jour que deux courtiers ou trois ne vinssent proposer une jolie esclave au vizir, qui, chaque fois, renvoyait et courtier et esclave sans faire d'achat. Il vit de la sorte, en l'espace d'un mois, plus de mille jeunes filles plus belles les unes que les autres, et capables d'infuser la vie à mille vieillards impotents. Et il ne pouvait se décider pour aucune d'entre elles.

Or, un jour d'entre les jours, le vizir Fadleddine allait monter à cheval pour se rendre auprès du roi et le prier d'attendre encore quelque temps qu'il se fût acquitté de la commission, quand il vit s'approcher vivement un courtier qu'il connaissait et qui, lui tenant l'étrier, le salua avec respect et récita ces deux stances en son honneur :

« Ô toi qui fais se rehausser la gloire du règne et se redresser le vieil édifice des ancêtres, ô toi le toujours victorieux grand vizir !

Par ta générosité et tes bienfaits, tu redonnes la vie aux miséreux et aux mourants ! Et toutes tes actions sont toujours bien agréées d'Allah, notre Seigneur ! »

Et, ces vers récités, le courtier dit au vizir : « Ô noble Ibn-Khacân, glorieux Fadleddine, je t'annonce que l'esclave dont tu as bien voulu généreusement me donner la description est présente, et tu peux en disposer ! » Et le vizir dit au courtier : « Vite amène-la à mon palais, que je la voie ! » Et le vizir rentra à son palais attendre l'esclave ; et, une heure après, le courtier revint en tenant par la main l'esclave en question. Pour la dépeindre, je dirai seulement que c'était une adolescente svelte et élancée, aux seins droits et glorieux, aux paupières brunes, aux yeux de nuit, aux joues pleines et lisses, au menton fin et souriant et ombré légèrement d'une fossette, aux hanches riches et solides, à la taille mince d'abeille et à la croupe lourde et souveraine. Elle entra et elle était vêtue d'étoffes rares et choisies. Mais j'oubliais de te le dire, ô Roi, sa bouche était une fleur, sa salive plus douce que le julep, ses lèvres plus rouges que la noix muscade dans sa fraîcheur, et tout son corps plus fin et plus pliant que la branche tendre du saule. Quant à sa voix, elle était plus mélodieuse que le chant de la brise et plus agréable que la brise qui passe parfumée aux fleurs des jardins. Et elle était de tous points digne de ces vers d'un poète qui l'a dépeinte :

« Elle est de peau douce telle la soie, et de parler tel l'eau, avec des détours comme l'eau, et pure et reposante.

Et ses yeux ! Allah a dit : « Soyez ! » et ils furent. Ils sont l'œuvre d'un Dieu ! Et leur regard penché trouble les humains plus que ne le feraient le vin et son ferment.

Oh ! l'aimer ! À y penser aux heures nocturnes, mon âme se trouble et mon corps brûle ! Car je songe à sa crinière de nuit et à son front d'aurore, illuminateur du matin ! »

Et c'est pourquoi, dès que pubère et mûre comme la fleur, on l'appela Douce-Amie.

Aussi, lorsque le vizir la vit, il fut complètement émerveillé et il demanda au courtier : « Quel est le prix de cette esclave ? » Il répondit : « À moi, son propriétaire me demande dix mille dinars, et j'ai arrêté ce prix avec lui, car je le trouve convenable, et le propriétaire m'a juré qu'il y perdait, vu une quantité de choses qu'il m'a énumérées et que je voudrais que tu entendisses toi-même de sa bouche, ô vizir ! » Alors le vizir dit : « Eh bien ! fais donc vite venir le propriétaire ! »

Aussitôt le courtier vola chercher le propriétaire et revint se présenter avec lui entre les mains du vizir. Et le vizir vit que le propriétaire de la merveilleuse jeune fille était un vieux Persan, très âgé et réduit par la vieillesse aux os et à la peau. Comme dit le poète :

« Le temps et la destinée m'ont vieilli ; et ma tête tremble et mon corps se casse. Car qui peut résister à la force du temps et à sa violence ?

Jadis, debout je me tenais et le corps droit, et je marchais vers le soleil. Maintenant, terrassé de ma hauteur, la maladie est mon partage, et ma maîtresse l'immobilité ! »

Il souhaita la paix au vizir, qui lui dit : « Alors, c'est bien conclu, tu acceptes de me vendre cette esclave dix mille dinars d'or ? D'ailleurs, elle n'est pas pour moi, mais elle est destinée au roi ! » Le vieux répondit : « Du moment qu'elle est destinée au roi, je préfère l'offrir comme un présent, sans toucher le moindre prix. Mais, ô vizir généreux, puisque tu m'interroges, c'est mon devoir de répondre. Et je te dirai que ces dix mille dinars d'or, c'est à peine s'ils me dédommagent du prix des poulets dont je l'ai nourrie depuis son enfance, des robes de valeur dont je l'ai toujours habillée et des dépenses que j'ai faites pour son instruction. Car je lui ai donné plusieurs maîtres, sans compter ; et elle apprit la belle écriture, les règles de la langue arabe et de la langue persane, la grammaire et la syntaxe, les commentaires du Livre, les règles du droit divin et leurs origines, la jurisprudence, la morale et la philosophie, la géométrie, la médecine, le cadastre ; mais elle excelle surtout dans l'art des vers, dans le jeu des instruments de plaisir les plus variés et dans le chant et la danse ; enfin elle a lu tous les livres des poètes et des historiens. Mais tout cela n'a fait que contribuer à la rendre encore plus admirable de caractère et d'humeur ; et c'est pourquoi je l'ai appelée Douce-Amie. » Le vizir dit : « Assurément tu as raison. Mais je ne puis mettre plus de dix mille dinars d'or. Et, d'ailleurs, je vais te les faire peser et vérifier sur-le-champ. » Et, en effet, le vizir Fadleddine fit aussitôt peser les dix mille dinars en présence du vieux Persan, qui les prit. Mais, avant de partir, le vieux marchand d'esclaves s'avança et dit au vizir : « Je demande la permission à notre maître le vizir de lui donner un conseil. » Fadleddine répondit : « Certes ! donne ce que tu as ! » Le vieux dit : « Je conseille à notre maître le vizir de ne pas conduire Douce-Amie tout de suite chez notre roi Mohammad ben-Soleiman El-Zeini, car c'est aujourd'hui seulement qu'elle est arrivée de voyage, et la fatigue et le changement de climat et d'eau l'ont un peu épuisée. Aussi, le mieux pour toi et pour elle, c'est de la garder chez toi dans ton palais pendant encore dix jours ; et elle se reposera alors et elle haussera en beauté, et elle prendra un bain au hammam, et elle changera de vêtements. Et c'est alors seulement que tu pourras la présenter au sultan ; et cela te fera beaucoup plus d'honneur et de mérite aux yeux de notre sultan ! » Et le vizir trouva que le vieux était un homme de bon conseil, et il l'écouta. Et il mena Douce-Amie dans son palais, où il lui fit préparer une chambre réservée où elle pût se bien reposer.

Or, le vizir Fadleddine ben-Khacân avait un fils d'une admirable beauté, comme la lune à son lever. Son visage était d'une blancheur merveilleuse ; ses joues roses et avec, sur l'une d'elles, un grain de beauté comme une goutte d'ambre gris ; et sur ses joues était un duvet frais et soyeux ; et en tout il était comme dit le poète :

« Les roses de ses joues ! plus délicieuses que les dattes rouges et leurs grappes ! je veux les cueillir.

Mais oserai-je vers elles tendre les mains ? J'ai si peur de n'être point agréé ! D'ailleurs, à quoi bon ? Je l'ai déjà mis tout entier dans mes yeux ! Et je m'en contente.

Si la taille est tendre et si douce, son cœur est inexorable et si dur ! Ah ! pourquoi ce cœur ne prendrait-il pas un peu des qualités de sa taille !

Car sa tendre taille si douce, si elle influait un peu sur son cœur, il ne serait pas si injuste et si dur pour mon amour ; et il ne commettrait point envers lui tant de délits.

Et toi, ami, qui me blâmes à cause de l'amour où je suis pris, sache m'excuser un peu. Car ce n'est plus moi qui suis mon maître ; et mon corps et toutes mes forces sont sous la puissance de ces misères.

Et sache que le seul coupable, ce n'est point lui et ce n'est point moi, mais c'est mon cœur ! Et maintenant, je ne serais point en cet état de langueur, si mon jeune tyran était magnanime. »

Or, ce jeune homme, qui s'appelait Ali-Nour, ne savait encore rien de l'achat de Douce-Amie. Et, d'ailleurs, le vizir, son père, avait recommandé avant toutes choses à Douce-Amie de ne pas oublier les conseils qu'il avait à lui donner. En effet, il lui avait dit : « Sache, ma chère fille, que je ne t'ai achetée que pour le compte de notre maître le roi Mohammad ben-Soleiman El-Zeini, et pour que tu sois sa favorite de choix. Aussi, il faut que tu prennes bien garde à toi, et que tu évites avec soin toutes les occasions qui peuvent te compromettre et me compromettre. Ainsi je dois te prévenir que j'ai un fils un peu garnement, mais fort beau garçon. Il n'y a pas une seule adolescente dans le quartier qui ne se soit librement donnée à lui et de la fleur de qui il n'ait joui. Prends donc garde à toi, évite de le rencontrer, de lui faire même entendre ta voix ou de lui montrer ton visage à découvert : tu serais perdue, sans faute ! » Et Douce-Amie répondit au vizir : « J'écoute et j'obéis ! » Alors le vizir, rassuré là-dessus, la quitta et s'en alla à ses affaires.

Or, par la volonté écrite d'Allah, les choses prirent une tout autre tournure que celle souhaitée par le bon vizir. En effet, quelques jours plus tard, Douce-Amie alla au hammam situé dans le palais même du vizir, et les petites esclaves mirent toute leur science à lui donner un bain qui fût le meilleur de leur vie. Après lui avoir lavé tous les membres et la chevelure, elles la massèrent et la frottèrent, puis elles l'épilèrent soigneusement avec la pâte de sucre en caramel, lui versèrent dans les cheveux le doux liquide aromatisé au musc, lui teignirent au henné les ongles des doigts et des orteils, lui allongèrent au kohl les cils et les sourcils, brûlèrent à ses pieds des cassolettes d'encens mâle et d'ambre gris, et lui parfumèrent ainsi légèrement toute la peau. Puis elles lui jetèrent sur le corps une grande serviette qui sentait les fleurs d'oranger et les roses, lui serrèrent toute la chevelure dans une étoffe ample et chaude et la conduisirent, hors du hammam, dans son appartement réservé, où la femme du vizir, la mère du bel Ali-Nour, était à l'attendre pour lui souhaiter les souhaits d'usage au sortir du bain. À la vue de la femme du vizir, Douce-Amie s'avança et lui baisa les mains ; et la femme du vizir l'embrassa sur les deux joues et lui dit : « Ô Douce-Amie, puisses-tu, par ce bain, éprouver le bien-être et les délices ! Ô Douce-Amie, que tu es belle maintenant, et brillante, et parfumée ! Tu illumines notre maison qui, par toi, n'a plus besoin de flambeaux ! » Et Douce-Amie fut très émue, porta la main à son cœur, puis à ses lèvres et à son front, et, inclinant la tête, répondit : « Que je te remercie, ô ma maîtresse et mère ! Et puisse Allah te procurer tous les dons et toutes les jouissances sur cette terre et dans son paradis ! En vérité, ce bain me fut délicieux, et je n'avais qu'un regret : c'était de n'y être pas avec toi ! » Alors la mère d'Ali-Nour fit porter à Douce-Amie des sorbets et des pâtisseries, lui souhaita la santé et une savoureuse digestion, et songea à aller elle-même prendre un bain au hammam.

Mais, sur le point de se rendre au hammam, la femme du vizir ne voulut pas laisser seule Douce-Amie, par crainte et par prudence, et laissa avec elle deux petites esclaves, et leur ordonna de garder soigneusement la porte de l'appartement réservé à Douce-Amie, et leur dit : « Sous n'importe quel motif, ne laissez personne entrer chez Douce-Amie, qui est toute nue et qui peut attraper froid ! » Et les deux petites esclaves répondirent avec respect : « Nous écoutons et obéissons ! »

Alors la mère d'Ali-Nour, entourée de ses autres femmes, se rendit au hammam après avoir embrassé une dernière fois Douce-Amie, qui lui souhaita un bain délicieux. Or, sur ces entrefaites, le jeune Ali-Nour entra à la maison, chercha sa mère pour lui baiser la main, comme il faisait tous les jours, et ne la trouva pas. Alors il marcha à travers les chambres et arriva à la porte de l'appartement réservé à Douce-Amie. Et il vit les deux petites esclaves qui gardaient la porte et qui lui sourirent, tant il était beau et tant elles l'aimaient secrètement. Et il fut étonné de voir cette porte ainsi gardée, et il dit aux petites esclaves : « Ma mère est-elle ici ? » Elles lui répondirent, en essayant de le repousser de leurs petites mains : « Ah, non ! ah non ! notre maîtresse n'est pas ici ! Elle n'est pas ici ! Elle est au hammam ! au hammam ! Elle est au hammam, ô notre maître Ali-Nour ! » Il leur dit : « Mais alors que faites-vous ici, mes agneaux ? Écartez-vous pour que j'entre ici me reposer ! » Elles répondirent : « N'entre pas, ô Ali-Nour, n'entre pas ici ! Il n'y a là-dedans que notre jeune maîtresse Douce-Amie ! » Ali-Nour s'écria : « Quelle Douce-Amie ? » Elles répondirent : « La belle, la Douce-Amie que ton père, notre maître le vizir Fadleddine, a achetée dix mille dinars, pour le sultan El-Zeini ! Elle sort du hammam, elle est toute nue, avec seulement sur elle la grande serviette du bain ! N'entre pas ! n'entre pas, ô Ali-Nour, elle prendrait froid, et notre maîtresse nous battrait ! N'entre pas, ô Ali-Nour ! »

Or, pendant ce temps, Douce-Amie entendait ces paroles de l'intérieur de son appartement, et elle pensait : « Ya Allah ! comment peut-il être, ce jeune Ali-Nour dont le vizir, son père, m'a énuméré les exploits ? Comment peut-il être, ce beau garçon qui n'a laissé, dans tout le quartier, ni une jeune fille intacte ni une jeune femme sans assaut ? Par ma vie ! que je voudrais le voir ! » Et, n'y tenant plus, elle se leva debout sur ses pieds, et, tout odorante encore, toute la peau sentant les aromates du hammam, et toute fraîche et les pores ouverts à la vie, elle s'avança vers la porte, doucement l'entrouvrit, et regarda. Elle le vit. Et il était, cet Ali-Nour, absolument comme la lune à son plein. Et, à ce simple regard, Douce-Amie fut secouée d'émotion et frémit dans toute sa chair. Et, de son côté, Ali-Nour, par l'entrebâillement de la porte, avait eu le temps de jeter un rapide coup d'œil qui lui avait découvert toute la beauté de Douce-Amie.

Aussi Ali-Nour, emporté par le désir, cria d'une voix si forte aux deux petites esclaves et les secoua si vivement, qu'elles s'enfuirent en pleurant d'entre ses mains ; elles s'arrêtèrent dans la seconde chambre, qui était ouverte, et se mirent à regarder de loin la porte de l'appartement que le jeune Ali-Nour n'avait pas pris la peine de fermer derrière lui, après avoir pénétré chez Douce-Amie. Et elles virent de la sorte tout ce qui s'y passa.

En effet, Ali-Nour entra, et s'avança vers Douce-Amie qui s'était jetée éperdue sur le divan, et toute tremblante, les yeux grands ouverts, attendait dans sa vive nudité. Et Ali-Nour porta la main à son cœur et s'inclina entre les mains de Douce-Amie et lui dit doucement : « Ô Douce-Amie, c'est toi que mon père a achetée dix mille dinars d'or ! T'ont-ils donc pesée sur l'autre plateau pour savoir ta valeur ? Ô Douce-Amie, tu es plus belle que l'or en fusion, et ta crinière plus torrentielle que celle de la lionne du désert, et ta gorge nue plus douce et plus fraîche que la mousse du ruisseau ! » Elle répondit : « Ali-Nour, à mes yeux effrayés tu apparais plus terrible que le lion du désert ; à ma chair qui te désire, plus fort que le léopard ; et à mes lèvres qui pâlissent, plus meurtrier que le glaive dur ! Ali-Nour ! tu es mon sultan ! et c'est toi qui me prendras ! Viens ! »

Et Ali-Nour, ivre, s'avança, se jeta sur le divan, aux côtés de Douce-Amie. Et le couple s'enlaça. Et les deux petites esclaves, au-dehors, s'étonnaient. Car ce fut, pour elles, assez étrange. Et elles ne comprenaient pas. Ali-Nour, en effet, après des baisers retentissants de part et d'autre, se laissa glisser vers le bas du divan, prit les deux jambes de Douce-Amie. Et Douce-Amie l'entoura de ses bras, et tous deux s'enlacèrent étroitement. Et pendant quelque temps, ce ne fut plus que baisers et mouvements divers. Et il suça la langue de Douce-Amie, qui suça également la langue d'Ali-Nour.

Alors les deux petites esclaves furent prises d'une grande terreur. Et elles s'enfuirent épouvantées, en criant, et coururent se réfugier au hammam auprès de la mère d'Ali-Nour, qui justement sortait du bain. Et elle était toute noire de la sueur qui s'égouttait de son corps. Et elle dit aux petites esclaves : « Qu'avez-vous donc à crier ainsi, à pleurer et à courir, mes petites filles ! » Elles répondirent : « Ô notre maîtresse, ô notre maîtresse ! » Elle dit : « Malheur ! qu'y a-t-il donc, petites misérables ? » Elles répondirent en pleurant plus fort : « Ô notre maîtresse, voici que notre jeune maître Ali-Nour nous a frappées et nous a chassées ! Puis nous le vîmes pénétrer chez notre maîtresse Douce-Amie, et il lui suça la langue, et elle aussi ! Et puis nous ne savons ce qu'il lui fit après, car elle soupirait fort, et lui sur elle ! Et nous voici terrifiées par tout cela. »

À ces paroles, la femme du vizir, quoique chaussée de hautes socques en bois pour le bain et malgré son âge avancé, se mit à courir, suivie de toutes ses femmes, et arriva dans l'appartement de Douce-Amie, juste au moment où Ali-Nour, ayant fini de jouir de la virginité de Douce-Amie, avait entendu les cris des petites esclaves et s'était enfui au plus vite.

Alors l'épouse du vizir, avec la figure jaune d'émotion, s'avança vers Douce-Amie, et lui dit : « Mais qu'est-il donc arrivé ? » Elle répondit, en répétant les paroles que le garnement Ali-Nour lui avait apprises et lui avait recommandé de dire à sa mère, si elle l'interrogeait : « Ô ma maîtresse, pendant que je me reposais de mon bain, couchée sur le divan, un jeune homme entra que je n'avais jamais vu. Et il était très beau, ô ma maîtresse, et même il te ressemblait, quant aux yeux et aux sourcils ! Et il me dit : « C'est bien toi, Douce-Amie, que mon père m'a achetée pour dix mille dinars ? » Je lui répondis : « Oui, c'est moi Douce-Amie que le vizir a achetée pour dix mille dinars ! Mais je suis destinée au sultan Mohammad ben-Soleiman El-Zeini ! » Il me dit alors, et il riait : « Mais non, Ô Douce-Amie ! mon père avait peut-être anciennement cette intention ; mais il a changé d'avis et m'a fait cadeau de toi entière ! » Alors moi, ô ma maîtresse, qui ne suis qu'une esclave soumise dès mon enfance, j'ai obéis ! Et, d'ailleurs, je crois avoir bien fait ! Ah ! je préfère appartenir comme esclave à ton fils Ali-Nour, ô ma maîtresse, que de devenir la femme légitime du khalifat lui-même qui règne à Bagdad ! » Alors la mère d'Ali-Nour dit : « Ah ! ma fille, quel malheur pour nous tous ! Cet Ali-Nour, mon fils, est un grand scélérat, et il t'a trompée ! Mais dis-moi, ma fille, que t'a-t-il fait ? » Douce-Amie répondit : « Je m'abandonnai toute à son pouvoir, et il me prit, et m'enlaça. » La mère d'Ali-Nour demanda : « Mais t'a-t-il prise complètement ? » Elle répondit : « Certes, oui ! Et même il m'a possédée trois fois ! Ô ma mère ! » À ces paroles, la mère d'Ali-Nour s'écria : « Ah ! ma fille ce garnement t'a donc brisée et cassée ! » Et elle se mit à pleurer et à se frapper la figure de ses mains, et toutes ses esclaves aussi se mirent à pleurer et à hurler : « Oh, calamité ! oh, calamité ! » Car, au fond, ce qui terrifiait la mère d'Ali-Nour et les femmes de la mère d'Ali-Nour était la crainte qu'elles avaient du père d'Ali-Nour.

En effet, le vizir, quoique d'ordinaire bon et généreux, ne pouvait pas tolérer une pareille fredaine, d'autant moins que le roi lui-même était en cause et, par le fait même, l'honneur et la situation du vizir. Et il pouvait bien, dans sa colère aller jusqu'à tuer de sa propre main Ali-Nour, son fils, ce jeune homme qu'en ce moment toutes ces femmes pleuraient comme déjà perdu à leur affection et à leur amour.

D'ailleurs, sur ces entrefaites, le vizir Fadleddine ben-Khacân entra, et vit toutes ces femmes dans les pleurs et la désolation. Et il demanda : « Mais qu'y a-t-il donc, mes enfants ? » Alors la mère d'Ali-Nour s'essuya les yeux, se moucha et dit : « Ô père d'Ali-Nour, jure-moi d'abord sur la vie de notre Prophète (que sur lui soient la prière et la paix d'Allah !) que tu te conformeras en tous points à ce que je te dirai ! Sinon, je préfère mourir que de parler ! » Alors le vizir jura, et sa femme lui raconta la prétendue fourberie d'Ali-Nour et le malheur sans remède arrivé à la virginité de Douce-Amie.

Ali-Nour en avait fait voir bien d'autres à son père et à sa mère ; pourtant, au récit de cette fredaine dernière, le vizir Fadleddine fut atterré, puis se déchira les habits, se donna des coups de poing sur la figure, se mordit les mains, s'arracha la barbe et jeta au loin son turban. Alors la mère d'Ali-Nour essaya de le consoler et lui dit : « Ne t'afflige pas ! car, pour ce qui est des dix mille dinars, je te les restituerai en leur entier en les prenant sur l'argent qui m'appartient ou en vendant quelques-unes de mes pierreries. » Mais le vizir Fadleddine s'écria : « Ô femme ! que dis-tu ? T'imagines-tu donc que je pleure la perte de cet argent dont je n'ai que faire ? Et ne sais-tu que c'est mon honneur entamé et la perte de ma vie qui m'affligent ? » Et son épouse lui dit : « Mais enfin rien n'est perdu, puisque le roi ignore même l'existence de Douce-Amie et, à plus forte raison, la perte de sa virginité. Avec les dix mille dinars que je te donnerai, tu achètera une esclave très belle pour le roi ; et nous, nous garderons Douce-Amie pour notre fils Ali-Nour, qu'elle aime déjà et qui connaît quel trésor nous avons trouvé en elle : car elle est parfaite en tous points. » Le vizir dit : « Mais, ô mère d'Ali-Nour, oublies-tu l'ennemi que nous laissons derrière nous, le second vizir qui a nom El-Mohin ben-Sâoui, et qui finira un jour par tout savoir ? Ce jour-là, Sâoui s'avancera entre les mains du sultan et lui dira... »

Mais, à ce moment de sa narration, Schahrazade vit apparaître le matin et, discrètement, arrêta son récit.

Mais lorsque fut la trente-troisième nuit. Elle dit :

Il m'est parvenu, ô Roi fortuné, que le vizir Fadleddine dit à sa femme : « Ce jour-là, le vizir Sâoui, mon ennemi, s'avancera entre les mains du sultan et lui dira : « Ô roi, voici que le vizir que tu cites toujours, et de l'attachement de qui tu prétends être sûr, a pris de toi dix mille dinars pour t'acheter une esclave. Et, de fait, il acheta une esclave qui n'a pas sa pareille dans le monde. Et comme il la trouvait merveilleuse, il dit à son fils Ali-Nour, ce gamin corrompu : « Prends-la, mon fils ! Il vaut mieux que ce soit toi qui en jouisses que ce vieux sultan, qui a déjà qui sait combien de concubines de la virginité de qui il ne peut même pas arriver à jouir ! « Et cet Ali-Nour, qui s'est fait une spécialité de ravir les virginités, prit la belle esclave et, en un clin d'œil, la perfora d'outre en outre. Et le voici maintenant qui continue à passer agréablement le temps avec elle en jeux divers, dans le palais de son père, au milieu des femmes dont il ne quitte jamais l'appartement, ce fainéant, ce dissolu, ce jeune perforateur ! »

« À ces paroles de mon ennemi Sâoui, continua le vizir Fadleddine, le sultan, qui m'estime, se refusera à le croire et lui dira : « Tu mens, ô Mohin ben-Sâoui. » Mais Sâoui lui dira : « Permets-moi d'envahir, avec la troupe, la maison de Fadleddine, et je t'amènerai l'esclave sur l'heure, et tu vérifieras la chose par ton propre œil ! » Et le sultan, qui est changeant, lui en donnera la permission, et Sâoui se précipitera ici avec les gardes, et prendra Douce-Amie au milieu de vous toutes, et la conduira entre les mains du sultan. Et le sultan interrogera Douce-Amie, qui ne pourra qu'avouer. Alors mon ennemi Sâoui triomphera et dira : « Ô mon maître, tu vois combien je suis pour toi un bon conseiller ! Mais qu'y faire ? Il est écrit que je serai toujours de peu de poids auprès de toi, alors que ce traître de Fadleddine sera toujours bien agréé ! » Alors le sultan changera de sentiment à mon égard, et me punira avec sévérité. Et je serai un objet de risée pour tous les gens qui m'aiment et m'estiment aujourd'hui ! Et je perdrai ma vie et toute ma maison ! »

À ces paroles, la mère d'Ali-Nour dit à son époux : « Crois-moi, ne parle à personne de cette affaire et personne n'en saura rien. Et confie ton sort à la volonté d'Allah. Et rien n'arrivera que ce qui doit arriver. » Alors le vizir fut calmé par ces paroles, et la paix entra en lui pour ce qui était des conséquences futures ; mais il resta fort en colère contre son fils Ali-Nour.

Mais, pour ce qui est du jeune Ali-Nour, il était sorti en hâte de la chambre de Douce-Amie, aux cris qu'avaient poussés les deux petites esclaves. Et il resta toute la journée à rôder par-ci par-là, et ne rentra au palais qu'avec la nuit, et se hâta de se faufiler auprès de sa mère, malgré tout ce qui était arrivé, finit par l'embrasser et lui pardonna ; mais elle le cacha soigneusement, aidée en cela un peu par toutes ses femmes qui, secrètement, jalousaient Douce-Amie d'avoir eu dans ses bras ce cerf incomparable. Et d'ailleurs, toutes étaient d'accord pour lui dire de se tenir bien en garde contre la colère du vizir.

Ainsi Ali-Nour fut obligé, pendant encore un mois entier, de se faire ouvrir de nuit, par les femmes, la porte de l'appartement de sa mère, où il se faufilait sans bruit, et où, avec la connivence de sa mère, Douce-Amie venait le retrouver secrètement.

Un jour enfin, la mère d'Ali-Nour, voyant le vizir moins préoccupé que d'habitude, lui dit : « Jusques à quand cette colère persistante contre notre fils Ali-Nour ? Ô mon maître, nous avons, il est vrai, perdu l'esclave, mais veux-tu aussi que nous perdions notre fils ? Car je sens bien que, si cet état de choses continue, notre fils Ali-Nour fuira pour toujours la maison de ses parents, et c'est nous qui le pleurerons, ce fils unique, le fruit de nos entrailles ! » Et le vizir, ému, lui dit : « Mais quel moyen employer ? » Elle répondit : « Cette nuit, passe la soirée avec nous, et, quand Ali-Nour viendra, je vous ferai faire la paix. Et tu feras d'abord semblant de vouloir le châtier et même le tuer, et tu finiras par lui donner Douce-Amie en mariage. Car Douce-Amie, sur tout ce que j'ai pu remarquer en elle, est admirable en toute chose. Et elle aime Ali-Nour, et je sais aussi qu'Ali-Nour l'aime autant. D'ailleurs, moi-même, comme je te l'ai dit, je te donnerai, sur mon argent, le prix que tu as dépensé pour l'achat de Douce-Amie ! »

Le vizir se conforma à l'avis de sa femme et, à peine Ali-Nour entré dans l'appartement de sa mère, il s'élança sur lui, le renversa sous ses pieds et leva sur lui un couteau comme pour le tuer. Alors la mère se précipita entre le couteau et son fils et s'écria : « Que vas-tu faire ? » Le vizir s'écria : « Je veux le tuer ! » La mère dit : « Il se repent ! » Et Ali-Nour dit : « Ô père, auras-tu le cœur de me sacrifier ? » Alors le vizir eut les yeux pleins de larmes et dit : « Mais toi, malheureux, comment as-tu eu le courage de me ravir mon bien et peut-être ma vie ? » Et Ali-Nour répondit : « Écoute, ô mon père, ce que dit le poète :

« Admets un moment que j'aie si mal agi et commis tous les délits ! Mais ne sais-tu que les êtres d'élite aiment à pardonner, à faire grâce totale, universelle ?

Et ne sais-tu qu'il te sied d'agir ainsi, surtout quand ton ennemi est entre tes mains, ou qu'il te conjure du fond du gouffre, au bas de la montagne, alors que tu le domines sur les sommets ? »

À l'audition de ces vers, le vizir lâcha son fils qu'il tenait renversé sous ses genoux, et la compassion entra dans son cœur, et il lui pardonna. Alors Ali-Nour se leva, embrassa la main de son père et de sa mère, et se tint dans une pose de soumission. Et son père lui dit : « Ô mon fils, que ne m'as-tu dit que tu aimais vraiment Douce-Amie, et que ce n'était pas seulement un caprice passager selon ton habitude ! Car si j'avais su que tu étais prêt à être juste envers notre Douce-Amie, je n'aurais pas hésité à te l'accorder en présent. » Ali-Nour répondit : « Mais certainement, ô mon père, je suis prêt à faire mon devoir envers Douce-Amie ! » Et le vizir dit : « Dans ce cas-là, mon cher enfant, la seule recommandation que j'aie à te faire et que tu ne doives jamais oublier, pour que ma bénédiction soit sur toi toujours, c'est de me promettre de ne jamais prendre en mariage légitime une autre femme que Douce-Amie, de ne jamais la maltraiter et de ne jamais t'en débarrasser en la vendant. » Et Ali-Nour répondit : « Je te fais le serment sur la vie de notre Prophète et sur le Koran sacré de ne jamais prendre une seconde épouse légitime du vivant de Douce-Amie, de ne jamais la maltraiter et de ne la revendre jamais ! »

Après cela, toute la maison fut dans la joie ; et Ali-Nour put posséder librement Douce-Amie, et il continua à vivre ainsi avec elle, dans l'épanouissement, pendant encore l'espace d'une année. Quant au roi, Allah lui fit complètement oublier les dix mille dinars donnés au vizir Fadleddine pour l'achat d'une belle esclave. Mais, pour ce qui est du méchant vizir ben-Sâoui, il ne tarda pas à connaître toute la vérité de l'histoire ; mais il n'osa encore rien dire au roi, sachant combien le vizir, père d'Ali-Nour, était bien agréé et aimé aussi bien par le roi que par tout le peuple de Bassra.

Mais, sur ces entrefaites, un jour, le vizir Fadleddine entra au hammam, et, se hâtant trop, il en sortit avant que sa sueur n'eût séché ; et, comme, au-dehors, il y avait eu un grand changement de température, il attrapa un fort coup d'air qui aussitôt le jeta à bas et l'obligea à garder le lit. Puis son état s'aggrava, il ne ferma plus l'œil ni le jour ni la nuit, et arriva à une consomption qui fit de lui l'ombre de ce qu'il avait été. Alors il ne voulut pas différer davantage de remplir ses derniers devoirs, et fit appeler auprès de lui son fils Ali-Nour, qui se présenta aussitôt entre ses mains, les yeux remplis de larmes. Et le vizir lui dit : « Ô mon enfant, tout bonheur a une limite, tout bien une borne, toute échéance un terme, et toute coupe un breuvage amer. Aujourd'hui, c'est mon tour de goûter à la coupe de la mort. » Puis le vizir récita ces strophes :

« La mort peut bien t'oublier un jour, mais elle ne t'oubliera pas le lendemain. Et chacun de nous s'achemine à pas pressés vers le gouffre de la perdition.

Aux yeux du Très-Haut il n'existe ni plaine ni hauteur. Toute hauteur est nivelée, et nul homme n'est petit et nul homme n'est imposant.

Et jamais l'on n'a vu ni roi, ni empire, ni prophète jeter un défi à la loi de la mort, et vivre indéfiniment. »

Puis le vizir continua ainsi : « Et maintenant, mon fils, il ne me reste plus qu'une recommandation à te faire, c'est de mettre ta force en Allah, de ne jamais perdre de vue les fins dernières de l'homme et surtout de prendre toujours grand soin de notre fille Douce-Amie, ta femme ! » Alors Ali-Nour répondit : « Ô mon bon père, voici que tu nous quittes ! et y a-t-il sur la terre quelqu'un après toi ? Tu n'étais connu que par tes bienfaits, et le jour saint du vendredi les orateurs sacrés citaient ton nom de la chaire de nos mosquées pour te bénir et faire des vœux pour ta longue vie ! » Et Fadleddine dit encore : « Ô mon enfant, j'implore Allah de me recevoir, et de ne pas me repousser ! » Puis il prononça à haute voix les deux actes de foi de notre religion : « Je témoigne qu'il n'y a d'autre Dieu qu'Allah ! et je témoigne que Mohammad est le prophète d'Allah ! » après quoi il poussa un dernier soupir, et fut pour toujours écrit au nombre des élus bienheureux.

Et aussitôt le palais entier fut rempli de cris et de gémissements ; et la nouvelle en parvint au sultan ; et toute la ville de Bassra ne tarda pas à apprendre la mort du vizir Fadleddine ben-Khacân ; et tous les habitants et jusqu'aux petits enfants dans les écoles le pleurèrent. De son côté, Ali-Nour n'épargna rien, malgré son abattement, pour rendre les funérailles dignes de la mémoire de son père. Et à ces funérailles marchèrent tous les émirs, les vizirs, y compris le méchant ben-Sâoui, qui fut, comme les autres, obligé de porter le cercueil, les hauts dignitaires, les grands du royaume et tous les habitants de Bassra, sans exception. Et au sortir de la maison mortuaire, le cheikh principal qui conduisait les funérailles récita en l'honneur du mort ces stances entre mille :

« Je dis à l'homme chargé de ramasser sa dépouille mortelle : Obéis à mon ordre, et sache que de son vivant il écoutait mes conseils.

Fais donc, si tu veux, sur son flanc couler l'eau lustrale ; mais prends soin d'arroser son corps avec les larmes répandues par les yeux de la Gloire, de la Gloire qui le pleure !

Loin de lui, les baumes mortuaires et tous les aromates ! Pour l'embaumer dignement, ne te sers que des parfums de ses bienfaits et de l'odeur douce de ses actions en beauté !

Et que, pour porter sa dépouille mortelle, les anges glorieux descendent du ciel lui rendre hommage ! Et qu'ils laissent leurs pleurs couler abondamment !

Inutile donc de fatiguer du poids de son cercueil les épaules des porteurs ; car déjà les épaules de tous les hommes sont fatiguées et harassées par le poids de ses bienfaits et par le lourd fardeau de bien dont il les a chargées de son vivant ! »

Après ces funérailles, Ali-Nour garda le deuil longuement, et resta longtemps enfermé dans sa maison, refusant de voir et d'être vu, et demeura dans cet état d'affliction un très grand espace de temps. Mais, un jour d'entre les jours, pendant qu'il était assis tristement, il entendit quelqu'un frapper à la porte, et il se leva ouvrir lui-même et vit entrer un jeune homme de son âge, fils d'un des anciens amis et convives de feu son père le vizir ; ce jeune homme baisa la main d'Ali-Nour et lui dit : « Mon maître, tout homme vit dans ses descendants, et un fils comme toi ne peut qu'être le fils illustre de son père ! Il ne faut donc pas éternellement t'affliger, et n'oublie pas les saintes paroles du Seigneur des Anciens et des Modernes, notre Prophète Mohammad (que sur lui soient la prière et la paix d'Allah !) qui a dit : « Guéris ton âme et ne porte point le deuil de la créature ! »

À ces paroles Ali-Nour ne put rien trouver à redire ; et aussitôt il résolut de mettre un terme à son affliction, du moins extérieurement. Il se leva, se transporta dans la salle de réunion et y fit transporter tous les objets obligatoires pour dignement recevoir les visiteurs. Et dès ce moment il ouvrit les portes de sa maison et commença à recevoir tous ses amis, jeunes et vieux. Mais il s'attacha particulièrement à dix jeunes gens, fils des principaux marchands de Bassra. Et, en leur compagnie, Ali-Nour commença à passer le temps en réjouissances et en festins continuels ; et il n'était personne à qui il ne fît cadeau de quelque objet de prix ; et il ne recevait personne sans qu'aussitôt il ne donnât une fête en son honneur. Et il faisait tout cela avec une telle prodigalité, malgré les sages remontrances de Douce-Amie, qu'un jour son intendant, effrayé de cette marche, vint le trouver et lui dit : « Ô mon maître, ne sais-tu que trop de générosité nuit et que de trop nombreux cadeaux épuisent la richesse ? Et ne sais-tu que celui qui donne sans compter s'appauvrit ? Aussi comme il parle vrai, le poète qui dit :

« Mon argent ! précieusement je le conserve, et, plutôt de le volatiliser, j'en fais des lingots fondus. L'argent est mon glaive et il est aussi mon bouclier.

Et quelle folie d'en combler mes ennemis, mes pires ennemis ! N'est-ce point, parmi les hommes, changer ma félicité en infortune ?

Car mes ennemis se hâteront de le manger et de le boire avec délices, et ne songeront même pas à faire au malheureux l'aumône d'une obole !

Aussi je fais bien de soigneusement cacher mon argent à l'homme méchant et inexorable qui ne sait point compatir aux maux de ses semblables.

Je garderai mon argent ! Car malheur au pauvre qui, altéré comme le chameau resté cinq jours loin de l'abreuvoir, demande l'aumône d'une obole ! Son âme devient plus vile que l'âme même du chien.

Oh ! malheur à l'homme sans argent et sans ressources, serait-il même le plus savant d'entre les sages et d'un mérite plus brillant que le soleil ! »

À l'audition de ces vers récités par son intendant, Ali-Nour le regarda curieusement et lui dit : « Aucune de tes paroles ne saurait sur moi avoir quelque influence. Sache donc, une fois pour toutes, que je n'ai qu'une chose à te dire : tant que, tes calculs faits, tu trouves que j'ai encore de quoi déjeuner, garde-toi bien de me faire supporter la préoccupation et le souci de mon dîner ! Et comme il a raison excellemment, le poète qui dit :

« Si un jour j'étais réduit à la pauvreté et par la fortune abandonné, que ferais-je ? Simplement de mes voluptés passées je me priverais, et me contenterais de ne plus bouger ni bras ni jambes !

Et je vous défie, vous tous, de me citer un avare qui se soit attiré les louanges par son avarice, comme je vous défie de me montrer un prodigue qui soit mort de sa prodigalité. »

À l'audition de ces vers récités par Ali-Nour, l'intendant n'eut plus qu'à se retirer en saluant respectueusement son maître Ali-Nour, et s'en alla veiller à ses affaires.

Quant à Ali-Nour, dès ce jour il ne sut plus mettre de bornes à sa générosité et à la bonté de son naturel, qui lui faisait donner tout ce qu'il avait à ses amis et même aux étrangers. Il suffisait que l'un de ses invités lui dît : « Comme tel objet est joli ! » pour qu'aussitôt Ali-Nour lui répondît : « Mais il t'appartient ! » ou qu'un autre lui dît : « Ô cher seigneur, quelle belle propriété tu as là ! » pour que tout de suite Ali-Nour lui dît : « Je vais immédiatement l'écrire à ton nom ! » et il faisait apporter le calam, l'écritoire en cuivre et le papier, et écrivait la maison ou la propriété au nom de l'ami, et la timbrait de son sceau. Et il continua de la sorte durant l'espace d'une année entière ; et le matin il donnait un festin à tous ses amis et le soir il leur donnait un autre festin, toujours au son des instruments, et il faisait venir les meilleurs chanteurs et les danseuses les plus illustres.

Quant à sa femme, Douce-Amie, elle n'était plus écoutée comme avant, et même, depuis quelque temps, Ali-Nour la négligeait un peu ; et elle ne se plaignait jamais, mais se consolait dans la poésie et les livres qu'elle lisait. Et un jour qu'Ali-Nour était entré dans son appartement réservé, elle lui dit : « Ô Nour, lumière de mes yeux, écoute ces deux strophes du poète :

« Certes ! plus on fait le bien, plus on pose de jalons pour se rendre heureuse la vie ! Mais crains aussi les coups aveugles du Destin !

La nuit est faite pour le sommeil et le repos ; la nuit, c'est le salut de l'âme ; mais toi, tu t'es jeté tête baissée dans la dépense de ces heures reposantes !

Aussi ne t'étonne point si, au matin, le malheur sur toi vient à fondre soudain. »

À peine Douce-Amie eut-elle fini de réciter ces vers que l'on entendit des coups frappés à la porte extérieure. Et Ali-Nour sortit de l'appartement de sa femme et alla ouvrir ; et c'était justement l'intendant. Ali-Nour le conduisit dans une chambre près de la salle de réunion où, en ce moment, il y avait plusieurs des amis habituels, qui ne le quittaient presque plus. Et Ali-Nour dit à son intendant : « Qu'y a-t-il donc, que tu aies ainsi cette figure de travers ? » L'intendant répondit : « Ô mon maître, ce que je redoutais tant pour toi est arrivé ! » Il dit : « Et comment cela ? » Il répondit : « Sache que mon rôle est fini, puisque je n'ai plus rien sous la main à gérer, t'appartenant. Et tu n'as plus quoi que ce soit en propriétés ou autres choses qui vaille une obole ou même moins qu'une obole. Et voici que je t'apporte les cahiers des dépenses que tu as faites et les cahiers de ton capital. » En entendant ces paroles, Ali-Nour ne put que baisser la tête, et dit : « Allah est le seul fort, le seul puissant ! »

Or, justement l'un des amis assemblés dans la salle de réunion entendit cette conversation, et se hâta d'aller immédiatement la rapporter aux autres, et leur dit : « Écoutez la nouvelle ! voici qu'Ali-Nour n'a plus une obole qui vaille ! » Et au moment même entra Ali-Nour qui avait, comme pour confirmer la vérité de cette nouvelle, la figure toute changée et l'air fort tourmenté.

À cette vue, l'un des convives se leva, se tourna vers Ali-Nour et lui dit : « Ô mon maître, je voudrais te demander la permission de me retirer, car ma femme va accoucher cette nuit même, et je ne puis vraiment la délaisser. Il faut donc que j'aille la retrouver au plus vite ! » Et Ali-Nour le lui permit. Alors se leva un second, qui dit : « Ô mon maître Ali-Nour, il faut absolument que je me rende aujourd'hui même chez mon frère qui fait célébrer les cérémonies de la circoncision de son enfant ! » Et Ali-Nour le lui permit. Puis chacun des convives se leva à son tour et trouva un expédient pour se retirer, et cela jusqu'au dernier, de telle sorte qu'Ali-Nour se trouva tout seul au milieu de la salle de réunion. Il fit alors appeler Douce-Amie et lui dit : « Ô Douce-Amie, tu ne sais pas encore ce qui vient de me tomber sur la tête ! » Et il lui raconta tout ce qui venait de se passer. Elle répondit : « Ô mon maître Ali-Nour, il y a bien longtemps que je ne cesse de te faire craindre ce qui a fini par t'arriver aujourd'hui. Mais tu ne m'as jamais écoutée, et même un jour tu m'as récité ces vers, pour toute réponse :

« Si la fortune, passant un jour devant ta porte, la franchissait, saisis-la et, sans crainte, jouis-en à ta guise et fais-en profiter la foule de tes amis ; car elle peut réussir à te glisser des mains.

Mais si elle a décidé d'élire chez toi un domicile ferme, tu peux en user largement, car ce n'est point ta générosité qui l'épuisera ; et si elle a résolu de s'en aller, ce n'est point l'avarice qui la retiendra. »

« Aussi, quand je t'ai entendu réciter ces vers, je me suis tue, et n'ai point voulu te rétorquer de réponse. » Ali-Nour lui dit : « Ô Douce-Amie, tu sais bien que je n'ai rien épargné pour mes amis, et c'est sur eux que j'ai dépensé tous mes biens ! Aussi je ne crois pas que maintenant ils puissent m'abandonner dans le malheur ! » Et Douce-Amie lui répondit : « Par Allah ! Je te jure qu'ils ne seront pour toi d'aucun profit ! » Et Ali-Nour dit : « Eh bien ! je vais dès cette minute me lever et m'en aller les trouver un à un, et je frapperai à leur porte ; et chacun d'eux me donnera généreusement quelque somme ; et de la sorte je me constituerai un capital que je consacrerai à faire le commerce ; et je laisserai de côté les distractions et le jeu pour toujours. » Et, de fait, il se leva aussitôt et alla à la rue de Bassra où habitaient ses amis, car ses amis habitaient tous cette rue qui était la plus belle. Il frappa à la première porte, et une négresse vint ouvrir et lui dit : « Qui es-tu ? » Il lui répondit : « Dis à ton maître qu'Ali-Nour est à la porte et qu'il lui dit : « Ton serviteur Ali-Nour t'embrasse les mains et attend l'effet de ta générosité ! » Et la négresse rentra prévenir son maître qui lui cria : « Retourne vite lui dire que je ne suis pas ici ! » Et la négresse retourna dire à Ali-Nour : « Ô mon maître, mon maître n'est pas ici ! » Et Ali-Nour pensa en lui-même : « Voilà un fils adultérin ! il se cache de moi ! Mais les autres ne sont point des fils adultérins ! » Et il alla frapper à la porte d'un second ami et lui fit dire la même chose qu'au premier ; mais le second lui fit parvenir la même réponse négative. Alors Ali-Nour récita cette strophe :

« J'étais à peine devant la maison, que je l'entendis résonner vide, et je vis tous les habitants s'enfuir, de peur que leur générosité ne fût par moi mise à l'épreuve. »

Puis il dit : « Par Allah ! il faut que j'aille les visiter tous, dans l'espoir d'en trouver au moins un qui ferait à lui seul ce que tous ces traîtres n'ont pas fait. » Mais il ne put en trouver un seul qui consentît à se montrer ou même à lui faire donner un morceau de pain. Alors il ne put que se réciter ces stances :

« L'homme prospère est comme l'arbre : les gens l'entourent tant qu'il est couvert de fruits ;

Mais sitôt les fruits tombés, les gens se dispersent à la recherche d'un arbre meilleur.

Tous les fils de ce temps sont frappés de la même maladie ; car je n'en ai point rencontré un seul qui fût à l'abri de la contagion. »

Après quoi, il fut bien obligé d'aller dire à Douce-Amie, avec un front fort soucieux : « Par Allah ! pas un d'eux n'a voulu se montrer ! » Elle lui répondit : « Ô mon maître, ne t'avais-je pas dit qu'ils ne t'aideraient en rien ? Maintenant je te conseille simplement de commencer par vendre petit à petit les meubles et les objets précieux que nous avons à la maison. Et cela nous permettra de vivre encore quelque temps. » Et Ali-Nour fit ce que Douce-Amie lui avait conseillé. Mais, au bout d'un certain temps, il ne resta plus rien à vendre dans la maison. Alors Douce-Amie prit Ali-Nour qui pleurait et lui dit : « Ô mon maître, pourquoi pleures-tu ? ne suis-je pas encore là moi-même ? Et ne suis-je donc pas toujours la même Douce-Amie que tu dis la plus belle d'entre les femmes des Arabes ? Prends-moi donc et conduis-moi au souk des esclaves et vends-moi ! As-tu donc oublié que j'ai été achetée dix mille dinars d'or par ton défunt père ? J'espère donc qu'Allah t'aidera dans cette vente et te la rendra fructueuse, et fera que je sois vendue à un prix encore plus élevé que la première fois. Quant à notre séparation, tu sais bien que, si Allah a écrit que nous devons un jour nous retrouver, nous nous retrouverons ! » Ali-Nour lui répondit : « Ô Douce-Amie, jamais je ne consentirai à me séparer de toi, fût-ce une heure seulement ! » Elle lui répondit : « Ni moi non plus, ô mon maître Ali-Nour ! Mais la nécessité est souvent loi, comme dit le poète :

« Ne crains point de tout faire, si t'y oblige la nécessité ! Et ne recule devant rien, si ce n'est devant la limite de la bienséance !

Et ne te préoccupe de rien sans motif sérieux ; et bien rares sont les choses affligeantes dont le motif soit sérieux ! »

À ces vers, Ali-Nour prit Douce-Amie dans ses bras, l'embrassa dans les cheveux et, les larmes sur les joues, il récita ces deux strophes :

« Arrête-toi, de grâce ! et laisse-moi dans tes yeux cueillir un regard, un seul regard pour toute provision de route ; et mon cœur abîmé s'en servira comme remède dans la séparation meurtrière.

Mais si cela même te semble une demande exagérée, abstiens-toi et laisse-moi à ma tristesse solitaire et à ma douleur ! »

Alors Douce-Amie se mit à parler à Ali-Nour et avec des paroles si douces, qu'elle le décida à prendre le parti qu'elle venait de lui proposer, en lui démontrant qu'il n'avait que ce seul moyen d'éviter, lui Ali-Nour, fils de Fadleddine ben-Khacân, une pauvreté indigne de lui. Il sortit donc avec elle et la conduisit au souk des esclaves et s'adressa au courtier le plus estimé et lui dit : « Il faut que tu saches, ô courtier, la valeur de celle que tu vas crier au marché. Ne te méprends donc pas ! » Et le courtier lui répondit : « Ô mon maître Ali-Nour, je suis ton serviteur et je connais mes devoirs et les égards que je te dois ! » Alors Ali-Nour entra avec Douce-Amie et le courtier dans une chambre du khân, et enleva le voile qui couvrait le visage de Douce-Amie. À cette vue, le courtier s'écria : « Ya Allah ! mais c'est l'esclave Douce-Amie, que j'avais vendue moi-même au défunt vizir pour dix mille dinars d'or, il y a à peine deux ans ! » Et Ali-Nour répondit : « Oui, c'est elle-même ! » Alors le courtier dit : « Ô mon maître, chaque créature porte sa destinée attachée à son cou et ne peut s'y soustraire ! Mais je te jure que je vais consacrer tout mon savoir à bien vendre ton esclave, et au prix le plus haut du souk ! »

Et aussitôt le courtier courut à la place même où tous les marchands avaient l'habitude de se réunir, et attendit qu'ils fussent tous là, occupés qu'ils étaient en ce moment, un peu partout, à acheter des esclaves de tous les pays et à les rassembler toutes vers ce point du souk où l'on trouvait des femmes turques, grecques, circassiennes, géorgiennes, abyssines et autres. Lorsque le courtier vit que tous les marchands étaient là et que la place entière était remplie de la foule des courtiers et des acheteurs, il se leva vivement, monta sur une grosse pierre et cria : « Ô vous tous, marchands, et vous, hommes pleins de richesses et de biens, sachez que tout ce qui est arrondi n'est pas noix ; tout ce qui est allongé n'est pas banane ; tout ce qui est rouge n'est pas viande ; tout ce qui est blanc n'est pas graisse ; tout ce qui est roux n'est pas vin ; tout ce qui est brun n'est pas datte ! Ô marchands illustres d'entre les marchands de Bassra et de Bagdad ; voici que je propose aujourd'hui à votre jugement et à votre estimation une perle noble et unique, qui, si on voulait être équitable, vaudrait plus que toutes les richesses accumulées ! À vous donc de proposer le prix à crier d'abord comme mise en vente ! Mais venez voir, avant tout, de vos yeux ! » Et il les entraîna tous, leur fit voir Douce-Amie, et aussitôt tous tombèrent d'accord de commencer par ouvrir la vente au cri de quatre mille dinars, comme prix premier de mise. Alors le courtier cria : « À quatre mille dinars, la perle des esclaves blanches ! » Et tout de suite un marchand renchérit en criant : « À quatre mille cinq cents dinars ! » Mais juste à ce moment, le vizir ben-Sâoui passait à cheval dans le souk des esclaves, et il vit Ali-Nour debout à côté du courtier, et le courtier qui criait un prix. Et il pensa en lui-même : « Ce garnement d'Ali-Nour est en train probablement de vendre le dernier de ses esclaves après le dernier de ses meubles ! » Mais bientôt il entendit que le prix était celui d'une esclave blanche et il pensa : « Ali-Nour doit en ce moment vendre son esclave, la jeune femme en question, car je pense qu'il n'a plus une obole. Oh ! si cela était vrai, comme cela me rafraîchirait le cœur ! » Alors il héla le crieur public qui accourut aussitôt en reconnaissant le vizir et qui baisa la terre entre ses mains. Et le vizir lui dit : « Je veux moi-même acheter cette esclave que tu cries. Amène-la-moi vite, que je la voie ! » Et le courtier, qui ne pouvait se dérober à l'ordre du vizir, se hâta d'amener Douce-Amie et lui releva le voile devant le vizir. À la vue de ce visage sans pareil et de toutes les perfections de la jeune femme et de sa taille magnifique, il fut émerveillé et il dit : « Quel prix a-t-elle atteint ? » Le courtier répondit : « Quatre mille cinq cents dinars à la seconde criée. » Et le vizir dit : « Eh bien, moi je la prends à ce prix ! » À ces paroles, il regarda fixement tous les marchands, qui n'osèrent hausser le prix, et pas un d'eux n'eut le courage d'augmenter, sachant la vengeance que ne manquerait pas le vizir de tirer de l'audacieux. Puis le vizir ajouta : « Eh bien, ô courtier, qu'as-tu ainsi à rester immobile ? Va donc, puisque je prends l'esclave à quatre mille dinars et que je t'en donne cinq cents pour ta peine ! » Et le courtier ne sut que répondre et, tête basse, alla trouver Ali-Nour un peu plus loin et lui dit : « Ô mon maître, quel malheur est le nôtre ! L'esclave s'échappe d'entre nos mains pour un prix dérisoire, pour rien ! Et c'est, comme tu peux le constater d'ici, le méchant vizir ben-Sâoui, l'ennemi de ton défunt père, qui dut deviner que c'était ta propriété, et qui ne nous laissa pas arriver au prix réel. Il veut la prendre au prix de la seconde criée seulement. Et encore ! si nous étions sûrs qu'il la payera au comptant et tout de suite, nous nous consolerions un peu et nous remercierions Allah tout de même pour le peu ! Mais je sais que ce vizir de perdition est le plus mauvais payeur du monde, et je le connais de longue date, et je connais toutes ses ruses et ses méchancetés. Voici ce qu'il a dû imaginer dans sa méchanceté : il t'écrira une lettre de créance à toucher chez l'un de ses agents, auquel il enverra dire en secret de ne rien te payer du tout. Alors toi, chaque fois que tu voudras aller te faire payer, l'agent te dira : « Je te payerai demain ! » et ce demain ne viendra jamais. Et toi tu seras tellement fatigué et ennuyé de tant de retard que tu finiras par prendre avec eux un arrangement et tu leur livreras le papier signé par le vizir : et aussitôt l'agent le saisira et le déchirera ! et de la sorte tu perds irrémédiablement le prix de ton esclave ! »

À ces paroles du courtier, Ali-Nour fut en proie à une colère à peine contenue et demanda au courtier : « Maintenant, que faire ? » Il répondit : « Je vais te donner un conseil par lequel tu atteindras au meilleur résultat : je vais moi-même me diriger jusqu'au milieu du souk en emmenant Douce-Amie. Alors toi, tu te précipiteras derrière moi, et tu m'arracheras l'esclave, et tu lui diras : « Malheureuse ! où vas-tu donc ? ne sais-tu que c'est simplement un serment que je viens d'accomplir, par lequel j'avais juré de faire le simulacre de te vendre au souk des esclaves pour t'humilier et te corriger de ton mauvais caractère à la maison ! » Puis tu lui donneras deux ou trois coups, et tu la reprendras ! et alors tout le monde, et le vizir aussi, croira que vraiment tu n'avais amené l'esclave au souk que pour accomplir ton serment ! » Et Ali-Nour acquiesça et dit : « Voilà vraiment la meilleure idée ! » Alors le courtier s'éloigna, alla au milieu du souk, prit l'esclave par la main, l'amena devant le vizir El-Mohin ben-Sâoui, et lui dit : « Seigneur, le propriétaire de cette esclave est cet homme qui est là, à quelques pas au-dessus de nous ! Mais le voici qui vient à nous ! » En effet, Ali-Nour s'approcha du groupe, s'empara violemment de Douce-Amie, lui donna un coup de poing et lui cria : « Malheur à toi ! ne sais-tu que je ne t'ai fait venir au souk que simplement pour accomplir mon serment ? Retourne vite à la maison, et garde-toi bien désormais d'être désobéissante comme tu l'as été. Et ne va pas croire que j'aie besoin du prix de ta vente imaginaire ! Et d'ailleurs, même au cas où je serais dans le besoin, je préférerais vendre le dernier de mes meubles et leur vestige et tout ce qui m'appartient, plutôt que de songer à te mener au souk ! »

Aux paroles d'Ali-Nour, le vizir ben-Sâoui s'écria : « Malheur à toi, jeune fou ! tu parles comme s'il te restait encore un meuble ou quelque chose à acheter ou à vendre. Nous savons tous que tu n'as plus une obole ! » Il dit et voulut s'avancer de son côté et se saisir de lui par la violence. À cette vue, tous les marchands et tous les courtiers regardèrent Ali-Nour, qui était fort connu et fort aimé d'eux tous et dont ils se rappelaient encore le père, qui leur avait été à tous un protecteur efficace et bon. Alors Ali-Nour leur dit : « Vous venez tous d'entendre les paroles insolentes de cet homme ; je vous en prends donc tous à témoin ! » Et de son côté, le vizir leur dit : « Ô marchands, c'est par égard pour vous autres que je ne veux pas tuer du coup cet insolent ! » Mais les marchands se regardèrent tous les uns les autres à la dérobée, et se firent des signes avec les yeux comme pour dire : « Soutenons Ali-Nour ! » et à haute voix ils dirent : « En vérité, c'est une affaire qui ne nous regarde pas. Arrangez-vous tous deux comme vous le pourrez ! » Et Ali-Nour, qui, de son naturel, était plein de courage et d'audace, s'élança à la bride du cheval du vizir, saisit d'une main le vizir et l'arracha de la selle et le jeta à terre. Puis il lui mit un genou sur la poitrine, et se mit à lui donner des coups de poing sur la tête, dans le ventre et partout, et lui cracha à la figure, et lui dit : « Chien, fils de chien, fils adultérin, que ton père soit maudit, et le père de ton père et le père de ta mère, ô maudit, ô pourri ! » Puis il lui assena encore un coup de poing très fort sur la mâchoire, et lui cassa quelques dents ; et le sang coula sur la barbe du vizir qui, d'ailleurs, était tombé juste au milieu d'une mare de boue.

À cette vue, les dix esclaves qui étaient avec le vizir mirent leur épée nue à la main, et voulurent fondre sur Ali-Nour et le massacrer et le mettre en morceaux. Mais toute la foule les en empêcha et leur cria : « Qu'allez-vous faire, et de quoi vous mêlez-vous ! Votre maître est un vizir, c'est vrai ; mais ne savez-vous pas que celui-ci est le fils d'un vizir aussi ! Et ne craignez-vous pas, imprudents, de les voir demain se réconcilier tous deux et alors de supporter, vous autres, toutes les conséquences ? » Et les esclaves virent qu'il était plus prudent de s'abstenir.

Mais, comme Ali-Nour s'était fatigué à force de donner des coups, il lâcha le vizir, qui put se relever tout couvert de boue, de sang et de poussière, et sous les yeux de la foule qui était loin de le plaindre, il se dirigea du côté du palais du sultan.

Quant à Ali-Nour, il prit Douce-Amie par la main et, acclamé par toute la foule, il regagna sa maison.

Quant au vizir, il arriva au palais du roi Mohammad ben-Soleiman El-Zeini dans cet état pitoyable, et s'arrêta au bas du palais et se mit à crier : « Ô roi ! un opprimé ! » Et le roi le fit amener entre ses mains, et le regarda et vit que c'était son vizir El-Mohin ben-Sâoui. Et, au comble de l'étonnement, il lui dit : « Mais qui donc a osé commettre sur toi de tels actes ? » Et le vizir se mit à pleurer et récita ces vers :

« Est-il possible que le temps me prenne comme victime, alors que tu vis, toi-même, parmi les vivants de la terre de ce temps, et que je sois tristement la proie des chiens ardents, alors qu'intrépide tu es mon défenseur ?

Est-il possible que tout altéré puisse à tes eaux vives se désaltérer, alors que moi, ton protégé, je meurs de soif sous ton ciel, ô nuage bienfaisant qui nous donnes la pluie ? »

Puis il ajouta : « Ô mon maître, est-ce là le sort de tous les serviteurs qui t'aiment et te servent avec ferveur, et est-ce ainsi que tu tolères que de pareilles infamies soient commises contre eux ! » Et le roi lui demanda : « Mais qui donc t'a fait subir un pareil traitement ? » Il répondit : « Sache, ô roi, qu'aujourd'hui j'étais sorti faire une tournée du côté du souk des esclaves, dans le dessein d'acheter une esclave cuisinière qui sût m'apprêter les mets que régulièrement ma cuisinière actuelle se plaît à me brûler, et je vis dans ce souk-là une jeune esclave dont je n'avais jamais vu la pareille de ma vie entière. Et le courtier auquel je m'adressai me répondit : « Je crois bien qu'elle appartient au jeune Ali-Nour, fils du défunt vizir Khacân. Or, ô mon seigneur et suzerain, tu te souviens peut-être avoir donné anciennement dix mille dinars au vizir Fadleddine ben-Khacân, pour acheter une très jolie esclave pleine de qualités. Le vizir Khacân ne tarda pas, d'ailleurs, à trouver et à acheter l'esclave en question ; mais comme elle était merveilleuse et qu'elle lui avait plu infiniment, il la donna en présent à son fils Ali-Nour. Et Ali-Nour, à la mort de son père, prit la voie des dépenses et des folies et si loin qu'il fut obligé de vendre ses propriétés, ses biens et jusqu'à ses meubles. Et lorsqu'il eut été réduit à n'avoir plus l'obole pour vivre, il mena au souk l'esclave, afin de la vendre, et la remit au courtier, qui la mit aussitôt à la criée. Et tout de suite les marchands se mirent à enchérir et tellement que le prix de l'esclave atteignit quatre mille dinars. Alors moi, je vis cette esclave et résolus de l'acheter pour mon suzerain le sultan, qui avait fourni le premier capital. J'appelai le courtier et lui dis : « Mon fils, je te donnerai moi-même les quatre mille dinars ! » Mais le courtier me montra le propriétaire de la jeune esclave ; et celui-ci, sitôt qu'il me vit, accourut comme un forcené et me dit : « Vieille tête de malédiction ! ô cheikh calamiteux et néfaste ! je préférerais la vendre à un juif ou à un chrétien plutôt que de te la céder, même si tu devais me remplir d'or le grand voile qui la couvre ! » Alors je répondis : « Mais, ô jeune homme, ce n'est point pour moi que je la désire, mais pour notre seigneur le sultan, qui est notre bienfaiteur à tous et notre bon maître ! » Mais à ces paroles, au lieu de céder, il devint encore bien plus furieux, et se jeta à la bride de mon cheval, et me saisit par une jambe et m'entraîna et me jeta à terre ; puis sans tenir compte de mon âge avancé et sans respect pour ma barbe blanche, il se mit à me frapper et à m'injurier de toutes les façons et enfin me mit dans cet état déplorable où tu me vois en ce moment, ô roi juste ! Et tout cela ne m'arriva que parce que je voulus faire plaisir à mon sultan et lui acheter une jeune esclave qui lui appartenait de droit et que je jugeais digne de sa couche ! »

Et le vizir, à ces paroles, se jeta aux pieds du roi et se mit à pleurer et à implorer la justice du roi. Et à sa vue et à l'audition de son récit, le roi fut dans une colère telle que la sueur coula de son front entre ses yeux ; et il se tourna du côté de ceux qui montaient la garde, les émirs et les grands du royaume, et leur fit un seul signe. Et aussitôt quarante gardes armés de grands glaives nus se présentèrent entre ses mains, immobiles. Et le sultan leur dit : « Descendez à l'instant même à la maison de mon ancien vizir El-Fadl ben-Khacân, et mettez-la au pillage, et détruisez-la entièrement ; puis emparez-vous du criminel Ali-Nour et de son esclave, liez-leur les bras, et traînez-les par les pieds dans la boue et amenez-les entre mes mains. Et les quarante gardes répondirent par l'ouïe et l'obéissance, et se dirigèrent sur l'heure vers la maison d'Ali-Nour.

Or, il y avait au palais du sultan un jeune chambellan d'entre les chambellans, nommé Sanjar, qui avait été d'abord mamelouk du défunt vizir ben-Khacân, et avait été élevé avec son jeune maître Ali-Nour pour lequel il s'était pris d'une grande affection. La chance voulut qu'il se trouvât justement là au moment de l'entrée du vizir Sâoui et de l'ordre cruel donné par le sultan. Et il courut en toute hâte, par des chemins raccourcis, jusqu'à la maison d'Ali-Nour qui, entendant la porte heurtée avec précipitation, courut aussitôt ouvrir lui-même. Et il reconnut son ami le jeune Sanjar et voulut le saluer et l'embrasser. Mais le jeune Sanjar, sans se laisser faire, lui dit : « Ô mon maître aimé, ce n'est point le moment des paroles amicales et des formules du salut ; car écoute ce que dit le poète :

« Ton âme libre, si pour elle tu redoutes la tyrannie des liens et l'esclavage dur, déracine-la et vole ! Vole au loin et laisse dans les villes s'écrouler les maisons sur ceux qui les ont bâties.

Ô mon ami, tu trouvera bien d'autres pays que ton pays, sur la terre d'Allah vaste à l'infini ! mais d'autre âme tu ne trouveras pas ! »

Et Ali-Nour répondit : « Ô mon ami Sanjar, que viens-tu donc m'annoncer ? » Sanjar dit : « Lève-toi et sauve-toi et sauve l'esclave Douce-Amie. Car El-Mohin ben-Sâoui vient de vous tendre un filet où, si vous y tombez, il se dispose à vous tuer sans miséricorde. Et d'ailleurs voici que le sultan, à son injonction, envoie contre vous deux quarante de ses gardes armés de glaives nus ! Mon idée donc est que vous preniez la fuite avant qu'il ne vous arrive malheur. » Et, à ces paroles, Sanjar tendit sa main pleine d'or à Ali-Nour et lui dit : « Ô mon maître, voici quarante dinars qui peuvent t'être utiles en ce moment ; et je te prie de me pardonner de ne pouvoir être plus généreux. Mais nous perdons du temps ! Lève-toi et fuis ! »

Alors Ali-Nour se hâta d'aller prévenir Douce-Amie qui aussitôt se couvrit de ses voiles ; et tous deux sortirent de la maison, puis de la ville et arrivèrent au bord de la mer, par l'assistance d'Allah. Et ils trouvèrent un navire qui allait justement partir et se préparait déjà à déployer ses voiles. Ils s'en approchèrent et virent le capitaine, debout au milieu du navir et qui criait : « Que celui qui n'a pas encore fait ses adieux les fasse, que celui qui n'a pas encore fini de faire ses provisions finisse, que celui qui a oublié chez lui quelque objet aille vite le chercher, car voici que nous allons partir ! » Et tous les voyageurs répondirent : « Nous n'avons plus rien à faire, ô capitaine, c'est fini ! » Alors le capitaine cria à ses hommes : « Allez ! déployez les voiles et enlevez les amarres ! » À ce moment Ali-Nour demanda au capitaine : « Pour où partez-vous, ô capitaine ? » Il répondit : « Pour la demeure de la paix, Bagdad ! »

À ce moment de sa narration, Schahrazade vit apparaître le matin et, discrète, arrêta son récit.

Et lorsque fut la trente-quatrième nuit. Elle dit :

Il m'est parvenu, ô Roi fortuné, que lorsque le capitaine dit à Ali-Nour : « Pour la demeure de paix, Bagdad ! » Ali-Nour lui dit : « Attendez ! nous y allons ! » et, suivi de Douce-Amie, il monta à bord du navire, qui aussitôt mit toutes ses voiles dehors et, comme un grand oiseau blanc, prit son essor en volant, comme dit le poète :

« Regarde le navire ! Son aspect te séduira. Le vent rapide est son émule, et dans la lutte de vitesse on ne connaît le vainqueur.

Il est comme un oiseau aux ailes déployées qui, du haut de l'azur, fond sur la mer et s'y balance. »

Et le navire, par un vent favorable, se mit en marche, emportant tous ces voyageurs. Voilà pour Ali-Nour et Douce-Amie.

Quant aux quarante gardes envoyés par le sultan pour s'emparer d'Ali-Nour, ils arrivèrent à la maison d'Ali-Nour, la cernèrent de toutes parts, brisèrent les portes, envahirent l'intérieur et firent partout les recherches les plus minutieuses. Mais ils ne purent mettre la main sur personne. Alors ils détruisirent la maison furieusement, et retournèrent rendre compte au sultan de leurs recherches infructueuses. Et le sultan leur dit : « Cherchez-les partout et fouillez toute la ville ! » Et comme le vizir ben-Sâoui arrivait en ce moment, le sultan l'appela et, pour le consoler, lui donna une belle robe d'honneur et lui dit : « Nul autre que moi-même ne te vengera, je te le promets ! » Et le vizir lui souhaita une longue vie et la tranquillité dans le bonheur. Puis le sultan ordonna à ses crieurs publics de crier dans toute la ville l'avis suivant : « Si quelqu'un de vous, ô habitants, rencontre Ali-Nour, le fils du défunt vizir ben-Khacân, qu'il se saisisse de lui et l'amène entre les mains du sultan ; et il aura une belle robe d'honneur, en récompense, et la somme de mille dinars ! Mais si quelqu'un le voit et le cache, il subira un châtiment exemplaire ! » Mais, malgré toutes les recherches, nul ne sut ce qu'était devenu Ali-Nour. Voilà pour le sultan et ses gardes.

Mais pour ce qui est d'Ali-Nour et de Douce-Amie, ils arrivèrent en paix à Bagdad, et le capitaine leur dit : « La voici, cette ville fameuse, ce Bagdad séjour de douceur ! C'est la ville heureuse qui ne connaît point les rigueurs des frimas et des hivers, qui vit à l'ombre de ses rosiers, aux tiédeurs du printemps, au milieu de ses fleurs, de ses jardins, et au bruit de ses eaux murmurantes ! » Et Ali-Nour remercia le capitaine pour ses bontés pendant le voyage, et lui donna cinq dinars d'or pour prix de son passage et de celui de Douce-Amie, puis il quitta le navire et, suivi de Douce-Amie, il pénétra dans Bagdad.

Le destin voulut qu'Ali-Nour, au lieu de prendre la route ordinaire, en prît une autre qui le conduisit au milieu des jardins qui entourent Bagdad. Et ils s'arrêtèrent à la porte d'un jardin entouré d'une grande muraille et dont l'entrée était bien balayée, bien arrosée et avait de chaque côté un grand banc ajouré ; la porte, qui était très belle, était fermée ; mais, vers le haut, elle supportait de très belles lampes de toutes les couleurs ; et, tout à côté, il y avait un bassin où coulait l'eau limpide. Quant au chemin qui conduisait à cette porte, il était tracé entre deux files de poteaux qui supportaient de magnifiques étoffes en brocart toutes tendues au vent.

Alors Ali-Nour dit à Douce-Amie : « Par Allah ! cet endroit est bien beau ! » Elle répondit : « Reposons-nous alors ici pendant une heure, sur ces bancs. » Et ils montèrent sur l'un des grands bancs, après s'être bien lavé la figure et les mains à l'eau fraîche du bassin. Et ils s'assirent prendre le frais sur les bancs et respirèrent avec délices la brise douce qui passait ; et c'était si bon qu'ils ne tardèrent pas à s'endormir, après s'être couverts de leur grande couverture.

Or, ce jardin à la porte duquel ils s'étaient endormis s'appelait le Jardin des Délices, et au milieu de ce jardin il y avait un palais qui s'appelait le Palais des Merveilles, et c'était la propriété du khalifat Haroun Al-Rachid. Quand le khalifat se sentait la poitrine rétrécie, il venait se dilater et se distraire et oublier les soucis dans ce jardin et ce palais. Ce palais en entier n'était formé que d'une seule salle immense, percée de quatre-vingts fenêtres ; et à chaque fenêtre était suspendue une grande lampe pleine de clarté ; et au milieu de la salle il y avait un grand lustre en or massif, aussi éclatant que le soleil. Cette salle ne s'ouvrait que lorsque venait le khalifat ; et alors on allumait toutes les lampes et le grand lustre, et on ouvrait toutes les fenêtres, et le khalifat s'asseyait sur son grand divan tendu de soie, de velours et d'or, et ordonnait alors à ses chanteuses de chanter et aux joueurs d'instruments de le charmer de leur jeu ; mais celui dont il aimait à entendre surtout la voix, c'était son chantre préféré l'illustre Ishâk, celui dont les chants et les improvisations étaient connus du monde entier. Et c'est ainsi qu'au milieu du calme des nuits et de la tiédeur douce de l'air parfumé aux fleurs du jardin, le khalifat se dilatait la poitrine, dans la ville de Bagdad.

Or, celui que le khalifat avait mis comme gardien de ce palais et de ce jardin était un bon homme de vieillard, qui s'appelait le cheikh Ibrahim, et il montait une garde vigilante, de jour et de nuit, pour empêcher les promeneurs et les curieux et surtout les femmes et les enfants d'entrer dans le jardin et de lui abîmer ou de lui voler les fleurs et les fruits. Or, ce soir-là, comme il faisait sa lente ronde habituelle tout autour du jardin, il ouvrit la grande porte et vit sur le grand banc deux personnes endormies et couvertes de la même couverture. Et il fut très indigné et s'écria : « Comment ! voici deux personnes assez audacieuses pour contrevenir aux ordres sévères du khalifat qui m'a donné le droit, à moi, cheikh Ibrahim, de faire subir n'importe quel châtiment à toute personne qui s'approcherait de ce palais ! Aussi je vais leur faire sentir un peu ce qu'il en coûte de s'emparer ainsi du banc réservé aux hommes du khalifat ! » Et le cheikh Ibrahim coupa une branche pliante et s'approcha des dormeurs et brandit la branche et allait les fouetter d'importance, quand soudain il pensa : « Ô Ibrahim, que vas-tu faire ? Frapper des personnes que tu ne connais pas et qui sont peut-être des étrangers ou même des mendiants de la route d'Allah que la destinée a dirigés de ton côté ! Il faudrait d'abord voir leur visage ! » Et le cheikh Ibrahim enleva la couverture qui cachait leur visage, et aussitôt s'arrêta charmé par ces deux visages merveilleux dont les joues se touchaient dans le sommeil et paraissaient plus belles que les fleurs de son jardin. Et il pensa : « Qu'allais-je faire ? Qu'allais-tu faire, ô Ibrahim aveugle ! Tu mériterais qu'on te fouettât toi-même pour te punir de ton injuste colère ! » Puis le cheikh Ibrahim recouvrit le visage des dormeurs, et s'assit à leurs pieds, et se mit à masser les pieds d'Ali-Nour, pour lequel il s'était senti une sympathie soudaine. Et Ali-Nour, sous la sensation de ces mains qui le massaient, ne tarda pas à se réveiller, et vit que le masseur était un vieillard respectable et eut grande honte d'être ainsi massé par lui, et retira aussitôt ses pieds et se mit sur son séant avec précipitation ; et il prit la main du vénérable cheikh et la porta à ses lèvres, puis à son front. Alors le cheikh Ibrahim lui demanda : « Mon fils, d'où venez-vous tous deux ? » Ali-Nour répondit : « Ô seigneur, nous sommes des étrangers ! » Et les larmes lui vinrent aux yeux à ces paroles. Et le cheikh Ibrahim dit : « Ô mon enfant, je ne suis pas de ceux qui oublient que le Prophète (que sur lui soient la prière et la paix d'Allah !) a recommandé, en plusieurs endroits du Livre, d'être hospitalier à l'égard des étrangers et de les recevoir avec cordialité et de bon cœur. Venez donc avec moi, mes enfants, et je vous ferai visiter mon jardin et mon palais, et de la sorte vous oublierez vos peines et vous vous épanouirez et dilaterez la poitrine ! » Alors Ali-Nour lui demanda : « Ô seigneur, à qui donc appartient ce jardin ? » Et le cheikh Ibrahim, pour ne pas intimider Ali-Nour et aussi un peu pour se glorifier, lui répondit : « Ce jardin et ce palais m'appartiennent ; et ils me viennent comme héritage de ma famille ! » Alors Ali-Nour et Douce-Amie se levèrent, et, précédés du cheikh Ibrahim, ils franchirent la porte du jardin.

Ali-Nour avait vu à Bassra de bien beaux jardins, mais il n'en avait jamais même rêvé de semblable à celui-ci. La grande porte était formée d'arcades superposées du plus bel effet, et couverte de vignes grimpantes qui laissaient pendre lourdement de magnifiques grappes, les unes rouges comme des pierres de rubis, les autres noires comme l'ébène. L'allée où ils pénétrèrent était ombragée d'arbres fruitiers qui pliaient sous le poids de leurs fruits mûrs. Sur les branches les oiseaux gazouillaient dans leur langue des motifs aériens ; le rossignol modulait ses airs ; le tourtereau roucoulait sa plainte d'amour ; le merle sifflait de son sifflet humain ; le pigeon à collier répondait comme enivré de liqueurs fortes. Là, chaque arbre fruitier était représenté par ses deux meilleures espèces ; il y avait des abricotiers avec des fruits à amande douce et des fruits à amande amère ; il y avait même des abricotiers du Khorassan ; des pruniers aux fruits couleur des lèvres belles ; des mirabelles douces à enchanter ; des figues rouges, des figues blanches et figues vertes d'un aspect admirable. Quant aux fleurs, elles étaient comme les perles et le corail ; les roses étaient plus belles que les joues des plus belles ; les violettes étaient sombres comme la flamme du soufre brûlé ; il y avait les blanches fleurs du myrte ; il y avait des giroflées et des violiers, des lavandes et des anémones, toutes leurs corolles se diadémaient des larmes des nuées ; et les camomilles souriaient de toutes leurs dents aux narcisses ; et le narcisse regardait la rose avec des yeux profonds et noirs. Le cédrat arrondi était comme la coupe sans anse ni goulot ; les limons pendaient comme des boules d'or. Toute la terre était tapissée de fleurs aux couleurs par milliers ; car le printemps était roi et dominait tout le bocage ; car les fleuves féconds s'enflaient, et les sources tintaient, et l'oiseau parlait et s'écoutait ; car la brise chantait comme une flûte, le zéphyr lui répondait avec douceur, et l'air résonnait de toute la joie !

C'est ainsi qu'Ali-Nour et Douce-Amie, avec le cheikh Ibrahim, firent leur entrée dans le Jardin des Délices. Et c'est alors que le cheikh Ibrahim, qui ne voulait pas faire les choses à moitié, les invita à pénétrer dans le Palais des Merveilles. Il leur ouvrit la porte et ils entrèrent. Ali-Nour et Douce-Amie s'arrêtèrent avec un éblouissement dans les yeux de toute la splendeur de cette salle inouïe, et de tout ce qu'elle avait en elle de choses extraordinaires, étonnantes et pleines d'agrément. Ils furent un long temps à en admirer la beauté sans pareille ; puis, pour se reposer les yeux de toute cette splendeur, ils allèrent s'accouder à une fenêtre donnant sur le jardin. Et Ali-Nour, devant tout ce jardin et ces marbres éclairés par la lune, se mit à penser à ses peines passées, et il dit à Douce-Amie : « Ô Douce-Amie, en vérité, ce lieu est pour moi plein de charmes. Il me rappelle tant de choses ! Et il fait descendre la paix en mon âme, et éteint le feu qui me consume et la tristesse, ma compagne ! »

Sur ces entrefaites le cheikh Ibrahim leur apporta des provisions qu'il était allé chercher, et ils mangèrent leur plein ; puis ils se lavèrent les mains, et de nouveau allèrent s'accouder à la fenêtre et regarder les arbres chargés de leurs beaux fruits. Au bout d'un certain temps, Ali-Nour se tourna vers le cheikh Ibrahim et lui dit : « Ô cheikh Ibrahim n'aurais-tu donc rien à nous donner comme boisson ? Car il me semble bien que d'ordinaire on doit boire après avoir mangé ! » Alors le cheikh Ibrahim leur apporta une porcelaine remplie d'une eau douce et fraîche. Mais Ali-Nour lui dit : « Que nous apportes-tu donc là ? Ce n'est pas du tout cela que je désire ! » Il lui répondit : « C'est donc du vin que tu désires ? » Ali-Nour dit : « Mais oui, certes ! » Le cheikh Ibrahim reprit : « Qu'Allah m'en garde et m'en protège ! Il y a treize ans que je m'abstiens de cette boisson néfaste, car le Prophète (que sur lui soient la prière et la paix d'Allah !) a maudit celui qui boit n'importe quelle boisson fermentée, celui qui l'exprime et celui qui la porte pour la vendre ! » Alors Ali-Nour lui dit : « Permets-moi, ô cheikh, de te dire deux mots ! » Il répondit : « Dis-les ! » Il dit : « Si je t'indique le moyen de faire ce que je te demande, sans que tu sois ni le buveur du vin, ni son fabricant, ni son porteur, serais-tu fautif ou maudit d'après les Paroles ? » Il répondit : « Je crois que non. » Ali-Nour reprit : « Prends donc ces deux dinars et ces deux drachmes, monte sur cet âne qui est à la porte du jardin et qui nous a portés jusqu'ici, et va au souk, et arrête-toi à la porte du marchand d'eaux distillées de rose et de fleur, qui a toujours du vin dans le fond de sa boutique ; et le premier passant que tu verras tu l'arrêteras et tu le prieras, en lui remettant l'argent, d'aller lui-même t'acheter la boisson, et cela pour deux dinars d'or, et tu lui donneras les deux drachmes pour sa peine. Et il te mettra lui-même les cruches de vin sur l'âne, et, comme c'est l'âne qui les portera, le passant qui les achètera, et nous qui les boirons, de cette façon tu ne seras pour rien dans cette affaire, et tu ne seras ainsi le buveur, ni le fabricant, ni le porteur ! Et, de cette façon, tu n'auras rien à redouter pour manquement à la sainte loi du Livre ! » Et le cheikh se mit, à ces paroles, à rire bruyamment, et dit à Ali-Nour : « Par Allah ! de ma vie je n'ai rencontré quelqu'un aussi gentil que toi ni doué de tant d'esprit et de charme ! » Et Ali-Nour répondit : « Par Allah ! nous sommes tous deux tes obligés, ô cheikh Ibrahim ! Mais nous n'attendons plus de toi que ce service que nous te demandons instamment ! » Alors le cheikh Ibrahim, qui, jusqu'à ce moment, n'avait pas voulu révéler l'existence au palais de toutes les boissons fermentées, dit à Ali-Nour : « Ô mon ami, voici les clefs de mon cellier et de ma dépense, qui sont toujours remplis pour faire honneur à l'émir des Croyants quand il vient ici m'honorer de sa présence. Tu peux y entrer et prendre à ta guise tout ce qui t'y plaira ! »

Alors Ali-Nour entra dans le cellier et ce qu'il vit le jeta dans la stupéfaction : tout le long des murs et sur des étagères, en bon ordre, étaient rangés des vases tout en or massif, en argent massif et en cristal ; et ces vases étaient incrustés de toutes les espèces de pierreries. Et Ali-Nour finit par se décider, et il choisit ce qu'il voulut et retourna dans la grande salle ; il déposa les vases précieux sur le tapis, s'assit à côté de Douce-Amie, versa le vin dans des coupes magnifiques en verre cerclé d'or, et se mit à boire, lui et Douce-Amie, tout en s'émerveillant de toutes les choses contenues dans ce palais. Et bientôt le cheikh Ibrahim vint leur offrir des fleurs odorantes, et se retira discrètement plus loin, selon l'usage, quand il y a un homme assis avec sa femme. Et tous deux recommencèrent à boire jusqu'à ce que le vin les dominât ; alors leurs joues se colorèrent, leurs yeux brillèrent comme ceux des gazelles, et Douce-Amie dénoua ses cheveux. Et le cheikh Ibrahim, à cette vue, fut pris d'une grande envie et se dit : « Pourquoi enfin m'asseoir ainsi loin d'eux au lieu de me réjouir avec eux. Et quand pourrai-je jamais me trouver à pareille fête, aussi charmante que celle que me donne la vue de ces deux admirables et beaux jeunes gens que l'on prendrait pour deux lunes ! » Et le cheikh Ibrahim, là-dessus, s'avança et s'assit à l'autre bout de la salle de réunion. Alors Ali-Nour lui dit : « Ô seigneur, je te conjure par ma vie de t'approcher et de t'asseoir avec nous ! » Et le cheikh Ibrahim vint s'asseoir à côté d'eux, et Ali-Nour prit la coupe, la remplit et la tendit au cheikh Ibrahim en lui disant : « Ô cheikh, prends et bois ! et tu en connaîtras toute la saveur ! et tu sauras le délice du fond de la coupe ! » Mais le cheikh Ibrahim répondit : « Qu'Allah me protège ! ô jeune homme, ignores-tu donc que voici bientôt treize ans que je n'ai commis pareil manquement ? Et ne sais-tu que j'ai accompli deux fois mes devoirs de hadj à La Mecque glorieuse ? » Et Ali-Nour, qui voulait à toute force griser le cheikh Ibrahim, voyant qu'il n'arriverait pas à ses fins par la persuasion, n'insista pas davantage ; il but lui-même la coupe pleine, la remplit et la but de nouveau, puis, au bout de quelques instants, simula tous les gestes d'un ivrogne et finit par se jeter par terre, où il fit semblant de dormir. Alors Douce-Amie coula un long regard désolé et complexe sur le cheikh Ibrahim et lui dit : « Ô cheikh Ibrahim, regarde comment cet homme se comporte vis-à-vis de moi ! » Il lui répondit : « Quelle désolation ! mais qu'a-t-il donc à agir de la sorte ? » Elle dit : « Si encore c'était la première fois ! Mais c'est toujours ainsi qu'il fait ! Il se met à boire et à boire, et coup sur coup, puis il se grise et s'endort, et me laisse ainsi toute seule sans compagnon et sans personne qui me tienne compagnie et boive avec moi ! Et je ne trouve de la sorte de goût à la boisson, puisque personne ne partage ma coupe, et je n'ai même plus le désir de chanter, puisque personne ne m'entend ! » Alors le cheikh Ibrahim, qui, sous l'influence de ces regards ardents et de cette voix chantante, sentait tous ses muscles frémir, lui dit : « En vérité, ce n'est point là une façon bien gaie de boire ! » Et Douce-Amie remplit alors la coupe, la lui tendit en le regardant langoureusement et lui dit : « Par ma vie ! je te prie de prendre cette coupe et de l'accepter pour me faire plaisir ! Et, de la sorte, je t'aurai bien de la gratitude ! » Alors le cheikh Ibrahim tendit la main, prit la coupe et la but. Et Douce-Amie la lui remplit de nouveau et il la but, puis une troisième fois en lui disant : « Oh ! mon cher seigneur, rien que celle-ci encore ! » Mais il lui répondit : « Par Allah ! je n'en puis plus ! ce que j'ai déjà bu est bien suffisant ! » Et elle insista beaucoup et avec beaucoup de gentillesse et, en se penchant vers lui, elle lui dit : « Par Allah ! il le faut absolument ! » Et il prit la coupe et la porta à ses lèvres, mais juste à ce moment Ali-Nour éclata de rire et se mit brusquement sur son séant…

Mais à ce moment de sa narration, Schahrazade vit apparaître le matin et, discrète, remit au lendemain la suite de son histoire.

Aussi lorsque fut la trente-cinquième nuit. Elle dit :

Il m'est parvenu, ô Roi fortuné, qu'Ali-Nour éclata de rire et se mit brusquement sur son séant et dit au cheikh Ibrahim : « Que fais-tu donc là ? Ne t'avais-je pas conjuré, il y a juste une heure, de me tenir compagnie, et n'avais-tu pas refusé, et ne m'avais-tu pas dit : « Il y a treize ans que je n'ai fait pareille chose ! » Alors le cheikh Ibrahim eut bien honte, mais il se ravisa et se hâta de dire : « Par Allah ! je n'ai rien à me reprocher ! Toute la faute est à elle, qui a beaucoup insisté pour cela ! » Alors Ali-Nour se mit à rire ainsi que Douce-Amie, qui finit par se pencher à son oreille et lui dit : « Laisse-moi faire, et ne le raille plus ! Et tu verras comme nous allons rire à ses dépens ! » Puis elle se versa une coupe et la but, en versa une à Ali-Nour qui la but, et continua ainsi à boire et à offrir à boire à Ali-Nour, sans plus faire la moindre attention au cheikh Ibrahim. Alors le cheikh Ibrahim, qui les regardait faire fort étonné, finit par leur dire : « Quelle est donc cette façon d'inviter les gens à venir boire avec vous autres ? Est-ce donc simplement pour qu'on vous regarde faire ? » Et Ali-Nour et Douce-Amie se mirent à rire et tellement qu'ils s'évanouirent. Alors ils voulurent bien consentir à le faire boire avec eux, et continuèrent à boire de la sorte jusqu'au tiers de la nuit.

À ce moment, Douce-Amie dit au cheikh Ibrahim : « Ô cheikh Ibrahim, veux-tu bien me permettre de me lever pour aller allumer une de ces chandelles ? » Il lui répondit, déjà à moitié ivre : « Oui, lève-toi, mais n'en allume qu'une seule, une seule ! » Et elle se leva aussitôt, et courut allumer non point une, mais toutes les chandelles des quatre-vingts chandeliers de la salle, et revint prendre sa place. Alors Ali-Nour dit au cheikh Ibrahim : « Ô cheikh ! que j'ai du plaisir à rester avec toi ! Mais ne veux-tu point me permettre d'allumer un de ces flambeaux ? » Et le cheikh Ibrahim lui répondit : « Soit ! lève-toi et allume un de ces flambeaux, mais un seul ! et ne crois point me tromper ! » Et Ali-Nour se leva et alla allumer non point un, mais les quatre-vingts flambeaux et les quatre-vingts lustres de la salle, sans que le cheikh Ibrahim y eût prêté la moindre attention. Alors toute la salle, tout le palais et tout le jardin furent dans l'illumination. Et le cheikh Ibrahim dit : « En vérité, vous êtes tous les deux encore plus libertins que moi ! » Et comme il était devenu complètement ivre, il se leva et alla, en marchant de côté et d'autre, ouvrir toutes les fenêtres, les quatre-vingts fenêtres de la salle de réunion, et revint s'asseoir et continuer à boire avec les deux jeunes gens, et à faire avec eux résonner la salle de rires et de chansons.

Mais le destin, qui est entre les mains d'Allah l'Omniscient, l'Entendeur de tout, le Créateur des causes et des effets, voulut que le khalifat Haroun Al-Rachid fût, juste à cette heure, assis à prendre le frais, en face, à la clarté de la lune, à l'une des fenêtres de son palais qui s'avançait sur le Tigre. Et comme il regardait par hasard de ce côté-là, il vit toute cette illumination qui se réfractait et brillait dans l'air et à travers l'eau. Et il ne sut que penser, et commença par faire appeler son grand vizir Giafar Al-Barmaki. Et lorsque Giafar se fut présenté entre ses mains, il lui cria : « Ô chien d'entre les vizirs ! tu es mon serviteur et tu ne me mets pas au courant des choses qui se passent à Bagdad, ma ville ? » Et Giafar lui répondit : « Je ne sais point ce que tu veux me dire par ces paroles ! » Et le khalifat lui cria : « Certes ! à cette heure Bagdad serait pris d'assaut par l'ennemi qu'il ne se passerait pas pire crime que celui-là ! Ô maudit, ne vois-tu point que mon Palais des Merveilles est dans l'illumination ! Et tu ignores quel est l'homme assez audacieux ou assez puissant pour pouvoir ainsi éclairer toute la grande salle, en allumer tous les lustres et tous les flambeaux et en ouvrir toutes les fenêtres ! Malheur à toi ! Le titre de khalifat ne m'appartient-il donc plus, pour que cette chose puisse être accomplie sans que je le sache ? » Et Giafar, un moment tout tremblant, répondit : « Mais qui donc t'a dit que le Palais des Merveilles a ses fenêtres ouvertes, ses lustres et ses flambeaux allumés ? » Et le khalifat dit : « Approche-toi d'ici et regarde ! » Et Giafar s'approcha du khalifat et regarda du côté des jardins et vit toute cette illumination qui faisait paraître le palais comme en feu et plus brillant que la clarté de la lune. Alors Giafar comprit que ce devait être une imprudence du cheikh Ibrahim ; et, comme il était d'un naturel bon et plein de compassion, il pensa aussitôt à imaginer quelque chose pour excuser le cheikh Ibrahim, le vieux gardien du jardin et du palais, qui probablement ne faisait la chose que pour essayer d'en tirer quelque profit. Il dit donc au khalifat : « Ô émir des Croyants ! Le cheikh Ibrahim était venu me trouver la semaine dernière et m'avait dit : « Ô mon maître Giafar, mon souhait le plus ardent est de célébrer les cérémonies de la circoncision de mes fils sous tes auspices et durant ta vie et la vie de l'émir des Croyants ! » Je lui avais répondu : « Et que souhaites-tu de moi, ô cheikh ? » Il m'avait dit : « Je souhaite simplement pouvoir, par ton entremise, obtenir le permis de la part du khalifat de célébrer les cérémonies de la circoncision de mes fils dans la grande salle du Palais des Merveilles. » Et je lui avais répondu : « Ô cheikh ! tu peux dès à présent préparer tout ce qu'il faut pour cette fête. Quant à moi, si Allah veut ! j'aurai une audience du khalifat et je lui soumettrai ton vœu ! » Alors le cheikh Ibrahim était parti là-dessus. Quant à moi, ô émir des Croyants, j'avais complètement oublié de te faire connaître la chose en question ! » Alors le khalifat répondit : « Ô Giafar, au lieu d'une faute tu t'es rendu coupable de deux fautes punissables. Et je dois te punir pour deux points. Le premier point, c'est que tu ne m'as pas mis au courant du premier point en question. Le second point, c'est que tu n'as pas accordé la chose souhaitée à ce pauvre cheikh Ibrahim qui devait la désirer ardemment. En effet, si le cheikh Ibrahim est venu t'implorer, c'était simplement pour te faire comprendre qu'il avait besoin, lui, malheureux, de quelque argent pour couvrir ses frais. Or, d'un côté, tu ne lui as rien donné et, d'un autre côté, tu ne m'as point prévenu pour que je puisse lui donner moi-même quelque chose ! » Et Giafar répondit : « Ô émir des Croyants, j'ai oublié ! » Alors le khalifat lui répondit : « Soit ! je te pardonne cette fois ! Mais maintenant, par les mérites de mes pères et de mes ancêtres ! il nous faut, dès cet instant, aller achever notre nuit chez le cheikh Ibrahim ; car c'est un homme de bien, un homme consciencieux, fort estimé de tous les principaux cheikhs de Bagdad, qui le visitent souvent : je sais qu'il est secourable envers les pauvres et plein de compassion pour tous les besogneux ; et je suis sûr qu'en ce moment il doit avoir chez lui tout ce monde-là qu'il héberge et nourrit pour Allah ! Aussi, en allant ainsi là-bas, peut-être que l'un de ces pauvres fera pour nous quelque vœu qui nous profitera en ce monde et dans l'autre ; et peut-être aussi que notre visite sera de quelque profit au bon cheikh Ibrahim qui sera, à ma vue, au comble de la joie, lui et tous ses amis ! » Mais Giafar répondit : « Ô émir des Croyants, voici que la plus grande partie de la nuit est écoulée ; et tous les invités du cheikh Ibrahim doivent en ce moment être sur le point de s'en aller ! » Et le khalifat dit : « Il nous faut absolument aller au milieu d'eux ! » Et Giafar fut obligé de se taire ; mais il devint fort perplexe et ne sut plus que faire.

Cependant le khalifat se leva à l'instant même sur ses deux pieds, Giafar se leva entre ses mains, et, tous deux suivis de Massrour le porte-glaive, ils se dirigèrent du côté du Palais des Merveilles, toutefois après avoir pris la précaution de se déguiser tous les trois en marchands.

Ils arrivèrent, après avoir traversé les rues de la ville, au Jardin des Délices. Et le khalifat s'avança le premier, et vit que la grande porte en était ouverte ; et il fut étonné et dit à Giafar : « Regarde ; voilà que le cheikh Ibrahim a laissé la porte ouverte. En vérité, ce n'est point son habitude ! » Ils entrèrent pourtant tous les trois et traversèrent le jardin et arrivèrent au bas du palais. Et le khalifat dit : « Ô Giafar ! Il me faut d'abord les observer tous en cachette et sans bruit, avant d'entrer chez eux, et cela pour voir un peu ce que le cheikh Ibrahim a comme invités, pour juger du nombre des principaux cheikhs et des présents qu'ils ont fait au cheikh Ibrahim, et des dons généreux dont ils l'ont comblé. Mais maintenant ils doivent tous être absorbés dans les pratiques religieuses des cérémonies, et chacun dans son coin, car je ne leur entends guère de voix et je ne leur constate guère de présence ! » Puis, à ces paroles, le khalifat regarda autour de lui et vit un grand noyer très haut ; et il dit : « Ô Giafar, je veux monter sur cet arbre, car ses branches sont proches des fenêtres ; et, de là, je pourrai regarder à l'intérieur. Aide-moi donc ! » Et le khalifat monta sur l'arbre, et ne cessa de grimper d'une branche à une autre branche qu'il n'eût atteint la branche qui était directement en face de l'une des fenêtres. Il s'assit alors sur la branche et regarda à travers la fenêtre.

Et voici qu'il vit un adolescent et une adolescente, tous les deux comme deux lunes – gloire soit rendue à Celui qui les a créés ! – et il vit le cheikh Ibrahim, le gardien de son jardin, assis entre eux deux, la coupe à la main ; et il l'entendit qui disait à l'adolescente : « Ô souveraine des beautés, la boisson n'acquiert tout son délice que par la chanson ! Aussi, pour t'encourager à nous charmer de ta voix merveilleuse, je vais te chanter ce que dit le poète ! Écoute :

« Ya leili ! Ya eini[1] !

Ne bois jamais sans une chanson de ton amie ! car, moi, j'ai remarqué que le cheval ne boit qu'au rythme du sifflement...

Ya leili ! Ya eini !

Puis ! cajole ton amie et flatte-la et caresse-la. Puis !... fonds sur elle et étends-la ! Tu as le grand et elle a le petit !...

Ya leili ! Ya eini ! »

En voyant le cheikh Ibrahim dans cette posture et en entendant de sa bouche cette chanson plutôt vive et guère convenable pour son âge de vieux gardien du palais, le khalifat sentit de colère la sueur jaillir d'entre ses yeux ; et il se hâta de descendre de l'arbre, et regarda Giafar et lui dit : « Ô Giafar, de ma vie je n'ai eu sous les yeux un spectacle aussi édifiant que celui des respectables cheikhs de mosquée qui sont dans cette salle, en train de pieusement remplir les cérémonies pieuses de la circoncision. Cette nuit est, en vérité, une nuit pleine de bénédiction ! Monte donc à ton tour sur l'arbre et hâte-toi de regarder dans la salle, de peur de manquer une occasion de te sanctifier, grâce aux bénédictions de ces dignes cheikhs de mosquée ! » Lorsque Giafar entendit les paroles de l'émir des Croyants, il devint fort perplexe, mais il n'hésita pas longtemps et se hâta d'escalader l'arbre et arriva en face de la fenêtre et regarda à l'intérieur. Et il vit le spectacle du groupe formé par les trois buveurs : le cheikh Ibrahim, la coupe à la main et la tête branlante pendant qu'il chantait, Ali-Nour et Douce-Amie qui le regardaient, et l'écoutaient et riaient extrêmement.

À cette vue, Giafar n'eut plus aucun doute sur sa perte. Pourtant il descendit de l'arbre et s'arrêta entre les mains de l'émir des Croyants. Et le khalifat lui dit : « Ô Giafar, béni soit Allah qui nous a fait de ceux qui suivent avec ferveur les cérémonies extérieures des purifications, comme en cette nuit même, et qui nous éloigne de la route mauvaise des tentations et de l'erreur et de la vue des débauchés ! » Et Giafar, tant grande était sa confusion, ne savait que répondre. Le khalifat continua en regardant Giafar : « Mais autre chose ! je voudrais bien savoir qui a pu conduire jusqu'en ce lieu ces deux jeunes gens qui m'ont l'air d'être des étrangers. En vérité, je dois te dire, ô Giafar, que jamais mes yeux n'ont rien vu, en beauté, en perfections, en finesse de taille, en charmes de toute sorte, comme cet adolescent et comme cette adolescente ! » Alors Giafar implora son pardon du khalifat, qui le lui accorda ; et il dit : « Ô khalifat, en vérité, tu as dit vrai. Ils sont fort beaux ! » Et le khalifat alors dit : « Ô Giafar, remontons donc tous deux, ensemble, sur l'arbre, et continuons à les observer de notre branche. » Et tous deux remontèrent sur l'arbre et s'assirent sur la branche, en face de la fenêtre, et ils regardèrent.

Justement en ce moment, le cheikh Ibrahim disait : « Ô ma souveraine, le vin des coteaux m'a fait rejeter au loin la stérile gravité des mœurs et leur laideur !

Mais mon bonheur ne sera complet qu'en t'entendant pincer les cordes d'harmonie ! » Et Douce-Amie lui dit : « Mais, ô cheikh Ibrahim, par Allah ! comment pincer les cordes d'harmonie si je n'ai point d'instrument à cordes ? » Lorsque le cheikh Ibrahim entendit ces paroles de Douce-Amie, il se leva debout sur ses deux pieds, et le khalifat dit à l'oreille de Giafar : « Qui sait ce qu'il va maintenant faire, ce vieux libertin ? » Et Giafar répondit : « Je n'en sais rien. » Cependant le cheikh Ibrahim, qui s'était absenté quelques instants, revint bientôt dans la salle en tenant à la main un luth. Et le khalifat regarda ce luth avec attention et vit que c'était justement le luth dont jouait d'ordinaire son chanteur favori, Ishâk, quand il y avait fête au palais ou simplement pour le distraire. Alors le khalifat dit : « Par Allah ! c'est trop ! Pourtant je veux bien entendre chanter cette adolescente merveilleuse ; mais si elle chante mal, ô Giafar, je vous ferai tous crucifier jusqu'au dernier ; et si elle chante avec savoir et avec agrément, je ferai grâce à tous ceux-là, ces trois, mais toi, ô Giafar, tout de même je te crucifierai. » Alors Giafar s'écria : « Allah-oumma ! puisse-t-elle ne pas savoir chanter, dans ce cas ! » Et le khalifat, étonné lui dit : « Pourquoi préfères-tu le premier cas au second ? » Giafar répondit : « Parce que, crucifié en leur compagnie, je trouverai avec qui passer assez gaiement les heures de mon supplice ! et nous nous tiendrons mutuellement compagnie ! » À ces paroles, le khalifat se prit à rire, en silence.

Cependant l'adolescente tenait déjà le luth d'une main et, de l'autre, elle en accordait savamment les cordes. Après quelques préludes très lointains et très doux, elle pinça les cordes qui vibrèrent de toute leur âme, à rendre liquide le fer, à réveiller le mort et à toucher le cœur de la roche et de l'acier. Puis soudain, s'accompagnant, elle chanta :

« Ya leil… !

Mon ennemi, quand il me vit, vit combien l'amour aimait à me désaltérer à sa fontaine ! »

Ya ein… !

Mon ami, s'il prête l'oreille à de tels cris, n'a qu'à s'éloigner au très loin ! mais oubliera-t-il jamais qu'elles me sont dues, les délices goûtées et les folies de nos amours ! Ô délices et folies de nos amours !…

Ya leil… ! »

Douce-Amie, ayant chanté, continua à faire vibrer seul l'harmonieux luth aux cordes vivantes ; et le khalifat fit tous ses efforts pour ne pas crier extatiquement, en réponse, un « Ah ! » ou un « Ya ein… ! » de plaisir. Et il dit : « Par Allah ! ô Giafar, de ma vie je n'ai entendu une voix aussi merveilleuse et ravissante que la voix de cette jeune esclave ! » Et Giafar sourit et répondit : « J'espère maintenant que la colère du khalifat contre son serviteur s'est évanouie ! » Il répondit : « Certainement, ô Giafar, elle s'est évanouie ! » Puis le khalifat et Giafar descendirent de l'arbre, et le khalifat dit à Giafar : « Maintenant je veux entrer dans la salle, m'asseoir au milieu d'eux, et entendre la jeune esclave chanter devant moi. » Il répondit : « Ô émir des Croyants, si tu apparaissais au milieu d'eux, ils en seraient fort dérangés ; et quant au cheikh Ibrahim, il en mourrait de frayeur, sûrement ! » Alors le khalifat dit : « Il te faut donc, ô Giafar, m'indiquer quelque combinaison pour arriver à connaître ce qu'il en est exactement de toute cette affaire, sans donner l'éveil à ceux-là et sans nous faire reconnaître. »

Là-dessus, le khalifat et Giafar, tout en songeant profondément à combiner le stratagème, se dirigèrent lentement du côté de la grande pièce d'eau située au milieu du jardin. Cette pièce d'eau communiquait avec le Tigre et contenait une quantité prodigieuse de poissons qui venaient s'y réfugier et chercher la nourriture qu'on leur jetait. Aussi le khalifat avait précédemment remarqué que les pêcheurs s'y donnaient rendez-vous, et même, un jour qu'il était à une des fenêtres du Palais des Merveilles, il avait vu et entendu les pêcheurs, et il avait donné ordre au cheikh Ibrahim de ne jamais permettre aux pêcheurs d'entrer dans le jardin et de pêcher dans la pièce d'eau ; et il lui avait commandé de punir sévèrement tout coupable.

Or, ce soir-là, comme la porte du jardin avait été laissée ouverte, un pêcheur était entré et avait dit en son âme : « Voilà pour moi une bonne occasion de faire une pêche fructueuse ! » Ce pêcheur s'appelait Karim et était fort connu parmi les pêcheurs du Tigre. Il avait donc jeté son filet dans la pièce d'eau et, en attendant, il s'était mis à chanter ces vers admirables :

« Ô voyageur sur l'eau ! tu voyages en oubliant les périls et la perdition. Quand donc cesseras-tu de t'agiter et sauras-tu que la fortune jamais ne te viendra si tu la cherches ?

Ne vois-tu point la mer furibonde et le pêcheur las ? Il est las durant les nuits et fatigué, alors que les nuits sont pleines d'étoiles, que les nuits sont sereines et pleines d'étoiles !

Il a tendu son filet de corde que la vague soufflette ; et ses yeux ne voient et ne regardent d'autres seins que le sein de son filet.

Ne fais point comme le pêcheur, ô voyageur ! Regarde ! voici en son palais l'homme qui sait le prix de la vie et de la terre, qui sait jouir des jours de la terre et des nuits de la terre et des biens de la terre ! Heureux, son esprit est au repos ; et il vit de tous les fruits de la terre.

Regarde ! voici qu'il se réveille au matin après sa nuit de délices. Il se réveille au matin sous le sourire d'une gazelle adolescente, sous le regard de deux yeux de gazelle qui lui appartiennent et lui sourient !

Gloire à mon Seigneur ! Il donne à l'un et prive l'autre. L'un fait la pêche et l'autre mange le poisson ! Gloire à mon Seigneur ! »

Lorsque Karim le pêcheur eut fini de chanter, le khalifat tout seul s'avança de son côté, se tint debout derrière lui, le reconnut et lui dit soudain : « Ô Karim ! » Et Karim se retourna, saisi, en entendant son nom. Et à la clarté de la lune, il reconnut le khalifat. Et il fut paralysé par la terreur. Puis il se reprit un peu et dit : « Par Allah ! ô émir des Croyants, ne crois point que je le fais pour enfreindre tes ordres ; mais c'est la pauvreté seule et ma nombreuse famille qui me poussent, ce soir, à agir de la sorte ! » Et le khalifat dit : « Bien ! ô Karim, je veux bien ne point te voir. Mais veux-tu essayer de jeter ton filet en mon nom pour voir un peu ma chance ? » Alors le pêcheur fut dans la joie la plus grande et se hâta de jeter son filet à l'eau en invoquant le nom d'Allah, et il patienta jusqu'à ce que le filet eût atteint le fond de l'eau. Il le retira alors et y trouva de toutes les espèces de poissons, et en nombre incalculable. Et le khalifat en fut fort satisfait et lui dit : « Maintenant, ô Karim, déshabille-toi entièrement ! » Et Karim se hâta de se déshabiller. Il enleva un à un ses vêtements : sa robe de dessus aux manches amples, et toute rapiécée de pièces multicolores et de morceaux de laine de mauvaise qualité, et toute pleine de punaises de la variété à queue et de puces assez nombreuses pour couvrir la surface de la terre, son turban, qu'il n'avait pas déroulé depuis trois ans, et dont l'étoffe était faite de plusieurs morceaux de chiffons ramassés au hasard, et qui contenait des poux grands et des poux petits, de blancs et de noirs et d'autres aussi. Puis il déposa sa robe et son turban et se tint ainsi tout nu devant le khalifat. Alors le khalifat commença, lui aussi, à se déshabiller. Il enleva d'abord sa première robe en soie iskandarani et sa seconde robe en soie baâlbaki, puis son mantelet de velours et son gilet, et dit au pêcheur : « Karim, prends ces vêtements et mets-les toi-même ! » Puis le khalifat prit lui-même la robe aux larges manches du pêcheur et son turban et s'en vêtit ; puis il s'enroula autour du menton le cache-nez de Karim et lui dit : « Tu peux maintenant t'en aller à tes affaires. » Et l'homme se mit à remercier le khalifat et lui récita ces deux strophes :

« Tu m'as rendu le maître d'une richesse sans bornes, comme sans bornes sera mon remerciement ; et tu me comblas de tous les dons, sans compter.

Je te glorifierai donc tant que je serai au nombre des vivants ; et, à ma mort, mes os dans le sépulcre te remercieront encore. »

Mais à peine le pêcheur Karim avait-il fini de réciter ces vers que le khalifat sentit toute sa peau envahie par les punaises et les poux qui avaient élu domicile dans les loques du bonhomme, et tout cela se mit à circuler activement tout le long de son corps. Alors il se mit, de la main droite et de la main gauche, à les attraper par grosses poignées sur sa nuque, sur sa poitrine et partout, et à les jeter au loin avec horreur, en mouvements désordonnés et effarés. Puis il dit au pêcheur : « Misérable Karim ! comment as-tu fait pour ainsi rassembler dans tes manches et dans ton turban toutes les bêtes malfaisantes ! » Et Karim répondit : « Seigneur, ne crains rien, crois-moi ! maintenant tu sens les piqûres de ces poux ; mais si tu as la patience de faire comme moi, dans une semaine d'ici tu ne sentiras plus rien et tu seras désormais à l'abri de leurs piqûres ; et tu n'y prêteras plus la moindre attention ! » Et le khalifat se prit à rire malgré toute son horreur, mais il dit : « Malheur ! comment vais-je pouvoir laisser cette robe sur mon corps ? » Le pêcheur dit : « Ô émir des Croyants, je voudrais bien te dire quelques paroles, mais j'éprouve une grande honte de les prononcer en présence de l'auguste khalifat ! » Il répliqua : « Dis tout de même ce que tu as à dire. » Karim répondit : « Il m'est passé par l'idée, ô commandeur des Croyants, que tu as voulu apprendre à pêcher pour avoir entre tes mains un métier qui te fît gagner ta vie ! Si cela était ainsi, ô commandeur des Croyants, ces habits et ce turban feront bien l'affaire ! » Alors le khalifat se mit à rire beaucoup des paroles du pêcheur, et le renvoya. Et Karim s'en alla en l'état de son chemin, et le khalifat se hâta de prendre la corbeille en feuilles de palmier où étaient les poissons de la pêche, couvrit soigneusement ces poissons avec de bonnes herbes fraîches et, chargé de la sorte, il alla retrouver Giafar et Massrour, qui l'attendaient un peu plus loin. En le voyant, Giafar et Massrour ne doutèrent pas que ce ne fût Karim le pêcheur, et Giafar eut peur pour le pêcheur de la colère du khalifat et lui dit : « Ô Karim, que viens-tu faire ici ? Hâte-toi de te sauver, car le khalifat est dans le jardin, cette nuit ! » Lorsque le khalifat entendit les paroles de Giafar, il fut pris d'un tel rire qu'il se renversa sur son derrière. Et Giafar s'écria : « Par Allah ! c'est notre souverain et maître, l'émir des Croyants lui-même ! » Et le khalifat répondit : « Mais oui, ô Giafar, et tu es mon grand vizir, et c'est avec toi que je suis venu jusqu'ici, et tu ne m'as pas reconnu ! Aussi comment veux-tu maintenant que le cheikh Ibrahim me reconnaisse, lui qui est tout à fait ivre ? Ne bouge donc pas d'ici et attends-moi jusqu'à mon retour ! » Et Giafar répondit : « J'écoute et j'obéis ! »

Alors le khalifat s'avança du côté de la porte du palais et frappa. Et aussitôt, à l'intérieur de la grande salle, le cheikh Ibrahim se leva et s'écria : « Qui est à la porte ? » Il répondit : « C'est moi, ô cheikh Ibrahim ! » Il dit : « Et qui es-tu ? » Il répondit : « Moi, Karim le pêcheur ! j'ai appris que tu avais cette nuit des invités, et je suis venu t'apporter d'excellents poissons bien frais et tout frétillants encore ! »

Or, Ali-Nour et Douce-Amie aimaient beaucoup le poisson, justement. Aussi, à ces mots de poisson bien frais et tout frétillant encore, ils se réjouirent tous deux au comble de la joie, et Douce-Amie s'écria : « Ouvre-lui vite, ô cheikh Ibrahim, et laisse-le entrer avec le poisson qui est avec lui ! » Alors le cheikh Ibrahim se décida à ouvrir la porte, et le khalifat, déguisé toujours en pêcheur, put entrer librement, et commença à faire les saluts d'usage. Mais le cheikh Ibrahim l'interrompit par un éclat de rire et s'écria : « Bienvenu soit entre nous le larron, le voleur de ses partenaires ! Hardi ! viens nous montrer ce poisson fameux que tu as ! » Et le pêcheur enleva l'herbe fraîche et leur montra le poisson dans la corbeille ; et ils virent que le poisson était bien vivant et frétillait encore. Alors Douce-Amie s'écria : « Par Allah ! ô mes maîtres, que ce poisson est beau ! c'est dommage qu'il ne soit pas frit ! » Le cheikh Ibrahim s'écria : « Ô pêcheur, quel dommage que tu ne sois pas venu avec ce poisson une fois frit ! Prends-le donc et va vite nous le faire frire, et apporte-le-nous ensuite ! » Le khalifat répondit : « Sur ma tête tes ordres ! je vais le faire frire et je vous le rapporterai aussitôt. » Ils lui répondirent tous à la fois : « Oui ! dépêche-toi de le faire frire et de nous le rapporter ! »

Le khalifat se hâta de sortir et courut retrouver Giafar et lui dit : « Ô Giafar, ils demandent que le poisson soit frit ! » Il répondit : « Ô émir des Croyants, donne-le-moi et je le ferai frire moi-même ! » Le khalifat dit : « Par la tombe de mes pères et de mes ancêtres ! nul autre que moi ne fera frire ce poisson ; et de ma propre main ! » Le khalifat alors alla à la hutte de roseaux qui servait d'habitation au gardien du jardin, le cheikh Ibrahim ; il se mit à fureter partout et trouva tout ce qu'il fallait en fait d'ustensiles à friture et d'ingrédients, même le sel, le thym, les feuilles de laurier et autres choses semblables. Il s'approcha du fourneau et se dit en lui-même : « Ô Haroun, souviens-toi que dans ta jeunesse tu aimais beaucoup à aller stationner dans la cuisine, avec les femmes, et que tu te mêlais de la cuisine ! C'est maintenant le moment de montrer ton art ! » Il prit alors la poêle, la mit sur le feu, mit le beurre et attendit. Quand le beurre fut bien bouillant, il prit le poisson qu'il avait bien écaillé, nettoyé, lavé, salé et enduit légèrement de farine, et le mit dans la poêle. Le poisson bien cuit d'un côté, il le tourna sur l'autre côté avec un art infini et, quand le poisson fut bien à point, il le retira de la poêle et l'étendit sur de grandes feuilles vertes de bananier. Puis il alla au jardin cueillir quelques citrons, qu'il coupa et rangea également sur les feuilles de bananier, et il porta le tout aux convives, dans la salle, et le mit entre leurs mains. Alors le jeune Ali-Nour et la jeune Douce-Amie et le cheikh Ibrahim tendirent leurs mains et se mirent à manger ; et, lorsqu'ils eurent fini, ils se lavèrent les mains et Ali-Nour dit : « Par Allah ! ô pêcheur, tu viens de nous obliger infiniment, cette nuit ! » Puis il mit la main à sa poche et en retira trois dinars d'or d'entre les dinars que lui avait généreusement donnés le jeune chambellan de son père, à Bassra, le gentil Sanjar ; et il les tendit au pêcheur et lui dit : « Ô pêcheur, excuse-moi, je t'en prie, de ne pouvoir te donner plus, car, par Allah ! si je t'avais connu avant les derniers événements qui me sont arrivés, je t'aurais donné bien plus et j'aurais pour toujours enlevé de ton cœur l'amertume de la pauvreté. Prends donc ces dinars que mon état actuel me permet de te donner ! » Et il obligea le khalifat à accepter l'or qu'il lui tendait ; et le khalifat le prit, le porta à ses lèvres puis à son front comme pour remercier Allah et son bienfaiteur de ce don, et le mit dans sa poche.

Mais ce que cherchait avant tout le khalifat, c'était entendre la jeune esclave chanter devant lui. Aussi dit-il à Ali-Nour : « Ô mon jeune maître, tes bienfaits et ta générosité sont sur ma tête et sur mes yeux ! Mais le souhait le plus ardent que je voudrais voir se réaliser grâce à ta bonté sans précédent, c'est que cette esclave jouât un peu de ce luth, qui est là, et chantât de sa voix, qui doit être admirable. Car les chants me ravissent et le jeu du luth également, et c'est ce que j'aime le plus au monde ! » Alors Ali-Nour dit : « Ô Douce-Amie ! » Elle répondit : « Seigneur ? » Il dit : « Par ma vie, si elle t'est chère ! chante-nous quelque chose pour faire plaisir à ce pêcheur qui désire ardemment t'entendre ! » À ces paroles de son cher seigneur, Douce-Amie, sans tarder, prit le luth, en tira quelques sons pour l'essayer et, pinçant soudain les cordes, elle exécuta un prélude qui enleva les auditeurs ; puis elle chanta ces deux strophes :

« La jeune, la flexible, la svelte jeune femme du bout tendre de ses doigts joua du luth, et mon âme en un clin d'œil de ma peau s'envola !

À sa voix, l'ouïe fut rendue à ceux atteints de surdité ; et des muets irrémédiables s'écrièrent soudain : « Ô le ravissement de cette voix ! »

Puis Douce-Amie, ayant ainsi chanté, continua à pincer les cordes de l'instrument et avec un art si merveilleux qu'elle ravit la raison à tous les assistants ; puis elle sourit et de nouveau chanta ces deux strophes :

« De ton pied adolescent, tu as touché notre sol qui en a frémi de délices et rayonné ! Et la clarté de tes yeux a chassé au loin les ténèbres de la nuit.

Pour te revoir, ô jeune garçon, me voici prêt à parfumer ma demeure de musc, d'eau de rose et de résine aromatisée. »

Et Douce-Amie chanta d'une voix si merveilleuse que le khalifat fut au comble de la jouissance, et sa passion l'emporta si fort qu'il ne put plus retenir l'enthousiasme de son âme et se mit à crier : « Ah ! ah ! ya Allah ! ya Allah ! » Alors Ali-Nour lui dit : « Ô pêcheur, as-tu été bien charmé par la voix de l'esclave et par son jeu sur les cordes d'harmonie ? » Et le khalifat répondit : « Oui, par Allah ! » Alors Ali-Nour, qui d'ordinaire donnait sans hésiter tout objet qui plaisait à ses invités, lui dit : « Du moment, ô pêcheur, que tu trouves l'esclave à ta convenance, voici que je te l'offre et te la donne en cadeau, le cadeau d'un cœur généreux qui ne reprend jamais ce qu'il a une fois donné ! Prends donc l'esclave ! Elle est tienne désormais ! » Et Ali-Nour se leva à l'instant même, prit vivement son manteau qu'il jeta sur ses épaules et, sans même prendre congé de Douce-Amie, s'apprêta à quitter la salle de réunion, et laissa librement le khalifat déguisé en pêcheur prendre possession de Douce-Amie. Alors Douce-Amie lui jeta un regard plein de larmes et lui dit : « Ô mon maître Ali-Nour ! tu vas ainsi réellement me quitter et me répudier, sans même me dire un dernier adieu ? De grâce, arrête-toi un peu, juste le temps que je te dise deux mots d'adieu. Écoute, ô Ali-Nour ! » Et Douce-Amie récita plaintivement ces deux strophes :

« Vas-tu t'échapper loin de moi, ô pur sang de mon cœur, toi dont la place est dans ce cœur meurtri, entre ma poitrine et mes entrailles ?

Ah ! je te supplie, ô Toi le Clément sans bornes, de réunir ce qui est séparé, Toi le Généreux qui distribues à ton gré les bienfaits aux humains ! »

Lorsque Douce-Amie eut fini sa plainte, Ali-Nour se rapprocha un peu d'elle et lui dit :

« Elle me fit ses adieux au jour de la séparation, et me dit, en pleurant les brûlantes larmes de la séparation : « Que vas-tu faire maintenant, loin de moi, dans l'absence ? » Je lui dis : « Oh ! demande plutôt cela à celui qui reste près de toi ! »

En entendant ces paroles, le khalifat fut douloureusement affecté d'être la cause de la séparation de ces deux jeunes gens, et, d'un autre côté, il fut fort surpris de la facilité avec laquelle Ali-Nour lui faisait cadeau de cette merveille, et lui dit : « Dis-moi, ô jeune homme, et ne crains pas de me l'avouer puisque je suis aussi âgé que ton père, craindrais-tu d'être arrêté et puni pour avoir peut-être enlevé cette jeune femme, ou bien songerais-tu à me la céder pour combler tes dettes ? » Alors Ali-Nour lui dit : « Par Allah, ô pêcheur ! il m'est arrivé à moi et à cette esclave une aventure tellement étonnante et des malheurs tellement extraordinaires que, s'ils étaient écrits avec des aiguilles sur les coins intérieurs des yeux, ils seraient une leçon à qui les lirait avec respect ! » Et le khalifat répondit : « Hâte-toi de nous raconter ton histoire et de nous en faire le récit détaillé, car tu ne peux savoir si cela ne sera pas pour toi une cause de soulagement et peut-être aussi de secours, car la consolation et le secours d'Allah sont toujours proches ! » Alors Ali-Nour dit : « Ô pêcheur, de quelle façon veux-tu entendre de moi le récit, en vers ou en prose ? » Et le khalifat répondit : « La prose, c'est de la broderie sur soie, et les vers sont des séries de perles ! » Et il ferma les yeux à demi et pencha son front et, en sourdine, il improvisa ces strophes, sur-le-champ :

« Ami ! j'ai fui le lit de mon repos ! Et, d'être ainsi loin du pays où je suis né, le chagrin sature mon âme !

Sache que j'avais un père que j'aimais et qui m'était le plus doux des pères ! Il n'est plus près de moi, et seul le tombeau lui sert de refuge !

Depuis lors, les afflictions et les malheurs m'ont tellement trituré qu'en sont broyées mes entrailles et en miettes mon cœur.

De son vivant, mon père m'avait choisi une d'entre les beautés, une jeune beauté pliante comme le rameau, à la taille onduleuse comme le rameau qu'un souffle fait ployer.

Je l'ai aimée, passionnément aimée, et j'ai pour elle brûlé en entier l'héritage de mon père, et je l'ai aimée à la préférer au plus aimé de mes chevaux rapides.

Mais un jour qu'à la fois tout me manquait, j'ai pris la route qui conduit à la vente, moi qui pourtant par-dessus tout crains la douleur des séparations.

Le crieur public l'a criée sur le marché ! Et soudain un vieux débauché, pour l'avoir, a haussé tout de suite le prix d'achat.

À la vue de l'ignoble vieux, la fureur m'a emporté, et j'ai pris mon esclave par la main et voulu l'emmener loin du marché !

Et déjà le vieux débauché s'imaginait assouvir sa convoitise, le vieux au cœur plein du feu flambant de l'enfer.

Alors moi, de ma main droite, je lui ai appliqué un coup de poing, et de ma main gauche, également ! Et j'ai déversé sur lui la colère qui me dévorait.

Puis, dans la crainte d'être pris, j'ai regagné au plus vite ma maison pour y être à l'abri de la puissance de mon ennemi.

Et le roi de la ville a ordonné pour moi l'arrestation et la prison. Et c'est alors que j'ai vu vers moi accourir le jeune et beau chambellan loyal.

Il m'a avisé de fuir au plus vite et au loin, pour échapper aux stratagèmes de mes envieux.

Et moi, j'ai emmené mon amie et, sous l'aile de la nuit, tous deux nous sommes sortis de notre ville et nous avons pris la direction de Bagdad.

Et maintenant, ô pêcheur, sache bien que, hormis mon amie, je n'ai point de trésor ! Et je te la donne en cadeau, ô pêcheur !

Ô pêcheur, sache bien que c'est la bien-aimée de mon cœur que je te donne, et qu'avec elle, c'est mon cœur lui-même que tu me ravis, ô pêcheur ! »

Lorsque Ali-Nour eut terminé d'égrener la dernière de ces perles, le khalifat lui dit : « Ô mon maître, maintenant que j'ai pu m'émerveiller de cette série de perles, veux-tu me donner quelques détails sur les broderies sur soie de cette histoire merveilleuse ? » Alors Ali-Nour, qui croyait toujours parler au pêcheur Karim, lui donna tous les détails de son histoire depuis le commencement jusqu'à la fin.

Lorsque le khalifat eut bien compris toute l'histoire, il dit : « Et maintenant où penses-tu t'en aller, ô mon maître Ali-Nour ? » Ali-Nour répondit : « Ô pêcheur, les terres d'Allah sont vastes à l'infini ! » Alors le khalifat lui dit : « Écoute-moi, ô jeune homme ! Je ne suis qu'un pêcheur obscur, mais je vais t'écrire sur-le-champ une lettre que tu remettras en mains propres au sultan de Bassra, Mohammad ben-Soleiman El-Zeini. Et il la lira, et aussitôt tu verras pour toi d'heureuses conséquences ! »

Mais, à ce moment de sa narration, Schahrazade vit apparaître le matin et ne prolongea pas davantage le fil de son récit.

Et lorsque fut la trente-sixième nuit. Schahrazade dit :

Il m'est parvenu, ô Roi fortuné, que lorsque le khalifat dit à Ali-Nour : « Moi, je t'écrirai une lettre que tu feras parvenir toi-même au sultan de Bassra, Mohammad ben-Soleiman El-Zeini ; et il la lira et tu en verras toutes les conséquences heureuses ! » Ali-Nour répondit : « Mais a-t-on jamais vu sur terre un pêcheur écrire librement aux rois ? C'est là une chose qui n'est jamais arrivée ! » Et le khalifat lui répliqua : « Tu dis vrai, ô mon maître Ali-Nour ! mais je vais tout de suite t'expliquer le motif qui me permet d'agir de la sorte. Sache qu'étant encore enfant, j'ai appris à lire et à écrire dans la même école et chez le même maître que celui de Mohammad El-Zeini. Et même j'étais bien plus avancé que lui, et j'avais une bien plus belle écriture que lui, et j'apprenais par cœur les vers ainsi que les versets du Livre bien plus facilement que lui. Et nous étions de très grands amis. Mais, plus tard, il fut favorisé par la fortune et devint roi, tandis qu'Allah fit de moi un simple pêcheur. Mais, comme il n'a pas l'âme fière devant Allah, il continua avec moi ses relations ; et moi, il n'y a pas de chose que je lui demande qu'il n'exécute aussitôt ; et même si tous les jours je lui faisais mille demandes, il les exécuterait toutes, certainement ! » Lorsque Ali-Nour entendit ces paroles, il dit : « Écris alors ce que tu dis, que je le voie ! »

Alors le khalifat s'assit par terre, plia une jambe sur l'autre, prit une écritoire et un calam et une feuille, mit la feuille sur la paume de sa main gauche et tint le calam de sa main droite et écrivit cette lettre :

« Au nom d'Allah le Clément-sans-bornes le Miséricordieux !

Et ensuite !

Cet écrit est envoyé par moi Haroun Al-Rachid ben-Mahdi El-Abbassi à Sa Seigneurie Mohammad ben-Soleiman El-Zeini ! Je te rappelle que ma grâce t'enveloppe, et qu'à elle seule tu dois d'avoir été nommé comme mon représentant dans un royaume de mes royaumes !

Et maintenant je t'avise que le porteur de cet écrit, fait de ma main propre, est Ali-Nour, fils de Fadleddine ben-Khacân qui fut ton vizir et repose maintenant dans la miséricorde du Très-Haut ! Dès l'instant que tu auras lu mes paroles, tu te lèveras du trône du royaume et tu y mettras Ali-Nour, qui sera roi à ta place ! Car voici que je viens moi-même de l'investir de l'autorité dont je t'avais investi précédemment !

Prends donc bien garde de différer l'exécution de ma volonté ! Et que sur toi soit le salut ! »

Puis le khalifat plia la lettre et la cacheta et, sans en révéler le contenu à Ali-Nour, il la lui remit. Et Ali-Nour prit la lettre, la porta à ses lèvres, puis à son front, la mit dans son turban et, à l'heure même, il sortit pour s'embarquer à destination de Bassra, tandis que la douloureuse Douce-Amie fondait en larmes dans son coin, abandonnée.

Voilà, pour le moment, ce qu'il en est d'Ali-Nour. Mais, pour ce qui est du khalifat, voici !

Lorsque le cheikh Ibrahim, qui, pendant tout ce temps, n'avait rien dit, vit tout cela, il se tourna vers le khalifat, qu'il prenait toujours pour Karim le pêcheur, et lui cria : « Ô le plus misérable d'entre les pêcheurs ! tu nous as apporté deux ou trois poissons qui valent à peine vingt moitiés de cuivre et, non content d'avoir empoché trois dinars d'or, tu veux maintenant prendre pour toi cette jeune esclave ! Misérable ! tu vas tout de suite me donner au moins la moitié de l'or ; et quant à l'esclave, nous la partagerons aussi, et c'est moi qui commencerai, et toi après seulement ! »

À ces paroles, le khalifat s'approcha vivement de l'une des fenêtres, après avoir lancé un regard terrible au cheikh Ibrahim, et frappa ses mains l'une contre l'autre. Aussitôt Giafar et Massrour, qui n'attendaient que ce signal, accoururent dans la salle ; et, sur un signe du khalifat, Massrour se précipita sur le cheikh Ibrahim et l'immobilisa. Quant à Giafar, qui tenait à la main une magnifique robe qu'il avait envoyé chercher en toute hâte par l'un de ses serviteurs, il s'approcha du khalifat, le dévêtit des loques du pêcheur et lui mit la robe de soie et d'or.

À cette vue, le cheikh Ibrahim terrifié reconnut le khalifat et, de honte, il se mit à se mordre les bouts des doigts ; mais il hésitait encore à croire à la réalité et se disait : « Enfin suis-je endormi ou éveillé ? » Alors le khalifat, de sa voix ordinaire, lui dit : « Eh bien ! cheikh Ibrahim, quel est donc cet état où t'es mis ? » Et le cheikh Ibrahim, à ces paroles, revint complètement de son ivresse et se jeta la face contre terre avec sa longue barbe et récita ces deux strophes :

« Pardonne la faute, ô toi qui as la préséance sur toutes les créatures ! La générosité est due du maître à l'esclave !

J'ai fait, je le confesse, ce à quoi m'avait poussé la folie ! Maintenant, à toi de savoir pardonner généreusement ! »

Alors le khalifat dit au cheikh Ibrahim : « Je te pardonne ! » Puis il se tourna vers la timide Douce-Amie et lui dit : « Ô Douce-Amie, maintenant que tu vois qui je suis, laisse-toi conduire au palais ! » Puis tous quittèrent la salle du Palais des Merveilles.

Lorsque Douce-Amie fut arrivée au palais, le khalifat lui fit donner un appartement réservé à elle toute seule et mit à ses ordres des servantes et des esclaves. Puis il alla la trouver et lui dit : « Ô Douce-Amie, tu m'appartiens pour le moment, puisque, d'un côté, je te désire et que, de l'autre, tu m'as été si généreusement cédée par Ali-Nour. Or, sache qu'à mon tour, pour reconnaître ce don, je viens d'envoyer Ali-Nour comme sultan à Bassra. Et, si Allah veut, je lui enverrai bientôt une magnifique robe d'honneur et je te chargerai de la lui porter toi-même. Et tu seras ainsi sultane avec lui ! » Puis le khalifat prit Douce-Amie dans ses bras et tous deux s'enlacèrent cette nuit-là. Et voilà ce qu'il est advenu à eux deux.

Mais pour ce qui est d'Ali-Nour, voici ! Lorsque Ali-Nour ben-Khacân arriva, par la grâce d'Allah, dans la ville de Bassra, il alla directement au palais du sultan Mohammad El-Zeini, monta au palais et lança un grand cri. Et le sultan entendit le cri et s'informa de ce cri et ordonna d'amener l'homme en sa présence. Et Ali-Nour se présenta entre les mains du sultan, retira de son turban la lettre du khalifat et la lui remit. Et le sultan ouvrit la lettre et reconnut l'écriture du khalifat. Aussitôt il se leva debout sur ses deux pieds, lut attentivement le contenu et, l'ayant lu, il porta par trois fois la lettre à ses lèvres et à son front et dit : « J'écoute et j'obéis à Allah Très-Haut et au khalifat, l'émir des Croyants ! » Et aussitôt il fit venir les quatre kâdis de la ville et les principaux émirs pour leur faire part de sa résolution d'obéir immédiatement au khalifat en abdiquant le trône.

Mais, sur ces entrefaites, entra le grand vizir El-Mohin ben-Sâoui, l'ennemi ancien d'Ali-Nour et de son père Fadleddine ben-Khacân. Alors le sultan lui remit la lettre de l'émir des Croyants et lui dit : « Lis ! » Le vizir Sâoui prit la lettre et la lut et la relut, et fut au comble de la consternation ; mais soudain, et d'un adroit tour de main, il déchira le bas de la lettre où il y avait le cachet noir du khalifat, le porta à sa bouche, le mâcha, puis le rejeta au loin. Alors le sultan, pris d'une grande colère, s'écria : « Malheur à toi ! ô Sâoui, quel démon t'a poussé à commettre un acte pareil ? » Et Sâoui répondit : « Ô roi, sache que ce gredin n'a jamais vu le khalifat ni même son vizir Giafar. C'est simplement une espèce d'escroc et de garçon rongé de vices ! C'est un sultan plein de malice et de fourberie. Il a dû trouver par hasard un papier sur lequel il y avait l'écriture du khalifat : et il a imité l'écriture et a commis un faux, et a écrit ainsi ce qu'il a voulu ! Aussi comment songer, ô sultan, à abdiquer le trône, alors que le khalifat ne t'a pas envoyé un exprès avec une patente écrite de sa noble écriture ! D'ailleurs, si c'était vraiment le khalifat qui t'avait envoyé cet homme, il l'aurait fait accompagner par quelque chambellan ou par quelque vizir. Or, nous savons que cet individu est venu seul ici ! » Alors le sultan répondit : « Et comment faire maintenant, ô Sâoui ? » Il dit : « Ô roi, confie-moi ce jeune homme, et je saurai bien arriver à la vérité. Je l'enverrai à Bagdad accompagné d'un chambellan qui s'informera exactement des faits. Si la chose est vraie, ce jeune homme nous rapportera, cette fois, une vraie patente écrite de la noble écriture du khalifat. Mais si la chose n'est pas vraie, le chambellan nous ramènera ce jeune homme, et je saurai bien alors me venger de lui d'une façon éclatante et lui faire expier le passé et le présent. »

À ces paroles du vizir Sâoui, le sultan finit par croire Ali-Nour réellement criminel, et ne voulut même pas patienter, tant il était entré dans une terrible colère. Et il cria à ses gardes : « Saisissez-le ! » Et les gardes saisirent Ali-Nour, et le jetèrent à terre et se mirent à lui donner la bastonnade jusqu'à ce qu'il fût complètement évanoui. Puis le sultan leur ordonna de lui passer les chaînes aux pieds et aux mains ; puis il fit mander le geôlier en chef. Et le geôlier en chef ne tarda pas à venir se présenter entre les mains du roi.

Or, ce geôlier s'appelait Koutaït. Lorsque le vizir le vit, il lui dit : « Ô Koutaït, par ordre de notre maître le sultan, tu vas prendre cet homme-là et le jeter dans une fosse d'entre les fosses creusées dans le cachot, et le mettre jour et nuit à la torture, et fort durement. » Koutaït répondit : « J'écoute et j'obéis ! » Et il emmena Ali-Nour et le conduisit tout de suite au cachot.

Lorsque Koutaït fut entré dans le cachot avec Ali-Nour, il referma la porte et fit aussitôt soigneusement balayer le sol et nettoyer un banc derrière la porte, il recouvrit ce banc d'un tapis et y plaça un coussin ; puis il s'approcha d'Ali-Nour, défit ses liens et le pria de monter se reposer sur le banc et lui dit : « Je n'oublie point, ô mon maître, que j'ai été maintes fois l'obligé du défunt vizir, ton père. Sois donc sans crainte ! » Et aussitôt il se mit à traiter Ali-Nour avec égards et bonté, ne le laissant manquer de quoi que ce fût ; et, d'un autre côté, il envoyait aviser journellement le vizir qu'Ali-Nour subissait les châtiments les plus terribles. Et cela dura ainsi quarante jours.

Lorsque fut le quarante et unième jour, on vit arriver au palais un magnifique cadeau au roi de la part du khalifat. Et le roi fut émerveillé de la richesse de ce cadeau ; mais comme il ne comprenait point le motif qu'avait eu le khalifat de le lui envoyer, il fit assembler ses émirs et leur demanda leur avis. Alors quelques-uns formulèrent cette idée que ce cadeau ne pouvait, dans la pensée du khalifat, qu'être destiné à celui que le khalifat avait envoyé pour être le sultan nouveau. Aussitôt le vizir Sâoui s'écria : « Ô roi, ne t'avais-je pas dit qu'il valait mieux se débarrasser de cet Ali-Nour, et que c'était là le parti le plus sage ? » Alors le sultan s'écria : « Par Allah ! tu me fais justement me souvenir de cet individu-là. Va vite me le chercher, et fais-lui couper la tête sans miséricorde ! » Et Sâoui répondit : « J'écoute et j'obéis ! Pourtant je désirerais bien auparavant faire annoncer son supplice à toute la ville par les crieurs publics qui crieraient : « Que tous ceux qui veulent assister à l'exécution d'Ali-Nour ben-Khacân viennent au-dessous du palais ! » Et tout le monde viendra voir cette exécution ; et je serai vengé, et mon cœur sera rafraîchi et ma haine assouvie ! » Et le sultan lui répondit : « Tu peux faire ce que bon te semble ! »

Alors le vizir ben-Sâoui se réjouit fort et courut chez le gouverneur et lui ordonna de faire crier par toute la ville l'heure de l'exécution d'Ali-Nour et tous les détails mentionnés. Et cela fut aussitôt fait. Aussi, en entendant les crieurs publics, tous les habitants de la ville furent dans l'affliction et le deuil et se mirent à pleurer tous, jusqu'aux petits enfants dans les écoles et aux boutiquiers dans les souks ; puis les uns s'empressèrent d'accourir occuper une bonne place pour voir passer Ali-Nour et assister au spectacle douloureux de sa mise à mort, et les autres se rendirent en foule aux portes de la prison pour faire cortège à Ali-Nour dès sa sortie.

Quant au vizir ben-Sâoui, il prit dix de ses gardes et se hâta, dans sa joie, d'accourir à la prison et commanda qu'on lui ouvrît la porte et qu'on le laissât entrer. Alors le geôlier Koutaït fit semblant d'ignorer le motif qui l'amenait et lui dit : « Que souhaites-tu, ô notre maître le vizir ? » Il répondit : Amène vite en ma présence ce jeune gredin vicieux ! » Le geôlier dit : « Il est maintenant dans le plus mauvais état à la suite de tous les coups qu'il a reçus et des tortures qu'il a subies. Pourtant je t'obéis tout de suite ! » Et le geôlier s'éloigna et se dirigea vers l'endroit où était Ali-Nour et le trouva qui récitait doucement ces strophes :

« Hélas ! personne pour me secourir dans mes malheurs ! Et voici mes maux augmenter d'intensité et leur remède se faire plus rare et plus cher !

L'absence impitoyable a consumé le plus pur de mon sang et usé mon dernier souffle de vie ! Et la fatalité a fait de mes amis mes ennemis les plus cruels !

Ô vous tous qui me voyez ! N'y a-t-il donc personne parmi vous pour compatir, pour juger de l'étendue de ma misère et répondre à mon appel ?

Que la mort, malgré toutes ses terreurs, m'apparaît douce, maintenant que de cette vie j'ai rejeté tout espoir trompeur !

Seigneur ! ô Toi qui guides les annonciateurs des bonnes nouvelles ! ô Mer de générosité ! ô Maître des médiateurs de consolation !

Voici que je t'implore de toutes les blessures d'une âme éprouvée ! Délivre-moi de mes calamités et de leur danger ! Pardonne mes bassesses et mes fautes ! Et oublie mes errements et ma malice ! »

Lorsque Ali-Nour eut fini sa plainte, Koutaït s'approcha de lui, lui expliqua vite la chose et l'aida à se dévêtir promptement des habits propres qu'il lui avait donnés en cachette, et à se vêtir d'une vieille robe en loques, comme un misérable prisonnier, et le conduisit entre les mains du vizir Sâoui qui l'attendait en trépignant de haine. Et Ali-Nour le vit et constata quelle inimitié lui vouait cet ancien ennemi de son père. Pourtant il lui dit : « Me voici, ô Sâoui ! Penses-tu que le destin te sera toujours favorable pour ainsi mettre en lui ta foi ? Et ignores-tu donc les paroles du poète :

« Ils ont jugé avec autorité et en ont profité pour outrepasser leurs droits et blesser l'équité ! Ils ignorent que bientôt leur verdict n'en sera plus un et se dissoudra dans le néant ! »

Et Ali-Nour ajouta : « Ô vizir, sache bien qu'Allah seul a le pouvoir, qu'il est le Seul Réalisateur ! » Alors il lui répondit : « Ô Ali, crois-tu m'intimider avec toutes tes sentences ? Or, sache que moi, en ce jour même, je vais te couper le cou en dépit de ton nez et du nez de tous les habitants de Bassra. Et pour imiter ta manière, je me conformerai à ce dire du poète :

« Laisse le temps agir à sa guise ! mais toi, satisfais-toi en te rendant justice ! »

Et comme il est admirable cet autre poète qui dit :

« Celui qui vit après la mort de son ennemi, ne fût-ce qu'un jour, a atteint le but désiré ! »

Là-dessus, le vizir ordonna soudain à ses gardes de se saisir d'Ali-Nour et de le jeter sur le dos d'un mulet. Mais les gardes hésitèrent en voyant la foule regarder Ali-Nour et lui dire : « Ordonne ! et sur l'heure nous lapiderons cet homme et nous le mettrons en pièces, même au risque de nous perdre et de perdre nos âmes ! » Mais Ali-Nour dit : « Oh, non ! ne faites point cela, oh, non ! N'avez-vous point entendu ces vers du poète :

« Tout homme a un temps déterminé à passer sur la terre ! Passé ce temps, il doit mourir !

Mais aussi, si même les lions en leurs forêts m'entraînaient, je n'aurais rien à redouter, tant que mon temps ne serait pas venu ! »

Alors les gardes se saisirent d'Ali-Nour, le hissèrent sur le dos d'un mulet et se mirent à parcourir toute la ville jusqu'à ce qu'ils fussent arrivés au bas du palais, sous les fenêtres du sultan. Et ils criaient tout le temps : « Voilà le châtiment qui attend celui qui commet des faux en écriture ! » Puis ils placèrent Ali-Nour juste au lieu du supplice, à l'endroit même où le sang d'ordinaire croupissait. Et l'exécuteur, l'épée nue à la main, s'avança et dit à Ali-Nour : « Je suis ton esclave soumis ! Si donc tu as besoin que quelque chose soit faite, ordonne et je la ferai, si tu as besoin de boire ou de manger, ordonne et je t'obéirai ! Car, sache que tu n'as plus que très peu d'instants à vivre, juste le temps que le sultan mette la tête à la fenêtre ! » Alors Ali-Nour regarda à droite et à gauche et récita ces strophes :

« De grâce, répondez-moi ! Y a-t-il parmi vous un ami miséricordieux pour me venir en aide ?

Le temps de ma vie est passé, et accomplie ma destinée ! Y a-t-il un homme charitable pour me secourir et mériter la récompense de cette bonne œuvre ;

Pour jeter un regard sur ma misère et découvrir ma tristesse et me donner un peu d'eau pour calmer les souffrances de mon supplice ? »

Alors tous les assistants se mirent à sangloter, et le porte-glaive alla aussitôt prendre une gargoulette d'eau et la présenta à Ali-Nour. Mais aussitôt le vizir ben-Sâoui se précipita de sa place et donna un coup sur la gargoulette, qui se brisa, et cria, furieux, au porte-glaive : « Qu'attends-tu pour lui couper le cou ? » Alors le porte-glaive prit un bandeau et banda les yeux d'Ali-Nour. À cette vue, toute la foule se souleva contre le vizir et se mit à l'injurier et à lui crier toutes sortes de choses ; et le tumulte arriva bientôt à son comble, et l'agitation et les cris devinrent indescriptibles. Et soudain, pendant que régnait tout ce tumulte, une poussière s'éleva et des clameurs confuses retentirent et s'approchèrent, en remplissant l'air et l'espace.

À ce vacarme et à cette poussière, le sultan devint attentif ; il regarda par la fenêtre de son palais et dit à ceux qui l'entouraient : « Voyez vite ce qu'il en est ! » Mais le vizir Sâoui répondit : « Ce n'est point le moment ! Il faut avant tout couper le cou à cet homme-là ! » Mais le sultan dit : « Tais-toi donc, ô Sâoui ! Et laisse-nous voir ce que c'est ! » Or, cette poussière était la poussière soulevée par les chevaux de Giafar, le grand vizir du khalifat, et par ses cavaliers.

Et la raison de leur arrivée subite était la suivante. Le khalifat, après la nuit d'amour passée dans les bras de Douce-Amie, était resté trente jours sans plus se la rappeler, ni se rappeler toute cette histoire d'Ali-Nour ben-Khacân ; et personne non plus ne s'était trouvé pour l'en faire souvenir. Mais, une nuit d'entre les nuits, comme il passait à côté de l'appartement réservé de Douce-Amie, il entendit des pleurs et une voix douce et fine qui chantait en sourdine ce vers du poète :

« Ton ombre, absent serais-tu ou proche de moi, ô délices ! ne me quitte jamais ! Et ma langue, pour ma joie, aime à répéter ton nom, ô délicieux ! »

Et comme, après ce chant, les sanglots redoublaient d'intensité, le khalifat ouvrit la porte et entra dans l'appartement réservé. Et il vit que c'était Douce-Amie qui pleurait. À la vue du khalifat, Douce-Amie se jeta à ses pieds et les embrassa par trois fois, puis récita ces deux strophes :

« Ô toi d'illustre race et de noble filiation, rameau fertile qui ploie sous tes fruits, ô produit exquis d'un sang fameux !

Laisse-moi te faire te souvenir de la promesse que me fit ta bonté et que promit ta générosité sans égale ! Ah ! puisses-tu ne la pas oublier ! »

Mais le khalifat, qui continuait à ne plus se rappeler Douce-Amie et Ali-Nour, lui dit : « Mais qui es-tu, ô jeune fille ? » Elle répondit : « Je suis le cadeau que t'avait fait Ali-Nour ben-Khacân. Et maintenant je souhaite te voir accomplir la promesse que tu m'avais faite de me renvoyer près de lui avec tous les honneurs dus. Et voilà bientôt trente jours que je suis ici, et sans goûter une heure à la nourriture du sommeil. » À ces paroles, le khalifat fit mander en toute hâte Giafar Al-Barmaki, et lui dit : « Il y a déjà trente jours que je n'entends plus parler d'Ali-Nour ben-Khacân ! Aussi je pense que le sultan de Bassra a dû le mettre à mort. Mais je jure, par ma tête et par la tombe de mes pères et des mes aïeux, que si un malheur est arrivé à ce jeune homme, je ferai périr celui qui en est la cause, même si c'est l'homme que j'aime le plus au monde ! Je veux donc, ô Giafar, que tu partes pour Bassra à l'heure même et que tu reviennes tout de suite m'apporter des nouvelles du roi Mohammad ben-Soleiman El-Zeini et de ses agissements vis-à-vis d'Ibn-Khacân Ali-Nour ! » Et Giafar se mit aussitôt en route.

Giafar arriva donc à Bassra et vit tout ce tumulte et ce vacarme et cette foule houleuse et excitée, et il demanda : « Mais qu'est-ce donc que tout ce tumulte ? » Et aussitôt mille voix, parmi le peuple, lui répondirent et lui racontèrent tout ce qui était arrivé à Ali-Nour ben-Khacân. Lorsque Giafar entendit leurs paroles, il se hâta encore davantage d'arriver au palais. Et il monta chez le sultan et lui souhaita la paix et lui raconta le sujet de sa venue et lui dit : « J'ai ordre, si un malheur était arrivé à Ali-Nour, de faire périr celui qui en aurait été la cause et de te faire expier à toi, ô sultan, le crime commis ! Où donc se trouve Ali-Nour ? »

Alors le sultan fit tout de suite amener Ali-Nour par les gardes qui allèrent le chercher sur la place. À peine Ali-Nour était-il entré, que Giafar se leva et ordonna aux gardes d'arrêter le sultan lui-même et le vizir El-Mohin ben-Sâoui. Et aussitôt il nomma Ali-Nour sultan de Bassra et le plaça sur le trône à la place de Mohammad El-Zeini qu'il fit enfermer avec le vizir.

Puis Giafar resta à Bassra les trois jours réglementaires de l'invitation, chez le nouveau roi. Mais, au matin du quatrième jour, Ali-Nour se tourna vers Giafar et lui dit : « En vérité, je désire vivement revoir l'émir des Croyants ! » Et Giafar voulut bien et dit : « Faisons d'abord notre prière du matin, et partons ensuite pour Bagdad ! » Et le roi dit : « J'écoute et j'obéis ! » Et ils firent la prière du matin, et tous deux, accompagnés des gardes et des cavaliers, et ayant avec eux l'ancien roi Mohammad El-Zeini et le vizir Sâoui, prirent le chemin de Bagdad. Et pendant toute la route le vizir Sâoui eut le temps de réfléchir et de se mordre les poings de repentir.

Ils se mirent donc à voyager, et Ali-Nour caracolait aux côtés de Giafar, jusqu'à ce qu'ils fussent arrivés à Bagdad, la demeure de paix. Et ils se hâtèrent de monter chez le khalifat, et Giafar lui raconta l'histoire d'Ali-Nour. Alors le khalifat fit approcher Ali-Nour et lui dit : « Prends ce glaive et coupe la tête, de ta propre main, à ton ennemi, ce misérable ben-Sâoui ! » Et Ali-Nour prit le glaive et s'approcha de ben-Sâoui. Mais celui-ci le regarda et lui dit : « Ô Ali-Nour ! moi, j'ai agi vis-à-vis de toi d'après mon tempérament. Je ne m'y pouvais soustraire. Mais toi, agis à ton tour d'après ton tempérament ! » Alors Ali-Nour jeta le glaive loin de lui, regarda le khalifat et lui dit : « Ô émir des Croyants, il vient de me désarmer ! » Et il récita ce que dit le poète :

« J'ai vu mon ennemi et j'ai su comment le vaincre ! Car l'homme pur est toujours vaincu par les paroles de bonté ! »

Mais le khalifat s'écria : « Soit ! laisse-le, toi ! » Et il dit à Massrour : « Ô Massrour ! lève-toi et coupe la tête de ce misérable ! » Et Massrour se leva et, d'un coup, trancha la tête du vizir El-Mohin ben-Sâoui. Alors le khalifat se tourna vers Ali-Nour et lui dit : « Maintenant, tu n'as qu'à me demander n'importe quoi ! Estime le prix ! » Ali-Nour répondit : « Ô mon maître, je ne souhaite point ce royaume, et je ne veux avoir rien de commun avec le trône de Bassra. Car il n'y a pas pour moi d'autre vœu à formuler que celui d'avoir le bonheur de contempler les traits de Ta Seigneurie ! » Et le khalifat répondit : « Ô Ali-Nour, de tout cœur amical et comme hommage dû ! » Puis il fit prier Douce-Amie de venir, et il la rendit à Ali-Nour, et leur fit don de grands biens et de grandes richesses, et leur donna un palais d'entre les plus beaux palais de Bagdad, et leur alloua une pension somptueuse sur le Trésor. Et il voulut qu'Ali-Nour ben-Khacân devînt son intime et son compagnon. Et il finit par pardonner au sultan Mohammad El-Zeini, qu'il réintégra dans ses États en lui recommandant de bien faire attention à ses vizirs désormais. Et tous vécurent dans la joie et la prospérité jusqu'à la mort.

Mais, continua la diserte Schahrazade, ne crois point, ô Roi, que cette histoire d'Ali-Nour et de Douce-Amie, toute délicieuse qu'elle soit, soit aussi merveilleuse ou aussi étonnante que celle de Ghanem ben-Ayoub et de sa sœur Fetnah ! » Et le roi Schahriar répondit : « Mais je ne connais point cette histoire ! »

HISTOIRE DE GHANEM BEN-AYOUB ET DE SA SŒUR FETNAH

Et Schahrazade dit :

Il m'est parvenu, ô Roi fortuné, qu'il y avait, en l'antiquité du temps et le passé des siècles et des âges, un marchand d'entre les marchands, très riche et père de deux enfants. Il s'appelait Ayoub. Le fils s'appelait Ghanem ben-Ayoub, connu depuis sous le surnom d'El-Motim El-Massloub[1], et il était aussi beau que la pleine lune durant les nuits, et doué d'une merveilleuse éloquence et d'une délicieuse diction. La fille, sœur de Ghanem, s'appelait Fetnah[2], tant elle avait en elle de charme et de beauté.

À sa mort, leur père, Ayoub, leur laissa de très grandes richesses…

Mais, à ce moment de sa narration, Schahrazade vit apparaître le matin et se tut discrètement.

Mais lorsque fut la trente-septième nuit. Elle dit :

Le marchand Ayoub, leur père, à sa mort, leur laissa de très grandes richesses. Entre autres choses, il leur laissa : cent charges de soieries, de brocarts et d'étoffes précieuses, et cent vases remplis de vessies de musc pur. Les charges étaient toutes emballées, et sur chaque balle il était écrit en gros caractères bien faits : À DESTINATION DE BAGDAD ; car le marchand Ayoub ne pensait pas mourir si tôt et avait l'intention de se rendre lui-même à Bagdad vendre ses précieuses marchandises.

Mais, une fois qu'Allah eut appelé le marchand Ayoub en son infinie miséricorde et que les jours de deuil furent passés, le jeune Ghanem songea à partir lui-même pour Bagdad à la place de son père. Il fit donc ses adieux à sa mère, à sa sœur Fetnah, à ses proches et à tous les habitants de son quartier et du voisinage ; puis il alla au souk, où il loua les chameaux nécessaires, chargea toutes ses balles sur les chameaux et profita du départ d'autres marchands pour Bagdad pour faire route avec eux ; et il sortit après avoir remis son sort entre les mains d'Allah Très-Haut. Et Allah lui écrivit la sécurité si bien que Ghanem ne tarda pas à arriver à Bagdad sain et sauf, avec toutes ses marchandises.

À peine arrivé à Bagdad, il se hâta de louer une fort belle maison, qu'il meubla somptueusement ; il y étendit partout de magnifiques tapis, des divans et des coussins, et n'oublia pas les rideaux aux portes et aux fenêtres ; puis il y fit décharger toutes les marchandises de sur le dos des chameaux et des mules ; et il resta s'y reposer des fatigues du voyage et attendit tranquillement que tous les marchands de Bagdad et les notables fussent venus, les uns après les autres, lui souhaiter la paix et la bienvenue.

Il songea alors à aller au souk commencer la vente de ses marchandises. Il fit un paquet de dix pièces d'étoffes très belles et de fines soieries qui portaient chacune sur une étiquette le prix déterminé, et se dirigea vers le souk des grands marchands. Aussitôt il fut reçu avec empressement par tous les marchands, qui vinrent au-devant de lui et lui souhaitèrent la paix et l'invitèrent à accepter des rafraîchissements et le reçurent avec une très grande cordialité. Puis ils le conduisirent chez le cheikh du souk qui aussitôt, à la seule inspection des marchandises, les lui acheta séance tenante. Et Ghanem ben-Ayoub fit ainsi un gain de deux dinars d'or pour chaque dinar de marchandise. Et il fut fort content de ce gain, et continua ainsi à vendre tous les jours quelques pièces d'étoffe et quelques vessies de musc, avec un gain de deux pour un, et cela durant l'espace d'une année entière.

Un jour, au commencement de la seconde année, il alla au souk selon son habitude. Mais il trouva toutes les boutiques fermées, et la grande porte du souk fermée également. Et, comme ce n'était point une fête, il fut étonné et en demanda la raison. On lui répondit que l'un des principaux marchands venait de mourir et que tous les marchands étaient allés assister à ses funérailles ; et l'un des passants lui dit : « Tu feras bien d'y aller aussi, et d'accompagner le convoi, car cela te sera méritoire. » Et Ghanem répondit : « Mais certainement ! Seulement, je voudrais savoir où se font les funérailles. » Alors on le lui indiqua ; et il entra aussitôt dans une cour de mosquée près de là, fit ses ablutions minutieusement avec l'eau du bassin, et se dirigea en toute hâte vers l'endroit indiqué. Il se mêla alors à la foule des marchands et les accompagna à la grande mosquée où l'on fit les prières d'usage sur le corps du défunt. Puis le convoi prit le chemin du cimetière qui était situé en dehors des portes de Bagdad. On entra dans le cimetière et on marcha à travers les tombes jusqu'à ce qu'on fût arrivé à l'édifice en dôme où l'on devait déposer le défunt.

Les parents du défunt avaient déjà tendu une immense tente au-dessus du tombeau, et y avaient suspendu les lustres, les flambeaux et les lanternes. Et tous les assistants purent entrer se mettre à couvert sous la tente. Alors on ouvrit le tombeau, on y déposa le corps, et on referma le couvercle. Puis les imans et les autres ministres du culte et les lecteurs du Koran commencèrent à réciter sur la tombe les versets sacrés du Livre et des chapitres prescrits. Et tous les marchands, ainsi que tous les parents du mort, s'assirent en rond sur les tapis étendus sous la tente et écoutèrent religieusement les saintes Paroles. Et Ghanem ben-Ayoub, quoique pressé de rentrer chez lui, ne voulut point, par égard pour les parents, s'en aller tout seul, et il resta à écouter avec les autres.

Les cérémonies religieuses ne prirent fin qu'avec le jour. Alors les esclaves arrivèrent chargés de grands plateaux couverts de mets et de douceurs, et les distribuèrent largement à tous les assistants, qui mangèrent et burent jusqu'à satiété, comme il est d'usage en tout enterrement ; puis on leur passa les aiguières et les cuvettes et ils se lavèrent les mains, et s'assirent en rond silencieusement, comme d'usage.

Mais, au bout d'un certain temps, comme la séance ne devait être levée que le lendemain matin, Ghanem commença à s'inquiéter fort, à cause des marchandises qu'il avait laissées à la maison sans gardien, et il eut peur des voleurs, et se dit en lui-même : « Je suis un étranger, et je passe pour être un homme fort riche. Aussi, si je passais une nuit loin de ma maison, les voleurs la pilleraient entièrement et emporteraient tout mon argent et le restant de mes marchandises. » Et comme ses craintes ne faisaient qu'augmenter, il se décida à se lever et s'excusa auprès des assistants en leur disant qu'il allait satisfaire un besoin très pressant, et sortit au plus vite. Il se mit à marcher en suivant, dans l'obscurité, les traces du sentier jusqu'à ce qu'il fût arrivé à la porte de la ville. Mais comme c'était déjà minuit, il trouva la porte de la ville fermée, et ne vit aucun passant s'en approcher ou s'en éloigner, et ne put entendre d'autre voix que les aboiements des chiens et les glapissements lointains des chacals mêlés aux hurlements des loups. Alors il s'écria, désappointé et effrayé : « Il n'y a de force et de puissance qu'en Allah ! Auparavant c'était pour mon bien que j'avais peur, et maintenant c'est pour ma vie ! » Alors il revint sur ses pas et se mit à la recherche de quelque gîte pour y passer la nuit à l'abri jusqu'au matin. Il trouva bientôt une turbeh, non loin de là, entourée de quatre murs, et où il y avait un palmier. Cette turbeh avait une porte de granit qui était ouverte. Et Ghanem entra dans la turbeh et s'y étendit pour dormir ; mais le sommeil ne vint pas, et la terreur l'envahit d'être ainsi tout seul au milieu des tombeaux. Alors il se leva debout sur ses deux pieds, et ouvrit la porte et regarda au-dehors. Et il vit une lumière qui brillait dans le loin, du côté de la porte de la ville. Il se mit à se diriger vers cette lumière, mais il vit qu'elle s'approchait elle-même sur le chemin qui conduisait à la turbeh où il était. Alors Ghanem eut peur et revint précipitamment, et entra de nouveau dans la turbeh et prit soin de refermer soigneusement la lourde porte et de repousser le loquet. Puis il n'eut de repos qu'il n'eût grimpé au haut du palmier et ne se fût bien blotti entre les branchages. De là, il remarqua que la lumière se rapprochait, et il finit par apercevoir trois nègres, dont deux portaient une grande caisse et le troisième tenait à la main une lanterne et des pioches. Lorsqu'ils furent tout près de la turbeh, l'un des porteurs vit que son compagnon à la lanterne s'était arrêté surpris, et il lui dit : « Qu'arrive-t-il donc, ô Saouâb ? » Saouâb répondit : « Ne vois-tu pas ? » L'autre dit : « Quoi donc ? » Saouâb répondit : « Ô Kâfour, ne vois-tu pas que la porte de la turbeh, que nous avions laissée ouverte le soir, est maintenant fermée et bien cadenassée de l'intérieur ? » Alors le troisième nègre, qui s'appelait Bakhita, leur dit : « Quel petit esprit vous avez ! Ne savez-vous donc pas que les propriétaires des champs sortent tous les jours de la ville et viennent ici, après avoir visité leurs plantations, pour s'y reposer ? Ils entrent et prennent soin de refermer la porte sur eux, le soir venu, de crainte d'être surpris par des nègres comme nous, qu'ils redoutent énormément ; car ils savent bien que nous les prenons pour les rôtir et nous régaler de leur chair de blancs. » Alors Kâfour et Saouâb dirent au nègre Bakhita : « En vérité, ô Bakhita, s'il y a quelqu'un parmi nous qui soit modique d'esprit, c'est bien toi ! » Mais Bakhita répondit : « Je vois bien que vous ne croirez à mes paroles que lorsque nous serons entrés dans la turbeh et que nous y aurons vu quelque personne. Et je vous annonce même d'avance que si, en ce moment, il y a quelqu'un dans la turbeh, ce quelqu'un, à la vue de notre lumière qui s'approchait, aura grimpé, terrifié, au plus haut du palmier. Et ce n'est que là que nous le trouverons ! »

À ces paroles du nègre Bakhira, l'effaré Ghanem se dit en lui-même : « Quel nègre plein de malice ! Qu'Allah confonde tous les Soudaniens pour ce qu'ils ont en eux de perfidie et de malice ! » Puis, de plus en plus terrifié, il dit : « Il n'y a de force et de puissance qu'en Allah le Très-Haut, l'Omnipotent ! Qui va maintenant pouvoir me délivrer de cet abîme ? »

Après cela, les deux nègres porteurs de la caisse dirent au nègre porteur de la lanterne et des pioches : « Ô Saouâb, grimpe sur le mur et saute dans la turbeh et ouvre-nous cette porte qui est fermée de l'intérieur, car nous sommes bien fatigués du poids de cette caisse contre notre cou et sur nos épaules. Et nous te promettons, si tu nous ouvres cette porte, de te réserver le plus gros et le plus dodu des individus que nous attraperons là-dedans, et nous te le ferons cuire une cuisson bien à point, à lui bien dorer toute la peau, et nous nous engageons à ne pas laisser perdre inutilement une seule gouttelette de sa graisse ! » Mais Saouâb répondit : « Moi, comme je suis fort modique d'intelligence, voici ce que je crois plutôt préférable de faire : comme cette caisse nous a été confiée, le mieux est de nous en débarrasser en la jetant dans la turbeh par-dessus la muraille, puisqu'on nous a donné l'ordre de la déposer dans cette turbeh ! » Mais les deux autres nègres dirent : « Si nous jetons ainsi cette caisse par-dessus la muraille, sûrement elle se cassera ! » Saouâb dit : « Oui ! mais aussi, si nous entrons dans cette turbeh-là, j'aurai bien peur des brigands qui doivent y être cachés pour assassiner les passants et dévaliser les voyageurs ! Car c'est dans cette turbeh que se donnent, le soir, rendez-vous tous les brigands, pour faire entre eux le partage du butin. » Mais les deux nègres porteurs de la caisse lui répondirent : « Homme de peu d'esprit ! es-tu donc assez idiot pour ajouter foi à de pareilles insanités ! »

Et, là-dessus, les deux nègres déposèrent la caisse à terre, escaladèrent le mur et sautèrent dans la turbeh pour courir ouvrir la porte, pendant que le troisième leur tenait la lumière. Ils firent tous les trois entrer la caisse, refermèrent sur eux la porte de granit, et s'assirent se reposer dans la turbeh. Et l'un d'eux dit : « En vérité, ô mes frères, nous voici bien las de cette longue marche et bien fatigués de tout ce mouvement que nous nous sommes donné pour escalader des murs et ouvrir des portes, et voici que c'est minuit. Reposons-nous donc tranquillement quelques heures avant de travailler à creuser la fosse où l'on nous a commandé d'enfouir cette caisse dont nous ignorons le contenu. Une fois bien reposés nous nous mettrons au travail. Or, voici ce que je vous propose : pour passer agréablement ces quelques instants de repos, que chacun de nous, les trois eunuques noirs, raconte à tour de rôle le motif qui l'a obligé à devenir eunuque et la raison qui l'a fait châtrer ! Et qu'il raconte les détails de son histoire depuis le commencement jusqu'à la fin ! De la sorte, nous passerons cette nuit fort agréablement. »

Mais, à ce moment de sa narration, Schahrazade vit apparaître le matin et se tut discrètement.

Mais lorsque fut la trente-huitième nuit. Elle dit :

Il m'est parvenu, ô Roi fortuné, que lorsque l'un des nègres soudaniens eut proposé qu'ils se racontassent mutuellement la cause de leur eunuquat, le nègre Saouâb, qui portait la lanterne et les instruments, prit le premier la parole et dit :

« Voulez-vous que je vous raconte, le premier, le motif de ma castration ? » Les deux autres répondirent : « Certainement ! hâte-toi de parler ! »

Alors l'eunuque soudanien Saouâb dit :

HISTOIRE DU NÈGRE SAOUÂB, LE PREMIER EUNUQUE SOUDANIEN

« Sachez donc, ô mes frères, que j'avais à peine cinq ans d'âge lorsque le marchand d'esclaves me prit et m'emmena de mon pays pour me conduire ici, à Bagdad. Il me vendit à un homme d'armes du palais. Cet homme avait une fillette qui, à ce moment, était âgée de trois ans. Je fus donc élevé avec elle ; et j'étais l'amusement de tous les gens de la maison lorsque je faisais jouer la petite fille, que je dansais pour elle des danses d'une grande drôlerie, et que je lui chantais les chansons que je connaissais ; et tout le monde aimait le petit négrillon.

Nous grandîmes ensemble de la sorte et nous atteignîmes, moi, l'âge de douze ans et la petite, l'âge de dix ans. Et on continuait à nous laisser jouer ensemble, sans nous séparer. Aussi, un jour d'entre les jours, comme je la trouvai assise seule dans un endroit retiré, je m'approchai d'elle, selon mon habitude.

Or, à ce moment justement, la fillette venait de prendre un bain complet dans le hammam de la maison, car elle sentait bon de fort loin, et elle était délicieuse et parfumée et toute lustrale ; quant à sa figure, elle était comme la lune dans sa quatorzième nuit. Me voyant, elle courut à moi et nous nous mîmes à jouer, à nous ébattre et à faire mille petites folies ; et elle me mordait et je l'égratignais, et elle me pinçait et moi également, si bien qu'au bout de quelques instants mon petit zebb s'érigea et se gonfla et devint comme une clef énorme et saillit considérablement sous ma robe. Alors la petite se mit à rire et s'élança sur moi et me renversa par terre sur le dos et vint se mettre à califourchon sur mon ventre ; et, là, elle se mit à se frotter et à me frotter et finit par mettre mon zebb à découvert. À la vue de mon zebb qui s'érigeait turgescent, elle le prit avec sa main et se mit à s'en frotter et à s'en chatouiller les petites lèvres de sa vulve, mais seulement par-dessus le caleçon qu'elle portait. Mais ce manège fit que ma chaleur s'intensifia et devint telle que j'accolai la petite fille, et elle m'accola et se suspendit à mon cou et me serra de toutes ses forces. Et voilà que soudain, je ne sais comment, mon zebb devenu comme le fer perça le caleçon de la fillette et pénétra entre ses lèvres, et, du coup, lui enleva sa virginité.

Une fois notre chose finie, la fillette se reprit à rire et se mit à m'embrasser et à me cajoler ; mais moi, je fus terrifié de ce que je venais de ravir et, sans plus m'attarder, je m'échappai des mains de ma petite maîtresse et me mis à courir et allai me cacher chez un jeune nègre de mes amis.

Pour la petite fille, elle ne tarda pas à rentrer à la maison ; et bientôt sa mère, à la vue de sa robe fourragée et de son caleçon transpercé d'outre en outre, jeta un grand cri et examina la chose située entre les cuisses de la fillette ; et elle vit ce qu'elle vit ! Et elle tomba à la renverse et s'évanouit d'émotion et de colère. Mais elle revint à elle-même et, comme, en somme, la chose était irréparable, elle ne tarda pas à se calmer et prit toutes les précautions pour arranger l'affaire et cacher surtout l'incident à son époux, le père de la fillette. Et elle y réussit et patienta ainsi pendant deux mois, durant lesquels ils avaient fini par me découvrir et ne cessaient de me cajoler et de me faire de petits cadeaux pour m'obliger à rentrer à la maison de mon maître. Et, une fois rentré, ils continuèrent à ne parler jamais de cette affaire-là et à la cacher soigneusement au père, qui m'aurait certainement tué ; et ni la mère ni personne ne me désiraient tant de mal, car ils m'aimaient beaucoup.

Au bout de ces deux mois, la mère réussit à fiancer la fillette à un jeune barbier, qui était le barbier du père et qui venait souvent à la maison à ce titre. Et elle lui constitua une dot sur son propre argent et lui fit le trousseau et y consacra tous ses efforts. Puis on songea à célébrer les noces. Et c'est alors qu'on fit venir le jeune barbier avec ses instruments ; et on me saisit, et le barbier me lia les bourses et me coupa mes deux œufs et, du coup, fit de moi un eunuque. Et la cérémonie du mariage eut lieu ; et on fit de moi l'eunuque de ma jeune maîtresse, et désormais je dus marcher devant elle partout où elle allait, qu'elle se rendît au souk ou en visite ou à la maison paternelle. Et la mère fit les choses si discrètement que nul ne sut rien de l'histoire, pas plus le nouveau marié que les parents et amis. Et, pour faire croire aux invités à la virginité de la fillette, la mère égorgea un pigeon et teignit de son sang la chemise de la nouvelle mariée et, selon l'usage, elle fit circuler la chemise vers la fin de la nuit, dans la salle de réunion, devant toutes les femmes invitées, qui pleurèrent d'émotion.

Et, depuis ce temps, j'habitai, avec ma jeune maîtresse, dans la maison du barbier, son époux. Et je pus, de la sorte, impunément, me délecter tout à mon aise et dans la mesure de mes forces à sa beauté et aux perfections de son corps délicieux. Car mes œufs étaient partis, il est vrai, mais mon zebb me restait. Je pouvais donc, sans risque et insoupçonné, continuer à baiser et à embrasser ma petite maîtresse, jusqu'à ce qu'elle fût morte, elle et son mari, et sa mère et son père. Alors je devins, de droit, la propriété du Trésor, et je devins l'un des eunuques du Palais. Et cela fit que je devins votre compagnon, ô mes frères nègres !

Et telle est la cause de ma castration et de mon eunuquat. Et maintenant que la paix soit sur vous ! »

Sur ces paroles le nègre Saouâb se tut, et le second nègre Kâfour prit la parole et dit :

HISTOIRE DU NÈGRE KÂFOUR, LE SECOND EUNUQUE SOUDANIEN

« Sachez donc, ô mes frères, que j'avais huit ans d'âge au commencement de mon histoire. Mais déjà j'étais fort expérimenté dans l'art de mentir ; et, chaque année, une fois par an seulement, je faisais au marchand d'esclaves un mensonge tel que son cul se rétractait et qu'il en tombait à la renverse. Aussi le marchand d'esclaves finit par vouloir se débarrasser de moi au plus vite, et il me mit entre les mains du crieur public et lui dit de me crier au souk en disant : « Qui veut acheter un négrillon avec son vice ? » Et le crieur se mit à parcourir avec moi tous les souks en criant la chose. Et bientôt un brave homme d'entre les marchands du souk s'approcha et demanda au crieur : « Mais quel est le vice de ce petit nègre ? » Il répondit : « C'est de mentir chaque année un seul mensonge, sans plus ! » Le marchand demanda : « Et quel prix a-t-on déjà proposé pour ce nègre avec son vice ? » Il répondit : « Six cents drachmes seulement. » Le marchand dit : « Je le prends. Et pour toi, vingt drachmes de courtage ! » Et, séance tenante, on assembla les témoins de vente, et l'achat fut conclu entre le crieur et le marchand du souk. Alors le crieur me mena à la maison de mon nouveau maître, prit l'argent et le courtage, et s'en alla.

Mon maître ne manqua pas de m'habiller proprement et d'une façon qui m'allait bien ; et je restai ainsi chez lui le reste de l'année, sans aucun incident. Mais vint la nouvelle année, et elle s'annonça comme une année bénie, pleine de promesses pour la récolte, la fertilité et les fruits. Aussi les marchands ne manquèrent pas de se donner mutuellement des festins dans les jardins ; et chacun à son tour se mit à faire les frais de l'invitation jusqu'à ce que vînt le tour de mon maître. Alors mon maître invita les marchands à un jardin situé en dehors de la ville, et y fit porter tout ce dont on pouvait avoir besoin en fait de nourriture et de boisson ; et tout le monde s'assit à boire et à manger depuis le matin jusqu'à midi. À ce moment, mon maître eut besoin d'une chose qu'il avait oubliée à la maison et me dit : « Ô esclave, monte sur ma mule et va vite à la maison demander à ta maîtresse *telle* chose, et fais diligence pour revenir ! » Et moi j'obéis à cet ordre et je me dirigeai en toute hâte vers la maison.

Lorsque je fus près de la maison, je me mis à jeter de grands cris et à répandre de grosses gouttes de larmes ; et aussitôt je fus entouré par un grand rassemblement de tous les habitants de la rue et du quartier, grands et petits. Et les femmes mirent la tête aux portes et aux fenêtres, et la femme de mon maître entendit mes cris et vint m'ouvrir, suivie de ses filles ; et toutes me demandèrent la cause qui m'amenait ainsi. Je répondis en pleurant : « Mon maître, qui était au jardin avec les invités, s'était absenté un moment pour aller, contre un mur, satisfaire un besoin. Et soudain le mur s'écroula et mon maître disparut sous les décombres. Alors, affolé, je sautai sur la mule et je vins en toute hâte vous mettre au courant de la situation. » Lorsque la femme et les filles eurent entendu mes paroles, elles se prirent à lancer de grands cris, à déchirer leurs habits et à se frapper le visage et la tête ; et tous les voisins accoururent et les entourèrent. Puis la femme de mon maître, en signe de grand deuil, comme cela se pratique d'ordinaire à la mort inattendue du chef de la maison, se mit à bouleverser la maison, à détruire et à casser les étagères et les meubles, à les lancer par les fenêtres, à briser tout ce qui pouvait être brisé, et à enlever les portes et les fenêtres. Puis elle fit peindre tous les murs extérieurs en bleu et y fit coller de la boue par plaques. Et elle me cria : « Misérable Kâfour, voilà que tu restes immobile ! viens donc m'aider à casser ces armoires, à détruire tous ces ustensiles et à mettre en morceaux toutes ces porcelaines ! » Alors, moi, sans avoir besoin d'un second appel, je m'élançai de tout cœur, et me mis à tout briser et à tout abîmer, les armoires, les meubles précieux, les porcelaines ; je brûlai les tapis, les lits, les rideaux, les étoffes précieuses et les coussins ; cela fait, je m'en pris à la maison elle-même et j'attaquai les plafonds et les murs, et je détruisis le tout de fond en comble. Et pendant tout ce temps je ne cessais de me lamenter et de clamer : « Ô mon pauvre maître ! Ô mon malheureux maître ! »

Après cela, ma maîtresse et ses filles enlevèrent leurs voiles et, le visage découvert et les cheveux dénoués, sortirent dans la rue et me dirent : « Ô Kâfour, marche devant nous pour nous montrer le chemin, et conduis-nous à l'endroit où ton maître a été enterré sous les décombres. Car il nous faut le retrouver pour le mettre dans le cercueil et le ramener à la maison, et de là lui faire les funérailles qui lui sont dues ! » Alors je marchai devant elles en continuant à crier : « Ô mon pauvre maître ! » Et tout le monde me suivait, les femmes le visage découvert et les cheveux en désordre, avec des cris et des gémissements. Et peu à peu notre cortège grossit de tous les habitants de toutes les rues que nous traversions, hommes, femmes, enfants, jeunes filles et vieilles femmes ; et tous se frappaient le visage et pleuraient extrêmement. Et moi, je pris plaisir à leur faire faire ainsi tout le tour de la ville et je leur fis traverser toutes les rues ; et tous les passants s'informaient de la cause de tout cela, et on leur racontait ce qu'on m'avait entendu dire, et ils s'écriaient alors : « Il n'y a de force et de puissance qu'en Allah le Très-Haut, l'Omnipotent ! »

Pendant ce temps quelques-uns conseillèrent à la femme de mon maître d'aller d'abord trouver le wali et de lui raconter le malheur. Et tous allèrent chez le wali, tandis que, moi, je leur disais que j'allais les précéder au jardin sur les ruines qui avaient enterré mon maître.

Mais, à ce moment de sa narration, Schahrazade vit apparaître le matin et se tut discrètement.

Mais lorsque fut la trente-neuvième nuit. Elle dit :

Il m'est parvenu, ô Roi fortuné, que l'eunuque Kâfour continua ainsi le récit de son histoire : « Alors, moi, je courus au jardin ; et les femmes, avec tous les autres, se rendirent chez le wali et lui racontèrent la chose. Alors le wali se leva et monta à cheval et prit avec lui des ouvriers terrassiers chargés d'instruments, de sacs et de couffes ; et tout le monde prit le chemin du jardin en suivant les indications que j'avais données. Moi de mon côté, je me couvris les cheveux de terre, je me mis à me frapper le visage, et j'arrivai au jardin en criant : « Oh ! ma pauvre maîtresse ! ah ! mes pauvres petites maîtresses ! ah ! mes pauvres maîtres ! » Et j'entrai de la sorte au milieu des invités. Lorsque mon maître me vit ainsi, la tête couverte de terre et me frappant le visage et criant : « Ah ! qui va désormais me recueillir ? Ah ! quelle femme pourra jamais être aussi bonne que ma pauvre maîtresse ! » il changea de couleur et devint jaune de teint et me dit : « Qu'as-tu donc, ô Kâfour ? Et qu'est-il arrivé, dis ? » Je lui dis : « Ô mon maître, lorsque tu m'eus donné l'ordre d'aller chez ma maîtresse chercher la chose demandée, j'arrivai et je trouvai que la maison s'était effondrée et avait enseveli sous ses ruines ma maîtresse et ses enfants ! » Il s'écria alors : « Ta maîtresse n'a-t-elle pas pu se sauver ? » Je dis : « Hélas ! non. Personne n'a pu se sauver ; et la première qui fut atteinte, c'est ma maîtresse la grande ! » Il me dit : « Mais ta maîtresse la petite, la plus jeune de mes filles, n'a-t-elle pu s'échapper ? » Je dis : « Hé ! non. » Il me dit : « Et la mule, n'a-t-elle pas pu être sauvée, la mule, celle que je monte d'ordinaire ? » Je répondis : « Non, ô mon maître, car les murs de la maison et les murs de l'étable se sont effondrés sur tout ce qu'il y avait de vivant dans la maison, même sur les moutons, les oies et les poules ! Et tout cela devint une masse de chair informe et disparut sous les décombres. Et il ne reste plus personne. » Il me dit : « Et même pas ton maître le grand, l'aîné de mes fils ? » Je dis : « Hélas ! non. Il n'y a plus personne de vivant. Et il n'y a plus ni maison ni habitants. Et il n'y a même plus trace de tout cela. Quant aux moutons, aux oies et aux poules, ils doivent être en ce moment la proie des chats et des chiens. »

Lorsque mon maître eut entendu mes paroles, la lumière se changea à ses yeux en ténèbres ; il perdit tout sentiment et toute volonté ; et il flageola sur ses jambes ; et ses muscles se paralysèrent ; et son dos se cassa. Puis il se mit à se déchirer les habits, à s'arracher la barbe, et à se frapper la figure, et à arracher son turban de dessus sa tête. Et il ne cessa d'agir de la sorte et de se frapper qu'en voyant toute sa figure en sang. Et il s'écriait : « Ah ! mes enfants ! ma femme ! Ah ! quelle calamité ! Ah ! quel malheur semblable au mien ? » Puis tous les marchands, ses compagnons se mirent également à se lamenter et à pleurer avec lui pour exprimer leur compassion et déchirèrent leurs habits également.

Après cela, mon maître, suivi de tous les invités, sortit du jardin en continuant à se donner de grands coups, la plupart sur le visage. Et il devint comme un homme ivre. Mais à peine avait-il franchi la porte du jardin qu'il vit une grande poussière et entendit de grands cris lamentables. Et bientôt il vit poindre le wali avec tous ses gens et suivi des femmes de la maison, de tous les habitants du quartier et de tous les passants qui s'étaient joints à eux en cours de route, par curiosité. Et tout le monde était dans les pleurs et les lamentations.

La première personne avec laquelle mon maître se rencontra face à face fut ma maîtresse, son épouse, et, derrière elle, ses enfants. À leur vue, mon maître resta interdit et sentit sa raison s'envoler ; puis il se mit à rire et tous se jetèrent dans ses bras et se suspendirent à son cou en pleurant et en disant : « Ô notre père ! qu'Allah soit béni pour ta délivrance ! » Il leur dit : « Mais comment allez-vous, vous autres, et que vous est-il arrivé dans la maison ? » Son épouse dit : « Qu'Allah soit béni, qui nous fait revoir ton visage en toute sécurité ! Mais comment as-tu fait pour te sauver et te tirer seul des décombres ? Car, pour nous, comme tu le vois, nous sommes saufs et en bonne santé. Et sans la terrible nouvelle que Kâfour est venu nous annoncer, il ne serait rien arrivé, non plus, à la maison ! » Il s'écria : « Quelle nouvelle ? » Elle dit : « Kâfour est arrivé à la maison, la tête découverte, les habits déchirés, et il criait : « Ô mon pauvre maître ! ô mon malheureux maître ! » Nous lui dîmes : « Qu'y a-t-il donc, ô Kâfour ? » Il dit : « Mon maître s'était accroupi contre un mur pour satisfaire un besoin, quand soudain le mur s'écroula et l'enterra vivant ! »

Alors mon maître, à son tour, leur dit : « Par Allah ! mais Kâfour est venu à l'instant même me trouver en criant : « Ô ma maîtresse ! ô les pauvres enfants de mon maître ! » Je lui dis : « Qu'y a-t-il donc, ô Kâfour ? » Il me dit : « Ma maîtresse vient de mourir, elle et tous les enfants, sous les ruines de la maison ! »

Là-dessus, mon maître se tourna de mon côté et vit que je continuais à répandre la poussière sur mes cheveux et à me lamenter et à déchirer mes habits et à jeter au loin mon turban. Alors il me lança un cri terrible pour me dire de m'approcher. Et je m'approchai et il me dit : « Ah ! misérable esclave ! nègre de mauvais augure, fils de putain et de mille chiens ! Ah ! maudit de race maudite ! Pourquoi nous avoir causé tous ces tourments et occasionné tous ces troubles ? Mais, par Allah ! je vais te punir selon ton crime, je vais séparer ta peau de ta chair et ta chair de tes os ! » Alors, moi, sans crainte, je lui dis : « Par Allah ! je te défie de me faire le moindre mal, car tu m'as acheté avec mon vice et cela par-devant témoins, et les témoins témoigneront que tu m'as acheté en connaissance de cause. Tu savais donc que mon vice est de faire un mensonge tous les ans ; et c'est ainsi, d'ailleurs, que l'ont crié les crieurs. Or, je dois même t'aviser que tout ce que je viens de faire n'est qu'un demi-mensonge, et que je me réserve, avant la fin de l'année, d'accomplir la seconde moitié du mensonge entier que je dois accomplir ! » À ces paroles mon maître s'écria : « Ô le plus vil et le plus maudit d'entre les nègres, comment ! tout ce que tu viens de faire n'est seulement que la moitié d'un mensonge ? En vérité, quelle calamité énorme ! Va-t'en, ô chien fils de chien, je te chasse ! Tu es libre désormais de tout esclavage ! » Je lui répondis :

« Par Allah ! si, toi, tu me lâches, moi, pas du tout ! Car je ne veux point te lâcher, avant que l'année ne soit finie et que je n'aie accompli l'autre moitié de mon mensonge ! Alors seulement tu devras me conduire au souk et me vendre au même prix que tu m'as acheté, avec mon vice. Et d'ici là, tu ne peux m'abandonner, car je n'ai point de métier pour en vivre. Et tout ce que je te dis là est chose légale, et légalement reconnue par les juges lors de mon achat ! »

Pendant que nous parlions de la sorte, tous les habitants, qui étaient venus là pour assister aux funérailles, s'informèrent de ce qui arrivait. Alors on leur expliqua, ainsi qu'au wali et à tous les marchands et à tous les amis, le mensonge qui était mon œuvre et on leur dit : « Mais tout cela n'est seulement que la moitié d'un mensonge ! »

À cette explication, tous les assistants furent au comble de la stupéfaction et trouvèrent que cette moitié-là était déjà bien énorme. Et ils me maudirent et me lancèrent toutes sortes d'injures plus fortes les unes que les autres. Mais moi, je restais debout à rire et à dire : « Comment peut-on me faire des reproches, puisque l'on m'a acheté avec mon vice ? »

Nous arrivâmes bientôt dans la rue où habitait mon maître ; et il constata que sa maison n'était plus qu'un monceau de ruines, et il apprit que c'était moi qui avais le plus contribué à la destruction et qui avais cassé les choses qui valaient beaucoup d'argent car son épouse lui dit : « C'est Kâfour qui a cassé les meubles et les vases et les porcelaines, et qui a tout saccagé ! » Et la fureur de mon maître ne fit qu'augmenter ; et il dit : « De ma vie je n'ai vu un fils de putain, un adultérin comme ce misérable nègre ! Et il prétend que tout cela n'est qu'un demi-mensonge ! Que serait-ce alors si c'était un mensonge complet ? Dans ce cas, ce serait la destruction, au moins, de toute une ville ou de deux villes ! » Là-dessus, il m'emmena de force chez le wali, qui me fit appliquer une bastonnade soignée et telle que je perdis connaissance et tombai évanoui.

Comme j'étais dans cet état, on fit venir un barbier avec ses instruments, qui me châtra complètement et cautérisa ensuite ma blessure au fer chaud. Et, à mon réveil, je constatai que je n'avais plus d'œufs et que j'étais devenu eunuque pour le reste de ma vie.

Alors mon maître me dit : « De même que tu as brûlé mon cœur en essayant de lui ravir ce qu'il avait de plus cher, de même, à mon tour, je te brûle le cœur en te ravissant ce que tu as de plus cher ! » Puis il me prit avec lui au souk et me vendit pour un prix bien plus fort que celui qu'il avait payé, vu que j'étais devenu plus cher, parce que devenu eunuque.

Depuis lors, je ne cessai de jeter la discorde et le trouble dans toutes les maisons qui me prirent comme eunuque ; et j'allai, tout le temps, d'un maître à un autre, d'un émir à un émir, d'un notable à un notable, selon la vente et l'achat, jusqu'à ce qu'un jour je fusse devenu la propriété du palais de l'émir des Croyants en personne. Mais déjà j'avais beaucoup baissé, et mes forces avaient diminué avec la perte de mes œufs.

Et telle est, ô frères, la cause de ma castration et de mon eunuquat. J'ai fini ! Ouassalam ! »

Lorsque les deux nègres eurent entendu ce récit de leur compagnon Kâfour, ils se mirent à rire et à se moquer de lui et lui dirent : « Tu es un malicieux coquin, fils de coquin. Et ton mensonge a été un épouvantable mensonge ! »

Puis le troisième nègre, qui s'appelait Bakhita, prit la parole à son tour et, s'adressant à ses deux compagnons, leur dit :

HISTOIRE DU NÈGRE BAKHITA, LE TROISIÈME EUNUQUE SOUDANIEN

« Sachez, ô fils de mon oncle, que tout ce que nous venons d'entendre là est ridicule et vain. Moi, je vais vous raconter la cause de l'enlèvement de mes œufs et le motif de mon eunuquat, et vous verrez que j'ai mérité encore bien pis ! Car, moi, j'ai baisé ma maîtresse et j'ai forniqué avec l'enfant, fils de ma maîtresse.

Mais les détails de cette fornication sont tellement extraordinaires et tellement riches en incidents qu'il serait, pour l'instant, trop long de vous les raconter. Car, ô mes cousins, voici le matin qui s'approche et la lumière va nous surprendre avant que nous ayons eu le temps de creuser la fosse et d'y enfouir cette caisse que nous avons portée jusqu'ici ; et peut-être alors serons-nous compromis gravement et risquerons-nous de perdre nos âmes. Faisons donc le travail pour lequel nous avons été envoyés ici ; après quoi, je ne manquerai pas de vous raconter les détails de ma fornication et de mon eunuquat. »

Sur ces paroles, le nègre Bakhita se leva et les deux autres se levèrent, bien reposés, et tous trois, à la lumière de la lanterne, commencèrent à creuser la terre pour faire une fosse de la largeur de la caisse ; et Kâfour et Bakhita piochaient et Saouâb ramassait la terre dans les couffes et la jetait au-dehors ; et ils continuèrent de la sorte jusqu'à ce qu'ils eussent creusé une fosse profonde d'une demi-longueur d'homme, et ils y déposèrent la caisse et la recouvrirent de terre, et égalisèrent le sol. Après quoi, ils reprirent leurs instruments et leur lanterne, sortirent de la turbeh, refermèrent la porte et s'éloignèrent rapidement.

Tout cela ! et Ghanem ben-Ayoub, toujours caché au haut du palmier, avait entendu toutes ces paroles et avait vu disparaître les eunuques. Lorsqu'il se fut assuré qu'il était bien seul, il commença à se préoccuper fort du contenu de la caisse et se dit : « Qui sait ce qu'il peut bien y avoir dans cette caisse-là ! » Mais il ne put encore se résoudre à descendre du palmier, par peur de la nuit, et il attendit qu'apparussent les premières lueurs de l'aube matinale. Il descendit alors du palmier, et se mit à creuser la terre avec ses mains et ne cessa que lorsqu'il eut mis la caisse à découvert et qu'il l'eut tirée de la fosse.

Ghanem prit alors un caillou et se mit à frapper sur le cadenas qui fermait le couvercle de la caisse et finit par le casser. Et il leva le couvercle. Et il trouva dans la caisse une adolescente, non point morte, mais endormie, car sa respiration montait et descendait d'une façon douce et réglée, et elle devait être seulement sous l'effet du banj.

Cette adolescente était d'une beauté sans pareille et d'un teint délicat et doux et délicieux. Elle était couverte de bijoux, de pierreries et de toutes sortes de joyaux ; elle avait au cou un collier incrusté de gemmes précieuses, aux oreilles des pendeloques d'une seule pierre merveilleuse, et aux chevilles et aux poignets des bracelets d'or et de diamants ; et cela devait valoir un prix bien plus élevé que tout le royaume du sultan.

Lorsque Ghanem ben-Ayoub eut bien regardé la belle adolescente et constaté qu'elle n'avait subi aucune violence de la part des eunuques lubriques qui l'avaient portée jusque-là et avaient voulu l'enterrer vivante, il se pencha vers elle et la prit dans ses bras et l'étendit doucement par terre sur son derrière. Lorsque l'adolescente eut respiré l'air vif qui lui pénétrait dans les narines, son teint se revivifia et elle poussa un grand soupir et toussa et éternua ; et, à ce mouvement, tomba de sa bouche un gros morceau de banj capable d'endormir un éléphant d'une nuit à l'autre nuit. Alors elle entrouvrit les yeux et quels yeux ! et, encore sous l'effet du banj, elle tourna ses regards adorables vers Ghanem ben-Ayoub et dit d'une voix murmurante et d'une façon de prononcer gentille et savoureuse : « Où es-tu donc, ma petite Riha ? tu vois bien que j'ai soif ! Hâte-toi de me rafraîchir ! Et toi, où es-tu, Zahra ? et toi Sabiha ? et toi, Schagarat Al-Dorr ? et toi, Nour Al-Hada ? et toi, Nagma ? et toi, Soubhia ? et toi surtout, ma petite Nozha, ô douce, ô gentille Nozha ? Où donc êtes-vous toutes, que vous ne répondez pas[1] ? » Et, comme personne ne répondait, l'adolescente finit par ouvrir les yeux complètement et regarda tout autour d'elle et, épouvantée, elle s'écria : « Malheur à moi ! voici que je suis seule au milieu des tombeaux ! Oh ! qui a pu m'enlever, et m'arracher de mon palais et de mon intérieur aux beaux rideaux et aux belles tapisseries pour me jeter ici entre les pierres des tombeaux ? Mais quelle créature peut jamais savoir ce qu'il y a de caché au fond des cœurs ! Ô toi qui connais les secrets les plus fermés, ô Rétributeur, tu sauras reconnaître les bons et les mauvais au jour de la Résurrection, au jour de ton Jugement ! »

Tout cela ! et Ghanem demeurait immobile sur ses deux pieds. Alors il s'avança et dit : « Ô souveraine de beauté, toi dont le nom doit être plus doux que le jus de la datte et dont la taille est plus pliante que le rameau du palmier, je suis Ghanem ben-Ayoub ; et ici il n'y a, en vérité, ni palais avec des rideaux ni tombeaux avec des morts, mais il y a ton esclave envoyé spécialement par le Maître Omniscient et Omniprésent pour te mettre à l'abri de tout désagrément, te garder de toute affliction et te faire parvenir à tes fins ! Et alors peut-être m'accorderas-tu aussi tes bonnes grâces, ô désirable ! » Puis il se tut.

Lorsque l'adolescente se fut bien assurée de la réalité de ce qu'elle voyait, elle dit : « Je témoigne qu'il n'y a d'autre Dieu qu'Allah ! et je témoigne que Mohammad est l'Envoyé d'Allah ! » Puis elle se tourna vers Ghanem, le regarda de ses yeux brillants, se posa la main sur le cœur et dit de sa voix délicieuse : « Ô jeune homme béni, voici que je me réveille dans l'inconnu ! Peux-tu me dire qui m'a portée ici ? » Il répondit : « Ô ma maîtresse, ce sont trois nègres eunuques qui t'ont portée ici dans une caisse. » Puis Ghanem raconta à l'adolescente toute l'histoire, et comment il avait été surpris par la nuit hors de la ville, comment il était devenu la cause de sa délivrance à elle hors de la caisse, et comment, sans lui, elle serait morte étouffée sous terre. Puis il la pria de lui raconter son histoire et le motif de cette aventure. Mais elle lui répondit : « Ô jeune homme, qu'Allah soit glorifié qui m'a jetée entre les mains d'un homme comme toi ! Je te prie donc, pour le moment, de te lever et de me remettre dans la caisse ; puis tu iras chercher sur la route quelque muletier ou quelque loueur de bêtes de somme qui puisse se charger de cette caisse ; puis tu me feras porter dans ta maison. Alors seulement tu verras combien cela te sera profitable et tu éprouveras, grâce à moi, toutes sortes de délices et de bonheur ! Et je pourrai ensuite te raconter mon histoire et te mettre au courant de mes aventures. »

À ces paroles, Ghanem fut fort heureux et courut tout de suite à la recherche de quelque muletier ; et comme le jour s'était déjà levé et que le soleil brillait de tout son éclat, la chose ne fut pas difficile : au bout de quelques instants, Ghanem revint avec un muletier, et, comme il avait déjà pris soin de remettre l'adolescente dans la caisse, il l'aida à mettre la caisse sur le dos du mulet, et l'on prit en hâte le chemin de la maison. Et, pendant la route, Ghanem sentit que l'amour de l'adolescente lui avait pénétré le cœur ; et il fut au comble du bonheur en songeant qu'elle allait lui appartenir bientôt, cette adolescente qui, esclave aux enchères du souk, eût bien valu dix mille dinars d'or, qui avait sur elle, en fait de bijoux, de pierreries et d'habits en étoffes précieuses, qui sait quelles richesses ! Et, tout à ses pensées joyeuses, il lui tardait d'arriver enfin à sa maison. Il finit, suivi du muletier, par y arriver en toute sécurité, et il aida le muletier à descendre la caisse et à la porter à l'intérieur de la maison.

Mais, à ce moment de sa narration, Schahrazade vit apparaître le matin, et, discrète, cessa les paroles permises.

Mais lorsque fut la quarantième nuit. Elle dit :

Il m'est parvenu, ô Roi fortuné, que Ghanem ben-Ayoub arriva en toute sécurité à sa maison avec la caisse, qu'il ouvrit et d'où il fit sortir l'adolescente. L'adolescente examina la maison et vit que c'était une fort belle maison, toute tendue de tapis aux couleurs vives et joyeuses et toute tapissée d'étoffes et de tentures aux mille couleurs et reposantes à la vue ; et des meubles précieux et bien d'autres choses ; et elle vit de grandes balles de marchandises et d'étoffes de prix, et des charges de soieries et de brocarts, et des vases remplis de vessies de musc. Elle comprit alors que Ghanem était un grand marchand, maître de nombreuses richesses. Elle enleva alors le petit voile dont elle avait pris soin de se couvrir le visage et regarda attentivement cette fois le jeune Ghanem ; et elle vit qu'il était beau et très près des cœurs, et elle l'aima et lui dit : « Ô Ghanem, tu vois que devant toi je ne me couvre point le visage ! Mais j'ai bien faim, et je te prie de m'apporter vite de quoi manger. » Et Ghanem répondit : « Sur ma tête et sur mon œil ! »

Ghanem courut alors au souk et acheta un agneau cuit au four, un plateau de pâtisseries de la meilleure qualité qu'il prit chez le marchand de douceurs Hadj Soleiman, le plus illustre des marchands de douceurs de Bagdad, un plateau de halaoua, des amandes, des pistaches et des fruits de toutes sortes, des cruches pleines de vin vieux, et enfin des fleurs de toutes les variétés. Et il porta le tout à la maison et rangea les fruits dans les grandes coupes de porcelaine et les fleurs dans les vases précieux et plaça le tout devant l'adolescente. Alors elle lui sourit, et se serra contre lui, et lui jeta les bras autour du cou, et se mit à l'embrasser et à le cajoler et à lui dire mille choses pleines de délices. Et Ghanem sentit l'amour s'incruster bien plus dans sa peau et dans son cœur. Puis tous deux se mirent à manger et à boire jusqu'à la tombée de la nuit ; et, pendant ce temps, ils eurent tout loisir pour s'habituer l'un à l'autre et s'aimer, vu qu'ils étaient tous deux du même âge et d'égale beauté.

Lorsque vint la nuit, Ghanem ben-Ayoub se leva et alluma les lustres et les flambeaux ; et la salle fut encore bien plus illuminée par l'éclat de leurs visages que par la lumière des chandelles. Puis Ghanem apporta les instruments de plaisir, et vint s'asseoir à côté de l'adolescente, et continua à boire et à lui verser à boire, à lui remplir des coupes et à boire avec elle, puis à jouer avec elle à mille jeux fort agréables et à rire et à chanter les chansons les plus brûlantes et les vers les plus harmonieux. Et cela ne fit qu'augmenter encore en eux la passion qu'ils éprouvaient l'un pour l'autre. Aussi béni soit et glorifié Celui qui unit les cœurs et joint les amoureux ! Ghanem et l'adolescente ne cessèrent leurs ébats et leur festin qu'à l'apparition de l'aube matinale. Et, comme le sommeil avait fini par peser sur leurs paupières, ils s'endormirent dans les bras l'un de l'autre, mais sans rien accomplir, ce jour-là, de définitif.

À peine réveillé, Ghanem ne voulut pas être en retard de bonnes manières, et courut au souk acheter tout ce dont on pouvait avoir besoin pour la journée, en fait de viandes, de légumes, de fruits, de fleurs et de vins ; et il apporta le tout à la maison, et s'assit à côté de l'adolescente ; et tous deux se mirent à manger avec plaisir jusqu'à ce qu'ils en eussent assez ; après quoi, Ghanem apporta les boissons, et tous deux se mirent à boire et à s'ébattre jusqu'à ce que leur visage se fût enflammé, que leurs joues se fussent colorées et que leurs yeux fussent devenus plus noirs et plus brillants. Alors l'âme de Ghanem ben-Ayoud désira avec ardeur baiser l'adolescente et coucher avec elle. Et Ghanem dit : « Ô ma souveraine, permets-moi de t'embrasser sur la bouche, afin que ce baiser rafraîchisse le feu de mes entrailles ! » Elle répondit : « Ô Ghanem, attends encore un peu que je devienne ivre et que je perde toute retenue et toute notion ; et alors je te permettrai, en secret, de prendre ce baiser sur ma bouche, puisque alors je ne pourrai plus sentir tes lèvres me sucer ! » Elle dit et, comme elle commençait à devenir un peu ivre, elle se leva debout sur ses deux pieds, et se débarrassa de toutes ses robes et ne laissa sur son corps que la chemise fine et sur ses cheveux que le léger voile de soie blanche aux paillettes d'or.

À cette vue, le désir se mouvementa chez Ghanem, qui dit : « Ô ma maîtresse, me permets-tu maintenant de goûter ta bouche ? » L'adolescente répondit : « Par Allah ! c'est là une chose que je ne puis vraiment te permettre, ô Ghanem que j'aime, car il y a une chose fort contrariante qui est écrite là sur le cordon de mon caleçon ! Et je ne puis maintenant te la montrer. » Alors Ghanem, à cause de cette difficulté même à réaliser ce qu'il ardait si fort de faire, sentit son cœur déborder de passion, et il chanta, en s'accompagnant sur le luth, ces strophes improvisées :

« J'implorai un baiser de sa bouche, sa bouche tourment de mon cœur, un baiser qui me guérît de la maladie !

Elle me dit : « Oh, non ! oh, non ! pas ça ! jamais ! » Je lui dis : « Que si ! que si ! »

Elle me dit : « Un baiser ! mais cela doit se donner de bon cœur ! Et toi, prendrais-tu, contre mon désir, un baiser sur mes lèvres souriantes ! »

Je lui dis : « Mais un baiser pris par force, ô naïve, ne manque point de volupté ! » Elle me dit : « Que non ! que non ! pas moi ! pas moi ! Un baiser par force n'est bon, ô ravisseur, que sur la bouche des bergères dans les montagnes ! »

Ghanem, après ce chant, sentit encore augmenter l'intensité de sa folie et de ses élans, et les feux étinceler dans ses entrailles. Tout cela ! et l'adolescente ne lui accordait rien, quoiqu'elle continuât à lui montrer toutes les marques d'une passion partagée. Et ils continuèrent de la sorte, lui allumé considérablement et elle ne donnant rien, jusqu'à la tombée de la nuit. Alors Ghanem se leva et alluma les flambeaux et éclaira les lustres et fit flamboyer toute la salle. Puis il alla se jeter aux pieds de l'adolescente et colla sa bouche contre ses pieds merveilleux ; et il trouva qu'ils étaient comme du lait et tendres et fondants comme du beurre frais ; et il enfouit sa tête entre ses pieds et l'enfonça encore jusqu'aux jambes et plus haut, rapidement, entre les cuisses et se mit à manger toute cette chair savoureuse et tiède et parfumée au musc, à la rose et au jasmin. Et elle frémissait de toutes ses ailes, comme frémit la poule docile. Et Ghanem, affolé, s'écria : « Ô ma maîtresse, prends en pitié l'esclave de ton amour et le vaincu de tes yeux et le tué de ta chair ! Sans toi et ta venue, je serais dans le calme et le repos ! » Puis Ghanem sentit les larmes lui mouiller de passion les coins des paupières.

Alors l'adolescente lui dit : « Par Allah ! ô mon maître, ô lumière de mes yeux, moi, je te le jure, je suis tout éprise de ton amour et te suis attachée de toute la pulpe de ma chair ! Mais, sache-le bien, jamais je ne me donnerai à toi ! et je ne te laisserai jamais m'approcher profondément ! » Ghanem s'écria : « Mais quel en est donc l'empêchement ? » Elle lui dit : « Cette nuit même, je t'en dirai le motif, et peut-être m'excuseras-tu alors ! » À ces mots, elle se laissa aller contre lui, et lui fit un collier de ses bras, et se mit à l'embrasser et à le cajoler et à lui promettre mille folies ! Et ils ne mirent fin à leurs jeux et à leurs ébats qu'à l'approche du matin, et sans que l'adolescente eût dit à Ghanem le motif qui l'empêchait de se donner à lui.

Et ils ne cessèrent de faire la même chose incomplète chaque jour et chaque nuit, et cela durant un mois entier. Et leur amour l'un pour l'autre n'avait fait que s'aiguiser et se nourrir. Mais une nuit d'entre les nuits, comme Ghanem était étendu de tout son long contre l'adolescente et que tous deux étaient ivres de vins et d'excitation insatisfaite, Ghanem allongea la main sous la chemise fine, et tout doucement la glissa sur le ventre de l'adolescente et se mit à caresser la peau lisse qui frémissait ; et lentement il fit descendre sa main jusqu'au nombril qui s'ouvrait comme une coupe de cristal, et du doigt il en chatouilla les plis harmonieux. À cet attouchement, l'adolescente frissonna et se redressa dégrisée et porta vivement la main à son caleçon et vit qu'il était toujours bien attaché avec le cordon à glands d'or. Cela la tranquillisa, et elle se laissa retomber dans son demi-sommeil. Alors Ghanem de nouveau glissa sa main le long du ventre adolescent de cette merveille de chair, et arriva au cordon du caleçon et le tira soudain pour le délier et faire tomber le caleçon qui emprisonnait ce jardin de délices. Alors l'adolescente se réveilla tout à fait et s'assit sur son séant et dit à Ghanem : « Que veux-tu donc faire, ô Ghanem de mes entrailles ? » Il répondit : « Te posséder enfin et t'aimer complètement et te voir partager mes délices ! » Alors l'adolescente dit : « Ô Ghanem, écoute-moi ! Je vais enfin t'expliquer ma situation et te faire connaître mon secret. Et peut-être qu'alors tu admettras mes excuses et le motif qui m'a toujours empêchée de me laisser délicieusement pénétrer de ta virilité ! » Ghanem dit : « Certes, j'écoute ! » Alors l'adolescente souleva le coin de sa chemise et prit en main le cordon de son caleçon et dit : « Ô mon maître Ghanem, lis ce qu'il y a d'écrit sur le bout de ce cordon ! » Et Ghanem prit le bout du cordon et vit qu'il y avait, brodés dans la trame même en lettres d'or, ces mots d'écriture : « Je suis à toi et tu es à moi, ô descendant de l'oncle du Prophète ! »

Lorsque Ghanem eut lu ces mots d'écriture d'or sur le bout du cordon, il retira vivement la main et, point rassuré, dit à l'adolescente : « Hâte-toi de me révéler le sens de tout cela ! » Et l'adolescente dit :

« Sache, ô Ghanem, que je suis la favorite du khalifat Haroun Al-Rachid ; et ces mots écrits sur le cordon de mon caleçon te prouvent que je suis la propriété de l'émir des Croyants, et que je dois lui réserver le goût de mes lèvres et le mystère de ma chair. Mon nom, ô Ghanem, est Kouat Al-Kouloub[1]. Et, dès mon enfance, je fus élevée dans le palais du khalifat, et je grandis et je devins si belle que le khalifat me remarqua et vit ce qu'il y avait en moi de qualités, de perfections et de dons dus à la générosité de mon Seigneur. Et ma beauté l'impressionna si vivement qu'il ressentit pour moi un très grand amour, et il me prit, et me donna, dans le palais, à moi seule, un appartement réservé et mit à mes ordres dix jeunes esclaves agréables et gentilles et au visage de bon augure. Puis il me fit présent de tous ces bijoux, de tous ces joyaux et de toutes ces belles choses dont tu m'as vue couverte dans la caisse. Et il me préféra à toutes les femmes du palais et négligea même pour moi son épouse favorite El Sett-Zobéida, sa parente. Aussi Sett-Zobéida conçut pour moi une haine qui ne tarda pas à montrer ses effets.

Comme le khalifat s'était un jour absenté pour aller faire la guerre à l'un de ses lieutenants qui s'était révolté, Sett-Zobéida en profita pour combiner son plan contre moi. Elle réussit à corrompre l'une de mes servantes et la fit appeler un jour chez elle et lui dit : « Lorsque dormira ta maîtresse Kouat Al-Kouloub, tu lui mettras dans la bouche ce morceau de banj, après lui en avoir d'abord mis dans sa boisson. Et moi je t'en récompenserai et je te donnerai la richesse et la liberté ! » Et la jeune esclave, qui avait primitivement été l'esclave de Zobéida, répondit : « Je le ferai, certes, parce que je te suis dévouée et aimante ! » Et, toute joyeuse à l'idée des récompenses qui l'attendaient, elle vint chez moi et me donna à boire une boisson mélangée de banj. Et à peine cette boisson était-elle descendue dans mon intérieur que je tombai à terre comme une masse et mon corps entra en convulsions et mes talons arrivèrent à mon front, et je me sentis aller dans un autre monde. Lorsqu'elle me vit endormie, l'esclave alla chercher Sett-Zobéida qui vint et me mit dans cette caisse-là. Puis secrètement elle fit venir les trois eunuques en question et les gratifia avec beaucoup de générosité, eux et les portiers du palais, et me fit enlever de nuit, chargée sur les épaules des eunuques, et porter dans la turbeh où, pour ma délivrance, ô Ghanem, Allah t'avait conduit et t'avait placé au haut du palmier ! Car c'est bien à toi, ô Ghanem de mes yeux, que je dois d'avoir échappé à la mort par étouffement dans la fosse de la turbeh. Et c'est grâce à toi également que je suis maintenant en toute sécurité dans ta maison généreuse !

Mais ce qui me préoccupe et jette le trouble dans mes esprits, c'est de ne point savoir ce que le khalifat a dû penser et faire, à son retour au palais, en ne me voyant plus. C'est également, ô Ghanem, de ne pouvoir, liée que je suis par le cordon de mon caleçon, me donner entièrement et te sentir palpiter dans mes entrailles ! Et telle est mon histoire. Et je ne te demande que la discrétion et le secret. »

Lorsque Ghanem ben-Ayoub eut écouté cette histoire de Kouat Al-Kouloub et appris quels liens l'unissaient à l'émir des Croyants et su qu'elle était sa favorite et sa propriété, il se recula au fond de la salle par respect pour le nom du khalifat, et n'osa plus lever ses regards vers l'adolescente, tant elle lui était devenue chose sacrée, et il alla s'asseoir seul dans un coin et se mit à se faire mille reproches et à penser combien il avait failli être criminel et combien déjà il avait été audacieux en touchant seulement la peau royale de l'adolescente. Et il vit combien sa passion était malheureuse et son sort affligeant. Et il reprocha à la destinée ses coups injustes et ses calamités imméritées. Pourtant il ne manqua pas de tout rapporter à Allah et de dire : « Glorifié soit Celui qui a ses raisons pour faire travailler dans la douleur des cœurs nobles et pour éloigner toute affliction du cœur des méchants et des hommes vils ! » Puis il récita les vers du poète :

« Jamais le cœur de l'amoureux ne peut goûter la joie du repos, tant que l'amour le tient dans sa main.

Jamais la raison de l'amoureux ne se peut garder intacte, tant que la beauté reste cachée sous un aspect de femme.

Un ami m'a demandé : « Qu'est-ce que l'amour ? » Je lui dis : « L'amour est une douceur dont le jus est savoureux et la pâte amère. »

Alors l'adolescente s'approcha de Ghanem et le pressa contre son sein et l'embrassa et lui fit un collier de ses bras ; et elle essaya de tous les moyens, excepté un, pour le consoler ; mais Ghanem n'osait plus répondre aux caresses de la favorite de l'émir des Croyants, et se laissait faire, sans protester, mais sans rendre baiser pour baiser et accolade pour accolade. Et la favorite, qui ne s'attendait pas à ce changement si rapide de la part de Ghanem, tout à l'heure si allumé et maintenant si respectueux, redoubla de caresses et de cajoleries, et de la main voulut l'inciter à répondre plus vivement à la chaleur de la passion qui venait de s'attiser chez elle par le refus de Ghanem. Mais Ghanem, une heure durant, ne voulut rien entendre de pareil et, comme le matin les avait déjà surpris dans cet état de passion allumée et contenue, Ghanem se hâta de sortir un moment pour aller au souk acheter les provisions de la journée, et resta dehors une heure de temps pour faire toutes sortes d'emplettes encore plus abondantes que les autres jours, maintenant qu'il savait le rang de son invitée. Il acheta toutes les fleurs des marchands de fleurs, les plus beaux moutons rôtis des rôtisseurs, les pâtisseries les plus fraîches et les douceurs les plus juteuses, les plus soufflés et dorés des pains de froment pur, des crèmes délicieuses et des fruits en quantité, et porta le tout et le mit entre les mains de l'adolescente. Mais à peine était-il entré que l'adolescente s'approcha de lui et se frotta contre lui langoureusement et avec des yeux noirs de passion et humides de désir, et lui sourit avec un sourire de ses lèvres et lui dit : « Par Allah ! comme tu as tardé loin de moi, ô mon chéri, ô le désiré de mon cœur ! Par Allah ! ce n'est point pendant une heure, mais une année, que tu viens de t'absenter ! je sens bien maintenant que je ne saurais plus me retenir ! ma passion se fait extrême et intolérable, et j'en suis toute consumée ! Ô Ghanem ! tiens ! prends-moi ! prends-moi ! Ô Ghanem ! je meurs ! » Mais Ghanem la repoussa doucement et dit : « Ô ma maîtresse Kouat Al-Kouloub ! qu'Allah m'en préserve ! Cela, jamais ! Comment le chien pourrait-il usurper la place du lion ? Car ce qui est au maître ne saurait appartenir à l'esclave ! » Puis il s'échappa de ses mains et alla s'accroupir dans un coin, tout triste et tout soucieux. Mais elle alla le prendre par la main et le conduisit sur le tapis et l'obligea à s'asseoir à côté d'elle et à boire avec elle et manger. Et elle se mit à lui donner à boire tellement qu'il s'enivra ; et elle se jeta sur lui et se colla contre lui, et qui sait ce qu'elle fit de lui à son insu ! Puis elle prit son luth et chanta ces strophes :

« Il est broyé mon cœur d'amoureuse et émietté ! Insatisfaite et repoussée, pourrai-je ainsi longtemps demeurer ?

Ô toi, mon ami, ô gazelle qui m'évites sans délit de ma part et sans motif, ignores-tu que la gazelle se retourne quelquefois pour regarder ?

Absence ! éloignement ! amour extrême ! tout s'est uni contre moi ! Mon cœur saura-t-il porter longtemps encore le poids de tant d'infortunes ? »

À ces vers, Ghanem ben-Ayoub revint à lui et pleura d'émotion ; et elle, le voyant pleurer, se prit également à pleurer. Mais ils ne tardèrent pas à se remettre à boire et à réciter des poèmes jusqu'à la tombée de la nuit.

Alors Ghanem se leva et, comme il faisait tous les soirs, tira les matelas des grandes étagères du mur et s'apprêta à les étendre par terre pour le lit. Mais au lieu de faire un lit, comme tous les autres soirs, il prit soin d'en faire deux, à distance l'un de l'autre. Et Kouat Al-Kouloub, fort contrariée, lui dit : « Pour qui ce second lit ? » Il répondit : « Un lit est pour moi et un autre pour toi. Et dès cette nuit nous devons dormir de cette façon ; car ce qui est au maître ne peut appartenir à l'esclave, ô Kouat Al-Kouloub ! » Mais elle reprit : « Ô mon maître chéri, loin de nous cette morale surannée ! Jouissons de la volupté qui passe, car demain elle sera déjà loin ! Et, d'ailleurs, tout ce qui doit arriver arrivera, et ce qui est écrit par le destin ne peut que s'accomplir ! » Mais Ghanem ne voulut point. Et elle n'en fut que plus passionnée et plus ardente et s'écria : « Par Allah ! cette nuit ne se passera point que nous n'ayons couché ensemble ! » Mais il dit : « Qu'Allah nous en préserve ! » Elle reprit : « Viens, ô Ghanem, voici que je m'ouvre à toi de toute ma chair ; et mon désir t'appelle et crie vers toi ! Ô Ghanem de mes entrailles, prends cette bouche fleurie et ce corps mûri par ton désir ! » Ghanem dit : « Qu'Allah m'en préserve ! » Elle s'écria : « Ô Ghanem, voici que toute ma peau se fait moite de ton désir, et ma nudité s'offre à tes baisers ! Ô Ghanem, l'odeur de ma peau est plus odorante que le jasmin ! Touche et sens, et tu t'enivreras ! » Mais Ghanem dit : « Ô Kouat Al-Kouloub, ce qui est au maître ne peut appartenir à l'esclave ! » Alors l'adolescente pleura de ses yeux et prit son luth et chanta :

« Je suis belle et élancée. Pourquoi me fuis-tu ? Je suis belle en tous sens, vois ! et pleine de merveilles ! Pourquoi me délaisser ?

J'ai brûlé tous les cœurs de ma passion, et j'ai ravi le sommeil de toutes les paupières ! Et, fleur de feu, nul ne m'a cueillie !

Je suis un rameau, et les rameaux sont faits pour être cueillis, les rameaux pliants et doux et fleuris ! Je suis la branche douce et pliante et fleurie ! Ne veux-tu pas me cueillir ?

Je suis la gazelle, et les gazelles sont faites pour la chasse, les gazelles fines et amoureuses. Je suis la gazelle fine et amoureuse, ô chasseur ! faite pour tes filets ! Pourquoi ne me prends-tu pas dans tes filets ?

Je suis la fleur, et les fleurs aromatiques sont faites pour être senties, les fleurs délicates et aromatiques. Et je suis la fleur aromatique et délicate ! Ah ! pourquoi ne veux-tu point me sentir ? »

Mais Ghanem, quoique plus amoureux que jamais, ne voulut point manquer au respect dû au khalifat et, malgré tous les désirs de l'adolescente, continua de la sorte pendant encore un mois entier. Voilà pour Ghanem et Kouat Al-Kouloub, la favorite de l'émir des Croyants !

Mais, pour ce qui est de Zobéida, voici ! Lorsque le khalifat se fut absenté à la guerre, et qu'elle eut fait de sa rivale ce qui fut fait, elle ne manqua pas de tomber bientôt dans une grande perplexité et se dit en elle-même : « Que dirai-je au khalifat, à son retour, lorsqu'il me demandera des nouvelles de Kouat Al-Kouloub, et de quel visage le recevrai-je ? » Elle se décida alors à faire venir une vieille femme qu'elle connaissait depuis son enfance et dont les bons conseils lui inspiraient une grande confiance ; et elle lui révéla son secret et lui dit : « Que vais-je faire, maintenant qu'il est arrivé à Kouat Al-Kouloub ce qui est arrivé ? » La vieille répondit : « J'ai tout compris, ô ma maîtresse. Mais le temps presse, car le khalifat est sur le point de revenir. Aussi il y a beaucoup de moyens que je pourrais t'indiquer pour lui tout cacher, mais je vais te donner le plus facile, le plus rapide et le plus sûr. Fais vite venir un menuisier et donne-lui l'ordre de tailler dans une grande pièce de bois un mannequin de la forme d'un mort. On mettra ce mannequin au tombeau en grande cérémonie ; on allumera les flambeaux et les cierges tout autour ; tu donneras l'ordre à tout le palais, à toutes les esclaves et aux esclaves de Kouat Al-Kouloub de revêtir les habits de deuil et de se mettre tout en noir ; et tu leur ordonneras, ainsi qu'à tous les eunuques, dès avant l'arrivée du khalifat, de tendre de noir tout le palais et tous les corridors. Et lorsque le khalifat, étonné, en demandera le motif, on lui dira : « Ô notre seigneur, votre maîtresse Kouat Al-Kouloub est morte en la miséricorde d'Allah ! Puisses-tu vivre les longs jours qu'elle n'a pas vécus ! D'ailleurs notre maîtresse Zobéida lui a rendu tous les honneurs de funérailles dignes d'elle et de notre maître, et l'a fait enterrer dans le palais même, sous une coupole construite spécialement ! » Alors le khalifat sera très touché de tes bontés et pleurera et t'en sauras beaucoup de gré. Puis il ne manquera pas de faire venir les lecteurs du Koran et de les faire veiller sur le tombeau en récitant les versets des funérailles. Mais si, au contraire, le khalifat, qui sait que tu n'aimais pas Kouat Al-Kouloub, venait à te soupçonner et à se dire en lui-même : « Qui sait si la fille de mon oncle, Zobéida, n'a pas œuvré pour perdre Kouat Al-Kouloub ! » et si le soupçon augmentait en lui et le poussait à faire ouvrir le tombeau pour constater de quelle mort était morte la favorite, toi, ô ma maîtresse, tu ne devrais pas avoir de crainte à ce sujet. Car, lorsqu'ils auront creusé la fosse et fait sortir le mannequin enterré et qui a été fait à l'image d'un fils d'Adam, et qu'ils auront vu ce mannequin habillé des étoffes les plus précieuses et recouvert du linceul somptueux, alors, si le khalifat voulait soulever le linceul et les étoffes pour voir la favorite une dernière fois, toi, ô ma maîtresse, tu ne manqueras pas de l'en empêcher et tout le monde aussi l'en empêchera en lui disant : « Ô émir des Croyants, il n'est point licite de voir une femme morte dont tout le bassin est à nu ! » Et le khalifat finira alors par être persuadé de la mort réelle de sa favorite, et il la fera enterrer de nouveau, et il te saura gré de ton action ! Et toi, de cette façon, tu seras délivrée de ce souci, si Allah veut ! »

À ces paroles de la vieille, Sett-Zobéida vit qu'elle venait d'entendre là un excellent avis, et tout de suite elle fit de riches présents à la vieille et lui donna une très belle robe d'honneur et beaucoup d'argent et lui dit de se charger elle-même de l'exécution du projet. Et la vieille mit une grande diligence à faire exécuter le mannequin par le menuisier, et elle porta le mannequin à Sett-Zobéida ; et toutes deux habillèrent le mannequin avec les habits somptueux de Kouat Al-Kouloub et le mirent dans un linceul fort riche, et lui firent de très belles funérailles, et le mirent dans un tombeau en coupole construit à grands frais, et allumèrent les flambeaux et les lustres et les cierges, et étendirent les tapis tout autour du tombeau pour les prières et les cérémonies d'usage. Puis Zobéida tendit tout le palais de noir et ordonna à toutes les esclaves de mettre les habits noirs du deuil. Et la nouvelle de la mort de Kouat Al-Kouloub se répandit dans tout le palais, et tout le monde, y compris Massrour et tous les eunuques, crut réellement à la chose.

Sur ces entrefaites, le khalifat revint de son voyage lointain et entra dans son palais et se dirigea en toute hâte vers l'appartement de Kouat Al-Kouloub, qui seule occupait sa pensée. Et il vit les serviteurs et les esclaves et les suivantes de la favorite vêtus du noir des deuils, et il commença à trembler d'appréhension ; et bientôt il vit arriver au-devant de lui Sett-Zobéida également vêtue des habits de deuil. Et, comme il demandait la raison de tout cela, on lui répondit que Kouat Al-Kouloub était morte. À cette nouvelle le khalifat tomba évanoui. Et lorsqu'il revint à lui, il demanda où était le tombeau pour aller le visiter. Alors Sett-Zobéida lui dit : « Sache, ô émir des Croyants, qu'à cause de mon affection pour Kouat Al-Kouloub je voulus l'enterrer dans mon propre palais ! » Alors le khalifat, encore en habits de voyage, se dirigea vers l'endroit du palais où était situé le tombeau de Kouat Al-Kouloub. Et il vit les flambeaux et les cierges allumés, et les tapis étendus tout autour. À cette vue, le khalifat remercia et loua Zobéida pour son action méritoire et revint au palais.

Mais le khalifat, qui de sa nature était enclin au soupçon, ne tarda pas à avoir des doutes et à s'inquiéter ; et, pour couper court à ces soupçons qui le tourmentaient, il donna l'ordre de faire creuser la fosse du tombeau et d'en exhumer le corps de sa favorite. Ce qui fut fait aussitôt. Et le khalifat, grâce au stratagème de Zobéida, vit la forme en bois couverte du linceul et crut que c'était sa favorite. Et il la fit inhumer de nouveau et fit tout de suite venir les ministres de la religion et les lecteurs du Koran, qui se mirent à réciter sur le tombeau les versets des funérailles, tandis que lui-même se tenait assis sur le tapis à pleurer toutes ses larmes, et il en versait tellement qu'il finit par tomber évanoui de faiblesse et de douleur.

Et le khalifat ne cessa pendant un mois entier de faire venir les ministres de la religion et les lecteurs du Koran et de se rendre auprès du tombeau de sa favorite, où il se mettait à pleurer amèrement.

Mais, à ce moment de sa narration, Schahrazade vit apparaître le matin et, discrète, cessa les paroles permises.

Mais lorsque fut la quarante et unième nuit. Elle dit :

Il m'est parvenu, ô Roi fortuné, que le khalifat ne cessa, pendant un mois entier, de se rendre au tombeau de sa favorite. Et le dernier jour du mois, les prières et la lecture du Koran durèrent depuis l'aube jusqu'à l'aube suivante ; et alors seulement chacun put rentrer chez soi. Et le khalifat, épuisé de larmes et de fatigue, rentra dans le palais et ne voulut voir personne, pas même son vizir Giafar et son épouse et parente Zobéida, et tomba bientôt dans un lourd sommeil entre deux des esclaves femmes du palais qui veillaient à tour de rôle sur le sommeil du khalifat. L'une des femmes était assise près de la tête du khalifat et l'autre à ses pieds. Au bout d'une heure, comme le khalifat ne dormait plus profondément, il entendit la femme qui était assise près de sa tête dire à la femme qui était à ses pieds : « Quel malheur, ô mon amie Soubhia ! » Soubhia répondit : « Qu'y a-t-il donc, ô mon amie Nozha ? » Nozha dit : « Notre maître doit tout ignorer de l'affaire, lui qui passe ses nuits à veiller sur un tombeau où il n'y a qu'un morceau de bois charpenté, un mannequin travaillé par le menuisier. » Soubhia dit : « Comment, ô ma sœur Nozha ! Mais alors qu'est devenue Kouat Al-Kouloub ? et quel malheur l'a donc atteinte ? » Nozha dit : « Sache, ô Soubhia, que j'ai tout appris de notre sœur l'esclave aimée de Zobéida, notre maîtresse. Et Sett-Zobéida a fait venir l'esclave et lui a remis du banj pour endormir Kouat Al-Kouloub ; et l'esclave a donné le banj à Kouat Al-Kouloub, qui s'endormit aussitôt. Alors notre maîtresse l'a fait mettre dans une caisse qu'elle a remise aux eunuques Saouâb, Kâfour et Bakhita en leur donnant l'ordre de l'enterrer au loin dans une fosse. » Alors Soubhia, les larmes aux yeux, dit : « Ô Nozha, de grâce ! dis-moi vite si notre douce maîtresse Kouat Al-Kouloub est morte de cette horrible mort ! » Nozha répondit : « Qu'Allah préserve sa jeunesse de la mort ! Mais non, ô Soubhia ! Car j'ai entendu Sett-Zobéida dire à son esclave préférée : « J'ai appris, ô Zahra, que Kouat Al-Kouloub a pu s'échapper de la fosse et qu'elle est maintenant dans la maison d'un jeune marchand de Damas, nommé Ghanem ben-Ayoub El-Motim El-Massloub ; et cela depuis déjà quatre mois ! » Tu vois donc, ô Soubhia, combien notre maître le khalifat est malheureux d'ignorer l'existence de sa favorite, lui qui continue à veiller les nuits sur un tombeau où il n'y a point de mort ! » Et les deux esclaves continuèrent à s'entretenir de cette façon pendant encore quelque temps, et le khalifat entendait leurs paroles.

Lorsqu'elles eurent fini de parler et que le khalifat n'eut plus rien à apprendre, soudain il se leva sur son séant, et cria d'une voix terrible qui fit s'enfuir les petites esclaves terrifiées, et entra dans une colère effroyable en pensant que sa favorite se trouvait chez un jeune homme nommé Ghanem ben-Ayoub et cela depuis déjà quatre mois. Et il se leva et fit mander en sa présence les émirs et les notables, et aussi son vizir Giafar Al-Barmaki, qui arriva en toute hâte et baisa la terre entre ses mains. Et le khalifat lui dit avec une grande colère : « Ô Giafar, prends avec toi des gardes et informe-toi de la maison d'un jeune marchand de Damas, nommé Ghanem ben-Ayoub El-Motim El-Massloub. Et alors, toi et ta troupe, vous assaillerez sa maison, vous en arracherez ma favorite Kouat Al-Kouloub, et vous m'amènerez ce jeune insolent que je me réserve de mettre à la torture ! » Et Giafar répondit par l'ouïe et l'obéissance. Et il descendit avec une troupe de gardes et prit soin d'emmener le wali de la ville avec ses gens, et tous ensemble ne cessèrent de marcher et de faire des perquisitions qu'en trouvant la maison de Ghanem ben-Ayoub.

À ce moment, Ghanem venait de rentrer du souk après avoir acheté les provisions de la journée, et il était assis à côté de Kouat Al-Kouloub, et devant eux était un très beau mouton rôti et farci et bien d'autres mets, et ils en mangeaient avec leurs doigts de toute leur âme. Au bruit qui se faisait au-dehors, Kouat Al-Kouloub regarda par la fenêtre et d'un seul coup d'œil se rendit compte du malheur qui s'abattait sur la maison ; elle vit toute la maison cernée par les gardes, les porte-glaive, les mamalik et les chefs de la troupe, et elle vit à leur tête le wali de la ville et le vizir Giafar. Et tous tournaient autour de la maison comme le noir de l'œil tourne autour des paupières. Et elle ne douta plus que le khalifat n'eût appris toute l'histoire ; mais elle devina également qu'il devait être fort jaloux de Ghanem qui la tenait depuis quatre mois dans sa maison. À cette pensée, son teint jaunit et ses beaux traits changèrent et, tout épouvantée, elle se tourna vers Ghanem et lui dit : « Ô mon chéri, avant tout, songe à te sauver ! Lève-toi donc et échappe-toi ! » Il répondit : « Ô mon amie, ô lumière de mes yeux, comment pourrai-je sortir et comment m'échapper d'une maison toute cernée par les ennemis ! » Elle lui dit : « Sois sans crainte ! » Et aussitôt elle le déshabilla complètement et le vêtit d'une vieille robe usée et râpée qui lui descendait jusqu'aux genoux, et prit une grande marmite à viande et la lui mit sur la tête et mit sur la marmite un plateau avec du pain et des porcelaines remplies des restes du repas, et lui dit : « Sors maintenant en cet état, et on te prendra pour le serviteur du traiteur et nul ne te fera de mal. Et sois sans crainte pour tout le reste, car je saurai bien arranger la chose et je connais le pouvoir que j'ai en main sur le khalifat ! »

À ces paroles de Kouat Al-Kouloub, Ghanem, sans avoir le temps de faire ses adieux, se hâta de sortir et traversa les rangs des gardes et des mamalik en portant la charge de la cuisine sur la tête, et il ne lui arriva aucun mal, car il était sous la protection du Protecteur qui seul sait délivrer les hommes bien intentionnés des dangers et de toute malchance !

Mais bientôt le vizir Giafar descendit de cheval, et entra dans la maison, et arriva dans l'appartement réservé, et vit aussitôt au milieu de la salle toute remplie de balles des marchandises et des soieries, la belle Kouat Al-Kouloub, qui avait eu le temps de se faire encore plus belle et de mettre ses habits les plus riches et de s'orner de tous ses bijoux et de devenir brillante comme les plus brillantes, et qui avait eu le temps de rassembler dans une grande caisse ses effets les plus précieux, ses joyaux, ses pierreries et toutes les choses de valeur. Aussi à peine Giafar avait-il pénétré dans l'appartement, qu'elle se leva debout sur ses deux pieds et s'inclina et baisa la terre entre ses mains et lui dit : « Ô mon maître Giafar, voici que le calam a écrit ce qui devait être écrit par l'ordre d'Allah. Je me remets donc entre tes mains ! » Mais Giafar répondit : « Par Allah ! ô ma maîtresse, le khalifat m'a donné l'ordre de me saisir seulement de Ghanem ben-Ayoub ! Dis-nous donc où il est ! » Elle lui dit : « Ô Giafar, Ghanem ben-Ayoub, après avoir emballé la plus grande partie de ses marchandises, est parti, il y a quelques jours, pour sa ville, Damas, revoir sa mère et sa sœur Fetnah. Et je ne sais rien de plus et ne puis t'en dire davantage. Mais pour ce qui est de ma caisse à moi, que tu vois ici et où j'ai mis mes effets les plus précieux, je veux que tu la gardes bien et que tu me la fasses transporter au palais de l'émir des Croyants ! » Et Giafar répondit : « J'écoute et j'obéis ! » Puis il prit la caisse et ordonna à ses hommes de la porter, et, après avoir comblé Kouat Al-Kouloub de prévenances, de soins et d'honneurs, il la pria de l'accompagner chez l'émir des Croyants ; et tous sortirent, toutefois après avoir, selon l'ordre du khalifat, complètement pillé et mis à sac la maison de Ghanem ben-Ayoub El-Motim El-Massloub.

Lorsque Giafar se fut présenté entre les mains du khalifat, il lui raconta ce qu'il avait fait et le départ de Ghanem pour Damas et l'arrivée au palais de sa favorite Kouat Al-Kouloub. Et le khalifat, qui était persuadé que Ghanem avait fait à Kouat Al-Kouloub tout ce qu'il était possible de faire à une jeune femme belle et appartenant à autrui, entra dans une terrible colère et ne voulut même pas voir Kouat Al-Kouloub et ordonna à Massrour de la faire enfermer dans une chambre obscure et de la mettre sous la garde d'une vieille femme chargée ordinairement de ces fonctions.

Mais pour ce qui est de Ghanem, le khalifat le fit rechercher partout par les cavaliers ; et de plus il voulut écrire de sa propre main une lettre au sultan de Damas, son vicaire, Mohammad ben-Soleiman El-Zeini ; et il prit le calam, l'écritoire et une feuille et écrivit la lettre suivante :

« À sa seigneurie le sultan Mohammad ben-Soleiman El-Zeini, vicaire de Damas, de la part de l'émir des Croyants Haroun Al-Rachid, le cinquième khalifat de la descendance glorieuse des Bani-Abbas.

Au nom d'Allah le Clément-sans-bornes le Miséricordieux.

Après la demande des nouvelles de ta santé qui nous est chère, et après notre prière à Allah de te conserver de longs jours dans la dilatation et l'épanouissement !... Et ensuite ! Ô notre vicaire, tu sauras qu'un jeune marchand de ta ville, nommé Ghanem ben-Ayoub, est venu à Bagdad et a séduit et violenté une esclave de mes esclaves, et a fait d'elle ce qu'il a fait. Et il a fui ma vengeance et ma colère et s'est réfugié dans ta ville, où il doit être en ce moment avec sa mère et sa sœur. Tu te saisiras de lui et tu le lieras et tu lui donneras cinq cents coups de lanières. Ensuite tu le traîneras par toutes les rues de ta ville, et un crieur marchera devant le chameau qui le portera et criera : « Voilà le châtiment de l'esclave qui ravit le bien de son maître ! » Et puis tu me l'enverras pour que je le fasse mettre à la torture et lui fasse ce qui est à faire.

Ensuite ! Tu pilleras sa maison et tu la ruineras du faîte aux fondements et tu feras disparaître jusqu'aux traces de son existence.

Et ensuite ! comme Ghanem ben-Ayoub a une mère et une jeune sœur, tu les prendras, tu les mettras toutes nues et tu les chasseras, après les avoir exposées durant trois jours aux yeux de tous les habitants de ta ville. Et porte une grande diligence et un grand zèle à exécuter notre ordre ! Ouassalam ! »

Et immédiatement, sur l'ordre du khalifat, un courrier partit pour Damas et marcha si vite qu'il y arriva au bout de huit jours, et non de vingt et plus.

Aussi lorsque le sultan Mohammad eut entre ses mains la lettre du khalifat, il la porta à ses lèvres et à son front, et, après lecture, mit immédiatement l'ordre du khalifat à exécution. Il fit donc parcourir toute la ville par les crieurs publics, qui criaient : « Que ceux qui veulent piller, se rendent à la maison de Ghanem ben-Ayoub et la pillent à leur guise ! »

Et aussitôt il se dirigea lui-même avec ses gardes vers la maison d'Ayoub, et frappa à la porte, et la jeune sœur de Ghanem, Fetnah, accourut ouvrir et dit : « Qui est là ? » Il répondit : « C'est moi ! » Alors elle ouvrit la porte et, comme elle n'avait jamais vu le sultan Mohammad, elle se couvrit immédiatement le visage du coin de son voile de tête, et courut prévenir la mère de Ghanem.

La mère de Ghanem, à ce moment, était assise sous la coupole du tombeau qu'elle avait fait construire en souvenir de son fils Ghanem qu'elle croyait mort, depuis un an qu'elle n'avait plus entendu parler de lui. Et elle était toute en larmes et ne mangeait plus et ne buvait plus. Elle dit donc à sa fille Fetnah de faire entrer, et le roi Mohammad entra dans la maison et arriva au tombeau et vit la mère de Ghanem qui pleurait et lui dit : « Je viens pour voir ton fils Ghanem et l'envoyer au khalifat ! » Elle répondit : « Malheureuse que je suis ! mon fils Ghanem, le fruit de mes entrailles, nous a quittées, moi et sa sœur, depuis plus d'un an, et nous ne savons ce qu'il est devenu ! » Alors le roi Mohammad, qui était un homme plein de générosité, ne put qu'exécuter l'ordre du khalifat ; il fit immédiatement piller toute la maison et prendre les tapis, les vases, les porcelaines et les choses précieuses ; puis il ruina toute la maison et en fit transporter toutes les pierres loin de la ville. Puis, quoique la chose lui répugnât fort, il fit mettre nues la mère de Ghanem et la belle et jeune Fetnah, sa sœur, et les fit exposer durant trois jours dans la ville avec défense de les couvrir d'une chemise sans manches, et les chassa de Damas. Et c'est ainsi que Fetnah et sa mère, à cause du ressentiment du khalifat, furent chassées de Damas.

Quant à Ghanem ben-Ayoub El-Motim El-Massloub, une fois sorti de Bagdad, il se mit à marcher et à pleurer jusqu'à ce que son cœur se fût émietté ; et il continua de la sorte, sans manger et sans boire, jusqu'à la fin de la journée ; et la faim et la douleur l'avaient affaibli. Il arriva enfin, mort de fatigue, à un village, et il alla à la mosquée du village et entra dans la cour et alla tomber épuisé sur une natte et appuya son dos contre un mur. Il resta de la sorte, sans connaissance, et le cœur battant d'une façon désordonnée, jusqu'au matin, et sans avoir eu la force de faire un mouvement pour demander quelque chose. Le matin, les habitants du village vinrent à la mosquée pour la prière, et le virent étendu sans vie ; comprenant qu'il était affamé et altéré, ils lui portèrent un pot de miel et deux pains et le firent manger et boire ; puis ils lui donnèrent, pour s'habiller, une chemise sans manches, il est vrai, et toute rapiécée et pleine de poux. Puis ils lui demandèrent : « Qui es-tu et d'où viens-tu, ô étranger ? » Et Ghanem ouvrit les yeux et regarda, mais ne put articuler un mot ni faire une réponse ; et il se mit seulement à pleurer. Alors ils restèrent autour de lui pendant un certain temps et finirent par s'en aller chacun à son travail.

Ghanem, par la force de ses chagrins et les privations, tomba malade et continua à rester couché sur la vieille natte de la mosquée pendant encore un mois ; et il devint faible de corps et bien changé quant au teint ; et son corps fut dévoré par les puces et les punaises ; et il fut réduit à un état si misérable que les fidèles de la mosquée se concertèrent un jour entre eux pour le porter à l'hôpital de Bagdad, vu qu'il n'y avait guère d'hôpital que là. Ils allèrent donc chercher un chamelier avec son chameau et lui dirent : « Tu vas mettre ce jeune homme malade sur le dos de ton chameau et tu le porteras à Bagdad et tu le déposeras à la porte de l'hôpital ; de cette façon, le changement d'air et les soins à l'hôpital le guériront certainement. Quant à toi, ô chamelier, c'est à nous que tu reviendras réclamer ce qui te sera dû pour le voyage et pour le chameau ! » Et le chamelier répondit : « J'écoute et j'obéis ! » Puis, aidé des assistants, il prit Ghanem avec la natte sur laquelle il était couché, et le hissa sur le dos du chameau et l'y consolida.

Au moment même où le chamelier allait partir et où Ghanem pleurait sa misère, deux femmes très pauvrement vêtues, mêlées à la foule qui regardait, virent le malade et dirent : « Comme ce pauvre malade ressemble à notre fils Ghanem ! Mais il n'est guère possible que ce soit lui, ce jeune homme réduit à l'état d'ombre ! » Et ces deux femmes, qui étaient couvertes de poussière et venaient d'arriver dans la localité, se mirent à pleurer en songeant à Ghanem. Car c'étaient justement la mère de Ghanem et sa sœur Fetnah, qui avaient fui Damas et continuaient maintenant leur route vers Bagdad.

Quant au chamelier, il ne tarda pas à monter sur son âne et, prenant le chameau par le licou, s'achemina vers Bagdad. Il y arriva bientôt et alla droit à l'hôpital et fit descendre Ghanem de sur le dos du chameau et, comme c'était de très bon matin et que l'hôpital n'était pas ouvert, il le déposa sur la marche de la porte et s'en retourna à son village.

Ghanem resta ainsi étendu à la porte jusqu'à ce que les habitants fussent sortis de leurs maisons : et ils le virent ainsi couché sur la natte et réduit à l'état d'ombre, et ils l'entourèrent et se mirent à faire mille suppositions. Pendant qu'ils se communiquaient mutuellement leurs réflexions, vint à passer le cheikh principal du souk, qui aussitôt écarta la foule et s'approcha et vit ce jeune homme malade et se dit en lui-même : « Par Allah ! si ce jeune homme entre à l'hôpital, il est d'avance perdu faute de bons soins et c'est certainement un homme condamné à mort ! Je vais donc le prendre moi-même dans ma maison, et Allah m'en récompensera dans son Jardin des Délices ! » Alors le cheikh du souk ordonna à ses jeunes esclaves de prendre le jeune homme et de le transporter à la maison ; et il les y accompagna lui-même, et, à peine arrivé, il lui dressa un lit tout neuf avec de bons matelas et un oreiller tout neuf et bien propre ; puis il appela son épouse et lui dit : « Ô femme, voici un hôte qu'Allah nous envoie. Tu vas le servir avec beaucoup de soin. » Elle répondit : « Certes ! et il sera mis sur ma tête et sur mes yeux ! » Puis elle retroussa aussitôt ses manches, et fit chauffer l'eau dans le grand chaudron, et lui lava les pieds, les mains et tout le corps ; ensuite elle le revêtit des propres habits de son époux, et lui porta un verre de délicieux sorbet, et lui aspergea la figure d'eau de rose. Alors Ghanem commença à respirer plus librement ; et les forces peu à peu commencèrent à lui revenir, et avec elles le souvenir de son passé et de son amie Kouat Al-Kouloub. Et voilà pour Ghanem ben-Ayoub El-Motim El-Massloub.

Mais pour ce qui est de Kouat Al-Kouloub, lorsque le khalifat se fut mis tellement en colère contre elle…

À ce moment de sa narration. Schahrazade vit apparaître le matin, et, discrète, cessa les paroles permises.

Mais lorsque fut la quarante-deuxième nuit. Elle dit :

Il m'est parvenu, ô Roi fortuné, que pour ce qui est de Kouat Al-Kouloub, lorsque le khalifat se fut mis tellement en colère contre elle et qu'il l'eut fait enfermer dans une chambre obscure sous la surveillance d'une vieille femme du palais, elle resta en cet état pendant quatre-vingts jours, sans communiquer avec qui que ce fût au palais. Et le khalifat avait fini par l'oublier complètement, lorsqu'un jour d'entre les jours, comme il passait près de la chambre de Kouat Al-Kouloub, il l'entendit chanter tristement les vers des poètes, puis s'interrompre pour se parler à voix haute et se dire : « Ô mon ami, ô Ghanem ben-Ayoub, quelle belle âme tu étais et quel généreux et chaste cœur ! Tu as été grand vis-à-vis de qui t'a opprimé, et respectueux à l'égard de la femme de celui qui a ravi les femmes de ta maison, et tu as sauvé de l'opprobre la femme de celui qui a jeté la honte sur les tiens et sur toi ! Mais il viendra un jour où, toi et le khalifat, vous vous tiendrez debout devant le Seul Juge, le Seul Juste ; et tu sortiras du conflit victorieux de ton oppresseur, avec Allah pour médiateur et les anges pour témoins ! »

Lorsque le khalifat eut entendu ses paroles et compris le sens de sa plainte, alors que personne n'était là pour l'écouter, il sut qu'il avait été injuste à son égard et à l'égard de Ghanem. Il se hâta donc de rentrer dans le palais et chargea l'eunuque en chef d'aller lui chercher Kouat Al-Kouloub. Et Kouat Al-Kouloub se présenta entre ses mains et se tint la tête baissée, les yeux pleins de larmes et le cœur bien triste ; et le khalifat lui dit : « Ô Kouat Al-Kouloub, je t'ai entendue m'accuser d'injustice et me reprocher l'oppression : et tu as prétendu que j'avais mal agi envers celui qui m'avait fait le bien ! Qui donc est-il, celui-là qui a respecté une femme m'appartenant et dont j'ai compromis les femmes, en retour ? celui-là qui a protégé mes femmes et dont j'ai déshonoré les femmes ? » Kouat Al-Kouloub répondit : « C'est Ghanem ben-Ayoub EI-Motim El-Massloub ! Je te jure, ô khalifat, par tes grâces et tes bienfaits, que jamais Ghanem n'a essayé de me violenter ; et il est loin d'avoir commis sur moi des abominations ! Oh ! loin de lui, l'impudeur et la brutalité ! » Alors le khalifat, ne doutant plus, s'écria : « Quel malheur, ô Kouat Al-Kouloub ! En vérité, il n'y a de sagesse et de puissance qu'en Allah le Très-Haut l'Omniscient ! Aussi, ô Kouat Al-Kouloub, demande, et tous tes souhaits seront satisfaits ! » Alors Kouat Al-Kouloub s'écria : « Ô émir des Croyants, alors je te demande Ghanem ben-Ayoub ! » et le khalifat, malgré tout l'amour qu'il continuait à ressentir pour sa favorite préférée, lui dit : « Cela sera fait, si Allah veut ! Je te le promets d'un cœur généreux qui ne revient jamais sur ce qu'il a donné ! Et il sera comblé d'honneurs ! » Kouat Al-Kouloub dit : « Ô émir des Croyants, je te demande, lorsque Ghanem sera de retour, de me donner à lui en cadeau pour que je sois son épouse aimante ! » Le khalifat répondit : « À son retour, Ghanem te sera accordé et tu deviendras sa propriété et son épouse ! » Alors Kouat Al-Kouloub dit : « Ô émir des Croyants, nul ne sait où se trouve Ghanem ; et le sultan de Damas lui-même t'a dit qu'on ne savait ce qu'il était devenu. Permets-moi donc de faire moi-même les recherches nécessaires, dans l'espoir qu'Allah daignera me le faire retrouver ! Le khalifat répondit : « Tu as la permission de faire ce que bon te semble ! » À ces paroles, Kouat Al-Kouloub sentit sa poitrine se dilater de joie et son cœur s'épanouir, et elle se hâta de sortir du palais, après s'être munie d'une bourse contenant mille dinars d'or.

Le premier jour, elle parcourut toute la ville de Bagdad et alla trouver les cheikhs des quartiers et les cheikhs des rues, et elle les interrogea sans pouvoir arriver à un résultat.

Le second jour, elle alla au souk des marchands et visita toutes les boutiques et alla voir le cheikh principal du souk ; elle lui exposa la situation et lui remit une grande quantité de dinars, en le priant de les distribuer aux pauvres étrangers, à son intention.

Le troisième jour, comme elle était allée au souk des orfèvres et au souk des bijoutiers après avoir pris avec elle mille autres dinars, et comme elle avait fait appeler le cheikh des orfèvres et des bijoutiers et lui avait remis de l'or à distribuer aux pauvres étrangers, le cheikh du souk, à ces mots de pauvres étrangers, lui dit : « Ô ma maîtresse, j'ai justement recueilli dans ma maison un jeune homme étranger et malade, dont j'ignore le nom et la qualité. (Or, c'était justement Ghanem ben-Ayoub ; mais le cheikh du souk ne le savait pas.) Mais ce doit être le fils d'un très grand marchand et de nobles parents. Car il est, quoique comme une ombre, d'un très beau visage et doué de toutes les qualités aimables et toutes les perfections. Il doit certainement avoir été réduit à cet état, soit par de grandes dettes qu'il n'aura pu payer, soit par un amour malheureux et l'absence de l'objet aimé. » À ces paroles, Kouat Al-Kouloub sentit son cœur battre en mouvements désordonnés et ses entrailles remuer d'émotion, et elle dit au cheikh du souk des orfèvres et des bijoutiers : « Ô cheikh, comme tu ne peux quitter le souk à cette heure, fais-moi conduire par quelqu'un à ta maison ! » Et le cheikh des orfèvres dit : « Sur ma tête et sur mes yeux ! » Et il lui donna un petit enfant du souk, qui connaissait la maison et à qui il dit : « Vite ! ô Felfel, conduis ta maîtresse à la maison ! » Et le petit Felfel du souk marcha devant Kouat Al-Kouloub et la conduisit à la maison du cheikh du souk, où se trouvait l'étranger malade.

Lorsque Kouat Al-Kouloub entra dans la maison, elle salua l'épouse du cheikh. Et l'épouse du cheikh la reconnut, car elle connaissait toutes les nobles dames de Bagdad, qu'elle visitait souvent, et se leva et s'inclina et baisa la terre entre ses mains. Alors Kouat Al-Kouloub, après les salutations d'usage, lui demanda : « Ma bonne mère, peux-tu maintenant me dire où se trouve le jeune étranger malade que vous avez recueilli dans votre maison ? » Alors l'épouse du cheikh se mit à pleurer et lui montra du doigt un lit qui se trouvait là et lui dit : « Le voici sur le lit. C'est un jeune homme certainement de noble race, car tout son maintien l'indique. » Alors Kouat Al-Kouloub se tourna vers le lit sur lequel était étendu le jeune étranger, et le regarda avec attention, et elle vit un jeune homme faible et amaigri et comme une ombre ; et elle fut loin de deviner que c'était Ghanem ; mais, tout de même, elle fut prise pour lui d'une grande compassion et se mit à pleurer et à dire : « Oh ! qu'ils sont malheureux les étrangers, même s'ils sont émirs dans leur pays ! » Puis elle remit les mille dinars d'or, à l'épouse du cheikh des orfèvres et lui recommanda de ne rien épargner pour le bien-être du jeune malade ; puis elle donna de sa propre main les remèdes prescrits au malade et les lui fit boire, puis, après être restée plus d'une heure près de sa tête, elle souhaita la paix à l'épouse du cheikh du souk, et remonta sur sa mule et retourna au palais.

Et tous les jours elle allait dans les différents souks et passait son temps en recherches continuelles, quand un jour le cheikh vint la trouver et lui dit : « Ô ma maîtresse Kouat Al-Kouloub, comme tu m'as recommandé de t'amener tous les étrangers de passage à Bagdad, je viens conduire aujourd'hui entre tes mains généreuses deux femmes, l'une mariée et l'autre jeune fille, et toutes deux probablement d'un très haut rang, car leur maintien et leur visage me l'indiquent ; mais elles sont misérablement habillées de vêtements de poils de chèvre et portent chacune une besace au cou, comme les mendiants. Et leurs yeux sont pleins de larmes et leur cœur bien affligé. Et voici que je te les amène, car toi seule, ô souveraine des bienfaits, tu sauras les consoler et les fortifier et leur éviter la honte et l'opprobre des questions indiscrètes ; car sûrement ce ne sont pas des personnes qu'on peut soumettre aux questions indiscrètes. De mon côté, j'espère que, grâce au bien que nous leur ferons, Allah nous réservera, au jour de la Rétribution, une place dans le Jardin des Délices ! » Kouat Al-Kouloub répondit : « Par Allah ! ô mon maître, tu me fais souhaiter ardemment de les voir ! Où sont-elles donc ? » Alors le cheikh sortit et alla les chercher derrière la porte et les amena entre les mains de Kouat Al-Kouloub.

Lorsque la jeune Fetnah et sa mère furent entrées chez Kouat Al-Kouloub, elle les regarda et, voyant leur beauté et leur noblesse et les haillons dont elles étaient vêtues, elle se mit à pleurer et s'écria : « Par Allah ! ce sont des femmes de noble naissance et point habituées à la misère. Car je vois bien à leur visage qu'elles sont nées dans les honneurs et la richesse ! » Et le cheikh du souk répondit : « Certes ! ô ma maîtresse, tu dis vrai ! Le malheur a dû s'abattre sur leur maison et la tyrannie les opprimer et leur ravir leurs biens. Venons à leur aide, puisque nous aimons les pauvres et les misérables, pour mériter les grâces d'Allah le Miséricordieux ! » À ces paroles, la mère et la fille se mirent à pleurer et à penser à Ghanem ben-Ayoub El-Motim El-Massloub. Et en les voyant pleurer, Kouat Al-Kouloub se mit à pleurer avec elles. Alors la mère de Ghanem lui dit : « Ô maîtresse pleine de générosité, fasse Allah que nous puissions retrouver ce que nous cherchons d'un cœur douloureux ! Celui que nous cherchons est le fils de nos entrailles et la flamme de notre cœur, notre fils Ghanem ben-Ayoub El-Motim El-Massloub ! »

À ce nom de Ghanem ben-Ayoub El-Motim El-Massloub, l'adolescente poussa un grand cri, car elle venait de comprendre que c'étaient là la mère de Ghanem et la sœur de Ghanem, et tomba évanouie. Et lorsqu'elle revint à elle, elle se jeta tout en pleurs dans leurs bras, et leur dit : « Espérez en Allah et en moi, ô mes sœurs, car ce jour sera le premier jour de votre bonheur et le dernier de vos malheurs ! Cessez donc toute affliction ! »

À ce moment de sa narration, Schahrazade vit apparaître le matin et, discrète, cessa les paroles permises.

Mais lorsque fut la quarante-troisième nuit. Elle dit :

Il m'est parvenu, ô Roi fortuné, que Kouat Al-Kouloub dit à la mère et à la sœur de Ghanem : « Cessez donc toute affliction ! » Puis elle se tourna vers le cheikh du souk des orfèvres et des bijoutiers et lui donna mille dinars d'or et lui dit : « Ô cheikh, tu vas maintenant les conduire à ta maison et dire à ton épouse de les prendre au hammam et de leur donner ensuite de très beaux habits ; et qu'elle les comble de soins et de prévenances, sans rien épargner pour leur bien-être ! »

Le lendemain, Kouat Al-Kouloub ne manqua pas d'aller elle-même à la maison du cheikh du souk vérifier par ses propres yeux si tout avait été exécuté d'après ses instructions. À peine était-elle entrée que l'épouse du cheikh vint au-devant d'elle et lui baisa les mains et la remercia de ses générosités ; puis elle fit venir la mère et la sœur de Ghanem qui avaient été au hammam et en étaient sorties toutes transformées et le visage rayonnant de noblesse et de beauté. Et Kouat Al-Kouloub se mit à leur parler fort gentiment pendant une heure de temps ; puis elle demanda à l'épouse du cheikh des nouvelles de leur malade. Et l'épouse du cheikh répondit : « Il est toujours dans le même état. » Alors Kouat Al-Kouloub dit : « Allons toutes le visiter et essayer de l'encourager ! » Et elle prit les deux femmes qui, retirées dans l'appartement des femmes, n'avaient pu voir le malade couché dans la salle de réunion, et toutes entrèrent chez le jeune homme, et le regardèrent avec beaucoup de tendresse et de pitié, et s'assirent autour de lui à causer ; et, dans la conversation, le nom de Kouat Al-Kouloub fut prononcé. À peine le jeune malade eut-il entendu prononcer ce nom de Kouat Al-Kouloub qu'aussitôt son teint pâle se colora, son corps amaigri se fortifia et son âme lui revint ; et il releva la tête, les yeux pleins de vie, et s'écria : « Où es-tu, ô Kouat Al-Kouloub ? »

Lorsque Kouat Al-Kouloub eut entendu le jeune homme l'appeler par son nom, en ouvrant les lèvres pour la première fois, elle reconnut la voix de Ghanem ben-Ayoub et se pencha vivement vers lui et lui dit : « Ô mon chéri ! tu es Ghanem ben-Ayoub ! » Il lui dit : « Oui ! c'est moi Ghanem ! » À ces mots, l'adolescente tomba à la renverse, évanouie. Quant à la mère de Ghanem et à sa sœur Fetnah, en entendant ces paroles, elles poussèrent un cri et tombèrent à la renverse, évanouies. Au bout d'un certain temps, elles finirent par revenir à elles, et se jetèrent sur Ghanem, et il arriva ce qui arriva en fait de pleurs, de cris de joie et de baisers.

Puis Kouat Al-Kouloub, enfin plus calme, lui dit : « Gloire et louanges à Allah qui a permis enfin notre réunion toutes ensemble, moi, ta mère et ta sœur ! » Puis elle lui raconta toute l'histoire et ajouta : « Le khalifat, après tout cela, a cru à ma parole et t'a accordé ses bonnes grâces et m'a exprimé le désir de te voir ; de plus, il me donne à toi en cadeau ! » À ces paroles, Ghanem fut au comble de l'épanouissement et continua à baiser la main de Kouat Al-Kouloub qui lui baisait la tête et les yeux. Puis Kouat Al-Kouloub leur dit à tous : « Attendez-moi ici. Je vais revenir ! » Et elle alla en toute hâte au palais et ouvrit la caisse où il y avait ses choses précieuses, en tira beaucoup de dinars et alla au souk les donner au cheikh du souk en lui disant : « Achète pour chacune d'elles et pour Ghanem quatre costumes complets de la plus belle étoffe et vingt mouchoirs et dix ceintures et dix choses de chaque pièce d'habillement ! » Et elle retourna à la maison où étaient Ghanem et les autres et les conduisit tous au hammam. Puis elle leur prépara des poulets et des viandes bouillies et du bon vin purifié, et pendant trois jours leur donna ainsi elle-même à boire et à manger, en sa présence ; et au bout de ces trois jours d'un régime si réconfortant, ils sentirent la vie leur revenir et leur âme retourner à sa place. Puis Kouat Al-Kouloub les mena encore une fois au hammam et les fit changer de vêtements et les ramena à la maison du cheikh du souk. Quant à elle, elle songea alors à aller trouver le khalifat et elle se présenta entre ses mains et s'inclina jusqu'à terre et lui apprit le retour de Ghanem ben-Ayoub et de sa mère et de sa sœur Fetnah ; et elle ne manqua pas de lui dire combien la jeune Fetnah était jolie et toute neuve et pleine de beauté. Alors le khalifat dit à un esclave : « Va vite me chercher Giafar ! » Et Giafar vint et le khalifat lui dit : « Va vite me chercher Ghanem ben-Ayoub. » Et Giafar partit pour la maison du cheikh, où déjà Kouat Al-Kouloub l'avait précédé et avait informé Ghanem de son arrivée et lui avait dit : « Ô Ghanem, c'est maintenant surtout qu'il faut montrer au khalifat, qui charge Giafar de t'amener en sa présence, ton éloquence de langage et ta fermeté de cœur et la pureté de tes paroles ! » Puis elle l'habilla de la plus somptueuse de toutes les robes neuves achetées au souk et lui donna beaucoup de dinars et lui dit : « Ne manque pas de jeter l'or par poignées en arrivant au palais et en traversant le rang des eunuques et des serviteurs ! »

Sur ces entrefaites Giafar arriva à la maison, monté sur sa mule ; et Ghanem se hâta d'aller à sa rencontre, et lui souhaita la bienvenue et baisa la terre entre ses mains ; et il était maintenant devenu le beau Ghanem d'autrefois, au glorieux visage et à l'aspect si attirant ! Et Giafar le pria de l'accompagner et le conduisit entre les mains du khalifat. Et Ghanem vit l'émir des Croyants entouré de ses vizirs, de ses chambellans, de ses vicaires, des principaux personnages de son royaume et des chefs de ses gardes et de ses armées. Or, Ghanem était éloquent de langage, ferme de cœur, conteur agréable, diseur attachant, improvisateur admirable. Il s'arrêta donc entre les mains du khalifat, regarda un instant le sol d'un air réfléchi, leva ensuite la tête vers le khalifat et improvisa ces strophes :

« Ô roi du temps, un œil de bonté a regardé la terre et l'a fécondée, et nous sommes les enfants de sa fécondité heureuse, sous ton règne plein de gloire.

Voici que les sultans et les émirs se prosternent à ton seuil, la barbe dans la poussière, et déposent en offrande à ta grandeur leurs couronnes de pierreries.

Voici que la terre n'est plus assez vaste ni la planète assez large pour contenir la masse formidable de tes armées ! Ô roi du temps, plante tes tentes sur les terres planétaires de l'espace tournoyant.

Et que les étoiles dociles et les astres nombreux s'attellent à ton triomphe et accompagnent ton cortège, ô chef spirituel !

Et que le jour de ta justice éclaire le monde et arrête les méfaits des criminels et récompense les actions pures de tes féaux ! »

Le khalifat était charmé de la beauté des vers, de leur rythme nombreux, de leur pureté de langue et de l'éloquence de l'auteur.

Mais, à ce moment de sa narration, Schahrazade vit apparaître le matin et, discrète, ne prolongea pas les paroles permises.

Et lorsque fut la quarante-quatrième nuit. Elle dit :

Il m'est parvenu, ô Roi fortuné, que lorsque Ghanem ben-Ayoub eut ainsi charmé le khalifat Haroun Al-Rachid, le khalifat lui dit de s'approcher de son trône ; et Ghanem s'approcha du trône, et le khalifat lui dit : « Raconte-moi tous les détails de ton histoire, sans rien me cacher de la vérité ! » Alors Ghanem s'assit et raconta au khalifat toute son histoire depuis le commencement jusqu'à la fin. Mais il n'y a aucun profit à la répéter. Et le khalifat fut complètement persuadé de l'innocence de Ghanem et de la pureté de ses intentions, surtout lorsqu'il vit le respect de Ghanem pour les mots écrits sur le caleçon de la favorite et il lui dit : « Je te prie de libérer ma conscience de l'injustice commise à ton égard ! » Et Ghanem lui dit : « Ô émir des Croyants, je te libère ! Car tout ce qui appartient à l'esclave est la propriété du maître ! »

Le khalifat ne manqua pas, dans son contentement, d'élever Ghanem aux plus grandes charges du royaume ; il lui donna un palais et des émoluments somptueux et des esclaves hommes et des esclaves femmes en quantité considérable. Et Ghanem se hâta de prendre avec lui, dans son nouveau palais, sa mère et sa sœur Fetnah et son amie Kouat Al-Kouloub. Puis le khalifat, qui avait appris que Ghanem avait une sœur merveilleuse et vierge encore et toute jeune, nommée Fetnah, la demanda à Ghanem qui répondit : « Elle est ta servante et je suis ton esclave ! » Le khalifat ne manqua pas de l'en remercier et lui donna cent mille dinars d'or ; puis il fit venir le kâdi et les témoins et écrire le contrat de Fetnah. Et ce fut le même jour et à la même heure que le khalifat, d'une part, et Ghanem, de l'autre, entrèrent chacun chez sa femme, Fetnah pour le khalifat, et Kouat Al-Kouloub pour Ghanem ben-Ayoub El-Motim El-Massloub.

Et le khalifat, le matin, à son réveil, fut si satisfait de la nuit qu'il venait de passer dans les bras de la vierge Fetnah et du résultat obtenu, qu'il fit venir les scribes doués de la plus belle écriture, et leur fit écrire l'histoire de Ghanem depuis le commencement jusqu'à la fin, pour qu'elle fût conservée dans l'armoire des papiers et pût servir aux générations futures et fît l'étonnement et les délices des sages qui seraient appelés à la lire avec respect et à admirer l'œuvre du Créateur du jour et de la nuit.

Mais, continua Schahrazade, en s'adressant au roi Shahriar, ne crois point, ô Roi des siècles, que cette histoire merveilleuse soit plus agréable ou plus étonnante que l'histoire guerrière et héroïque d'Omar Al-Némân et de ses fils Scharkân et El-Makân ! » Et le roi Shahriar dit : « Tu peux, certes ! la raconter, cette histoire guerrière que je ne connais point ! »

HISTOIRE DU ROI OMAR AL-NÉMÂN ET DE SES DEUX FILS MERVEILLEUX SCHARKÂN ET DAOUL'MAKÂN

… La quarante-quatrième nuit. Alors Schahrazade dit au roi Schahriar :

Il m'est parvenu, ô Roi fortuné, qu'il y avait dans la ville de Bagdad, après le règne de bien des khalifats et avant celui de bien d'autres, un roi qui s'appelait Omar Al-Némân[1]. Il était formidable de puissance et avait vaincu tous les Chosroès possibles et subjugué tous les Césars imaginables. Il était ardent et tel ! que nul ne le pouvait égaler aux luttes de valeur sur le champ de course, et tel ! que s'il entrait en fureur ses narines jetaient des flammes étincelantes. Il avait conquis toutes les contrées et étendu sa domination sur toutes les villes et les capitales. Il avait, avec l'aide d'Allah, soumis toutes les créatures et fait pénétrer ses armées victorieuses dans les terres les plus reculées. Il avait sous sa suzeraineté l'Orient et l'Occident et, entre autres pays, l'Inde, le Sindh, la Chine, le Yémen, le Hedjaz, l'Abyssinie, le Soudan, la Syrie, la Grèce, les provinces de Diarbekr, ainsi que toutes les îles de la mer et ce qu'il y a sur la terre de fleuves illustres, tels que Seihoun et Djihân, le Nil et l'Euphrate. Il avait envoyé des courriers aux extrêmes limites de la terre pour la mettre au courant de la vérité des faits et des nouvelles de son empire ; et tous les courriers étaient revenus lui annoncer que le monde entier était dans la soumission et que les dominateurs reconnaissaient avec respect sa suprématie. De son côté, il avait étendu, sur eux tous, les bienfaits de sa générosité et les avait noyés dans les flots de sa magnanimité ; et il avait fait régner parmi eux la concorde douce et la sécurité : car magnanime il était et d'âme élevée, en vérité.

Aussi de tous les côtés affluaient vers son trône les cadeaux et les présents, ainsi que tous les tributs de la terre en large et en long. Car juste il était et aimé très fort, en vérité.

Or, le roi Omar Al-Némân avait un fils appelé Scharkân. Et Scharkân ainsi s'appelait-il parce qu'il se révélait comme un prodige d'entre les prodiges de ce temps-là, et qu'il surpassait en valeur les héros les plus courageux par lui terrassés dans les tournois, et qu'il maniait merveilleusement la lance, le glaive et le carquois. Aussi son père l'aimait-il d'un amour indépassable et sans égal et le désignait-il comme son successeur sur le trône du royaume. C'était chose certaine, en effet, qu'à peine arrivé à l'âge d'homme cet étonnant Scharkân de vingt ans avait vu, avec l'aide d'Allah, s'incliner toutes les têtes devant sa gloire, tant il avait en lui d'héroïsme et de témérité, et tant il illuminait par l'éclat de ses exploits. Car il avait déjà pris d'assaut bien des places fortes et réduit bien des contrées, et étendu sa renommée sur toute la surface de l'univers ; et il grandissait sans cesse en belle fierté et en puissance.

Mais le roi Omar Al-Némân n'avait point d'autre enfant que Scharkân. Il est vrai qu'il avait, comme le permettent le Livre et la Sunnat[1] quatre femmes légitimes ; mais l'une d'elles seulement avait été féconde et les trois autres étaient restées stériles. Et pourtant, outre ces quatre femmes légitimes qui habitaient le palais même, le roi Omar avait trois cent soixante concubines, à égal des jours de l'année copte ; et chacune de ces femmes était de race différente. Il avait donné à chacune d'elles un appartement réservé et indépendant ; et ces différents appartements étaient groupés en douze bâtisses, comme les mois de l'année, et tous construits dans l'enceinte même du palais ; et chacune de ces douze bâtisses contenait trente concubines, chacune dans son appartement réservé ; de la sorte il y avait trois cent soixante appartements réservés. Or, le roi Omar avait, en toute justice, consacré une nuit de l'année à chacune de ses concubines à tour de rôle ; et il couchait ainsi une seule nuit par an avec chaque concubine, qu'il ne revoyait plus que l'année suivante. Et le roi Omar ne cessa d'agir de la sorte durant un grand espace de temps ; et, d'ailleurs, durant toute sa vie. C'est pourquoi il fut réputé pour sa sagesse admirable et sa virilité.

Or, un jour, avec la permission de l'Ordonnateur de toutes choses, l'une des concubines du roi Omar devint enceinte, et sa grossesse fut bientôt connue de tout le palais, et la nouvelle en arriva au roi qui se réjouit à la limite de la joie et s'écria : « Puisse Allah faire que toute ma postérité et ma descendance soient formées seulement par des enfant mâles ! » Puis il fit inscrire sur un registre la date de la grossesse, et se mit à combler sa concubine de toutes sortes d'égards et de cadeaux. Sur ces entrefaites, Scharkân, le fils du roi...

À ce moment de sa narration, Schahrazade vit s'approcher le matin et, discrète, remit son récit au lendemain.

Mais lorsque fut la quarante-cinquième nuit. Elle dit :

Sur ces entrefaites, Sharkân, le fils du roi, apprit également la nouvelle de la grossesse de la concubine et fut dans un chagrin considérable, surtout en pensant que le nouveau venu pourrait lui disputer la succession au trône ; et il résolut en lui-même de supprimer sans faute l'enfant de la concubine, au cas où ce serait un enfant mâle. Voilà pour Scharkân !

Mais, pour ce qui est de la concubine, c'était une jeune esclave grecque qui s'appelait Safîa[1]. Elle avait été envoyée en présent au roi Omar par le roi des Grecs de Kaïssaria[2], avec une quantité de choses somptueuses. De toutes les jeunes esclaves du palais, c'était elle qui était de beaucoup la plus belle certainement et la plus jolie de visage et la plus fine de taille et la plus forte de cuisses et d'épaules. Avec cela elle était douée d'une intelligence fort rare et de qualités peu communes ; et elle savait, durant les nuits que le roi Omar passait maintenant avec elle, lui dire des paroles fort douces qui lui charmaient les sens et le flattaient beaucoup, des paroles mousseuses et pénétrantes, fort douces et pénétrantes. Et elle ne cessa de la sorte jusqu'à ce que fût venu le terme de sa grossesse. Elle s'assit alors sur la chaise de l'accouchement, en proie aux douleurs de l'enfantement, et se mit à implorer Allah dévotement, et Allah l'écouta sans aucun doute et à l'instant[3].

De son côté, le roi Omar chargea un eunuque de venir lui annoncer sans retard la naissance de l'enfant et son sexe ; et Scharkân, de son côté, ne manqua pas de charger un autre eunuque de ce soin. À peine Safîa eut-elle accouché, que les sages-femmes reçurent l'enfant et l'examinèrent et, ayant vu que c'était une fille, se hâtèrent de l'annoncer à toutes les assistantes et aux eunuques, disant : « C'est une fille ! Et son visage est plus brillant que la lune ! »

Alors l'eunuque du roi se hâta d'aller rapporter la chose à son maître ; et l'eunuque de Scharkân courut également annoncer la nouvelle : et Scharkân s'en réjouit extrêmement.

Mais à peine les eunuques étaient-ils partis, que Safîa dit aux sages-femmes : « Oh ! attendez ! je sens que mes entrailles contiennent autre chose encore ! » Puis elle fut prise de nouveau par les « Ah ! » les « ouh ! » et les douleurs de l'enfantement ; puis, avec l'aide d'Allah, elle finit par accoucher d'un second enfant.

Et les sages-femmes se penchèrent vivement et examinèrent l'enfant : et c'était un enfant mâle qui ressemblait à la pleine lune, avec un front éclatant de blancheur, et des joues roses fleuries. Aussi se réjouirent fort les esclaves, les suivantes et toutes les invitées ; et, aussitôt après la délivrance de Safîa, toutes les femmes, à l'unisson, remplirent le palais de cris perçants de joie sur la note la plus aiguë, et de façon telle que toutes les autres concubines entendirent et comprirent et en séchèrent d'envie et de malaise.

Quant au roi Omar Al-Némân, à peine eut-il appris la nouvelle, qu'il en remercia Allah dans sa joie, et se leva et courut à l'appartement de Safîa, et s'approcha d'elle et lui prit la tête dans ses mains et l'embrassa sur le front. Puis il se pencha sur le nouveau-né et l'embrassa : et aussitôt toutes les esclaves frappèrent rythmiquement sur les tambours, et les joueuses d'instruments pincèrent les cordes harmonieuses, et les chanteuses chantèrent les chants de circonstance.

Cela fait, le roi ordonna de nommer le nouveau-né Daoul'makân et la fille Nôzhatou'zamân[4]. Et tous s'inclinèrent et répondirent par l'ouïe et l'obéissance. Puis le roi choisit les nourrices et les servantes pour les deux nourrissons, ainsi que les esclaves et les suivantes ; puis il fit porter à tout le monde du palais les vins, les boissons et les parfums, et tant d'autres choses que la langue serait incapable de les énumérer.

Lorsque les habitants de Bagdad eurent appris la nouvelle de cette double naissance, ils décorèrent et illuminèrent la ville et firent de grandes démonstrations de contentement. Puis vinrent les émirs, les vizirs et les grands du royaume et ils présentèrent leurs hommages et félicitations au roi Omar Al-Némân pour la naissance de son fils Daoul'makân et de sa fille Nôzhatou. Et le roi les en remercia et leur fit présent de robes d'honneur et les combla de faveurs et de grâces, et fit à tous les assistants de grandes largesses, aussi bien aux notables qu'au commun du peuple. Et il ne cessa de la sorte jusqu'à ce que quatre années se fussent écoulées. Et pendant tout ce temps, il ne laissait pas passer un seul jour sans envoyer prendre des nouvelles de Safîa et des enfants ; et il ne manqua pas d'envoyer à Safîa une quantité prodigieuse de bijoux, d'orfèvreries, de robes et de soieries ; et de l'or et de l'argent, et des merveilles ; et il prit bien soin de confier d'éducation des enfants et leur garde aux plus dévoués et aux plus avisés d'entre ses serviteurs.

Tout cela ! et Scharkân, qui était au loin à guerroyer et à combattre, à prendre des villes et à s'illustrer dans les batailles, à lutter et à vaincre les héros les plus valeureux, n'avait seulement appris que la naissance de sa sœur Nôzhatou, par la bouche de l'eunuque ! Mais quant à la naissance de son frère Daoul'makân, survenue après le départ de l'eunuque, nul n'avait songé à lui en faire part.

Un jour d'entre les jours, comme le roi Omar Al-Némân était assis sur son trône, les chambellans du palais entrèrent et baisèrent la terre entre ses mains et dirent : « Ô roi, voici que nous arrivent des envoyés du roi Aphridonios, souverain des Roum et de Constantinia la Grande[1]. Et ils souhaitent être reçus par toi en audience et présenter leurs hommages entre tes mains. Si donc tu veux leur en donner la permission, nous les ferons entrer ; sinon, ton refus pour eux sera sans réplique ! » Et le roi donna la permission.

Lorsque les envoyés entrèrent, le roi les reçut avec bonté, les fit s'approcher, leur demanda des nouvelles de leur santé et les interrogea sur le motif de leur venue. Alors ils baisèrent la terre entre ses mains et dirent : « Ô roi grand et vénérable, à l'âme haut placée et généreuse infiniment, sache que celui qui vers toi nous a envoyés est le roi Aphridonios, maître du pays de Grèce et d'Ionie et de toutes les armées des contrées chrétiennes, et dont le siège est sur le trône de Constantinia. Il nous charge de t'aviser qu'il vient d'entreprendre une guerre terrible contre un tyran féroce, le roi Hardobios, maître de Kaïssaria.

« La cause de cette guerre est la suivante : un chef de tribus arabes avait trouvé, dans un pays nouvellement conquis, un trésor des âges reculés, du temps d'El-Iskandar aux Deux Cornes[2] ; ce trésor contenait des richesses incalculables et dont l'estimation même nous serait impossible ; mais, entre autres merveilles, il contenait trois gemmes arrondies, aussi grosses que des œufs d'autruche, arrondies et blanches, pierreries sans tare et sans défaut et défiant en beauté et en valeur toutes les pierreries de la terre et de l'eau. Ces trois gemmes précieuses étaient percées en leur milieu pour être enfilées à un cordon et servir de collier. Elles portaient, gravées en caractères ioniens, des inscriptions mystérieuses ; mais on savait qu'elles avaient en elles de très nombreuses vertus dont l'un des moindres effets était de préserver toute personne qui porterait l'une d'elles au cou de toutes les maladies et notamment de la fièvre et des échauffements. Les nouveau-nés surtout étaient sensibles à ces vertus.

« Aussi, lorsque le chef arabe se fut rendu compte de ces effets merveilleux, et qu'il eut soupçonné toutes les autres vertus mystérieuses, il pensa que c'était là pour lui la meilleure occasion de gagner les bonnes grâces de notre roi, et il se disposa immédiatement à lui envoyer en cadeau les trois gemmes précieuses ainsi qu'une grande partie du merveilleux trésor. Il fit donc préparer deux navires, l'un chargé des richesses et des trois gemmes précieuses destinées en cadeau à notre roi Aphridonios, et l'autre chargé des hommes destinés à escorter ce précieux trésor et à le préserver des attaques des voleurs ou des ennemis. Pourtant le chef arabe était sûr que personne n'oserait s'attaquer soit à lui directement soit aux choses envoyées par lui, et destinées à notre puissant roi Aphridonios, d'autant plus que la route que devaient suivre les navires était dans la mer au bout de laquelle se trouvait Constantinia.

« Aussi, à peine les deux navires furent-ils prêts qu'ils partirent, et mirent à la voile de notre côté. Mais un jour qu'ils avaient relâché dans une rade, non loin de notre pays, soudain des soldats grecs de notre vassal, le roi Hardobios de Kaïssaria, les assaillirent et enlevèrent tout ce qu'il y avait de richesses, de trésors accumulés et de merveilleuses choses, et, entre autres, les trois gemmes précieuses ; puis ils tuèrent tous les hommes et s'emparèrent des navires.

Lorsque cet acte fut parvenu à la connaissance de notre roi, il envoya immédiatement contre le roi Hardobios un corps d'armée qui fut anéanti ; il envoya alors un second corps qui fut également anéanti. Alors notre roi Aphridonios entra dans une grande fureur et jura qu'il se mettrait lui-même à la tête de toutes ses armées réunies et qu'il ne s'en retournerait qu'après avoir détruit la ville de Kaïssaria, ravagé tout le royaume de Hardobios et ruiné de fond en comble tous les bourgs sous sa dépendance.

« Or maintenant, ô sultan plein de gloire, nous venons réclamer ton assistance et solliciter ton efficace et puissante alliance ! Et en nous aidant de tes forces et de tes soldats, tu ne peux qu'augmenter en gloire et t'illustrer en exploits.

« Et voici que notre roi nous a chargés de pesants cadeaux de toutes les espèces en hommage à ta générosité, et qu'il te prie instamment de lui accorder la faveur de les voir de bon œil et de les accepter d'un cœur magnanime ! ».

À ces paroles, les envoyés se turent et se prosternèrent et baisèrent la terre entre les mains du roi Omar Al-Némân.

Et voici en quoi consistaient ces présents du roi Aphridonios, maître de Constantinia…

À ce moment de sa narration, Schahrazade vit poindre le matin et, discrètement, se tut.

Mais lorsque fut le quarante-sixième nuit. Elle dit :

Et voici en quoi consistaient ces présents du roi Aphridonios, maître de Constantinia.

Il y avait cinquante jeunes filles vierges, belles d'entre les plus belles des filles de la Grèce. Il y avait cinquante jeunes garçons choisis d'entre les mieux faits du pays des Roum ; et chacun de ces merveilleux garçons était vêtu d'une ample robe aux larges manches, toutes en soie à dessins d'or avec des figures en couleur, et une ceinture d'or à ciselures d'argent où venait s'attacher une double jupe inégale de brocart et de velours, chacun d'eux avait à ses oreilles un anneau d'or d'où pendait une blanche perle ronde valant plus de mille poids titrés d'or. Et les jeunes filles, d'ailleurs, portaient également sur elles d'incalculables somptuosités.

Voilà pour les deux présents principaux. Mais il y avait d'autres cadeaux d'une grande richesse qui ne déparaient en rien les cadeaux énumérés.

Aussi le roi Omar les accepta-t-il, non sans plaisir, et ordonna-t-il de rendre aux envoyés tous les égards dus. Puis il fit assembler ses vizirs pour avoir leur avis sur la demande de secours du roi Aphridonios de Constantinia. Alors d'entre les vizirs se leva un veillard vénérable, respecté de tous et aimé également ; et il était le grand vizir et se nommait Dandân.

Donc le gand vizir Dandân dit : « Il est vrai ; ô sultan de gloire, que ce roi Aphridonios, maître de Constantinia la Grande, est un chrétien, mécréant et infidèle à la loi d'Allah et de son Prophète (que sur lui soient la prière et la paix !) et que son peuple est un peuple de mécréants. Et celui contre lequel il nous demande secours est également un infidèle et un mécréant. Aussi leurs affaires ne regardent qu'eux seuls et ne sauraient intéresser et toucher les Croyants ! Mais, tout de même, je t'engage à accorder ton alliance au roi Aphridonios et à lui envoyer une armée nombreuse à la tête de laquelle tu mettrais ton fils Scharkân, qui justement vient de rentrer de ses expéditions glorieuses. Et cette idée que je te propose est bonne pour deux raisons : la première est que le roi des Roum vient de t'envoyer des ambassadeurs chargés de cadeaux que tu as acceptés, et il te demande aide et protection ; la seconde est que, comme nous n'avons rien à craindre de ce petit roi de Kaïssaria, en aidant le roi Aphridonios à vaincre son ennemi tu retireras de cette action d'excellents résultats et tu seras considéré comme le véritable vainqueur. Et cet exploit sera connu de tous les pays et parviendra jusqu'en Occident. Et alors les rois de l'Occident rechercheront ton amitié et t'enverront des porteurs nombreux de présents de toutes sortes et de cadeaux extraordinaires ».

Lorsque le sultan Omar Al-Némân eut entendu les paroles de son grand vizir Dandân, il en exprima un grand contentement, les trouva grandement dignes d'approbation et lui donna une robe d'honneur en lui disant : « Tu es bien fait, en vérité, pour être l'inspirateur et le conseil des rois ! Aussi ta présence est-elle de toute nécessité à la tête de l'armée, à l'avant-garde ; et, quant à mon fils Scharkân, il commandera seulement l'arrière-garde ».

Là-dessus, le roi Omar fit venir son fils Scharkân, lui soumit toute la question, lui raconta ce qu'avaient dit les envoyés et ce qu'avait proposé le grand vizir Dandân, et lui recommanda de faire ses préparatifs de départ et de ne pas oublier de distribuer aux soldats les largesses ordinaires et les donations, après avoir choisi ces soldats un à un d'entre les meilleurs de toute l'armée, et constitué de la sorte un corps de dix mille cavaliers au harnachement complet et durs aux privations et aux fatigues. Et Scharkân se soumit avec respect aux paroles de son père Omar Al-Némân, et se leva aussitôt et choisit d'entre ses soldats dix mille cavaliers pleins de superbe, auxquels il distribua largement de l'or et des richesses, et il leur dit : « Maintenant, je vous donne trois jours entiers de repos et de liberté ! » Et les dix mille cavaliers baisèrent la terre entre ses mains, en soumission à sa volonté, et sortirent, comblés de largesses, se restaurer et s'équiper élégamment pour le départ.

Scharkân entra alors dans la salle où se trouvaient les coffres du trésor et les réserves d'armes et de munitions, et choisit les plus belles armes aux niellures d'or et aux inscriptions sur ivoire et sur ébène, et prit tout ce qui tentait son goût et sa préférence. Puis il se dirigea vers les écuries du palais, où se trouvaient réunis les plus beaux chevaux du Nedjed et de l'Arabie, qui portaient chacun sa généalogie attachée à son cou, dans un sachet de cuir ouvragé de soie et d'or et ornementé de pierres de turquoise. Là, il choisit les chevaux appartenant aux races les plus fameuses, et, pour lui-même, il prit un cheval bai brun à la robe lustrée, aux yeux à fleur de tête, aux larges sabots, à la queue haute superbement et aux oreilles fines comme celles de la gazelle. Et ce cheval était un cadeau fait à Omar Al-Némân par un cheikh d'une puissante tribu arabe ; et c'était un cheval de race seglaoui-jedrân[1].

Et lorsque les trois jours furent écoulés, les soldats s'assemblèrent en ordre hors de la ville ; et sortit également le roi Omar Al-Némân pour faire ses adieux à son fils Scharkân et à son grand vizir Dandân. Et il s'approcha de Scharkân, qui baisa la terre entre ses mains, et il lui fit don de sept coffres entièrement remplis de monnaie, et lui recommanda de demander toujours conseil au sage vizir Dandân. Et Scharkân écouta respectueusement et promit la chose à son père. Alors le roi se tourna vers le vizir Dandân et lui recommanda beaucoup son fils Scharkân et les soldats de Scharkân. Et le vizir baisa la terre entre ses mains et répondit : « J'écoute et j'obéis ! » Puis Scharkân, devant le roi et le vizir, monta son cheval seglaoui-jedrân, et fit défiler devant lui les principaux chefs de son armée et ses dix mille cavaliers. Puis il baisa la main du roi Omar Al-Némân, et, accompagné du vizir Dandân, il lança son cheval au galop. Et l'on poussa en avant et l'on partit au milieu du roulement des tambours de guerre, du son des fifres et des clairons. Et au-dessus d'eux s'éployaient les étendards et les signaux, et battaient au vent les bannières et les drapeaux.

Et les envoyés servaient de guides. Et l'on se mit en marche et on continua de la sorte durant tout ce jour, puis tout le jour suivant et les autres jours, et cela pendant vingt jours. Et l'on ne s'arrêtait que la nuit, pour le repos. Et l'on finit par arriver à une large vallée couverte de forêts et pleine d'eau murmurante. Et, comme c'était la nuit, Scharkân donna l'ordre du campement et fit savoir que le repos serait de trois jours. Et descendirent les cavaliers et dressèrent les tentes et se dispersèrent de tous côtés, à droite et à gauche. Et le vizir Dandân fit placer sa tente au milieu même de la vallée, et tout près de lui les tentes des envoyés du roi Aphridonios de Constantinia.

Quant à Scharkân, il attendit que tous les soldats fussent partis, et ordonna à ses gardes de le laisser seul et d'aller auprès du vizir Dandân. Puis il lâcha les rênes en toute liberté à son coursier, et voulut reconnaître lui-même toute la vallée et mettre ainsi en pratique les conseils de son père, qui lui avait soigneusement recommandé de prendre toutes les précautions en approchant du pays des Roum, ennemis ou amis. Et il ne cessa, toujours sur le dos de son cheval, de marcher tout autour de la vallée jusqu'à ce que le quart de la nuit fût écoulé. Alors le sommeil lui tomba pesamment sur les paupières, et il fut dans l'impossibilité d'aller au galop. Et, comme il avait l'habitude de dormir sur le dos de son cheval, il laissa son cheval aller au pas et s'endormit.

Le cheval se mit ainsi à marcher jusqu'à minuit, et soudain, au milieu d'une solitude boisée, il s'arrêta et frappa violemment du sabot contre terre. Et Scharkân s'éveilla et se vit au milieu des arbres de la forêt, qui était en ce moment éclairée par la clarté de la lune. Et Scharkân fut extrêmement ému de se trouver au milieu de cet endroit solitaire ; mais il dit à haute voix la parole qui vivifie : « Il n'y a de puissance et de force qu'en Allah le Très-Haut ! » Et aussitôt il sentit son âme s'apaiser et ne plus craindre les bêtes sauvages de la forêt, alors qu'en face la lune miraculeuse argentait la clairière ; et si belle en devenait la clairière qu'elle semblait l'une d'entre les clairières du paradis. Et Scharkân entendit, comme près de lui, des paroles délicieuses à l'excès et une voix parfaitement belle et des rires. Et quels rires ! Les humains, à les entendre, en seraient devenus éperdus de délicate volupté, éperdus du désir de les boire sur la bouche même et de mourir.

Alors Scharkân sauta à bas de son cheval et s'enfonça entre les arbres à la recherche des voix ; et il marcha jusqu'à ce qu'il fût arrivé sur le bord d'une rivière blanche à l'eau joyeuse et courante et chantante ; et à ce chant de l'eau répondaient la voix naturelle des oiseaux et les plaintes ivres des gazelles et l'assentiment parlé de tous les animaux ; et tous ensemble formaient un chant d'harmonie plein d'épanouissement. Et l'endroit lui-même était brodé et semé de fleurs et de végétaux, comme dit le poète :

« N'est belle la terre, ô ma folie, que colorée de ses fleurs, et n'est belle l'eau que mariée côte à côte avec les fleurs !

Gloire à celui qui créa la terre et les fleurs de la terre et les eaux de la terre, et te plaça, ô ma folie, près des fleurs et de l'eau sur la terre ! »

Et Scharkân regarda et vit sur la rive opposée s'élever la façade, éclairée par la lune, d'un monastère blanc dominé par une haute tour imposante qui s'élançait dans les airs. Et ce monastère rafraîchissait son pied dans les eaux vives de la rivière ; et, en face, une pelouse s'étendait, où étaient assises dix jeunes femmes qui en entouraient une onzième. Pour les dix femmes, elles étaient comme des lunes et vêtues légèrement de vêtements amples et doux, et toutes étaient vierges et merveilleuses, comme le disent d'ailleurs ces vers du poète :

« Il luit ! Et voici que la pelouse luit ! Et c'est de tout ce qu'elle contient de blanches filles à la chair candide, de filles candides et blanches à la haute lueur ! Et la pelouse en tressaille et frémit !

De belles filles surnaturelles ! Une taille mince, pliante. Une démarche souple et savante et mélodieuse. Et la pelouse en tressaille et frémit.

Éparse la chevelure, retombante sur le col la chevelure, telle la grappe sur le cep. Blondes ou brunes, grappes blondes, grappes brunes ! ô chevelures !

Attrayantes filles, ô séductrices ! Et vos yeux ! La tentation de vos yeux, les flèches de vos yeux, et ma mort ! »

Quant à celle qu'entouraient les dix jeunes esclaves blanches, elle était comme la pleine lune, tout à fait. Ses sourcils étaient splendidement arqués, son front telle la première lueur du matin, ses paupières frangées de cils veloutés et recourbés, et les cheveux de ses tempes frisés en courbes délicieuses ; et elle était aussi parfaite de qualités que le dépeint le poète en ces vers :

« Fière elle me regarde, mais quels regards admirables ! Et sa taille droite et dure ! Ô lances droites et dures, courbez-vous de confusion !

Elle s'avance ! La voici ! Voici ses joues, les fleurs roses de ses joues ! Je connais leur douceur et toute leur fraîcheur !

Vois de ses cheveux la boucle noire s'arrondir sur la candeur de son front ! C'est l'aile de la nuit qui se repose sur la sérénité du matin ! »

Et c'était celle dont Scharkân avait entendu la voix. Et elle parlait maintenant et elle disait en arabe, tout en riant, aux jeunes esclaves qui étaient entre ses mains : « Par le Messie ! ce que vous faites là, petites dévergondées, est chose pas jolie et horrible même ! Si l'une de vous recommence encore, je la lierai avec sa ceinture et je la battrai sur les fesses ! » Puis elle rit et dit : « Voyons, petites filles, qui de vous pourra me vaincre à la lutte ! Que celles d'entre vous qui veulent bien se lèvent et viennent avant le coucher de la lune et l'apparition du matin ! »

Alors l'une des jeunes filles se leva et voulut essayer de lutter avec sa maîtresse ; mais elle fut vite terrassée ; puis une deuxième et une troisième, et toutes également. Et comme la jeune femme triomphait et, pour prix de son triomphe, allait faire avec les jeunes filles ce qui devait être fait, soudain, de la forêt, sortit une vieille femme qui s'approcha du groupe gentil des jeunes lutteuses et s'adressa à la jeune victorieuse et lui dit : « Que vas-tu faire, ô libertine perverse, avec ces jeunes filles ? Et penses-tu donc avoir remporté un si beau triomphe en terrassant des jeunes filles sans force ? Si vraiment tu sais lutter, me voici devant toi ! Je suis vieille, mais je puis encore être ta maîtresse ! Viens donc ! à la lutte ! » Alors la jeune victorieuse, quoique devenue pleine de fureur, se contint et sourit et dit à la vieille : « Ô ma maîtresse Mère-des-Calamités, par le Messie ! veux-tu vraiment lutter avec moi, ou bien as-tu seulement voulu plaisanter ? » La vieille répondit : « Pas du tout ! c'est sérieux. »

À ce moment de sa narration, Schahrazade vit apparaître le matin et se tut discrètement.

Mais lorsque fut la quarante-septième nuit. Elle dit :

Il m'est parvenu, ô Roi fortuné, que la vieille Mère-des-Calamités dit : « Pas du tout ! c'est sérieux. » Alors la belle victorieuse dit : « Ô ma maîtresse Mère-des-Calamités, si tu es vraiment de force à lutter, mon bras t'éprouvera ! » Elle dit, et bondit vers la vieille que la colère étrangla à ces paroles, et dont tous les poils du corps se dressèrent comme les épines du hérisson. Et la vieille dit : « Par le Messie ! Nous ne lutterons ensemble que complètement nues ! » Et la vieille libertine se dévêtit promptement de tous ses habits et défit son caleçon qu'elle rejeta loin d'elle, et s'entoura seulement la taille d'un mouchoir, au-dessus du nombril ; et elle apparut ainsi dans toute l'horreur de sa laideur, et elle ressemblait à quelque serpent tacheté de noir et de blanc. Puis elle se tourna vers la jeune femme et lui dit : « Qu'attends-tu donc pour faire comme moi ? »

Alors la jeune femme lentement s'étira et un à un enleva délicatement ses habits, et en dernier lieu son caleçon de soie immaculée. Et alors, d'en dessous, moulées dans le marbre, ses cuisses apparurent dans leur gloire avec, au-dessus d'elles, de lait et de cristal, un monticule doux, éclatant, arrondi, cultivé, et un ventre aromatique aux fossettes roses et dégageant une délicatesse de musc, tel un parterre d'anémones ; et une gorge ornée de deux grenades jumelles, gonflées superbement et couronnées de leur bouton.

Et soudain les deux lutteuses s'enlacèrent en se courbant.

Tout cela ! et Scharkân regardait, d'une part, la laideur de la vieille, et il en riait ; et, de l'autre, les perfections de la jeune lutteuse aux membres d'harmonie. Et il leva la tête vers le ciel et demanda fervemment à Allah la victoire de la jeune sur la vieille.

Et voici que, du premier entrelacement, légère la jeune lutteuse se dégagea et de sa main gauche saisit la vieille par le cou en enfonça sa main droite dans la fente de ses cuisses, et la souleva en l'air et la rejeta à ses pieds par terre, où la vieille retomba lourdement sur le dos, en se tordant. Et du coup ses jambes furent projetées en l'air et découvrirent dans toute leur horreur risible les détails poilus de sa peau ridée. Alors la vieille lança deux terribles pets dont l'un souleva un nuage de poussière et dont l'autre monta en colonne fumante vers le ciel. Et la lune en haut éclairait toute la scène !

Alors Scharkân se mit à rire considérablement et en silence, et tellement qu'il tomba à la renverse. Mais il se releva et se dit : « Vraiment cette vieille mérite bien ce nom de Mère-des-Calamités ! C'est, je le vois, une chrétienne, comme, d'ailleurs, la jeune victorieuse et les dix autres femmes également. » Puis il s'approcha un peu plus de l'endroit de la lutte, et vit la jeune lutteuse jeter un grand voile de soie fine sur la nudité de la vieille et l'aider à remettre ses habits et lui dire : « Ô ma maîtresse, excuse-moi, car, si j'ai lutté avec toi, c'était pour déférer à ta demande ; mais tout ce qui s'est ensuivi n'est pas de ma faute ; et si tu es tombée, c'est que tu m'a glissé des mains. Mais, grâce à Allah, tu n'as aucun mal. » Mais la vieille ne répondit rien, et, pleine de confusion, s'éloigna rapidement et disparut dans le monastère. Et sur la pelouse il n'y avait plus que le groupe des dix jeunes filles entourant leur jeune maîtresse.

Et Scharkân dit en son âme : « Quelle que soit la destinée, elle sert toujours à quelque chose ! Il était écrit que je devais m'endormir sur mon cheval et me réveiller ici-même, et cela pour ma bonne chance. Car j'espère bien que cette désirable lutteuse aux muscles parfaits et ses dix non moins enivrantes compagnes vont servir de pâture au feu de mon désir ! » Et il remonta sur son cheval seglaoui-jedrân et le poussa dans la direction de la pelouse ; et il tenait en l'air son sabre dégainé ; et le cheval partit rapide comme le trait lancé par l'arc bandé d'une puissante main. Et voici Scharkân sur la pelouse, s'écriant : « Allah est le seul grand ! »

À cette vue, la jeune femme vivement se leva, courut vers la rive du fleuve qui était large de six bras, et d'un bond agile fut sur la rive opposée, debout sur ses deux pieds. Et d'une voix haute mais fine, elle s'écria : « Qui donc es-tu, toi qui oses ainsi venir troubler nos ébats solitaires et qui ne crains pas de fondre sur nous l'épée haute, comme un soldat d'entre les soldats ? Dis-nous tout de suite d'où tu viens et où tu vas ; et sois véridique dans tes paroles, car le mensonge te sera nuisible ; et sache bien que tu es dans un endroit d'où sortir sauf est pour toi une chose fort douteuse ; car il me suffit de jeter un seul cri pour que tout de suite accourent à notre aide quatre mille guerriers chrétiens, accompagnés de leurs chefs ! Dis-nous donc ce que tu veux. Et si tu es simplement égaré dans la forêt, nous te ferons retrouver ta route. Parle ! »

Lorsque Scharkân eut entendu les paroles de la belle lutteuse, il lui dit : « Je suis un homme étranger, un musulman d'entre les musulmans. Je ne me suis point égaré, au contraire. Je suis simplement à la recherche de quelque butin de chair jeune capable de rafraîchir le feu de mon désir, cette nuit, à la clarté de la lune ! Et justement voici dix jeunes esclaves qui, par Allah ! me conviennent fort et que je satisferai bien, tout à fait ! Et si elles sont contentes, je les emmènerai avec moi près de mes amis. » Alors la jeune femme dit : « Insolent soldat ! sache que cette pâture dont tu parles n'est pas encore prête à te tomber entre les mains ! Et, d'ailleurs, tel n'a pas été ton but, et, malgré mon avis, tu viens de mentir ! » Il répondit : « Ô dame, heureux alors celui qui peut se contenter, pour tout bien, d'Allah seulement, et qui n'a point en lui d'autre désir ! » Elle dit : « Par le Messie ! je devrais appeler à moi les guerriers et te faire prendre par eux ! Mais j'aime compatir au sort des étrangers, surtout quand, comme toi, ils sont jeunes et attrayants. Tu parles de pâture à tes désirs, eh bien ! je consens ; mais à condition que tu descendes de ton cheval et que tu jures, par ta foi, que tu ne te serviras point de tes armes contre nous et que tu consentiras à engager un combat singulier avec moi. Si tu viens à me terrasser, moi et toutes ces jeunes filles nous t'appartiendrons, et tu pourras même m'emporter sur ton cheval. Mais si tu es le vaincu, tu seras un esclave à mes ordres, toi-même. Jure donc par ta religion ! »

Et Scharkân, en lui-même, pensa : « Ignore-t-elle donc, cette jeune fille, le degré de ma force, et que la lutte avec moi est inégale ? » Puis il lui dit : « Je te promets, ô jeune fille, que je ne toucherai point à mes armes, et que je ne lutterai avec toi que de la façon dont tu voudras lutter. Si je suis vaincu, j'ai assez d'argent pour payer ma rançon ; mais si je suis le vainqueur, alors, te posséder toi-même, quel butin digne d'un roi ! Je te le jure donc par les mérites du Prophète ! – que sur lui soient la prière et la paix d'Allah ! » Et la jeune fille dit : « Jure aussi par Celui qui a soufflé les âmes dans les corps et a donné ses lois aux humains ! » Et Scharkân fit le serment. Alors la jeune fille prit son élan, de nouveau, et, d'un bond agile, franchit le fleuve et revint sur la rive, près de la pelouse. Et toute rieuse, elle dit à Scharkân : « Vraiment je serai peinée de te voir partir, ô seigneur, mais c'est pour ton bien : pars donc ! car voici le matin qui s'avance et les guerriers vont venir et tu tomberas entre leurs mains. Car comment pourrais-tu résister à mes guerriers, toi qu'une seule de mes femmes ferait ployer et terrasserait ? » Et sur ces paroles, la jeune lutteuse voulut s'éloigner dans la direction du monastère, sans engager la lutte dont elle avait parlé.

Alors Scharkân fut à la limite de l'étonnement et voulut essayer de retenir la jeune femme, et lui dit : « Ô ma maîtresse, dédaigne, si tu veux, de lutter avec moi ; mais de grâce ! ne t'éloigne pas, et ne me laisse pas ici tout seul, moi l'étranger plein de cœur ! » Alors elle sourit et lui dit : « Et que veux-tu, ô jeune étranger ? Parle et ton souhait sera exaucé ! » Il répondit : « Comment, après avoir foulé ton sol, ô ma maîtresse, et m'être dulcifié de la douceur de ta gentillesse, m'éloigner sans avoir goûté les mets de ton hospitalité ! Et me voici devenu un esclave d'entre tes esclaves ! » Elle répondit, en appuyant du sourire : « Tu dis vrai, jeune étranger, il n'y a que le cœur dur et peu généreux qui refuse l'hospitalité ! Fais-moi donc la grâce, seigneur, d'accepter la mienne, et ta place sera sur ma tête et dans mes yeux ! Remonte donc sur ton cheval et marche à côté de moi en suivant la rive du fleuve : dès ce moment, tu es mon hôte ! » Alors Scharkân fut plein de joie et remonta sur son cheval et se mit à marcher à côté de la jeune femme, suivi de toutes les autres, jusqu'à ce qu'ils fussent tous arrivés à un pont-levis en bois de peuplier, qui s'élevait et s'abaissait au moyen de chaînes et de poulies et était jeté sur le fleuve en face de la porte principale du monastère. Alors Scharkân descendit de cheval, et la jeune femme appela l'une de ses suivantes et lui dit dans le parler grec : « Prends le cheval et conduis-le aux écuries, et donne l'ordre de ne le laisser manquer de rien. » Alors Scharkân dit à la jeune femme : « Ô souveraine de beauté, voici que tu deviens pour moi une chose sacrée, et doublement sacrée à cause de ta beauté et à cause de ton hospitalité. Veux-tu, sans plus avancer, revenir sur tes pas et m'accompagner au pays des musulmans, dans ma ville, Bagdad, où tu verras bien des choses merveilleuses et tant d'admirables guerriers ! Et alors tu sauras qui je suis. Viens, jeune chrétienne, allons à Bagdad ! » À ces paroles de Scharkân, la belle lui dit : « Par le Messie ! je te croyais sensé, ô jeune homme ! C'est donc mon enlèvement que tu souhaites ? et c'est à Bagdad que tu veux m'emmener, dans cette ville où je tomberai entre les mains de ce terrible roi Omar Al-Némân qui a, pour son lit, trois cent soixante concubines qui habitent douze palais, juste selon le nombre des jours et des mois de l'année. Et je servirais une nuit à ses désirs, pour être ensuite délaissée ; et il jouirait ainsi farouchement de ma jeunesse ! Ce sont là des mœurs par vous autres admises, ô musulmans ! Ne parle donc point de la sorte, et n'espère point me persuader. Serais-tu Scharkân en personne, le fils du roi

Omar Al-Némân, dont les armées sont, je le sais, sur notre territoire, que je n'écouterais pas ! Je sais, en effet, que dix mille cavaliers de Bagdad, ayant à leur tête Scharkân et le vizir Dandân, traversent en ce moment les frontières de notre pays pour aller rejoindre l'armée du roi Aphridonios de Constantinia. Et, si je le voulais, j'irais moi toute seule au milieu de leur camp, et de ma propre main je tuerais Scharkân et le vizir Dandân : car ce sont pour nous des ennemis. Et maintenant, viens avec moi, ô étranger ! »

À ce moment de sa narration, Schahrazade vit apparaître le matin et se tut discrètement.

Mais lorsque fut la quarante-huitième nuit. Elle dit :

Il m'est parvenu, ô Roi fortuné, que la jeune femme dit à Scharkân, qu'elle était loin de connaître pour tel : « Et maintenant, viens avec moi, ô étranger ! » Et Scharkân, en entendant ces paroles, fut extrêmement mortifié d'apprendre l'inimitié vouée par cette jeune femme à lui, au vizir Dandân et à tous les siens. Et, certes, s'il n'avait écouté que sa mauvaise inspiration, il se serait fait connaître et se serait emparé de la jeune femme ; mais il en fut empêché par les devoirs de l'hospitalité et surtout par l'ensorcellement de sa beauté ; et il récita cette strophe :

« Tu commettrais tous les délits, que ta beauté, ô jeune fille, est là pour les effacer et en faire un délice de plus ! »

Alors elle traversa le pont-levis lentement et se dirigea vers le monastère. Et Scharkân marchait derrière elle, et la regardait ainsi de dos, et voyait sa croupe somptueuse monter et descendre comme des vagues de la mer. Et il regretta que le vizir Dandân ne fut pas là pour s'émerveiller avec lui de cette splendeur. Et il pensa à ces vers du poète qu'il se récita :

« Regarde la pureté de ses flancs argentés, et tu verras la pleine lune apparaître à tes yeux émerveillés.

Regarde la rondeur de sa croupe bénie, et tu verras, dans le ciel, deux croissants juxtaposés ! »

Et ils arrivèrent à un grand portail avec des arceaux en marbre transparent. Et ils entrèrent et arrivèrent à une longue galerie qui courait le long de dix arceaux soutenus par des colonnes d'albâtre. Et au milieu de chaque arceau était suspendue une lampe de cristal de roche, aussi éclatante que le soleil. Là, vinrent au-devant de leur maîtresse des jeunes suivantes qui tenaient des flambeaux allumés, d'où se dégageaient des odeurs aromatiques. Et elles avaient le front ceint de bandeaux de soie diadèmes de pierreries de toutes les couleurs. Et elles ouvrirent la marche et conduisirent les deux jeunes gens jusque dans la salle principale du monastère. Et Scharkân vit de magnifiques coussins rangés en ordre contre les murs, tout autour de la salle ; et, aux portes et sur les murs, de grands rideaux surmontés chacun d'une couronne d'or ; et tout le sol était recouvert de précieux marbres de couleur finement découpés ; et au milieu de la salle il y avait un bassin où l'eau coulait par vingt-quatre embouchures d'or ; et l'eau tombait musicalement avec des scintillements de métal et d'argent. Au fond de la salle, il y avait un lit tout tendu de soie comme il n'en existe que dans le palais des rois.

Alors la jeune femme dit à Scharkân : « Monte, seigneur, sur ce lit, et laisse-toi faire. » Et Scharkân monta sur le lit, tout disposé à se laisser faire. Et elle sortit de la salle et laissa Scharkân seul avec les jeunes esclaves au front diadème de pierreries.

Mais comme elle tardait à revenir, Scharkân demanda aux jeunes filles où elle était allée. Elles répondirent : « Mais elle est allée dormir. Et nous voici devant toi pour te servir, selon ses ordres. » Et Scharkân ne sut que penser. Alors les jeunes filles lui apportèrent, sur de grands plateaux orfèvrés, toutes sortes de mets admirables et de toutes les espèces ; et il en mangea bien, et jusqu'à satiété. Après cela, on lui présenta l'aiguière d'or et la cuvette d'or aux rehaussements d'argent ; et il laissa sur ses mains couler l'eau parfumée à la rose et aux fleurs d'oranger. Mais il commença aussi à se soucier de ses soldats, qu'il avait laissés seuls dans la vallée, et à se réprimander fort d'avoir oublié les conseils de son père ; et sa peine s'accroissait encore du fait qu'il ignorait tout de la jeune hôtesse du palais et du lieu où il se trouvait. Et il se récita alors ces strophes du poète :

« Si j'ai perdu ma fermeté et mon courage, ma faute est légère, car j'ai été trompé et trahi par tant de choses !

Délivrez-moi, ô mes amis, de ma douleur, de la douleur d'aimer qui m'a fait perdre ma force et toute ma gaieté !

Voici que mon cœur s'est égaré dans l'amour, s'est égaré et a fondu. Il a fondu, et je ne sais à qui jeter mon cri de détresse ! »

Lorsque Scharkân eut fini de réciter ces strophes, il s'endormit, et ne se réveilla que le matin. Et il vit entrer dans la salle une troupe de beauté, composée de vingt jeunes filles comme des lunes qui entouraient leur maîtresse ; et elle était au milieu d'elles, telle la lune entre les étoiles. Elle était vêtue d'étoffes de soie ornées de dessins et de figures, royalement ; sa taille paraissait encore plus fine et ses hanches plus somptueuses sous la ceinture qui les tenait captives ; et c'était une ceinture d'or filigrané, toute diamantée de pierreries ; et de la sorte, avec ces hanches et cette taille, elle était telle une masse de cristal diaphane où se ploierait en son milieu, délicatement, un fin rameau d'argent. Les seins étaient plus superbes et plus saillants. Quant à ses cheveux, ils étaient retenus par un filet de perles fines emmêlées de toutes les espèces de pierreries. Et, elle-même, entourée de vingt jeunes filles à sa droite et à sa gauche, qui soulevaient les traînes de sa robe, s'avançait, toute merveilleuse en se balançant.

À cette vue, Scharkân sentit sa raison s'envoler d'émotion ; et il oublia et ses soldats et son vizir et les conseils de son père ; et il se leva debout sur ses deux pieds, aimanté par tant de charmes, et récita ces strophes :

« Lourde de hanches, penchée, balancée ; les membres souples et fuselés ; la gorge douce et glissante et dorée ;

Tu recèles, ô très belle, les trésors du dedans ! Moi, j'ai des yeux aigus qui percent toute opacité. »

Alors la jeune femme vint tout près de lui et le regarda longuement, longuement. Puis soudain elle lui dit : « Tu es Scharkân ! Je n'en doute plus. Ô Scharkân, fils d'Omar Al-Némân, ô héros, ô magnanime, voici que tu éclaires cette demeure et l'honores ! Dis, ô Scharkân, ta nuit a-t-elle été tranquille et bonne ! Parle-moi ! Et surtout ne feins plus, et laisse le mensonge aux maîtres du mensonge ; car la feinte et le mensonge ne sont point les attributs des rois, et surtout du plus grand d'entre les rois ! »

Lorsque Scharkân eut entendu ces paroles, il comprit qu'il ne lui servirait guère de nier, et répondit : « Ô toi, ô très douce, je suis Scharkânibn-Omar Al-Némân. Je suis celui qui souffre de la destinée qui l'a jeté sans défense et tout meurtri entre tes mains ! Fais de moi selon ton gré et tes désirs, ô inconnue aux yeux noirs ! » Alors l'inconnue abaissa un instant ses yeux vers la terre, et réfléchit ; puis, regardant Scharkân, elle lui dit : « Apaise ton âme et adoucis tes regards ! oublies-tu que tu es mon hôte et qu'entre nous il y eut le pain et le sel ? Et oublies-tu, en outre, qu'entre nous il y eut déjà mainte causerie amicale ? Tu es donc désormais sous ma protection et tu bénéficies de ma loyauté. Sois donc sans crainte, car, par le Messie ! si toute la terre se ruait contre toi, tu ne serais pas touché avant que mon âme fût sortie de mon corps, pour ta défense ! » Elle dit, et vint gentiment s'asseoir à ses côtés et se mit à causer avec un sourire très doux. Puis elle appela l'une de ses esclaves et lui parla en langue grecque ; et l'esclave sortit, pour revenir accompagnée de servantes qui portaient sur leur tête de grands plateaux chargés de mets de toutes les espèces, et d'autres qui portaient toutes sortes de flacons et des vases de boissons. Mais Scharkân hésita à toucher à ces mets ; et la jeune femme s'en aperçut et lui dit : « Tu hésites, ô Scharkân, et tu crois à la trahison. Ne sais-tu donc que j'aurais pu, dès hier, t'enlever la vie ! » Puis elle tendit, la première, sa main, et prit une bouchée de chaque plat. Et Scharkân eut honte de ses soupçons, et se mit à manger, et avec elle lui, et cela jusqu'à satiété. Puis, après s'être lavé les mains, ils firent apporter les fleurs et les boissons, dans de grands vases d'or, d'argent et de cristal ; et il y en avait de toutes les couleurs et des meilleures sortes. Alors la jeune femme remplit une coupe d'or et la but, la première ; puis elle la remplit de nouveau et la lui offrit ; et il la but. Elle lui dit : « Ô musulman, vois comme ainsi la vie est facile et pleine d'agrément ! »

À ce moment de sa narration, Schahrazade vit apparaître le matin et, discrète, se tut.

Mais lorsque fut la quarante-neuvième nuit. Elle dit :

Il m'est parvenu, ô Roi fortuné, que la jeune inconnue dit à Scharkân : « Ô musulman, vois comme ainsi la vie est facile et pleine d'agrément ! » Puis tous deux continuèrent à boire de la sorte, jusqu'à ce que la fermentation eût joué dans leur raison, et que l'amour se fût bien incrusté dans le cœur de Scharkân. Alors la jeune femme dit à l'une de ses suivantes préférées, nommée Grain-de-Corail : « Ô Grain-de-Corail, hâte-toi de nous apporter les instruments de plaisir ! » Et Grain-de-Corail répondit : « J'écoute et j'obéis ! » Elle s'absenta un instant, et revint accompagnée de jeunes filles qui portaient un luth de Damas, une harpe de Perse, une cithare de Tartane et une guitare d'Égypte. Et la jeune femme prit le luth, en accorda savamment le jeu et, accompagnée des trois jeunes filles qui s'étaient assises sur les tapis, elle pinça un instant les cordes vibrantes et, d'une voix pleine de délices et plus douce que la brise et plus agréable et plus pure que l'eau de roche, elle chanta :

« Les victimes de tes yeux, ô dure bien-aimée, sais-tu leur nombre ? Les flèches détachées de tes regards, et qui répandent le sang vif des cœurs, sais-tu leur nombre ?

Mais ô bienheureux les cœurs qui souffrent de tes yeux ! et mille fois heureux tes esclaves d'amour ! »

Et le chant fini, elle se tut. Alors, d'une voix plus lente, l'une des jeunes filles qui jouaient des instruments continua en langue grecque par une chanson incomprise de Scharkân. Et sa jeune maîtresse répondait, de temps en temps, dans la même tonalité. Et qu'il était doux, ce chant alterné et plaintif qui semblait sortir des flancs mêmes des mandores ! Et la jeune femme dit à Scharkân :

« Ô musulman, as-tu compris notre chanson ? » Il répondit : « En vérité, je n'ai point compris ; mais le son seul et l'harmonie m'en ont ému extrêmement, et l'humidité des dents souriantes, et la légèreté des doigts sur les instruments m'ont ravi à l'infini ! » Elle sourit et dit : « Mais alors, ô Scharkân, si je te disais un chant arabe, que ferais-tu, que ferais-tu ? » Il répondit : « Je perdrais certainement ce qui me reste de raison ! » Alors elle changea le ton et la clef de son luth, le pinça un instant, et chanta ces paroles du poète :

« Le goût de la séparation est plein d'amertume. Aussi est-il encore moyen de patienter ?...

Trois choses à mon choix on a offertes : l'éloignement, la séparation et l'abandon, trois choses pleines d'effroi.

Comment choisir, moi qui suis tout liquéfié de l'amour d'un être beau qui m'a conquis et me soumet maintenant à de si dures épreuves ? »

Lorsque Scharkân eut entendu cette chanson, et comme aussi il avait bu considérablement, il fut tout à fait grisé et perdit tout sentiment. Et lorsqu'il fut revenu à lui, la jeune femme n'était plus là. Et Scharkân s'informa auprès des esclaves qui lui répondirent : « Elle a regagné son appartement pour dormir, car voici la nuit. » Et Scharkân, quoique fort contrarié, dit : « Qu'Allah l'ait sous sa protection ! » Mais le lendemain, la jeune esclave préférée, Grain-de-Corail, vint le prendre, dès son réveil, pour le conduire à l'appartement même de sa maîtresse. Et comme il franchissait le seuil, Scharkân fut reçu au son des instruments et aux chants des chanteuses qui, de la sorte, lui souhaitaient la bienvenue. Et il entra par une porte massive d'ivoire incrusté de perles et de pierreries ; et il vit une grande salle toute tendue de soie et de tapis du Khorassân ; et elle était éclairée par de hautes fenêtres qui avaient vue sur des jardins touffus et des cours d'eau ; et contre les murs, il y avait une rangée de statues habillées comme des vivants et qui mouvaient bras et jambes d'une façon étonnante, et dont l'intérieur était machiné avec un art tel qu'elles chantaient et parlaient comme de vrais fils d'Adam.

Mais lorsque la maîtresse du logis vit Scharkân, elle se leva et vint à lui et le prit par la main et le fit s'asseoir à côté d'elle et lui demanda avec intérêt comment il avait passé la nuit, et lui fit d'autres questions aussi, auxquelles il fit la réponse qu'il fallait. Puis ils se mirent à causer et elle lui demanda : « Sais-tu des paroles de poètes sur les amoureux et les esclaves d'amour ? » Il dit : « Oui, ô ma maîtresse, j'en sais quelques-unes. » Elle dit : « Je voudrais les entendre. » Il lui dit : « Voici ce que l'éloquent et fin Kouçaïr disait au sujet de la parfaitement belle Izzat, qu'il aimait :

« Oh, non ! jamais d'Izzat je ne dévoilerai les charmes ; jamais pour Izzat je ne parlerai de mon amour ! D'ailleurs, elle m'a fait faire tant de serments et prêter tant de promesses ! Ah ! si l'on savait tous les charmes d'Izzat !...

Les ascètes qui pleurent dans la poussière et se garent tant des peines d'amour, s'ils entendaient le gazouillement que je connais, ils accourraient, et devant Izzat s'agenouilleraient pour l'adorer ! Ah ! si l'on savait tous les charmes d'Izzat ! »

Et la jeune femme dit : « En vérité, l'éloquence lui était un don, à cet admirable Kouçaïr qui ajoutait que :

« Si Izzat, devant un juge digne d'elle et de sa beauté, se présentait avec le doux soleil matinal pour rival, certes elle serait la préférée !

Et pourtant, quelques femmes malignes ont osé devant moi critiquer les détails de la beauté d'Izzat. Puisse Allah les confondre et faire de leurs joues un tapis foulé par les semelles d'Izzat ! »

Et la jeune maîtresse du logis dit encore : « Qu'elle était aimée cette Izzat ! Et toi, prince Scharkân, si tu te rappelles les paroles que le beau Djamil disait à cette même Izzat, que tu serais gentil de nous les dire ! » Et Scharkân dit : « Vraiment, des paroles de Djamil à Izzat je ne me rappelle que cette seule strophe :

« Ô belle trompeuse, tu ne souhaites que ma mort, et tous tes désirs s'arrêtent là ! Et pourtant, malgré tout, c'est toi seule que je désire parmi toutes les filles de la tribu ! »

Et Scharkân ajouta : « Car, si tu ne le comprends pas, ô ma maîtresse, sache que je suis exactement dans la même situation que Djamil, et toi, comme Izzat pour Djamil, tu souhaites me faire mourir sous tes yeux ! » À ces paroles, la jeune femme sourit mais ne dit rien. Et l'on continua à boire jusqu'à l'apparition du matin. Alors elle se leva et disparut. Et Scharkân dut passer cette nuit encore tout seul sur sa couche. Mais lorsque fut le matin, les servantes, comme d'habitude, vinrent le prendre au son des instruments et au rythme des doufouf, et, après avoir baisé la terre entre ses mains, lui dirent : « Fais-nous la grâce de venir avec nous chez notre maîtresse, qui t'attend ! » Alors Scharkân se leva, et sortit avec les esclaves qui jouaient des instruments et tapaient sur les doufouf, et arriva dans une seconde salle, bien plus merveilleuse que la première, et où il y avait des statues et des peintures figurant des animaux et des oiseaux, et beaucoup d'autres choses qui dépassaient toute description. Et Scharkân fut extrêmement charmé de tout ce qu'il voyait et ces strophes chantèrent sur ses lèvres :

« Je cueillerai l'étoile qui se lève parmi les fruits d'or de l'Archer aux Sept Étoiles.

Elle est la noble perle annonciatrice des aubes argentées ; elle est la goutte d'or de la constellation.

Elle est l'œil d'eau qui se fluidifie en tresses d'argent ; elle est la rose de chair des joues vivantes ; elle est une topaze brûlée, figure d'or !

Ses yeux ! C'est la couleur de la sombre violette, ses yeux cerclés de kôhl bleu ! »

Alors la jeune femme se leva et vint prendre Scharkân par la main et le fit s'asseoir à ses côtés et lui dit : « Prince Scharkân, sans doute joues-tu aux échecs. » Il dit : « Certes, ô ma maîtresse, mais, de grâce ! ne sois point comme celle dont se plaint le poète :

« Je parle en vain ! Broyé par l'amour, que ne puis-je à sa bouche heureuse me désaltérer et, d'une gorgée à ses lèvres bue, respirer la vie !

Ce n'est point qu'elle me néglige ou ne soit point pour moi pleine d'attentions ; ce n'est point qu'elle diffère de faire porter le jeu d'échecs pour me distraire. Mais est-ce là la distraction ou le jeu dont a soif mon âme ?

Et d'ailleurs, pourrais-je lui tenir tête, moi qui suis fasciné par le jeu en coulisse de ses yeux, les regards de ses yeux qui pénètrent mon foie ! »

Mais la jeune femme, souriante, approcha les échecs et commença le jeu. Et Scharkân, chaque fois que c'était son tour, au lieu de faire attention à son jeu, la regardait au visage, et il jouait tout de travers, mettant le cheval à la place de l'éléphant et l'éléphant à la place du cheval. Alors elle se mit à rire et lui dit : « Par le Messie ! que ton jeu est savant ! » Il répondit : « Oh ! mais c'est la première partie. D'ordinaire ça ne compte pas ! » Et l'on rangea le jeu de nouveau. Mais elle le vainquit une seconde fois, et une troisième, quatrième, et cinquième fois. Puis elle lui dit : « Voici qu'en toutes choses tu es vaincu ! » Il répondit : « Ô ma souveraine, il sied d'être le vaincu d'une partenaire telle que toi ! » Alors elle fit tendre la nappe et l'on mangea et l'on se lava les mains ; puis on ne manqua pas de boire de toutes les boissons. Alors elle prit une harpe ; et, comme elle était fort habile sur la harpe, elle préluda par quelques notes lentes et déliées et chanta ces strophes :

« On n'échappe point à sa destinée, qu'elle soit cachée ou apparente, qu'elle ait le visage serein ou allongé. Oublie donc tout, ami, et

Bois à la beauté, si tu le peux, et à la vie. Je suis la beauté vivante que nul fils de la terre ne saurait regarder avec indifférence ! »

Elle se tut ; et seule la harpe résonna sous les fins doigts de cristal. Et Scharkân ravi, se sentait perdu dans des désirs infinis. Alors, sur un prélude nouveau elle dit encore :

« Une amitié peu sincère pourrait seule supporter l'amertume de la séparation. Le soleil lui-même pâlit quand il doit quitter la terre. »

Mais à peine ce chant venait-il de cesser, que tous deux entendirent au-dehors un tumulte énorme et des cris ; et ils regardèrent, et virent s'avancer une grande troupe de guerriers chrétiens armés de glaives nus et qui criaient : « Te voilà tombé entre nos mains, ô Scharkân. Et voici ton jour de perdition ! » Lorsque Scharkân entendit ces paroles, il pensa d'abord à une trahison, et ses soupçons se portèrent sur la jeune femme ; et comme il se tournait de son côté pour lui en faire le reproche, il la vit, toute pâle, s'élancer au-dehors, et, parvenue en face des guerriers, leur dire : « Que voulez-vous ? » Alors leur chef s'avança et lui dit, après avoir baisé la terre entre ses mains : « Ô reine pleine de gloire, ô notre maîtresse Abriza, la perle la plus noble d'entre les perles des eaux, ignores-tu donc la présence de celui qui est dans ce monastère ? » Alors la reine Abriza leur dit : « Et de qui parlez-vous ? » Ils dirent : « Nous parlons de celui que l'on appelle le maître des héros, le destructeur des cités, le terrible Scharkân ibn-Omar Al-Némân, celui qui n'a pas laissé une tour sans la détruire, ni une forteresse sans l'abattre. Or, ô reine Abriza, le roi Hardobios, ton père et notre maître, a appris à Kaïssaria, sa ville, par la bouche même de la vieille Mère-des-Calamités, que le prince Scharkân était ici. Car Mère-des-Calamités a dit au roi avoir vu Scharkân, dans la forêt, se diriger vers le monastère. Aussi, ô notre reine, quel mérite est le tien d'avoir pris le lion dans tes filets et d'être ainsi la cause de notre victoire future sur l'armée des musulmans ! »

À ces paroles, la jeune reine Abriza, fille du roi Hardobios, maître de Kaïssaria, regarda avec colère le chef des guerriers et lui dit : « Quel est ton nom, toi ? » Il répondit : « Ton esclave le patrice Massoura ibn-Mossora ibn-Kacherda ! » Elle lui dit : « Comment se fait-il que tu aies osé, insolent Massoura, entrer dans ce monastère sans me prévenir et obtenir l'entrée ? » Il dit : « Ô ma souveraine, aucun des portiers ne m'a barré la route ; tous, au contraire, se sont levés et nous ont conduits près de la porte de ton appartement. Et maintenant, suivant les ordres du roi ton père, nous attendons que tu nous livres ce Scharkân, le guerrier le plus redoutable d'entre les musulmans ! » Alors la reine Abriza dit : « Que dis-tu là ? Ne sais-tu que la vieille Mère-des-Calamités est une menteuse pleine de perfidies. Par le Messie ! j'ai bien ici un homme, mais il est loin d'être le Scharkân dont tu parles ; c'est un étranger qui est venu nous demander l'hospitalité, et nous la lui avons aussitôt généreusement accordée. Et d'ailleurs, même au cas où cet étranger serait Scharkân, les devoirs de l'hospitalité ne me commandent-ils pas de le protéger contre toute la terre ? Il ne sera jamais dit qu'Abriza a trahi l'hôte, après qu'entre elle et lui il y eut le pain et le sel ! Il ne te reste donc, ô patrice Massoura, qu'à retourner auprès du roi mon père ; tu baiseras la terre entre ses mains et tu lui diras que la vieille Mère-des-Calamités en a menti et l'a trompé ! » Le patrice Massoura dit : « Reine Abriza, je ne puis m'en retourner auprès du roi Hardobios, ton père, qu'avec celui dont il nous a ordonné la prise. » Elle dit, pleine de colère : « De quoi te mêles-tu, soldat ? Tu n'as qu'à combattre, quand tu le peux, et puisque tu es payé pour combattre ; mais prends garde de te mêler d'affaires qui ne te concernent point ! D'ailleurs, si tu osais attaquer Scharkân, en admettant que cet étranger fût Scharkân, tu le payerais de ta vie et de la vie de tous les guerriers qui sont avec toi ! Et voici que je vais le faire venir ici, avec son glaive et son bouclier ! » Le patrice Massoura dit : « Malheur ! si j'échappais à ta colère, je ne saurais échapper au ressentiment du roi ! Aussi si ce Scharkân se présentait ici, je le ferais immédiatement arrêter par mes guerriers, qui le conduiraient, humble captif, entre les mains du roi de Kaïssaria, ton père ! » Alors Abriza dit : « Tu parles beaucoup pour un guerrier, ô patrice Massoura ! Et tes paroles sont pleines de prétention et d'insolence ! Oublies-tu donc que vous êtes ici cent guerriers contre un ? Si donc ton patriciat ne t'a pas enlevé jusqu'aux traces du courage, tu n'as qu'à le combattre, seul à seul. Et si tu es vaincu, un autre prendra ta place et le combattra, et cela jusqu'à ce que Scharkân tombe entre vos mains ! Et cela décidera qui de vous tous est le héros ! »

Mais, à ce moment de sa narration, Schahrazade vit apparaître le matin et se tut discrètement.

Mais lorsque fut la cinquantième nuit. Elle dit :

Il m'est parvenu, ô Roi fortuné, que la jeune reine Abriza dit : « Et nous verrons qui de vous tous est le héros ! » Et le patrice Massoura dit : « Par le Messie ! tu dis vrai ! Aussi est-ce moi qui me présenterai le premier sur le terrain de lutte ! » Elle dit : « Attends alors que j'aille le prévenir et prendre sa réponse. S'il accepte, la chose est faite ; s'il refuse, il sera tout de même l'hôte honoré et protégé ! » Et Abriza se hâta d'aller trouver Scharkân et le mit au courant, mais sans lui dire qui elle était. Alors Scharkân comprit combien il avait mal pensé de la générosité de la jeune femme, et il se réprimanda fort, et doublement : pour avoir mal pensé de la jeune femme et pour s'être jeté inconsidérément au milieu du pays des Roum. Puis il dit : « Ô ma maîtresse, je n'ai point l'habitude de combattre ainsi contre un seul guerrier, mais contre dix guerriers à la fois ; aussi est-ce de la sorte que j'entends engager le combat ! » Il dit et sauta sur ses deux pieds et s'élança au-devant des guerriers chrétiens. Et il tenait à la main son glaive et son bouclier.

Lorsque le patrice Massoura eut vu Scharkân qui s'approchait, il bondit sur lui d'un bond et le chargea avec violence. Mais Scharkân para le coup porté, et s'élança comme un lion sur son adversaire et lui assena sur l'épaule un coup si terrible que le glaive sortit en brillant par le flanc, après avoir traversé ventre et intestins.

À cette vue, la valeur de Scharkân augmenta considérablement aux yeux de la jeune reine, et elle se dit : « Voilà vraiment le héros avec lequel j'aurais pu lutter dans la forêt ! » Puis elle se tourna vers les guerriers et leur cria : « Qu'attendez-vous donc pour continuer le combat ! Ne songez-vous plus à venger la mort du patrice ? » Alors s'avança à grandes enjambées un géant à l'aspect redoutable et à la figure respirant l'énergie ; et il était le frère même du patrice Massoura ; mais Scharkân ne lui laissa pas le temps de parader, et lui assena sur l'épaule un coup tel que le glaive sortit en brillant par le flanc, après avoir traversé ventre et intestins. Alors, un à un, d'autres guerriers s'avancèrent ; mais Scharkân leur faisait subir le même sort, et son glaive se faisait un jeu du vol de leurs têtes. Et de la sorte il en tua cinquante. Lorsque les cinquante qui restaient eurent vu le traitement infligé à leurs compagnons, ils se réunirent en une seule masse et se précipitèrent tous ensemble sur Scharkân ; mais c'en fut fait d'eux ! Ils furent reçus par Scharkân avec un cœur plus dur que la pierre, et battus comme sur l'aire les grains sont battus, et éparpillés, eux et leur âme, pour toujours !

Alors la reine Abriza cria à ses suivantes : « Y a-t-il encore d'autres hommes au monastère ? » Elles répondirent : « Il n'y a plus d'autres hommes que les portiers ! » Alors la reine Abriza s'avança au-devant de Scharkân, et le prit dans ses bras et l'embrassa avec ferveur ; puis elle compta le nombre des morts, et en trouva quatre-vingts ; quant aux vingt autres combattants, ils avaient pu, malgré leur état, s'échapper et disparaître. Et Scharkân songea alors à essuyer la lame sanglante de son glaive et, entraîné par Abriza, rentra au monastère en récitant ces strophes guerrières :

« Au jour de ma vaillance, pour me combattre, les bandes avec fureur se sont élancées !

J'ai jeté en pâture aux lions leurs fiers chevaux bai brun, à mes frères les lions.

— Alons, jeunes gens ! soulagez-moi du poids de mes habits, si vous voulez ! –

Au jour de ma vaillance, je n'ai fait que passer, et voilà tous ces guerriers tout de leur long étendus sur la brûlante terre de mon désert ! »

Et comme ils étaient arrivés dans la grande salle du monastère, la jeune Abriza, toute souriante de plaisir, prit la main de Scharkân et la porta à ses lèvres ; puis elle releva sa robe, et en dessous apparurent une cotte de mailles aux mailles très serrées et une épée en acier fin de l'Inde ; et Scharkân, étonné, lui demanda : « Pourquoi, ô ma maîtresse, cette cotte de mailles et cette épée ? » Elle dit : « Ô Scharkân, dans le feu de ton combat je m'en étais vêtue à la hâte pour courir à ton secours ; mais mon bras ne t'a point été utile ! »

Puis la reine Abriza fit venir les portiers du monastère et leur dit : « Comment se fait-il que vous ayez laissé pénétrer ici les hommes du roi, sans ma permission ? » Ils dirent : « Ce n'est point encore l'habitude de demander un permis d'entrée pour les hommes du roi et surtout pour son grand patrice ! » Elle dit : « Je vous soupçonne fort d'avoir voulu me perdre et faire tuer mon hôte ! » Et elle pria Scharkân de leur couper la tête ; et Scharkân leur coupa la tête. Alors elle dit à ses autres esclaves : « Ils ont mérité bien pis que cela ! » Puis elle se tourna vers Scharkân et lui dit : « Voici, ô Scharkân, que je vais te dévoiler ce qui pour toi a été caché jusqu'à cette heure ! » Alors elle dit :

« Sache, ô Scharkân, que je suis la fille unique du roi grec Hardobios, maître de Kaïssaria, et je m'appelle Abriza. Et j'ai pour ennemie inexorable la vieille Mères-des-Calamités, qui a été la nourrice de mon père et est très écoutée et crainte au palais. Et la cause de cette inimitié entre moi et elle est une cause que tu me dispenseras de te raconter, car il y a des jeunes filles mêlées à cette histoire dont tu connaîtras certes les détails avec le temps. Aussi je ne doute pas que Mère-des-Calamités ne fasse tout pour me perdre, maintenant surtout que j'ai été la cause de la mort du chef des patrices et des guerriers. Et elle dira à mon père que j'ai embrassé la cause des musulmans. Aussi, pour moi, le seul parti à prendre, tant que Mère-des-Calamités me persécute, est de m'en aller loin de mon pays et de mes parents. Et je te demande de m'aider à partir, et d'agir avec moi comme j'ai agi avec toi ; car tu es un peu la cause de ce qui vient d'arriver. »

À ces paroles, Scharkân sentit sa raison s'envoler de joie et sa poitrine s'élargir et tout son être s'épanouir, et il dit : « Par Allah ! et quel est celui qui osera t'approcher, tant que mon âme est dans mon corps ? Mais pourrais-tu vraiment supporter d'être éloignée de ton père et des tiens ? » Elle répondit : « Mais certainement ! » Alors Scharkân lui fit jurer qu'elle le pourrait, et elle fit le serment, puis ajouta : « Maintenant mon cœur s'est tranquillisé. Mais j'ai encore à te faire une demande. » Il dit : « Et quelle est-elle ? » Elle dit : « C'est que tu retournes à Bagdad, ton pays, avec tous tes soldats ! » Il dit : « Ô ma maîtresse, mon père Omar Al-Némân ne m'a envoyé dans le pays des Roum que pour combattre et vaincre ton père, contre lequel le roi Aphridonios de Constantinia nous a demandé secours. Car ton père a fait saisir un navire chargé de richesses, de jeunes esclaves et de trois gemmes précieuses auxquelles sont attachées d'admirables vertus ! » Alors Abriza répondit : « Calme ton âme et adoucis tes yeux ! Car voici que je vais te dire la véritable histoire de notre hostilité avec le roi Aphridonios :

« Sache que nous avons, nous autres Grecs, une fête annuelle qui est la fête de ce monastère-ci. Et chaque année, à pareille date, tous les rois chrétiens se réunissent ici de toutes les contrées, ainsi que tous les nobles et les grands commerçants ; et aussi ne manquent pas de venir les femmes et les filles des rois et des autres ; et cette fête dure sept jours entiers. Or, une année, je vins moi-même au nombre des visiteurs, et il y avait aussi la fille du roi Aphridonios de Constantinia, qui se nommait Safîa, et qui est maintenant la concubine de ton père Omar Al-Némân, et mère d'enfants. Mais à ce moment elle était encore jeune fille.

« Lorsque, la fête terminée, vint le septième jour, qui était le jour du départ, Safîa dit : « Je ne veux pas retourner à Constantinia par la voie de terre, mais par mer. » Alors on lui prépara un navire et elle y descendit, elle et ses compagnes, et y fit embarquer toutes les choses qui lui appartenaient ; et l'on déploya les voiles et l'on partit.

« Mais à peine le navire s'était-il éloigné que le vent contraire s'éleva et fit dévier le navire de sa route. Et la Providence voulut que justement il y eût, dans ces parages, un grand navire plein de guerriers chrétiens de l'île de Kâfour, au nombre de cinq cents Afrangi[1] ; et ils étaient tous armés et vêtus de fer ; et ils n'attendaient qu'une occasion comme celle-là pour faire du butin, depuis le temps qu'ils tenaient la mer. Aussi dès qu'ils virent le navire où était Safîa, ils l'abordèrent et y jetèrent leurs grappins et s'en emparèrent ; puis il le traînèrent à la remorque et remirent à la voile. Mais une tempête s'éleva, furieuse, qui les jeta tous sur nos côtes, désemparés. Alors nos hommes se jetèrent sur eux, tuèrent les pirates et s'emparèrent à leur tour des soixante jeunes filles, au nombre desquelles se trouvait Safîa, et de toutes les richesses qui étaient accumulées dans les navires. Puis ils vinrent offrir les soixante jeunes filles en cadeau au roi de Kaïssaria, mon père, et gardèrent les richesses pour eux. Alors mon père choisit pour lui les dix plus belles jeunes filles et distribua le reste à sa suite. Puis, sur les dix, il tria les cinq plus belles et les envoya en cadeau au roi Omar Al-Némân, ton père ; et parmi ces cinq il y avait justement Safîa, la fille du roi Aphridonios ; mais nous ne nous en doutions pas, car ni elle ni personne ne nous avait révélé sa condition ni son nom. Et c'est ainsi, ô Scharkân, que Safîa devint la concubine du roi Omar

Al-Némân, ton père ; et elle lui fut d'ailleurs envoyée avec beaucoup d'autres choses telles que soieries, étoffes de laine et broderies de Grèce.

« Mais voici qu'au commencement de cette année le roi mon père reçut une lettre du père de Safîa, le roi Aphridonios. Et dans cette lettre il y avait des choses que je ne puis vraiment te répéter ; mais il y était dit ceci, en outre :

« Tu as, il y a deux ans, pris à des pirates soixante jeunes filles, parmi lesquelles ma fille Safîa ; et c'est maintenant seulement que je l'apprends, car tu ne m'as rien fait savoir, ô roi Hardobios ! Et c'est là la plus grande offense et le plus grand opprobre pour moi, sur moi et autour de moi. Si donc tu ne veux pas devenir mon ennemi, tu dois, sitôt ma lettre reçue, me renvoyer ma fille Safîa, intacte et intégrale. Sinon, et si tu diffères son renvoi, tu seras traité comme tu le mérites, et des représailles terribles contre toi seront prises par ma colère et mon ressentiment. »

« Aussi, lorsque mon père eut lu cette lettre, il fut dans une grande perplexité et un grand émoi, puisque la jeune Safîa avait été envoyée en cadeau à ton père Omar Al-Némân, et qu'il n'y avait plus de chance qu'elle fût encore intacte et intégrale, puisqu'elle avait été déjà rendue mère par le roi Omar Al-Némân, en un instant d'ailleurs et sans difficultés de l'une ou de l'autre part.

« Et nous comprîmes alors que c'était là une grande calamité. Et mon père n'eut d'autre moyen de recours qu'une lettre au roi Aphridonios où il lui exposait la situation, en s'excusant beaucoup de l'ignorance où il avait été de l'identité de Safîa, et en lui faisant là-dessus mille serments.

« Au reçu de la lettre de mon père, le roi Aphridonios entra dans une fureur inexprimable ; il se leva, et s'assit et s'agita, et écuma, et dit : « Est-il possible que ma fille, celle dont tous les rois chrétiens se disputent l'alliance et la main, soit devenue une esclave d'entre les esclaves d'un musulman, et qu'elle ait été ployée à ses désirs, et qu'elle ait servi à sa couche, sans contrat légal ! Mais, par le Messie ! je tirerai de ce musulman, monteur inassouvi de tant de femmes, une vengeance dont parleront longtemps l'Orient et l'Occident ! »

« Et c'est alors que le roi Aphridonios, ô Scharkân, songea à envoyer des ambassadeurs à ton père, avec de riches présents, et à lui demander son secours. Mais, en réalité, c'était seulement pour te faire tomber toi-même, ô Scharkân, et tes dix mille cavaliers, dans un guet-apens par quoi serait satisfaite sa vengeance préméditée.

« Maintenant, pour ce qui est des trois merveilleuses gemmes auxquelles tant de vertus sont attachées, elles existent. Elles étaient la propriété de Safîa, et tombèrent entre les mains des pirates et ensuite entre les mains de mon père, qui m'en a fait cadeau. Et c'est moi qui les ai ; et je te les montrerai. Mais pour le moment il te faut, avant tout, retourner près de tes cavaliers et reprendre avec eux le chemin de Bagdad, plutôt que de tomber dans les filets du roi de Constantinia et avant que toutes les communications ne soient, pour vous autres, coupées ! »

Lorsque Scharkân eut entendu ces paroles, il prit la main d'Abriza et la porta à ses lèvres, et dit : « Louange à Allah dans ses créatures ! Il t'a mise sur ma route pour que tu sois la cause de mon salut et du salut de mes compagnons. Mais, ô délicieuse et secourable reine, je ne puis plus me séparer de toi, et, surtout après tout ce qui s'est passé, je ne souffrirai point que tu restes toute seule ici, car je ne sais point ce qui peut t'arriver. Viens, Abriza, allons à Bagdad ! »

Mais Abriza, qui avait eu le temps de réfléchir, lui dit : « Ô Scharkân, hâte-toi de partir le premier et de te saisir des envoyés du roi Aphridonios qui sont au milieu de tes tentes, et tu les obligeras à t'avouer la vérité ; et, de la sorte, tu contrôleras mes paroles. Et moi, avant que trois jours ne se soient écoulés, je te rejoindrai, et ensemble nous entrerons dans Bagdad. »

Puis elle se leva et s'approcha de lui, et prit sa tête dans ses mains et l'embrassa ; et Scharkân également. Et elle pleura des larmes abondantes, et des pleurs à faire fondre les pierres. Et Scharkân, en voyant ces yeux qui pleuraient, fut encore plus attendri et endolori, et pleura aussi beaucoup et récita ces deux strophes :

« Je lui fis mes adieux, et ma main droite séchait mes larmes et ma main gauche entourait son cou.

Elle me dit, peureuse : « Oh ! ne crains-tu pas de me compromettre aux yeux des femmes de ma tribu ? » Je lui dis : « Que non ! car le jour des adieux n'est-il pas lui-même la trahison des amoureux ? »

Et Scharkân quitta Abriza et sortit du monastère et remonta sur son coursier que deux jeunes filles tenaient par la bride, et s'en alla. Il passa le pont aux chaînes d'acier et s'engagea parmi les arbres de la forêt et finit par arriver à la clairière située au milieu de la forêt. Et à peine y était-il parvenu qu'il vit trois cavaliers en face de lui, arrêtés brusquement dans leur galop. Et il tira sa flamboyante épée et s'en couvrit, prêt au choc. Mais soudain il les reconnut et ils le reconnurent, car les trois cavaliers étaient le vizir Dandân et les deux principaux émirs de sa suite. Alors les trois cavaliers mirent vivement pied à terre et vinrent respectueusement souhaiter la paix au prince Scharkân, et lui exprimèrent toute l'angoisse où son absence avait jeté l'armée. Et Scharkân leur raconta l'histoire dans tous ses détails, depuis le commencement jusqu'à la fin, et la prochaine arrivée de la reine Abriza et la trahison projetée par les envoyés d'Aphridonios ; et il leur dit : « Il est probable qu'ils ont dû profiter de votre absence à vous trois pour s'échapper et aller prévenir leur roi de notre arrivée sur ses terres. Et maintenant, qui sait si leur armée n'a pas déjà détruit la nôtre ! Au plus vite, courons donc au milieu de nos soldats ! »

Et bientôt, au galop de leurs chevaux, ils arrivèrent dans la vallée où les tentes étaient dressées ; et l'ordre y régnait, mais les envoyés avaient disparu, en effet. Alors, en hâte, on leva le camp et l'on partit vers Bagdad. Et au bout de quelques jours on arriva aux premières frontières connues ; et l'on fut, par le fait, dans la sécurité. Et tous les habitants de la contrée s'empressèrent de venir leur apporter les provisions pour eux et des vivres pour les chevaux. Et l'on se reposa en cet endroit quelque temps, et l'on repartit. Mais Scharkân confia la direction de toute l'avant-garde au vizir Dandân, et ne garda pour lui, comme arrière-garde, que cent cavaliers qu'il choisit un à un parmi l'élite de tous les cavaliers. Et il laissa l'armée le devancer d'un jour entier ; après quoi il se mit lui-même en marche avec ses cent guerriers.

Et comme ils avaient déjà parcouru près de deux parasanges[1], ils finirent par arriver à un défilé fort étroit situé entre deux très hautes montagnes, et à peine y étaient-ils qu'ils virent à l'autre bout du défilé s'élever une poussière fort dense, qui se rapprocha rapidement et se dissipa pour laisser paraître cent cavaliers, aussi intrépides que des lions et disparaissant sous les cottes de mailles et les visières d'acier. Et lorsque ces cavaliers furent à portée de voix, ils s'écrièrent : « Descendez de vos chevaux, musulmans, et livrez-vous à discrétion en nous remettant vos armes et vos chevaux, sinon par Mariam et Youhanna ! vos âmes ne tarderont pas à s'envoler de vos corps ! »

À ces paroles, Scharkân vit le monde noircir à ses yeux, et ses yeux lancèrent des éclairs de colère et ses joues s'enflammèrent, et il s'écria : « Ô chiens de chrétiens, comment osez-vous nous menacer, après avoir déjà eu l'audace de franchir nos frontières et de fouler notre sol ! Et non seulement cela, mais encore vous venez de nous adresser de telles paroles ! Et pensez-vous, maintenant, pouvoir vous échapper intacts d'entre nos mains et revoir votre pays ? » Il dit ! et cria à ses guerriers : « Ô Croyants, sus à ces chiens ! » Et, le premier, Scharkân fonça sur l'ennemi. Alors les cent cavaliers de Scharkân, au grand galop de leurs chevaux, fondirent sur les cent cavaliers afranji, et les deux masses d'hommes se mêlèrent avec des cœurs plus durs que la roche ; et les aciers se heurtèrent aux aciers, et les épées aux épées, et les coups se mirent à pleuvoir en crépitant, et les corps s'enlacèrent aux corps, et les chevaux se cabrèrent et retombèrent pesamment sur les chevaux, et l'on n'entendit plus d'autre bruit que le cliquetis des armes et le choc tumultueux des métaux contre les métaux. Et le combat dura de la sorte jusqu'à l'approche de la nuit et des ténèbres de la nuit. Alors seulement les deux partis se séparèrent, et l'on put se compter. Et Scharkân, parmi ses hommes, n'en trouva pas un seul qui fût atteint de blessure grave. Alors il dit :

« Ô compagnons, vous savez que toute ma vie j'ai navigué sur la mer des batailles sonores où s'entrechoquent les flots des glaives et des lances ; et j'ai combattu bien des héros ; mais je n'ai encore jamais trouvé d'hommes aussi intrépides, de guerriers aussi valeureux, et de héros aussi virils que ces adversaires ! »

Alors ils lui répondirent : « Prince Scharkân, ta parole est la vérité ! Mais, en outre, sache qu'il y a, parmi ces guerriers chrétiens, leur chef qui est le plus admirable parmi eux tous, et le plus héroïque. Et, de plus, chaque fois que l'un de nous tombait entre ses mains, il se détournait pour ne pas le tuer, et le laissait échapper à la mort ! »

À ces paroles, Scharkân fut dans une grande perplexité ; puis il dit : « Au jour de demain nous nous alignerons et nous les attaquerons, car nous sommes cent contre cent. Et nous demanderons au Maître du ciel la victoire ! » Et, sur cette résolution, ils s'endormirent tous cette nuit-là.

Quant aux chrétiens, ils se réunirent autour de leur chef et lui dirent : « Nous n'avons vraiment pas pu, aujourd'hui, venir à bout de ceux-là ! » Et il leur dit : « Mais demain nous nous alignerons et nous les terrasserons l'un après l'autre ! » Et sur cette résolution, ils s'endormirent également.

Aussi dès que brilla le matin – et qu'il éclaira le monde de sa lumière et que se leva le soleil indifféremment sur le visage des pacifiques et des guerriers, et qu'il salua Mohammad ornement de toutes choses belles – le prince Scharkân monta sur son cheval, s'avança entre les deux rangs de ses cavaliers alignés et leur dit : « Voici que nos ennemis sont en ordre de bataille. Lançons-nous sur eux, mais un contre un. Et d'abord, que l'un de vous sorte du rang et, d'une voix haute, qu'il aille inviter l'un des guerriers chrétiens à un combat singulier. Puis chacun à son tour affrontera la lutte de la sorte. »

Alors, l'un des cavaliers de Scharkân sortit des rangs, et poussa son cheval vers l'ennemi et s'écria : « Ô vous tous ! parmi vous y a-t-il un combattant, y a-t-il un champion assez intrépide pour accepter aujourd'hui la lutte avec moi ? » À peine avait-il prononcé ces mots que, d'entre les chrétiens, sortit un cavalier entièrement couvert d'armes et de fer, et de soie et d'or ; et il était monté sur un cheval gris, et avait un visage rose aux joues vierges de poil. Et il poussa son cheval jusqu'au milieu de la lice, et, l'épée haute, il se précipita sur le champion musulman, et, rapide, d'un coup de lance, il le désarçonna et le força à se rendre et l'emmena, humble prisonnier, au milieu des cris de victoire et de joie des guerriers chrétiens. Et aussitôt un autre chrétien sortit des rangs et s'avança au milieu de la lice à la rencontre d'un autre musulman qui y était déjà et qui était le frère du captif. Et les deux champions engagèrent la lutte ; et elle ne tarda pas à se terminer par la victoire du chrétien ; car, profitant d'une faute du musulman, qui n'avait pas su parer, il lui assena un coup de pommeau de lance qui le désarçonna ; et il l'emmena captif. Et l'on continua de la sorte à se mesurer, et chaque fois la lutte se terminait par la capture d'un musulman vaincu par le chrétien, et cela jusqu'à la tombée de la nuit et la capture de vingt guerriers d'entre les musulmans.

Lorsque Scharkân eut vu ce résultat, il en fut très affecté ; et il réunit ses compagnons et leur dit : « Ce qui vient de nous arriver n'est-il vraiment pas énormément extraordinaire ? Aussi vais-je, demain même, m'avancer seul en face de l'ennemi et provoquer au combat le chef de ces chrétiens. Et je verrai ensuite la raison qui l'a poussé à violer notre territoire et à nous attaquer. Et s'il refuse de s'expliquer, nous le tuerons ; et s'il accepte nos propositions, nous ferons avec lui la paix. » Et sur cette résolution, ils s'endormirent tous jusqu'au matin.

Alors Scharkân, déjà à cheval, s'avança tout seul vers les rangs des ennemis ; et il vit s'avancer, au milieu de cinquante guerriers descendus de leurs chevaux, un cavalier qui n'était autre que le chef des chrétiens en personne. Il portait, agrafée aux épaules, une chlamyde de satin bleu qui flottait au-dessus d'une cotte de mailles aux mailles très serrées ; et il brandissait une épée nue en acier indianisé ; et il montait un cheval noir qui avait le front étoilé d'une tache blanche, large comme un drachme d'argent. Et ce cavalier avait une figure fraîche d'enfant, aux joues roses et vierges de poil ; et il était aussi beau que la lune qui se lève glorieuse à l'horizon oriental.

Lorsqu'il fut au milieu de la lice, le jeune cavalier s'adressa à Scharkân en langue arabe, avec l'accent le plus pur, et lui dit : « Ô Scharkân, ô fils d'Omar Al-Némân qui règne sur les bourgs et les villes, les places fortes et les tours, prépare-toi à la lutte, car elle sera dure ! Et comme tu es le chef des tiens et moi le chef des miens, il est entre nous, dès maintenant, entendu que le vainqueur dans cette lutte s'emparera des soldats du vaincu, et sera le maître reconnu ! »

Mais déjà Scharkân, le cœur chargé de courroux, avait lancé son coursier contre le chrétien, semblable au lion en fureur. Et ils se heurtèrent l'un contre l'autre d'un heurt héroïque, et les coups crépitèrent ; et l'on aurait cru voir s'entrechoquer deux montagnes ou se mêler bruyamment deux mers soudain se rencontrant. Et ils ne cessèrent de combattre depuis le matin jusqu'à la nuit noire. Et alors ils se séparèrent et chacun retourna au milieu des siens.

Alors Scharkân dit à ses compagnons : « De ma vie je n'ai rencontré pareil combattant ! Mais ce que j'ai trouvé en lui de plus surprenant, c'est l'habitude qu'il a, chaque fois que son adversaire est à découvert, de ne le point blesser, mais seulement de le toucher légèrement, à l'endroit découvert, du pommeau de sa lance ; et je ne comprends plus rien à toute cette aventure. Mais il serait à souhaiter qu'il y eût beaucoup de nos guerriers doués d'une pareille intrépidité ! »

Et le lendemain on recommença une lutte identique, mais sans plus de résultat. Mais le troisième jour, voici ce qui arriva. Au milieu du combat, soudain le beau jeune homme chrétien lança son cheval au galop, et l'arrêta brusquement, et tira maladroitement sur les rênes ; alors le cheval se cabra, et le jeune homme se laissa désarçonner et tomba à terre, comme naturellement. Alors Scharkân sauta à bas de son cheval, et l'épée haute, se précipita sur son adversaire et voulut le transpercer. Et le beau chrétien s'écria : « Est-ce ainsi que se comportent les héros ? ou est-ce de la sorte que la galanterie commande les égards aux femmes ? » À ces mots, Scharkân, étonné, regarda attentivement le jeune cavalier et, l'ayant bien examiné, reconnut la reine Abriza. Car c'était bien la reine Abriza avec laquelle il lui était arrivé, dans le monastère, ce qui était arrivé !

Alors Scharkân jeta au loin son épée, et se prosterna devant la jeune fille et baisa la terre entre ses mains et lui dit : « Mais pourquoi donc, ô reine, tout cela ? » Elle lui dit : « J'ai voulu t'éprouver moi-même sur un champ de bataille, et voir ton degré d'endurance et de valeur ! Et sache que tous mes guerriers, les cent qui ont combattu les tiens, sont des jeunes filles, et vierges et miennes. Et quant à moi, n'eût été mon cheval, qui s'est cabré, tu aurais vu bien d'autres choses, ô Scharkân ! » Et Scharkân sourit et répondit : « Louange à Allah qui nous a réunis, ô reine Abriza, ô souveraine des temps ! » Et la reine aussitôt donna à ses compagnes l'ordre du départ et rendit à Scharkân les vingt prisonniers, l'un après l'autre. Et tous vinrent s'agenouiller devant elle et baisèrent la terre entre ses mains. Et Scharkân se tourna vers les belles adolescentes et leur dit : « Les rois seraient honorés de pouvoir compter sur une réserve de héros tels que vous autres ! »

Puis on leva les campements, et les deux cents cavaliers prirent ensemble la route de Bagdad et marchèrent de la sorte six jours entiers, au bout desquels ils virent, au loin, luire les glorieux minarets de la Ville de paix.

À ce moment de sa narration, Schahrazade vit apparaître le matin et, discrète, se tut.

Mais lorsque fut la cinquante et unième nuit. Elle dit :

Ils virent, au loin, luire les glorieux minarets de la Ville de paix. Alors Scharkân pria la reine Abriza et ses compagnes d'enlever leurs armures guerrières et de les échanger contre de vrais habits de femmes grecques. Et elles le firent. Puis il envoya à Bagdad quelques-uns de ses compagnons le devancer et l'annoncer à son père Omar Al-Némân, lui et la reine Abriza, pour qu'un cortège somptueux fût envoyé à leur rencontre. Puis on mit, ce soir-là, pied à terre, et l'on dressa les tentes pour la nuit, et l'on s'endormit jusqu'au matin.

Aussi, dès le lever du jour, le prince Scharkân et ses cavaliers, la reine Abriza et ses guerrières remontèrent sur leurs coursiers et prirent le chemin de la ville. Et voici que sortit de la ville, venant à leur rencontre, le grand vizir Dandân avec une suite de mille cavaliers ; et il s'approcha de la jeune fille et de Scharkân et baisa la terre entre leurs mains ; puis tous ensemble entrèrent dans la ville.

Et Scharkân le premier monta au palais voir son père, le roi Omar Al-Némân. Et le roi se leva pour lui et l'embrassa et lui demanda de ses nouvelles. Et Scharkân lui raconta toute son histoire avec la jeune Abriza, fille du roi Hardobios de Kaïssaria, et la perfidie du roi de Constantinia et son ressentiment à cause de Safïa, la concubine, qui n'était autre que la fille même du roi Aphridonios ; et il lui raconta l'hospitalité et les bons conseils d'Abriza et son dernier exploit, et toutes ses qualités de valeur et de beauté.

Lorsque le roi Omar Al-Némân eut entendu ces dernières paroles, il fut pris d'un grand désir de voir la jeune fille merveilleuse, et tout son être s'alluma aux détails entendus. Et il pensa en lui-même aux délices de sentir dans sa couche la solidité et la sveltesse harmonieuse d'un corps de fille ainsi aguerrie, et vierge de mâle, et tant aimée de ses compagnes guerrières. Et il ne dédaigna pas non plus ces compagnes elles-mêmes dont le visage, sous les habits de guerre, était celui d'un enfant aux joues fraîches et vierges de poil et de duvet. Car le roi Omar Al-Némân était un admirable vieillard aux muscles plus exercés que ceux des jeunes gens. Et il ne craignait point les luttes de la virilité, et il sortait toujours victorieux d'entre les bras de ses femmes les plus allumées.

Aussi comme Scharkân ne pouvait penser que son père eût des vues sur la jeune reine, il se hâta d'aller la chercher et vint la lui présenter. Et le roi était assis sur son trône, et avait congédié tous ses chambellans et tous ses esclaves, à l'exception des eunuques. Et la jeune Abriza arriva jusqu'à lui et baisa la terre entre ses mains, et lui tint un langage d'une pureté et d'une élégance délicieuses. Aussi le roi Omar Al-Némân fut-il à la limite de l'émerveillement et il la remercia et la glorifia pour tout ce qu'elle avait fait avec son fils, le prince Scharkân, et l'invita à s'asseoir. Et Abriza, alors, s'assit et enleva le petit voile qui lui couvrait le visage ; et ce fut un éblouissement ! Et tel, que le roi Omar Al-Némân faillit en perdre la raison. Et aussitôt il lui fit donner, dans le palais même, pour elle et pour ses compagnes, le plus somptueux des appartements réservés, et lui fixa un train de maison digne de son rang. Et, alors seulement, il l'interrogea au sujet des trois gemmes précieuses pleines de vertus.

Alors Abriza lui dit : « Ces trois blanches gemmes, ô roi du temps, c'est moi-même qui les ai et elles ne me quittent jamais. Et je vais te les montrer ! » Et elle fit apporter une caisse et l'ouvrit, et en tira une boîte dont elle enleva le couvercle, et tira de la boîte un écrin en or ciselé, qu'elle ouvrit. Et alors apparurent, rayonnantes, les trois gemmes précieuses, rayonnantes et blanches et arrondies. Et Abriza les prit et les porta à ses lèvres l'une après l'autre, et les offrit au roi Omar Al-Némân en cadeau pour l'hospitalité qu'il lui accordait. Et elle sortit.

Et le roi Omar Al-Némân sentit son cœur s'en aller avec elle : mais, comme les gemmes étaient là qui brillaient, il fit venir son fils Scharkân et lui donna l'une d'elles en présent ; et Scharkân lui demanda ce qu'il allait faire des deux autres gemmes. Et le roi lui dit : « Mais je vais les donner, l'une, à ta sœur la petite Nôzhatou et, la seconde, à ton petit frère Daoul'makân. »

À ces mots relatifs à son frère Daoul'makân, dont il ignorait absolument l'existence, Scharkân fut désagréablement affecté, car il ne savait que la naissance de Nôzhatou. Aussi se tourna-t-il vers le roi Omar Al-Némân, en lui disant : « Ô père, as-tu donc un autre fils que moi ? » Il dit : « Mais certainement, âgé de six ans, le frère jumeau de Nôzhatou, et tous deux nés de mon esclave Safîa, la fille du roi de Constantinia ! » Alors Scharkân, bouleversé à cette nouvelle, ne put s'empêcher de secouer ses habits de dépit et de colère, mais il se contint tout de même et dit : « Puissent-ils tous deux être sous la bénédiction d'Allah le Très-Haut ! » Mais son père remarqua son agitation et son dépit et lui dit : « Ô mon fils, pourquoi donc te mettre dans un état pareil ? Ne sais-tu pas que c'est à toi seul que revient la succession au trône à ma mort ? Et ne t'ai-je pas donné à toi, le premier, la plus belle d'entre les trois gemmes pleines de merveilles ? » Mais Scharkân ne se sentit point en état de répondre et, ne voulant pas contrarier ou peiner son père, il sortit, la tête basse, de la salle du trône. Et il se dirigea vers l'appartement réservé d'Abriza ; et Abriza aussitôt se leva pour le recevoir, le remercia gentiment de ce qu'il avait fait pour elle et le pria de s'asseoir à côté d'elle. Puis, comme elle le voyait le visage sombre et attristé, elle le questionna tendrement ; et Scharkân lui raconta le motif de sa peine et ajouta : « Mais ce qui me préoccupe surtout, ô Abriza, c'est que j'ai fini par remarquer chez mon père des intentions non douteuses à ton endroit, et j'ai vu ses yeux s'éclairer du désir de ta possession. Qu'en dis-tu donc, toi-même ? » Elle répondit : « Tu peux tranquilliser ton âme, ô Scharkân, car ton père ne me possédera que morte ! Ses trois cent soixante femmes et les autres ne peuvent-elles donc plus lui suffire, qu'il convoite ma virginité, qui n'est certes pas faite pour ses dents ! Sois donc en paix, ô Scharkân, et chasse tes soucis ! » Puis elle fit apporter à manger et à boire ; et tous deux mangèrent et burent, et Scharkân, toujours l'âme en peine, rentra chez lui dormir, cette nuit-là. Voilà pour Scharkân !

Mais pour ce qui est du roi Omar Al-Némân, une fois Scharkân sorti, il alla trouver sa concubine Safìa, dans son appartement ; et il tenait à la main les deux gemmes précieuses, suspendues chacune à une chaîne d'or. Et, en le voyant entrer, Safìa se leva debout sur ses deux pieds et ne s'assit qu'une fois le roi assis le premier. Et alors vinrent à lui les deux enfants, Nôzhatou la fillette et le petit Daoul'makân. Et le roi les embrassa et leur suspendit au cou, à chacun, l'une des précieuses gemmes. Et les deux enfants en furent très réjouis ; et leur mère souhaita au roi la prospérité et le bonheur. Alors le roi lui dit : « Ô Safìa, tu es la fille du roi Aphridonios de Constantinia, et tu ne m'en as jamais rien dit ! Pourquoi donc me cacher la chose et m'empêcher, de la sorte, d'avoir pour toi les égards dus à ton rang et de te hausser en estime et en honneur ! » Et Safìa lui dit : « Ô roi généreux, et que pourrais-je souhaiter de plus, en vérité ? Tu m'as déjà comblée de tes dons et de tes faveurs, et tu m'as rendue mère de deux enfants beaux comme les lunes ! » Alors le roi Omar Al-Némân fut très charmé de cette réponse qu'il trouva délicieuse et pleine de goût et de tact, de savoir-vivre et de délicatesse. Et il fit donner à Safìa un palais encore bien plus beau que le premier, et augmenta considérablement son train de maison et ses frais de dépenses. Puis il rentra à son palais pour juger et destituer et nommer, selon la coutume.

Mais il restait l'esprit et le cœur fort tourmentés à l'endroit de la jeune reine Abriza. Aussi passait-il chez elle toutes ses nuits à causer avec elle et à lui glisser des sous-entendus. Mais Abriza, chaque fois, pour toute réponse, lui disait : « Ô roi du temps, vraiment, je n'éprouve point de désirs pour les hommes ! » Mais cela ne faisait que l'exciter et le tourmenter davantage ; et il finit par en devenir malade. Et c'est alors qu'il fit venir Dandân, et lui découvrit tout l'amour qu'il avait dans le cœur pour l'admirable Abriza, et le peu de résultat obtenu, et son désespoir d'arriver jamais à la posséder.

Lorsque le vizir eut entendu ces paroles, il dit au roi : « Voici. À la tombée de la nuit, tu auras soin de prendre avec toi un morceau de ce soporifique sûr, le banj, et tu iras trouver Abriza et tu te mettras à boire un peu avec elle, et, dans la dernière coupe, tu glisseras le morceau de banj ; et elle ne sera pas plutôt arrivée à son lit que tu en seras le maître ; et tu pourras alors faire d'elle tout ce qui te semblera propre à satisfaire ton désir et à calmer ton ardeur. Et telle est mon idée. » Et le roi répondit : « Vraiment, ton conseil est excellent et c'est le seul réalisable. »

Alors il se leva et alla à l'une de ses armoires, qu'il ouvrit, et prit un morceau de banj pur, et tellement fort que sa seule odeur eût jeté dans le sommeil, d'un bout de l'année à l'année suivante, même un éléphant. Et il mit ce morceau de banj dans sa poche et attendit que vînt la nuit. Alors il alla trouver la reine Abriza qui se leva pour le recevoir et ne s'assit qu'une fois le roi assis et la permission donnée. Et il se mit à causer avec elle et exprima le désir de boire ; et aussitôt elle fit apporter les boissons et tous les accessoires, tels que : fruits, amandes, noisettes, pistaches et le reste ; et le tout dans de grandes coupes d'or et de cristal. Et tous deux se mirent à boire, et à s'inviter jusqu'à ce que l'ivresse eût commencé à se consolider dans la tête d'Abriza. Ce que voyant, le roi sortit de sa poche le morceau de banj, et le cacha entre ses doigts ; puis il remplit une coupe et la but à moitié et, discrètement, y glissa le morceau de banj, et l'offrit à la jeune fille et lui dit : « Ô royale adolescente, prends cette coupe et bois cette boisson de mon désir ! » Et la reine Abriza, inconsciente, prit la coupe, et rieuse, la but. Elle la but et aussitôt le monde tourna devant ses yeux ; et elle n'eut que le temps de se traîner vers sa couche où, lourdement, elle tomba sur le dos, les bras étendus et les jambes écartées. Et deux grands flambeaux étaient placés l'un au chevet et l'autre au pied du lit.

Alors le roi Omar Al-Némân s'approcha d'Abriza et commença par lui délier les cordons de soie de son ample caleçon, et ne lui laissa sur la peau que la fine chemise légère. Et il souleva l'aile de la chemise et d'en dessous apparut, entre les cuisses, éclairé en détail par la lumière des flambeaux, quelque chose qui lui ravit l'esprit et la raison. Mais il eut la force de se retenir pour avoir le temps d'enlever, lui aussi, sa robe et son caleçon. Et alors il put librement se laisser aller à l'extrême ardeur qui le poussait ; et il se jeta sur le jeune corps étendu, et le couvrit. Et qui sait la mesure de tout ce qui se passa ! Et c'est ainsi que disparut et s'effaça la virginité de la jeune reine Abriza.

Une fois sa chose faite, le roi Omar Al-Némân se releva et alla dans la chambre voisine trouver l'esclave préférée d'Abriza, la fidèle Grain-de-Corail, et lui dit : « Cours vite chez ta maîtresse qui a besoin de toi ! » Et Grain-de-Corail se hâta d'entrer chez sa maîtresse et la trouva étendue sur le dos et saccagée, et la chemise relevée et les cuisses toutes teintes de sang et la figure toute pâle. Et Grain-de-Corail comprit que les soins étaient urgents ; et aussitôt elle prit un mouchoir dont délicatement elle tamponna la chose honorable de sa maîtresse ; puis elle prit un second mouchoir dont elle lui essuya soigneusement le ventre et les cuisses ; ensuite elle lui lava le visage, les mains et les pieds, et l'aspergea avec de l'eau de rose, et lui lava les lèvres et la bouche avec de l'eau de fleur d'oranger.

Alors la reine Abriza éternua ; puis elle ouvrit les yeux et se releva sur son séant. Et elle aperçut sa préférée, Grain-de-Corail, et lui dit : « Ô Grain-de-Corail, que m'est-il donc arrivé ? Dis-le-moi. Voici que je me sens défaillir. » Et Grain-de-Corail ne put que lui raconter l'état dans lequel elle l'avait trouvée, étendue sur le dos et le sang lui filtrant à travers les cuisses. Et Abriza comprit alors que le roi Omar Al-Némân avait satisfait sur elle ses désirs et avait consommé en elle la chose irréparable. Et sa douleur et son chagrin furent tels qu'elle ordonna à Grain-de-Corail de refuser à toute personne l'entrée de son appartement, et lui recommanda de dire au roi Omar Al-Némân, quand il viendrait demander de ses nouvelles : « Ma maîtresse est malade et ne peut recevoir personne. »

Aussi lorsque le roi Omar Al-Némân eut apprit la chose, il se mit à envoyer chaque jour à Abriza des esclaves chargés de grands plateaux remplis de mets de toutes sortes et de boissons, et des coupes pleines de fruits et de confitures, et aussi des bols de porcelaine remplis de crèmes et de douceurs. Mais elle continua à rester enfermée dans son appartement jusqu'à ce qu'un jour elle se fût aperçue que son ventre grossissait, que sa taille devenait épaisse, et qu'elle était certainement enceinte. Alors son chagrin augmenta considérablement et le monde se rétrécit devant son visage ; et elle ne voulut point écouter les paroles consolatrices de Grain-de-Corail ; puis elle lui dit : « Ô Grain-de-Corail, c'est moi seule qui me suis mise dans cet état, en me comportant mal vis-à-vis de moi-même, en quittant mon père et ma mère et mon royaume ! Et voici que maintenant je suis dégoûtée de moi-même et de la vie, et mon courage s'est évanoui et ma force en allée ! Avec ma virginité, j'ai perdu toute ma fermeté, et ma grossesse me rend incapable de résister au choc d'un enfant. Et je ne pourrais même plus tenir les rênes de mon coursier, moi Abriza, la jeune Abriza, jadis pleine de flamme et de vigueur ! Que faire désormais ? Si j'accouche dans ce palais, je serai un objet de risée pour toutes les musulmanes qui l'habitent et qui sauront la manière dont j'ai perdu ma virginité. Et si je retourne chez mon père, avec quelle figure oserai-je le regarder ! Oh ! comme elles sont vraies ces paroles du poète :

« Ami ! sache bien que, dans le malheur, tu ne trouveras plus ni parents, ni patrie, ni maison hospitalière ! »

Alors Grain-de-Corail lui dit : « Ô ma maîtresse, je suis, moi, ton esclave, et je reste tout entière à tes ordres et sous ton obéissance ! Ordonne ! » Elle répondit : « Alors, ô Grain-de-Corail, écoute bien ! Il faut absolument que je sorte de ce palais, sans que personne puisse s'en douter, et que je retourne chez mon père et chez ma mère, malgré tout ; car vois-tu, ô Grain-de-Corail, si le cadavre vient à sentir, il est à la charge des siens ! Et je ne suis plus qu'un corps sans vie. Mais ensuite, qu'Allah accomplisse sa volonté ! » Et Grain-de-Corail répondit : « Ô reine, ce que tu désires faire est le mieux ! » Puis elle se mit, dès l'instant, à commencer secrètement les préparatifs du départ. Mais elles durent attendre l'occasion favorable, qui bientôt se présenta, et ce fut le départ du roi pour la chasse et le départ de Scharkân pour les frontières de l'empire où il avait à inspecter les places fortes. Mais, tandis qu'elles subissaient ce retard le temps de l'accouchement était devenu plus proche et Abriza dit à Grain-de-Corail : « Il faut que nous partions cette nuit même ! Mais que faire contre la destinée qui m'a marquée au front et a écrit que, dans trois ou quatre jours, mon accouchement devait avoir lieu ! Partons tout de même, car je préfère tout, plutôt que d'accoucher dans ce palais. Il te faut donc nous trouver un homme qui veuille nous accompagner dans notre voyage, car je n'ai plus la force de tenir moi-même l'arme la plus légère. » Et Grain-de-Corail répondit : « Par Allah ! ô ma maîtresse, je ne connais qu'un seul homme capable de nous accompagner et de nous défendre, c'est le grand nègre Morose, l'un des nègres du roi Omar Al-Némân ; car je l'ai bien des fois obligé et bien des fois je lui ai donné des gratifications ; et de plus, il m'a dit qu'autrefois il avait été brigand et coupeur de grands chemins. Et comme c'est lui qui est le gardien de la porte de notre palais, j'irai le trouver et je lui donnerai de l'or et je lui dirai qu'arrivées dans notre pays nous lui ferons faire un très beau mariage avec la plus jolie Grecque de Kaïssaria ! » Alors Abriza dit : « Ô Grain-de-Corail, ne lui dis rien toi-même, mais conduis-le-moi ici et je lui parlerai moi-même. »

Alors Grain-de-Corail sortit et alla trouver le nègre et lui dit : « Ô Morose, voici que le jour de ta fortune s'est enfin présenté. Mais pour cela tu n'auras qu'à faire ce que va te dire ma maîtresse. Viens donc ! » Et elle le prit par la main et le conduisit chez la reine Abriza.

Lorsque le nègre Morose eut vu la jeune femme, il s'avança et lui baisa les mains.

Mais elle sentit que son cœur le repoussait, et son aspect lui déplut grandement ; pourtant elle pensa en elle-même : « La nécessité crée des obligations ! » et, malgré toute l'horreur qu'elle ressentait, elle lui dit : « Ô Morose, te sens-tu capable de nous venir en aide et de nous assister dans tes coups du temps et nos infortunes ? Et si je te révélais mon secret, serais-tu assez discret pour ne pas le divulguer ? »

Alors le nègre Morose, qui à la seule vue d'Abriza avait senti l'amour enflammer son cœur, dit : « Ô ma maîtresse, je ferai tout ce que tu me commanderas ! » Et Abriza dit : « Je te demande, dans ce cas, de nous préparer à l'instant deux mulets pour porter nos bagages, et deux chevaux pour nous, et de nous faire sortir d'ici, moi et mon esclave-ci, Grain-de-Corail. Et je te promets que, dès que nous serons arrivés tous les trois dans notre pays, je te marierai avec la plus belle d'entre les Grecques, avec celle que tu choisiras. Et nous te comblerons d'or et de richesses. Et, si tu désires ensuite retourner dans ton pays, nous te renverrons dans ton pays comblé de dons et de bienfaits.

À ces paroles, le nègre Morose se dilata d'une considérable dilatation, et s'écria : « Ô ma maîtresse, je vous servirai toutes deux avec mes deux yeux ! Et je partirai avec vous, certes ! Et je vais tout de suite vous préparer les montures et tout ce qu'il faut ! » Puis il sortit en pensant en lui-même : « Quel butin et quelle chance ! Certes je vais me réjouir et me délecter de la chair de ces deux lunes ! Et si l'une d'elles me repoussait, je la tuerais ! Et je volerais toutes leurs richesses ! » Et, bien résolu à la chose, il fit tous les préparatifs nécessaires ; et tous les trois purent sortir sans être remarqués, et malgré l'état de la reine Abriza.

Mais la reine Abriza, qui souffrait des douleurs de l'enfantement, fut obligée, dès le quatrième jour, de s'arrêter dans le voyage. Et, ne pouvant plus en endurer davantage, elle dit au nègre : « Ô Morose, aide-moi à descendre de cheval, car mes douleurs deviennent intolérables, et c'est la fin ! » Et elle dit à Grain-de-Corail : « Ô Grain-de-Corail, descends de cheval, toi aussi, et viens te mettre au-dessous de moi pour m'aider à accoucher ! »

Mais, une fois tous trois descendus de cheval, le nègre Morose, à la vue des appas de la reine, fut dans un extrême état d'excitation, et son outil s'érigea terriblement et souleva sa robe. Alors il ne put plus le retenir, et, le tirant en l'air, il s'approcha de la jeune femme qui faillit s'évanouir d'indignation et d'horreur. Et il lui dit : « Ô ma maîtresse, laisse-moi, de grâce, t'approcher ! »

À ce moment de sa narration, Schahrazade vit apparaître le matin et, discrète comme elle était, elle renvoya la suite du récit au lendemain.

Mais lorsque fut la cinquante-deuxième nuit. Elle dit :

Il m'est parvenu, ô Roi fortuné, que l'horrible nègre Morose dit à la reine : « Ô ma maîtresse, de grâce, laisse-moi te posséder ! » Alors la reine Abriza dit : « Ô nègre, fils de nègre, ô fils des esclaves ! tu oses ainsi t'exhiber devant ma figure ! Quelle honte est la mienne d'être maintenant, sans défense, entre les mains du dernier d'entre les esclaves noirs ! Misérable ! qu'Allah seulement m'aide à me délivrer de l'état où je suis et à guérir mes parties féminines qui me rendent impuissante, et je punirai ton insolence de ma propre main ! Plutôt que de me voir toucher par toi, je préférerais me tuer moi-même et en finir avec mes souffrances et les malheurs de ma vie ! » Et elle récita ces strophes :

« Ô toi qui ne cesses de me poursuivre, quand donc finiras-tu ? Suffisamment, j'ai goûté à la dureté des épreuves suscitées par mon sort et mon destin. Mais j'espère que le Seigneur me délivrera du moins des brutes violatrices.

Pourquoi persistes-tu ? Ne t'ai-je point dit que je n'ai nulle envie ni penchant aucun pour la débauche basse ?... Assez donc me regarder avec cet œil avide de misérable affamé !

Et n'espère point me jamais toucher, à moins de me couper d'abord en morceaux avec le tranchant d'un glaive à la lame trempée dans l'Yaman.

Et n'oublie point que je suis une d'entre les pures, une d'entre les nobles et les plus sublimes de sang ! Comment donc esclave, oses-tu vers moi lever les yeux, toi qui es loin d'appartenir à une race élégante et affinée ?... »

Lorsque le nègre Morose eut entendu ces vers, il entra dans une fureur très grande, et sa figure se congestionna de haine et ses traits se convulsèrent de dépit et ses narines s'enflèrent et ses grosses lèvres se contractèrent et tout son être trépida ; et il récita ses strophes :

« Ô femme ! ne me repousse point ainsi, victime de ton amour, massacré par tes regards triomphants ! Mon cœur déjà est morcelé de t'espérer ! Et mon corps entièrement épuisé avec ce qui restait en moi de patience.

Ta voix, seulement à l'entendre, m'ensorcelle et me captive. Et tandis que je suis tué par le désir, je m'aperçois que ma raison s'est envolée.

Mais je t'avise, ô implacable, que, couvrirais-tu même la terre de tes gardes et défenseurs, je saurais atteindre le but de mes désirs et boire l'eau dont je suis privé, l'eau naturelle qui me désaltérerait ! »

En entendant ces vers, Abriza se mit à pleurer de colère et s'écria : « Indécent esclave, ô nègre adultérin, penses-tu donc que toutes les femmes se ressemblent et oses-tu continuer à me parler de la sorte ? » Alors le nègre Morose, voyant qu'Abriza le repoussait absolument, ne put plus se contenir de fureur ; et il s'élança sur elle, l'épée à la main ; et il la saisit par les cheveux et lui passa son arme à travers le corps. Et ce fut de la main de ce nègre que mourut, de la sorte, la reine Abriza.

Alors le nègre Morose se hâta de s'emparer des mulets chargés des richesses et des biens d'Abriza, et, les poussant devant lui, s'enfuit à toute vitesse dans les montagnes.

Quant à la reine Abriza, elle avait, en expirant, accouché d'un fils entre les mains de la fidèle Grain-de-Corail qui, dans sa douleur, s'était couvert la tête de poussière et déchiré les habits et frappé les joues à en faire jaillir le sang ; et elle s'était écriée : « Ô ma maîtresse infortunée ! comment, toi la guerrière, la valeureuse, finir de cette manière sous les coups d'un misérable esclave noir ! »

Mais à peine Grain-de-Corail avait-elle cessé de se lamenter, qu'elle vit un nuage de poussière remplir le ciel et s'approcher rapidement ; et, soudain, il se dissipa et, d'en dessous, apparurent des soldats et des cavaliers, et tous vêtus à la mode militaire de Kaïssaria. Or, c'était, en effet, l'armée du roi Hardobios de Kaïssaria, le père d'Abriza. Car des rumeurs étaient parvenues jusqu'au roi Hardobios, lui apprenant qu'Abriza s'était enfuie du monastère : il avait aussitôt rassemblé ses troupes, en avait pris lui-même le commandement et s'était mis en marche sur Bagdad ; et c'est ainsi qu'il arriva au lieu où venait de succomber sa fille Abriza.

À la vue du corps ensanglanté de sa fille, le roi se jeta à bas de son cheval et tomba évanoui en embrassant le corps étendu ; et Grain-de-Corail se remit à pleurer plus chaudement et à se lamenter. Puis quand le roi fut revenu à lui, elle lui raconta toute l'histoire et lui dit : « Celui qui a tué ta fille est un nègre d'entre les nègres du roi Omar Al-Némân, ce roi plein de lubricité qui a fait ce qu'il a fait avec ta fille ! » Et le roi Hardobios, à ces paroles, vit le monde entier en noir, et résolut une vengeance terrible. Mais il se hâta de faire apporter une litière sur laquelle il plaça le corps de sa fille, et il fut obligé de retourner d'abord à Kaïssaria pour les devoirs de l'inhumation et les funérailles.

Lorsque le roi Hardobios fut arrivé à Kaïssaria, il entra dans son palais et fit venir sa nourrice, Mère-des-Calamités, et lui dit : « Nourrice, vois ce que les musulmans ont fait de ma fille ! Le roi a ravi sa virginité, et l'esclave l'a voulu violer et l'a tuée ! Et d'elle est né cet enfant que soigne Grain-de-Corail. Or, je jure par le Messie de venger ma fille et de laver l'opprobre dont on m'a couvert. Sinon je préférerais me tuer de ma propre main ! » Et il se mit à pleurer à chaudes larmes. Alors Mère-des-Calamités lui dit : « Pour ce qui est de la vengeance, ne t'en préoccupe pas, ô roi ! c'est moi seule qui ferai expier ses crimes à ce musulman. Car je le tuerai, lui et ses enfants, et d'une manière à faire longtemps l'objet des histoires que l'on racontera dans les temps futurs, dans toutes les contrées de la terre. Mais il faut que tu écoutes bien ce que j'ai à te dire et que tu l'exécutes fidèlement. Voici. Il faut faire venir dans ton palais les cinq jeunes filles les plus belles de Kaïssaria, celles aux seins les plus beaux et à la virginité intacte. Et il faut faire venir, en même temps, les plus grands savants et les plus fins lettrés des contrées musulmanes qui avoisinent ton royaume. Et tu donneras l'ordre à ces savants musulmans d'élever les adolescentes d'après leur méthode. Et ils leur enseigneront ainsi la loi musulmane, l'histoire des Arabes, les annales des khalifes et tous les actes des rois musulmans ; de plus, ils leur enseigneront l'art de se conduire, la politesse, la façon de parler aux rois, la façon de leur tenir compagnie en leur servant à boire, les plus beaux vers et la plus gentille manière de les réciter, la manière de composer les poèmes et les discours, ainsi que l'art des chansons. Et il faut que cette éducation soit complète, même au risque de durer dix années ; car il nous faut prendre patience et savoir que les Arabes du désert disent : « La vengeance est encore réalisable même au bout de quarante ans. » Car la vengeance que je prémédite n'est réalisable que par cette éducation accomplie des adolescentes ; et, pour t'édifier, je te dirai que le roi musulman a un grand faible pour la copulation avec ses esclaves et qu'il en a déjà trois cent soixante, outre les cent compagnes laissées par notre défunte reine Abriza et outre les cadeaux en femmes qui lui viennent en tribut de tous les côtés. C'est donc par son penchant que je le ferai périr ! »

À ces paroles, le roi Hardobios se réjouit d'une grande joie, et embrassa la tête de Mère-des-Calamités, et envoya immédiatement à la recherche des savants musulmans et des jeunes adolescentes aux seins arrondis et à l'intacte virginité.

À ce moment de sa narration, Schahrazade vit apparaître le matin et se tut discrètement.

Mais lorsque fut la cinquante-troisième nuit. Elle dit :

Il m'est parvenu, ô Roi fortuné, que le roi Hardobios envoya immédiatement à la recherche des savants musulmans et des jeunes adolescentes aux seins arrondis et à l'intacte virginité. Et il combla les savants de prévenances et de cadeaux, et les reçut avec une grande générosité ; puis il leur confia les belles adolescentes, choisies une à une, et leur recommanda de donner à ces adolescentes l'éducation musulmane la plus soignée. Et les savants lettrés obéirent et firent exactement ce que le roi leur avait ordonné. Voilà pour le roi Hardobios.

Mais pour ce qui est d'Omar Al-Némân, lorsqu'il fut de retour de la chasse et qu'il entra dans son palais et apprit la fuite d'Abriza et sa disparition, il fut affecté et s'écria : « Comment se fait-il qu'une femme puisse sortir de mon palais sans que personne le sache ? Si mon royaume est aussi bien gardé que mon palais, c'est, en vérité, notre perte irrémédiable à tous ! Mais une autre fois que j'irai à la chasse, je saurai bien faire garder mes portes ! » Et pendant qu'il parlait de la sorte, voici que Scharkân revint aussi de son expédition et se présenta devant son père qui lui apprit la disparition d'Abriza. Aussi Scharkân, dès ce jour, ne put plus supporter la vue du palais de son père, d'autant plus que la petite Nôzhatou et le petit Daoul'makân étaient l'objet des soins les plus attentifs du roi. Et il s'attrista davantage de jour en jour et tellement que le roi lui dit : « Qu'as-tu donc, ô mon fils, à jaunir de teint et à maigrir de corps ? » Et Scharkân lui dit : « Ô mon père, voici que, pour plusieurs raisons, le séjour de ce palais me devient intolérable. Je te demanderai donc, comme une faveur, de me nommer gouverneur d'une place forte quelconque d'entre les places fortes, où j'irai m'enterrer pour le restant de mes jours ! » Puis il récita ce vers du maître des proverbes :

« Pour moi, l'éloignement devient plus doux que le séjour ; mon œil ne verra plus ni mon oreille n'entendra les choses qui me rappellent la douce amie perdue ! »

Alors le roi Omar Al-Némân comprit les causes du chagrin de son fils Scharkân et se mit à le consoler et lui dit : « Ô mon enfant, que ton souhait soit satisfait ! Et comme le point le plus important de tout mon empire est la ville de Damas, voici que je te nomme gouverneur de Damas, à partir de ce moment ! » Et immédiatement il fit venir les scribes du palais et tous les grands du royaume et nomma, en leur présence, Scharkân gouverneur de la province de Damas. Et le décret de sa nomination fut écrit et promulgué séance tenante ; et aussitôt on prépara tout ce qu'il fallait pour le départ ; et Scharkân fit ses adieux à son père et à sa mère et au vizir Dandân auquel il fit ses dernières recommandations. Puis, après avoir accepté les hommages des émirs et des vizirs et des notables, il se mit à la tête de ses gardes et ne cessa de voyager qu'une fois arrivé à Damas. Et les habitants le reçurent au son des fifres et des cymbales, des trompettes et des clairons ; et ils ornèrent pour lui la ville et l'illuminèrent ; et ils allèrent tous en un grand cortège au-devant de lui, sur deux rangs bien distincts, les uns gardant bien la droite et les autres gardant bien la gauche. Et voilà pour Scharkân.

Mais pour ce qui est du roi Omar Al-Némân, quelque temps après le départ de Scharkân pour le gouvernement de Damas, il reçut la visite des savants qu'il avait chargés du soin et de l'éducation de ses deux enfants Nôzhatou et Daoul'makân. Et les savants dirent au roi : « Ô notre maître, nous venons enfin t'annoncer que tes enfants ont complètement fini d'apprendre et d'étudier, et ils savent bien les préceptes de la sagesse et de la politesse, les belles-lettres et la manière de se conduire. » À cette nouvelle, le roi Omar Al-Némân se dilata d'aise et de joie et fit de magnifiques cadeaux aux savants. Et il vit bien, en effet, que, surtout son fils Daoul'makân, âgé maintenant de quatorze ans, se faisait de plus en plus gracieux et beau et devenait un cavalier solide et admirable, en même temps qu'il était fort attaché aux pratiques religieuses et à la piété et aimait les pauvres et préférait sur toutes choses au monde la fréquentation des savants et des poètes, et la société des hommes versés dans la jurisprudence et le Koran. Et tous les habitants de Bagdad, hommes ou femmes, l'aimaient et appelaient sur lui les bénédictions d'Allah.

Or, un jour arriva qui était le jour du passage à Bagdad des pèlerins venant de l'Irak pour se rendre à La Mecque, accomplir les devoirs du hadj annuel et ensuite aller à Médine visiter le tombeau du Prophète (que sur lui soient la prière et la paix d'Allah !).

Aussi lorsque Daoul'makân vit le saint cortège, sa piété s'attisa et il courut trouver le roi son père, et lui dit : « Je viens te trouver, ô père, pour prendre de toi la permission de faire le pèlerinage saint. » Mais le roi Omar Al-Némân essaya fort de l'en dissuader et lui refusa la permission et lui dit : « Tu es encore trop jeune, mon fils. Mais l'année prochaine, si Allah veut, j'irai moi-même au hadj et je te prendrai avec moi, sûrement ! »

Mais Daoul'makân, qui trouvait la chose future trop éloignée, courut chez sa sœur jumelle Nôzhatou et la trouva qui se disposait à faire la prière. Il la laissa donc achever la prière, puis il lui dit : « Ô Nôzhatou, je suis tué par le désir d'aller au hadj et visiter le tombeau du Prophète (que sur lui soient la prière et la paix !) et j'en ai demandé l'autorisation à notre père qui me l'a refusée. Or, mon but maintenant est de prendre quelque argent et de m'en aller secrètement en pèlerinage, et surtout sans en aviser notre père ! » Alors Nôzhatou, enthousiasmée elle aussi, s'écria : « Par Allah sur toi ! je te conjure de m'emmener avec toi et de ne pas me laisser ici et me priver de la visite au tombeau du Prophète (que sur lui soient la prière et la paix !) ô mon frère ! » Il lui dit : « Soit ! à la tombée de la nuit, tu viendras me trouver. Et surtout prends bien garde d'en parler à qui que ce soit ! »

Aussi, à minuit, Nôzhatou se leva, s'habilla d'habits d'homme, pour se déguiser, habits que lui avait donnés son frère, qui était de sa taille et de son âge, prit avec elle quelque argent et sortit, en se dirigeant directement vers la porte du palais. Là, elle trouva son frère Daoul'makân qui était à l'attendre avec deux chameaux. Alors Daoul'makân aida sa sœur à monter sur l'un des chameaux accroupis, et monta lui-même sur le second chameau ; et, les bêtes s'étant relevées et mises en marche, ils arrivèrent, à la faveur de la nuit, au milieu des pèlerins et se mêlèrent à eux sans que personne se fût aperçu de leur arrivée. Et toute la caravane de l'Irak prit la route de La Mecque et sortit de Bagdad. Et Allah leur écrivit la sécurité. Aussi ne tardèrent-ils pas à arriver tous en paix à La Mecque Sainte.

Là, Daoul'makân et Nôzhatou furent à la limite de la joie en arrivant sur le mont Arafat et en accomplissant, d'après le rite, les obligations sacrées ; et quel ne fut pas leur bonheur en faisant le tour de la Kaâba ! Mais ils ne voulurent pas se contenter de La Mecque et poussèrent la dévotion jusqu'à aller à Médine vénérer la tombe du Prophète (que sur lui soient la prière et la paix !).

Alors, comme le retour des pèlerins dans leur pays allait avoir lieu, Daoul'makân dit à Nôzhatou : « Ô ma sœur, je désire fort maintenant visiter en outre la ville sainte d'Abraham, l'ami d'Allah, celle que les juifs et les chrétiens nomment Jérusalem. » Et Nôzhatou dit : « Et moi aussi ! » Alors, après s'être bien mis d'accord à ce sujet, ils profitèrent du départ d'une petite caravane pour se mettre en route pour la ville sainte d'Abraham. Après un voyage fort difficile, ils finirent par arriver à Jérusalem ; mais, en route, Daoul'makân et Nôzhatou eurent des accès de fièvre froide ; la jeune Nôzhatou, après quelques jours, finit par guérir ; mais Daoul'makân continua à être malade et son état ne fit que s'aggraver. Aussi, à Jérusalem, ils louèrent une petite chambre dans un des khâns, et Daoul'makân s'étendit dans un coin, en proie à la maladie ; et cette maladie empira d'une si grave façon que Daoul'makân finit par perdre entièrement connaissance et entra dans la période du délire. Et la bonne Nôzhatou ne le quittait pas un instant, et était fort soucieuse et fort chagrinée, ainsi seule dans un pays étranger, sans personne pour la consoler et l'aider.

Et comme la maladie ne s'éliminait pas et durait déjà depuis un temps assez long, Nôzhatou finit par épuiser ses dernières ressources, et n'eut plus un seul drachme entre les mains. Alors elle envoya au souk des crieurs publics le garçon qui servait les voyageurs au khân, après lui avoir donné un de ses propres vêtements pour qu'il le vendît et lui rapportât quelque argent. Et le garçon du khân le fit. Et Nôzhatou continua à agir de la sorte et à vendre tous les jours quelque chose de ses effets, pour soigner son frère, jusqu'à épuisement complet de tout ce qu'elle avait. Et il ne lui resta plus, pour tout bien, que les habits vieux dont elle était vêtue et la vieille natte en loques qui leur servait de couche, à elle et à son frère. Alors, se voyant dans ce dénuement, la pauvre Nôzhatou se prit à pleurer en silence.

Mais le soir même, Daoul'makân, par la volonté d'Allah, reprit connaissance et se sentit un peu mieux et, se tournant vers sa sœur, lui dit : « Ô Nôzhatou, voici que je sens les forces me revenir, et j'ai une bien grande envie de manger une brochette de petits morceaux de viande grillée de mouton. » Et Nôzhatou lui dit : « Par Allah ! ô mon frère, comment faire pour acheter la viande ? Je ne puis me résoudre à aller demander l'aumône aux gens charitables ! Mais, sois tranquille, dès demain j'irai chez quelque riche notable et je m'engagerai chez lui, comme servante. Et de la sorte je pourrai gagner le nécessaire. Et, en tout cela, il n'y a qu'une seule chose qui me coûte, c'est d'être obligée de te laisser seul pendant la journée. Mais que faire ? Il n'y a de force et de puissance qu'en Allah le Très-Haut, ô mon frère ! et Lui seul peut nous faire retourner dans notre pays ! » Et Nôzhatou, à ces paroles, ne put s'empêcher d'éclater en sanglots.

Aussi le lendemain, à l'aube, Nôzhatou se leva et se couvrit la tête d'un vieux morceau de manteau en poil de chameau, que leur avait donné un bon chamelier, leur voisin au khân, et embrassa la tête de son frère et lui jeta les bras autour du cou en pleurant, et sortit tout en larmes du khân, sans avoir exactement où se diriger.

Et toute la journée Daoul'makân attendit le retour de sa sœur ; mais la nuit vint, et Nôzhatou n'était pas de retour. Et il l'attendit toute la nuit, sans fermer l'œil, et Nôzhatou ne revint pas ; puis le lendemain et la nuit suivante il en fut de même. Alors Daoul'makân fut pris d'une crainte très grande pour sa sœur, et son cœur se mit à trembler ; et de plus il était resté deux jours sans prendre aucune nourriture. Il se traîna alors péniblement jusqu'à la porte de la petite chambre et de là se mit à appeler le garçon du khân, qui finit par l'entendre ; et Daoul'makân le pria de l'aider à arriver jusqu'au souk. Alors le garçon le chargea sur ses épaules et le porta au souk et le déposa contre la porte fermée d'une boutique en ruine, et s'en alla.

Alors tous les passants et les marchands du souk s'attroupèrent autour de lui, et, en le voyant dans cet état de faiblesse et d'amaigrissement, ils se mirent à se lamenter sur lui et à le plaindre. Et Daoul'makân, n'ayant pas la force de parler, leur fit signe qu'il avait faim. Alors on se hâta de faire une quête pour lui, dans un plat de cuivre, auprès des marchands du souk, et on lui acheta tout de suite de quoi manger. Et comme la quête avait rapporté trente drachmes, on délibéra sur ce qu'il y avait à faire pour le mieux, dans l'intérêt du malade. Alors un vieux brave homme du souk dit : « Le mieux est de louer un chameau pour ce pauvre jeune homme et de le transporter à Damas, afin de le mettre à l'hôpital consacré aux malades par la générosité du khalifat. Car ici il mourrait certainement en restant sans soins, dans la rue. » Alors tout le monde fut d'accord ; mais, comme c'était déjà la nuit, on renvoya la chose au lendemain, et l'on mit à côté de Daoul'makân, à portée de sa main, une cruche d'eau et des vivres ; et tous rentrèrent chez eux, à la fermeture des portes du souk, en plaignant beaucoup le sort du jeune homme malade. Et Daoul'makân passa toute la nuit sans pouvoir fermer l'œil, tant il était préoccupé du sort de sa sœur Nôzhatou ; et il put à peine manger et boire, tant il était las et affaibli.

Aussi le lendemain, les braves gens du souk louèrent un chameau et dirent au conducteur : « Ô chamelier, tu vas prendre ce malade sur ton chameau et le transporter à Damas pour le mettre à l'hôpital, où il pourra guérir. » Et le chamelier répondit : « Sur ma tête, ô seigneurs ! » Mais, en lui-même, le perfide se dit : « Comment pourrais-je transporter de Jérusalem à Damas un homme qui est sur le point de mourir ! » Puis il fit s'accroupir son chameau, y plaça le malade, et, couvert de bénédictions par les gens du souk, il parla à son chameau en le tirant par le licou, et le chameau se releva et se mit en marche. Mais à peine avait-il traversé quelques rues, qu'il s'arrêta ; et, comme il était arrivé devant la porte d'un hammam, il prit Daoul'makân, qui n'avait plus sa connaissance, le déposa sur le tas de bois qui servait à chauffer le hammam, et s'en alla en toute hâte.

Aussi lorsque le chauffeur du hammam vint à l'aube pour vaquer à son travail, il trouva devant la porte ce corps étendu sur le dos, comme inanimé, et il se dit en lui-même : « Qui a bien pu ainsi jeter ce cadavre devant le hammam, au lieu de l'enterrer ? » Et, comme il se disposait à pousser le cadavre loin de la porte, Daoul'makân fit un mouvement. Alors le chauffeur s'écria : « Ce n'est point là un mort, mais c'est sûrement un mangeur de haschisch, qui est venu échouer cette nuit sur mon tas de bois ! Ho ! ivrogne, mangeur de haschisch ! » Puis, comme il se penchait pour lui crier la chose à la figure, il vit que c'était un tout jeune homme qui n'avait pas encore de poil aux joues et dont toute la physionomie dénotait une grande distinction et une grande beauté, malgré sa maigreur et les ravages de la maladie. Alors une grande pitié vint au chauffeur du hammam, qui s'écria : « Il n'y a de force et de puissance qu'en Allah ! Voici que je viens de juger témérairement un pauvre jeune homme, étranger et malade, alors que notre Prophète (que sur lui soient la prière et la paix d'Allah !) nous a tant recommandé de prendre garde au jugement hâtif et d'être charitable et hospitaliers envers les étrangers malades ! » Et le chauffeur du hammam, sans hésiter un instant, prit le jeune homme sur ses épaules et retourna à sa maison et entra chez son épouse et le lui mit entre les mains en la chargeant de le soigner. Alors l'épouse du chauffeur étendit un tapis par terre, mit sur le tapis un oreiller tout neuf et bien propre, et coucha doucement l'hôte malade. Puis elle courut allumer le feu, à la cuisine, et chauffa de l'eau, et revint laver les mains, les pieds et le visage du jeune homme. De son côté, le chauffeur alla au souk acheter de l'eau de rose et du sucre ; et il revint asperger le visage du jeune homme avec l'eau de rose, et lui fit boire du sorbet au sucre et à l'eau de rose. Puis il tira de la grande caisse une chemise bien propre, parfumée par les fleurs de jasmin, et la lui mit lui-même sur le corps.

Ces soins venaient à peine de se terminer, que Daoul'makân sentit aussitôt une fraîcheur entrer en lui et le vivifier comme une brise délicieuse…

À ce moment de sa narration, Schahrazade vit apparaître le matin et se tut discrètement.

Mais lorsque fut la cinquante-quatrième nuit. Elle dit :

Il m'est parvenu ô Roi fortuné, que Daoul'makân sentit aussitôt une fraîcheur entrer en lui et le vivifier comme une brise délicieuse, et il put relever un peu la tête et s'appuyer sur les coussins. À cette vue, le chauffeur fut dans le bonheur, et il s'écria : « Louange à Allah pour le retour de la santé ! Ô Seigneur, je demande à ta miséricorde infinie d'accorder la guérison à ce jeune garçon par mon entremise ! » Et durant encore trois jours, le chauffeur ne cessa de faire des vœux pour sa guérison et de lui donner à boire des tisanes rafraîchissantes et de l'eau de rose, et de lui prodiguer les soins les plus délicats. Alors les forces se mirent à circuler petit à petit dans son corps ; et il put enfin ouvrir les yeux à la lumière et commencer à respirer librement. Et juste au moment où il se sentait mieux, le chauffeur entra et le trouva assis à son aise, avec une mine vive ; et il lui dit : « Comment te sens-tu maintenant, mon fils ? » Et Daoul'makân répondit : « Je me sens en bonne santé et en vigueur. » Alors le chauffeur remercia Allah et courut au souk et acheta dix poulets, les plus beaux du souk, et revint et les donna à son épouse et lui dit : « Ô fille de mon oncle, voici dix poulets que je t'apporte. Il faut en tuer deux tous les jours, un le matin et un le soir, et les lui servir. »

Et aussitôt l'épouse du chauffeur se leva et égorgea un poulet et le fit bouillir ; puis elle le lui apporta et le lui donna à manger et lui fit boire le bouillon. Puis, lorsqu'il eut fini, elle lui présenta de l'eau chaude pour qu'il se lavât les mains. Alors il se reposa tranquillement en s'appuyant sur les coussins, une fois que l'épouse du chauffeur l'eut bien couvert pour qu'il ne prît pas froid. Et il s'endormit de la sorte jusqu'au milieu de l'après-midi. Alors l'épouse du chauffeur se leva et fit bouillir le second poulet et le lui apporta, après l'avoir dépecé délicatement, et lui dit : « Mange, ô mon enfant ! Et que cela te soit sain et te procure la santé ! » Et pendant qu'il mangeait, le chauffeur du hammam entra et vit que son épouse suivait bien ses instructions ; et il s'assit au chevet du jeune garçon et lui dit : « Comment te sens-tu, ô mon enfant ? » Il répondit : « Grâce à Allah, en forces et en bonne santé. Et puisse Allah t'en récompenser par ses bienfaits ! » Et le chauffeur, à ces paroles, fut dans une très grande joie ; et il alla au souk et en rapporta du sirop de violette et de l'eau de rose ; et il lui en fit boire.

Or, le chauffeur ne gagnait en tout que cinq drachmes par jour au hammam ; et sur ces cinq drachmes il en consacrait deux à Daoul'makân pour l'achat des poulets, du sucre, de l'eau de rose et du sirop de violette. Et il continua à dépenser de la sorte pendant encore un mois de temps, au bout duquel les forces revinrent complètement à Daoul'makân et toute trace de maladie disparut. Alors le chauffeur et son épouse se réjouirent beaucoup, et le chauffeur dit à Daoul'makân : « Mon fils, veux-tu maintenant venir avec moi au hammam pour prendre un bain qui te sera salutaire, depuis le temps ! » Et Daoul'makân dit : « Mais certainement. » Alors le chauffeur alla au souk et revint avec un ânier et un âne, et fit monter Daoul'makân sur l'âne et, tout le long de la route jusqu'au hammam, il marcha à côté de lui en le soutenant avec beaucoup de soin et d'attention. Et il le fit entrer au hammam et, pendant que Daoul'makân se déshabillait, le chauffeur alla au souk acheter toutes les choses nécessaires pour le bain, et revint au hammam et dit : « Au nom d'Allah ! je vais commencer. » Et il se mit à frotter le corps de Daoul'makân en débutant par les pieds. Et pendant qu'il le lavait de la sorte, le masseur du hammam entra et fut tout confus de voir le chauffeur remplir ses fonctions à lui, masseur ; et il s'excusa beaucoup auprès du chauffeur pour le retard qu'il avait mis à venir dans la salle de massage ; mais le chauffeur dit : « En vérité, compagnon, je suis heureux de t'obliger et en même temps de servir ce jeune homme qui est l'hôte de ma maison. » Alors le masseur fit appeler le barbier et l'épileur, qui se mirent à raser et à épiler Daoul'makân ; et puis on le lava à grande eau. Alors le chauffeur le fit monter sur l'estrade et lui mit une chemise fine et une robe d'entre ses robes et un très gentil turban ; et il lui serra la taille avec une belle ceinture en laine multicolore, et le ramena à la maison sur l'âne en question. Et justement l'épouse du chauffeur avait tout préparé pour le recevoir : la maison avait été lavée entièrement, et les nattes bien nettoyées et le tapis et les coussins. Alors le chauffeur fit se coucher à son aise Daoul'makân et lui donna à boire un sorbet frais au sucre et à l'eau de rose ; et puis il lui donna à manger l'un des poulets en question, en dépeçant lui-même les bons morceaux et en lui faisant boire le bouillon, et cela jusqu'à satiété. Alors Daoul'makân remercia Allah pour ses bienfaits et le retour de la santé, et dit au chauffeur : « Oh ! combien ne te dois-je pas de remerciements pour tout ce que tu as fait pour moi ! » Mais le chauffeur dit : « Laisse cela, mon fils ! Et, si j'ai une chose maintenant à te demander, c'est de me dire enfin d'où tu viens et quel est ton nom. Car je ne doute plus, à voir ton visage et tes manières, que tu ne sois quelqu'un de distinction et de haut rang. » Alors Daoul'makân lui dit : « Dis-moi d'abord comment et où tu m'as trouvé, pour qu'ensuite je te raconte moi-même mon aventure. »

Alors le chauffeur du hammam dit à Daoul'makân : « Pour ce qui est de moi, je t'ai trouvé abandonné sur le tas de bois devant la porte du hammam, un matin que je me rendais à mon travail. Et je n'ai point su qui t'avait ainsi jeté ; et je t'ai recueilli simplement dans ma maison. Et voilà tout. » À ces paroles. Daoul'makân s'écria : « Louange à Celui qui redonne la vie aux ossements sans vie ! Et toi, mon père, sache maintenant que tu n'as pas obligé un ingrat ; et bientôt, je l'espère, tu en auras les preuves. Mais, dis-moi, je t'en prie, en quel pays suis-je donc ? » Le chauffeur lui dit : « Tu es dans la ville sainte de Jérusalem. » Alors Daoul'makân sentit amèrement l'éloignement où il se trouvait et qu'il était séparé de sa sœur Nôzhatou ; et il ne put s'empêcher de pleurer et il raconta son aventure au chauffeur, mais sans lui révéler la noblesse de sa naissance ; puis il récita ces strophes :

« On m'a mis sur les épaules une charge qu'elles ne peuvent porter, et le poids m'en est lourd et étouffant.

Je dis à l'amie, cause de ma douleur, à celle qui est toute mon âme : « Ô maîtresse ! ne saurais-tu encore un peu patienter avant l'irrémédiable ? » Elle me dit : « Que dis-tu donc là ? Patienter ! La patience n'est point dans mes habitudes. »

Alors le chauffeur lui dit : « Ne pleure plus, mon enfant, et remercie au contraire Allah pour ta délivrance et ta guérison. » Et Daoul'makân lui demanda : « Quelle distance nous sépare de Damas ? » Le chauffeur dit : « Il faut, d'ici, six jours de marche. » Daoul'makân dit : « Je voudrais tant y aller ! » Mais le chauffeur répondit : « Ô mon jeune maître, comment pourrais-je te laisser aller seul à Damas, toi, un si jeune garçon ! Je crains beaucoup pour toi ! Si donc tu persistais à désirer ce voyage, je t'accompagnerais moi-même, et je déciderais aussi mon épouse à venir avec nous. Et de la sorte nous irions tous vivre à Damas, dans le pays de Scham, dont les voyageurs vantent tellement les eaux et les fruits. » Et, se tournant vers son épouse, le chauffeur lui dit : « Ô fille de mon oncle, veux-tu nous accompagner dans cette délicieuse ville de Damas, dans le pays de Scham, ou bien préfères-tu rester ici et attendre mon retour ? Car il me faut absolument accompagner notre hôte là-bas, vue que, par Allah ! il m'est fort pénible de m'en séparer ici et de le laisser, lui si jeune, aller tout seul à travers les routes inconnues dans une ville dont les habitants sont, dit-on, fort enclins à la corruption et aux excès. » Alors l'épouse du chauffeur s'écria : « Mais certainement, je vous accompagnerai. » Et le chauffeur fut ravi et dit : « Louange à Allah qui nous met ainsi d'accord, ô fille de mon oncle ! » Et, séance tenante, le chauffeur se leva et rassembla les effets et les meubles de la maison, tels que nattes, chaudrons, mortier, plateaux et matelas, et les porta au souk des crieurs publics et les vendit à la criée. Et le tout lui rapporta cinquante drachmes qu'il commença à utiliser en louant un âne pour le voyage…

À ce moment de sa narration, Schahrazade vit apparaître le matin et se tut discrètement.

Mais lorsque fut la cinquante-cinquième nuit. Elle dit :

Il m'est parvenu, ô Roi fortuné, que le chauffeur loua un âne sur lequel il fit monter Daoul'makân, et lui et son épouse marchèrent derrière l'âne et quittèrent la ville sainte pour Damas et ne cessèrent de voyager jusqu'à ce qu'ils fussent arrivés dans cette ville. Et ils y parvinrent à la tombée de la nuit et allèrent loger dans le khân ; et le chauffeur se hâta d'aller au souk acheter, pour eux trois, de quoi manger et boire.

Et cet état ne cessant pas, ils restèrent ainsi au khân pendant encore cinq jours, au bout desquels l'épouse du chauffeur, épuisée par les fatigues du voyage, eut une fièvre froide dont en peu de jours elle mourut. Et l'épouse du chauffeur mourut en la grâce et la miséricorde d'Allah.

Aussi Daoul'makân fut-il fort affecté de cette mort, car il s'était habitué à cette femme charitable qui le servait avec tant de dévouement ; et il ne prit le deuil en son âme ; et il se tourna vers le pauvre chauffeur qui était abîmé dans sa douleur et lui dit : « Ne t'afflige pas, mon père, car nous suivons tous le même chemin et nous franchirons la même porte. » Et le chauffeur se tourna vers Daoul'makân et lui dit : « Qu'Allah te récompense pour ta compassion, ô mon enfant ! Et puisse-t-il un jour changer nos peines en joies et éloigner de nous l'affliction ! Aussi à quoi sert-il de nous affliger plus longtemps, tout est écrit ! Levons-nous donc et parcourons un peu cette ville de Damas que nous n'avons pas encore eu le temps de voir, car je veux que tu aies enfin la poitrine dilatée et l'esprit heureux. » Et Daoul'makân dit : « Ton idée est un ordre ! »

Alors le chauffeur se leva et, la main dans la main, il sortit avec Daoul'makân ; et ils se mirent à parcourir lentement les souks et les rues de Damas. Et ils finirent par arriver devant une grande bâtisse où étaient les écuries du wali de Damas, car, à la porte, ils virent une quantité considérable de chevaux et de mulets, et beaucoup de chameaux accroupis que les chameliers chargeaient de matelas, de coussins, de ballots, de caisses et toutes sortes de charges ; et il y avait une foule d'esclaves et de serviteurs jeunes et vieux ; et tout ce monde criait et parlait et était dans le tumulte et le fracas. Et Daoul'makân se dit en lui-même : « Qui sait à qui appartiennent tous ces esclaves, ces chameaux et ces caisses ! » Puis il finit par s'en informer auprès de l'un des serviteurs, qui lui répondit : « C'est un cadeau du wali de Damas ; et il est destiné au roi Omar Al-Némân. Et tout le reste est le tribut annuel de la ville de Damas au roi Omar Al-Némân. »

Lorsque Daoul'makân eut entendu ces paroles, ses yeux se remplirent de larmes et il se récita doucement ces strophes :

« Si les amis du loin accusent mon silence et l'interprètent mal, comment pourrai-je répondre ?

Si mon absence a usé et tué en eux la vieille amitié, que me restera-t-il à faire ?

Et si je prends mes peines en patience, moi qui ai tout perdu et l'énergie, pourrai-je toujours répondre du restant de ma patience ? »

Puis il se tut un instant, et ces vers lui chantèrent à la mémoire :

« Il leva sa tente et s'en alla ; très loin il s'en alla fuir mes yeux qui l'adoraient.

Il fuit mes yeux qui l'adoraient, alors qu'il faisait frémir toutes mes entrailles.

Le beau s'est au loin en allé ! Ô ma vie ! mais mon désir est là et ne s'est point au loin en allé !

Hélas ! hélas ! te verrai-je encore, ô beau ? Alors quels reproches longs et détaillés ne te ferai-je pas ? »

Lorsque Daoul'makân eut fini ces strophes, il pleura. Alors, le bon chauffeur lui dit : « Ô mon enfant, sois donc raisonnable ! C'est à grand-peine que nous avons fini par te faire regagner la santé, et tu vas maintenant retomber malade de toutes ces larmes que tu verses ! Calme-toi, de grâce, et ne pleure plus, car ma peine est grande et j'ai bien peur pour toi d'une rechute ! » Mais Daoul'makân ne put se retenir encore et, tout en pleurant au souvenir de sa sœur Nôzhatou et de son père, il récita ces vers admirables :

« Jouis de la terre et de la vie, car, si la terre reste, ta vie ne reste pas.

Aime la vie et jouis de la vie et, pour cela, pense que la mort est inévitable.

Jouis donc de la vie ! Le bonheur n'a qu'un temps, hâte-toi ! Et songe que tout le reste n'est rien.

Car tout le reste n'est rien ; car, en dehors de l'amour de la vie, tu ne recueilleras que vacuité et inanité, sur la terre !

Car le monde doit être comme le logis du cavalier voyageur. Ami, sois le cavalier voyageur de la terre ! »

Lorsqu'il eut fini de réciter ces vers, que le chauffeur du hammam avait écoutés extatiquement et qu'il essaya d'apprendre en les répétant à plusieurs reprises, Daoul'makân se mit à réfléchir pendant un certain temps. Alors le chauffeur, qui ne voulait pas l'importuner, finit par lui dire : « Ô mon jeune maître, tu penses toujours à ton pays et à tes parents, je crois ! » Daoul'makân dit : « Oui, mon père ! Aussi je sens que je ne puis plus rester un instant de plus dans ce pays-ci et je vais te faire mes adieux et partir avec cette caravane par petites étapes, sans me fatiguer trop, et j'arriverai de la sorte avec elle dans Bagdad, ma ville. » Alors le chauffeur du hammam lui dit : « Et moi avec toi ! Car je ne puis point te laisser seul ni me séparer de toi et, comme j'ai déjà commencé à être ton gardien, je ne veux pas m'arrêter maintenant en chemin. » Et Daoul'makân dit : « Qu'Allah te rende ton dévouement en bienfaits et en toutes sortes de dons ! » Et il fut extrêmement réjoui de cette bonne fortune.

Alors le chauffeur pria Daoul'makân de monter sur l'âne et lui dit : « Tu resteras sur l'âne, pendant le voyage, tant que tu voudras ; et quand tu seras fatigué de cette pose, tu pourras, si tu veux, descendre et marcher un peu. » Et Daoul'makân le remercia chaleureusement et lui dit : « En vérité, ce que tu fais pour moi, le frère ne le fait pas pour son frère ! » Puis tous deux attendirent le coucher du soleil et la fraîcheur de la nuit pour se mettre en route avec la caravane et sortir de Damas dans la direction de Bagdad. Et voilà pour Daoul'makân et le chauffeur du hammam.

Mais pour ce qui est de la jeune Nôzhatou, sœur jumelle de Daoul'makân, elle était sortie du khân de Jérusalem pour essayer de trouver une place de servante chez quelque notable et pouvoir, de la sorte, gagner un peu d'argent et soigner son frère et lui acheter les brochettes de viande grillée de mouton qu'il désirait. Et elle s'était couvert la tête avec la vieille pièce du manteau en poil de chameau et s'était mise à parcourir les rues au hasard, sans savoir où se diriger ; et elle avait l'esprit et le cœur fort préoccupés au sujet de son frère et à cause de l'éloignement où ils étaient tous deux de leurs parents et de leur pays ; et elle élevait sa pensée vers Allah miséricordieux, et ces vers lui vinrent sur les lèvres :

« Les ténèbres s'épaississent et enveloppent mon âme de tous côtés, et la flamme inexorable me mine et m'affaiblit ; et le désir en moi crie douloureusement et fait sur ma figure se pendre mes peines du dedans.

La souffrance de la séparation, dans mes entrailles, habite avec dureté ; et la continuité d'une passion que rien ne rafraîchit m'abîme déplorablement.

L'insomnie est devenue la compagne de mon deuil et le feu du désir, mon aliment. Comment pourrai-je désormais taire le secret de mon âme ?

Moi qui ne connais rien de l'art et des moyens de cacher ce que j'ai de chagrin dans le cœur.

Dans le cœur consumé des flammes liquides de l'amour qui me noient dans leur torrent.

Ô nuit, tu le sais ! Dans le calme de tes heures, ô messagère, va dire à celui que tu connais l'intensité de ma souffrance et témoigne que jamais tu ne m'as vue fermer l'œil dans tes bras. »

Et tandis que la jeune Nôzhatou se dirigeait ainsi vaguement à travers les rues, elle vit venir à elle un chef bédouin, accompagné de cinq de ses Bédouins, qui la regarda longuement et ressentit aussitôt un violent désir de posséder la belle fille à la tête couverte du vieux morceau de manteau, et dont les charmes ressortaient encore mieux sous cette étoffe grossière en loques. Et il s'avança hardiment de son côté et attendit qu'elle fût arrivée à une ruelle solitaire et fort étroite, et il s'arrêta devant elle et lui dit : « Ô jeune fille, es-tu libre ou esclave ? » À ces paroles du Bédouin, la jeune Nôzhatou resta immobile, puis elle dit : « De grâce, ô passant, ne me pose point de questions qui avivent mes peines et mon malheur ! » Il lui dit : « Ô jeune fille, si je te fais cette question, c'est que j'avais six filles ; j'en ai perdu déjà cinq et il ne me reste plus que la sixième qui vit seule tristement dans ma maison. Et je voudrais bien trouver pour ma fillette une compagne qui lui tiendrait compagnie et lui ferait passer le temps agréablement. Et je désirerais beaucoup que tu fusses libre pour te demander d'accepter l'hospitalité de ma maison et devenir ma fille adoptive et être de ma famille, pour faire oublier à ma fillette le deuil qu'elle garde depuis la mort de ses sœurs. »

Lorsque Nôzhatou eut entendu ces paroles, elle fut toute confuse et dit : « Ô cheikh, je suis une jeune fille étrangère, et j'ai un frère malade avec lequel je suis venue du pays du Hedjaz. Et je veux bien accepter d'aller dans ta maison pour tenir compagnie à ta fille, mais à condition d'être libre de m'en retourner, tous les soirs, auprès de mon frère. » Alors le Bédouin lui dit : « Mais certainement, ô jeune fille, tu ne tiendras compagnie à ma fille que le jour. Et même, si tu le veux, nous transporterons ton frère chez moi, pour qu'il ne soit jamais seul. »

Et le Bédouin parla et fit si bien qu'il décida la jeune fille à l'accompagner. Mais le perfide n'avait songé, en tout cela, qu'à la séduire, car il n'avait pas trace d'enfants d'aucune espèce, ni gîte ni maison. En effet il ne tarda pas, lui et Nôzhatou et les quatre autres Bédouins, à arriver hors de la ville, à un endroit où tout était préparé pour le départ : les chameaux étaient chargés et les outres remplies d'eau. Et le chef des Bédouins monta sur son chameau et plaça vivement Nôzhatou en croupe, derrière lui, et donna le signal du départ. Et l'on s'éloigna rapidement.

Alors la pauvre Nôzhatou comprit que le Bédouin l'avait enlevée et l'avait trompée complètement ; et elle se mit à se lamenter et à pleurer sur elle et sur son frère abandonné sans secours. Mais le Bédouin, sans s'émouvoir de ses supplications, marcha toute la nuit jusqu'à l'aube, sans s'arrêter, et finit par arriver en lieu sûr, loin de toute habitation, dans le désert. Alors, comme Nôzhatou continuait à pleurer, le Bédouin arrêta sa troupe et descendit de chameau et fit descendre Nôzhatou et s'approcha d'elle en fureur et lui dit : « Ô vile citadine sédentaire au cœur de lièvre, veux-tu cesser de pleurer, ou préfères-tu recevoir des coups de fouet à en mourir ? » À ces paroles brutales du Bédouin grossier, la pauvre Nôzhatou sentit son cœur se révolter et souhaita la mort pour en finir et s'écria : « Ô chef des brigands du désert, homme de malheur, tison d'enfer, comment oses-tu tromper de la sorte ma confiance et trahir ta foi et renier tes promesses ? Ô traître perfide, que veux-tu donc faire de moi ? » À ces paroles, le Bédouin, furieux, s'approcha d'elle, le fouet levé, et lui cria : « Vile citadine, je vois que tu aimes sentir le fouet sur ton derrière ! Or, je te préviens que si tout de suite tu ne cesses tes pleurs qui m'importunent et les paroles que ta langue insolente ose répandre devant ma face, je te prendrai la langue avec mes doigts, et je te la couperai et je te l'enfoncerai au milieu de ta chose entre tes cuisses ! Et cela, je te le jure sur mon bonnet ! » À cette menace horrible, la pauvre jeune fille, qui n'était pas habituée à ces brutalités de langage, se mit à trembler et se contint, de terreur, et elle se cacha la tête dans son voile et ne put s'empêcher de soupirer ce poème plaintif :

« Oh ! qui pourrait aller vers la demeure chérie où j'habitais, et faire parvenir mes larmes à leur destination ?

Hélas ! saurai-je plus longtemps endurer mon malheur dans une vie pleine d'amertume et de douleur ?

Hélas ! avoir si longtemps vécu heureuse et cajolée, pour maintenant tomber dans cet état de pitoyable misère !

Oh ! qui pourrait aller vers la demeure chérie où j'habitais, et faire parvenir mes larmes à leur destinataire ? »

À ces vers admirablement rythmés, le Bédouin, qui adorait d'instinct la poésie, fut touché de pitié pour la belle malheureuse et il s'approcha d'elle et lui essuya les larmes et lui donna à manger une galette d'orge et lui dit : « Une autre fois, il ne faut plus essayer de répondre quand je suis en colère, car mon caractère ne supporte pas cela. Et, comme tu me demandes ce que je peux faire de toi, voici ! Sache que je ne veux plus de toi ni comme concubine ni même comme esclave, mais je veux te vendre à quelque riche marchand qui te traitera avec douceur et te rendra la vie heureuse, comme je l'aurais, d'ailleurs, fait moi-même. Et je vais, dans ce but, te mener à Damas. » Et Nôzhatou répondit : « Que ta volonté soit faite ! » Et aussitôt on remonta à chameau et l'on repartit dans la direction de Damas et Nôzhatou toujours en croupe derrière le Bédouin. Et comme la faim la pressait, elle mangea un morceau de la galette d'orge donnée par son ravisseur.

À ce moment de sa narration, Schahrazade vit apparaître le matin et se tut discrètement.

Mais lorsque fut la cinquante-sixième nuit. Elle dit :

Il m'est parvenu, ô Roi fortuné, que Nôzhatou mangea un morceau de la galette d'orge donnée par son ravisseur. Et l'on arriva bientôt à Damas, et on alla se loger dans le khân Sultani situé près de Bab El-Malek. Et comme Nôzhatou était fort triste et pâle de chagrin, et qu'elle continuait à pleurer, le Bédouin lui dit d'un ton furieux : « Si tu ne cesses point tes larmes, tu vas perdre ta beauté et ta valeur, et je ne pourrai plus te vendre qu'à quelque juif hideux. Réfléchis à cela, ô citadine ! » Puis le Bédouin enferma soigneusement Nôzhatou dans l'une des chambres du khân et se hâta d'aller au marché des esclaves voir les marchands d'esclaves ; et il leur proposa la belle fille ravie, en leur disant : « J'ai avec moi une jeune esclave que j'ai amenée de Jérusalem ; et elle a un frère malade que j'ai été obligé de laisser là-bas chez des parents à moi pour le faire bien soigner. Aussi il faut que celui d'entre vous qui voudra l'acheter n'oublie pas de lui dire, pour la tranquilliser, que son frère malade est soigné à Jérusalem dans sa maison même, à lui, acheteur. Et je me déciderai ainsi à la céder à bon compte. »

Alors l'un des marchands se leva et lui demanda : « Quel est l'âge de cette esclave ? » Le bédouin répondit : « C'est une toute jeune fille encore vierge, mais déjà nubile. Elle est pleine d'intelligence, de politesse, de finesse d'esprit, de beauté et de perfections. Malheureusement, depuis la maladie de son frère, le chagrin l'a affaiblie, l'a amaigrie et lui a fait perdre un peu de la plénitude de ses formes. Mais tout cela, il est facile de le faire revenir avec un peu de soins et d'oubli. » Alors le marchand lui dit : « Je vais avec toi voir ton esclave, puisque tu m'en as énuméré les qualités ; mais à la condition que, si je ne la trouve pas à ma convenance, rien ne soit conclu entre nous ; mais si elle est vraiment comme tu dis, je te l'achèterai au prix sur lequel nous tomberons d'accord ; mais je ne te payerai ce prix qu'une fois que j'aurai revendu moi-même l'esclave. Car il faut bien que je te dise mon intention : sache que je la destine au roi Omar Al-Némân, maître de Bagdad et du Khorassân et dont le fils, le prince Scharkân, est gouverneur de Damas, notre ville. Je monterai donc chez le prince Scharkân, qui me connaît, et je lui exposerai la chose, et il me donnera une lettre d'introduction auprès du roi Omar Al-Némân qui, en raison de son goût connu pour les esclaves vierges, ne manquera pas de me l'acheter un prix très avantageux. Et je te paierai alors le prix convenu entre nous deux. » Et le Bédouin répondit : « J'accepte de toi ces conditions. »

Alors ils se dirigèrent tous deux vers le khân Sultani, où était enfermée Nôzhatou, et le Bédouin appela à haute voix la jeune fille, dissimulée derrière la cloison, en lui disant : « Ho ! Nahia ! ho ! Nahia ! » car c'était là le nom que le Bédouin avait cru bon de donner à son esclave. Mais, à ce nom nouveau pour elle, la pauvre adolescente se mit à pleurer et ne répondit pas. Alors le Bédouin dit au marchand d'esclaves : « Tiens, la voici, là derrière. Je te permets de t'en approcher et de la bien examiner, mais sans l'effaroucher, et parle-lui gentiment comme j'ai l'habitude de le faire moi-même. » Et le marchand passa derrière la cloison et s'avança vers l'adolescente et lui dit : « La paix sur toi, ô jeune fille ! » Et Nôzhatou répondit, d'une voix douce comme le sucre et avec la prononciation la plus exquise, en langue arabe : « Et sur toi la paix et les bénédictions d'Allah ! » À cet accent, le marchand fut charmé extrêmement ; et il regarda attentivement la jeune esclave, qui avait le visage recouvert du voile grossier, et se dit en lui-même : « Allah ! qu'elle est gracieuse et quelle pureté de langage ! » Et elle aussi regarda le marchand et pensa : « Ce vieillard a une figure très douce et un aspect vénérable et fort engageant. Fasse Allah que je devienne son esclave pour échapper à ce grossier Bédouin aux mœurs féroces et à l'aspect repoussant ! Aussi me faut-il répondre avec intelligence et faire ressortir mes bonnes manières et ma façon de parler gentiment, car ce marchand ne vient ici que pour entendre mon parler. » Et comme le marchand l'interrogeait en lui disant : « Comment te portes-tu, ô jeune fille ? » elle regarda modestement par terre et, doucement, répondit : « Ô vieillard vénérable, tu m'interroges sur mon état, et mon état ne peut être souhaité au pire de tes ennemis ! Mais toute personne porte sa destinée attachée à son cou, dit notre Prophète Mohammad – que sur lui soient la prière et la paix D'Allah ! »

Lorsque le marchand eut entendu ces paroles, il fut émerveillé à la limite de l'émerveillement et sa raison s'envola de joie, et il se dit : « Certes ! je suis sûr maintenant, bien que je n'aie pas encore vu ses traits, qui doivent être ravissants, que j'en tirerai ce que je voudrai du roi Omar Al-Némân ! » Puis il se tourna vers le Bédouin et ne put s'empêcher de lui dire : « Cette esclave est admirable ! Combien en demandes-tu ? » À ces paroles, le Bédouin, furieux, s'écria : « Comment oses-tu dire qu'elle est admirable, alors qu'elle est la plus vile des créatures ? Ne sais-tu que maintenant elle va s'imaginer qu'elle est vraiment admirable, et que je ne pourrai plus avoir d'autorité sur elle ? Va-t'en ! je ne veux plus la vendre ! » Alors le marchand comprit que le Bédouin était une brute absolue, et qu'aucun raisonnement ne pouvait avoir de prise sur lui. Aussi il le prit autrement et essaya de tourner la difficulté et dit : « Ô cheikh des Bédouins, je l'accepte pourtant, bien qu'elle soit la plus vile des créatures, et je l'achète malgré ses tares ! » Alors le Bédouin, un peu calmé, dit : « Soit ! mais combien m'en offres-tu, voyons ? » Le marchand répondit : « Le proverbe dit : c'est le père qui donne un nom à son fils ! Demande donc toi-même ce que tu penses légitime. » Mais le Bédouin ne voulut rien entendre et dit : « C'est à toi à faire ton offre. » Et le marchand pensa : « Ce Bédouin est une brute entêtée et totale. Que pourrais-je lui offrir, surtout maintenant que cette jeune fille vient de conquérir mon cœur par le pouvoir de son parler et son éloquence. Et je pense que, de plus, elle doit savoir lire et écrire ; certainement. C'est là l'effet d'une bénédiction bien rare d'Allah sur elle ! Et dire que ce Bédouin ne sait pas l'estimer à sa valeur ! » Puis il se tourna vers le Bédouin et lui dit : « Je t'en offre deux cents dinars d'or, outre les arrhes et les droits de vente qui reviennent au Trésor et que je prends sur moi de payer. » Mais le Bédouin, furieux, s'écria : « Oh ! marchand, allons-nous-en ! Je ne vends pas ! Car je ne céderais pas pour deux cents dinars même le vieux morceau de sac dont elle a la tête couverte ! C'est fini ! je ne veux pas la vendre, et je veux la garder avec moi et la ramener au désert pour lui faire paître mes chameaux et moudre mes grains ! » Puis il cria à là jeune fille : « Viens ici, ô pourrie ! Nous partons ! » Et comme le marchand ne bougeait pas, le Bédouin se tourna vers lui et lui cria : « Par mon bonnet ! je ne vends plus rien ! Tourne ton dos et va-t'en, ou sinon tu entendras de moi des choses qui ne t'agréeront pas ! »

Alors le marchand pensa à part lui : « Il n'y a plus de doute, ce Bédouin qui jure par son bonnet est un fou extraordinaire ! Je saurai tout de même lui faire lâcher prise, car cette jeune fille vaut tout un trésor de pierreries ; et si j'en avais le prix sur moi je le donnerais tout de suite à cette brute, pour en finir. » Puis il dit tranquillement au Bédouin en le tenant persuasivement par le manteau : « Ô cheikh des Bédouins, ne t'impatiente pas, de grâce ! Tu n'as pas, je le vois, l'habitude des ventes et des achats. Il faut beaucoup de patience et de savoir-faire, dans ces questions. Sois tranquille, et, moi, je te donnerai, crois-le, tout ce que tu voudras. Mais me faudra-t-il encore, avant tout, comme cela se fait dans ces sortes d'affaires, voir le visage et les traits de l'esclave. » Et le Bédouin dit : « Je veux bien ! Regarde-la tant que tu voudras et mets-la, si tu le veux, complètement nue, et palpe-la et touche-la partout et tant que cela te plaira ! » Mais le marchand leva ses mains au ciel et s'écria : « Qu'Allah me garde de la mettre nue comme les esclaves ! je veux seulement voir son visage. »

À ce moment de sa narration, Schahrazade vit apparaître le matin et, discrète, se tut.

Mais lorsque fut la cinquante-septième nuit. Elle dit :

Il m'est parvenu, ô Roi fortuné, que le marchand dit : « Je veux seulement voir son visage. » Et il s'avança vers Nôzhatou, tout en s'excusant de la liberté, et s'assit plein de confusion à côté d'elle et lui demanda doucement : « Ô ma maîtresse, quel est ton nom ? » Elle lui dit en soupirant : « Me demandes-tu le nom que je porte à présent, ou mon nom du temps passé ? » Il lui dit, étonné : « Tu as donc un nom nouveau et un nom ancien ? » Elle répondit : « Oui, ô vieillard ! Mon nom ancien est Délices-du-Temps et mon nouveau est Oppression-du-Temps ! » À ces paroles, dites avec l'accent le plus triste, le vieux marchand sentit ses yeux se mouiller de larmes. Et la jeune Nôzhatou ne put retenir ses larmes et récita plaintivement ces strophes :

« Mon cœur te garde, ô voyageur ! Vers quelles terres es-tu parti, chez quels peuples, dans quelle demeure habites-tu ?

À quelle source bois-tu, ô vagabond ? Ici, moi, celle qui te pleure, je me nourris des roses de mon souvenir et je me désaltère à l'abondante source de mes yeux.

Et de difficile ou dur à ma pensée, il n'est rien que ton éloignement. Car tout le reste, à côté, m'est maintenant chose riante et aisée. »

Mais le Bédouin trouva que la conversation durait trop longtemps et il s'approcha de Nôzhatou, le fouet levé, et lui dit : « Qu'as-tu à bavarder de la sorte ? Lève ton voile de visage et finissons-en ! » Alors Nôzhatou regarda le marchand et lui dit d'un ton désolé : « Ô vénérable vieillard, de grâce ! délivre-moi des mains de ce brigand sans foi qui ne connaît pas Allah ! Sinon, cette nuit même, je me tuerai certainement ! » Alors le marchand se tourna vers le Bédouin et lui dit : « Ô cheikh des Bédouins, en vérité, cette jeune fille est pour toi un embarras. Vends-la-moi donc au prix que tu veux ! » Mais le Bédouin s'écria : « Je te répète que c'est à toi à faire l'offre, ou je vais tout de suite la reprendre et la ramener au désert faire paître les chameaux et ramasser les excréments des bestiaux ! » Alors le marchand lui dit : « Eh bien ! pour en finir, je t'en offre, entends-moi bien, la somme de cinquante mille dinars d'or. » Mais cette brute entêtée répondit : « Ah, non ! Qu'Allah nous assiste ! cela ne fait pas l'affaire ! » Alors le marchand dit : « Soixante-dix mille dinars ! » Mais le Bédouin dit : « Qu'Allah nous assiste ! cela ne couvre pas même le capital que j'ai dépensé à la nourrir et à lui acheter des galettes d'orge ! car, sache-le bien, ô marchand, j'ai dépensé pour elle, rien qu'en galettes d'orge, quatre-vingt-dix mille dinars d'or ! » Alors le marchand, ahuri par la folie de cette brute, lui dit : « Mais, ô Bédouin, toi et tes parents et tous ceux de ta tribu, pendant toute votre vie, vous n'avez certainement pas mangé pour seulement cent dinars d'orge ! Mais, enfin, je vais te faire ma dernière offre et te dire ma dernière parole, et si tu refuses, j'irai de ce pas trouver le prince Scharkân, wali de Damas, et lui rapporter les mauvais traitements subis par cette jeune esclave que tu as certainement volée, ô brigand pillard ! » À ces paroles, le Bédouin dit : « Soit, propose un peu cette somme, voyons ! » Et le marchand dit : « Cent mille dinars ! » Alors le Bédouin dit : « Je te cède l'esclave à ce prix, car j'ai besoin d'aller au souk acheter du sel. » Alors le marchand ne put s'empêcher de rire ; et il prit le Bédouin et la jeune esclave et les conduisit chez lui, et paya intégralement au Bédouin la somme convenue, après l'avoir fait peser soigneusement, dinar par dinar, par le peseur public. Alors le Bédouin sortit et remonta sur son chameau et prit le chemin de Jérusalem en se disant : « Si la sœur m'a rapporté cent mille dinars, le frère m'en rapportera au moins autant. Je vais donc aller à sa recherche. » Et, en arrivant à Jérusalem, il se mit en effet à la recherche de Daoul'makân dans tous les khâns ; mais comme celui-ci était déjà parti avec le chauffeur du hammam, le cupide Bédouin ne le trouva pas. Et voilà pour le Bédouin. Mais pour ce qui est de la jeune Nôzhatou…

À ce moment de sa narration, Schahrazade vit apparaître le matin et, discrète, se tut.

Mais lorsque fut la cinquante-huitième nuit. Elle dit :

Mais pour ce qui est de la jeune Nôzhatou, voici ! Le bon marchand, une fois qu'il l'eut conduite dans sa maison, lui donna des vêtements fort riches et d'une grande finesse, tout ce qu'il y avait de plus beau, puis il alla avec elle au souk des orfèvres et des bijoutiers et lui fit choisir, à son goût, les bijoux et les joyaux qui lui plaisaient et il les mit tous dans une écharpe de satin et les porta à la maison et les lui mit entre les mains. Puis il lui dit : « Maintenant, tout ce que je désire de toi, en retour, c'est que tu n'omettes pas de dire au prince Scharkân, lorsque je t'aurai conduite dans mon palais, le prix exact auquel je t'ai achetée, pour qu'il n'oublie pas de le mentionner, à son tour, dans la lettre de recommandation que je désire avoir pour le roi Omar Al-Némân à Bagdad. Et, de plus, je voudrais que le prince Scharkân me donnât un sauf-conduit et une patente pour que les marchandises que désormais je prendrai avec moi, dans l'intention de les vendre à Bagdad, ne payent pas de droits ni d'impositions, à leur entrée à Bagdad. »

À ces paroles, Nôzhatou eut un soupir et ses yeux se mouillèrent de larmes. Alors le marchand lui dit : « Ô ma fille, pourquoi, chaque fois que je prononce le nom de Bagdad, te vois-je ainsi soupirer avec des larmes dans les yeux ? Y aurais-tu quelqu'un de toi aimé, ou un parent, ou un marchand ? Parle, ne crains rien ; car je connais tous les marchands de Bagdad et les autres. » Alors Nôzhatou dit : « Par Allah ! je n'y ai d'autre connaissance que le roi Omar Al-Némân lui-même, maître de Bagdad ! »

Lorsque le marchand de Damas eut entendu cette chose extraordinaire, il ne put s'en empêcher de soupirer un grand soupir de bonheur et de contentement et se dit en lui-même : « Voilà mon but atteint ! » Puis il demanda à la jeune fille : « Lui aurais-tu été proposée déjà par un marchand d'esclaves, avant cette fois ? » Elle répondit : « Non, mais simplement j'ai été élevée, dans son propre palais, avec sa fille. Et il me chérissait beaucoup ; et toute demande que je lui ferais serait pour lui chose sacrée. Si donc tu voulais obtenir de lui une faveur quelconque, tu n'aurais qu'à me le dire et à m'apporter une plume, une écritoire et une feuille de papier, et je t'écrirais une lettre que tu remettrais en main propre au roi Omar Al-Némân, et tu lui dirais : « Ô roi, ton humble esclave Nôzhatou a éprouvé les vicissitudes du sort et du temps et les souffrances des nuits et des jours ; et elle a été vendue et revendue, et a changé de maîtres et de maisons ; et elle se trouve pour le moment dans la demeure de ton représentant à Damas. Et, de plus, elle te fait parvenir son salut et son souhait de paix ! »

À ces paroles surprenantes et pleines d'éloquence, le marchand fut à la limite de la joie et de l'étonnement, et l'affection pour Nôzhatou augmenta considérablement dans son cœur ; et, plein de respect, il lui demanda : « Sans doute, ô jeune fille merveilleuse, tu as dû être enlevée de ton palais et trompée et vendue. Et sans doute tu dois être versée dans les lettres et la lecture du Koran. » Et Nôzhatou dit : « En effet, ô vénérable cheikh ! Je connais le Koran et les préceptes de sagesse ; et, en outre, les sciences médicales ; le livre de l'Introduction aux arcanes ; les commentaires des œuvres d'Hippocrate et de Galien le Sage que j'ai moi-même annotés ; j'ai lu les livres de philosophie et de logique ; je connais les vertus des simples et les explications d'Ibn-Bitar ; j'ai discuté, avec les savants, le Khânoun d'Ibn-Sîna ; j'ai trouvé l'explication énigmatique des allégories et je les ai dénouées ; j'ai tracé toutes les figures de géométrie ; j'ai parlé avec connaissance de l'architecture ; j'ai longuement étudié l'hygiène et les livres Chafîat ; la syntaxe, la grammaire et les traditions de la langue ; et j'ai fréquenté la société des savants et des érudits dans toutes les branches ; et je suis moi-même l'auteur de plusieurs livres sur l'éloquence, la rhétorique, l'arithmétique, le syllogisme pur ; et je connais les sciences spirituelles et divines ; et j'ai retenu tout ce que j'ai appris ! Et maintenant donne-moi le calam et la feuille de papier pour que j'écrive la lettre, si tu veux ! et je t'écrirai toute la lettre en vers bien rythmés, pour que, durant toute la route de Damas à Bagdad, tu puisses éprouver du plaisir à la lire et la relire, et te dispenser d'emporter avec toi des livres de voyage ; car elle te sera une douceur dans la solitude et un ami discret dans les loisirs ! »

Alors le pauvre marchand, complètement ahuri, s'exclama : « Ya Allah ! ya Allah ! heureuse la demeure qui te servira de gîte ! Et combien heureux celui qui habitera avec toi ! » Et il lui apporta respectueusement l'écritoire et les accessoires. Et Nôzhatou prit le calam, le trempa dans le tampon imbibé d'encre, l'essaya d'abord sur son ongle, et écrivit ces vers :

« Cette écriture est de la main de celle aux pensées égales en tumulte aux vagues plaintives ;

Celles dont l'insomnie a brûlé les paupières, et les veilles usé la beauté ;

Celle qui, dans sa douleur, ne différencie plus le jour d'avec la nuit et se tord, lamentable, sur la couche solitaire ;

Et qui n'a pour confidents que les astres silencieux dans la solitude fatale des nuits !

Voici ma plainte en vers cadencés, à rime égale, que j'ai tissés en mémoire de tes yeux, ô toi, de mes doigts naturels.

Des délices de la vie je n'ai senti nulle corde vibrer en mon âme,

Et ma jeunesse a appris à mes yeux les veilles et m'a pour toujours enlevé le sommeil.

Et j'ai eu beau confier à la brise mes soupirs, jamais la brise ne les a transmis à celui vers qui ils s'exhalaient.

Aussi, désespérée, je n'ose plus insister. Mais je veux signer ma plainte et mon nom.

Moi la douloureuse, l'éloignée de ses parents
et son pays, la torturée de cœur et d'esprit,
NÔZHATOU'ZAMAN. »

Lorsque Nôzhatou eut fini d'écrire, elle sabla la feuille, la plia soigneusement et la remit au marchand qui la prit respectueusement, la porta à ses lèvres puis à son front, la serra dans une étoffe de satin et s'écria : « Gloire à celui qui t'a modelée, ô merveilleuse créature ! »

À ce moment de sa narration, Schahrazade vit apparaître le matin et, discrète, se tut.

Mais lorsque fut la cinquante-neuvième nuit. Elle dit :

Il m'est parvenu, ô Roi fortuné, que le marchand s'écria : « Gloire à Celui qui t'a modelée, ô merveilleuse créature ! » Et il ne sut comment faire pour rendre les honneurs dus à son hôtesse ; et il lui prodigua toutes les marques du respect et de l'admiration ; et il pensa que probablement il fallait commencer par lui proposer un bain, dont elle devait avoir bien besoin. Et, en effet, la jeune fille y consentit avec empressement ; et il l'accompagna jusqu'au hammam, en marchant devant elle et en lui portant, dans une étoffe de velours, les effets propres dont elle devait s'habiller après le bain. Et il fit venir la meilleure masseuse du hammam et lui recommanda beaucoup la jeune fille et lui dit : « Une fois que le bain sera fini, tu viendras m'appeler. » Et pendant que Nôzhatou, aidée par la masseuse, prenait son bain, le vieux marchand alla au souk acheter toutes sortes de fruits et de sorbets et vint les déposer sur l'estrade où Nôzhatou devait venir s'habiller.

Alors la masseuse, une fois le bain terminé, accompagna Nôzhatou, en la soutenant, jusqu'à l'estrade et l'enveloppa de linges et de serviettes parfumés ; et elles se mirent toutes deux à manger les fruits et à boire les sorbets ; et, quand elles eurent fini, elles donnèrent le reste à la gardienne du hammam.

Et, à ce moment, arriva le bon marchand, et il portait un coffre en bois de santal. Il déposa le coffre sur l'estrade et l'ouvrit en invoquant le nom d'Allah, et commença, aidé par la masseuse, à procéder à l'habillement de Nôzhatou, pour la conduire ensuite chez le prince Scharkân. Et la toilette commença.

Le marchand donna d'abord à Nôzhatou une chemise fine en soie blanche et, pour la mettre sur ses cheveux, une écharpe tissée d'or qui coûtait à elle seule mille dinars. Il lui mit ensuite une robe taillée à la mode turque, toute brodée de fils d'or, et, aux pieds, des bottines en cuir rouge parfumé au musc ; et ces bottines étaient recouvertes de paillettes d'or et ornées de fleurs incrustées de perles et de pierreries. Il lui passa ensuite aux oreilles des pendeloques en perles fines qui coûtaient chacune mille dinars d'or ; et il lui passa au cou un collier d'or filigrané et lui cercla les seins de réseaux de pierreries, puis, au-dessus du nombril, il lui entoura la taille d'une ceinture de dix rangs de boules d'ambre et de croissants d'or ; et dans chaque boule d'ambre était incrustée une pierre de rubis, et dans chaque croissant il y avait neuf perles et dix diamants. Et c'est ainsi que fut habillée la jeune Nôzhatou ; et elle portait sur elle, de la sorte, pour plus de cent mille dinars de bijoux et de joyaux.

Alors le marchand la pria de le suivre et il sortit avec elle du hammam et marcha devant elle, d'un air grave et respectueux, en écartant les passants sur sa route. Et tous les passants étaient ébahis de sa beauté et émerveillés de sa vue et ils s'écriaient : « Ya Allah ! Maschallah ! Gloire à Lui dans ses créatures ! Ô bienheureux l'homme dont elle est la propriété ! » Et le marchand continua à marcher, et elle derrière lui, jusqu'à ce qu'il fût arrivé au palais du prince Scharkân, gouverneur de Damas.

Et lorsqu'il fut entré chez le prince Scharkân, il baisa la terre entre ses mains et dit : « Voici que je t'apporte un présent incomparable, la plus belle et la plus merveilleuse chose de ce temps, un objet qui réunit en lui tous les charmes et tous les dons, toutes les qualités et toutes les délices ! » Alors le prince Scharkân lui dit : « Hâte-toi de me le montrer ! » Et le marchand sortit et revint en conduisant Nôzhatou par la main et la plaça debout devant le prince. Mais le prince Scharkân fut loin de reconnaître en cette merveille sa sœur Nôzhatou qu'il avait laissée toute jeune à Bagdad et qu'il n'avait d'ailleurs jamais vue, étant donné la jalousie qu'il avait ressentie à sa naissance et à celle de son frère Daoul'makân. Et il fut à la limite du ravissement devant cette taille et ces formes admirables, et surtout lorsque le marchand eut ajouté : « La voilà, cette chose incomparable, l'unique de son siècle. Mais, outre la beauté qui lui est un don naturel, elle possède toutes les vertus et elle est versée dans toutes les sciences religieuses, civiles, politiques et mathématiques. Et elle est prête à répondre à toutes les questions des plus grands savants de Damas et de l'empire ! »

Aussi le prince Scharkân n'hésita pas un instant et dit au marchand : « Dis au trésorier de t'en payer le prix et laisse-la-moi, et va en paix ! » Alors le marchand lui dit : « Ô prince valeureux, cette jeune fille, dans ma pensée, était primitivement destinée au roi Omar Al-Némân, ton père ; et je ne venais te voir que pour te prier de me donner une lettre de recommandation pour lui ; mais, puisqu'elle te plaît, qu'elle reste ici. Et ton désir est sur ma tête et dans mes yeux ! Mais, en retour, je te prierai seulement de me donner le droit de franchise désormais pour toutes mes marchandises, et le privilège de ne jamais plus payer d'impositions d'aucune sorte. » Alors Scharkân lui dit : « Je te l'accorde. Mais, en outre, dis-moi ce que la jeune fille t'a coûté, pour qu'à mon tour je t'en fasse rembourser le prix. » Et le marchand dit : « Elle m'a coûté cent mille dinars d'or ; et elle a sur elle pour cent mille autres dinars d'or. »

Et Scharkân aussitôt fit appeler son trésorier et lui dit : « Paye tout de suite à ce vénérable cheikh deux cent mille dinars d'or et, en plus, cent vingt mille autres. Et, en outre, donne-lui la plus belle robe d'honneur de mes armoires. Et que dorénavant on sache qu'il est le protégé de ma puissance et que nulle imposition ne doit jamais plus lui être réclamée. »

Ensuite le prince Scharkân fit venir les quatre grands kâdis de Damas et dit…

Mais à ce moment de sa narration, Schahrazade vit apparaître le matin et, discrète, se tut.

Et lorsque fut la soixantième nuit. Elle dit :

« Vous m'êtes témoins que, dès cet instant, j'affranchis et libère cette jeune esclave, que je viens d'acheter, et que j'en fais mon épouse. » Alors, les quatre kâdis se hâtèrent d'écrire le certificat d'affranchissement ; et ils écrivirent ensuite le contrat de mariage et le scellèrent de leur sceau. Et le prince Scharkân ne manqua pas, dans sa générosité, de distribuer une grande quantité d'or à tous les assistants, pour fêter sa joie, et il en jeta à pleines mains des poignées qui s'éparpillèrent et furent ramassées par les serviteurs et les esclaves.

Alors le prince Scharkân congédia tous les assistants et ne garda dans la salle que les quatre grands kâdis et le marchand. Et il se tourna vers les kâdis et leur dit : « Maintenant, je veux que vous écoutiez les paroles que cette jeune fille va nous dire pour nous donner une preuve de son éloquence et de son savoir et pour que vous contrôliez les affirmations de ce vieux marchand. » Et les kâdis répondirent : « Nous écoutons et nous obéissons ! » Alors le prince Scharkân fit tomber un grand rideau au milieu de la salle, et plaça la jeune fille derrière pour qu'elle ne fût pas gênée et qu'elle pût se mettre à son aise et parler sans être vue par des hommes étrangers.

Et aussitôt que le rideau fut abaissé, les femmes de service vinrent entourer leur nouvelle maîtresse, et l'aidèrent à se mettre plus à son aise et à s'alléger d'une partie de ses vêtements ; et elles l'admiraient et s'émerveillaient de ses perfections, et, dans leur joie, lui embrassaient les pieds et les mains. Et, de leur côté, les épouses des émirs et des vizirs ne tardèrent pas à apprendre la nouvelle, et se hâtèrent de se rendre auprès de Nôzhatou pour lui présenter leurs hommages et entendre les paroles qu'elle allait dire devant le jeune prince Scharkân et les grands kâdis de Damas.

Et, avant de se rendre auprès d'elle, elles ne manquèrent pas d'en demander l'autorisation à leurs époux.

Lorsque Nôzhatou vit entrer les épouses des vizirs et des émirs, elle se leva pour les recevoir et les embrassa avec cordialité et les fit s'asseoir à côté d'elle derrière le rideau ; et elle leur souriait gentiment et leur disait des paroles de bienvenue pour répondre à leurs souhaits et à leurs hommages ; et elle fut si gentille que toutes s'émerveillèrent de sa politesse, de sa beauté, de ses manières et de son intelligence, et se dirent entre elles : « On nous a dit que c'est une esclave affranchie ; mais, en vérité, elle ne peut être qu'une reine de naissance et fille de roi. » Et elles lui dirent : « Ô notre maîtresse, tu as illuminé notre ville par ta présence et tu as comblé d'honneur notre pays et ce royaume. Et ce royaume est ton royaume, et ce palais, ton palais, et toutes nous sommes tes esclaves ! »

Et elles les remercia beaucoup pour leurs paroles, et de la manière la plus douce et la plus agréable.

Mais, à ce moment, Scharkân l'interpella de l'autre côté du rideau, et lui dit : « Ô jeune fille très chère, le joyau de ce temps, nous sommes tous ici prêts à t'entendre nous dire quelques mots délicieux, toi qu'on dit versée dans toutes les sciences et mêmes dans les règles si difficiles de notre syntaxe. » Alors la jeune Nôzhatou, d'une voix aussi douce que le sucre, répondit de derrière le rideau : « Ton désir est un ordre, et il est sur ma tête et dans mes yeux ! Aussi, pour satisfaire à ton souhait, je te dirai, ô mon maître, des paroles admirables sur les trois portes de la vie. »

PAROLES SUR LES TROIS PORTES

Et Nôzhatou, derrière le rideau, dit :

« Je te parlerai d'abord, ô prince valeureux, de la PREMIÈRE PORTE : L'ART DE SE CONDUIRE.

« Sache donc que la vie a un but et que le but de la vie est le développement de la ferveur.

« Or, la ferveur principale est la passion belle dans la foi.

« Mais nul n'atteint à la ferveur que par une vie ardente et passionnée. Et la vie passionnée peut être vécue et réalisée dans n'importe laquelle des quatre grandes voies de l'humanité : le Gouvernement, le Commerce, l'Agriculture et les Métiers.

« Pour ce qui est du GOUVERNEMENT, il est nécessaire que ceux-là, les rares qui sont appelés à gouverner le monde, soient doués d'une grande science politique, d'une finesse parfaite et d'une habileté accomplie. Et, dans aucun cas, ils ne doivent se laisser conduire par leur humeur, mais par un haut dessein dont la fin est Allah le Très-Haut. Et s'ils réglaient leur conduite sur cette fin, la justice régnerait parmi les humains et la discorde cesserait sur la surface de la terre. Mais, le plus souvent, ils ne suivent que leur penchant et glissent dans les errements irrémédiables. Car un chef n'est utile qu'en tant qu'il peut être équitable et impartial et empêcher les forts d'opprimer les faibles et les petits : sinon, il est sans nécessité.

« D'ailleurs, le grand Ardéchir, troisième roi des Perses, l'un d'entre les descendants de Sassân, a dit cette parole : « L'autorité et la foi sont deux sœurs jumelles : la foi est un trésor et l'autorité est son gardien. »

« Et notre Prophète Mohammad (sur lui soient la paix et la prière !) a dit : « Deux choses régissent le monde : droites et pures, le monde marche dans la voie droite ; corrompues et mauvaises, le monde tombe dans la corruption ; c'est l'Autorité et c'est la Science ! »

« Et le Sage a dit : « Le roi doit être le gardien de la foi, de tout ce qui est sacré, et des droits de ses sujets. Mais, avant tout, il doit veiller à maintenir l'accord entre ceux qui tiennent la plume et les gens d'épée : car celui qui manque à l'homme qui tient la plume glissera et se relèvera bossu ! »

« Et le roi Ardéchir, qui fut un grand conquérant, divisa son empire en quatre districts ; et il se fit faire quatre sceaux sur quatre anneaux qu'il mit à ses doigts ; et chaque sceau était destiné à l'un des quatre districts. Le premier sceau était l'anneau du District maritime. Et ainsi de suite pour les trois autres. Et il avait fait ainsi afin d'assurer l'ordre dans toutes les parties de son royaume. Et sa méthode fut suivie jusqu'à l'ère islamique.

« Et le grand Kesra, roi des Perses, écrivit un jour à son fils, à qui il avait confié une armée d'entre ses armées : « Ô mon fils…

À ce moment de sa narration, Schahrazade vit apparaître le matin et, discrète, arrêta son récit.

Mais lorsque fut la soixante et unième nuit. Elle dit :

« Le grand Kesra, roi des Perses, écrivit un jour à son fils, à qui il avait confié une armée d'entre ses armées : « Ô mon fils, méfie-toi de la pitié, elle aliénerait ton autorité ; mais n'agis pas non plus avec trop de dureté, car elle ferait fermenter, parmi tes soldats, la révolte ! »

« Ceci nous a été rapporté également. Un Arabe vint trouver le khalifat Abou-Giafar-Abdallah Al-Mansour et lui dit : « Affame ton chien, si tu veux qu'il te suive. » Et le khalifat fut irrité contre l'Arabe. Et l'Arabe lui dit : « Mais prends garde aussi qu'un passant ne tende un pain à ton chien, car alors ton chien t'abandonnera pour suivre le passant ! » Alors Al-Mansour comprit et en fit son profit ; et il renvoya l'Arabe après lui avoir donné un cadeau.

« On raconte aussi que le khalifat Abd El-Malek ben-Merouân écrivit ceci à son frère Abd El-Aziz ben-Merouân, qu'il avait envoyé à la tête de son armée en Égypte : « Tu peux te passer de tes conseillers et de tes scribes, car ils ne te renseigneront que sur les choses que tu connais ; mais ne néglige jamais ton ennemi : il est le seul à te faire connaître la force de tes soldats ! »

« On dit que l'admirable khalifat Omar ibn-Al-Khattâb ne prenait jamais quelqu'un à son service sans lui poser ces quatre conditions : ne jamais monter sur une bête de somme, ne jamais s'approprier le butin fait sur l'ennemi, ne jamais s'habiller de vêtements somptueux et ne jamais être en retard pour l'heure de la prière. – Et voici les paroles qu'il aimait à répéter : « Il n'y a point de richesse qui vaille l'intelligence, ni de pierre de touche meilleure que la culture de l'esprit ni de gloire plus grande que l'étude de la science. »

« C'est également Omar (qu'Allah l'ait en ses bonnes grâces !) qui a dit : « Les femmes sont de trois sortes : la bonne musulmane qui ne se préoccupe que de son mari et n'a d'yeux que pour lui ; la musulmane qui ne cherche dans le mariage qu'à avoir des enfants ; et la putain qui sert de collier au cou de tout le monde. Et les hommes également sont trois : l'homme sage qui réfléchit et agit après réflexion ; l'homme plus sage encore qui réfléchit, mais demande l'avis des hommes éclairés, et ainsi n'agit qu'avec une extrême prudence ; et l'écervelé qui n'a aucun jugement et ne demande jamais le conseil des sages. »

« Et le sublime Ali ben-Abou-Taleb (qu'Allah l'ait en ses bonnes grâces !) a dit : « Tenez-vous sur vos gardes contre les perfidies des femmes ; et jamais ne demandez leur avis ; mais ne les opprimez pas, si vous ne voulez pas les voir augmenter en ruses et en trahisons. Car celui qui ne connaît pas la modération marche vers la folie. Et, en toutes choses, vous devez user de justice, surtout envers vos esclaves. »

Et comme Nôzhatou allait continuer à développer ce chapitre, elle entendit, derrière le rideau, les kâdis s'écrier : « Maschallah ! jamais nous n'avons entendu de si belles paroles que celles dites par cette jeune fille pleine d'éloquence ; mais nous voudrions bien maintenant entendre quelque chose sur les deux autres Portes ! » Alors Nôzhatou, avec une transition d'une grande habileté, dit :

« Un autre jour, je parlerai de la ferveur dans les trois autres voies de l'humanité ; car il est temps que je vous entretienne de la SECONDE PORTE.

Cette seconde Porte est celle des BONNES MANIÈRES et de la CULTURE DE L'ESPRIT.

Cette Porte, ô prince du temps, est la plus large de toutes, car elle est la Porte des Perfections. Ne peuvent la parcourir dans toute son étendue que ceux-là seuls qui ont sur la tête une bénédiction native.

« Je vous en citerai seulement quelques traits choisis.

À ce moment de sa narration, Shahrazade vit apparaître le matin et, discrète selon son habitude, se tut.

Mais lorsque fut la soixante-deuxième nuit. Elle dit :

« Je vous en citerai seulement quelques extraits choisis.

« Un jour, l'un des chambellans du khalifat Moawiah vint lui annoncer que le plaisant pied-bot Aba-Bahr ben Kaïs était à la porte dans l'attente d'une audience. Alors le khalifat dit : « Fais-le vite entrer. » Et Aba-Bahr le pied-bot entra, et le khalifat Moawiah lui dit : « Ô Aba-Bahr, approche-toi encore, que je me délecte mieux de tes paroles. » Puis il lui dit : « Ô Aba-Bahr, quelle est ton idée sur moi ? » Le pied-bot répondit : « Moi ? Mais mon métier, ô émir des Croyants, est de raser les têtes, de couper les moustaches, de curer et soigner les ongles, d'épiler les aisselles, de raser l'aine, de nettoyer les dents et au besoin de saigner les gencives ; mais jamais je ne fais rien de tout cela le jour du vendredi, car ce serait un sacrilège. » Alors le khalifat Moawiah lui dit : « Et quelle est ton idée sur toi-même ? » Et Aba-Bahr le pied-bot dit : « Je mets un pied devant l'autre et lentement je le fais avancer en le suivant de l'œil. » Le khalifat lui demanda alors : « Et quelle est ton idée sur tes chefs ? » Il répondit : « En entrant, je les salue sans faire de geste, et j'attends qu'ils me rendent mon salut. » Alors le khalifat lui demanda : « Et quelle est ton idée sur ton épouse ? » Mais Aba-Bahr s'écria : « Dispense-moi de cette réponse, ô émir des Croyants ! » Et le khalifat dit : « Je t'adjure de me répondre, ô Aba-Bahr ! » Il dit : « Mon épouse, comme toutes les femmes, a été créée de la dernière côte, laquelle était une côte de mauvaise qualité et toute tordue. » Le khalifat dit : « Et comment fais-tu lorsque tu veux coucher avec elle ? » Il répondit : « Je lui parle agréablement pour la bien disposer, puis je lui donne des baisers un peu partout et vivement, pour la bien exciter ; et lorsqu'elle est au point que tu comprends, ô émir des Croyants, je la renverse sur le dos et je la charge. Et alors, lorsque la goutte de nacre s'est bien incrustée dans son fondement, je m'écrie : « Ô Seigneur, fais que cette semence soit couverte de bénédictions, et ne la façonne pas sous une forme mauvaise ; mais modèle-la selon la beauté ! » Cela fait, je me relève et je cours faire mes ablutions ; je prends l'eau dans mes deux mains et je la fais couler sur mon corps ; et enfin je glorifie Allah pour ses bienfaits ! » Alors le khalifat s'écria : « En vérité, tu as répondu délicieusement. Aussi je veux te voir me demander quelque chose. » Et Aba-Bahr le pied-bot dit : « Seulement que la justice soit égale entre tous ! » Et il s'en alla. Et le khalifat Moawiah dit : « Si dans tout le pays de l'Irak il n'y avait que ce sage, cela suffirait ! »

« Également sous le règne du khalifat Omar ibn-Khattab, le trésorier était le vieux Moaïkab…

À ce moment de sa narration, Schahrazade vit apparaître le matin et se tut discrètement.

Mais lorsque fut la soixante-troisième nuit. Elle dit :

Il m'est parvenu, ô Roi fortuné, que la jeune Nôzhatou dit :

« Sous le règne du khalifat Omar ibn-Al-Khattab, le trésorier était le vieux Moaïkab. Or, le jeune fils d'Omar vint un jour voir Moaïkab, accompagné de sa nourrice. Et Moaïkab donna à l'enfant un drachme d'argent. Mais quelque temps après, le khalifat le fit appeler et lui dit : « Ô dilapidateur ! qu'as-tu fait ! » Et Moaïkab, qui était un homme intègre, s'écria : « Et qu'ai-je donc fait, ô émir des Croyants ? » Et Omar lui dit : « Ô Moaïkab, ce drachme d'argent que tu as donné à mon fils est un vol commis sur toute la nation musulmane ! » Et Moaïkab reconnut que c'était une faute, et toute sa vie il ne cessa de s'écrier : « Où y a-t-il, sur la terre, un homme aussi admirable qu'Omar ? »

On raconte aussi que le khalifat Omar sortit une fois se promener la nuit, accompagné du vénérable Aslam Abou-Zeid. Et il vit au loin un feu qui flambait, et il s'en approcha, croyant sa présence utile, et il vit une pauvre femme qui allumait un feu de bois sous une marmite ; et elle avait à ses côtés deux petits enfants chétifs qui gémissaient lamentablement. Et Omar dit : « La paix sur toi, ô femme ! Que fais-tu donc là, seule dans la nuit et le froid ? » Elle répondit :

« Seigneur, je fais chauffer un peu d'eau pour la donner à boire à mes enfants qui meurent de faim et de froid ; mais, un jour, Allah demandera compte au khalifat Omar de la misère où nous sommes réduits ! » Et le khalifat, qui était déguisé, fut ému extrêmement et lui dit : « Mais crois-tu, ô femme, qu'Omar connaisse ta misère, s'il ne la soulage pas ? » Elle répondit : « Pourquoi donc Omar est-il khalifat, s'il ignore ainsi la misère de son peuple et de chacun de ses sujets ? » Alors le khalifat se tut et dit à Aslam Abou-Zeid : « Vite, allons-nous-en ! » Et il marcha très vite jusqu'à ce qu'il fût arrivé à l'intendance de sa maison ; et il entra dans le magasin de l'intendance, et il tira un sac de farine d'entre les sacs de farine et aussi une jarre remplie de graisse de mouton, et il dit à Abou-Zeid : « Aidez-moi à les charger sur mon dos, ô Abou-Zeid ! » Mais Abou-Zeid se récria et dit : « Laisse-moi les porter moi-même sur mon dos, ô émir des Croyants ! » Il répondit avec calme : « Mais serait-ce donc toi aussi, Abou-Zeid, qui porterais le fardeau de mes péchés au jour de la Résurrection ? » Et il obligea Abou-Zeid à lui mettre sur le dos le sac de farine et le vase de graisse de mouton. Et le khalifat marcha vite, ainsi chargé, jusqu'à ce qu'il fût parvenu auprès de la pauvre femme ; et il prit de la farine et il prit de la graisse et les mit dans la marmite sur le feu, et, de ses propres mains, il prépara cette nourriture, et il se pencha lui-même sur le feu pour souffler dessus ; et, comme il avait une très grande barbe, la fumée du bois se frayait chemin par les interstices de la barbe. Et lorsque cette nourriture fut prête, Omar l'offrit à la femme et aux petits enfants, qui en mangèrent jusqu'à satiété au fur et à mesure qu'Omar la leur refroidissait de son souffle. Alors Omar leur laissa le sac de farine et la jarre de graisse, et s'en alla en disant à Abou-Zeid : « Ô Abou-Zeid, maintenant que j'ai vu ce feu, sa lumière m'a éclairé ! »

À ce moment de sa narration, Schahrazade vit apparaître le matin et, discrète, se tut.

Mais lorsque fut la soixante-quatrième nuit. Elle dit :

Il m'est parvenu, ô Roi fortuné, que la jeune Nôzhatou continua ainsi :

« Et c'est le même khalifat Omar qui, ayant un jour rencontré un esclave qui menait paître le troupeau de son maître, l'arrêta pour lui acheter une chèvre. Mais le berger lui dit : « Elle ne m'appartient pas. » Alors le khalifat dit au berger : « Esclave admirable, je vais t'acheter toi-même et te libérer ! » Et il acheta le berger à son maître et l'affranchit. Car Omar se disait en lui-même : « On ne rencontre pas tous les jours un homme intègre ! »

« Un autre jour, Hafsa, la parente d'Omar, vint le trouver et lui dit : « Ô émir des Croyants, j'ai appris que l'expédition que tu viens de faire t'a procuré beaucoup d'argent. Aussi je viens, par le droit de ma parenté, t'en demander un peu. » Et Omar lui dit : « Ô Hafsa, Allah m'a constitué le gardien des biens des musulmans ; et tout cet argent est pour le bien commun des musulmans. Je n'y toucherai pas pour ton plaisir et ma parenté avec ton père ; et de la sorte je ne léserai pas les intérêts de l'ensemble de mon peuple ! »

Là, Nôzhatou, derrière le rideau, entendit les exclamations de ses auditeurs invisibles au comble de la satisfaction. Et elle cessa un instant de parler puis elle dit :

« Je parlerai maintenant de la TROISIÈME PORTE qui est la PORTE DES VERTUS.

Et ce sera par des exemples tirés de la vie des compagnons du Prophète (la paix et la prière sur lui !) et des hommes justes parmi les musulmans.

On nous raconte que Hassan Al-Bassri a dit : « Il n'y a personne qui avant de rendre l'âme ne regrette trois choses en ce monde : de n'avoir pu jouir pleinement de ce qu'il avait amassé sa vie durant ; de n'avoir pu atteindre ce qu'il avait espéré avec constance ; et de n'avoir pu réaliser un projet longuement prémédité. »

« Et quelqu'un demanda un jour à Safiân : « Un homme riche peut-il être vertueux ? » Et Safiân répondit : « Il peut l'être, et c'est lorsqu'il use de patience contre les vicissitudes du sort et lorsqu'il remercie l'homme envers qui il a été généreux en lui disant : « Ô mon frère, je te dois d'avoir fait devant Allah une action parfumée ! »

« Et lorsque Abdallah ben-Scheddad vit s'approcher la mort, il fit venir son fils Mohammad près de lui et lui dit : « Voici, ô Mohammad, mes recommandations dernières : cultive la piété envers Allah en ton particulier et en public ; sois toujours véridique dans tes discours ; et glorifie toujours Allah pour ses dons et remercie-le, car le remerciement appelle d'autres bienfaits. Et sache bien, mon fils que le bonheur n'est point dans les richesses accumulées, mais dans la piété ; car Allah te dispensera toutes choses ! »

« On nous raconte aussi que lorsque le pieux Omar ben-Abd El-Aziz devint le huitième khalifat ommiade, il rassembla tous les membres de la famille des Ommiades, qui étaient fort riches, et les obligea à lui remettre toutes leurs richesses et tous leurs biens, qu'il fit verser immédiatement au trésor public. Alors ils allèrent tous trouver Fatima, fille de Merouân, tante du khalifat, pour laquelle Omar avait beaucoup de respect, et la prièrent de les tirer de ce malheur. Et Fatima vint trouver le khalifat, une nuit, et s'assit en silence sur le tapis. Et le khalifat lui dit ; « Ô ma tante, à toi la parole ! » Mais Fatima répondit : « Ô émir des Croyants, c'est toi le maître, et je ne saurais élever la voix, moi, la première. Et d'ailleurs, rien ne t'est caché, même le motif de ma présence ici. » Alors Omar ben-Abd El-Aziz dit : « Allah Très-Haut a envoyé son prophète Mohammad (sur lui la paix et la prière !) afin qu'il fût un baume pour les créatures et une consolation pour toutes les générations futures. Alors Mohammad (sur lui la paix et la prière !) rassembla et prit tout ce qu'il jugea nécessaire, mais il laissa aux hommes un fleuve où étancher leur soif jusqu'à la fin des siècles. Et, à moi, le khalifat, il m'est échu devoir de ne point laisser ce fleuve dévier ni se perdre dans le désert ! »

À ce moment de sa narration, Schahrazade vit apparaître le matin et se tut discrètement.

Mais lorsque fut la soixante-cinquième nuit. Elle dit :

Il m'est parvenu, ô Roi fortuné, que la jeune Nôzhatou, derrière le rideau, alors que l'écoutaient le prince Scharkân, les quatre kâdis et le marchand, continua de la sorte :

« Et à moi, le khalifat, il m'est échu ce devoir de ne point laisser le fleuve dévier ni se perdre dans le désert ! » Alors sa tante Fatima lui dit : « Ô émir des Croyants, tes paroles, je les ai comprises, et les miennes deviennent inutiles. » Et elle s'en alla retrouver les Bani-Ommiah qui l'attendaient, et leur dit : « Ô descendants d'Ommiah, vous ignorez combien votre fortune est grande d'avoir pour khalifat Omar ibn-Abd El-Aziz ! »

« C'est toujours l'intègre khalifat Omar ibn-Abd El-Aziz qui, ayant senti l'approche de la mort, réunit autour de lui tous ses enfants et leur dit : « Le parfum de la pauvreté est agréable au Seigneur. » Alors l'un des assistants, Mosslim ibn-Abd El-Malek, lui dit : « Ô émir des Croyants, comment peux-tu laisser ainsi tes fils dans la pauvreté, alors que tu es leur père et le pasteur du peuple, et que tu pourrais les enrichir dans le trésor ? Cela ne vaudrait-il pas mieux que de laisser toutes ces richesses à ton successeur ? » Alors le khalifat, sur son lit étendu mourant, eut une grande indignation et une grande surprise et dit : « Ô Mosslim, comment pourrais-je leur donner cet exemple de corruption, dans mes derniers instants, alors que toute ma vie je leur ai fait suivre la voie droite ? Ô Mosslim, j'ai assisté, dans ma vie, aux funérailles de l'un de mes prédécesseurs, l'un des fils de Merouân, et mes yeux virent des choses et les comprirent. Et alors je me suis bien juré de ne point agir comme il avait agi de son vivant, si je devais jamais être le khalifat ! »

« Et ce même Mosslim ben-Abd El-Malek nous raconte ceci : « Un jour, dit-il, que je venais de m'endormir au retour de l'enterrement d'un cheikh, un ascète, j'eus un rêve où m'apparut ce cheikh vénérable tout habillé de vêtements plus blancs que le jasmin ; et il se promenait dans un lieu de délices arrosé par des eaux courantes et rafraîchi par une brise enivrée de s'être arrêtée sur les citronniers fleuris. Et il me dit : « Ô Mosslim, que ne ferait-on pas, dans la vie, pour une telle fin ? »

« Et il est parvenu jusqu'à moi qu'un homme, sous le règne d'Omar ibn-Abd El-Aziz, dont le métier était de traire les brebis, ayant été voir un berger de ses amis, vit au milieu du troupeau deux loups qu'il crut être des chiens, et il fut grandement effrayé de leur aspect sauvage, et il dit au berger, « Que fais-tu là de ces terribles chiens ? » Et le berger lui dit : « Ô laitier, ce ne sont point des chiens, mais des loups apprivoisés. Et ils ne font pas de mal au troupeau, car je suis la tête qui dirige. Et quand la tête est saine, le corps est sain. »

Et un jour le khalifat Omar ibn-Abd El-Aziz, du haut d'une chaire construite de boue desséchée, fit à son peuple assemblé un poème qui se réduisait à trois paroles seulement. Et il conclut par ces mots : « Abd El-Malek est mort, et morts aussi ses prédécesseurs et ses successeurs. Et moi aussi, Omar, comme eux tous, je mourrai ! » Alors Mosslim lui dit : « Ô émir des Croyants, cette chaire n'est point digne du khalifat, et elle n'a même pas une chaîne de rampe. Laisse-nous au moins y mettre une chaîne de rampe ! » Mais le khalifat lui dit d'une voix calme : « Ô Mosslim, voudrais-tu donc qu'Omar, au jour du jugement, portât au cou un morceau de cette chaîne ? »

À ce moment de sa narration, Schahrazade vit apparaître le matin et se tut discrètement.

Mais lorsque fut la soixante-sixième nuit. Elle dit :

Il m'est parvenu, ô Roi fortuné, que la jeune Nôzhatou dit ensuite :

« Le même khalifat dit un jour : « Je ne désire point qu'Allah me dispense de la mort, car c'est le dernier bienfait accordé au vrai Croyant ! »

« Et Khaled ben-Safouân alla un jour chez le khalifat Hescham, qui était sous les tentes entouré de ses écrivains et de ses serviteurs ; et lorsqu'il fut arrivé en sa présence, il lui dit : « Qu'Allah te comble de ses grâces, ô émir des Croyants, et qu'il ne mêle à ta félicité aucune goutte d'amertume. Et voici que j'ai à te dire des paroles non point neuves, mais douées de la valeur des choses anciennes ! » Et le khalifat Hescham lui dit : « Dis ce que tu as à dire, ô Ibn-Safouân ! » Il dit : « Il y avait, ô émir des Croyants, un roi d'entre les rois qui t'ont précédé, en une année d'entre les années passées sur la terre, et ce roi dit à ceux qui étaient assis autour de lui : « Ô vous tous, y a-t-il quelqu'un parmi vous qui ait connu un roi m'égalant en prospérité, ou généreux à l'égal de ma générosité ? » Or, parmi les assistants, se trouvait un homme sanctifié par le pèlerinage et doué de la vraie sagesse, qui dit : « Ô roi, tu nous as posé une question d'une importance considérable, à laquelle j'oserai te demander la permission de répondre. » Il dit : « Tu peux ! » L'homme dit : « La gloire où tu es et ta prospérité sont-elles durables, ou passagères comme toutes choses ? » Il répondit : « Passagères. » L'homme dit : « Alors comment peux-tu poser une question aussi grave pour une chose aussi passagère et dont tu seras appelé à rendre compte un jour ? » Le roi répondit : « Tu dis vrai, ô très vénérable. Que me faut-il faire maintenant ? » L'homme dit : « Te sanctifier. » Alors le roi déposa sa couronne et revêtit l'habit de pèlerin et partit pour la Ville Sainte. « Et toi, ô khalifat d'Allah, continua Ibn-Safouân, que penses-tu faire ? » Et le khalifat Hescham fut ému à la limite de l'émotion, et pleura extrêmement et si longtemps qu'il mouilla toute sa barbe. Et il rentra dans son palais s'y enfermer pour méditer. »

À ce moment, derrière le rideau, les kâdis et le marchand s'écrièrent : « Ya Allah ! que c'est admirable ! »

Alors Nôzhatou s'arrêta et dit : « Cette porte de la Morale contient une telle quantité de traits encore plus sublimes qu'il m'est impossible de vous les narrer en une seule séance, ô mes maîtres ! Mais Allah nous accordera encore de longs jours, et je pourrai alors vous édifier tout à fait ! »

Puis Nôzhatou se tut.

À ce moment de sa narration, Schahrazade vit apparaître le matin et, remit son récit au lendemain.

Mais lorsque fut la soixante-septième nuit. Elle dit :

Il m'est parvenu, ô Roi fortuné, qu'à ces paroles Nôzhatou se tut. Alors les quatre kâdis s'écrièrent : « Ô prince du temps, en vérité cette jeune fille est la merveille du siècle et de tous les siècles. Quant à nous, jamais nous n'avons vu quelqu'un qui lui fût comparable, ni entendu dire qu'il y eût son égal dans une époque quelconque d'entre les époques ! » Et, ayant ainsi parlé, ils se levèrent en silence et baisèrent la terre entre les mains du prince Scharkân, et s'en allèrent en leur chemin.

Alors Scharkân appela ses serviteurs et leur dit : « Il faut vous hâter de faire les préparatifs de la noce et d'apprêter toutes sortes de mets et de douceurs pour le festin. » Et les serviteurs se hâtèrent de suivre ses ordres et préparèrent immédiatement tout ce qu'il leur avait commandé. Et Scharkân retint pour la noce les épouses des émirs et des vizirs qui étaient venues écouter les paroles de Nôzhatou, et les invita à être du cortège de la mariée.

Aussi, à peine l'asr venu, le festin commença et les nappes furent tendues et l'on servit toutes choses pouvant satisfaire les sens et réjouir les yeux. Et tous les invités mangèrent et burent jusqu'à satiété. Alors Scharkân fit venir les chanteuses les plus illustres de Damas et toutes les aimées du palais. Et la noce fit retentir la salle du festin et la joie emplit toutes les poitrines. Et tout le palais, la nuit venue, fut illuminé depuis la citadelle jusqu'aux portes extérieures, ainsi que toutes les allées, à droite et à gauche, du jardin. Et les émirs et les vizirs vinrent, une fois Scharkân sorti du hammam, présenter leurs hommages entre ses mains et leurs vœux de prospérité.

Et comme Scharkân était assis sur l'estrade spéciale des nouveaux mariés, voici que soudain entrèrent les femmes du palais, lentement sur deux rangs, avec la nouvelle mariée Nôzhatou soutenue par ses deux marraines. Et, après les cérémonies de l'habillement, elles conduisirent Nôzhatou dans la chambre nuptiale, et la déshabillèrent et voulurent procéder à sa toilette de corps ; mais elles virent qu'en vérité la toilette de corps était superflue pour ce miroir immaculé et cette chair d'encens. Alors les marraines firent à la jeune Nôzhatou les recommandations que font les marraines la nuit des noces aux jeunes filles, et lui souhaitèrent toutes sortes de délices et, l'ayant vêtue de la chemise fine seulement, elles la laissèrent seule, sur le lit.

Alors Scharkân fit son entrée dans la chambre nuptiale. Et il était loin de soupçonner que cette merveilleuse adolescente fût sa sœur Nôzhatou ; et elle également ignorait que le prince de Damas fût son propre frère Scharkân. Aussi, cette nuit-là, Scharkân entra en possession de la jeune Nôzhatou ; et leurs délices, à tous deux, furent considérables ; et la chose fut si bien faite que du coup Nôzhatou devint enceinte. Et elle ne manqua pas de le révéler à Scharkân. Alors Scharkân fut extrêmement réjoui et, lorsque vint le matin, il ordonna aux médecins d'inscrire ce jour heureux de la grossesse ; et il monta s'asseoir sur le trône pour recevoir les félicitations de ses émirs, de ses vizirs et des grands du royaume.

Cela fini, Scharkân fit venir son secrétaire particulier et lui ordonna d'écrire, sous sa dictée, à son père, le roi Omar Al-Némân, qu'il avait épousé une jeune fille achetée à un marchand et douée de beauté, de sagesse et de toutes les perfections de la science et de la culture ; qu'il l'avait affranchie pour en faire son épouse légitime ; qu'elle venait, dès la première nuit, d'être enceinte de lui, et qu'il avait l'intention de l'envoyer bientôt à Bagdad visiter le roi Omar Al-Némân, son père, sa sœur Nôzhatou et son frère Daoul'makân. Puis, la lettre écrite, Scharkân la cacheta et la remit à un courrier rapide qui partit aussitôt pour Bagdad et, au bout de vingt jours, revint avec la réponse du roi Omar Al-Némân. Et cette réponse était ainsi conçue…

À ce moment de sa narration, Schahrazade vit apparaître le matin et, discrète, se tut.

Mais lorsque fut la soixante-huitième nuit. Elle dit :

Et cette réponse la voici. Après l'invocation à Allah : « Ceci est de la part du désolé, du consterné, de l'accablé par la douleur et la tristesse, de celui qui a perdu son trésor d'âme et ses enfants, du malheureux roi Omar Al-Némân à son fils bien-aimé Scharkân.

Apprends, ô mon enfant, mes malheurs, et sache qu'après ton départ pour Damas, je sentis tellement le logis se rétrécir sur mon âme que, n'en pouvant plus d'affliction, je partis à la chasse respirer l'air et tâcher de dissiper un peu mon chagrin.

Et je restai ainsi à la chasse durant un mois, au bout duquel je rentrai dans mon palais et appris que ton frère Daoul'makân et ta sœur Nôzhatou étaient partis pour le Hedjaz, avec les pèlerins de La Mecque Sainte. Et ils avaient ainsi profité de mon absence pour s'échapper ; car je n'avais pas voulu autoriser Daoul'makân, à cause de son jeune âge, à entreprendre le pèlerinage cette année-là ; mais je lui avais promis de partir avec lui l'année suivante. Et il ne voulut point patienter, et s'échappa de la sorte, avec sa sœur, après avoir pris à peine de quoi subvenir aux dépenses de la route. Et je n'ai plus de leurs nouvelles. Car les pèlerins sont revenus sans tes frères ; et nul n'a pu me dire ce qu'ils sont devenus. Et voici que maintenant je me suis vêtu pour eux de mes habits de deuil, et je suis noyé dans mes larmes et ma douleur.

Et je t'envoie mon souhait de paix à toi et à tous ceux qui sont chez toi ! »

Or, quelques mois après le reçu de cette lettre, Scharkân se décida à raconter le malheur de son père à son épouse, qu'il n'avait pas voulu troubler jusqu'alors, à cause de sa grossesse. Mais maintenant qu'elle avait accouché d'une fillette, Scharkân entra chez elle et commença d'abord par embrasser la fillette. Et son épouse lui dit : « La fillette vient d'avoir sept jours d'âge ; il te faut donc, selon la coutume, aujourd'hui que c'est le septième jour, lui donner un nom ! » Alors Scharkân prit la fillette dans ses bras et, comme il la regardait, il vit à son cou, suspendue par une chaîne d'or, l'une des trois merveilleuses gemmes d'Abriza, l'infortunée princesse de Kaïssaria.

À cette vue, Scharkân eut une telle émotion qu'il s'écria : « D'où as-tu cette gemme, ô esclave ? » Alors Nôzhatou, à ce mot d'esclave, se sentit étouffer d'indignation et s'écria :

« Je suis ta maîtresse et la maîtresse de tous ceux qui habitent ce palais ! Comment oses-tu m'appeler esclave, alors que je suis ta reine ! Ah ! mon secret ne saurait plus longtemps être gardé ! Oui, je suis ta reine, je suis fille de roi ! Je suis Nôzhatou'zamân, fille du roi Omar Al-Némân ! »

Lorsque Scharkân eut entendu ces paroles…

À ce moment de sa narration, Schahrazade vit apparaître le matin et, discrète, se tut.

Mais lorsque fut la soixante-neuvième nuit. Elle dit :

Lorsque Scharkân eut entendu ces paroles, il fut pris d'un tremblement de tout le corps et baissa la tête, atterré et plein de consternation ; puis il pâlit progressivement et tomba évanoui. Et lorsqu'il fut revenu à lui, il ne put encore croire à la chose, et demanda à Nôzhatou : « Ô ma maîtresse, es-tu la fille même du roi Omar Al-Némân ? » Elle répondit : « Je suis sa fille. » Alors il lui dit : « La gemme précieuse m'est déjà un signe de vérité ; mais donne-moi d'autres preuves. » Et Nôzhatou raconta à Scharkân toute son histoire. Et il est inutile de la répéter.

Alors Scharkân fut complètement convaincu et se dit en lui-même : « Qu'ai-je fait, et comment ai-je pu me marier à ma propre sœur ! Aussi, comme seul moyen de tout sauver, il ne me reste qu'à lui trouver un autre mari ; et pour cela je la donnerai en mariage à l'un de mes chambellans, et, dans le cas où la chose viendrait à être connue, je ferais répandre le bruit que j'ai divorcé avant de coucher avec elle. » Puis Scharkân se tourna vers sa sœur et lui dit : « Ô Nôzhatou, sache à ton tour que tu es ma sœur, car je suis Scharkân, fils d'Omar Al-Némân, dont tu n'as sans doute jamais entendu parler au palais de notre père ! Et qu'Allah nous pardonne ! »

Lorsque Nôzhatou eut entendu ces mots, elle poussa un grand cri et tomba évanouie. Puis, revenue à elle, elle se mit à se frapper les joues et à se lamenter et à pleurer ; et elle dit : « Voici que nous sommes tombés dans une faute terrible ! Comment faire désormais ? Et que répondre à mon père et à ma mère lorsqu'ils me demanderont : « D'où as-tu cette fillette ? » Et Scharkân dit : « J'ai idée que la meilleure manière de tout arranger est de te donner en mariage à mon grand chambellan ; car de la sorte tu pourras aisément élever notre fillette dans sa maison, comme si elle était sa propre fille, et personne ne pourra soupçonner l'affaire. Sois donc sûre, ô Nôzhatou, que tel est le meilleur moyen de sauver la situation. Je vais aussitôt faire appeler mon grand chambellan, avant que ne s'ébruite notre secret. » Puis Scharkân se mit à consoler sa sœur et à lui embrasser tendrement la tête. Alors elle lui dit : « Je veux bien, ô Scharkân ! Mais, dis-moi, quel nom vas-tu maintenant choisir pour notre fille, car il n'est que temps ? » Et Scharkân dit : « Je l'appellerai Force-du-Destin ! »

Et Scharkân se hâta de faire appeler son grand chambellan, et il lui donna Nôzhatou en mariage, séance tenante, et l'envoya chez lui, elle et la petite fille, en le comblant lui-même d'autres cadeaux. Et le grand chambellan emmena Nôzhatou et sa fille dans sa maison, et ne manqua pas de la combler elle-même d'égards et de largesses et de confier la fillette aux soins des nourrices et des servantes.

Tout cela ! Et Daoul'makân, le frère de Nôzhatou, et le bon chauffeur du hammam s'apprêtaient à partir pour Bagdad avec la caravane de Damas.

Or, sur ces entrefaites, arriva un second courrier de la part du roi Omar Al-Némân, porteur d'une seconde lettre pour le prince Scharkân. Et voici le contenu de cette lettre.

Après l'invocation :

« Ceci est pour te dire, ô mon fils bien-aimé, que je continue à être en proie à ma douleur et à goûter l'amertume d'être séparé de mes pauvres enfants.

Et ensuite ! Sitôt ma lettre reçue, il te faudra m'envoyer le tribut annuel de la province de Scham, et profiter de la caravane pour m'envoyer également ta jeune épouse que je désire beaucoup connaître, et dont surtout je souhaite fort mettre à l'épreuve la science et la culture d'esprit. Car je dois te dire que je viens de voir arriver dans mon palais, venant du pays des Roum, une vénérable vieille femme accompagnée de cinq adolescentes aux seins arrondis et à l'intacte virginité. Et ces cinq adolescentes connaissent tout ce qu'un homme peut atteindre dans les sciences et les connaissances humaines. Et la langue est impuissante à décrire les qualités de ces adolescentes et la sagesse de la vieille, car elles ont toutes les perfections. Aussi je me suis pris pour elles d'une véritable affection, et j'ai voulu les tenir en ma possession dans mon palais et mon royaume, à portée de ma main ; car nul roi sur la terre n'a semblable ornement pour son palais. J'en ai donc demandé le prix d'achat à la vieille qui me répondit : « Je ne pourrais les vendre qu'au prix du tribut annuel qui te revient de la province de Scham et de Damas. » Et moi, par Allah ! je n'ai point trouvé que ce prix fût élevé, et je l'ai même trouvé indigne d'elles ; car chacune des cinq adolescentes, à elle seule, vaut bien plus que cela. J'ai donc accepté ce prix d'achat et je les ai invitées à habiter dans mon palais, en attendant l'envoi prochain du tribut annuel que j'attends au plus vite de ta sollicitude, ô mon enfant. Car ici la vieille s'impatiente et a hâte de retourner dans son pays.

« Et surtout, mon fils, n'oublie pas de m'envoyer, en même temps, ta jeune épouse, dont la science nous sera utile pour juger des connaissances des cinq adolescentes. Et je te promets, si ta jeune épouse parvient à les vaincre en science et en culture d'esprit, de t'envoyer les adolescentes en présent à toi-même, et, en plus, de te faire cadeau du tribut annuel de la ville de Bagdad.

Et que la paix soit sur toi et sur tous ceux de ta maison, ô mon fils ! »

Lorsque Scharkân eut lu cette lettre de son père…

À ce moment de sa narration, Schahrazade vit apparaître le matin, et, discrète, se tut.

Mais lorsque fut la soixante-dixième nuit. Elle dit :

Lorsque Scharkân eut lu cette lettre de son père, il fit venir immédiatement son beau-frère le chambellan et lui dit : « Envoie tout de suite chercher la jeune esclave que je t'ai donnée en mariage. » Et lorsque Nôzhatou fut arrivée, Scharkân lui dit : « Ô ma sœur, lis cette lettre de notre père et dis-moi ce que tu en penses. » Et Nôzhatou, ayant lu la lettre, répondit : « Ce que tu penses est toujours bien pensé et ton projet est le meilleur. Mais, si tu m'interroges, je te dirai que mon désir le plus ardent est de voir mes parents et mon pays, et je te prierai de me laisser partir, en compagnie de mon époux le grand chambellan, pour que je puisse raconter mon histoire à notre père et lui dire tout ce qui m'est arrivé avec le Bédouin et comment le Bédouin m'a vendue au marchand, et comment le marchand m'a vendue à toi, et comment toi, tu m'as donnée en mariage au premier chambellan après avoir divorcé d'avec moi sans coucher. » Et Scharkân lui répondit : « Cela sera ainsi. »

Alors Scharkân appela le premier chambellan, qui était loin de se savoir le beau-frère du prince, et lui dit : « Tu vas partir pour Bagdad à la tête de la caravane qui porte à mon père le tribut de Damas et tu prendras avec toi ton épouse, la jeune esclave que je t'ai donnée. » Et le premier chambellan répondit : « J'écoute et j'obéis ! » Alors Scharkân lui fit préparer une grande litière sur un beau chameau ; il fit préparer une seconde litière pour Nôzhatou, en vue du voyage, et remit une lettre au grand chambellan pour le roi Omar Al-Némân, et leur fit ses adieux, après avoir gardé chez lui au palais la petite fillette Force-du-Destin et avoir bien constaté qu'elle avait toujours au cou, pendue à une chaîne d'or, l'une des trois gemmes précieuses de la malheureuse Abriza. Et il confia la fillette aux nourrices et aux servantes du palais ; et, lorsque Nôzhatou se fut bien assurée que sa fillette ne manquait de rien, elle s'éloigna avec son époux le chambellan. Et tous deux s'installèrent chacun sur un beau dromadaire de course et allèrent se mettre à la tête de la caravane.

Or, ce fut juste en cette nuit-là que le chauffeur du hammam et Daoul'makân, qui étaient sortis faire leur promenade jusqu'au palais du gouverneur de Damas, avaient vu les chameaux, les mulets et les porteurs de flambeaux. Et c'est alors que Daoul'makân avait demandé à l'un des serviteurs : « À qui appartiennent donc toutes ces charges ? » Et l'homme avait répondu : « C'est le tribut de la ville de Damas au roi Omar Al-Némân. »

Alors Daoul'makân demanda : « Et qui est le chef de la caravane ? » L'homme dit : « C'est le grand chambellan, l'époux de la jeune esclave qui est tellement versée dans les sciences et la sagesse. » Alors Daoul'makân se mit à pleurer abondamment, car le souvenir lui revenait de sa sœur Nôzhatou, de sa famille et de son pays ; et il dit au bon chauffeur : « Ah ! mon frère, partons avec la caravane ! » Et le chauffeur dit : « Et je vais avec toi ; car je ne saurais te laisser seul aller à Bagdad après t'avoir accompagné de Jérusalem à Damas ! » Et Daoul'makân répondit : « Ô mon frère, je t'aime et te respecte ! » Alors le chauffeur prépara toutes choses, mit le bât sur l'âne et une besace sur l'âne et des provisions dans la besace ; puis il se serra la taille et releva les pans de sa robe et les attacha à sa ceinture, et fit monter Daoul'makân sur l'âne. Alors

Daoul'makân lui dit : « Monte derrière moi. » Mais le chauffeur se récusa en disant : « Je m'en garderai bien, ô mon maître, car je veux être entièrement à ton service. » Et Daoul'makân dit : « Il faut au moins monter te reposer une heure derrière moi, sur l'âne ! » Il répondit : « Si par hasard je venais à me trop fatiguer, je monterais me reposer une heure derrière toi. » Alors Daoul'makân lui dit : « Ô mon frère, je ne puis, en vérité, rien te dire maintenant ; mais, à notre arrivée chez mes parents, tu verras, je l'espère, comment je saurai reconnaître tes bons services et ton dévouement. »

Et comme la caravane, profitant de la fraîcheur nocturne, se mettait en marche, le chauffeur, à pied, et Daoul'makân, sur l'âne, la suivirent, alors que le grand chambellan et son épouse Nôzhatou, entourés de leur nombreuse suite, tenaient la tête de la caravane, montés chacun sur un dromadaire de race.

Et l'on marcha toute la nuit jusqu'au lever du soleil. Et, comme la chaleur devenait trop forte, le grand chambellan donna l'ordre de faire halte à l'ombre d'un bouquet de palmiers. Et l'on descendit pour se reposer et l'on donna à boire aux chameaux et aux bêtes de somme. Après quoi l'on repartit et l'on marcha encore durant cinq nuits, au bout desquelles on arriva à une ville où l'on s'arrêta trois jours ; puis on continua le voyage jusqu'à ce que l'on ne fût plus qu'à quelque distance de la ville de Bagdad : ce dont on jugea à la brise qui en venait et qui ne pouvait venir que de la seule Bagdad…

À ce moment de sa narration, Schahrazade vit apparaître le matin et, discrète, se tut.

Mais lorsque fut la soixante et onzième nuit. Elle dit :

Lorsque Daoul'makân eut senti cette brise de son pays, les bouffées emplirent sa poitrine du souvenir de sa sœur Nôzhatou, de son père et de sa mère, et il pensa aussitôt à l'absence de sa sœur et à la douleur de ses parents le voyant revenir sans Nôzhatou ; et il pleura et se sentit oppressé extrêmement et récita des strophes :

« Objet que j'aime ! ne pourrai-je jamais de toi me rapprocher ? objet que j'aime ! et ce silence sera-t-il toujours triomphant ?

Ah ! qu'elles sont courtes les heures de l'union et leurs délices ! Ah ! qu'ils sont longs les jours de l'absence !

Viens ! Viens ! prends-moi par la main ! Voici que mon corps a fondu de toute l'ardeur de mon désir !

Viens ! et ne me dis pas d'oublier. Par Allah ! ne me dis pas de me consoler. Ma seule consolation serait de te sentir dans mes bras ! »

Alors le bon chauffeur lui dit : « Mon enfant, assez pleurer ainsi. Songe, d'ailleurs, que nous sommes assis tout près de la tente du chambellan et de son épouse. » Il répondit : « Laisse-moi pleurer et me réciter des poèmes qui me bercent et peuvent éteindre un peu la flamme de ce cœur ! » Et, sans plus écouter le chauffeur, il tourna son visage dans la direction de Bagdad, sous la clarté de la lune. Et comme en ce moment Nôzhatou, de son côté, étendue sous la tente, ne pouvait dormir, toute à la pensée des absents, et qu'elle rêvait tristement, les larmes aux yeux, elle entendit non loin de la tente la voix qui chantait passionnément ces vers :

« Il a brillé un instant, l'éclair de félicité. Mais après l'éclair, la nuit est encore plus la nuit. Ainsi pour moi se changea la douce coupe où l'ami me fit boire ses délices.

En allée au loin, la paix de mon cœur, quand apparut la face du destin, et morte mon âme avant la réunion attendue avec le bien-aimé. »

Et, ayant fini ce chant, Daoul'makân s'effondra sans connaissance.

Quant à la jeune Nôzhatou, épouse du chambellan, lorsqu'elle eut entendu ce chant qui s'élevait dans la nuit, elle se dressa anxieuse et appela l'eunuque qui dormait à l'entrée de la tente et qui accourut aussitôt et demanda : « Que désires-tu, ô ma maîtresse ? » Elle lui dit : « Cours vite chercher l'homme qui vient de chanter ces vers et amène-le-moi ici ! » Alors l'eunuque lui dit : « Mais je dormais et je n'ai rien entendu ! Et je ne pourrais le trouver dans la nuit, à moins de réveiller tous nos gens, qui sont endormis. » Elle lui dit : « Il le faut ! Celui que tu trouveras réveillé sera certainement celui dont je viens d'entendre la voix. » Alors l'eunuque n'osa pas insister et sortit à la recherche de l'homme à la voix.

À ce moment de sa narration, Schahrazade vit apparaître le matin et se tut discrètement.

Mais lorsque fut la soixante-douxième nuit. Elle dit :

Alors l'eunuque n'osa insister et sortit à la recherche de l'homme à la voix. Mais il eut beau regarder de tous côtés et marcher dans toutes les directions, il ne trouva d'autre homme réveillé que le vieux chauffeur du hammam, car Daoul'makân gisait évanoui. Et, d'ailleurs, le bon chauffeur, à la vue de l'eunuque qui, à la clarté de la lune, paraissait de fort méchante humeur, eut grand-peur que Daoul'makân eût troublé le sommeil de l'épouse du chambellan, et se tint coi. Mais déjà l'eunuque l'avait vu ; et il lui dit : « C'est bien toi qui viens de chanter ces vers que ma maîtresse a entendus ? » Alors le chauffeur fut complètement convaincu que l'épouse du chambellan avait été dérangée, et s'écria : « Oh, non ! ce n'est pas moi ! » L'eunuque dit : « Mais qui donc alors ? Indique-le-moi, car certainement tu as dû l'entendre et le voir, du moment que tu ne dormais pas. » Et le bon chauffeur, de plus en plus effrayé pour Daoul'makân, dit : « Mais non, je ne le connais pas et je n'ai rien entendu. » L'eunuque dit : « Par Allah ! tu mens avec impudence, et tu ne me feras pas croire, du moment que tu es éveillé et assis ici même, que tu n'aies rien entendu ! » Alors le chauffeur dit : « Je vais te dire la vérité ! Celui qui chantait ces vers est un nomade qui vient de passer par là monté sur un chameau. Et c'est lui qui m'a réveillé avec sa maudite voix ! Et puisse Allah le confondre ! » Alors l'eunuque se mit à hocher la tête d'un air guère convaincu et retourna, en maugréant, dire à sa maîtresse : « C'est un bonhomme de nomade qui est déjà loin sur son chameau ! » Et Nôzhatou, désolée de ce contretemps, regarda l'eunuque et ne dit plus rien.

Sur ces entrefaites, Daoul'makân revint de son évanouissement ; et il vit, au-dessus de sa tête, la lune au fond du ciel ; et en son âme se leva la brise enchanteresse des évocations lointaines ; et en son cœur chanta la voix d'innombrables oiseaux et la modulation des flûtes invisibles de l'esprit ; et il fut pris de l'irrésistible désir d'exhaler en chants les intimes postulations qui le faisaient comme s'envoler. Et il dit au chauffeur : « Écoute ! » Mais le chauffeur lui demanda : « Que vas-tu faire, mon enfant ? » Il dit : « Réciter quelques vers admirables qui me calmeraient le cœur ! » Le chauffeur dit : « Ne sais-tu donc point ce qui est arrivé, et que ce n'est qu'en usant de bonnes manières envers l'eunuque que j'ai réussi à nous sauver d'une perte certaine ? » Et Daoul'makân demanda : « Que me dis-tu là, et quel eunuque ? » Le chauffeur répondit : « Ô mon maître l'eunuque de l'épouse du grand chambellan est venu ici, avec une mine de travers, pendant que tu étais évanoui ; et il brandissait un grand bâton en bois d'amandier ; et il se mit à dévisager tous les gens endormis ; et, comme il ne trouvait que moi de réveillé, il me demanda, d'un ton courroucé, si c'était moi qui avait élevé la voix. Mais je lui répondis : « Ah, non ! pas du tout. C'est tout bonnement un nomade qui passait par le chemin ! » Et l'eunuque n'eut pas l'air de me croire tout à fait, car, avant de s'en aller, il me dit : « Si par hasard tu entendais la voix, tu saisirais l'homme pour me le livrer, afin que je puisse le conduire chez ma maîtresse ! Et je t'en rends responsable ! » Tu vois donc que c'est à grand-peine que j'ai pu détourner l'attention de ce noir soupçonneux. »

Lorsque Daoul'makân eut entendu ces paroles, il fut très affecté et s'écria : « Et quel est l'homme qui osera m'empêcher de me chanter à moi-même les poèmes qui me plaisent ? Je veux chanter tous les vers que j'aime, et il arrivera ce qui arrivera ! Et, d'ailleurs, qu'ai-je à craindre, maintenant que nous sommes tout proches de mon pays ; rien désormais ne saurait me troubler ! » Alors le pauvre chauffeur lui dit : « Je vois bien maintenant que tu veux absolument te perdre ! » Il répondit : « Il faut absolument que je chante ! » Le chauffeur dit : « Ne m'oblige pas à me séparer de toi, car je préfère m'en aller plutôt que de voir t'arriver du mal ! Oublies-tu, mon enfant, que voilà déjà un an et demi que tu es avec moi, et que jamais tu n'eus rien à me reprocher ? Pourquoi veux-tu maintenant me forcer à m'en aller ? Songe que tout le monde ici est harassé de fatigue et dort tranquillement. De grâce, ne va pas nous troubler avec tes vers, qui, d'ailleurs, je le reconnais, sont de toute beauté ! » Mais Daoul'makân ne put se retenir davantage, et comme la brise au-dessus d'eux chantait dans les palmes touffues, de toute sa voix il clama :

« Ô temps ! où sont les jours où nous étions les favoris du destin, où nous étions réunis dans la demeure chérie, dans la plus adorable des patries ?

Ô temps !... mais que tout cela est passé ! Car nous eûmes des jours pleins de rires et des nuits pleines de sourires !

Ah ! où sont les jours où s'épanouissait Daoul'makân, à côté d'une fleur nommée Nôzhatou'zamân !... »

Et, ayant fini ce chant, il poussa trois grands cris et tomba évanoui. Alors le bon chauffeur se leva et se hâta de le couvrir de son manteau.

Quant à Nôzhatou, lorsqu'elle eut entendu ces vers où étaient cités son nom et le nom de son frère, et où elle se reconnaissait bien dans ses malheurs, elle fut suffoquée par les sanglots, puis elle se hâta d'appeler l'eunuque et lui cria : « Malheur à toi ! L'homme qui a chanté la première fois vient de chanter une seconde fois, car je viens de l'entendre là, tout près ! Or, par Allah ! si tu ne me l'amènes pas tout de suite, j'irai trouver mon époux sous sa tente, et il te donnera la bastonnade et te chassera. Maintenant prends ces cent dinars et donne-les à l'homme à la voix, et décide-le avec douceur à venir ici ; et s'il refuse donne-lui cette bourse qui contient mille dinars ; et s'il refuse, n'insiste plus mais informe-toi de l'endroit où il loge et de ce qu'il fait et de quel pays il est ; et reviens vite me mettre au courant. Et surtout ne tarde pas ! »

À ce moment de sa narration, Schahrazade vit apparaître le matin et, discrète, se tut.

Mais lorsque fut la soixante-treizième nuit. Elle dit :

« Et surtout ne tarde pas ! »

Alors l'eunuque sortit de la tente de sa maîtresse, à la recherche de l'homme à la voix : et il se mit à marcher entre les jambes des gens endormis et à les dévisager tous un à un ; mais il ne trouva personne qui fût éveillé. Alors il s'approcha du chauffeur, qui était assis sans manteau et la tête découverte, et il le saisit par le bras et lui cria : « C'est toi seul qui es le chanteur ! » Mais le chauffeur, terrifié, s'écria : « Non, par Allah, ce n'est pas moi, ô chef des eunuques ! » L'eunuque dit : « Je ne te laisserai point avant que tu ne m'indiques le diseur de vers ! Car je n'oserai jamais plus retourner, sans lui, auprès de ma maîtresse ! » À ces paroles, le pauvre chauffeur eut une très grande peur pour Daoul'makân, et il se mit à se lamenter et dit à l'eunuque : « Par Allah ! Je t'affirme que le chanteur est un passant du chemin ! Et ne me torture pas davantage, car tu en rendras compte au Jugement d'Allah ! Je ne suis qu'un pauvre homme qui viens de la ville d'Abraham, l'ami d'Allah ! » Mais l'eunuque lui dit : « Soit ! mais viens alors avec moi dire cela de ta bouche à ma maîtresse qui ne me croit pas ! » Alors le chauffeur lui dit : « Ô grand et admirable serviteur, crois-moi, retourne tranquillement sous la tente ; et si la voix vient encore à se faire entendre, tu m'en rendras, cette fois, absolument responsable. Et moi seul, dans ce cas, je serai le coupable ! » Puis, pour calmer l'eunuque et le décider à s'en aller, il lui dit des paroles très agréables et lui fit beaucoup de compliments et lui embrassa la tête.

Alors l'eunuque se laissa convaincre et le lâcha ; mais, au lieu de retourner chez sa maîtresse devant laquelle il n'osait plus se présenter, il fit demi-tour et revint se blottir à l'affût non loin du chauffeur du hammam.

Pendant ce temps, Daoul'makân était revenu de son évanouissement ; et le chauffeur lui dit : « Lève-toi maintenant, que je te raconte ce qui vient de nous arriver à cause de tes vers ! » Et il lui raconta la chose. Mais Daoul'makân, qui l'écoutait sans attention, lui dit : « Oh ! je ne veux plus rien savoir, et je n'ai plus de raison pour comprimer en moi mes sensations, maintenant surtout que nous sommes tout près de mon pays ! » Alors le chauffeur, épouvanté, lui dit : « Ô mon enfant, assez écouter de la sorte les mauvaises suggestions ! Comment as-tu cette assurance, quand je suis moi-même plein de crainte pour toi et pour moi ? Par Allah sur toi, je te conjure de ne plus chanter des vers avant d'être arrivé tout à fait dans ton pays ! En vérité, mon enfant, jamais je ne t'eusse cru si entêté que cela ! Songe enfin que l'épouse du chambellan veut te faire châtier, car tu lui es une cause d'insomnie, alors qu'elle est fatiguée du voyage et indisposée ; et elle a déjà par deux fois envoyé son eunuque te chercher ! »

Mais Daoul'makân, sans faire attention aux paroles du chauffeur, pour la troisième fois éleva la voix et, de toute son âme, il chanta ces strophes :

« Au loin ! Je ne veux plus de ces blâmes qui jettent le trouble dans mon âme et l'insomnie dans mes yeux.

Ils m'ont dit : « Comme tu es changé ! » Je leur dis : « Vous ne savez pas ! » Ils m'ont dit : « C'est l'amour ! » Je leur dis : « Est-ce que l'amour peut ainsi faire dépérir ? »

Ils m'ont dit : « C'est l'amour ! » Et je leur dis : « Je ne veux plus de l'amour, ni de la coupe de l'amour, ni des tristesses de l'amour.

Ah ! je ne veux plus que des choses subtiles qui calment et soient un baume à mon cœur torturé ! »

Mais à peine Daoul'makân avait-il fini de chanter ces vers que soudain devant lui l'eunuque apparut. À cette vue, le pauvre chauffeur fut tellement terrifié qu'il s'enfuit au plus vite et se mit de loin à regarder ce qui allait arriver.

Alors l'eunuque s'avança respectueusement près de Daoul'makân et lui dit : « La paix sur toi ! »

À ce moment de sa narration, Schahrazade vit apparaître le matin et, discrète, se tut.

Mais lorsque fut la soixante-quatorzième nuit. Elle dit :

Il m'est parvenu, ô Roi fortuné, que l'eunuque dit : « La paix sur toi ! » Alors Daoul'makân répondit : « Et sur toi la paix et la miséricorde d'Allah et ses bénédictions ! » Et l'esclave dit : « Ô mon maître, voici que pour la troisième fois, ma maîtresse m'envoie à ta recherche, car elle désire te voir. » Mais Daoul'makân répondit : « Ta maîtresse ! et quelle est cette chienne qui a l'audace de m'envoyer chercher ? Puisse Allah la confondre et la maudire, elle, et son époux avec elle ! » Et, non content de cette sortie, Daoul'makân se mit à injurier l'eunuque sans discontinuer, pendant un bon moment. Et l'eunuque ne voulut rien répondre, car sa maîtresse lui avait bien recommandé de ne prendre le chanteur que par la douceur et de ne l'amener chez elle que de son propre vouloir. Aussi l'eunuque fit tout son possible pour lui dire des paroles onctueuses et adoucir son emportement ; il lui dit, entre autres choses : « Mon enfant, cette démarche que je fais auprès de toi n'est point pour t'offenser ou pour te faire de la peine, mais simplement pour te supplier de vouloir bien diriger tes pas généreux de notre côté, pour parler à ma maîtresse qui désire ardemment te voir. Et, d'ailleurs, elle saura bien reconnaître ta bonté pour elle ! »

Alors Daoul'makân fut touché et consentit à se lever et à accompagner l'eunuque sous la tente, tandis que le pauvre chauffeur, de plus en plus tremblant de peur pour Daoul'makân, se décidait à le suivre de loin, en pensant en lui-même : « Quel malheur pour sa jeunesse ! Sûrement demain, au lever du soleil, il sera pendu ! » Puis il eut une pensée terrible qui le rendit encore plus épouvanté que jamais, car il se dit : « Qui sait même si Daoul'makân, pour se disculper, ne va pas maintenant rejeter la faute sur moi et prétendre que c'est moi qui ai chanté les vers ! Oh ! cela serait bien vilain de sa part ! »

Or, pour ce qui est de Daoul'makân et de l'eunuque, ils se mirent à circuler avec difficulté entre les gens endormis et les bêtes et finirent par arriver à l'entrée de la tente de Nôzhatou. Alors l'eunuque pria Daoul'makân d'attendre et entra tout seul prévenir sa maîtresse en lui disant : « Voici que je t'amène l'homme en question. Et c'est un tout jeune homme de très belle figure et dont le maintien prouve une haute et noble origine. » À ces paroles, Nôzhatou sentit se précipiter les battements de son cœur et dit à l'eunuque : « Fais-le s'asseoir tout près de la tente et prie-le de nous chanter encore un peu de ses vers, pour que je les entende de près. Et ensuite tu t'informeras de son nom et de son pays. » Alors l'eunuque sortit et dit à Daoul'makân : « Ma maîtresse te prie de lui chanter quelques-uns de tes vers, et elle est à écouter, dans la tente. Et elle désire également savoir ton nom et ton pays et ton état. » Il répondit : « De tout cœur généreux et comme hommage dû ! Mais pour ce qui est de mon nom, il est depuis longtemps effacé, comme mon cœur est consumé et mon corps abîmé. Et mon histoire est digne d'être écrite avec les aiguilles sur le coin intérieur de l'œil. Et je suis devenu tel l'ivrogne qui a tellement abusé des vins qu'il en est devenu infirme pour la vie ! Et je suis comme le somnambule ! Et je suis comme le noyé de la folie ! »

Lorsque Nôzhatou, dans la tente, eut entendu ces paroles, elle se mit à sangloter et dit à l'eunuque : « Demande-lui s'il a perdu quelqu'un de cher, comme, par exemple, une mère, un père ou un frère ! » Et l'eunuque sortit et questionna Daoul'makân comme le lui avait ordonné sa maîtresse. Il répondit : « Hélas ! oui, j'ai perdu tout cela et, en plus, une sœur qui m'aimait et dont je n'ai plus de nouvelles, car le destin nous a séparés ! » Et Nôzhatou, à ces paroles que lui rapporta l'eunuque, dit : « Fasse Allah que ce jeune homme puisse trouver une consolation dans ses malheurs et se réunir à ceux qu'il aime ! » Puis, elle dit à l'eunuque…

À ce moment de sa narration, Schahrazade vit apparaître le matin et, discrète, se tut.

Mais lorsque fut la soixante-quinzième nuit. Elle dit :

Il m'est parvenu, ô Roi fortuné, que Nôzhatou, l'épouse du chambellan, dit à l'eunuque : « Va maintenant le prier de nous chanter quelques vers sur l'amertume de la séparation. » Et l'eunuque alla lui faire la prière comme l'avait ordonné sa maîtresse. Alors Daoul'makân, assis non loin de la tente, appuya sa joue sur sa main, et comme la lune éclairait les gens endormis et les bêtes, sa voix fusa dans le silence :

« Dans mes yeux aux rimes mélodieuses, j'ai assez chanté l'amertume de l'absence et le triomphe de cette cruelle, de l'éloignement de qui j'ai tant souffert.

Maintenant, moi qui de poudre d'or sertis mes vers admirablement ouvrés, je ne veux plus chanter que les choses de joie et l'épanouissement.

Les jardins de roses parfumés, et les gazelles aux yeux noirs et les cheveux des gazelles.

Bien que la cruelle ait déjà été le jardin de mes délices, et ses joues les roses du jardin, et ses seins les poires et les grenades, et sa chair le miel et la rosée.

Mais désormais, sans m'attarder ni m'attacher, je veux passer ma vie dans la sérénité, entre de tendres vierges flexibles comme les jeunes rameaux flexibles, entre des beautés intactes comme les perles imperforées.

Au son des luths suaves et des guitares, en buvant la coupe aux mains de l'échanson, dans les prairies de roses et de narcisses.

Et je humerai tous les parfums de la chair, et je sucerai la salive délicate sur les lèvres, en choisissant des lèvres épaisses et de couleur rouge foncé.

Et je reposerai mes yeux sur leurs tièdes paupières. Et nous serons assis en rond près de l'eau vive chantante de mes jardins ! »

Lorsque Daoul'makân eut fini de chanter ce poème sublime, Nôzhatou, qui l'avait écouté en extase, ne put plus se retenir et, soulevant fiévreusement la portière de la tente, elle pencha la tête au-dehors et regarda le chanteur, à la clarté de la lune. Et elle poussa un grand cri car elle reconnut son frère. Et elle s'élança au-dehors, les bras tendus, en s'écriant : « Ô mon frère ! ô Daoul'makân ! » À cette vue, Daoul'makân regarda la jeune femme et il reconnut également sa sœur Nôzhatou. Et ils se jetèrent dans les bras l'un de l'autre en s'embrassant, puis tombèrent tous deux évanouis. Lorsque l'eunuque eut vu cela, il fut à la limite de l'étonnement et tout à fait interloqué ; mais il se hâta de prendre dans la tente une grande couverture et l'étendit sur eux, en signe de respect et pour les mettre à l'abri comme les passants du hasard. Et il attendit, tout songeur, qu'ils fussent revenus de leur évanouissement. Bientôt, en effet, Nôzhatou se réveilla la première, et puis Daoul'makân. Et Nôzhatou, dès cet instant, oublia toutes ses peines passées et elle fut au comble du bonheur, et elle récita ces strophes :

« Tu avais juré, ô destin, que mes peines ne passeraient jamais. Et voici que je t'ai forcé à violer ton serment.

Car mon bonheur est complet et l'ami est à mes côtés. Et toi-même, ô destin, tu seras l'esclave qui, relevant les pans de sa robe, nous servira. »

En entendant cela, Daoul'makân serra sa sœur contre sa poitrine, et les larmes de joie débordèrent de ses paupières, et il récita ces strophes :

« Le bonheur en moi a pénétré, et sa violence est telle que les pleurs jaillissent de mes yeux.

Ô mes yeux ! vous avez pris l'habitude des larmes ; vous pleuriez hier de chagrin et pleurez aujourd'hui de bonheur. »

Alors Nôzhatou invita son frère à entrer avec elle sous la tente et lui dit : « Ô mon frère, raconte-moi à présent tout ce qui t'est arrivé pour qu'à mon tour je te raconte mon histoire ! » Mais Daoul'makân lui dit : « Raconte-moi, toi la première, toute ton histoire ! » Alors Nôzhatou narra à son frère tout ce qui lui était arrivé, sans omettre un détail. Et il n'y a pas d'utilité à le répéter. Puis elle ajouta : « Quant à mon époux le chambellan, tout à l'heure je te le ferai connaître ; et il t'agréera, car c'est un très brave homme. Mais d'abord hâte-toi de me raconter tout ce qui t'est survenu depuis le jour où je t'ai laissé malade dans le khân de la Ville Sainte. » Alors Daoul'makân ne manqua pas de la satisfaire, et termina son histoire en lui disant : « Mais surtout, ô Nôzhatou, je ne saurai jamais assez te dire combien cet excellent chauffeur du hammam a été bon pour moi, car il a dépensé pour me soigner tout ce qu'il avait d'argent mis de côté, et il m'a servi nuit et jour, et il a agi à mon égard comme n'agit point un père ou un frère ou un ami très dévoué, et il a poussé le désintéressement jusqu'à se priver de nourriture pour m'en donner, et de son âne pour me faire monter dessus, alors que lui-même le conduisait en me soutenant ; et, en vérité, si je suis encore en vie, c'est à lui que je le dois ! » Alors Nôzhatou dit : « Si Allah veut, nous saurons reconnaître ses bons services, autant qu'il sera en notre pouvoir ! »

Ensuite Nôzhatou appela l'eunuque qui accourut aussitôt et baisa la main de Daoul'makân et se tint debout devant lui ; alors Nôzhatou lui dit : « Bon serviteur au visage de bon augure, comme c'est toi le premier qui m'as annoncé la bonne nouvelle, tu vas garder pour toi la bourse que je t'ai donnée avec les mille dinars qu'elle contient. Mais cours vite prévenir ton maître que je désire le voir ! » Alors l'eunuque, fort réjoui de tout cela, se hâta d'aller prévenir son maître le chambellan, qui ne tarda pas à arriver sous la tente de son épouse. Et il fut au comble de la surprise de voir chez elle un jeune homme étranger, et, de plus, au milieu de la nuit. Mais Nôzhatou se hâta de lui raconter leur histoire depuis le commencement jusqu'à la fin et ajouta : « C'est ainsi, ô chambellan vénérable, qu'au lieu d'épouser en moi une esclave comme tu le croyais, tu as épousé la fille même du roi Omar Al-Némân, Nôzhatou'zamân ! Et voici mon frère Daoul'makân ! »

Lorsque le grand chambellan eut entendu cette histoire extraordinaire, dont il ne mit pas en doute la véracité un seul instant, il fut à la limite de la dilatation de se savoir devenu le gendre même du roi Omar Al-Némân ; et il pensa en lui-même : « Cela va me faire devenir au moins gouverneur d'une province d'entre les provinces ! » Puis il s'approcha respectueusement de Daoul'makân et lui présenta ses compliments et félicitations pour la délivrance de tous ses maux et pour sa réunion à sa sœur. Et aussitôt il voulut donner l'ordre aux serviteurs de dresser une seconde tente pour y loger son nouvel hôte ; mais Nôzhatou lui dit : « La chose est maintenant inutile, car nous ne sommes plus qu'à une faible distance de notre pays ; et d'ailleurs comme il y a un longtemps que moi et mon frère ne nous sommes vus, nous allons être heureux d'habiter sous la même tente et de nous rassasier de la vue l'un de l'autre avant l'arrivée. » Et le chambellan répondit : « Que cela soit fait selon tes désirs ! » Puis il sortit pour les laisser librement s'épancher, et il leur envoya des flambeaux, des sirops, des fruits et toutes sortes de douceurs et de confitures dont il avait pris soin de charger deux mulets et un chameau, avant de quitter Damas, pour les distribuer comme cadeaux aux personnages de Bagdad en réponse aux souhaits de bienvenue. Et il envoya à Daoul'makân trois habillements complets des plus somptueux, et il fit apprêter un magnifique dromadaire de race tout harnaché de housses aux longues tresses multicolores. Puis il se mit à se promener de long en large devant sa tente, la poitrine dilatée d'aise, et tout à la pensée de l'honneur qui lui venait d'Allah, et de son importance présente et de sa grandeur future.

Puis, le matin venu, le chambellan se hâta d'aller sous la tente de son épouse saluer son beau-frère. Et Nôzhatou lui dit : « Il ne faut pas oublier le chauffeur du hammam, ni omettre de dire à l'eunuque de lui préparer une bonne monture, et de prendre soin de lui en le servant au déjeuner et au dîner. Et surtout il faut qu'il ne s'éloigne pas de nous ! » Alors le chambellan donna les ordres nécessaires à l'eunuque qui répondit : « J'écoute et j'obéis ! »

Et, en effet, il se hâta de prendre avec lui quelques-uns des gens de la suite du chambellan et alla avec eux à la recherche du chauffeur. Et il finit par le trouver tout à fait à la queue de la caravane, tremblant de peur, et en train de seller son âne pour s'échapper au plus vite de cet endroit où on lui avait pris son jeune ami Daoul'makân. Aussi à la vue de l'eunuque et des esclaves qui soudain avaient couru à lui et l'avaient entouré, il se sentit mourir et son teint jaunit et ses genoux s'entrechoquèrent et tous ses muscles frémirent de terreur. Et il ne douta plus que Daoul'makân, pour se disculper, ne l'eût indiqué à la vindicte de l'épouse du chambellan. Car aussitôt l'eunuque lui cria : « Ô menteur ! »

À ce moment de sa narration, Schahrazade vit apparaître le matin et, discrète, se tut.

Mais lorsque fut la soixante-seizième nuit. Elle dit :

Il m'est parvenu, ô Roi fortuné, que l'eunuque cria au terrifié chauffeur : « Ô menteur ! pourquoi m'avoir dit que, non seulement tu n'avais pas chanté les vers, mais que tu ne savais même pas qui les avait chantés. Or, nous savons bien maintenant que le chanteur était ton propre compagnon. Aussi sache bien que, d'ici à Bagdad, je ne te quitte plus d'un pas ; et tu subiras, à notre arrivée, le même sort que ton compagnon ! » À ces paroles de l'eunuque, l'effaré chauffeur se mit à se lamenter et pensa en lui-même : « Voici que je vais éprouver juste ce que je voulais tant éviter ! » Et l'eunuque dit aux esclaves : « Prenez-lui cet âne, et donnez-lui ce cheval ! » Et les esclaves, malgré les larmes du pauvre chauffeur, prirent l'âne, et l'obligèrent lui-même à monter un magnifique cheval d'entre les chevaux du chambellan. Puis l'eunuque leur dit en particulier : « Vous allez être, durant tout le voyage, les gardes de ce chauffeur ; et chaque cheveu perdu de sa tête sera la perte de l'un de vous ! Ayez donc pour lui toutes sortes d'égards et soyez attentifs à ses moindres besoins ! »

Aussi lorsque le chauffeur se vit ainsi gardé par tous ces esclaves, il ne douta plus de sa mort ; puis il dit à l'eunuque : « Ô capitaine généreux, je te jure que ce jeune homme n'est ni mon frère ni mon parent, car je suis seul au monde, et je suis un pauvre chauffeur d'entre les chauffeurs du hammam. Mais j'ai trouvé ce jeune homme étendu mourant sur les déchets et les morceaux de bois à la porte du hammam, et je l'ai ramassé pour Allah ! Et je n'ai rien fait qui mérite de châtiment ! » Puis il se mit à pleurer et à penser mille pensées plus troublantes les unes que les autres, tandis que la caravane avançait, et que l'eunuque marchait à côté de lui et s'amusait à ses dépens en lui disant de temps en temps : « Tu as troublé le sommeil de notre maîtresse avec tes maudits vers, toi et ce jeune homme ; et tu n'avais guère l'air effrayé à ce moment-là ! » Toutefois, à chaque halte, l'eunuque ne manquait pas d'inviter le chauffeur à manger avec lui dans le même récipient et à boire avec lui le vin dans la même gargoulette, après en avoir bu, lui, le premier. Mais, malgré tout, la larme ne séchait pas dans l'œil du chauffeur, qui était plus perplexe que jamais et n'avait plus de nouvelles de son ami Daoul'makân, dont l'eunuque se gardait bien de l'entretenir.

Quant à Nôzhatou et à Daoul'makân et au chambellan, ils ne cessèrent de voyager à la tête de la caravane dans la direction de Bagdad. Et il ne leur restait plus qu'une seule journée de marche pour arriver au but tant désiré. Et comme, le dernier matin, après la dernière halte de nuit, ils s'apprêtaient à continuer leur route, ils virent soudain s'élever devant eux une épaisse poussière qui obscurcit le ciel et fit la nuit autour d'eux. Alors le chambellan essaya de les tranquilliser et leur dit de ne pas bouger, et il prit avec lui ses mamalik au nombre de cinquante et s'avança du côté de la poussière.

Or, au bout de très peu de temps, la poussière s'éclaircit devant eux et à leurs yeux apparut une armée formidable, bannières et signaux au vent, et marchant en ordre de bataille au son des tambours. Et aussitôt de l'armée se détacha un corps de guerriers qui s'avança vers eux au galop ; et chaque mamelouk du chambellan fut cerné par cinq guerriers à cheval.

À cette vue, le chambellan, fort surpris, leur demanda : « Qui êtes-vous pour agir de la sorte envers nous ? » Ils répondirent : « Mais qui donc êtes-vous, vous-mêmes, et d'où venez-vous et où allez-vous ? » Le chambellan répondit : « Je suis le grand chambellan de l'émir de Damas, le prince Scharkân, fils du roi Omar Al-Némân, maître de Bagdad et du pays de Haurân. Et c'est le prince Scharkân qui m'envoie vers son père, à Bagdad, lui porter le tribut de Damas et des cadeaux. »

À ces paroles, tous les guerriers soudain tirèrent leurs mouchoirs et s'en couvrirent les yeux et se mirent à pleurer en sanglotant. Et le chambellan fut étonné extrêmement. Et lorsqu'ils eurent fini de pleurer, leur chef s'avança vers le chambellan et lui dit : « Hélas ! où est le roi Omar Al-Némân ! Le roi Omar Al-Némân est mort ! Et il est mort empoisonné ! Ô notre désespoir ! » Puis il ajouta : « Mais toi, ô chambellan vénérable, viens avec nous et nous te mènerons au grand vizir Dandân qui est là, au centre de l'armée ; et il te donnera tous les détails de ce malheur. »

Alors le chambellan ne put s'empêcher lui aussi de pleurer et s'écria : « Oh ! quel voyage de malheur nous venons de faire ! » Puis il se laissa conduire auprès du grand vizir Dandân qui aussitôt lui accorda l'audience demandée. Et le chambellan entra sous la tente du vizir Dandân qui l'invita à s'asseoir. Et il raconta au vizir la mission dont il était chargé et lui détailla les cadeaux dont il était porteur pour le roi Omar Al-Némân.

Mais à ces mots qui lui rappelaient son maître et son roi, le grand vizir Dandân se mit à pleurer, puis il dit au chambellan : « Sache pour le moment que le roi Omar Al-Némân est mort empoisonné, et tout à l'heure je t'en raconterai les détails. Mais j'ai d'abord à te mettre au courant de la situation actuelle. Voici.

« Lorsque le roi mourut en la miséricorde d'Allah et sa clémence sans bornes, le peuple se souleva pour savoir qui il fallait élire comme successeur au trône ; et les partis en seraient venus aux mains si les grands et les notables ne les en avaient empêchés. Et l'on finit par tomber d'accord pour demander l'avis des quatre grands kâdis de Bagdad et s'en rapporter à leur décision. Et les quatre grands kâdis consultés décidèrent que le successeur au trône devait être le prince Scharkân, gouverneur de Damas. Et aussitôt que je fus avisé de cette décision, je me mis à la tête de l'armée pour aller à Damas au-devant du prince Scharkân et lui annoncer et la mort de son père et son élection au trône.

Mais je dois te dire, ô chambellan vénérable, qu'il y a à Bagdad un parti favorable à l'élection du jeune Daoul'makân. Mais nul ne sait, depuis longtemps, ce qu'il est devenu, ni lui ni sa sœur Nôzhatou'zamân. Car voici cinq ans bientôt qu'ils sont partis pour le Hedjaz et qu'ils n'ont pas donné de leurs nouvelles. »

À ces paroles du grand vizir Dandân, le chambellan époux de Nôzhatou, bien que fort chagriné de la mort du roi Omar, fut réjoui à la limite de la joie en pensant à la chance qu'avait Daoul'makân de devenir roi de Bagdad et du Khorassân. Aussi il se tourna vers le grand vizir Dandân et lui dit...

À ce moment de sa narration, Schahrazade vit apparaître le matin, et, discrète, se tut.

Mais lorsque fut la soixante-dix-septième nuit. Elle dit :

Il m'est parvenu, ô Roi fortuné, que le chambellan se tourna vers le grand vizir Dandân et lui dit : « En vérité, l'histoire que tu viens de me raconter est bien étrange et étonnante. Et, à mon tour, comme tu m'as témoigné une entière confiance, laisse-moi t'annoncer une nouvelle qui te réjouira le cœur et terminera tous tes soucis. Sache donc, ô grand vizir, qu'Allah vient de nous aplanir toute voie en nous rendant le prince Daoul'makân et sa sœur Nôzhatou'zamân ! »

À ces paroles, le vizir Dandân fut dans une joie extrême et s'écria : « Ô vénérable chambellan, hâte-toi de me raconter les détails de cette nouvelle inattendue et qui me met au comble du bonheur ! » Alors le chambellan lui raconta toute l'histoire du frère et de la sœur, et ne manqua pas de lui apprendre que Nôzhatou était devenue épouse.

Alors le vizir Dandân s'inclina devant le chambellan et lui présenta ses hommages et se reconnut comme son féal. Puis il fit s'assembler tous les émirs et les chefs de l'armée et les grands du royaume qui étaient présents, et les mit au courant de la situation. Et aussitôt tous vinrent baiser la terre entre les mains du chambellan et lui présentèrent leurs hommages et compliments, et se réjouirent extrêmement de ce nouvel ordre de choses, en admirant l'œuvre du Destin qui combinait de telles merveilles.

Après quoi le chambellan et le grand vizir Dandân s'assirent chacun sur un grand siège dressé sur une estrade, et réunirent les notables, les émirs et les autres vizirs, et tinrent conseil sur la situation. Et le conseil dura une heure de temps, et la décision fut prise unanimement de nommer Daoul'makân successeur au trône du roi Omar Al-Némân, au lieu d'aller à Damas à la recherche du prince Scharkân. Et le vizir Dandân se leva aussitôt de son siège pour marquer le respect au vénérable chambellan qui devenait ainsi le personnage le plus marquant du royaume, et, pour se le rendre favorable, lui offrit de magnifiques présents et lui souhaita la prospérité ; et firent de même tous les vizirs, les émirs et les notables. Et le vizir Dandân, au nom de tous, dit : « Ô chambellan vénérable, nous espérons que, grâce à ta magnanimité, chacun de nous conservera ses fonctions sous le règne du nouveau sultan. Quant à nous, nous allons nous hâter de vous devancer à Bagdad pour recevoir dignement notre jeune sultan, pendant que toi-même tu vas aller lui annoncer son élection, faite grâce à notre décision. » Et le chambellan leur promit sa protection à tous et la conservation de leurs emplois, et les quitta pour retrouver vers les tentes de Daoul'makân, tandis que le vizir Dandân et toute l'armée regagnaient la ville de Bagdad. Mais il ne manqua pas auparavant de se faire donner par le vizir Dandân des hommes et des chameaux porteurs de tentes somptueuses et de toutes sortes d'ornements et d'habits royaux et de tapis.

Et, en s'acheminant vers la tente de Nôzhatou et de Daoul'makân, le chambellan sentait augmenter en lui son respect pour son épouse Nôzhatou, et il se disait en lui-même : « Quel voyage béni et de bon augure ! » Et, en arrivant, il ne voulut point entrer chez son épouse sans lui en demander d'abord l'autorisation, autorisation qui lui fut d'ailleurs immédiatement accordée.

Alors le chambellan entra sous la tente et, après les saluts d'usage, il leur conta tout ce qu'il avait vu et entendu, et la mort du roi Omar et l'élection de Daoul'makân de préférence à Scharkân. Puis il ajouta : « Et maintenant, ô roi généreux, il ne te reste plus qu'à accepter le trône sans hésitation, de peur que, dans le cas d'un refus, il ne t'arrive malheur de la part de celui qui sera élu à ta place ! »

À ces paroles, Daoul'makân, quoique douloureusement affecté de la mort de son père, le roi Omar, et bien que lui et Nôzhatou fussent tout en larmes, dit : « J'accepte l'ordre du Destin, puisqu'on ne peut y échapper, et que tes paroles sont pleines de bon sens et de sagesse. » Et il ajouta : « Mais, ô vénérable beau-frère, quelle sera ma conduite envers mon frère Scharkân, et que dois-je faire pour lui ? » Il répondit : « La seule solution équitable est de partager l'empire entre vous deux, et tu seras le sultan de Bagdad et ton frère Scharkân sera le sultan de Damas. Tiens-toi donc fermement dans cette résolution, et il n'en résultera que toutes choses de paix et de concorde. » Et Daoul'makân agréa le conseil de son beau-frère le chambellan.

Alors le chambellan prit l'habit royal que le vizir Dandân lui avait donné et en revêtit Daoul'makân, et lui remit le grand sabre d'or de la royauté et baisa la terre entre ses mains et se retira. Et il alla aussitôt choisir un endroit élevé où il fit dresser la tente royale qu'il avait reçue du vizir Dandân. Et c'était une grande tente, surmontée d'une haute coupole, en toile doublée en son intérieur de soie de toutes les couleurs avec des dessins d'arbres et de fleurs. Et il ordonna aux tapissiers d'étendre les grands tapis sur le sol, après avoir bien battu et arrosé la terre tout autour de la tente. Et il se hâta d'aller prier le roi de venir s'y reposer cette nuit-là. Et le roi y dormit jusqu'au matin.

Or, à peine l'aube apparue, on entendit au loin le son des tambours de guerre ci des instruments. Et bientôt on vit sortir d'un nuage de poussière l'armée de

Bagdad, à la tête de laquelle marchait le vizir Dandân qui venait recevoir le roi, après avoir tout arrangé à Bagdad. Alors le roi Daoul'makân...

À ce moment de sa narration, Schahrazade vit apparaître le matin et, discrète, se tut.

Mais lorsque fut la soixante-dix-huitième nuit. Elle dit :

Alors le roi Daoul'makân, vêtu de ses habits royaux, monta s'asseoir sur le trône dressé au milieu de la tente, sous la haute coupole, et plaça sur ses genoux son grand sabre de commandement, sur lequel il appuya ses deux mains, et, immobile, attendit. Et, tout autour de lui, vinrent se ranger les mamalik de Damas et les anciens gardes du chambellan, l'épée nue à la main, tandis que le chambellan lui-même se tenait debout, respectueusement, à droite du trône.

Et aussitôt, selon les ordres donnés par le chambellan, le défilé des hommages commença. Alors, par le corridor de toile qui conduisait à la tente royale, entrèrent les chefs de l'armée, dix par dix, hiérarchiquement, en commençant par les grades inférieurs ; et, dix par dix, ils prêtèrent le serment de fidélité entre les mains du roi Daoul'makân et baisèrent la terre en silence. Et il ne restait plus que le tour des quatre grands kâdis et du grand vizir Dandân. Et les quatre grands kâdis entrèrent et prêtèrent le serment de fidélité et baisèrent la terre entre les mains du roi Daoul'makân. Mais quand entra le grand vizir Dandân, le roi Daoul'makân se leva de son trône en son honneur, et s'avança lui-même au-devant de lui et lui dit : « Bienvenu soit notre père à tous, le très vénérable et très digne grand vizir, celui dont les actes sont parfumés de haute sagesse et les arrangements faits délicatement par de savantes mains ! » Alors le grand vizir Dandân prêta le serment de fidélité sur le Livre et la Foi et baisa la terre entre les mains du roi.

Et tandis que le chambellan était sorti pour donner les ordres nécessaires, et préparer le festin, et faire tendre les nappes et cuisiner les mets les plus choisis, et assurer le service des échansons, le roi dit au grand vizir : « Avant tout il faut, pour fêter mon avènement, faire de grandes largesses aux soldats et à tous leurs chefs ; et pour cela fais-leur distribuer tout le tribut que nous apportons avec nous de la ville de Damas, sans en rien économiser. Et il faut leur donner à manger et à boire à satiété. Et ensuite seulement, ô grand vizir, tu viendras me raconter en détail la mort de mon père et la cause de cette mort. » Et le vizir Dandân se conforma aux ordres du roi, et donna trois jours de liberté aux soldats pour qu'ils pussent s'amuser et prévint leurs chefs que le roi ne voulait recevoir personne durant ces trois jours entiers. Alors toute l'armée fit des vœux pour la vie du roi et la prospérité de son règne, et le vizir Dandân revint sous la tente. Mais le roi, pendant ce temps, était allé trouver sa sœur Nôzhatou et lui avait dit : « Ô ma sœur, tu as appris la mort de notre père, le roi Omar, mais tu ne sais pas encore la cause de sa mort. Viens donc avec moi pour l'entendre raconter de la bouche même du vizir Dandân. » Et il amena Nôzhatou sous la coupole, et fit tomber un grand rideau de soie entre elle et les assistants et il s'assit sur le trône tandis que Nôzhatou seule prenait place derrière le rideau de soie.

Alors il dit au vizir Dandân : « Maintenant, ô vizir de notre père, raconte-nous les détails de la mort du plus sublime d'entre les rois ! » Et le vizir Dandân dit : « J'écoute et j'obéis ! » Et il raconta cette mort comme suit :

HISTOIRE DE LA MORT DU ROI OMAR AL-NÉMÂN

Un jour d'entre les jours, le roi Omar Al-Némân se sentant la poitrine rétrécie de la douleur de votre absence, nous avait tous appelé autour de lui pour que nous essayions de le distraire, quand nous vîmes entrer une vénérable vieille femme dont le visage était empreint des marques de la sainteté ; et elle avait avec elle cinq adolescentes vierges aux seins arrondis, et belles comme des lunes, et si parfaitement belles, en vérité, que nulle langue ne saurait en rendre toutes les perfections ; et, avec toute leur beauté, elles savaient étonnamment le Koran et les livres de la science et les paroles de tous les sages d'entre les musulmans. Et la vénérable vieille s'avança entre les mains du roi et baisa la terre avec respect et dit : « Ô roi, voici que je t'apporte cinq joyaux que ne possède aucun roi de la terre. Et je te prie d'en examiner la beauté et de les mettre à l'épreuve ; car la beauté n'apparaît qu'à celui qui la cherche avec amour ! »

À ces paroles, le roi Omar fut extrêmement charmé, et la vue de la vieille lui inspira un très grand respect et la vue des cinq adolescentes lui plut infiniment. Et il dit à ces jeunes filles…

À ce moment de sa narration, Schahrazade vit apparaître le matin et, discrète, se tut.

Mais lorsque fut la soixante-dix-neuvième nuit. Elle dit :

Il m'est parvenu, ô Roi fortuné, que le roi Omar dit aux jeunes filles : « Ô jeunes filles gentilles, s'il est vrai que vous soyez si versées dans la connaissance des choses délicieuses du temps passé, que chacune de vous s'avance à son tour et m'en dise quelques paroles dont je puisse me dulcifier ! »

Alors la première adolescente, qui avait un regard modeste et fort doux, s'avança et baisa la terre entre les mains du roi et dit :

PAROLES DE LA PREMIÈRE ADOLESCENTE

« Sache, ô roi du temps, que la vie n'existerait pas sans l'instinct de la vie. Et cet instinct a été placé dans l'homme afin que l'homme puisse, avec l'aide d'Allah, être le maître de lui-même et en profiter pour se rapprocher d'Allah le Créateur. Et la vie a été donnée à l'homme afin que l'homme puisse se développer en beauté, tout en se mettant au-dessus des errements. Et les rois, qui sont les premiers parmi les hommes, doivent être les premiers dans la voie des vertus nobles et du désintéressement. Et l'homme sage, à l'esprit cultivé, ne doit, en toute circonstance, et surtout envers ses amis, agir qu'avec douceur et juger qu'avec aménité. Et il doit se garder soigneusement de ses ennemis et choisir ses amis avec circonspection ; et, une fois qu'il les a choisis, il ne doit plus faire intervenir entre eux et lui un juge quelconque, mais tout régler par la bonté ; car, ou il a choisi ses amis parmi les hommes détachés de ce monde et voués à la sainteté, et alors il doit les écouter sans arrière-pensée et se rapporter à leur jugement, ou il les a choisis parmi ceux qui sont attachés aux biens de la terre, et alors il doit veiller à ne jamais les léser dans leurs intérêts, ni les contrarier dans leurs habitudes, ni les contredire dans leurs paroles ; car la contradiction aliène même l'affection du père et de la mère, et elle est superflue ; et un ami est une chose si précieuse ! Car l'ami n'est point comme la femme d'avec qui on peut divorcer pour la remplacer par une autre ; et la blessure faite à un ami ne se cicatrise jamais, comme dit le poète :

« Songe que le cœur de l'ami est chose bien fragile et qu'on doit le surveiller comme toute chose fragile ;

« Car le cœur de l'ami, une fois blessé, est comme le verre délicat qui, brisé, ne peut jamais être raccommodé. »

« Laisse-moi maintenant te rapporter quelques paroles des Sages. Sache, ô roi, qu'un kâdi, pour rendre un jugement vraiment juste, doit faire faire la preuve d'une façon évidente, et traiter les deux partis en toute égalité, sans témoigner plus de respect à l'inculpé noble qu'à l'inculpé pauvre ; mais surtout il doit tendre à réconcilier les deux partis entre eux, pour faire toujours régner la concorde entre les musulmans. Et, particulièrement dans le doute, il doit réfléchir longuement et revenir à plusieurs reprises sur son raisonnement, et s'abstenir si le doute continue. Car la justice est le premier des devoirs, et revenir vers la justice, si l'on a été injuste, est plus noble de beaucoup que d'avoir toujours été juste, et de beaucoup plus méritoire devant le Très-Haut. Et il ne faut point oublier qu'Allah Très-Haut a placé les juges sur la terre pour juger seulement des choses apparentes, et Il s'est réservé pour Lui seul le jugement des choses secrètes. Et il est du devoir du kâdi de ne jamais essayer de tirer des aveux d'un inculpé en le soumettant à la torture ou à la faim, car cela n'est point digne des musulmans. Et d'ailleurs Al-Zahri a dit : « Trois choses font déchoir un kâdi : qu'il témoigne de la condescendance ou du respect à un coupable haut placé, qu'il aime la louange, qu'il craigne de perdre sa situation. » Et le khalifat Omar ayant un jour destitué un kâdi, celui-ci lui demanda : « Pourquoi m'as-tu destitué ? » Il répondit : « Parce que tes paroles outrepassent tes actes ! » Et le grand Al-Iskandar aux Deux Cornes réunit un jour son kâdi, son cuisinier et son scribe principal ; et il dit à son kâdi : « Je t'ai confié la plus haute et la plus lourde de mes prérogatives royales. Aie donc l'âme royale ! » Et il dit à son cuisinier : « Je t'ai confié le soin de mon corps, qui désormais dépend de ta cuisine. Sache donc le traiter avec un art sans violence ! » Et il dit à son scribe principal : « Quant à toi, ô frère de la plume, je t'ai confié les manifestations de mon intelligence. Je t'adjure de me transmettre intégral aux générations, au moyen de ton écriture ! »

Et la jeune fille, ayant dit ces paroles, ramena son voile sur son visage et recula parmi ses compagnes. Alors s'avança la seconde adolescente qui avait...

À ce moment de sa narration, Schahrazade vit apparaître le matin et, discrète, se tut.

Mais lorsque fut la quatre-vingtième nuit. Elle dit :

Le vizir Dandân continua de la sorte : Alors s'avança la seconde adolescente, qui avait un regard éclairé et un menton fin, et elle baisa sept fois la terre entre les mains de ton défunt père, le roi Omar Al-Némân, et dit :

PAROLES DE LA DEUXIÈME ADOLESCENTE

« Sache, ô Roi fortuné, que Lokmân le Sage a dit à son fils : « Ô mon fils, il y a trois choses qui ne peuvent être contrôlées que dans trois circonstances : on ne peut savoir qu'un homme est vraiment bon que lors de sa colère, qu'un homme est valeureux que lors du combat, et qu'un homme est fraternel que lors de la nécessité ! » Et le tyran ou l'oppresseur est torturé et expiera ses injustices, malgré les flatteries de ses courtisans ; tandis que l'opprimé, malgré l'injustice, sera sauf de toute torture. Et ne traite point les gens d'après ce qu'ils disent, mais d'après ce qu'ils font. Et d'ailleurs, les actions elles-mêmes ne valent que par l'intention qui les inspira ; et chaque homme sera jugé d'après ses intentions, et non d'après ses actions. Sache aussi, ô roi, que la chose la plus admirable en nous, c'est notre cœur. Et comme on demandait, un jour, à un sage : « Quel est le pire des hommes ? » Il répondit : « C'est celui qui laisse le mauvais désir s'emparer de son cœur. Car il perd toute virilité. » Et comme le dit le poète, d'ailleurs fort bien :

« La seule richesse est celle recelée dans les poitrines. Mais qu'il est difficile d'en trouver le chemin ! »

Et notre Prophète (sur lui la paix et la prière !) a dit : « Le véritable sage est celui qui préfère aux choses périssables les immortelles. » On raconte que l'ascète Sabet pleura tellement que ses yeux furent malades ; alors on appela un médecin qui lui dit : « Je ne puis te traiter, à moins que tu ne me promettes une chose. » Il répondit : « Et quelle chose ? » Le médecin dit : « De cesser de pleurer. » Mais l'ascète répondit : « À quoi donc me serviraient mes yeux si je ne pleurais plus ! »

« Mais, ô roi, sache aussi que l'action la plus belle est celle qui est désintéressée. On raconte, en effet, que dans Israël il y avait deux frères ; et l'un de ces frères dit un jour à l'autre : « Quelle est l'action la plus effroyable que tu aies jamais faite ? » Il répondit : « C'est celle-ci : comme je passais un jour près d'un poulailler, je tendis le bras et je saisis une poule, et, l'ayant étranglée, je la rejetai dans le poulailler. C'est là la plus effroyable chose de ma vie. Mais toi, ô mon frère, qu'as-tu fait de plus effroyable ? » Il répondit : « C'est d'avoir fait ma prière à Allah pour lui demander une faveur. Car la prière n'est belle que lorsqu'elle est la simple élévation de l'âme vers les hauteurs. » Et d'ailleurs...

À ce moment de sa narration, Schahrazade vit apparaître le matin et, discrète, se tut.

Mais lorsque fut la quatre-vingt et unième nuit. Elle dit :

Il m'est parvenu, ô Roi fortuné, que la deuxième adolescente continua ainsi : « Et, d'ailleurs, le poète dit excellemment cela en vers :

« Il y a deux choses dont tu ne dois jamais t'approcher : l'idolâtrie envers Allah et le mal envers ton prochain ! »

Puis la seconde jeune fille, ayant dit ces paroles, recula au milieu de ses compagnes. Alors la troisième adolescente, qui réunissait en elle les perfections des deux premières, s'avança entre les mains du roi Omar Al-Némân, et dit :

PAROLES DE LA TROISIÈME ADOLESCENTE

« Quant à moi, ô Roi fortuné, je ne te dirai que peu de paroles en ce jour, car je suis un peu indisposée et, d'ailleurs, les sages nous recommandent la brièveté dans nos discours.

« Sache donc, ô roi, que Safîan a dit : « Si l'âme habitait le cœur de l'homme, l'homme aurait des ailes et s'envolerait léger vers des paradis ! »

« Et ce même Safîan a dit : « En vérité sachez que le simple fait de regarder au visage une personne atteinte de laideur constitue le plus lourd péché contre l'esprit ! »

Et, ayant dit ces deux phrases admirables, la jeune fille recula au milieu de ses compagnes. Alors s'avança la quatrième adolescente qui avait des hanches sublimes, et dit :

PAROLES DE LA QUATRIÈME ADOLESCENTE

« Et moi, ô Roi fortuné, me voici prête à te dire les paroles qui me sont parvenues de l'histoire des hommes justes. On raconte que Baschra le Déchaussé a dit : « Gardez-vous bien de la plus abominable chose ! » Alors ceux qui l'écoutaient lui dirent : « Et quelle est la plus abominable chose ? » Il répondit : « C'est le fait de rester longtemps à genoux pour faire parade de la prière. C'est l'ostentation de la piété. » Alors l'un d'eux lui demanda : « Ô mon père, apprends-moi à connaître les vérités cachées et le mystère des choses ! » Mais le Déchaussé lui dit : « Ô mon fils, ces choses ne sont point faites pour le troupeau. Et nous ne pouvons les mettre à la portée du troupeau. Car c'est à peine si sur cent justes il y en a cinq qui soient purs comme le vierge argent. »

« Et le cheikh Ibrahim raconte : « Je rencontrai un jour un homme pauvre qui venait de perdre une petite pièce de monnaie de cuivre. Alors je m'avançai vers lui et lui tendis un drachme d'argent, mais l'homme le refusa et me dit : « À quoi me servira tout cet argent, à moi qui ne vise que les félicités immortelles ? »

On raconte également que la sœur du Déchaussé alla un jour...

À ce moment de sa narration, Schahrazade vit apparaître le matin et, discrète, se tut.

Mais lorsque fut la quatre-vingt-deuxième nuit. Elle dit :

« On raconte également que la sœur du Déchaussé alla un jour trouver l'imam Ahmad ben-Hanbal et lui dit : « Ô saint imam de la foi, je viens m'éclairer. Éclaire-moi ! J'ai coutume de veiller la nuit sur la terrasse de notre maison à filer la laine à la clarté des flambeaux qui passent ; car nous n'avons point de lumière à la maison. Et le jour je travaille et je prépare la nourriture de la maison. Dis-moi donc s'il m'est permis d'user ainsi d'une clarté qui ne m'appartient pas. » Alors l'imam lui demanda : « Qui es-tu, ô femme ? » Elle dit : « Je suis la sœur de Baschra le Déchaussé. » Et le saint imam se leva et baisa la terre entre les mains de la jeune fille et lui dit : « Ô sœur du plus parfumé d'entre les saints, que ne puis-je toute ma vie humer la pureté de ton cœur ! »

« On raconte aussi qu'un sage d'entre les sages a dit cette parole : « Lorsque Allah veut du bien à l'un de ses serviteurs, il ouvre alors devant lui la porte de l'inspiration. »

« Il m'est parvenu que lorsque Malek ben-Dinar passait dans les souks et voyait des objets qui lui plaisaient, il se réprimandait en se disant : « Mon âme, c'est inutile ! Je ne t'écouterai pas ! » Car il aimait à répéter : « Le seul moyen de sauver son âme, c'est de ne point lui obéir ; et le sûr moyen de la perdre, c'est de l'écouter. »

« Et Mansour ben-Omar nous raconte le fait suivant : « J'étais une fois allé en pèlerinage à La Mecque en passant par la ville de Koufa. Et c'était une nuit pleine de ténèbres. Et j'entendis, dans le sein de la nuit, près de moi, sans distinguer d'où elle sortait, une voix haute qui disait cette prière : « Ô Seigneur Dieu plein de grandeur, je ne suis point de ceux qui se révoltent contre tes lois ni de ceux qui ignorent tes bienfaits. Et pourtant, Seigneur, dans les temps passés, j'ai peut-être péché lourdement, et je viens implorer ton pardon et la rémission de mes erreurs. Car mes intentions n'étaient pas mauvaises, et mes actes m'ont trahi ! »

« Et, cette prière une fois terminée, j'entendis un corps tomber pesamment sur le sol. Et je ne savais point ce que pouvait être cette voix, dans cette nuit ; et je ne comprenais pas ce que signifiait cette prière, dans ce silence, alors que mes yeux ne pouvaient distinguer la bouche qui la disait ; et je ne devinais pas ce qu'était ce corps qui tombait sur le sol pesamment. Alors je m'écriai à mon tour : « Je suis Mansour ben-Omar, un pèlerin de La Mecque ! Qui donc a besoin d'un secours ? » Et rien ne me répondit. Et je m'en allai. Mais le lendemain je vis passer un convoi mortuaire et je me mêlai aux gens qui suivaient le convoi ; et devant moi marchait une vieille femme épuisée par la peine. Et je lui demandai : « Qui est donc ce mort ? » Elle me répondit : « Hier mon fils, ayant dit la prière, récita les versets du Livre d'Allah qui commencent par ces mots : « Ô vous qui croyez à la parole, fortifiez vos âmes… » Et lorsque mon fils eut fini les versets, cet homme, qui est maintenant dans le cercueil, sentit son foie éclater et il tomba mort. Et c'est tout ce que je puis vous dire. »

Et la quatrième jeune fille, ayant dit ces paroles, recula au milieu de ses compagnes. Alors s'avança la cinquième adolescente, qui était la couronne sur la tête de toutes les adolescentes, et dit :

PAROLES DE LA CINQUIÈME ADOLESCENTE

« Moi, ô Roi fortuné, je te dirai ce qui est parvenu jusqu'à moi des choses spirituelles du temps passé.

« Le sage Moslima ben-Dinar a dit : « Tout plaisir qui ne pousse pas ton âme plus près d'Allah est une calamité. »

« On raconte que lorsque Moussa (la paix sur lui !) était à la fontaine de Modaïn, arrivèrent deux jeunes bergères avec le troupeau de leur père Schoaïb. Et Moussa (la paix sur lui !) donna à boire aux deux jeunes filles, qui étaient deux sœurs, et au troupeau dans l'abreuvoir en tronc de palmier. Et les deux jeunes filles, de retour à la maison, racontèrent la chose à leur père Schoaïb qui dit alors à l'une d'entre elles : « Retourne près du jeune homme et dis-lui de venir chez nous. » Et la jeune fille retourna à la fontaine ; et lorsqu'elle fut près de Moussa, elle se couvrit le visage de son voile et lui dit : « Mon père m'envoie vers toi te dire de m'accompagner à la maison afin de partager notre repas en récompense de ce que tu as fait pour nous. » Mais Moussa fut très affecté et ne voulut point d'abord la suivre ; puis il finit par s'y décider. Et il marcha derrière elle. Or, la jeune bergère avait un très gros derrière…

À ce moment de sa narration, Schahrazade vit apparaître le matin et se tut discrètement.

Mais lorsque fut la quatre-vingt-troisième nuit. Elle dit :

Il m'est parvenu, ô Roi fortuné, que la cinquième adolescente continua ainsi :

« Or la jeune bergère avait un très gros derrière, en vérité, et le vent tantôt collait la robe légère contre sa rondeur et tantôt soulevait la robe et faisait apparaître, tout nu, le derrière de la jeune bergère. Mais Moussa, chaque fois que le derrière apparaissait, fermait les yeux pour ne le point voir. Et comme il craignait que la tentation ne devînt trop forte, il dit à la jeune fille : « Laisse-moi plutôt marcher devant toi. » Et la jeune fille, assez étonnée, vint marcher derrière Moussa. Et ils finirent tous deux par arriver à la maison de Schoaïb. Et lorsque Schoaïb vit entrer Moussa (sur eux deux la paix et la prière !) il se leva en son honneur et, comme le dîner était prêt, il lui dit : « Ô Moussa, qu'ici l'hospitalité te soit large et cordiale pour ce que tu as fait à mes filles ! » Mais Moussa répondit : « Ô mon père, je ne vends point sur la terre, pour de l'or et de l'argent, des actes qui ne sont faits qu'en vue du Jugement ! » Et Schoaïb reprit : « Ô jeune homme, tu es mon hôte et j'ai coutume d'être hospitalier et généreux envers mes hôtes ; et c'était d'ailleurs aussi la coutume de tous mes ancêtres. Reste donc et mange avec nous. » Et Moussa resta et mangea avec eux. Et à la fin du repas Schoaïb dit à Moussa : « Ô jeune homme, tu demeureras avec nous et tu mèneras paître le troupeau. Et au bout de huit ans, pour prix de tes services, je te marierai avec celle de mes filles qui était allée te chercher à la fontaine. » Et Moussa, cette fois, accepta et se dit en lui-même : « Maintenant que la chose devient licite avec la jeune fille, je pourrai user sans réticence de son derrière béni ! »

« Il est raconté qu'Ibn-Bitar ayant rencontré un de ses amis celui-ci lui dit : « Où étais-tu donc tout ce temps que je ne t'ai point vu ? » Ibn-Bitar dit : « J'étais occupé avec mon ami Ibn-Schéab. Le connais-tu ? » Il répondit : « Si je le connais ! Il est mon voisin depuis plus de trente ans. Mais je ne lui ai jamais adressé la parole. » Alors Ibn-Bitar lui dit : « Ô pauvre homme, ne sais-tu donc pas que celui qui n'aime pas ses voisins n'est pas aimé d'Allah ? Et ne sais-tu pas qu'un voisin doit autant d'égards à son voisin qu'à son propre parent ? »

« Un jour Ibn-Adham dit à un de ses amis qui revenait avec lui de La Mecque : « Comment vis-tu ? » Il répondit : « Lorsque j'ai à manger je mange, et lorsque j'ai faim et qu'il n'y a rien je patiente ! » Et Ibn-Adham répondit : « En vérité tu ne fais pas autrement que ne font les chiens du pays de Balkh ! Quant à nous, lorsque Allah nous donne notre pain nous le glorifions, et lorsque nous n'avons rien à manger nous le remercions tout de même. » Alors l'homme s'écria : « Ô mon maître ! » Et ne dit pas autre chose.

« On dit que Mohammad ben-Omar demanda un jour à un homme qui vivait dans l'austérité : « Que penses-tu de l'espoir qu'on doit avoir en Allah ? » L'homme dit : « Si je fonde ma confiance en Allah, c'est à cause de deux choses : j'ai appris, par expérience, que le pain que je mange n'est jamais mangé par un autre ; et je sais, d'autre part, que si je suis venu au monde, c'est avec la volonté d'Allah. »

Et, ayant dit ces paroles, la cinquième jeune fille recula au milieu de ses compagnes. Alors seulement, d'un pas grave, s'avança la sainte vieille femme. Elle baisa neuf fois la terre entre les mains de ton défunt père, le roi Omar Al-Némân, et dit :

PAROLES DE LA VIEILLE

« Tu viens, ô roi, d'entendre les paroles édifiantes de ces jeunes filles sur le mépris des choses d'ici-bas, dans la mesure où ces choses doivent être méprisées.

Moi, je te parlerai de ce que je sais concernant les faits et gestes des plus grands d'entre nos anciens.

« Il est raconté que le grand imam Al-Schâfi (qu'Allah l'ait en ses bonnes grâces !) divisait la nuit en trois parties : la première pour l'étude, la seconde pour le sommeil et la troisième pour la prière. Et, vers la fin de sa vie, il veillait toute la nuit, ne réservant plus rien pour le sommeil.

« Le même imam Al-Schâfi (qu'Allah l'ait en ses bonnes grâces !) a dit : « Durant dix ans de ma vie, je n'ai point voulu manger à ma faim de mon pain d'orge. Car trop manger est nuisible de toutes les manières. Cela épaissit le cerveau, endurcit le cœur, annihile les facultés intellectuelles, attire le sommeil et la paresse et enlève jusqu'à la dernière énergie. »

« Le jeune Ibn-Fouâd nous raconte : « J'étais un jour à Bagdad, au moment où l'imam Al-Schâfi y séjournait. Et j'étais allé sur la rive du fleuve pour faire mes ablutions. Or, pendant que j'étais accroupi à faire mes ablutions, un homme, suivi d'une foule silencieuse, passa derrière moi et me dit : « Ô jeune homme, soigne bien tes ablutions et Allah te soignera ! » Et je me retournai et je vis cet homme qui avait une grande barbe et un visage sur lequel était empreinte la bénédiction ; et aussitôt je me hâtai de terminer mes ablutions et je me levai et le suivis. Alors il me vit et se tourna vers moi et me dit : « As-tu besoin de me demander quelque chose ? » Je lui dis : « Oui, ô vénérable père ! Je désire que tu m'apprennes ce que certainement tu tiens d'Allah le Très-Haut ! » Et il me dit : « Apprends à te connaître ! Et alors seulement agis ! Et alors seulement agis selon tous tes désirs, mais en prenant garde de ne pas léser ton voisin ! » Et il continua son chemin. Alors je demandai à l'un de ceux qui le suivaient : « Qui donc est-il ? » Il me répondit : « C'est l'Imam Mohammad ben-Edris Al-Schâfi ! »

À ce moment de sa narration, Schahrazade vit apparaître le matin et, discrète selon son habitude, se tut.

Mais lorsque fut la quatre-vingt-quatrième nuit. Elle dit :

Il m'est parvenu, ô Roi fortuné, que la sainte vieille continua de la sorte :

« On raconte que le khalifat Abou-Giafar Al-Mansour voulut nommer kâdi Abi-Hanifa et lui allouer dix mille drachmes par an. Mais lorsque Abi-Hanifa eut appris l'intention du khalifat, il pria la prière du matin, puis s'enveloppa de sa robe blanche et s'assit sans dire un mot. Alors entra l'envoyé du khalifat pour lui remettre d'avance les dix mille drachmes et lui annoncer sa nomination. Mais, à tout le discours de l'envoyé, Abi-Hanifa ne répondit pas un mot. Alors l'envoyé lui dit : « Sois pourtant bien sûr que tout cet argent que je t'apporte est chose licite et admise par le Livre. » Alors Abi-Hanifa lui dit : « Cet argent est chose licite, en vérité, mais Abi-Hanifa ne sera jamais le serviteur des tyrans ! »

Et, ayant dit ces paroles, la vieille ajouta : « J'eusse voulu, ô roi, te rapporter encore des traits admirables de la vie de nos anciens sages. Mais voici que la nuit approche, et d'ailleurs les jours d'Allah sont nombreux pour ses serviteurs ! » Et la sainte vieille ramena son grand voile sur ses épaules et recula au milieu du groupe formé par les cinq adolescentes.

Ici le vizir Dandân cessa un moment de parler au roi Daoul'makân et à sa sœur Nôzhatou qui était derrière le rideau. Mais, après quelques instants, il reprit :

Lorsque ton défunt père, le roi Omar Al-Némân, eut entendu ces paroles édifiantes, il comprit que vraiment ces femmes étaient les plus parfaites de leur siècle, en même temps que les plus belles et les plus cultivées de corps et d'esprit. Et il ne sut quels égards leur témoigner qui fussent dignes d'elles, et il fut complètement sous le charme de leur beauté, et il les désira avec ardeur, en même temps qu'il fut plein de respect pour la sainte vieille, leur conductrice. Et en attendant, il leur donna, pour y demeurer, l'appartement réservé qui avait appartenu jadis à la reine Abriza, reine de Kaïssaria. Et, durant dix jours de suite, il alla lui-même prendre de leurs nouvelles et voir par lui-même si rien ne leur manquait ; et chaque fois qu'il allait, il trouvait la vieille en prière, qui passait ses journées dans le jeûne et ses nuits dans la méditation. Et il fut tellement édifié de sa sainteté qu'un jour il me dit : « Ô mon vizir, quelle bénédiction que d'avoir dans mon palais une si admirable sainte ! Mon respect pour elle est devenu extrême et mon amour pour ces jeunes filles, sans limites. Viens donc avec moi pour demander enfin à la vieille, puisque les dix jours de notre hospitalité sont passés et que nous pouvons parler affaires, quelle somme elle veut nous fixer comme prix de ces adolescentes, ces cinq vierges aux seins arrondis. »

Nous allâmes donc à l'appartement réservé et ton père demanda la chose à la vieille, qui lui dit : « Ô roi, sache que le prix de ces jeunes filles consiste en des conditions qui sont en dehors des conditions ordinaires des ventes et des achats. Car leur prix ne se paie point en or, ni en argent, ni en pierreries. »

À ces paroles, ton père fut extrêmement étonné et lui demanda : « Ô femme vénérable, en quoi consiste donc le prix de vente de ces jeunes filles ? » Elle répondit : « Je ne puis te les vendre qu'à cette seule condition : un jeûne d'un mois entier que tu ferais en passant tes journées dans la méditation et tes nuits dans les veilles et la prière. Et au bout de ce mois de jeûne complet, par lequel ton corps serait purifié et deviendrait digne de communier avec le corps de ces jeunes filles, tu pourrais jouir totalement de leurs douceurs. »

Alors ton père fut édifié à la limite de l'édification et son respect pour la vieille ne connut plus de bornes. Et il se hâta d'accepter ses conditions. Et la vieille lui dit : « De mon côté, je t'aiderai par mes prières et mes vœux à supporter le jeûne. Maintenant apporte-moi un broc de cuivre. » Alors le roi ton père lui donna un broc de cuivre qu'elle remplit d'eau pure, et elle abaissa ses regards sur le broc et se mit à dire dessus des prières en une langue inconnue et à marmotter pendant une heure des paroles auxquelles nul de nous ne comprit un mot. Puis elle couvrit le broc d'une étoffe légère qu'elle cacheta de son sceau, et le remit à ton père en lui disant : « Au bout des dix premiers jours de jeûne, tu décachèteras l'étoffe et tu couperas ton jeûne en buvant cette eau sainte qui te fortifiera et te lavera de toutes tes souillures passées. Et maintenant, moi, je vais aller trouver mes frères qui sont les Gens de l'Invisible, car il y a longtemps que je ne les ai vus ; et au matin du onzième jour je viendrai te voir. »

Et la vieille, ayant dit ces paroles, souhaita la paix à ton père et s'en alla.

Alors ton père prit le broc et se leva et choisit une cellule complètement isolée du palais, dans laquelle pour tout meuble il mit le broc de cuivre, et s'y enferma pour jeûner et méditer et mériter de la sorte l'approche de ces corps de jeunes filles. Et il ferma la porte à clef, à l'intérieur, et mit la clef dans sa poche…

À ce moment de sa narration, Schahrazade vit apparaître le matin et, discrète selon son habitude, se tut.

Mais lorsque fut la quatre-vingt-cinquième nuit. Elle dit :

Et il ferma la porte à clef, à l'intérieur, et mit la clef dans sa poche. Et il commença immédiatement le jeûne.

Et lorsque fut le matin du onzième jour, le roi ton père prit le broc et en décacheta l'étoffe légère et le porta à ses lèvres et le but d'un seul trait. Et aussitôt il éprouva un bien-être général et des effets d'une grande douceur sur ses entrailles. Et, à peine l'avait-il bu, que l'on frappa à la porte de la cellule. Et, la porte ouverte, la vieille entra en tenant à la main un paquet fait avec des feuilles fraîches de bananier.

Alors le roi ton père se leva en son honneur et lui dit : « Bienvenue soit ma mère vénérable ! » Elle lui dit : « Ô roi, voici que les Gens de l'Invisible m'envoient vers toi pour te transmettre leur salut ; car je leur ai parlé de toi et ils ont été très réjouis d'apprendre notre amitié. Et ils t'envoient, comme signe de leur bienveillance, ce paquet qui contient, sous les feuilles de bananier, des confitures délicieuses, de celles faites par les doigts des vierges aux yeux noirs du paradis. Aussi lorsque viendra le matin du vingt et unième jour, tu enlèveras ces feuilles de bananier et tu couperas ton jeûne en mangeant les confitures. »

À ces paroles, ton père se réjouit extrêmement et dit : « Louange à Allah qui m'a donné des frères parmi les Gens de l'Invisible ! » Puis il remercia beaucoup la vieille et lui baisa les mains et l'accompagna avec beaucoup d'égards jusqu'à la porte de la cellule.

Or, comme elle l'avait dit, au matin du vingt et unième jour la vieille ne manqua pas de revenir et dit à ton père : « Ô roi, sache que j'ai appris à mes frères de l'Invisible que j'ai l'intention de te donner les jeunes filles en cadeau ; et cela les a réjouis beaucoup à cause de l'amitié qu'ils ont maintenant pour toi. Aussi, avant de les mettre entre tes mains, je vais les conduire chez les Gens de l'Invisible afin qu'ils mettent en elles leur souffle et répandent en elles l'odeur agréable qui te charmera ; et elles te reviendront avec un trésor du sein de la terre, qui leur aura été donné par mes frères de l'Invisible ! »

Lorsque ton père eut entendu ces paroles, il la remercia pour toutes les peines qu'elle prenait et lui dit : « C'est trop, en vérité ! Et quant au trésor du sein de la terre, vraiment je craindrais d'abuser. » Mais elle répondit à cela comme il fallait ; et ton père lui demanda : « Et quand penses-tu me les ramener ? » Elle dit : « Au matin du trentième jour, une fois que tu auras terminé ton jeûne et que tu te seras ainsi purifié le corps ; et de leur côté elles auront en elles une pureté de jasmin et elles t'appartiendront totalement, ces adolescentes dont chacune vaut plus que ton empire ! » Il répondit : « Oh ! que cela est vrai ! » Elle dit : « Maintenant si même tu voulais me confier la femme que tu aimes le mieux parmi tes femmes, je la prendrais avec moi et les adolescentes pour que les grâces purificatrices de nos frères les Gens de l'Invisible rejaillissent également sur elle. » Alors le roi ton père lui dit : « Comme je te remercie ! J'ai en effet, dans mon palais, une femme grecque que j'aime, nommée Safîa ; et elle est la fille du roi Aphridonios de Constantinia ; et Allah m'a déjà accordé d'elle deux enfants que j'ai, hélas ! perdus depuis de nombreuses années. Prends-la donc avec toi, ô vénérable, pour que sur elle rejaillisse la grâce des Gens de l'Invisible et qu'elle puisse, par leur intercession, recouvrer ses enfants dont nous avons perdu toute trace ! » Alors la vieille sainte lui dit : « Mais certainement. Fais-moi vite amener la reine Safîa ! »

À ce moment de sa narration, Schahrazade vit apparaître le matin et, discrète, se tut.

Mais lorsque fut la quatre-vingt-sixième nuit. Elle dit :

Alors la vieille dit : « Fais-moi vite amener la reine Safïa ! » Et le roi ton père fit immédiatement venir la reine Safïa, ta mère, et la confia à la vieille qui la réunit aussitôt aux adolescentes. Puis la vieille alla un instant dans son appartement et en revint avec une coupe cachetée ; et elle donna cette coupe au roi Omar Al-Némân et lui dit : « Au matin du trentième jour, une fois ton jeûne terminé, tu iras prendre un bain au hammam, et tu reviendras te reposer dans ta cellule et tu boiras cette coupe qui complètera ta purification et te rendra enfin digne de tenir dans ton sein les adolescentes royales ! Et maintenant que sur toi soient la paix, la miséricorde d'Allah et toutes ses bénédictions, ô mon fils ! »

Et la vieille emmena les cinq jeunes filles et ta mère, la reine Safïa, et s'éloigna.

Or, le roi continua son jeûne jusqu'au trentième jour. Et au matin de ce trentième-là il se leva et alla au hammam et, son bain fini, il revint à la cellule et défendit à quiconque de le venir déranger. Et, étant entré dans la cellule, il en referma sur lui la porte à clef, et prit la coupe, en enleva le cachet, la porta à ses lèvres et la but, puis s'étendit se reposer.

Quant à nous tous, qui savions que ce jour-là était le dernier jour du jeûne, nous attendîmes jusqu'au soir, et puis pendant la nuit, et jusqu'au lendemain au milieu de la journée. Et nous pensâmes : « Le roi se repose probablement de toutes les veilles qu'il a supportées ! » Mais comme le roi persistait à ne pas ouvrir, nous nous approchâmes de la porte et nous donnâmes de la voix. Et personne ne répondit. Alors nous fûmes très effrayés de ce silence et nous nous décidâmes à casser la porte et à entrer. Et nous entrâmes.

Or, le roi n'était plus là. Mais nous trouvâmes seulement ses chairs en lambeaux et ses os émiettés et noirs. Alors nous tombâmes tous évanouis.

Et lorsque nous fûmes revenus à nous, nous prîmes la coupe et nous l'examinâmes. Et nous trouvâmes dans le couvercle un papier sur lequel ceci était écrit :

« Nul homme nuisible ne saurait inspirer du regret ! Et que toute personne qui lira ce papier sache que telle est la punition de celui qui séduit les filles des rois et les corrompt. Tel est le cas de cet homme-ci ! Il a envoyé son fils Scharkân enlever de notre pays la fille de notre roi, la malheureuse Abriza ! Et il l'a prise et a consommé sur elle, vierge, ce qu'il a consommé ! Puis il la donna à un esclave noir qui lui fit subir les pires outrages et la tua ! Et maintenant, à cause de cet acte indigne d'un roi, le roi Omar Al-Némân n'est plus. Et, moi qui l'ai tué, je suis la courageuse, la vengeresse dont le nom est Mère-des-Calamités ! Et non seulement, ô vous tous, infidèles qui me lirez, j'ai tué votre roi, mais j'ai emmené la reine Safïa, fille du roi Aphridonios de Constantinia ; et je vais la rendre à son père ; et puis nous reviendrons tous en armes vous assaillir et ruiner vos maisons et vous exterminer tous jusqu'au dernier ! Et il n'y aura plus sur la terre que nous, les chrétiens, qui adorons la Croix ! »

Lorsque nous eûmes lu ce papier, nous comprîmes toute l'horreur de notre calamité, et nous nous frappâmes le visage de nos mains et nous pleurâmes longtemps. Mais à quoi devaient nous servir nos larmes, puisque l'irréparable était accompli ?

Et c'est alors, ô roi, que l'armée et le peuple furent en désaccord pour l'élection du successeur du défunt roi Omar Al-Némân. Et ce désaccord dura un mois entier, au bout duquel, comme on n'avait aucune nouvelle de ton existence, on résolut d'aller élire le prince Scharkân, à Damas. Mais Allah te mit sur notre chemin, et il arriva ce qui arriva ! Et telle est, ô roi, la cause de la mort de ton père, le roi Omar Al-Némân !

Lorsque le grand vizir Dandân eut fini le récit de la mort du roi Omar Al-Némân, il tira son mouchoir et s'en couvrit les yeux et se mit à pleurer. Et le roi Daoul'makân et la reine Nôzhatou, qui était derrière le rideau de soie, se mirent aussi à pleurer, ainsi que le grand chambellan et tous ceux qui étaient là.

Mais le chambellan, le premier, sécha ses larmes et dit à Daoul'makân : « Ô roi, en vérité ces larmes ne peuvent plus servir à rien. Et il ne te reste plus qu'à prendre courage et à te raffermir le cœur pour veiller aux intérêts de ton royaume. Et d'ailleurs ton défunt père continue à vivre en toi, car les pères vivent dans les enfants dignes d'eux ! » Alors Daoul'makân cessa de pleurer et se prépara à tenir la première séance de son règne.

À cet effet, il s'assit sur son trône, sous la coupole, et le chambellan se tint debout à ses côtés et le vizir Dandân devant lui et les hommes d'armes derrière le trône ; et les émirs et les grands du royaume se placèrent chacun selon son rang.

Alors le roi Daoul'makân dit au vizir Dandân : « Dénombre-moi le contenu des armoires de mon père. » Et le vizir Dandân répondit : « J'écoute et j'obéis ! » Et il énuméra tout ce que contenaient les armoires du trésor en argent, en richesses et en joyaux ; et il lui en remit la liste détaillée. Alors le roi Daoul'makân lui dit : « Ô vizir de mon père, tu continueras à être également le grand vizir de mon règne. » Et le vizir Dandân baisa la terre entre les mains du roi et lui souhaita longue vie. Ensuite le roi dit au chambellan : « Quant à ce qui est des richesses que nous avons apportées avec nous de Damas, il faut les distribuer à l'armée. »

À ce moment de sa narration, Schahrazade vit apparaître le matin et, discrète, se tut.

Mais lorsque fut la quatre-vingt-septième nuit. Elle dit :

Alors le chambellan ouvrit les caisses qui contenaient les richesses et les somptuosités apportées de Damas, et n'en garda absolument rien et les distribua toutes aux soldats en donnant les plus belles choses aux chefs de l'armée. Et tous les chefs baisèrent la terre entre ses mains et firent des vœux pour la vie du roi et se dirent entre eux : « Jamais nous n'avons vu pareille générosité ! »

Et c'est alors seulement que le roi Daoul'makân donna le signal du départ ; et on leva aussitôt les campements ; et le roi, à la tête de son armée, fit son entrée dans Bagdad, et tout Bagdad était décoré ; et tous les habitants étaient massés sur les terrasses ; et les femmes, sur le passage du roi, lançaient des cris de joie aigus, et le roi monta dans son palais, et la première chose qu'il fit fut d'appeler le scribe principal et de lui dicter une lettre destinée à son frère Scharkân, à Damas. Cette lettre contenait la narration détaillée de tout ce qui était arrivé du commencement à la fin. Et elle concluait, en substance, par ceci :

« Et nous te prions, ô notre frère, au reçu de notre lettre, de faire les préparatifs nécessaires et de rassembler ton armée et de venir unir tes forces aux nôtres, pour aller ensemble faire la guerre sainte aux Infidèles qui nous menacent, et venger la mort de notre père et laver la tache qui doit être lavée ! »

Puis il plia la lettre et la cacheta lui-même de son cachet et appela le vizir Dandân et lui remit la lettre en disant : « Il n'y a que toi seul, ô grand vizir, qui sois capable de remplir une mission aussi délicate auprès de mon frère. Et tu sauras lui parler très gentiment et très doucement et tu lui diras bien ceci de ma part : « Je suis tout prêt à te céder le trône de Bagdad et à être à ta place gouverneur de Damas. » Alors le vizir Dandân se prépara immédiatement au départ ; et le soir même partit pour Damas.

Or, pendant son absence, deux choses importantes extrêmement eurent lieu au palais du roi Daoul'makân. La première est que Daoul'makân fit venir son ami le vieux chauffeur du hammam, et le combla d'honneurs et de grades, et lui donna pour lui seul un palais qu'il fit tendre des plus beaux tapis de la Perse et du Khorassân. Mais il sera parlé longuement, dans le courant de cette histoire, de ce bon chauffeur du hammam.

Quant à la seconde chose, c'est celle-ci : un cadeau consistant en dix jeunes esclaves blanches arriva au roi Daoul'makân de la part de l'un de ses féaux. Or, l'une d'entre ces jeunes filles, dont la beauté défiait tout discours, plut beaucoup au roi Daoul'makân qui aussiôt la prit et coucha avec elle, et l'engrossa à l'instant même. Mais nous reviendrons sur cet événement, dans le courant de cette histoire. Quant au vizir Dandân, il fut bientôt de retour et annonça au roi que son frère Scharkân avait très favorablement écouté sa demande et qu'il s'était mis en route, à la tête de son armée, pour répondre à cet appel. Et le vizir ajouta : « Aussi faut-il maintenant sortir à sa rencontre. » Et le roi répondit : « Mais certainement, ô mon vizir ! » Et il sortit de Bagdad, et à peine avait-il fait dresser le campement, à une journée de marche, que le prince Scharkân apparut avec son armée, précédé par ses éclaireurs.

Alors Daoul'makân prit les devants et alla à la rencontre de son frère ; et sitôt qu'il l'eût vu, il voulut descendre de cheval. Mais Scharkân, de loin, le conjura de n'en rien faire et, le premier, il sauta à terre et courut se précipiter dans les bras de Daoul'makân qui était, tout de même, descendu de cheval. Et ils s'embrassèrent longuement en pleurant ; et, après s'être dit des paroles de consolation l'un à l'autre pour la mort de leur père, ils retournèrent ensemble à Bagdad.

Et, sans perdre de temps, on convoqua les guerriers de toutes les parties de l'empire, qui ne manquèrent pas de se rendre à l'appel tant on leur promettait de butin et de faveurs. Et, durant un mois, les guerriers ne cessèrent d'affluer. Et pendant ce temps Scharkân avait raconté à Daoul'makân toute son histoire ; et Daoul'makân également raconta la sienne, mais en insistant beaucoup sur les services du chauffeur du hammam. Aussi Scharkân lui demanda : « Certainement tu as récompensé déjà cet homme vertueux pour tout son dévouement ? » Et Daoul'makân lui répondit…

À ce moment de sa narration, Schahrazade vit apparaître le matin et, discrète, se tut.

Mais lorsque fut la quatre-vingt-huitième nuit. Elle dit :

Et Daoul'makân lui répondit : « Pas entièrement. Car je me réserve de le faire, sitôt de retour de la guerre, si Allah veut ! » Et c'est alors que Scharkân put contrôler la véracité des paroles de Nôzhatou, qui avait été sa femme alors qu'il ignorait qu'elle fût sa sœur, et dont il avait eu la fillette Force-du-Destin. Et cela lui rappela qu'il devait demander de ses nouvelles. Aussi pria-t-il le grand chambellan de lui transmettre le salut de sa part. Et le grand chambellan s'acquitta de la chose et rapporta également à Scharkân le salut de Nôzhatou qui, en outre, demandait des nouvelles de sa fille Force-du-Destin. Et Scharkân lui fit dire de se tranquilliser, car Force-du-Destin était en parfaite santé à Damas. Alors Nôzhatou remercia Allah pour cela.

Puis lorsque toutes les troupes furent rassemblées et que les Arabes des tribus eurent apporté leur contingent, les deux frères se mirent à la tête de leurs forces réunies ; et, après que Daoul'makân eut fait ses adieux à la jeune esclave qu'il avait rendue enceinte, et qu'il lui eut créé un train de maison digne d'elle, on sortit de Bagdad demandant les contrées des Infidèles.

L'avant-garde de l'armée était formée par des guerriers turcs dont le chef s'appelait Bahramân ; et l'arrière-garde était formée par des guerriers du Déilam[1] dont le chef s'appelait Rustem. Le centre était commandé par Daoul'makân, tandis que l'aile droite était sous les ordres du prince Scharkân et l'aile gauche sous les ordres du grand chambellan. Et le grand vizir Dandân fut chargé du sous-commandement général de l'armée.

Et ils ne cessèrent de voyager pendant un mois entier, en se reposant trois jours au bout de chaque semaine de marche, jusqu'à ce qu'ils fussent arrivés au pays des Roum. Alors, à leur approche, s'enfuirent de tous côtés les habitants épouvantés et allèrent se réfugier à Constantinia en mettant le roi Aphridonios au courant de la marche agressive des musulmans.

À cette nouvelle, le roi Aphridonios se leva et fit appeler la vieille Mère-des-Calamités qui venait de lui ramener sa fille Safia, en même temps qu'elle avait décidé le roi Hardobios de Kaïssaria, qu'elle avait élevé, à venir avec elle, lui et toute son armée, se joindre au roi Aphridonios. Et le roi de Kaïssaria, non content de la mort du roi Omar Al-Némân, et désireux de venger davantage sa fille Abriza, s'était hâté d'accompagner Mère-des-Calamités à Constantinia, à la tête de son armée.

Lorsque le roi Aphridonios eut donc fait appeler la vieille, elle se présenta aussitôt entre ses mains ; et il lui demanda les détails de la mort d'Omar Al-Némân, qu'elle se hâta de lui rapporter. Alors le roi lui demanda : « Et maintenant que l'ennemi approche, que faut-il faire, ô Mère-des-Calamités ? » Elle répondit : « Ô grand roi, ô représentant du Christ sur la terre, je vais t'indiquer la conduite à tenir ; et le Cheitân lui-même avec tous ses artifices ne pourra débrouiller les fils où je vais prendre nos ennemis ! »

À ce moment de sa narration, Schahrazade vit apparaître le matin et, discrète, se tut.

Mais lorsque fut la quatre-vingt-neuvième nuit. Elle dit :

« Et le Cheitân lui-même, malgré tous ses artifices, ne pourra débrouiller les fils où je vais prendre nos ennemis ! Or voici le plan à suivre pour les anéantir :

Tu vas envoyer cinquante mille guerriers sur des navires qui mettront à la voile pour aller à la Montagne-Fumante, au pied de laquelle campent nos ennemis. Et d'un autre côté, par la voie de terre, tu enverras toute ton armée surprendre ces mécréants. Et de la sorte ils seront pris de tous les côtés, et nul d'entre eux ne pourra échapper à l'anéantissement. Et tel est mon plan. »

Et le roi Aphridonios dit à la vieille : « En vérité, ton idée est supérieure, ô reine de toutes les vieilles et inspiratrice des plus sages ! » Et il agréa le plan et le mit aussitôt à exécution.

Aussi les navires chargés de guerriers mirent à la voile et arrivèrent à la Montagne-Fumante, et débarquèrent les hommes qui se massèrent sans bruit derrière les hauts rochers. Et par la voie de terre l'armée ne tarda pas à arriver en face de l'ennemi.

Or, en ce moment, telles étaient les forces des combattants : l'armée musulmane de Bagdad et du Khorassân comprenait cent vingt mille cavaliers commandés par Scharkân. Et l'armée des impies chrétiens s'élevait à mille mille et six cent mille combattants. Aussi quand tomba la nuit sur les montagnes et sur les plaines, la terre sembla un brasier de tous les feux qui l'éclairaient.

Or, en ce moment, le roi Aphridonios et le roi Hardobios réunirent leurs émirs et les chefs de l'armée pour tenir la grande séance du conseil. Et ils résolurent de livrer bataille, dès le lendemain, aux musulmans, de tous les côtés à la fois. Mais la vieille Mère-des-Calamités qui écoutait, les sourcils froncés, se leva et dit au roi Aphridonios et au roi Hardobios et à tous les assistants : « Ô guerriers, les batailles des corps, quand les âmes ne sont pas sanctifiées, ne sauraient avoir que des résultats funestes ! Ô chrétiens, avant la lutte il faut vous approcher du Christ, et vous purifier avec l'encens suprême des fèces patriarcales ! » Et les deux rois et les guerriers répondirent : « Tes paroles sont les bienvenues, ô vénérable mère ! »

Or, voici en quoi consistait cet encens suprême des fèces patriarcales. Lorsque le grand patriarche des chrétiens de Constantinia faisait ses fèces, les prêtres les recueillaient soigneusement dans des étoffes de soie et les séchaient au soleil ; puis ils en faisaient une pâte qu'ils mêlaient de musc, d'ambre et de benjoin ; et ils pulvérisaient cette pâte, une fois tout à fait sèche, et la mettaient dans des petites boîtes d'or, et l'envoyaient à tous les rois chrétiens et à toutes les églises chrétiennes. Et c'est cette poudre des fèces patriarcales qui servait d'encens suprême pour sanctifier les chrétiens dans toutes les occasions solennelles, et notamment pour bénir les nouveaux mariés et fumiger les nouveau-nés et bénir les prêtres nouveaux. Mais comme les seules fèces du grand patriarche pouvaient à peine suffire à dix provinces, et ne pouvaient servir à tant d'usages pour tous les chrétiens, les prêtres falsifiaient cette poudre en y mélangeant d'autres fèces moins saintes, par exemple les fèces des autres patriarches moindres et des vicaires. Et il était fort difficile de les différencier, d'ailleurs. Aussi cette poudre, à cause de ses vertus, était très estimée de ces porcs de Grecs qui, outre les fumigations, l'employaient également en collyres secs pour les maladies des yeux, et en stomachiques pour les maladies de l'estomac et des intestins. Mais c'était là le traitement employé surtout chez les plus grands d'entre les rois et les reines ; et c'est ce qui faisait que le prix en était très élevé et que le poids d'un drachme en était vendu mille dinars d'or. Et voilà pour l'encens des fèces patriarcales…

À ce moment de sa narration, Schahrazade vit apparaître le matin et se tut discrètement.

Mais lorsque fut la quatre-vingt-dixième nuit. Elle dit :

Et voilà pour l'encens des fèces patriarcales. Mais pour ce qui est du roi Aphridonios et des chrétiens, voici.

Lorsque vint le matin, le roi Aphridonios, d'après le conseil de Mère-des-Calamités, fit assembler les chefs principaux de l'armée et tous ses lieutenants et leur fit baiser une grande croix de bois et les fumigea avec l'encens suprême déjà décrit, et qui était fait d'authentiques fèces du grand patriarche, sans falsification aucune. Aussi son odeur était-elle terriblement forte et aurait tué un éléphant des armées musulmanes ; mais les porcs grecs y étaient accoutumés.

Alors la vieille Mère-des-Calamités se leva et dit : « Ô roi, avant de livrer bataille à ces mécréants, il faut, pour assurer notre victoire, nous débarrasser du prince Scharkân qui est le Cheitân en personne et qui commande toute l'armée. Car c'est lui qui anime tous ses soldats et leur donne le courage. Mais, lui mort, son armée est notre proie ! Envoyons-lui donc le guerrier le plus valeureux de nos guerriers pour le défier à un combat singulier et le tuer. »

Lorsque le roi Aphridonios eut entendu ces paroles, il fit venir aussitôt le fameux guerrier Lucas, fils de Camlutos, et de sa propre main, il le fumigea avec l'encens fécal. Puis il prit un peu de cette fiente et l'humecta de salive et lui en oignit les gencives, les narines et les deux joues, et lui en fit priser un peu et, avec le restant, il lui frotta les sourcils et les moustaches.

Or, ce maudit Lucas était le guerrier le plus effrayant de tous les pays des Roum ; et nul parmi les chrétiens ne savait comme lui lancer le javelot, ou frapper du glaive, ou percer de la lance. Mais son aspect était aussi repoussant que sa valeur était grande. Il était extrêmement hideux de visage, car son visage était celui d'un âne de mauvaise qualité ; mais, considéré attentivement, il ressemblait à un singe ; et, observé avec beaucoup de soin, il était tel un effroyable crapaud ou un serpent d'entre les pires serpents ; et son approche était plus insupportable que la séparation de l'ami ; et il avait volé à la nuit ses ténèbres et aux latrines la fétidité de leur haleine. Et c'est pour toutes ces raisons qu'il était surnommé Glaive-du-Christ.

Donc lorsque ce maudit Lucas eut été fumigé et oint fécalement par le roi Aphridonios, il lui baisa les pieds et se tint debout devant lui. Alors le roi lui dit : « Je veux que tu ailles attaquer, en combat singulier, ce scélérat nommé Scharkân, et que tu nous débarrasses de ses calamités ! » Et Lucas répondit : « J'écoute et j'obéis ! » Et le roi lui ayant fait embrasser la croix, Lucas s'en alla et monta un magnifique cheval alezan recouvert d'une somptueuse housse rouge et sellé d'une selle de brocart enrichie de pierreries. Et il s'arma d'un long javelot à trois fers ; et, de la sorte, on l'eût pris pour le Cheitân en personne. Puis, précédé de hérauts d'armes et d'un crieur, il se dirigea vers le camp des Croyants.

Donc le crieur, devant le maudit Lucas, de toute sa voix se mit à crier en langue arabe : « Ô vous, les musulmans, voici le champion héroïque qui a mis en fuite bien des armées d'entre les armées turques, kurdes et déilamites ! C'est Lucas l'illustre, fils de Camlutos ! Que d'entre vos rangs sorte votre champion Scharkân, maître de Damas au pays de Schâm ! Et, s'il l'ose, qu'il vienne affronter notre géant ! »

Or, à peine ces paroles avaient-elles été criées qu'on entendit un tremblement dans l'air retentissant et un galop qui fit frémir le sol et jeta l'épouvante jusque dans le cœur du maudit mécréant, et fit se tourner toutes les têtes dans cette direction. Et apparut Scharkân en personne, fils du roi Omar Al-Némân, et il arrivait droit sur ces impies, semblable au lion en courroux, et monté sur un cheval telle la plus légère des gazelles. Et il tenait à la main sa lance, farouchement, et déclamait ces vers :

« À moi appartient un alezan aussi léger que le nuage qui passe dans l'air. Il me contente !

À moi appartient une lance indianisée, au fer coupant. Je la brandis ! Et ses éclairs ondulent comme les vagues ! »

Mais l'abruti Lucas, qui était un barbare sans culture, des pays obscurs, ne comprenait pas un mot d'arabe, et ne pouvait goûter la beauté de ces vers et l'ordonnance de ces rythmes. Aussi se contenta-t-il de toucher son front, qui était tatoué d'une croix, et de porter ensuite sa main à ses lèvres par respect pour ce signe étrange.

Et soudain, plus hideux qu'un porc, il poussa son cheval sur Scharkân. Puis il s'arrêta brusquement dans son galop et lança très haut dans l'air l'arme qu'il tenait à la main, et si haut qu'elle disparut aux regards. Mais bientôt elle retomba. Et, avant qu'elle n'eût touché terre, le maudit, tel un sorcier, la rattrapa au vol. Et alors, de toute sa force, il lança son javelot à trois fers sur Scharkân. Et le javelot partit rapide comme la foudre. Et c'en était fait de Scharkân !

Mais Scharkân, au moment même où le javelot passait en sifflant et l'allait transpercer, détendit son bras et l'attrapa au vol. Or, gloire à Scharkân ! Et il saisit ce javelot d'une main ferme, et le lança dans l'air, si haut qu'il se perdit aux regards. Et il le rattrapa de la main gauche, en un clin d'œil. Et il s'écria : « Par Celui qui créa les sept étages du ciel ! je vais donner à ce maudit une leçon éternelle ! » Et il lança le javelot.

Alors l'abruti géant Lucas voulut faire le tour de force accompli par Scharkân et tendit la main pour arrêter l'arme volante. Mais Scharkân, profitant de ce moment où le chrétien se découvrait, lui lança un second javelot qui l'atteignit au front, à l'endroit même où il était tatoué d'une croix. Et l'âme mécréante de ce chrétien s'exhala de son cul et alla s'enfoncer dans les feux de l'enfer...

À ce moment de sa narration, Schahrazade vit apparaître le matin et se tut discrètement.

Mais lorsque fut la quatre-vingt-onzième nuit. Elle dit :

Et l'âme mécréante de ce chrétien s'exhala de son cul et alla s'enfoncer dans les feux de l'enfer.

Lorsque les soldats de l'armée chrétienne eurent appris, par la bouche des compagnons de Lucas, la mort de leur champion, ils se lamentèrent et se frappèrent le visage de douleur, et puis se précipitèrent tous sur leurs armes en lançant des cris de mort et de vengeance.

Alors les crieurs appelèrent les hommes, qui se rangèrent en ordre de bataille et, au signal donné par les deux rois, se précipitèrent en masse sur l'armée des musulmans. Et la mêlée s'engagea. Et les guerriers s'enlacèrent aux guerriers. Et le sang inonda les moissons. Et les cris succédèrent aux cris. Et les corps furent écrasés sous les sabots des chevaux. Et les hommes s'enivrèrent de sang et non de vin, et titubèrent comme les ivrognes. Et les morts s'entassèrent sur les morts, et les blessures sur les blessures. Et la bataille dura ainsi jusqu'à la tombée de la nuit, qui sépara les combattants.

Alors Daoul'makân, après avoir félicité son frère Scharkân pour son exploit qui devait illustrer son nom durant les siècles, dit au vizir Dandân et au grand chambellan : « Ô grand vizir et toi, ô vénérable chambellan, prenez vingt mille guerriers, et allez à la distance de sept parasanges vers la mer. Là vous vous embarquerez dans la vallée de la Montagne-Fumante, et, au signal que je vous donnerai en hissant le pavillon vert, vous vous lèverez soudain prêts à la bataille décisive. Or, nous, ici, nous ferons semblant de prendre la fuite. Alors les Infidèles nous poursuivront. À ce moment-là, vous-mêmes, vous les poursuivrez, et nous, nous retournant, nous les attaquerons ; et ils seront ainsi cernés de tous côtés ; et pas un de ces Infidèles n'échappera à notre glaive, lorsque nous crierons : Allah akbar ! »

Aussi le vizir Dandân et le grand chambellan répondirent par l'ouïe et l'obéissance et mirent immédiatement à exécution le plan qui était ordonné. Et ils se mirent en marche durant la nuit et allèrent prendre position dans la vallée de la Montagne-Fumante, là même où s'étaient d'abord embusqués les guerriers chrétiens venus de la mer et qui s'étaient ensuite joints à l'armée de terre : chose qui devait causer leur perte, car le premier plan de Mère-des-Calamités était le meilleur.

Or, avec le matin, tous les guerriers étaient debout sous les armes. Et sur les tentes flottaient les pavillons et brillaient les croix, de tous côtés. Et les guerriers des deux camps firent d'abord leurs prières. Les Croyants écoutèrent la lecture du premier chapitre du Koran, le Chapitre de la Vache ; et les mécréants invoquèrent le Messie fils de Mariam et se purifièrent avec les fèces du patriarche, mais des fèces certainement falsifiées, à cause de la grande quantité de soldats fumigés. Or, cette fumigation ne les sauvera pas du glaive !

En effet, au signal donné, la lutte recommença plus terrible. Les têtes s'envolaient comme des balles ; les membres jonchèrent le sol ; et le sang coula par torrents, et tellement que les chevaux en eurent jusqu'au poitrail.

Mais soudain, comme par l'effet d'une panique considérable, les musulmans, qui jusque-là avaient combattu en héros, tournèrent le dos et s'enfuirent tous jusqu'au dernier.

À ce spectacle de l'armée musulmane qui s'enfuyait de la sorte, le roi Aphridonios de Constantinia dépêcha un courrier au roi Hardobios, dont les troupes jusque-là n'avaient pas pris part à la bataille, en lui disant : « Voilà que fuient les musulmans ! Car nous avons été rendus invincibles par l'encens suprême des fèces patriarcales, dont nous nous étions fumigés et dont nous avions enduit nos barbes et nos moustaches. Maintenant, à vous autres d'achever la victoire en vous mettant à la poursuite de ces musulmans et en les exterminant jusqu'au dernier ! Et de la sorte nous vengerons la mort de Lucas, notre champion…

À ce moment de sa narration, Schahrazade vit apparaître le matin et se tut discrètement.

Mais lorsque fut la quatre-vingt-douzième nuit. Elle dit :

« Et de la sorte nous vengerons la mort de Lucas, notre champion ! »

Alors le roi Hardobios, qui n'attendait que l'occasion de venger enfin le meurtre de sa fille, l'admirable Abriza, cria à ceux de son armée : « Ô guerriers ! sus à ces musulmans qui fuient comme des femmes ! » Or, il ne savait point que c'était là une tactique du brave d'entre les braves, le prince Scharkân, et de son frère Daoul'makân.

En effet, au moment où les chrétiens de Hardobios, les ayant poursuivis, étaient arrivés jusqu'à eux, les musulmans s'arrêtèrent dans leur fuite simulée, et, à la voix de Daoul'makân, se précipitèrent sur leurs poursuivants, en criant : « Allahou akbar ! » Et Daoul'makân, pour les exciter à la lutte, leur jeta cette harangue : « Ô musulmans, voici le jour de la religion ! Voici le jour où vous gagnerez le paradis ! Car le paradis ne se gagne qu'à l'ombre des glaives ! » Alors ils s'élancèrent comme des lions. Et ce jour-là ne fut point pour les chrétiens le jour de la vieillesse, car ils furent fauchés sans avoir eu le temps de voir blanchir leurs cheveux.

Mais les exploits accomplis par Scharkân, dans cette bataille soudaine, sont au-dessus de toutes paroles. Et pendant qu'il mettait en pièces tout ce qui se présentait sur sa route, Daoul'makân fit hisser le drapeau vert, signal convenu avec ceux de la vallée. Et il voulut se précipiter lui aussi dans la mêlée. Mais Scharkân le vit soudain qui se préparait à s'élancer. Alors vivement il s'approcha de lui et lui dit : « Ô mon frère, tu ne dois pas exposer ta personne aux chances de la lutte, car tu es nécessaire au gouvernement de ton empire. Aussi, dès maintenant, je ne vais plus m'éloigner de toi, et je me battrai seulement à côté de toi, en te défendant moi-même contre toutes les attaques ! »

Or, pendant ce temps, les guerriers musulmans, commandés par le vizir Dandân et le grand chambellan, à la vue du signal convenu, se développèrent sur un demi-cercle et coupèrent ainsi à l'armée chrétienne toute chance de salut du côté de ses navires, sur la mer. Aussi la lutte engagée dans ces conditions ne pouvait plus être douteuse. Et les chrétiens furent exterminés terriblement par les soldats musulmans, tant kurdes que persans et turcs et arabes. Et ceux qui purent échapper furent en bien petit nombre. Car il y eut jusqu'à cent vingt mille porcs d'entre eux qui trouvèrent la mort, tandis que les autres réussirent à s'échapper dans la direction de Constantinia. Voilà pour les Grecs du roi Hardobios ! Mais pour ceux du roi Aphridonios, qui s'étaient retirés sur les hauteurs avec leur roi, sûrs d'avance de l'extermination des musulmans, quelle dut être leur douleur de voir la fuite de leurs semblables !

Or, ce jour-là, outre la victoire, les Croyants gagnèrent une quantité énorme de butin. D'abord tous les navires, à l'exception de vingt qui avaient encore des hommes à bord et qui purent regagner Constantinia pour annoncer le désastre. Ensuite toutes les richesses et toutes les choses précieuses accumulées dans ces navires ; puis cinquante mille chevaux avec leur harnachement ; et les tentes et tout ce qu'elles contenaient en armes et en vivres ; et enfin une quantité incalculable de choses que nul chiffre ne saurait rendre. Aussi leur joie fut-elle très grande, et remercièrent-ils Allah pour la victoire et le butin. Et voilà pour les musulmans !

Mais pour ce qui est des fugitifs, ils finirent par arriver à Constantinia, l'âme hantée par les corbeaux des désastres. Et toute la ville fut plongée dans l'affliction, et les édifices et les églises furent tendus des draps du deuil, et toute la population se massa en groupes de révolte et lança des cris de sédition. Et la douleur de tous ne put qu'augmenter en ne voyant revenir de toute la flotte que vingt navires et de toute l'armée que vingt mille hommes. Alors la population accusa ses rois de trahison. Et le trouble du roi Aphridonios fut tel et sa terreur telle que son nez s'allongea jusqu'à ses pieds et que le sac de son estomac se retourna…

À ce moment de sa narration, Schahrazade vit apparaître le matin et, discrète selon son habitude, se tut.

Mais lorsque fut la quatre-vingt-treizième nuit. Elle dit :

Son nez s'allongea jusqu'à ses pieds et le sac de son estomac se retourna, et son intestin se relâcha et son intérieur s'écoula. Alors il fit appeler la vieille Mère-des-Calamités pour lui demander conseil sur ce qui lui restait à faire. Et la vieille arriva aussitôt.

Or, cette vieille Mère-des-Calamités, cause réelle de tous ces malheurs, était vraiment une horreur de vieille femme : rouée, perfide, pétrie de malédictions ; sa bouche était putride ; ses paupières rougies et sans cils ; ses joues ternes et poussiéreuses ; son visage noir comme la nuit ; ses yeux chassieux ; son corps galeux ; ses cheveux sales ; son dos voûté ; sa peau ratatinée. Elle était une vraie plaie d'entre les pires plaies, et une vipère d'entre les plus venimeuses. Et cette horrible vieille passait la plus grande partie de son temps chez le roi Hardobios, à Kaïssaria ; et elle se plaisait dans son palais à cause de la quantité très grande de jeunes esclaves qui s'y trouvaient, tant hommes que femmes ; car elle obligeait les jeunes esclaves mâles à la monter, et elle aimait à son tour à monter les jeunes esclaves femmes ; et elle préférait à toute chose le chatouillement de ces vierges et le frottement de leur jeune corps contre le sien. Et elle était terriblement experte dans cet art du chatouillis ; et elle savait sucer comme une goule leurs parties délicates, et titiller agréablement leurs tétons ; et, pour les faire parvenir au spasme dernier, elle leur macérait la vulve avec du safran préparé ; ce qui les jetait mortes de volupté dans ses bras. Aussi avait-elle enseigné son art à toutes les esclaves du palais, et, anciennement, aux suivantes d'Abriza ; mais elle n'avait pu réussir à gagner la svelte Grain-de-Corail, et tous ses artifices avaient échoué contre Abriza ; car Abriza l'avait en horreur à cause de la fétidité de son haleine et de l'odeur d'urine fermentée qui se dégageait de ses aisselles et de ses aines, et du dégagement putride de ses nombreux pets, plus odorants que l'ail pourri, et de la rugosité de sa peau, plus poilue que celle du hérisson et plus dure que les fibres du palmier. Car, en vérité, on pouvait bien appliquer à cette vieille ces paroles du poète :

« Jamais l'essence de roses dont elle s'humecte la peau n'abolira la pestilence de ses pets silencieux ! »

Mais il faut dire que Mère-des-Calamités était pleine de générosité pour toutes les esclaves qui se laissaient faire par elle, comme elle était pleine de rancune pour celles qui lui résistaient. Et c'est pour son refus qu'Abriza était tellement haïe par cette vieille.

Donc lorsque la vieille Mère-des-Calamités fut entrée chez le roi Aphridonios, il se leva en son honneur ; et le roi Hardobios fit de même. Et la vieille dit : « Ô roi, il nous faut maintenant laisser de côté tout cet encens fécal et toutes ces bénédictions du patriarche qui n'ont fait qu'attirer les malheurs sur nos têtes. Et songeons plutôt à agir à la lumière de la vraie sagesse. Voici. Comme les musulmans s'acheminent, à marches forcées, pour venir assiéger notre ville, il faut envoyer des crieurs par tout l'empire inviter les populations à se rendre à Constantinia, pour repousser avec nous l'assaut des assiégeants. Et que tous les soldats des garnisons se hâtent d'accourir s'enfermer dans nos murs, car le danger est pressant ! Quant à moi, ô roi, laisse-moi faire, et bientôt la renommée fera parvenir jusqu'à toi le résultat de mes ruses et le bruit de mes méfaits contre les musulmans. Car, dès cette minute, je quitte Constantinia. Et que le Christ, fils de Mariam, te garde sauf ! »

Alors le roi Aphridonios se hâta de suivre les conseils de Mère-des-Calamités qui était, comme elle l'avait dit, sortie de Constantinia.

Or, voici le stratagème imaginé par la vieille rouée.

Lorsqu'elle fut sortie de la ville, après avoir pris avec elle cinquante guerriers d'élite versés dans la connaissance de la langue arabe, son premier soin fut de les déguiser en marchands musulmans de Damas. Car elle avait également pris avec elle cent mulets chargés d'étoffes de toutes sortes, de soieries d'Antioche et de Damas, de satins à reflets métalliques et de brocarts précieux, et beaucoup d'autres choses royales. Et elle avait eu soin de prendre, du roi Aphridonios, une lettre, comme sauf-conduit, qui contenait ceci, en substance :

« Les marchands *tels* et *tels* sont des marchands musulmans de Damas, étrangers à notre pays et à notre religion chrétienne ; mais comme ils ont fait le commerce dans notre pays, et que le commerce constitue la prospérité d'un pays et sa richesse, et comme ce ne sont point des hommes de guerre, mais des hommes pacifiques, nous leur donnons ce sauf-conduit afin que nul ne les lèse dans leur personne ou leurs intérêts, et que nul ne leur réclame une dîme quelconque ou un droit d'entrée ou de sortie sur leurs marchandises. »

Ensuite, une fois les cinquante guerriers habillés en marchands musulmans, la perfide vieille se déguisa en ascète musulman, en s'habillant d'une grande robe de laine blanche ; puis elle se frotta le front avec un onguent de sa composition qui lui donna un éclat et un rayonnement de sainteté hors de pair ; enfin elle se fit lier les pieds de façon à ce que les cordes s'enfonçassent jusqu'au sang et laissassent des marques indélébiles. Alors seulement elle dit à ses compagnons :

« Il faut maintenant me frapper avec des fouets et me mettre les chairs en sang, de façon à me laisser des cicatrices ineffaçables. Et, pour cela, n'ayez aucun scrupule, car la nécessité a ses lois. Ensuite mettez-moi dans une caisse semblable à ces caisses des marchandises, et placez la caisse sur un de ces mulets. Et mettez-vous alors en marche jusqu'à ce que vous soyez arrivés au campement des musulmans dont le chef est Scharkân. Et à ceux qui voudront vous barrer la route, vous montrerez la lettre du roi Aphridonios, qui vous dépeint comme des marchands de Damas, et vous demanderez à voir le prince Scharkân ; et lorsque vous serez introduits en sa présence et qu'il vous aura interrogés sur votre état et sur vos bénéfices réalisés dans le pays des Roum infidèles, vous lui direz :

« Ô roi fortuné, le bénéfice le plus net et le plus méritoire de tout notre voyage commercial au pays de ces chrétiens mécréants a été la délivrance d'un saint ascète que nous avons pu tirer d'entre les mains de ses persécuteurs, qui le torturaient dans un souterrain, depuis quinze années, pour lui faire abjurer la sainte religion de notre Prophète Mohammad (sur lui la paix et la prière !). Et voici comment la chose s'est passée :

« Il y avait déjà quelque temps que nous étions à Constantinia à vendre et à acheter, quand, une nuit que nous étions assis dans notre logement à calculer le gain de la journée, nous vîmes soudain, tout contre le mur de la salle, une grande image apparaître, d'un homme triste, dont les larmes remplissaient les yeux et coulaient le long de la vénérable barbe blanche. Et les lèvres du vieil homme triste remuèrent lentement et nous dirent ces paroles : « Ô musulmans ! Si parmi vous il y a des hommes qui craignent Allah et suivent à la lettre les préceptes de notre Prophète (sur lui la paix et la prière !) qu'ils se lèvent et sortent de ce pays des mécréants et aillent vers l'armée du prince Scharkân dont la destinée a été écrite de devoir un jour prendre des mains des Roum la ville de Constantinia. Et, sur votre route, vous trouverez un monastère, au bout de trois jours de marche. Et dans ce monastère, à *tel* endroit dans *tel* lieu, vous trouverez un souterrain où est enfermé depuis quinze ans un saint ascète de La Mecque nommé Abdallah, dont les vertus sont agréables à Allah Très-Haut. Et il est tombé entre les mains des moines chrétiens qui l'ont enfermé dans ce souterrain et le torturent horriblement en haine de sa religion. Aussi la délivrance de ce saint serait pour vous autres l'action la plus méritoire devant le Très-Haut ; et par elle-même déjà elle est une très belle action ! Je ne vous en dirai pas davantage. Et que la paix soit sur vous ! »

« Et, cela dit, la figure du vieillard triste s'effaça à nos yeux...

À ce moment de sa narration, Schahrazade vit apparaître le matin et se tut discrètement.

Mais lorsque fut la quatre-vingt-quatorzième nuit. Elle dit :

« Et, cela dit, la figure du vieillard triste s'effaça à nos yeux. Alors immédiatement, sans hésiter, nous emballâmes tout ce qui nous restait de marchandises et tout ce que nous avions acheté dans le pays des Roum, et nous sortîmes de Constantinia. Et, en effet, au bout de trois journées de marche, nous trouvâmes le monastère en question, au milieu d'un village. Alors, pour ne pas éveiller l'attention sur nos projets, nous déballâmes une partie de nos marchandises sur la place publique du village, selon la coutume des marchands, et nous nous mîmes ainsi à vendre jusqu'à la tombée de la nuit. Alors, à la faveur des ténèbres, nous nous glissâmes dans le monastère et nous bâillonnâmes le moine portier ; et nous pénétrâmes dans le souterrain. Et, comme nous l'avait dit l'apparition, nous trouvâmes le saint ascète Abdallah, qui est maintenant là dans une de nos caisses, ô roi, et que nous allons amener entre tes mains. »

Et, ayant enseigné ces paroles à ses compagnons, la vieille Mère-des-Calamités, déguisée en ascète, ajouta : « Et alors, moi, je me chargerai de l'extermination de tous ces musulmans ! »

Lorsque la vieille eut fini de parler, ses compagnons répondirent par l'ouïe et l'obéissance, et se mirent aussitôt à la fouetter jusqu'au sang, et puis l'enfermèrent dans une caisse vide, qu'ils placèrent sur le dos de l'un des mulets, et se mirent en route pour mettre à exécution le plan de cette perfide.

Mais pour ce qui est de l'armée victorieuse des Croyants, après la déroute des chrétiens elle se partagea le butin et glorifia Allah pour ses bienfaits. Ensuite Daoul'makân et Scharkân se tendirent la main pour se féliciter et s'embrassèrent, et Scharkân, dans sa joie, dit à Daoul'makân : « Ô mon frère je souhaite qu'Allah t'accorde de ton épouse enceinte un enfant mâle, afin que je puisse le marier à ma fillette Force-du-Destin ! » Et ils ne cessèrent de se réjouir ensemble jusqu'à ce que le vizir Dandân leur eût dit : « Ô rois, il est sage et tout indiqué que, sans perdre de temps, nous nous mettions à la poursuite des vaincus, et que, sans leur donner le temps de se reprendre, nous allions les assiéger dans Constantinia, et les exterminer totalement de la surface de la terre. Car, comme dit le poète :

« Le pur délice des délices est de tuer de sa main les ennemis, et de se sentir emporté sur un coursier fougueux.

Le pur délice est l'arrivée d'un messager de la bien-aimée vous annonçant l'arrivée de la bien-aimée.

Mais le plus pur délice des délices n'est-ce point l'arrivée de la bien-aimée avant même l'arrivée du messager ?

Et puis, ô délice de tuer de sa main les ennemis, et de se sentir emporté sur un coursier fougueux ! »

Lorsque le vizir Dandân eut récité ces vers, les deux rois agréèrent son avis et donnèrent le signal du départ pour Constantinia. Et toute l'armée se mit en marche, avec ses chefs en tête.

Et l'on marcha sans répit, et l'on traversa de grandes plaines brûlées où ne poussait d'autre végétation qu'une herbe jaune disséminée dans ces solitudes habitées seulement par la présence d'Allah. Et au bout de six jours de cette marche harassante, dans ces déserts sans eau, ils finirent par arriver dans un pays qui bénissait le Créateur. Devant eux s'étendaient des prairies pleines de fraîcheur où se promenaient les eaux bruissantes, où fleurissaient les arbres fruitiers. Et cette contrée, où s'ébattaient les gazelles et où chantaient les oiseaux, apparaissait tel un paradis avec ses grands arbres ivres de la rosée qui embellissait leurs branches, et ses fleurs qui souriaient à la brise vagabonde, comme dit le poète :

« Regarde, enfant ! La mousse du jardin s'étend heureuse sous la caresse des fleurs endormies. Elle est un grand tapis couleur d'émeraude avec des reflets adorables.

Ferme tes yeux, enfant ! Écoute l'eau chanter sous les pieds des roseaux. Ah ! ferme tes yeux !

Jardins ! parterres ! ruisseaux ! je vous adore ! Ô ruisseau au soleil, tu brilles comme une joue, duveté de l'ombre des saules inclinés !

Eau du ruisseau qui t'attaches aux tiges des fleurs, ô grelots d'argent aux chevilles blanches ! Et vous, fleurs, couronnez mon bien-aimé !... »

Lorsqu'ils eurent rassasié leurs sens de ces délices, les deux frères songèrent à se reposer quelque temps en ce lieu. En effet, Daoul'makân dit à Scharkân : « Ô mon frère, je ne crois pas que tu aies vu à Damas des jardins aussi beaux. Restons donc ici pour nous reposer deux ou trois jours et donner à nos soldats le temps de respirer un peu de bon air et de boire de cette eau si douce afin qu'ils puissent mieux lutter contre les mécréants. » Et Scharkân trouva que l'idée était excellente.

Or, comme il y avait déjà deux jours qu'ils étaient là et qu'ils allaient se préparer à faire plier les tentes, ils entendirent des voix dans le lointain ; et, s'étant informés, il leur fut répondu que c'était une caravane de marchands de Damas qui retournaient dans leur pays, après avoir vendu et acheté dans le pays des Infidèles, et que les soldats leur barraient maintenant la route pour les punir d'avoir fait le commerce avec les Infidèles.

Mais, juste à ce moment, les marchands arrivèrent en protestant et en se démenant, entourés par les soldats. Et ils se jetèrent aux pieds de Daoul'makân et lui dirent : « Nous avons été dans le pays des Infidèles, qui nous ont respectés et ne nous ont lésés ni dans nos personnes ni dans nos biens ; et voici que maintenant les Croyants, nos frères, nous pillent et nous maltraitent en pays musulman ! » Puis ils sortirent la lettre, sauf-conduit du roi de Constantinia, et la tendirent à Daoul'makân qui la lut, ainsi que Scharkân. Et Scharkân leur dit : « Ce qui vous a été enlevé vous sera rendu sur l'heure. Mais aussi pourquoi, vous, des musulmans, être allés ainsi faire le commerce avec les mécréants ? » Alors les marchands répondirent : « Ô notre maître, Allah nous a conduits chez ces chrétiens pour être la cause d'une victoire plus importante que toutes les victoires des armées et toutes celles que tu as remportées toi-même ! » Et Scharkân dit : « Et quelle est donc cette victoire, ô marchands ? » Ils répondirent : « Nous ne pouvons en parler que dans un endroit isolé, à l'abri des indiscrets ; car, si la chose venait à s'ébruiter, aucun musulman ne pourrait jamais plus, même en temps de paix, mettre les pieds dans le pays des chrétiens. »

À ces paroles, Daoul'makân et Scharkân emmenèrent les marchands, et les conduisirent sous une tente retirée, complètement à l'abri des oreilles indiscrètes. Alors les marchands...

À ce moment de sa narration, Schahrazade vit apparaître le matin et se tut discrètement.

Mais lorsque fut la quatre-vingt-quinzième nuit. Elle dit :

Il m'est parvenu, ô Roi fortuné, que les marchands racontèrent alors aux deux frères l'histoire fabriquée et enseignée par la vieille Mère-des-Calamités. Et les deux frères furent émus extrêmement en entendant le récit des souffrances du saint ascète et sa délivrance du souterrain du monastère. Et ils demandèrent aux marchands : « Mais où est-il maintenant, le saint ascète ? L'avez-vous laissé ensuite au monastère ? » Ils répondirent : « Lorsque nous eûmes tué le moine gardien du monastère, nous nous hâtâmes d'enfermer le saint dans une caisse, que nous chargeâmes sur un de nos mulets, et nous nous enfuîmes au plus vite. Et nous allons maintenant l'amener entre vos mains. Mais, avant de nous enfuir du monastère, nous pûmes constater qu'il renfermait des quintaux et des quintaux d'or, d'argent et de pierreries et joyaux de toutes sortes, dont va d'ailleurs vous mieux parler le saint ascète, dans quelques instants. »

Et ces marchands se hâtèrent d'aller décharger le mulet, et ouvrirent la caisse et amenèrent le saint ascète devant les deux frères. Et il apparut aussi noir qu'une gousse de cassier, tant il avait maigri et s'était ratatiné ; et il portait sur sa peau les cicatrices laissées par les coups de fouet et que l'on aurait cru des traces de chaînes enfoncées dans les chairs.

À sa vue (c'était, en réalité, la vieille Mère-des-Calamités !) les deux frères furent convaincus qu'ils avaient devant eux le plus saint des ascètes, surtout lorsqu'ils virent que le front de l'ascète était brillant comme le soleil, grâce à l'onguent mystérieux dont la perfide vieille s'était oint la peau. Et ils s'avancèrent vers elle et lui baisèrent les mains et les pieds avec ferveur en lui demandant sa bénédiction, les larmes aux yeux, et se mirent même à sangloter tant ils étaient touchés des souffrances subies par celle qu'ils croyaient être un saint ascète. Alors elle leur fit signe de se relever et leur dit : « Cessez maintenant de pleurer et écoutez mes paroles ! » Alors les deux frères obéirent tout de suite, et elle leur dit :

« Sachez que, pour moi, je me soumets passivement à la volonté de mon Souverain Maître, car je sais que les fléaux qu'il m'envoie sont seulement pour éprouver ma patience et mon humilité. Qu'Il soit béni et glorifié ! Car celui qui ne sait pas supporter les épreuves du Très-Bon ne parviendra jamais à goûter les délices du paradis. Et si maintenant je suis heureux de ma délivrance, ce n'est point à cause de la fin de mes souffrances, mais à cause de ma venue au milieu de nos frères musulmans et de mon espoir de mourir sous le pas des chevaux des guerriers luttant pour la cause de l'Islam ! Car les Croyants qui sont tués dans la guerre sainte ne meurent pas, leur âme est immortelle ! »

Alors les deux frères lui prirent encore les mains et les baisèrent et voulurent donner l'ordre de lui apporter à manger, mais elle refusa en disant : « Je suis dans le jeûne depuis bientôt quinze ans, et je ne puis, maintenant qu'Allah m'a accordé tant de faveurs, être assez impie pour couper ce jeûne et mon abstinence, mais, peut-être, au coucher du soleil, mangerai-je un morceau. » Alors ils n'insistèrent pas ; mais, le soir venu, ils firent apprêter les mets et les lui présentèrent eux-mêmes ; mais la perfide refusa encore en disant : « Ce n'est point le temps de manger, mais de prier le Très-Haut ! » Et aussitôt elle se mit dans l'attitude de la prière au milieu du mihrab. Et elle resta ainsi à prier toute la nuit, sans prendre de repos, et aussi les deux nuits suivantes. Alors les deux frères furent pris pour elle d'une grande vénération, la croyant toujours un homme, un saint ascète ; et ils lui donnèrent une grande tente pour elle seule et des serviteurs spéciaux et des cuisiniers ; et à la fin du troisième jour, comme elle persistait à ne prendre aucune nourriture, les deux frères vinrent eux-mêmes la servir et lui firent porter dans sa tente tout ce que l'œil et l'âme peuvent souhaiter de choses agréables. Mais elle ne voulut toucher à rien et ne mangea qu'un morceau de pain et un peu de sel. Aussi le respect des deux frères ne fit qu'augmenter, et Scharkân dit à Daoul'makân : « En vérité, cet homme a absolument renoncé à toutes les jouissances de ce monde ! Et c'était cette guerre qui m'oblige à combattre les mécréants, je me consacrerais entièrement à sa dévotion, et je le suivrais toute ma vie pour avoir sur moi ses bénédictions ! Mais allons le prier de nous entretenir un peu, car demain nous devons marcher sur Constantinia, et nous n'aurons pas meilleure occasion de profiter de ses paroles. »

Alors le grand vizir Dandân dit : « Moi aussi, je voudrais bien voir ce saint ascète et le prier de faire des vœux pour moi, afin que je puisse trouver la mort dans la guerre sainte et aller me présenter devant le Souverain Maître : car j'en ai assez, de cette vie. »

Alors tous les trois prirent le chemin de la tente qu'habitait cette perfide vieille Mère-des-Calamités ; et ils la trouvèrent enfoncée dans l'extase de la prière. Alors ils se mirent à attendre qu'elle eût fini de prier ; mais comme, au bout de trois heures d'attente, malgré les pleurs d'admiration qu'ils versaient et leurs sanglots, elle ne se départait pas de cette attitude à genoux, et ne leur prêtait pas la moindre attention, ils s'avancèrent vers elle et baisèrent la terre. Alors elle se releva, et leur souhaita la paix et la bienvenue et leur dit : « Que venez-vous donc faire à cette heure ? » Ils répondirent : « Ô saint ascète, il y a déjà plusieurs heures que nous sommes ici. N'as-tu pas entendu nos pleurs ? » Elle répondit : « Celui qui se trouve en présence d'Allah ne peut entendre ni voir ce qui se passe dans ce bas monde ! » Ils lui dirent : « Nous venons te voir, ô saint ascète, pour te demander ta bénédiction avant le grand combat et pour entendre, de ta bouche, le récit de ta captivité chez les mécréants que nous allons demain, avec l'aide d'Allah, exterminer jusqu'au dernier ! » Alors la vieille maudite leur dit : « Par Allah ! si vous n'aviez été les chefs des Croyants jamais je ne vous eusse raconté ce que je vais vous raconter ! Car les conséquences vont en être pour vous d'un avantage considérable.

« Écoutez donc !

HISTOIRE DU MONASTÈRE

« Sachez, ô vous, que j'ai longtemps séjourné dans les Lieux Saints, en compagnie d'hommes pieux et éminents ; et je vivais avec eux en toute modestie, ne me préférant jamais à eux, car Allah Très-Haut m'a accordé le don de l'humilité et du renoncement. Et je pensais même passer le restant de mes jours de la sorte dans la tranquillité, l'accomplissement des devoirs pieux et le calme d'une vie sans incidents. Mais je calculais sans le destin.

« Une nuit que j'étais allé vers la mer, que je n'avais jamais vue, je fus poussé par une force irrésistible à marcher sur l'eau. Et je m'y dirigeai résolument et, à mon grand étonnement, je me mis à marcher sur l'eau sans m'y enfoncer et sans même mouiller mes pieds nus. Et je me mis à me promener sur la mer, à pied, pendant un certain temps ; après quoi je revins vers le rivage. Alors, l'esprit encore tout émerveillé de ce don surnaturel que je possédais sans savoir, je m'enorgueillis dans mon intérieur et je pensai : « Qui donc comme moi peut marcher sur la mer ? » À peine avais-je formulé mentalement cette pensée, qu'Allah me punit pour mon orgueil en mettant aussitôt dans mon cœur l'amour du voyage.

« Et je quittai les Lieux Saints. Et, depuis lors, je me mis à vagabonder deci de-là, sur toute la surface de la terre.

« Or, un jour que je voyageai à travers les pays des Roum, tout en accomplissant rigoureusement les devoirs de notre sainte religion, j'arrivai à une haute montagne sombre au sommet de laquelle était un monastère chrétien qui était sous la garde d'un moine. J'avais connu ce moine autrefois, dans les Lieux Saints, et il s'appelait Matrouna. Aussi à peine m'eut-il vu qu'il accourut respectueusement à ma rencontre et m'invita à entrer me reposer dans le monastère. Or, le perfide mécréant complotait ma perte, car à peine étais-je entré dans le monastère qu'il me fit suivre une longue galerie au bout de laquelle s'ouvrait une porte dans l'obscurité. Et il me poussa soudain dans le fond de cette obscurité et fit tourner la porte et m'enferma. Et là il me laissa quarante jours sans me donner à boire ni à manger, pensant ainsi me faire mourir de faim, en haine de ma religion.

« Sur ces entrefaites, arriva au monastère, en tournée extraordinaire, le chef général des moines ; et il était accompagné, selon l'habitude des chefs de moines, d'une suite choisie de dix jeunes moines fort jolis et d'une jeune fille aussi belle que les dix jeunes moines ; et cette jeune fille était vêtue d'un habit de moine qui lui serrait la taille et faisait saillir ses hanches et ses seins. Et Allah seul sait les horreurs que perpétuait ce chef de moines avec cette jeune fille qui s'appelait Tamacil et avec ses jeunes compagnons moines.

« Aussi, à l'arrivée de son chef, le moine Matrouna lui raconta mon emprisonnement et ma torture par la faim depuis quarante jours. Et le chef des moines, dont le nom est Dechianos, lui ordonna d'ouvrir la porte du souterrain et d'en retirer mes os pour les jeter, en disant : « Ce musulman doit, à l'heure qu'il est, être une carcasse si dénudée que les oiseaux de proie ne la voudront même pas approcher ! » Alors Matrouna et les jeunes moines ouvrirent la porte des ténèbres et me trouvèrent à genoux dans l'attitude de la prière. À cette vue, le moine Matrouna s'écria : « Ah ! le maudit sorcier ! Cassons-lui les os ! » Et ils me tombèrent tous dessus à grands coups de bâton et de fouet, et tellement que je crus trépasser. Et je compris alors qu'Allah me faisait subir ces épreuves pour me punir de ma vanité passée : je m'étais enflé d'orgueil en voyant que je marchais sur la mer, alors que je n'étais qu'un instrument entre les mains du Très-Haut.

« Donc, lorsque le moine Matrouna et les autres jeunes fils de chiens m'eurent mis dans cet état pitoyable, ils m'enchaînèrent et me rejetèrent dans le souterrain des ténèbres. Et j'y serais certainement mort d'inanition si Allah n'avait voulu toucher le cœur de la jeune Tamacil qui, chaque jour, me visita en secret pour me donner un pain d'orge et une cruche d'eau, tout le temps que resta le chef des moines au monastère. Or, le chef des moines resta longtemps dans ce monastère, où il se plaisait fort, et il finit même par le choisir pour sa résidence habituelle ; et lorsqu'il était obligé de la quitter, il y laissait la jeune Tamacil sous la garde du moine Matrouna.

« Je demeurai de la sorte enfermé dans le souterrain durant cinq ans : et, de son côté, la jeune fille grandissait et devenait d'une beauté qui défiait celle des plus belles filles de son temps. Car je puis vous certifier, ô rois, que ni dans notre pays ni dans le pays des Roum on ne peut trouver son égale. Mais cette jeune fille n'est pas le seul joyau que renferme ce monastère, car on y a entassé des trésors innombrables en or, en argent, en bijoux et en richesses de toutes sortes qui dépassent tout calcul. Aussi il faut vous hâter d'aller prendre d'assaut ce monastère et vous emparer de la jeune fille et des trésors ; et je vous servirai moi-même de guide pour vous ouvrir les portes des cachettes et des armoires que je connais, et notamment de la grande armoire du chef des moines Dechianos, celle qui contient les plus beaux vases en or ciselé ; et je vous livrerai cette merveille digne des rois qu'est la jeune Tamacil ; car, outre sa beauté, elle possède le don du chant et connaît toutes les chansons arabes des villes et des Bédouins. Et elle vous fera passer des journées lumineuses et des nuits de sucre et de bénédiction.

« Quant à ma délivrance du souterrain, vous l'avez apprise déjà de la bouche de ces bons marchands qui exposèrent leur vie pour me tirer d'entre les mains de ces chrétiens – qu'Allah maudisse, eux et leur postérité, jusqu'au jour du Jugement ! »

Lorsque les deux frères eurent entendu cette histoire, ils furent joyeux extrêmement en songeant à toutes les acquisitions qu'ils allaient faire et surtout à la jeune Tamacil, que la vieille disait fort experte, malgré sa jeunesse, dans l'art des plaisirs. Mais le vizir Dandân n'avait écouté cette histoire qu'avec un grand sentiment de méfiance et s'il ne s'était pas levé et s'en était allé, c'était seulement par respect pour les deux rois ; car les paroles de cet ascète étrange ne lui entraient guère dans la tête et étaient loin de le convaincre ou de le satisfaire. Pourtant il cacha son impression et ne voulut rien dire, de peur de se tromper.

Quant à Daoul'makân, il voulait d'abord marcher sur le monastère à la tête de toute son armée ; mais la vieille Mère-des-Calamités l'en dissuada en lui disant : « J'ai peur que le chef des moines, Dechianos, à la vue de tous ces guerriers, ne prenne peur et ne s'échappe du monastère en emmenant la jeune fille. » Alors Daoul'makân fit appeler le grand chambellan et l'émir Rustem et l'émir Bahramân et leur dit : « Demain, à la pointe du jour, vous marcherez sur Constantinia, où nous ne tarderons pas nous-mêmes à vous rejoindre. Toi, ô grand chambellan, tu prendras le commandement général de l'armée à ma place ; et toi, Rustem, tu remplaceras mon frère Scharkân ; et toi, Bahramân, tu remplaceras le grand vizir Dandân. Et surtout prenez bien garde de faire connaître à l'armée que nous sommes absents. D'ailleurs notre absence ne sera que de trois jours. » Puis Daoul'makân, Scharkân et le vizir Dandân choisirent cent guerriers d'entre les plus valeureux et cent mulets chargés de caisses vides destinées à contenir les trésors du monastère ; et ils emmenèrent aussi la vieille Mère-des-Calamités, cette perfide, qu'ils croyaient toujours un ascète aimé d'Allah ; et, suivant son indication, ils prirent le chemin du monastère.

Quant au grand chambellan et aux troupes musulmanes…

À ce moment de sa narration, Shahrazade vit apparaître le matin et s'arrêta discrètement dans son récit.

Mais lorsque fut la quatre-vingt-seizième nuit. Elle dit :

Quant au grand chambellan et aux troupes musulmanes, suivant l'ordre du roi Daoul'makân, le lendemain, à l'aube, ils plièrent les tentes et firent route sur Constantinia.

De son côté, la vieille Mère-des-Calamités ne perdit point de temps. À peine furent-ils tous hors des tentes qu'elle tira de l'une des caisses qu'elle avait sur son mulet deux pigeons apprivoisés par elle ; et elle attacha au cou de chacun de ces pigeons une lettre adressée au roi Aphridonios de Constantinia, dans laquelle elle le mettait au courant de tout ce qu'elle venait de faire et elle terminait en disant :

« Aussi, ô roi, il faut tout de suite envoyer au monastère dix mille guerriers des plus éprouvés parmi les plus vaillants d'entre les Roum. Et, lorsqu'ils seront arrivés au bas de la montagne, qu'ils ne bougent pas avant mon arrivée ! Et alors je leur livrerai les deux rois et le vizir et les cent guerriers musulmans. Pourtant je dois te dire, ô roi, que ma ruse ne peut s'accomplir sans la mort du gardien du monastère, le moine Matrouna ; je le sacrifierai donc pour le bien commun des armées chrétiennes, car la vie d'un moine n'est rien devant le salut de la chrétienté. Et loué soit le Christ, notre Seigneur, au commencement et à la fin ! »

Et les pigeons, porteurs de la lettre, arrivèrent à la haute tour, à Constantinia ; et l'apprivoiseur prit la lettre suspendue au cou des pigeons et alla tout de suite la remettre au roi Aphridonios. Et à peine le roi eut-il lu la lettre, qu'il fit rassembler les dix mille guerriers nécessaires et leur fit donner à chacun un cheval et, en outre, un chameau de course et un mulet pour porter le butin qu'ils devaient faire sur l'ennemi. Et il les fit alors se diriger en toute hâte dans la direction du monastère.

Quant au roi Daoul'makân et à Scharkân et au vizir Dandân et aux cent guerriers, une fois arrivés au bas de la montagne, ils durent faire seuls l'ascension du monastère, car la vieille Mère-des-Calamités, s'étant trouvée extrêmement fatiguée par le voyage, était restée au bas de la montagne, en disant : « Montez d'abord, vous autres, et moi, ensuite, une fois le monastère en votre pouvoir, je monterai vous en révéler les trésors cachés. »

Or, ils arrivèrent au monastère, un à un, en se dissimulant ; et, arrivés sous les murs, ils les escaladèrent prestement et sautèrent tous à la fois dans le jardin. Alors, au bruit, accourut le gardien, le moine Matrouna ; mais c'en fut fait de lui, car Scharkân cria à ses guerriers : « Sus à ce chien maudit ! » Et aussitôt cent coups le pénétrèrent ; et son âme mécréante s'exhala de son cul et alla s'enfoncer dans les feux de l'enfer. Et le pillage du monastère commença avec ordre. D'abord ils entrèrent dans l'endroit sacré où les chrétiens déposent leurs offrandes : et là ils trouvèrent, pendus aux murs, de haut en bas, une quantité énorme de joyaux et de choses très riches, bien plus que ne leur avait dit le vieil ascète. Et il remplirent leurs caisses et leurs sacs et les chargèrent sur les mulets et les chameaux.

Mais pour ce qui est de la jeune fille nommée Tamacil, que leur avait dépeinte l'ascète, aucune trace, pas plus d'elle que des dix jeunes garçons aussi beaux qu'elle, ni du déplorable chef des moines Dechianos. Aussi pensèrent-ils que la jeune fille, ou était sortie se promener ou s'était cachée dans une chambre ; et ils fouillèrent tout le monastère ; et ils restèrent à l'attendre pendant deux jours ; mais la jeune Tamacil n'apparaissait pas davantage. Et Scharkân, impatienté, finit par dire : « Par Allah ! ô mon frère, mon cœur et ma pensée travaillent beaucoup au sujet des guerriers de l'Islam que nous avons laissés aller seuls à Constantinia, et dont nous n'avons aucune nouvelle ! » Et Daoul'makân dit : « Je crois bien aussi que, pour ce qui est de la nommée Tamacil et de ses jeunes compagnons, il faut faire notre acte de renoncement, car je ne vois rien venir. Aussi, maintenant que nous avons assez attendu en vain et que d'ailleurs nous avons chargé nos mulets et nos chameaux d'une grande partie des richesses du monastère, contentons-nous de ce qu'Allah nous a déjà accordé, et allons-nous-en rejoindre nos troupes pour, avec l'aide d'Allah, écraser les Infidèles et prendre leur capitale, Constantinia ! »

Alors ils descendirent du monastère pour aller prendre le vieil ascète au bas de la montagne et faire route vers leur armée. Mais à peine s'étaient-ils engagés dans la vallée, que de toutes parts apparurent sur les hauteurs les guerriers des Roum, qui poussaient leur cri de guerre, et de tous les côtés à la fois ils se mirent à descendre vers eux pour les envelopper. À cette vue, Daoul'makân s'écria :

« Qui donc a pu aviser les chrétiens de notre présence au monastère ? » Mais Scharkân, sans lui laisser le temps de continuer, lui dit : « Ô mon frère, nous n'avons pas de temps à perdre en conjectures ; dégainons courageusement et attendons de pied ferme tous ces chiens maudits, et faisons-en une telle tuerie que nul d'entre eux ne puisse s'échapper pour aller raviver le feu de son foyer ! » Et Daoul'makân dit : « Si du moins nous avions été prévenus, nous aurions pris avec nous un plus grand nombre de nos guerriers pour lutter un peu plus efficacement ! » Mais le vizir Dandân dit : « Si même nous avions avec nous dix mille hommes, cela ne nous serait d'aucune utilité dans cette gorge étroite. Mais Allah nous fera surmonter toutes les difficultés et nous tirera de ce mauvais pas. Car, du temps que je guerroyais ici, avec le défunt roi Omar Al-Némân, j'ai appris à connaître toutes les issues de cette vallée et toutes les sources d'eau glacée qu'elle contient. Suivez-moi donc avant que toutes les issues ne soient occupées par ces mécréants ! »

Mais au moment où ils allaient se mettre à l'abri, devant eux apparut le saint ascète qui leur cria : « Où courez-vous ainsi, ô Croyants ? Fuyez-vous donc en face de l'ennemi ? Ne savez-vous que votre vie est dans les mains d'Allah seul et qu'il est le maître de vous la conserver ou de vous l'enlever, quoi qu'il puisse vous arriver ? Oubliez-vous que, moi-même, enfermé sans nourriture dans le souterrain, j'ai survécu parce qu'il l'a ainsi voulu ? En avant donc, ô musulmans ! Et si la mort est là, le paradis vous attend ! »

À ces paroles du saint ascète, ils se sentirent l'âme remplie de courage et attendirent de pied ferme l'ennemi qui fondait sur eux avec impétuosité. Or, ils n'étaient en tout que cent trois, mais un Croyant ne vaut-il point mille Infidèles ? En effet, à peine les chrétiens furent-ils à portée de la lance et du glaive, que le vol de leurs têtes devint un jeu pour les bras des Croyants. Et Daoul'makân et Scharkân de chaque tournoiement de leur sabre jetaient en l'air cinq têtes coupées ! Alors les Infidèles s'élancèrent dix par dix sur les deux frères ; mais un instant après dix têtes coupées sautaient en l'air. Et, de leur côté, les cent guerriers firent de ces chiens qui les attaquaient un carnage mémorable, et cela jusqu'à la tombée de la nuit qui sépara les combattants.

Alors les Croyants et leurs trois chefs se retirèrent dans une caverne au flanc de la montagne pour s'y abriter cette nuit-là. Et ils songèrent à s'informer du sort du saint ascète ; et ils le cherchèrent en vain, après s'être comptés eux-mêmes un à un et avoir constaté qu'ils n'étaient plus que quarante-cinq survivants. Et Daoul'makân dit : « Qui sait si maintenant ce saint homme n'est pas mort martyr de sa foi, dans la mêlée ! » Mais le vizir Dandân s'écria : « Ô roi, durant la bataille je l'ai vu, cet ascète ! Et il m'a semblé le voir exciter les Infidèles au combat ; et il me paraissait tel un éfrit noir de la plus épouvantable espèce ! » Mais, au moment même où le vizir Dandân émettait ce jugement, l'ascète parut à l'entrée de la grotte ; et il tenait par les cheveux une tête coupée aux yeux convulsés. Et c'était la tête même du général en chef de l'armée chrétienne, lequel était un bien terrible guerrier.

À cette vue, les deux frères se levèrent debout sur leurs deux pieds et s'écrièrent : « Louange à Allah qui t'a sauvé, ô saint ascète, et t'a rendu à notre vénération ! » Alors cette perfide maudite répondit : « Mes chers fils, pour moi j'ai voulu mourir dans la mêlée et bien des fois je me suis jeté au milieu des combattants ; mais ces Infidèles eux-mêmes me respectaient et détournaient leur glaive de ma poitrine. Alors, moi, je profitai de cette confiance que je leur inspirais pour m'approcher de leur chef, et, d'un seul coup de sabre, avec l'aide d'Allah, je lui ai coupé la tête ! Et cette tête je vous l'apporte, pour vous encourager à continuer la lutte contre cette armée sans chef ! Quant à moi...

À ce moment de sa narration, Schahrazade vit apparaître le matin et, discrète, se tut.

Mais lorsque fut la quatre-vingt-dix-septième nuit. Elle dit :

Il m'est parvenu, ô Roi fortuné, que la vieille Mère-des-Calamités continua ainsi : « Quant à moi, je vais courir au plus vite vers votre armée, sous les murs de Constantinia, et vous chercher du renfort pour vous tirer des mains des mécréants. Fortifiez donc votre âme et, en attendant l'arrivée de vos frères musulmans, réchauffez vos glaives dans le sang des Infidèles, pour être agréables au Maître Suprême des armées ! » Alors les deux frères embrassèrent les mains du vénérable ascète et le remercièrent pour son dévouement et lui dirent : « Mais comment allez-vous faire, ô saint ascète, pour sortir de cette gorge dont toutes les issues sont occupées par les chrétiens, et alors que toutes les hauteurs sont peuplées des guerriers ennemis qui vous lapideront certainement sous une pluie continue de roches déracinées ! » Mais la perfide vieille répondit : « Allah me cachera à leurs regards, et je passerai inaperçu. Et si même ils parvenaient à me voir, ils ne pourraient me faire aucun mal, car je serai entre les mains d'Allah qui sait protéger ses vrais adorateurs et exterminer les impies qui le méconnaissent ! » Alors Scharkân lui dit : « Tes paroles sont pleines de vérité, ô saint ascète ! Car je t'ai vu au milieu du combat donner de ta personne avec héroïsme, et nul de ces chiens n'osait t'approcher ni même te regarder. Maintenant il ne te reste plus qu'à nous sauver d'entre leurs mains ; et plus vite tu partirais pour nous chercher du secours, mieux cela vaudrait. Voici la nuit. Pars à la faveur de ses ténèbres, sous l'égide d'Allah le Très-Haut ! »

Alors la maudite vieille essaya d'entraîner avec elle Daoul'makân pour le livrer aux ennemis. Mais le vizir Dandân, qui, en son âme, se méfiait des manières étranges de cet ascète, dit à Daoul'makân ce qu'il fallait pour l'empêcher d'en rien faire. Et la maudite fut obligée de s'en aller seule en jetant sur le vizir Dandân un regard de travers.

D'ailleurs, pour ce qui est de la tête coupée du général en chef de l'armée chrétienne, la vieille avait menti en disant que c'était elle qui avait tué ce redoutable guerrier. Elle n'avait fait que seulement lui couper la tête, une fois mort ; car il avait été tué, dans le feu du combat, par l'un des guerriers d'élite d'entre les cent gardes musulmans. Et ce guerrier musulman avait payé son exploit de sa vie ; car à peine le chef chrétien avait-il remis son âme aux démons de l'enfer, que les soldats chrétiens, voyant tomber leur chef sous la lance du musulman, se précipitèrent en masse sur ce dernier et le lardèrent de coups d'épée et le mirent en morceaux. Et l'âme de ce Croyant alla aussitôt au paradis entre les mains du Rémunérateur.

Quant aux deux rois et au vizir Dandân et aux quarante-cinq guerriers qui avaient passé la nuit dans la caravane, ils se réveillèrent à l'aube, et se mirent aussitôt dans l'attitude de la prière pour accomplir leurs devoirs religieux du matin, après avoir fait les ablutions prescrites. Puis ils se levèrent ragaillardis et prêts à la lutte ; et à la voix de Daoul'makân ils se précipitèrent comme des lions sur un troupeau de cochons. Et ils firent ce jour-là un carnage satisfaisant de leurs nombreux ennemis ; et les glaives s'entrechoquèrent aux glaives, et les lances aux lances, et les javelots firent éclater les armures ; et les guerriers s'élançaient au combat comme des loups altérés de sang. Et Scharkân et Daoul'makân firent couler tant de flots de sang que la rivière de la vallée en déborda, et la vallée elle-même disparut sous les monceaux de cadavres. Aussi à la tombée de la nuit…

À ce moment de sa narration, Schahrazade vit apparaître le matin et, discrète, se tut.

Mais lorsque fut la quatre-vingt-dix-huitième nuit. Elle dit :

Aussi à la tombée de la nuit les combattants furent obligés de se séparer, et chaque parti regagna son camp ; or, le camp des musulmans était toujours cette cachette dans la caverne ; et ils purent, une fois rentrés dans la caverne, se compter et constater que trente-cinq d'entre eux étaient restés ce jour-là sur le champ de bataille : ce qui réduisait leur nombre à dix guerriers avec, en plus, les deux rois et le vizir, et les obligeait à compter désormais, et plus que jamais, seulement sur l'excellence de leurs épées et l'aide du Très-Haut.

Pourtant Scharkân, à cette constatation, sentit sa poitrine se rétrécir considérablement et ne put s'empêcher de pousser un grand soupir et de dire : « Comment allons-nous faire maintenant ? » Mais tous ces guerriers croyants lui répondirent à la fois : « Rien ne s'accomplira sans la volonté d'Allah ! » Et Scharkân passa toute cette nuit sans dormir.

Mais le matin, au jour, il se leva et réveilla ses compagnons et leur dit : « Compagnons, nous ne sommes plus que treize, y compris le roi Daoul'makân, mon frère, et notre vizir Dandân. Je pense donc qu'il serait funeste de faire une sortie contre l'ennemi, car, malgré les prodiges de valeur que nous accomplirions, nous ne pourrions longtemps résister à la meute innombrable de nos ennemis ; et nul de nous ne reviendrait avec son âme. Nous allons donc, l'épée à la main, nous tenir un instant à l'entrée de cette grotte et provoquer nos ennemis à venir eux-mêmes nous chercher ici. Et tous ceux qui auront l'audace de pénétrer nous attaquer seront facilement mis en pièces dans cette caverne où nous sommes les plus forts. Et cela nous permettra d'attendre, en décimant nos ennemis, l'arrivée du renfort promis par le vénérable ascète. »

Alors tous répondirent : « L'idée est tout à fait bonne, et nous allons tout de suite la mettre en pratique. » Alors cinq d'entre les guerriers sortirent de la caverne et se tournèrent du côté du campement des ennemis et se mirent à les provoquer à grands cris. Puis, voyant qu'un détachement s'avançait de leur côté, ils rentrèrent dans la caverne et en occupèrent l'entrée, en se mettant sur deux rangs.

Or, les choses se passèrent d'après les prévisions de Scharkân. Car chaque fois que des chrétiens essayaient de franchir l'entrée de la caverne, ils étaient saisis et coupés en deux, et nul ne réapparaissait au-dehors pour mettre les autres en garde contre cet assaut dangereux. Aussi, ce jour-là, le carnage de chrétiens fut encore plus considérable que les autres jours, et il ne s'arrêta qu'aux ténèbres de la nuit. Et c'est ainsi qu'Allah aveuglait les impies pour mettre la vaillance dans le cœur de ses serviteurs.

Mais, le lendemain, les chrétiens tinrent conseil et dirent. « Cette lutte avec ces musulmans ne saurait avoir de fin qu'on ne les ait exterminés jusqu'au dernier. Au lieu donc d'essayer de prendre cette caverne d'assaut, enveloppons-la de toutes parts par nos soldats, et entourons-la de bois sec en quantité prodigieuse, et mettons le feu à ce bois qui les brûlera tous vifs. Alors, s'ils consentent, au lieu de se laisser brûler, à se rendre à discrétion, nous les emmènerons captifs et nous les traînerons devant notre roi Aphridonios, à Constantinia. Sinon, nous les laisserons se changer en charbon ardent pour alimenter les feux de l'enfer. Et puisse le Christ les enfumer et les maudire, eux et leurs ascendants et leur postérité, et en faire le tapis foulé aux pieds de la chrétienté ! »

Et, cela dit, ils se hâtèrent d'entasser les bûches de bois tout autour de la grotte…

À ce moment de sa narration, Schahrazade vit apparaître le matin et, discrète, remit son récit au lendemain.

Mais lorsque fut la quatre-vingt-dix-neuvième nuit. Elle dit :

Ils se hâtèrent d'entasser les bûches de bois tout autour de la grotte, à une hauteur énorme, et y mirent le feu.

Alors les musulmans, dans la caverne, sentirent la chaleur qui les cuisait et qui, augmentant de plus en plus, finit par les chasser. Ils se massèrent donc en un seul bloc et se précipitèrent tous au-dehors et, à travers les flammes, firent une trouée rapide. Mais, hélas ! de l'autre côté, encore aveuglés par la flamme et la fumée, le destin les jeta vivants entre les mains des ennemis qui aussitôt voulurent les mettre à mort. Mais le chef des chrétiens les en empêcha et leur dit : « Par Allah ! attendons pour les faire mourir qu'ils soient en présence du roi Aphridonios, à Constantinia, qui éprouvera une grande joie de les voir captifs. Mettons-leur les chaînes au cou et traînons-les derrière les chevaux à Constantinia ! »

Alors on les lia avec des cordes et on les mit sous la garde de quelques guerriers. Puis, pour fêter cette capture, toute l'armée chrétienne se mit à manger et à boire ; et ils burent tant que, vers le milieu de la nuit, ils tombèrent tous sur le dos comme morts.

À ce moment, Scharkân regarda tout autour de lui et vit tous ces corps étendus, et il dit à son frère Daoul'makân : « Y a-t-il encore pour nous un moyen de nous tirer de ce mauvais pas ? » Mais Daoul'makân répondit : « Ô mon frère, en vérité, je ne sais pas ; car nous voici comme les oiseaux dans la cage. » Et Scharkân fut dans une telle rage et poussa un si grand soupir, que l'effort considérable qu'il donna fit craquer les cordes qui le liaient et les fit sauter. Alors il bondit sur ses pieds et courut à son frère et au vizir Dandân et se hâta de les délivrer de leurs liens ; puis il s'approcha du gardien en chef et lui enleva les clefs des chaînes dont étaient enchaînés les dix guerriers musulmans et il les délivra également. Alors, sans perdre de temps, ils s'armèrent des armes des chrétiens ivres et s'emparèrent de leurs chevaux et, sans bruit, ils s'éloignèrent, en remerciant Allah pour leur délivrance.

Ils se mirent alors à une allure fort rapide et finirent par arriver au haut de la montagne. Alors, Scharkân les fit s'arrêter un instant et leur dit : « Maintenant qu'avec l'aide d'Allah nous sommes en sûreté, j'ai une idée à vous communiquer. » Ils répondirent tous : « Et quelle est cette idée ? » Il dit : « Nous allons nous disperser un peu de tous les côtés sur le sommet de cette montagne, et nous allons grossir nos voix et crier de toutes nos forces : « Allahou akbar ! » Alors toutes les montagnes et les vallées et les rochers résonneront, et les impies, encore ivres, croiront que toute l'armée des musulmans s'abat sur eux. Alors, étourdis, ils s'entre-tueront dans les ténèbres et feront d'eux-mêmes un carnage très grand jusqu'au matin. »

À ces paroles, ils répondirent par l'ouïe et l'obéissance, et firent tous ce que leur avait conseillé Scharkân. Aussi, à ces voix qui tombaient des montagnes, répercutées mille fois dans les ténèbres, les mécréants se levèrent avec effroi et revêtirent en hâte leurs armures en s'écriant : « Par le Christ ! l'armée musulmane est tout entière sur nous ! » Et, affolés, ils se jetèrent les uns sur les autres et firent d'eux-mêmes un grand carnage, et ne s'arrêtèrent qu'avec le matin, alors que la petite troupe des Croyants s'éloignait rapidement dans la direction de Constantinia.

Or, pendant que Daoul'makân et Scharkân, avec le vizir Dandân et les guerriers, marchaient vers le matin, ils virent devant eux s'élever une poussière très dense…

À ce moment de sa narration, Schahrazade vit apparaître le matin, et se tut discrètement.

Mais lorsque fut la centième nuit. Elle dit :

Ils virent devant eux s'élever une poussière très dense, et entendirent des voix qui criaient : « Allahou akbar ! » Et, quelques instants après, ils aperçurent, avec ses étendards déployés, une armée musulmane qui s'avançait vers eux rapidement. Et sous les grands étendards sur lesquels étaient écrits les mots de la foi : « *Il n'y a d'autre Dieu qu'Allah ! Et Mohammad est l'Envoyé d'Allah !* » apparurent, à cheval, à la tête de leurs guerriers, les émirs Rustem et Bahramân. Et derrière eux, comme les vagues innombrables, s'avançaient les guerriers musulmans.

Aussitôt que les émirs Rustem et Bahramân virent le roi Daoul'makân et ses compagnons, ils mirent pied à terre et vinrent lui présenter leurs hommages. Et Daoul'makân leur demanda : « Et comment vont nos frères musulmans, sous les murs de Constantinia ? » Ils répondirent : « En toute santé et en tous bienfaits ! Et c'est le grand chambellan qui nous a dépêchés vers vous autres, avec vingt mille guerriers, pour vous porter secours. » Alors Daoul'makân leur demanda : « Et comment avez-vous su le danger que nous courions ? » Ils répondirent : « C'est le vénérable ascète qui, après une marche de jour et de nuit, est accouru nous annoncer la chose et nous presser de courir ici. Et il se trouve maintenant en sécurité auprès du grand chambellan ; et il encourage les Croyants à la lutte contre les Infidèles enfermés dans les murs de Constantinia. »

Alors les deux frères furent très réjouis d'apprendre cette nouvelle et ils remercièrent Allah pour l'arrivée du saint ascète en toute sécurité. Et ils mirent les deux émirs au courant de tout ce qui s'était passé depuis leur arrivée au monastère, et leur dirent : « Maintenant les Infidèles, qui se sont décimés durant toute la nuit, doivent être dans le tumulte et l'épouvante de voir leur erreur. Aussi, sans leur laisser le temps de se reprendre, nous allons leur tomber dessus du haut de la montagne et les exterminer et prendre tout leur butin ainsi que les richesses que nous avions enlevées du monastère. »

Et immédiatement l'armée entière des Croyants, commandée maintenant par Daoul'makân et Scharkân, se précipita comme le tonnerre du sommet de la montagne et tomba sur le camp des Infidèles et fit jouer dans leurs corps le glaive et la lance. Et à la fin de cette journée, il ne restait plus, parmi les Infidèles, un seul homme capable d'aller raconter le désastre aux maudits enfermés dans les murs de Constantinia.

Une fois les guerriers chrétiens exterminés, les musulmans prirent toutes les richesses et tout le butin, et passèrent cette nuit-là dans le repos, en se congratulant mutuellement de leur succès et en remerciant Allah de ses bienfaits.

Et le matin venu, Daoul'makân décida le départ et dit aux chefs de l'armée : « Il nous faut maintenant gagner au plus vite Constantinia pour nous joindre au grand chambellan qui assiège la ville et qui n'a plus avec lui que très peu de troupes. Car si les assiégés savaient votre présence ici, ils comprendraient que les musulmans qui sont sous les murs sont en très petit nombre, et ils feraient une sortie funeste pour les Croyants. »

Alors on leva le campement et on marcha sur Constantinia, tandis que Daoul'makân, pour soutenir le courage de ses guerriers, improvisait, durant la marche, cette sublime élévation :

« Ô Seigneur ! je t'offre ma louange, Toi qui es la gloire et ta louange, ô Dieu qui n'as cessé de me diriger dans la voie difficile, par la main.

Tu m'as donné la richesse et les biens, un trône et tes grâces ; et tu as armé mon bras du glaive de la vaillance et des victoires.

Et tu m'as rendu le maître d'un empire à l'ombre considérable, et tu m'as comblé de l'excès de ta générosité.

Et tu m'as nourri, étranger dans les pays étrangers, et tu t'es fait mon garant quand j'étais si obscur parmi les inconnus !

Gloire à toi ! Tu as orné mon front de ton triomphe. Avec ton aide, nous avons écrasé les Roum, qui méconnaissent ta puissance ; et nous les avons pourchassés sous nos coups comme un bétail en déroute.

Gloire à toi ! Sur les rangs des impies tu as prononcé la parole de ta colère, et les voici ivres à jamais, non point du ferment généreux des vins, mais de la coupe de la mort.

Et si d'entre tes Croyants quelques-uns sont restés dans la bataille, l'immortalité les possède, assis sous les touffes heureuses, aux bords du fleuve édénique de miel parfumé ! »

Lorsque Daoul'makân eut fini de réciter ces vers, pendant la marche des troupes, on vit s'élever une poussière noire qui, s'étant dissipée…

À ce moment de sa narration, Schahrazade vit apparaître le matin et se tut discrètement.

Mais lorsque fut la cent et unième nuit. Elle dit :

On vit s'élever une poussière noire qui, s'étant dissipée, laissa apparaître la maudite vieille Mère-des-Calamités, toujours sous l'aspect d'un vénérable ascète. Alors tous s'empressèrent de lui baiser les mains, tandis que, les larmes aux yeux et la voix altérée, elle leur dit : « Apprenez le malheur, ô peuple des Croyants ! Et surtout hâtez vos pas ! Vos frères musulmans, qui étaient campés sous les murs de Constantinia, ont été attaqués à l'improviste, dans leurs tentes, par les forces considérables des assiégés ; et ils sont maintenant en complète déroute. Courez donc à leur secours, sinon du chambellan et de ses guerriers vous ne trouverez même plus la trace ! »

Lorsque Daoul'makân et Scharkân eurent entendu ces paroles, ils sentirent s'envoler leur cœur à force de battements, et, au comble de la consternation, ils s'agenouillèrent devant le saint ascète et lui baisèrent les pieds ; et tous les guerriers se mirent à pousser des cris de douleur et des sanglots.

Mais il n'en fut pas de même du grand vizir Dandân. Car il fut le seul à ne pas descendre de cheval et à ne pas baiser les mains et les pieds de l'ascète de malheur. Et, à haute voix, devant tous les chefs réunis, il s'écria : « Par Allah ! ô musulmans, mon cœur éprouve une singulière aversion pour cet ascète étrange ;

et je sens qu'il est un des réprouvés, de ceux-là qui sont bannis loin de la porte de la miséricorde divine ! Croyez-moi, ô musulmans, repoussez loin de vous ce sorcier maudit ! Croyez-en le vieux compagnon du défunt roi Omar Al-Némân ! Et, sans plus tenir compte des paroles de ce réprouvé, hâtons-nous tous vers Constantinia ! »

À ces paroles, Scharkân dit au vizir Dandân : « Chasse de ton esprit ces soupçons désobligeants qui prouvent bien que tu n'as pas vu, comme moi, ce saint ascète relever dans la mêlée le courage des musulmans et affronter sans crainte les glaives et les lances. Tâche donc de ne plus médire de ce saint, car la médisance est blâmée, et l'attaque dirigée contre l'homme de bien est condamnée. Et sache bien que si Allah ne l'aimait pas, il ne lui aurait pas donné cette force et cette endurance, et ne l'aurait pas sauvé autrefois des tortures du souterrain. »

Puis, ayant dit ces paroles, Scharkân fit donner comme monture au saint ascète une belle mule vigoureuse harnachée somptueusement et lui dit : « Monte cette mule et cesse d'aller à pied, ô notre père, ô le plus saint d'entre les ascètes ! » Mais la perfide vieille s'écria : « Comment pourrais-je prendre du repos alors que les corps des Croyants gisent sans sépulture sous les murs de Constantinia ! » Et elle ne voulut point monter la mule, et se mêla aux guerriers, et se mit à marcher et à circuler parmi les piétons et les cavaliers comme le renard en quête d'une proie. Et, tout en circulant, elle ne cessait de réciter à voix haute les versets du Koran et de prier le Clément, jusqu'à ce qu'enfin on vît accourir en désordre les débris de l'armée commandée par le grand chambellan.

Alors Daoul'makân fit approcher le grand chambellan et lui demanda de raconter les détails du désastre éprouvé. Et le grand chambellan, le visage défait et l'âme torturée, lui raconta tout ce qui était arrivé.

Or, tout cela avait été combiné par la maudite Mère-des-Calamités. En effet, lorsque les émirs Rustem et Bahramân, chefs des Turcs et des Kurdes, furent partis au secours de Daoul'makân et de Scharkân, l'armée qui campait sous les murs de Constantinia se trouva du coup fort diminuée en nombre ; aussi, par crainte que la chose ne fût connue des chrétiens, le grand chambellan ne voulut point en parler à ses soldats de peur qu'il se trouvât un traître parmi eux.

Mais la vieille, qui n'attendait que ce moment et qui recherchait depuis longtemps cette occasion qu'elle avait combinée avec beaucoup de peines et de soins, courut aussitôt vers les assiégés et héla à haute voix l'un des chefs qui étaient sur les murailles et lui dit de lui tendre une corde. Alors on lui tendit une corde et elle y attacha une lettre dans laquelle elle disait au roi Aphridonios :

« Cette lettre est de la part de la subtile et rouée et terrible Mère-des-Calamités, le plus effroyable fléau de l'Orient et de l'Occident au roi Aphridonios que le Christ ait en ses bonnes grâces ! »

« Sache, ô roi, que désormais la tranquillité va régner dans ton cœur, car j'ai combiné un stratagème qui est la perte dernière des musulmans. Après avoir réduit en captivité et jeté dans les chaînes leur roi Daoul'makân et son frère Scharkân et le vizir Dandân et détruit la troupe avec laquelle ils avaient pillé le monastère du moine Matrouna, j'ai réussi à affaiblir les assiégeants en les décidant à envoyer les deux tiers de leur armée dans la vallée, où ils seront détruits par l'armée victorieuse des soldats du Christ. Il ne te reste donc plus qu'à faire une sortie en masse contre les assiégeants et à les attaquer dans leur camp et à brûler leurs tentes et à les mettre en pièces jusqu'au dernier : ce qui te sera facile avec le secours de Notre Seigneur Christ et de sa mère Vierge. Et puissent-ils un jour me rémunérer pour tout le bien que je fais à toute la chrétienté ! »

À la lecture de cette lettre, le roi Aphridonios éprouva une très grande joie et fit immédiatement appeler le roi Hardobios, qui était venu s'enfermer à Constantinia avec le contingent de ses troupes de Kaïssaria ; et il lui lut la lettre de Mère-des-Calamités...

À ce moment de sa narration, Schahrazade vit apparaître le matin et, discrète, se tut.

Mais lorsque fut la cent deuxième nuit. Elle dit :

Et il lui lut la lettre de Mère-des-Calamités. Alors le roi Hardobios fut à l'extrême limite de la dilatation et s'écria : « Admire, ô roi, les ruses merveilleuses de ma nourrice Mère-des-Calamités ! En vérité, elle nous a été plus utile que toutes les armes de nos guerriers ; et rien que son regard lancé sur nos ennemis produit plus de terreur que la vue de tous les démons de l'enfer au terrible jour du Jugement ! » Et le roi Aphridonios répondit : « Puisse le Christ ne jamais nous priver de la vue de cette femme inestimable ! Et puisse-t-il la faire fructifier en ruses et en stratagèmes ! »

Et aussitôt il donna l'ordre aux chefs de son armée de faire crier aux soldats l'heure de l'attaque et de la sortie. Alors de tous les côtés affluèrent les soldats, et ils aiguisèrent leurs épées et invoquèrent la croix et la ceinture et sacrèrent et blasphémèrent et se démenèrent et hurlèrent. Et tous ensemble sortirent par la grande porte de Constantinia.

À la vue des chrétiens qui s'avançaient en ordre de bataille et le glaive nu à la main, le grand chambellan comprit le danger ; il fit aussitôt appeler les hommes aux armes et leur jeta ces quelques mots : « Ô guerriers musulmans, mettez votre confiance dans votre foi ! Ô soldats, si vous reculez vous êtes perdus ; mais si vous tenez ferme, vous triompherez. Et, d'ailleurs, le courage n'est que la patience durant un moment ; et il n'y a pas de chose étroite qu'Allah ne puisse élargir ! Je demande donc au Très-Haut de vous bénir et de vous regarder d'un œil clément ! »

Lorsque les musulmans eurent entendu ces paroles, leur courage ne connut plus de limites et ils crièrent tous : « Il n'y a d'autre Dieu qu'Allah ! » Et, de leur côté, les chrétiens, à la voix de leurs prêtres et de leurs moines, invoquèrent le Christ, la croix et la ceinture. Et, à ces cris mêlés, les deux armées en vinrent aux mains terriblement ; et le sang coula à flots ; et les têtes s'envolèrent des corps. Alors les bons anges furent du côté des Croyants ; et les mauvais anges embrassèrent la cause des mécréants ; et l'on vit où étaient les poltrons et où étaient les intrépides ; et les héros bondissaient dans la mêlée, et les uns tuaient et les autres étaient renversés de leurs selles ; et la bataille se fit sanglante et les corps jonchèrent le sol et s'entassèrent à hauteur de cheval. Mais que pouvait l'héroïsme des Croyants contre la quantité prodigieuse des Roum maudits ! Aussi, à la tombée de la nuit, les musulmans étaient repoussés, et leurs tentes saccagées, et leur campement était tombé au pouvoir des gens de Constantinia.

Et c'est alors qu'en pleine déroute, ils rencontrèrent l'armée victorieuse du roi Daoul'makân qui s'en revenait de la vallée où avaient trouvé la défaite les chrétiens du monastère. Alors Scharkân appela le grand chambellan et à haute voix, devant les chefs réunis, le félicita et le glorifia pour sa fermeté dans la résistance et sa prudence dans la retraite et sa patience dans la défaite. Puis tous les guerriers musulmans, maintenant réunis en une armée massive, ne respirèrent plus que l'espoir de la vengeance et, les étendards déployés, s'avancèrent sur Constantinia. Lorsque les chrétiens virent s'approcher cette armée formidable sur laquelle s'éployaient les bannières où étaient inscrites les Paroles de la Foi, ils devinrent d'une pâleur de safran et se lamentèrent et invoquèrent le Christ et Mariam et Hanna et la croix, et prièrent leurs patriarches et leurs prêtres infâmes d'intercéder pour eux auprès de leurs saints.

Quant à l'armée musulmane, elle arriva sous les murs de Constantinia et songea à se disposer pour le combat. Alors Scharkân s'avança vers son frère Daoul'makân et lui dit : « Ô roi du temps, il est certain que les chrétiens ne refuseront pas la lutte, et c'est ce que nous souhaitons avec ardeur. Aussi je désirerais émettre un avis, car la méthode est la qualité essentielle de l'ordre et de tout arrangement. » Et le roi lui dit : « Et quel est l'avis que tu désires émettre, ô le maître des idées admirables ? » Et Scharkân dit : « Voici. La meilleure disposition pour la bataille est de me placer au centre, juste en face du front de l'ennemi ; le grand vizir Dandân commandera le centre droit, l'émir Torkash le centre gauche, l'émir Rustem l'aile droite et l'émir Bahramân l'aile gauche. Quant à toi, ô roi, tu resteras sous la protection du grand étendards pour avoir l'œil sur tout le mouvement, car tu es notre colonne et notre seul espoir après Allah ! Et nous tous, nous serons là pour te servir de rempart ! » Alors Daoul'makân remercia son frère pour son avis et son dévouement et donna l'ordre de mettre ce plan à exécution.

Sur ces entrefaites, voici que d'entre les rangs des guerriers des Roum un cavalier rapide s'avança du côté des musulmans. Et lorsqu'il fut plus près, on vit qu'il était sur une mule aux pas très serrés et très rapides, dont la selle était de soie blanche recouverte d'un tapis du Cachemire ; et ce cavalier était un beau vieillard à la barbe blanche, à l'aspect vénérable, enveloppé d'un manteau de laine blanche. Il s'approcha de l'endroit où se trouvait Daoul'makân et dit : « Je suis envoyé vers vous autres pour vous porter un message ; comme je ne suis que l'intermédiaire, et que l'intermédiaire doit bénéficier de la neutralité, accordez-moi le droit de parler sans être inquiété, et je vous communiquerai le sujet de ma mission. »

Alors Scharkân lui dit : « Tu as la sécurité ! » Et le messager descendit de cheval, et enleva la croix qui lui pendait au cou et la remit au roi et lui dit : « Je viens vers vous de la part du roi Aphridonios qui a bien voulu suivre les conseils que je lui donnais de cesser enfin cette guerre désastreuse qui abolit tant de créatures faites à l'image de Dieu. Je viens donc vous proposer en son nom de mettre fin à cette guerre par un combat singulier entre lui, roi Aphridonios, et le chef des guerriers musulmans, le prince Scharkân. »

À ces paroles, Scharkân dit : « Ô vieillard, retourne près du roi des Roum et dis-lui que le champion des musulmans, Scharkân, accepte la lutte. Et demain matin, une fois que nous serons reposés de cette longue marche, nos armes se heurteront. Et si je suis vaincu, nos guerriers n'auront plus qu'à trouver leur salut dans la fuite. »

Alors le vieillard retourna auprès du roi de Constantinia et lui transmit la réponse. Et le roi faillit s'envoler de joie en l'apprenant, car il était sûr de tuer Scharkân, et avait pris toutes ses dispositions à cet égard. Et il passa cette nuit-là à manger et à boire et à prier et à dire des oraisons. Et, lorsque vint le matin, il s'avança au milieu du meïdân, et il était monté sur un haut coursier de bataille, et était vêtu d'une cotte de mailles d'or au milieu de laquelle brillait un miroir enrichi de pierreries ; il tenait à la main un grand sabre recourbé, et avait passé sur l'une de ses épaules un arc fabriqué à la manière compliquée des gens d'Occident. Et lorsqu'il fut tout près des rangs des musulmans, il releva sa visière et s'écria : « Me voici ! celui qui sait qui je suis doit savoir à quoi s'en tenir ; et celui qui ignore qui je suis bientôt me connaîtra ! Ô vous tous, je suis le roi Aphridonios à la tête couverte de bénédictions ! »

Mais il n'avait pas encore fini de parler, qu'en face de lui était déjà le prince Scharkân, monté sur un cheval alezan qui valait plus de mille pièces d'or rouge et était sellé d'une selle de brocart toute brodée de perles et de pierreries ; et il tenait à la main un glaive indien niellé d'or, à la lame capable de trancher l'acier et de niveler toutes choses difficiles. Et il poussa son cheval tout contre celui d'Aphridonios et cria à ce dernier : « Garde à toi, ô maudit ! me prendrais-tu donc pour un de ces jeunes hommes à la peau de jeune fille, et dont la place serait le lit des putains plutôt que le champ de bataille ! Voici mon nom, ô maudit ! » Et, sur ces paroles, Scharkân, de son glaive tournoyant, assena un coup terrible à son adversaire qui, d'une volte de son cheval, réussit à se garer. Puis tous deux, s'élançant l'un sur l'autre, parurent telles deux montagnes se rencontrant ou deux mers s'entrechoquant. Puis ils s'éloignèrent et se rapprochèrent pour se séparer encore et revenir ; et ils ne cessèrent de se donner des coups et de les parer, sous les yeux des deux armées qui tantôt criaient que la victoire était à Scharkân et tantôt qu'elle était au roi des Roum, jusqu'au coucher du soleil, sans que de part ou d'autre il y eût un résultat.

Mais, au moment même où l'astre allait disparaître, soudain Aphridonios cria à Scharkân : « Par le Christ ! regarde derrière toi, champion de la défaite, héros de la fuite ! Voici qu'on t'amène un nouveau cheval pour lutter avantageusement contre moi qui garde toujours le mien ! C'est là une coutume d'esclaves et non de guerriers valeureux ! Par le Christ ! ô Scharkân, tu es au-dessous des esclaves ! »

À ces paroles, Scharkân, au comble de la rage, se retourna pour voir ce qu'était ce cheval dont lui parlait le chrétien ; mais il ne vit rien venir. Or, c'était là une ruse du maudit chrétien qui, profitant de ce mouvement qui mettait Scharkân à sa merci, brandit son javelot et le lui lança dans le dos.

Alors Scharkân poussa un cri terrible, un seul cri, et tomba sur le pommeau de sa selle. Et le maudit Aphridonios, le laissant pour mort, lança son cri de victoire et de traîtrise, et galopa vers les rangs des chrétiens.

Mais aussitôt que les musulmans virent Scharkân tomber, le visage sur le pommeau de la selle, ils accoururent à son secours ; et les premiers qui arrivèrent à lui furent…

À ce moment de sa narration, Schahrazade vit apparaître le matin et, discrète comme elle était, s'arrêta dans son récit.

Mais lorsque fut la cent troisième nuit. Elle dit :

Les premiers qui arrivèrent à lui furent le vizir Dandân et les émirs Rustem et Bahramân. Et ils le soulevèrent dans leurs bras et se hâtèrent de le porter sous la tente de son frère, le roi Daoul'makân, qui était à la limite extrême de la rage, de la douleur et du désir de vengeance. Et aussitôt on fit appeler les médecins et on leur confia Scharkân ; puis tous les assistants éclatèrent en sanglots, et passèrent toute la nuit autour du lit où était étendu le héros évanoui.

Mais vers le matin arriva le saint ascète qui entra près du blessé et lut sur sa tête quelques versets du Koran et lui fit l'imposition des mains. Alors Scharkân poussa un long soupir et ouvrit les yeux et ses premières paroles furent un remerciement pour le Clément qui lui permettait de vivre. Puis il se tourna vers son frère Daoul'makân et lui dit : « Il m'a blessé en traître, le maudit. Mais, grâce à Allah, le coup n'est pas mortel. Où est le saint ascète ? » Daoul'makân dit : « Le voici à ton chevet. » Alors Scharkân prit les mains de l'ascète et les baisa ; et l'ascète fit des vœux pour son rétablissement et lui dit : « Mon fils, souffre ton mal avec patience, et tu seras récompensé par le Rémunérateur ! »

Sur ces entrefaites, Daoul'makân, qui était sorti un moment, rentra sous la tente et embrassa son frère Scharkân et les mains de l'ascète, et dit : « Ô mon frère, qu'Allah te protège ! Voici que je cours te venger en immolant ce traître maudit, ce chien fils de chien, Aphridonios le roi des Roum ! » Alors Scharkân essaya de le retenir, mais en vain ; et le vizir Dandân et les deux émirs et le chambellan s'offrirent à aller eux-mêmes tuer le maudit ; mais Daoul'makân avait déjà sauté à cheval en criant : « Par le puits de Zamzam ! c'est moi seul qui punirai ce chien ! » Et il poussa son cheval au milieu du meïdân ; et, à le voir, on l'eût pris pour Antar lui-même au milieu de la mêlée, sur son cheval noir, plus rapide que le vent et les éclairs.

Or, de son côté, le maudit Aphridonios avait lancé son cheval dans le meïdân. Et les deux champions se rencontrèrent et ce fut à qui porterait à son adversaire le coup final, car la lutte, cette fois, ne pouvait se terminer que par la mort. Et la mort, en effet, frappa le traître maudit ; car Daoul'makân, les forces multipliées par le désir de vengeance, après plusieurs passes infructueuses, réussit à atteindre son ennemi au cou et, en une seule fois, il traversa la visière, la peau du cou et l'échine, et fit voler sa tête au-delà de son corps.

À ce signal, les musulmans se précipitèrent comme le tonnerre sur les rangs des chrétiens et en firent un massacre sans égal ; et ils en tuèrent de la sorte cinquante mille, jusqu'à la tombée de la nuit ; alors, à la faveur des ténèbres, les mécréants purent rentrer dans Constantinia, et ils refermèrent les portes sur eux pour empêcher les musulmans victorieux de pénétrer dans la ville. Et c'est ainsi qu'Allah accorda la victoire aux guerriers de la Foi.

Alors les musulmans rentrèrent sous leurs tentes, chargés des dépouilles des Roum ; et les chefs s'avancèrent et félicitèrent le roi Daoul'makân qui remercia le Très-Haut pour la victoire. Puis le roi entra chez son frère Scharkân et lui annonça la bonne nouvelle ; et Scharkân aussitôt se sentit le corps en voie de guérison et il dit à son frère : « Sache, ô mon frère, que la victoire n'est due qu'aux prières de ce saint ascète qui n'a cessé, durant la bataille, d'invoquer le Ciel et d'appeler ses bénédictions sur les guerriers croyants ! »

Or, la maudite vieille, en entendant la nouvelle de la mort du roi Aphridonios et de la défaite de son armée, changea de couleur ; et son teint jaune devint vert et les pleurs l'étouffèrent ; mais elle parvint à se dominer et fit entendre que ses pleurs étaient dus à la joie qu'elle éprouvait de la victoire des musulmans. Mais en elle-même elle complota la pire des machinations pour brûler de douleur le cœur de Daoul'makân. Et, ce jour-là comme d'habitude, elle appliqua les pommades et les onguents sur les blessures de Scharkân, et le pansa avec le plus grand soin, et ordonna à tout le monde de sortir pour le laisser dormir tranquillement. Alors tous sortirent de la tente et laissèrent Scharkân avec l'ascète de malheur.

Lorsque Scharkân fut complètement plongé dans le sommeil…

À ce moment de sa narration, Schahrazade vit apparaître le matin et, discrète, se tut.

Mais lorsque fut la cent quatrième nuit. Elle dit :

Lorsque Scharkân fut complètement plongé dans le sommeil, l'horrible vieille, qui le guettait comme une louve féroce ou comme une vipère des pires, se leva sur ses pieds et se glissa affreusement jusque près du chevet et tira de son vêtement un poignard empoisonné avec un poison si terrible que, posé simplement sur le granit, il l'eût fait fondre. Elle tint ce poignard de sa main calamiteuse et, l'abaissant brusquement sur le cou de Scharkân, sépara la tête du tronc. Et c'est ainsi que mourut, par la force de la fatalité et les machinations d'Eblis dans l'esprit de la vieille maudite, celui qui fut le champion des musulmans, l'inégalable héros Scharkân, fils d'Omar Al-Némân.

Et, sa vengeance satisfaite, la vieille déposa près de la tête coupée une lettre écrite de sa main et où elle disait :

« Cette lettre est de la part de la noble Schaouahi, celle qui, à cause de ses exploits, est connue sous le nom de Mère-des-Calamités, aux musulmans présents au pays des chrétiens.

« Sachez, ô vous tous, que c'est moi seule qui ai éprouvé la joie de supprimer autrefois votre roi Omar Al-Némân, au milieu de son palais ; c'est moi qui ai ensuite été la cause de votre déroute et extermination dans la vallée du monastère ; c'est moi enfin qui, de ma propre main et grâce à mes ruses bien combinées, ai coupé la tête aujourd'hui à votre chef Scharkân. Et j'espère qu'avec l'aide du Ciel, je couperai également la tête à votre roi Daoul'makân et à son vizir Dandân ! À vous autres maintenant de réfléchir pour savoir s'il vous est avantageux de rester dans notre pays ou de retourner dans le vôtre. En tout cas, sachez bien que jamais vous ne parviendrez à vos fins ; et vous périrez tous jusqu'au dernier, sous les murs de Constantinia, par mon bras et mes stratagèmes, et grâce au Christ, notre Seigneur ! »

Et, ayant déposé cette lettre, la vieille se glissa hors de la tente et rentra à Constantinia mettre les chrétiens au courant de ses méfaits ; puis elle entra à l'église prier et pleurer sur la mort du roi Aphridonios et remercier le démon pour la mort du prince Scharkân.

Mais pour ce qui est du meurtre de Scharkân, voici ! À l'heure même où cela s'accomplissait, le grand vizir Dandân se sentait pris d'insomnie et d'inquiétude, et il était oppressé comme si le monde entier lui eût pesé sur la poitrine. Il se décida enfin à se lever de son lit ; et il sortit de sa tente pour respirer l'air ; et, comme il se promenait, il vit l'ascète qui, déjà loin, s'éloignait rapidement hors du camp. Alors il se dit : « Le prince Scharkân doit être seul maintenant. Je vais aller veiller près de lui, ou causer avec lui s'il est réveillé. »

Lorsque le vizir Dandân arriva dans la tente de Scharkân, la première chose qu'il vit fut une mare de sang par terre ; puis, sur le lit, il aperçut le corps et la tête de Scharkân assassiné.

À cette vue, le vizir Dandân jeta un cri si haut et si terrible qu'il réveilla tous les hommes endormis et mit sur pied tout le camp et toute l'armée, et aussi le roi Daoul'makân, qui aussitôt accourut sous la tente. Et il vit le vizir Dandân qui pleurait à côté du corps sans vie de son frère le prince Scharkân. À ce spectacle, Daoul'makân s'écria : « Ya Allah ! ô terreur ! » et tomba évanoui…

À ce moment de sa narration, Schahrazade vit apparaître le matin et, discrète comme elle était, cessa de parler.

Mais lorsque fut la cent cinquième nuit. Elle dit :

À ce spectacle, Daoul'makân s'écria : « Ya Allah ! ô terreur ! » et tomba évanoui. Alors le vizir et les émirs s'empressèrent autour de lui et lui firent de l'air avec leurs robes ; et Daoul'makân finit par revenir à lui et s'écria : « Ô mon frère Scharkân, ô le plus grand d'entre les héros, quel démon t'a mis dans cet irrémédiable état ? » Et il se mit à fondre en larmes et à sangloter, et le vizir Dandân aussi et les émirs Rustem et Bahramân et surtout le grand chambellan.

Et soudain le vizir Dandân vit la lettre et la prit et la lut au roi Daoul'makân devant tous les assistants, et dit : « Ô roi, tu vois maintenant pourquoi la vue de cet ascète maudit m'inspirait tant de répulsion ! » Et le roi Daoul'makân, tout en pleurant, s'écria : « Par Allah ! je prendrai bientôt cette vieille et, de ma propre main, je lui ferai couler dans le vagin du plomb fondu et je lui enfoncerai dans le derrière un poteau effilé ; et puis je la pendrai par les cheveux et je la clouerai vivante sur la porte principale de Constantinia ! »

Après quoi Daoul'makân fit faire des funérailles considérables à son frère Scharkân, et suivit le convoi en pleurant toutes les larmes de ses yeux et le fit enterrer au pied d'une colline, sous un grand dôme d'albâtre et d'or.

Puis, durant de longs jours, il continua à pleurer tellement qu'il devint comme l'ombre de lui-même. Alors le vizir Dandân, réprimant sa propre douleur, vint le trouver et lui dit : « Ô roi, mets enfin un baume à ta douleur et essuie tes yeux. Ne sais-tu que ton frère est en ce moment entre les mains du Juste Rémunérateur ? Et, d'ailleurs, à quoi te sert tout ce deuil pour de l'irréparable, alors que toute chose est écrite pour arriver à son temps ! Lève-toi donc, ô roi, et reprends tes armes ; et songeons à pousser avec vigueur le siège de cette capitale des mécréants : ce serait le meilleur moyen de nous venger complètement ! »

Or, pendant que le vizir Dandân encourageait de la sorte le roi Daoul'makân, un courrier arriva de Bagdad porteur d'une lettre de Nôzhatou à son frère Daoul'makân. Et cette lettre contenait ceci en substance :

« Je t'annonce, ô mon frère, la bonne nouvelle !

Ton épouse, la jeune esclave que tu as rendue enceinte, vient d'accoucher, en santé, d'un enfant mâle aussi lumineux qu'une lune au mois de Ramadân. Et j'ai cru bon d'appeler cet enfant Kanmakân[1]. Or, les savants et les astronomes prédisent que cet enfant accomplira des choses mémorables, tant sa naissance a été accompagnée de prodiges et de merveilles. Je n'ai pas manqué, à cette occasion, de faire faire des prières et des vœux dans toutes les mosquées pour toi, pour l'enfant et pour ton triomphe sur les ennemis. Je t'annonce également que nous sommes tous ici en parfaite santé, et notamment ton ami, le chauffeur du hammam, qui est à la limite de l'épanouissement et de la paix, et qui souhaite ardemment, ainsi que nous, avoir de tes nouvelles. Ici, cette année, les pluies ont été abondantes, et les récoltes s'annoncent excellentes. Et que la paix et la sécurité soient sur toi et autour de toi ! »

Lorsque Daoul'makân eut parcouru cette lettre, il respira longuement et s'écria : « Maintenant, ô vizir, qu'Allah m'a gratifié de mon fils Kanmakân, mon deuil est atténué, et mon cœur recommence à vivre ! Aussi nous faut-il songer à célébrer dignement la fin de ce deuil de mon défunt frère, selon nos coutumes. »

Et le vizir répondit : « L'idée est juste. » Et aussitôt il fit dresser de grandes tentes autour du tombeau de Scharkân, où prirent place les lecteurs du Koran et les imams ; et on immola une grande quantité de moutons et de chameaux, dont on distribua la chair aux soldats ; et on passa toute cette nuit dans la prière et la récitation du Koran.

Mais, le matin, Daoul'makân s'avança vers la tombe où reposait Scharkân, et qui était toute tendue d'étoffes précieuses de la Perse et du Cachemire, et devant l'armée entière…

À ce moment de sa narration, Schahrazade vit apparaître le matin et, discrète, se tut.

Mais lorsque fut la cent sixième nuit. Elle dit :

Daoul'makân s'avança près de la tombe où reposait Scharkân et qui était toute tendue d'étoffes précieuses de la Perse et du Cachemire et, devant l'armée entière, il versa des pleurs abondants et improvisa ces strophes à la mémoire du défunt :

« Ô Scharkân, ô mon frère, voici que sur mes joues mes larmes ont écrit des lignes régulières, significatives plus que les rythmes réguliers des vers, désolées, suggestives, à tous les regards qui les liront, de ma douleur, ô mon frère !

Derrière ton cercueil, ô Scharkân, avec moi tous les guerriers sortirent en pleurant. Et ils lançaient des cris douloureux plus haut que le cri de Moussa sur le Jabal-Tor.

Et nous arrivâmes tous à ton tombeau dont la fosse est creusée plus profondément dans le cœur de tes guerriers que dans la terre où tu reposes, ô mon frère !

Hélas, ô Scharkân ! comment eussé-je pu supposer voir mon bonheur ensemble avec toi sous le linceul du brancard, sur les épaules des porteurs !

Où es-tu, astre de Scharkân dont la clarté faisait confuses dans la poussière toutes les étoiles des cieux ?

L'abîme infini de la tombe qui te recèle, ô joyau, est lui-même illuminé de la clarté que tu lui apportes, au sein de notre mère finale, mon frère !

Et le linceul lui-même qui te recouvre, les plis du linceul, à ton contact prirent vie et s'étendirent et comme des ailes, te protégèrent ! »

Lorsque Daoul'makân eut fini de réciter ces vers, il fondit en larmes, et, avec lui, toute l'armée poussa de grands soupirs. Alors s'avança le vizir Dandân et se jeta sur le tombeau de Scharkân et l'embrassa et, la voix étranglée par les larmes, il récita ces vers du poète :

« Ô sage ! tu viens d'échanger les choses périssables pour celles immortelles. En cela tu suivis l'exemple de tous tes prédécesseurs dans la mort.

Et tu as pris ton essor, sans hésiter, vers les hauteurs, là où les blancheurs étales des roses font des tapis parfumés sous les pieds des houris. Puisses-tu t'y délecter de toutes choses nouvelles !

Et veuille le Maître du Trône illuminé te réserver la place la meilleure de son paradis, et mettre à portée de tes lèvres les joies réservées aux justes de la terre ! »

Et c'est ainsi qu'on fit la clôture du deuil de Scharkân.

Mais, malgré tout, Daoul'makân continuait à être triste d'être séparé de son frère, d'autant plus que le siège de Constantinia menaçait de traîner en longueur. Et il s'en ouvrit un jour à son vizir Dandân et lui dit : « Que faire, ô mon vizir, pour oublier ces chagrins qui me tourmentent et chasser l'ennui qui pèse sur mon âme ? »

Le vizir Dandân répondit : « Ô roi, je ne connais qu'un seul remède à tes maux, et c'est de te raconter une histoire des temps passés et des rois fameux dont parlent les annales. Et la chose m'est aisée, car, sous le règne de ton défunt père le roi Omar Al-Némân, ma plus grande occupation était de le distraire, toutes les nuits, en lui narrant un conte délicieux et en lui récitant des vers des poètes arabes ou de mes improvisations. Cette nuit donc, quand tout le camp sera endormi, je te raconterai, si Allah veut, une histoire qui t'émerveillera et te dilatera la poitrine et te fera trouver le temps du siège excessivement court. Je puis dès maintenant t'en dire le titre qui est : HISTOIRE DES DEUX AMANTS AZIZ ET AZIZA. »

À ces paroles de son vizir Dandân, le roi Daoul'makân sentit son cœur battre d'impatience, et n'eut plus d'autre souci que de voir enfin arriver la nuit pour entendre le conte promis, dont le seul titre le faisait déjà se trémousser de plaisir.

Aussi à peine la nuit avait-elle commencé à tomber, que Daoul'makân fit allumer tous les flambeaux de sa tente et toutes les lanternes du corridor de toile et fit apporter de grands plateaux chargés de choses pour manger et boire et des cassolettes chargées d'encens, d'ambre et de beaucoup d'aromates agréables ; puis il fit venir les émirs Bahramân, Rustem et Turskash et le grand chambellan, époux de Nôzhatou.

Et lorsque tous furent là, il fit dire au vizir Dandân de venir ; et lorsque Dandân arriva entre ses mains, il lui dit : « Ô mon vizir, voici la nuit qui étend sur nos têtes sa vaste robe et ses cheveux ; et nous n'attendons plus, pour nous délecter, que l'histoire que tu nous as promise d'entre les histoires. »

À ce moment de sa narration, Schahrazade vit apparaître le matin et, discrète comme elle était, remit son récit au lendemain.

Mais lorsque fut la cent septième nuit. Elle dit :

Le roi Daoul'makân dit donc au vizir Dandân : « Ô mon vizir, voici la nuit qui étend sur nos têtes sa vaste robe et ses cheveux ; et nous n'attendons plus, pour nous délecter, que l'histoire que tu nous as promise d'entre les histoires. » Et le vizir Dandân répondit : « De tout cœur généreux et comme hommages dus ! car sache, ô roi fortuné, que l'histoire que je vais te raconter sur Aziz et Aziza, et sur toutes les choses qui leur sont arrivées, est une histoire qui est faite pour dissiper tous les chagrins des cœurs et pour consoler d'un deuil, fût-il plus grand que celui de Yâcoub ! La voici.

HISTOIRE D'AZIZ ET AZIZA ET DU PRINCE DIADÈME

Il y avait, en l'antiquité du temps et le passé des âges et du moment, une ville d'entre les villes de Perse, derrière les montagnes d'Ispahân. Et le nom de cette ville était la Ville-Verte. Et le roi de cette ville s'appelait Soleïmân-Schah. Il était doué de grandes qualités de justice, de générosité, de prudence et de savoir. Aussi de toutes les contrées les voyageurs affluaient vers sa ville, tant sa bonne renommée s'était étendue au loin et inspirait de confiance aux marchands et aux caravanes.

Et le roi Soleïmân-Schah continua à gouverner de la sorte, durant un très long espace de temps, dans la prospérité et entouré de l'affection de tout son peuple.

Mais il ne manquait à son bonheur qu'une femme et des enfants ; car il était célibataire.

Et le roi Soleïmân-Schah avait un vizir qui lui ressemblait beaucoup par ses qualités de libéralité et de bonté. Aussi un jour que sa solitude lui pesait plus que de coutume, le roi fit appeler son vizir et lui dit : « Mon vizir, voici que ma poitrine se rétrécit et ma patience s'épuise et mes forces diminuent ; quelque temps encore ainsi, et je n'aurai plus que la peau sur les os. Car je vois bien à présent que le célibat n'est point un état de nature, surtout pour les rois qui ont un trône à transmettre à leurs descendants. Et, d'ailleurs, notre Prophète béni (sur lui la prière et la paix !) a dit :

« Copulez ! et multipliez vos descendants, car je me glorifierai de votre nombre, devant toutes les races, au jour de la Résurrection ! » Conseille-moi donc, ô mon vizir, et dis-moi ce que tu en penses. »

Alors le vizir lui dit : « En vérité, ô roi, c'est là une question fort difficile et d'une délicatesse extrême. J'essaierai de te satisfaire en restant dans la voie prescrite. Sache donc, ô roi, que je ne verrais point avec agrément une esclave inconnue devenir l'épouse de notre maître ; car comment pourra-t-il connaître l'origine de cette esclave et la noblesse de ses ascendants et la pureté de son sang et les principes de sa race, et comment pourra-t-il, par conséquent, conserver intacte l'unité impolluée du sang de ses propres ancêtres ? Ne sais-tu que l'enfant qui naîtra d'une telle union sera toujours un bâtard plein de vices, menteur, sanguinaire, maudit d'Allah, son créateur, à cause de ses abominations futures ? Et une pareille souche ressemble à la plante qui pousse dans un terrain marécageux à l'eau saumâtre et stagnante, et qui tombe en pourriture avant même d'atteindre à sa pleine croissance. Aussi n'attends point de ton vizir, ô roi, le service de t'acheter une esclave, fût-elle la plus belle adolescente de la terre ; car je ne veux pas être la cause de pareils malheurs et supporter le poids des péchés dont j'aurais été l'instigateur. Mais, si tu veux écouter ma barbe, je serais d'avis de choisir, parmi les filles des rois, une épouse dont la généalogie fût connue et la beauté donnée en exemple aux yeux de toutes les femmes ! »

À ces paroles, le roi Soleïmân-Schah dit : « Ô mon vizir, je suis tout prêt, si tu parviens à me trouver une femme pareille, à la prendre pour épouse légitime afin d'attirer sur ma race les bénédictions du Très-Haut ! » Alors le vizir lui dit : « Ton affaire, grâce à Allah, est déjà toute faite. » Et le roi s'écria : « Comment cela ? » Il dit : « Sache, ô roi, que mon épouse m'a raconté que le roi Zahr-Schah, maître de la Ville-Blanche, a une fille d'une beauté sans égale et dont la description est tellement au-dessus des paroles que ma langue deviendrait poilue avant de pouvoir t'en donner la moindre idée ! » Alors le roi s'écria : « Ya Allah ! »

Et le vizir continua : « Car, ô roi, comment pourrais-je jamais te parler dignement de ses yeux aux paupières de couleur brune, de ses cheveux, de sa taille si fine qu'elle en est invisible, de la lourdeur de ses hanches et de ce qui les soutient et les arrondit ? Par Allah ! nul ne peut l'approcher sans rester en arrêt, comme nul ne peut la regarder sans mourir ! Et c'est d'elle que le poète a dit :

« Ô vierge au ventre d'harmonie ! Ta taille mince défie le rameau pliant du jeune saule et la sveltesse même des peupliers du paradis.

Ta salive est miel sauvage ! Ah ! de ta salive mouille la coupe et dulcifie le vin, puis donne-le-moi, ô houria. Mais surtout, je t'en conjure, ouvre tes lèvres et réjouis mes yeux de tes perles ! »

À ces vers, le roi se trémoussa de jouissance et s'écria du fond de son gosier : « Ya Allah ! » Mais le vizir continua : « Aussi, ô roi, je suis d'avis d'envoyer le plus tôt possible au roi Zahr-Schah un de tes émirs, un homme de confiance, doué de tact et de délicatesse, qui sache le goût de ses paroles avant de les prononcer, et dont l'expérience te soit déjà connue. Et tu le chargeras d'employer toute sa persuasion à obtenir que le père te donne la jeune fille. Et tu te marieras enfin pour suivre la parole du Prophète (sur lui la paix et la prière !) qui a dit : « Les hommes qui se disent chastes doivent être bannis de l'Islam ! Ce sont des corrupteurs ! Pas de célibat pour les prêtres dans l'Islam ! » Or, en vérité, cette princesse est le seul parti digne de toi, elle qui est la plus belle pierrerie sur toute la surface de la terre, et en deçà et au-delà ! »

À ces paroles, le roi Soleïmân-Schah sentit son cœur se dilater, et il soupira d'aise et dit au vizir : « Et quel homme, mieux que toi, saura mener à bonne fin cette mission toute de délicatesse ? Ô mon vizir, c'est toi seul qui iras arranger la chose, toi qui es plein de sagesse et de politesse. Lève-toi donc, et va dans ta maison faire tes adieux à ceux de ta maison, et termine avec diligence les affaires pendantes, et va à la Ville-Blanche demander pour moi en mariage la fille du roi Zahr-Schah. Car voici que mon cœur et ma raison sont fort tourmentés et travaillent beaucoup à ce sujet. » Et le vizir répondit : « J'écoute et j'obéis ! »

Et aussitôt il se hâta d'aller terminer ce qu'il avait à terminer, et embrasser ceux qu'il avait à embrasser, et se mit à faire tous les préparatifs du départ. Il prit avec lui toutes sortes de cadeaux riches à satisfaire des rois, par exemple des joyaux, des orfèvreries, des tapis de soie, des étoffes précieuses, des parfums, de l'essence de roses tout à fait pure, et toutes choses légères de poids et lourdes de prix et de valeur. Il ne manqua pas non plus de prendre dix chevaux choisis des plus belles races et des plus pures de l'Arabie. Il prit aussi de très riches armes niellées d'or à poignées de jade incrustées de rubis, et des armures légères d'acier et des cottes de mailles aux mailles dorées ; sans compter les grandes caisses chargées de toutes sortes de choses somptueuses et aussi de choses bonnes à manger, telles que conserves de roses, abricots laminés en feuilles légères, confitures sèches parfumées, pâtes d'amandes aromatisées au benjoin des îles chaudes, et mille friandises destinées à réjouir le goût et à disposer agréablement les jeunes filles. Puis il fit charger toutes ces caisses sur le dos des mulets et des chameaux ; et il prit avec lui cent jeunes mamalik et cent jeunes nègres et cent jeunes filles, destinés tous à faire cortège, au retour, à l'épousée. Et comme le vizir, à la tête de la caravane, les bannières éployées, se disposait à donner le signal du départ, le roi Soleïmân-Schah l'arrêta encore un instant et lui dit : « Et surtout prends garde de revenir ici sans m'amener la jeune fille ; et ne tarde pas, car je suis à rôtir sur le feu ; et je n'aurai de repos et de sommeil qu'après l'arrivée de cette épouse dont la pensée ne me quittera ni de jour ni de nuit et pour qui je suis déjà tout enflammé d'amour ! » Et le vizir répondit par l'ouïe et l'obéissance. Et il partit avec toute sa caravane et se mit à voyager avec célérité, le jour comme la nuit, traversant montagnes et vallées, rivières et torrents, plaines désertes et plaines fertiles, jusqu'à ce qu'il ne fût plus qu'à une journée de marche de la Ville-Blanche.

Alors le vizir s'arrêta, pour le repos, sur le bord d'un cours d'eau, et envoya un courrier rapide prendre les devants pour annoncer son arrivée au roi Zahr-Schah.

Or, il se trouva justement qu'au moment où le courrier, arrivé aux portes de la ville, allait y pénétrer, le roi Zahr-Schah, qui prenait le frais dans un de ses jardins situé près de là, vit ce courrier et devina que c'était un étranger. Il le fit aussitôt appeler et lui demanda qui il était. Et le courrier répondit : « Je suis l'envoyé du vizir *tel*, campé sur le bord de la rivière *telle*, et qui vient chez toi de la part de notre maître le roi Soleïmân-Schah, maître de la Ville-Verte et des montagnes d'Ispahân ! »

À cette nouvelle, le roi Zahr-Schah fut extrêmement ravi, et fit offrir des rafraîchissements au courrier du vizir, et donna à ses émirs l'ordre d'aller à la rencontre du grand envoyé du roi Soleïmân-Schah, dont la suzeraineté était respectée jusque dans les pays les plus reculés et sur le territoire même de la Ville-Blanche. Et le courrier baisa la terre entre les mains du roi Zahr-Schah en lui disant : « Demain le vizir arrivera. Et maintenant, qu'Allah te continue ses hautes faveurs et qu'il ait tes défunts parents en ses grâces et sa miséricorde ! » Voilà pour ceux-là.

Mais pour ce qui est du vizir du roi Soleïmân-Schah, il resta à se reposer sur les bords de la rivière jusqu'à minuit. Alors il se remit en marche dans la direction de la Ville-Blanche ; et, au lever du soleil, il était aux portes de la ville.

À ce moment, il s'arrêta un moment pour satisfaire un besoin pressant et uriner à son aise. Et, lorsqu'il eut fini, il vit venir à sa rencontre le grand vizir du roi Zahr-Schah avec les chambellans et les grands du royaume et les émirs et les notables. Alors il se hâta de remettre à un de ses esclaves l'aiguière dont il venait de se servir pour faire ses ablutions, et remonta en toute hâte à cheval. Et, les salutations d'usage ayant été faites de part et d'autre ainsi que les souhaits de bienvenue, la caravane et son cortège entrèrent dans la Ville-Blanche.

Lorsqu'ils furent arrivés devant le palais du roi, le vizir mit pied à terre et, guidé par le grand chambellan, pénétra dans la salle du trône.

Dans cette salle, il vit un haut trône de marbre blanc diaphane, incrusté de perles et de pierreries, et soutenu par quatre pieds très élevés, formés chacun d'une défense complète d'éléphant. Sur ce trône, il y avait un large coussin de satin vert moiré, tout brodé de paillettes d'or rouge et orné de franges et de glands d'or. Et au-dessus de ce trône, il y avait un dais tout flamboyant de ses incrustations d'or, de pierres précieuses et d'ivoire. Et sur le trône en question, le roi Zahr-Schah était assis...

À ce moment de sa narration, Schahrazade vit apparaître le matin et, discrète selon son habitude, se tut.

Mais lorsque fut la cent huitième nuit. Elle dit :

Et sur le trône en question, le roi Zahr-Schah était assis, entouré des principaux personnages du royaume et des gardes immobiles dans l'attente de ses ordres.

À cette vue, le vizir du roi Soleïmân-Schah sentit l'inspiration illuminer son esprit et l'éloquence délier sa langue et l'inciter aux dires savoureux. Aussitôt d'un geste agréable, il se tourna vers le roi Zahr-Schah, et improvisa ces strophes en son honneur :

« À ta vue, mon cœur lui-même me délaissa pour voler vers toi ; et le sommeil lui-même s'enfuit loin de mes yeux, me laissant tout à mes tortures !

Ô mon cœur, eh bien ! puisque tu es déjà chez lui, reste où tu es ! Je t'abandonne à lui, bien que tu sois ce qui m'est le plus cher et le plus nécessaire !

Rien ne saurait plus agréablement reposer mes oreilles que la voix de ceux qui savent chanter les louanges de Zahr-Schah, le roi de tous les cœurs !

Et si je passais toute ma vie, après l'avoir regardé ne fût-ce qu'une seule fois au visage, sans le bonheur d'un second regard, cela me rendrait riche à jamais.

Ô vous tous qui entourez ce roi magnifique, sachez que si quelqu'un prétendait avoir trouvé un roi qui dépasse Zahr-Schah en qualités, il mentirait, et ne serait point un vrai Croyant ! »

Et, ayant fini de réciter ce poème, le vizir se tut sans en dire davantage. Alors le roi Zahr-Schah le fit s'approcher de son trône, et le fit s'asseoir à ses côtés, et lui sourit avec bonté, et l'entretint agréablement pendant un bon moment, en lui donnant les marques les plus démonstratives de l'amitié et de la générosité. Ensuite le roi fit tendre la nappe en l'honneur du vizir, et tout le monde s'assit à manger et à boire jusqu'à satiété. Alors seulement le roi désira rester seul avec le vizir ; et tous sortirent, à l'exception des principaux chambellans et du grand vizir du royaume.

Alors le vizir du roi Soleïmân-Schah se leva debout sur ses deux pieds, et fit encore un compliment, et s'inclina et dit : « Ô grand roi plein de magnificence, je viens vers toi pour une affaire dont le résultat pour nous tous sera plein de bénédictions, de fruits heureux et de prospérité ! Le but de ma mission est, en effet, de demander en mariage ta fille pleine d'estime et de grâce, de noblesse et de modestie, pour mon maître et la couronne sur ma tête, le roi Soleïmân-Schah, sultan plein de gloire de la Ville-Verte et des montagnes d'Ispahân ! Et, à cet effet, je viens vers toi porteur de riches cadeaux et de choses somptueuses, pour te montrer le degré d'ardeur où mon maître se trouve dans son désir de t'avoir comme beau-père ! Je voudrais donc savoir de ta bouche si tu partages également ce désir et si tu veux lui accorder l'objet de ses souhaits. »

Lorsque le roi Zahr-Schah eut entendu ce discours du vizir il se leva et s'inclina jusqu'à terre ; et ses chambellans et ses émirs furent à la limite de l'étonnement de voir le roi marquer tant de respect à un simple vizir. Mais le roi continua à rester debout devant le vizir et lui dit : « Ô vizir doué de tact et de sagesse, d'éloquence et de grandeur, écoute ce que je vais te dire. Je me considère comme un simple sujet du roi Soleïmân-Schah, et je me fais le plus grand honneur de pouvoir compter parmi ceux de sa race et de sa famille ! Aussi ma fille n'est plus désormais qu'une esclave d'entre ses esclaves ; et dès cet instant même elle est sa chose et sa propriété ! Et telle est ma réponse à la demande du roi Soleïmân-Schah, notre suzerain à tous, maître de la Ville-Verte et des hautes montagnes d'Ispahân ! »

Et aussitôt il fit venir les kâdis et les témoins, qui dressèrent le contrat du mariage de la fille du roi Zahr-Schah avec le roi Soleïmân-Schah. Et le roi porta le contrat à ses lèvres avec joie, et reçut les félicitations et les vœux des kâdis et des témoins, et les combla tous de ses faveurs ; et il donna de grandes fêtes pour faire honneur au vizir et de grandes réjouissances qui dilatèrent le cœur et les yeux de tous les habitants ; et il distribua des vivres et des cadeaux aussi bien aux pauvres qu'aux riches. Puis il fit faire les préparatifs du départ, et choisit les esclaves pour sa fille ; des grecques et des turques, des négresses et des blanches. Et il fit faire pour sa fille un grand palanquin en or massif incrusté de perles et de pierreries, qu'il fit mettre sur le dos de dix mulets rangés en bon ordre. Et tout le convoi se mit en marche. Et le palanquin apparaissait, dans la lueur du matin, tel un grand palais d'entre les palais des génies, et la jeune fille couverte de ses voiles, telle une houria d'entre les plus belles hourias du paradis.

Et le roi Zahr-Schah accompagna lui-même le cortège l'espace de trois parasanges ; puis il fit ses adieux à sa fille, au vizir et à ceux qui l'accompagnaient, et retourna vers sa fille au comble de la joie et de la confiance dans le futur.

Quant au vizir et au convoi...

À ce moment de sa narration, Schahrazade vit apparaître le matin et, discrète, comme elle était, renvoya son récit au lendemain.

Mais lorsque fut la cent neuvième nuit. Elle dit :

Quant au vizir et au convoi, ils voyagèrent en sécurité et, arrivés à trois journées de marche de la Ville-Verte, envoyèrent un courrier rapide les annoncer au roi Soleïmân-Schah.

Lorsque le roi eut appris l'arrivée de son épouse, il se trémoussa de plaisir, et donna une belle robe d'honneur au courrier annonciateur. Et il ordonna à toute son armée d'aller à la rencontre de la nouvelle mariée, avec tous les étendards éployés ; et les crieurs publics invitèrent toute la ville au cortège, de façon à ce qu'il ne restât pas à la maison une seule femme, ni une seule jeune fille, ni même une seule vieille, cassée par l'âge fût-elle ou impotente. Et nul ne manqua de sortir au-devant de la nouvelle mariée. Et lorsque tout ce monde fut arrivé autour du palanquin de la fille du roi, on décida que l'entrée en ville se ferait la nuit en grande pompe.

Aussi, la nuit venue, les notables de la ville firent illuminer à leurs frais toutes les rues et la route qui conduisait jusqu'au palais du roi. Et tous se rangèrent en deux rangs, le long du chemin ; et, sur son passage, les soldats firent la haie, à droite et à gauche ; et, sur tout le parcours, les illuminations éclatèrent dans l'air limpide, et les gros tambours firent entendre leur roulement profond, et les trompettes chantèrent à voix haute, et les drapeaux battirent sur les têtes, et les parfums brûlèrent dans les cassolettes, dans les rues et sur les places, et les cavaliers joutèrent de la lance et du javelot. Et au milieu d'eux tous, précédée par les nègres et les mamalik et suivie par ses esclaves et ses femmes, la nouvelle mariée, vêtue de la robe magnifique que lui avait donnée son père, arriva au palais de son époux le roi Soleïmân-Schah.

Alors les jeunes esclaves délièrent les mulets et, au milieu des cris aigus de joie de tout le peuple et de toute l'armée, prirent le palanquin sur leurs épaules et le transportèrent jusqu'à la porte secrète. Alors les jeunes femmes et les suivantes succédèrent aux esclaves et firent entrer l'épousée dans son appartement réservé. Et aussitôt l'appartement s'illumina de la clarté de ses yeux et les lumières pâlirent de la beauté de son visage. Et elle paraissait au milieu de toutes ses femmes comme la lune parmi les étoiles ou comme la perle solitaire au milieu du collier. Puis les jeunes femmes et les suivantes sortirent de l'appartement et se rangèrent sur deux rangs, depuis la porte jusqu'au bout du corridor, après avoir toutefois fait se coucher la jeune fille sur le grand lit d'ivoire enrichi de perles et de pierreries. Alors seulement le roi Soleïmân-Schah, traversant la haie formée par toutes ces étoiles vivantes, pénétra dans l'appartement jusqu'au lit d'ivoire, où, toute parée et parfumée, s'allongeait l'adolescente.

Et Allah incita à l'heure même une grande passion dans le cœur du roi et lui donna l'amour de cette vierge.

Et le roi posséda cette virginité et s'en délecta dans la félicité, et oublia sur cette couche, parmi les cuisses et les bras, toutes ses peines d'impatience et son attente d'amour.

Et le roi, durant un mois entier, demeura dans l'appartement de sa jeune épouse, sans la quitter un seul instant, tant leur union était étroite et conforme à leur tempérament. Et il la rendit enceinte dès la première nuit.

Après quoi, le roi sortit s'asseoir sur le trône de sa justice et s'occupa des affaires de son royaume pour le bien de ses sujets ; et, le soir venu, il ne manquait pas d'aller visiter l'appartement de son épouse, et cela jusqu'au neuvième mois.

Or, à la dernière nuit de ce neuvième mois, la reine fut prise des douleurs de l'enfantement et s'assit sur la chaise de parturition et, à l'aurore, Allah lui facilita l'accouchement, et elle mit au monde un enfant mâle marqué de l'empreinte de la chance et de la fortune.

Aussitôt que le roi eut appris la nouvelle de cette naissance, il se dilata à la limite de la dilatation et se réjouit d'une haute joie, et fit cadeau de grandes richesses à l'annonciateur ; puis il courut vers le lit de son épouse et, prenant l'enfant dans ses bras, le baisa entre les deux yeux, et fut émerveillé de sa beauté, et vit combien ces vers du poète lui étaient applicables :

« Dès sa naissance, Allah lui accorda la gloire et la limite des hauteurs, et le fit lever comme un astre nouveau.

Ô nourrices aux seins splendides et délicats, ne l'accoutumez pas à la courbe de votre taille ! car sa seule monture sera le dos solide des lions et des chevaux cabrés.

Ô nourrices au lait trop doux et trop blanc, hâtez-vous de le sevrer ! car le sang de ses ennemis lui sera la plus délicieuse boisson. »

Alors les suivantes et les nourrices prirent soin du nouveau-né, et les sages-femmes lui coupèrent le cordon et lui allongèrent les yeux de kohl noir. Et, comme il était né d'un roi fils de rois et d'une reine fille de reines, et qu'il était si beau et si brillant, on l'appela Diadème.

À ce moment de sa narration, Schahrazade vit apparaître le matin et, discrète, se tut.

Mais lorsque fut la cent dixième nuit. Elle dit :

On l'appela Diadème. Et il fut élevé au milieu des baisers et dans le sein des plus belles ; et les jours s'écoulèrent et les années s'écoulèrent ; et l'enfant atteignit l'âge de sept ans.

Alors le roi Soleïmân-Schah, son père, fit venir les maîtres les plus savants et leur ordonna de lui enseigner la calligraphie, les belles-lettres et l'art de se conduire ainsi que les règles de la syntaxe et de la jurisprudence.

Et ces maîtres de la science restèrent avec l'enfant jusqu'à ce qu'il eût quatorze ans. Alors, comme il avait appris tout ce que son père désirait qu'il apprît, il fut jugé digne d'une robe d'honneur ; et le roi le retira des mains des savants et le confia à un maître d'équitation qui lui apprit à monter à cheval et à jouter de la lance et du javelot et à chasser le daim à l'épervier. Et le prince Diadème devint bientôt le cavalier le plus accompli ; et il était devenu si parfaitement beau que lorsqu'il sortait à pied ou à cheval il faisait se damner tous ceux qui le regardaient.

Et lorsqu'il eut atteint l'âge de quinze ans, ses charmes étaient devenus tels que les poètes lui dédièrent leurs odes les plus amoureuses ; et les plus chastes et les plus purs d'entre les sages sentirent leur cœur s'effriter et leur foie s'émietter de tout ce qu'il avait en lui de charme magicien. Et voici l'un des poèmes qu'un poète amoureux avait composé pour l'amour de ses yeux :

« L'embrasser, c'est s'enivrer d'un parfum de musc de toute sa peau ! C'est sentir sous l'étreinte ployer son corps comme la délicate branche humide nourrie seulement de brise et de rosée.

L'embrasser ! mais c'est s'enivrer sans toucher à nul vin ! Ne le sais-je pas, moi qui me trouve au soir tout fermentant du vin musqué de sa salive !

Elle-même la Beauté, en se réveillant au matin, se regarde à son miroir et se reconnaît sa vassale et sa captive ! Alors comment, ô ma folie ! les cœurs mortels pourraient-ils échapper à sa beauté ?

Par Allah ! Par Allah ! si la vie m'est encore possible, je vivrai avec, dans mon cœur, sa brûlure ! Mais si je venais à mourir de ma passion et de son amour, ah ! quel bonheur ! »

Or, tout cela, quand il avait quinze ans d'âge ! Mais lorsqu'il eut atteint sa dix-huitième année, ce fut bien autre chose ! Alors un jeune duvet velouta le grain rose de ses joues, et l'ambre noir mit une goutte de beauté sur la blancheur de son menton. Alors, en toute évidence, il ravit toutes les raisons et tous les yeux, comme dit le poète à son sujet :

« Son regard ! s'approcher du feu sans se brûler n'est point si étonnante chose que son regard ! Comment suis-je encore en vie, ô sorcier, moi qui passe ma vie sous tes regards !

Ses joues ! si ses joues transparentes sont duvetées, ce n'est point de duvet comme toutes les joues, mais de soie furtive et dorée.

Sa bouche ! Il y en a qui viennent me demander naïvement où se trouvent l'élixir de vie et sa source, sur quelle terre coulent l'élixir de vie et sa source !...

Et je leur dis : « L'élixir de vie, je le connais et sa source aussi, je la connais !...

Elle est la bouche même d'un adolescent, svelte et doux comme un jeune daim, le cou tendre et penché, d'un adolescent à la taille flexible.

Elle est la lèvre humide et moussue d'un jeune daim mince et vif, d'un adolescent à la douce lèvre humide et de couleur rouge foncé ! »

Mais tout cela quand il avait dix-huit ans, car, lorsqu'il eut atteint l'âge d'homme, le prince Diadème devint si admirablement beau qu'il fut un exemple cité dans tous les pays musulmans, en large et en long. Aussi le nombre de ses amis et de ses intimes fut très considérable ; et tous ceux qui l'entouraient souhaitaient avec ardeur le voir enfin régner sur le royaume comme il régnait sur les cœurs.

À cette époque, le prince Diadème devint très passionné de chasses et d'expéditions à travers les bois et forêts, malgré toute la terreur que ses absences continuelles inspiraient à son père et à sa mère. Et un jour il ordonna à ses esclaves d'emporter des provisions pour dix jours et il partit avec eux à la chasse à pied et à courre. Et ils marchèrent durant quatre jours pour arriver enfin à une contrée giboyeuse, couverte de forêts habitées par toutes sortes d'animaux sauvages, et arrosée par une multitude de sources et de ruisseaux.

Alors le prince Diadème donna le signal de la chasse. Aussitôt on étendit le grand filet de corde autour d'un très large espace de terrain touffu ; et les rabatteurs rayonnèrent de la circonférence vers le centre, et chassèrent devant eux tous les animaux affolés, qu'ils rabattirent de la sorte vers le centre. Alors on lâcha les panthères, les chiens et les faucons à la poursuite des bêtes difficiles à rabattre. Et l'on fit ce jour-là une chasse à courre très fructueuse en gazelles et en toutes sortes de gibiers. Et ce fut une grande fête pour les panthères de chasse, les chiens et les faucons. Aussi, une fois la chasse terminée, le prince Diadème s'assit sur le bord d'une rivière pour prendre quelque repos, et divisa le gibier entre les chasseurs, et réserva la plus belle part à son père le roi Soleïmân-Schah.

Puis il s'endormit cette nuit-là, en cet endroit, jusqu'au matin.

Or, à peine réveillés, ils virent à côté d'eux le campement d'une grande caravane qui était arrivée la nuit ; et bientôt ils virent sortir des tentes et descendre faire leurs ablutions à la rivière une quantité de gens, d'esclaves noirs et de marchands. Alors le prince Diadème envoya un de ses hommes s'informer auprès de ces gens de leur pays et de leur qualité. Et le courrier revint dire au prince Diadème : « Ces gens m'ont dit : « Nous sommes des marchands qui avons campé ici, attirés par le vert de cette pelouse et cette eau délicieuse qui coule. Et nous savons que nous n'avons rien à craindre ici, car nous sommes sur les terres pleines de sécurité du roi Soleïmân-Schah, de qui la réputation de sagesse dans le gouvernement est connue de toutes les contrées et tranquillise tous les voyageurs. Et d'ailleurs nous lui apportons en cadeau une grande quantité de choses belles et de valeur, surtout pour son fils, l'admirable prince Diadème ! »

À ces paroles, le beau Diadème, fils du roi, répondit : « Mais, par Allah ! si ces marchands ont avec eux de si belles choses qu'ils me réservent, pourquoi n'irions-nous pas les chercher nous-mêmes ? Cela, d'ailleurs, contribuera à nous faire passer gaiement notre matinée. » Et aussitôt le prince Diadème, suivi de ses amis les chasseurs, se dirigea vers les tentes de la caravane.

Lorsque les marchands virent arriver le fils du roi et comprirent qui il était, ils accoururent tous à sa rencontre et l'invitèrent à entrer sous leurs tentes, et lui dressèrent à l'instant même une tente d'honneur en satin rouge, ornementée de figures multicolores, d'oiseaux et d'animaux, et toute tapissée de soieries de l'Inde et d'étoffes du Cachemire. Et pour lui ils placèrent un magnifique coussin sur un merveilleux tapis de soie dont tout le pourtour était enrichi de plusieurs rangs entremêlés de fines émeraudes. Et le prince Diadème s'assit sur le tapis et s'appuya sur le coussin et ordonna aux marchands de lui étaler leurs marchandises. Et, les marchands lui ayant étalé toutes leurs marchandises, il choisit dans le tas ce qui lui plaisait le plus, et, malgré leurs refus réitérés, les obligea à en accepter le prix qu'il leur paya largement.

Puis, ayant fait ramasser tous ses achats par les esclaves, il voulut remonter à cheval pour retourner à la chasse, quand tout à coup il aperçut devant lui, parmi les marchands, un jeune…

À ce moment de sa narration, Schahrazade vit apparaître le matin et, discrète comme elle était, remit son récit au lendemain.

Mais lorsque fut la cent onzième nuit. Elle dit :

… Quand tout à coup le prince Diadème aperçut devant lui, parmi les marchands, un jeune homme d'une beauté surprenante, d'une pâleur attirante, et vêtu de très beaux habits fort bien arrangés. Mais son visage, si pâle et si beau, portait empreinte une grande tristesse, comme de l'absence d'un père, d'une mère ou d'un ami très cher.

Alors le prince Diadème ne voulut point s'éloigner sans connaître ce beau jeune homme vers lequel son cœur était attiré ; et il s'approcha de lui et lui souhaita la paix, et lui demanda avec intérêt qui il était et pourquoi il était si triste. Mais le beau jeune homme, à cette question, eut les yeux remplis de larmes et ne put dire que ces deux mots : « Je suis Aziz ! » et il éclata en sanglots, et tellement qu'il tomba évanoui.

Lorsqu'il fut revenu à lui, le prince Diadème lui dit : « Ô Aziz, sache que je suis ton ami. Dis-moi donc le sujet de tes peines. » Mais le jeune Aziz, pour toute réponse, s'accouda et chanta ces vers :

« De ses yeux évitez le regard magicien, car nul n'a échappé au cercle de son orbite.

Les yeux noirs sont terribles quand ils sont langoureux. Car les yeux noirs et langoureux traversent les cœurs comme l'acier luisant des glaives effilés.

Et surtout n'écoutez pas la douceur de son langage, car, tel un vin de feu, il fait fermenter la raison des plus sages.

Si vous la connaissiez ! Elle a des regards si doux ! Et son corps de soie ! s'il touchait le velours il l'éterniserait de douceur.

La distance entre sa cheville cerclée de l'anneau d'or et ses yeux cerclés de kôhl noir est remarquable.

Ah ! où est l'odeur délicate de ses robes parfumées, et son haleine qui distille l'essence de roses ! »

Lorsque le prince Diadème eut entendu ce chant, il ne voulut pas, pour le moment, trop insister, et, pour lier conversation, il lui dit : « Pourquoi, ô Aziz, ne m'as-tu pas étalé ta marchandise comme tous les autres marchands ? » Il répondit : « Ô mon seigneur, ma marchandise, en vérité, ne contient rien qui puisse convenir à un fils de roi. » Mais le beau Diadème dit au bel Aziz : « Par Allah ! je veux tout de même que tu me la montres ! » Et il obligea le jeune Aziz à s'asseoir à côté de lui sur le tapis de soie et à lui étaler, pièce par pièce, toute sa marchandise. Et le prince Diadème, sans même examiner les belles étoffes, les lui acheta toutes sans compter, et lui dit : « Maintenant, Aziz, si tu me racontais le motif de tes peines… Je te vois les yeux en larmes et le cœur affligé. Or, si tu es opprimé, je saurai châtier tes oppresseurs ; et si tu es endetté, je paierai tes dettes de tout cœur. Car voici que je me sens attiré vers toi, et mes entrailles brûlent à ton sujet ! »

Mais le jeune Aziz, à ces paroles, se sentit de nouveau suffoqué par les sanglots, et ne put que chanter ces strophes :

« Ah ! la coquetterie de tes yeux noirs allongés de kôhl bleu ! Ah !

La flexibilité de ta taille droite sur tes hanches mouvantes ! Ah !

Le vin de tes lèvres et le miel de ta bouche ! Et la courbe de tes seins et la braise qui les fleurit ! Ah ! A-hah !

T'espérer m'est plus doux qu'au cœur du condamné l'espoir du salut ! Ô nuit ! »

À ce chant, le prince Diadème se remit, pour faire diversion, à examiner une à une les belles étoffes et les soieries. Mais soudain, d'entre les étoffes, tomba de ses mains une pièce carrée de soie brodée que le jeune Aziz aussitôt se hâta de vivement ramasser. Et il la plia, en tremblant, et la mit sous son genou. Et il s'écria : « Ô Aziza, ma bien-aimée ! les étoiles des Pléiades sont plus faciles à atteindre ! Sans toi maintenant où irai-je, désolé ! Et comment supporter désormais ton absence qui me pèse, alors que je puis à peine supporter le poids de mes vêtements ? »

Lorsque le prince vit ce mouvement effaré du bel Aziz et entendit ces derniers vers, il fut extrêmement surpris et, à la limite de la curiosité, il s'écria…

À ce moment de sa narration, Schahrazade, la fille du vizir, vit s'approcher le matin et, discrète comme elle était, ne voulut pas abuser de la permission accordée.

Alors sa sœur, la petite Doniazade, qui avait écouté toute cette histoire en se retenant de respirer, s'écria de l'endroit où elle était blottie : « Ô ma sœur Schahrazade, que tes paroles sont douces et gentilles et pures et délicieuses au goût et savoureuses en leur fraîcheur ! Et que ce conte est charmant et tous ces vers admirables ! »

Et Schahrazade lui sourit, et dit : « Oui, ma sœur ! Mais qu'est cela comparé à ce que je vous raconterai à tous deux la nuit prochaine, si je suis encore en vie par la grâce d'Allah et le bon plaisir du Roi ! »

Et le roi Schahriar dit en son âme : « Par Allah ! je ne la tuerai point avant d'avoir entendu la suite de son histoire, qui est une histoire merveilleuse et étonnante en vérité, extrêmement ! »

Puis il prit Schahrazade dans ses bras. Et tous deux passèrent le reste de la nuit, enlacés jusqu'au jour.

Après quoi, le roi Schahriar sortit vers la salle de sa justice ; et le Diwan fut rempli de la foule des vizirs, des émirs, des chambellans, des gardes et des gens du palais. Et le grand vizir arriva aussi avec, sous le bras, le linceul destiné à sa fille Schahrazade, qu'il croyait déjà morte. Mais le Roi ne lui dit rien à ce sujet, et continua à juger, à nommer aux emplois, à destituer, à gouverner et à terminer les affaires pendantes, et cela jusqu'à la fin de la journée. Puis le Diwan fut levé et le Roi entra dans son palais. Et le vizir fut dans la perplexité et à l'extrême limite de l'étonnement.

Mais aussitôt que vint la nuit, le roi Schahriar alla trouver Schahrazade dans son appartement, et ne manqua pas de faire sa chose ordinaire avec elle.

Et c'était la cent douzième nuit. Aussi la petite Doniazade, une fois la chose terminée, se leva du tapis et dit à Schahrazade : « Ô ma sœur, je t'en prie, continue cette histoire si belle du beau prince Diadème et d'Aziz et Aziza, que le vizir Dandân racontait, sous les murs de Constantinia, au roi Daoul'makân ! »

Et Schahrazade sourit à sa sœur et lui dit : « Oui, certes ! de tout cœur généreux et comme hommages dus ! Mais pas avant que ne me le permette ce Roi bien élevé et doué de bonnes manières ! »

Alors le roi Schahriar, qui ne pouvait dormir tant il attendait la suite avec ardeur, dit : « Tu peux parler ! »

Et Schahrazade dit :

Il m'est parvenu, ô Roi fortuné, que le prince Diadème s'écria : « Ô Aziz ! que caches-tu donc ainsi ! » Mais Aziz répondit : « Ô seigneur, c'est juste à cause de cela même que je ne voulais pas, dès le début, étaler devant toi mes marchandises. Que faire maintenant ! » Et il poussa un soupir de toute son âme. Mais le prince Diadème insista tant et lui dit de si gentilles paroles que le jeune Aziz finit par dire :

« Sache, ô mon maître, que mon histoire, au sujet de ce carré d'étoffe, est bien étrange ; et elle est pour moi pleine de souvenirs fort doux. Car les charmes de celles qui m'ont donné cette double étoffe ne s'effaceront jamais devant mes yeux. Celle qui m'a donné la première étoffe s'appelle Aziza ; quant à l'autre, son nom m'est amer à prononcer pour le moment ! Car c'est elle qui, de sa propre main, m'a fait ce que je suis. Mais comme j'ai déjà commencé à te parler de ces choses, je vais t'en raconter les détails ; ils te charmeront certainement, et serviront à édifier ceux qui les écouteront avec respect. »

Puis le jeune Aziz tira l'étoffe de dessous son genou, et la déplia sur le tapis où tous deux étaient assis. Et le prince Diadème vit qu'il y avait deux carrés distincts : en soie, sur l'un des carrés était brodée, en fils d'or rouge et fils de soie de toutes les couleurs, une gazelle ; et sur l'autre carré était également une gazelle, mais brodée en fils d'argent et portant au cou un collier d'or rouge d'où pendaient trois pierres de chrysolithe orientale.

À la vue de ces gazelles si merveilleusement brodées, il s'écria : « Gloire à celui qui met tant d'art dans l'esprit de ses créatures ! » Puis il dit au beau jeune homme : « Ô Aziz, de grâce, hâte-toi de nous raconter ton histoire avec Aziza et avec la maîtresse de la seconde gazelle ! » Et le bel Aziz dit au prince Diadème :

« Sache, mon jeune seigneur… »

HISTOIRE DU BEL AZIZ

… Et la cent douzième nuit, le jeune Aziz raconta ainsi son histoire au beau prince Diadème :

Sache, mon jeune seigneur, que mon père était un d'entre les grands marchands ; et il n'avait point d'autre fils que moi. Mais j'avais une cousine qui avait été élevée avec moi dans la maison de mon père, vu que son père à elle était mort.

Or, avant de mourir, mon oncle avait fait promettre à mon père et à ma mère de nous marier ensemble à notre majorité.

Aussi nous laissa-t-on toujours ensemble ; et nous nous attachâmes de la sorte l'un à l'autre ; et la nuit on nous faisait coucher dans le même lit, sans nous séparer. D'ailleurs nous ne nous doutions guère des inconvénients que cela pouvait avoir, bien que, toutefois, ma cousine fût, sur ces questions, beaucoup plus clairvoyante que moi et plus instruite et plus expérimentée ; ce dont je jugeai plus tard, en réfléchissant à la façon dont elle m'enlaçait de ses bras et dont elle serrait les cuisses en s'endormant contre moi.

Sur ces entrefaites, comme nous venions d'atteindre l'âge voulu, mon père dit à ma mère : « Il nous faut, cette année, marier sans retard notre fils Aziz avec sa cousine Aziza. » Et il tomba d'accord avec elle sur le jour de l'écriture du contrat, et se mit aussitôt à faire les préparatifs des festins pour la cérémonie ; et il alla inviter les parents et les amis, leur disant : « Ce vendredi, après la prière, nous allons écrire le contrat du mariage d'Aziz avec Aziza. » Et ma mère, de son côté, alla prévenir de la chose toutes les femmes de sa connaissance et toutes ses proches. Et, pour bien recevoir les invités, ma mère et les femmes de la maison lavèrent à grande eau la salle de réception et firent étinceler les marbres qui la pavaient, et étendirent les tapis par terre et ornèrent les murs des belles étoffes et des tapisseries ouvrées d'or contenues dans les grands coffres.

Quant à mon père, il se chargea, lui, de faire les commandes de pâtisseries et de douceurs, et de préparer et de ranger avec soin les grands plateaux des boissons. Moi, enfin, ma mère m'envoya, avant l'heure fixée pour l'arrivée des invités, prendre un bain au hammam, et eut soin de faire porter derrière moi, par un esclave, une belle robe neuve, tout ce qu'il y avait de mieux, pour que je la vêtisse après le bain.

J'allai donc au hammam et, une fois mon bain fini, je vêtis la somptueuse robe en question qui était toute parfumée et si puissamment que, sur ma route, les passants s'arrêtaient pour en renifler l'arôme dans l'air.

Je me dirigeai donc vers la mosquée pour la prière qui, en ce jour du vendredi, devait précéder la cérémonie, quand je me rappelai, en route, un ami que j'avais oublié d'inviter. Et je me mis à marcher très vite pour ne pas être en retard, et si bien que je m'égarai dans une ruelle qui m'était inconnue. Alors, comme j'étais tout moite de sueur à cause du bain chaud et à cause aussi de la robe neuve, dont l'étoffe était rigide, je profitai de la fraîcheur d'ombre de cette ruelle pour m'asseoir un moment sur un banc le long du mur ; mais avant de m'asseoir je tirai de ma poche un mouchoir brodé d'or et je l'étendis sous moi. Et la sueur continuait à couler de mon front sur ma figure, tant la chaleur était intense ; et je n'avais rien sur moi pour l'essuyer, mon mouchoir étant étendu sous moi ; et j'en étais bien marri ; et ma torture activait encore ma transpiration. Enfin, pour sortir de cette fâcheuse perplexité, je me disposais à relever le pan de ma robe neuve pour essuyer les grosses gouttes qui me sillonnaient les joues, quand soudain je vis tomber devant moi, comme un souffle de la brise, un mouchoir blanc en étoffe de soie, dont la seule vue me rafraîchit l'âme et dont le parfum eût guéri l'infirme. Je me hâtai de le ramasser et de regarder au-dessus de ma tête pour me rendre compte de ce que pouvait être l'affaire ; et alors mes yeux rencontrèrent les yeux d'une jeune personne, celle-là même, ô mon seigneur, qui, dans la suite de l'histoire, me donnera la première gazelle brodée sur l'étoffe carrée. Donc je la vis elle-même…

À ce moment de sa narration, Schahrazade vit apparaître le matin et se tut discrètement.

Mais lorsque fut la cent treizième nuit. Elle dit :

Et je la vis elle-même penchée et souriante à la fenêtre de bronze de l'étage supérieur. Je n'essaierai même pas de dépeindre sa beauté, ma langue en étant trop incapable, en vérité.

Sache seulement que la jeune fille, à peine eut-elle remarqué mon regard attentif, me fit les signes suivants : elle enfonça son index entre ses lèvres ; puis elle abaissa son doigt du milieu et le colla contre son index gauche pour ensuite les porter tous les deux entre ses seins. Cela fait, elle rentra la tête et, refermant la fenêtre, elle disparut.

Et, tout saisi, tout perplexe et soudainement enflammé de désir, j'eus beau regarder vers la fenêtre, espérant revoir cette apparition qui m'enlevait l'âme, la fenêtre resta obstinément fermée. Et je ne désespérai que lorsque, ayant attendu là, sur ce banc, jusqu'au coucher du soleil, oubliant et mon contrat de mariage et ma fiancée, je constatai que décidément mon attente était vaine.

Alors je me levai, le cœur bien en peine, et je me dirigeai vers ma maison. En route je me mis à déplier le mouchoir en question, dont le seul parfum me délecta si intensément que je me crus déjà au paradis. Lorsque je l'eus tout à fait déplié, je vis qu'il portait, sur l'un de ses coins, ces vers inscrits d'une belle écriture entrelacée :

« J'ai essayé de me plaindre pour lui faire sentir la passion de mon âme, au moyen de cette écriture fine et compliquée. Car toute écriture est l'empreinte même de l'âme qui l'imagine.

Mais il me dit, l'ami : « Ton écriture, pourquoi si fine et torturée, et telle qu'elle se subtilise à ma vue ? »

Je répondis : « Moi-même je suis si énervée et torturée ! Es-tu donc si naïf que tu n'y reconnaisses pas l'indice de l'amour ? »

Et sur l'autre coin du mouchoir, ces vers étaient écrits en grands caractères réguliers :

« Les perles unies à l'ambre, et la pudeur incarnadine des pommes sous les feuilles jalouses, à peine pourraient-elles te dire la clarté de ses joues sous le duvet.

Et si tu cherchais la mort, tu la trouverais sous les lourds regards de ses yeux aux victimes sans nombre. Mais si c'est l'ivresse que tu désires, laisse les vins de l'échanson ? N'as-tu point les joues rougissantes de l'échanson ?

Et si tu veux connaître sa fraîcheur, les myrtes te la diront, et sa flexibilité, les courbes des rameaux ! »

Alors moi, ô mon maître, affolé, je finis tout de même par arriver à la maison, à la tombée de la nuit. Et je trouvai la fille de mon oncle assise tout en larmes ; mais, en me voyant, elle s'essuya rapidement les yeux et vint à moi et m'aida à me déshabiller et m'interrogea doucement sur les motifs de mon retard et me dit que tous les invités, les émirs, les grands marchands et les autres, ainsi que le kâdi et les témoins, avaient longtemps attendu mon arrivée, mais que ne voyant rien venir, ils avaient mangé et bu à satiété et étaient tous partis en leur voie. Puis elle ajouta : « Quant à ton père, cela l'a mis dans une fort grande rage ; et il a juré que notre mariage serait retardé jusqu'à l'année prochaine ! Mais toi, ô fils de mon oncle, pourquoi enfin avoir agi de la sorte ? »

Alors moi je lui dis : « Il s'est passé *telle* et *telle* chose. » Et je lui racontai en détail l'aventure. Aussitôt elle prit le mouchoir que je lui tendais et, après avoir lu ce qui y était écrit, elle versa d'abondantes larmes. Puis elle me dit : « Mais ne t'a-t-elle pas parlé ? » Je répondis : « Par des signes seulement, auxquels d'ailleurs je n'ai rien compris, et dont je voudrais bien te voir me donner l'explication. » Et je lui mimai les signes en question. Elle me dit : « Ô mon très aimé cousin, si même tu me demandais mes yeux, je n'hésiterais pas à les faire sortir pour toi de mes paupières ! Sache donc que, pour rendre la paix à ton âme, je suis prête à te servir de tout mon dévouement et à te faciliter une rencontre avec cette femme qui te préoccupe et qui certainement est amoureuse de toi. Car ces signes, qui n'ont point de mystère pour nous autres femmes, signifient clairement qu'elle te désire avec passion et qu'elle te donne rendez-vous dans deux jours : ses doigts ramenés entre ses deux seins te fixent le nombre deux, tandis que son doigt entre ses lèvres t'indique que tu es pour elle à l'égal de son âme qui donne la vie à son corps. Sois donc sûr que mon amour pour toi me fera te rendre n'importe quel service ; et je vous mettrai tous deux sous mon aile qui vous protégera. » Alors moi je la remerciai pour son dévouement et ses bonnes paroles qui me donnaient de l'espoir, et je restai deux jours à la maison à attendre l'heure du rendez-vous. Et j'étais bien triste ; et je reposais ma tête sur les genoux de ma cousine qui ne cessait de m'encourager et de me raffermir le cœur. Aussi, lorsque fut proche l'heure du rendez-vous, ma cousine se hâta de m'aider à mettre mes habits ; et elle me parfuma de ses mains…

À ce moment de sa narration, Schahrazade vit apparaître le matin et, discrète, se tut.

Mais lorsque fut la cent quatorzième nuit. Elle dit : Le bel Aziz continua ainsi son histoire au jeune prince Diadème :

Et elle me parfuma de ses mains et brûla sous ma robe du benjoin et m'embrassa tendrement et me dit : « Ô mon bien-aimé cousin, voici l'heure calmante. Prends courage et reviens-moi tranquillisé et satisfait. Et voici que moi-même je te souhaite la paix de l'âme, et je ne serai heureuse que de ton bonheur. Mais reviens-moi vite pour me raconter l'aventure. Et il y aura encore de beaux jours pour nous deux et de belles nuits bénies ! » Alors moi j'essayai de calmer les battements de mon cœur et de comprimer mon émotion ; et je pris congé de ma cousine et sortis. Arrivé à la ruelle ombreuse, j'allai m'asseoir sur le banc en question, dans un état d'excitation extrême. Et à peine étais-je là que je vis la fenêtre s'entrouvrir ; et aussitôt un vertige me passa devant les yeux. Mais je me raffermis et je regardai vers la fenêtre ; et de mes yeux je vis l'adolescente. À la vue de ce visage adoré, je chancelai et me laissai tomber tremblant sur le banc. Et l'adolescente restait toujours à la fenêtre à me regarder avec une lueur dans les yeux ; et elle tenait à la main ostensiblement un miroir et un mouchoir rouge. Mais bientôt, sans dire une seule parole, elle releva ses manches, découvrant ses bras jusqu'aux épaules ; puis elle ouvrit la main et, étendant ses cinq doigts, elle se toucha les seins ; puis elle tendit le bras hors de la fenêtre en tenant le miroir et le mouchoir rouge ; et par trois fois elle agita le mouchoir en l'élevant et en l'abaissant ; puis elle fit le geste de tordre le mouchoir et de le plier ; ensuite elle pencha la tête vers moi longuement et, rentrant vivement, elle referma la fenêtre et disparut. Tout cela ! et sans prononcer un seul mot. Au contraire ! Elle me laissa ainsi dans une perplexité inimaginable ; et je ne sus si je devais rester ou m'en aller ; et, dans le doute, je restai ainsi à regarder la fenêtre durant des heures, jusqu'à minuit. Alors, malade de mes pensées, je regagnai la maison, où je trouvai ma pauvre cousine dans l'attente, les yeux rouges de larmes versées et le visage empreint de tristesse et de résignation. Alors moi, à bout de forces, je me laissai tomber à terre dans un état pitoyable. Et ma cousine, qui s'était hâtée de courir à moi, me reçut dans ses bras, et m'embrassa sur les yeux et me les essuya du coin de sa manche et me donna à boire, pour calmer mes esprits, un verre de sirop légèrement parfumé à l'eau de fleur ; et elle finit par doucement m'interroger sur tout ce retard et sur ma mine affligée.

Alors moi, bien que brisé de triste lassitude, je la mis au courant de tout, en lui répétant les gestes de la délicieuse inconnue. Et ma cousine Aziza me dit : « Ô Aziz de mon cœur, la signification qui pour moi ressort de ces gestes, surtout des cinq doigts et du miroir, est que la jeune fille t'enverra un message dans cinq jours chez le teinturier du coin de la ruelle. » Alors moi je m'écriai : « Ô fille de mon cœur, puissent tes paroles être vraies ! D'ailleurs, j'ai remarqué qu'au coin de la ruelle, il y a, en effet, la boutique d'un teinturier juif. » Puis ne pouvant plus résister à la houle de mes souvenirs, je me mis à sangloter dans le sein de ma cousine Aziza qui ne ménagea point, pour me consoler, les paroles de douceur et les caresses de tout charme ; et elle me disait : « Songe, ô Aziz, que d'ordinaire les amoureux souffrent des années et des années dans l'attente, et s'arment de fermeté tout de même ; et toi, il y a à peine une semaine que tu connais les tortures du cœur, et te voici dans une émotion et une tristesse sans exemple ! Prends courage, ô fils de mon oncle ! Et lève-toi et mange un peu de ces mets et bois de ce vin que je t'offre. »

Mais moi, ô mon jeune seigneur, je ne pus réussir à avaler ni une bouchée ni une gorgée ; et je perdis même tout sommeil ; et je devins jaune de teint et changé de traits. Car c'était la première fois que je sentais la chaleur de la passion, et que je goûtais à l'amour amer et délectable.

Aussi pendant les cinq jours que dura mon attente, je maigris à l'extrême, et ma cousine, affligée à cause de moi, ne me quitta pas un seul instant et passa jours et nuits assise à mon chevet à me raconter, pour me distraire, les histoires des amoureux ; et, au lieu de dormir, elle veillait sur moi ; et je la surprenais quelquefois essuyant à la hâte des larmes furtives. Enfin, au bout des cinq jours, elle me força à me lever et chauffa l'eau pour moi et me fit entrer au hammam de la maison ; puis elle m'habilla et me dit : « Va vite au rendez-vous ! Et qu'Allah te fasse parvenir à tes fins, et de ses baumes te guérisse l'âme ! » Alors, moi je me hâtai de sortir et courus à la boutique du teinturier juif.

Or, ce jour-là était un samedi ; et ce juif n'avait malheureusement pas ouvert sa boutique. Malgré tout, je m'assis devant la porte de la boutique et j'attendis là jusqu'à la prière des muezzins sur les minarets, au coucher du soleil. Et comme la nuit s'avançait sans résultat aucun, je fus pris de la frayeur des ténèbres et me décidai à m'en retourner à la maison. Et j'y arrivai comme un homme ivre, ne sachant plus ce que je faisais et disais. Et je trouvai ma pauvre cousine Aziza debout dans la chambre, le visage tourné du côté du mur, un bras appuyé contre un meuble et une main sur le cœur ; et, tristement, elle soupirait des vers plaintifs sur l'amour malheureux.

Mais à peine se fut-elle aperçue de ma présence qu'elle s'essuya les yeux du coin de sa manche et vint au-devant de moi, en essayant de sourire pour me cacher sa douleur, et me dit : « Ô mon cousin bien-aimé, qu'Allah te rende durable la félicité ! Pourquoi, au lieu de revenir ainsi seul, pendant la nuit, par les rues désertes, n'as-tu pas passé le reste de la nuit chez la jeune fille, ton amoureuse ? » Alors moi, impatienté, et croyant un instant que ma cousine voulait me railler, je la repoussai durement et d'une façon si brusque, qu'elle alla tomber de tout son long contre le coin du divan et se fit au front une large blessure d'où le sang se mit à gicler à flots. Alors ma pauvre cousine, loin de s'emporter contre ma brutalité, n'eut pas un seul mot de révolte et se releva tranquillement et alla brûler un morceau d'amadou et en pansa sa blessure et se banda le front de son mouchoir ; puis elle essuya le sang qui tachait les marbres, et, comme si de rien n'était, elle revint près de moi avec un sourire tranquille, et me dit avec la plus grande douceur…

À ce moment de sa narration, Schahrazade vit apparaître le matin et, discrète, s'arrêta dans les paroles permises.

Mais lorsque fut la cent quinzième nuit. Elle dit :

Et, comme si de rien n'était, elle revint près de moi avec un sourire tranquille et me dit avec la plus grande douceur dans la voix : « Ô fils de mon oncle, je suis à la limite de la désolation de t'avoir peiné par des paroles inopportunes. Pardonne-moi, de grâce, et raconte-moi ce qui s'est passé, que je voie si je n'y puis porter remède ! » Alors je lui racontai le contretemps que j'avais subi et le manque total de nouvelles de l'inconnue. Et Aziza me dit : « Ô Aziz de mes yeux, je puis, sans hésiter, t'annoncer que tu arriveras à tes fins ; car ce n'est là qu'une épreuve que l'adolescente fait subir à ta patience pour voir la force de ton amour et ta constance à son égard. Aussi, dès demain, hâte-toi d'aller t'asseoir sur le banc, sous sa fenêtre, et sûrement tu trouveras une solution au gré de tes désirs ! » Puis ma cousine m'apporta un plateau chargé de porcelaines remplies de mets ; mais je repoussai le tout avec brusquerie, et toutes les porcelaines sautèrent en l'air et roulèrent de tous côtés sur les tapis. Et je signifiai de la sorte que je ne voulais ni manger ni boire. Alors ma pauvre cousine ramassa soigneusement et en silence les débris qui jonchaient le sol et essuya les tapis, et revint s'asseoir au pied du matelas sur lequel j'étais étendu ; et elle ne cessa, durant toute la nuit, de me faire de l'air avec un éventail en me disant des paroles gentilles et caressantes, avec une douceur infinie. Et moi je pensais : « Quelle folie d'être amoureux ! » Enfin le matin parut et je me levai en toute hâte et me rendis dans la ruelle sous la fenêtre de l'adolescente.

Or, à peine m'étais-je assis sur le banc que la fenêtre s'ouvrit et devant mes yeux éblouis apparut la tête délicieuse de celle qui était toute mon âme. Et elle me souriait de toutes ses dents d'un sourire savoureux. Puis elle disparut un instant pour réapparaître tenant entre les mains un sac, un miroir, un pot de fleurs et une lanterne. Et voici ce qu'elle fit : d'abord elle introduisit le miroir dans le sac, lia le sac, et jeta le tout dans la chambre ; puis, d'un geste adorable, elle dénoua sa chevelure qui retomba lourdement autour d'elle toute, et lui cacha un instant la figure ; ensuite elle plaça la lanterne au milieu des fleurs, dans le pot ; et enfin elle reprit le tout et disparut. Et la fenêtre se referma. Et mon cœur, avec l'adolescente, s'envola. Et mon état n'était plus un état.

Alors moi, sachant déjà par expérience qu'il était inutile d'attendre davantage, je m'acheminai, désolé et meurtri, vers la maison, où je retrouvai ma pauvre cousine tout en pleurs et la tête enveloppée d'un double bandeau, un autour de son front blessé et l'autre autour de ses yeux malades de toutes les larmes versées pendant mon absence et durant tous ces jours de tristesse. Et, sans me voir, elle avait la tête penchée et appuyée sur une main, et elle se berçait de l'harmonie pénétrante de ces vers admirables que tout doucement elle se murmurait :

« Ah ! je songe à toi, Aziz ! En quelle demeure loin de moi as-tu fui ? Réponds, Aziz ! Où as-tu élu domicile, ô vagabond adoré ?…

Songe à ton tour, Aziz ! Sache bien que partout où la destinée, jalouse de mon bonheur, te poussera, tu ne pourras trouver la chaleur d'asile que t'a réservée le pauvre cœur d'Aziza !

Tu ne m'écoutes pas, Aziz ! Et tu t'éloignes ! Et voici que mes yeux te regrettent dans ces larmes qui coulent intarissables.

Oh ! désaltère-toi à la limpidité d'une eau pure ou plus belle encore, et laisse ma douleur boire, pour toute fraîcheur, le sel des tristes larmes recelées dans mes orbites profondes.

Ah ! pleure, mon cœur, l'absence du bien-aimé… Je songe à toi, Aziz ! En quelle demeure loin de moi as-tu fui ! Réponds, Aziz ! Où as-tu élu domicile, ô vagabond adoré ?…

Lorsqu'elle eut fini ces vers, elle se retourna et me vit ; et aussitôt elle s'efforça de me cacher sa douleur et ses larmes, et elle vint à moi et se tint debout un moment en silence, sans pouvoir articuler une syllabe. Enfin elle me dit : « Ô mon cousin, assieds-toi et conte-moi ce qui t'est arrivé cette fois ! » Et je ne manquai pas de lui exposer par le menu les gestes pleins de mystère de l'adolescente. Et Aziza me dit : « Réjouis-toi, ô mon cousin, car tes souhaits sont exaucés ! Sache, en effet, que le miroir enfoncé dans le sac signifie le soleil qui disparaît : ce geste t'invite donc à te rendre demain soir à sa maison ; sa chevelure noire dénouée et lui voilant la face signifie la nuit qui couvre la terre de ses ténèbres : ce geste est une confirmation du premier ; le pot de fleurs signifie qu'il te faut entrer dans le jardin de la maison, situé derrière la ruelle ; quant à la lanterne sur le pot, elle signifie clairement qu'une fois dans le jardin tu dois te diriger du côté où tu trouveras une lanterne allumée, et attendre là la venue de ton amoureuse. »

Mais moi, au comble du désappointement, je m'écriai : « Que de fois tu m'as donné de l'espoir avec tes explications erronées ! Allah ! Allah ! que je suis malheureux ! » Alors Aziza se fit encore plus caressante que d'habitude et se dépensa pour moi en paroles douces et pacifiantes. Mais elle n'osa pas bouger de sa place ni me porter à manger ou à boire par peur de mes accès de colère et d'impatience.

Pourtant, le lendemain, vers le soir, je me décidai à tenter l'aventure et, encouragé surtout par Aziza qui me donnait ainsi tant de preuves de son désintéressement et de l'abnégation absolue d'elle-même, alors qu'en secret elle pleurait toutes ses larmes, je me levai et pris mon bain et, aidé par Aziza, je m'habillai de ma plus belle robe. Mais avant de me laisser sortir, Aziza me jeta un regard de désolation et, les larmes dans la voix, elle me dit : « Ô fils de mon oncle ! prends ce grain de musc pur et parfume-t'en les lèvres. Puis, une fois que tu auras vu ton amoureuse et que tu en auras eu toute satisfaction à ton gré, promets-moi, de grâce, de lui réciter le vers que je vais te dire. » Et elle me jeta les bras autour du cou et sanglota longuement. Alors moi, je lui fis le serment de réciter à l'adolescente le vers en question. Et Aziza, tranquillisée, me récita ce vers et m'obligea à le répéter une fois avant de partir, bien que je n'en eusse pas compris l'intention ou la portée future :

« Ô vous tous, les amoureux ! par Allah ! dites-moi, si l'amour sans répit habitait le cœur de sa victime, où serait la délivrance ?... »

Puis je m'éloignai rapidement et j'arrivai au jardin en question, dont je trouvai la porte ouverte ; et, tout au fond, une lanterne était allumée, vers laquelle je me dirigeai dans les ténèbres.

Lorsque j'arrivai à l'endroit où était cette lumière, quelle surprise ne m'attendait-elle pas ! Je trouvai, en effet, une merveilleuse salle à la voûte cintrée et surmontée d'une coupole toute lamée intérieurement d'ivoire et d'ébène et éclairée agréablement par d'immenses flambeaux d'or et de grandes lampes de cristal suspendues au plafond par des chaînes d'or. Et, au milieu de cette salle, un bassin, orné d'incrustations de couleur et de dessins entrelacés d'une grande perfection, faisait un bruit d'eau dont la musique à elle seule rafraîchissait. Tout à côté de ce bassin, un grand escabeau de nacre soutenait un plateau d'argent recouvert d'un foulard de soie, et sur le tapis était posé un grand pot en terre cuite vernissée, dont le col élancé soutenait une coupe de cristal et d'or.

Alors moi, ô mon jeune seigneur, la première chose que je fis fut d'enlever le foulard de soie qui recouvrait le grand plateau d'argent. Et les choses délicieuses qui s'y trouvaient, je les vois encore devant mes yeux ! Il y avait là en effet...

À ce moment de sa narration, Schahrazade vit apparaître le matin et s'arrêta dans les paroles permises.

Mais lorsque fut la cent seizième nuit. Elle dit : Le vizir Dandân continua de la sorte, pour le roi Daoul'makân, l'histoire que recontait le bel Aziz au jeune prince Diadème :

Il y avait là en effet, dorés et odorants, quatre poulets rôtis, assaisonnés aux épices fines ; il y avait là quatre porcelaines de grande capacité contenant, la première, de la mahallabia[1] parfumée à l'orange et saupoudrée de pistaches concassées et de cannelle ; la seconde, des raisins secs, macérés, puis sublimés et parfumés discrètement à la rose ; la troisième, oh ! la troisième ! de la baklawa[2] artistement feuilletée et divisée en losanges d'une suggestion infinie ; la quatrième, des kataïefs[1] au sirop bien lié et prêts à éclater tant ils étaient généreusement farcis ! Voilà pour la moitié du plateau. Quant à l'autre moitié, elle contenait justement mes fruits de prédilection : des figues toutes ridées de maturité, et nonchalantes tant elles se savaient désirables ; des cédrats, des limons, des raisins frais et des bananes. Et le tout était séparé par des intervalles où se voyaient les couleurs de fleurs telles que roses, jasmins, tulipes, lis et narcisses.

Alors moi je m'épanouis de tout cela à la limite de l'épanouissement et je dis à mes chagrins de s'envoler et à la joie de m'habiter. Mais je restai un tant soit peu préoccupé de ne voir pas, en ce lieu, trace d'une créature vivante d'entre les créatures d'Allah ! Et, comme je ne voyais ni servante ni esclave qui vînt me servir, je n'osai d'abord toucher à quoi que ce fût ; et j'attendis patiemment l'arrivée de la bien-aimée de mon cœur. Mais la première heure s'écoula, et rien ! puis la deuxième et la troisième heures, et rien encore ! Alors je commençai à éprouver violemment la torture de la faim, moi qui depuis si longtemps n'avais pas mangé, tout dominé que j'avais été par ma passion sans aboutissant ; mais maintenant que je constatais ce commencement de réalisation, l'appétit me revenait, par la grâce d'Allah, et j'en savais gré à ma pauvre Aziza qui m'avait toujours prédit le succès et expliqué exactement le mystère de ces rendez-vous.

Donc, ne pouvant davantage résister à la fringale énorme qui me creusait à vide, je me jetai d'abord sur les adorables kataïefs, que je préférais à tout, et je glissai dans mon gosier qui sait combien de ces délicieuses-là : on les eût dites pétries de parfums spirituels par les doigts diaphanes des houris. Puis je m'attaquai aux losanges croustillants de la juteuse baklawa, et je m'en posai facilement sur l'estomac ce qui m'était départi par le sort miséricordieux ; puis j'avalai la coupe entière de la blanche mahallabia saupoudrée de pistaches concassées, et si fraîche à mon cœur ; je me décidai ensuite pour les poulets, et j'en mangeai un ou deux ou trois ou quatre, tant était savante la farce cachée dans leur cavité, assaisonnée aux grains acides des grenades ; après quoi je me tournai vers les fruits pour me dulcifier et je caressai mon palais d'un choix lentement pesé ; et je terminai mon repas en goûtant une ou deux ou trois ou quatre cuillerées des grains doux des grenades, et je glorifiai Allah pour ses bienfaits. Et je mis fin à tout en étanchant ma soif au pot vernissé de terre cuite, sans me servir de la coupe inutile.

Alors, une fois mon ventre rempli, je sentis une grande lassitude m'envahir et m'annihiler tous les muscles ; et à peine avais-je eu la force de me laver les mains que je m'affalai sur les coussins des tapis et m'enfonçai dans un pesant sommeil.

Que se passa-t-il durant cette nuit ? Tout ce que je sais, c'est qu'au matin, me réveillant sous les rayons ardents du soleil, j'étais étendu, non plus sur les doux tapis merveilleux, mais directement sur le marbre nu, et j'avais sur la peau du ventre une pincée de sel et une poignée de poudre de charbon. Alors je me levai vivement et me secouai et regardai à droite et à gauche ; mais je ne vis pas trace d'une créature vivante autour et alentour. Aussi, grande fut ma perplexité et mon émotion également ; et je fus contre moi-même dans une grande colère ; puis je me repentis de la faiblesse de ma chair et de mon peu d'endurance aux veilles et à la fatigue. Et je m'acheminai tristement vers ma maison, où je trouvai ma pauvre Aziza qui se lamentait doucement et récitait ces vers en pleurant :

« Dansante la brise se lève et vient à moi à travers la prairie. Je la reconnais à son odeur, avant même que sa caresse ne se pose sur mes cheveux.

Ô brise douce, viens ! les oiseaux chantent. Viens ! toute effusion suivra sa destinée.

Si je pouvais, ah ! si je pouvais, amour, te prendre dans mes bras, comme l'amant sur sa poitrine emprisonne la tête de sa bien-aimée !...

Oh ! adoucir à ton haleine l'amertume de ce cœur qui dans la douleur se plonge !...

Toi parti, ô Aziz, que me restera-t-il des joies de ce monde et quel goût désormais trouver à la vie !...

Ah ! qui me dira si le cœur du bien-aimé est comme mon cœur, liquéfié de la chaleur d'amour et de sa flamme ! »

Mais, en me voyant, Aziza se leva vivement en essuyant ses larmes et me reçut avec des paroles de toute douceur et m'aida à me débarrasser de mes vêtements qu'elle renifla à plusieurs reprises pour me dire : « Par Allah ! ô fils de mon oncle, ce ne sont vraiment pas là les parfums que laisse sur les habits le contact d'une femme amoureuse ! Raconte-moi donc ce qui s'est passé. » Et je me hâtai de la satisfaire. Alors son visage devint fort soucieux, et elle me dit sur un ton effrayé : « Par Allah ! ô Aziz, je ne suis plus tranquille à ton sujet, et j'ai bien peur maintenant que cette inconnue ne te fasse éprouver de grands désagréments. Sache, en effet, que le sel posé sur ta peau signifie qu'elle te trouve très fade, toi, un amoureux si passionné, de t'être laissé vaincre par le sommeil et la fatigue ; et le charbon signifie : « Puisse Allah te noircir le visage ! ô toi dont l'amour est mensonger ! » Ainsi donc, mon Aziz bien-aimé, cette femme, au lieu d'être gentille pour son hôte et de le réveiller doucement, l'a traité avec ce mépris et lui a fait ainsi savoir qu'il n'était bon qu'à manger, boire et dormir. Ah ! qu'Allah te délivre de l'amour de cette femme sans miséricorde et sans cœur ! » Alors moi, à ces paroles, je me frappai la poitrine et m'écriai : « C'est moi qui suis le coupable, car, par Allah ! cette femme a raison, les amoureux ne dorment pas. Ah ! c'est moi qui, par ma faute, me suis attiré cette calamité. De grâce ! que faire maintenant, ô fille de mon oncle ? ah ! dis-le-moi ! »

Or, ma pauvre cousine Aziza m'aimait considérablement ; et elle fut à la limite de l'attendrissement en me voyant si chagriné...

À ce moment de sa narration, Schahrazade vit apparaître le matin et, discrète, se tut.

Mais lorsque fut la cent dix-septième nuit. Elle dit au roi Schahriar : Il m'est parvenu, ô Roi fortuné, que le vizir Dandân continua de la sorte, pour le roi Daoul'makân, l'histoire que le bel Aziz racontait au jeune prince Diadème :

Or, ma pauvre cousine Aziza m'aimait considérablement ; et elle fut à la limite de l'attendrissement en me voyant si chagriné et elle me répondit : « Sur ma tête et sur mes yeux ! mais, ô Aziz, comme cela me serait bien facile de t'être utile si les convenances me permettaient de sortir, d'aller et de venir ! Prête à me marier, je dois, selon nos usages, garder la maison strictement. Pourtant, écoute-moi bien pour que, de loin, je puisse veiller sur ta réussite, du moment que je ne puis être un trait direct d'union entre elle et toi. Donc, ô Aziz, retourne encore ce soir au même endroit, et surtout résiste à la tentation du sommeil ! Et pour cela évite de manger, car la nourriture alourdit les sens et les amollit. Prends donc bien garde de dormir, et tu la verras venir à toi vers le quart de la nuit. Et qu'Allah t'aide sous sa protection et te défende contre les perfidies ! »

Alors moi je me mis à faire des vœux pour que la nuit vînt plus tôt. Et lorsque je fus sur le point de sortir, Aziza m'arrêta encore un instant pour me dire : « Et je te recommande, avant tout, lorsque la jeune fille t'aura accordé la satisfaction de tes désirs, de ne pas oublier de lui réciter la strophe que je t'ai apprise. » Et moi je répondis : « j'écoute et j'obéis ! » Puis je sortis de la maison.

En arrivant au jardin, je trouvai, comme la veille, la salle magnifique illuminée et, dans cette salle, de grands plateaux chargés de mets, de pâtisseries, de fruits et de fleurs. À peine l'odeur des fleurs et des mets et de toutes ces délices m'eut-elle attendri les narines, que mon âme ne put se contenir, et j'obéis à son désir et je mangeai mon plein de chaque chose et je bus à même le grand pot vernissé ; et comme il plaisait extrêmement à mon âme, j'en bus encore jusqu'à la dilatation complète de mon ventre. Alors je fus content. Mais bientôt mes paupières battirent ; et pour lutter contre le sommeil j'essayai de les ouvrir avec mes doigts, mais en vain. Alors je me dis : « Je vais simplement, sans dormir, m'étendre un peu, oh ! le temps de poser un instant ma tête sur le coussin, sans plus ! Mais je ne dormirai pas, oh ! non ! » Et je pris un coussin et m'y appuyai la tête. Mais ce fut pour ne me réveiller que le lendemain au jour ; et je me vis étendu, non plus dans la salle splendide, mais dans une misérable pièce qui devait probablement servir aux palefreniers ; et je trouvai sur mon ventre un os de patte de mouton et une balle ronde et des noyaux de dattes et des grains de caroubes ; et, à côtés, deux drachmes et un couteau. Alors, plein de confusion, je me levai et secouai vivement tous ces déchets et, furieux de ce qui m'advenait, je ramassai seulement le couteau et j'arrivai bientôt à la maison, où je trouvai Aziza qui murmurait plaintivement ces strophes :

« Larmes de mes yeux ! vous avez dissous mon cœur et rendu liquide mon corps.

Et mon ami est de plus en plus cruel ! Mais n'est-il point doux de souffrir pour l'ami, quand il est si beau ?

Ô Aziz, mon cousin ! tu as rempli mon âme de passion et creusé en elle des abîmes de douleur ! »

Alors moi, encore tout plein de dépit, j'attirai brutalement son attention en lui lançant une ou deux injures. Mais sa patience n'en fut pas émue et, admirable de douceur, elle s'essuya les yeux et vint à moi et me jeta les bras autour du cou et me serra de force contre sa poitrine, alors que moi j'essayais de la repousser, et me dit : « Oh ! mon pauvre Aziz, je vois que tu t'es laissé encore aller à dormir cette nuit ! » Et moi, n'en pouvant plus, je m'affalai sur les tapis, suffoqué de dépit, et je lançai au loin de couteau que j'avais ramassé. Alors Aziza prit un éventail et s'assit à côté de moi et se mit à me faire de l'air et à me dire de prendre courage et que tout devait finir par s'arranger. Et, sur sa demande, je lui énumérai les différents objets qu'en me réveillant j'avais trouvés sur mon ventre. Puis je lui dis : « Par Allah ! hâte-toi de m'expliquer tout cela ! » Elle me répondit : « Ah ! mon Aziz, ne t'avais-je pas bien recommandé pour te faire éviter le sommeil, de résister à la tentation de la nourriture ! » Mais je m'écriai : « Oh ! hâte-toi de m'expliquer la chose ! » Elle dit : « Sache que la balle ronde signifie… »

À ce moment de sa narration, Schahrazade vit apparaître le matin et, discrète comme elle était, s'arrêta dans les paroles permises.

Mais lorsque fut la cent dix-huitième nuit. Elle dit :

« Sache que la balle ronde signifie que ton cœur, malgré ta présence dans la maison de ton amoureuse, vagabonde dans l'air et décèle ton peu de ferveur ; les noyaux de dattes veulent dire que, comme eux, tu es dénué de saveur puisque la passion, qui est la pulpe même du cœur, te manque totalement ; les grains du caroubier, qui est l'arbre d'Ayoub[1], père de la patience, sont là pour te rappeler cette vertu si précieuse pour les amoureux ; quant à l'os de patte de mouton, il ne supporte vraiment pas d'explication ! » Alors je m'écriai : « Mais, ô Aziza, tu oublies la lame effilée et les deux drachmes d'argent ! » Et Aziza devint toute tremblante et me dit : « Ô Aziz, comme j'ai peur pour toi ! Les deux drachmes d'argent symbolisent ses deux yeux. Elle veut, par là, te dire : « Je jure sur mes deux yeux que, si tu revenais pour te rendormir, je t'égorgerais sans miséricorde avec le couteau ! » Ô fils de mon oncle, comme j'ai peur ! Et, pour ne pas t'ennuyer, je refoule toujours en moi-même mon effroi et je pleure en silence, seule dans la maison vide. Et pour toute consolation je n'ai que mes sanglots ! » Alors mon cœur compatit à sa douleur et je lui dis : « Par ma vie sur toi, ô fille de mon oncle, quel est le remède à tout cela ? Ah ! aide-moi à sortir de cette calamité sans recours ! » Elle dit : « Avec amitié et respect ! Mais il te faut écouter mes paroles et t'y conformer, sinon rien n'est fait ! » Je répondis : « J'écoute et j'obéis ! je te le jure sur la tête de mon père ! »

Alors Aziza, confiante en ma promesse, devint heureuse et m'embrassa et me dit : « Et bien ! voici. Il te faut dormir ici toute la journée ; de la sorte tu ne seras pas tenté cette nuit par le sommeil. Et à ton réveil, je te donnerai moi-même à manger et à boire ; et tu n'auras ainsi plus rien à redouter. » En effet, Aziza m'obligea à me coucher et se mit à me masser doucement ; et, sous l'influence de ce massage délicieux, je ne tardai pas à m'endormir ; et, à mon réveil, vers le soir, je la trouvai encore assise à côté de moi et qui me faisait de l'air avec l'éventail. Et je vis qu'elle avait dû pleurer tout le temps, car ses habits portaient les traces de ses larmes. Alors Aziza se hâta de m'apporter de quoi manger, et elle me mettait elle-même les morceaux à la bouche, et je n'avais que la peine d'avaler et cela jusqu'à ce que je me fusse repu complètement. Puis elle me donna à boire un bol d'une décoction de jujubes dans de l'eau de rose au sucre, ce qui me rafraîchit parfaitement. Puis elle me lava les mains et me les essuya avec une serviette parfumée au musc et m'aspergea avec de l'eau de senteur. Après quoi elle m'apporta une robe considérablement merveilleuse et m'en vêtit ; et elle me dit : « Si Allah veut, cette nuit sera sûrement pour toi la nuit de tes souhaits ! » Puis, en me conduisant jusqu'à la porte, elle ajouta : « Mais surtout n'oublie pas ma recommandation ! » Je dis : « Laquelle ? » Elle dit : « Ô Aziz ! la strophe que je t'ai apprise ! »

J'arrivai donc au jardin, et, comme les précédentes nuits, j'entrai dans la salle à la voûte cintrée et m'assis sur les riches tapis. Et comme vraiment j'étais bien repu, je regardai les plateaux avec indifférence, et me mis à veiller de la sorte jusque vers le milieu de la nuit. Et je ne voyais personne ; je n'entendais pas un bruit. Alors je commençai à trouver la nuit aussi longue qu'une année ; mais je patientai et attendis encore. Cependant les trois quarts de la nuit s'étaient écoulés, et déjà les coqs se mettaient à chanter la première aube. De sorte que la faim commença à se faire sentir ; et peu à peu elle devint si forte que mon âme désira le goût des plateaux ; et je ne pus guère résister à mon âme ; bientôt je fus debout ; j'enlevai alors les grands foulards, et je mangeai jusqu'à satiété, et je bus un verre et puis deux verres et jusqu'à dix verres. Alors ma tête s'alourdit ; mais je luttai avec énergie et me roidis et agitai ma tête dans tous les sens. Mais, au moment où j'allais me laisser aller sans plus, j'entendis quelque chose comme un bruit de rires et de soieries. Et j'avais à peine eu le temps de sauter vivement sur mes pieds et de me laver les mains et la bouche, quand je vis le grand rideau du fond se relever. Et, souriante et entourée de dix jeunes femmes esclaves, belles comme les étoiles, elle entra. Et c'était la lune elle-même. Elle était vêtue d'une robe de satin vert toute brodée d'or rouge. Et, pour t'en donner une idée seulement, ô jeune seigneur, je te dirai les vers du poète :

« La voici ! de regard hautain, la fille magnifique ! À travers la robe verte sans boutons les seins éclatants se tendent joyeux ; et la chevelure est dénouée.

Et moi, ébloui, si je lui demande son nom, elle me répond : « Je suis celle qui brûle les cœurs des amants sur un feu immortel ! »

Et si je parle des tortures d'amour, elle me dit : « Je suis la roche sourde et l'azur sans écho ! Ô naïf ! se plaint-on de la surdité de la roche ou de l'azur ? »

Mais je lui dis alors : « Ô femme ! si ton cœur est la roche, sache que mes doigts, comme autrefois Moïse, de la roche feront jaillir la limpidité d'une source ! »

Et, de fait, ô mon jeune seigneur, comme je lui récitais ces vers, elle me sourit et me dit : « C'est fort bien ! Mais comment as-tu réussi cette fois à ne point te laisser vaincre par le sommeil ? » Et je répondis : « C'est la brise de ta venue qui m'a vivifié l'âme ! »

Alors elle se tourna vers ses esclaves et leur fit un clignement d'œil ; et aussitôt elles s'éloignèrent et nous laissèrent seuls dans la salle. Alors elle vint s'asseoir tout près de moi et me tendit sa poitrine et me jeta les bras autour du cou. Et moi, je me jetai sur ses lèvres ; et je lui suçai la lèvre supérieure, cependant qu'elle me suçait la lèvre inférieure ; puis je la pris par sa taille, que je pliai ; et tous deux nous roulâmes ensemble sur les tapis. Alors je me glissai dans l'ouverture délicate de ses jambes et je lui défis toutes ses robes. Et nous commençames des ébats mêlés de baisers et de caresses, de pincements et de morsures, de levées de cuisses et de jambes, et de gambades folles à travers la salle. Si bien qu'elle finit par tomber épuisée dans mes bras, morte de désir. Alors cette nuit-là fut une nuit douce à mon cœur et une fête pour mes sens, comme dit le poète :

« Joyeuse me fut la nuit et facile et délicieuse entre toutes les nuits de mon destin. La coupe ne se posa pas un instant vide de rougeur. »

Cette nuit ! Je dis au sommeil : « Va ! crois-tu donc que mes paupières te désirent ?... » Et je dis aux jambes et aux cuisses d'argent : « Approchez-vous ! »

Mais lorsque vint le matin, comme je voulais prendre congé, elle m'arrêta un instant pour me dire : « Attends un peu ! J'ai quelque chose à te révéler... »

À ce moment de sa narration, Schahrazade vit apparaître le matin et, discrète, se tut.

Mais lorsque fut la cent dix-neuvième nuit. Elle dit : Aziz continua de la sorte son histoire :

Elle m'arrêta encore un instant pour me dire : « Attends un peu ! J'ai quelque chose à te révéler, et une recommandation à te faire ! » Alors, un peu surpris, je m'assis de nouveau à côté d'elle ; et elle déplia un foulard et en retira l'étoffe carrée sur laquelle se trouve brodée la première gazelle, que tu vois là devant toi, ô mon jeune seigneur. Et elle me la donna en disant : « Garde cela soigneusement ! C'est le travail d'une jeune fille de mes amies, la princesse des îles du Camphre et du Cristal. Ce signe sera pour toi, dans la vie, d'une importance très grande. Et de plus il te rappellera toujours celle qui t'a fait ce présent ! » Alors moi, à la limite de l'étonnement, je la remerciai avec effusion et, en prenant congé d'elle, j'oubliai, tant j'étais émerveillé de tout ce qui m'arrivait, de lui réciter la strophe que m'avait apprise Aziza.

Lorsque j'arrivai à la maison, je trouvai ma pauvre cousine couchée ; ses traits portaient l'indice d'un mal imminent ; mais, en me voyant entrer, elle fit effort sur elle-même pour se lever, et, les yeux mouillés de larmes, elle se traîna jusqu'à moi et m'embrassa la poitrine et me serra longtemps contre son cœur, et me demanda : « Lui as-tu récité la strophe ? » Alors je fus tout confus et répondis : « Ah ! je l'ai oublié. Et la cause en est à cette gazelle brodée sur cette étoffe de soie. » Et je dépliai devant elle l'étoffe et lui montrai la gazelle en question. Alors Aziza ne put se contenir davantage et éclata devant moi en sanglots et, entre ses larmes, elle récita ces vers :

« Ah ! pauvre cœur, dis-toi bien que la lassitude est la règle de tout attachement, et que la rupture est la conclusion de toute amitié ! »

Puis elle ajouta : « Ô mon cousin, pour toute grâce je te prie de ne pas oublier, la prochaine fois, de lui réciter la strophe ! » Je répondis : « Répète-la-moi encore une fois, car je l'ai oubliée à peu près. » Alors elle me la répéta et je la retins bien ; puis, le soir venu, elle me dit : « Voici l'heure ! qu'Allah te conduise en sécurité ! »

En arrivant au jardin, j'entrai dans la salle, où je trouvai mon amoureuse dans l'attente de ma venue ; et aussitôt elle me prit et m'embrassa et me fit m'étendre dans son giron ; puis après avoir mangé et bu, nous nous possédâmes dans toute notre plénitude. Et il est inutile de donner le détail de nos ébats qui durèrent jusqu'au matin. Alors moi je n'oubliai pas, cette fois, de lui réciter la strophe d'Aziza :

« Ô vous tous, les amoureux ! par Allah ! dites-moi, si l'amour sans répit habitait le cœur de sa victime, où serait la délivrance ? »

Je ne saurais te dire, seigneur, l'effet que ce vers produisit sur mon amie ; son émotion fut si forte que son cœur, qu'elle disait si dur, fondit dans sa poitrine ; et elle pleura abondamment et improvisa cette strophe :

« Honneur à la rivale à l'âme magnanime ! Elle sait tous les secrets et les garde en silence. Elle souffre du partage et se tait sans murmure. Elle connaît la valeur admirable de la patience ! »

Alors moi je retins soigneusement cette strophe pour la répéter à Aziza. Et, quand je fus de retour à la maison, je trouvai Aziza étendue sur les matelas, et ma mère, qui la soignait, était assise à côté d'elle. Et la pauvre Aziza avait sur son visage une très grande pâleur ; et elle était si faible qu'elle avait l'air d'être évanouie ; et elle leva douloureusement les yeux vers moi, sans pouvoir faire un mouvement.

Alors ma mère me regarda avec sévérité, en hochant la tête, et me dit : « Quelle honte sur toi, ô Aziz ! Est-ce ainsi qu'on délaisse sa fiancée ? » Mais Aziza prit la main de ma mère et la baisa, et l'interrompit pour me dire, d'une voix à peine distincte : « Ô fils de mon oncle, as-tu oublié ma recommandation ? » Alors moi je lui dis : « Sois tranquille, ô Aziza ! Je lui ai récité la strophe, qui l'a émue à la limite de l'émotion, et tellement qu'elle me récita cette strophe-ci. » Et je lui répétai les vers en question. Et Aziza, en les entendant, pleura silencieusement et murmura ces paroles du poète :

« Celui qui ne sait taire le secret ni pratiquer la patience dans l'épreuve n'a plus qu'à souhaiter la mort comme partage.

Pourtant ! ma vie entière s'écoula dans le renoncement. Et je meurs sevrée des paroles de l'ami ! Ah ! quand je mourrai, faites parvenir mon salut à celle qui fut le malheur de ma vie ! »

Puis elle ajouta : « Ô fils de mon oncle, je te prie, lorsque tu reverras ton amoureuse, redis-lui ces deux strophes ! Et que la vie te soit douce et facile, ô Aziz ! »

Or, moi, lorsque vint la nuit, je retournai au jardin, selon mon habitude, et je trouvai mon amie qui m'attendait dans la salle ; et nous nous assîmes tous deux, côte à côte, à manger, à boire et à nous amuser de toutes façons, pour ensuite nous coucher, enlacés, jusqu'au jour. Alors je me rappelai ma promesse à Aziza, et je récitai à mon amie les deux strophes apprises.

Or, à peine les eut-elle entendues, que soudain elle poussa un grand cri et recula épouvantée et s'écria : « Par Allah ! la personne qui a dit ces vers doit être sûrement morte à l'heure qu'il est ! » Puis elle ajouta : « J'espère pour toi que cette personne n'est point une parente à toi, ni une sœur ni une cousine ! Car sûrement, je te le répète, cette personne est maintenant du nombre des morts ! » Alors je lui dis : « C'est ma fiancée, la fille même de mon oncle ! » Mais elle me cria : « Que dis-tu ? Et pourquoi mens-tu de la sorte ? Ce n'est pas vrai ! Si vraiment c'était ta fiancée, tu l'aimerais autrement ! » Je répétai : « C'est ma fiancée, la fille de mon oncle, Aziza ! » Alors elle dit : « Alors pourquoi ne me le disais-tu pas ? Par Allah ! jamais je ne me serais permis de lui ravir son fiancé, si j'avais eu connaissance de ces liens ! Malheur ! Mais, dis-moi, a-t-elle tout su de nos rencontres d'amour ? » Je dis : « Certes ! Et c'est elle-même qui m'expliquait les signes que tu me faisais ! Et sans elle je n'aurais jamais pu parvenir jusqu'à toi ! C'est grâce à ses bons conseils et à sa bonne direction que j'ai pu parvenir au but ! » Alors elle s'écria : « Eh bien ! c'est toi qui es la cause de sa mort ! Puisse Allah ne point abîmer ta jeunesse comme tu as abîmé la jeunesse de ta pauvre fiancée ! Va donc vite voir ce qu'il en est ! »

Alors moi je me hâtai de sortir, l'esprit préoccupé de cette mauvaise nouvelle. Et, en arrivant au coin de la ruelle où est située notre maison, j'entendis des cris lugubres de femmes qui se lamentaient à l'intérieur de la maison. Et comme je m'informais auprès des voisines qui entraient et sortaient, l'une d'elles me dit : « On a trouvé Aziza, derrière la porte de sa chambre, étendue morte ! » Alors moi je me précipitai à l'intérieur ; et la première personne qui me vit fut ma mère, qui me cria : « Tu es responsable devant Allah de sa mort ! Et le poids de son sang est attaché à ton cou ! Ah ! mon fils, quel triste fiancé tu as été ! »

À ce moment de sa narration, Schahrazade vit apparaître le matin et se tut discrètement.

Mais lorsque fut la cent vingtième nuit. Elle dit :

« Ah ! mon fils, quel triste fiancé tu as été ! » Et comme elle allait continuer à m'accabler de reproches, mon père entra ; alors elle se tut devant lui, pour le moment. Et mon père commença à faire les préparatifs des funérailles ; et quand tous les amis et les proches furent là, et que tout fut prêt, alors nous célébrâmes les funérailles et nous fîmes les cérémonies d'usage pour les grands enterrements, en restant trois jours, sous les tentes, sur sa tombe, à réciter le Livre Saint.

Alors moi je revins à la maison, près de ma mère, et je me sentais le cœur pris de pitié pour l'infortunée défunte. Et ma mère vint à moi et me dit : « Mon fils, je veux que tu me dises enfin ce dont tu as bien pu te rendre coupable envers la pauvre Aziza pour lui avoir ainsi fait éclater le foie ! Car, ô mon fils, j'eus beau lui demander à elle-même la cause de sa maladie, elle n'a jamais rien voulu me révéler et surtout elle n'eut jamais un mot amer contre toi ; au contraire ! elle eut pour toi, jusqu'à la fin, des paroles de bénédiction. Donc, ô Aziz, par Allah sur toi ! raconte-moi ce que tu as fait à cette infortunée pour la faire ainsi mourir ! » Je répondis : « Moi ? rien du tout ! » Mais ma mère insista et me dit : « Quand elle fut sur le point d'expirer, j'étais à son chevet. Alors elle se tourna vers moi, ouvrit un instant les yeux et me dit : « Ô femme de mon oncle, je supplie le Seigneur de ne demander compte à personne du prix de mon sang, et de pardonner à ceux qui m'ont torturé le cœur ! Voici en effet que je quitte un monde périssable pour un autre, immortel ! » Et je lui dis : « Ô ma fille, ne parle pas de la mort ! qu'Allah te rétablisse promptement ! » Mais elle me sourit tristement et me dit : « Ô femme de mon oncle, je te prie de transmettre à Aziz, ton fils, ma dernière recommandation, en le suppliant de ne pas l'oublier ! Lorsqu'il ira à l'endroit où il a l'habitude d'aller qu'il dise ces mots, avant de le quitter : « Que la mort est douce et préférable à la trahison ! » Puis elle ajouta : « De la sorte il me rendra son obligée, et je veillerai sur lui après ma mort comme j'avais veillé sur lui de mon vivant ! » Ensuite elle souleva l'oreiller et sous l'oreiller elle prit un objet qu'elle me chargea de te donner ; mais elle me fit faire le serment de ne te donner cet objet que lorsque je t'aurais vu revenir à de meilleurs sentiments et pleurer sa mort et la regretter sincèrement. Or, moi, mon fils, je te garde soigneusement cet objet, et je ne te le donnerai qu'en te voyant remplir la condition imposée ! »

Alors moi je dis à ma mère : « Soit ! mais tu peux bien me montrer cet objet ! » Mais ma mère refusa avec énergie et me quitta.

Or, tu peux constater, seigneur, combien à cette époque-là j'étais affligé d'étourderie et combien j'étais peu rassis de raison, puisque je ne voulais guère écouter la voix de mon cœur. Au lieu de pleurer ma pauvre Aziza et de porter son deuil en mon âme, je ne pensais qu'à m'amuser et me distraire. Et rien ne m'était plus délicieux que de continuer à me rendre chez mon amoureuse. Aussi, à peine la nuit venue, je me hâtai de me rendre chez elle ; et je la trouvai aussi impatiente de me revoir que si elle était assise sur le gril. Et à peine étais-je entré qu'elle courut à moi et se suspendit à mon cou et me demanda des nouvelles de ma cousine Aziza ; et quand je lui eus raconté les détails de sa mort et des funérailles, elle fut prise d'une grande compassion et me dit : « Ah ! que n'ai-je su, avant sa mort, les bons services qu'elle t'a rendus et son abnégation admirable ! Et comme je l'en eusse remerciée et récompensée de toute manière ! »

Alors, je lui dis : « Et surtout elle a bien recommandé à ma mère de me répéter, pour qu'à mon tour je te les dise, quatre mots, les derniers qu'elle ait prononcés : « Que la mort est douce et préférable à la trahison ! » Lorsque l'adolescente eut entendu ces paroles elle s'écria : « Qu'Allah l'ait en sa miséricorde ! Voici que, même après sa mort, elle te devient d'un grand secours ! Car elle te sauve par ces simples paroles, du projet de perdition que j'avais comploté contre toi et des embûches où j'avais résolu de te faire tomber ! »

À ces paroles étranges, je fus à la limite de l'étonnement et je m'écriai : « Que dis-tu là ? Comment ! nous étions liés par l'affection et tu avais résolu ma perte ! Quelles sont ces embûches où tu me voulais faire tomber ? »

Elle répondit : « Enfant ! ô naïf ! je vois que tu ne te doutes guère de toutes les perfidies dont nous, les femmes, sommes capables ! Mais je ne veux pas insister. Sache seulement que tu dois à ta cousine ta délivrance d'entre mes mains. Pourtant je ne me désiste qu'à la condition que tu n'adresses jamais un regard ni une parole à une autre femme que moi, que cette femme soit jeune ou vieille. Sinon malheur à toi ! Ah ! oui, malheur à toi ! Car alors tu n'auras plus personne qui te tire de mes mains, puisque celle qui te fortifiait de ses conseils est morte. Prends donc bien garde d'oublier cette condition ! Et maintenant j'ai à te faire une prière ! »

À ce moment de sa narration, Schahrazade vit apparaître le matin et, discrète, se tut.

Mais lorsque fut la cent vingt et unième nuit. Elle dit :

« Et maintenant j'ai à te faire une prière. » Je dis : « Laquelle ? » Elle dit : « C'est de me conduire vers la tombe de la pauvre Aziza pour que je la visite et écrive sur la pierre qui la recouvre quelques mots de déploration. » Je répondis : « Ce sera pour demain, si Allah le veut ! » Puis je me couchai pour passer la nuit avec elle ; mais toutes les heures elle me posait des questions sur Aziza et me disait : « Ah ! pourquoi ne m'avais-tu averti qu'elle était la fille de ton oncle ? » Alors moi, à mon tour, je lui dis : « À propos, j'ai oublié de te demander la signification de ces paroles : « Que la mort est douce et préférable à la trahison ! » Mais elle ne me voulut rien dire à ce sujet.

Le matin, à la première heure, elle se leva et prit une grande bourse remplie de dinars et me dit : « Allons ! lève-toi et conduis-moi vers sa tombe. Car je veux également lui bâtir une coupole ! » Et je répondis : « J'écoute et j'obéis ! » Et je sortis et marchai devant elle ; et elle me suivait en distribuant aux pauvres, tout le long du chemin, des dinars qu'elle puisait dans la bourse, et elle disait chaque fois : « Cette aumône est pour le repos de l'âme d'Aziza ! » Et nous arrivâmes de la sorte au tombeau. Alors elle se jeta sur le marbre et y versa d'abondantes larmes. Puis elle sortit d'un sac de soie un ciseau d'acier et un marteau d'or, et grava sur le marbre poli ces vers en caractères charmants :

Une fois je fus le passant qui s'arrêta devant une tombe enfouie au milieu du feuillage avec, pleurant sur elle, sept anémones, la tête inclinée.

Et je dis : « Qui peut bien être dans cette tombe ? » Mais la voix de la terre me répondit : « Homme ! courbe ton front avec respect ! Ici, dans la paix du silence, dort une amoureuse ! »

Alors je m'écriai : « Ô toi qu'a tuée l'amour, femme qui dors dans le silence ! puisse le Seigneur te faire oublier les tribulations, et te placer sur le plus haut sommet du Paradis ! »

Infortunés amoureux, vous êtes délaissés jusque dans la mort, puisque nul ne vient essuyer la poussière de vos tombeaux !

Moi, ici, je veux planter des roses et des fleurs amoureuses et, pour les faire mieux fleurir, je les arroserai de mes larmes.

Ensuite elle se leva, et jeta un regard d'adieu à la tombe d'Aziza et reprit avec moi le chemin de son palais. Et elle était devenue très tendre soudain ; et à plusieurs reprises elle me dit : « Par Allah ! ne me délaisse jamais ! » Et moi je me hâtai de répondre par l'ouïe et l'obéissance. Et je continuai à me rendre régulièrement chez elle toutes les nuits ; et elle me recevait toujours avec beaucoup d'expansion et de chaleur, et n'épargnait rien pour me faire plaisir. Et je ne cessai d'être ainsi, à manger, à boire, à embrasser et à copuler, à vêtir tous les jours des robes plus belles les unes que les autres et des chemises plus fines les unes que les autres, jusqu'à ce que je fusse devenu extrêmement gras et à la limite dernière de l'embonpoint ; et je ne sentais plus ni peines ni soucis ; et j'oubliai complètement jusqu'au souvenir de la pauvre fille de mon oncle. Et je restai dans cet état de délices la longueur entière d'une année.

Or, un jour, au commencement de la nouvelle année, j'étais allé au hammam et j'avais revêtu ma robe la plus somptueuse ; et, en sortant du hammam, j'avais bu une coupe de sorbet et humé avec volupté les odeurs fines qui se dégageaient de ma robe imprégnée de parfums ; et je me sentais encore plus épanoui que d'habitude et je voyais toute chose en blanc autour de moi ; et le goût de la vie m'était délicieux à l'extrême, et tellement que j'en étais dans un état d'ivresse qui m'allégeait de mon propre poids et me faisait courir comme un homme pris de vin. Et c'est dans cet état que le désir me vint d'aller répandre l'âme de mon âme dans le sein de mon amie.

Je me dirigeais donc vers sa maison quand, en traversant une ruelle nommée l'impasse de la Flûte, je vis s'avancer vers moi une vieille qui tenait à la main une lanterne pour éclairer sa route et une lettre dans son rouleau. Alors je m'arrêtai ; et elle, après m'avoir souhaité la paix, me dit...

À ce moment de sa narration, Schahrazade vit apparaître le matin et ne voulut pas abuser des paroles permises.

Mais lorsque fut la cent vingt-deuxième nuit. Elle dit :

Et elle, après m'avoir souhaité la paix, me dit : « Mon enfant, sais-tu lire ? » Je répondis : « Oui, ma bonne tante. » Elle me dit : « Alors, je te prie, prends cette lettre et lis m'en le contenu. » Et elle me tendit la lettre ; et je la pris et l'ouvris et lui en lus le contenu. Il y était dit que le signataire de cette lettre était en bonne santé et qu'il envoyait ses amitiés et son salut à sa sœur et à ses parents. Alors, en entendant la chose, la vieille leva les bras au ciel et fit des vœux pour ma prospérité, moi qui lui annonçais une si bonne nouvelle, et me dit : « Puisse Allah te soulager de toutes peines comme tu viens de me tranquilliser le cœur. » Puis elle reprit sa lettre et continua son chemin. Alors moi je fus pris d'un pressant besoin d'uriner, et je m'accroupis contre un mur et satisfis mon besoin ; puis je me relevai, après m'être bien secoué, et je ramenai ma robe et voulus m'en aller, quand je vis revenir la vieille qui me prit la main et la porta à ses lèvres et me dit : « Seigneur, excuse-moi, mais j'ai une grâce à te demander et, en me l'accordant, tu mettras le comble à tes bienfaits, et tu en seras rémunéré par le Rétributeur. Je te prie de m'accompagner tout près d'ici, jusqu'à la porte de notre maison, pour lire encore une fois, de derrière la porte, cette lettre aux femmes de ma maison ; car sûrement elles ne voudront pas se fier au résumé que je leur donnerai moi-même de cette lettre, surtout ma fille, qui est très attachée à son frère, le signataire de cette lettre, lequel nous a quittées pour un voyage de commerce depuis déjà dix ans et dont c'est la première nouvelle, depuis le temps que nous le pleurons comme mort. Je t'en prie, ne me refuse pas cela ! Tu n'auras même pas la peine d'entrer, car tu leur liras cette lettre du dehors. D'ailleurs, tu sais les paroles du Prophète (sur lui la prière et la paix !) au sujet de ceux qui soulagent leurs semblables : « Celui qui tire un musulman d'une peine d'entre les peines de ce monde, Allah lui en tiendra compte en lui effaçant soixante-douze peines des peines de l'autre monde ! » Alors moi je me hâtai d'accéder à sa demande et je lui dis : « Marche devant moi pour m'éclairer et me montrer le chemin ! » Et la vieille me précéda ; et, au bout de quelques pas, nous arrivâmes à la porte d'un palais.

Et c'était une porte monumentale, toute lamée de bronze ouvragé et de cuivre rouge. Alors moi je me tins tout contre la porte ; et la vieille jeta un cri d'appel en langue persane. Et aussitôt, sans avoir le temps de me rendre compte de la chose, tant fut rapide le mouvement, devant moi, par la porte entrebâillée, une jeune fille légère et potelée, souriante, apparut, les pieds nus sur le marbre lavé ; et de ses mains elle tenait, de crainte de les mouiller, les plis de son caleçon relevés jusqu'à mi-hauteur de ses cuisses ; ses manches étaient également relevées plus haut que ses aisselles qui apparaissaient dans l'ombre des bras blancs. Et je ne sus ce que je devais le plus admirer, de ses cuisses, colonnes d'albâtre, ou de ses bras de cristal. Ses chevilles fines étaient cerclées de grelots d'or enrichis de pierreries, et ses poignets souples, de deux paires de lourds bracelets aux multiples feux ; aux oreilles, des pendeloques de merveilleuses perles ; au cou, une chaîne triple de joyaux inestimables : sur les cheveux, un foulard d'un tissu subtil constellé de diamants. Mais, détail qui me fit supposer qu'elle devait être, avant de nous ouvrir, en train de se livrer à quelque exercice plutôt agréable, je remarquai que sa chemise, en désordre, sortait de son caleçon dont les cordons étaient desserrés. En tout cas, sa beauté et surtout ses cuisses admirables me donnèrent énormément à réfléchir ; et je pensai malgré moi à ces paroles du poète :

« Ô jeune vierge, pour que je devine tous les trésors cachés, tâche de relever ta robe vers la naissance de tes cuisses, ô joie de mes sens ! Puis tends-moi la coupe fertile du plaisir ! »

Lorsque l'adolescente me vit, elle fut toute surprise, et d'un air candide avec de grands yeux, et d'une voix gentille, plus délicieuse que toutes celles entendues dans ma vie, elle demanda : « Ô ma mère, est-ce là celui qui va nous lire la lettre ? » Et la vieille ayant répondu : « Oui ! » la jeune fille tendit la main pour me remettre la lettre qu'elle venait de prendre de sa mère. Mais au moment où je m'inclinais vers elle pour recevoir la lettre, soudain, comme j'étais à une distance de deux pieds de la porte, je me sentis violemment projeté en avant par un coup de tête dans le dos, que venait de m'assener la vieille, et poussé à l'intérieur du vestibule alors que la vieille plus rapide que l'éclair, se hâtait de rentrer derrière moi et fermait vivement la porte de la rue. Et je me vis ainsi prisonnier entre ces deux femmes, sans avoir le temps de réfléchir à ce qu'elles voulaient me faire. Mais je ne tardai pas à être fixé à ce sujet. En effet…

À ce moment de sa narration, Schahrazade vit apparaître le matin et, discrète, se tut.

Mais lorsque fut la cent vingt-troisième nuit. Elle dit :

En effet, à peine étais-je au milieu du corridor que la jeune fille, d'un croc-en-jambe donné avec une grand adresse, me jeta par terre et s'étendit tout de son long sur moi en me serrant dans ses bras à m'étouffer. Et moi je crus que c'était ma mort sans paroles. Or, pas du tout ! La jeune fille, après quelques mouvements divers, se releva à demi, s'assit sur mon ventre et de la main se mit à me frotter si furieusement et si longtemps et d'une manière tellement extraordinaire que j'en perdis l'usage de mes sens et fermai les yeux comme un idiot. Alors la jeune fille se mit debout et m'aida à me relever ; puis elle me prit par la main et, suivie de sa mère, me fit entrer, après que l'on eut traversé une série de sept corridors et de sept galeries, dans l'endroit où elle devait habiter. Et moi je la suivais absolument comme un homme ivre, par suite de l'effet produit sur moi par ses doigts terriblement experts. Elle s'arrêta alors et me fit asseoir et me dit : « Ouvre les yeux ! » Et j'ouvris les yeux et me vis dans une immense salle éclairée par quatre grandes arcades vitrées, et si vaste qu'elle eût pu servir de champ de course aux joutes des cavaliers ; elle était entièrement pavée de marbre, et les murs étaient recouverts de plaques aux couleurs vives mariées en dessins d'une finesse extrême. Elle était meublée de meubles d'une forme agréable et rehaussés de brocart et de velours, ainsi que les divans et les coussins. Et au fond de cette salle il y avait une vaste alcôve où se voyait un grand lit tout en or, avec des incrustations de perles et de pierreries, et vraiment digne d'un roi tel que toi, prince Diadème !

Alors la jeune fille, à mon grand ébahissement, m'appelant par mon propre nom, me dit : « Ô Aziz, que préfères-tu ? la mort ou la vie ? » Je lui dis : « La vie ! » Elle reprit : « Du moment qu'il en est ainsi, tu n'as qu'à me prendre pour épouse ! » Mais je m'écriai : « Non, par Allah ! car plutôt que de me marier avec une libertine de ta sorte, je préfère la mort ! » Elle dit : « Ô Aziz, crois-moi ! marie-toi avec moi, et tu seras ainsi débarrassé de la fille de Dalila-la-Rouée ! » Je dis : « Mais qui est donc cette fille de Dalila-la-Rouée ? Je ne connais personne de ce nom. » Alors elle se mit à rire et me dit : « Comment, Aziz ! Tu ne connais pas la fille de Dalila-la-Rouée ? Et voilà déjà un an et quatre mois qu'elle est ton amante ! Pauvre Aziz, crains, oh ! crains les perfidies de cette coquine qu'Allah confonde ! En vérité, il n'y a pas sur terre âme plus corrompue que la sienne ! Que de victimes tuées de sa propre main ! Que de crimes commis sur ses nombreux amoureux ! Aussi suis-je bien étonnée de te voir encore sain et sauf toi-même, depuis le temps que tu la connais ! »

À ces paroles de la jeune fille, je fus à la limite dernière de l'ébahissement, et je dis : « Ô ma maîtresse, pourrais-tu m'expliquer comment tu es parvenue à connaître cette personne et tous ces détails inconnus de moi-même ? » Elle répondit : « Je la connais aussi bien que le Destin connaît ses propres décisions et les calamités qu'il recèle ! Mais avant de m'expliquer là-dessus, je désire apprendre de ta bouche le récit de ton aventure avec elle. Car, encore une fois, de te voir sortir vivant d'entre ses mains, je suis encore tout étonnée. »

Alors moi je racontai à la jeune fille tout ce qui m'était arrivé avec mon amoureuse du jardin et avec ma pauvre Aziza, la fille de mon oncle ; et elle, au nom d'Aziza, compatit énormément à ses peines et jusqu'à en pleurer à chaudes larmes, et, en signe de désespoir sans recours, elle frappa ses mains l'une contre l'autre et me dit : « Qu'Allah t'en dédommage par ses bienfaits, ô Aziz ! Je vois clairement à présent que tu ne dois ton salut d'entre les mains de la fille de Dalila-la-Rouée qu'à l'intervention de la pauvre Aziza ! Maintenant que tu l'as perdue, garde-toi bien des embûches de la perfide… Mais il ne m'est pas permis de t'en révéler davantage : le secret nous lie ! » Je dis : « Oui, certes ! tout cela m'est arrivé avec Aziza ! » Elle dit : « Ah ! vraiment, il n'y a plus aujourd'hui de femmes aussi admirables qu'Aziza ! » Je dis : « Bien plus, sache qu'avant de mourir elle me recommanda de dire à mon amoureuse, celle que tu appelles la fille de Dalila, ces simples paroles : *Que la mort est douce et préférable à la trahison !* » À peine venais-je de prononcer ces mots qu'elle s'écria : « Ô Aziz, voilà justement les paroles dont le simple effet te sauva d'une perdition certaine. Vivante ou morte, Aziza continue à veiller sur toi ! Mais laissons les morts : ils sont dans la paix d'Allah. Nous, occupons-nous du présent : sache donc, ô Aziz, qu'il y a longtemps que le désir de t'avoir à moi me possède toute, la nuit comme le jour ; et c'est aujourd'hui seulement que j'ai pu enfin mettre la main sur toi. Et tu vois que j'ai réussi ! » Je répondis : « Oui, par Allah ! » Elle continua : « Mais tu es jeune, ô Aziz, et tu ne te doutes pas de toutes les roueries dont est capable une vieille femme comme ma mère ! » Je dis : « Non, par Allah ! » Elle continua : « Résigne-toi donc à ta destinée et laisse-toi faire : tu n'auras qu'à te louer de ton épouse. Car, encore une fois, je ne veux m'unir avec toi que par contrat légitime devant Allah et son Prophète (sur lui la prière et la paix !). Et tous tes souhaits seront alors exaucés et au-delà : richesses, belles étoffes pour tes robes, turbans légers et immaculés, tout cela te viendra sans dépense de ta part ; et jamais je ne te permettrai de délier ta bourse, car chez moi le pain est toujours frais et la coupe remplie. Et, en retour, je ne te demanderai qu'une seule chose, ô Aziz ! » Je dis : « Laquelle ? » Elle dit : « C'est que tu fasses avec moi exactement ce que fait le coq ! » Je dis, étonné : « Et que te fait donc le coq ? »

À ces paroles, la jeune fille eut un retentissant éclat de rire et si fort qu'elle se renversa sur son derrière ; et elle se mit à trépider de joie en frappant ses mains l'une contre l'autre. Puis elle me dit : « Comment ! tu ne connais pas le métier du coq ? » Je dis : « Non, par Allah ! je ne connais point ce métier ! Quel est-il ? » Elle dit : « Le métier du coq, ô Aziz, est de manger, de boire et de copuler ! »

Alors moi je fus vraiment tout à fait confus de l'entendre ainsi parler, et je dis : « Non, par Allah ! je ne savais point que ce fût là un métier ! » Elle répondit : « C'est le meilleur, ô Aziz ! Hardi donc ! Lève-toi, ceins ta taille, fortifie tes reins et puis fais-le dur, sec et longtemps ! » Et elle cria à sa mère : « Ô ma mère, viens vite ! »

Aussitôt je vis entrer la mère, suivie de quatre témoins officiels, tenant chacun un flambeau allumé, et ils s'avancèrent, après les salams d'usage, et s'assirent en rond.

Alors la jeune fille se hâta, selon la coutume, d'abaisser son voile sur son visage et de s'entourer de l'izar[1]. Et les témoins s'empressèrent d'écrire le contrat ; et elle voulut généreusement reconnaître avoir reçu de moi une dot de dix mille dinars pour tous comptes arriérés ou à venir ; et elle se constitua ma débitrice, sur sa conscience et devant Allah, de cette somme. Puis elle donna la gratification d'usage aux témoins, qui s'en allèrent, après les salams, par où ils étaient entrés. Et la mère aussi s'éclipsa.

Alors nous restâmes seuls tous deux, dans la grande salle aux quatre arcades vitrées.

À ce moment de sa narration, Schahrazade vit apparaître le matin et, discrète, se tut.

Mais lorsque fut la cent vingt-quatrième nuit. Elle dit :

Nous restâmes seuls tous deux, dans la grande salle aux quatre arcades vitrées. Alors la jeune fille se leva et se dévêtit et vint à moi avec, sur la peau, la chemise fine seulement. Et quelle chemise ! ô broderies ! Il y avait aussi le caleçon limpide ; mais elle se hâta de le faire glisser et, me prenant la main, elle me mena au fond de l'alcôve, où elle se jeta avec moi sur le grand lit d'or et, haletante, elle me dit : « Cela nous est maintenant permis. Il n'y a point de honte dans ce qui est licite ! » Et elle s'étendit, élastique, et m'attira tout contre elle ; puis elle gémit longuement et fit suivre cela d'un grand frémissement et cela de quelques coquettes minauderies ; et finit alors par relever sa fine chemise jusqu'au dessus de ses reins.

Alors moi je ne sus plus guère refréner mes longs désirs et, après lui avoir sucé les lèvres, alors qu'elle se pâmait et s'étirait et battait des paupières, je la pénétrai d'outre en outre. Et je vérifiai ainsi l'exactitude charmante de ce dire du poète :

« Lorsque la jeune enfant eut relevé sa robe, ma vue put s'étendre avec aisance sur la terrasse de son ventre, ô jardins !

Et j'en découvris l'entrée qui était aussi étroite et difficile que ma patience et ma vie.

Mais je pus tout de même avec force y pénétrer, bien que de moitié seulement. Alors elle eut un grand soupir ; et je lui dis :

« Pourquoi soupires-tu ? » Elle répondit : « Pour la seconde moitié, ô lumière de mon œil ! »

En effet, une fois cela fait premièrement, elle me dit : « Agis comme tu l'entends, je suis ton esclave soumise. Va ! viens ! prends-le ! donne-le ! tout entier ! ou autrement ! Par ma vie chez toi ! donne-le plutôt pour que de ma main je m'en pénètre, et que je m'en pacifie les entrailles ! » Et elle ne cessa de me faire entendre des soupirs et des gémissements, au milieu de baisers, ébats, mouvements et multiples copulations, que nos cris n'eussent rempli la maison et mis toute la rue en émoi. Après quoi, nous nous endormîmes jusqu'au matin.

Alors, comme je me disposais à m'en aller, elle vint à moi avec un rire malin et me dit : « Où vas-tu ? Crois-tu donc, comme ça, que la porte de sortie est aussi large ouverte que la porte d'entrée ! Aziz, détrompe-toi, naïf Aziz ! Et surtout ne me prends pas pour la fille de Dalila-la-Rouée ! Ah oui ! Hâte-toi de délaisser cette injurieuse pensée, Aziz ! Oublies-tu donc que tu m'es légitimement uni par un mariage avec contrat, confirmé par la Sunna ? Si tu es ivre, Aziz, dégrise-toi ! Et rentre dans ta raison. Regarde ! La porte de cette demeure, où nous sommes, ne s'ouvre qu'une fois l'an pour un jour seulement. Lève-toi, d'ailleurs, et va contrôler mes paroles ! »

Alors moi je me levai, effaré, et me dirigeai vers la grande porte ; et, l'ayant examinée, je constatai qu'elle était verrouillée, barrée, clouée et condamnée définitivement. Et je m'en retournai vers l'adolescente et lui dis qu'en effet la chose était exacte. Elle sourit, heureuse, et me dit : « Aziz, sache qu'ici en abondance nous avons de la farine, des grains, des fruits frais et secs, des grenades à l'écorce desséchée, du beurre, du sucre, des confitures, des moutons, des poulets et autres choses semblables, de quoi nous suffire pendant un nombre appréciable d'années. De plus, je suis maintenant aussi sûre de ton séjour ici, avec moi, l'espace d'une année, que de l'existence de tout cela ! Résigne-toi donc et laisse cet air et ce visage de travers ! » Alors moi je soupirai : « Il n'y a de recours et de puissance qu'en Allah ! » Elle dit : « Mais de quoi te plains-tu donc, imbécile ? Et qu'as-tu à soupirer, du moment que tu m'as donné les preuves de ton savoir dans ce métier du coq dont nous nous entretenions hier encore ! » Et elle se mit à rire. Et moi aussi je me mis à rire. Et je ne pus alors que lui obéir et me conformer à ses désirs.

Je restai donc dans cette demeure à exercer mon métier de coq, à manger, à boire et à faire l'amour dur, sec et longtemps, durant la longueur d'une année entière de douze mois. Aussi, au bout de l'année, elle était bien fécondée et accouchait d'un enfant. Et c'est alors seulement que, pour la première fois, j'entendis le bruit de la porte qui criait sur ses gonds. Et dans mon âme je poussai un profond « Ya Allah ! » de délivrance.

Une fois la porte ouverte, je vis entrer une quantité de serviteurs et de porteurs qui venaient chargés de nourritures fraîches pour l'année suivante : des charges entières de pâtisseries, de farine, de sucre, et autres provisions de ce genre. Alors moi je bondis et voulus m'en aller au plus vite vers la rue et la liberté. Mais elle me retint par le pan de ma robe et me dit : « Aziz, ingrat Aziz, attends au moins, jusqu'au soir, l'heure exacte où tu es entré chez moi il y a un an ! » Et moi je voulus bien patienter encore. Mais à peine le soir venu, je me levai et me dirigeai vers la porte. Alors elle m'accompagna jusqu'au seuil et ne me laissa partir que lorsqu'elle m'eut fait faire le serment de retourner chez elle avant que la porte ne fût refermée au matin. Et je ne pouvais d'ailleurs que m'exécuter, car je lui prêtai serment sur le Glaive du Prophète (sur lui la paix et la prière !), sur le Livre et sur le Divorce !

Je sortis donc enfin et me dirigeai en hâte vers la maison de mes parents, mais en passant par le jardin de mon amie, celle que ma nouvelle épouse appelait la fille de Dalila-la-Rouée. Et, à ma surprise extrême, je vis que le jardin était ouvert comme d'habitude avec, au fond des bosquets, allumée, la lanterne.

Alors je fus péniblement affecté et même bien furieux ; et je dis en mon âme…

À ce moment de sa narration, Schahrazade vit apparaître le matin et, discrète, se tut.

Mais lorsque fut la cent vingt-cinquième nuit. Elle dit :

Alors je fus péniblement affecté et même bien furieux ; et je dis en mon âme : « Voilà déjà un an que je suis absent de ce lieu ; et j'arrive à l'improviste et je trouve toute chose comme par le passé ! Eh bien ! Aziz, il te faut, avant d'aller revoir ta mère qui doit te pleurer comme mort, savoir ce qu'est devenue ton ancienne amoureuse. Qui sait ce qui a pu se passer depuis le temps ! » Je me mis aussitôt à marcher très vite et, arrivé à la salle à la voûte cintrée, à la coupole d'ébène et d'ivoire, j'y pénétrai vivement. Et je trouvai mon amie elle-même assise dans une pose courbée, la tête penchée vers les genoux, et une main sur l'une de ses joues ; et son teint, qu'il était changé ! Ses yeux étaient humides de larmes et son visage, si triste ! Et soudain elle me vit devant elle. Et elle sursauta, puis essaya de se lever, mais elle retomba d'émotion. Enfin elle put parler, et me dit d'un ton pénétré : « Louange à Allah pour ton arrivée, ô Aziz ! »

Or, moi, vraiment, devant cette joie inconsciente de mes infidélités, je fus extrêmement confus et je baissai la tête ; mais je ne tardai pas à m'avancer vers mon amie et, l'ayant embrassée, je lui dis : « Comment as-tu pu deviner ma venue ce soir ? » Elle répondit : « Par Allah ! je ne savais rien de ta venue. Mais, depuis un an, toutes les nuits je t'attends ici même, et je pleure solitaire et me consume. Vois comme je suis changée par les veilles et les insomnies. Et je suis ainsi à t'attendre depuis le jour où je t'ai donné la robe en soie toute neuve et où je t'ai fait promettre de revenir. Ah ! dis-moi, Aziz, la cause qui t'a retenu si longtemps loin de moi ! »

Alors moi, ô prince Diadème, naïvement je lui racontai en détail toute mon aventure, et mon mariage avec l'adolescente aux belles cuisses. Puis je lui dis : « D'ailleurs, je dois te prévenir que je n'ai que cette seule nuit à passer avec toi, car avant le matin je dois être de retour chez mon épouse, qui m'a fait prêter serment sur les trois choses saintes ! »

Lorsque la jeune femme eut appris que j'étais marié, elle pâlit, puis resta immobile d'indignation ; et elle put enfin s'écrier : « Misérable ! j'ai été la première à te connaître et tu ne m'accordes même pas une nuit entière ; ni à ta mère non plus ! T'imagines-tu donc que je sois aussi douée de patience que l'admirable Aziza – qu'Allah ait en sa miséricorde ! Et penses-tu que moi aussi je vais me laisser mourir de chagrin pour tes infidélités ! Ah ! perfide Aziz ! maintenant nul ne te sauvera de mes mains. Et je n'ai plus aucune raison de t'épargner, puisque tu n'es plus bon à rien, toi qui as maintenant une épouse et un enfant.

Car moi, les hommes mariés, je les ai en horreur ; et je ne me délecte qu'avec les célibataires ! Par Allah ! désormais tu ne peux plus me servir ; tu n'es plus mien ; et je ne veux pas non plus que tu appartiennes à qui que ce soit ! Attends un peu ! »

À ces paroles dites d'un accent terrible, tandis que les yeux de la jeune femme me perforaient déjà, je fus pris d'une certaine appréhension de ce qui allait m'arriver. Car soudain, et avant que j'eusse le temps de la réflexion, dix jeunes esclaves femmes, plus solides que des nègres, se précipitèrent sur moi et me jetèrent à terre et m'immobilisèrent. Alors elle se leva et prit un coutelas effroyable et me dit : « Nous allons t'égorger comme on égorge les boucs trop salaces ! Et je vais ainsi me venger et venger, par la même occasion, la pauvre Aziza dont tu as fait éclater le foie de chagrin rentré ! Aziz, tu vas mourir, fais ton acte de croyant ! » Et, en me disant ces paroles, elle appuyait son genou sur mon front cependant que ses esclaves ne me permettaient même pas de respirer. Aussi je n'eus plus aucun doute sur ma mort, surtout…

À ce moment de sa narration, Schahrazade vit apparaître le matin et, discrète, se tut.

Mais lorsque fut la cent vingt-sixième nuit. Elle dit :

Aussi je n'eus plus aucun doute sur ma mort, surtout lorsque je vis les manœuvres exécutées par les esclaves sur mon individu. En effet, deux d'entre elles s'assirent sur mon ventre, deux me tinrent les pieds et deux autres s'assirent sur mes genoux. Alors elle-même se leva et, aidée de deux autres esclaves, se mit à me donner sur la plante des pieds tant de coups de bâton que je m'évanouis de douleur. Elles durent alors prendre du répit, car je revins à moi et je criai : « Je préfère mille fois la mort à ces tortures ! »

Alors elle, comme pour me faire plaisir, reprit l'effroyable coutelas et l'aiguisa sur sa pantoufle et dit aux esclaves : « Tendez-lui la peau du cou ! »

À ce moment précis, Allah me fit remémorer soudain les paroles dernières d'Aziza et je m'écriai : « Que la mort est douce et préférable à la trahison ! » À ces paroles, elle jeta un grand cri d'effarement, puis elle clama : « Qu'Allah ait pitié de ton âme, ô Aziza ! Tu viens de sauver d'une mort sans recours le fils de ton oncle ! »

Après quoi elle me regarda et me dit : « Mais pour toi, qui dois ainsi le salut à ces paroles d'Aziza, ne te crois pas tout à fait quitte pour cela ; car il me faut absolument me venger de toi et de la coquine dévergondée qui t'a retenu loin de moi ; et dans ce double but je vais me servir du vrai moyen, du seul moyen ! Hé ! vous autres ! » Et, ayant ainsi hélé ses esclaves, elle leur dit : « Pesez bien sur lui, et empêchez-le de bouger, et liez-lui solidement les pieds ! » Et cela fut immédiatement exécuté.

Alors elle se leva et alla mettre sur le feu une poêle en cuivre rouge dans laquelle elle mit de l'huile et du fromage mou ; et elle attendit que le fromage eût fondu dans l'huile bouillante pour revenir vers moi toujours étendu par terre et maintenu par les femmes esclaves. Elle s'approcha et se baissa et me défit mon caleçon ; alors de cet attouchement un grand frisson me traversa par nappes de terreur et de honte ; je devinai ce qui allait se passer. M'ayant donc mis le ventre à nu, elle saisit mes œufs et, avec une corde cirée, les attacha à la racine même ; puis elle donna les deux bouts de la corde à deux de ses esclaves et leur commanda de tirer avec énergie, alors qu'elle-même, un rasoir entre les doigts, d'un seul coup de tranchant, fauchait mon mâle, auquel elle en voulait spécialement.

Tu juges, prince Diadème, si la douleur et le désespoir me firent m'évanouir. Tout ce que je sais, après cela, c'est que, lorsque je revins de mon évanouissement, je me vis le ventre aussi net que celui d'une femme ; et les esclaves étaient en train d'appliquer sur ma blessure l'huile bouillie au fromage mou qui ne tarda pas à arrêter l'écoulement de mon sang. Puis, cela fait, l'adolescente vint à moi, me donna un verre de sirop pour étancher ma soif et me dit d'un ton méprisant : « Retourne maintenant là d'où tu étais venu ! Tu ne m'es plus rien, et tu ne peux plus me servir à quoi que ce soit, puisque, la seule chose dont j'avais besoin, je l'ai prise ! Et mon désir est assouvi ! » Et elle me repoussa du pied et me chassa de sa maison, en me disant : « Estime-toi heureux de pouvoir sentir encore ta tête sur tes épaules ! »

Alors moi, douloureusement, je me traînai jusqu'à la maison de ma jeune épouse, en marchant pas à pas ; et, arrivé à la porte, que je trouvai ouverte, je m'introduisis en silence et allai tomber massivement sur les coussins de la grande salle. Aussitôt accourut mon épouse qui, me trouvant tout pâle, m'examina attentivement et me força à lui raconter l'aventure et à lui montrer mon individu mutilé. Mais je ne pus supporter la vue de moi-même et tombai, encore une fois, évanoui.

Lorsque je revins de mon évanouissement, je me vis étendu dans la rue, au bas de la grande porte ; car mon épouse, elle aussi, m'ayant trouvé tel qu'une femme, m'avait jeté hors de sa demeure.

Alors, dans un état misérable, je me ramassai et m'acheminai vers ma maison, où j'allai me jeter dans les bras de ma mère qui depuis longtemps me pleurait et ne savait sur quelle terre j'étais égaré. Elle me reçut en sanglotant, et me vit dans un état de pâleur et de faiblesse extrêmes...

À ce moment de sa narration, Schahrazade vit apparaître le matin et, discrète, se tut.

Mais lorsque fut la cent vingt-septième nuit. Elle dit :

Elle me reçut en sanglotant et me vit dans un état de faiblesse et de pâleur extrêmes, et elle en pleura davantage. Et moi, de mon côté, le souvenir me vint de ma pauvre, de ma douce Aziza, morte de chagrin, sans un mot de reproche ; et, pour la première fois, je la regrettai et versai sur elle des larmes de désespoir et de repentir.

Puis, comme je venais de me calmer un instant, ma mère me dit, des pleurs plein les yeux : « Mon pauvre enfant, les malheurs habitent notre maison ; je dois t'apprendre la pire des choses : ton père est mort ! » À cette nouvelle, les sanglots me saisirent à la gorge et je restai immobile, puis je tombai la face contre terre et restai toute la nuit dans cet état.

Le matin, ma mère me força à me relever et s'assit à côté de moi ; mais je restai cloué sur place, à regarder le coin où avait l'habitude de s'asseoir ma pauvre Aziza, et les larmes coulaient silencieuses sur mes joues ; et ma mère me dit : « Ah ! mon fils, voilà dix jours déjà que je suis seule dans la maison vide de son maître, dix jours que ton père est mort dans la miséricorde d'Allah ! » Je dis : « Ô mère, laisse cela ! Pour le moment je suis tout entier plein de la pensée de la pauvre Aziza ; et je ne saurais consacrer ma douleur à d'autres souvenirs que les siens. Ah ! pauvre Aziza si délaissée par moi, toi qui m'aimais vraiment, pardonne au misérable qui t'a torturée, maintenant qu'il est puni, et au-delà, de ses fautes et de ses trahisons ! »

Or, ma mère remarquait l'étendue et la vérité de ma douleur ; mais elle se taisait ; pour le moment, elle se hâta de panser mes blessures et de m'apporter de quoi restaurer mes forces. Puis, ces soins une fois donnés, elle continua à me prodiguer les marques de sa tendresse, et à veiller à mes côtés, en me disant : « Qu'Allah soit béni, mon enfant, de ce que de pires calamités ne te soient pas arrivées, et que tu aies la vie sauve ! » et cela jusqu'à ce que je fusse complètement rétabli, tout en restant malade de mon âme et de mes souvenirs.

Alors ma mère, un jour, après notre repas, vint s'asseoir à côté de moi et me dit d'un ton pénétré : « Mon fils, je juge que pour moi le temps est venu de te remettre le souvenir d'adieu que m'avait confié à ton intention la pauvre Aziza : avant de mourir, elle m'a fait la recommandation de ne te le donner que lorsque j'aurais constaté chez toi de véritables marques de son deuil et vérifié que tu as définitivement délaissé les liens illégitimes où tu étais pris ! » Puis elle ouvrit un coffre et en tira un paquet, qu'elle défit pour y prendre l'étoffe précieuse sur laquelle est brodée la seconde gazelle que tu as devant tes yeux, prince Diadème ! Et tu vois ces vers qui s'y entrelacent en bordure :

De ton désir tu as rempli mon cœur pour t'asseoir dessus et le broyer ; mes yeux, tu les as habitués aux veilles pour toi-même t'endormir !

Sous mes yeux et au bruit des battements de mon cœur, tu eus des rêves étrangers à mon amour, alors que mon cœur et mes yeux fondaient de ton désir !

Mes sœurs, par Allah ! après ma mort, inscrivez sur le marbre de mon tombeau :

« Ô toi qui passes sur le chemin d'Allah, voici la terre où repose enfin une esclave d'amour ! »

Alors moi, seigneur, à la lecture de ces strophes je pleurai d'abondantes larmes et me frappai les joues de douleur et, en déroulant l'étoffe, je laissai tomber une feuille de papier sur laquelle ces lignes étaient tracées de la main même d'Aziza…

À ce moment de sa narration, Schahrazade vit apparaître le matin et, discrète, se tut.

Et lorsque fut la cent vingt-huitième nuit. Elle dit :

En déroulant l'étoffe, je laissai tomber une feuille de papier sur laquelle ces lignes étaient tracées de la main même d'Aziza :

« Ô mon cousin bien-aimé, sache bien que tu me fus plus cher et plus précieux que mon propre sang et ma vie. Aussi après ma mort je continuerai à supplier Allah de te faire prospérer et réussir auprès de toutes celles que tu auras élues. Je sais que des malheurs t'atteindront du fait de la fille de Dalila-la-Rouée ! Qu'ils te servent de leçon : et puisses-tu extirper de ton cœur l'amour néfaste des femmes perfides et apprendre à ne plus t'attacher ! Et béni soit Allah qui m'a enlevée la première pour ne pas m'obliger à être le témoin douloureux de tes souffrances. Garde, je te prie, par Allah ! ce souvenir d'adieu, cette étoffe où se trouve brodée la gazelle. Elle me tenait compagnie, durant tes absences. Elle me fut envoyée par une fille de roi, la Sett-Donia, princesse des îles du Camphre et du Cristal.

Lorsque tu seras accablé par les malheurs, tu iras à la recherche de la princesse Donia, dans le royaume de son père qui est situé aux îles du Camphre et du Cristal. Mais, ô Aziz, sache que la beauté et les charmes inégalables de cette princesse ne te sont pas destinés. Ne va donc pas t'enflammer d'amour pour elle ; car elle sera simplement pour toi la cause qui te tirera de tes afflictions et mettra fin aux tribulations de ton âme. Ouassalam, ô Aziz ! »

À la lecture de cette lettre d'Aziza, ô prince Diadème, je fus encore plus ému de tendresse, et je pleurai toutes les larmes de mes yeux, et ma mère pleura avec moi, et cela jusqu'à la tombée de la nuit. Et je restai dans cet état de tristesse morne, sans pouvoir m'en guérir, la longueur d'une année.

Alors seulement je songeai au départ, pour aller à la recherche de la princesse Donia, dans les îles du Camphre et du Cristal. Et ma mère m'encouragea beaucoup à voyager, me disant : « Le voyage, mon enfant, te distraira et fera s'évanouir tes chagrins. Et justement il y a dans notre ville une caravane de marchands qui s'apprête au départ ; joins-toi à elle, achète ici des marchandises et pars. Puis, au bout de trois ans, tu reviendras avec la même caravane. Et tu auras oublié tout ce deuil qui pèse sur ton âme ! Et je serai alors heureuse de te voir la poitrine dilatée de nouveau ! »

Je fis donc ce que me disait ma mère et, ayant acheté des marchandises de prix, je me joignis à la caravane, et je me mis à voyager partout avec elle, mais sans avoir le courage d'étaler ma marchandise comme mes compagnons. Au contraire ! chaque jour je m'asseyais à l'écart et je prenais l'étoffe, souvenir d'Aziza, et l'étendais devant moi, et la regardais longtemps en pleurant. Et cet état continua de la sorte jusqu'à ce que, au bout d'une année de voyages, nous eussions atteint les frontières du royaume où régnait le père de la princesse Donia. C'étaient les sept îles du Camphre et du Cristal.

Or, le roi de ces terres, ô prince Diadème, s'appelle le roi Schahramân. Et c'était bien lui, en effet, le père de la Sett-Donia qui savait broder avec tant d'art les gazelles en question sur les étoffes de soie qu'elle envoyait à ses amies.

Mais moi, en arrivant dans ce royaume, je pensais : « Ô Aziz, pauvre infirme, à quoi désormais peuvent te servir les princesses et toutes les adolescentes de la terre, ô Aziz devenu aussi lisse que le ventre d'une femme ! »

À ce moment de sa narration, Schahrazade vit apparaître le matin et s'arrêta dans les paroles permises.

Mais lorsque fut la cent vingt-neuvième nuit. Elle dit :

« … À quoi désormais peuvent te servir les princesses et toutes les adolescentes de la terre, ô Aziz devenu aussi lisse que le ventre d'une femme ! »

Pourtant je me décidai, me souvenant des paroles d'Aziza, à commencer les recherches nécessaires et à prendre les renseignements qui pouvaient m'être utiles pour arriver à voir la fille du roi. Mais toutes mes peines furent vaines ; et nul ne sut m'indiquer le moyen que je cherchais. Et je commençais à me désespérer tout à fait quand un jour, comme je me promenais dans les jardins qui entourent la ville, et que je sortais de l'un pour entrer dans l'autre, et que je tâchais, par le spectacle de la verdure d'oublier mes soucis, j'arrivai à la porte d'un jardin aux arbres magnifiques dont la seule vue reposait l'âme endolorie. Et sur l'estrade d'entrée était assis le vieux gardien du jardin, un vénérable cheikh à bonne mine, de ceux sur le visage desquels est empreinte la bénédiction. Alors, je m'avançai vers lui et, après les salams d'usage, je lui dis : « Ô cheikh, à qui ce jardin ? » Il dit : « À la fille du roi, Sett-Donia ! Tu peux même, ô bel adolescent, entrer te promener un moment et respirer l'odeur des fleurs et des plantes ! » Je lui dis : « Comme je te remercie ! Mais ne pourrais-tu pas me permettre, ô cheikh, d'attendre, caché derrière un massif de fleurs, l'arrivée de la fille du roi, simplement pour que je me réjouisse la vue d'un seul regard que je lui jetterai de mes paupières ? » Il dit : « Par Allah ! cela non ! » Alors je soupirai bien fort ; et il me regarda avec tendresse ; puis il me prit la main et entra avec moi dans le jardin.

Nous nous mîmes ainsi à marcher de compagnie ; et il me conduisit dans un endroit charmant, ombragé par les feuilles humides ; et il cueillit des fruits, les plus mûrs et les plus délicieux, et me les donna en me disant : « Rafraîchis-toi ! Il n'y a que la princesse Donia qui en connaisse le goût ! » Puis il me dit : « Assieds-toi ! Je vais revenir ! » Et il me quitta un moment pour revenir chargé d'un agneau grillé, et m'invita à le manger avec lui ; et il me dépeça les morceaux les plus délicats, et me les donna avec un plaisir extrême. Et moi j'étais bien confus de toutes ses bontés, et je ne savais comment le remercier.

Or, pendant que nous étions assis à manger et à causer amicalement, nous entendîmes la porte du jardin s'ouvrir en chantant. Alors le cheikh gardien me dit vivement : « Vite ! Lève-toi et cache-toi au milieu de ce massif. Et surtout ne bouge pas ! » Et je me hâtai de lui obéir.

À peine étais-je dans ma cachette que je vis, dans l'entrebaîllement de la porte du jardin, apparaître la tête d'un eunuque noir qui demanda à haute voix : « Ô cheikh gardien, y a-t-il quelqu'un par ici ? La princesse Donia arrive ! » Il répondit : « Ô chef du palais, je n'ai personne dans le jardin ! » Et il se hâta de courir et d'ouvrir toute grande la porte.

Alors, seigneur, je vis entrer par la porte Sett-Donia, et je crus que la lune elle-même descendait sur la terre. Et sa beauté était telle que je restai cloué sur place, hébété, sans mouvement, mort. Et je la suivais du regard, sans pouvoir émettre un souffle, malgré l'ardeur où j'étais de lui parler ; et je demeurai immobile à ma place, durant toute la promenade que fit la princesse, absolument comme l'altéré du désert qui tombe à bout de forces sur les bords du lac sans pouvoir se traîner jusqu'à l'eau limpide.

Je compris alors, seigneur, que ni la princesse Donia ni aucune autre femme ne pouvaient désormais courir de risques devant la femme que j'étais moi-même devenu.

J'attendis donc que la Sett-Donia fût sortie, pour prendre congé du cheikh gardien ; et je me hâtai d'aller rejoindre les marchands de la caravane, en me disant : « Ô Aziz, qu'es-tu devenu, Aziz ? Un ventre lisse qui ne peut plus dompter les amoureuses ! Va ! retourne près de ta pauvre mère mourir en paix dans la maison vide de son maître ! Car pour toi désormais la vie n'a plus de sens ! » Et, malgré toutes les peines du voyage que j'avais fait pour arriver dans ce royaume, mon désespoir fut tel, que je ne voulus plus mettre à exécution les paroles d'Aziza, qui m'avait formellement assuré que la princesse Donia devait être pour moi une cause de bonheur.

Je partis donc avec la caravane pour retourner dans mon pays. Et c'est ainsi que j'arrivai sur ces terres qui sont sous le pouvoir du roi Soleïmân-Schah, ton père, ô prince Diadème ! Et telle est mon histoire ! »

Lorsque le prince Diadème eut entendu cette histoire admirable et…

À ce moment de sa narration, Schahrazade vit apparaître le matin et se tut discrètement.

Mais lorsque fut la cent trentième nuit. Elle dit :

Il m'est parvenu, ô Roi fortuné, que le grand vizir Dandân, qui racontait toute l'histoire au roi Daoul'makân pendant le siège de Constantinia, ayant fini l'aventure du jeune Aziz, continua ainsi la suite de cette histoire, où Aziz ne cesse d'être intimement mêlé à toutes les choses merveilleuses que nous allons voir maintenant :

HISTOIRE DE LA PRINCESSE DONIA AVEC LE PRINCE DIADÈME

Lorsque le prince Diadème eut entendu cette histoire admirable et qu'il eut appris combien la princesse Donia, si mystérieuse, était désirable et combien elle avait en elle de qualités de beauté et était experte dans l'art du dessin sur soie et des broderies, il fut pris, à l'heure même, d'une passion qui fit travailler son cœur énormément. Et il résolut de tout faire pour parvenir jusqu'à elle.

Il emmena donc avec lui le jeune Aziz, dont il ne voulait plus se séparer, remonta sur son cheval et reprit le chemin de la ville de son père, le roi Soleïmân-Schah, maître de la Ville-Verte et des montagnes d'Ispahân.

La première chose qu'il fit fut de mettre à la disposition de son ami Aziz une très belle maison où rien ne manquait. Et lorsqu'il se fut assuré de la sorte qu'Aziz avait tout ce qui pouvait lui convenir, il retourna au palais du roi son père, et courut s'enfermer dans son appartement en refusant de voir qui que ce fût et en pleurant passionnément. Car les choses que l'on entend font autant d'impression que celles que l'on voit ou que l'on sent.

Lorsque le roi Soleïmân-Schah, son père, le vit dans cet état de changement de teint, il comprit que Diadème avait du chagrin dans l'âme et des soucis. Il lui demanda donc : « Qu'as-tu, ô mon enfant, pour changer ainsi de teint et être si affligé ? »

Alors le prince Diadème lui raconta qu'il était amoureux de Sett-Donia, passionnément amoureux d'elle sans l'avoir jamais vue, rien qu'en entendant Aziz lui dépeindre sa démarche gracieuse, ses yeux, ses perfections et son art merveilleux dans le dessin des fleurs et des animaux.

À cette nouvelle, le roi Soleïmân-Schah fut à la limite de la perplexité et dit à son fils : « Mon enfant, ces îles, du Camphre et du Cristal sont un pays bien éloigné du nôtre ; et quoique Sett-Donia soit une princesse merveilleuse, ici, dans notre ville et dans le palais de ta mère nous ne manquons pas de filles magnifiques et de belles esclaves de toute la terre. Entre donc dans l'appartement des femmes, ô mon enfant, et choisis toutes celles qui t'agréeront parmi les cinq cents esclaves belle comme des lunes. Et si, malgré tout ce choix, aucune de ces femmes n'arrivait à te plaire, je prendrais pour toi, comme épouse, une fille d'entre les filles des rois des pays voisins ; et je te promets qu'elle sera bien plus belle et plus ingénieuse que Sett-Donia elle-même ! » Il répondit : « Mon père, je ne souhaite avoir comme épouse que la princesse Donia, celle-là même qui sait si bien peindre des gazelles sur les brocarts. Il me la faut absolument ; sinon je fuirai mon pays, mes amis et ma maison et je me tuerai à cause d'elle ! »

Alors son père vit qu'il était nuisible de le contrarier et lui dit : « Alors, mon fils, prends un peu patience, que j'aie le temps d'envoyer une députation au roi des îles du Camphre et du Cristal pour lui demander régulièrement, et selon le cérémonial que j'employai anciennement pour moi-même quand je me mariai avec ta mère, de te donner sa fille en mariage. Et s'il refuse, j'ébranlerai sous lui la terre et ferai tomber en ruines sur sa tête son royaume tout entier, après avoir dévasté ses contrées avec une armée si nombreuse, qu'en se déployant elle atteindrait les îles du Camphre par son avant-garde, tandis que l'arrière-garde serait encore derrière les montagnes d'Ispahân, frontières de mon empire ! »

Cela dit, le roi fit mander l'ami de Diadème, le jeune marchand Aziz, et lui dit : « Connais-tu la route qui mène aux îles du Camphre et du Cristal ? » Il répondit : « Je la connais. » Le roi dit : « Je souhaiterais fort te voir accompagner là-bas mon grand vizir que je vais envoyer auprès du roi de cette contrée. » Aziz répondit : « J'écoute et j'obéis, ô roi du temps ! »

Alors le roi Soleïmân-Schah fit appeler son grand vizir et lui dit : « Arrange-moi cette affaire de mon fils comme tu le jugeras utile ; mais il te faut pour cela aller aux îles du Camphre et du Cristal demander la fille du roi comme épouse pour Diadème. » Et le vizir répondit par l'ouïe et l'obéissance, tandis que le prince Diadème, impatient, se retirait dans son appartement, récitant ces vers du poète sur les peines d'amour :

« Interrogez la nuit ! Elle vous dira ma douleur et l'élégie pleine de larmes que ma tristesse module sur mon cœur.

Interrogez la nuit ! Elle vous dira que je suis le berger dont les yeux comptent les étoiles des nuits, alors que sur ses joues tombe la grêle des larmes.

Sur la terre je me sens seul, bien que mon cœur soit débordant de désirs, comme la femme aux flancs féconds qui ne trouve point la semence de gloire. »

Et il resta songeur toute la nuit, refusant la nourriture et le sommeil.

Mais, sitôt le jour levé, le roi son père se hâta de venir le trouver, et vit que son teint était encore plus pâle que la veille et son changement plus accentué ; alors pour le consoler et lui faire prendre patience, il fit hâter les préparatifs du départ d'Aziz et du vizir, et n'oublia pas de les charger de riches cadeaux pour le roi des îles du Camphre et du Cristal et tous ceux de son entourage. Et aussitôt ils se mirent en route.

Et ils voyagèrent et voyagèrent des jours et des nuits, jusqu'à ce qu'ils fussent arrivés en vue des îles du Camphre et du Cristal. Alors ils dressèrent leurs tentes sur les bords d'un fleuve ; et le vizir dépêcha un courrier annoncer au roi leur arrivée. Et la journée n'était pas encore à sa fin qu'ils virent venir à leur rencontre les chambellans et les émirs du roi, qui se mirent aussitôt à leur disposition après les salams et les souhaits de bienvenue, et les accompagnèrent jusqu'au palais du roi.

Alors Aziz et le vizir entrèrent au palais et se présentèrent entre les mains du roi auquel ils remirent les présents de leur maître Soleïmân-Schah ; et il les en remercia, leur disant : « Je les agrée de tout cœur amical, sur ma tête et dans mes yeux ! » Et aussitôt Aziz et le vizir, selon l'usage, se retirèrent et restèrent cinq jours dans le palais à se reposer des fatigues de leur voyage.

Mais au matin du cinquième jour, le vizir s'habilla de sa robe d'honneur et alla, seul cette fois, se présenter devant le trône du roi. Et il lui soumit la demande de son maître et se tut respectueusement, attendant la réponse.

En entendant les paroles du vizir, le roi devint soudain fort soucieux et baissa la tête, et, tout perplexe et songeur, il resta longtemps ne sachant comment faire une réponse à l'envoyé du puissant roi de la Ville-Verte et des montagnes d'Ispahân. Car il savait, par expérience, combien sa fille avait le mariage en horreur, et que la demande du roi allait être repoussée avec indignation comme toutes celles qui lui avaient été déjà faites par les principaux princes des royaumes avoisinants et de toutes les parties des terres autour et alentour.

Enfin le roi finit par relever la tête et fit signe au chef des eunuques de s'approcher et lui dit : « Va trouver immédiatement ta maîtresse Sett-Donia, présente-lui les hommages du vizir et les cadeaux qu'il nous apporte, et répète-lui exactement ce que tu viens d'entendre de sa bouche. » Et l'eunuque baisa la terre entre les mains du roi, et disparut.

Au bout d'une heure, il revint et il avait le nez allongé jusqu'à ses pieds ; et il dit au roi : « Ô roi des siècles et du temps, je me suis présenté devant ma maîtresse Sett-Donia ; mais à peine lui avais-je formulé la demande du seigneur vizir, que ses yeux furent pleins de colère, et elle se leva sur son séant et saisit une masse et courut à moi pour me casser la tête. Alors moi je me hâtai de fuir au plus vite ; mais elle me poursuivit à travers les portes en me criant : « Si mon père veut, malgré tout, me forcer quand même à me marier, qu'il sache bien que mon époux n'aura pas le temps de voir mon visage à découvert : je le tuerai de ma propre main et je me tuerai moi-même après ! »

À ces paroles du chef eunuque...

À ce moment de sa narration, Schahrazade vit apparaître le matin et, comme elle était discrète, elle ne voulut pas prolonger davantage le récit, cette nuit-là.

Mais lorsque fut la cent trente et unième nuit. Elle dit :

Il m'est parvenu, ô Roi fortuné, qu'à ces paroles du chef eunuque, le roi, père de Sett-Donia, dit au vizir et à Aziz : « Vous venez d'entendre de vos propres oreilles. Vous transmettrez donc mes salams au roi Soleïmân-Schah et vous lui rapporterez la chose en lui disant l'horreur que ma fille éprouve pour le mariage. Et qu'Allah vous fasse parvenir dans votre pays en toute sécurité ! »

Alors le vizir et Aziz, ayant vu le résultat négatif de leur mission, se hâtèrent de retourner dans la Ville-Verte et de rapporter au roi Soleïmân-Schah ce qu'ils avaient entendu.

À cette nouvelle, le roi entra dans une grande colère et voulut donner immédiatement l'ordre à ses émirs et à ses lieutenants de rassembler les troupes et d'aller envahir les contrées des îles du Camphre et du Cristal.

Mais le vizir demanda la permission de parler et dit : « Ô roi, il ne faut point faire cela, car vraiment la faute n'est guère au père, mais à la fille ; et l'empêchement ne vient que d'elle seule. Et son père lui-même est aussi contrarié que nous tous. Et d'ailleurs je t'ai rapporté les paroles terribles qu'elle a dites à l'effaré chef eunuque ! »

Lorsque le roi Soleïmân-Schah eut entendu son vizir, il lui donna raison et fut fort effrayé pour son fils de la vengeance de la princesse. Et il se dit en lui-même : « Même si j'envahissais leur pays et réduisais la jeune fille en esclavage, cela ne nous servirait à rien, puisqu'elle a juré de se tuer ! »

Il fit alors monter le prince Diadème et, affligé d'avance de la peine qu'il allait lui causer, il le mit au courant de la vérité. Mais le prince Diadème, loin de se désespérer, dit d'un ton ferme à son père : « Ô mon père, ne crois point que je vais laisser les choses en leur état : je le jure devant Allah, Sett-Donia sera mon épouse, ou je ne suis plus ton fils Diadème ! Au risque de ma vie, je parviendrai jusqu'à elle ! » Le roi dit : « Et comment cela ? » Il répondit : « J'irai en qualité de marchand ! » Le roi dit : « Dans ce cas, prends avec toi le vizir et Aziz. » Et aussitôt il fit acheter pour cent mille dinars de riches marchandises, qu'il lui offrit, et fit même vider dans les ballots des trésors contenus dans ses propres armoires.

Et il lui donna cent mille dinars en or et des chevaux et des chameaux et des mulets et des tentes fastueuses doublées de soie aux couleurs agréables.

Alors Diadème baisa les mains de son père et mit ses habits de voyage et alla trouver sa mère et lui baisa les mains ; et sa mère lui donna cent mille dinars et pleura beaucoup et appela sur lui la bénédiction d'Allah et fit des vœux pour la satisfaction de son âme et pour son retour en sécurité au milieu des siens. Et les cinq cents femmes du palais se mirent aussi notoirement à pleurer, en entourant la mère de Diadème, et en le regardant, silencieuses, avec respect et tendresse.

Mais Diadème sortit bientôt de l'appartement de sa mère et emmena son ami Aziz et le vieux vizir et donna l'ordre du départ. Et comme Aziz pleurait, il lui dit : « Pourquoi pleures-tu, mon frère Aziz ? » Il dit : « Mon frère, je sens bien que je ne puis plus me séparer de toi ; mais il y a si longtemps que j'ai quitté ma pauvre mère ! Et maintenant que ma caravane va arriver dans mon pays, que deviendra ma mère quand elle ne me verra pas avec les marchands ? » Diadème dit : « Sois tranquille, Aziz ! Tu retourneras dans ton pays sitôt qu'Allah le voudra après nous avoir facilité les moyens de parvenir à notre but. » Et ils se mirent en route.

Ils ne cessèrent donc de voyager en compagnie du sage vizir qui, pour les distraire et faire prendre patience à Diadème, leur racontait des histoires admirables. Et Aziz aussi récitait à Diadème des poèmes sublimes et improvisait des vers pleins de charme sur l'attente d'amour et sur les amants – tels que ceux-ci entre mille :

« Je viens, amis, vous conter ma folie et comme l'amour a su me rendre enfant et jeune à la vie.

Toi que je pleure ! la nuit ravive en mon âme ton souvenir, et le matin jaillit sur mon front qui n'a point connu le sommeil. Oh ! quand donc, après l'absence, viendra le retour ! »

Or, au bout d'un mois de voyage, ils arrivèrent dans la capitale des îles du Camphre et du Cristal, et, en entrant dans le grand souk des marchands, Diadème sentit déjà s'alléger le poids de ses soucis, et des battements joyeux animèrent son cœur. Ils descendirent, sur l'avis d'Aziz, dans le grand khân, et louèrent pour eux seuls tous les magasins du bas et toutes les chambres du haut, en attendant que le vizir allât leur louer une maison dans la ville. Et ils rangèrent dans les magasins leurs ballots de marchandises et, après s'être reposés quatre jours dans le khân, ils allèrent visiter les marchands du grand souk des soieries.

En chemin, le vizir dit à Diadème et à Aziz : « Je pense à une chose qu'il nous faudra faire avant tout, sans laquelle nous ne pourrions jamais atteindre le but souhaité. » Ils répondirent : « Nous sommes prêts à t'écouter, car les vieillards sont féconds en inspirations, surtout quand ils ont, comme toi, l'expérience des affaires. » Il dit : « Mon idée est que, au lieu de laisser les marchandises enfermées dans le khân où les clients ne peuvent les voir, nous ouvrions pour toi, prince Diadème, en qualité de marchand, une grande boutique dans le souk même des soieries. Et tu resteras toi-même à l'entrée de la boutique pour vendre et montrer, alors qu'Aziz se tiendra au fond de la boutique pour te passer les étoffes et les dérouler. Et, de la sorte, comme tu es parfaitement beau, et qu'Aziz ne l'est pas moins, en peu de temps la boutique sera la plus achalandée de tout le souk. » Et Diadème répondit : « L'idée est admirable ! » Et vêtu, comme il était, de sa belle robe de riche marchand, il pénétra dans le grand souk des soieries suivi d'Aziz, du vizir et de tous ses serviteurs.

Lorsque les marchands du souk virent passer Diadème, ils furent complètement éblouis de sa beauté et cessèrent de s'occuper de leurs clients ; et ceux qui coupaient les étoffes tinrent leurs ciseaux en l'air ; et ceux qui achetaient négligeaient leurs achats. Et tous à la fois se demandaient : « Est-ce que, par hasard, le portier Radouân, qui a les clefs des jardins du ciel, aurait oublié de fermer les portes, que soit ainsi descendu sur terre ce céleste adolescent ? » Et d'autres s'exclamaient sur son passage : « Ya Allah ! que tes anges sont beaux ! »

Arrivés au milieu du souk, ils s'informèrent de l'endroit où se tenait le grand cheikh des marchands, et se dirigèrent vers la boutique qu'on se hâta de leur montrer. Lorsqu'ils y arrivèrent, tous ceux qui étaient assis se levèrent en leur honneur, en pensant : « Ce vieillard vénérable est le père de ces deux adolescents si beaux ! » Et le vizir, après les salams, demanda : « Ô marchands, quel est d'entre vous celui qui est le grand cheikh du souk ? » Ils répondirent : « Le voici ! » Et le vizir regarda le marchand qu'on lui désignait, et vit que c'était un grand vieillard à la barbe blanche, à la mine respectable et à la figure souriante qui se hâta aussitôt de leur faire les honneurs de sa boutique, avec de cordiaux souhaits de bienvenue, et qui les invita à s'asseoir sur le tapis, à ses côtés, et leur dit : « Je suis prêt à vous rendre tout service souhaité ! »

Alors le vizir dit : « Ô cheikh plein d'urbanité, voilà déjà des années que moi, avec ces deux enfants, je voyage par les villes et les contrées pour leur faire voir les peuples divers, compléter leur instruction, leur apprendre à vendre et à acheter et à tirer leur profit des usages et des mœurs des habitants. Et c'est dans ce but que nous venons nous établir ici pour quelque temps ; afin que mes enfants se réjouissent la vue de toutes les belles choses de cette ville et apprennent de ceux qui l'habitent la douceur des manières et la politesse. Nous te prions donc de nous faire louer une boutique spacieuse, bien située, pour que nous y exposions les marchandises de notre pays lointain. »

À ces paroles, le cheikh du souk répondit : « Certes ! il m'est fort agréable de vous satisfaire. » Et il se tourna vers les adolescents pour les mieux regarder et de ce seul coup d'œil il fut dans un saisissement sans bornes, tant leur beauté l'avait ému. Car ce cheikh du souk adorait ouvertement et à la folie les beaux yeux des adolescents, et sa prédilection allait à l'amour des jeunes garçons plutôt qu'à celui des jeunes filles ; et il préférait de beaucoup le goût acide des petits.

Donc il pensa en lui-même : « Gloire et louange à Celui qui les a créés et les a modelés, et d'une matière sans vie a formé pareille beauté ! » Et il se leva et les servit mieux qu'un esclave ne l'eût fait pour ses maîtres, et se consacra entièrement à leurs ordres. Et il se hâta de les emmener tous trois et de leur faire visiter les boutiques disponibles, et il finit par leur en choisir une au milieu même du souk. Cette boutique était la plus belle de toutes, la plus claire, la plus vaste et la mieux exposée aux regards ; elle était coquettement bâtie, ornée de devantures en bois ouvragé et d'étagères superposées et alternées, en ivoire, en ébène et en cristal ; et la rue à l'entour était bien balayée et bien arrosée ; et, la nuit, le gardien du souk stationnait de préférence devant sa porte. Et le cheikh, aussitôt le prix débattu, remit les clefs de la boutique au vizir, en lui disant : « Qu'Allah la rende une boutique prospère et bénie, sous les auspices de ce jour de blancheur, entre les mains de tes enfants.

Alors le vizir fit porter et ranger dans la boutique les marchandises de valeur, les belles étoffes, les brocarts et tous les trésors inestimables qui sortaient des armoires du roi Soleïmân-Schah. Et, ce travail une fois terminé, il emmena les deux adolescents prendre un bain au hammam situé à quelques pas, près de la grande porte du souk, hammam fameux pour sa propreté et ses marbres luisants et où l'on accédait par cinq marches où étaient rangées les socques de bois, en bon ordre.

Les deux amis, ayant vite fini de prendre leur bain, ne voulurent pas attendre que le vizir eût fini de prendre le sien, tant ils avaient hâte d'aller occuper leur poste dans la boutique. Ils sortirent donc joyeux, et la première personne qu'ils virent fut le vieux cheikh du souk, qui attendait passionnément sur les marches leur sortie du hammam. Or, le bain avait donné beaucoup plus d'éclat à leur beauté et de fraîcheur à leur teint ; et…

À ce moment de sa narration, Schahrazade vit apparaître le matin et, discrète, se tut.

Mais lorsque fut la cent trente-deuxième nuit. Elle dit :

Or, le bain avait encore donné beaucoup plus d'éclat à leur beauté et de fraîcheur à leur teint ; et le vieillard les compara, en son âme, à deux jeunes faons sveltes et gentils. Et il vit combien leurs joues étaient devenues roses, et comme leurs yeux noirs s'étaient foncés et leur visage éclairé ; et ils étaient devenus aussi tendres que deux rameaux colorés de leurs fruits ou comme deux lunes lactées et douces ; et il pensa à ce vers du poète :

« À toucher sa main seulement, tous mes sens s'érigent, et je frissonne. Comment ferais-je si je voyais son corps où se marient la limpidité de l'eau et l'or de la lumière ! »

Il alla donc au-devant d'eux et leur dit : « Enfants, puissiez-vous vous être délectés de ce bain ! Et qu'Allah ne vous en prive jamais et vous le renouvelle éternellement ! » Et Diadème répondit de sa manière la plus charmante et avec une intonation parfaitement gentille : « Nous eussions souhaité partager avec toi ce plaisir ! » Et tous deux l'entourèrent respectueusement et, par déférence pour son âge et pour son rang de cheikh du souk, ils marchèrent devant lui, lui ouvrant la route, et prirent le chemin de leur boutique.

Or, comme ils marchaient ainsi les premiers, le vieux cheikh remarquait combien gracieuse était leur démarche et comme leur croupe frémissait sous la robe et tressaillait de leurs pas.

Alors il ne put plus comprimer ses élans, et ses yeux étincelèrent, et il souffla et renifla, et il récita ces strophes au sens compliqué :

« Il n'y a point à s'étonner si, examinant les formes qui charment notre cœur, nous les voyons frémir, bien que massives de poids.

Car toutes les sphères du ciel tressaillent en tournoyant et tous les globes frémissent au mouvement. »

Lorsque les deux adolescents eurent entendu ces vers, ils furent loin d'en deviner le sens et de soupçonner la lubricité du vieux cheikh. Au contraire ! Ils crurent y saisir une délicate louange à leur intention, et ils en furent très touchés et le remercièrent et voulurent à toute force l'entraîner avec eux au hammam, pour lui faire plaisir, puisque c'était là la plus grande marque d'amitié. Et le vieux du souk, après quelques difficultés pour la forme, accepta en étincelant de désir dans son âme et reprit avec eux le chemin du hammam.

Lorqu'ils furent entrés, le vizir, qui se séchait dans une des salles privées, les vit ; et, en apercevant le cheikh, il sortit au-devant d'eux et s'avança vers le bassin central, où ils s'étaient arrêtés, et invita chaleureusement le cheikh à entrer dans sa salle à lui ; mais le vieillard ne voulait point, disait-il, abuser de tant de bonté, d'autant que Diadème et Aziz le tenaient chacun par une main et l'entraînaient déjà vers la salle qu'ils s'étaient réservée. Alors le vizir n'insista pas et rentra se sécher.

Une fois seuls, Aziz et Diadème déshabillèrent le vénérable cheikh et se dévêtirent eux-mêmes complètement et commencèrent par le masser énergiquement, pendant qu'il coulait vers eux, d'en dessous, des regards furtifs ; puis Diadème jura que c'était à lui seul que revenait l'honneur de le savonner, et Aziz jura qu'il lui restait, à lui, le plaisir de lui verser l'eau avec le petit bassin de cuivre. Et, entre eux deux, le vieux cheikh se croyait transporté au paradis.

Et ils ne cessèrent de la sorte de le frictionner, savonner et de lui verser l'eau, qu'une fois le vizir arrivé au milieu d'eux, à la grande désolation du vieux cheikh. Alors ils l'épongèrent avec les grandes serviettes chaudes, puis avec les serviettes fraîches et parfumées, et l'habillèrent et l'assirent sur l'estrade où ils lui offrirent des sorbets au musc et à l'eau de rose.

Alors le cheikh fit semblant de prendre intérêt à la conversation du vizir, mais en réalité il n'avait d'attention et de regards que pour les deux adolescents qui allaient et venaient, gracieux, pour le servir. Et, comme le vizir lui faisait les souhaits d'usage après le bain, il répondit : « Quelle bénédiction est entrée avec vous autres dans notre ville ! Et quel bonheur que votre arrivée ! » Et il leur récita cette strophe :

« À leur venue, nos collines ont reverdi et notre sol a tressailli et refleuri. Et la terre et les habitants de la terre ensemble se sont écriés : « Aisance douce et amitié aux hôtes charmants ! »

Et tous les trois le remercièrent pour son exquise urbanité ; et il répondit : « Qu'Allah vous assure à tous la vie la plus agréable et préserve, ô marchand illustre, tes beaux enfants du mauvais œil ! » Le vizir dit : « Et que le bain te soit, par la grâce d'Allah, un redoublement de force et de santé ! Car, ô vénérable cheikh, n'est-ce point que l'eau est le vrai bien de la vie en ce monde et le hammam un séjour de délices ? » Le cheikh du souk dit : « Certes, par Allah ! Aussi que de poèmes admirables le hammam n'a-t-il pas inspirés aux grands poètes ! N'en connaissez-vous point quelques-uns ? » Diadème, le premier, s'écria : « Si j'en connais ? Écoutez ceux-ci :

« Vie du hammam, ta douceur est merveilleuse ! Ô hammam, ta durée est si brève ! Et que ne puis-je, dans ton sein, écouler ma vie toute ! hammam admirable, hammam de mes sens !

Quand tu existes, le Paradis lui-même devient exécrable ; et si tu étais l'Enfer, je m'y précipiterais, avec quel bonheur ! »

Lorsque Diadème eut récité ce poème, Aziz s'écria : « Moi aussi je sais des vers sur le hammam ! » Le cheikh du souk dit : « Réjouis-en notre goût ! » Aziz récita rythmiquement :

« C'est une demeure qui a pris aux roches fleuries leurs broderies. Sa chaleur te le ferait prendre pour une bouche d'enfer, si bientôt tu n'en éprouvais les délices, et si tu ne voyais en son milieu tant de lunes et de soleils ! »

Lorsqu'il eut fini cette strophe, Aziz s'assit à côté de Diadème. Alors le cheikh du souk fut extrêmement émerveillé de leur gentillesse et de leur talent et s'écria : « Par Allah ! vous avez su unir en vous l'éloquence et la beauté ! Laissez-moi maintenant vous dire à mon tour quelques vers délicieux. Ou plutôt, je vais vous les chanter, car nos chants seuls peuvent rendre la beauté de ces rythmes ! » Et le cheikh du souk appuya sa main contre sa joue, ferma les yeux à demi, dodelina de la tête et chanta avec mélodie :

« Feu du hammam, ta chaleur est notre vie. Ô feu, tu rends la force à nos corps ; et nos âmes par toi s'allègent et se refont.

Ô hammam, mon ami ! Ah ! tiédeur d'air, fraîcheur de bassins, bruit d'eau, lumière de haut, marbres purs, salles d'ombre, odeurs d'encens et de corps parfumés, je vous adore !

Tu brûles sans cesse d'une flamme qui jamais ne s'éteint, et tu restes frais à la surface et plein de ténèbres douces ! Tu es sombre, hammam, malgré le feu, comme mon âme et mes désirs. Ô hammam ! »

Puis il regarda les adolescents, laissa un instant son âme vagabonder dans le jardin de leur beauté et, s'en étant inspiré, il récita ces deux strophes à leur intention :

« J'allai à leur demeure, et, dès la porte, je fus reçu d'un visage gentil et d'un œil plein de sourires.

Je goûtai toutes les délices de leur hospitalité et sentis la douceur de leur feu ! Comment ne serais-je pas l'esclave de leurs charmes ! »

À l'audition de ces vers et de chant, ils furent extrêmement charmés et émerveillés de l'art du cheikh. Aussi le remercièrent-ils avec effusion et, comme le soir tombait, ils l'accompagnèrent jusqu'à la porte du hammam et, bien qu'il eût beaucoup insisté auprès d'eux pour leur faire accepter son invitation à un repas dans sa maison, ils s'excusèrent et, ayant pris congé de lui, ils s'éloignèrent, tandis que le vieux cheikh s'immobilisait à les regarder encore.

Ils rentrèrent donc chez eux où ils mangèrent et burent et se couchèrent ensemble dans un bonheur parfait, jusqu'au matin. Alors ils se levèrent, firent leurs ablutions et remplirent le devoir de la prière ; puis, à l'ouverture des portes du souk, ils se dirigèrent vers leur boutique qu'ils ouvrirent pour la première fois.

Or, les serviteurs avaient bien arrangé la boutique, car ils avaient du goût, et l'avaient tendue de draperies de soie et avaient placé à l'endroit qu'il fallait deux tapis royaux, qui pouvaient valoir chacun mille dinars, et deux coussins bordés de filets et brodés d'or, qui pouvaient valoir chacun cent dinars. Et sur les étagères d'ivoire, d'ébène et de cristal étaient rangés en bon ordre les marchandises de prix et les trésors inestimables.

Alors Diadème s'assit sur l'un des tapis, Aziz sur l'autre et le vizir se plaça au milieu, entre eux, au centre même de la boutique ; et les serviteurs les entourèrent, rivalisant d'empressement dans l'exécution de leurs ordres.

Aussi bientôt tous les habitants entendirent parler de cette boutique admirable, et les clients y affluèrent de toutes parts, et c'était à qui recevrait ses emplettes de la main de cet adolescent qu'on nommait Diadème, et dont la réputation de beauté faisait tourner toutes les têtes et s'envoler toutes les raisons. De son côté, le vizir, ayant constaté que les affaires allaient à merveille, recommanda encore une fois à Diadème et à Aziz une grande discrétion, et rentra tranquillement se reposer à la maison.

Or, cet état dura de la sorte un certain temps, au bout duquel Diadème, ne voyant rien s'annoncer du côté de la princesse Donia, commençait à s'impatienter et même à se désespérer jusqu'à en perdre le sommeil, lorsqu'un jour, comme il s'entretenait de ses peines avec son ami Aziz, sur le devant de leur boutique, une vieille femme…

À ce moment de sa narration, Schahrazade vit apparaître le matin et, discrète, se tut.

Mais lorsque fut la cent trente-troisième nuit. Elle dit :

Un jour, comme il s'entretenait de ses peines avec son ami Aziz sur le devant de leur boutique, une vieille femme, très dignement drapée d'un grand voile de satin noir, vint à passer dans le souk ; et son attention ne tarda pas à être attirée par la boutique merveilleuse et la beauté du jeune marchand assis sur le tapis. Et elle fut tellement saisie d'émotion qu'elle en mouilla ses culottes. Puis elle attacha ses regards sur le jeune homme et pensa en son âme : « Ce n'est certes pas un homme, mais un ange ou quelque roi d'un pays de rêve ! » Alors elle s'approcha de la boutique et salua le jeune marchand qui lui rendit son salut et, sur les signes que lui fit Aziz du fond de la boutique, se leva en son honneur et lui sourit de son plus agréable sourire. Puis il l'invita à s'asseoir sur le tapis, et s'assit à côté d'elle et se mit à lui faire de l'air avec son éventail jusqu'à ce qu'elle se fût bien reposée dans la fraîcheur.

Alors la vieille dit à Diadème : « Mon enfant, ô toi qui réunis toutes les perfections et toutes les grâces, es-tu de ce pays ? » Et Diadème, de son parler gentil et pur et plein d'attirance, dit : « Par Allah ! ô ma maîtresse, jamais avant cette fois je n'ai mis le pied dans ces contrées où je viens dans le simple but de me distraire en les visitant. Et, pour occuper une partie de mon temps, je vends et j'achète. » La vieille dit : « Bienvenu soit l'hôte gracieux de notre ville ! Et qu'apportes-tu avec toi en fait de marchandises des pays lointains ? Fais-moi voir ce que tu as de plus beau, car le beau attire la beauté ! » Diadème fut très touché de ses paroles exquises et lui sourit pour la remercier et dit : « Je n'ai dans ma boutique que des choses qui puissent te plaire, car elles sont dignes des filles des rois et des personnes comme toi ! » La vieille dit : « Justement je désirerais faire l'achat de quelque très belle étoffe pour une robe destinée à la princesse Donia, fille de notre roi Schahramân. »

En entendant prononcer le nom de celle qu'il aimait tant, Diadème ne se posséda plus d'émotion et cria à Aziz : « Aziz, apporte-moi vite ce qu'il y a de plus beau et de plus riche d'entre nos marchandises ! » Alors Aziz ouvrit une armoire ménagée dans le mur et où il n'y avait qu'un seul paquet, mais quel paquet ! L'étoffe extérieure, frangée de glands d'or, était d'un velours de Damas où couraient, légers et colorés, des dessins de fleurs et d'oiseaux avec, au milieu, un éléphant qui dansait enivré. Et de tout ce paquet se dégageait un parfum qui exaltait l'âme. Aziz l'apporta à Diadème qui le défit et en tira l'unique étoffe qui s'y trouvait et qui avait été sertie pour ne faire qu'une seule robe destinée à quelque houri ou à quelque princesse merveilleuse. Quant à la décrire, ou à énumérer les pierreries dont elle était enrichie ou les broderies sous lesquelles la trame disparaissait, les poètes seuls, inspirés d'Allah, pourraient le faire, en vers cadencés. Pour le moins, elle devait valoir, sans l'enveloppe, cent mille dinars d'or.

Alors Diadème déroula lentement l'étoffe devant la vieille qui ne savait plus que regarder de préférence – la beauté de la robe ou la figure adorable aux yeux noirs de l'adolescent. Et à regarder ainsi les jeunes charmes du marchand, elle sentait sa vieille chair se réchauffer et ses cuisses se serrer avec fièvre ; et elle avait une envie considérable de se gratter là où ça la démangeait.

Donc, lorsqu'elle put parler, elle dit à Diadème en le regardant avec des yeux humides de passion : « L'étoffe convient. Combien dois-je te la payer ? » Il répondit en s'inclinant : « Je suis payé plus que mon dû par le bonheur de t'avoir connue ! » Alors la vieille s'écria : « Ô adorable garçon, heureuse la femme qui peut s'étendre dans ton giron et t'enlacer la taille de ses bras ! Mais où sont les femmes qui peuvent te mériter ! Pour ma part, je n'en connais qu'une seule sur la terre ! Dis-moi, ô jeune faon, quel est ton nom ? » Il répondit : « Je m'appelle Diadème ! » Alors la vieille dit : « Mais c'est là un nom qui n'est donné qu'aux fils de rois ! Comment un marchand peut-il s'appeler Couronne-des-rois ? »

À ces paroles, Aziz, qui jusque-là n'avait dit un mot, intervint à propos pour tirer son ami d'embarras. Il répondit à la vieille : « Il est le fils unique de ses parents qui l'aiment tant qu'ils ont voulu lui donner un nom comme on en donne aux fils de rois ! » Elle dit : « Certes ! si la Beauté devait élire un roi, c'est Diadème qu'elle choisirait ! Eh bien ! ô Diadème, sache que la vieille désormais est ton esclave ! Et Allah est garant de sa dévotion à ta personne ! Bientôt tu te ressentiras de ce qu'elle va faire pour toi. Et qu'Allah te protège et te garde du mauvais sort et de l'œil des curieux ! » Puis elle prit le précieux paquet et s'en alla. Et elle arriva, encore tout émue, chez Sett-Donia qu'elle avait allaitée, enfant, et à qui elle tenait lieu de mère. Et, en entrant, elle tenait le paquet sous le bras, gravement. Alors Donia lui demanda : « Ô nourrice, que m'apportes-tu encore ? Fais voir ! » Elle dit : « Ô ma maîtresse Donia, prends et regarde ! » Et elle déroula soudain l'étoffe. Alors Donia tout heureuse et les yeux en joie s'écria : « Ma bonne Doudou, oh ! la belle robe ! Ce n'est point là une étoffe de nos pays ! » La vieille dit : « Certes, elle est belle ! Mais que dirais-tu alors si tu voyais le jeune marchand qui me l'a donnée pour toi ? Allah ! qu'il est beau ! C'est le portier Radouân qui a oublié de fermer les portes d'Éden pour ainsi le laisser descendre réjouir le foie des créatures ! Ô maîtresse, combien souhaiterais-je voir cet adolescent radieux s'endormir sur tes seins et… » Mais Donia s'écria : « Ô nourrice, assez ! Comment oses-tu me parler d'un homme, et quelle fumée te noircit la raison ? Ah ! tais-toi ! Et donne-moi cette robe, que je la touche et que je la voie de plus près. » Et elle prit l'étoffe et se mit à la caresser et à la draper sur sa taille en se tournant vers sa nourrice qui lui dit : « Maîtresse, tu es belle ainsi, mais comme un couple de beauté est préférable à l'unité ! Ô Diadème… ! » Mais Sett-Donia s'écria : « Ah ! possédée Doudou, perfide Doudou ! ne dis plus rien. Mais va chez ce marchand et demande-lui s'il a un souhait à formuler ou un service à demander ; et aussitôt le roi mon père lui donnera satisfaction ! » La vieille se mit à rire et dit, en clignant de l'œil : « Un souhait ? par Allah ! je crois bien ! Qui n'a pas de souhait ? » Et elle se leva en toute hâte et courut à la boutique de Diadème.

En la voyant arriver, Diadème sentit son cœur s'envoler de joie, et il lui prit la main et la fit s'asseoir à côté de lui, et lui fit servir des sorbets et des confitures. Alors la vieille lui dit : « Je t'annonce la bonne nouvelle ! Ma maîtresse Donia te salue et te dit : « Tu as honoré notre ville de ta venue et tu l'as illuminée. Et si tu as un souhait à faire, formule-le ! »

À ces paroles Diadème se réjouit à la limite de la réjouissance, et sa poitrine se dilata d'aise et d'épanouissement et il pensa en son âme : « L'affaire est faite ! » Et il dit à la vieille : « Je n'ai qu'un vœu : que tu fasses parvenir à Sett-Donia une lettre que je vais lui écrire et m'en apportes la réponse ! » Elle répondit : « J'écoute et j'obéis ! » Alors Diadème cria à Aziz : « Donne-moi l'écritoire de cuivre, le papier et le calam ! » Et Aziz les lui ayant apportés, il écrivit cette lettre en vers cadencés :

« Le papier que voici te porte, ô très haute, les choses multiples, les choses diverses que j'ai trouvées en fouillant un cœur atteint du mal de l'attente !

Je mets en première ligne les signes du feu qui me brûle au-dedans ; en seconde ligne mon désir et mon amour ;

En troisième ligne ma vie et ma patience ; en quatrième ligne mon ardeur entière ; en cinquième ligne l'extrême envie de mes yeux à se réjouir ;

Et en sixième ligne une demande de rendez-vous ! »

Puis, au bas de la lettre, il mit ceci en guise de signature :

« Cet écrit en vers rythmés et sertis à ta beauté est la main de l'esclave de ses longs désirs, de l'enfermé dans la prison de sa douleur, du malade de ses tortures, du postulant de tes regards, LE MARCHAND DIADÈME. »

Alors il relut sa lettre, la sabla, la plia, la cacheta et la remit à la vieille en lui glissant dans la main une bourse contenant mille dinars pour ses bons services. Et la vieille, après ses vœux pour la réussite, revint en toute hâte près de sa maîtresse qui lui demanda : « Eh bien ! ma bonne Doudou, dis-moi ce qu'a demandé ce marchand que j'aille aussitôt prier mon père de le satisfaire ! » La vieille dit : « En vérité, ô maîtresse, je ne sais ce qu'il demande, car voici une lettre dont j'ignore le contenu. » Et elle lui remit la lettre.

Lorsque la princesse Donia eut pris connaissance du contenu, elle s'écria : « Oh ! l'effronté marchand ! Comment ose-t-il lever les yeux jusqu'à moi ? » Et de rage elle se frappa les joues de ses mains et dit : « Je devrais le faire pendre à la porte de sa boutique, ce misérable ! » Alors la vieille, d'un air innocent, demanda : « Qu'y a-t-il donc de si effroyable dans cette lettre ? Le marchand réclamerait-il par hasard un prix exorbitant pour la robe en question ? » Elle dit : « Malheur ! il ne s'agit là que d'amour et de passion ! » La vieille répliqua : « C'est de l'audace, vraiment ; aussi devrais-tu, ô maîtresse, répondre à cet insolent pour le menacer, s'il continue ! » Elle dit : « Oui ! mais j'ai peur que cela ne contribue à l'enhardir encore ! » La vieille répondit : « Que non ! cela le fera rentrer en lui-même ! » Alors Sett-Donia dit : « Donne-moi mon écritoire et mon calam ! » Et elle écrivit ceci en construction de vers :

« Aveugle qui t'illusionnes, tu demandes à parvenir à l'astre, comme si jamais mortel a pu atteindre à l'astre des nuits !

Or, moi, pour t'ouvrir les yeux, je jure, par la vérité de Celui qui t'a formé d'un ver de terre et a créé de l'infini la virginité des astres immaculés.

Que si tu oses répéter ton acte effronté, on te crucifiera sur une planche coupée dans le tronc de quelque arbre maudit. Et tu serviras d'exemple à tous les insolents ! »

Puis, ayant cacheté la lettre, elle la remit à la vieille ; celle-ci courut aussitôt la porter à Diadème, qui brûlait dans l'attente. Et Diadème, après l'avoir remerciée, ouvrit la lettre et, aussitôt qu'il l'eut parcourue, fut pris d'un chagrin extrême et dit tristement à la vieille : « Elle me menace de mort, mais je ne crains point la mort, car la vie m'est plus pénible. Et, au risque de mourir, je veux lui répondre ! » La vieille dit : « Par ta vie qui m'est chère ! je veux t'aider de tout mon pouvoir et partager avec toi tous les risques ! Écris donc ta lettre et me la donne ! » Alors Diadème cria à Aziz : « Donne à notre mère mille dinars ! Et confions-nous à Allah le Tout-Puissant ! » Et il écrivit sur le papier les strophes suivantes :

« Voici que, pour mon souhait du soir, Elle me menace du deuil et de la mort, ignorant que la mort c'est le repos et que les choses n'arrivent qu'au signe du Destin.

Par Allah ! Sa pitié ne devrait-elle pas un peu aller à ceux dont l'amour est voué aux très pures et très hautes que les yeux des humains n'osent regarder ?

Ô mes désirs ! mes vains désirs ! ne souhaitez plus rien, et laissez mon âme s'ensevelir dans sa passion sans espérance !

Mais toi, femme au cœur dur, ne crois point que je laisserai l'oppression devenir ma dominatrice. Et plutôt que de souffrir d'une vie sans but désormais et toute de douleur, je laisserai mon âme s'envoler avec mes espoirs ! »

Et il remit, les larmes aux yeux, la lettre à la vieille, en lui disant : « Nous te dérangeons inutilement, hélas ! je sens bien que je n'ai plus qu'à mourir ! » Elle lui dit : « Laisse là ces tristes et faux pressentiments, et regarde-toi, ô bel adolescent ! N'es-tu point le soleil lui-même ? Et n'est-elle pas la lune ? Et comment veux-tu que moi, celle dont la vie entière s'est écoulée dans les intrigues d'amour, je ne sache pas unir vos beautés ? Tranquillise donc ton âme et calme les soucis qui te désolent ! Bientôt je t'apporterai des nouvelles de joie ! » Et, sur ces paroles, elle le quitta…

À ce moment de sa narration, Schahrazade vit apparaître le matin et, discrète, se tut.

Mais lorsque fut la cent trente-quatrième nuit. Elle dit :

… Et sur ces paroles, elle le quitta et, après avoir caché le billet dans ses cheveux, elle alla trouver sa maîtresse. Elle entra chez elle et lui baisa la main et s'assit, sans dire une parole. Mais au bout de quelques instants elle dit : « Ma fille bien-aimée, mes vieux cheveux sont défaits et je n'ai plus la force de les tresser. Ordonne, je te prie, à l'une de tes esclaves de venir me les peigner. » Mais Sett-Donia s'écria : « Ma bonne Doudou, je vais moi-même te les peigner, office que tant de fois tu as rempli à mon égard ! » Et la princesse Donia dénoua les tresses blanches de sa nourrice et se disposa à les peigner ; et le billet aussitôt glissa sur le tapis.

Alors Sett-Donia, surprise, voulut le ramasser, mais la vieille s'écria : « Ma fille, rends-moi ce papier ! Il a dû se prendre dans mes cheveux chez le jeune marchand. Je vais courir le lui rendre ! » Mais Donia se hâta de l'ouvrir et d'en lire le contenu ; et elle fronça les sourcils et s'écria : « Ah ! Doudou scélérate, c'est là une de tes ruses ! Mais qui m'a envoyé ce marchand calamiteux et effronté, et de quelle terre ose-t-il ainsi venir jusqu'à moi ? Et comment, moi, Donia, me résoudre à regarder cet homme qui n'est ni de ma race ni de mon sang ? Ah ! Doudou, ne t'avais-je pas dit que cet insolent allait s'enhardir ? » La vieille dit : « En vérité, c'est un vrai Cheitân ! Et son audace est une audace d'enfer ! Mais, ô ma fille et ma maîtresse, écris-lui pour la dernière fois, et je me porte garante de sa soumission à tes volontés ! Sinon, qu'il soit sacrifié, et moi avec lui ! » Aussitôt la princesse Donia prit le calam et rangea ces paroles rythmiquement :

« Insensé qui sommeille, quand le malheur et le danger sont planants dans l'air que tu respires,

Ignores-tu qu'il est des fleuves dont il est défendu de remonter le cours, et des solitudes interdites que nul pied humain ne foulera jamais ?…

Et penses-tu toucher aux étoiles de l'infini, quand tous les hommes unis ne peuvent de la main atteindre aux premiers astres de la nuit ?

Alors !… oseras-tu encore en tes rêves, caresser ou faire plier dans tes bras la taille des houris ?…

Tu te leurres, ô naïf, crois ta reine ! Ou sinon les corbeaux de l'épouvante obscure croasseront bientôt la mort sur ta tête et, battant de leurs ailes de nuit, autour de la tombe où l'on t'étendra, tournoieront !

Puis, ayant plié et cacheté le papier, elle le remit à la vieille qui, le lendemain, au matin, se hâta de courir le remettre à Diadème.

À la lecture de ces paroles si dures, Diadème comprit que jamais plus l'espérance ne devait vivifier son cœur, et se tournant vers Aziz, il lui dit : « Mon frère Aziz, dis-moi, que faire maintenant ? Je n'ai plus assez d'inspiration pour lui écrire une réponse décisive ! » Aziz dit : « Je vais essayer à ta place et en ton nom ! » Diadème dit : « Oui, Aziz, écris-lui en utilisant tout ton art ! » Alors Aziz prit un papier et y disposa ces strophes :

« Seigneur Dieu, par les cinq Justes ! aide-moi dans l'excès de mes chagrins et allège mon cœur assombri de la suie de mes soucis !

Tu connais le secret dont la flamme me brûle au-dedans, et la tyrannie de la jeune cruelle qui se refuse à la miséricorde.

Je branle la tête, les yeux fermés, et je songe à l'adversité où je plonge sans espoir jamais de délivrance.

Ma patience et mon courage sont finis, consumés dans l'attente d'un amour qui se refuse !

Ô l'impitoyable aux cheveux de nuit, es-tu donc si assurée contre les coups du Destin et les accidents du sort capricieux, pour ainsi te plaire à torturer le malheureux qui t'appelle ?...

Comprends ! Un malheureux qui pour ta beauté a quitté son père, sa maison, sa patrie et les yeux des favorites ! »

Puis Aziz tendit à Diadème le papier sur lequel il venait de tracer cette construction rimée. Et Diadème ayant récité les vers pour en apprécier la tonalité, se déclara satisfait de leur allure générale et dit à Aziz : « C'est excellent ! » Et il remit la lettre à la vieille nourrice qui courut aussitôt la porter à Donia.

Lorsque la princesse eut pris connaissance de la missive, sa colère bouillonna contre la vieille, et elle s'écria : « Maudite nourrice, Doudou de calamité, c'est toi seule qui es la cause de toutes ces humiliations que je subis ! Ah ! vieille de malheur, je ne veux plus te voir devant mes yeux ! Sors vite d'ici, ou je vais te faire mettre le corps en lambeaux sous les lanières des esclaves ! Et je te casserai moi-même les os avec mes talons ! » Alors la vieille nourrice sortit précipitamment, comme Donia se disposait, en effet, à appeler les esclaves ; et elle se hâta d'aller raconter son malheur aux deux amis et se mettre sous leur protection.

À cette nouvelle, Diadème fut très affecté et il dit à la vieille en lui touchant gentiment le menton : « Par Allah ! ô notre mère, je sens à cette heure doubler mes chagrins à te voir supporter de la sorte les conséquences de ma faute ! » Mais elle répondit : « Sois tranquille, mon fils, je suis loin de renoncer à la réussite. Car il ne sera jamais dit que j'aie été, une fois dans ma vie, impuissante à unir les amoureux ! Et la difficulté ici m'incite encore davantage à user de toute ma rouerie pour te faire parvenir au but de tes désirs ! » Alors Diadème demanda : « Mais dis-moi enfin, ô notre mère, quelle est donc la cause qui a poussé Sett-Donia à prendre ainsi tous les hommes en horreur ? » La vieille dit : « C'est un songe qu'elle a eu ! » Il s'écria : « Un songe, pas plus ? » Elle dit : « Simplement ! Le voici :

« Une nuit que la princesse Donia était endormie, elle vit en rêve un oiseleur qui tendait des filets dans une clairière, et qui, après avoir semé des grains de blé tout autour, sur le sol, s'éloigna et se tint à l'affût à attendre la chance.

« Or, bientôt, de tous les points de la forêt accoururent les oiseaux et s'abattirent sur les filets. Et, parmi tous ces oiseaux qui becquetaient les grains de blé, il y avait deux pigeons, le mâle et la femelle. Et le mâle tout en becquetant, faisait de temps en temps la roue autour de son épouse, sans prendre garde aux lacs qui le guettaient : aussi, dans un de ces mouvements, sa patte fut prise dans les mailles, qui se rétrécirent et s'embrouillèrent et le firent prisonnier. Et les oiseaux, effrayés de ses coups d'aile, s'envolèrent tous avec bruit.

« Mais la femelle laissa là éparse la nourriture et, courageusement, n'eut d'autre souci que de délivrer son époux. Et du bec et de la tête elle travailla si bien qu'elle lacéra le filet et finit par délivrer son mâle imprudent, avant que l'oiseleur eût le temps de venir s'en emparer. Et elle s'envola avec lui, fit une promenade dans l'air, pour revenir becqueter les grains, autour des lacets.

« De nouveau, le mâle se mit à tourner autour de la femelle qui, en reculant pour éviter ses déclarations sans répit, s'approcha trop, par inadvertance, des mailles, où elle fut prise à son tour. Alors le mâle, loin de se préoccuper du sort de sa compagne, s'envola à tire-d'aile avec tous les oiseaux et laissa de la sorte l'oiseleur courir s'emparer de la captive, qui fut sur l'heure égorgée !

« À ce songe, qui la saisit d'émotion, la princesse Donia se réveilla tout en larmes et m'appela pour me raconter, tremblante, sa vision, et conclure en s'écriant : « Tous les mâles se ressemblent, et les hommes doivent être pires que les animaux ; il n'y a, pour une femme, rien de bon à espérer de leur égoïsme ! Aussi, je jure devant Allah que jamais, ô jamais, je ne connaîtrai l'horreur de leur approche ! »

Lorsque le prince Diadème entendit ces paroles de la vieille, il lui dit : « Mais, ô notre mère, ne lui as-tu donc pas dit que les hommes n'étaient pas tous comme ce traître de pigeon, et que les femmes n'étaient pas toutes comme sa fidèle et malheureuse compagne ? » Elle répondit : « Rien de tout cela ne put depuis la fléchir ; et elle vit solitaire dans l'adoration de sa seule beauté ! » Diadème dit : « Ô ma mère, je t'en prie, il me faut tout de même, au risque de mourir, la voir, ne fût-ce qu'une fois, et me pénétrer l'âme d'un seul de ses regards ! Ô vieille bénie, fais cela pour moi, en tirant quelque moyen de ta fertile sagesse ! »

Alors la vieille dit : « Sache, ô lumière de mes yeux, qu'au bas du palais où habite la princesse Donia, il y a un jardin, réservé à ses seules promenades, et où elle vient une fois par mois seulement, accompagnée de ses suivantes, et après avoir pris la précaution, pour éviter les regards des passants, d'y pénétrer par une porte secrète. Or, c'est justement dans une semaine le jour de promenade de la princesse. Et c'est moi-même qui viendrai te servir de guide et te mettre en présence de l'objet aimé. Et je suis persuadée que, malgré toutes ses préventions, lorsque la princesse t'aura seulement vu, elle ne pourra qu'être vaincue par ta beauté : car l'amour est un don d'Allah et vient quand Il lui plaît ! »

Alors Diadème respira un peu plus à son aise et remercia la vieille et l'invita, puisqu'elle ne pouvait plus se présenter devant sa maîtresse, à accepter l'hospitalité de sa maison. Et il ferma la boutique ; et tous trois prirent le chemin du logis.

En route, Diadème se tourna vers Aziz et lui dit : « Mon frère Aziz, comme je ne vais plus avoir le loisir d'aller à la boutique, je te la cède entièrement. Et tu en feras ce que bon te semble ! » Et Aziz répondit par l'ouïe et l'obéissance.

Sur ces entrefaites, ils arrivèrent à leur maison et se hâtèrent de mettre le vizir au courant de toute l'histoire, et lui parlèrent aussi du songe de la princesse et du jardin où l'on devait tenter de la rencontrer. Et ils lui demandèrent son avis.

Alors le vizir réfléchit pendant un bon moment, puis il releva la tête et leur dit : « J'ai trouvé la solution ! Allons d'abord au jardin pour bien examiner les lieux. » Et il laissa la vieille au logis et se dirigea aussitôt avec Diadème et Aziz vers le jardin de la princesse. Lorsqu'ils y arrivèrent, ils virent, assis à la porte, le vieux gardien qu'ils saluèrent et qui leur rendit leur salut. Alors le vizir, avant tout, commença par glisser dans la main du vieux cent dinars en lui disant : « Brave oncle, nous désirerions tant entrer nous rafraîchir l'âme dans ce beau jardin et manger un morceau près des fleurs et de l'eau ? Car nous sommes des étrangers qui cherchons partout les beaux endroits où se réjouir ! » Alors le vieux prit l'argent et dit : « Entrez donc, mes hôtes, et prenez vos aises en attendant que je coure vous acheter ce qu'il faut pour manger. » Et il les fit pénétrer dans le jardin, pour aller au souk leur acheter les provisions de bouche et revenir bientôt avec un mouton rôti et des pâtisseries. Et ils s'assirent tous en rond sur le bord d'un ruisseau, et mangèrent leur plein.

Alors le vizir dit au gardien : « Ô cheikh, ce palais qui est là, devant nous, a l'air en bien mauvais état. Pourquoi donc ne le fais-tu pas réparer ? » Alors le gardien s'écria : « Par Allah ! ce palais est celui de la princesse Donia, qui le laisserait tomber en ruine plutôt que de s'en occuper : elle vit trop retirée pour prêter son attention à ces choses-là. » Le vizir dit : « Que c'est dommage, ô brave cheikh ! Le rez-de-chaussée, au moins, devrait être un peu blanchi, ne fût-ce que pour tes propres yeux. Si tu veux, je ferai moi-même tous les frais de la réparation. » Le gardien dit : « Qu'Allah t'écoute ! » Le vizir dit : « Prends alors ces cent dinars pour ta peine, et va chercher les maçons, et aussi un peintre qui soit fort versé dans la délicatesse du coloris. »

Alors le gardien se hâta d'aller chercher les maçons et le peintre, auxquels le vizir donna les instructions nécessaires. En effet, une fois la grande salle du rez-de-chaussée bien réparée et bien blanchie, le peintre se mit au travail et, suivant les ordres du vizir, il peignit une forêt et, au cœur de la forêt, des filets tendus où un pigeon était pris et battait des ailes. Et lorsqu'il eut fini, le vizir lui dit : « Peins maintenant de l'autre côté la même chose, mais en figurant un pigeon mâle qui vient délivrer sa compagne et qui alors est capturé par l'oiseleur et sacrifié, victime de son dévouement. » Et le peintre exécuta le dessin en question ; puis, largement rétribué, il s'en alla.

Alors le vizir et les deux jeunes gens et le gardien s'assirent un instant pour bien juger de l'effet et du ton. Et Diadème, malgré tout, était triste ; et il regardait cela, tout songeur ; puis il dit à Aziz : « Mon frère, dis-moi encore quelques vers pour faire diversion aux tortures de mes pensées. » Et Aziz dit :

« Ibn-Sina, dans ses écrits sur la médecine, prescrit ceci comme remède suprême :

La souffrance d'amour n'a d'autre remède que le chant bien rythmé et la coupe légère dans les jardins !

J'ai suivi les paroles d'Ibn-Sina, mais sans résultat, hélas ! Alors, pour essayer, je courus à d'autres amours, et je vis le Destin me sourire et me dispenser la guérison.

Ibn-Sina ! tu t'es trompé ! La seule médecine à l'amour, c'est encore l'amour ! »

Alors Diadème dit à Aziz : « Le poète a peut-être raison. Mais, comme c'est difficile, quand la volonté s'en est allée ! » Puis ils se levèrent et saluèrent le vieux gardien et rentrèrent à la maison, retrouver la vieille nourrice.

Or, comme la semaine était écoulée, Sett-Donia voulut, selon son habitude, faire sa promenade dans le jardin. Mais alors elle sentit combien sa vieille nourrice lui manquait, et elle se désola et fit un retour sur elle-même et s'aperçut qu'elle avait été inhumaine à l'égard de celle qui lui avait tenu lieu de mère ; et aussitôt elle envoya un esclave au souk et un autre esclave chez toutes les connaissances de Doudou pour la chercher et la ramener. Et justement Doudou, après avoir fait à Diadème toutes les recommandations nécessaires pour ce jour, qui était celui de la rencontre au jardin, se dirigeait seule du côté du palais, et l'un des esclaves l'aborda respectueusement et la pria, au nom de sa maîtresse, qui la pleurait, de rentrer pour la réconciliation. Ce qui fut fait, après quelques difficultés pour la forme : et Donia l'embrassa sur les joues, et Doudou lui baisa les mains, et toutes deux, suivies des esclaves femmes, franchirent la porte secrète et entrèrent au jardin.

Or, de son côté, Diadème s'était conformé aux instructions de sa protectrice. En effet, après le départ de Doudou, le vizir et Aziz se levèrent et l'habillèrent d'une magnifique robe vraiment royale et qui pouvait certainement valoir cinq mille dinars, et lui ceignirent la taille d'une ceinture d'or filigrané, toute incrustée de pierreries, avec une agrafe d'émeraude, et autour du front ils lui mirent un turban de soie blanche avec de fins dessins d'or et une aigrette de diamants ; puis ils appelèrent sur lui les bénédictions d'Allah et, après l'avoir accompagné jusqu'en vue du jardin, ils s'en retournèrent pour l'y laisser pénétrer plus facilement.

Diadème donc, en arrivant à la porte, trouva assis le bon vieux gardien qui, en le voyant, se leva aussitôt en son honneur et lui rendit son salam avec respect et cordialité. Et, comme il ignorait que la princesse Donia fût entrée dans le jardin par la porte secrète, il dit à Diadème : « Le jardin est ton jardin, et je suis ton esclave ! » Et il lui ouvrit la porte en le priant de la franchir. Puis il la referma et revint s'asseoir à la place accoutumée en louant Allah dans ses créatures.

Quant à Diadème, il se hâta de faire ce que la vieille lui avait prescrit : il se blottit derrière le massif qu'elle lui avait indiqué, à attendre là le passage de la princesse. Voilà pour lui !

Mais pour ce qui est de Sett-Donia, voici ! La vieille, tout en se promenant, lui dit : « Ô ma maîtresse, j'ai à te dire quelque chose qui contribuera à te rendre plus reposante la vue de ces beaux arbres, de ces fruits et de ces fleurs ». Donia dit : « Je suis prête à t'écouter, ma bonne Doudou. » Elle dit : « Tu devrais, vraiment, renvoyer au palais toutes ces suivantes qui t'empêchent de jouir tout à ton aise de l'air du temps et de cette délicieuse fraîcheur. Elles ne sont vraiment qu'une gêne pour toi. » Donia dit : « Tu dis vrai, ô nourrice ! » Et elle renvoya aussitôt, d'un signe, ses suivantes. Et c'est ainsi que, toute seule, suivie de la vieille seulement, la princesse Donia s'avança du côté du massif où se trouvait Diadème, invisible.

Et Diadème vit la princesse Donia ; et d'un regard il put juger de sa beauté et il en fut tellement saisi qu'il s'évanouit sur place. Et Donia continua son chemin et s'avança du côté de la salle où le vizir avait fait peindre la scène de l'oiseleur ; et, sur l'injonction de Doudou, elle y pénétra, pour la première fois de sa vie : car jamais auparavant elle n'avait eu la curiosité de visiter ce local réservé aux gens de service du palais.

À la vue de cette peinture, Sett-Donia fut à la limite de la perplexité et s'écria : « Ô Doudou, regarde ! c'est mon rêve d'autrefois, mais tout à rebours ! Seigneur ! Ya rabbi ! comme mon âme est émue ! » Et comprimant son cœur, elle s'assit sur le tapis et dit : « Ô Doudou, me serais-je donc trompée ? Et Eblis le

Malin se serait-il ri simplement de ma crédulité aux songes ? » Et la nourrice dit : « Ma pauvre enfant, ma vieille expérience t'avait cependant bien prévenue de ton erreur ! Mais sortons nous promener encore, maintenant que le soleil descend et que la fraîcheur est plus douce dans l'air aromatique. » Et elles sortirent au jardin.

Or, Diadème était revenu de son évanouissement et, comme le lui avait recommandé Doudou, s'était mis à se promener lentement, d'un air indifférent comme attentif seulement à la beauté du paysage.

Aussi, à un détour d'allée, Sett-Donia l'aperçut et s'écria : « Ô nourrice ! Vois-tu ce jeune homme ? Regarde comme il est beau, et quelle taille et quelle démarche ! Le connaîtrais-tu ? par hasard, dis ! » Elle répondit : « Je ne le connais point, mais ce doit être, à en juger sur son air, le fils de quelque roi. Ah ! ma maîtresse, qu'il est merveilleux ! Ah ! combien ! ah ! mon âme ! » Et Sett-Donia dit : « Il est tout à fait beau ! » La vieille dit : « Tout à fait ! Heureuse son amante ! » Et, à la dérobée, elle fit signe à Diadème de sortir du jardin et de s'en retourner chez lui. Et Diadème comprit et continua son chemin vers le dehors, cependant que la princesse Donia le suivait encore du regard et disait à sa nourrice : « Sens-tu, ô Doudou, le changement qui se fait en moi ? Est-ce possible que moi, Donia, je puisse éprouver un tel trouble à la vue d'un homme ! Ô nourrice, je sens moi-même que je suis prise et que, maintenant, je vais à mon tour te demander tes bons offices. » La vieille dit : « Qu'Allah confonde le Tentateur maudit ! Te voilà, ô maîtresse, prise dans les filets ! Mais aussi, qu'il est beau, le mâle qui va te délivrer ! » Donia dit : « Ô Doudou, ma bonne Doudou, il te faut absolument m'amener ce beau jeune homme ! Je ne le veux que de tes mains, nourrice, chère nourrice ! Cours vite, de grâce, me le chercher ! Et voici, pour toi, mille dinars et une robe de mille dinars. Et si tu refuses, je meurs ! » La vieille dit : « Retourne alors au palais, et laisse-moi agir à ma guise. Je te promets la réalisation de cette union admirable ! »

Et aussitôt elle quitta Sett-Donia et sortit retrouver le beau Diadème, qui la reçut avec joie et commença par lui donner mille dinars d'or. Et la vieille lui dit : « Il s'est passé *telle* et *telle* chose. » Et elle lui raconta l'émotion de Sett-Donia et leur dialogue. Et Diadème dit : « Mais à quand notre union ? » Elle répondit : « Demain sans faute ! » Alors il lui donna encore une robe et des cadeaux pour mille dinars d'or, qu'elle accepta en lui disant : « Je viendrai moi-même te prendre à l'heure propice. » Et elle s'en alla en toute hâte retrouver sa maîtresse Donia, qui l'attendait anxieuse et qui lui dit : « Quelles nouvelles, ô Doudou, m'apportes-tu de l'ami ? » Elle répondit : « J'ai réussi à retrouver ses traces et à lui parler. Dès demain, je te l'amènerai par la main. » Alors Sett-Donia fut au comble du bonheur et donna à sa nourrice mille dinars d'or et des cadeaux pour mille autres dinars. Et, cette nuit-là, tous les trois s'endormirent l'âme imprégnée de l'espérance douce et du contentement.

Or, à peine matin, la vieille était déjà à la demeure de Diadème, qui l'attendait. Elle défit un paquet qu'elle avait apporté et en tira des vêtements de femme dont elle habilla Diadème, et finit par l'envelopper complètement du grand izar et lui couvrit le visage d'une voilette épaisse ; puis elle lui dit : « Maintenant imite dans ta démarche les mouvements des femmes qui balancent leurs hanches à droite et à gauche, et fais des petits pas, comme les jeunes vierges. Et surtout laisse-moi répondre seule à toutes les questions des gens, et sous n'importe quel prétexte ne fais entendre ta voix ! » Et Diadème répondit par l'ouïe et l'obéissance.

Alors ils sortirent tous deux et se mirent à marcher jusqu'à ce qu'ils fussent arrivés à la porte du palais dont le gardien était justement le chef eunuque en personne. Aussi à la vue de la nouvelle venue, qu'il ne connaissait pas, le chef eunuque demanda à la vieille : « Qui est donc cette jeune personne que je n'ai jamais vue. Fais-la un peu approcher, que je l'examine ; les ordres sont formels, et je dois palper en tous sens et, s'il le faut, mettre nues toutes les nouvelles esclaves dont j'ai la responsabilité ! Or, celle-ci, je ne la connais pas : laisse-moi donc la palper de mes mains et la voir de mes yeux ! » Mais la vieille se récria, disant : « Que dis-tu là, ô chef du palais ! Ne sais-tu… »

À ce moment de sa narration, Schahrazade vit apparaître le matin et, discrète selon son habitude, ne prolongea pas davantage le récit cette nuit-là.
Mais lorsque fut la cent trente-cinquième nuit. Elle dit :

« Que dis-tu là, ô chef du palais ! Ne sais-tu que cette esclave, c'est Sett-Donia elle-même qui l'envoie chercher pour utiliser son talent de brodeuse sur étoffe ? Et ne sais-tu donc que c'est une de celles qui exécutent, sur la soie, les dessins admirables de la princesse ? » Mais l'eunuque se renfrogna et dit : « Il n'y a pas de broderies qui tiennent ! Il me faut absolument palper partout la nouvelle venue et l'examiner de face, de dos, de flanc, de haut et de bas ! »

À ces paroles, la vieille nourrice montra les signes d'une fureur extrême et se planta devant l'eunuque et lui dit : « Et moi qui t'avais toujours pris pour le modèle de la politesse et des bonnes manières ! Que t'arrive-t-il donc soudain ? Voudrais-tu m'obliger à te faire chasser du palais ? » Puis elle se tourna vers Diadème déguisé et lui cria : « Ma fille, excuse notre chef ! C'est une plaisanterie de sa part ! Passe donc sans crainte ! » Alors Diadème franchit la porte en mouvant ses hanches et en jetant un sourire, sous la voilette, au chef eunuque immobilisé par sa beauté que laissait transparaître l'étoffe douce. Et, guidé par la vieille, il entra dans un corridor, puis dans une galerie, puis dans d'autres corridors et d'autres galeries, jusqu'à ce qu'il arrivât, au bout de la septième galerie, à une salle qui donnait sur une grande cour par six portes aux rideaux abaissés. Et la vieille lui dit : « Compte les portes l'une après l'autre et entre par la septième : et tu trouveras, ô jeune marchand, ce qui est au-dessus de toutes les richesses de la terre, la fleur vierge, la jeune chair et la douceur qu'on nomme Sett-Donia ! »

Alors le prince Diadème, sous ses habits de femme, compta les portes et entra par la septième. Et, laissant retomber les rideaux, il releva la voilette qui lui cachait les traits. Or, Sett-Donia, en ce moment, était endormie sur le divan. Et elle n'était vêtue que de la transparence seulement de sa peau de jasmin. Et d'elle toute se dégageait l'appel aux caresses inconnues. Alors, d'un mouvement, Diadème se dégagea des vêtements qui l'encombraient et, svelte, bondit vers le divan et prit dans ses bras la princesse endormie. Et le cri d'effarement de la jeune fille, soudain réveillée, fut étouffé par les lèvres qui la dévoraient. Et c'est ainsi qu'eut lieu la rencontre première du beau prince Diadème et de la princesse Donia, au milieu des cuisses qui s'enlaçaient et des jambes qui trépidaient. Et cela dura de la sorte l'espace d'un mois, sans que de part ou d'autre on discontinuât les baisers éclatants ou les rires qui bénissaient l'Ordonnateur de toutes choses belles. Or, voilà pour eux.

Mais, pour ce qui est du vizir et d'Aziz, ils restèrent jusqu'à la nuit à attendre, avec anxiété, le retour de Diadème. Et quand ils virent qu'il n'arrivait pas, ils commencèrent à sérieusement s'inquiéter ; quand le matin vint, sans nouvelles de l'imprudent, ils ne doutèrent plus de sa perte et furent complètement décontenancés ; et, dans leur douleur et leur perplexité, ils ne surent plus à quel parti s'arrêter. Et Aziz dit, d'une voix étranglée : « Les portes du palais ne se rouvriront jamais plus sur notre maître ! Oh ! que devons-nous faire maintenant ? » Le vizir dit : « Attendre encore ici, sans bouger ! » Et ils restèrent ainsi durant tout le mois, ne mangeant ni ne dormant plus, et se lamentant sur ce malheur sans recours. Aussi comme, au bout du mois, ils n'avaient toujours pas signe de l'existence de Diadème, le vizir dit : « Mon enfant, quelle situation lamentable et difficile ! Je crois que le meilleur parti à prendre est encore de nous en retourner dans notre pays, mettre le roi au courant de ce malheur : sinon il nous reprocherait d'avoir négligé de l'en avertir. » Et, à l'heure même, ils firent tous leurs préparatifs de voyage, et partirent pour la Ville-Verte qui était la capitale du roi Soleïmân-Schah.

À peine furent-ils arrivés, qu'ils se hâtèrent de monter au palais et de mettre le roi au courant de toute l'histoire et de la fin malheureuse de l'aventure. Et ils se turent pour éclater en sanglots.

À cette nouvelle terrible, le roi Soleïmân-Schah sentit le monde entier s'écrouler sous lui et s'effondra lui-même sans connaissance. Mais à quoi désormais pouvaient servir les larmes et les pleurs du regret ? Aussi le roi Soleïmân-Schah, comprimant la douleur qui lui rongeait le foie et lui noircissait l'âme et la terre entière devant les yeux, jura qu'il allait venger la perte de son fils Diadème par une vengeance sans précédent. Et aussitôt il fit appeler, par les crieurs publics, tous les hommes capables de tenir la lance ou l'épée, et toute l'armée avec ses chefs ; et il fit sortir tous ses engins de guerre, ses tentes et ses éléphants ; et, suivi ainsi de tout son peuple, qui l'aimait extrêmement pour son équité et sa générosité, il se mit en route pour les îles du Camphre et du Cristal.

Pendant ce temps, dans le palais qu'illuminait le bonheur, les deux amants, Diadème et Donia, ne cessaient de s'aimer de plus en plus et ne se levaient des tapis que pour boire ensemble et chanter. Et cela dura de la sorte l'espace de six mois. Or, un jour que l'amour de son amie le ravissait à la limite de tout, Diadème dit à Donia : « Ô l'adorée de mes entrailles, il y a encore une chose qui nous manque pour que notre amour soit admirable ! » Elle lui dit, étonnée : « Ô Diadème, lumière de mes yeux, que peux-tu encore souhaiter ? N'as-tu point mes lèvres et mes seins, mes cuisses et toute ma chair, et mes bras qui t'enlacent et mon âme qui te désire ? Si tu souhaites encore d'autres gestes d'amour que je ne connaisse pas, pourquoi différer de m'en parler ? Et sur l'heure tu verras si je sais les exécuter ! » Diadème dit : « Mon agneau, il ne s'agit pas du tout de cela. Laisse-moi donc te révéler qui je suis ! Sache, ô princesse, que moi-même je suis un fils de roi, et non un marchand du souk. Et le nom de mon père est le roi Soleïmân-Schah, maître de la Ville-Verte et des montagnes d'Ispahân. Et c'est lui-même qui, dans le temps, avait envoyé son vizir au roi Schahramân, ton père, pour te demander comme mon épouse ! Te rappelles-tu qu'alors tu avais refusé cette union et menacé de ta masse d'armes le chef eunuque qui t'en parlait ? Eh bien, réalisons aujourd'hui ce que nous a refusé le passé, et allons ensuite ensemble vers la verte Ispahân ! »

À ces paroles la princesse Donia s'enlaça plus joyeusement au cou du beau Diadème, et par des signes guère équivoques lui repondit par l'ouïe et l'obéissance. Puis tous deux, cette nuit-là, purent pour la première fois se laisser gagner par le sommeil, alors que durant les dix mois écoulés la blancheur du matin les surprenait en accolades, baisers et diverses semblables choses.

Or, pendant que dormaient ainsi les deux amants, alors que le soleil était déjà levé et que tout le palais était en mouvement, le roi Schahramân, père de la princesse, était assis sur les coussins de son trône et était entouré par les émirs et les grands de son royaume, et recevait, ce jour-là, les membres de la corporation des bijoutiers avec leur chef en tête. Et le chef des bijoutiers offrit en hommage au roi un écrin merveilleux qui contenait pour plus de cent mille dinars de diamants, de rubis et d'émeraudes. Aussi le roi Schahramân fut-il extrêmement satisfait de l'hommage et il appela le chef eunuque et lui dit : « Tiens, Kâfour, va porter cela à ta maîtresse Sett-Donia ! Et tu reviendras me dire si ce cadeau est selon son gré. » Et aussitôt l'eunuque Kâfour se dirigea vers le pavillon réservé où habitait seule la princesse Donia.

Or, en arrivant, l'eunuque Kâfour vit, étendue sur un tapis, gardant la porte de sa maîtresse, la nourrice Doudou ; et les portes du pavillon étaient toutes fermées et les rideaux abaissés. Et l'eunuque pensa : « Comment se fait-il qu'elles dorment jusqu'à cette heure avancée, alors que ce n'est guère dans leurs habitudes ! » Puis, comme il ne voulait pas, sans résultat, retourner auprès du roi, il franchit le corps de la vieille étendu en travers de la porte, poussa la porte et entra dans la salle. Et quel ne fut pas son ébahissement et sa stupeur en voyant Sett-Donia endormie toute nue dans les bras du jeune homme, avec un tas de signes péremptoires d'une fornication extraordinaire !

À cette vue, l'eunuque Kâfour se remémora le mauvais traitement dont l'avait menacé Sett-Donia, et il pensa en son âme d'eunuque : « C'est donc ainsi qu'elle abomine le genre masculin ? À mon tour maintenant, si Allah veut, de me venger de mon humiliation ! » Et il ressortit doucement en refermant la porte, et se présenta entre les mains du roi Schahramân. Et le roi lui demanda : « Et qu'a dit ta maîtresse ? » L'eunuque dit : « Voici la boîte. » Et le roi, étonné, demanda : « Ma fille ne veut donc pas plus des pierreries que des maris ? » Mais le nègre dit : « Dispense-moi, ô roi, de cette réponse devant toute cette assemblée ! » Alors le roi fit évacuer la salle du trône, gardant seulement auprès de lui son vizir ; et l'eunuque dit : « Ma maîtresse Donia est dans *telle* et *telle* position ! Mais, en vérité, le jeune homme est fort beau ! » À ces paroles, le roi Schahramân frappa ses mains l'une contre l'autre, ouvrit de grands yeux et s'écria : « La chose est énorme ! » Puis il ajouta : « Tu les as vus, ô Kâfour ? » L'eunuque dit : « Avec cet œil-ci et cet œil-là ! » Alors le roi dit : « C'est tout à fait énorme ! » Et il ordonna à l'eunuque de faire venir devant le trône les deux coupables. Et l'eunuque aussitôt exécuta l'ordre.

Lorsque les deux amants furent entre les mains du roi, il leur dit, suffoqué : « C'est donc vrai ! » Mais il ne put en dire davantage et il saisit à pleines mains son grand sabre et voulut se jeter sur Diadème. Mais Sett-Donia entoura son amant de ses bras, et colla ses lèvres contre les siennes, puis elle cria à son père : « Puisque c'est ainsi, tue-nous tous les deux ! » Alors le roi regagna son trône et ordonna à l'eunuque de ramener Sett-Donia à son appartement ; puis il dit à Diadème : « Misérable corrupteur ! qui es-tu ? et qui est ton père ? et comment as-tu osé arriver jusqu'à ma fille ? » Alors Diadème dit : « Sache, ô roi, que si c'est ma mort que tu désires, la tienne suivra aussitôt, et ton royaume sera dans l'anéantissement ! » Et le roi, hors de lui, s'écria : « Et comment cela ? » Il dit : « Je suis le fils du roi Soleïmân-Schah ! Et j'ai pris, selon ce qui était écrit, ce que l'on m'avait refusé ! Ouvre donc les yeux, ô roi, avant d'ordonner ma perte ! » À ces paroles, le roi fut dans la perplexité et consulta son vizir sur ce qu'il leur restait à faire. Mais le vizir dit : « Ne crois point, ô roi, aux paroles de cet imposteur. La mort seule peut punir la forfaiture d'un pareil fils de pute ! qu'Allah le confonde et le maudisse ! » Alors le roi dit au porte-glaive : « Coupe-lui le cou. »

À ce moment de sa narration, Schahrazade vit apparaître le matin et, discrète selon son habitude, se tut.

Mais lorsque fut la cent trente-sixième nuit. Elle dit :

Alors le roi dit au porte-glaive : « Coupe-lui le cou. » Et c'en était fait de Diadème, si, au moment où le porte-glaive se disposait à exécuter l'ordre, on n'eût annoncé au roi l'arrivée de deux envoyés du roi Soleïmân-Schah, qui sollicitaient l'entrée. Or, justement, les deux envoyés précédaient l'arrivée du roi Soleïmân-Schah, en personne, avec toute son armée. Et ces deux envoyés n'étaient autres que le vizir et le jeune Aziz. Aussi, quand l'entrée leur fut accordée et qu'ils eurent reconnu le fils de leur roi, le prince Diadème, ils faillirent s'évanouir de joie et se jetèrent à ses pieds et les lui embrassèrent ; et Diadème les obligea à se relever et les embrassa et, en quelques mots, leur exposa la situation ; et eux également le mirent au courant de ce qui s'était passé et annoncèrent au roi Schahramân la venue prochaine du roi Soleïmân-Schah et de toutes ses forces.

Lorsque le roi Schahramân comprit le danger qu'il avait couru quand il avait ordonné la mort du jeune Diadème, dont l'identité était maintenant évidente, il leva les bras et bénit Allah qui avait arrêté la main du porte-glaive. Puis il dit à Diadème : « Mon fils, excuse un vieillard comme moi, qui n'a su ce qu'il allait faire. Mais la faute est à mon vizir de malheur, que je vais faire empaler sur-le-champ ! » Alors le prince Diadème lui baisa la main et lui dit : « Tu es, ô roi, comme mon père, et c'est moi plutôt qui devrais te demander pardon de l'émotion que je t'ai donnée ! » Le roi dit : « La faute est à cet eunuque de malédiction que je vais faire crucifier sur une planche pourrie qui ne vaille pas deux drachmes ! » Alors Diadème dit : « Pour ce qui est de l'eunuque, il le mérite bien ! Mais pour le vizir, ce sera la prochaine fois, s'il recommence ! » Alors Aziz et le vizir intercédèrent auprès du roi pour obtenir également le pardon de l'eunuque, que la terreur avait fait pisser dans ses vêtements. Et le roi, par égards pour le vizir, pardonna à l'eunuque Kâfour. Alors Diadème dit : « La chose la plus importante à faire est encore de calmer au plus vite la crainte où doit être ta fille Sett-Donia qui est toute mon âme ! » Le roi dit : « De ce pas, je vais chez elle, moi-même ! » Mais auparavant il ordonna à son vizir, à ses émirs et à ses chambellans d'escorter le prince Diadème jusqu'au hammam et de lui faire prendre eux-mêmes un bain qui le disposât agréablement. Puis il courut au pavillon réservé de Sett-Donia, qu'il trouva sur le point de s'enfoncer dans le cœur la pointe d'un glaive dont la poignée reposait à terre. À cette vue, le roi sentit sa raison s'envoler et cria à sa fille : « Il est en sécurité ! Aie pitié de ton père, ma fille ! » À ces paroles, Sett-Donia rejeta l'épée loin d'elle et baisa la main de son père, et son père la mit au courant de la situation. Alors elle lui dit : « Je ne serai tranquille que lorsque je verrai mon amoureux ! » Alors le roi se hâta, une fois Diadème revenu du hammam, de le mener chez la princesse Donia, qui se jeta à son cou ; et pendant que les deux amants s'embrassaient, le roi ferma discrètement la porte sur eux. Puis il rentra dans son palais donner les ordres nécessaires pour la réception du roi Soleïmân-Schah, à qui il se hâta de dépêcher le vizir et Aziz pour lui annoncer l'heureux état des choses, en même temps qu'il prit soin de lui envoyer, comme cadeaux, cent chevaux magnifiques, cent dromadaires de course, cent jeunes garçons, cent adolescentes, cent nègres et cent négresses.

Et c'est alors seulement que le roi Schahramân, une fois ces préliminaires accomplis, sortit lui-même à la rencontre du roi Soleïmân-Schah, en prenant soin de se faire accompagner par le prince Diadème ; et, suivis d'une suite nombreuse, ils sortirent tous deux de la ville. Et, en les voyant s'approcher, le roi Soleïmân-Schah vint également au-devant d'eux et s'écria : « Louange à Allah qui a fait parvenir mon fils à ses fins ! » Puis les deux rois s'embrassèrent affectueusement ; et Diadème se jeta au cou de son père en pleurant de joie, et son père également. Puis on se mit à manger, à boire et à causer dans le bonheur le plus parfait. Et, cela fait, on fit venir les kâdis et les témoins et, séance tenante, on écrivit le contrat de mariage de Diadème et de Sett-Donia. Puis on fit, à cette occasion, de grandes largesses aux soldats et au peuple, et, pendant quarante jours et quarante nuits, la ville fut décorée et illuminée. Et c'est au milieu de toute la joie et de toutes les fêtes que Diadème et Donia purent désormais s'entr'aimer tout à leur aise, à la limite extrême de l'amour !

Mais aussi Diadème se garda-t-il bien d'oublier les bons services de son ami Aziz ; car, après avoir envoyé tout un convoi avec Aziz pour chercher la mère d'Aziz, qui le pleurait depuis longtemps, il ne voulut plus se séparer de lui. Et après la mort du roi Soleïmân-Schah, comme Diadème était devenu, à son tour, roi de la Ville-Verte et des montagnes d'Ispahân, il nomma Aziz grand vizir ; et puis il nomma le vieux gardien intendant général du royaume, et le cheikh du souk, chef général de toutes les corporations. Et ils vécurent tous dans le bonheur, jusqu'à la mort, seule calamité sans remède !

Lorsqu'il eut fini de raconter cette histoire d'Aziz et Aziza et celle de Diadème et Donia, le vizir Dandân demanda la permission au roi Daoul'makân de boire un verre de sirop à la rose. Et le roi Daoul'makân s'écria : « Ô mon vizir, y a-t-il quelqu'un sur terre aussi digne que toi de tenir compagnie aux princes et aux rois ! En vérité, cette histoire m'a ravi extrêmement, tant elle est délicieuse et agréable à écouter ! » Et le roi Daoul'makân donna à son vizir la plus belle robe d'honneur du trésor royal.

Mais pour ce qui est du siège de Constantinia…

À ce moment de sa narration, Schahrazade vit apparaître le matin, et se tut discrètement.

Mais lorsque fut la cent trente-septième nuit. Elle dit :

Mais pour ce qui est du siège de Constantinia, il y avait déjà quatre ans qu'il traînait en longueur, sans résultat décisif ; et les soldats et les chefs commençaient à souffrir vivement d'être loin de leurs parents et de leurs amis ; et la rébellion était imminente.

Aussi le roi Daoul'makân fut prompt à prendre ses résolutions, et il appela les trois grands chefs Bahramân, Rustem et Turkash, et en présence du vizir Dandân, leur dit : « Vous êtes témoins de ce qui a lieu, et de la fatigue qui pèse sur tous par suite de ce siège de malheur, et des fléaux irrémédiables que la vieille Mère-des-Calamités a fait tomber sur nos têtes, ne serait-ce seulement que la mort de mon frère, l'héroïque Scharkân. Réfléchissez donc sur ce qui nous reste à faire, et répondez-moi comme il faut que vous répondiez ! » Alors les trois chefs de l'armée baissèrent la tête et réfléchirent longuement ; puis ils dirent : « Ô roi, le vizir Dandân est plus expérimenté que nous tous, et il a vieilli dans la sagesse ! » Et le roi Daoul'makân se tourna vers le vizir Dandân et lui dit : « Nous sommes tous ici dans l'attente de tes paroles ! »

Alors le vizir Dandân s'avança entre les mains du roi et dit : « Sache, ô roi du temps, qu'il nous est, en effet, désormais nuisible de demeurer plus longtemps sous les murs de Constantinia. D'abord tu dois toi-même, ô roi, être pris du désir de revoir ton jeune fils Kanmakân et aussi ta nièce Force-du-Destin, fille de notre défunt prince Scharkân, laquelle est à Damas, dans le palais, avec les femmes. Et puis tous ici nous sentons vivement la douleur d'être si loin de notre pays et de nos maisons. Mon idée est donc que nous retournions à Bagdad, quitte à revenir ici, plus tard, pour ne laisser de cette ville mécréante que juste de quoi faire nicher les corbeaux et les vautours ! » Et le roi dit : « En vérité, ô mon vizir, tu as répondu selon mes vues ! » Et aussitôt il fit annoncer à tout le camp, par les crieurs publics, que dans trois jours devait avoir lieu le départ.

Et, en effet, le troisième jour, bannières au vent et trompettes sonnantes, l'année leva le campement et reprit le chemin de Bagdad. Et après des jours et des nuits elle arriva dans la Ville-de-Paix, où elle fut reçue avec de grands transports de joie par tous les habitants.

Mais pour ce qui est du roi Daoul'makân, la première chose qu'il fit fut d'aller voir et d'embrasser son fils Kanmakân qui venait d'atteindre sa septième année d'âge ; et la seconde chose qu'il fit fut d'appeler à lui son ancien ami, le vieux chauffeur du hammam. Et lorsqu'il le vit, il se leva du trône en son honneur, et l'embrassa et le fit s'asseoir à ses côtés, et le loua énormément devant tous ses émirs et tous les assistants. Or, pendant tout cet espace de temps, le chauffeur du hammam était devenu méconnaissable, à force de manger, de boire et de se reposer ; il avait grossi à la limite de l'embonpoint ; son cou était devenu comme le cou d'un éléphant, son ventre comme le ventre d'une baleine, et sa figure aussi luisante qu'un pain arrondi sortant du four.

Donc il avait commencé par se défendre d'accepter l'invitation que lui faisait le roi de s'asseoir à côté de lui, et lui avait dit : « Ô mon maître, qu'Allah me préserve de commettre pareil abus ! Il y a longtemps qu'ils sont passés, les jours où il m'était permis d'oser m'asseoir en ta présence ! » Mais le roi Daoul'makân lui avait dit : « Ces jours ne peuvent maintenant, pour toi, que recommencer, ô mon père ! Car c'est toi qui m'as sauvé la vie ! » Et il avait obligé le chauffeur à s'asseoir avec lui sur le grand lit du trône.

Alors le roi dit au chauffeur : « Je veux te voir me demander une faveur, car je suis prêt à t'accorder tout ce que tu désires, fût-ce même le partage de mon royaume ! Parle donc, et Allah t'écoutera ! » Alors le vieux chauffeur dit : « Je voudrais bien te demander quelque chose que je souhaite depuis longtemps, mais j'aurais si peur de paraître indiscret ! » Et le roi fut très affligé et dit : « Il faut absolument que tu m'en parles ! » Le chauffeur dit : « Tes ordres sont sur ma tête ! Voici : je souhaite, ô roi, avoir, de ta main, un brevet par lequel je sois nommé président général des chauffeurs de tous les hammams de ma Ville-Sainte, ma ville ! » À ces paroles le roi et tous les assistants rirent extrêmement ; et le chauffeur crut que sa demande était exorbitante ; et il en fut à la limite de la désolation. Mais le roi lui dit : « Par Allah ! demande-moi autre chose ! » Et le vizir Dandân, également, s'approcha doucement du chauffeur et lui pinça la jambe et lui cligna de l'œil pour lui dire : « Demande donc autre chose ! » Et le chauffeur dit : « Alors, ô roi du temps, je souhaiterais fort être nommé cheikh principal de toute la corporation des balayeurs d'ordures, dans la Ville-Sainte, ma ville ! » À ces paroles le roi et les assistants furent pris d'un tel rire qu'ils lancèrent leurs jambes en l'air. Puis le roi dit au chauffeur : « Voyons, mon frère, il te faut absolument me demander quelque chose qui soit digne de toi et qui vaille vraiment la peine ! » Le chauffeur dit : « J'ai peur que tu ne puisses me l'accorder ! » Le roi dit : « Rien n'est impossible à Allah ! » Et le chauffeur dit : « Nomme-moi alors sultan de Damas à la place du défunt prince Scharkân ! » Et le roi Doul'makân répondit : « Sur mes yeux ! » Et à l'heure même il fit écrire la nomination du chauffeur comme sultan de Damas et lui donna, en tant que nouveau roi, le nom de Zablakân El-Moujahed. Puis il chargea le vizir Dandân d'accompagner le nouveau roi, avec un cortège magnifique, jusqu'à Damas, puis de revenir en ramenant de là-bas la fille du défunt prince Scharkân, Force-du-Destin. Et, avant le départ, il fit ses adieux au chauffeur et l'embrassa et lui recommanda d'être bon et juste envers ses nouveaux sujets ; puis il dit à tous les assistants : « Que tous ceux qui ont pour moi de l'affection et des égards, témoignent leur joie au sultan El-Zablakân par des cadeaux ! » Et aussitôt les présents affluèrent autour du nouveau roi que Daoul'makân revêtit lui-même de la robe royale ; et quand tous les préparatifs furent faits, le roi Daoul'makân lui donna, pour sa garde particulière, cinq mille jeunes mamalik et des porteurs chargés d'un palanquin royal rouge et or. Et c'est ainsi que le chauffeur du hammam, devenu le sultan El-Moujahed El-Zablakân, suivi de toute sa garde, du vizir Dandân, des émirs Rustem, Turkash et Bahramân, sortit de Bagdad et arriva à Damas, son royaume.

Or, le premier soin du nouveau roi fut de commander aussitôt un cortège splendide pour accompagner à Bagdad la jeune princesse de huit ans, Force-du-Destin, fille du défunt prince Scharkân ; et il mit à son service dix jeunes filles et dix jeunes nègres, et lui remit beaucoup de cadeaux et notamment de la pure essence de roses et des confitures d'abricots dans de grandes boîtes bien scellées contre l'humidité, sans oublier non plus les entrelacs délicieux, mais si fragiles qu'ils ne pourraient probablement arriver intacts jusqu'à Bagdad ; et il lui donna aussi vingt grands pots remplis de dattes cristallisées, liées par un sirop parfumé aux clous de girofle et vingt caisses de pâtisseries en feuilleté et vingt caisses de douceurs variées, commandées spécialement chez les meilleurs marchands de douceurs de Damas. Et le tout fit la charge de quarante chameaux, sans compter les grands ballots de soieries et d'étoffes d'or tissées par les plus habiles tisserands du pays de Scham, et les armes précieuses et les vases de cuivre et d'or repoussé et les broderies.

Puis, ces préparatifs étant terminés, le sultan El-Zablakân voulut également faire un riche cadeau en argent au vizir Dandân ; mais le vizir ne voulut point l'accepter, disant : « Ô roi, tu es encore nouveau dans ce royaume, et tu auras besoin de faire de cet argent meilleur usage qu'en me le donnant ! » Puis le convoi se mit en marche, par petites étapes ; et, au bout d'un mois, Allah leur écrivit la sécurité, et ils arrivèrent tous en bonne santé à Bagdad. Alors le roi Daoul'makân reçut la jeune Force-du-Destin avec des transports de joie et la remit aux mains de sa mère Nôzhatou et de l'époux de Nôzhatou, le grand chambellan. Et il lui fit donner les mêmes maîtres qu'à Kanmakân ; et ces deux enfants devinrent ainsi inséparables et furent pris l'un pour l'autre d'une affection qui ne fit qu'augmenter avec l'âge. Et cet état de choses dura de la sorte l'espace de huit ans, pendant lesquels le roi Daoul'makân ne perdait pas de vue les armements et les préparatifs pour la guerre contre les Roum mécréants.

Mais, à la suite de toutes les fatigues et peines endurées pendant sa jeunesse perdue, le roi Daoul'makân baissait tous les jours en forces et en santé. Et, son état ne faisant qu'empirer sensiblement, il fit appeler un jour le vizir Dandân et lui dit : « Ô mon vizir, je te fais venir pour te soumettre un projet que je désire réaliser. Réponds-moi donc en toute droiture ! » Le vizir dit : « Quoi donc, ô roi du temps ? » Il dit : « J'ai résolu d'abdiquer le pouvoir, de mon vivant, et de mettre à ma place, sur le trône, mon fils Kanmakân, et de me réjouir ainsi de le voir régner avec gloire, avant ma mort ! Qu'en penses-tu ? dis-le-moi, ô mon vizir à l'âme saturée de sagesse ! »

À ces paroles, le vizir Dandân baisa la terre entre les mains du roi, et, la voix très émue, il lui dit : « Le projet que tu me soumets, ô roi fortuné, ô doué de prudence et d'équité, n'est point réalisable ni opportun – pour deux motifs : le premier est que ton fils, le prince Kanmakân, est encore très jeune, et le second est que c'est une chose certaine que le roi qui fait régner son fils de son vivant a dès lors ses jours comptés sur le livre de l'ange ! » Mais le roi dit : « Pour ce qui est de ma vie, en vérité, je sens qu'elle est finie ; mais pour ce qui est de mon fils Kanmakân, puisqu'il est encore si jeune, je vais nommer comme son tuteur pour le règne le grand chambellan, époux de ma sœur Nôzhatou ! »

Et aussitôt le roi fit assembler ses émirs, ses vizirs et tous les grands du royaume et nomma le grand chambellan tuteur de son fils Kanmakân, et lui recommanda, comme recommandation suprême, de marier ensemble, à leur majorité, Force-du-Destin et Kanmakân. Et le grand chambellan répondit : « Je suis l'accablé de tes bienfaits, et le plongé dans l'immensité de ta bonté ! » Alors le roi Daoul'makân se tourna vers son fils Kanmakân et lui dit, des larmes pleins les yeux : « Ô mon fils, sache qu'après ma mort le grand chambellan sera ton tuteur et ton conseil, mais le grand vizir Dandân sera ton père à ma place. Car voici que moi-même je me sens m'en aller de ce monde périssable vers la demeure éternelle. Mais je veux auparavant, ô mon fils, te dire qu'il me reste une seule chose à souhaiter sur la terre, avant de mourir : c'est la vengeance à tirer de celle qui fut la cause de la mort de ton grand-père le roi Omar Al-Némân et de ton oncle le prince Scharkân, la vieille de malheur et de malédiction qui a nom Mère-des-Calamités ! » Et le jeune Kanmakân répondit : « Aie l'âme en paix, ô père, Allah vous vengera tous par mon entremise ! » Alors le roi Daoul'makân sentit une grande sérénité lui rafraîchir l'âme, et il s'étendit plein de quiétude sur la couche d'où il ne devait plus se relever.

En effet, quelque temps après, le roi Daoul'makân, comme toute créature sous la main qui la créa, redevint ce qu'il avait été dans l'au-delà insondable ; et il fut de lui comme s'il n'avait jamais été. Car le temps fauche tout et ne se souvient pas !

À ce moment de sa narration, Schahrazade vit apparaître le matin et, discrète comme elle était, n'en dit pas davantage cette nuit-là.

Mais lorsque fut la cent trente-huitième nuit. Elle dit :

... Et il fut de lui comme s'il n'avait jamais été. Car le temps fauche tout et ne se souvient pas ! Et cela est pour que celui qui veut savoir la destinée de son nom dans le futur apprenne à regarder la destinée de ceux qui l'ont précédé dans la mort !

Et telle est l'histoire du roi Daoul'makân, fils du roi Omar Al-Némân et frère du prince Scharkân – qu'Allah les ait tous en sa miséricorde infinie !

Mais aussi c'est à partir de ce jour, et pour ne point démentir le proverbe qui dit : « Celui qui laisse une postérité, ne meurt pas ! » que commencèrent les AVENTURES DU JEUNE KANMAKÂN, FILS DE DAOUL'MAKÂN.

En effet, pour ce qui est du jeune Kanmakân et de sa cousine Force-du-Destin, ya Allah ! qu'ils étaient devenus beaux ! En grandissant, l'harmonie de leurs traits se fit plus exquise, et leurs perfections germèrent dans leur plénitude ; et on ne pouvait, en vérité, les comparer qu'à deux rameaux chargés de leurs fruits ou à deux lunes de splendeur. Et, pour parler de chacun d'eux en particulier, il faut dire que Force-du-Destin avait en elle tout ce qu'il fallait pour rendre fou : dans sa royale solitude, loin de tous les regards, la blancheur de son teint s'était fait sublime, sa taille était devenue mince, juste comme il fallait, et aussi droite que la lettre aleph ; ses hanches, absolument adorables dans leur massive lourdeur ; quant au goût de sa salive, ô lait ! ô vins ! ô douceurs ! qu'êtes-vous ? Et pour dire un mot de ses lèvres, de la couleur des grenades, vous, délices des fruits mûrs, parlez ! Mais quant à ses joues, ses joues ! les roses elles-mêmes avaient reconnu leur suprématie. Aussi qu'elles sont vraies ces paroles du poète à son égard :

Enivre-toi, mon cœur ! Dansez de joie dans vos orbites, ô mes yeux ! La voici ! Elle fait les délices de Celui même qui l'a créée !

Ses paupières défient le kôhl de les rendre plus brunes. Aïe ! aïe : je sens leurs regards me transpercer le cœur aussi sûrement que si c'était le glaive de l'émir des Croyants.

Ah ! Ah ! quand je goûte ses lèvres ! Ô jus qui coules des raisins mûrs avant qu'on les presse ! Et toi, sirop qui filtres sous le pressoir de ses perles !...

Quant à vous, palmiers qui secouez sous la brise les grappes pendantes de vos cheveux, voici sa chevelure !

Telle était la jeune princesse Force-du-Destin, fille de Nôzhatou. Mais, pour ce qui est de son cousin le jeune Kanmakân, c'était encore bien autre chose. Les exercices et la chasse, l'équitation et les joutes à la lance et au javelot, le tir à l'arc et les courses à chevaux avaient assoupli son corps et aguerri son âme ; et il était devenu le plus beau cavalier des pays musulmans, et le plus courageux d'entre les guerriers des villes et des tribus. Et, avec tout cela, son teint était resté aussi frais que celui d'une vierge, et sa figure plus jolie à voir que les roses et les narcisses ; comme dit le poète à son sujet :

À peine circoncis, la soie légère amoureusement duveta la douceur de son menton, pour, avec l'âge, ombrager ses joues d'un velours noir au tissu très serré.

Aux yeux réjouis de ceux qui le regardaient, il était tel le faon qui esquisse une danse derrière les pas de sa mère.

Aux âmes attentives qui le suivaient, ses joues s'offraient dispensatrices de l'ivresse, ses joues où tendrement circulait la rougeur d'un sang aussi délicat que le miel naturel de sa salive.

Mais moi, qui consacrais ma vie à l'adoration de ses charmes, ce qui me ravissait l'âme, c'était surtout la couleur verte de son caleçon.

Mais il faut savoir que, depuis déjà un certain temps, le grand chambellan, tuteur de Kanmakân, malgré toutes les remontrances de son épouse Nôzhatou, et tous les bienfaits dont il était redevable au père de Kanmakân, avait fini par s'emparer complètement du pouvoir et s'était même fait proclamer successeur de Daoul'makân par une partie du peuple et de l'armée. Quant à l'autre partie du peuple et de l'armée, elle était restée fidèle au nom et au descendant d'Omar Al-Némân, et était dirigée dans son devoir par le vieux vizir Dandân. Mais le vizir Dandân, devant les menaces du grand chambellan, avait fini par s'éloigner de Bagdad, et s'était retiré dans une ville du voisinage, attendant que la destinée se tournât du côté de l'orphelin frustré de ses droits.

Aussi le grand chambellan, n'ayant plus rien à craindre de personne, avait forcé Kanmakân et sa mère à s'enfermer dans leurs appartements, et avait même défendu à sa fille Force-du-Destin d'avoir désormais des relations avec le fils de Daoul'makân. Et de la sorte la mère et le fils vivaient dans la retraite, attendant qu'Allah voulût bien rendre son droit à qui de droit.

Mais tout de même, malgré la surveillance du grand chambellan, Kanmakân pouvait des fois voir sa cousine Force-du-Destin, et lui parler, mais en cachette seulement. Or, un jour qu'il ne pouvait la voir, et que l'amour lui torturait le cœur plus que de coutume, il prit une feuille de papier et écrivit à son amie ces vers passionnés :

« Tu marchais, ô bien-aimée, au milieu de tes femmes, toute baignée dans ta beauté ! Les roses, à ton passage, séchaient d'envie sur leurs tiges, en se comparant à leurs sœurs sur tes joues ;

Les lis clignaient de l'œil devant le grain de ta blancheur ; et les camomilles en fleurs souriaient du sourire de tes dents.

Ah ! quand verrai-je mon exil et mon cœur guérir des douleurs de l'absence, pour que mes lèvres heureuses se rapprochent enfin de celles de ma bien-aimée ?

Ah ! pourrai-je enfin connaître si l'union nous est possible, ne fût-ce qu'une nuit, et voir si tu peux éprouver un peu des sensations dont déborde tout mon être ?

Et qu'Allah me fasse patienter sur mon mal, comme le malade supporte le cautère, en vue de la guérison ! »

Et, ayant cacheté la lettre, il la remit à l'eunuque de service, dont le premier soin fut de la donner en main propre au grand chambellan. Aussi à la lecture de cette déclaration, le grand chambellan écuma et tempêta et jura qu'il allait châtier le jeune insolent. Mais bientôt il songea qu'il valait mieux, pour ne point ébruiter l'affaire, n'en parler seulement qu'à son épouse Nôzhatou. Il alla donc trouver Nôzhatou dans son appartement et, après avoir congédié la jeune Force-du-Destin, en lui disant d'aller respirer l'air dans le jardin, il dit à son épouse…

À ce moment de sa narration, Schahrazade vit apparaître le matin et, discrète, se tut.

Mais lorsque fut la cent trente-neuvième nuit. Elle dit :

Le grand chambellan dit à son épouse Nôzhatou : « Tu dois savoir que le jeune Kanmakân a depuis longtemps atteint l'âge de la puberté, et qu'il se sent porté à s'essayer sur ta fille Force-du-Destin. Il faut donc les séparer désormais sans espoir de rencontre, car il est fort dangereux d'approcher le bois de la flamme. Désormais il ne faut plus que ta fille puisse sortir de l'appartement des femmes ou se découvrir le visage : car elle n'est plus dans l'âge où les filles peuvent sortir découvertes ! Et surtout prends bien garde de leur permettre à tous deux de communiquer, car je suis disposé, au moindre motif, à empêcher à jamais le jeune homme de se laisser aller aux instincts de sa perversité ! »

À ces paroles, Nôzhatou ne put s'empêcher de pleurer et, une fois son époux parti, elle alla trouver son neveu Kanmakân et le mit au courant de la colère du grand chambellan. Puis elle lui dit : « Sache pourtant, ô fils de mon frère, que je pourrai quelquefois te ménager des rencontres secrètes avec Force-du-Destin, mais à travers la porte seulement ! Sois donc patient jusqu'à ce qu'Allah te prenne en compassion ! » Mais Kanmakân sentit toute son âme se bouleverser à cette nouvelle et s'écria : « Je ne vivrai point un moment de plus dans un palais où je devrais seul commander ! Et je ne souffrirai plus désormais que les pierres de la maison abritent mes humiliations ! » Puis sur-le-champ il se dévêtit de ses habits, se couvrit la tête d'un bonnet de saâlouk, jeta sur ses épaules un vieux manteau de nomade et, sans prendre le temps de faire ses adieux à sa mère et à sa tante, il se dirigea en toute hâte vers les portes de la ville, n'ayant dans son sac, pour toute provision de route, qu'un seul pain, vieux de trois jours. Et lorsque les portes de la ville furent ouvertes, il fut le premier à les franchir ; et il s'éloigna à grands pas en se récitant ces strophes en guise d'adieu à tout ce qu'il venait de quitter :

« Je ne te crains plus, ô mon cœur ; tu peux battre et te rompre même dans ma poitrine, mes yeux ne sauront plus s'attendrir, et en mon âme la pitié ne saura trouver de place.

Cœur alourdi par l'amour, ma volonté, malgré toi, ne fléchira pas et n'acceptera plus d'humiliation, mon corps dût-il fondre en entier de ma sévérité.

Excuse-moi ! à prendre pitié de toi, mon cœur, que deviendrait mon énergie ? Celui qui se laisse détourner par les yeux ardents n'a point ensuite à se plaindre de tomber blessé à mort.

Je veux parcourir par bonds sauvages la terre sans bornes, la bonne terre large et maternelle à qui vagabonde, pour sauver mon âme unique de tout ce qui pourrait abolir sa vigueur !

Je combattrai les héros et les tribus ; je m'enrichirai du butin fait sur tous mes vaincus ; et, puissant désormais de ma gloire et de ma vigueur, je reviendrai ; et toutes les portes s'ouvriront seules !

Car sache-le bien, cœur naïf, pour avoir les cornes précieuses de la bête, il faudra d'abord dompter la bête ou la tuer ! »

Or, pendant que le jeune Kanmakân fuyait ainsi sa ville et ses parents, sa mère, ne l'ayant plus vu de la journée, le chercha partout sans résultat. Alors elle s'assit à pleurer et attendit son retour en proie aux pensées les plus torturantes. Mais le second, puis le troisième et le quatrième jour passèrent, sans que personne eût des nouvelles de Kanmakân. Alors sa mère s'enferma dans son appartement, à pleurer, à se lamenter et à dire du plus profond de sa douleur : « Ô mon enfant, de quel côté t'appeler ? Vers quel pays courir te chercher ? Et que peuvent maintenant ces larmes que je verse sur toi, mon enfant ? Où es-tu ? Où es-tu, ô Kanmakân ? » Puis la pauvre mère ne voulut plus ni boire ni manger ; et son deuil fut connu de toute la ville et partagé par tous les habitants, qui aimaient le jeune homme et aimaient son défunt père. Et tous s'écriaient : « Où es-tu, ô pauvre Daoul'makân, ô roi qui avais été si juste et si bon pour ton peuple ? Voici que ton fils est perdu, et nul de ceux que tu as comblé de tes bienfaits ne sait retrouver ses traces ! Ah ! pauvre postérité d'Omar Al-Némân, qu'es-tu devenue ? »

Mais pour ce qui est de Kanmakân, il se mit à marcher tout le long du jour, et ne se reposa qu'à la nuit noire. Et le lendemain et les jours suivants il continua à voyager, en se nourrissant des plantes qu'il ramassait et en buvant l'eau des sources et des ruisseaux. Et au bout de quatre jours il arriva dans une vallée couverte de forêts, et où couraient des eaux vives et où chantaient les oiseaux et les ramiers. Alors il s'arrêta, fit ses ablutions selon le rite, puis sa prière ; et, ayant ainsi accompli les devoirs prescrits, comme la nuit venait, il s'étendit sous un grand arbre et s'endormit. Et il resta ainsi endormi jusqu'à minuit. Alors, au milieu du silence de la vallée, une voix fusa, sortant des rochers d'alentour, qui le réveilla. Elle chantait :

« Vie de l'homme ! que vaudrais-tu sans l'éclair du sourire sur les lèvres de l'aimée, sans le baume de son visage tranquille ?

Ô mort ! tu serais désirable si mes jours devaient s'écouler toujours loin de l'amie que ne sauraient me faire oublier ni les menaces ni l'exil !

Ô joie des amis réunis sur la prairie à boire les vins exquis des mains de l'échanson ! ô leur joie si les brûle la passion quand ils prennent la coupe des mains de l'échanson.

Printemps ! tes fleurs, aux côtés de la bien-aimée, me guérissent l'âme des duretés passées du sort aveugle ! Ô printemps, tes fleurs sur la prairie…

Et toi, ami, qui bois la liqueur rousse et parfumée, regarde ! sous ta main s'étend une terre joyeuse de ses eaux, de ses couleurs et de sa fécondité ! »

À ce chant admirable qui montait ainsi dans la nuit, Kanmakân se leva, transporté, et essaya de percer les ténèbres du côté d'où lui arrivait la voix ; mais il ne put distinguer d'autres formes que les troncs vagues des arbres au-dessus de la rivière qui coulait au fond de la vallée. Alors il marcha un peu dans la même direction et descendit ainsi jusque sur les bords mêmes de la rivière. Et la voix devint plus distincte et plus émue en chantant ce poème dans la nuit :

« Entre elle et moi il y a des serments d'amour. Et c'est pourquoi j'ai pu la laisser dans la tribu !

Ma tribu dans le désert est la plus riche en chevaux parfaits et en filles aux yeux noirs. C'est la tribu de Taïm.

Brise ! ton souffle m'arrive de chez les Bani-Taïm ! Elle pacifie mon foie et m'enivre à l'extrême.

Dis-moi, esclave Saâd, celle dont la cheville est cerclée du grelot sonore se souvient-elle parfois de nos serments d'amour, et que dit-elle ?

Ah ! pulpe de mon cœur, un scorpion t'a piquée. Viens, amie ! Je guérirai, de l'antidote de tes lèvres, en humant leur salive et ta fraîcheur ! »

Lorsque Kanmakân eut entendu pour la seconde fois ce chant de l'invisible, il essaya encore de voir dans les ténèbres ; mais comme il ne put y réussir, il monta sur le sommet d'un rocher et, de toute sa voix, il clama…

À ce moment de sa narration, Schahrazade vit apparaître le matin et se tut discrètement.

Mais lorsque fut la cent quarantième nuit. Elle dit :

… Il monta sur le sommet d'un rocher et, de toute sa voix, il clama : « Ô passant dans les ténèbres de la nuit, de grâce ! rapproche-toi d'ici que j'entende ton histoire qui doit ressembler à mon histoire. Et nous essaierons de nous distraire mutuellement ! » Puis il se tut.

Au bout de quelques instants, la voix qui avait chanté répondit : « Ô toi qui m'appelles, qui donc es-tu ? Es-tu homme de la terre ou génie souterrain ? Si tu es un génie, continue ton chemin ! Mais, si tu es un homme, attends ici l'apparition de la lumière ! Car la nuit est pleine d'embûches et de trahisons ! »

À ces paroles, Kanmakân se dit en lui-même : « Sûrement, le propriétaire de la voix est un homme dont l'aventure ressemble étrangement à la mienne ! » Puis il resta sans plus bouger jusqu'à l'apparition du matin.

Or, il vit s'avancer vers lui, à travers les arbres de la forêt, un homme vêtu comme les Bédouins du désert, grand et armé d'un glaive et d'un bouclier ; et il se leva et le salua ; et le Bédouin lui rendit son salut, et, après les formules d'usage, le Bédouin lui demanda, étonné de son jeune âge : « Ô jeune homme que je ne connais pas, qui donc es-tu ? À quelle tribu appartiens-tu ? Et quels sont tes parents chez les Arabes ? En vérité tu es d'un âge où l'on ne voyage pas seul dans la nuit et dans les contrées où l'on ne voit que troupes armées. Raconte-moi donc ton histoire. » Kanmakân dit : « Mon grand-père était le roi Omar Al-Némân ; mon père, le roi Daoul'makân, et je suis moi-même Kanmakân qui brûle d'amour pour sa cousine la princesse Force-du-Destin ! » Alors le Bédouin lui dit : « Mais comment se fait-il qu'étant roi fils de rois, tu sois habillé comme un saâlouk et voyages sans une escorte digne de ton rang ? » Il répondit : « Je me ferai désormais mon escorte moi-même, et je commencerai par te prier d'être le premier à en faire partie ! » À ces paroles, le Bédouin se mit à rire et lui dit : « Tu parles, ô jeune garçon, comme si tu étais déjà un guerrier accompli ou un héros illustré dans vingt combats ! Or, pour te démontrer ton insuffisance, je vais à l'instant m'emparer de toi pour que tu me serves comme esclave ! Et alors, si vraiment tes parents sont des rois, ils seront assez riches pour payer ta rançon ! » Et Kanmakân sentit la fureur lui jaillir des paupières et il dit au Bédouin : « Par Allah ! nul ne paiera ma rançon que moi-même ! Garde à toi, ô Bédouin ! À entendre tes vers, je t'avais cru doué de manières exquises… »

Et Kanmakân s'élança sur le Bédouin qui, pensant ne faire qu'un jeu de cet enfant, l'attendait en souriant. Mais comme il le pensait à tort ! En effet, Kanmakân, dans un corps à corps avec le Bédouin, se campa solidement en terre, sur des jambes plus solides que des montagnes et plus d'aplomb que des minarets. Puis, s'étant bien consolidé en s'appuyant, il serra contre lui le Bédouin à lui faire craquer les ossements et à lui vider les entrailles ! Et soudain il le souleva de terre dans ses bras, et, ainsi chargé, il courut à grands pas vers la rivière. Alors le Bédouin, qui n'avait pas encore eu le temps de revenir de l'effarement de voir tout à coup se révéler une telle force chez cet enfant, s'écria : « Que vas-tu faire ainsi, me transportant vers l'eau du courant ? » Et Kanmakân répondit : « Je vais te précipiter dans ce courant qui te portera jusqu'au Tigre ; le Tigre te portera jusqu'au Nahr-Issa ; le Nahr-Issa te portera jusqu'à l'Euphrate ; et l'Euphrate alors te conduira jusque vers ta tribu ! Et alors ceux de la tribu jugeront de ta vaillance et de ton héroïsme, ô Bédouin ! » Et le Bédouin, devant le danger pressant, au moment où Kanmakân le soulevait plus en l'air pour le jeter dans la rivière, s'écria : « Ô jeune héros, je t'adjure par les yeux de ton amoureuse Force-du-Destin de m'accorder la vie sauve ! Et désormais je serai le plus soumis de tes esclaves ! » Et aussitôt Kanmakân recula vivement et le déposa à terre doucement en lui disant : « Tu m'as désarmé par ce serment ! » Et ils s'assirent tous deux sur le bord du courant et le Bédouin tira de sa besace un pain d'orge qu'il rompit et dont il donna la moitié à Kanmakân avec aussi un peu de sel : et leur amitié désormais se consolida sincèrement. Alors Kanmakân lui demanda : « Compagnon, maintenant que tu sais qui je suis, veux-tu me dire toi-même ton nom et celui de tes parents ? » Et le Bédouin dit : « Je suis Sabah ben-Remah ben-Hemam de la tribu de Taïm, dans le désert de Scham. Et voici, en peu de mots, mon histoire :

« J'étais encore en très bas âge quand mon père mourut. Et je fus recueilli par mon oncle et élevé dans sa maison en même temps que sa fille Nejma. Or, j'ai aimé Nejma, et Nejma également m'aima. Et lorsque je fus en âge de me marier, je la voulus pour épouse ; mais son père, me voyant pauvre et sans ressources, ne voulut point consentir à notre mariage. Pourtant, devant les remontrances des principaux cheikhs de la tribu, mon oncle voulut bien me promettre Nejma comme épouse, mais à condition de lui constituer une dot composée de cinquante chevaux, cinquante chamelles de race, dix esclaves femmes, cinquante charges de blé et cinquante charges d'orge, et plutôt plus que moins. Alors, moi je jugeai que la seule façon de constituer cette dot de Nejma était de sortir de ma tribu et d'aller au loin attaquer les marchands et piller les caravanes. Et telle est la cause de mon séjour, cette nuit, dans l'endroit où tu m'as entendu chanter. Mais, ô compagnon, qu'est ce chant si tu le comparais à la beauté de Nejma ! Car, qui voit seulement Nejma une fois dans la vie, se sent l'âme pleine de bénédiction et de bonheur pour le restant de ses jours ! » Et, ayant dit ces paroles, le Bédouin se tut.

Alors Kanmakân lui dit : « Je savais bien, compagnon, que ton histoire devait ressembler à la mienne ! Aussi désormais nous allons combattre côte à côte et gagner nos amantes avec le fruit de nos exploits ! »

Et, comme il venait de terminer ces mots, une poussière s'éleva dans le coin pour se rapprocher rapidement ; et, une fois dissipée, devant eux apparut un cavalier dont le visage était jaune comme celui d'un mourant, et dont les habits étaient imprégnés de sang, et il s'écria : « Ô Croyants, un peu d'eau pour laver ma blessure ! Et soutenez-moi, car je vais rendre l'âme ! Secourez-moi et, si je meurs, mon cheval vous appartient ! » Et, en effet, le cheval que montait le cavalier n'avait pas son égal parmi tous les chevaux des tribus, et sa beauté rendait perplexes tous ceux qui le regardaient, car il atteignait à la perfection des qualités requises d'un cheval du désert. Et le Bédouin, qui se connaissait en chevaux comme tous ceux de sa race, s'écria : « En vérité, ô cavalier, ton cheval est un de ceux qu'on ne voit plus en ce temps ! » Et Kanmakân lui dit : « Mais, ô cavalier, tends-moi le bras que je t'aide à descendre ! » Et il prit le cavalier qui se sentait s'en aller, et le déposa doucement sur le gazon, et lui dit : « Mais qu'as-tu donc, frère, et quelle est cette blessure ? » Et le Bédouin entrouvrit son vêtement et montra son dos qui n'était plus qu'une plaie énorme d'où le sang s'échappait à flots. Alors Kanmakân s'accroupit près du blessé et lui lava attentivement ses blessures, et les recouvrit doucement d'herbe fraîche ; puis il donna à boire au mourant et lui dit : « Mais qui donc t'a mis en cet état, ô frère d'infortune ? » Et l'homme dit :

« Sache, ô toi à la main secourable, que le cheval que tu vois là dans sa beauté est la cause qui m'a mis dans cet état. Ce cheval était la propriété du roi Aphridonios lui-même, maître de Constantinia ; et sa réputation nous était connue à tous, nous les Arabes du désert. Or, un cheval de cette sorte ne doit pas rester dans les écuries d'un roi mécréant ; et, pour l'enlever au milieu des gardes qui le soignaient et le veillaient jour et nuit, je fus désigné par ceux de ma tribu. Et je partis aussitôt et j'arrivai de nuit sous la tente où était gardé le cheval, et je liai connaissance avec ses gardiens ; puis je profitai du moment où ils me demandaient mon avis sur ses perfections et me priaient de l'essayer, pour l'enfourcher d'un bond et, d'un coup de fouet, l'enlever au galop. Alors les gardes, leur surprise passée, me poursuivirent sur leurs chevaux en me lançant des flèches et des javelots, dont plusieurs, comme tu le vois, m'ont atteint le dos. Mais le cheval m'emportait toujours plus rapide que l'étoile filante, et il finit par me mettre totalement hors de leur portée. Et voici trois jours que je suis sur son dos, sans arrêt ! Mais mon sang s'est écoulé, et mes forces se sont en allées ; et je sens la mort me fermer les paupières !

« Aussi, puisque tu m'as secouru, le cheval, à ma mort, doit te revenir. Il est connu sous le nom d'El-Kâtoul El-Majnoun, et c'est le plus beau spécimen de la race d'El-Ajouz !

« Mais auparavant, ô jeune homme dont les habits sont si pauvres et le visage si noble, rends-moi le service de me prendre derrière toi sur le cheval et de me transporter au milieu de ma tribu, pour que je meure sous la tente où je suis né ! »

À ces paroles, Kanmakân lui dit : « Ô frère du désert, j'appartiens, moi aussi, à une lignée où la noblesse et la bonté sont coutumes. Or, je suis prêt, même si le cheval ne devait pas me revenir, à te rendre le service demandé ! » Et il s'approcha de l'Arabe pour le soulever ; mais l'Arabe poussa un grand soupir et dit : « Attends encore un peu ! Peut-être que mon âme va sortir sur l'heure ! Je vais témoigner de ma foi ! » Alors il ferma les yeux à demi, étendit la main, en tournant la paume vers le ciel, et dit : « Je témoigne qu'il n'y a d'autre dieu qu'Allah. Et je témoigne que notre seigneur Mohammad est l'Envoyé d'Allah ! »

Puis, s'étant ainsi préparé à la mort, il entonna ce chant, qui fut ses dernières paroles :

« J'ai parcouru le monde au galop de mon cheval, semant sur ma route la terreur et le carnage. Torrents et montagnes, je les ai franchis pour le vol, le meurtre et la débauche.

Je meurs comme j'ai vécu, errant le long des routes, blessé par ceux-là mêmes que j'ai vaincus ! Et le fruit de mes peines, je l'abandonne, sur le bord d'un torrent, si loin du ciel natal !

Et pourtant sache, ô toi étranger qui hérites du seul trésor du Bédouin, que mon regret avec mon âme s'envolerait si j'étais sûr que Kâtoul, mon coursier, ait en toi un cavalier digne de sa beauté ! »

Et à peine l'Arabe eut-il fini ce chant qu'il ouvrit convulsivement la bouche, poussa un râle profond et ferma les yeux pour toujours. Alors Kanmakân et son compagnon, après avoir creusé une fosse où ils enterrèrent le mort, après les prières d'usage, partirent ensemble voir leur destinée sur le chemin d'Allah.

À ce moment de sa narration, Schahrazade vit apparaître le matin et remit au lendemain la suite de son récit.

Mais lorsque fut la cent quarante et unième nuit, elle dit :

... Voir leur destinée sur le chemin d'Allah. Et Kanmakân avait enfourché son nouveau cheval Kâtoul, et le Bédouin Sabah s'était contenté de le suivre fidèlement à pied, car il lui avait juré amitié et soumission et l'avait reconnu à jamais pour son maître en faisant le serment sur le temple saint de la Kaâba, la maison d'Allah !

Alors commença pour eux une vie pleine d'exploits et d'aventures, de luttes contre les bêtes et de combats contre les brigands, de chasses et de voyages, de nuits passées à l'affût des animaux sauvages et de jours à guerroyer contre les tribus et à amasser du butin. Et ils amassèrent de la sorte, au prix de bien des périls, une quantité incalculable de bestiaux avec leurs gardiens, de chevaux avec les esclaves et de tentes avec leurs tapis. Et Kanmakân avait chargé son compagnon Sabah de la surveillance générale de toutes leurs acquisitions, qu'ils poussaient partout devant eux dans leurs incursions continuelles. Et, quand ils s'asseyaient tous deux pour le repos, ils ne manquaient pas de se raconter mutuellement leurs peines et leurs espoirs d'amour, en parlant l'un de sa cousine Force-du-Destin et l'autre de sa cousine Nejma. Et cette vie dura de la sorte l'espace de deux ans. Et voici, entre mille, l'un des exploits du jeune Kanmakân.

Un jour, Kanmakân, sur son cheval Kâtoul, marchait à l'aventure, précédé par son fidèle Sabah. Celui-ci ouvrait la marche, une épée nue à la main, et poussait de temps en temps des cris terribles en ouvrant des yeux comme des cavernes et en hurlant, bien que la solitude fût absolue dans le désert : « Hoh ! ouvrez la route ! Droite ! Gauche ! » Et ils venaient de terminer un repas où ils avaient mangé, à eux deux, une gazelle à la broche et bu d'une eau de source fraîche et légère. Au bout d'un certain temps, ils arrivèrent à une éminence au pied de laquelle s'étendait un pâtis couvert de chamelles et de chameaux, de moutons, de vaches et de chevaux ; et, plus loin, sous une tente, des esclaves armés étaient accroupis tranquillement. À cette vue, Kanmakân dit à Sabah : « Reste là ! Je vais à moi seul m'emparer de tout le troupeau, ainsi que des esclaves. » Et, ayant dit ces paroles, il fondit au galop de son coursier du haut de la colline, comme le tonnerre soudain d'un nuage qui crève, et se précipita sur les gens et les bêtes en entonnant cet hymme guerrier :

« Nous sommes de la race d'Omar Al-Némân, des hommes aux grands desseins, des héros.

Nous sommes les seigneurs qui frappons au cœur les tribus hostiles, quand se lève le jour du combat.

Nous protégeons les faibles contre les puissants, et nous nous servons de la tête des vaincus pour l'ornement de nos lances.

Gare à vos têtes, ô vous tous, voici les héros ! ceux aux grands desseins, ceux de la race d'Omar Al-Némân ! »

À cette vue, les esclaves terrifiés se mirent à lancer de grands cris, en appelant au secours, croyant que tous les Arabes du désert les attaquaient à l'improviste. Alors sortirent des tentes trois guerriers qui étaient les maîtres des troupeaux ; ils sautèrent sur leurs chevaux et se précipitèrent à la rencontre de Kanmakân, en s'écriant : « C'est le voleur du cheval Kâtoul ! Nous le tenons enfin ! Sus au voleur ! » À ces paroles, Kanmakân leur cria : « C'est, en effet, Kâtoul lui-même, mais les voleurs c'est vous, ô fils de putains ! » Et il se pencha près des oreilles de Kâtoul en lui parlant pour l'encourager ; et Kâtoul bondit comme un ogre sur une proie ; et Kanmakân, de sa lance, ne se fit qu'un jeu de la victoire ; car, dès la première passe, il enfonça la pointe de son arme dans le ventre du premier qui se présenta, et la fit sortir de l'autre côté avec un rognon au bout. Puis il fit subir le même sort aux deux autres cavaliers : et, de l'autre côté de leur dos, un rognon ornait la perforante lance. Puis il se tourna du côté des esclaves. Mais lorsque ceux-ci eurent vu le sort subi par leurs maîtres, ils se précipitèrent la face contre terre, demandant la vie sauve. Et Kanmakân leur dit : « Allez ! et, sans perdre de temps, poussez devant moi ces troupeaux et conduisez-les à *tel* endroit où se trouvent ma tente et mes esclaves ! » Et, poussant devant lui bêtes et esclaves, il continua sa route, rejoint bientôt par son compagnon Sabah qui, suivant les ordres reçus, n'avait pas bougé de son poste durant le combat.

Or, pendant qu'ils cheminaient de la sorte avec, au-devant d'eux, les esclaves et le troupeau, ils virent soudain s'élever une poussière qui, dissipée, laissa apparaître cent cavaliers armés selon le mode des Roum de Constantinia. Alors Kanmakân dit à Sabah : « Surveille les troupeaux et les esclaves et laisse-moi agir seul contre ces mécréants ! » Et le Bédouin aussitôt se retira plus loin, derrière une colline, ne s'occupant que de la garde ordonnée. Et seul Kanmakân s'élança au-devant des cavaliers Roum, qui aussitôt l'enveloppèrent de toutes parts ; alors leur chef, s'étant avancé vers lui, dit : « Qui donc es-tu, ô jeune fille charmante qui sais si bien tenir les rênes d'un cheval de bataille, alors que tes yeux sont si tendres et tes joues si lisses et fleuries ? Approche-toi que je te baise sur les lèvres ; et nous verrons ensuite. Viens ! Et je te ferai reine de toutes les terres où se promènent les tribus ! »

À ces paroles Kanmakân sentit une grande honte lui monter au visage et s'écria : « À qui donc penses-tu parler, ô chien, fils de chien ? Si mes joues n'ont point de poils, mon bras, que tu vas sentir, te prouvera l'erreur de ta grossièreté, ô Roumi aveugle et qui ne sais distinguer les guerriers d'avec les jeunes filles ! » Alors le chef des cent s'avança plus près de Kanmakân et constata, en effet, que, malgré la douceur et la blancheur de son teint et le velouté de ses joues vierges de poils rugueux, c'était, à en juger par la flamme de ses yeux, un guerrier point facile à dompter.

Alors le chef des cent cria à Kanmakân : « À qui donc appartient ce troupeau ? Et où vas-tu toi-même ainsi, plein d'insolence et de bravade ? Livre-toi à discrétion, ou tu es mort ! » Puis il ordonna à l'un de ses cavaliers de s'approcher du jeune homme et de le faire prisonnier. Mais à peine le cavalier était-il arrivé près de Kanmakân, que, d'un seul coup de son glaive, Kanmakân lui coupa en deux le turban, la tête, le corps, ainsi que la selle et le ventre du cheval. Puis le deuxième cavalier qui s'avança et le troisième et le quatrième subirent exactement le même sort.

À cette vue, le chef des cent ordonna à ses cavaliers de se retirer et s'avança plus près de Kanmakân et lui cria : « Ta jeunesse est très belle, ô guerrier, et ta vaillance l'égale ! Or, moi, Kahroudash, dont l'héroïsme est réputé dans tous les pays des Roum, je veux, à cause même de ton courage, t'accorder la vie sauve ! Retire-toi donc en paix, car je te pardonne la mort de mes hommes, pour ta beauté ! » Mais Kanmakân lui cria : « Que tu sois Kahroudash, cela ne peut m'intéresser ! Ce qui importe, c'est que tu laisses de côté toutes ces paroles et que tu viennes éprouver la pointe de ma lance. Et sache aussi, puisque tu t'appelles Kahroudash, que, moi, je suis Kanmakân ben-Daoul'makân ben-Omar Al-Némân ! » Alors le chrétien lui dit : « Ô fils de Daoul'makân, j'ai connu dans les batailles la vaillance de ton père ! Or, toi, tu as su unir la force de ton père à une élégance parfaite ! Retire-toi donc, en emportant tout ton butin. C'est mon plaisir ! » Mais Kanmakân lui cria : « Ce n'est point ma coutume, ô chrétien, de faire tourner bride à mon cheval ! Garde à toi ! » Il dit, et caressa son cheval Kâtoul qui comprit le désir de son maître et, baissant les oreilles et relevant la queue, s'élança. Et alors luttèrent les deux guerriers, et les chevaux s'entrechoquèrent comme deux béliers s'entrecornant ou deux taureaux s'entréventrant. Et plusieurs passes terribles restèrent sans résultat. Puis soudain Kahroudash, de toute sa force, poussa sa lance contre la poitrine de Kanmakân ; mais celui-ci, d'une volte rapide de son cheval, sut l'éviter à temps et, se tournant brusquement, détendit son bras, la lance en avant. Et du coup il perfora le ventre du chrétien en faisant sortir par son dos le fer reluisant. Et Kahroudash cessa à jamais de compter au nombre des guerriers mécréants !

À cette vue, les cavaliers de Kahroudash se confièrent à la rapidité de leurs chevaux et disparurent au loin dans la poussière, qui les masqua.

Alors Kanmakân, essuyant sa lance sur les corps étendus, continua sa route en faisant signe à Sabah de pousser en avant les troupeaux et les esclaves.

Or, c'est justement après cet exploit que Kanmakân rencontra la négresse errante du désert, qui racontait, de tribu en tribu, des histoires sous la tente et des contes sous les étoiles. Et Kanmakân, qui en avait si souvent entendu parler, la pria de s'arrêter se reposer sous sa tente et de lui raconter quelque chose qui lui fît passer le temps et lui réjouît l'esprit en lui dilatant le cœur. Et la vieille errante répondit : « Avec amitié et respect ! » Puis elle s'assit à côté de lui, sur la natte, et lui raconta cette HISTOIRE DU MANGEUR DE HASCHISCH :

« Sache que la chose la plus délicieuse dont mon oreille se soit réjouie, ô mon seigneur, est cette histoire qui m'est parvenue d'un hachasch d'entre les hachaschîn !

« Il y avait un homme qui adorait la chair des vierges…

À ce moment de sa narration, Schahrazade vit apparaître le matin et se tut discrètement.

Mais lorsque fut la cent quarante-deuxième nuit. Elle dit :

« Il y avait un homme qui adorait la chair des vierges et dont c'était le seul souci. Aussi, comme cette chair est d'un prix très élevé, surtout quand elle est choisie et sur commande, et comme nulle fortune ne peut résister indéfiniment quand les goûts de son propriétaire sont si coûteux, l'homme en question, qui ne prenait jamais de repos à ce sujet et se laissait ainsi aller à l'intempérance de ses désirs – car en toute chose il n'y a que l'excès qui soit répréhensible –, finit par se ruiner complètement.

« Or, un jour que, vêtu d'habits sordides et pieds nus, il marchait dans le souk en mendiant son pain pour s'en nourrir, un clou lui entra dans la plante du pied et fit couler son sang avec abondance. Alors il s'assit par terre, essaya d'étancher le sang et finit par bander son pied avec un morceau de chiffon. Mais, comme le sang continuait à couler, il se dit : « Allons au hammam nous laver le pied et le plonger dans l'eau : cela lui fera du bien. » Et il alla au hammam et entra dans la salle commune où vont les pauvres gens, mais qui tout de même était exquise de propreté et reluisait à charmer, et il s'accroupit sur le bassin central et se mit à se laver le pied.

« Or, à côté de lui, un homme étais assis qui avait fini de prendre son bain et qui mâchait quelque chose entre les dents. Et notre blessé fut très excité par la mastication de l'autre, et l'envie le prit ardemment de mastiquer aussi de ce quelque chose. Alors il demanda à l'autre : « Que mâches-tu ainsi, mon voisin ? » Il répondit à voix basse, pour que personne ne l'entendît : « Tais-toi ! C'est du hachisch ! Si tu veux, je vais t'en donner un morceau. » Il dit : « Certes ! j'en voudrais goûter, depuis le temps que je le souhaite ! » Alors l'homme qui mastiquait, retira un morceau de sa bouche et le donna au blessé en lui disant : « Puisses-tu t'alléger de tous tes soucis ! »

Et notre homme prit le morceau et le mâcha et l'avala en entier. Et, comme il n'était pas habitué au hachisch, bientôt, quand l'effet se fut produit dans son cerveau par la circulation de la drogue, il entra d'abord dans une hilarité extraordinaire et lança dans toute la salle des éclats énormes de rire ! Puis il s'affaissa, un instant après, sur le marbre nu et fut la proie d'hallucinations diverses dont voici l'une des plus délicieuses :

« Il crut d'abord être tout nu sous la domination des mains d'un terrible masseur et de deux nègres vigoureux qui s'étaient complètement emparés de son individu ; et il se voyait comme un jouet entre leurs mains ; ils le tournaient et le manipulaient dans tous les sens en lui enfonçant dans les chairs leurs doigts noueux, mais experts infiniment ; et il geignait sous le poids de leurs genoux quand ils s'appuyaient sur son ventre pour le lui masser avec art. Après cela ils le lavèrent à grand renfort de bassins de cuivre et de frottements avec des fibres végétales ; puis le grand masseur voulut lui laver lui-même certaines parties délicates de son individu, mais, comme ça le chatouillait fort, il dit : « Je ferai la chose moi-même ! »

Puis, le bain terminé, le grand masseur lui entoura la tête, les épaules et les reins de trois foulards aussi blancs que le jasmin et lui dit : « Maintenant, seigneur, c'est le moment d'entrer chez ton épouse qui t'attend ! » Mais il s'écria : « Quelle épouse, ô masseur ? Je suis célibataire ! Aurais-tu par hasard mangé du hachisch pour ainsi radoter ? » Mais le masseur lui dit : « Ne plaisante donc pas de la sorte ! Allons chez ton épouse qui est dans l'impatience ! » Et il lui jeta sur les épaules un grand voile de soie noire, et il ouvrit la marche, tandis que les deux nègres le soutenaient par les épaules en lui chatouillant de temps en temps le derrière, pour plaisanter seulement. Et lui, riait extrêmement.

« Ils arrivèrent ainsi, avec lui, dans une salle à demi obscure et chaude et parfumée à l'encens ; et, en son milieu, il y avait un grand plateau chargé de fruits, de pâtisseries, de sorbets, et des vases remplis de fleurs ; et, après l'avoir fait s'asseoir sur un escabeau d'ébène, le masseur et les deux nègres lui demandèrent la permission de se retirer et disparurent.

« Alors entra un jeune garçon qui se tint debout, attendant ses ordres, et qui lui dit : « Ô roi du temps, je suis ton esclave ! » Mais, sans faire attention à la gentillesse du jeune garçon, il partit d'un éclat de rire qui fit retentir toute la salle, et s'écria : « Par Allah ! quel endroit rempli de mangeurs de hachisch ! Voici que maintenant ils m'appellent roi ! » Puis il dit au petit garçon : « Toi, avance ici, et coupe-moi la moitié d'une pastèque bien rouge et bien fondante ! C'est ce que j'aime le mieux. Il n'y a rien qui vaille la pastèque pour me rafraîchir le cœur. » Et le jeune garçon lui apporta la pastèque coupée en tranches admirables. Alors il lui dit : « Toi, va-t'en ! Tu ne fais pas l'affaire ! Cours vite me chercher ce que j'aime le plus, avec une bonne pastèque, de la chair vierge de première qualité ! » Et le garçon disparut.

« Et bientôt entra dans la salle une adolescente toute jeune, qui s'avança vers lui en mouvant ses hanches qui se dessinaient à peine, tant elles étaient encore enfantines. Et lui, à cette vue se mit à renifler avec joie ; et il prit la petite dans ses bras et la mit entre ses cuisses et l'embrassa avec chaleur ; et il la fit glisser sous lui ; et il sortit son mâle et le lui mit dans la main ; et il allait qui sait quoi faire, quand soudain, sous la sensation d'un froid intense, il se réveilla de son rêve.

« Or, à ce moment-là, et une fois qu'il eut réfléchi que tout cela n'était que l'effet du hachisch sur son cerveau, il se vit entouré par tous les baigneurs du hammam qui le regardaient en riant de tout leur gosier et en ouvrant des bouches comme des fours ; et ils se montraient du doigt, mutuellement, son zebb nu qui se raidissait en l'air à la limite de la raideur et apparaissait aussi énorme que celui d'un âne ou d'un éléphant ; et ils jetaient dessus de grands seaux remplis d'eau froide en lui décochant des plaisanteries, comme celles que l'on fait d'ordinaire dans le hammam, par point de comparaison, entre baigneurs.

« Alors il devint bien confus et il ramena sur ses jambes la serviette et dit lamentablement à ceux qui riaient : « Pourquoi alors avez-vous enlevé la fillette, ô bonnes gens, au moment même où j'allais placer les choses à leur place ? » À ces paroles, ils trépignèrent de joie et se mirent à battre des mains et lui crièrent : « N'as-tu pas honte, ô mangeur de hachisch, de tenir de pareils propos après avoir, sous l'effet de l'herbe que tu as avalée, si bien joui de l'air du temps ? »

À ces paroles de la négresse, Kanmakân ne put se retenir plus longtemps, et se mit à rire tellement qu'il se convulsa de joie. Puis il dit à la négresse : « Quelle histoire délicieuse ! De grâce, hâte-toi de m'en dire la suite qui doit être admirable aux oreilles et exquise à l'esprit ! » Et la négresse dit : « Certes, ô mon maître, la suite est tellement merveilleuse que tu en oublieras, en vérité, tout ce que tu viens d'entendre ; et elle est tellement pure et savoureuse et étrange que même les sourds s'en trémousseraient de plaisir ! » Et Kanmakân dit : « Ah ! continue alors ! Je suis dans un ravissement extrême ! »

Or, comme la négresse se disposait à narrer la suite de son histoire, Kanmakân vit arriver et s'arrêter devant sa tente un courrier à cheval qui, ayant mis pied à terre, lui souhaita la paix ; et Kanmakân lui rendit son salam. Alors le courrier lui dit : « Seigneur, je suis un des cent courriers que le grand vizir Dandân a envoyés dans toutes les directions pour essayer de trouver les traces du jeune prince Kanmakân, qui depuis trois années est parti de Bagdad. Car le grand vizir Dandân a réussi à soulever toute l'armée et tout le peuple contre l'usurpateur du trône d'Omar Al-Némân ; et il a fait prisonnier l'usurpateur et l'a enfermé dans le cachot le plus souterrain. Aussi, à l'heure actuelle, la faim, la soif et la honte ont dû lui enlever l'âme ! Voudrais-tu me dire, ô seigneur, si, par hasard, tu n'aurais pas rencontré, un jour, le prince Kanmakân, à qui revient de droit le trône de son père ? » Lorsque le prince Kanmakân…

À ce moment de sa narration, Schahrazade vit apparaître le matin et se tut discrètement.

Mais lorsque fut la cent quarante-troisième nuit. Elle dit :

Lorsque le prince Kanmakân eut entendu cette nouvelle si inattendue, il se tourna vers son fidèle Sabah et, d'une voix très calme, il lui dit : « Tu vois, ô Sabah, que toute chose arrive au temps qui lui est fixé. Lève-toi donc. Et allons à Bagdad ! »

À ces paroles, le courrier comprit qu'il se trouvait en présence de son nouveau roi, et aussitôt il se prosterna et baisa la terre entre ses mains comme firent aussi Sabah et la négresse. Et Kanmakân dit à la négresse : « Tu viendras aussi avec moi à Bagdad, où tu achèveras pour moi cette histoire du désert ! » Et Sabah dit : « Permets-moi alors, ô roi, de courir te précéder pour annoncer ton arrivée au vizir Dandân et aux habitants de Bagdad ! » Et Kanmakân le lui permit. Puis, pour récompenser le courrier de sa bonne nouvelle, il lui céda, comme cadeau, toutes les tentes, tous les bestiaux et tous les esclaves qu'il avait conquis dans ses luttes de trois ans. Puis, précédé par le Bédouin Sabah et suivi par la négresse juchée sur un chameau, il partit pour Bagdad au grand trot de son cheval Kâtoul.

Or, comme le prince Kanmakân avait pris soin de se laisser distancer d'une journée par son fidèle Sabah, celui-ci avait mis en quelques heures toute la ville de Bagdad en émoi. Et tous les habitants et toute l'armée, avec le vizir Dandân en tête et les trois chefs Rustem, Turkash et Bahramân, étaient sortis hors des portes attendant l'arrivée de ce Kanmakân qu'ils aimaient et qu'ils n'espéraient plus revoir ; et ils faisaient des vœux pour la prospérité et la gloire de la race d'Omar Al-Némân.

Aussi à peine le prince Kanmakân eut-il paru, arrivant au grand galop de son cheval Kâtoul que les cris de joie et les invocations s'élevèrent de tout l'espace, poussés par des milliers de voix d'hommes et de femmes qui l'acclamaient comme leur roi. Et le vizir Dandân, malgré son grand âge, sauta lestement à terre et vint souhaiter la bienvenue et jurer fidélité au descendant de tant de rois. Puis tous ensemble entrèrent à Bagdad, cependant que la négresse, sur le chameau qu'entourait une foule considérable, racontait une histoire d'entre les histoires.

Or, la première chose que Kanmakân fit, en arrivant au palais, fut d'embrasser le grand vizir Dandân, le plus fidèle à la mémoire de ses rois, puis les chefs Rustem, Turkash et Bahramân ; et la seconde chose que fit Kanmakân fut d'aller baiser les mains de sa mère qui sanglotait de joie ; et la troisième chose fut de dire à sa mère : « Ô ma mère, dis-moi, de grâce, comment va ma bien-aimée cousine Force-du-Destin ! » Et sa mère lui répondit : « Ô mon enfant, je ne puis te répondre à ce sujet, car depuis que je t'ai perdu je n'ai plus pensé à autre chose qu'à la douleur de ton absence ! » Et Kanmakân lui dit : « Je te supplie, ô mère, d'aller toi-même prendre de ses nouvelles et des nouvelles de ma tante Nôzhatou ! » Alors la mère sortit et alla dans l'appartement où se trouvaient maintenant Nôzhatou et sa fille Force-du-Destin, et revint avec elles dans la salle où les attendait Kanmakân. Et c'est alors qu'eut lieu la vraie joie et que furent dits les plus beaux vers, dont ceux-ci entre mille :

Ô sourire de perles sur les lèvres de l'aimée, sourire bu sur les perles mêmes !

Joues des amants ! Que de baisers ne connûtes-vous, que de caresses sur la soie !

Caresses des cheveux épars au matin, caresses de doigts qui fourmillent nombreux !

Et toi, glaive brillant tel l'acier hors du fourreau, glaive sans repos, glaive de la nuit…

Or, comme leur félicité fut à sa limite, avec la grâce d'Allah, il n'y a rien à dire là-dessus. Et d'ailleurs, c'est depuis lors que les malheurs s'éloignèrent de la demeure où vivait la postérité d'Omar Al-Némân, pour s'abattre à jamais sur tous ceux qui avaient été ses ennemis !

En effet, une fois que le roi Kanmakân eut passé de longs mois de bonheur dans les bras de la jeune Force-du-Destin, devenue son épouse, il réunit un jour, en présence du grand vizir Dandân, tous ses émirs, ses chefs de troupes et les principaux de son empire et leur dit : « Le sang de mes pères n'est pas encore vengé, et les temps sont venus ! Or, voici qu'il m'est parvenu qu'Aphridonios est mort, et mort aussi Hardobios de Kaïssaria. Mais la vieille Mère-des-Calamités est encore en vie, et c'est elle qui, au dire de nos guerriers, gouverne et règle les affaires dans tous les pays des Roum. Et à Kaïssaria le nouveau roi s'appelle Roumzân, et on ne lui connaît ni père ni mère.

« Donc, ô vous tous, mes guerriers, dès demain la guerre recommence contre les mécréants ! Et je jure sur la vie de Mohammad (sur lui la paix et la prière !) de ne retourner dans notre ville Bagdad qu'après avoir arraché la vie à la vieille de malheur et vengé tous nos frères morts dans les combats ! »

Et tous les assistants répondirent par l'assentiment. Et dès le lendemain l'armée était en marche sur Kaïssaria.

Or, comme ils étaient arrivés sous les murs de l'ennemi et qu'ils se disposaient à l'assaut pour mettre tout à feu et à sang dans cette ville mécréante, ils virent s'avancer vers la tente du roi un jeune homme si beau qu'il ne pouvait être qu'un fils de roi et une femme, le visage découvert et l'air respectable, qui marchait derrière lui. Et, à ce moment, sous la tente du roi, étaient réunis le vizir Dandân et la princesse Nôzhatou, tante de Kanmakân, qui avait voulu accompagner l'armée des Croyants, habituée qu'elle était aux fatigues des voyages.

Et le jeune homme et la femme demandèrent l'audience, qui aussitôt leur fut accordée. Mais à peine étaient-ils entrés que Nôzhatou poussa un grand cri et tomba évanouie, et la femme aussi poussa un grand cri et tomba évanouie. Et, quand elles furent revenues de leur évanouissement, elles se jetèrent dans les bras l'une de l'autre en s'embrassant : car la femme n'était autre que l'ancienne esclave de la princesse Abriza, la fidèle Grain-de-Corail !

Puis Grain-de-Corail se tourna vers le roi Kanmakân et lui dit : « Ô roi, je vois que tu portes au cou une gemme précieuse blanche et arrondie ; et la princesse Nôzhatou en porte également une au cou. Or, tu sais que la reine Abriza avait la troisième. Et cette troisième la voici ! » Et la fidèle Grain-de-Corail, se tournant vers le jeune homme qui était entré avec elle, montra, attachée à son cou, la troisième gemme ; puis, les yeux éclairés de joie, elle s'écria : « Ô roi, et toi, ma maîtresse Nôzhatou, ce jeune homme est le fils de ma pauvre maîtresse Abriza. Et c'est moi-même qui l'ai élevé depuis sa naissance. Et c'est lui-même, ô vous tous qui m'écoutez, qui est à l'heure présente le roi de Kaïssaria, Roumzân fils d'Omar Al-Némân. C'est donc ton frère, ô ma maîtresse Nôzhatou, et ton oncle à toi, ô roi Kanmakân ! »

À ces paroles de Grain-de-Corail, le roi Kanmakân et Nôzhatou se levèrent et embrassèrent le jeune roi Roumzân en pleurant de joie ; et le vizir Dandân également embrassa le fils de son maître le roi Omar Al-Némân (qu'Allah l'ait en sa miséricorde infinie !). Puis le roi Kanmakân demanda au roi Roumzân, maître de Kaïssaria : « Dis-moi, ô frère de mon père, tu es le roi d'un pays chrétien et tu vis au milieu des chrétiens ! Serais-tu aussi Nousrani ? » Mais le roi Roumzân étendit la main et, levant son index, il s'écria : « *La ilah ill'Allah, oua Mohammad rassoul Allah*[1] *!* »

Alors la joie de Kanmakân, de Nôzhatou et du vizir Dandân fut à sa limite extrême, et ils s'écrièrent : « Louange à Allah qui choisit les siens et les réunit ! » Puis Nôzhatou demanda : « Mais comment as-tu pu être guidé dans la voie droite, ô mon frère, au milieu de tous ces mécréants qui ignorent Allah et ne connaissent point son Envoyé ? » Il répondit : « C'est la bonne Grain-de-Corail qui m'a inculqué les principes simples et admirables de notre foi ! Car elle était elle-même devenue musulmane, en même temps que ma mère Abriza, lors de leur séjour à Bagdad, dans le palais de mon père le roi Omar Al-Némân. Aussi Grain-de-Corail a été pour moi non seulement celle qui m'a recueilli à ma naissance et m'a élevé et m'a tenu lieu de mère en toute chose, mais celle également qui a fait de moi un vrai Croyant dont la destinée est entre les mains d'Allah le Maître des rois ! »

À ces paroles, Nôzhatou fit asseoir Grain-de-Corail à côté d'elle sur le tapis et la voulut considérer désormais comme sa sœur.

Quant à Kanmakân, il dit à son oncle Roumzân : « Ô mon oncle, c'est à toi que revient, par droit d'aînesse, le trône de l'empire des musulmans. Et dès cette minute je me considère comme ton fidèle sujet. » Mais le roi de Kaïssaria dit :

« Ô mon neveu, ce qu'Allah a fait est bien fait ! Comment oserais-je songer à troubler l'ordre établi par l'Ordonnateur ! » À ce moment, intervint le grand vizir Dandân qui leur dit : « Ô rois, la plus juste idée est que vous régniez à tour de rôle chacun un jour, restant rois tous deux ! » Et ils répondirent : « Ton idée est admirable, ô vénérable vizir de notre père ! »

À ce moment de sa narration, Schahrazade vit apparaître le matin et se tut discrètement.

Mais lorsque fut la cent quarante-quatrième nuit. Elle dit :

...Et ils répondirent : « Ton idée est admirable, ô vénérable vizir de notre père ! » Et ils convinrent entre eux de la chose. Alors, pour fêter cet heureux événement, le roi Roumzân revint sur ses pas et rentra dans la ville, dont il fit ouvrir les portes à l'armée des musulmans. Puis il fit crier, par les crieurs publics, que désormais l'Islam était la religion des habitants, mais que tous les chrétiens étaient libres de rester dans leur erreur. Pourtant aucun des habitants ne voulut continuer à être mécréant ; et en un seul jour, l'acte de foi fut prononcé par mille mille nouveaux Croyants ! Ainsi ! Glorifié soit à jamais Celui qui a envoyé son Prophète pour être un symbole de paix parmi toutes les créatures de l'Orient et de l'Occident !

À cette occasion, les deux rois donnèrent de grandes réjouissances et de grands festins, tout en régnant à tour de rôle, chacun son jour. Et ils restèrent ainsi à Kaïssaria un certain temps à la limite de la joie et de l'épanouissement.

Et c'est alors qu'ils songèrent à se venger enfin de la vieille Mère-des-Calamités. À cet effet, le roi Roumzân, du consentement du roi Kanmakân, se hâta d'envoyer un courrier à Constantinia, porteur d'une lettre pour Mère-des-Calamités, qui ignorait le nouvel état de choses et s'imaginait toujours que le roi de Kaïssaria était chrétien comme son grand-père maternel, le défunt roi Hardobios, père d'Abriza. Et cette lettre était ainsi conçue :

« À la glorieuse et vénérable dame Schaouahi Omm El-Daouahi, la redoutable, la terrible, le fléau pesant de calamités sur les têtes ennemies, l'œil qui veille sur la cité chrétienne, la parfumée de vertus et de sagesse, l'odorante du saint encens suprême et véridique du grand patriarche, la colonne de Christ au milieu de Constantinia.

De la part du maître de Kaïssaria, Roumzân, de la postérité de Hardobios le Grand à la renommée étendue sur l'univers.

Voici, ô notre mère à tous, que le Maître du ciel et de la terre a fait triompher nos armes sur les musulmans, et nous avons anéanti leur armée et fait prisonnier leur roi dans Kaïssaria, et réduit également en captivité le vizir Dandân et la princesse Nôzhatou, fille d'Omar Al-Némân et de la reine Safîa, fille du défunt roi Aphridonios de Constantinia.

Nous attendons donc ta venue au milieu de nous pour fêter ensemble notre victoire et faire couper, devant tes yeux, la tête au roi Kanmakân, au vizir Dandân et à tous les chefs musulmans.

Et tu peux venir à Kaïssaria sans escorte nombreuse, car désormais toutes les routes sont sûres et toutes les provinces pacifiées depuis l'Irak jusqu'au Soudan et depuis Mossoul et Damas jusqu'aux extrêmes limites de l'Orient et de l'Occident. Et ne manque pas d'emmener avec toi de Constantinia la reine Safîa, mère de Nôzhatou, pour lui donner la joie de revoir sa fille qui est honorée, en tant que femme, dans notre palais.

Et que le Christ, fils de Mariam, te garde et te conserve comme une essence pure contenue précieusement dans l'or inaltérable ! »

Puis il signa la lettre de son nom, Roumzân, et la cacheta de son cachet royal, et la remit à un courrier qui partit aussitôt pour Constantinia.

Or, jusqu'au moment où arriva la vieille de malheur, pour sa perdition sans recours, il se passa quelques jours durant lesquels les deux rois eurent la joie de régler des comptes arriérés à qui de droit. Voici en effet ce qui se passa :

Un jour que les deux rois, le vizir Dandân et la douce Nôzhatou, qui ne se voilait jamais la figure en présence du vizir Dandân qu'elle considérait comme un père, étaient assis à causer des probabilités d'arrivée de la vieille calamiteuse et du sort qu'on lui réservait, l'un des chambellans entra et annonça aux rois qu'il y avait dehors un vieux marchand qui avait été assailli par des brigands, et qu'il y avait aussi les brigands enchaînés. Et le chambellan dit : « Ô rois, ce marchand sollicite une audience de votre magnanimité, car il a deux lettres à vous remettre. » Et les deux rois dirent : « Fais-le entrer ! »

Alors entra un vieillard dont la figure portait l'empreinte de la bénédiction et qui pleurait ; il baisa la terre entre les mains des rois et dit : « Ô rois du temps, est-il possible qu'un musulman soit respecté chez les mécréants et dépouillé et malmené chez les vrais Croyants, dans les pays où règnent la concorde et la justice ? » Et les rois lui dirent : « Mais que t'est-il donc arrivé, ô respectable marchand ? » Il répondit : « Ô mes maîtres, sachez que j'ai sur moi deux lettres qui m'ont toujours fait respecter dans tous les pays musulmans ; car elles me servent de sauf-conduit et me dispensent de payer les dîmes et les droits d'entrée sur mes marchandises. Et l'une de ces lettres, ô mes maîtres, outre cette vertu précieuse, me sert également de consolation dans la solitude et me tient compagnie dans mes voyages ; car elle est écrite en vers admirables, et si beaux, en vérité, que je préférerais perdre mon âme que de m'en séparer ! » Alors les deux rois lui dirent : « Mais, ô marchand, tu peux au moins nous faire voir cette lettre ou seulement nous en lire le contenu ! » Et le vieux marchand, tout tremblant, tendit les deux lettres aux rois, qui les remirent à Nôzhatou en lui disant : « Toi qui sais lire les écritures les plus compliquées et si bien donner aux vers l'intonation qui sied, de grâce ! hâte-toi de nous en délecter ! »

Or, à peine Nôzhatou eut-elle défait le rouleau et jeté un regard sur les deux lettres qu'elle poussa un grand cri, devint plus jaune que le safran, et tomba évanouie. Alors on se hâta de l'asperger avec de l'eau de rose ; et lorsqu'elle fut revenue de son évanouissement, elle se leva vivement, les yeux tout en larmes, et courut au marchand, et, lui prenant la main, elle la baisa. Alors tous les assistants furent à l'extrême limite de l'ahurissement, devant une action aussi contraire à toutes les coutumes des rois et des musulmans ; et le vieux marchand, dans son émotion, chancela et faillit tomber à la renverse. Mais la reine Nôzhatou le soutint et, le conduisant, elle le fit s'asseoir sur le tapis même où elle était assise et lui dit : « Ne me reconnais-tu donc plus, ô mon père ? Suis-je donc si vieillie depuis le temps ? »

À ces paroles, le vieux marchand crut rêver et s'écria : « Je reconnais la voix ! Mais, ô ma maîtresse, mes yeux sont vieux et ne peuvent plus rien distinguer ! » Et la reine dit : « Ô mon père, je suis celle-là même qui t'a écrit la lettre en vers, je suis Nôzhatou'zamân ! » Et le vieux marchand, cette fois, s'évanouit complètement. Alors, pendant que le vizir Dandân jetait de l'eau de rose sur la figure du vieux marchand, Nôzhatou, se tournant vers son frère Roumzân et son neveu

Kanmakân, leur dit : « C'est lui, le bon marchand qui m'a délivrée quand j'étais l'esclave du Bédouin brutal qui m'avait volée dans les rues de la Ville-Sainte ! »

Aussi, lorsque le marchand fut revenu de son évanouissement, les deux rois se levèrent en son honneur et l'embrassèrent ; et à son tour il baisa les mains de la reine Nôzhatou et du vieux vizir Dandân ; et tous se félicitèrent mutuellement de cet événement et rendirent grâces à Allah qui les avait tous réunis ; et le marchand leva les bras et s'écria : « Béni soit et glorifié Celui qui modèle des cœurs inoublieux et les parfume de l'admirable encens de gratitude ! »

Après quoi, les deux rois nommèrent le vieux marchand cheikh général de tous les khâns et de tous les souks de Kaïssaria et de Bagdad, et lui donnèrent libre accès au palais, de jour comme de nuit. Puis ils lui dirent : « Mais comment as-tu été attaqué avec ta caravane ? » Il répondit : « C'est dans le désert ! Des brigands, des Arabes de la mauvaise qualité, de ceux qui dépouillent les marchands non armés, m'ont assailli soudain. Ils étaient plus de cent ! Mais leurs chefs sont trois : l'un est un nègre effroyable, l'autre un Kurde épouvantable et le troisième un Bédouin extraordinairement fort ! Ils m'avaient lié sur un chameau et me traînaient derrière eux, quand Allah voulut qu'un jour ils fussent assaillis par les guerriers réguliers qui les capturèrent, et moi avec eux. »

À ces paroles, les rois dirent à l'un des chambellans : « Fais d'abord entrer le nègre ! » Et le nègre entra. Or, il était plus laid que le derrière d'un vieux singe, et ses yeux plus méchants que ceux du tigre. Et le vizir Dandân lui demanda : « Comment t'appelles-tu et pourquoi es-tu brigand ? » Mais avant que le nègre eût le temps de répondre, Grain-de-Corail, l'ancienne suivante de la reine Abriza, était entrée pour appeler sa maîtresse Nôzhatou ; et ses yeux rencontrèrent par hasard les yeux du nègre ; et aussitôt elle poussa un cri terrible et s'élança comme une lionne sur le nègre et lui enfonça ses doigts dans les yeux et les lui arracha en une seule fois, en criant : « C'est lui, l'horrible Morose qui a tué ma pauvre maîtresse Abriza ! » Puis, lançant à terre les deux yeux sanglants qu'elle venait de faire sauter comme des noyaux hors des orbites du nègre, elle ajouta : « Loué soit le juste, le Très-Haut, qui me permet enfin de venger ma maîtresse de ma main ! » Alors le roi Roumzân fit un seul signe ; et aussitôt le porte-glaive s'avança et d'un seul coup fit deux nègres d'un seul ! Puis les eunuques traînèrent le corps par les pieds et allèrent le jeter aux chiens, sur les décombres, hors de la ville.

Après quoi les rois dirent : « Qu'on fasse entrer le Kurde ! » Et le Kurde entra. Or, il était plus jaune qu'un citron et plus galeux qu'un âne de moulin et certainement plus pouilleux qu'un buffle resté un an sans se plonger dans l'eau. Et le vizir Dandân lui demanda : « Comment t'appelles-tu ? Et pourquoi es-tu brigand ? » Il répondit : « Moi, de mon métier j'étais chamelier dans la Ville-Sainte. Or, un jour, on me donna à transporter à l'hôpital de Damas un jeune homme malade… » À ces paroles, le roi Kanmakân et Nôzhatou et le vizir Dandân, sans lui laisser le temps de continuer, s'écrièrent : « C'est le chamelier traître qui abandonna le roi Daoul'makân sur le tas de fumier à la porte du hammam ! » Et soudain le roi Kanmakân se leva et dit : « On doit rendre le mal par le mal, et doublement ! Sinon le nombre augmenterait de malfaiteurs et des impies qui méconnaissent les lois ! Et nulle pitié en faveur des méchants, dans la vengeance, car la pitié comme l'entendent les chrétiens est la vertu des eunuques, des malades et des impuissants ! » Et de sa propre main le roi Kanmakân, d'un seul coup de son glaive, fit deux chameliers d'un seul ! Mais ensuite il ordonna aux esclaves de faire enterrer le corps, selon les rites religieux.

Alors les deux rois dirent au chambellan : « Fais maintenant entrer le Bédouin ! »

À ce moment de sa narration, Schahrazade vit apparaître le matin et se tut discrètement.

Mais lorsque fut la cent quarante-cinquième nuit. Elle dit :

Alors les deux rois dirent au chambellan : « Fais maintenant entrer le Bédouin ! » Et le Bédouin fut introduit. Mais à peine sa tête de brigand eut-elle paru dans l'ouverture de la porte que la reine Nôzhatou s'écria : « C'est lui le Bédouin qui m'a vendue à ce bon marchand ! » À ces paroles, le Bédouin dit : « Je suis Hamad ! Et je ne te connais pas ! » Alors Nôzhatou se mit à rire et s'écria : « C'est vraiment lui ! Car jamais on ne verra un fou semblable à lui ! Regarde-moi donc, ô Bédouin Hamad ! Je suis celle que tu as volée dans les rues de la Ville-Sainte et que tu as tant maltraitée ! »

Lorsque le Bédouin eut entendu ces paroles, il s'écria : « Par Allah ! c'est elle-même ! Ma tête va tout de suite s'envoler de mon cou, certainement ! » Et Nôzhatou se tourna vers le marchand, qui était assis, et lui demanda : « Le reconnais-tu maintenant, mon bon père ? » Le marchand dit : « C'est lui-même, le maudit ! Et il est plus fou à lui seul que tous les fous de la terre ! » Alors Nôzhatou dit : « Mais ce Bédouin, malgré toutes ses brutalités, avait une qualité : il aimait les beaux vers et les belles histoires. » Alors le Bédouin s'écria : « Ô ma maîtresse, c'est la vérité, par Allah ! Et je connais d'ailleurs une histoire tout à fait étrange qui m'est arrivée à moi-même. Or, si je la raconte et qu'elle plaise à tous ceux ici présents, tu me pardonneras et m'accorderas la grâce de mon sang ! » Et la douce Nôzhatou sourit et dit : « Soit ! raconte-nous ton histoire, ô Bédouin ! » Alors le Bédouin Hamad dit :

« En vérité je suis un grand brigand, et la couronne sur la tête de tous les brigands ! Mais la chose la plus surprenante de toute ma vie dans les villes et le désert est la suivante :

« Une nuit que j'étais seul, étendu sur le sable près de mon cheval, je me sentis l'âme haletante sous le poids des incantations maléfiques des sorcières, mes ennemies. Et ce fut pour moi une nuit terrible d'entre toutes les nuits ; car tantôt j'aboyais comme un chacal et tantôt je rugissais comme un lion et tantôt je me plaignais sourdement, en bavant, comme un chameau ! Quelle nuit ! Et avec quels tremblements n'attendais-je pas sa fin et l'apparition du matin ! Enfin le ciel s'éclaira et mon âme se calma ; pour chasser les dernières fumées de ces rêves obsédants, je me levai vivement, et je ceignis mon épée et saisis ma lance et sautai sur mon coursier que je lançai au galop, plus rapide que la gazelle.

« Or, pendant que je galopais de la sorte, je vis soudain, droit devant moi, une autruche qui me regardait. Et elle était plantée juste en face de moi et semblait pourtant ne me voir pas. Et moi j'allais être sur elle. Mais, au moment précis où j'allais la toucher de ma lance, elle rua terriblement, tourna le dos, étendit toutes larges ses grandes ailes touffues et fila comme un trait dans le désert. Alors moi je la poursuivis sans arrêt et continuai de la sorte jusqu'à ce qu'elle m'eût entraîné dans une solitude pleine d'effroi où il n'y avait que la présence d'Allah et des pierres nues, et où l'on n'entendait que les sifflements des vipères, les appels retentissants des génies de l'air et de la terre et les hurlements des goules en quête de proies ! Et l'autruche disparut comme dans un trou invisible à mes yeux ou dans quelque espace que voir je ne pouvais pas ! Et je frissonnai dans toute ma chair ; et mon cheval se cabra et recula en soufflant !

« Alors je fus dans une perplexité et une terreur considérables, et je voulus tourner bride et revenir sur mes pas. Mais, où aller maintenant que la sueur coulait des flancs de mon cheval et que la chaleur de midi se faisait inexorable ? Et, de plus, une soif torturante me saisit à la gorge et fit haleter mon cheval dont le ventre s'ouvrait et se fermait comme un soufflet de forgeron. Et je pensai en mon âme : « Ô Hamad ! c'est ici que tu mourras ! et ta chair servira à nourrir les petits des goules et les bêtes de l'épouvante ! Ici la mort, ô Bédouin ! »

« Or, au moment où je me disposais à faire mon acte de foi et à mourir, je vis dans le loin se dessiner horizontale une ligne de fraîcheur, avec des palmiers épars ; et mon cheval hennit et secoua la tête et, tirant la bride en avant, s'élança ! Et en un temps de galop je me vis transporté hors de l'horreur nue et brûlante du désert de pierres. Et devant moi, près d'une source qui coulait sous les pieds des palmiers, une tente magnifique était dressée, près de laquelle deux juments superbes, les jambes réunies, paissaient l'herbe humide et glorieuse.

« Alors je me hâtai de mettre pied à terre et d'abreuver mon cheval, dont les naseaux jetaient le feu, et de boire moi-même de cette eau de source limpide et douce à mourir. Puis je pris une longue corde dans ma besace et j'attachai mon cheval pour qu'il pût librement se rafraîchir au vert de cette prairie. Après quoi une curiosité m'invita à me diriger vers la tente pour voir ce que pouvait être l'affaire. Et voici ce que je vis.

« Sur une natte blanche était assis à son aise un adolescent aux joues vierges de poil ; et il était aussi beau que le croissant de la nouvelle lune ; et à sa droite une jeune fille délicieuse, nonchalante, de taille mince, délicate et souple tel le rameau jeune du saule, était étendue dans la splendeur de sa beauté.

« Alors moi, à l'heure même et au moment, je devins amoureux à l'extrême limite de la passion, mais je ne sus exactement si c'était de l'adolescente ou de l'adolescent ! Car, par Allah ! la lune est-elle plus belle, ou le croissant !

« À cette vue, je fis entendre ma voix et je leur dis : « La paix sur vous ! » Et aussitôt la jeune fille se couvrit le visage et le jeune homme se tourna vers moi et se leva et répondit : « Et sur toi la paix ! » Je dis : « Je suis Hamad ben-El-Fezari de la principale tribu de l'Euphrate ! Je suis l'illustre, le guerrier réputé, le cavalier redoutable, celui qui compte, par son courage et sa témérité, parmi les Arabes, à l'égal de la valeur réunie de cinq cents cavaliers ! Comme je poursuivais une autruche, le sort me conduisit jusqu'ici ; et je viens te demander une gorgée d'eau ! » Alors le jeune homme se tourna vers la jeune fille et lui dit : « Porte-lui à boire et à manger. » Et la jeune fille se leva ! Et elle marcha ! Et chacun de ses pas était marqué par le bruit harmonieux des grelots d'or de ses chevilles ; et derrière elle sa chevelure éployée la couvrait entière et lourdement se balançait et tellement ! que l'adolescente en trébuchait. Alors moi, malgré les regards du jeune homme, je regardai fixement l'adolescente pour n'en plus détacher mes yeux. Et elle revint en portant sur la paume de sa main droite un vase rempli d'eau fraîche, et sur la paume de sa main gauche un plateau couvert de dattes, de porcelaines de lait caillé et de plats de viande de gazelle.

« Mais moi je ne pus, tant la passion m'anéantissait, ni tendre la main ni même toucher à rien de toutes ces choses. Je ne sus que regarder l'adolescente et réciter ces vers que je construisis à l'instant même :

« La neige de ta peau, ô jeune fille, ah ! Et la teinture de henné est fraîche et noire encore sur tes doigts et sur la paume de tes mains !

Et je crois voir, devant mes yeux émerveillés, se dessiner sur la blancheur de tes mains la figure de quelque brillant oiseau au noir plumage ! »

« Lorsque le jeune homme eut entendu ces vers et remarqué le feu de mes regards, il se mit à rire et tellement qu'il faillit s'évanouir. Puis il me dit : « En vérité, je vois que tu es un guerrier hors pair, et un cavalier extraordinaire ! » Je répondis : « Je passe pour tel ! Mais toi, qui donc es-tu ? » Et je grossis ma voix pour lui faire peur et me faire respecter. Et le jeune homme me dit : « Je suis Ebad ben-Tamim ben-Thâlaba, de la tribu des Bani-Thâlaba. Et cette jeune fille est ma sœur. » Alors moi je m'écriai : « Hâte-toi donc de me donner ta sœur comme épouse, car je l'aime passionnément et je suis de noble filiation ! » Mais il me répondit : « Sache que ni ma sœur ni moi nous ne nous marierons jamais. Car nous avons choisi cette terre fertile au milieu du désert pour y vivre notre vie en toute tranquillité, loin de tous les soucis ! » Je dis : « Il me faut ta sœur comme épouse, ou à l'instant même tu vas compter au nombre des morts, par le tranchant de ce glaive ! »

« À ces paroles, le jeune homme bondit vers l'extrémité de sa tente et me dit : « Arrière, ô scélérat qui méconnais l'hospitalité ! La lutte entre nous livrera le vaincu à discrétion ! » Et il détacha du poteau où ils pendaient son glaive et son bouclier, tandis que je m'élançais du côté où paissait mon cheval et que je sautai en elle et me tenais en garde. Et le jeune homme, s'étant armé, sortit également et enfourcha son cheval et il se disposait déjà à le lancer, quand la jeune fille, sa sœur, sortit, les yeux pleins de larmes, et s'attacha à ses genoux qu'elle embrassa en récitant ces vers :

« Ô mon frère, voici que pour défendre ta sœur fragile, tu t'exposes au sort de la lutte et aux coups d'un ennemi que tu ne connais pas !

Que puis-je, sinon faire des vœux au Donateur de la victoire pour ton triomphe, et pour que je me garde intacte de toute souillure et conserve pour toi seul le sang de mon cœur ?

Mais si la destinée farouche te ravissait à mon âme, ne crois point qu'un pays puisse me voir vivante, fût-il le plus beau de tous les pays, et débordant des produits de toute la terre.

Et ne crois point que je te survive un instant ; car la tombe recélera nos corps unis dans le trépas comme dans la vie ! »

« Lorsque le jeune homme eut entendu ces vers désolés de sa sœur, ses yeux se remplirent de larmes, et il se pencha vers la jeune fille et souleva légèrement le voile qui lui cachait le visage et l'embrassa entre les yeux ; et cela me permit de voir pour la première fois les traits de la jeune fille : elle était exactement aussi belle que le soleil qui apparaît soudain sortant d'un nuage ! Puis le jeune homme tint un instant la tête du cheval du côté de la jeune fille et récita ces vers :

« Arrête-toi, ô sœur, et regarde les prodiges que mon bras accomplira.

Si pour toi, ô ma sœur, je ne combats pas, pourquoi donc mes armes et mon cheval !

Et si pour te défendre je ne lutte pas, pourquoi donc la vie ?

Et si je recule quand il s'agit de ta beauté, n'est-ce point un signe pour les oiseaux de proie de se jeter sur un corps sans âme désormais ?

Quant à celui-là, qui se dit redoutable et nous vante la fermeté de son courage, je vais, sous tes yeux, lui faire sentir un coup qui le perforera du cœur au talon ! »

« Puis il se tourna vers moi et me cria : « Et toi qui souhaites la jouissance après ma mort, à tes dépens va s'accomplir un exploit qui remplira les livres à venir !

Car, moi qui construis ces vers au rythme guerrier, je suis celui qui enlèvera ton âme avant que tu puisses seulement t'en douter ! »

« Et il lança son cheval contre le mien et, d'un coup, il envoya mon épée voler au loin et, sans me laisser le temps de piquer des deux et de filer dans le désert, il me saisit dans sa main et m'enleva de ma selle comme on enlève un sac vide, et me lança comme une balle en l'air, et me rattrapa au vol sur sa main gauche, et me soutint ainsi, le bras tendu, comme s'il eût tenu sur le doigt un oiseau apprivoisé. Quant à moi, je ne savais plus si tout cela n'était point un songe noir ou si ce jeune homme, aux joues soyeuses et rosées, n'était pas un genni qui habitait sous cette tente avec une houria ! Et d'ailleurs ce qui se passa après me fit supposer qu'il devait plutôt en être ainsi.

« En effet, lorsque la jeune fille vit le triomphe de son frère, elle s'élança vers lui et l'embrassa sur le front et se suspendit joyeuse au cou de son cheval, qu'elle conduisit elle-même jusqu'à la tente. Là le jeune homme descendit en me tenant sous le bras comme un paquet, me posa à terre, me fit mettre debout et, me prenant la main, il me fit entrer sous la tente, au lieu de m'écraser la tête sous ses pieds ; et il dit à sa sœur : « Il est désormais l'hôte qui est entré sous notre protection ; traitons-le donc avec égards et avec douceur. » Et il me fit asseoir sur la natte ; et la jeune fille mit derrière moi un coussin pour mieux me faire reposer ; puis elle s'occupa de remettre en place les armes de son frère, et de lui apporter l'eau parfumée et de lui laver le visage et les mains ; puis elle le vêtit d'une robe blanche en lui disant : « Qu'Allah, ô mon frère, fasse parvenir ton honneur à l'extrême limite de la blancheur, et qu'il te mette comme un grain de beauté sur la face glorieuse de nos tribus ! » Et l'adolescent lui répondit par ces vers :

« Ô ma sœur, au sang limpide, de la race des Bani-Thâlaba ! tu m'as vu sur le terrain de la lutte, combattant pour tes yeux ! »

« Elle répondit : « Les éclairs de ta chevelure sur ton front t'auréolaient de leur lueur, ô mon frère ! »

« Il reprit : « Voici les lions des solitudes infinies ! Ô ma sœur, conseille-leur de retourner sur leurs pas ! Je ne voudrais point que la honte les tînt à jamais dans la poussière mordue par leurs dents ! »

« Elle répondit : « Ô vous tous ! c'est mon frère Ebad ! Tous ceux du désert le connaissent par sa vaillance, ses exploits et la noblesse de ses ancêtres ! Reculez ! Et toi, Bédouin Hamad ! tu as voulu lutter contre un héros qui t'a fait voir la mort ramper vers toi comme un serpent prêt à fondre sur sa proie ! »

« Or, moi, en voyant tout cela et en entendant ces vers, je fus dans une grande perplexité ; et je fis un retour sur moi-même et je constatai combien j'étais devenu petit à mes propres yeux ; et combien ma laideur était grande en comparaison de la beauté de ces deux adolescents ! Mais bientôt je vis la jeune fille apporter à son frère un plateau couvert de mets et de fruits, sans qu'elle me jetât un seul regard, fût-il même méprisant, comme si j'étais quelque chien dont la présence dût passer inaperçue. Et pourtant, malgré tout, je continuais à la trouver plus merveilleuse encore, surtout quand elle se mit à offrir à manger à son frère, en le servant elle-même et en se négligeant elle-même pour qu'il ne manquât de rien. Mais le jeune homme finit par se tourner de mon côté et m'invita à partager le repas avec lui : alors je poussai un soupir de soulagement, car je me sentais désormais certain d'avoir la vie sauve. Et il me tendit lui-même une porcelaine de lait caillé et une soucoupe pleine d'une décoction de dattes dans l'eau aromatisée. Et je mangeai et je bus en tenant la tête basse, et je lui jurai mille et cinq cents serments que j'étais désormais le plus fidèle de ses esclaves et le plus acquis à sa dévotion. Mais il sourit et fit un signe à sa sœur qui se leva aussitôt et ouvrit une grande caisse et en tira une à une dix robes admirables, plus belles les unes que les autres ; elle en mit neuf dans un paquet et m'obligea à l'accepter ; puis elle me força à me vêtir de la dixième. Et c'est cette dixième, si somptueuse, dont vous me voyez, ô vous tous, en ce moment habillé !

« Après quoi, le jeune homme fit un second signe, et l'adolescente sortit un instant pour revenir aussitôt ; et je fus invité par eux deux à aller prendre possession d'une chamelle chargée de toutes sortes de vivres et aussi de cadeaux que j'ai conservés précieusement jusqu'aujourd'hui. Et m'ayant ainsi comblé de toutes sortes d'égards et de présents, sans que j'eusse fait quoi que ce soit pour les mériter, au contraire ! ils m'invitèrent à user de leur hospitalité autant de temps qu'il me plairait. Mais, ne voulant plus abuser de rien, je pris congé d'eux en embrassant sept fois la terre entre leurs mains et, ayant enfourché mon alezan, je pris la chamelle par le licou et je me hâtai de retourner sur le chemin du désert, d'où j'étais venu.

Et c'est alors que, devenu le plus riche de ma tribu, je me fis chef d'une bande de brigands coupeurs de routes. Et il arriva ce qui arriva ! Et telle est l'histoire que je vous ai promise et qui mérite, sans aucun doute, la rémission de tous mes crimes lesquels, à la vérité, ne sont pas d'un poids minime ! »

Lorsque le Bédouin Hamad eut fini son histoire, Nôzhatou dit aux deux rois et au vizir Dandân : « On doit respecter les fous, mais les mettre hors de portée de nuire. Or, ce Bédouin a le crâne irrémédiablement disloqué ; il faut donc lui pardonner ses méfaits à cause de sa sensibilité aux beaux vers et de sa mémoire étonnante ! » À ces paroles, le Bédouin se sentit soulagé si considérablement qu'il s'affala sur les tapis. Et les eunuques vinrent et le ramassèrent.

Or, à peine le Bédouin venait-il de disparaître qu'un courrier entra en haletant et, ayant embrassé la terre entre les mains des rois, dit : « La Mère-des-Calamités est aux portes de la ville, car elle n'en est plus distante que d'un seul parasange ! »

À cette nouvelle si longtemps attendue, les deux rois et le vizir se convulsèrent de joie et demandèrent des détails au courrier, qui leur dit : « Lorsque la Mère-des-Calamités eut ouvert la lettre de notre roi et vu sa signature au bas de la feuille, elle se réjouit extrêmement ; et à l'heure même et à l'instant elle fit ses préparatifs de départ et invita la reine Safîa à venir avec elle ainsi que cent des principaux guerriers des Roum de Constantinia. Puis elle me dit de prendre les devants pour venir vous annoncer son arrivée. »

Alors le vizir Dandân se leva et dit aux rois : « Il est plus prudent, pour déjouer les perfidies et les embûches dont pourrait encore se servir la vieille mécréante, que nous allions à sa rencontre, après nous être déguisés sous des vêtements de chrétiens occidentaux, et avoir pris avec nous mille guerriers choisis, habillés également selon l'ancienne mode de Kaïssaria. » Et les deux rois répondirent pour l'ouïe et l'obéissance et firent ce que leur conseillait le grand vizir. Aussi, quand elle les vit dans cet accoutrement, Nôzhatou leur dit : « Vraiment, si je ne vous connaissais pas, je vous croirais tout à fait des Afrangi ! » Alors ils sortirent du palais et, s'étant mis à la tête de mille guerriers, ils allèrent au-devant de Mère-des-Calamités.

Et bientôt elle apparut. Alors Roumzân et Kanmakân dirent au vizir Dandân de développer les guerriers sur un grand cercle et de les faire avancer lentement de façon à ne laisser échapper aucun des guerriers de Constantinia. Puis le roi Roumzân dit à Kanmakân : « Laisse-moi d'abord m'avancer le premier au-devant de la vieille maudite : car elle me connaît déjà et ne se méfiera pas. » Et il poussa son cheval. Et en quelques instants il fut aux côtés de Mère-des-Calamités.

Alors Roumzân mit vivement pied à terre et la vieille, l'ayant reconnu, descendit également et se jeta à son cou. Alors le roi Roumzân la prit dans ses bras, la fixa les yeux dans les yeux, et la serra et la comprima si fort et si longtemps qu'elle lança un pet retentissant qui fit se cabrer tous les chevaux et sauter les cailloux du chemin à la tête des cavaliers !

Or, au même moment les mille guerriers, au grand galop, resserrèrent leur cercle et crièrent aux cent chrétiens de mettre bas les armes ; et en un clin d'œil ils les capturèrent jusqu'au dernier, tandis que le vizir Dandân s'avançait vers la reine Safîa et, ayant baisé la terre entre ses mains, la mettait en quelques mots au courant de la situation, cependant que la vieille Mère-des-Calamités, garrottée solidement, comprenait enfin sa perdition et urinait longuement dans ses vêtements.

Puis tout le monde rentra à Kaïssaria ; et, de là, immédiatement on se mit en route pour Bagdad, où l'on arriva sans incident et en toute hâte.

Alors les rois firent illuminer et décorer toute la ville et invitèrent tous les habitants, par les crieurs publics, à se masser devant le palais. Et lorsque toute la place et toutes les rues furent remplies par la foule des habitants, hommes, femmes et enfants, un âne galeux sortit de la grande porte et sur son dos, à rebours, était attachée Mère-des-Calamités, la tête couverte d'une tiare rouge et couronnée de crottin. Et devant elle lentement marchait un grand crieur qui racontait à haute voix les principaux méfaits de la vieille maudite, cause première de tant de calamités sur l'Orient et l'Occident.

Et lorsque toutes les femmes et les enfants lui eurent craché au visage, on la pendit par les pieds à la grande porte de Bagdad ! Et c'est ainsi que périt, en rendant à Eblis son âme fétide, par l'anus, la pétante calamiteuse, la vieille aux fabuleuses vesses, la rouée, la politique, la perverse mécréante, Schaouahi Omm El-Daouahi. Le sort la trahissait comme elle avait trahi, et cela afin que sa mort pût servir de présage de la prise de Constantinia par les Croyants et du définitif triomphe en Orient, dans le futur, de l'Islam pacifique sur la terre d'Allah en large et en long !

Aussi les cent guerriers chrétiens ne voulurent plus retourner dans leur pays et préférèrent embrasser librement la foi si simple des musulmans.

Et les rois et le vizir Dandân ordonnèrent aux scribes les plus habiles de noter soigneusement dans les annales tous ces détails et ces événements, afin qu'ils puissent servir d'exemple salutaire aux générations de l'avenir.

Et telle est, ô Roi fortuné, continua Schahrazade en s'adressant au roi Schahriar, l'histoire du roi Omar Al-Némân et de ses fils merveilleux Scharkân et Daoul'makân ; de la reine Abriza, de la reine Force-du-Destin et de la reine Nôzhatou ; du grand vizir Dandân et des rois Roumzân et Kanmakân !

Puis Schahrazade se tut.

Alors, pour la première fois, le roi Schahriar regarda tendrement la diserte Schahrazade, et lui dit : « Ô Schahrazade ! par Allah ! que ta sœur, cette petite qui écoute, a raison quand elle te dit que tes paroles sont délicieuses au goût et savoureuses en leur fraîcheur ! En vérité tu commences à me faire regretter le massacre de tant d'adolescentes, et peut-être que tu finiras par me faire oublier complètement le serment que je fis de te tuer comme les autres ! »

Et la petite Doniazade se souleva du tapis où elle était blottie et s'écria : « Ô ma sœur ! que cette histoire est admirable ! Et comme j'aime Nôzhatou et les paroles qu'elle disait et les paroles des jeunes filles ! Et combien je suis contente de la mort de Mère-des-Calamités ! Et que tout cela est merveilleux ! »

Alors Schahrazade regarda sa sœur et lui sourit. Puis elle lui dit : « Mais que dirais-tu alors si tu entendais les paroles des animaux et des oiseaux ? » Et Doniazade s'écria : « Ah ! ma sœur, je t'en prie, dis-nous quelques paroles des animaux et des oiseaux ! Car elles doivent être délicieuses, surtout répétées par ta bouche !». Mais Schahrazade dit : « De tout cœur amical ! mais certainement pas avant que ne me le permette notre maître le Roi, si toutefois il souffre encore de ses insomnies ! » Et le roi Schahriar fut extrêmement perplexe et dit : « Mais que peuvent bien dire les animaux et les oiseaux ? Et dans quelle langue parlent-ils ? » Et Schahrazade dit : « En prose et en vers, dans le pur arabe ! » Alors le roi Schahriar s'écria : « En vérité, ô Schahrazade, je ne veux rien décider encore concernant ton sort, avant que tu ne m'aies raconté ces choses que je ne connais pas. Car jusqu'ici je n'ai entendu que les paroles humaines ; et je ne serais pas fâché de savoir ce que pensent les êtres qui ne sont pas compris par la plupart des hommes ! »

Alors, comme elle voyait la nuit s'écouler, Schahrazade pria le roi d'attendre jusqu'au lendemain. Et Schahriar, malgré l'impatience où il était, voulut bien y consentir. Il prit dans ses bras la belle Schahrazade, et ils s'enlacèrent jusqu'au matin.

Mais lorsque fut la cent quarante-sixième nuit. Schahrazade dit :

HISTOIRE CHARMANTE DES ANIMAUX ET DES OISEAUX

CONTE DE L'OIE, DU PAON ET DE LA PAONNE

Il m'est parvenu, ô Roi fortuné, qu'il y avait, en l'antiquité du temps et le passé de l'âge et du moment, un paon qui aimait, en compagnie de son épouse, à fréquenter les bords de la mer et à se promener dans une forêt qui s'étendait jusque-là et qui était pleine d'eaux courantes et habitée par le chant des oiseaux. Durant le jour, le couple cherchait tranquillement sa nourriture et, la nuit venue, il se perchait sur un arbre touffu pour ne point s'exposer à tenter l'envie de quelque voisin peu scrupuleux dans son admiration pour la beauté de la jeune paonne.

Et ils continuèrent à vivre de la sorte, en bénissant le Bienfaiteur, dans la paix et la douceur.

Or, un jour, le paon décida son épouse à aller, pour changer d'air et de vue, faire une excursion du côté d'une île que l'on voyait du rivage. Et la paonne lui ayant répondu par l'ouïe et l'obéissance, ils s'envolèrent tous deux et arrivèrent dans l'île. Et c'était une île couverte de beaux arbres fruitiers et nourrie par une multitude de ruisseaux. Et le paon et son épouse furent extrêmement charmés de leur promenade au milieu de cette fraîcheur, et s'arrêtèrent quelque temps à manger de tous les fruits et à boire de cette eau si douce et si légère.

Or, comme ils se disposaient à s'en retourner chez eux, ils virent arriver vers eux, les ailes battantes et pleine d'effroi, une oie. Et elle vint, en tremblant de toutes ses plumes, leur demander abri et protection ; et le paon et son épouse ne manquèrent pas de la recevoir en toute cordialité ; et la paonne se mit à lui parler avec beaucoup de gentillesse et lui dit : « Sois la bienvenue au milieu de nous ! Tu trouveras ici famille et facilité ! » Alors l'oie commença à se tranquilliser ; et le paon, ne doutant pas un instant que cette oie n'eût une histoire étonnante, lui demanda avec bonté : « Que t'est-il donc arrivé et pourquoi cet effroi ? » Et l'oie répondit : « Je suis encore toute malade de ce qui vient de m'arriver, et de la terreur terrible qui m'inspire Ibn-Adam ! Ah ! qu'Allah nous garde ! qu'Allah nous préserve d'Ibn-Adam ! » Et le paon, bien peiné, lui dit : « Calme-toi, ma bonne oie, calme-toi ! » Et la paonne lui dit : « Comment veux-tu qu'Ibn-Adam puisse arriver jusqu'à cette île située au milieu de la mer ? Du rivage, il ne pourra sauter jusqu'ici ; et de la mer, comment fera-t-il pour traverser tant d'espace et d'eau ? » Alors l'oie leur dit : « Béni soit celui qui vous a mis sur ma route pour me faire oublier mes terreurs et me rendre la paix du cœur ! » Et la paonne lui dit : « Ô ma sœur, raconte-nous alors le motif de la terreur que t'inspire Ibn-Adam et l'histoire qui a dû t'arriver certainement ! » Et l'oie raconta :

« Sache, ô paon plein de gloire, et toi paonne douce et hospitalière, que j'habite cette île depuis mon enfance, et y ai toujours vécu sans désagrément ni soucis, et sans rien qui pût me troubler l'âme ou m'offusquer la vue. Mais, l'avant-dernière nuit, comme j'étais endormie, la tête sous mon aile, je vis m'apparaître en songe un Ibn-Adam qui voulut lier conversation avec moi ; et j'allais répondre à ses avances, quand j'entendis une voix qui me criait : « Prends garde, ô oie, prends garde ! Méfie-toi d'Ibn-Adam et de la douceur de son langage et de la perfidie de ses manières ! Et n'oublie pas ce qu'a dit le poète à son sujet :

« Il te fait goûter une douceur qu'il a sur le bout de la langue ; mais c'est pour te surprendre à l'improviste, comme le renard, en tapinois ! »

« Car sache bien, pauvre oie, qu'Ibn-Adam a atteint dans la rouerie un tel degré qu'il sait, quand il veut, attirer à lui les habitants du sein des eaux et les monstres les plus farouches de la mer ; il peut du haut des airs faire dégringoler comme une masse les aigles qui planent tranquilles, rien qu'en leur lançant une balle fabriquée avec la boue desséchée ; il est enfin si perfide que, tout faible qu'il est, il peut vaincre l'éléphant et s'en servir comme domestique ou lui arracher les défenses pour s'en faire des ustensiles. Ah ! oie, fuis ! fuis ! »

« Alors moi je sursautai dans mon sommeil et, sans regarder derrière moi, épouvantée, je m'enfuis en allongeant le col et déployant mes ailes. Et je me mis ainsi à vagabonder de-ci et de-là jusqu'à ce que j'eusse senti mes forces m'abandonner ; alors, comme j'étais arrivée au bas d'une montagne, je m'arrêtai un instant derrière un rocher, et mon cœur battait de peur et de fatigue, et ma poitrine était resserrée de toute l'appréhension que m'inspirait Ibn-Adam ! Et, avec tout cela, je n'avais ni mangé ni bu, et la faim me torturait et la soif autant ! Et je ne savais plus comment faire et je n'osais plus bouger, quand je vis en face de moi, à l'entrée d'une caverne, un jeune lion roux, au regard bon et doux, qui m'inspira aussitôt confiance et sympathie. Et de son côté le jeune lion m'avait déjà remarquée ; et il montrait tous les signes d'une grande joie, tant j'avais en moi de timidité et tant mon aspect l'avait séduit. Aussi il m'appela en me disant : « Ô gentille petite, approche, viens causer un peu avec moi. » Et moi je fus très sensible à son invitation, et je m'avançai vers lui très modestement ; et il me dit : « Comment t'appelles-tu ? Et de quelle race es-tu ? » Je lui répondis : « Je m'appelle Oie ! Et je suis de la race des oiseaux ! » Il me dit : « Je te vois tremblante et terrifiée, et j'en ignore la cause ! » Alors je lui racontai ce que j'avais vu et entendu en rêve. Et quel ne fut pas mon étonnement quand il me répondit : « Mais moi aussi j'ai eu un songe semblable et je l'ai raconté à mon père le lion qui m'a aussitôt mis en garde contre Ibn-Adam et m'a dit de me méfier extrêmement de ses ruses et perfidies ! Mais jusqu'à présent je n'ai guère eu l'occasion de faire la rencontre de cet Ibn-Adam-là ! »

« À ces paroles du jeune lion, mon effroi ne fit qu'augmenter et je m'écriai : « Il n'y a plus à hésiter sur le parti à prendre ! C'est le moment de nous débarrasser de ce fléau, et c'est à toi seul, ô fils du sultan des animaux, que doit revenir la gloire de tuer Ibn-Adam ! Et, ce faisant, ta renommée haussera aux yeux de toutes les créatures du ciel, de l'eau et de la terre ! » Et je continuai à encourager de la sorte et à flatter le jeune lion jusqu'à ce que je l'eusse décidé à se mettre à la recherche de notre ennemi commun.

« Le jeune lion sortit donc de la caverne et me dit de le suivre ; et moi je marchai derrière lui, tandis qu'il s'avançait fièrement en faisant claquer sa queue sur son dos. Et nous marchâmes ainsi de compagnie, moi toujours derrière lui et pouvant à peine suivre son pas ; enfin nous vîmes s'élever une poussière qui, dissipée, laissa apparaître, tout nu, sans bât ni licou, un âne fugitif qui tantôt gambadait et ruait, et tantôt se jetait à terre et se roulait dans la poussière, les quatre jambes en l'air. À cette vue, mon ami le jeune lion fut assez étonné, car ses parents ne l'avaient guère laissé jusqu'ici sortir de la caverne ; et il héla l'âne en question en lui criant : « Hé toi ! viens par ici ! » Et l'autre se hâta d'obéir ; et mon ami lui dit : « Animal de peu de raison, pourquoi agis-tu de la sorte ? Et d'abord de quelle espèce es-tu d'entre les animaux ? » Il répondit : « Ô mon maître, je suis ton esclave l'âne de l'espèce des ânes ! » Il lui demanda : « Et pourquoi viens-tu par ici ? » Il répondit : « Ô fils du sultan, pour fuir Ibn-Adam ! » Alors le jeune lion se mit à rire et lui dit : « Comment, avec ta taille et ta largeur, peux-tu craindre Ibn-Adam ! » L'âne dit, en agitant la tête d'un air pénétré : « Ô fils du sultan, je vois que tu ne connais guère cet être malfaisant ! Si j'ai peur de lui, ce n'est point qu'il veuille ma mort : il veut pis que cela, et ma terreur provient du traitement qu'il me ferait subir ! Sache en effet que je lui sers de monture, tant que je suis jeune et solide ; et, dans ce but, il me met sur le dos quelque chose qu'il appelle le bât ; puis il me serre le ventre avec quelque chose qu'il appelle la sangle ; et sous la queue il me met un anneau dont j'ai oublié le nom, mais qui blesse cruellement mes parties délicates ; enfin il me fourre dans la bouche un morceau de fer qui me met en sang la langue et le palais et qu'il appelle le mors. Et c'est alors qu'il me monte et que, pour me faire aller plus vite que je ne peux, il me pique le cou et le derrière avec un aiguillon. Et si, fourbu, je fais mine d'aller moins vite, il me lance d'effroyables malédictions et des jurons qui me font frissonner, tout âne que je suis, car devant tout le monde il m'appelle : « Entremetteur ! fils de putain ! fils d'enculé ! le cul de ta sœur ! coureur de femmes ! » – que sais-je encore ! Et si, par malheur, je viens, voulant me soulager un peu la poitrine, à péter, alors sa fureur ne connaît plus de bornes ; et il vaut mieux, par égard pour toi, ô fils du sultan, que je ne te répète pas tout ce qu'il me fait et tout ce qu'il me dit, en pareille circonstance ! Aussi je ne me laisse aller à de pareils soulagements que lorsque je sais qu'il est très loin derrière moi, ou lorsque je suis sûr d'être seul ! Mais ce n'est pas tout ! Lorsque je me ferai vieux, il me vendra à quelque porteur d'eau qui, me mettant sur le dos un bât en bois, me chargera d'énormes cruches d'eau, et cela jusqu'à ce que, n'en pouvant plus, je crève misérablement. Et alors on jettera ma carcasse aux chiens errants sur les décombres ! Et tel est, ô fils du sultan, le sort calamiteux que me réserve Ibn-Adam ! Ah ! y a-t-il parmi les créatures une infortune comparable à la mienne ? réponds, toi, ô bonne et tendre oie ! »

« Alors moi, ô mes maîtres, je sentis un frisson me traverser d'horreur et de pitié et je m'écriai, à la limite de l'émotion et du tremblement : « Ô seigneur lion, vraiment l'âne est excusable ! Car, rien qu'à l'entendre, je meurs ! » Et le jeune lion, voyant l'âne en train de déguerpir, lui cria : « Mais pourquoi es-tu si pressé, compagnon ! Reste encore un peu, car vraiment tu m'intéresses ! Et je serais heureux de te voir me servir de guide pour aller vers Ibn-Adam ! » Mais l'âne répondit : « Je regrette, seigneur ! mais je préfère mettre entre moi et lui l'espace d'une journée ; car je suis en train de chercher quelque lieu sûr où m'abriter contre ses perfidies et son astuce. Et puis, avec ta permission, je veux, maintenant que je suis sûr qu'il ne m'entendra pas, me soulager tout à mon aise et jouir de l'air du temps ! » Et, ayant dit ces paroles, l'âne se mit à braire longuement et fit suivre cela de trois cents magnifiques pets, en ruant. Puis il se roula sur l'herbe pendant un bon moment et se releva et, voyant une poussière vers le loin, il tendit une oreille, puis l'autre oreille, regarda fixement et, nous tournant le dos vivement, il déguerpit et disparut.

« Or, la poussière s'étant dissipée, apparut un cheval noir, au front étoilé d'une tache blanche comme une drachme d'argent, beau, proportionné, fier, luisant, et les pieds entourés, à l'endroit qui sied, d'une couronne de poils blancs ; et il arrivait vers nous en hennissant d'une voix fort agréable. Et lorsqu'il vit mon ami le jeune lion, il s'arrêta en son honneur et voulut se retirer par discrétion. Mais le lion, extrêmement charmé de son élégance et séduit par son aspect, lui dit : « Qui donc es-tu, ô bel animal ? Et pourquoi cours-tu de la sorte dans cette immense solitude, et as-tu l'air si inquiet ? » Il répondit : « Ô roi des animaux, je suis un cheval d'entre les chevaux ! Et je suis en fuite pour éviter l'approche d'Ibn-Adam ! »

« À ces paroles, le lion fut à la limite de l'étonnement et dit au cheval : « Ne parle donc pas ainsi, ô cheval, car c'est vraiment honteux pour toi d'avoir peur d'Ibn-Adam, fort comme tu es et doué de cette carrure et de cette taille, et alors que tu peux d'un seul coup de pied le faire passer de vie à trépas ! Regarde-moi ! je ne suis pas si grand que toi, et pourtant j'ai promis à cette gentille oie qui tremble, de la débarrasser à jamais de ses terreurs en attaquant et tuant Ibn-Adam et en le mangeant entièrement. Et alors je me ferai un plaisir de réintégrer cette pauvre oie dans sa maison au milieu de sa famille ! »

« Lorsque le cheval eut entendu ces paroles de mon ami, il le regarda avec un sourire triste et lui dit : « Rejette loin de toi de telles pensées, ô fils du sultan, et ne t'illusionne pas de la sorte sur ma force et ma taille et ma vitesse, car tout cela est vain devant l'astuce d'Ibn-Adam. Et sache bien que lorsque je suis entre ses mains, il trouve le moyen de me dompter à sa guise. À cet effet, il me met aux pieds des entraves de chanvre et de crin, et m'attache par la tête à un poteau planté plus haut que moi dans le mur ; et de la sorte je ne puis ni bouger, ni m'asseoir ni me coucher. Mais ce n'est pas tout ! Lorsqu'il veut me monter, il me met sur le dos quelque chose qu'il appelle une selle, et me comprime le ventre avec deux larges sangles fort dures qui me meurtrissent ; dans la bouche il me met un morceau d'acier qu'il tire au moyen de courroies pour me diriger où il lui plaît ; et, une fois sur mon dos, il me pique et me perfore les flancs avec les pointes de ce qu'il appelle les étriers, et me met ainsi tout le corps en sang ! mais ce n'est pas fini ! Lorsque je suis vieux, et que mon dos n'est plus assez souple ni assez résistant et que mes muscles ne peuvent me lancer aussi vite qu'il le voudrait, il me vend à quelque meunier qui me fait tourner nuit et jour la meule du moulin jusqu'à ma complète décrépitude. Alors il me vend à l'équarisseur qui m'égorge et m'écorche et vend ma peau aux tanneurs et mes crins aux fabricants de cribles, de tamis et de blutoirs ! Et tel est mon sort avec Ibn-Adam ! »

« Alors le jeune lion fut très affecté de ce qu'il venait d'entendre et demanda au cheval : « Je vois qu'il me faut absolument débarrasser la création de cet être de malheur que vous appelez tous Ibn-Adam. Dis-moi donc, ô cheval, où et quand as-tu aperçu Ibn-Adam ? » Le cheval dit : « Je l'ai quitté vers midi. Et il est maintenant à ma poursuite, courant de ce côté ! »

« Or, à peine le cheval venait-il d'achever ces paroles qu'une poussière s'éleva qui lui donna une telle terreur que, sans prendre le temps de s'excuser, il nous quitta au grand galop. Et nous vîmes du côté de la poussière apparaître et s'avancer vers nous à grandes enjambées, effaré et le cou tendu et mugissant éperdument, un chameau.

« À l'aspect de ce grand animal, démesurément colossal, le lion fut persuadé que ce devait être Ibn-Adam, et sans me consulter, il s'élança sur lui et allait bondir et l'étrangler quand je lui criai de toute ma voix : « Ô fils du sultan, arrête ! ce n'est point un Ibn-Adam, mais un brave chameau, le plus inoffensif des animaux ! Et sûrement il fuit l'approche d'Ibn-Adam ! » Alors le jeune lion s'arrêta à temps et, tout interloqué, demanda au chameau : « Vraiment, toi aussi, ô prodigieux animal, tu as peur de cet être-là ? Que fais-tu donc de tes énormes pieds si tu ne peux lui en écraser la face ? » Et le chameau haussa lentement la tête et, les yeux perdus comme dans un cauchemar, répondit tristement : « Ô fils du sultan, regarde mes narines ! Elles sont encore trouées et fendues de l'anneau en crin qu'Ibn-Adam m'y avait passé pour me dompter et me diriger ; et à cet anneau était fixée une corde qu'Ibn-Adam confiait au plus petit des enfants, lequel pouvait ainsi, monté sur un tout petit âne, me conduire à sa guise, moi et toute une bande d'autres chameaux à la file les uns des autres ! Regarde mon dos ! il est encore bossué de tous les fardeaux dont depuis des siècles on ne cesse de le charger ! Regarde mes jambes ! Elles sont calleuses et fourbues des longues courses et des voyages forcés à travers les sables et les pierres ! Mais ce n'est pas tout ! Sache que lorsque je me fais vieux, après tant de nuits sans sommeil et tant de jours sans repos, loin d'avoir des égards pour ma vieillesse et ma patience, il sait encore tirer parti de ma vieille peau et de mes vieux os, en me vendant au boucher qui vend ma chair aux pauvres et mon cuir aux tanneurs et mon poil aux fileurs et aux tisserands ! Et voilà le traitement régulier que me fait subir Ibn-Adam ! »

« À ces paroles du chameau, le jeune lion fut pris d'une indignation sans bornes ; et il rugit et agita ses mâchoires et frappa le sol de ses pattes ; puis il dit au chameau : « Hâte-toi de me dire où tu as laissé Ibn-Adam ! » Et le chameau dit : « Il est à ma recherche et ne va pas tarder à apparaître. Aussi, de grâce, ô fils du sultan, laisse-moi émigrer et m'enfuir vers d'autres pays que mon pays natal ! Car ni les solitudes du désert ni les terres les plus inconnues ne sauraient assez me cacher à ses investigations ! » Alors le lion lui dit : « Ô chameau, crois-moi ! attends encore un peu et tu verras comment je vais assaillir Ibn-Adam et le jeter à terre et lui broyer les os et boire son sang et faire nourriture de sa chair ! » Mais le chameau répondit, tandis que des frissons lui agitaient par nappes toute la peau : « Permets ! ô fils du sultan, je préfère encore m'en aller, car le poète a dit :

« Si sous la tente même qui t'abrite, et dans le pays même qui t'appartient, vient habiter un visage désagréable,

Un seul parti te reste à prendre : laisse-lui ta tente et ton pays et hâte-toi de décamper ! »

« Et, ayant récité cette strophe si juste, le bon chameau baisa la terre entre les mains du lion et se releva ; et bientôt nous le vîmes tanguer vers le loin. Or, à peine avait-il disparu que soudain, sortant de je ne sais où, un petit vieux, à l'aspect d'homme chétif, l'air rusé, la peau ratatinée, apparut, portant sur les épaules un panier où se trouvaient des ustensiles de menuisier, et sur la tête huit grandes planches de bois.

« À sa vue, ô mes maîtres, je n'eus pas la force seulement de jeter un cri ou d'avertir mon jeune ami, et je tombai paralysée sur le sol. Quant au jeune lion, très amusé par l'aspect de ce petit être drôle, il s'avança vers lui pour l'examiner de plus près ; et le menuisier s'aplatit à terre devant lui et lui dit en souriant et d'une voix très humble : « Ô roi puissant et plein de gloire, ô toi qui occupes le plus haut rang dans la création, je te souhaite le bonsoir et demande à Allah de te hausser encore dans le respect de l'univers et d'augmenter tes forces et tes vertus ! Or, moi je suis un opprimé qui viens te demander aide et protection dans les malheurs qui me poursuivent de la part de mon ennemi ! » Et il se mit à pleurer, à gémir et à soupirer.

« Alors le jeune lion, fort touché de ses larmes et de son aspect malheureux, adoucit sa voix et lui demanda : « Qui donc t'a opprimé ? Et qui donc es-tu, ô toi le plus éloquent de tous les animaux que je connaisse, et le plus poli, bien que tu sois de beaucoup le plus laid d'entre eux tous ? » L'autre répondit : « Ô seigneur des animaux, pour ce qui est de mon espèce, j'appartiens à l'espèce des menuisiers ; mais pour ce qui est de mon oppresseur, c'est Ibn-Adam ! Ah ! seigneur lion, qu'Allah te préserve des perfidies d'Ibn-Adam ! Tous les jours, dès l'aube, il me fait travailler pour son bien-être ; et jamais il ne me paie ; aussi, crevant de faim, j'ai renoncé à travailler pour son compte, et j'ai pris la fuite loin des villes où il habite ! »

« À ces paroles, le jeune lion entra dans une fureur considérable ; il rugit, il bondit, il souffla et il écuma ; et ses yeux lancèrent des étincelles ; et il s'écria : « Mais où est-il enfin cet Ibn-Adam calamiteux, que je le broie entre mes dents et que je venge toutes ses victimes ? » L'homme répondit : « Tu vas le voir poindre tout à l'heure ; car il est à ma poursuite, furieux de n'avoir plus personne qui lui charpente ses maisons ! » Le lion lui demanda : « Mais toi-même, animal menuisier, qui marches d'un pas si petit et si mal assuré sur tes pattes, de quel côté te diriges-tu ? » L'homme répondit : « Je vais directement trouver le vizir du roi ton père, le seigneur léopard qui m'a envoyé chercher par un animal de ses émissaires, pour lui construire une cabane solide où s'abriter et se défendre contre les assauts d'Ibn-Adam, depuis que le bruit s'est répandu de l'arrivée prochaine d'Ibn-Adam dans ces parages ! Et c'est pour cela que tu me vois porteur de ces planches de bois et de ces ustensiles ! »

« Lorsque le jeune lion eut entendu ces paroles, il fut très jaloux du léopard, et dit au menuisier : « Par ma vie ! ce serait une audace extrême de la part du vizir de mon père que de prétendre à faire exécuter ses commandes avant les nôtres ! Tu vas sur l'heure t'arrêter ici, et commencer par me construire, à moi d'abord, cette cabane ! Quant au seigneur vizir, il peut attendre ! » Mais le menuisier fit mine de s'en aller et dit au jeune lion : « Ô fils du sultan, je te promets de revenir sitôt fini le travail commandé par le léopard ; car j'ai bien peur de sa colère ! Et je te bâtirai alors non point une cabane, mais un palais ! » Mais le lion ne voulut rien entendre, et entra même en colère, et se jeta sur le menuisier, pour lui faire peur seulement, et, en manière de plaisanterie, il lui appliqua la patte sur la poitrine. Et, rien que de cette simple caresse, le petit homme perdit l'équilibre, et roula à terre avec ses planches et ses ustensiles. Et le lion éclata de rire en voyant la terreur et la mine déconfite du misérable bonhomme. Et celui-ci, bien qu'intérieurement mortifié à l'extrême, n'en fit rien voir, et même se mit à sourire d'un sourire flagorneur, et lâchement se mit à l'œuvre. Or, c'était là le but qu'il souhaitait et pour lequel il était venu !

« Il prit donc soigneusement la mesure du lion dans tous les sens, et en quelques instants il construisit une caisse solidement charpentée, à laquelle il ne laissa qu'une étroite ouverture ; et il cloua à l'intérieur de grands clous dont la pointe était tournée vers le dedans et d'avant en arrière ; et il ménagea par-ci par-là quelques trous pas bien grands ; et, cela fait, il invita respectueusement le lion à prendre possession de son bien. Mais le lion hésita d'abord et dit à l'homme : « En vérité cela me paraît bien étroit, et je ne vois point comment je puis y pénétrer ! » L'homme dit : « Baisse-toi et entre en rampant ; car une fois là-dedans, tu t'y trouveras fort à l'aise ! » Alors le lion se baissa, et son corps souple glissa à l'intérieur ne laissant au-dehors que la queue. Mais le menuisier se hâta d'entortiller cette queue et de la fourrer vivement avec le reste et, en un clin d'œil, il boucha l'ouverture et la cloua solidement !

« Alors le lion essaya d'abord de bouger et de reculer, mais les pointes acérées des clous lui pénétrèrent dans la peau et l'embrochèrent de tous côtés ; et il se mit à rugir de douleur ; et il cria : « Ô menuisier, qu'est-ce donc que cette maison étroite que tu as construite et ces pointes qui me pénètrent cruellement ? »

« À ces paroles, l'homme jeta un cri de triomphe et se mit à sauter et à ricaner et dit au lion : « Ce sont là les pointes d'Ibn-Adam ! Ô chien du désert, tu apprendras à tes dépens que moi, Ibn-Adam, malgré ma laideur, ma lâcheté et ma faiblesse, je puis triompher du courage, de la force et de la beauté ! » Et, ayant dit ces paroles effroyables, le misérable alluma une torche, amassa des fagots autour de la caisse et fit tout flamber. Et moi, plus paralysée que jamais de terreur et d'épouvante, je vis mon pauvre ami brûler vif et mourir ainsi de la plus cruelle mort. Et Ibn-Adam, sans m'avoir aperçue, vu que j'étais étendue sur le sol, s'éloigna triomphant.

« Alors moi, longtemps après, je pus me relever et je m'éloignai, l'âme pleine d'effroi, dans une direction opposée. Et c'est ainsi que je pus arriver jusqu'ici, et que le destin me fit vous rencontrer, ô mes maîtres à l'âme compatissante ! »

À ce moment de sa narration, Schahrazade vit apparaître le matin et se tut discrètement.

Mais lorsque fut la cent quarante-septième nuit. Elle dit :

Lorsque le paon et son épouse eurent entendu ce récit de l'oie, ils furent émus à la limite de l'émotion et la paonne dit à l'oie : « Ma sœur, nous sommes ici en sûreté ; reste donc avec nous, tant qu'il te plaira, et jusqu'à ce qu'Allah te rende la paix du cœur, le seul bien estimable après la santé ! Reste donc, et tu partageras notre sort bon ou mauvais ! » Mais l'oie dit : « J'ai bien peur, bien peur ! » La paonne reprit : « Il ne faut pas, vraiment ! En voulant à tout prix échapper au sort qui t'a été écrit, tu tentes la destinée ! Or, elle est la plus forte ! Et ce qui est écrit sur notre front doit courir ! Et toute échéance doit être payée ! Si donc notre terme a été fixé, nulle force ne saurait l'annuler ! Mais ce qui doit surtout te tranquilliser et te consoler, c'est la conviction que toute âme ne peut mourir avant d'avoir épuisé les biens qui lui sont dus par le Juste Rétributeur ! »

Or, pendant qu'ils s'entretenaient de la sorte, les branches autour d'eux craquèrent et un bruit de pas se fit entendre qui troubla tellement la tremblante oie qu'elle étendit éperdument ses ailes et se jeta à la mer en criant : « Garde à vous ! garde à vous ! bien que toute destinée doive s'accomplir ! »

Mais ce n'était qu'une fausse alerte, car, entre les branches écartées, apparut la tête d'un joli chevreuil aux yeux humides. Et la paonne cria à l'oie : « Ma sœur, ne t'effraie donc pas ainsi ! Reviens vite ! Nous avons un hôte nouveau ! c'est un gentil chevreuil, de la race des animaux, comme tu es de la race des oiseaux ; et il ne mange guère de viande saignante, mais de l'herbe et des plantes de la terre ! Viens ! et ne te mets plus dans un pareil état, car rien n'exténue le corps et n'épuise l'âme autant que l'appréhension et les soucis ! »

Alors l'oie revint en mouvant ses hanches ; et le chevreuil, après les salams d'usage, leur dit : « C'est la première fois que je viens de ce côté ; et je n'ai jamais vu de terre plus fertile ni plantes et herbes plus fraîches et plus tentantes ! Permettez-moi donc de vous tenir compagnie et de jouir avec vous des bienfaits du Créateur ! » Et tous les trois lui répondirent : « Sur nos têtes et sur nos yeux, ô chevreuil plein de savoir-vivre ! tu trouveras ici aisance, famille et facilité ! » Et tous se mirent à manger, à boire et à respirer ensemble le bon air, pendant un long espace de temps.

Mais ils ne négligèrent jamais de faire leurs prières matin et soir ; excepté l'oie qui, assurée désormais de la paix, oubliait ses devoirs envers le Distributeur de la sécurité !

Or, elle paya bientôt de la vie cette ingratitude envers Allah !

En effet, un matin, un navire désemparé fut jeté à la côte ; et les hommes abordèrent dans l'île et, ayant aperçu le groupe formé par le paon, son épouse, l'oie et le chevreuil, s'en approchèrent vivement. Alors les deux paons s'envolèrent au loin sur la cime des arbres, le chevreuil s'élança et en quelques bonds fut hors de portée, et seule l'oie resta embrouillée de sa personne et essaya de courir de tous côtés ; mais on eut bientôt fait de la cerner et de la capturer pour la manger comme premier repas dans l'île.

Quant au paon et à son épouse, avant de quitter l'île pour regagner leur forêt natale, ils vinrent en cachette se rendre compte du sort de l'oie et la virent au moment où on l'égorgeait. Alors ils cherchèrent un peu partout leur ami le chevreuil et, après les salams et les félicitations mutuelles pour le danger auquel ils venaient d'échapper, ils mirent le chevreuil au courant de l'infortune finale de la pauvre oie. Et tous trois pleurèrent beaucoup à son souvenir et la paonne dit : « Elle était bien douce et modeste et si gentille ! » Et le chevreuil dit : « C'est vrai ! mais dans les derniers temps elle négligeait les devoirs envers Allah, oubliant de le remercier pour ses bienfaits ! » Alors le paon dit : « Ô fille de mon oncle, et toi, chevreuil pieux, prions ! » Et tous les trois baisèrent la terre entre les mains d'Allah et s'écrièrent :

« Béni soit le Juste, le Rétributeur, le Maître Souverain de la Puissance, l'Omniscient, le Très-Haut !

Gloire au Créateur de tous les êtres, au Veilleur sur chacun de tous les êtres, au Rétributeur à chacun selon ses mérites et sa capacité !

Loué soit Celui qui a déployé les cieux et les a arrondis et les a illuminés ; Celui qui a étendu la terre et la robe de la terre de chaque côté des mers, et l'a ornée de toute sa beauté ! »

Alors, ayant raconté cette histoire, Schahrazade s'arrêta un instant. Et le roi Schahriar s'écria : « Que cette prière est admirable et que ces animaux sont bien doués ! Mais, ô Schahrazade, est-ce là tout ce que tu connais sur les animaux ? » Et Schahrazade dit : « Cela n'est rien, ô Roi, en comparaison de ce que je pourrais t'en raconter ! » Et Schahriar dit : « Mais qu'attends-tu donc pour continuer ? » Schahrazade dit : « Avant de continuer l'Histoire des animaux, je veux te raconter, ô Roi, une histoire qui confirmera la conclusion de la précédente, à savoir combien la prière est agréable au Seigneur ! » Et le roi Schahriar dit : « Mais certainement ! »

Alors Schahrazade dit :

LE BERGER ET L'ADOLESCENTE

On raconte qu'il y avait, dans une montagne d'entre les montagnes des pays musulmans, un berger doué d'une grande sagesse et d'une foi ardente ; et ce berger menait une vie paisible et retirée, se contentant de son sort et vivant du produit, en lait et en laine, de son troupeau. Et ce berger avait en lui tant de douceur et sur lui tant de bénédictions que les bêtes sauvages n'attaquaient jamais son troupeau, et le respectaient lui-même tellement que lorsqu'elles le voyaient de loin elles le saluaient de leurs cris et de leurs hurlements. Et ce berger continua à vivre ainsi un long temps, ne se souciant guère, pour son plus grand bonheur et sa tranquillité, de ce qui se passait dans les villes de l'univers.

Or, un jour, Allah Très-Haut voulut éprouver le degré de sa sagesse et la valeur réelle de ses vertus, et ne trouva guère d'autre tentation plus forte, pour l'éprouver, que de lui envoyer la beauté de la femme. Il chargea donc l'un de ses anges de se déguiser en femme et de ne rien épargner des artifices de cette créature pour faire fauter le saint berger.

Aussi, un jour que le berger, malade depuis un certain temps, était étendu dans sa grotte et glorifiait en son âme le Créateur, il vit soudain entrer chez lui, souriante et fine, une adolescente aux yeux noirs qui pouvait bien passer aussi pour un adolescent. Et du coup la grotte en fut parfumée, et le berger sentit sa vieille chair frissonner. Mais il fronça les sourcils et se renfrogna dans son coin et dit à l'intruse : « Que viens-tu faire ici, ô femme que je ne connais pas ? Je ne t'ai point appelée et n'ai besoin nullement de toi ! » L'adolescente alors s'approcha et s'assit tout près du vieillard et lui dit : « Homme, regarde-moi ! Je ne suis point femme, mais vierge encore, et je viens m'offrir à toi pour mon plaisir simplement, et pour ce que j'ai appris de ta vertu ancienne déjà ! » Mais le vieillard s'écria : « Ô tentatrice de l'enfer, éloigne-toi ! Et laisse-moi m'anéantir dans l'adoration de Celui qui ne meurt pas ! » Mais l'adolescente fit mouvoir lentement la souplesse de sa taille et regarda le vieillard qui essayait de reculer, et soupira : « Dis ! pourquoi ne veux-tu pas de moi ! Je t'apporte une âme soumise et un corps sur le point de fondre de désir ! Vois si ma gorge n'est pas plus blanche que le lait de tes brebis ! si ma nudité n'est pas plus fraîche que l'eau du rocher ! Touche ma chevelure, ô berger ! Elle est plus soyeuse à tes doigts que le duvet de l'agneau dans le ventre de sa mère ! Mes hanches sont tièdes et glissantes et se dessinent à peine, dans ma floraison première. Et mes petits seins qui se gonflent déjà, si seulement d'un doigt rapide tu les frôlais, ils frémiraient ! Viens !... mes lèvres que je sens vibrer te fondront dans la bouche. Viens !... Viens !... j'ai des dents dont les morsures infusent la vie aux vieillards mourants, et du miel prêt à tomber goutte à goutte de tous les pores de ma chair ! Viens ! »

Mais le vieillard s'écria, bien que sa barbe tremblât de tous ses poils : « Recule, ô démon ! ou je vais te chasser avec ce bâton noueux ! » Alors l'adolescente du ciel, d'un geste éperdu, lui jeta les bras autour du cou, et dans l'oreille lui murmura : « Je suis un fruit acide, doux à peine : mange-le et tu guériras ! Connais-tu l'odeur du jasmin ?... Elle te serait odeur grossière, si tu sentais ma virginité ! »

Mais le vieillard s'écria : « Le parfum de la prière est le seul qui ne s'en aille pas ! Hors d'ici, ô séductrice ! » Et il la repoussa de ses deux bras ! Alors la jeune fille se leva et, légère, se dévêtit entièrement et se tint droite et nue, blanche et baignée dans les flots de ses cheveux ! Et l'appel de son silence, dans cette solitude de grotte, était plus terrible que tous les cris du délire. Et le vieillard ne put s'empêcher de gémir et, pour ne plus voir ce lys vivant, il se couvrit la tête de son manteau et s'écria : « Va-t'en ! Va-t'en ! ô femme aux yeux de trahison ! Depuis la naissance du monde tu es la cause de nos calamités ! Tu as perdu les hommes des premiers âges, et tu jettes la discorde entre les enfants de la terre ! Celui qui te cultive renonce pour toujours aux joies infinies que seuls pourront goûter ceux qui te rejettent de leur vie ! » Et le vieillard enfonça davantage sa tête dans les plis du manteau.

Mais l'adolescente reprit : « Que parles-tu des anciens ? Les plus sages d'entre eux m'ont adorée, et les plus sévères m'ont chantée ! Et ma beauté ne les a point fait dévier de la voie droite, mais les a éclairés dans le chemin et a fait les délices de leur vie ! La vraie sagesse, ô berger, est de tout oublier dans mon sein ! Reviens à la sagesse ! Je suis toute prête à m'ouvrir à toi et à t'abreuver de la vraie sagesse ! »

Alors le vieillard se tourna entièrement du côté du mur et s'écria : « Arrière, ô pleine de malice ! Je t'abomine et je te vomis ! Que d'hommes admirables tu as trahis et que de méchants tu as sauvegardés ! Ta beauté est menteuse ! Car à celui qui sait prier apparaît une beauté invisible à ceux qui te regardent ! Arrière ! »

À ces paroles, l'adolescente s'écria : « Ô saint berger ! bois le lait de tes brebis et habille-toi de leur laine, et prie ton Seigneur dans la solitude et dans la paix de ton cœur ! » Et la vision disparut. Alors, de tous les points de la montagne, vers le berger accoururent les animaux sauvages, qui baisèrent la terre entre ses mains pour lui demander sa bénédiction !

À ce moment de sa narration, Schahrazade s'arrêta, et le roi Schahriar, devenu triste soudain, lui dit : « Ô Schahrazade, en vérité, l'exemple du berger me donne à réfléchir ! Et je ne sais s'il ne vaut pas mieux pour moi me retirer dans une grotte et fuir à tout jamais les soucis de mon royaume, et pour toute occupation mener paître des brebis ! Mais je veux d'abord entendre la suite de l'Histoire des Animaux et des Oiseaux ! »

Mais lorsque fut la cent quarante-huitième nuit. Schahrazade dit :

CONTE DE LA TORTUE ET DE L'OISEAU-PÊCHEUR

Dans un de mes livres anciens il est raconté, ô Roi fortuné, qu'un oiseau-pêcheur se tenait un jour sur la berge d'un fleuve et observait attentivement, le cou tendu, le fil de l'eau. Car tel était le métier qui lui permettait de gagner sa vie et de nourrir ses enfants, et il l'exerçait sans paresse, en s'acquittant fort honnêtement des charges de son état.

Or, pendant qu'il surveillait de la sorte le moindre remous et la plus légère ondulation, il vit passer devant lui, et s'arrêter contre la roche où il était en observation, un grand corps mort de race humaine. Alors il l'examina et remarqua des blessures considérables sur toutes ses parties, et des traces de coups de sabre et de coups de lance ; et il pensa en son âme : « Ce doit être quelque brigand à qui l'on a fait expier ses méfaits ! » Puis il leva ses ailes et bénit le Rétributeur, disant : « Béni soit Celui qui fait servir les méchants après leur mort au bien-être de ses bons serviteurs ! » Et il se disposa à fondre sur le corps et à en enlever des lambeaux pour les apporter à ses petits et les manger avec eux. Mais il vit bientôt au-dessus de lui le ciel s'obscurcir d'un nuage de grands oiseaux de proie, tels que vautours et éperviers, qui se mirent à tournoyer par grands cercles se rapprochant de plus en plus.

À cette vue, l'oiseau-pêcheur fut saisi de la crainte d'être dévoré lui-même par ces loups de l'air et se hâta de déguerpir à tire-d'aile vers le loin. Et au bout de plusieurs heures il s'arrêta sur la cime d'un arbre qui se trouvait au milieu du fleuve, tout à fait vers son embouchure, et attendit là que le courant eût entraîné jusqu'à cet endroit le corps flottant. Et, tout triste, il se mit à songer aux vicissitudes du sort et à son inconstance ; et il se disait : « Voici que je suis obligé de m'éloigner de mon pays et de la berge qui m'a vu naître et où sont mes enfants et mon épouse. Ah ! que ce monde est vain ! Et combien plus vain celui qui se laisse tromper par ses dehors et qui, confiant dans la chance, vit au jour le jour sans se soucier du lendemain ! Si j'avais été plus sage, j'eusse amassé des provisions pour les jours de disette comme celui-ci ; et les loups de l'air eussent pu venir me disputer mon gain, sans me donner trop d'inquiétude ! Mais le sage nous conseille la patience dans l'épreuve. Patientons ! »

Or, pendant qu'il réfléchissait de la sorte, il vit s'avancer vers l'arbre où il était perché, sortant de l'eau et nageant lentement, une tortue. Et cette tortue leva la tête et l'aperçut sur l'arbre et aussitôt lui souhaita la paix et lui dit : « Comment se fait-il, ô pêcheur, que tu aies déserté la berge où d'ordinaire je te rencontrais ? » Il répondit : « Si sous la tente même qui t'abrite, et dans le pays même qui t'appartient, vient habiter un visage désagréable, un seul parti te reste à prendre : laisse-lui ta tente et ton pays et hâte-toi de décamper ! »

« Et moi, ô bonne tortue, j'ai vu ma berge prête à être envahie par les loups de l'air, et pour ne pas être affecté par leur visage désagréable, j'ai préféré tout quitter et m'en aller, jusqu'à ce qu'Allah veuille bien compatir à mon sort ! »

Lorsque la tortue eut entendu ces paroles, elle dit à l'oiseau-pêcheur : « Du moment que cela est ainsi, me voici entre tes mains prête à te servir de tout mon dévouement, et à te tenir compagnie dans ton abandon et ton dénuement, car je sais combien l'étranger est malheureux loin de son pays et des siens et combien il lui est doux de trouver une chaleur d'affection et de la sollicitude chez les inconnus. Or, je serai pour toi une compagne attentive et cordiale ! »

Alors l'oiseau-pêcheur lui dit : « Ô tortue pleine de cœur, ô dure à la surface et si douce au-dedans ! je sens que je vais pleurer d'émotion devant la spontanéité de ton offre ! Comme je te remercie ! Et combien tu as raison dans tes paroles sur l'hospitalité à accorder aux étrangers et sur l'amitié à accorder aux personnes dans l'infortune, pourvu que ces personnes ne soient pas dénuées d'intérêt ! Car, en vérité, que serait la vie sans les amis et sans les causeries avec les amis et sans le rire et le chant avec les amis ? Le sage est celui qui sait trouver des amis conformes à son tempérament, et l'on ne peut tenir pour amis les êtres qu'on est obligé de fréquenter du fait de son métier, comme moi je fréquentais les oiseaux-pêcheurs de mon espèce, qui me jalousaient et m'enviaient pour mes pêches et mes trouvailles ! Aussi comme maintenant ils doivent être heureux de mon éloignement, ces camarades mesquins, stupides et qui ne savent parler que de leurs pêches et causer que de leurs petits intérêts, mais qui jamais ne pensent à élever leurs âmes vers le Donateur ! Ils ont ainsi toujours le bec tourné vers la terre. Et s'ils ont des ailes, c'est pour ne point s'en servir ! Aussi la plupart d'entre eux ne pourraient même plus voler, s'ils le voulaient : ils ne peuvent que plonger, et souvent ils restent au fond de l'eau ! »

À ces paroles, la tortue, qui écoutait en silence, s'écria : « Ô pêcheur, descends que je t'embrasse ! » Et l'oiseau-pêcheur descendit de l'arbre, et la tortue l'embrassa entre les deux yeux et lui dit : « En vérité, ô mon frère, tu n'es pas fait pour vivre en commun avec les oiseaux de ta race, qui sont tout à fait dénués de finesse et n'ont rien d'exquis dans les manières. Reste donc avec moi, et la vie nous sera légère sur ce coin de terre perdu au milieu de l'eau, à l'ombre de cet arbre et au bruit que font les flots ! » Mais l'oiseau-pêcheur lui dit : « Que je te remercie, ô tortue, ma sœur ! mais, et les enfants ? et l'épouse ? » Elle répondit : « Allah est grand et miséricordieux ! Il nous aidera à les transporter jusqu'ici ! Et nous passerons encore des jours tranquilles et à l'abri de tout souci ! » À ces paroles l'oiseau-pêcheur dit : « Ô tortue, remercions ensemble le Très-Bon qui a permis notre réunion ! » Et tous deux s'écrièrent :

« Louange à Notre Maître ! À l'un il donne la richesse et à l'autre il jette la pauvreté. Ses desseins sont sages et calculés.

Louange à Notre Maître ! Que de pauvres, riches de sourire ! et que de riches, pauvres de gaieté ! »

À ce moment de sa narration, Schahrazade vit apparaître le matin et, discrète, se tut. Alors le roi Schahriar lui dit : « Ô Schahrazade, tes paroles ne font que me confirmer dans le retour vers des pensers moins farouches. Aussi je voudrais bien savoir si tu ne connais point d'histoires de loups, par exemple, ou d'autres animaux aussi sauvages ! » *Et Schahrazade dit :* « *Ce sont justement les histoires que je connais le mieux !* » *Alors le roi Schahriar lui dit :* « *Hâte-toi donc de me les narrer !* » *Et Schahrazade les lui promit pour la nuit prochaine.*

Et lorsque fut la cent quarante-neuvième nuit. Schahrazade dit :

CONTE DU LOUP ET DU RENARD

Sache, ô Roi fortuné, que le renard, fatigué, à la fin, des colères continues de son seigneur le loup, et de sa férocité à tout propos, et de ses empiétements sur les derniers droits qui lui restaient à lui renard, s'assit un jour sur un tronc d'arbre et se mit à réfléchir. Puis il bondit soudain, plein de joie, à une pensée qui lui passa et lui parut être la solution. Et il se mit aussitôt à la recherche du loup qu'il finit par rencontrer, et qu'il trouva les poils hérissés, la face contractée et de fort méchante humeur. Alors du plus loin qu'il l'eut aperçu, il embrassa la terre et arriva devant lui humblement, les yeux baissés, et attendit qu'on l'interrogeât. Et le loup lui cria : « Qu'as-tu, fils de chien ? » Le renard dit : « Seigneur, excuse ma hardiesse, mais j'ai une idée à t'exposer et une prière à te faire, si tu veux bien m'accorder une audience ! » Et le loup lui cria : « Sois peu prolixe en paroles, puis tourne le dos au plus vite, ou sinon je te casse les os ! » Alors le renard dit : « J'ai remarqué, seigneur, que depuis un certain temps Ibn-Adam nous faisait une guerre sans relâche ; par toute la forêt on ne voit plus que trappes, embûches, pièges de toutes sortes ! Un peu plus de ce train-là et la forêt nous deviendrait inhabitable. Aussi que dirais-tu d'une alliance entre tous les loups et tous les renards pour s'opposer en masse aux attaques d'Ibn-Adam et lui défendre l'approche de notre territoire ? »

À ces paroles, le loup cria au renard : « Je dis que tu es bien osé de prétendre à mon alliance et à mon amitié, misérable renard, fourbe et chétif ! Tiens ! attrape ça pour ton insolence ! » Et le loup allongea au renard un coup de patte qui l'aplatit sur le sol, à demi mort.

Alors le renard se ramassa en clopinant, mais se garda bien de montrer du ressentiment ; au contraire ! il prit son air le plus souriant et le plus contrit et dit au loup : « Seigneur, pardonne à ton esclave son manque de savoir-vivre et son peu de tact ! Il reconnaît ses torts qui sont grands ! Et si même il les eût ignorés, le coup terrible et mérité dont tu viens de le gratifier et qui aurait suffi à tuer un éléphant les lui eût appris aisément ! » Et le loup, calmé un peu par l'attitude du renard, lui dit : « Soit ! mais cela t'apprendra pour une autre fois à ne point te mêler de ce qui ne te concerne pas ! » Le renard dit : « Que cela est juste ! En effet, le sage a dit : « Ne parle pas et ne raconte jamais rien avant que l'on ne t'en prie, et ne réponds jamais avant que l'on ne t'interroge ! Et n'oublie point de donner toute ton attention aux seules choses qui peuvent t'importer. Mais surtout garde-toi bien de prodiguer tes conseils à ceux qui ne les comprendraient pas, comme aussi aux méchants qui t'en voudraient pour le bien que tu leur aurais fait. »

Or, telles étaient les paroles que le renard disait au loup ; mais en lui-même il pensait : « Mon temps à moi viendra à son tour, et ce loup me paiera ses dettes jusqu'à la dernière obole ; car la morgue, la provocation, l'insolence et le sot orgueil appellent tôt ou tard le châtiment ! Humilions-nous donc jusqu'à ce que nous soyons puissant ! » Puis le renard dit au loup : « Ô mon maître, tu n'ignores pas que l'équité est la vertu des puissants et la bonté et la douceur des manières les dons des forts et leur ornement ! Et Allah lui-même pardonne au coupable repentant. Or, moi, mon crime est énorme, je le sais, mais mon repentir ne l'est pas moins ; car ce loup douloureux dont, dans ta bonté, tu as bien voulu me gratifier, m'a, il est vrai, abîmé le corps, mais il a été un remède pour mon âme et une cause de jubilation ; comme nous l'enseigne le sage : « Le goût premier du châtiment que t'impose la main de ton éducateur est d'abord teinté d'une légère amertume, mais son arrière-goût est encore plus délicieux que le miel clarifié et sa douceur ! »

Alors le loup dit au renard : « J'accepte tes excuses et te pardonne ton faux pas et le dérangement que tu m'as causé en m'obligeant à t'assener un coup ! Mais encore te faut-il te mettre à genoux la tête dans la poussière ! » Et le renard, sans hésiter, se mit à genoux et adora le loup en lui disant : « Qu'Allah te fasse toujours triompher et qu'Il consolide ta domination ! » Alors le loup lui dit : « C'est bon ! Maintenant marche devant moi et sers-moi d'éclaireur. Et si tu vois quelque gibier, reviens vite m'en avertir ! » Et le renard répondit par l'ouïe et l'obéissance et se hâta de prendre les devants.

Or, il arriva à un terrain planté de vignes, où il ne fut pas long à remarquer, sur son passage, un endroit louche qui avait tout l'air d'être un piège ; et il fit un grand détour pour l'éviter, en se disant : « Celui qui marche sans regarder les trous qui sont sous ses pas est appelé à y glisser ! D'ailleurs mon expérience de tous les pièges qu'Ibn-Adam me dresse depuis le temps doit me mettre sur mes gardes. Ainsi, par exemple, si je voyais une sorte d'effigie de renard dans une vigne, au lieu de m'en approcher, je m'enfuirais à toutes jambes, car ce serait sûrement un appât placé là par la perfidie d'Ibn-Adam ! Or, maintenant je vois, au milieu de ce vignoble, un endroit qui ne m'a pas l'air de bon aloi ! Attention ! retournons voir ce que c'est, mais avec prudence, car la prudence est la moitié de la bravoure ! » Et, ayant ainsi raisonné, le renard se mit à avancer peu à peu, mais en reculant de temps en temps, et en reniflant à chaque pas ; et il rampait et dressait l'oreille, puis avançait pour reculer ; et il finit par arriver de la sorte, sans encombre, jusqu'à la limite même de cet endroit si louche. Et bien lui en prit, car il put voir que c'était une fosse profonde recouverte à sa surface de légers branchages saupoudrés de terre. À cette vue, il s'écria : « Louange à Allah qui m'a doué de l'admirable vertu de la prudence et de bons yeux clairvoyants ! » Puis, à la pensée de voir bientôt le loup y donner tête baissée, il se mit à danser dans sa joie comme s'il était déjà grisé de tous les raisins de la vigne et il entonna ce chant :

« Loup ! féroce loup ! ta fosse est creusée, et la terre toute prête à la combler.

Loup ! maudit, coureur de filles, mangeur de garçons, désormais tu mangeras les excréments que mon cul dans ta fosse fera pleuvoir sur ta gueule ! »

Et aussitôt il rebroussa chemin et alla retrouver le loup auquel il dit : « Je t'annonce la bonne nouvelle ! Ta fortune est grande et les bonheurs pleuvent sur toi, sans fatigue ! Que la joie soit continuelle dans ta maison et la jouissance également ! » Le loup lui dit : « Et que m'annonces-tu ? dis-le sans toutes ces longueurs ! » Le renard dit : « La vigne est belle aujourd'hui, et tout est dans la joie, car le propriétaire du vignoble est mort, et il est étendu au milieu de son champ sous des branches qui le recouvrent ! » Et le loup lui cria : « Qu'attends-tu alors, vil entremetteur, pour m'y conduire ! marche donc ! » Et le renard se hâta de le conduire au milieu du vignoble et, lui montrant l'endroit en question, lui dit :

« C'est là ! » Alors le loup poussa un hurlement et d'un bond sauta sur les branches, qui cédèrent sous le poids. Et il roula au fond du trou. Lorsque le renard vit la chute de son ennemi, il fut dans une telle joie qu'avant de courir à la fosse se délecter de son triomphe, il se mit à bondir et, à la limite de la jubilation, il se récita ces strophes :

« Jubile, mon âme ! Tous mes désirs sont comblés, et la destinée m'apparaît souriante.

À moi les fiertés, la préséance dans les forêts et toutes les gloires de l'autorité !

À moi les vignes belles et les chasses fructueuses : la bonne graisse des oies, les cuisses élastiques des canards, le derrière suave des poules et la tête rouge des coqs ! »

Et là-dessus, il fut en quelques sauts sur le rebord de la fosse, le cœur battant. Et quel ne fut pas son plaisir de voir le loup geindre et pleurer de sa chute et se désespérer en se lamentant sur sa perte certaine. Alors le renard se mit aussi notoirement à pleurer et à gémir ; et le loup leva la tête et le vit ainsi pleurer et lui dit : « Ô compagnon renard, que tu es bon de pleurer ainsi avec moi ! Aussi je vois que j'ai été parfois dur à ton égard ; mais, de grâce ! laisse pour le moment les larmes de côté et cours avertir mon épouse et mes enfants du danger où je suis et de la mort qui me menace ! » Alors le renard lui dit : « Ah ! chenapan, alors tu es assez stupide pour croire que c'est sur toi que je verse ces larmes ? Détrompe-toi, ô maudit ! Si je pleure, c'est parce que tu as vécu jusqu'aujourd'hui en sécurité, c'est parce que je regrette amèrement que cette calamité ne t'ait pas atteint avant aujourd'hui ! Meurs donc, loup de malheur ! Que j'aille enfin pisser sur ta tombe, et danser avec tous les renards sur la terre qui t'enfouira ! »

À ces paroles, le loup se dit en lui-même : « Il ne s'agit plus maintenant de le menacer ; lui seul peut encore me tirer de là ! » Alors il lui dit : « Ô compagnon, il n'y a encore qu'un moment, tu me jurais fidélité et tu me donnais mille marques de ta soumission ! Pourquoi donc ce changement ? Il est vrai que je t'ai un peu brusqué ! mais ne me garde pas rancune, et rappelle-toi ce qu'a dit le poète :

« Sème généreusement les grains de ta bonté, même sur les terrains qui te semblent stériles. Tôt ou tard le semeur récoltera les fruits de son grain multiplié au-delà de ses espérances. »

Mais le renard lui dit en ricanant : « Ô le plus insensé de tous les loups et de toutes les bêtes sauvages, oublies-tu donc toute l'horreur de ta conduite ? Et pourquoi ne connais-tu point ce conseil si sage du poète :

« N'opprimez point, car toute oppression appelle la vengeance, et toute injustice le contrecoup.

Car, si vous vous endormez une fois votre acte commis, l'opprimé ne dort que d'un œil, cependant que son autre œil vous guette sans cesse ; et l'œil d'Allah ne se ferme jamais ! »

« Or, tu m'as opprimé assez longtemps pour que maintenant à bon droit je me réjouisse de tes malheurs et me délecte de ton humiliation ! » Alors le loup dit : « Ô renard sage aux idées fertiles, à l'esprit inventif, tu es au-dessus de ces paroles, et sûrement tu ne les penses pas ; mais tu les dis seulement pour plaisanter. Or, en vérité, ce n'est point le moment ! Prends, je t'en prie, une corde quelconque et tâche d'en attacher un bout à un arbre pour me tendre l'autre bout ; et moi je grimperai par ce moyen et sortirai de ce fossé ! » Mais le renard se mit à rire et lui dit : « Tout doux, ô loup, tout doux ! Ton âme sortira d'abord la première, et ton corps le second ! Et les pierres et les cailloux dont on va te lapider feront fort bien cette séparation ! Ô grossier animal, aux idées lourdes et à l'esprit si peu perspicace, je compare volontiers ton sort à celui du FAUCON et de la PERDRIX ! »

À ces paroles, le loup s'exclama : « Je ne comprends guère ce que tu veux me dire par là ! » Alors le renard dit au loup : « Sache, ô toi le loup, qu'un jour j'étais allé manger quelques grains de raisin dans une vigne. Pendant que j'étais là, à l'ombre du feuillage, je vis soudain fondre du haut des airs un grand faucon sur une petite perdrix. Mais la perdrix réussit à s'échapper des griffes du faucon et elle courut au plus vite se réfugier dans son gîte. Alors le faucon, qui l'avait poursuivie et n'avait pu la rattraper, s'arrêta devant le petit trou qui servait d'entrée au gîte et cria à la perdrix : « Petite folle qui me fuis ! Ignores-tu donc ma vigilance à ton égard et le bien que je te voulais ! Le seul motif pour lequel je t'avais attrapée, c'était que je te savais affamée depuis longtemps et que je voulais te donner du grain par moi amassé à ton intention. Viens donc, ma petite perdrix, ma gentille petite perdrix, sors de ton gîte sans crainte et viens manger ce grain ! Et que cela te soit agréable et de délicieuse digestion sur ton cœur, perdrix, mon œil, mon âme ! » Lorsque la perdrix eut entendu ce langage, confiante elle sortit de sa cachette ; mais aussitôt le faucon fondit sur elle et lui enfonça ses griffes terribles dans les chairs et d'un coup de bec l'éventra. Alors la perdrix, avant d'expirer lui dit : « Ô traître maudit, fasse Allah que ma chair se change en poison dans ton ventre ! » et elle mourut. Quant au faucon, il la dévora en un clin d'œil ; mais ce fut aussitôt sa punition par la volonté d'Allah ; car à peine la perdrix était-elle dans le ventre du traître que celui-ci vit tomber toutes ses plumes comme sous l'effet d'une flamme intérieure, et il roula lui-même inanimé sur le sol !

« Et toi, ô loup, continua le renard, tu es tombé dans la fosse, pour m'avoir rendu la vie bien dure et avoir humilié mon âme à la limite de l'humiliation ! »

Alors le loup dit au renard : « Ô compagnon, de grâce ! laisse de côté tous ces exemples que tu me cites et oublions le passé. Je suis bien assez puni comme ça, puisque me voilà dans ce trou, où je suis tombé au risque de me casser une jambe ou de me pocher un œil ou deux ! Cherchons à me tirer de ce mauvais pas, car tu n'ignores pas que l'amitié la plus solide est celle qui naît après un malheur secouru, et que l'ami vrai est plus près du cœur que le frère ! Aide-moi donc à me tirer de là et je serai pour toi le meilleur des amis et le plus sage des conseillers ! »

Mais le renard se mit à rire de plus belle et dit au loup : « Je vois que tu ignores les PAROLES DES SAGES ! » Et le loup étonné lui demanda : « Quelles paroles et quels sages ? » Et le renard dit :

« Les sages, ô loup d'infection, nous enseignent que les gens comme toi, les gens au masque de laideur, à l'aspect grossier et au corps mal bâti, ont également une âme grossière et totalement dénuée de finesse ! Or, que cela est vrai en ce qui te concerne ! Ce que tu m'as dit sur l'amitié est bien juste et ne supporte pas de contradiction, mais comme tu te leurres en voulant appliquer à ton âme de traître des paroles si belles ! Car, ô loup stupide, si vraiment tu étais si fertile en conseils judicieux, pourquoi ne trouverais-tu pas à toi seul le moyen de sortir de là-dedans ? Et si vraiment tu es aussi puissant que tu le dis, essaie donc de sauver ton âme d'une mort certaine ! Ah ! comme tu me rappelles l'HISTOIRE DU MÉDECIN ! » – « Quel médecin encore ? » s'écria le loup. Et le renard dit :

« Il y avait un paysan qui était atteint d'une grosse tumeur à la main droite ; et cela l'empêchait de travailler. Aussi, à bout de moyens, il fit appeler un homme qu'on disait versé dans les sciences médicales. Et cet homme savant vint chez le malade, et il avait un bandeau sur un œil. Et le malade lui demanda : « Qu'as-tu à ton œil, ô médecin ? » Il répondit : « Une tumeur qui m'empêche de voir. » Alors le malade lui cria : « Tu as cette tumeur, et tu ne la guéris pas ? Et tu viens maintenant pour guérir ma tumeur à moi ? Tourne le dos et fais-moi voir la largeur de tes épaules ! »

« Et toi, ô loup de malédiction, avant de songer à me donner des conseils et à m'enseigner la finesse, sois donc assez fin pour te sauver de la fosse et te garder de ce qui va pleuvoir sur ta tête ! Sinon, reste à jamais là où tu es ! »

Alors le loup se mit à pleurer et, avant de se désespérer tout à fait, dit au renard : « Ô compagnon, je t'en prie, tire-moi de là, en t'approchant, par exemple, du rebord de la fosse et en me tendant le bout de ta queue ! Et moi je m'y accrocherai et je sortirai de ce trou ! Et alors je te promets devant Allah de me repentir de toutes mes férocités passées, et je limerai mes griffes et je casserai mes grosses dents, pour ne même plus être tenté d'attaquer mes voisins ; après quoi je vêtirai la robe dure d'ascète et je me retirerai dans la solitude faire pénitence en ne mangeant plus que de l'herbe et en ne buvant plus que de l'eau ! » Mais le renard, loin de se laisser attendrir, dit au loup : « Et depuis quand peut-on si aisément changer sa nature ? Tu es loup et tu resteras loup, et ce n'est pas à moi que tu réussiras à faire croire à ton repentir ! Et d'ailleurs il faudrait que je fusse bien naïf pour te confier ma queue ! Je veux donc te voir mourir, car les sages ont dit : « La mort du méchant est un bien pour l'humanité, car elle purifie la terre !...

À ce moment de sa narration, Schahrazade vit apparaître le matin et se tut discrètement.

Mais lorsque fut la cent cinquième nuit. Elle dit :

« La mort du méchant est un bien pour l'humanité, car elle purifie la terre ! »

À ces paroles le loup se mordit la patte de désespoir et de rage contenue ; mais il adoucit encore davantage sa voix et dit au renard : « Ô renard, la race à laquelle tu appartiens est réputée chez tous les animaux de toute la terre pour ses manières exquises, sa finesse, son éloquence et la douceur de son tempérament. Cesse donc ce jeu qui ne peut être sérieux de ta part, et souviens-toi des traditions de ta famille ! » Mais le renard, à ces paroles, se mit à rire tellement qu'il s'évanouit. Mais il ne tarda pas à revenir à lui et dit au loup : « Je vois, ô brute merveilleuse, que ton éducation est entièrement à faire. Mais je n'ai guère le temps d'assumer une telle besogne, et veux seulement, avant que tu ne crèves, faire entrer dans tes oreilles quelques-unes des paroles des sages. Sache donc qu'il y a remède à tout, excepté à la mort ; qu'on peut tout corrompre, excepté le diamant ; et enfin qu'on peut échapper à tout, excepté à sa destinée !

« Quant à toi, tu m'as parlé tout à l'heure, je crois, de me récompenser au sortir de la fosse et de m'accorder ton amitié. Or, je te soupçonne fort semblable à ce SERPENT dont, sans doute, dans ton ignorance, tu ne connais guère l'histoire ! » Et, le loup ayant reconnu son ignorance à ce sujet, le renard dit :

« Oui, ô loup, il y avait une fois un serpent qui avait réussi à s'échapper d'entre les mains du jongleur. Et ce serpent, déshabitué du mouvement pour être resté si longtemps roulé dans le sac du jongleur, se traînait péniblement sur le sol, et il aurait certainement été repris par le jongleur ou écrasé, quand un passant charitable se trouva qui l'aperçut, le crut malade et, par pitié, le ramassa et le réchauffa. Or, le premier soin qu'eut le serpent en recouvrant sa vivacité fut de chercher l'endroit le plus délicat du corps de son sauveur et d'y enfoncer sa dent chargée de venin. Et l'homme tomba aussitôt mort sur le sol ! Et d'ailleurs le poète avait déjà dit :

« Méfie-toi, joueur ! Quand la vipère adoucit son attouchement et se love câlinement, recule ! Elle va se détendre et son venin est dans ta chair avec la mort ! »

« Et puis, ô loup, il y a également ce vers admirable qui s'applique si bien à mon cas :

« Quand un jeune garçon a été si gentil avec toi et que tu le brusques, ne t'étonne pas s'il te garde rancune au fond de son foie, et s'il t'estropie un jour quand son bras s'est fait poilu ! »

« Or, moi, ô maudit, pour commencer ton châtiment et te donner un avant-goût des douceurs qui t'attendent et des belles pierres lisses qui vont te caresser la tête, au fond du trou, et en attendant que j'aille arroser ta tombe sans parcimonie, voici ce que je t'offre ! Lève donc la tête et regarde ! »

Et, ayant dit ces paroles, le renard tourna le dos, s'appuya de ses deux jambes de derrière sur le rebord de la fosse, et fit pleuvoir sur le visage du loup de quoi l'oindre et l'embaumer jusqu'à ses derniers instants. Puis, cela fait, le renard monta sur le haut du talus, et il se mit à glapir avec rage pour appeler les maîtres et les gardiens, qui ne tardèrent pas à accourir ; à leur approche, le renard se hâta de déguerpir et de se cacher, mais assez près pour voir les pierres énormes que lançaient dans la fosse les propriétaires contents, et pour entendre les hurlements d'agonie du loup, son ennemi !

Ici Schahrazade se tut un moment pour boire un verre de sorbet que lui tendait la petite Doniazade, et le roi Schahriar s'écria : « Ah ! je brûlais d'impatience de voir la mort du loup ! Maintenant que c'est fait, je voudrais t'entendre me dire quelque chose sur la confiance naïve et irréfléchie et ses conséquences ! »

Et Schahrazade dit : « J'écoute et j'obéis ! »

CONTE DE LA SOURIS ET DE LA BELETTE

Il y avait une femme dont le métier était de décortiquer le sésame. Or, un jour, on lui apporta une mesure de sésame de la meilleure qualité, en lui disant : « Le médecin a prescrit à un malade de se mettre exclusivement au régime du sésame ! Et nous t'en apportons pour qu'avec soin tu le nettoies et l'écosses ! » Et la femme le prit et se mit aussitôt à l'œuvre et, au bout de la journée, elle l'avait nettoyé et décortiqué. Et c'était un plaisir de voir ce sésame blanc, écossé, suggestif ! Aussi une belette qui rôdait par là ne manqua pas d'être tentée considérablement et, la nuit venue, elle se mit en devoir de le transporter du plateau où il était à sa cachette. Et elle fit si bien qu'au matin il ne restait plus sur le plateau qu'une quantité infime de sésame.

Aussi la belette put juger, cachée dans son trou, de la surprise et de la colère de la décortiqueuse à l'aspect de ce plateau presque nettoyé de son contenu. Et elle l'entendit qui s'écriai : « Ah ! si je pouvais voir le voleur ! Ce ne peut être encore que ces maudites souris qui infestent ma maison, depuis la mort du chat ! Si j'en voyais une seulement, je lui ferais expier les méfaits de toutes ses semblables ! »

Lorsque la belette eut entendu ces paroles, elle se dit : « Il me faut absolument, pour me mettre complètement à l'abri du ressentiment de cette femme, la confirmer dans ses soupçons en ce qui concerne la souris. Sinon elle pourrait fort bien s'en prendre à moi et me casser le dos ! » Et aussitôt elle alla trouver la souris et lui dit : « Ô ma sœur, tout voisin se doit à son voisin ! Et il n'y a rien de plus repoussant qu'un voisin égoïste qui n'a aucune attention pour ceux qui habitent à côté de lui et qui, dans les occasions de joie, ne leur envoie rien des plats exquis que les femmes de la maison lui ont cuisinés, ni des douceurs et des pâtisseries préparées aux grandes fêtes ! » Et la souris répondit : « Que cela est vrai, ma bonne amie ! Aussi combien n'ai-je pas à me louer de ton voisinage, bien que tu ne sois ici que depuis quelques jours, et des bonnes intentions que tu me manifestes ! Fasse Allah que toutes les voisines soient aussi honnêtes et aussi avenantes que toi ! Mais qu'as-tu à m'annoncer ? » La belette dit : « La bonne femme qui est là, dans la maison a reçu une mesure de sésame frais et appétissant au possible. Aussi elle et ses enfants en ont mangé tout leur plein, n'en laissant qu'une poignée ou deux. Je viens donc t'avertir de la chose, car j'aime mille fois mieux que ce soit toi qui en profites que ses goinfres d'enfants ! »

À ces paroles, la souris fut dans une telle allégresse qu'elle se mit à frétiller et à agiter la queue. Sans prendre le temps de la réflexion, sans remarquer l'air hypocrite de la belette, sans faire attention à la femme qui, silencieuse, guettait, et sans même se demander quel pouvait être le mobile qui poussait la belette à un tel acte de générosité, elle courut de toute sa vitesse et se précipita au milieu du plateau où brillait, éclatant et décortiqué, le sésame ! Et gloutonnement elle s'en emplit la bouche. Mais au même moment la femme sortit de derrière la porte et d'un coup de baguette fendit la tête à la souris !

Et c'est ainsi que la pauvre souris, par sa confiance imprudente, paya de sa vie le méfait d'autrui !

À ces paroles, le roi Schahriar dit : « Ô Schahrazade, quelle leçon de prudence ce conte ne me donne-t-il pas ! Si je l'avais connu anciennement, il m'aurait gardé d'une confiance sans limites dans mon épouse, la débauchée que j'ai tuée de ma main, et dans les eunuques noirs, ces perfides qui ont aidé à la trahison !... Mais n'aurais-tu pas à me raconter quelque histoire sur l'amitié fidèle ? »

Et Schahrazade dit :

CONTE DU CORBEAU ET DE LA CIVETTE

Il m'est parvenu qu'un corbeau et une civette s'étaient pris d'une solide amitié l'un pour l'autre et passaient leurs heures de loisir en ébats et en jeux divers. Or, un jour qu'ils causaient de choses certainement intéressantes, car ils ne prêtaient guère attention à ce qui se passait autour d'eux, ils furent soudain rappelés à la réalité par le cri effroyable du tigre, qui retentit dans la forêt.

Aussitôt le corbeau qui était en bas, perché sur le tronc de l'arbre à côté de son amie, se hâta de gagner les hautes branches ; quant à la civette, effarée, elle savait d'autant moins où se cacher, qu'elle n'était guère certaine de l'endroit d'où était parti le miaulement de la bête de proie. Dans cette perplexité elle dit au corbeau : « Mon ami, que faire ? Dis-moi, as-tu quelque moyen à m'indiquer ou quelque secours efficace à me donner ? » Le corbeau répondit : « Mais que ne ferais-je pas pour toi, ma bonne amie ? Me voici tout prêt à tout affronter pour te tirer d'embarras ; mais, avant de voler te porter secours, laisse-moi te dire ce qu'a dit le poète à ce sujet :

« La véritable amitié est celle qui vous pousse à vous jeter dans le péril pour, au risque de succomber, sauver l'objet aimé ;

C'est celle qui vous fait quitter biens, parents, famille, pour retrouver le frère de votre choix ! »

Puis, ayant récité ces vers, le corbeau se hâta de voler à tire-d'aile vers un troupeau qui passait par là, gardé par de gros chiens plus imposants que des lions. Et il alla tout droit à l'un des chiens et s'abattit sur sa tête et lui donna un coup de bec d'importance. Puis il s'abattit sur un autre chien et fit de même ; et, ayant de la sorte excité tous les chiens, il se mit à voleter à une distance juste suffisante pour les attirer et se faire poursuivre par eux, sans toutefois être atteint par leurs dents. Et il croassait de toute sa voix, comme pour les narguer. Aussi les chiens, de plus en plus furieux, se mirent à le chasser, jusqu'à ce qu'il les eût attirés au milieu de la forêt. Alors, comme leurs aboiements avaient rempli toute la forêt, le corbeau jugea que le tigre, effrayé, avait dû s'enfuir ; et il vola pour de bon, laissant très loin derrière lui les chiens qui s'en retournèrent bredouilles vers leur troupeau. Puis il vint retrouver son amie la civette qu'il avait sauvée ainsi d'un danger pressant, et il vécut avec elle en toute paix et en toute sécurité !

— Mais j'ai hâte, ô Roi fortuné, continua Schahrazade, de te raconter l'HISTOIRE DU CORBEAU ET DU RENARD.

CONTE DU CORBEAU ET DU RENARD

Il est raconté qu'un vieux renard, dont la conscience était chargée de maints méfaits et maintes déprédations, s'était retiré au fond d'une gorge giboyeuse, en emmenant avec lui son épouse. Et là il continua à faire tant de ravages parmi le petit gibier, qu'il dépeupla complètement toute la montagne et finit, pour ne pas mourir de faim, par manger d'abord ses propres enfants, qui étaient gras à point, et, une nuit, par étrangler traîtreusement son épouse, qu'il dévora en un instant ! Cela fait, il ne lui resta plus rien à se mettre sous la dent.

Or, il était devenu trop vieux pour changer encore de place et il n'était plus assez agile pour chasser le lièvre et attraper au vol la perdrix. Pendant qu'il était absorbé par ces idées qui lui noircissaient le monde devant le visage, il vit se poser sur la cime d'un arbre un corbeau fatigué. Et aussitôt il pensa en son âme : « Si je pouvais décider ce corbeau à lier amitié avec moi, quelle bonne aubaine ce serait ! Il a de bonnes ailes qui lui permettent de faire la besogne à laquelle mes vieilles jambes à jamais percluses se refusent désormais ! Il m'apporterait ainsi ma nourriture et, de plus, il me tiendrait compagnie dans cette solitude qui commence à me peser ! » Et sitôt pensé, sitôt fait : il s'avança jusqu'au pied de l'arbre où se tenait le corbeau, pour pouvoir se faire mieux entendre, et après les salams les plus profondément sentis, il lui dit : « Ô mon voisin, tu n'ignores pas que tout bon musulman a deux mérites auprès de son voisin musulman : le mérite d'être musulman et le mérite d'être le voisin ! Or, je te reconnais sans hésitation ces deux mérites vis-à-vis de moi et, de plus, je me sens là, en pleine poitrine, saisi par l'attraction invincible de ta gentillesse, et je me découvre des dispositions spontanées de fraternelle amitié à ton égard ! Et toi, ô corbeau, que sens-tu à mon égard ? »

À ces paroles, le corbeau éclata de rire et tellement qu'il faillit dégringoler de l'arbre. Puis il dit au renard : « En vérité, ma surprise est extrême ! Et depuis quand, ô renard, cette amitié insolite ? Et depuis quand la sincérité est-elle entrée dans ton cœur, alors qu'elle n'avait jamais été que sur le bout de ta langue ? Et depuis quand des races aussi différentes que les nôtres peuvent-elles fusionner si parfaitement, toi, de la race des animaux, et moi, de la race des oiseaux ! Et surtout, ô renard, pourrais-tu, puisque tu es si éloquent, me dire depuis quand ceux de ta race ont cessé d'être mangeurs, et ceux de ma race les mangés ?... Ça t'étonne ? Il n'y a vraiment pas de quoi ! Allons ! renard, vieux malin, remets toutes tes belles sentences dans ta besace, et dispense-moi de cette amitié qui n'a pas fait ses preuves ! »

Alors le renard lui dit : « Ô judicieux corbeau, tu raisonnes parfaitement ! mais sache bien que rien n'est impossible à Celui qui a formé les cœurs de ses créatures, et qui a soudain suscité dans le mien ce sentiment à ton égard. Or pour te démontrer que des individus de race différente peuvent merveilleusement s'accorder, et pour te fournir les preuves qu'à juste titre tu me réclames, je ne trouve rien de mieux que de te raconter l'histoire qui m'est parvenue de la puce et de la souris, si toutefois tu veux bien l'écouter ! »

Et le corbeau dit : « Du moment que tu parles de preuves, je suis tout prêt à entendre cette HISTOIRE DE LA PUCE ET DE LA SOURIS, que je n'ai jamais entendue ! » Et le renard dit :

« Ô gentil ami, les savants versés dans les livres anciens et modernes nous racontent qu'une puce et une souris avaient élu domicile dans la maison d'un riche marchand, chacune à l'endroit qui lui convenait le mieux.

« Or, une nuit, la puce, dégoûtée de toujours sucer le sang âcre du chat de la maison, sauta sur le lit où était étendue l'épouse du marchand et se faufila entre ses robes, et de là glissa sous sa chemise pour gagner sa cuisse et de là le pli de l'aine, juste à l'endroit le plus délicat. Or, vraiment elle trouva que cet endroit était fort délicat, et doux, et blanc, et lisse à souhait : aucune rugosité, aucun poil indiscret, au contraire, ô corbeau, au contraire ! Bref la puce se consolida là-dessus et se mit à sucer le sang délicieux de l'épouse jusqu'à satiété ! Mais elle avait apporté à son repas si peu de discrétion que, sous la cuisance de la piqûre, la jeune femme se réveilla et porta vivement la main à l'endroit piqué et elle aurait infailliblement écrasé la puce si celle-ci ne s'était adroitement esquivée du caleçon, à travers les plis innombrables de ce vêtement spécial aux femmes, et de là n'avait sauté à terre et couru se réfugier dans le premier trou qui se présenta devant elle ! Voilà pour la puce !

« Mais pour ce qui est de la jeune femme, elle poussa un hurlement de douleur qui fit accourir toutes les esclaves, lesquelles, ayant compris le motif de la douleur de leur maîtresse, se hâtèrent de relever leurs manches et de se mettre aussitôt à l'œuvre pour trouver la puce dans les vêtements : deux se chargèrent des robes, une autre de la chemise et deux autres de l'ample caleçon dont elles se mirent à déplier soigneusement tous les plis l'un après l'autre, pendant que la jeune femme, toute nue, à la clarté des flambeaux, s'examinait elle-même le devant du corps et que son esclave favorite lui inspectait minutieusement le derrière. Mais tu juges bien, ô corbeau, que l'on ne trouva absolument rien ! Et voilà pour la femme ! »

Et le corbeau s'écria : « Mais, en tout cela, où sont les preuves dont tu me parlais ? » Et le renard dit : « Justement nous y arrivons ! » Et il continua :

« En effet, le trou dans lequel s'était réfugiée la puce était le gîte même de la souris…

À ce moment de sa narration, Schahrazade vit apparaître le matin et, discrète, se tut.

Mais lorsque fut la cent cinquante et unième nuit. Elle dit :

« En effet, le trou dans lequel s'était réfugiée la puce était le gîte même de la souris. Aussi lorsque la souris vit ainsi entrer la puce chez elle avec ce sans-gêne, elle fut extrêmement offusquée et lui cria : « Que viens-tu faire chez moi, ô puce, toi qui n'es ni de mon espèce ni de mon essence, et dont on ne peut attendre que du désagrément, parasite que tu es ! » Mais la puce répondit : « Ô souris hospitalière, sache que si j'ai envahi si indiscrètement ton domicile, c'est malgré moi et pour échapper à la mort dont je suis menacée par la maîtresse de la maison ! Et tout cela pour un peu de sang que je lui ai soutiré ! Il est vrai que ce sang était de première qualité, et moelleux et tiède à ravir et d'une digestion merveilleuse ! Je viens donc recourir à toi, confiante dans ta bonté, et te prier de m'accepter chez toi jusqu'à ce que le danger soit passé. Aussi, loin de te tourmenter et t'obliger à fuir ton domicile, je t'aurai une gratitude si marquée que tu remercieras Allah qui a permis notre réunion ! » Alors la souris, convaincue par la sincérité d'accent de la puce, lui dit : « S'il en est vraiment ainsi, ô puce, tu peux sans crainte partager mon gîte et vivre ici dans la tranquillité ; et tu seras ma compagne dans la bonne et mauvaise fortune ! Mais pour ce qui est du sang bu sur la cuisse de l'épouse, va ! ne t'en inquiète pas ! Et digère-le dans la paix de ton cœur avec délices ! car chacun trouve sa nourriture où il peut et il n'y a là rien de répréhensible, et si Allah nous a donné la vie, ce n'est point pour que nous nous laissions mourir de faim ou de soif ! Et d'ailleurs, voici à ce sujet les vers que j'ai entendus un jour réciter par un santon dans les rues :

« Je n'ai rien sur la terre qui me pèse ou qui m'attache ; je n'ai ni meubles, ni épouse revêche, ni maison ! Ô mon cœur, tu es léger !

Un morceau de pain, une gorgée d'eau et une pincée de gros sel suffisent à me nourrir, car je suis seul ! Une robe tout usée me sert de vêtement, et c'est déjà trop !

Le pain, je le prends où je le trouve, et la destinée comme elle vient ! On ne peut rien m'enlever ! Et ce que je prends aux autres, pour vivre, c'est leur surplus ! Mon cœur, tu es léger !

« Lorsque la puce eut entendu ce discours de la souris, elle fut extrêmement touchée et lui dit : « Ô souris, ma sœur, quelle vie délicieuse n'allons-nous pas désormais couler ensemble ! Qu'Allah hâte le moment où je pourrai reconnaître tes bontés ! »

« Or, ce moment ne tarda pas à arriver. En effet, le soir même, la souris, qui était allée rôder dans la chambre du marchand, entendit un tintement métallique et finit par voir le marchand compter un à un des dinars nombreux qui étaient dans un petit sac ; et, lorsqu'il les eut tous vérifiés, il les cacha sous son oreiller et s'étendit sur le lit et s'endormit.

« Alors la souris courut trouver la puce et lui raconta ce qu'elle venait de voir et lui dit : « Voilà enfin pour toi l'occasion de me venir en aide, et cela en transportant avec moi ces dinars d'or du lit du marchand à mon gîte ! » À ces paroles, la puce faillit s'évanouir d'émotion, tant la chose lui parut exorbitante, et elle dit tristement à la souris : « Mais tu n'y penses pas, ô souris ! ne vois-tu pas ma taille ? Comment pourrais-je transporter sur mon dos un dinar, alors que mille puces réunies ne sauraient le faire bouger seulement ? Pourtant je puis certes t'être ici d'une grande utilité, car je me charge, moi puce, telle que je suis, de transporter le marchand lui-même hors de sa chambre et même de sa maison ; et alors tu deviens la maîtresse de la place, et tu peux tout à ton aise, et sans te presser, transporter les dinars dans ton gîte ! » Alors la souris s'écria : « C'est juste, brave puce, et vraiment je n'y pensais pas ! Et pour ce qui est de mon gîte, il est assez vaste pour contenir tout cet or ; et, de plus, j'y ai ménagé soixante-dix portes de sortie pour le cas où l'on voudrait m'y enfermer et m'y murer ! Hâte-toi donc de combiner ce que tu m'as promis ! »

« Alors la puce, en quelques sauts, fut sur le lit où dormait le marchand et se dirigea droit à son cul et là le piqua comme jamais puce n'avait piqué un cul d'homme. À cette piqûre et à la douleur lancinante qui s'ensuivit, le marchand se réveilla en portant vivement la main à son endroit honorable, d'où la puce s'était hâtée de s'éloigner, et se mit à lancer mille malédictions qui retentirent à vide dans la maison silencieuse. Puis, après s'être tourné et retourné, il essaya de se rendormir. Mais il comptait sans l'ennemi ! En effet, la puce, à la vue du marchand qui s'entêtait dans son lit, revint à la charge, furieuse à l'extrême, et cette fois alla le piquer de toute sa force à cet endroit si sensible qu'on nomme le périnée.

« Alors là le marchand sursauta en hurlant et rejeta loin de lui couvertures et vêtements et courut jusqu'au bas de sa maison, près du puits, où il s'imbiba d'eau froide, et il ne voulut plus réintégrer sa chambre, mais s'étendit sur le banc de la cour pour y passer le reste de la nuit.

« Aussi la souris put en toute facilité transporter dans son gîte tout l'or du marchand ; et quand vint le matin il ne restait plus un seul dinar dans le sac. Et c'est ainsi que la puce sut reconnaître l'hospitalité de la souris et l'en dédommagea dans une mesure au centuple !

« Et toi, ô corbeau, continua le renard, j'espère que tu verras bientôt la mesure de mon dévouement à ton égard, en retour du pacte d'amitié que je te demande de sceller entre nous ! »

Mais le corbeau lui dit : « En vérité, seigneur renard, ton histoire est loin de me convaincre. Et puis, après tout, on est libre de faire ou de ne pas faire le bien, surtout quand ce bien doit vous être une cause de calamités. Or, c'est bien le cas ici. En effet, tu es réputé depuis longtemps pour tes perfidies et tes manquements à la parole donnée ; comment donc pourrais-je avoir confiance dans quelqu'un d'une si insigne mauvaise foi, et qui a trouvé moyen, tout dernièrement encore, de trahir et de faire périr son cousin le loup ? Car, ô traître, je suis au courant de ce méfait dont le bruit a fait le tour de toute la gent animale ! Si donc tu n'as pas hésité à sacrifier quelqu'un qui est de ta race, si ce n'est de ton espèce, après l'avoir longtemps fréquenté et flagorné de toutes façons, il est bien probable que tu ne te feras qu'un jeu de la perdition de celui qui est d'une race hostile et si différente de la tienne ! Aussi cela me rappelle fort à propos une histoire qui s'applique, vois-tu, à merveille à notre cas présent ! » Le renard s'écria : « Quelle histoire ? » Le corbeau dit : « C'est celle du vautour ! » Mais le renard dit : « Je ne connais pas du tout cette HISTOIRE DU VAUTOUR. Montre un peu ce que c'est ! » Et le corbeau dit :

« Il y avait un vautour qui était d'une tyrannie dépassant toutes les limites connues ; nul oiseau, grand ou petit, n'avait été indemne de ses vexations ; et il avait semé la terreur chez tous les loups de l'air et tous les loups de la terre, si bien qu'à son approche les bêtes de proie les plus féroces lâchaient là tout ce qu'elles tenaient et s'évadaient épouvantées de son bec effroyable et de ses plumes hérissées. Mais bientôt le temps vint où les années accumulées sur sa tête la déplumèrent entièrement et usèrent ses griffes et firent tomber en morceaux ses mandibules menaçantes et, jointes aux intempéries, rendirent son corps perclus et ses ailes sans vertu ! Alors il devint un tel objet de pitié que ses anciens ennemis dédaignèrent même de lui rendre la mesure de ses tyrannies, et ne le traitèrent que par le mépris. Et il était obligé, pour se nourrir, de se contenter des restes de repas que laissaient les oiseaux et les animaux !

« Et toi, ô renard, si tu as perdu tes forces, je vois que tu n'as encore rien perdu de tes traîtrises ! Car tu veux, toi l'impuissant, t'allier avec moi qui, par l'effet de la bonté du Donateur, conserve encore intacte la vigueur de mon aile, l'acuité de ma vue et le poli de mon bec. Crois-moi, n'essaie pas de faire comme LE MOINEAU ! » Et le renard, tout à fait étonné, lui demanda : « De quel moineau parles-tu ? » Le corbeau dit : « Écoute !

« Il m'est parvenu qu'un moineau se trouvait dans un pré où paissait un troupeau de moutons et il s'occupait à fouiller la terre de son bec, en suivant les moutons, quand il vit soudain un aigle énorme fondre sur un petit agneau et l'emporter dans ses griffes et disparaître avec lui vers le loin. À cette vue, le moineau se regarda avec une extrême fierté et étendit ses ailes avec suffisance et se dit en lui-même : « Mais moi aussi je sais voler, et je puis même emporter un gros mouton ! » Et là-dessus, il choisit le mouton le plus gros qu'il pût trouver, celui qui avait une laine si fournie et si vieille que sous le ventre elle n'était plus, tant l'urine de la nuit l'imbibait, qu'une masse collante et putréfiée ! Et le moineau fondit sur le dos de ce mouton et voulut l'enlever, sans plus. Mais, dès son premier mouvement, ses pattes furent emprisonnées dans les flocons de laine, et il resta lui-même le prisonnier du mouton. Alors le berger accourut et s'empara de lui et lui arracha les plumes des ailes et, l'ayant attaché par le pied avec une ficelle, le donna comme jouet à ses petits enfants, et leur dit : « Regardez bien cet oiseau ! C'est un qui a voulu, pour son malheur, se comparer à plus fort que lui ! Aussi il est châtié par l'esclavage ! »

« Et toi, ô renard perclus, tu veux maintenant te comparer à moi, puisque tu as l'audace de me proposer ton alliance ! Allons ! vieux rusé, crois-moi, tourne ton dos au plus vite ! » Alors le renard comprit qu'il était désormais inutile d'essayer de duper un individu aussi averti que l'était le corbeau. Et, dans sa rage, il se mit à grincer si fort des mâchoires qu'il se cassa une grosse dent. Et le corbeau, narquois, lui dit : « En vérité, je suis peiné que tu te sois cassé une dent à cause de mon refus ! » Mais le renard le regarda avec un respect sans bornes et lui dit : « Ce n'est point à cause de ton refus que je me suis cassé cette dent, mais bien de honte d'avoir trouvé plus malin que moi ! »

Et, ayant dit ces paroles, le renard se hâta de déguerpir pour aller se cacher.

*« Et telle est, ô Roi fortuné, continua Schahrazade, l'histoire du corbeau et du renard ! Elle a été un peu longue, peut-être ; mais aussi je me propose, si Allah m'accorde vie jusqu'à demain, et si c'est ton bon plaisir, de te raconter l'*HISTOIRE DE LA BELLE SCHAMSENNAHAR AVEC LE PRINCE ALI BEN-BEKAR. »

Mais le roi Schahriar s'écria : « Ô Schahrazade, ne crois point que les histoires des animaux et des oiseaux ne m'aient pas charmé ou qu'elles m'aient paru longues, au contraire ! Si même tu en connaissais d'autres, je ne serais point fâché de les entendre, ne serait-ce que pour le profit que je pourrais en tirer ! Mais du moment que tu m'annonces une histoire qui, au seul titre, me paraît déjà parfaitement admirable, je suis prêt à t'écouter ! »

Mais Schahrazade vit apparaître le matin et pria le Roi d'attendre jusqu'au lendemain.

Mais lorsque fut la cent cinquante-deuxième nuit. Elle dit :

HISTOIRE D'ALI BEN-BEKAR ET DE LA BELLE SCHAMSENNAHAR

Il m'est parvenu, ô Roi fortuné, qu'il y avait à Bagdad, sous le règne qui se présenta et s'écoula du khalifat Haroun Al-Rachid, un jeune marchand fort bien fait et fort riche qui s'appelait Abalhassan ben-Tâher. Il était certainement le plus beau et le plus affable et le plus richement habillé de tous les marchands du Grand Souk. Aussi avait-il été choisi par le chef eunuque du palais pour fournir aux favorites toutes les choses, étoffes ou pierreries, dont elles pouvaient avoir besoin ; et ces dames s'en rapportaient aveuglément à son bon goût et surtout à sa discrétion, bien des fois mise à l'épreuve, pour les commissions dont elles le chargeaient de temps en temps. Et il ne manquait jamais de servir toutes sortes de rafraîchissements aux eunuques qui venaient lui faire les commandes, et de leur donner chaque fois un cadeau approprié au rang qu'ils occupaient près de leurs maîtresses. Aussi le jeune Abalhassan était-il adoré de toutes les femmes et de tous les esclaves du palais, et tellement que le khalifat lui-même finit par le remarquer ; et, dès qu'il le vit, il l'aima pour ses bonnes manières et sa jolie figure si avenante et son teint si tranquille ; et il lui donna libre accès du palais, à toute heure du jour ou de la nuit ; et comme le jeune Abalhassan joignait à toutes ses qualités le don du chant et de la poésie, le khalifat, qui ne mettait rien au-dessus d'une belle voix et d'une jolie diction, le faisait souvent venir lui tenir compagnie à table et lui improviser des vers aux rythmes parfaits.

Aussi la boutique d'Abalhassan était-elle la plus connue par tout ce que Bagdad contenait de beaux jeunes gens d'entre les fils des émirs et des notables, et de femmes des nobles dignitaires et des chambellans.

Or, l'un des habitués les plus fervents de la boutique d'Abalhassan était un jeune seigneur qui était devenu l'ami tout à fait particulier d'Abalhassan, tant il était beau et attirant. Il s'appelait Ali ben-Bekar, et descendait des anciens rois de Perse. Il avait une taille charmante, un visage aux joues fraîches et rosées, des sourcils d'une ligne parfaite, des dents souriantes et un parler délicieux.

Un jour donc que le jeune prince Ali ben-Bekar était assis dans la boutique à côté de son ami Abalhassan ben-Tâher et que tous deux causaient et riaient, ils virent arriver dix adolescentes, belles comme des lunes, qui en entouraient une onzième montée sur une mule harnachée de brocart avec des étriers d'or. Et cette onzième était couverte d'un izar de soie rose, que serrait à la taille une ceinture brodée d'or, large de cinq doigts et incrustée de grosses perles et de pierreries. Son visage était voilé d'une voilette transparente, et ses yeux apparaissaient splendides à travers ! La peau de ses mains était à la vue aussi douce que la soie même et reposante dans sa blancheur, et ses doigts, lourds de diamants, n'en paraissaient que plus fuselés. Quant à sa taille et à ses formes, on pouvait les deviner merveilleuses à en juger par le peu que l'on pouvait voir.

Lorsque le convoi fut à la porte de la boutique, la jeune femme, s'appuyant sur les épaules de ses esclaves, mit pied à terre et entra dans la boutique en souhaitant la paix à Abalhassan, qui lui rendit son souhait avec les marques du plus profond respect et se hâta d'arranger les coussins et le divan pour l'inviter à y prendre place, et se retira aussitôt, un peu plus loin, pour attendre ses ordres. Et la jeune femme se mit à choisir négligemment quelques étoffes à fond d'or, quelques orfèvreries et quelques flacons d'essence de rose ; et, comme elle n'avait pas à se gêner chez Abalhassan, elle releva un instant son petit voile de visage et fit briller, sans artifices, sa beauté.

Or, à peine le jeune prince Ali ben-Bekar eut-il aperçu ce visage si beau qu'il en fut frappé d'admiration, et une passion s'alluma au fond de son foie ; puis comme, par discrétion, il faisait mine de s'éloigner, la belle adolescente, qui l'avait remarqué, elle aussi, et avait également été secrètement remuée, dit à Abalhassan de sa voix admirable : « Je ne veux pas être cause du départ de tes clients. Invite donc ce jeune homme à rester ! » Et elle sourit adorablement.

À ces paroles, le prince Ali ben-Bekar fut au comble de ses vœux et, ne voulant pas être en reste de galanterie, dit à l'adolescente : « Par Allah ! ô ma maîtresse, si je voulais m'en aller ce n'était pas seulement par crainte d'être importun, mais parce qu'en te voyant, j'avais pensé à ces vers du poète :

« Ô toi qui regardes le soleil ! ne vois-tu pas qu'il habite des hauteurs que nul œil humain ne saurait mesurer ?

Penses-tu donc pouvoir l'atteindre sans ailes, ou crois-tu, ô naïf, le voir descendre jusqu'à toi ? »

Lorsque l'adolescente eut entendu ces vers récités avec un accent désespéré, elle fut charmée du sentiment délicat qui les inspirait, et elle fut plus vivement subjuguée par l'air charmant de son amoureux. Aussi elle lui jeta un long regard souriant, puis elle fit signe au jeune marchand de s'approcher, et lui demanda à mi-voix : « Abalhassan, qui est donc ce jeune homme, et d'où est-il ? » Il répondit : « C'est le prince Ali ben-Bekar, descendant des rois de Perse. Il est aussi noble qu'il est beau. Et c'est mon meilleur ami. » « Il est gentil ! reprit la jeune femme. Ne t'étonne donc pas, Abalhassan, si tout à l'heure, après mon départ, tu vois arriver une de mes esclaves pour vous inviter, toi et lui, à me venir voir. Car je voudrais lui prouver qu'il y a à Bagdad de plus beaux palais, de plus belles femmes et de plus expertes almées qu'à la cour des rois de Perse ! » Et Abalhassan, à qui il n'en fallait pas plus long pour comprendre, s'inclina et répondit : « Sur ma tête et sur mes yeux ! »

Alors la jeune femme ramena son petit voile sur son visage, et sortit en laissant derrière elle un parfum subtil de robes conservées dans le santal et le jasmin.

Quant à Ali ben-Bekar, une fois l'adolescente partie, il resta pendant un bon moment à ne savoir plus ce qu'il disait, et tellement qu'Abalhassan fut obligé de l'avertir que les clients remarquaient son agitation et commençaient à s'en étonner. Et Ali ben-Bekar répondit : « Ô ben-Tâher, comment ne serais-je pas agité et, moi-même, étonné de voir mon âme chercher à s'échapper de mon corps pour aller rejoindre cette lune qui oblige mon cœur à se donner sans consulter mon esprit ? » Puis il ajouta : « Ô ben-Tâher, de grâce ! qui est cette adolescente que tu sembles connaître ? Hâte-toi de me le dire ! » Et Abalhassan répondit :

« C'est la favorite de choix de l'émir des Croyants ! Son nom est Schamsennahar[1]. Elle est traitée par le khalifat avec des égards qui sont à peine rendus à Sett-Zobéida elle-même, l'épouse légitime. Elle a un palais à elle seule où elle commande en maîtresse absolue, sans être l'objet de la surveillance des eunuques ; car le kahlifat a en elle une confiance sans limites, et, à juste titre, car de toutes les femmes du palais c'est celle qui, bien que la plus belle, fait le moins parler d'elle, avec des clignements d'œil, par les esclaves et les eunuques. »

Or, Abalhassan venait à peine de donner ces explications à son ami Ali ben-Bekar, qu'une petite esclave entra qui s'approcha tout près d'Abalhassan et lui dit à l'oreille : « Ma maîtresse Schamsennahar vous demande, toi et ton compagnon ! » Et aussitôt Abalhassan se leva, fit signe à Ali ben-Bekar, et, ayant fermé la porte de sa boutique, il suivit, accompagné d'Ali, la petite esclave qui marchait devant eux et qui les conduisit de la sorte au palais même du khalifat Haroun Al-Rachid.

Et du coup le prince Ali se crut transporté dans la demeure même des génies, où toutes choses sont si belles que la langue de l'homme deviendrait poilue avant de pouvoir les décrire. Mais la petite esclave, sans leur donner le temps d'exprimer leur enchantement, frappa ses mains l'une contre l'autre, et aussitôt apparut une négresse chargée d'un grand plateau couvert de mets et de fruits qu'elle déposa sur un tabouret ; et l'odeur seule qui s'en dégageait était déjà un baume admirable aux narines et au cœur.

Aussi la petite esclave ne manqua pas de les servir avec des égards extrêmes, et, lorsqu'ils se furent bien rassasiés, elle leur présenta le bassin et le vase d'or plein d'eau de senteur pour leurs mains ; puis elle leur présenta une aiguière merveilleuse enrichie de rubis et de diamants et pleine d'eau de rose, et leur en versa dans l'une et dans l'autre main pour la barbe et le visage ; après quoi elle leur apporta du parfum d'aloès dans une petite cassolette d'or, et leur en parfuma les vêtements, selon la coutume. Et, cela fait, elle ouvrit une porte de la salle où ils se trouvaient, et les pria de la suivre. Et elle les introduisit dans une grande salle d'une architecture ravissante.

C'était, en effet, une salle surmontée d'un dôme soutenu par quatre-vingts colonnes transparentes de l'albâtre le plus pur, dont les bases et les chapiteaux étaient sculptés avec un art subtil et ornés d'oiseaux d'or et d'animaux à quatre pieds. Et ce dôme était entièrement peint, sur fond d'or, de lignes colorées et vivantes à l'œil, qui représentaient les mêmes dessins que ceux du grand tapis dont la salle était couverte. Et, dans les espaces laissés entre les colonnes, il y avait de grands vases de fleurs admirables ou simplement de grandes coupes vides, mais belles de leur propre beauté et de leur chair de jaspe, d'agate ou de cristal. Et cette salle donnait de plain-pied sur un jardin dont l'entrée représentait, en petits cailloux colorés, les mêmes dessins que le tapis : ce qui faisait que le dôme, la salle et le jardin se continuaient sous le ciel nu et le bleu tranquille.

Or, pendant que le prince Ali ben-Bekar et Abalhassan admiraient cet arrangement délicat, ils aperçurent, assises en rond, les seins rebondissants, les yeux noirs et les joues roses, dix jeunes femmes qui tenaient chacune à la main un instrument à cordes.

À ce moment de sa narration, Schahrazade vit apparaître le matin et, discrète, se tut.

Mais lorsque fut la cent cinquante-troisième nuit. Elle dit :

… et les joues roses, dix jeunes femmes qui tenaient chacune à la main un instrument à cordes. Et, à un signe de la petite esclave favorite, elles jouèrent toutes ensemble un prélude d'une grande douceur, et tel que le prince Ali, dont le cœur était rempli du souvenir de la belle Schamsennahar, sentit les larmes lui remplir les paupières. Et il dit à son ami Abalhassan : « Ah ! mon frère, je sens que mon âme s'émeut ! Et ces accords me parlent un langage qui fait pleurer mon âme, sans qu'au juste je sache pourquoi ! » Abalhassan lui dit : « Mon jeune seigneur, que ton âme soit tranquille, et qu'elle prête toute son attention à ce concert qui promet d'être admirable, grâce à la belle Schamsennahar qui probablement va bientôt arriver ! »

En effet, à peine Abalhassan avait-il achevé ces mots que les dix jeunes femmes se levèrent toutes ensemble et, les unes pinçant les cordes et les autres agitant rythmiquement leurs petits tambours à grelots, entonnèrent ce chant annonciateur :

« Azur, tu nous regardes soudain avec un sourire content. Ô lune, voici que tu relèves tes robes de nuages et tu te voiles confuse ! Et toi, soleil, ô soleil, ô soleil vainqueur, tu fuis et tu ne brilles plus ! »

Et le chœur s'arrêta, attendant la réponse que chanta l'une des dix :

« Ô mes yeux ! voici notre Lune qui s'avance. Car le Soleil nous visite, un jeune Soleil princier, qui vient rendre hommage à Schamsennahar ! »

Alors le prince Ali, qui figurait ce soleil, regarda du côté opposé et vit, en effet, s'approcher douze jeunes négresses qui portaient sur leurs épaules un trône d'argent massif, recouvert d'un dais de velours, et où était assise une femme qu'on ne pouvait encore voir voilée qu'elle était par un grand voile de soie légère qui flottait sur le devant du trône. Et ces négresses, avaient les seins nus et les jambes nues ; et un foulard de soie et d'or, ajusté à la taille, faisait saillir les riches fesses des porteuses. Et lorsqu'elles furent arrivées au milieu des chanteuses, elles déposèrent doucement le trône d'argent et reculèrent sous les arbres.

Alors une main écarta les draperies et des yeux brillèrent sur un visage de lune ; c'était Schamsennahar. Elle était vêtue d'un grand manteau en étoffe légère, bleu sur or, constellé de perles, de diamants et de rubis, non point en quantité prodigieuse, mais en petit nombre – seulement le tout était d'un choix et d'un prix inestimables. Alors, les draperies écartées, Schamsennahar releva complètement son petit voile et regarda en souriant le prince Ali et inclina la tête légèrement. Et le prince Ali la regarda en soupirant et ils se parlèrent tous deux un langage muet, par lequel, en quelques instants, ils se dirent bien plus de choses qu'ils n'auraient pu se dire en un long espace de temps.

Mais Schamsennahar put enfin détacher ses regards des yeux d'Ali ben-Bekar, pour ordonner à ses femmes de chanter. Alors l'une d'elles se hâta de mettre son luth d'accord et chanta :

« Ô destinée ! quand deux amants, l'un vers l'autre attirés, se trouvent aimables et s'unissent dans un baiser, à qui la faute, sinon à toi ?

Ô mon cœur, dit l'amante, par ma vie ! donne encore un baiser ! Je te le rendrai, tel qu'il est, égal en chaleur ! Et si tu veux encore plus, que cela me serait facile ! »

Alors Schamsennahar et Ali ben-Bekar poussèrent un soupir ; et une seconde chanteuse, sur un rythme différent, à un signe de la belle favorite, dit :

« Ô bien-aimé ! lumière qui illumine l'espace où sont les fleurs, yeux du bien-aimé !

Ô chair poreuse qui filtre la boisson de mes lèvres, ô chair poreuse si douce à mes lèvres !

Ô bien-aimé ! quand je t'ai trouvé, la Beauté m'a arrêtée pour me chuchoter ; « Le voici ! Il a été modelé par des doigts divins ! Il est une caresse, telle une riche broderie ! »

À ces vers, le prince Ali ben-Bekar et la belle Schamsennahar se regardèrent longuement ; mais déjà une troisième chanteuse disait :

« Les heures heureuses, ô jeunes gens, s'écoulent comme l'eau, rapides comme l'eau. Croyez-moi, amoureux, n'attendez pas.

Profitez du bonheur lui-même. Ses promesses sont vaines ! Usez de la beauté de vos années et du moment qui vous unit. »

Lorsque la chanteuse eut fini ce chant, le prince Ali poussa un long soupir et, ne pouvant davantage contenir son émotion, il laissa couler ses larmes en sanglotant. À cette vue, Schamsennahar, qui n'était pas moins émue, se prit également à pleurer et, ne pouvant résister à sa passion, se leva de son trône et s'avança vivement vers la porte de la salle. Et aussitôt Ali ben-Bekar courut dans la même direction et, parvenu derrière le grand rideau de la porte, il se rencontra avec son amoureuse ; et leur émotion fut si grande en s'embrassant et leur délire si intense qu'ils s'évanouirent dans les bras l'un de l'autre ; et ils seraient certainement tombés s'ils n'avaient été soutenus par les femmes qui avaient suivi à distance leur maîtresse, et qui se hâtèrent de les transporter tous deux sur un divan où elles leur firent reprendre leurs esprits à force de les asperger avec l'eau de fleurs et de leur faire sentir des odeurs vivifiantes.

Or, la première chose que fit Schamsennahar en revenant à elle fut de regarder autour d'elle ; et elle eut un sourire heureux en revoyant son ami Ali ben-Bekar ; mais, comme elle ne voyait pas Abalhassan ben-Tâher, elle demanda anxieusement de ses nouvelles. Or, Abalhassan, par discrétion, s'était retiré plus loin, et n'était d'ailleurs pas sans appréhension sur la suite fâcheuse que pouvait avoir cette aventure, si elle venait à s'ébruiter dans le palais. Mais, dès qu'il se fut aperçu que la favorite s'informait de sa présence, il s'avança avec respect et s'inclina devant elle. Et Schamsennahar lui dit : « Ô Abalhassan, comment estimerai-je jamais à leur mesure tes bons offices ! C'est grâce à toi que je dois de connaître ce que le monde possède de plus aimable parmi les créatures et ces instants incomparables où mon âme s'épuise par l'intensité de son bonheur ! Sois bien persuadé, ô Ben-Tâher, que Schamsennahar ne sera point une ingrate ! » Et Abalhassan s'inclina profondément devant la favorite en demandant pour elle à Allah l'accomplissement de tous les vœux que pouvait souhaiter son âme.

Alors Schamsennahar se tourna vers son ami Ali ben-Bekar et lui dit : « Ô mon maître, je ne doute plus de ton amitié, bien que la mienne dépasse en violence tous les sentiments que tu pourras éprouver pour moi. Mais, hélas ! quelle destinée est la mienne d'être attachée à ce palais et de ne pouvoir donner libre cours à ma tendresse : « Et Ali ben-Bekar répondit : « Ô ma maîtresse, en vérité ton amour m'a tellement pénétré qu'il s'est combiné à mon âme et en fait partie si complètement que, même après ma mort, mon âme le conservera essentiellement à elle uni ! Ah ! que nous sommes malheureux de ne pouvoir nous librement aimer ! » Et, ces paroles achevées, les larmes inondèrent comme une pluie les joues du prince Ali et, par sympathie, celles de Schamsennahar. Mais Abalhassan s'approcha d'eux discrètement et leur dit : « Par Allah ! je ne comprends rien à vos pleurs, alors que vous êtes ensemble ! Que serait-ce donc si vous étiez séparés ? Vraiment ce n'est point le moment de vous attrister, mais de vous épanouir, et de passer le temps dans l'agrément et la joie ! »

À ces paroles d'Abalhassan, dont elle avait appris à estimer les conseils, la belle Schamsennahar sécha ses larmes et fit signe à l'une de ses esclaves qui aussitôt sortit un moment pour revenir suivie de plusieurs suivantes qui portaient sur leur tête de grands plateaux d'argent chargés de toutes sortes de mets à l'aspect réjouissant. Et, ces plateaux une fois déposés sur les tapis entre Ali ben-Bekar et Schamsennahar, les suivantes reculèrent contre le mur et s'y immobilisèrent.

Alors Schamsennahar invita Abalhassan à s'asseoir en face d'eux, devant les plats d'or ciselés, où s'arrondissaient les fruits et mûrissaient les pâtisseries. Et de ses propres doigts la favorite se mit à confectionner des bouchées de chaque plat, et elle les mettait elle-même entre les lèvres de son ami Ali ben-Bekar. Et elle n'oubliait pas non plus Abalhassan ben-Tâher. Et lorsqu'ils eurent mangé, on enleva les plateaux d'or et on apporta une fine aiguière d'or dans un bassin d'argent ciselé ; et ils se lavèrent les mains avec l'eau parfumée qu'on leur en versait. Après quoi, ils s'assirent de nouveau et les jeunes négresses leur présentèrent des coupes d'agate colorée, posées sur des soucoupes de vermeil et pleines d'un vin exquis, dont le seul aspect réjouissait les yeux et dilatait l'âme. Et ils en burent lentement en se regardant longuement ; et, une fois les coupes vides, Schamsennahar renvoya toutes ses esclaves, ne gardant auprès d'elle que les chanteuses et les joueuses d'instruments.

Alors, comme elle se sentait tout à fait disposée à chanter, Schamsennahar commanda à l'une des chanteuses de préluder d'abord, pour donner le ton ; et la chanteuse accorda aussitôt son luth et chanta doucement :

« Mon âme, tu t'épuises ! Les mains de l'amour t'ont retournée en tous sens et ont jeté à tous les vents ton mystère.

Mon âme ! Je te gardais délicatement sous la tiédeur de mes côtes, et tu t'échappes pour courir à celui qui cause mes souffrances !

Coulez, mes larmes ! Ah ! vous vous échappez de mes paupières vers le cruel ! Larmes passionnées, vous aussi vous êtes amoureuses de mon bien-aimé ! »

Alors Schamsennahar tendit le bras et remplit une coupe et la but à moitié et l'offrit au prince Ali qui la prit et qui but, les lèvres posées à l'endroit même qu'avaient touché les lèvres de son amie…

À ce moment de sa narration, Schahrazade vit apparaître le matin et, discrète, se tut.

Mais lorsque fut la cent cinquante-quatrième nuit. Elle dit :

… et qui but, les lèvres posées à l'endroit même qu'avaient touché les lèvres de son amie, tandis que les cordes des instruments frémissaient amoureusement sous les doigts des joueuses. Et Schamsennahar fit encore un signe à l'une d'elles pour demander que quelque chose fût chanté sur un ton un peu plus bas. Et la jeune esclave, en sourdine, murmura :

« Si… mes joues sans cesse sont arrosées par la liqueur de mes yeux,

Si… la coupe où trempent mes lèvres est remplie de mes larmes plus encore que du vin de l'échanson,

Par Allah, ô mon cœur, abreuve-toi quand même à cette liqueur mélangée ! Elle fera rentrer en toi le surplus de mon âme qui s'échappe de mes yeux ! »

À ce moment, Schamsennahar se sentit complètement grisée par les notes émues des chansons et, prenant un luth des mains de l'une des femmes assises derrière elle, elle ferma les yeux à demi et de toute son âme elle chanta ces strophes admirables :

« Ô lumière de ses yeux ! ô beauté d'une gazelle adolescente ! Si tu t'éloignes, je meurs ; si tu t'approches, je me grise ! Ainsi je vis en brûlant et je m'éteins en jouissant. Du souffle de ton haleine l'odorante brise est née ; et les soirs du désert en sont encore embaumés, les soirs tièdes sous les palmes joyeuses !

Attention ! ô brise amoureuse de son contact aimé ! Je jalouse le baiser que tu prends sur le sourire de son menton et les fossettes de ses joues. Car ta caresse est un délice tel que toute sa chair en frissonne.

Jasmins de son ventre aromatique sous le vêtement très léger, jasmins de sa peau douce et lactée comme une pierre de lune !

Salive ! ô salive que j'aime de sa bouche, boutons en fleurs de ses lèvres roses ! Ah ! les joues moites et les yeux clos après les étreintes d'amour !

Ô mon cœur ! tu t'égares dans les replis délicieux d'une chair de pierreries ! Prends garde ! l'amour te guette et ses flèches sont prêtes ! »

Lorsque Ali ben-Bekar et Abalhassan ben-Tâher eurent entendu ce chant de Schamsennahar ils faillirent s'envoler d'extase ; puis ils se trémoussèrent de plaisir et poussèrent des « Allah ! » d'une profondeur inaccoutumée ; puis ils rirent et pleurèrent ; et le prince Ali, à la limite de l'émotion, saisit un luth et le donna à Abalhassan en le priant de l'accompagner dans ce qu'il allait chanter. Alors il ferma les yeux et, la tête penchée et appuyée sur la main, à mi-voix il chanta ce chant de son pays :

« Écoute, ô échanson !

Il est si beau l'objet que j'aime que si j'étais le maître de toutes les cités je lui en ferais don sur l'heure pour seulement une fois toucher de mes lèvres la goutte de beauté sur sa joue ennemie !

Son visage est si beau qu'en vérité le grain de beauté est lui-même de trop ! Car ce visage est déjà si beau de sa propre beauté que ni roses ni velours d'un jeune duvet n'y ajouteraient un charme nouveau ! »

Et cela fut dit par le prince Ali ben-Bekar d'une voix tout à fait admirable ! Or, juste au moment où s'éteignait ce chant, la jeune esclave favorite de Schamsennahar accourut tremblante et effarée et dit à Schamsennahar : « Ô ma maîtresse, Massrour et Afif et d'autres eunuques du palais sont à la porte et demandent à te parler ! »

À ces paroles, le jeune Ali et Abalhassan et toutes les esclaves furent extrêmement émus et tremblèrent même pour leur vie. Mais Schamsennahar, qui seule était restée calme, eut un sourire tranquille et leur dit à tous : « Rassurez-vous ! Et laissez-moi faire ! » Puis elle dit à sa confidente : « Va entretenir Massrour et Afif et les autres en leur disant de nous donner le temps de les recevoir selon leur rang ! » Alors elle ordonna à ses esclaves de fermer toutes les portes de la salle et de clore soigneusement les grands rideaux. Cela fait, elle invita le prince Ali et Abalhassan à ne plus bouger de la salle et à n'avoir aucune crainte ; puis, suivie de toutes les chanteuses, elle sortit de la salle, par la porte qui donnait sur le jardin et qu'elle fit refermer derrière elle ; et elle alla, sous les arbres, s'asseoir sur son trône qu'elle avait pris soin d'y faire transporter. Là elle prit une pose langoureuse, ordonna à l'une des jeunes filles de lui masser les jambes et aux autres de se retirer plus loin, tandis qu'elle dépêchait une jeune négresse pour aller ouvrir la porte d'entrée à Massrour et aux autres.

Alors Massrour et Afif et vingt eunuques, l'épée nue à la main et la taille entourée du large ceinturon, s'avancèrent et, du plus loin qu'ils purent, se courbèrent jusqu'à terre et saluèrent la favorite avec les plus grandes marques de respect. Et Schamsennahar dit : « Ô Massrour, fasse Allah que tu sois porteur de bonnes nouvelles ! » Et Massrour répondit : « Inschallah ! ô ma maîtresse ! » Puis il s'approcha du trône de la favorite et lui dit : « L'émir des Croyants t'envoie ses souhaits de paix et te dit qu'il désire ardemment ta vue ! Et il te fait savoir que cette journée s'est annoncée pour lui pleine de joie et bénie entre toutes ; et il veut la terminer près de toi pour qu'elle soit complètement admirable. Mais il voudrait d'abord connaître ton sentiment à ce sujet et si tu aimes mieux aller toi-même au palais ou le recevoir plutôt chez toi, ici même ! »

À ces paroles, la belle Schamsennahar se leva et se prosterna et embrassa la terre pour marquer qu'elle considérait le désir du khalifat comme un ordre, et répondit : « Je suis l'esclave soumise et heureuse de l'émir des Croyants. Je te prie donc, ô Massrour, de dire à notre maître combien je suis dans la félicité de le recevoir et combien ce palais sera illuminé de sa venue ! »

Alors le chef des eunuques et sa suite se hâtèrent de se retirer, et Schamsennahar aussitôt courut à la salle où se trouvait son amoureux et, les larmes aux yeux, elle le serra contre sa poitrine et l'embrassa tendrement, et lui également ; puis elle lui exprima combien elle était malheureuse de lui dire adieu plus tôt qu'elle ne s'y était attendue. Et tous deux se mirent à pleurer dans les bras l'un de l'autre. Et le prince Ali put enfin dire à son amante : « Ô ma maîtresse, de grâce ! laisse-moi, ah ! laisse-moi te serrer, te sentir tout contre moi, jouir de ton contact adorable, puisque le moment de la séparation fatale est proche ! Je garderai dans ma chair ce contact aimé, et dans mon âme son souvenir ! Ce me sera une consolation dans l'éloignement et une douceur dans ma tristesse ! » Elle répondit : « Ô Ali ! par Allah ! c'est moi seule qu'atteindra la tristesse, moi qui reste dans ce palais avec seulement ton souvenir ! Toi, ô Ali, tu auras les souks pour te distraire et toutes les petites filles et les autres de la rue ; leurs grâces et leurs yeux allongés te feront oublier la désolée Schamsennahar, ton amante ; et le cliquetis de cristal de leurs bracelets dissipera peut-être jusqu'aux traces de mon image à tes yeux ! Ô Ali ! comment désormais pourrai-je résister aux éclats de ma douleur ou comprimer les cris dans ma gorge et les remplacer par les chants que me demandera le commandeur des Croyants ? Comment ma langue pourra-t-elle articuler les notes d'harmonie, et de quel sourire saurai-je l'accueillir lui-même, alors que toi seul peux me faire l'âme épanouie ? Ah ! de quels regards ne fixerai-je pas irrésistiblement la place que tu as occupée près de moi, ô Ali ! Et surtout comment, sans mourir, pourrai-je porter à mes lèvres la coupe partagée que me tendra l'émir des Croyants ? Sûrement, en la buvant, un poison sans pitié circulera dans mes veines ! Et alors, que la mort me sera légère, ô Ali ! »

À ce moment, comme Abalhassan ben-Tâher se disposait à les consoler en les exhortant à la patience, l'esclave confidente accourut prévenir sa maîtresse de l'approche du khalifat.

Alors Schamsennahar, les yeux pleins de larmes, n'eut que le temps d'embrasser une dernière fois son amant et dit à la confidente : « Conduis-les au plus vite à la galerie qui donne sur le Tigre d'un côté et sur le jardin de l'autre ; et, quand la nuit sera bien noire, tu les en feras sortir adroitement du côté du fleuve ! » Et, ayant dit ces paroles, Schamsennahar comprima les sanglots qui l'étouffaient pour courir au-devant du khalifat qui s'avançait du côté opposé. De son côté, la jeune esclave conduisit le prince Ali et Abalhassan à la galerie en question et se retira après les avoir rassurés et avoir fermé soigneusement la porte derrière elle. Alors ils se trouvèrent dans la plus grande obscurité ; mais au bout de quelques instants, à travers les fenêtres ajourées, ils virent une grande clarté qui, se rapprochant, leur fit apercevoir un cortège formé par cent jeunes eunuques noirs qui portaient à la main des flambeaux allumés ; et ces cent jeunes eunuques étaient suivis de cent vieux eunuques de la garde ordinaire des femmes du palais, et qui tenaient chacun à la main un glaive nu ; et derrière eux, enfin, à vingt pas, magnifique, s'avançait, précédé du chef des eunuques et entouré de vingt jeunes esclaves blanches comme la lune, le khalifat Haroun Al-Rachid.

Le khalifat s'avança donc, précédé de Massrour ; et il avait à sa droite son premier chef des eunuques, Afif, et à sa gauche son second chef des eunuques, Wassif. Et, en vérité, il était majestueux extrêmement et beau par lui-même et par tout l'éclat que vers lui projetaient les flambeaux des esclaves et les pierreries des courtisanes ! Et il s'avança de la sorte, au son des instruments dont soudain s'étaient mis à jouer les esclaves, jusqu'à Schamsennahar qui s'était prosternée à ses pieds. Et il se hâta de l'aider à se relever en lui tendant une main qu'elle porta à ses lèvres ; puis, tout heureux de la revoir, il lui dit : « Ô Schamsennahar, les soucis de mon royaume m'empêchaient depuis si longtemps de reposer mes yeux sur ton visage ! Mais Allah m'a accordé ce soir béni pour réjouir pleinement mes yeux de tes charmes ! » Puis il alla s'asseoir sur le trône d'argent, alors que la favorite s'asseyait devant lui et que les vingt autres femmes formaient un cercle autour d'eux sur des sièges situés à égale distance les uns des autres. Quant aux joueuses d'instruments et aux chanteuses, elles formèrent un autre groupe tout près de la favorite, tandis que les eunuques, jeunes et vieux, s'éloignaient, selon la coutume, sous les arbres, en tenant toujours les flambeaux allumés, au loin, pour ainsi laisser le khalifat se délecter commodément du frais de la soirée.

Lorsqu'il se fut assis et que tout le monde fut à sa place, le khalifat fit signe aux chanteuses, et aussitôt l'une d'elles, accompagnée par les autres, dit cette ode fameuse que le khalifat préférait à toutes celles qu'on lui chantait, pour la beauté de ses rythmes et la riche mélodie de ses finales :

« Enfant, l'amoureuse rosée du matin mouille les fleurs entrouvertes, et la brise édénique balance leurs tiges ! Mais tes yeux…

Tes yeux, petit ami, c'est la source limpide où désaltérer longuement le calice de mes lèvres ! Et ta bouche… Ta bouche, ô jeune ami, est la ruche de perles où boire une salive enviée des abeilles ! »

Et, ces merveilleuses strophes ainsi chantées d'une voix passionnée, la chanteuse se tut. Alors Schamsennahar fit signe à sa favorite qui comprenait son amour pour le prince Ali ; et celle-ci, sur un mode différent, chanta ces vers qui s'appliquaient si bien aux intimes sentiments de la favorite pour Ali ben-Bekar :

« Quand la jeune Bédouine rencontre en chemin un beau cavalier, ses joues rougissent à l'égal de la fleur du laurier qui croît en Arabie.

Ô Bédouine aventureuse, éteins le feu qui te colore ! Sauvegarde ton âme d'une passion naissante qui la consumerait ! Reste insouciante dans ton désert, car la souffrance d'amour est le don des beaux cavaliers. »

Lorsque la belle Schamsennahar eut entendu ces vers, elle fut pénétrée d'une émotion si vive qu'elle se renversa sur son siège et tomba évanouie entre les bras de ses femmes qui avaient volé à son secours. À cette vue, le prince Ali, qui, dissimulé derrière la fenêtre, regardait cette scène, avec son ami ben-Tâher, fut tellement saisi de douleur sympathique…

À ce moment de sa narration, Schahrazade vit apparaître le matin et, discrète, se tut.

Mais lorsque fut la cent cinquante-cinquième nuit. Elle dit :

… fut tellement saisi de douleur sympathique qu'il tomba également tout de son long évanoui dans les bras de son ami Abalhassan ben-Tâher. Alors Abalhassan fut extrêmement perplexe à cause de l'endroit où ils se trouvaient ; et comme il cherchait inutilement de l'eau, dans cette obscurité, pour en asperger le visage de son ami, il vit soudain s'ouvrir une des portes de la galerie et entrer, hors d'haleine, la jeune esclave confidente de Schamsennahar, qui lui dit d'une voix effrayée : « Ô Abalhassan, lève-toi vite, toi et ton compagnon ; je vais tout de suite vous faire tous deux évader d'ici ; car tout est dans une confusion qui ne présage rien de bon pour nous, et je crois bien que c'est notre jour fatal ! Suivez-moi donc tous deux, ou nous sommes tous morts ! » Mais Abalhassan lui dit : « Ô secourable jeune fille, ne vois-tu donc pas l'état de mon ami ? Approche-toi et regarde ! »

Lorsque l'esclave vit le prince Ali évanoui sur le tapis, elle courut à une table où se trouvaient divers flacons qu'elle connaissait, et choisit un aspersoir d'eau de fleurs et vint en rafraîchir le visage du jeune homme qui reprit bientôt ses sens. Alors Abalhassan le souleva par les épaules et la jeune fille par les jambes et, à eux deux, ils le transportèrent hors de la galerie et le descendirent jusqu'au bas du palais, sur la rive du Tigre. Alors ils le déposèrent doucement sur un banc qui se trouvait là ; et la jeune fille frappa dans ses mains, et aussitôt apparut sur le fleuve une barque où il n'y avait qu'un seul rameur, qui se hâta d'accoster et de venir à eux. Puis, sans prononcer une parole, sur un simple signe de la confidente, il prit le prince Ali dans ses bras et le déposa dans l'embarcation, où ne tarda pas à entrer Abalhassan. Quant à la jeune esclave, elle s'excusa de ne pouvoir les accompagner plus loin et leur souhaita la paix d'une voix extrêmement triste, pour rentrer en hâte au palais.

Lorsque la barque fut arrivée à la rive opposée, Ali ben-Bekar, qui était complètement revenu à lui grâce à la fraîcheur de la brise et de l'eau, put, cette fois, soutenu par son ami, mettre pied à terre. Mais il fut obligé bientôt de s'asseoir sur une borne, tant il sentait son âme s'en aller. Et Abalhassan, ne sachant plus comment sortir d'embarras, lui dit : « Ô mon ami, prends courage et raffermis ton âme ; car, en vérité, cet endroit est loin d'être sûr, et ces bords sont infestés de bandits et de malfaiteurs. Un peu de courage seulement et nous serons en sûreté, non loin de là, dans la maison d'un de mes amis qui habite tout près de cette lumière que tu vois ! » Puis il dit : « Au nom d'Allah ! » Et il aida son ami à se lever et lentement il prit avec lui le chemin de la maison en question, à la porte de laquelle il ne tarda pas à arriver. Alors il frappa à cette porte, malgré l'heure avancée, et aussitôt quelqu'un vint ouvrir ; et Abalhassan, s'étant fait reconnaître, fut aussitôt introduit avec beaucoup de cordialité, ainsi que son ami. Et il ne manqua pas d'inventer un motif quelconque pour expliquer leur présence et leur arrivée en cet état à une heure si irrégulière. Et dans cette maison, où l'hospitalité fut exercée envers eux selon ses préceptes les plus admirables, ils passèrent le reste de la nuit, sans être importunés de questions déplacées. Et tous deux passèrent une bien mauvaise nuit : Abalhassan parce qu'il n'avait guère l'habitude de coucher hors de sa maison et qu'il se préoccupait des inquiétudes des siens à son égard, et le prince Ali parce qu'il revoyait toujours devant ses yeux l'image de Schamsennahar pâle et évanouie de douleur dans les bras de ses femmes, aux pieds du khalifat.

Aussi, dès qu'il fut matin, ils prirent congé de leur hôte et se dirigèrent vers la ville et ne tardèrent pas, malgré la grande difficulté qu'avait à marcher Ali ben-Bekar, à arriver à la rue où se trouvaient leurs maisons. Mais comme la première porte à laquelle ils arrivèrent était celle d'Abalhassan, celui-ci invita son ami avec beaucoup d'insistance à entrer d'abord se reposer chez lui, ne voulant pas le laisser seul en un état si fâcheux. Et il dit à ses gens de lui préparer la meilleure chambre de la maison et d'étendre par terre les matelas neufs que l'on conservait enroulés dans les grands placards pour des occasions comme celle-ci. Et le prince Ali, aussi fatigué que s'il avait marché des journées entières, n'eut que la force de se laisser tomber sur les matelas, où il put enfin fermer l'œil quelques heures. À son réveil, il fit ses ablutions et remplit son devoir de la prière et s'habilla pour sortir ; mais Abalhassan le retint en lui disant : « Ô mon maître, il est préférable de passer encore la journée et la nuit dans ma maison, pour que je puisse te tenir compagnie et te distraire de tes peines ! » Et il l'obligea à rester. Et, en effet, le soir venu, Abalhassan, après avoir passé toute la journée à causer avec son ami, fit venir les chanteuses les plus renommées de Bagdad ; mais rien ne put distraire Ali ben-Bekar de ses pensées affligeantes ; au contraire les chanteuses ne firent qu'exaspérer son mal et sa douleur ; et il passa une nuit encore plus troublée que la précédente ; et le matin son état avait empiré de si grave façon que son ami Abalhassan ne voulut pas le retenir davantage. Il se décida donc à l'accompagner jusque chez lui, après l'avoir aidé à monter sur une mule que les esclaves du prince avaient amenée de l'écurie. Et lorsqu'il l'eut remis à ses gens, et qu'il se fut bien assuré qu'il n'avait plus besoin, pour le moment, de sa présence, il prit congé de lui en lui disant encore des paroles d'encouragement et en lui promettant de revenir le plus tôt possible prendre de ses nouvelles. Puis il sortit de la maison et se dirigea vers le souk où il rouvrit la boutique qu'il avait tenue fermée pendant tout ce temps.

Or, à peine avait-il fini de mettre en ordre sa boutique et s'était-il assis pour attendre les clients, qu'il vit arriver…

À ce moment de sa narration, Schahrazade vit apparaître le matin et, discrète, se tut.

Mais lorsque fut la cent cinquante-sixième nuit. Elle dit :

… et s'était-il assis pour attendre les clients, qu'il vit arriver la jeune esclave confidente de Schamsennahar. Elle lui souhaita la paix, et Abalhassan lui rendit son salut et remarqua combien son air était triste et préoccupé, et il constata que son cœur devait battre bien plus vite que d'habitude. Et il lui dit : « Combien ta venue m'est précieuse, ô secourable jeune fille ! Ah ! de grâce, hâte-toi de me mettre au courant de l'état de ta maîtresse ! » Elle lui répondit : « Mais, je t'en supplie, commence d'abord par me donner des nouvelles du prince Ali que j'ai été obligée de laisser dans l'état où il était ! » Et Abalhassan lui raconta tout ce qu'il avait vu de la douleur et de l'irrémédiable langueur de son ami. Et lorsqu'il eut achevé, la confidente devint encore plus triste qu'elle n'était et poussa plusieurs soupirs et, d'une voix émue, dit à Abalhassan : « Quel malheur est le nôtre ! Sache, ô ben-Tâher, que l'état de ma pauvre maîtresse est encore plus lamentable ! Mais je vais te narrer exactement ce qui s'est passé depuis le moment où tu es sorti de la salle avec ton ami, alors que ma maîtresse était tombée évanouie aux pieds du khalifat qui, tout affligé, ne sut à quoi attribuer ce malaise soudain. Voici !

« Lorsque je vous eus laissés tous deux sous la garde du batelier, je retournai au plus vite, bien inquiète, auprès de Schamsennahar, que je trouvai encore évanouie et étendue toute pâle, et des larmes coulaient goutte à goutte dans ses cheveux défaits. Et l'émir des Croyants, à la limite de l'affliction, était assis tout près d'elle et, malgré tous les soins qu'il lui prodiguait lui-même, il ne parvenait pas à lui faire reprendre ses sens. Et nous toutes nous étions dans une désolation que tu ne saurais imaginer ; et aux questions que le khalifat nous posait anxieusement, pour savoir la cause de ce mal subit, nous ne répondions que par des pleurs et en nous jetant la face contre terre entre ses mains, mais nous nous gardions de lui révéler un secret qu'il ignorait. Et cet état d'inexprimable angoisse dura de la sorte jusqu'à minuit. Alors, à force de lui rafraîchir les tempes avec l'eau de rose et l'eau de fleurs et de lui faire de l'air avec nos éventails, nous eûmes enfin la joie de la voir revenir peu à peu de son évanouissement. Mais aussitôt elle se mit à répandre un torrent de larmes, à la stupéfaction absolue du khalifat, qui finit lui-même par pleurer également. Or, tout cela était triste et extraordinaire !

« Lorsque le khalifat vit qu'il pouvait enfin adresser la parole à sa favorite, il lui dit : « Schamsennahar, lumière de mes yeux, parle-moi, dis-moi la cause de ton mal pour que je puisse au moins t'être de quelque utilité ! Vois ! je souffre moi-même de mon inaction ! » Alors Schamsennahar fit effort pour embrasser les pieds du khalifat qui ne lui en laissa pas le temps ; il lui prit les mains et doucement continua à l'interroger. Alors, d'une voix brisée, elle lui dit : « Ô émir des Croyants, le mal dont je souffre est passager ! Il est causé par certaines choses que j'ai mangées dans la journée et qui ont dû se contrarier au-dedans de moi ! » Et le khalifat lui demanda : « Qu'as-tu donc mangé, ô Schamsennahar ? » Elle répondit : « Deux citrons acides, six pommes aigres, une porcelaine de lait caillé, un gros morceau de kenefa avec, par là-dessus, tant la fringale me tenait, une ocke de pistaches salées et de grains de courge, avec pas mal de pois chiches confits au sucre et encore tout chauds sortant du fourneau ! » Alors le khalifat s'écria : « Ô imprudente petite amie, en vérité tu m'étonnes ! Je ne doute point que ces choses ne soient infiniment délicieuses et appétissantes, mais encore faut-il te ménager un peu et empêcher ton âme de se jeter inconsidérément sur ce qu'elle aime ! Par Allah ! ne te remets plus dans de pareils états ! » Et le khalifat qui, d'ordinaire, est si peu prodigue de paroles et de caresses pour les autres femmes, continua à parler à sa favorite avec beaucoup de ménagements, et il la veilla de la sorte jusqu'au matin. Mais comme il voyait que son état ne s'améliorait pas beaucoup, il fit mander tous les médecins du palais et de la ville, qui, comme de raison, se gardèrent bien de deviner la vraie cause du mal dont souffrait ma maîtresse et dont l'aggravation n'était due qu'à la contrainte où la mettait la présence du khalifat. Ces savants lui prescrivirent une recette si compliquée que, malgré la meilleure volonté, ô ben-Tâher, je ne saurais t'en répéter un seul mot.

« Enfin le khalifat, suivi de tous les médecins et des autres, finit par se retirer ; et je pus alors approcher librement de ma maîtresse ; et je lui couvris les mains de baisers et lui dis de telles paroles d'encouragement, en l'assurant que je prenais sur moi de lui faire de nouveau revoir le prince Ali ben-Bekar, qu'elle finit par se laisser soigner par moi. Et aussitôt je lui donnai à boire un verre d'eau fraîche, avec de l'eau de fleurs dedans, qui lui fit le plus grand bien. Et c'est alors que, s'oubliant elle-même, elle m'a ordonné de la laisser pour le moment et de courir chez toi prendre des nouvelles de son amant, dont je lui avais raconté, par le menu, le chagrin extrême. »

À ces paroles de la confidente, Abalhassan ben-Tâher lui dit : « Ô jeune fille, maintenant que je n'ai plus rien à t'apprendre sur l'état de notre ami, hâte-toi de retourner auprès de ta maîtresse, et de lui transmettre mes souhaits de paix ; et dis-lui combien, en apprenant ce qui lui était arrivé, j'ai éprouvé de chagrin ; et dis-lui bien que je n'ai pas manqué de trouver que c'était une bien dure épreuve, mais que je l'exhorte beaucoup à la patience et surtout à la plus stricte réserve dans ses paroles, de peur que la chose ne finisse par parvenir aux oreilles du khalifat ! Et demain tu reviendras à ma boutique et, si Allah veut ! les nouvelles que nous nous donnerons mutuellement seront plus consolantes ! »

Alors la jeune fille le remercia beaucoup pour ses paroles et pour tous ses bons offices et le quitta. Et Abalhassan passa le reste de la journée dans sa boutique, qu'il ferma pourtant de meilleure heure que de coutume pour voler à la maison de son ami ben-Bekar…

À ce moment de sa narration, Schahrazade vit apparaître le matin et se tut discrètement.

Mais lorsque fut la cent cinquante-septième nuit. Elle dit :

… pour voler à la maison de son ami ben-Bekar. Et il frappa à la porte, que le portier vint ouvrir, et il entra et trouva son ami entouré d'un cercle nombreux de médecins de toute espèce et de parents et d'amis ; et les uns lui tâtaient le pouls, et les autres lui prescrivaient chacun un remède différent et absolument contraire, et les vieilles femmes renchérissaient encore là-dessus et jetaient sur les médecins des regards de travers, si bien que le jeune homme sentait son âme devenir toute petite à force de se rétracter d'impatience ; et, à bout de forces, pour ne plus rien voir et rien entendre, il enfonça sa tête sous les couvertures en se tamponnant les oreilles de ses deux mains.

Mais à ce moment Abalhassan s'avança à son chevet et l'appela en le tirant doucement, et lui dit en souriant d'un air de bon augure : « La paix sur toi, ya Ali ! » Il répondit : « Et sur toi la paix et les bienfaits d'Allah et ses bénédictions, ya Abalhassan ! Fasse Allah que tu sois porteur de nouvelles aussi blanches que ton visage, ô mon ami ! » Alors Abalhassan, ne voulant point parler devant tous ces visiteurs, se contenta de cligner seulement de l'œil à ben-Bekar ; et lorsque tout ce monde-là fut parti, il l'embrassa et lui raconta tout ce que lui avait dit la confidente et ajouta : « Tu peux être toujours sûr, ô mon frère, que je suis à ta dévotion absolue, et que mon âme t'appartient tout entière. Et je n'aurai de repos que lorsque je t'aurai rendu la tranquillité du cœur ! » Et ben-Bekar fut tellement touché des bons procédés de son ami qu'il en pleura de tout son cœur et dit : « Je t'en prie, complète tes bontés en passant cette nuit avec moi, pour que je puisse m'entretenir avec toi et distraire ma pensée torturante ! » Et ben-Bekar ne manqua pas d'acquiescer à son désir, et il resta près de lui à lui réciter des poèmes et à lui chanter des odes d'amour d'une voix atténuée, tout près de l'oreille. Et tantôt c'étaient des vers que le poète adressait à l'ami, et tantôt c'étaient des vers sur la bien-aimée. Or, voici d'abord, entre mille, les vers en l'honneur de la bien-aimée :

« Elle perça du glaive de son regard la visière de mon casque, et pour toujours attacha mon âme à la souplesse de sa taille.

Toute blanche à mes yeux elle apparaît, avec le seul grain de musc qui orne le camphre de son menton !

Si, effrayée soudain, elle tremble, les cornalines de ses joues se muent en la pure pâleur des perles ou la matité du sucre candi !

Si, chagrinée, elle soupire en appuyant la main sur sa poitrine nue, ô mes yeux ! racontez le spectacle que vous voyez !

« Nous voyons, disent mes yeux, une nappe candide où se posent cinq roseaux ornés chacun au bout de rose corail ! »

Ô guerrier, ne crois point que ton glaive bien trempé puisse te sauvegarder de ses paupières alanguies !

Elle n'a point, il est vrai, de lance pour te percer ; mais crains sa taille droite ! Elle ferait de toi, en un clin d'œil, le plus humble des captifs ! »

« Son corps est un rameau d'or et ses seins sont deux coupes rondes et transparentes qui reposent, renversées ! Et ses lèvres de grenade sont parfumées de son haleine. »

Mais c'est alors qu'Abalhassan, voyant son ami excessivement ému par ces vers, dit : « Ô Ali, je vais te chanter maintenant cette ode que tu aimais tant à soupirer, à côté de moi, au souk, dans ma boutique ! Puisse-t-elle mettre un baume sur ton âme blessée, ya Ali ! Écoute donc, mon ami, ces paroles merveilleuses du poète :

« Ô viens ! L'or léger de la coupe est admirable sous le rubis de ce vin, ô échanson !

Éparpille vers le loin tous les chagrins du passé et, sans songer à demain, prends cette coupe où boire l'oubli et, de ta main, ah ! grise-moi complètement.

Toi seul, parmi tous ceux-là qui pèsent sur ma vue, es fait pour comprendre ! Viens ! À toi je révélerai les secrets d'un cœur qui se garde jalousement !...

Mais hâte-toi ! Verse-moi la cause d'allégresse, cette liqueur d'oubli, enfant aux joues plus douces que le baiser sur la bouche des vierges ! »

À ce chant, le prince Ali, déjà si faible, fut dans un tel état d'anéantissement, causé par les souvenirs intenses qui lui revenaient à la mémoire, qu'il se mit à pleurer de nouveau ; et Abalhassan ne sut plus que lui dire pour le calmer, et passa encore toute cette nuit-là à son chevet, à le veiller, sans fermer l'œil un instant. Puis, vers le matin, il se décida tout de même à aller ouvrir sa boutique qu'il négligeait fort depuis un certain temps. Et il y resta jusqu'au soir. Mais au moment où, ayant fini de vendre et d'acheter, il venait de faire rentrer les étoffes à l'intérieur et se disposait à s'en aller, il vit arriver, voilée, la jeune confidente de Schamsennahar qui, après les salams d'usage, lui dit : « Ma maîtresse vous envoie à toi et à ben-Bekar ses souhaits de paix et me charge, comme il était convenu, de venir prendre des nouvelles de sa santé ! Comment va-t-il ? dis-le-moi ! » Il répondit : « Ô gentille, ne m'interroge point ! Car vraiment ma réponse serait trop triste ! Car l'état de notre ami est loin d'être brillant ! Il ne dort plus ! Il ne mange plus ! Il ne boit plus ! Et il n'y a plus que les vers qui le tirent un peu de sa langueur ! Ah ! si tu voyais la pâleur de son teint ! » Elle dit : « Quelle calamité sur nous ! Enfin, voici : ma maîtresse, qui n'est guère mieux, au contraire ! m'a chargée de porter à son amoureux cette lettre que j'ai là, dans les cheveux. Et elle m'a bien recommandé de ne point retourner sans la réponse. Veux-tu donc m'accompagner chez notre ami, dont je ne connais guère la maison ? » Abalhassan dit : « J'écoute et j'obéis ! » Et il se hâta de fermer la boutique et de marcher à dix pas en avant de la confidente qui le suivait...

À ce moment de sa narration, Schahrazade vit apparaître le matin et, discrète comme elle était, ne voulut pas prolonger le récit.
Mais lorsque fut la cent cinquante-huitième nuit. Elle dit :

... à dix pas en avant de la confidente qui le suivait. Et lorsqu'il fut arrivé à la maison de ben-Bekar, il dit à la jeune fille, en l'invitant à s'asseoir sur le tapis de l'entrée : « Attends-moi ici quelques instants. Je vais d'abord m'assurer s'il n'y a point d'étrangers ! » Et il entra chez ben-Bekar et lui cligna de l'œil. Et ben-Bekar comprit le signe et dit à ceux qui l'entouraient : « Avec votre permission ! J'ai mal au ventre ! » Alors ils comprirent et, après les salams, se retirèrent en le laissant seul avec Abalhassan. Or, sitôt qu'ils furent partis, Abalhassan courut chercher la confidente, qu'il introduisit. Et, à sa seule vue qui lui rappelait Schamsennahar, ben-Bekar se sentit déjà considérablement ragaillardi, et lui dit : « Ô venue délicieuse ! Oh ! sois bénie ! » Et la jeune fille s'inclina en le remerciant et lui remit tout de suite la lettre de Schamsennahar. Et ben-Bekar la prit et la porta à ses lèvres, puis à son front et, comme il était trop faible pour la lire, il la tendit à Abalhassan, qui y trouva, écrits de la main de la favorite, des vers où toutes ses peines d'amour étaient contées dans les termes les plus touchants. Et comme Abalhassan jugeait que cette lecture mettrait son ami dans les pires états, il se contenta de lui en résumer le contenu en quelques mots fort jolis, et lui dit : « Je vais tout de suite, ô Ali, me charger de la réponse, que tu signeras ! » Et cela fut fait d'une façon parfaite, et ben-Bekar voulut que le sens général de cette lettre fût ceci : « Si la douleur était absente des amours, les amants n'éprouveraient guère de délices à s'écrire ! » Et il recommanda à la confidente, avant qu'elle n'eût pris congé, de raconter à sa maîtresse tout ce qu'elle avait vu de sa douleur. Après quoi il lui remit sa réponse en l'arrosant de ses larmes ; et la confidente fut tellement touchée qu'elle aussi se mit notoirement à pleurer, et se retira enfin en lui souhaitant la paix du cœur. Et Abalhassan sortit également pour accompagner la confidente dans la rue ; et il ne la quitta que devant sa boutique où il lui fit ses adieux, et il retourna dans sa maison.

Or, Abalhassan, en arrivant à sa maison, se mit pour la première fois à réfléchir sur la situation, et se parla de la sorte à lui-même, en s'asseyant sur le divan : « Ô Abalhassan, tu vois bien que la chose commence à devenir fort grave ! Qu'adviendrait-il si l'affaire venait à être connue du khalifat ? Ya Allah ! qu'adviendrait-il ? Certes, j'aime tant ben-Bekar que je suis prêt à enlever un de mes yeux pour le lui donner ! Mais, Abalhassan ! tu as une famille, une mère, des sœurs et des petits frères ! Dans quelles infortunes ne seront-ils pas par ton imprudence ? En vérité, cela ne peut longtemps durer de la sorte ! Dès demain j'irai retrouver ben-Bekar et je tâcherai de l'arracher à cet amour aux conséquences déplorables ! S'il ne m'écoute pas, Allah m'inspirera la conduite à tenir ! » Et Abalhassan, la poitrine rétrécie de ses pensées, ne manqua pas, dès le matin, d'aller retrouver son ami ben-Bekar. Il lui souhaita la paix et lui demanda : « Ya Ali, comment vas-tu ? » Il répondit : « Plus mal que jamais ! » Et Abalhassan lui dit : « Vraiment, de ma vie je n'ai encore vu ni entendu parler d'une aventure pareille à la tienne, ni connu un amoureux aussi étrange que toi ! Tu sais que Schamsennahar t'aime autant que tu l'aimes, et, malgré cette assurance, tu souffres et ton état s'aggrave de jour en jour ! Que serait-ce alors si celle que tu aimes tant ne partageait pas ton affection et si, au lieu d'être sincère dans son amour, elle était comme la plupart des femmes amoureuses qui aiment avant tout le mensonge et les ruses de l'intrigue ? Mais surtout, ô Ali, songe aux malheurs qui s'abattraient sur nos têtes si cette intrigue venait à être connue du khalifat ? Or, il n'y aurait vraiment rien d'improbable à ce que cela arrivât, car les allées et venues de la confidente vont éveiller l'attention des eunuques et la curiosité des esclaves : et alors Allah seul pourra savoir l'étendue de notre calamité à tous ! Crois-moi, ô Ali, en persistant dans cet amour sans porte de sortie, tu t'exposes à te perdre, toi d'abord, et Schamsennahar avec toi ! Je ne parle pas de moi, qui sûrement serais effacé, en un clin d'œil, du nombre des vivants, ainsi que toute ma famille ! »

Mais ben-Bekar, tout en remerciant son ami de ce conseil, lui déclara que sa volonté n'était plus sous sa dépendance, et que d'ailleurs, en dépit de tous les malheurs qui pourraient lui arriver, jamais il ne se résoudrait à se ménager alors que Schamsennahar ne craignait pas d'exposer sa vie par amour pour lui !

Alors Abalhassan, voyant que toutes les paroles seraient vaines désormais, prit congé de son ami et reprit le chemin de sa maison, en proie à ses préoccupations pour l'avenir.

Or, Abalhassan avait, parmi les amis qui le venaient voir le plus souvent, un jeune joaillier fort gentil, nommé Amin, et dont il avait pu souvent apprécier la discrétion. Et justement ce jeune joaillier vint en visite au moment même où, accoudé sur les coussins, Abalhassan était plongé dans la perplexité. Aussi, après les salams, il s'assit à côté de lui sur le divan et, comme il était le seul à être un peu au courant de cette intrigue amoureuse, il lui demanda : « Ô Abalhassan, où en sont les amours d'Ali ben-Bekar et de Schamsennahar ? » Abalhassan répondit : « Ô Amin, qu'Allah nous ait en sa miséricorde ! J'ai des pressentiments qui ne me présagent rien de bon !...

À ce moment de sa narration, Schahrazade vit apparaître le matin et, discrète, se tut.

Mais lorsque fut la cent cinquante-neuvième nuit. Elle dit :

« ... des pressentiments qui ne me présagent rien de bon. Aussi, te sachant homme sûr et ami fidèle, je veux te révéler le projet auquel je pense me résoudre pour me tirer, moi et ma famille, de ce pas dangereux ! » Et le jeune joaillier lui dit : « Tu peux parler en toute confiance, ô Abalhassan ! Tu trouveras en moi un frère prêt à se dévouer pour te rendre service ! » Et Abalhassan lui dit : « J'ai l'idée, ô Amin, de me défaire de toutes mes attaches à Bagdad, d'encaisser mes créances, de payer mes dettes, de vendre au rabais mes marchandises, de réaliser tout ce que je pourrai réaliser, et de m'en aller au loin, à Bassra, par exemple, où j'attendrai tranquillement les événements. Car, ô Amin, cet état de choses me devient intolérable, et la vie ne m'est plus possible ici, depuis que je suis hanté par la terreur d'être signalé au khalifat comme ayant été pour quelque chose dans l'intrigue amoureuse. Car il est fort probable que cette intrigue finira par être connue du khalifat ! »

À ces paroles, le jeune joaillier lui dit : « En vérité, ô Abalhassan, ta résolution est une résolution fort sage, et ton projet le seul qu'un homme avisé puisse vraiment prendre, à la réflexion. Qu'Allah t'éclaire et te montre la meilleure de ses voies pour sortir de ce mauvais pas ! Et si mon assistance peut te décider à partir sans remords, me voici prêt à agir à ta place comme si tu étais là, et à servir ton ami ben-Bekar avec mes yeux ! » Et Abalhassan lui dit : « Mais comment feras-tu puisque tu ne connais point Ali ben-Bekar et que tu n'es point non plus en relations avec le palais et avec Schamsennahar ? » Amin répondit : « Pour ce qui est du palais, j'ai déjà eu l'occasion d'y vendre des bijoux par l'intermédiaire même de la jeune confidente de Schamsennahar ; mais pour ce qui est de ben-Bekar, rien ne me sera plus facile que de le connaître et de lui inspirer confiance. Aie donc l'âme tranquille, et si tu veux partir ne te préoccupe point du reste, car Allah est le portier qui sait, quand il lui plaît, ouvrir toutes les entrées ! » Et sur ces paroles, le joaillier Amin prit congé d'Abalhassan et s'en alla en son chemin…

À ce moment de sa narration, Schahrazade vit apparaître le matin et se tut discrètement.

Mais lorsque fut la cent soixantième nuit. Elle dit :

… prit congé d'Abalhassan et s'en alla en son chemin.

Mais, au bout de trois jours, il revint prendre de ses nouvelles et trouva la maison absolument vide. Alors il s'informa de la chose auprès des voisins, qui lui répondirent : « Abalhassan est allé à Bassra pour un voyage d'affaires, et il nous a dit à tous que son absence ne serait pas de longue durée et qu'à peine rentré dans l'argent que lui doivent ses clients lointains il ne manquerait pas de revenir à Bagdad. » Alors Amin comprit qu'Abalhassan avait fini par céder à ses terreurs et qu'il avait jugé plus prudent de disparaître pour le cas où l'aventure amoureuse parviendrait aux oreilles du khalifat. Mais il ne sut d'abord lui-même quel parti prendre ; enfin, il se dirigea du côté du logis de ben-Bekar. Là, il pria l'un des esclaves de l'introduire auprès de son maître ; et l'esclave le fit entrer dans la salle de réunion où le jeune joaillier trouva ben-Bekar étendu sur les coussins, bien pâle. Il lui souhaita la paix et ben-Bekar lui rendit son souhait. Alors il lui dit : « Ô mon maître, bien que mes yeux n'aient pas eu la joie de te connaître avant ce jour, je viens m'excuser d'abord auprès de toi d'avoir tant différé à venir demander des nouvelles de ta santé. Ensuite je viens t'annoncer une chose qui certainement te causera quelque désagrément, mais je suis également porteur du remède qui te fera tout oublier ! » Et ben-Bekar, tremblant d'émotion, lui demanda : « Par Allah ! que peut-il m'arriver encore en fait de désagréments ? » Et le jeune joaillier lui dit : « Sache, ô mon maître, que j'ai toujours été le confident de ton ami Abalhassan et que jamais il ne me cachait rien de ce qui lui arrivait. Or, voici trois jours qu'Abalhassan, qui d'ordinaire venait me voir tous les soirs, a disparu ; et, comme je sais, par les confidences qu'il m'a faites, que tu es également son ami, je viens te demander si tu sais où il est et pourquoi il est parti et a disparu sans rien dire à ses amis ! »

À ces paroles, le pauvre ben-Bekar fut à la limite extrême de la pâleur et tellement qu'il faillit perdre toute connaissance. Enfin il put articuler : « C'est pour moi également la première nouvelle ! Et je ne savais plus en effet à quoi attribuer cette absence de trois jours de ben-Tâher ! Mais si j'envoyais un de mes esclaves prendre de ses nouvelles, peut-être saurions-nous la vérité du fait ! » Alors il dit à l'un des esclaves : « Va vite à la maison d'Abalhassan ben-Tâher et demande s'il est toujours ici ou s'il est en voyage. Si l'on te répond qu'il est en voyage, ne manque pas de demander de quel côté il est parti. » Et aussitôt l'esclave sortit pour aller aux nouvelles et revint au bout d'un certain temps et dit à son maître : « Les voisins d'Abalhassan m'ont raconté qu'Albalhassan est parti pour Bassra.

Mais j'ai également trouvé une jeune fille qui s'informait elle aussi d'Abalhassan et qui m'a demandé : « Tu es sans doute des gens du prince ben-Bekar ? » Et comme je répondais par l'affirmative, elle ajouta qu'elle avait une communication à te faire et elle m'accompagna jusqu'ici. Et elle est dans l'attente d'une audience. » Et ben-Bekar répondit : « Introduis-la tout de suite ! »

Or, quelques instants après, la jeune fille entra et ben-Bekar reconnut la confidente de Schamsennahar. Elle s'approcha et, après les salams, lui dit à l'oreille quelques paroles qui lui éclairèrent le visage et l'assombrirent, tour à tour.

Alors le jeune joaillier trouva qu'il était à propos de placer son mot et dit : « Ô mon maître et toi, ô jeune fille, sachez qu'Abalhassan, avant de partir, m'a révélé tout ce qu'il savait et m'a exprimé toute la terreur qu'il ressentait rien qu'à l'idée que l'affaire qui vous intéresse pouvait parvenir à la connaissance du khalifat. Mais moi, qui n'ai ni épouse ni enfants ni famille, je suis disposé de toute mon âme à le remplacer auprès de vous, car j'ai été touché profondément des détails que m'a donnés ben-Tâher sur vos malheureuses amours. Si vous voulez bien ne point repousser mes services, je vous jure par notre saint Prophète (sur lui la prière et la paix !) de vous être aussi fidèle que mon ami ben-Tâher, mais plus ferme et plus constant. Et même, au cas où mon offre ne vous agréerait pas, ne croyez point que je n'aurais pas l'âme assez élevée pour taire un secret qui m'a été confié…

À ce moment de sa narration, Schahrazade vit apparaître le matin et se tut discrètement.

Mais lorsque fut la cent soixante et unième nuit. Elle dit :

« … un secret qui m'a été confié ! Au contraire, si mes paroles ont pu vous persuader tous deux, il n'est pas de sacrifice auquel je ne sois prêt à souscrire pour vous être agréable ; car je suis disposé à user de tous les moyens qui sont en mon pouvoir pour vous procurer la satisfaction que vous désirez, et même je ferai de ma maison le lieu de tes rencontres, ô mon maître, avec la belle Schamsennahar ! »

Lorsque le jeune joaillier eut achevé ces paroles, le prince Ali fut dans un tel transport de joie qu'il sentit soudain les forces lui ranimer l'âme et il se leva sur son séant et embrassa le joaillier Amin et lui dit : « C'est Allah qui t'envoie, ô Amin ! Aussi je me confie entièrement à toi et n'attends mon salut que d'entre tes mains ! » Puis il le remercia encore longuement et lui dit adieu en pleurant de joie.

Alors le joaillier se retira en emmenant la jeune fille ; il la conduisit à sa maison et lui apprit que là désormais auraient lieu les entrevues entre elle et lui, comme aussi l'entrevue qu'il projetait entre le prince Ali et Schamsennahar ! Et la jeune fille, ayant ainsi appris le chemin de la maison, ne voulut pas différer plus longtemps de mettre sa maîtresse au courant de la situation. Elle promit donc au joaillier de revenir le lendemain avec la réponse de Schamsennahar.

Et, en effet, le lendemain elle arriva à la maison d'Amin et lui dit : « Ô Amin, ma maîtresse Schamsennahar a été à la limite de la joie lorsqu'elle eut appris les bonnes dispositions où tu es à notre égard ! Et elle me charge de venir te prendre pour te mener chez elle, au palais, où elle veut elle-même te remercier, de sa bouche, pour ta générosité spontanée et l'intérêt que tu portes à des personnes dont rien ne t'obligeait à servir les desseins ! »

À ces paroles, le jeune joaillier, au lieu de montrer de l'empressement à se rendre à ce désir de la favorite, fut au contraire pris d'un tremblement de tout le corps et devint bien pâle et finit par dire à la jeune fille : « Ô ma sœur, je vois bien que Schamsennahar et toi n'avez guère réfléchi à la démarche que vous me demandez de faire. Vous oubliez que je suis un homme du commun et que je n'ai ni la notoriété d'Abalhassan ni les intelligences qu'il s'était ménagées parmi les eunuques du palais, où il pouvait circuler à sa guise pour toutes les commissions dont on le chargeait ; et je n'ai ni son assurance ni son admirable pratique des coutumes des gens qu'il allait voir. Comment oserais-je donc me rendre au palais, moi qui frémissais déjà rien qu'en entendant Abalhassan me raconter ses visites à la favorite ? En vérité, le courage me fait défaut pour affronter un tel danger ! Mais tu peux dire à ta maîtresse que ma maison est certainement l'endroit le plus propice aux entrevues ; et, si elle consentait à y venir, nous pourrions causer tout à notre aise, sans être sous l'appréhension d'un danger quelconque ! » Et comme la jeune fille essayait tout de même de l'encourager à la suivre et qu'elle avait même fini par le décider à se lever, il fut pris soudain d'un tel tremblement qu'il flageola sur ses jambes et que la jeune fille fut obligée de le soutenir et de l'aider à se rasseoir en lui donnant à boire un verre d'eau fraîche pour calmer ses esprits.

Alors, comme elle voyait qu'il était désormais imprudent d'insister, la jeune fille dit à Amin : « Tu as raison ! Il vaut beaucoup mieux, dans notre intérêt à tous, décider Schamsennahar à venir plutôt ici elle-même. Je vais donc m'y employer, et je l'amènerai sûrement. Attends-nous donc sans bouger un instant. »

Et, en effet, exactement comme elle l'avait prévu, sitôt que la confidente eut appris à sa maîtresse l'impossibilité où se trouvait le jeune joaillier de se rendre au palais, Schamsennahar, sans hésiter un instant, se leva et, s'enveloppant de son grand voile de soie, suivit sa confidente, en oubliant la faiblesse qui l'avait jusque-là immobilisée sur les coussins. La confidente entra la première dans la maison pour s'assurer d'abord si sa maîtresse ne s'exposait pas à être vue par des esclaves ou des étrangers, et demanda à Amin : « As-tu au moins congédié les gens de la maison ? » Il répondit : « J'habite seul ici, avec la vieille négresse qui fait mon ménage. » Elle dit : « Il faut tout de même l'empêcher d'entrer ici ! » Et elle alla fermer toutes les portes en dedans, et courut alors chercher sa maîtresse.

Schamsennahar entra et, sur son passage, du parfum de ses robes les salles et les couloirs s'emplissaient miraculeusement. Et sans prononcer une parole, et sans regarder autour d'elle, elle alla s'asseoir sur le divan et s'appuya sur les coussins que le jeune joaillier s'empressait de disposer derrière elle. Et elle resta ainsi immobile, pendant un bon moment, prise de faiblesse et respirant à peine. Elle put enfin, une fois reposée de cette course si inaccoutumée, relever sa voilette et se débarrasser de son grand voile. Et le jeune joaillier, ébloui, crut voir le soleil lui-même dans son logis. Et Schamsennahar le considéra un instant, tandis qu'il se tenait respectueusement à quelques pas, et demanda à l'oreille de sa confidente : « C'est bien celui dont tu m'as parlé ? » Et, la jeune fille ayant répondu : « Oui, maîtresse ! » elle dit au jeune homme : « Comment vas-tu, ya Amin ? » Il répondit : « La louange à Allah ! en bonne santé ! Puisse Allah te garder et te conserver comme le parfum dans l'or ! » Elle lui dit : « Es-tu marié ou célibataire ? » Il répondit : « Par Allah ! célibataire, ô ma maîtresse ! Et je n'ai plus ni père ni mère, ni aucun parent. Aussi, pour toute occupation, je n'aurai qu'à me dévouer à ton service ; et tes moindres désirs seront sur ma tête et sur mes yeux…

À ce moment de sa narration, Schahrazade vit apparaître le matin et se tut discrètement.

Mais lorsque fut la cent soixante-deuxième nuit. Elle dit :

« ... et tes moindres désirs seront sur ma tête et sur mes yeux ! Sache, en outre, que je mets entièrement à ta disposition, pour les rencontres avec ben-Bekar, une maison qui m'appartient, où personne n'habite, et qui est située juste en face de celle-ci que j'habite. Je vais la meubler tout de suite pour vous y recevoir dignement, et pour que vous n'y manquiez de rien ! » Alors Schamsennahar le remercia beaucoup et lui dit : « Ya Amin, quelle destinée heureuse est la mienne d'avoir eu la chance de rencontrer un ami aussi dévoué que tu l'es ! Ah ! je sens bien à présent combien l'aide d'un ami désintéressé est efficace, et combien surtout il est délicieux de rencontrer l'oasis du repos après le désert des tourmentes et des souffrances ! Crois bien aussi que Schamsennahar saura te prouver un jour qu'elle connaît le prix de l'amitié. Regarde ma confidente, ô Amin ! Elle est jeune, douce et exquise ; tu peux être sûr que bientôt, malgré toute la peine que j'aurai à m'en séparer, je t'en ferai cadeau pour te faire passer des nuits de lumière et des jours de fraîcheur ! » Et Amin regarda la jeune fille et trouva qu'en effet elle était fort attrayante et qu'elle avait, outre des yeux parfaitement beaux, des fesses absolument merveilleuses.

Mais Schamsennahar continua : « En elle j'ai une confiance illimitée ; ne crains donc pas de lui confier tout ce que te dira le prince Ali ! Et aime-la, car elle a en elle des qualités de sympathie qui rafraîchissent le cœur ! » Et Schamsennahar dit encore plusieurs choses gentilles au joaillier et se retira suivie de sa confidente qui, de ses yeux souriants, dit adieu à son nouvel ami.

Lorsqu'elles furent parties, le joaillier Amin courut à sa boutique et en retira tous les vases précieux et toutes les coupes ciselées et les tasses d'argent, et les porta dans la maison où il comptait recevoir les deux amants. Puis il alla chez toutes ses connaissances, et emprunta aux uns des tapis, aux autres des coussins de soie et à d'autres des porcelaines, des plateaux et des aiguières. Et il finit de la sorte par meubler magnifiquement la maison.

Alors, comme il avait fini de mettre tout en ordre et qu'il s'était assis un moment pour jeter un coup d'œil général sur toutes choses, il vit entrer doucement son amie, la jeune confidente de Schamsennahar. Elle s'approcha en se balançant gentiment sur les hanches, et lui dit après les salams : « Ô Amin, ma maîtresse t'envoie son souhait de paix et ses remerciements, et te dit que grâce à toi elle est maintenant bien consolée du départ d'Abalhassan. Et ensuite elle me charge de te dire d'aviser son amoureux que le khalifat s'est absenté du palais et que ce soir elle pourra se rendre ici. Il te faut donc avertir tout de suite le prince Ali ; et cette nouvelle, je n'en doute pas, achèvera de le rétablir et de lui rendre les forces et la santé ! »

Et, ayant dit ces paroles, la jeune fille tira de son sein une bourse remplie de dinars et la tendit à Amin en lui disant : « Ma maîtresse te prie de faire toutes les dépenses sans compter ! » Mais Amin repoussa la bourse en s'écriant : « Ma valeur est-elle donc si petite à ses yeux que ta maîtresse, ô jeune fille, me donne cet or en récompense ? Dis-lui qu'Amin est payé, et au-delà, par l'or de ses paroles et les regards de ses yeux ! » Alors la jeune fille remporta la bourse et, tout à fait heureuse du désintéressement d'Amin, courut raconter la chose à Schamsennahar et la prévenir que tout était déjà prêt dans la maison. Puis elle se mit à l'aider à prendre son bain, à se peigner, à se parfumer et à s'habiller de ses plus belles robes.

De son côté, le joaillier Amin se hâta de se rendre chez le prince Ali ben-Bekar, après avoir toutefois placé des fleurs fraîches dans les vases, rangé les plateaux remplis de mets de toutes sortes, de pâtisseries, de confitures et de boissons, et rangé en bon ordre, contre le mur, les luths, les guitares et les autres instruments d'harmonie. Et il entra chez le prince Ali, qu'il trouva déjà un peu ragaillardi par l'espoir qu'il lui avait mis la veille dans le cœur. Aussi la jubilation du jeune homme fut considérable lorsqu'il apprit que dans quelques instants il allait enfin revoir l'amante, cause de ses larmes et de son bonheur ! Du coup, il oublia tous ses chagrins et toutes ses souffrances, et son teint aussitôt s'en ressentit, car il s'éclaira tout à fait et devint bien plus beau que par le passé avec, en plus, plus de douceur sympathique.

Alors, aidé de son ami Amin, il revêtit ses habits les plus magnifiques et, aussi solide que s'il n'avait jamais été près des portes du tombeau, il prit, avec le joaillier, le chemin de sa maison. Et, lorsqu'ils furent entrés, Amin s'empressa d'inviter le prince à s'asseoir, et lui disposa derrière le dos de tendres coussins, et plaça à côté de lui, à droite et à gauche, un beau vase de cristal rempli de fleurs, et lui mit entre les doigts une rose. Et tous deux, en causant doucement, attendirent l'arrivée de la favorite.

Or, à peine quelques instants s'étaient-ils écoulés que l'on frappa à la porte, et Amin courut ouvrir et rentra bientôt suivi de deux femmes, dont l'une était complètement enveloppée d'un izar épais de soie noire…

À ce moment de sa narration, Schahrazade vit apparaître le matin et se tut discrètement.

Mais lorsque fut la cent soixante-troisième nuit. Elle dit :

… deux femmes dont l'une était complètement enveloppée d'un izar épais de soie noire. Et c'était l'heure même de l'appel à la prière, sur les minarets, au coucher du soleil. Et comme au-dehors, limpide, la voix extatique du muezzin appelait les bénédictions d'Allah sur la terre, Schamsennahar releva son voile, aux yeux de ben-Bekar.

Et les deux amants, à la vue l'un de l'autre, tombèrent évanouis, et restèrent une heure de temps avant de pouvoir recouvrer le sentiment. Quand enfin ils ouvrirent les yeux, ils se regardèrent en silence longuement, n'arrivant pas encore à exprimer autrement leur passion. Et quand ils furent assez maîtres d'eux-mêmes pour pouvoir parler, ils se dirent des paroles si douces que la confidente et le jeune Amin ne purent s'empêcher de pleurer, dans leur coin.

Mais bientôt le joaillier Amin pensa qu'il était temps de servir ses hôtes, et il s'empressa, aidé de la jeune fille, de leur apporter d'abord les parfums agréables qui les disposèrent à toucher aux mets, aux fruits et aux boissons qui étaient en abondance et de première qualité tout à fait. Après quoi, Amin leur versa l'eau de l'aiguière sur les mains et leur tendit les serviettes aux franges de soie. Et c'est alors que, complètement ranimés et remis de leur émoi, ils purent commencer à vraiment goûter les délices de leur réunion. Aussi Schamsennahar, sans davantage différer, dit à la jeune fille : « Donne-moi ce luth, que j'essaie de lui faire dire la passion considérable qui crie en mon âme ! » Et la confidente lui présenta le luth, qu'elle prit et posa sur ses genoux, et, après en avoir rapidement harmonisé les cordes, elle préluda d'abord par un chant sans paroles. Et l'instrument, sous ses doigts, sanglotait ou riait et son âme s'exhalait toute en fusées mélodiques qui les tinrent tous haletants. Alors commença leur extase. Et alors seulement, les yeux perdus dans les yeux de son ami, elle chanta :

« Ô mon corps d'amoureuse, tu t'es fait diaphane à attendre en vain le bien-aimé ! Et la brûlure de mes joues, sous les larmes versées, s'adoucit de la brise de sa venue !

Ô nuit bénie aux côtés de mon ami, tu donnes à mon cœur plus de douceur que toutes les nuits de mon destin !

Ô nuit que j'attendais, que j'espérais ! Mon bien-aimé m'enlace de son bras droit, et de mon bras gauche je l'enveloppe joyeuse !

Je l'enveloppe et de mes lèvres je hume le vin de sa bouche, tandis que ses lèvres me vident entièrement ! Ainsi je m'assure la ruche même et tout le miel ! »

Lorsqu'ils entendirent ce chant, ils furent tous les trois dans une jouissance si considérable, qu'ils s'écrièrent du fond de leurs poitrines : « Ya leil ! ya salam ! Voilà ! ah ! voilà des paroles de délice ! » Puis le joaillier Amin, jugeant que sa présence n'était plus nécessaire et au comble du plaisir en voyant les deux amants dans les bras l'un de l'autre, se retira discrètement et, pour ne point s'exposer à les troubler, se décida à les laisser seuls dans cette maison. Il prit le chemin du logis où d'ordinaire il habitait et, l'esprit tranquille désormais, il ne tarda pas à s'étendre sur son lit, en pensant au bonheur de ses amis. Et il s'endormit jusqu'au matin.

Or, en se réveillant, il vit devant lui, la figure convulsée d'épouvante, sa vieille négresse qui se frappait les joues de ses mains, en se lamentant. Et, comme il ouvrait la bouche pour s'informer de ce qui avait bien pu lui arriver, l'effarée négresse lui montra d'un geste silencieux un voisin qui était à la porte attendant son réveil.

À la prière d'Amin, le voisin s'approcha et, après les salams, lui dit : « Ô mon voisin, je viens te consoler dans l'épouvantable malheur qui s'est abattu cette nuit sur ta maison ! » Et le joaillier s'écria : « De quel malheur parles-tu, par Allah ? » L'homme dit : « Puisque tu ne le sais pas encore, sache que cette nuit, à peine étais-tu rentré chez toi, des voleurs qui n'en sont pas à leur premier exploit, et qui t'avaient probablement vu, la veille, au moment où tu transportais dans ta seconde maison des choses précieuses, ont attendu ta sortie pour se précipiter à l'intérieur de cette maison où ils ne croyaient rencontrer personne. Mais ils virent des hôtes que tu y avais logés cette nuit, et ils ont dû probablement les tuer et les faire disparaître, car on n'a pu en retrouver les traces. Quant à ta maison, les voleurs l'ont pillée entièrement, sans y laisser une natte ou un coussin. Et elle est maintenant nettoyée et vide comme elle ne l'a jamais été ! »

À cette nouvelle, le jeune joaillier s'écria, en levant ses bras de désespoir : « Ya Allah ! quelle calamité ! Mes biens à moi et les objets que des amis m'ont prêtés sont perdus irrémédiablement, mais cela n'est rien en comparaison de la perte de mes hôtes ! » Et, affolé, il courut, pieds nus et en chemise, jusqu'à sa seconde maison, suivi de près par le voisin qui compatissait à son malheur. Et il constata, en effet, que les salles résonnaient de toute leur vacuité ! Alors il s'effondra en pleurant et en poussant beaucoup de soupirs, puis il s'écria : « Ah ! que faire maintenant ô mon voisin ? »

Le voisin répondit…

À ce moment de sa narration, Schahrazade vit apparaître le matin et, discrète, se tut.

Mais lorsque fut la cent soixante-quatrième nuit. Elle dit :

Le voisin répondit : « Je crois, ô Amin, que le meilleur parti est encore de prendre ton malheur en patience et d'attendre la capture des voleurs qui tôt ou tard ne manqueront pas d'être pris ; car les gardes du gouverneur sont à leur recherche, non seulement pour ce vol, mais pour bien d'autres méfaits qu'ils ont commis ces temps derniers ! » Et le pauvre joaillier s'écria : « Ô Abalhassan ben-Tâher, homme sage ! comme tu as été bien inspiré de te retirer tranquillement à Bassra ! Mais... ce qui a été écrit doit courir ! » Et Amin, tristement, reprit le chemin de son logis, au milieu d'une foule de gens qui avaient appris toute l'histoire et qui le plaignaient, en le voyant passer.

Or, en arrivant à la porte de sa maison, le joaillier Amin aperçut dans le vestibule un homme qu'il ne connaissait pas et qui l'attendait. Et l'homme, en le voyant, se leva et lui souhaita la paix, et Amin lui rendit son souhait. Alors l'homme lui dit : « J'ai des paroles secrètes à te dire, entre nous deux seulement ! » Et Amin voulut l'introduire dans la maison, mais l'homme lui dit : « Il vaut mieux que nous soyons tout à fait seuls ; allons donc plutôt à ta seconde maison ! » Et Amin, étonné, lui demanda : « Mais je ne te connais pas, et toi tu me connais, moi et toutes mes maisons ? » L'inconnu sourit et dit : « Je t'expliquerai tout cela ! Et, si Allah veut, je serai pour quelque chose dans ton soulagement ! » Alors Amin sortit avec l'inconnu et arriva à la seconde maison ; mais là, l'inconnu fit remarquer à Amin que la porte de la maison avait été défoncée par les voleurs et que, par conséquent, ils n'y seraient pas à l'abri des indiscrets. Puis il lui dit : « Suis-moi ! je te conduirai à un endroit sûr que je connais ! »

Alors l'homme se mit à marcher et Amin à marcher derrière lui, d'une rue à une autre rue, d'un souk à un autre souk et d'une porte à une autre porte, jusqu'à la tombée de la nuit. Alors, comme ils étaient arrivés de la sorte jusqu'au Tigre, l'homme dit à Amin : « Nous serons sûrement plus à l'abri sur l'autre rive ! » Et aussitôt, sortant d'on ne sait où, un batelier s'approcha d'eux et, avant qu'Amin pût même penser à refuser, il était déjà avec l'inconnu dans la barque qui, en quelques vigoureux coups de rames, les porta sur le rivage opposé.

Alors l'homme aida Amin à sauter à terre et, le prenant par la main, le conduisit à travers des rues étroites et enchevêtrées. Et Amin, qui n'était plus rassuré du tout, pensait à part lui : « De ma vie je n'ai mis les pieds par ici ! Quelle aventure est la mienne ! »

Mais l'homme finit par arriver à une porte basse, tout en fer, et, tirant de sa ceinture une énorme clef rouillée, il l'introduisit dans la serrure, qui grinça terriblement et laissa s'ouvrir la porte. L'homme entra et fit entrer Amin. Puis il referma la porte. Et il enfila aussitôt un corridor où l'on devait marcher sur les pieds et les mains. Et, au bout de ce corridor, ils se trouvèrent soudain dans une salle éclairée par un seul flambeau qui s'y trouvait juste au milieu. Et autour de ce flambeau Amin vit assis, immobiles, dix hommes de même habillement et de figures tellement ressemblantes et si absolument identiques qu'il s'imagina voir une seule énorme figure répétée dix fois par des miroirs.

À cette vue, Amin, qui était déjà épuisé par la marche qu'il avait faite depuis le matin, fut pris d'une faiblesse totale et tomba sur le sol. Alors l'homme qui l'avait amené l'aspergea avec un peu d'eau et de la sorte le ranima. Puis, comme le repas était déjà servi, les dix hommes jumeaux se disposèrent à manger après avoir toutefois, d'une seule et semblable voix, invité Amin à partager leur nourriture. Et Amin, voyant que les dix mangeaient de tous les plats, se dit : « S'il y avait du poison là-dedans, ils n'en mangeraient pas ! » Et, malgré sa terreur, il s'approcha et mangea son plein, affamé qu'il était depuis le matin.

Lorsque le repas fut terminé, la même voix une et décuple lui demanda : « Nous connais-tu ? » Il répondit : « Non, par Allah ! » Les dix lui dirent : « C'est nous les voleurs, qui, la nuit dernière, avons pillé ta maison et enlevé tes hôtes, le jeune homme et la jeune femme qui chantait. Mais malheureusement il y a la servante qui a réussi à s'échapper par la terrasse ! » Alors Amin s'écria : « Par Allah sur vous tous, mes seigneurs ! de grâce, indiquez-moi l'endroit où se trouvent mes deux hôtes ! Et restaurez mon âme tourmentée, hommes généreux qui venez d'assouvir ma faim ! Et qu'Allah vous fasse jouir en paix de tout ce que vous m'avez ravi ! Montrez-moi seulement mes amis ! » Alors les voleurs étendirent le bras, tous en même temps, vers une porte fermée et lui dirent : « Sois désormais sans crainte sur leur sort ; ils sont chez nous plus en sûreté que dans la maison du gouverneur, et, d'ailleurs, toi également ! Sache, en effet, que nous ne t'avons fait venir que pour apprendre de toi la vérité sur ces deux adolescents dont la belle mine et la noblesse d'attitude nous ont tellement frappés que nous n'avons même pas osé les interroger, une fois que nous eûmes constaté à qui nous avions affaire ! »

Alors le joaillier Amin fut considérablement soulagé et ne pensa plus qu'à gagner tout à fait les voleurs à sa cause et leur dit : « Ô mes maîtres, je vois à présent bien clairement que si l'humanité et la politesse venaient à disparaître de la terre, on les retrouverait intactes dans votre maison. Et je vois non moins clairement que lorsqu'on a affaire à des personnes aussi sûres et aussi généreuses que vous, le meilleur moyen à employer pour gagner leur confiance est de ne rien leur cacher de la vérité ! Écoutez donc mon histoire et la leur, car elle est étonnante à l'extrême limite de tous les étonnements ! »

Et le joaillier Amin raconta aux voleurs toute l'histoire de Schamsennahar et d'Ali ben-Bekar et ses rapports avec eux, sans oublier un détail, depuis le commencement jusqu'à la fin. Mais il n'y a vraiment pas d'utilité à la répéter !

Lorsque les voleurs eurent entendu cette étrange histoire, ils furent, en effet, extrêmement étonnés et ils s'écrièrent : « En vérité, quel bonheur pour notre maison d'abriter en ce moment la belle Schamsennahar et le prince Ali ben-Bekar ! Mais, ô joaillier, vraiment tu ne te joues pas de nous ? Et est-ce vraiment eux ? » Et Amin s'écria : « Par Allah ! ô mes maîtres, eux-mêmes absolument de leurs propres yeux ! » Alors les voleurs, comme un seul homme, se levèrent et ouvrirent la porte en question et firent sortir le prince Ali et Schamsennahar en leur faisant mille excuses et en leur disant : « Nous vous supplions de nous pardonner l'inconvenance de notre conduite, car nous ne pouvions vraiment point nous douter que nous capturions des personnes de votre rang dans la maison du joaillier ! » Puis ils se tournèrent vers Amin et lui dirent : « Quant à toi, nous allons tout de suite te rendre les objets précieux que nous t'avons enlevés, et nous regrettons beaucoup de ne pouvoir te faire également rentrer dans tes meubles que nous avons éparpillés en les faisant vendre un peu partout aux enchères publiques ! »

« Et de fait ils se hâtèrent de me rendre les objets précieux, enroulés dans un grand paquet ; et moi, oubliant tout le reste, je ne manquai pas de les remercier beaucoup pour leur acte de générosité[1]. Alors ils nous dirent à nous trois :

« Maintenant, nous ne voulons pas vous garder plus longtemps ici, à moins qu'il ne vous agrée de nous faire le considérable honneur de rester au milieu de nous ! »

Et ils se mirent aussitôt à notre service, en nous faisant promettre seulement de ne point les déceler et d'oublier les instants désagréables passés.

« Ils nous conduisirent donc au bord du fleuve ; et nous ne pensions pas encore à nous communiquer nos inquiétudes tant l'appréhension nous tenait encore haletants et tant nous étions enclins à croire que tous ces événements se passaient en rêve. Puis, avec de grandes marques de respect, les dix nous aidèrent à descendre dans leur barque et se mirent tous à ramer si vigoureusement qu'en un clin d'œil nous étions sur l'autre rive. Mais à peine étions-nous débarqués, quelle fut notre terreur de nous voir soudain cernés de tous côtés par les gardes du gouverneur, et capturés immédiatement ! Quant aux voleurs, comme ils étaient restés dans la barque, ils eurent le temps, en quelques coups de rames, de se mettre hors de toute portée.

« Alors le chef des gardes s'approcha de nous et, d'une voix menaçante, nous demanda : « Qui êtes-vous et d'où venez-vous ? » Et nous, saisis de frayeur, nous demeurâmes interdits : ce qui augmenta encore la méfiance du chef des gardes, qui nous dit : « Vous allez me répondre exactement, ou, sur l'heure, je vais vous lier les pieds et les mains et vous faire emmener par mes hommes ! Dites-moi donc où vous demeurez, dans quelle rue et dans quel quartier ! » Alors moi, voulant à tout prix sauver la situation, je jugeai qu'il fallait parler et je répondis : « Ô seigneur, nous sommes des joueurs d'instruments et cette femme est une chanteuse de profession. Nous étions, ce soir, à une fête qui réclamait notre présence dans la maison de ces personnes qui nous ont conduits jusqu'ici. Quant à vous dire le nom de ces personnes, nous ne le pourrions, puisque d'habitude, dans notre profession, nous ne nous informons guère de ces détails et qu'il nous suffit simplement d'être bien rétribués ! » Mais le chef des gardes me regarda sévèrement et me dit : « Vous n'avez guère l'air de chanteurs ; vous me semblez plutôt bien terrifiés et bien inquiets, pour des personnes qui viennent de sortir d'une fête ! Et votre compagne, qui a de si beaux bijoux, n'a guère l'air d'une almée ! Holà ! gardes, enlevez-moi ces gens et conduisez-les tout de suite à la prison ! »

« À ces paroles, Schamsennahar se décida à intervenir de sa personne et, s'avançant vers le chef des gardes, elle le tira à part et lui dit à l'oreille quelques paroles qui produisirent sur lui un effet tel qu'il recula de quelques pas et s'inclina jusqu'à terre en balbutiant des formules très respectueuses d'hommages. Et aussitôt il donna l'ordre à ses gens de faire approcher deux bateaux, et dans l'un il aida Schamsennahar à s'embarquer, tandis qu'il me faisait descendre dans l'autre avec le prince ben-Bekar. Puis il commanda aux bateliers de nous conduire là où nous leur dirions d'aller. Et aussitôt les barques prirent chacune une direction différente : Schamsennahar vers son palais, et nous deux vers notre quartier.

« Pour ce qui est d'abord de nous, à peine étions-nous arrivés dans la maison du prince, que je le vis, à bout de forces et exténué par ces émotions continues, s'effondrer sans connaissance dans les bras de ses serviteurs et des femmes de la maison…

À ce moment de sa narration, Schahrazade vit apparaître le matin et se tut discrètement.

Mais lorsque fut la cent soixante-cinquième nuit. Elle dit :

« Sans connaissance dans les bras de ses serviteurs et des femmes de la maison. Car, d'après ce qu'il avait pu me faire comprendre en chemin, il perdait désormais, après ce qui était arrivé, tout espoir d'une autre entrevue avec son amie Schamsennahar.

« Alors, pendant que les femmes et les serviteurs étaient occupés à faire revenir le prince de son évanouissement, ses parents s'imaginèrent que je devais être la cause de tous ces malheurs qu'ils ne comprenaient pas et voulurent m'obliger à leur donner toutes sortes de détails. Mais je me gardai bien de leur expliquer quoi que ce fût, et je leur dis : « Bonnes gens, ce qui arrive au prince est si extraordinaire que lui seul pourra vous le raconter ! » Et, heureusement pour moi, le prince revint à lui à ce moment ; et ses parents n'osèrent plus, devant lui, insister dans leur interrogatoire. Et moi, craignant de nouvelles questions et rassuré un peu sur l'état de ben-Bekar, je pris mon paquet et me dirigeai en toute hâte vers ma maison.

« En y arrivant, je trouvai ma négresse qui jetait les cris les plus perçants et les plus désespérés en se frappant la figure, et tous les voisins l'entouraient pour la consoler de ma perte que l'on croyait certaine. Aussi, à ma vue, ma négresse courut se jeter à mes pieds et voulut, elle aussi, me faire subir un nouvel interrogatoire. Mais je coupai court à ses velléités en lui disant que pour le moment je n'avais envie que de dormir ; je me laissai tomber, exténué, sur les matelas et, le visage dans les oreillers, je dormis pesamment jusqu'au matin.

« Alors ma négresse vint à moi et me questionna ; et moi je lui dis : « Donne-moi vite une porcelaine remplie ! » Elle me l'apporta et je la bus d'un trait ; et, comme ma négresse insistait, je lui dis : « Il est arrivé ce qui est arrivé ! » Alors elle s'en alla. Et moi, je retombai aussitôt dans mon sommeil, et je ne me réveillai, cette fois, qu'au bout de deux jours et de deux nuits !

« Je pus alors me mettre sur mon séant, et je me dis : « Il me faut vraiment aller prendre un bain au hammam ! » Et j'y allai aussitôt, bien que je fusse toujours extrêmement préoccupé de l'état de ben-Bekar et de Schamsennahar, dont personne n'était venu m'apporter des nouvelles. J'allai donc au hammam où je pris mon bain et me dirigeai aussitôt vers ma boutique ; et, comme je retirais ma clef de la poche pour ouvrir la porte, une petite main derrière moi me toucha à l'épaule et une voix me dit : « Ya Amin ! » Alors moi je me retournai et je reconnus ma jeune amie, la confidente de Schamsennahar.

« Mais moi, au lieu de me réjouir à sa vue, je fus soudain pris d'une frayeur atroce d'être aperçu par mes voisins en conversation avec elle, vu que tous savaient qu'elle était la confidente chargée des commissions de la favorite du khalifat. Aussi je me hâtai de remettre vivement la clef dans ma poche et, sans me retourner, je filai droit devant moi, tout à fait affolé, et, malgré les appels de la jeune fille qui courait derrière moi en me priant de m'arrêter, je continuai ma course de-ci de-là, toujours serré de près par la confidente, jusqu'à ce que je fusse arrivé à la porte d'une mosquée peu fréquentée. Alors je me précipitai à l'intérieur, après avoir promptement laissé à la porte mes babouches, et je me dirigeai vers le coin le plus obscur où je me mis aussitôt dans l'attitude de la prière. Et c'est alors, plus que jamais, que je songeai combien grande avait été la sagesse de mon ancien ami Abalhassan ben-Tâher qui avait fui toutes ces complications désolantes en se retirant tranquillement à Bassra. Et je pensai en mon âme : « Sûr ! pourvu qu'Allah me tire sans encombre de cette aventure, je fais vœu de ne jamais plus me jeter dans de pareilles aventures et de ne jamais plus remplir de tels rôles ! »

« À peine étais-je donc en ce coin obscur que je fus rejoint…

À ce moment de sa narration, Schahrazade vit apparaître le matin et, discrète, se tut.

Mais lorsque fut la cent soixante-sixième nuit. Elle dit :

« À peine étais-je donc en ce coin obscur que je fus rejoint par la confidente avec laquelle, cette fois, je pus me décider à m'entretenir en liberté, du moment qu'il n'y avait point de témoins. Elle commença d'abord par me demander : « Comment vas-tu ? » Je lui répondis : « En parfaite santé ! Mais que la mort me semble préférable à ces continuelles alarmes où nous vivons tous ! »

« Elle me répondit : « Hélas ! que dirais-tu alors si tu savais l'état de ma pauvre maîtresse ? Ah ! ya rabbi ! je me sens moi-même faiblir rien qu'en me rappelant le moment où je la vis revenir au palais, où déjà j'avais pu me rendre la première, en fuyant de ta maison, de terrasse en terrasse, et en me jetant ensuite sur le sol du haut de la dernière maison ! Ya Amin ! si tu l'avais vue ! Qui aurait pu reconnaître en ce visage pâle comme celui d'une personne qui sortirait de la tombe, le visage de la lumineuse Schamsennahar ? Aussi, en la voyant, je ne pus m'empêcher de fondre en sanglots en me jetant à ses pieds et en les lui embrassant. Mais elle s'oubliait elle-même pour songer d'abord au batelier auquel elle me dit de remettre tout de suite mille dinars d'or pour sa peine ! Puis, cela fait, les forces l'abandonnèrent, et elle tomba évanouie dans nos bras ; et alors nous la portâmes en hâte à son lit, où je me mis à lui asperger le visage avec l'eau de fleurs ; et je lui essuyai les yeux et lui lavai les pieds et les mains et lui changeai les vêtements de dessus et de dessous. Alors j'eus la joie de la voir revenir à elle et respirer un peu ; et aussitôt je lui donnai à boire du sorbet à la rose et lui fis sentir du jasmin et lui dis : « Ô maîtresse, par Allah sur toi ! ménage-toi, ménage-toi ! où irons-nous si nous continuons de la sorte ? » Mais elle me répondit : « Ô ma fidèle confidente, je n'ai plus rien sur la terre qui me retienne encore attachée ! Mais, avant de mourir, je veux avoir des nouvelles de mon amant. Va donc trouver le joaillier Amin et porte-lui ces bourses remplies d'or et prie-le de les accepter en réparation du dommage que notre présence lui a causé ! »

« Et la confidente me tendit un paquet fort lourd qu'elle tenait et qui devait contenir plus de cinq mille dinars d'or : ce dont, en effet, je pus m'assurer plus tard. Puis elle continua : « Schamsennahar me chargea ensuite de te demander, comme prière dernière, de nous donner des nouvelles, bonnes fussent-elles ou lamentables, du prince Ali ben-Bekar ! »

Alors moi je ne pus vraiment lui refuser cette chose qu'elle me demandait comme une grâce et, malgré ma résolution bien arrêtée de ne plus me mêler de cette dangereuse histoire-là, je lui dis de venir le soir à ma maison où je ne manquerais pas d'aller la retrouver avec les détails nécessaires. Et je sortis de la mosquée après avoir prié la jeune fille de passer d'abord chez moi déposer le paquet qu'elle portait ; et je me rendis chez ben-Bekar.

« Or, je trouvai que tous, femmes et serviteurs, étaient dans mon attente depuis trois jours et ne savaient comment faire pour tranquilliser le prince Ali, qui me réclamait sans cesse en poussant de profonds soupirs. Et je le trouvai lui-même, les yeux presque éteints, et ayant l'air plutôt d'un mort que d'un vivant. Alors moi je m'approchai de lui, les yeux en larmes, et le pressai contre ma poitrine...

À ce moment de sa narration, Schahrazade vit apparaître le matin et, discrète, se tut.

Mais lorsque fut la cent soixante-septième nuit. Elle dit :

« ... et le pressai contre ma poitrine, et lui dis beaucoup de choses gentilles pour le consoler un peu, sans pouvoir cette fois réussir, car il me dit : « Ô Amin, comme je sens bien que mon âme va s'échapper, je veux te laisser du moins, avant de mourir, une marque de ma gratitude pour ton amitié. » Et il dit à ses esclaves : « Apportez-moi *telle* et *telle* chose ! » Et aussitôt les esclaves s'empressèrent d'apporter et de ranger devant moi, dans ces paniers, toutes sortes d'objets précieux, des vases d'or et d'argent et des bijoux de haute valeur. Et il me dit : « Je te prie d'accepter cela, en remplacement des objets qui ont été volés dans ta maison ! » Puis il ordonna aux serviteurs de tout transporter chez moi. Il me dit ensuite : « Ô Amin, sache qu'en ce monde toute chose a un but ! Malheur à qui manque son but en amour : il ne lui reste que la mort. Aussi, n'était mon respect de la loi de notre Prophète (sur lui la paix soit-elle !) j'aurais déjà hâté le moment de cette mort que je sens prochaine ! Ah ! si tu savais, Amin, ce que mes côtes recèlent sous elles de souffrances accumulées ! Je ne crois pas qu'homme ait jamais éprouvé les douleurs dont mon cœur est saturé ! »

« Alors moi je lui dis, pour faire un peu diversion, que j'allais d'abord donner de ses nouvelles à la confidente qui m'attendait chez moi et que Schamsennahar avait envoyée dans ce but. Et je le quittai pour me rendre auprès de la jeune fille et lui raconter le désespoir du prince, qui pressentait sa fin et qui quitterait la terre avec le seul regret d'être séparé de son amante.

« Et, en effet, quelques instants après mon arrivée, je vis entrer chez moi la jeune fille, mais dans un état inimaginable d'émotion et de bouleversement ; et ses yeux laissaient abondamment couler les larmes. Et moi, de plus en plus alarmé, je lui demandai : « Par Allah ! qu'y a-t-il encore de pire que tout ce qui est arrivé ? » Elle me répondit, en tremblant : « Ce que nous redoutions tant est tombé sur nous ! Nous sommes irrémédiablement perdus jusqu'au dernier ! Le khalifat a tout appris ! Écoute plutôt : à la suite d'une indiscrétion de l'une de nos esclaves, le chef des eunuques eut des soupçons et se mit à interroger toutes les femmes de Schamsennahar, chacune à part. Et, malgré leurs dénégations, il fut mis sur la voie par les contradictions des renseignements recueillis. Et il porta toute l'affaire à la connaissance du khalifat qui aussitôt envoya mander auprès de lui Schamsennahar en la faisant accompagner, contre ses habitudes, par vingt eunuques du palais !

« Aussi nous voilà toutes anxieuses et à la limite de l'épouvante ! Et moi je pus trouver un moment pour me dérober et courir t'aviser du malheur final qui nous menace ! Va donc prévenir le prince Ali, pour qu'il prenne les précautions nécessaires en pareil cas ! »

« Et, ayant dit ces paroles, la jeune fille repartit au plus vite dans la direction du palais. Alors moi je vis le monde entier noircir et je m'écriai : « Il n'y a de recours et de force qu'en Allah le Très-Haut, le Tout-Puissant ! » Mais que pouvais-je dire de plus en face de la destinée ? Je me décidai donc à retourner chez Ali ben-Bekar, bien que je l'eusse quitté depuis à peine quelques instants, et, sans lui donner le temps de me demander la moindre explication, je lui criai : « Ô Ali, il te faut absolument me suivre sur l'heure, ou la mort t'attend de la plus ignominieuse façon ! Le khalifat, qui a tout appris, doit, à l'heure qu'il est, envoyer te faire saisir ! Partons, sans perdre un instant, et allons hors des frontières de notre pays, hors de la portée de ceux qui te recherchent ! » Et aussitôt, au nom du prince, j'ordonnai aux esclaves de faire charger trois chameaux des objets les plus précieux et de vivres pour la route, et j'aidai le prince à monter sur un autre chameau sur lequel, moi également, je m'assis derrière lui. Et, sans perdre de temps, à peine les adieux du prince à sa mère furent-ils faits, que nous nous mîmes en route et prîmes le chemin du désert…

À ce moment de sa narration, Schahrazade vit apparaître le matin et s'arrêta dans les paroles permises.

Mais lorsque fut la cent soixante-huitième nuit. Elle dit :

« … nous nous mîmes en route et prîmes le chemin du désert.

« Or, toute chose écrite doit courir, et les destinées, sous n'importe quel ciel, ne peuvent que s'accomplir ! En effet, nos malheurs ne pouvaient que continuer, et la fuite d'un danger nous jetait dans un danger pire encore !

« En effet, comme nous marchions dans le désert, vers le soir, et que nous étions en vue d'une oasis dont on voyait le minaret au milieu des palmiers, nous vîmes surgir soudain à notre gauche une troupe de brigands qui eurent bientôt fait de nous cerner. Et comme nous savions fort bien que le seul moyen pour avoir la vie sauve était de ne tenter aucune résistance, nous nous laissâmes désarmer et dépouiller. Et les brigands nous prirent nos bêtes avec toutes leurs charges et nous enlevèrent même les vêtements que nous portions sur nous, ne nous laissant sur le corps que la chemise ! Et alors ils s'éloignèrent sans plus s'inquiéter de notre sort.

« Quant à mon pauvre ami, il n'était plus qu'une chose entre mes mains, tant ces émotions répétées l'avaient anéanti ! Je pus tout de même l'aider à se traîner peu à peu jusqu'à la mosquée que nous apercevions dans l'oasis ; et nous y entrâmes pour passer la nuit. Là le prince Ali tomba sur le sol et me dit : « C'est ici que je vais enfin mourir, puisque Schamsennahar ne doit plus être en vie à l'heure qu'il est ! »

« Or, dans la mosquée à ce moment un homme faisait sa prière. Lorsqu'il eut fini il se retourna vers nous et nous regarda un instant, puis s'approcha de nous, et nous dit avec bonté : « Ô jeunes gens, vous êtes sans doute des étrangers et vous venez ici pour y passer la nuit ? » Je lui répondis : « Ô cheikh, nous sommes en effet des étrangers que les brigands du désert viennent de dépouiller complètement, ne nous laissant pour tout bien que la chemise que nous portons sur nous ! »

« À ces paroles, le vieillard eut pour nous beaucoup de compassion et nous dit : « Ô pauvres jeunes gens, attendez-moi ici quelques instants, et je reviens à vous ! » Et il nous quitta pour revenir peu après suivi d'un enfant qui portait un paquet, et le vieillard tira des vêtements de ce paquet et nous pria de nous en vêtir ; puis il nous dit : « Venez avec moi à ma maison où vous serez mieux que dans cette mosquée, car vous devez avoir faim et soif ! » Et il nous obligea à l'accompagner à sa maison, où le prince Ali n'arriva que pour s'étendre sans souffle sur les tapis ! Et alors, du loin, venant avec la brise qui soufflait dans l'oasis à travers les palmiers, une voix de quelque pauvresse se fit entendre qui chantait plaintivement ces vers tristes :

« Je pleurais en voyant s'approcher la fin de ma jeunesse ! Mais j'étanchai bientôt ces larmes pour ne pleurer plus que la séparation de l'ami !

Si le moment de la mort est amer à mon âme, ce n'est point qu'il soit dur de quitter une vie d'alarmes, mais c'est de m'en aller loin des yeux de l'ami !

Ah ! si j'avais su que le moment des adieux fût si proche et que je serais pour toujours privé de mon ami, j'aurais emporté avec moi, comme provision du chemin, un peu du contact de ses yeux adorés ! »

« Or, à peine Ali ben-Bekar avait-il commencé à entendre ce chant qu'il releva la tête et se mit à écouter, hors de lui. Et quand la voix se fut éteinte, nous le vîmes soudain retomber en poussant un grand soupir : il avait expiré...

À ce moment de sa narration, Schahrazade, voyant apparaître le matin, se tut discrètement.

Mais lorsque fut la cent soixante-neuvième nuit. Elle dit :

« ... nous le vîmes soudain retomber en poussant un grand soupir : il avait expiré.

« À cette vue, le vieillard et moi nous éclatâmes en sanglots et nous restâmes ainsi toute la nuit ; et je racontai, à travers mes larmes, cette triste histoire au vieillard. Puis, au matin, je le priai de vouloir bien garder le corps en dépôt jusqu'à ce que les parents, avertis par moi, vinssent le chercher. Et je pris congé de cet homme bon et me rendis en toute rapidité à Bagdad, en profitant du départ d'une caravane qui s'y dirigeait. Et j'allai directement, sans prendre le temps de changer d'habits, à la maison de ben-Bekar, où je me présentai devant sa mère à qui je souhaitai la paix tristement.

« Lorsque la mère de ben-Bekar me vit arriver seul, sans son fils, et qu'elle remarqua mon air attristé, elle se mit à trembler de pressentiment. Et je lui dis : « Allah, ô vénérable mère d'Ali, commande et la créature ne peut que se soumettre ! Et quand la lettre d'appel a été écrite à une âme, cette âme doit, sans différer, se présenter devant son maître ! »

« À ces paroles, la mère d'Ali poussa un cri d'une douleur déchirante et me dit, en tombant le visage contre terre : « Ô calamité ! mon fils serait-il mort ? »

« Alors moi, je baissai les yeux et ne pus prononcer un mot. Et je vis la pauvre mère, étouffée par les sanglots, s'évanouir complètement. Et moi, je me mis à pleurer toutes les larmes de mon cœur, tandis que les femmes remplissaient la maison de cris épouvantables !

« Lorsque la mère d'Ali put enfin m'entendre, je lui racontai les détails de la mort et je lui dis : « Qu'Allah reconnaisse l'étendue de tes mérites, ô mère d'Ali, et t'en rémunère par ses bienfaits et sa miséricorde ! » Alors elle me demanda : Mais ne t'a-t-il pas fait quelques recommandations à transmettre à sa mère ? » Je répondis : « Mais certainement ! Il m'a chargé de te dire que son seul souhait était que tu fisses transporter son corps à Bagdad ! » Alors elle se remit à fondre en larmes, en se déchirant les vêtements, et me répondit qu'elle allait tout de suite se rendre dans l'oasis avec une caravane pour ramener le corps de son fils.

« Et de fait, quelques instants après, je les laissai tous à leurs préparatifs de départ et je regagnai mon domicile en pensant en mon âme : « Ô Ali ben-Bekar, malheureux amant, quel dommage que ta jeunesse ait été fauchée dans sa floraison si belle ! »

« Et j'arrivai chez moi de la sorte et je mis la main à ma poche pour en retirer la clef de la porte, quand je me sentis doucement toucher le bras, et je me retournai et j'aperçus, vêtue d'habits de deuil, et le visage bien triste, la jeune confidente de Schamsennahar. Alors je voulus m'enfuir ; mais elle m'arrêta et me força à entrer avec elle dans ma maison. Alors moi, malgré tout, je me mis, sans savoir encore rien, à pleurer avec elle énormément. Puis je lui dis : « As-tu alors appris la triste nouvelle ? » Elle me répondit : « Laquelle, ya Amin ? » Je lui dis : « La mort d'Ali ben-Bekar ! » Et, comme je la voyais pleurer davantage, je compris qu'elle n'en savait encore rien, et je la mis au courant, tout en poussant, de concert avec elle, de gros soupirs.

« Lorsque j'eus fini, elle me dit à son tour : « Et toi, ya Amin, je vois bien que tu ne connais guère mon malheur ! » Et je m'écriai : « Schamsennahar aurait-elle été mise à mort par ordre du khalifat ? » Elle répondit : « Schamsennahar est morte, mais non point comme tu pourrais le supposer ! Ô ma maîtresse ! » Puis elle s'interrompit pour pleurer encore un peu, et me dit enfin : « Écoute donc, Amin !

« Lorsque Schamsennahar, accompagnée par les vingt eunuques, fut arrivée en présence du khalifat, le khalifat d'un signe renvoya tous ceux-là, puis s'approcha lui-même de Schamsennahar et la fit s'asseoir à côté de lui et, d'une voix empreinte d'une bonté admirable, lui dit : « Ô Schamsennahar, je sais que tu as des ennemis dans mon palais, et ces ennemis ont essayé de te nuire dans mon esprit en déformant tes actes et en me les présentant sous un aspect indigne de moi et de toi ! Sache bien que je t'aime plus que jamais, et, pour le mieux prouver à tout le palais, j'ai donné des ordres pour faire augmenter ton train de maison et le nombre de tes esclaves et tes dépenses ! Je te prie donc de ne plus garder cet air affligé qui m'afflige moi-même ! Et pour t'aider à te distraire, je vais tout de suite faire venir les chanteuses de mon palais et les plateaux chargés de fruits et de boissons ! »

« Et aussitôt entrèrent les joueuses d'instruments et les chanteuses ; et les esclaves arrivèrent chargés des grands plateaux pesants de tout ce qu'ils contenaient. Et lorsque tout fut prêt, le khalifat, assis à côté de Schamsennahar, qui se sentait de plus en plus faible malgré tant de bonté, ordonna aux chanteuses de préluder. Alors l'une d'elles, au son des luths maniés par les doigts de ses compagnes, commença ce chant :

« Ô larmes, vous trahissez les secrets de mon âme, et m'empêchez de garder pour moi seule une douleur cultivée en silence !

J'ai perdu l'ami qu'aimait mon cœur… »

« Mais tout d'un coup, avant que la strophe chantée n'eût pris fin, Schamsennahar poussa un faible soupir et tomba à la renverse. Et le khalifat, affecté à l'extrême, se pencha vivement vers elle, la croyant seulement évanouie ; mais il la releva morte ! Alors il jeta loin de lui la coupe qu'il tenait et renversa les plateaux et, comme nous poussions des cris effroyables, il nous fit toutes partir, après nous avoir ordonné de briser les luths et les guitares du festin ; et il ne garda que moi seule dans la salle. Il prit alors Schamsennahar sur ses genoux et se mit à pleurer sur elle toute la nuit, en m'ordonnant de ne laisser entrer personne dans la salle.

« Le lendemain matin, le khalifat confia le corps aux pleureuses et aux laveuses, et donna l'ordre de faire à sa favorite des funérailles de femme légitime, et plus belles. Après quoi, il alla s'enfermer dans ses appartements. Et depuis nul ne le revit dans la salle de justice ! Alors moi, après avoir encore pleuré, avec la jeune fille, la mort des deux amants, je me mis d'accord avec elle en vue de faire enterrer Ali ben-Bekar à côté de Schamsennahar. Et nous attendîmes le retour du corps que la mère était allée chercher dans l'oasis, et nous lui fîmes de belles funérailles, et nous réussîmes à le faire mettre en terre à côté du tombeau de Schamsennahar ! Et depuis lors ni moi ni la jeune fille, qui devint mon épouse, nous ne cessâmes d'aller visiter les deux tombeaux pour pleurer sur les amants dont nous avions été les amis ! »

Et telle est, ô Roi fortuné, continua Schahrazade, l'histoire touchante de Schamsennahar, la favorite du khalifat Haroun Al-Rachid !

À ce moment, la petite Doniazade ne put se tenir plus longtemps et éclata en sanglots, en enfouissant sa tête dans les tapis. Et le roi Schahriar dit :« Ô Schahrazade, cette histoire m'a bien attristé ! »

*Alors Schahrazade dit : « Oui, ô Roi ! Aussi t'ai-je raconté cette histoire, qui n'est pas de la même espèce que les autres, à cause surtout des vers admirables qu'elle contient et principalement pour te mieux disposer à toute la joie que ne manquera pas de te procurer celle dont je me dispose à te faire le récit, si tu veux bien me le permettre ! » Et le roi Schahriar s'écria : « Oui, ô Schahrazade, fais-moi oublier ma tristesse, et dis-moi vite le titre de l'histoire que tu me promets ! » Et Schahrazade dit : « C'est l'*HISTOIRE FÉERIQUE DE LA PRINCESSE BOUDOUR, LA PLUS BELLE LUNE D'ENTRE TOUTES LES LUNES. »

Et la petite Doniazade s'écria, en relevant la tête : « Ô ma sœur Schahrazade, que tu serais gentille de nous la commencer tout de suite ! » Mais Schahrazade dit : « De tout cœur amical, et comme hommages dus à ce Roi bien élevé et doué de bonnes manières ! Mais ce sera pour la nuit prochaine seulement ! » Et, comme elle voyait apparaître le matin, Schahrazade, discrète comme elle était, se tut.

HISTOIRE DE KAMARALZAMÂN AVEC LA PRINCESSE BOUDOUR

Lorsque fut la cent soixante-dixième nuit, la petite Doniazade, qui n'en pouvait plus d'impatience, se leva du tapis où elle était blottie, et dit à Schahrazade : « Ô ma sœur, je t'en prie, hâte-toi de nous conter l'histoire promise dont le seul titre déjà me secoue toute de plaisir et d'émotion ! »

Et Schahrazade sourit à sa sœur et lui dit : « Justement ! Mais j'attends, pour commencer, le bon plaisir du Roi. »

Alors le roi Schahriar qui, cette nuit-là, s'était dépêché de faire sa chose ordinaire avec Schahrazade, tant il désirait cette histoire avec ardeur, dit :

« Ô Schahrazade, tu peux, certes ! commencer l'histoire féerique dont tu m'as promis de grandes joies ! »

Et Schahrazade aussitôt raconta ainsi cette histoire :

Il m'est revenu, ô Roi fortuné, qu'il y avait, en l'antiquité du temps, dans le pays de Khaledân, un roi nommé Schahramân, maître de puissantes armées et de richesses considérables. Mais ce roi, bien qu'il fût heureux à l'extrême et qu'il eût soixante-dix favorites, sans compter ses quatre femmes légitimes, souffrait en son âme de sa stérilité en fait d'enfants ; car il était déjà parvenu à un âge avancé et ses os et sa moelle commençaient à s'amincir, et Allah ne le dotait point d'un fils qui pût lui succéder sur le trône du royaume.

Or, un jour il se décida à mettre son grand vizir au courant de ses peines secrètes et, l'ayant fait appeler, lui dit : « Ô mon vizir, je ne sais vraiment plus à quoi attribuer cette stérilité dont je souffre énormément ! » Et le grand vizir réfléchit pendant une heure de temps ; après quoi il releva la tête et dit au roi : « Ô roi, en vérité, c'est là une question bien délicate et que ne peut dénouer qu'Allah le Tout-Puissant. Aussi je ne trouve, après avoir bien réfléchi, qu'une seule façon de remédier à la chose. » Et le roi lui demanda : « Et quelle est-elle ? » Le vizir répondit : « Voici ! Cette nuit, avant d'entrer dans le harem, prends soin de remplir scrupuleusement les devoirs prescrits par le rite : fais tes ablutions avec ferveur et ta prière d'un cœur soumis à la volonté d'Allah le Bienfaiteur. Et de la sorte ton union avec une épouse de choix sera fertilisée par la bénédiction ! »

À ces paroles de son vizir le roi Schahramân s'écria : « Ô vizir aux paroles de sagesse, tu m'indiques là un remède admirable ! » Et il remercia beaucoup le grand vizir de ce conseil et lui fit don d'une robe d'honneur. Puis, le soir venu, il entra dans l'appartement des femmes, après avoir toutefois minutieusement rempli les devoirs du rite ; et il choisit la plus jeune de ses femmes, celle qui avait les hanches les plus somptueuses, une vierge de race, et s'introduisit en elle cette nuit-là. Et du coup il la féconda, à l'heure et à l'instant. Et au bout de neuf mois, jour pour jour, elle accoucha d'un enfant mâle, au milieu des réjouissances et au son des clarinettes, des fifres et des cymbales.

Or l'enfant qui venait de naître fut trouvé si beau, et il était tellement comme la lune, que son père, émerveillé, l'appela Kamaralzamân[1].

Et de fait, cet enfant était bien la plus belle des choses créées ! On le constata surtout quand il devint un adolescent et que la beauté eut secoué sur ses quinze ans toutes les fleurs qui charment l'œil des humains. Avec l'âge, en effet, ses perfections étaient arrivées à leur limite ; ses yeux étaient devenus plus magiciens que ceux des anges Harout et Marout, ses regards plus séducteurs que ceux de Taghout, et ses joues plus plaisantes que les anémones. Quant à sa taille, elle s'était faite plus souple que la tige du bambou et plus fine qu'un fil de soie. Mais pour ce qui est de sa croupe, elle s'était alourdie si considérablement qu'on l'eût prise pour une montagne de sable mouvant, et que les rossignols, en la voyant, se mettaient à chanter.

Aussi il ne faut point s'étonner que sa taille si délicate se soit tant de fois plainte du poids énorme qui la suivait, et qu'elle ait si souvent, lasse de sa charge, fait la moue à ces fesses.

Avec tout cela, il avait continué à être aussi frais que la corolle des roses et aussi délicieux que la brise du soir. Et justement les poètes de son temps ont-ils essayé de rendre, en cadence, la beauté qui les frappait, et l'ont lui-même chanté en des vers nombreux, parmi lesquels ceux-ci entre mille :

« Quand les humains le voient ils s'écrient : « Ah ! ah ! » Quand ils le voient, ils peuvent lire ces mots que la beauté a tracés sur son front : « J'atteste qu'il est le seul beau ! »

Ses lèvres sont, si elles sourient, des cornalines ; sa salive est du miel fondu ; ses dents un collier de perles ; ses cheveux viennent en boucles noires s'arrondir sur ses tempes, tels des scorpions qui mordent le cœur des amoureux.

C'est d'une rognure de ses ongles qu'a été fait le croissant de la lune ! Mais sa croupe fastueuse qui tremble, mais les fossettes de ses fesses, mais la souplesse de sa taille ! elles sont au-dessus de toutes paroles ! »

Aussi le roi Schahramân aimait-il beaucoup son fils, et tellement qu'il ne pouvait s'en séparer un instant. Et comme il craignait de le voir dissiper dans les excès ses qualités et sa beauté, il souhaitait fort le marier de son vivant et se réjouir ainsi de sa postérité. Et un jour que cette idée le préoccupait plus que de coutume, il s'en ouvrit à son grand vizir qui lui répondit : « L'idée est excellente ! car le mariage adoucit les humeurs. » Alors le roi Schahramân dit au chef eunuque : « Va vite dire à mon fils Kamaralzamân de venir me parler ! » Et sitôt que l'eunuque eut transmis l'ordre, Kamaralzamân se présenta devant son père, et, après lui avoir souhaité respectueusement la paix, s'arrêta entre ses mains, les yeux baissés avec modestie, comme il convient de la part d'un fils soumis à son père...

À ce moment de sa narration, Schahrazade vit apparaître le matin et, discrète, se tut.

Mais lorsque fut la cent soixante et onzième nuit. Elle dit :

... Les yeux baissés avec modestie, comme il convient de la part d'un fils soumis à son père.

Alors le roi Schahramân lui dit : « Ô mon fils Kamaralzamân, j'aimerais beaucoup te marier de mon vivant pour me réjouir de toi et me dilater le cœur de tes noces ! »

À ces paroles de son père, Kamaralzamân changea extrêmement de teint et, d'une voix altérée, répondit : « Sache, ô mon père, que vraiment je n'éprouve aucun penchant pour le mariage ; et mon âme n'incline guère vers les femmes ! Car, outre l'aversion que d'instinct je me sens pour elles, j'ai lu dans les livres des sages tant de traits de leurs méchancetés et de leurs perfidies que j'en suis maintenant arrivé à préférer la mort à leur approche ! Et d'ailleurs, ô mon père, voici ce que disent à leur sujet nos poètes les plus estimés :

« Malheur à celui que le Destin dote d'une femme ! Il est perdu, même s'il se bâtit, pour s'y enfermer, mille forteresses aux pierres liées par des crocs d'acier ! Les roueries de cette créature les secoueraient comme des roseaux !

Ah ! malheur à cet homme ! La perfide a de beaux yeux allongés de kôhl noir, de belles tresses lourdement nattées ; mais elle lui fera dans le gosier glisser tant de chagrins que sa respiration en sera coupée ! »

Un autre a dit :

« Vous m'interrogez sur ces créatures que vous appelez des femmes ! Vous me savez, hélas ! versé dans la connaissance de leurs méfaits, usé de toute l'expérience que j'ai acquise !

Que vous dirais-je, ô jeunes gens ?... Fuyez-les ! Ma tête a blanchi, vous le voyez ! Et vous pouvez deviner si leur amour m'a réussi ! »

Et un autre a dit :

« Même la vierge qui se dit neuve n'est qu'un cadavre dont ne voudraient pas les vautours !

La nuit tu crois la posséder, parce qu'elle t'a chuchoté câlinement des secrets qui n'en sont pas ! Erreur ! demain à d'autres qu'à toi appartiendront ses cuisses et ses parties les mieux gardées !

Elle est une auberge, ô mon ami, crois-moi ! Elle est ouverte à tout venant ! Pénètre en elle, si tu veux, mais, le lendemain, sors et va-t'en sans tourner la tête ! À d'autres, la place qu'à leur tour ils devront quitter, si la sagesse leur est connue ! »

« Donc, ô mon père, bien que cela risque de te chagriner beaucoup, je n'hésiterai pas à me tuer si tu veux me forcer à me marier ! »

Lorsque le roi Schahramân eut entendu ces paroles de son fils, il fut surpris et affligé excessivement, et la lumière se changea en ténèbres devant son visage. Mais comme il affectionnait son fils à l'extrême et qu'il ne voulait pas lui causer de chagrin, il se contenta de lui dire : « Kamaralzamân, je ne veux point insister sur ce sujet qui, je le vois, ne t'est point agréable. Mais, comme tu es encore jeune, tu as le temps de réfléchir et aussi de penser à la joie que j'aurais de te voir marié et père d'enfants ! »

Et ce jour-là il ne lui dit rien de plus à ce sujet ; mais il le cajola et lui fit de beaux présents et agit de la sorte avec lui la longueur d'une année.

Mais au bout de l'année il le fit appeler, comme la première fois, et lui dit : « Te rappelles-tu, Kamaralzamân, ma recommandation, et as-tu réfléchi à ce que je te demandais, et au bonheur que tu me procurerais en te mariant ? » Alors Kamaralzamân se prosterna devant le roi son père et lui dit : « Ô mon père, comment pourrais-je oublier tes conseils et sortir de ton obéissance, alors qu'Allah lui-même me commande le respect et la soumission ? Mais pour ce qui est du mariage, j'y ai réfléchi tout ce temps, et plus que jamais je suis résolu à ne jamais m'en approcher, et plus que jamais les livres des anciens et des modernes m'apprennent à éviter la femme, coûte que coûte, car ce sont des rouées, des sottes et des dégoûtantes ! Qu'Allah m'en préserve par la mort même, s'il le faut ! »

À ces paroles, le roi Schahramân comprit qu'il serait nuisible, cette fois encore, d'insister davantage ou de contraindre à l'obéissance ce fils qu'il chérissait. Mais sa peine fut si grande qu'il se leva, désolé, et fit appeler en particulier son grand vizir, auquel il dit : « Ô mon vizir, qu'ils sont fous, les pères qui souhaitent avoir des enfants ! Ils n'en recueillent que du chagrin et des déceptions ! Voici que Kamaralzamân est résolu, plus encore que l'an dernier, à fuir les femmes et le mariage ! Quel malheur, ô mon vizir, est le mien ! Et comment y remédier ? »

Alors le vizir pencha la tête et réfléchit longuement ; après quoi il releva la tête et dit au roi : « Ô roi du siècle, voici le remède à employer : prends patience encore une année ; et alors, au lieu de lui parler en secret de la chose, tu assembleras tous les émirs, les vizirs et les grands de la cour ainsi que tous les officiers du palais et, devant eux tous, tu lui déclareras ta résolution de le marier sans délai. Et alors il n'osera guère te désobéir devant cette honorable assemblée ; et il te répondra par l'ouïe et la soumission !

À ce moment de sa narration, Schahrazade vit apparaître le matin et se tut discrètement.

Mais lorsque fut la cent soixante-douzième nuit. Elle dit :

« … Et il te répondra par l'ouïe et la soumission ! »

À ce discours du grand vizir, le roi fut tellement satisfait qu'il s'écria : « Par Allah ! voilà une idée réalisable ! » Et il en témoigna sa joie en offrant au vizir une des plus belles robes d'honneur. Après quoi il patienta durant le temps indiqué, et fit alors réunir l'assemblée en question et venir son fils Kamaralzamân.

Et l'adolescent entra dans la salle qui en fut illuminée ; et quel grain de beauté sur son menton ! Et quel parfum, ya Allah ! sur son passage ! Et lorsqu'il fut devant son père, il embrassa trois fois la terre entre ses mains et se tint debout, attendant que son père lui parlât le premier. Le roi lui dit : « Ô mon enfant, sache que je ne t'ai fait venir au milieu de cette assemblée que pour t'exprimer ma résolution de te marier avec une princesse digne de ton rang, et me réjouir de ma postérité avant que de mourir ! »

Lorsque Kamaralzamân eut entendu ces paroles de son père, il fut pris soudain d'une sorte de folie qui lui dicta une réponse si peu respectueuse que tous les assistants baissèrent les yeux de confusion et que le roi fut mortifié à l'extrême limite de la mortification ; et comme il était de son devoir de relever une pareille insolence en public, il cria à son fils d'une voix terrible : « Tu vas voir ce qu'il en coûte aux enfants qui désobéissent et manquent d'égards à leur père ! » Et aussitôt il ordonna aux gardes de lui lier les bras derrière le dos et de l'entraîner hors de sa présence et d'aller l'enfermer dans la vieille tour de la citadelle en ruine qui attenait au palais. Ce qui fut immédiatement exécuté. Et l'un des gardes resta à la porte, pour veiller sur le prince et répondre à son appel en cas de besoin.

Lorsque Kamaralzamân se vit ainsi enfermé il fut bien attristé et se dit : « Peut-être aurait-il mieux valu obéir à mon père et me marier contre mon gré, pour lui plaire. J'aurais ainsi du moins évité de le chagriner et d'être gardé dans cette sorte de cachot, au haut de cette vieille tour ! Ah ! femmes maudites, vous êtes encore la cause première de mon infortune ! » Voilà pour Kamaralzamân.

Mais pour ce qui est du roi Schahramân, il se retira dans ses appartements et, en pensant que son fils qu'il aimait tant était en ce moment seul, triste et enfermé, peut-être désespéré, il se mit à se lamenter et à pleurer. Car son amour pour son fils était bien grand et lui faisait oublier l'insolence dont il s'était publiquement rendu coupable. Et il fut extrêmement furieux contre le vizir, qui avait été l'instigateur de cette idée d'assembler le conseil ; aussi, l'ayant fait appeler, il lui dit : « C'est toi qui es le plus coupable ! Sans ton conseil de malheur, je ne me serais pas vu forcé de sévir contre mon enfant ! Parle maintenant, voyons ! Qu'as-tu à répondre ? Et comment faire, dis-le ! Car je ne puis m'accoutumer à l'idée de la punition dont souffre à l'heure qu'il est mon fils, la flamme de mon cœur ! » Alors le vizir lui dit : « Ô roi, aie seulement la patience de le laisser quinze jours enfermé, et tu verras comme il se hâtera de se soumettre à ton désir ! » Le roi dit : « Es-tu bien sûr ? » Le vizir dit : « Certainement ! » Alors le roi poussa plusieurs soupirs et alla s'étendre sur son lit, où il passa une nuit d'insomnie, tant son cœur travaillait au sujet de ce fils unique qui était sa plus grande joie ; il dormit d'autant moins qu'il s'était habitué à le faire dormir à côté de lui, sur le même lit, et à lui donner son bras comme oreiller, veillant ainsi lui-même sur son sommeil. Aussi cette nuit-là il eut beau se tourner et se retourner en tous sens, il ne put réussir à fermer l'œil. Et voilà pour le roi Schahramân.

Pour revenir au prince Kamaralzamân, voici ! À la tombée de la nuit, l'esclave qui était chargé de garder la porte entra avec un flambeau allumé qu'il déposa au pied du lit ; car il avait pris soin de dresser dans cette chambre un lit bien conditionné pour le fils du roi ; et, cela fait, il se retira. Alors Kamaralzamân se leva, fit ses ablutions, récita quelques chapitres du Koran, et songea à se déshabiller pour passer la nuit. Il se dévêtit donc entièrement, ne gardant sur le corps que la chemise, et il s'entoura le front d'un foulard de soie bleue. Et il devint ainsi, plus que jamais, aussi beau que la lune de la quatorzième nuit. Il s'étendit alors sur le lit où, bien qu'il fût désolé à la pensée d'avoir chagriné son père, il ne tarda pas à s'endormir profondément.

Or, il ne savait pas (il ne pouvait même pas s'en douter) ce qui allait lui arriver durant cette nuit, dans cette vieille tour hantée par les génies de l'air et de la terre. En effet…

À ce moment de sa narration, Schahrazade vit apparaître le matin et se tut discrètement.

Mais lorsque fut la cent soixante-seizième nuit[1]*. Elle dit :*

En effet, cette tour où était enfermé Kamaralzamân était abandonnée depuis nombre d'années et datait du temps des antiques Romains ; et au bas de cette tour il y avait un puits, également très ancien et de construction romaine ; et c'était justement ce puits qui servait d'habitation à une jeune éfrita, nommée Maïmouna.

L'éfrita Maïmouna, de la postérité d'Eblis, était la fille du puissant éfrit Domriatt, chef principal des génies souterrains. Maïmouna était une éfrita fort agréable, une croyante soumise, illustre entre toutes les filles des génies, par ses propres vertus et celles de son ascendance, fameuse dans les régions de l'inconnu.

Or, cette nuit-là, vers minuit, l'éfrita Maïmouna sortit du puits, selon sa coutume, pour prendre l'air, et s'envola légère vers les étages du ciel pour de là se porter vers tel endroit où elle se sentirait attirée. Et comme elle passait près du sommet de la tour, elle fut très étonnée de voir une lumière là, où depuis de si longues années elle ne voyait jamais rien. Elle pensa donc en elle-même : « Sûr ! cette lumière n'est pas là sans motif ! Il me faut entrer là-dedans voir ce que c'est. » Alors elle fit un crochet et pénétra dans la tour ; et elle vit l'esclave couché à la porte ; mais, sans s'y arrêter, elle passa par-dessus et entra dans la chambre. Et quelle ne fut point sa surprise charmée à la vue de l'adolescent qui était couché demi-nu sur le lit ! Elle s'arrêta d'abord sur la pointe des pieds et, pour le mieux regarder, s'approcha tout doucement, après avoir abaissé ses ailes qui la gênaient un peu dans cette chambre étroite. Et elle releva tout à fait la couverture qui cachait le visage de l'adolescent et demeura stupéfaite de sa beauté. Et elle cessa de respirer pendant une heure de temps, de crainte de le réveiller avant d'avoir pu admirer à son aise toutes les délicatesses dont il était pétri. Car, en vérité, le charme qui se dégageait de tout lui, la rougeur délicate de ses joues, la tiédeur de ses paupières aux cils pleins d'ombre pâle et allongés, la courbe adorable de ses sourcils, tout cela, y compris l'odeur enivrante de sa peau et les reflets si doux de son corps, ne devait-il point émouvoir la gentille Maïmouna qui, de sa vie entière d'excursions à travers la terre habitable, n'avait vu pareille beauté ?… Or, vraiment c'était bien à lui que pouvait s'appliquer ce cri du poète :

« Au toucher de mes lèvres je vis noircir ses prunelles qui sont ma folie et rougir ses joues qui sont toute mon âme.

Et je m'écriai : « Ô mon cœur, dis à ceux qui osent blâmer ta passion : « Ô censeurs, montrez-moi un objet aussi beau que mon bien-aimé ! »

Donc, lorsque l'éfrita Maïmouna, fille de l'éfrit Domriatt, se fut bien rempli les yeux de ce spectacle merveilleux, elle loua Allah en s'écriant : « Béni soit le Créateur qui modèle la perfection ! » Puis elle pensa : « Comment le père et la mère de cet adolescent peuvent-ils ainsi se séparer de lui pour l'enfermer seul dans cette tour en ruine ? Ne craignent-ils donc pas les maléfices des mauvais génies de ma race qui habitent les décombres et les endroits déserts ? Mais, par Allah ! s'ils ne se soucient pas de leur enfant, je jure, moi, Maïmouna, de le prendre sous ma protection et de le défendre contre tout éfrit qui, attiré par ses charmes, voudrait en abuser ! » Puis elle se pencha sur Kamaralzamân et, bien délicatement, elle le baisa sur les lèvres, sur les paupières et sur chaque joue, ramena sur lui la couverture, sans le réveiller, étendit ses ailes et s'envola par la haute fenêtre vers le ciel.

Or, comme elle était arrivée dans la moyenne région pour y prendre le frais et qu'elle y planait tranquille, en pensant au jeune homme endormi, elle entendit soudain, non loin de là, un bruit d'ailes, par battements précipités, qui la fit se tourner de ce côté. Et elle reconnut que l'auteur de ce bruit était l'éfrit Dahnasch, un génie de la mauvaise espèce, l'un des rebelles qui ne croient point et ne reconnaissent pas la suprématie de Soleimân ben-Daoûd. Et ce Dahnasch était fils de Schamhourasch, lequel était, parmi les éfrits, le plus rapide dans les courses aériennes.

Quand Maïmouna eut aperçu ce mauvais Dahnasch, elle craignit beaucoup que le coquin ne vît la lumière de la tour et n'allât perpétrer qui sait quoi là-bas ! Aussi elle fondit sur lui d'un élan semblable à celui de l'épervier, et allait l'atteindre et l'abîmer quand Dahnasch lui fit signe qu'il se rendait à discrétion et lui dit, en tremblant de peur : « Ô puissante Maïmouna, fille du roi des génies, je t'adjure par le Nom Auguste et par le talisman sacré du sceau de Soleimân de ne point user de ton pouvoir pour me nuire ! Et de mon côté je te promets de ne rien faire de répréhensible ! » Alors Maïmouna dit à Dahnasch, fils de Schamhourasch : « Soit ! Je veux bien t'épargner. Mais hâte-toi de me dire d'où tu viens à cette heure, ce que tu fais là et où tu penses aller ! Et sois surtout véridique dans tes paroles, ô Dahnasch, sans quoi je suis prête à t'arracher, avec mes mains, les plumes des ailes, à t'écorcher la peau et à te casser les os pour ensuite te précipiter comme une masse ! Ne crois donc pas pouvoir t'échapper par le mensonge, ô Dahnasch ! » Alors l'éfrit dit : « Ô ma maîtresse Maïmouna, sache qu'en ce moment tu me rencontres juste à propos pour entendre quelque chose de tout à fait extraordinaire ! Mais promets-moi, au moins, de me laisser aller en paix si je satisfais à ton désir, et de me donner un sauf-conduit qui désormais me mît à l'abri du mauvais vouloir de tous les éfrits, mes ennemis de l'air, de la mer et de la terre, ô toi qui es la fille de notre roi à tous, Domriatt le redoutable ! » Ainsi parla l'éfrit Dahnasch, fils du rapide Schamhourasch.

Alors Maïmouna, fille de Domriatt, dit : « Je te promets, sur la gemme gravée du sceau de Soleimân ben-Daoûd (sur eux deux la prière et la paix !). Mais parle enfin, car je pressens que ton aventure est très étrange ! » Alors l'éfrit Dahnasch ralentit sa course, tourna sur lui-même et vint se ranger aux côtés de Maïmouna. Puis il lui raconta ainsi son aventure :

« Je te dirai, ô glorieuse Maïmouna, que je viens en ce moment du fin fond de l'intérieur lointain, des extrémités de la Chine, pays où règne le grand Ghaïour, maître d'El-Bouhour et d'El-Koussour, où s'élèvent de nombreuses tours, tout autour et alentour, où se trouve sa cour, ses femmes avec leurs atours et ses gardes dans les détours et tout le pourtour ! Et c'est là que mes yeux ont vu la plus belle chose de tous mes voyages et de mes tours, sa fille unique, El-Sett Boudour !

« Or, comme il est impossible à ma langue, au risque même de devenir poilue, de te dépeindre la beauté de cette princesse, je vais simplement essayer de t'énumérer ses qualités, approximativement. Écoute donc, ô Maïmouna !

« Je te parlerai de sa chevelure ! Puis je te dirai son visage ! puis ses joues, puis ses lèvres, sa salive, sa langue, sa gorge, sa poitrine, ses seins, son ventre, ses hanches, sa croupe, son milieu, ses cuisses et enfin ses pieds, ô Maïmouna !

« Sa chevelure, ô ma maîtresse ! Elle est si brune qu'elle en est plus noire que la séparation des amis ! Et quand elle est accommodée en trois tresses qui s'éploient jusqu'à ses pieds, il me semble voir trois nuits à la fois !

« Son visage ! Il est aussi blanc que le jour où se retrouvent les amis ! Si je le regarde au moment où brille la pleine lune, je vois deux lunes à la fois.

« Ses joues sont formées d'une anémone divisée en deux corolles ; ses pommettes c'est la pourpre même des vins, et son nez est plus droit et plus fin qu'une lame de choix.

« Ses lèvres c'est de l'agate colorée et du corail ; sa langue – quand elle la remue – sécrète l'éloquence ; et sa salive est plus désirable que le jus des raisins : elle désaltère la soif la plus brûlante ! Telle est sa bouche !

« Mais sa poitrine ! béni soit le Créateur ! c'est une séduction vivante ! Elle porte des seins jumeaux de l'ivoire le plus pur, arrondis et pouvant tenir dans les cinq doigts de la main.

« Son ventre a des fossettes pleines d'ombre et disposées avec autant d'harmonie que les caractères arabes sur le cachet d'un scribe copte d'Égypte ! Et ce ventre donne naissance à une taille élastique, ya Allah ! et fuselée ! Mais voici sa croupe…

« Sa croupe ! heu ! heu ! j'en frémis ! C'est une masse si pesante qu'elle oblige sa propriétaire à se rasseoir quand elle se lève et à se relever quand elle se couche ! Et je ne puis vraiment, ô ma maîtresse, t'en donner une idée qu'en recourant à ces vers du poète :

« Elle a un derrière énorme et fastueux qui demanderait une taille moins frêle que celle où il est suspendu !

Il est, pour elle et moi, un objet de tortures sans relâche et d'émoi, car

Il l'oblige, elle, à se rasseoir quand elle se lève et me met le zebb, quand j'y pense, toujours debout ! »

Telle est sa croupe ! Et d'elle se détachent, de marbre blanc, deux cuisses de gloire, solides et d'un seul jet, unies, vers le haut, sous leur couronne. Puis viennent les jambes et les pieds gentils et si petits que je suis stupéfait qu'ils puissent porter tant de poids superposés.

« Quant à son milieu et à son fondement, ô Maïmouna, pour dire la vérité, je désespère de pouvoir t'en parler, comme il sied, car l'un est total et l'autre est absolu ! C'est, pour le moment, tout ce que ma langue peut t'en révéler ; et même par gestes il me serait impossible de t'en faire apprécier toutes les somptuosités !

« Et telle est à peu près, ô Maïmouna, adolescente princière, fille du roi Ghaïour, El-Sett Boudour !

À ce moment de sa narration, Schahrazade vit apparaître le matin et, discrète comme elle était, remit la suite au lendemain.

Aussi quand fut la cent soixante-dix neuvième nuit. Elle dit :

« Et telle est, à peu près, l'adolescente, fille du roi Ghaïour, la princesse Boudour !

« Mais je dois également te dire, ô Maïmouna, que le roi Ghaïour aimait considérablement sa fille El-Sett Boudour, celle dont je viens de t'énumérer simplement les perfections, et il l'aimait d'un amour si vif que son plaisir était de s'ingénier à lui trouver chaque jour une distraction nouvelle. Mais comme, au bout d'un certain temps, il avait épuisé pour elle toutes les espèces d'amusements, il songea à lui donner des joies différentes encore en lui bâtissant des palais miraculeux. Il commença la série par la construction de sept palais, chacun d'un style différent et d'une matière précieuse différente. En effet, il fit bâtir le premier palais entièrement de cristal, le second d'albâtre diaphane, le troisième de porcelaine, le quatrième tout entier de mosaïques de pierreries, le cinquième d'argent, le sixième d'or et le septième entièrement de perles et de diamants. Et le roi Ghaïour ne manqua pas de faire orner chaque palais de la manière qui convenait le mieux au style dont il était bâti ; et il y réunit tous les agréments qui pouvaient en rendre le séjour encore plus charmant, soignant, par exemple, et surtout, la beauté des pièces d'eau et des jardins.

« Et c'est dans ces palais que, pour distraire sa fille Boudour, il la fit habiter, mais une année seulement dans chaque palais, pour qu'elle n'eût pas le temps de s'en lasser et que le plaisir succédât sans fatigue au plaisir. Aussi la beauté de l'adolescente, au milieu de toutes ces belles choses, ne pouvait que s'affiner et parvenir enfin à l'état suprême qui m'a charmé ! De telle sorte qu'il ne faudrait point t'étonner, ô Maïmouna, si je te disais que tous les rois, voisins des États du roi Ghaïour, désiraient ardemment obtenir en mariage l'adolescente aux fastueuses fesses.

Mais je dois me hâter, pourtant, de te rassurer sur sa virginité, car jusqu'à présent elle a refusé avec horreur les propositions que son père lui transmettait ; et chaque fois, pour toute réponse, elle se contentait de lui dire : « Je suis ma propre reine et ma seule maîtresse ! Comment souffrirais-je de voir un homme froisser un corps qui tolère à peine le contact des soieries ? »

« Et le roi Ghaïour, qui eût préféré mourir plutôt que de contrarier Boudour, ne trouvait rien à répliquer ; et il était obligé de décliner les demandes des rois, ses voisins, et des princes qui venaient à cette fin dans son royaume du plus profond lointain ! Et même un jour qu'un jeune roi, plus beau et plus puissant que les autres, s'était présenté avec, avant son arrivée, beaucoup de cadeaux préparatoires, le roi Ghaïour en parla à Boudour qui, indignée cette fois, éclata en reproches et s'écria : « Je vois bien qu'il ne me reste plus qu'un seul moyen d'en finir avec ces tortures continuelles. Je vais saisir ce glaive qui est là et m'en enfoncer la pointe dans le cœur et la faire sortir par mon dos ! Par Allah ! c'est mon seul recours ! » Et comme elle se disposait vraiment à user de cette violence sur elle-même, le roi Ghaïour fut tellement épouvanté qu'il tira la langue et secoua la main et roula autour de lui des yeux blancs ; puis il se hâta de confier Boudour à dix vieilles fort sages et pleines d'expérience dont l'une était la propre nourrice de Boudour. Et depuis ce moment les dix vieilles ne la quittent pas un seul instant et veillent même à tour de rôle à la porte de son appartement.

« Et voilà, ô ma maîtresse Maïmouna, où en sont les choses maintenant. Et moi je ne manque certes pas d'aller, toutes les nuits, contempler la beauté de la princesse et me dilater les sens à la vue de ses splendeurs. Aussi crois bien que ce n'est point la tentation qui me fait défaut de la monter et de me délecter de son derrière ; mais je pense vraiment que ce serait dommage de porter atteinte, contre le gré de la propriétaire, à une somptuosité si bien gardée. Seulement, ô Maïmouna, je me contente d'elle discrètement, pendant son sommeil ; je l'embrasse, par exemple, entre les deux yeux, tout doucement, bien qu'une considérable envie me pousse à le faire fortement. Mais je me méfie de moi-même, me sachant sans retenue, une fois la chose en train ; je préfère donc m'abstenir complètement, de peur d'endommager l'adolescente.

« Je t'adjure donc, ô Maïmouna, de venir avec moi voir mon amie Boudour dont la beauté te charmera, à n'en pas douter, et dont les perfections te raviront, je m'en porte garant ! Allons, ô Maïmouna, admirer El-Sett Boudour, au pays du roi Ghaïour ! »

Ainsi parla l'éfrit Dahnasch, fils du rapide Schamhourasch.

À ce moment de sa narration, Schahrazade vit apparaître le matin et, discrète comme elle était, se tut.

Mais lorsque fut la cent quatre-vingtième nuit. Elle dit :

Ainsi parla l'éfrit Dahnasch, fils du rapide Schamhourasch.

Lorsque la jeune éfrita Maïmouna eut entendu cette histoire, au lieu de répondre, elle eut un rire moqueur, allongea un coup d'aile dans le ventre de l'éfrit, lui cracha à la figure et lui dit : « Tu es bien dégoûtant avec ta jeune pisseuse ! Et vraiment je me demande comment tu as osé m'en parler, alors que tu dois bien savoir qu'elle ne saurait supporter un instant la comparaison avec l'adolescent si beau que j'aime ! » Et l'éfrit s'écria, en s'essuyant la figure : « Mais, ô ma maîtresse, j'ignore totalement l'existence de ton jeune ami, et, tout en te demandant pardon, je ne demande pas mieux que de le voir, bien que j'hésite fort à croire qu'il puisse égaler la beauté de ma princesse ! » Alors Maïmouna lui cria : « Veux-tu te taire, maudit ! Je te répète que mon ami est si beau que, si tu le voyais, fût-ce en rêve, tu tomberais en épilepsie et tu baverais comme un chameau ! » Et Dahnasch demanda : « Mais où est-il donc et qui peut-il être ? » Maïmouna dit : « Ô coquin, sache qu'il est dans le même cas que ta princesse, et il est enfermé dans la vieille tour au bas de laquelle j'ai ma demeure souterraine. Mais ne va pas te flatter de l'espoir de le contempler sans moi ; car je connais ta turpitude et je ne te confierais même pas la garde d'un cul de santon ! Pourtant je veux bien consentir à te montrer moi-même pour avoir ton opinion, tout en te prévenant que si tu avais l'audace de mentir, en parlant contre la réalité de ce que tu vas voir, je t'arracherais les yeux et ferais de toi le plus misérable des éfrits ! De plus j'entends bien que tu me payes une forte gageure si mon ami se trouve être plus beau que ta princesse ; et, pour être juste, je consens aussi à t'en payer une si c'est le contraire ! » Et Dahnasch s'écria : « J'accepte la condition. Viens donc avec moi voir El-Sett Boudour, dans le pays de son père, le roi Ghaïour ! » Mais Maïmouna dit : « C'est plus vite fait d'aller à la tour, qui est là sous nos pieds, pour juger d'abord de la beauté de mon ami ; après nous comparerons ! » Alors Dahnasch répondit : « J'écoute et j'obéis ! » Et aussitôt tous deux descendirent en ligne droite du haut des airs jusqu'au sommet de la tour et pénétrèrent, par la fenêtre, dans la chambre de Kamaralzamân.

Alors Maïmouna dit à l'éfrit Dahnasch : « Ne bouge plus ! et surtout sois convenable ! » Puis elle s'approcha de l'adolescent endormi et souleva le drap qui le couvrait en ce moment. Et elle se tourna du côté de Dahnasch et lui dit « Regarde, ô maudit ! Et fais attention de ne pas tomber tout de ton long ! » Et Dahnasch avança la tête et recula stupéfait ; puis il allongea de nouveau le cou et inspecta longuement le visage et le corps du bel adolescent ; après quoi il hocha la tête et dit : « Ô ma maîtresse Maïmouna, je vois maintenant que tu es fort excusable de penser que ton ami est incomparable en beauté ; car, en vérité, je n'ai jamais vu autant de perfections dans un corps d'adolescent ; et tu sais que je connais les plus beaux parmi les fils des humains. Mais, ô Maïmouna, le moule qui l'a fabriqué ne s'est cassé qu'après avoir donné un échantillon femelle ; et c'est justement la princesse Boudour ! »

À ces paroles, Maïmouna fondit sur Dahnasch et lui assena sur la tête un coup d'aile qui lui cassa une corne, et lui cria : « Ô le plus vil d'entre les éfrits, je te somme d'aller sur l'heure à ce pays du roi Ghaïour, au palais de Sett Boudour, et de transporter de là-bas la princesse jusqu'ici ; car je ne veux pas me déranger en t'accompagnant chez cette petite. Une fois que tu l'auras portée ici, nous la ferons coucher à côté de mon jeune ami, et nous comparerons avec nos propres yeux. Et reviens vite, Dahnasch, ou je te mets le corps en lambeaux et te jette en pâture aux hyènes et aux corbeaux ! » Alors l'éfrit Dahnasch ramassa sa corne qui gisait et, lamentable, s'en alla en se grattant le derrière. Puis il traversa l'espace comme un javelot et ne tarda pas à revenir, au bout d'une heure, chargé de son fardeau.

Or la princesse endormie sur les épaules de Dahnasch n'avait sur elle que la chemise, et son corps palpitait dans sa blancheur. Et sur les larges manches de cette chemise, tramée de fils d'or et de soie multicolore, étaient brodés ces vers qui s'entrelaçaient agréablement.

« Trois choses l'empêchent d'accorder aux humains un regard qui dise « oui » : la crainte de l'inconnu, l'horreur du connu et sa beauté ! »

Alors Maïmouna dit à Dahnasch : « Il me semble que tu as dû t'amuser en route avec cette jeune fille, car tu es en retard, et il ne faut pas une heure de temps aux bons éfrits pour aller du pays de Khaledân au fond de la Chine et revenir par le plus droit chemin ! Soit ! mais hâte-toi d'étendre cette petite aux côtés de mon ami pour que nous fassions notre examen ! » Et l'éfrit Dahnasch, avec des précautions infinies, déposa doucement la princesse sur le lit, et lui enleva sa chemise.

Or, en vérité, l'adolescente était fort belle et telle que l'avait dépeinte l'éfrit Dahnasch. Et Maïmouna put constater que la ressemblance des deux jeunes gens était si parfaite qu'on les eût pris pour deux jumeaux, et qu'ils ne différaient seulement que par leur milieu et leur fondement ; mais c'était le même visage de lune, la même taille délicate et la même croupe arrondie et pleine de richesse ; et elle put également se rendre compte que si la jeune fille manquait en son milieu de ce qui faisait l'ornement de l'adolescent, elle le remplaçait avantageusement par les deux tétines merveilleuses qui attestaient son sexe succulent.

Elle dit donc à Dahnasch : « Je vois qu'il est permis d'hésiter un instant sur la préférence à accorder à l'un ou à l'autre de nos amis ; mais il faut être aveugle ou insensé, comme tu l'es, pour ne pas convenir qu'entre deux jeunes gens également beaux, dont l'un est mâle et l'autre femelle, le mâle l'emporte sur la femelle ! Qu'en dis-tu, ô maudit ? » Mais Dahnasch répondit : « Pour ma part, je sais ce que je sais et je vois ce que je vois, et le temps ne me ferait pas croire le contraire de ce que mon œil a vu ! Mais, ô ma maîtresse, si tout de même tu tenais à ce que je mentisse, je mentirais pour te faire plaisir ! »

Lorsque l'éfrita Maïmouna eut entendu ces paroles de Dahnasch, elle fut prise d'une telle fureur qu'elle éclata de rire. Et pensant qu'elle ne pourrait jamais, par le moyen d'un simple examen, tomber d'accord avec l'entêté Dahnasch, elle lui dit : « Il y a peut-être moyen de savoir qui de nous deux a raison, c'est de recourir à notre inspiration ! Celui qui dira les plus beaux vers à la louange de son préféré aura certainement la vérité de son côté ! Y consens-tu ? Ou bien n'es-tu pas capable de cette subtilité propre aux délicats seulement ? » Mais l'éfrit Dahnasch s'écria : « C'est justement, ô ma maîtresse, ce que je voulais te proposer ! Car mon père Schamhourasch m'a enseigné les règles des constructions poétiques et l'art des vers légers aux rythmes parfaits. Mais à toi d'abord la priorité, ô charmante Maïmouna ! »

Alors Maïmouna s'approcha de Kamaralzamân endormi, et se pencha sur ses lèvres et les baisa doucement ; puis elle lui caressa le front et, la main dans ses cheveux, elle dit en le regardant :

« Ô corps clair où les rameaux ont mis leur souplesse et les jasmins leur bouquet, quel corps de vierge vaudrait ta senteur ?

Yeux où le diamant a mis sa lumière et la nuit ses étoiles, quels yeux de femme égaleraient votre feu ?

Baiser plus doux de sa bouche que le miel aromatique, quel féminin baiser atteindrait ta fraîcheur ?

Oh ! caresser ta chevelure et tressaillir de toute ma chair sur ta chair, puis voir dans tes yeux se lever tes étoiles ! »

Lorsque l'éfrit Dahnasch eut entendu ces vers de Maïmouna, il s'extasia à la limite de l'extase, puis se convulsa à la limite de la convulsion, tant pour rendre hommage au talent de l'éfrita que pour exprimer son émotion de ces rythmes si justes ; mais il ne tarda pas à s'approcher à son tour de son amie Boudour pour se pencher sur ses seins nus et délicatement y déposer une caresse ; et, inspiré de ses charmes, il dit en la regardant :

« Les myrtes de Damas, ô jeune fille, m'exaltent l'âme quand ils sourient ; mais ta beauté…

Les roses de Bagdad, de clair de lune et de rosée nourries, me grisent l'âme quand elles sourient ; mais tes lèvres nues…

Tes lèvres nues, ô bien-aimée, et ta beauté fleurie, me rendent fou quand elles sourient ! Et tout le reste a disparu ! »

Lorsque Maïmouna eut entendu cette odelette si délicieuse, elle ne fut pas peu surprise de voir…

À ce moment de sa narration, Schahrazade vit apparaître le matin et se tut discrètement.

Mais lorsque fut la cent quatre-vingt-deuxième nuit. Elle dit :

… Cette odelette si délicieuse, elle ne fut pas peu surprise de voir chez ce Dahnasch tant de talent uni à tant de laideur ; et comme elle était, bien que femme, douée d'une certaine dose de jugement, elle ne manqua d'en faire son compliment à Dahnasch qui se dilata extrêmement. Mais elle lui dit : « En vérité, ô Dahnasch, tu as une âme assez fine dans cette charpente où tu habites ; mais ne crois point que tu l'emportes dans l'art des vers, pas plus que Sett Boudour ne l'emporte en beauté sur Kamaralzamân ! » Et Dahnasch, suffoqué, s'écria : « Crois-tu vraiment ! » Elle dit : « Certainement ! » Il dit : « Je ne crois pas ! » Elle dit : « Attrape ça ! » et d'un coup d'aile lui pocha l'œil. Il dit : « Ça ne prouve rien ! » Elle dit : « Tiens ! voilà mon derrière ! » Il dit : « Il est assez maigre ! »

À ces paroles, Maïmouna, doublement irritée, voulut se précipiter sur Dahnasch et lui abîmer quelque partie de son individu ; mais Danasch qui avait prévu le cas en un clin d'œil se changea en puce et se réfugia sans bruit dans le lit, sous les deux adolescents ; et comme Maïmouna craignait de les réveiller, elle fut obligée, pour avoir une solution, de jurer à Dahnasch qu'elle ne lui ferait plus de mal ; et, Dahnasch, devant son serment, redevint comme il était, mais en se tenant toujours sur ses gardes. Alors Maïmouna lui dit : « Écoute, Dahnasch, je ne vois pas d'autre moyen de terminer l'affaire que de recourir à l'arbitrage d'un tiers ! » Il dit : « Je veux bien ! »

Alors Maïmouna frappa du pied le sol qui s'entrouvrit et laissa sortir un épouvantable éfrit immensément hideux. Il avait une tête surmontée de six cornes longues chacune de quatre mille quatre cent quatre-vingts coudées, et trois queues fourchues, longues d'autant ; il était boiteux et bossu, et ses yeux étaient plantés au milieu de sa figure dans le sens de la longueur ; il avait des bras dont l'un était long de cinq mille cinq cent cinquante-cinq coudées et l'autre d'une demi-coudée seulement ; et ses mains, plus larges que des chaudrons, étaient terminées par des griffes de lion ; et ses jambes qui finissaient par des sabots le faisaient marcher comme un pied bot ; et son zebb quarante fois plus gros que celui de l'éléphant plongeait derrière son dos et surgissait triomphant ! Il s'appelait Kaschkasch ben-Fakhrasch ben-Atrasch, de la postérité d'Éblis Abou Hanfasch !

Or, lorsque le sol se fut refermé, l'éfrit Kaschkasch aperçut Maïmouna, et aussitôt il embrassa la terre entre ses mains, se tint devant elle humblement, les bras croisés, et lui demanda : « Ô ma maîtresse Maïmouna, fille de notre roi Domriatt, je suis l'esclave qui attend tes ordres ! » Elle dit : « Je veux, Kaschkasch, que tu sois juge dans la dispute survenue entre moi et ce maudit Dahnasch. Il y a *telle* et *telle* chose. À toi donc d'être impartial et, après avoir jeté les yeux sur ce lit, de nous dire qui te paraît plus beau de mon ami ou de cette jeune fille ! » Alors Kaschkasch se tourna du côté du lit où les jeunes gens dormaient tranquilles et nus, et à leur vue il fut dans une émotion telle qu'il saisit de la main gauche son outil qui se raidissait au-dessus de sa tête et se mit à danser en tenant sa queue à trois branches de la main droite. Après quoi il dit à Maïmouna et à Dahnasch : « Par Allah ! à les bien considérer, je vois qu'ils sont égaux en beauté, et qu'ils diffèrent par le sexe seulement. Mais tout de même je connais un moyen, le seul qui puisse trancher le différend ! » Ils dirent : « Hâte-toi de nous l'indiquer ! » Il répondit : « Laissez-moi d'abord chanter quelque chose en l'honneur de cette adolescente qui m'émeut à l'extrême ! » Maïmouna dit : « Il n'y a guère le temps ! À moins que tu ne veuilles nous dire quelques vers sur ce bel adolescent ! » Et Kaschkasch dit : « Ce sera peut-être un peu extraordinaire ! » Elle répondit : « Chante tout de même, pourvu que les vers soient justes et courts ! » Alors Kaschkasch chanta ces vers obscurs et compliqués :

« Adolescent, tu me rappelles qu'à se vouer à l'amour unique les soins et les soucis étoufferaient la ferveur ! Sois prudent, ô mon cœur !

Aime le sucre des baisers sur la lèvre virginale ; mais pour te rendre propice l'avenir, ne laisse point se rouiller la porte de sortie : le goût de sel est délicieux sur les lèvres moins faciles ! »

Alors Maïmouna dit : « Je ne veux point chercher à comprendre. Mais dis-nous vite le moyen de savoir qui a la vérité de son côté ! » Et l'éfrit Kaschkasch dit : « Mon avis est que l'unique moyen à employer, c'est de les réveiller l'un après l'autre, pendant que nous trois nous resterons invisibles ; et vous conviendrez que celui des deux qui témoignera un amour plus ardent à l'autre et manifestera plus de passion dans ses gestes et dans son attitude sera certainement le moins doué de beauté, puisqu'il se sera ainsi lui-même reconnu subjugué par les charmes de son compagnon ! » À ces paroles de l'éfrit Kaschkasch...

À ce moment de sa narration, Schahrazade vit apparaître le matin et, discrète, se tut.

Mais lorsque fut la cent quatre-vingt-troisième nuit. Elle dit :

À ces paroles de l'éfrit Kaschkasch, Maïmouna s'écria : « Ô l'idée admirable ! » Et Dahnasch également s'exclama : « C'est tout à fait très bien ! » Et aussitôt il se changea de nouveau en puce, mais cette fois pour aller piquer au cou le beau Kamaralzamân.

À cette piqûre, qui fut de première force, Kamaralzamân se réveilla en sursaut et porta vivement la main à l'endroit piqué ; mais nécessairement il ne put rien attraper ; car le rapide Dahnasch, qui s'était ainsi un peu vengé sur la peau de l'adolescent de tous les affronts de Maïmouna, qu'il avait essuyés en silence, eut tôt fait de reprendre sa forme d'éfrit invisible, pour être témoin de ce qui allait se passer.

Or, vraiment ce qui se passa est bien remarquable.

En effet, Kamaralzamân, encore somnolent, laissa retomber la main qui n'avait pas atteint la puce, et cette main alla justement toucher la cuisse nue de la jeune fille.

À cette douce sensation, le jeune homme ouvrit les yeux, mais les referma aussitôt d'éblouissement et d'émotion. Et il sentit contre lui ce corps plus tendre que le beurre et cette haleine plus agréable que le parfum du musc. Aussi sa surprise fut extrême, mais non dénuée d'agrément, et il finit par lever la tête et considérer l'incomparable beauté de cette adolescente qui dormait, inconnue, à ses côtés.

Il s'appuya donc du coude sur les coussins et, oubliant en un instant l'aversion qu'il avait jusque-là éprouvée pour le sexe, il se mit à détailler avec des yeux charmés les perfections de la jeune fille. Il la compara d'abord en son âme à une belle citadelle surmontée d'une coupole, puis à une perle, puis à la rose : car il ne pouvait du premier coup faire des comparaisons bien justes, vu qu'il s'était toujours refusé à regarder les femmes et qu'il était fort ignorant de leurs formes et de leurs grâces. Mais il ne tarda pas à remarquer que sa dernière comparaison était la plus juste et l'avant-dernière la plus vraie ; quant à la première, il en sourit bien vite.

Donc Kamaralzamân se pencha sur la rose et sentit que le parfum de sa chair était délicieux, et tellement qu'il promena son nez sur toute sa surface. Or, cela lui fut si agréable qu'il se dit : « Si je la touchais, pour voir ! » Et il promena ses doigts sur tous les contours de la perle et constata que cet attouchement lui mettait le feu au corps et provoquait en lui des mouvements et des battements, selon telles ou telles parties de son individu ; si bien qu'il éprouva violemment le besoin de donner libre cours à cet instinct de nature si spontané. Et il s'écria : « Tout arrive avec la volonté d'Allah ! » Et il se disposa à la copulation.

Donc il prit la jeune fille, tout en pensant : « C'est bien étonnant qu'elle soit sans caleçon ! » et la tourna et la retourna et la palpa ; puis, émerveillé, il s'écria : « Ya Allah ! quel gros derrière ! » Puis il caressa son ventre et dit : « C'est une merveille de tendresse ! » Après quoi les seins le tentèrent et il les prit et éprouva, à s'en remplir les deux mains, un frémissement d'une volupté telle qu'il s'écria : « Par Allah ! il faut absolument que je la réveille pour bien faire les choses ! Mais comment se fait-il qu'elle ne se soit pas encore réveillée depuis le temps que je la touche ? »

Or, ce qui empêchait la jeune fille de se réveiller, c'était la volonté de Dahnasch l'éfrit qui l'avait plongée ainsi dans ce sommeil si lourd pour faciliter l'action de Kamaralzamân.

Donc Kamaralzamân mit ses lèvres sur les lèvres de Sett Boudour et leur prit un long baiser ; et, comme elle ne se réveillait pas, il en prit encore un second puis un troisième, sans qu'elle eût marqué le moindre sentiment. Alors il se mit à lui parler, disant : « Ô mon cœur ! ô mon œil ! ô mon foie ! Réveille-toi ! Je suis Kamaralzamân ! » Mais la jeune fille ne fit pas un seul mouvement.

Alors Kamaralzamân, voyant l'inanité de son appel, se dit : « Par Allah ! je ne puis plus attendre ! il faut que je pénètre en elle, tout m'y pousse ! J'essaierai, pour voir si je puis réussir, pendant qu'elle dort ! » Et il s'étendit sur elle.

Tout cela ! Et Maïmouna et Dahnasch et Kaschkasch regardaient. Et Maïmouna commençait à s'inquiéter fort et déjà s'apprêtait, en cas de consommation, à trouver que ça ne comptait pas !

Donc Kamaralzamân s'étendit sur la jeune fille qui dormait sur le dos…

À ce moment de sa narration, Schahrazade vit apparaître le matin et, discrète comme elle était, se tut.

Mais lorsque fut la cent quatre-vingt-quatrième nuit. Elle dit :

Donc Kamaralzamân s'étendit sur la jeune fille qui dormait sur le dos, et qui n'avait pour tout vêtement que ses cheveux épars, et il l'enlaça de ses bras et il allait faire un premier essai de ce qu'il allait faire, quand soudain il tressaillit et la désenlaça et hocha la tête et pensa : « C'est sûrement le roi mon père qui a fait placer cette adolescente dans mon lit pour expérimenter l'effet du contact des femmes sur moi ; et il doit être maintenant derrière ce mur, l'œil à un trou, à me regarder pour voir si cela réussit. Et demain il entrera chez moi et me dira : « Kamaralzamân, tu disais avoir le mariage et les femmes en répulsion ! Qu'as-tu fait cette nuit avec cette adolescente ? Ah ! Kamaralzamân, tu veux bien forniquer en secret, mais tu te refuses à te marier, bien que tu saches tout le bonheur que j'aurais de voir ma descendance assurée et mon trône transmis à mes enfants ! » Et moi alors je serai considéré comme un fourbe et un menteur ! Il vaut donc mieux m'abstenir cette nuit de copuler, malgré toute l'envie que j'en ai, et attendre jusqu'à demain ; et alors je demanderai à mon père cette belle adolescente en mariage. Et de la sorte mon père sera heureux et moi je pourrai, tout à mon aise, user de ce corps béni ! »

Et là-dessus, à la grande joie de Maïmouna qui avait commencé à avoir de si terribles inquiétudes et à l'ennui considérable de Dahnasch qui, au contraire, avait pensé que l'adolescent copulerait et s'était d'abord mis à danser de joie, Kamaralzamân se pencha encore une fois sur Sett Boudour et, après l'avoir baisée sur la bouche, il lui enleva du petit doigt une bague surmontée d'un beau diamant, et se la passa lui-même au petit doigt pour bien marquer qu'il considérait désormais la jeune fille comme son épouse ; puis, après avoir mis au doigt de la jeune fille sa bague à lui, il lui tourna le dos, bien qu'avec un regret extrême, et ne tarda pas à se rendormir.

À cette vue Maïmouna exulta tout à fait et Dahnasch fut bien confus ; mais il ne tarda pas à dire à Maïmouna : « Ce n'est que la moitié de l'épreuve. À ton tour maintenant ! »

Alors Maïmouna se changea aussitôt en puce et sauta sur la cuisse de Sett Boudour, et, de là, monta jusqu'à son nombril, puis revint sur ses pas de quatre travers de doigt, et s'arrêta juste sur le sommet du monticule qui domine le vallon des roses, et là, d'une seule piqûre dans laquelle elle mit toute sa jalousie et sa vengeance, elle fit sauter de douleur la jeune fille qui ouvrit les yeux et se leva vivement sur son séant en portant les deux mains sur son devant ! Mais aussitôt elle jeta un cri de terreur et d'étonnement en apercevant près d'elle le jeune homme couché sur le flanc. Mais, dès le premier regard qu'elle lui jeta, elle ne tarda pas à passer de la frayeur à l'admiration et de l'admiration au plaisir et du plaisir à un épanchement de joie qui atteignit bientôt au délire.

En effet, dans sa frayeur première, elle pensa en son âme : « Infortunée Boudour, tu es compromise pour toujours ! Voici dans ton lit un jeune étranger que tu n'as jamais vu ! Quelle audace est la sienne ! Ah ! je vais crier aux eunuques d'accourir et de le jeter du haut de mes fenêtres dans le fleuve ! Pourtant, ô Boudour, qui sait si ce n'est point là le mari que ton père t'a choisi ? Regarde-le d'abord, ô Boudour, avant de recourir à la violence ! »

Et c'est alors que Boudour jeta un coup d'œil sur l'adolescent, et de ce rapide examen elle fut éblouie de sa beauté et s'écria : « Ah ! mon cœur ! qu'il est gentil ! » Et, à l'instant même, elle fut si entièrement captivée qu'elle se pencha sur cette bouche souriante de sommeil et l'exprima d'un baiser entre ses lèvres en s'écriant : « Que c'est bon ! Par Allah ! celui-là, oui, je le veux pour époux ! Pourquoi mon père a-t-il si longtemps tardé à me l'amener ! » Puis elle prit, en tremblant, la main du jeune homme et la mit entre ses deux mains et lui parla fort gentiment pour le réveiller, disant : « Ô gentil ami, ô lumière de mes yeux, ô mon âme, lève-toi ! Viens m'embrasser, viens ! mon chéri, viens ! par ma vie sur toi ! réveille-toi ! »

Mais comme Kamaralzamân, par l'effet de l'enchantement opéré sur lui par la vindicative Maïmouna, ne faisait pas un mouvement indicateur de réveil, la belle Boudour s'imagina que c'était sa faute à elle et qu'elle ne mettait pas assez de chaleur dans son appel. Aussi, sans plus se soucier de savoir si on la regardait ou non, elle entrouvrit la chemise de soie qu'elle s'était d'abord hâtée de jeter sur elle à son premier mouvement, et se glissa tout contre le jeune homme et l'entoura de ses bras et appliqua ses cuisses contre les siennes et, éperdument, lui dit dans l'oreille : « Tiens prends-moi toute ! vois comme je suis obéissante et gentille ! Voici les narcisses de mes seins et le parterre de mon ventre qui est très doux, regarde ! Voici mon nombril qui aime la caresse fine, viens t'en réjouir ! Puis tu goûteras à la primeur des fruits qui sont en moi ! La nuit ne sera pas assez longue pour nos ébats ! Et jusqu'au matin nous nous dulcifierons… »

À ce moment de sa narration, Schahrazade vit apparaître le matin et, discrète comme elle était, se tut.

Mais lorsque fut la cent quatre-vingt-cinquième nuit. Elle dit :

… Et jusqu'au matin nous nous dulcifierons ! »

Mais comme Kamaralzamân, plus que jamais enfoncé dans le sommeil, continuait à ne point répondre, la belle Boudour s'imagina un instant que ce n'était là qu'une feinte de sa part pour lui donner plus de surprise ; et, moitié rieuse, elle lui dit : « Allons ! allons, gentil ami, ne fais pas le fourbe comme ça ! Serait-ce mon père qui t'aurait donné ces leçons de malice pour vaincre mon orgueil ? C'est peine inutile vraiment ! Car ta beauté, ô jeune daim svelte et charmant, à elle seule a fait de moi la plus soumise des esclaves d'amour ! »

Mais comme Kamaralzamân restait toujours immobile, Sett Boudour, de plus en plus subjuguée, réprit : « Ô maître de la beauté, regarde ! Moi aussi je passe pour belle : autour de moi tout vit dans l'admiration de mes charmes froid et sereins. Toi seul as su allumer le désir dans le regard calme de Boudour ! Que ne te réveilles-tu, ô adorable garçon ! Que ne te réveilles-tu ! dis ! me voici ! Je me sens mourir ! »

Et la jeune fille enfouit sa tête sous le bras de l'adolescent, et câlinement le mordilla au cou et à l'oreille, mais sans résultat. Alors ne pouvant plus résister à la flamme allumée en elle pour la première fois, elle se mit de la main à fureter entre les jambes et les cuisses du jeune homme et les trouva si lisses et si pleines qu'elle ne put empêcher sa main de glisser sur leur surface. Alors, comme par hasard, elle rencontra en route, dans l'intervalle, un objet si nouveau pour elle qu'elle le considéra avec de grands yeux et constata que, sous sa main, il changeait de forme à chaque instant. Elle fut d'abord bien effrayée, mais comprit sans retard son usage particulier : car de même que le désir chez les femmes est de beaucoup plus intense que chez les hommes, de même leur intelligence est infiniment plus prompte à saisir les rapports des organes charmants. Elle le prit donc à pleines mains et, tandis qu'elle embrassait les lèvres du jeune homme avec ardeur, il arriva ce qui arriva !

Après quoi Sett Boudour couvrit de baisers son ami endormi, sans laisser un seul endroit sur lequel elle n'eût imprimé ses lèvres. Puis, calmée tant soit peu, elle lui prit les mains et les baisa l'une après l'autre sur la paume ; puis elle le souleva lui-même et le prit dans son sein et lui entoura le cou de ses bras ; et, dans cet enlacement, membre contre membre et leurs haleines mêlées, elle s'endormit en souriant.

Tout cela ! Et, invisibles, les trois éfrits ne perdaient pas un geste ! Aussi, la chose ayant été consommée si péremptoirement, Maïmouna fut à la limite de la jubilation et Dahnasch ne fit aucune difficulté pour convenir que Boudour avait été beaucoup plus loin dans les manifestations de son ardeur et lui faisait ainsi perdre la gageure. Mais Maïmouna, assurée maintenant de la victoire, fut magnanime et dit à Dahnasch : « Pour ce qui est de la gageure que tu me dois, je t'en fais grâce, ô maudit ! Et même je vais te donner le sauf-conduit qui désormais t'assurera toute tranquillité dans tes courses aériennes. Mais prends bien garde d'en abuser, et ne manque jamais plus aux convenances ! »

Après quoi la jeune éfrita se tourna vers Kaschkasch et, gentiment, lui dit : « Kaschkasch, je te remercie beaucoup pour ton conseil ! Je te nomme, en conséquence, chef de mes émissaires ; et je me charge de faire approuver ma décision par mon père Domriatt ! » Puis elle ajouta : « Maintenant avancez tous deux, et prenez cette jeune fille et transportez-la vite au palais de son père Ghaïour, maître d'El-Bouhour et d'El-Koussour ! Après les progrès si rapides qu'elle vient d'accomplir sous mes yeux, je lui donne mon amitié et désormais j'ai toute confiance dans son avenir ! Vous verrez qu'elle accomplira de belles choses ! » Et les deux éfrits répondirent : « Inschallah ! » puis…

À ce moment de sa narration, Schahrazade vit apparaître le matin et se tut discrètement.

Mais lorsque fut la cent quatre-vingt-sixième nuit. Elle dit :

Et les deux éfrits répondirent : « Inschallah ! » puis s'approchèrent du lit, prirent l'adolescente qu'ils chargèrent sur leurs épaules, et s'envolèrent avec elle vers le palais du roi Ghaïour où ils ne tardèrent pas à arriver, et la déposèrent délicatement sur son lit pour s'en aller ensuite chacun de son côté.

Quant à Maïmouna, elle s'en retourna à son puits, après avoir déposé un baiser sur les yeux de son ami.

Et voilà pour eux trois.

Mais pour ce qui est de Kamaralzamân, il finit par se réveiller de son sommeil, avec le matin, le cerveau encore hanté par son aventure de la nuit. Et il se tourna à droite et il se tourna à gauche, mais bien entendu sans trouver la jeune fille. Alors il se dit : « J'avais bien deviné que c'était mon père qui avait préparé tout cela pour m'éprouver, et pour me pousser au mariage. J'ai donc bien fait d'attendre, pour lui demander, en bon fils, son consentement. » Puis il héla l'esclave couché à la porte, en lui criant : « Hé ! maraud, lève-toi ! » Et l'esclave se leva en sursaut et se hâta, encore à moitié endormi, d'apporter à son maître l'aiguière et la cuvette. Et Kamaralzamân prit l'aiguière et la cuvette et alla aux cabinets pour faire ses besoins, puis fit soigneusement ses ablutions, et revint faire sa prière du matin et mangea un morceau et lut un chapitre du Koran. Puis tranquillement, et d'un air détaché, il demanda à l'esclave : « Saouab, où as-tu emmené la jeune fille de cette nuit ? » L'esclave, interloqué, s'exclama : « Quelle jeune fille, ô mon maître Kamaralzamân ? » Il dit, en haussant la voix : « Je te dis, chenapan, de me répondre sans détours ! Où est la jeune fille qui a passé la nuit avec moi, sur mon lit ? » Il répondit : « Par Allah ! ô mon maître, je n'ai vu ni jeune fille ni jeune garçon ! Et d'ailleurs nul n'a pu entrer ici, puisque j'étais couché contre la porte ! » Kamaralzamân s'écria : « Eunuque de malheur, toi aussi maintenant tu oses me contrarier et me faire du mauvais sang ! Ah ! maudit, ils t'ont appris les ruses et le mensonge ! Encore une fois je te somme de me dire la vérité ! » Alors l'esclave leva les bras au ciel et s'écria : « Allah est le seul grand ! ô mon maître Kamaralzamân, je ne comprends rien à ce que tu me demandes ! »

Alors Kamaralzamân lui cria : « Approche-toi, maudit ! » Et l'eunuque s'étant approché, il le saisit au collet et le renversa et le piétina si furieusement que l'eunuque péta ! Alors Kamaralzamân continua à le rouer de coups de pied et de coups de poing jusqu'à le laisser à demi-mort. Et comme l'eunuque lançait des cris inarticulés, pour toute explication Kamaralzamân lui dit : « Attends un peu ! » et courut chercher la grosse corde de chanvre qui servait à monter l'eau du puits, la lui passa sous les aisselles, noua solidement, et le traîna jusqu'à l'orifice supérieur du puits où il le fit descendre, et le plongea entièrement dans l'eau.

Or, c'était l'hiver, et l'eau était fort désagréable, et l'air bien froid. Aussi l'eunuque se mit-il à éternuer éperdument en demandant grâce. Mais Kamaralzamân l'immergea à plusieurs reprises en lui criant chaque fois : « Tu ne sortiras qu'en m'avouant la vérité. Ou bien tu es un noyé ! » Alors l'eunuque pensa : « Sûrement il le fera comme il le dit ! » puis il cria : « Ô mon maître Kamaralzamân, tire-moi de là et je te dirai la vérité ! » Alors le prince le hissa et le vit qui tremblait comme un roseau au vent et, tant de froid que d'épouvante, il claquait des dents ; et il était dans un état bien dégoûtant, ruisselant d'eau et le nez saignant !

L'eunuque, qui se sentit de la sorte momentanément hors de danger, ne perdit pas un instant et dit au prince : « Permets-moi d'abord d'aller changer de vêtements et m'essuyer le nez ! » Et Kamaralzamân lui dit : « Va-t'en ! Mais ne perds pas de temps ! Et reviens vite me renseigner ! » Et l'eunuque sortit en courant et alla au palais trouver le père de Kamaralzamân.

Or, le roi Schahramân, en ce moment, conversait avec son grand vizir, disant : « Ô mon vizir, j'ai passé une bien mauvaise nuit, tant mon cœur est inquiet sur l'état de mon fils Kamaralzamân. Et j'ai bien peur qu'il ne lui soit arrivé malheur dans cette vieille tour si mal aménagée pour un jeune homme aussi délicat que mon fils ! » Mais le vizir lui répondait : « Sois donc tranquille ! Par Allah, il ne lui arrivera rien là-dedans ! Il vaut mieux qu'il en soit ainsi, pour dompter sa morgue et réduire son orgueil ! »

Et là-dessus se présenta l'eunuque dans l'état où il était, et il tomba aux pieds du roi et s'écria : « Ô notre maître le sultan ! le malheur est entré dans ta maison ! Mon maître Kamaralzamân vient de se réveiller complètement fou ! Et, pour te donner une preuve de sa folie, voici : il me fit *telle* et *telle* chose et me dit *telle* et *telle* chose ! Or, moi, par Allah ! je n'ai vu entrer chez le prince ni jeune fille ni jeune garçon ! »

À ces paroles, le roi Schahramân ne douta plus de ses pressentiments et cria à son vizir : « Malédiction ! c'est ta faute, ô vizir des chiens ! C'est toi qui m'as suggéré cette idée calamiteuse d'enfermer mon fils, la flamme de mon cœur ! Ah ! fils de chien, lève-toi et cours vite voir ce dont il s'agit, et reviens ici m'en rendre compte à l'instant ! »

Aussitôt le grand vizir sortit, accompagné de l'eunuque et se dirigea vers la tour tout en demandant des détails que l'esclave lui donna bien inquiétants. Aussi le vizir n'entra-t-il dans la chambre qu'après des précautions infinies, la tête d'abord et le corps ensuite, mais lentement. Et combien ne fut-il point surpris de voir Kamaralzamân tranquillement assis dans son lit et lisant avec attention le Koran !…

À ce moment de sa narration, Schahrazade vit apparaître le matin et se tut discrètement.

Mais lorsque fut la cent quatre-vingt-septième nuit. Elle dit :

… Kamaralzamân tranquillement assis dans son lit et lisant avec attention le Koran ! Il s'approcha et, après le salam le plus respectueux, il s'assit par terre, près de son lit, et lui dit : « Dans quelle inquiétude ne nous a-t-il pas mis, cet eunuque de poix ! Image-toi que ce fils de putain est venu, bouleversé et dans un état de chien galeux, nous effrayer en nous racontant des choses qu'il serait indécent de répéter devant toi ! Il a troublé notre quiétude d'une telle façon que tu m'en vois encore ému ! » Kamaralzamân dit : « En vérité, il n'a guère pu vous troubler autant qu'il m'a troublé tout à l'heure moi-même ! Mais, ô vizir de mon père, je serais bien aise de savoir ce qu'il a pu vous rapporter ! » Le vizir répondit : « Qu'Allah préserve ta jeunesse ! Qu'Allah consolide ton entendement ! Qu'Il éloigne de toi les actions sans mesure et garde ta langue des paroles sans sel ! Ce fils d'enculé prétend que tu es devenu subitement fou, que tu lui as parlé d'une adolescente qui aurait passé la nuit avec toi et qui t'aurait ensuite été ravie, et autres insanités semblables, et que tu as fini par le rouer de coups et par le jeter dans le puits ! Ô Kamaralzamân, mon maître, quelle impudence, n'est-ce pas, de la part de ce nègre pourri ! »

À ces paroles, Kamaralzamân sourit d'un air entendu, et dit au vizir : « Par Allah ! as-tu fini, vieux sale, cette plaisanterie, ou bien veux-tu également sentir si l'eau du puits peut servir au hammam ! Je te préviens que si tout de suite tu ne me dis pas ce que mon père et toi avez fait de mon amoureuse, la jeune fille aux beaux yeux noirs, aux joues si fraîches et rosées, tu me payeras ta ruse plus cher que l'eunuque ! » Alors le vizir, saisi de nouveau par une inquiétude sans limite, se leva à reculons et dit : « Le nom d'Allah sur toi et autour de toi ! Ya Kamaralzamân, pourquoi parles-tu de la sorte ? Si c'est un rêve que tu as fait, par suite de mauvaise digestion, de grâce ! hâte-toi de le dissiper ! Ya Kamaralzamân, vraiment ce ne sont pas là des propos raisonnables ! »

À ces paroles, le jeune homme s'écria : « Pour te prouver, ô cheikh de malédiction, que ce n'est point avec mon oreille que j'ai vu la jeune fille, mais avec cet œil-ci et cet œil-là, et que ce n'est point avec mes yeux que j'ai palpé et senti les roses de son corps, mais avec ces doigts-ci et ce nez-là, attrape ça ! » Et il lui assena un coup de tête dans le ventre qui l'allongea sur le sol, puis il lui saisit la barbe (elle était fort longue) et se l'enroula autour du poignet, et certain que de la sorte il ne lui échapperait pas, il tomba dessus à coups redoublés aussi longtemps que ses forces le lui permirent.

Le malheureux grand vizir, voyant que sa barbe s'en allait poil à poil et que son âme était également sur le point de lui dire adieu, se dit en lui-même : « Il me faut maintenant mentir ! C'est le seul moyen de me tirer des mains de ce jeune fou ! » Il lui dit donc : « Ô mon maître, je te demande bien pardon de t'avoir trompé. Mais la faute en est à ton père qui m'a en effet recommandé, sous peine de pendaison immédiate, de ne point te révéler encore le lieu où l'on a mis la jeune fille en question. Mais si tu veux bien me lâcher je vais courir prier le roi ton père de te retirer de cette tour ; et je lui ferai part de ton désir de te marier avec cette jeune fille : ce qui le réjouira à la limite de la réjouissance ! »

À ces paroles, Kamaralzamân le lâcha et lui dit : « Dans ce cas, cours vite aviser mon père, et reviens m'apporter immédiatement la réponse ! » Lorsque le vizir se sentit libre, il se précipita hors de la chambre, en prenant soin de refermer la porte à double tour, et courut, hors de lui et les habits déchirés, vers la salle du trône.

Le roi Schahramân vit son vizir dans cet état lamentable et lui dit : « Je te vois bien piteux et sans turban ! Et tu m'as l'air bien mortifié ! Quelque chose de fâcheux a dû t'arriver, ça se voit ! » Le vizir répondit : « Ce qui m'arrive est moins fâcheux que ce dont est atteint ton fils, ô roi ! » Il demanda : « Mais quoi donc alors ? » Il dit : « Il est fou absolument, la chose est claire ! »

À ces paroles, le roi vit la lumière se changer en ténèbres devant son visage et dit : « Qu'Allah m'assiste ! Dis-moi vite les caractères de la folie dont est atteint mon enfant ! » Et le vizir répondit : « J'écoute et j'obéis ! » Et il narra au roi tous les détails de la scène, y compris la manière dont il avait pu échapper aux mains de Kamaralzamân.

Alors le roi entra dans une grande colère et s'écria : « Ô le plus calamiteux d'entre les vizirs, cette nouvelle que tu m'annonces vaut ta tête ! Par Allah ! si vraiment tel est l'état de mon enfant, je te ferai crucifier sur le plus haut minaret pour t'apprendre à me donner des conseils aussi détestables que ceux qui ont été la cause première de ce malheur ! » Et il s'élança vers la tour et, suivi du vizir, pénétra dans la chambre de Kamaralzamân.

Lorsque Kamaralzamân vit entrer son père, il se leva vivement en son honneur et sauta à bas du lit et se tint respectueusement debout devant lui, les bras croisés, après lui avoir, en bon fils, baisé la main. Et le roi, heureux de voir son fils si paisible, lui jeta tendrement les bras autour du cou et l'embrassa entre les deux yeux, en pleurant de joie.

Après quoi il le fit s'asseoir à côté de lui sur le lit, puis se tourna, indigné, du côté du vizir et lui dit : « Tu vois bien que tu es le dernier des derniers d'entre les vizirs ! Comment as-tu osé venir me raconter que mon fils Kamaralzamân était *comme ça* et *comme ça*, et me jeter l'épouvante au cœur et me réduire en miettes le foie ! » Puis il ajouta : « D'ailleurs tu vas entendre de tes propres oreilles les réponses pleines de bon sens que va me faire mon fils bien-aimé ! » Il regarda alors paternellement le jeune homme et lui demanda : « Kamaralzamân, sais-tu quel jour nous sommes aujourd'hui ? » Il répondit : « Certainement ! C'est samedi ! » Le roi jeta un regard plein de colère et de triomphe à son vizir atterré et lui dit : « Tu entends bien, n'est-ce pas ? » Puis il continua : « Et demain, Kamaralzamân, quel jour serons-nous ? Le sais-tu ? » Il répondit : « Certainement !...

À ce moment de sa narration, Schahrazade vit apparaître le matin et, discrète, se tut.

Mais lorsque fut la cent quatre-vingt-huitième nuit. Elle dit :

... Certainement ! ce sera dimanche, et ensuite lundi, puis mardi, mercredi, jeudi et enfin vendredi, le jour saint ! » Et le roi, au comble du bonheur, s'écria : « Ô mon enfant, ô Kamaralzamân, loin de toi tout mauvais augure ! Mais dis-moi encore comment s'appelle en arabe le mois où nous sommes. » Il répondit : « Il s'appelle en arabe le mois de Zoul-Kîidat. Après lui vient le mois de Zoul-Hidjat, puis viendra Môharram suivi de Safar, de Rabialaoûal, de Rabialthani, de Gamadialouala, de Gamadialthania, de Ragab, de Schâabân, de Ramadân et enfin de Schaoûal ! »

Alors le roi fut à l'extrême limite de la joie et, tranquillisé de la sorte sur l'état de son fils, se tourna vers le vizir et lui cracha à la figure et lui dit : « Il n'y a d'autre fou que toi, vieux de malheur ! » Et le vizir hocha la tête et voulut répondre ; mais il s'arrêta et se dit : « Attendons un peu la fin ! »

Or, le roi dit ensuite à son fils : « Mon enfant, imagine-toi que ce cheikh-là et cet eunuque de poix sont venus me rapporter *telles et telles* paroles que tu leur aurais dites au sujet d'une prétendue jeune fille qui aurait passé la nuit avec toi ! Dis-leur donc à la figure qu'ils ont menti ! »

À ces paroles, Kamaralzamân eut un sourire amer et dit au roi : « Ô mon père, sache qu'en vérité je n'ai plus ni la patience nécessaire ni l'envie pour endurer plus longtemps cette plaisanterie qui a, ce me semble, assez duré comme ça ! De grâce, épargne-moi cette mortification et n'ajoute pas un mot de plus à ce sujet : car je sens que mes humeurs sont fort desséchées de tout ce que tu m'as déjà fait endurer ! Pourtant, ô mon père, sache aussi que maintenant je suis bien résolu à ne plus te désobéir, et je consens à me marier avec cette belle adolescente que tu as bien voulu m'envoyer cette nuit me tenir compagnie au lit. Je l'ai trouvée parfaitement désirable, et sa seule vue m'a mis tout le sang en mouvement ! »

À ces paroles de son fils, le roi s'écria : « Le nom d'Allah sur toi et autour de toi, ô mon enfant ! Qu'il te préserve des maléfices et de la folie ! Ah ! mon fils, quel cauchemar as-tu donc fait pour tenir un pareil langage ! Et qu'as-tu donc mangé de si lourd hier au soir pour que ta digestion ait eu une si néfaste influence sur ton cerveau ! De grâce, mon enfant, tranquillise-toi ! Jamais plus de ma vie je ne te contrarierai ! Et maudits soient le mariage et l'heure du mariage et ceux qui parleront encore de mariage ! »

Alors Kamaralzamân dit à son père : « Tes paroles sont sur ma tête, ô mon père ! Mais jure-moi d'abord, par le grand serment, que tu n'as aucune connaissance de mon aventure de cette nuit avec la belle fille qui a, comme je vais te le prouver, laissé sur moi plus d'une trace d'une action partagée ! » Et le roi Schahramân s'écria : « Je te le jure par la vérité du saint nom d'Allah, dieu de Moussa et d'Ibrahim, qui a envoyé Mohammad parmi les créatures comme gage de leur paix et de leur salut. Amin ! » Et Kamaralzamân répéta : « Amin ! » Mais il dit à son père : « Maintenant que dirais-tu si je te donnais les preuves du passage entre mes bras de la jeune fille ? » Le roi dit : « J'écoute ! » Et Kamaralzamân continua :

« Si quelqu'un, ô mon père, te disait : « La nuit dernière je me réveillai en sursaut et vis devant moi quelqu'un prêt à lutter avec moi jusqu'au sang. Alors moi, bien que je ne voulusse pas le perforer, je fis, à mon insu, un mouvement qui poussa mon glaive au milieu de son ventre nu. Et le matin je me réveillai et vis que mon glaive était en effet teinté de sang et d'écume ! » – Que dirais-tu, ô mon père, à celui qui, t'ayant tenu ce langage, te montrerait son glaive ensanglanté ? » Le roi dit : « Je lui dirais que le sang seul, sans le corps du partenaire, ne donne qu'une moitié de preuve ! »

Alors Kamaralzamân dit : « Ô mon père, moi aussi, ce matin, en me réveillant, je me vis tout le bas-ventre couvert de sang : la cuvette qui est encore aux cabinets t'en donnera la preuve. Mais, preuve plus convaincante encore, voici la bague de l'adolescente ! Quant à la mienne, elle a disparu, comme tu le vois ! »

À ces paroles, le roi courut aux cabinets et vit qu'en effet la cuvette en question contenait…

À ce moment de sa narration, Schahrazade vit apparaître le matin et discrète, se tut.

Mais lorsque fut la cent quatre-vingt-onzième nuit. Elle dit :

… Le roi courut aux cabinets et vit qu'en effet la cuvette en question contenait une quantité énorme de sang, et il pensa en lui-même : « C'est là un indice, de la part de la partenaire, d'une santé merveilleuse et d'un écoulement loyal et franc ! » Puis il revint en toute hâte près de Kamaralzamân en s'écriant : « Voyons la bague maintenant ! » Et il la prit, la tourna et la retourna, puis la rendit à Kamaralzamân, en disant : « C'est là une preuve qui me trouble absolument ! » Et il resta sans dire un mot de plus durant une heure de temps. Puis tout d'un coup il s'élança sur le vizir et lui cria : « C'est toi, vieil entremetteur, qui as arrangé toute cette intrigue-là ! » Mais le vizir tomba aux pieds du roi et jura sur le Livre Saint et sur la Foi qu'il n'était pour rien dans cette affaire-là. Et l'eunuque fit le même serment.

Alors le roi, se refusant davantage à comprendre, dit à son fils : « Allah seul débrouillera ce mystère ! » Mais Kamaralzamân, fort ému, répondit : « Ô mon père, je te supplie de faire des recherches et des enquêtes pour me rendre la délicieuse jeune fille dont le souvenir me met l'âme en émoi. Je t'adjure d'avoir compassion de moi et de me la retrouver, ou je mourrai ! » Le roi se mit à pleurer et dit à son fils : « Ya Kamaralzamân, Allah est le seul grand, et lui seul connaît l'inconnu ! Quant à nous, nous n'avons plus qu'à nous affliger ensemble, toi de cet amour sans espérance et moi de ton affliction même et de mon impuissance à y porter remède ! »

Puis le roi, bien désolé, prit son fils par la main et l'emmena de la tour au palais où il s'enferma avec lui. Et il refusa de s'occuper des affaires de son royaume pour rester à pleurer avec Kamaralzamân qui s'était mis au lit, à la limite du désespoir d'aimer ainsi de toute son âme une jeune fille inconnue qui, après des preuves si marquées d'amour, avait si étrangement disparu.

Puis le roi, pour être encore plus à l'abri des gens et des choses du palais, et pour n'avoir plus à s'occuper que des soins à donner à son fils qu'il aimait tant, fit bâtir au milieu de la mer un palais qui n'était relié à la terre que par une jetée large de vingt coudées, et le fit meubler à son usage et à celui de son enfant. Et tous deux l'habitèrent seuls, loin du bruit et des tracas, pour ne songer qu'à leur malheur. Et pour se consoler un tant soit peu, Kamaralzamân ne trouvait rien de mieux que la lecture des beaux livres sur l'amour, et la récitation des vers des poètes inspirés, dont ceux-ci entre mille :

« Ô guerrière habile au combat des roses, le sang délicat des trophées, qui frangent ton front triomphal, teinte de pourpre ta profonde chevelure ; et le parterre natal de toutes ses fleurs s'incline pour baiser tes pieds enfantins !

Si doux, ô princesse, ton corps surnaturel, que l'air charmé s'aromatise à le toucher ; et si la brise curieuse sous ta tunique pénétrait elle s'y éterniserait.

Si belle, ta taille, ô houri, que le collier sur ta gorge nue se plaint de n'être point ta ceinture ! Mais tes jambes subtiles, où les chevilles sont enserrées par les grelots, font craquer d'envie les bracelets sur tes poignets ! »

Et voilà pour ce qui est de Kamaralzamân et de son père, le roi Schahramân !

Quant à la princesse Boudour, voici ! Lorsque les deux éfrits l'eurent déposée dans son lit, au palais de son père le roi Ghaïour, la nuit était presque écoulée. Aussi, trois heures après, apparut l'aurore et Boudour se réveilla. Elle souriait encore à son bien-aimé et s'étirait de plaisir dans ce moment délicieux du demi-réveil aux côtés de l'amoureux qu'elle croyait près d'elle. Et comme elle tendait les bras vaguement, avant d'ouvrir les yeux, pour lui en entourer le cou, elle n'attrapa que l'air vide. Alors elle se réveilla tout à fait et ne vit plus le bel adolescent qu'elle avait aimé dans la nuit. Aussi son cœur trembla, et sa raison faillit s'envoler et elle poussa un grand cri, qui fit accourir les dix femmes préposées à sa garde et, parmi elles, sa nourrice. Elles entourèrent le lit, bien anxieuses, et la nourrice lui demanda d'un ton effrayé : « Qu'y a-t-il donc, ô ma maîtresse ? »

À ce moment de sa narration, Schahrazade vit apparaître le matin et, discrète, se tut.

Mais lorsque fut la cent quatre-vingt-treizième nuit. Elle dit :

... D'un ton effrayé : « Qu'y a-t-il donc, ô ma maîtresse ? » Boudour s'écria : « Tu me le demandes, comme si tu ne le savais pas, ô pleine d'astuce ! Dis-moi vite ce qu'est devenu le jeune homme adorable qui a couché cette nuit dans mes bras, et que j'aime de toutes mes forces ! » La nourrice, scandalisée à l'extrême limite, tendit le cou pour mieux comprendre et dit : « Ô princesse, qu'Allah te préserve de toutes choses inconvenantes ! Ce ne sont pas là des paroles dont tu sois coutumière ! De grâce explique-toi davantage, et si c'est un jeu que tu fais pour plaisanter, hâte-toi de nous le dire ! » Boudour se dressa à moitié sur le lit et, menaçante, lui cria : « Nourrice de malheur, je t'ordonne de me dire tout de suite où est le bel adolescent, à qui librement cette nuit j'ai livré mon corps, mon cœur et ma virginité ! »

À ces paroles, la nourrice vit le monde entier se rétrécir devant ses yeux ; elle se donna de grands coups sur la figure et se jeta à terre ainsi que les dix autres vieilles ; et toutes se mirent notoirement à crier : « Quelle matinée noire ! ô la chose énorme ! ô notre perte ! ô goudron ! »

Mais la nourrice tout de même, en se lamentant, demanda : « Ya Sett Boudour, par Allah ! reviens à la raison, et cesse ce discours si peu digne de ta noblesse ! » Mais Boudour lui cria : « Veux-tu te taire, maudite vieille, et me dire enfin ce que vous toutes avez fait de mon amoureux aux yeux noirs, aux sourcils arqués et relevés vers le coin, celui qui a passé toute la nuit avec moi jusqu'au matin et qui a sous le nombril une chose que je n'ai pas ? »

Lorsque la nourrice et les dix autres femmes eurent entendu ces paroles, elles levèrent les bras au ciel et s'écrièrent : « Ô confusion ! ô notre maîtresse, préservée sois-tu de la folie et des embûches malignes et du mauvais œil ! Tu dépasses vraiment les limites de la plaisanterie, ce matin ! » Et la nourrice, en se frappant la poitrine, dit : « Ô ma maîtresse Boudour, quel discours ! Par Allah sur toi ! si ces propos plaisants parvenaient aux oreilles du roi, il ferait sortir nos âmes à l'heure même ! Et aucune puissance ne saurait nous sauvegarder de son courroux ! » Mais Sett Boudour, les lèvres frémissantes, s'écria : « Encore une fois, je te demande si, oui ou non, tu veux me dire où se trouve maintenant le beau garçon dont je porte encore les traces sur le corps ? » Et Boudour voulut faire le geste d'entrouvrir sa chemise.

À cette vue, toutes les femmes se jetèrent le visage contre terre et s'écrièrent : « Quel dommage pour sa jeunesse qu'elle soit devenue folle ! » Or, ces paroles mirent la princesse Boudour dans une colère telle qu'elle décrocha du mur une épée et se précipita sur les femmes pour les transpercer. Alors, affolées, elles se précipitèrent dehors en se bousculant et en hurlant, et arrivèrent, pêle-mêle et le visage défait, dans l'appartement du roi. Et la nourrice, les larmes aux yeux, mit le roi au courant de ce que venait de dire Sett Boudour, et ajouta : « Elle nous eût toutes tuées ou assommées si nous n'avions pris la fuite ! » Et le roi s'écria : « La chose est assez énorme ! Mais as-tu vu toi-même si vraiment elle a perdu ce qu'elle a perdu ? » La nourrice se cacha le visage entre les doigts et dit en pleurant : « J'ai vu ! Il y avait beaucoup de sang ! » Alors le roi dit : « C'est tout à fait énorme ! » Et, bien qu'en ce moment il fût pieds nus et eût la tête couverte du turban de nuit seulement, il s'élança dans la chambre de Boudour.

Le roi regarda sa fille d'un regard très sévère et lui demanda : « Boudour, est-ce vrai que tu aies, selon le dire de ces vieilles folles, couché cette nuit avec quelqu'un et que tu portes encore sur toi les traces de son passage : ce qui t'aurait fait perdre ce que tu as perdu ? » Elle répondit : « Mais certainement, ô mon père, puisque c'est toi seul qui l'as voulu, et que d'ailleurs le jeune homme était parfaitement choisi et si beau que je brûle de savoir pourquoi tu me l'as ensuite enlevé ! Voici d'ailleurs sa bague qu'il m'a donnée après qu'il m'eut pris la mienne ! »

Alors le roi, père de Boudour, qui avait déjà cru sa fille à moitié folle, se dit : « Elle a maintenant atteint la limite de la folie ! » et il lui dit : « Boudour, veux-tu enfin me dire ce que signifie cette conduite étrange et si peu digne de ton rang ? » Alors Boudour ne put plus se contenir et se déchira la chemise de bas en haut et se mit à sangloter en se donnant des coups sur le visage.

À cette vue le roi ordonna aux eunuques et aux vieilles de lui saisir les mains pour l'empêcher de se faire du mal, et, en cas de récidive, de l'enchaîner même et de lui passer au cou un collier de fer et de l'attacher à la fenêtre de sa chambre.

Puis le roi Ghaïour, au désespoir, se retira chez lui en pensant aux moyens à employer pour obtenir la guérison de cette folie dont il pensait sa fille atteinte. Car il continuait, malgré tout, à l'aimer aussi vivement que par le passé, et il ne pouvait se faire à l'idée qu'elle était folle pour toujours.

Il assembla donc dans son palais tous les savants de son royaume, les médecins, les astrologues, les magiciens, les hommes versés dans les livres anciens, et les droguistes, et leur dit à tous : « Ma fille El-Sett Boudour est dans *tel* et *tel* état. Celui d'entre vous qui la guérira l'obtiendra de moi comme épouse et sera l'héritier de mon trône après ma mort ! Mais celui qui sera entré chez ma fille et n'aura pas réussi à la guérir aura la tête coupée ! » Puis il fit crier la chose par toute la ville et envoya des courriers dans tous ses États pour la publier également.

Or, beaucoup de médecins, de savants, d'astrologues, de magiciens et de droguistes se présentèrent ; mais on voyait une heure après leur tête coupée apparaître suspendue au-dessus de la porte du palais. Et il y eut ainsi, en peu de temps, quarante têtes de médecins et autres marchands de drogues, symétriquement rangées, le long de la façade du palais. Alors les autres se dirent : « C'est là un mauvais signe ! Et la maladie doit être incurable ! » Et personne n'osa plus se présenter, pour ne point s'exposer à se faire couper le cou. Et voilà pour les médecins et le châtiment à leur appliquer en de semblables cas !

Mais pour ce qui est de Boudour, elle avait un frère de lait, fils de la nourrice, et dont le nom était Marzaouân. Or, Marzaouân, bien que musulman orthodoxe et bon croyant, avait étudié la magie et la sorcellerie, les livres des Hindous et des Égyptiens, les caractères talismaniques et la science des étoiles ; après quoi, n'ayant plus rien à apprendre dans les livres, il s'était mis à voyager et avait ainsi parcouru les contrées les plus reculées et consulté les hommes les plus versés dans les sciences secrètes ; et il avait de la sorte rendu siennes toutes les connaissances humaines. Et alors il s'était mis en route pour rentrer dans son pays, où il était arrivé en bonne santé.

Or, la première chose que vit Marzaouân, en entrant dans la ville, fut les quarante têtes coupées de médecins, suspendues au-dessus de la porte du palais ; et, sur sa demande, les passants lui apprirent toute l'histoire et l'ignorance notoire des médecins justement exécutés…

À ce moment de sa narration, Schahrazade vit apparaître le matin et se tut discrètement.

Mais lorsque fut la cent quatre-vingt-quatorzième nuit. Elle dit :

… L'ignorance notoire des médecins justement exécutés.

Alors Marzaouân entra chez sa mère et, après les effusions du retour, lui demanda des détails sur la question ; et sa mère lui confirma ce qu'il avait appris : ce qui attrista beaucoup Marzaouân, vu qu'il avait été élevé avec Boudour et qu'il l'aimait d'un amour plus fort que n'en ressentent d'ordinaire les frères pour leurs sœurs. Il réfléchit donc pendant une heure de temps ; après quoi il releva la tête et demanda à sa mère : « Pourrais-tu me faire entrer en secret chez elle, pour que j'essaye si je puis connaître l'origine de son mal et voir s'il y a remède ou non ! » Et sa mère lui dit : « C'est difficile, ô Marzaouân. En tout cas, puisque tu le souhaites, hâte-toi de t'habiller en femme et de me suivre. » Et Marzaouân se prépara sur-le-champ et, déguisé en femme, suivit sa mère au palais.

Quand ils furent arrivés à la porte de l'appartement, l'eunuque préposé à la garde voulut défendre l'entrée à celle des deux qu'il ne connaissait pas ; mais la vieille lui glissa un bon cadeau dans la main et lui dit : « Ô chef du palais, la princesse Boudour qui est si malade m'a exprimé le désir de revoir ma fille que voici et qui est sa sœur de lait ! Laisse-nous donc passer, ô père de la politesse ! »

Et l'eunuque, aussi flatté de ces paroles que satisfait du cadeau, répondit : « Entrez vite, mais ne vous attardez pas ! » Et ils entrèrent tous deux.

Lorsque Marzaouân arriva en présence de la princesse, il releva le voile qui lui cachait le visage, s'assit par terre et sortit de dessous son vêtement un astrolabe, des grimoires et une chandelle, et se disposait à tirer d'abord l'horoscope de Boudour avant de l'interroger, quand soudain la jeune fille se jeta à son cou et l'embrassa tendrement, car elle l'avait sans peine reconnu. Puis elle lui dit : « Comment, mon frère Marzaouân, toi aussi, tu crois à ma folie, comme tous ceux-là ! Ah ! désabuse-toi, Marzaouân ! Ne sais-tu donc ce que dit le poète ? Écoute ces paroles et réfléchis ensuite sur leur portée :

« Ils ont dit : « Elle est folle ! Ô sa jeunesse perdue ! » Je leur dis : « Heureux les fous ! Ils jouissent autrement de la vie, et diffèrent en cela de la foule chétive qui se rit de leurs actions ! » Je leur dis aussi : « Ma folie n'a qu'un remède et c'est l'approche de mon ami ! »

Lorsque Marzaouân eut entendu ces vers il comprit aussitôt que Sett Boudour était amoureuse, simplement, et que c'était là son seul mal. Il lui dit : « L'homme subtil n'a besoin que d'un signe pour comprendre. Hâte-toi de me raconter ton histoire, et, si Allah veut, je serai pour toi une cause de consolation et l'intermédiaire du salut ! »

Alors Boudour lui raconta par le menu toute l'aventure, qui ne gagnerait rien à être répétée. Et elle fondit en larmes, en disant : « Voilà mon triste sort, ô Marzaouân ; et je ne vis plus qu'en pleurant la nuit comme le jour, et c'est à peine si les vers d'amour que je me récite arrivent à mettre un peu de fraîcheur sur la brûlure de mon foie ! »

À ces paroles, Marzaouân baissa la tête pour réfléchir et s'enfonça pendant une heure de temps dans ses pensées. Après quoi il releva la tête et dit à la désolée Boudour : « Par Allah ! je vois clairement que ton histoire est en tous points exacte ; mais, en vérité, la chose m'est fort difficile à comprendre. Mais j'ai espoir de guérir ton cœur en te donnant la satisfaction que tu désires. Seulement par Allah ! fais en sorte que la patience soit ton soutien jusqu'à mon retour. Et sois bien sûre que le jour où de nouveau je serai près de toi sera celui où je t'aurai amené ton bien-aimé par la main ! » Et, sur ces paroles, Marzaouân se retira brusquement de chez la princesse, sa sœur de lait, et, le jour même, il quitta la ville du roi Ghaïour.

Une fois hors des murs, Marzaouân se mit à voyager pendant un mois entier de ville en ville et d'île en île, et partout il n'entendait les gens parler, pour tout sujet de conversation, que de l'histoire étrange de Sett Boudour. Mais au bout de ce mois de voyage, Marzaouân arriva dans une grande ville, située sur le bord de la mer et dont le nom était Tarab, et il cessa d'entendre les gens parler de Sett Boudour ; mais, en revanche, il n'était question que de l'histoire surprenante d'un prince, fils du roi de ces contrées, et que l'on nommait Kamaralzamân. Et Marzaouân se fit raconter les détails de cette histoire, et les trouva si semblables en tous points à ceux qu'il connaissait au sujet de Sett Boudour qu'il s'informa aussitôt de l'endroit où se trouvait exactement ce fils du roi. On lui dit que cet endroit était situé fort loin et que deux chemins y conduisaient, l'un par terre et l'autre par mer ; par le chemin de terre on mettait six mois pour arriver à ce pays de Khaledân où se trouvait Kamaralzamân ; et par le chemin de mer on ne mettait qu'un mois seulement. Alors Marzaouân, sans hésiter, prit le chemin de mer sur un navire qui partait justement pour ces îles du royaume de Khaledân.

Le navire sur lequel Marzaouân s'était embarqué eut un vent favorable durant toute la traversée ; mais le jour même où il arrivait en vue de la ville, capitale du royaume, une tempête formidable souleva les lames de la mer et projeta en l'air le navire qui tourna sur lui-même et sombra irrémédiablement sur un rocher à pic. Mais Marzaouân, entre autres qualités, savait parfaitement nager ; aussi, de tous les passagers, fut-il le seul à pouvoir se sauver en s'accrochant au grand mât qui était tombé à la mer. Et la force du courant l'entraîna justement du côté de la langue de terre où était bâti le palais qu'habitait Kamaralzamân avec son père.

Or, le destin voulut qu'à ce moment le grand vizir, qui était venu rendre compte au roi de l'état du royaume, regardât par la fenêtre qui donnait sur la mer ; et, voyant ce jeune homme aborder ainsi, il ordonna aux esclaves d'aller à son secours et de le lui ramener, après lui avoir toutefois donné des habits de rechange et fait boire un verre de sorbet pour lui calmer les esprits.

Aussi, peu d'instants après, Marzaouân entra dans la salle où se trouvait le vizir. Et comme il était bien fait et gentil d'aspect, il plut tout de suite au grand vizir, qui se mit à l'interroger et fut bientôt édifié de l'étendue de ses connaissances et de sa sagesse. Aussi il se dit en lui-même : « Sûrement il doit être versé dans la médecine ! » et il lui demanda : « Allah t'a conduit ici pour guérir un malade qui est très aimé de son père…

À ce moment de sa narration, Schahrazade vit apparaître le matin et, discrète, se tut.

Mais lorsque fut la cent quatre-vingt-seizième nuit. Elle dit :

… Un malade qui est très aimé de son père et qui est pour nous tous un sujet d'affliction continuelle ! » Et Marzaouân lui demanda : « De quel malade parles-tu ? » Il répondit : « Du prince Kamaralzamân, fils de notre roi Schahramân, qui habite ici même. »

À ces paroles, Marzaouân se dit : « Le destin me favorise au-delà de mes souhaits ! » Puis il demanda au vizir : « Et quelle est la maladie dont souffre le fils du roi ? » Le vizir dit : « Pour ma part je suis persuadé que c'est tout bonnement la folie. Mais son père prétend que c'est le mauvais œil ou quelque chose d'approchant, et n'est pas loin de croire à l'étrange histoire que lui a racontée son fils ! » Et le vizir raconta à Marzaouân l'aventure entière dès son origine.

Lorsque Marzaouân eut entendu ce récit, il fut à la limite de la joie, car il ne doutait plus que le prince Kamaralzamân ne fût le jeune homme même qui avait passé la fameuse nuit avec Sett Boudour, et qui avait laissé à son amoureuse un souvenir si vivace. Mais il se garda bien de s'en expliquer au grand vizir, et lui dit seulement : « Je suis sûr qu'en voyant le jeune homme je jugerai mieux du traitement à lui appliquer et grâce auquel je le guérirai, si Allah veut ! » Et le vizir, sans tarder, l'introduisit auprès de Kamaralzamân.

Or, la première chose qui frappa Marzaouân, en regardant le prince, fut sa ressemblance extraordinaire avec Sett Boudour. Et il en fut tellement stupéfait qu'il ne put s'empêcher de s'exclamer : « Ya Allah ! Béni soit Celui qui crée des beautés si semblables, en leur donnant les mêmes attributs et les mêmes perfections ! »

En entendant ces paroles, Kamaralzamân qui était étendu dans son lit, bien languissant et les yeux à demi fermés, ouvrit complètement les yeux et tendit l'oreille. Mais déjà Marzaouân, mettant à profit cette attention de l'adolescent, improvisait ces vers pour lui faire comprendre, d'une manière enveloppée, ce que le roi Schahramân et le grand vizir ne devaient pas comprendre :

« Je vais essayer de chanter les mérites d'une beauté, cause de mes souffrances, pour faire revivre le souvenir de ses charmes anciens. »

On me dit : « Ô toi qu'a blessé la flèche de l'amour, lève-toi ! Voici la coupe pleine et la guitare pour te réjouir ! » Je leur dis : « Comment pourrais-je me réjouir, puisque j'aime ! Y a-t-il plus grande joie que celle de l'amour et que la souffrance d'amour ?

Tant j'aime mon amie que je jalouse même la chemise qui touche ses flancs, quand la chemise serre de trop près ses beaux flancs bénis et si doux !

Tant j'aime mon amie que je jalouse la coupe qui touche ses lèvres gentilles, quand la coupe s'attarde trop sur ses lèvres taillées pour le baiser.

Ne me blâmez pas de l'aimer si passionnément ; déjà je souffre assez de mon amour pour lui-même.

Ah ! si vous saviez ses mérites ! Elle est aussi séduisante que Joseph chez Pharaon, aussi mélodieuse que David devant Saül, aussi modeste que Marie, mère de Christ.

Et moi je suis aussi triste que Jacob loin de son fils, aussi malheureux que Jonas dans la baleine, aussi éprouvé que Job sur la paille, aussi déchu qu'Adam poursuivi par l'Ange !

Ah ! rien ne me guérira, que l'approche de l'amie ! »

Lorsque Kamaralzamân eut entendu ces vers, il sentit une grande fraîcheur entrer en lui, et lui apaiser l'âme, et il fit signe à son père de faire asseoir le jeune homme près de lui et de le laisser seul avec lui. Et le roi, ravi de constater que son fils s'intéressait à quelque chose, se hâta d'inviter Marzaouân à prendre place près de Kamaralzamân et sortit de la salle après avoir cligné de l'œil au vizir pour lui dire de le suivre.

Alors Marzaouân se pencha vers l'oreille du prince et lui dit : « Allah m'a conduit jusqu'ici pour servir d'intermédiaire entre toi et celle que tu aimes. Et pour t'en donner la preuve, voici ! » Et il donna de tels détails à Kamaralzamân sur la nuit passée avec la jeune fille que le doute ne pouvait guère se produire. Et il ajouta : « Et cette jeune fille se nomme Boudour, et c'est la fille du roi Ghaïour, maître d'El-Bouhour et d'El-Koussour. Et c'est ma sœur par l'allaitement ! »

À ces paroles, Kamaralzamân fut tellement soulagé de sa langueur qu'il sentit les forces lui revivifier l'âme ; et il se leva du lit et prit le bras de Marzaouân et lui dit : « Je vais partir tout de suite avec toi pour le pays du roi Ghaïour ! »

Mais Marzaouân lui dit : « Il est un peu loin, et il te faut d'abord regagner tes forces complètement ! Puis nous irons ensemble là-bas, et toi seul guériras Sett Boudour !...

À ce moment de sa narration, Schahrazade vit apparaître le matin et, discrète, se tut.

Mais lorsque fut la cent quatre-vingt-dix-neuvième nuit. Elle dit :

... Et toi seul guériras Sett Boudour ! »

Sur ces entrefaites, le roi, poussé par la curiosité, rentra dans la salle et vit la figure rayonnante de son fils. Alors, de joie, sa respiration s'arrêta dans son gosier ; et cette joie arriva au délire quand il entendit son fils lui dire : « Je vais tout de suite m'habiller pour aller au hammam ! »

Alors le roi se jeta au cou de Marzaouân et l'embrassa, sans même songer à lui demander la recette du remède dont il s'était servi pour obtenir en si peu de temps un si grand résultat. Et aussitôt, après avoir comblé Marzaouân de cadeaux et d'honneurs, il ordonna d'illuminer toute la ville en signe de joie, distribua une prodigieuse quantité de robes d'honneur et de largesses à ses dignitaires et à tous les gens du palais et fit ouvrir les cachots et élargir tous les prisonniers. Et de la sorte toute la ville et tout le royaune furent dans la joie et le bonheur.

Lorsque Marzaouân jugea que la santé du prince était complètement rétablie, il le prit en particulier et lui dit : « C'est le moment de partir, puisque tu ne peux plus attendre. Fais donc tes préparatifs et allons-nous-en ! » Il répondit : « Mais mon père ne me laissera pas partir ; car il m'aime tant que jamais il ne se résoudra à se séparer de moi ! Ya Allah ! Quelle sera alors ma désolation ! Sûrement je retomberai plus malade qu'avant ! » Mais Marzaouân répondit : « J'ai déjà prévu la difficulté ; et je ferai en sorte que rien ne nous retarde. Pour cela voici ce que j'ai imaginé : un mensonge bienfaisant. Tu diras au roi que tu as envie de respirer le bon air dans une partie de chasse de quelques jours en ma compagnie, que ta poitrine est bien rétrécie depuis le temps que tu gardes la chambre. Et sûrement le roi ne te refusera pas la permission ! »

À ces paroles, Kamaralzamân se réjouit à l'extrême et alla sur-le-champ demander la permission à son père qui, en effet, pour ne point l'affliger, n'osa pas la lui refuser. Mais il lui dit : « Pour une nuit seulement ! Car ton absence, plus prolongée, me causerait un chagrin dont je mourrais ! » Puis le roi fit préparer pour son fils et Marzaouân deux magnifiques chevaux et six autres de relais, plus un dromadaire chargé des équipements et un chameau chargé des vivres et des outres d'eau.

Après quoi, le roi embrassa son fils Kamaralzamân et Marzaouân, et les recommanda l'un à l'autre, en pleurant ; et, après les adieux les plus touchants, les laissa s'éloigner de la ville avec tout leur campement.

Une fois hors des murs, les deux compagnons, pour donner le change aux palefreniers et aux conducteurs, firent semblant de chasser tout le jour ; et quand vint la nuit, ils firent dresser leurs tentes et mangèrent et burent et dormirent jusqu'à minuit. Alors Marzaouân réveilla doucement Kamaralzamân et lui dit : « Il faut profiter du sommeil de nos gens pour nous en aller ! » Ils montèrent donc chacun sur un des chevaux frais de relais et se mirent en route sans attirer l'attention.

Ils marchèrent de la sorte à une très bonne allure jusqu'à la pointe du jour. À ce moment Marzaouân arrêta son cheval et dit au prince : « Arrête-toi également et descends ! » Et lorsqu'il fut descendu, il lui dit : « Enlève vite ta chemise et ton caleçon ! » Et Kamaralzamân se dévêtit, sans réplique, de sa chemise et de son caleçon. Et Marzaouân lui dit : « Maintenant donne-les-moi et attends-moi un peu ! » Et il prit la chemise et le caleçon et s'éloigna jusqu'à un endroit où le chemin se divisait en quatre. Alors il prit un cheval qu'il avait eu la précaution de traîner derrière lui, et le mena au milieu d'une forêt qui s'étendait jusque-là et l'égorgea et teignit de son sang la chemise et le caleçon. Après quoi il revint à l'endroit où la route se partageait et jeta ces habits dans la poussière du chemin. Puis il revint vers Kamaralzamân qui l'attendait sans bouger et qui lui demanda : « Je voudrais bien savoir tes projets. » Il répondit : « Mangeons d'abord un morceau. » Ils mangèrent et burent, et Marzaouân dit alors au prince : « Voici ! Lorsque le roi verra s'écouler deux jours sans que tu sois de retour, et lorsque les conducteurs lui auront dit que nous sommes partis au milieu de la nuit, il enverra tout de suite à notre recherche des gens qui ne manqueront pas de voir, là où la route se divise en quatre, ta chemise et ton caleçon ensanglantés, et dans lesquels j'ai d'ailleurs pris la précaution de mettre quelques morceaux de viande de cheval et deux os cassés. Et de la sorte nul ne doutera qu'une bête sauvage t'ait dévoré et que moi j'aie pris la fuite de terreur. » Puis il ajouta : « Sans doute cette nouvelle effroyable sera un coup assommant pour ton père, mais aussi combien vive sera sa joie plus tard quand il apprendra que tu es vivant et marié à Sett Boudour ! » À ces paroles, Kamaralzamân ne trouva rien à répliquer et dit : « Ô Marzaouân, ton idée est excellente et ton stratagème ingénieux ! Mais comment ferons-nous pour les dépenses ? » Il répondit : « Qu'à cela ne tienne ! J'ai pris avec moi les plus belles pierreries, dont la moins précieuse vaut plus de deux cent mille dinars. »

Alors ils continuèrent à voyager de la sorte pendant un long espace de temps, jusqu'à ce qu'enfin leur apparût la ville du roi Ghaïour. Ils mirent alors leurs chevaux au grand galop et franchirent les murs et entrèrent par la grande porte des caravanes.

Kamaralzamân voulut aller tout de suite au palais ; mais Marzaouân lui dit de patienter encore et le mena au khân où descendaient les riches étrangers, et y resta avec lui trois jours pleins, pour que l'on fût bien reposé des fatigues du chemin. Et Marzaouân profita de ce temps pour faire confectionner à l'usage du prince un attirail complet d'astrologue, le tout en or et en matières précieuses ; il le conduisit ensuite au hammam et le vêtit, après le bain, de l'habit d'astrologue. Alors seulement, après lui avoir donné les instructions nécessaires, il le mena jusque sous le palais du roi et le quitta pour aller aviser la nourrice sa mère de son arrivée, afin qu'elle avertît la princesse Boudour.

Quant à Kamaralzamân, il s'avança jusque sous le portail du palais…

À ce moment de sa narration, Schahrazade vit apparaître le matin et, discrète, se tut.

Mais lorsque fut la deux centième nuit. Elle dit :

… Il s'avança jusque sous le portail du palais et, devant la foule massée sur la place et devant les gardes et les portiers, à haute voix il clama :

« Je suis l'astrologue notoire, le magicien digne de mémoire !

Je suis la corde qui relève les rideaux les plus noirs et la clef qui ouvre les armoires et les tiroirs !

Je suis la plume qui trace les caractères sur les amulettes et les grimoires !

Je suis la main qui étend le sable divinatoire et tire la guérison du fond de l'écritoire !

Je suis celui qui donne leurs vertus aux talismans, et qui obtient par la parole toutes les victoires !

Je fais dévier les maladies vers les émonctoires ; je ne me sers ni d'inflammatoires, ni de vomitoires, ni de sternutatoires, ni d'infusoires, ni de vésicatoires !

Je n'use que d'oraisons jaculatoires, de mots évocatoires, de formules propitiatoires, et j'obtiens ainsi des cures péremptoires et méritoires !

Je suis le magicien notoire, digne de mémoire : accourez tous me voir ! Je ne demande ni pourboire ni obole rémunératoire ; car je fais tout pour la gloire ! »

Lorsque les habitants de la ville, les gardes et les portiers eurent entendu ce boniment, ils furent stupéfaits ; car depuis l'exécution sommaire des quarante médecins ils croyaient cette race-là éteinte, d'autant qu'ils n'avaient jamais plus revu de médecin ou de magicien.

Aussi ils entourèrent tous le jeune astrologue ; et, à la vue de sa beauté et de son teint si frais et de ses autres perfections, ils furent charmés et en même temps bien désolés ; car ils eurent peur qu'il ne subît le même traitement que ses prédécesseurs. Ceux qui étaient les plus proches du char recouvert de velours sur lequel il se tenait debout le supplièrent de s'éloigner du palais et lui dirent : « Seigneur magicien, par Allah ! ne sais-tu donc pas le sort qui t'attend si tu t'attardes par ici ? Le roi va te faire appeler pour que tu essayes ta science sur sa fille. Malheur à toi ! tu subiras le sort de tous ceux-là dont la tête coupée est suspendue juste au-dessus de toi ! »

Mais à toutes leurs objurgations Kamaralzamân ne répondait qu'en criant plus haut : « Je suis le magicien notoire, digne de mémoire ! Je n'emploie ni clysoirs, ni suspensoirs, ni fumigatoires ! Ô vous tous ! venez me voir ! »

Alors tous les assistants, bien que convaincus de son savoir, ne tremblèrent pas moins de le voir échouer devant cette maladie sans espoir. Ils se mirent donc à se frapper la main sur la paume de l'autre main, en se disant : « Quel dommage pour sa jeunesse ! »

Or le roi, sur ces entrefaites, entendit le tumulte sur la place et vit la foule qui entourait l'astrologue. Il dit à son vizir : « Va vite me chercher celui-là ! » Et le vizir immédiatement s'exécuta.

Lorsque Kamaralzamân arriva dans la salle du trône, il baisa la terre entre les mains du roi et lui fit d'abord ainsi son compliment : « En toi sont réunies les huit qualités qui obligent à se courber le front des plus sages : La science, la force, la puissance, la générosité, l'éloquence, la subtilité, la fortune et la victoire. »

Lorsque le roi Ghaïour eut entendu cette louange il fut charmé et regarda attentivement l'astrologue. Or, sa beauté était telle qu'il ferma un instant les yeux, puis les ouvrit et lui dit : « Viens t'asseoir à côté de moi ! » Puis il lui dit : « Vois-tu, mon enfant, tu serais bien mieux sans ces habits de médecin ! Et je serais vraiment bien heureux de te donner ma fille comme épouse si tu parvenais à la guérir ! Mais je doute fort de ta réussite ! Et comme j'ai juré que nul ne devait rester vivant après avoir vu le visage de la princesse, à moins qu'il ne l'ait obtenue comme épouse, je me verrais forcé à contrecœur de te faire subir le même sort que les quarante qui t'ont précédé ! Réponds-moi donc. Consens-tu aux conditions posées ? »

À ces paroles, Kamaralzamân dit : « Ô roi fortuné, je viens de si loin vers ce pays prospère pour exercer mon art et non pour me taire ! Je sais ce que je risque, mais je ne reviendrai pas en arrière ! » Alors le roi dit au chef eunuque : « Conduis-le chez la prisonnière, puisqu'il persévère ! »

Alors tous deux s'en allèrent chez la princesse et l'eunuque, voyant le jeune homme hâter le pas, lui dit : « Misère ! crois-tu vraiment que le roi sera ton beau-père ? » Kamaralzamân dit : « Je l'espère ! Et d'ailleurs je suis tellement sûr de mon affaire que je puis guérir la princesse d'ici même, pour montrer à toute la terre mon habileté et mon savoir-faire ! »

À ces paroles, l'eunuque, à la limite de l'étonnement, lui dit : « Comment ! peux-tu vraiment la guérir sans la voir ! Si cela est, quel mérite ne sera pas le tien ! » Kamaralzamân dit : « Bien que le désir de voir la princesse qui doit être mon épouse me pousse à pénétrer au plus vite chez elle, je préfère obtenir sa guérison en restant derrière le rideau de sa chambre. » Et l'eunuque lui dit : « La chose n'en sera que plus étonnante ! »

Alors Kamaralzamân s'assit par terre derrière le rideau de la chambre de Sett Boudour, tira de sa ceinture une feuille de papier et l'écritoire et écrivit la lettre suivante…

À ce moment de sa narration, Schahrazade vit apparaître le matin et se tut discrètement.

Mais lorsque fut la deux cent quatrième nuit. Elle dit :

… Tira de sa ceinture une feuille de papier et l'écritoire, et écrivit la lettre suivante :

« Ces lignes de la main de Kamaralzamân, fils du sultan Schahramân, roi des terres et des océans dans les pays musulmans aux îles de Khaledân,

À Sett Boudour, fille du roi Ghaïour, maître d'El-Bouhour et d'El-Koussour, pour lui exprimer ses peines d'amour.

Si je devais te dire, ô princesse, toute la brûlure de ce cœur que tu frappas, il n'y aurait guère sur la terre de roseaux assez durs pour tracer une chose si hardie sur le papier. Mais sache bien, ô adorable, que si l'encre venait à tarir, mon sang ne tarirait pas, et t'exprimerait par sa couleur ma flamme du dedans, cette flamme qui me consume depuis la nuit magicienne où dans le sommeil tu m'apparus et pour toujours me captivas !

Voici sous ce pli la bague qui t'appartenait. Je te la renvoie comme la preuve certaine que c'est bien moi le brûlé de tes yeux, le jaune comme le safran, le bouillonnant comme le volcan, le secoué par les malheurs et l'ouragan, qui crie vers toi *Amân*, en signant de son nom, KAMARALZAMÂN.

Je loge en ville dans le Grand-Khân. »

Cette lettre écrite, Kamaralzamân la plia, y glissa adroitement la bague, et la cacheta, puis la remit à l'eunuque qui entra immédiatement la remettre à Sett Boudour, en lui disant : « Il y a là, ô ma maîtresse, derrière le rideau, un jeune astrologue si téméraire qu'il prétend guérir les gens sans les voir. Voici d'ailleurs ce qu'il m'a remis pour toi ! »

Or, à peine la princesse Boudour eut-elle ouvert la lettre qu'elle reconnut sa bague et poussa un grand cri ; puis, affolée, elle bouscula l'eunuque et courut écarter le rideau et, d'un coup d'œil, reconnut dans le jeune astrologue le bel adolescent à qui elle s'était donnée tout entière pendant son sommeil. Aussi sa joie fut telle qu'elle faillit devenir cette fois réellement folle. Elle se jeta au cou de son amoureux, et tous deux s'embrassèrent comme deux pigeons longtemps séparés.

À cette vue, l'eunuque alla en toute hâte avertir le roi de ce qui venait de se passer, en lui disant : « Ce jeune astrologue est le plus savant de tous les astrologues. Il vient de guérir ta fille sans même la voir, en se tenant derrière le rideau, sans plus ! » Et le roi s'écria : « Est-ce bien vrai ce que tu me dis là ? » L'eunuque dit : « Ô mon maître, tu n'as qu'à venir constater la chose avec ton propre œil ! »

Alors le roi se rendit aussitôt dans l'appartement de sa fille, et vit qu'en effet la chose était réelle. Il en fut si réjoui qu'il baisa sa fille entre les deux yeux, car il l'aimait beaucoup ; et il embrassa également Kamaralzamân, puis lui demanda de quel pays il était. Kamaralzamân répondit : « Des îles de Khaledân, et je suis le fils même du roi Schahramân ! »

Et il raconta alors au roi Ghaïour toute sa longue histoire avec l'adorable Sett Boudour !

Lorsque le roi eut entendu cette histoire, il s'écria : « Par Allah ! cette histoire est si étonnante et si merveilleuse que, si elle était écrite avec les aiguilles sur le coin intérieur de l'œil, elle serait un sujet d'ébahissement à ceux qui la liraient avec attention ! » Et il la fit immédiatement écrire dans les annales par les scribes les plus habiles du palais pour qu'elle fût transmise de siècle en siècle à toutes les générations de l'avenir.

Aussitôt après, il fit venir le kâdi et les témoins et écrire sur l'heure le contrat de mariage de Sett Boudour avec Kamaralzamân. Et l'on fit décorer et illuminer la ville pendant sept nuits et sept jours ; et l'on mangea et l'on but et l'on se réjouit ; et Kamaralzamân et Sett Boudour furent au comble de leurs souhaits et s'entr'aimèrent pendant un long espace de temps, au milieu des fêtes, en bénissant Allah le Bienfaiteur !

Or, une nuit, après un festin où avaient été conviés les principaux notables des îles extérieures et des îles intérieures, et que Kamaralzamân avait usé d'une façon encore plus merveilleuse que de coutume des somptuosités de son épouse, il eut après cela, une fois endormi, un songe où il vit son père, le roi Schahramân, lui apparaître le visage baigné de larmes, et lui dire tristement : « Est-ce ainsi que tu m'abandonnes, ya Kamaralzamân ? Regarde comme je suis ! je vais mourir de douleur ! »

Alors Kamaralzamân se réveilla en sursaut, et réveilla également son épouse, et se mit à pousser de grands soupirs. Et Sett Boudour, anxieuse, lui demanda : « Qu'as-tu, ô mon œil ? Si tu as mal au ventre, je vais tout de suite te faire une décoction d'anis et de fenouil. Et si tu as mal à la tête, je vais te mettre sur le front des compresses de vinaigre. Et si tu as trop mangé hier au soir, je te mettrai sur l'estomac un pain chaud enveloppé dans une serviette et je te ferai boire un peu d'eau de rose mêlée à de l'eau de fleurs...

À ce moment de sa narration, Schahrazade vit apparaître le matin et se tut discrètement.

Mais lorsque fut la deux cent sixième nuit. Elle dit :

... Et je te ferai boire un peu d'eau de fleurs mêlée à de l'eau de rose ! » Kamaralzamân répondit : « Il nous faut partir dès demain, ô Boudour, pour mon pays où le roi mon père est malade. Il vient de m'apparaître en songe et m'attend là-bas en pleurant ! » Boudour répondit : « J'écoute et j'obéis ! » Et, bien qu'il fît encore nuit noire, elle se leva aussitôt et alla trouver son père, le roi Ghaïour, qui était dans son harem, et lui fit dire par l'eunuque qu'elle avait à lui parler.

Le roi Ghaïour, en voyant apparaître la tête de l'eunuque à cette heure-là, fut stupéfait et dit à l'eunuque : « Qu'as-tu à m'annoncer de désastreux, ô visage de goudron ! » L'eunuque répondit : « C'est la princesse Boudour qui désire te parler ! » Il répondit : « Attends que je mette mon turban. » Après quoi, il sortit et demanda à Boudour : « Ma fille, quelle espèce de poivre as-tu donc avalée pour être à cette heure en mouvement ? » Elle répondit : « Ô mon père, je viens te demander la permission de partir dès l'aube pour le pays de Khaledân, royaume du père de mon époux Kamaralzamân ! » Il dit : « Je ne m'y oppose nullement, pourvu que tu reviennes au bout d'un an. » Elle dit : « Certainement ! » Et elle remercia son père de la permission en lui baisant la main, et appela Kamaralzamân qui le remercia également.

Or, dès le lendemain, à l'aube, les préparatifs étaient faits, et les chevaux harnachés, et les dromadaires et les chameaux chargés. Alors le roi Ghaïour fit ses adieux à sa fille Boudour et la recommanda beaucoup à son époux ; puis il leur fit cadeau de nombreux présents en or et en diamants, et les accompagna pendant un certain temps. Après quoi il revint vers la ville, non sans leur avoir encore fait ses dernières recommandations en pleurant, et les laissa continuer leur chemin.

Alors Kamaralzamân et Sett Boudour, après les larmes des adieux, ne songèrent plus qu'à la joie de voir le roi Schahramân. Et ils voyagèrent de la sorte le premier jour, puis le second jour et le troisième jour, et ainsi de suite jusqu'au trentième jour. Ils arrivèrent alors à une prairie fort agréable qui les tenta si bien qu'ils y firent dresser le campement pour s'y reposer un jour ou deux. Et lorsque sa tente fut prête, dressée pour elle à l'ombre d'un palmier, Sett Boudour, fatiguée, y entra aussitôt, mangea un morceau, et ne tarda pas à s'endormir.

Lorsque Kamaralzamân eut fini de donner ses ordres et de faire dresser les autres tentes beaucoup plus loin, pour qu'ils pussent jouir à eux deux du silence et de la solitude, il pénétra à son tour dans la tente et vit sa jeune épouse endormie. Et cette vue lui rappela la première nuit miraculeuse passée avec elle dans la tour.

En effet Sett Boudour, à ce moment, était étendue sur le tapis de la tente, la tête posée sur un oreiller de soie écarlate. Elle n'avait sur elle qu'une chemise couleur d'abricot, en gaze fine, ainsi que l'ample caleçon en étoffe de Mossoul. Et la brise entrouvrait de temps en temps la chemise légère jusqu'au nombril ; et, de la sorte, tout le beau ventre apparaissait blanc comme neige, avec, dans les endroits délicats, des fossettes assez larges pour contenir chacune une once de noix muscades.

Aussi Kamaralzamân charmé ne put faire autrement que de rappeler d'abord ces vers délicieux du poète :

« Quand tu dors sur la pourpre, ta face claire est comme l'aurore, et tes yeux tels les cieux marins.

Quand ton corps vêtu de narcisses et de roses s'étire debout ou s'allonge délié, ne l'égalerait le palmier qui croît en Arabie.

Quand tes fins cheveux où brûlent les pierreries retombent massifs ou se déploient légers, nulle soie ne vaudrait leur tissu naturel ! »

Puis il se rappela également ce poème admirable qui acheva de le transporter à la limite de l'extase :

« Dormeuse ! L'heure est magnifique où les palmes étalées boivent la clarté. Midi est sans haleine ! Un frelon d'or suce une rose en pâmoison ! Tu rêves. Tu souris ! Ne bouge plus…

Ne bouge plus ! Ta peau délicate et dorée colore de ses reflets la gaze diaphane ; et les rais du soleil, victorieux des palmes, te pénètrent, ô diamant, et t'éclairent au travers ! Ah ! ne bouge plus…

Ne bouge plus ! Mais laisse ainsi tes seins respirer qui s'élèvent et s'abaissent comme les vagues de la mer. Oh tes seins neigeux ! Que je les hume telle l'écume marine et le sel blanchissant. Ah ! Laisse tes seins respirer…

Laisse tes seins respirer ! Le ruisseau rieur réprime son rire ; le frelon sur la fleur arrête son fredon ; et mon regard brûle les deux grains grenats de raisin de tes seins. Oh ! laisse brûler mes yeux…

Laisse brûler mes yeux ! Mais que mon cœur s'épanouisse, sous les palmes fortunées, de ton corps macéré dans les roses et le santal, de tout le bienfait de la solitude et de la fraîcheur du silence ! »

Après s'être récité ces vers, Kamaralzamân se sentit brûler du désir de son épouse endormie, dont il ne pouvait se lasser, de même que le goût frais de l'eau pure est toujours délicieux au palais de l'altéré. Il se pencha donc sur elle et lui dénoua le cordon de soie qui retenait son caleçon ; et il tendait déjà la main vers l'ombre chaude des cuisses, quand il sentit un petit corps dur rouler sous ses doigts. Il le retira et vit que c'était une cornaline qui était attachée à un fil de soie juste au-dessus du vallon des roses. Et Kamaralzamân fut extrêmement étonné et pensa en lui-même : « Si cette cornaline n'avait pas des vertus extraordinaires, et si ce n'était pas un objet cher aux yeux de Boudour, Boudour ne l'aurait point conservée si jalousement et cachée juste à l'endroit le plus précieux de son corps ! C'est pour n'être jamais obligée de s'en séparer ! Sûrement c'est son frère Marzouân, le magicien, qui a dû lui donner cette pierre, pour la préserver du mauvais œil et des avortements ! »

Puis Kamaralzamân, avant de pousser plus loin les caresses commencées, fut tenté tellement de mieux examiner la pierre qu'il dénoua la soie qui la retenait, la prit et sortit de la tente pour la regarder à la lumière. Et il vit que cette cornaline, taillée sur quatre faces, était gravée de caractères talismaniques et de figures inconnues. Et comme il la tenait à la hauteur de son œil, pour en mieux considérer les détails, un grand oiseau soudain fondit du haut des airs et, dans une volte rapide comme l'éclair, la lui arracha de la main.

À ce moment de sa narration, Schahrazade vit apparaître le matin et, discrète, se tut.

Mais lorsque fut la deux cent septième nuit. Elle dit :

… Et, dans une volte rapide comme l'éclair, la lui arracha de la main. Puis il alla se poser, un peu plus loin, sur la cime d'un grand arbre, et le regarda, immobile et narquois, en tenant au bec le talisman.

À cet accident désastreux, la stupeur de Kamaralzamân fut si profonde qu'il ouvrit la bouche et resta quelques instants sans pouvoir bouger ; car devant ses yeux passa toute la douleur dont il voyait déjà Boudour affligée en apprenant la perte d'une chose qui devait sans doute lui être si chère. Aussi Kamaralzamân, revenu de son saisissement, n'hésita pas à prendre sa résolution. Il ramassa donc un caillou et courut vers l'arbre où se tenait perché l'oiseau. Il arriva à la distance nécessaire pour lancer la pierre sur le ravisseur, et il levait le bras pour le viser, quand l'oiseau sauta de l'arbre et alla se pencher sur un second arbre un peu plus éloigné. Alors Kamaralzamân se mit à sa poursuite, et l'oiseau déguerpit et alla sur un troisième arbre. Et Kamaralzamân se dit : « Il a dû voir dans ma main la pierre. Je vais la jeter pour lui montrer que je ne veux pas le blesser. » Et il jeta la pierre loin de lui.

Lorsque l'oiseau vit Kamaralzamân jeter ainsi la pierre, il descendit à terre, mais à une certaine distance tout de même. Et Kamaralzamân se dit : « Le voilà qui m'attend ! » Et il s'en approcha vivement ; et comme il allait le toucher de la main, l'oiseau sauta un peu plus loin ; et Kamaralzamân sauta derrière lui. Et l'oiseau sauta et Kamaralzamân sauta, et l'oiseau sauta et Kamaralzamân sauta, et ainsi de suite pendant des heures et des heures, de vallée en vallée, et de colline en colline, jusqu'à la tombée de la nuit. Alors Kamaralzamân s'écria : « Il n'y a de recours qu'en Allah le Tout-Puissant ! » et il s'arrêta, hors d'haleine. Et l'oiseau également s'arrêta, mais juste un peu plus loin, sur le sommet d'un monticule.

À ce moment, Kamaralzamân se sentit le front moite, encore plus de désespoir que de fatigue, et délibéra s'il ne devait pas plutôt retourner au campement. Mais il se dit : « Ma bien-aimée Boudour serait capable de mourir de chagrin si je lui annonçais la perte sans recours de ce talisman aux vertus pour moi si inconnues, mais qu'elle doit tenir pour essentielles. Et puis si je retournais, maintenant que les ténèbres sont si épaisses, je risquerais fort de m'égarer ou d'être attaqué par les bêtes de la nuit. » Alors abîmé dans ces pensées désolantes, il ne sut plus quel parti prendre et, dans sa perplexité, il s'étendit à terre à la limite de l'anéantissement.

Il ne cessa pourtant pas d'observer l'oiseau dont les yeux brillaient étrangement dans la nuit ; et chaque fois qu'il faisait un geste ou qu'il se levait dans la pensée de le surprendre, l'oiseau battait des ailes et lançait un cri pour lui dire qu'il le voyait. Aussi Kamaralzamân, succombant à la fatigue et à l'émotion, se laissa jusqu'au matin aller au sommeil.

À peine réveillé, Kamaralzamân, décidé coûte que coûte à attraper l'oiseau ravisseur, se remit à sa poursuite ; et la même course recommença, mais avec aussi peu de succès que la veille. Et Kamaralzamân, le soir venu, se donna de grands coups en s'écriant : « Je le poursuivrai tant qu'il me restera un souffle de vie ! » Et il ramassa quelques plantes et quelques herbes et s'en contenta pour toute nourriture. Et il s'endormit, guetteur de l'oiseau, et guetté lui-même par les yeux qui brillaient dans la nuit.

Or, le lendemain, les mêmes poursuites eurent lieu, et cela jusqu'au dixième jour, depuis le matin jusqu'au soir ; mais, au matin du onzième jour, attiré toujours par le vol de l'oiseau, il arriva aux portes d'une ville située sur la mer.

À ce moment, le grand oiseau s'arrêta ; il déposa la cornaline talismanique devant lui, poussa trois cris qui signifiaient « Kamaralzamân », reprit la cornaline dans son bec, s'éleva dans les airs, et monta toujours en s'éloignant et disparut sur la mer.

À cette vue, Kamaralzamân fut dans une rage telle qu'il se jeta à terre, le visage sur le sol, et pleura longtemps, secoué par les sanglots.

Au bout de plusieurs heures de cet état d'angoisse, il se décida à se lever et alla au ruisseau qui coulait près de là se laver les mains et le visage et faire ses ablutions ; puis il s'achemina vers la ville en songeant à la douleur de sa bien-aimée Boudour et à toutes les suppositions qu'elle devait faire sur sa disparition et celle du talisman ; et il se récitait des poèmes sur la séparation et les peines d'amour, dont celle-ci entre mille :

« Pour ne point écouter les envieux qui me blâmaient, qui me disaient : « Tu subis ton sort, ô toi qui aimes un être trop beau ! Quand on est beau, comme il est, on se préfère à tout amour ! »

Pour ne point les écouter, j'ai bouché toutes les ouvertures de mes oreilles, et je leur ai dit : « Je l'ai choisi entre mille, c'est vrai ! Quand la destinée nous tient sous sa puissance, nos yeux deviennent aveugles et notre choix se fait dans les ténèbres ! »

Puis Kamaralzamân franchit les portes et entra dans la ville. Il se mit à marcher par les rues sans qu'aucun des nombreux habitants qu'il croisait le regardât avec affabilité, comme le font les musulmans à l'égard des étrangers. Aussi il continua son chemin et arriva de la sorte à la porte opposée de la ville, par où l'on sortait pour aller aux jardins.

Comme il trouva ouverte la porte d'un jardin plus vaste que les autres, il entra et vit venir à lui le jardinier qui, le premier, le salua en se servant de la formule des musulmans. Et Kamaralzamân lui rendit son souhait de paix, et respira d'aise en entendant parler arabe. Et, après l'échange des salams, Kamaralzamân demanda au vieillard : « Mais qu'ont-ils, tous ces habitants, à avoir une figure si farouche et une froideur d'allures si glaçante et si peu hospitalière ? » Le bon vieillard répondit : « Qu'Allah soit béni, mon enfant, pour t'avoir tiré sans dommage de leurs mains ! Les gens qui habitent cette ville sont des envahisseurs venus des pays noirs de l'Occident ; ils sont venus par mer, un jour, ont débarqué ici à l'improviste et ont massacré tous les musulmans qui habitaient notre ville. Ils adorent des choses extraordinaires et incompréhensibles, parlent un langage obscur et barbare, et mangent des choses pourries qui sentent mauvais, par exemple le fromage pourri et le gibier faisandé ; et ils ne se lavent jamais ; car, à leur naissance, des hommes fort laids et vêtus de noir leur arrosent le crâne avec de l'eau, et cette ablution, accompagnée de gestes étranges, les dispense de toutes autres ablutions durant le reste de leurs jours. Aussi ces gens, pour ne jamais être tentés de se laver, ont commencé par détruire les hammams et les fontaines publiques ; et ils ont construit sur leur emplacement des boutiques tenues par des putains qui vendent, en guise de boisson, un liquide jaune avec de l'écume qui doit être de l'urine fermentée, ou pis encore ! Quant à leurs épouses, ô mon fils, c'est la calamité la plus abominable ! Comme leurs hommes, elles ne se lavent guère, mais elles se blanchissent seulement la figure avec de la chaux éteinte et des coquilles d'œufs pulvérisées ; de plus, elles ne portent point de linge, ni de caleçon qui puisse les garantir, par en bas, contre la poussière du chemin. Aussi leur approche, mon fils, est-elle pestilentielle ; et le feu de l'enfer ne suffirait pas pour les nettoyer ! Voilà, ô mon fils, au milieu de quelles gens je termine une existence que j'ai eu grand-peine à sauver du désastre. Car, tel que tu me vois, je suis le seul musulman ici encore en vie ! Mais remercions le Très-Haut qui nous a fait naître dans une croyance aussi pure que le ciel d'où elle nous est venue ! »

Ayant dit ces paroles, le jardinier jugea, à la mine fatiguée du jeune homme, qu'il devait avoir besoin de nourriture, le conduisit à sa modeste maison, au fond du jardin, et, de ses propres mains, lui donna à manger et à boire. Après quoi il l'interrogea discrètement sur l'événement qui motivait son arrivée…

À ce moment de sa narration, Schahrazade vit apparaître le matin et, discrète, se tut.

Mais lorsque fut la deux cent huitième nuit. Elle dit :

… L'événement qui motivait son arrivée.

Kamaralzamân, ému de reconnaissance pour la générosité du jardinier, ne lui déguisa rien de toute son histoire, et termina son récit en fondant en larmes.

Le vieillard fit de son mieux pour le consoler et lui dit : « Mon enfant, la princesse Boudour a dû certainement te précéder au royaume de ton père, le pays de Khaledân. Ici, dans ma maison, tu trouveras chaleur d'affection, asile et repos, jusqu'à ce qu'un jour Allah envoie un navire qui puisse te transporter à l'île la plus proche d'ici et qu'on nomme l'île d'Ébène. Et alors de l'île d'Ébène jusqu'au pays de khaledân la distance n'est pas bien grande, et tu trouveras là beaucoup de navires pour t'y transporter. Je vais donc dès aujourd'hui me rendre au port, et tous les jours je recommencerai, jusqu'à ce que je voie un marchand qui consente à faire avec toi le voyage à l'île d'Ébène ; car pour en trouver un qui veuille aller jusqu'au pays de Khaledân, il faudrait des années et des années ! »

Et le jardinier ne manqua pas de faire comme il avait dit ; mais des jours et des mois se passèrent sans qu'il pût trouver un navire en partance pour l'île d'Ébène.

Et voilà pour Kamaralzamân !

Mais pour ce qui est de Sett Boudour, il lui arriva des choses si merveilleuses et si étonnantes, ô Roi fortuné, que je me hâte de revenir à elle. Voici !

En effet, lorsque Sett Boudour se réveilla, son premier mouvement fut d'ouvrir les bras pour serrer contre elle Kamaralzamân. Aussi son étonnement fut-il très vif de ne le point trouver à côté d'elle ; et sa surprise fut extrême de constater que son caleçon à elle était dénoué et que le cordon de soie avait disparu avec la cornaline talismanique. Mais elle pensa que Kamaralzamân, qui ne l'avait pas encore vue, avait dû l'emporter dehors pour la mieux regarder. Et elle attendit patiemment.

Lorsque, au bout d'un certain temps, elle vit que Kamaralzamân ne revenait pas, elle commença à s'inquiéter fort, et fut bientôt dans une affliction inconcevable. Et lorsque le soir fut venu sans amener le retour de Kamaralzamân, elle ne sut plus que penser de cette disparition, mais elle se dit : « Ya Allah ! Quelle chose assez extraordinaire a pu ainsi obliger Kamaralzamân à s'éloigner, lui qui ne peut s'absenter une heure loin de moi ! Mais comment se fait-il qu'il ait également emporté le talisman ? Ah ! maudit talisman, tu es la cause de notre malheur. Et toi, maudit Marzaouân, mon frère, qu'Allah te confonde de m'avoir fait cadeau d'une chose si funeste ! »

Mais quand Sett Boudour vit, au bout de deux jours, que son époux ne revenait pas, au lieu de s'affoler comme toute femme l'eût fait en pareille circonstance, elle trouva dans le malheur une fermeté dont les personnes de son sexe sont d'ordinaire bien dénuées. Elle ne voulut rien dire à personne au sujet de cette disparition, de peur d'être trahie ou mal servie par ses esclaves ; elle enfonça sa douleur dans son âme, et défendit à la jeune suivante qui la servait d'en rien dire. Puis, comme elle savait combien sa ressemblance était parfaite avec Kamaralzamân, elle quitta aussitôt ses habits de femme et prit dans la caisse les effets de Kamaralzamân, et commença à s'en vêtir.

Elle mit d'abord une belle robe rayée, bien ajustée à la taille et laissant le cou dégagé ; elle s'entoura d'une ceinture en filigrane d'or où elle passa un poignard à poignée de jade incrustée de rubis ; elle s'enveloppa la tête d'un foulard de soie multicolore qu'elle serra autour de son front avec une triple corde en poil soyeux de jeune chameau et, ces préparatifs faits, elle prit un fouet à la main, se cambra les reins et ordonna à sa jeune esclave de s'habiller des vêtements qu'elle venait elle-même de quitter et de marcher derrière elle. De la sorte tout le monde, en voyant la suivante, pouvait se dire : « C'est Sett Boudour ! » Elle sortit alors de la tente et donna le signal du départ.

Sett Boudour, déguisée de la sorte en Kamaralzamân, se mit à voyager, suivie de son escorte, pendant des jours et des jours, jusqu'à ce qu'elle fût arrivée devant une ville située sur le bord de la mer. Elle fit alors dresser les tentes aux portes de la ville et demanda : « Quelle est cette ville ? » On lui répondit : « C'est la capitale de l'île d'Ébène. » Elle demanda : « Et qui en est le roi ? » On lui répondit : « Il s'appelle le roi Armanos. » Elle demanda : « A-t-il des enfants ? » On lui répondit : « Il n'a qu'une fille unique, la plus belle vierge du royaume, et son nom est Haïat-Alnefous[1]...

À ce moment de sa narration, Schahrazade vit apparaître le matin et discrète, se tut.

Mais lorsque fut la deux cent neuvième nuit. Elle dit :

... La plus belle vierge du royaume, et son nom est Haïat-Alnefous. »

Alors Sett Boudour envoya un courrier porteur d'une lettre au roi Armanos, pour lui annoncer son arrivée ; et dans cette lettre elle se faisait toujours passer pour le prince Kamaralzamân, fils du roi Schahramân, maître du pays de Khaledân.

Lorsque le roi Armanos eut appris cette nouvelle, comme il avait toujours eu les meilleurs rapports avec le puissant roi Schahramân, il fut heureux de pouvoir faire les honneurs de sa ville au prince Kamaralzamân. Aussitôt, suivi d'un cortège composé des principaux de sa cour, il alla vers les tentes, au-devant de Sett Boudour, et la reçut avec tous les égards et les honneurs qu'il croyait rendre au fils d'un roi ami. Et, malgré les hésitations de Boudour qui essayait de ne pas accepter le logement qu'il lui offrait gracieusement au palais, le roi Armanos la décida à l'accompagner. Et ils firent ensemble leur entrée en ville, solennellement. Et, trois jours durant, des festins magnifiques régalèrent toute la cour, avec une somptuosité extraordinaire.

Alors seulement le roi Armanos se réunit avec Sett Boudour pour lui parler de son voyage et lui demander ce qu'elle comptait faire. Or, ce jour-là, Sett Boudour, toujours sous le déguisement de Kamaralzamân, était allée au hammam du palais, où elle n'avait voulu accepter les services d'aucun masseur. Et elle en était sortie si miraculeusement belle et si brillante, et ses charmes avaient un attrait tellement surnaturel sous cet aspect d'adolescent, que tout le monde, sur son passage, s'arrêtait de respirer et bénissait le Créateur.

Donc le roi Armanos vint s'asseoir à côté de Sett Boudour et causa avec elle pendant un long espace de temps. Et il fut tellement subjugué par ses charmes et son éloquence qu'il lui dit : « Mon fils, en vérité, c'est Allah lui-même qui t'envoie dans mon royaume, pour que tu sois la consolation de mes vieux jours et me tiennes lieu de fils à qui je puisse léguer mon trône ! Veux-tu donc, mon enfant, m'accorder cette consolation, en acceptant de te marier avec ma fille unique Haïat-Alnefous ? Nul au monde n'est aussi digne que toi de ses destinées et de sa beauté ! Elle vient à peine d'être nubile, car le mois dernier elle est entrée dans sa quinzième année. C'est une fleur exquise que j'aimerais te voir respirer ! Accepte-là, mon fils, et tout de suite j'abdique en ta faveur le trône dont mon grand âge ne me permet plus de supporter les fatigantes charges ! »

Cette proposition et cette offre généreuse si spontanée jetèrent la princesse Boudour dans un embarras fort gênant. Elle ne sut d'abord que faire pour ne point trahir le trouble qui l'agitait ; et elle baissa les yeux et réfléchit un bon moment, tandis qu'une sueur froide lui glaçait le front. Elle pensa en elle-même : « Si je lui répondais que je suis déjà, en tant que Kamaralzamân, marié avec Sett Boudour, il me répondrait que le Livre permet quatre femmes légitimes ; si je lui disais la vérité sur mon sexe, il serait capable de me forcer à me marier avec lui ; ou bien encore la nouvelle serait connue de tout le monde et j'en aurais une grande honte ; si je refusais cette offre paternelle, son affection se changerait en haine farouche contre moi, et il serait capable, une fois que j'aurais quitté son palais, de me tendre des embûches pour me faire périr. Il vaut donc mieux accepter la proposition, en laissant s'accomplir la destinée ! Et qui sait ce que l'insondable me cache ? En tout cas, en devenant roi, j'aurai acquis un royaume fort beau pour le céder à Kamaralzamân, à son retour. Mais pour ce qui est de la consommation de l'acte avec la jeune Haïat-Alnefous, mon épouse, il y aurait peut-être moyen ; je réfléchirai. »

Donc elle releva la tête et, le visage coloré d'une rougeur que le roi attribua à une modestie et à un embarras compréhensibles chez un adolescent si candide, elle répondit : « Je suis le fils soumis qui répond par l'ouïe et l'obéissance au moindre des souhaits de son roi ! »

À ces paroles, le roi Armanos fut à la limite de l'épanouissement et voulut que la cérémonie du mariage eût lieu le jour même. Il commença par abdiquer le trône en faveur de Kamaralzamân, devant tous ses émirs, ses notables, ses officiers et ses chambellans ; il fit annoncer cet événement à toute la ville par les crieurs publics, et dépêcha des courriers par tout son empire pour annoncer la chose aux populations.

Alors une fête sans précédent fut organisée en un clin d'œil dans la ville et dans le palais, et, au milieu des cris de joie et au son des fifres et des cymbales, fut écrit le contrat de mariage du nouveau roi avec Haïat-Alnefous.

Le soir venu, la vieille reine, entourée de ses suivantes qui poussaient des « lu-lu-lu » de joie, amena la jeune épousée Haïat-Alnefous à Sett Boudour, dans son appartement : car elles la prenaient toujours pour Kamaralzamân. Et Sett Boudour, sous son aspect de roi adolescent, s'avança gentiment vers son épouse et lui releva, pour la première fois, la voilette du visage.

Alors toutes les assistantes, à la vue de ce couple si beau, furent si captivées qu'elles en pâlirent de désir et d'émoi.

La cérémonie terminée, la mère de Haïat-Alnefous et toutes les suivantes, après avoir formulé des milliers de vœux de félicité et après avoir allumé tous les flambeaux, se retirèrent discrètement et laissèrent les nouveaux mariés seuls dans la chambre nuptiale…

À ce moment de sa narration, Schahrazade vit apparaître le matin et discrète, se tut.

Mais lorsque fut la deux cent dixième nuit. Elle dit :

… Les nouveaux mariés seuls dans la chambre nuptiale.

Sett Boudour fut charmée de l'aspect plein de fraîcheur de la jeune Haïat-Alnefous, et, d'un coup d'œil rapide, elle la jugea vraiment désirable avec ses grands yeux noirs effarés, son teint limpide, ses petits seins qui se dessinaient enfantins sous la gaze. Et Haïat-Alnefous sourit timidement d'avoir plu à son époux, bien qu'elle tremblât d'émotion contenue et baissât les yeux, osant à peine bouger sous ses voiles et ses pierreries.

Et elle aussi avait pu tout de même remarquer la beauté souveraine de cet adolescent aux joues vierges de poil qui lui paraissait plus parfait que les plus belles filles du palais. Aussi ce ne fut point sans être remuée dans tout son être qu'elle le vit tout doucement s'approcher et s'asseoir à côté d'elle sur le grand matelas étendu sur les tapis.

Sett Boudour prit les petites mains de la fillette dans ses mains et se pencha lentement et la baisa sur la bouche. Et Haïat-Alnefous n'osa pas lui rendre ce baiser si délicieux, mais ferma les yeux complètement et poussa un soupir de félicité profonde. Et Sett Boudour lui prit la tête dans la courbe de ses bras, l'appuya contre sa poitrine et, à mi-voix, lui chanta doucement des vers d'un rythme si berceur que l'enfant peu à peu s'assoupit avec, sur les lèvres, un sourire heureux.

Alors Sett Boudour lui enleva ses voiles et ses ornements, la coucha, et s'étendit près d'elle en la prenant dans ses bras. Et toutes deux s'endormirent ainsi jusqu'au matin.

À peine réveillée, Sett Boudour, qui s'était couchée avec presque tous ses vêtements et même avec son turban, se hâta de faire promptement de sommaires ablutions, vu qu'elle prenait ailleurs des bains nombreux en secret pour ne pas se trahir, s'orna de ses attributs royaux, et alla à la salle de justice recevoir les hommages de toute la cour, régler les affaires, supprimer les abus, nommer et destituer. Entre autres suppressions qu'elle jugea urgentes, elle abolit les octrois, les douanes et les prisons, et distribua de grandes largesses aux soldats, au peuple et aux mosquées. Aussi l'aimèrent beaucoup tous ses nouveaux sujets et firent des vœux pour sa prospérité et sa longue vie.

Quant au roi Armanos et à son épouse, ils se hâtèrent d'aller prendre des nouvelles de leur fille Haïat-Alnefous, et lui demandèrent si son époux avait été bien gentil, et si elle n'était pas trop fatiguée ; car ils ne voulaient pas d'abord l'interroger sur la question la plus importante. Haïat-Alnefous répondit : « Mon époux a été délicieux ! Il m'a baisée sur la bouche, et je me suis endormie dans ses bras, au rythme des chansons ! Ah ! comme il est gentil ! » Alors Armanos dit : « C'est là tout ce qui s'est passé, ma fille ? » Elle répondit : « Mais oui ! » Et la mère demanda : « Alors tu ne t'es même pas complètement déshabillée ? » Elle répondit : « Mais non ! » Alors le père et la mère se regardèrent, mais ne dirent plus rien ; puis ils s'en allèrent. Et voilà pour eux !

Quant à Sett Boudour, une fois les affaires terminées, elle rentra dans son appartement retrouver Haïat-Alnefous, et lui demanda : « Que t'ont-ils dit, ma gentille, ton père et ta mère ? » Elle répondit : « Ils m'ont demandé pourquoi je ne m'étais pas déshabillée ! » Boudour répondit : « Qu'à cela ne tienne ! Je vais tout de suite t'y aider ! » Et, pièce par pièce, elle lui enleva tous ses vêtements, y compris la dernière chemise, et la prit toute nue dans ses bras et s'étendit avec elle sur le matelas.

Alors, bien doucement, Boudour déposa un baiser sur les beaux yeux de l'enfant, et lui demanda : « Haïat-Alnefous, mon agneau, dis-moi, aimes-tu beaucoup les hommes ? » Elle répondit : « Je n'en ai jamais vu, excepté, bien entendu, les eunuques du palais. Mais il paraît que ce ne sont que des demi-hommes seulement ! Que leur manque-t-il donc pour être complets ? » Boudour répondit : « Juste ce qui te manque à toi, mon œil ! » Haïat-Alnefous, surprise, répondit : « À moi ? Et que me manque-t-il, par Allah ? » Boudour répondit : « Un doigt ! »

À ces paroles, la petite Haïat-Alnefous, épouvantée, lança un cri étouffé et sortit ses deux mains de dessous la couverture et étendit ses dix doigts en les regardant avec des yeux dilatés par la terreur. Mais Boudour la serra contre elle et la baisa dans les cheveux et lui dit : « Par Allah ! ya Haïat-Alnefous, je plaisantais seulement ! » Et elle continua à la couvrir de baisers jusqu'à ce qu'elle l'eût complètement calmée. Alors elle lui dit : « Ma gentille, embrasse-moi ! » Et

Haïat-Alnefous approcha ses lèvres fraîches des lèvres de Boudour, et toutes deux, ainsi enlacées, s'endormirent jusqu'au matin…

À ce moment de sa narration, Schahrazade vit apparaître le matin et, discrète, se tut.

Mais lorsque fut la deux cent onzième nuit. Elle dit :

… Et toutes deux, ainsi enlacées, s'endormirent jusqu'au matin. Alors Boudour sortit présider aux affaires du royaume ; et le père et la mère de Haïat-Alnefous entrèrent prendre des nouvelles de leur fille.

Le roi Armanos, le premier, demanda : « Eh bien, mon enfant, qu'Allah soit béni ! Je te vois encore sous la couverture ! N'es-tu pas trop brisée ? » Elle répondit : « Mais pas du tout ! je me suis bien reposée dans les bras de mon bel époux, qui cette fois m'a mise toute nue et m'a baisée sur tout le corps par petits baisers délicats. Ya Allah ! que c'était délicieux ! J'avais partout des fourmillements nombreux et des frissons ! Pourtant il m'a bien fait peur un moment en me disant qu'il me manquait un doigt ! Mais il plaisantait seulement. Aussi ses caresses m'ont-elles ensuite donné tant de plaisir, et ses mains étaient si douces sur ma peau nue, et ses lèvres sur mes lèvres je les sentais si chaudes et si pleines que je me suis ainsi oubliée jusqu'au matin, me croyant au paradis ! »

Alors la mère lui demanda : « Mais où sont les serviettes ? As-tu perdu beaucoup de ton sang, ma chérie ? » Et la jeune fille, étonnée, répondit : « Je n'ai rien perdu du tout ! »

À ces paroles, le père et la mère, à la limite du désespoir, se frappèrent le visage, en s'écriant : « Ô notre honte ! ô notre malheur ! Pourquoi ton époux nous méprise-t-il, et te dédaigne-t-il à ce point ? »

Puis le roi peu à peu entra dans une grande colère et se retira en criant à son épouse d'une voix assez forte qui fut entendue de la petite : « Si la nuit prochaine Kamaralzamân ne remplit pas son devoir en prenant la virginité de notre fille et en sauvant ainsi notre honneur à tous, je saurai bien châtier son indignité ! Je le chasserai du palais, après l'avoir fait descendre du trône que je lui ai donné, et je ne sais même si je ne lui infligerai pas un châtiment encore plus terrible ! » Ayant dit ces paroles, le roi Armanos sortit de la chambre de sa fille consternée, suivi de son épouse dont le nez s'allongeait jusqu'à ses pieds.

Aussi lorsque, la nuit venue, Sett Boudour fut entrée dans la chambre de Haïat-Alnefous, elle la trouva toute triste, la tête enfouie dans les coussins et secouée de sanglots. Elle s'approcha d'elle et la baisa sur le front, lui essuya les larmes et l'interrogea sur le sujet de sa peine ; et Haïat-Alnefous lui dit d'une voix émue : « Ô seigneur aimé, mon père veut te reprendre le trône qu'il t'a donné et te renvoyer du palais ; et je ne sais ce qu'il veut encore te faire ! Et tout cela parce que tu ne veux pas prendre ma virginité, et sauver ainsi l'honneur de son nom et de sa race ! Il veut absolument que la chose soit faite cette nuit même ! Et moi, ô mon maître bien-aimé, si je te dis cela, ce n'est point pour te pousser à prendre ce que tu dois prendre, mais pour te garantir du danger dont il te menace. Car toute la journée je n'ai fait que pleurer en pensant à la vengeance que mon père prémédite contre toi ! Ah ! de grâce, hâte-toi de ravir ma virginité, et de faire en sorte, comme le veut ma mère, que les serviettes blanches deviennent toutes rouges ! Et moi je me confie entièrement à ton savoir, et je mets mon corps et toute mon âme entre tes mains ! Mais c'est à toi de décider ce qu'il me faut faire pour cela ! »

À ces paroles, Sett Boudour se dit : « C'est le moment ! Je vois bien qu'il n'y a plus moyen de différer ! Je mets ma foi en Allah ! » Et elle dit à la jeune fille : « Mon œil, m'aimes-tu beaucoup ? » Elle répondit : « Comme le ciel ! » Boudour la baisa sur la bouche et lui demanda : « Combien encore ? » Elle répondit, déjà frissonnante sous le baiser : « Je ne sais pas ! Mais beaucoup ! » Elle lui demanda encore : « Puisque tu m'aimes tant que cela, aurais-tu été heureuse si, au lieu d'être ton époux, j'avais été seulement ton frère ? » L'enfant battit des mains et répondit : « Je serais morte de bonheur ! » Boudour dit : « Et si j'avais été, ma gentille, non pas ton frère, mais ta sœur ; si j'avais été comme toi une jeune fille, au lieu d'être un jeune homme, m'aurais-tu autant aimée ? » Haïat-Alnefous dit : « Encore plus, parce que j'aurais été toujours avec toi, j'aurais toujours joué avec toi, couché dans le même lit que toi, sans que nous nous séparions jamais ! » Alors Boudour attira la jeune fille tout contre elle et lui couvrit les yeux de baisers et lui dit : « Eh bien, Haïat-Alnefous, serais-tu capable de garder pour toi seule un secret, et de me donner ainsi une preuve de ton amour ? » La jeune fille s'écria : « Puisque je t'aime, tout m'est facile ! »

Alors Boudour prit l'enfant dans ses bras et la tint sous ses lèvres à en perdre toutes deux la respiration, puis elle se leva, toute droite, et dit : « Regarde-moi, Haïat-Alnefous, et sois donc ma sœur ! »

Et, en même temps, d'un geste rapide elle entrouvrit sa robe, depuis le col jusqu'à la ceinture, et fit saillir deux seins éclatants couronnés de leurs roses ; puis elle dit : « Comme toi, ma chérie, je suis femme, tu le vois ! Et si je me suis déguisée en homme, c'est à la suite d'une aventure étrange extrêmement et que je vais te raconter sans retard ! »

Alors elle s'assit de nouveau, prit la jeune fille sur ses genoux et lui narra toute son histoire depuis le commencement jusqu'à la fin. Mais il n'y a point d'utilité à la répéter.

Lorsque la petite Haïat-Alnefous eut entendu cette histoire, elle fut à la limite de l'émerveillement et, comme elle était toujours assise dans le sein de Sett Boudour, elle lui prit le menton dans sa petite main et lui dit : « Ô ma sœur, quelle vie délicieuse nous allons vivre ensemble en attendant le retour de ton bien-aimé Kamaralzamân ! Fasse Allah hâter son arrivée, afin que notre bonheur soit complet ! » Et Boudour lui dit : « Qu'Allah entende tes vœux, ma chérie, et moi je te donnerai à lui comme seconde épouse, et tous trois nous serons ainsi dans la plus parfaite félicité ! » Puis elles s'embrassèrent longuement et jouèrent ensemble à mille jeux, et Haïat-Alnefous s'étonnait de tous les détails de beauté qu'elle trouvait en Sett Boudour. Elle lui prenait les seins et disait : « Ô ma sœur, comme tes seins sont beaux ! Regarde ! Ils sont bien plus gros que les miens ! Tu vois comme ils sont petits, les petits miens ! Crois-tu qu'ils grandiront ? » Et elle la détaillait partout et elle l'interrogeait sur les découvertes qu'elle faisait ; et Boudour, entre mille baisers, lui répondait en l'instruisant avec une clarté parfaite, et Haïat-Alnefous s'exclamait : « Ya Allah ! je comprends maintenant ! Imagine-toi que lorsque je demandais aux esclaves : « À quoi sert *ceci* ? à quoi sert *cela* ? » ils clignaient de l'œil mais ne répondaient pas ! D'autres, à ma grande fureur, claquaient de la langue, mais ne répondaient pas ! Et moi, de rage, je m'égratignais les joues et je criais de plus en plus fort : « Dites-moi à quoi sert *cela* ? » Alors, à mes cris, ma mère accourait et s'informait, et toutes les esclaves disaient : « Elle crie parce qu'elle veut nous obliger à lui expliquer à quoi sert *cela* ! » Alors la reine ma mère, à la limite de l'indignation, malgré mes protestations de repentir, mettait nu mon petit cul et me donnait une fessée furieuse en disant : « Voilà à quoi sert *cela* ! » Et moi je finis par être tout à fait persuadée que *cela* ne servait qu'à recevoir la fessée ; et ainsi de suite pour tout le reste. »

Puis elles continuèrent toutes deux à dire et faire mille folies, si bien qu'avec le matin Haïat-Alnefous n'avait plus rien à apprendre et avait pris conscience du rôle charmant que devaient remplir désormais tous ses organes délicats…

À ce moment de sa narration, Schahrazade vit apparaître le matin et, discrète, se tut.

Mais lorsque fut la deux cent douzième nuit. Elle dit :

… Conscience du rôle charmant que devaient remplir désormais tous ses organes délicats.

Alors, comme l'heure approchait où le père et la mère allaient entrer, Haïat-Alnefous dit à Boudour : « Ma sœur, que faut-il dire à ma mère qui va me demander de lui montrer le sang de ma virginité ? » Boudour sourit et dit : « La chose est facile ! » Et elle alla en cachette prendre un poulet et l'égorgea et barbouilla de son sang les cuisses de la jeune fille et les serviettes, et lui dit : « Tu n'auras qu'à leur montrer cela ! Car la coutume s'arrête là et ne permet pas de recherches plus profondes. » Elle lui demanda : « Ma sœur, mais pourquoi ne veux-tu pas me l'enlever toi-même, par exemple avec le doigt ? » Boudour répondit : « Mais, mon œil, parce que je te réserve, comme je te l'ai dit, à Kamaralzamân ! »

Là-dessus, Haïat-Alnefous fut satisfaite tout à fait, et Sett Boudour sortit présider la séance de justice.

Alors entrèrent chez leur fille le roi et la reine, prêts à éclater de fureur, contre elle et contre son époux, si tout n'était pas consommé. Mais à la vue du sang et des cuisses rougies, ils s'épanouirent tous deux et se dilatèrent et ouvrirent toutes les portes de l'appartement. Alors entrèrent toutes les femmes, et éclatèrent les cris de joie et les « lu-lu-lu » de triomphe ; et la mère, à la limite de la fierté, mit sur un coussin de velours les serviettes rougies, et, suivie de tout le cortège, fit ainsi le tour du harem. Et tout le monde apprit de la sorte l'heureux événement ; et le roi donna une grande fête et fit immoler, pour les pauvres, un nombre considérable de moutons et de jeunes chameaux.

Quant à la reine et aux invitées, elles rentrèrent chez la jeune Haïat-Alnefous, et la baisèrent chacune entre les deux yeux, en pleurant, et restèrent avec elle jusqu'au soir, après l'avoir conduite au hammam, enveloppée de foulards pour qu'elle ne prît pas froid.

Quant à Sett Boudour elle continua ainsi tous les jours à siéger sur le trône de l'île d'Ébène et à se faire aimer par ses sujets qui la croyaient toujours un homme et faisaient des vœux pour sa longue vie. Mais, le soir venu, elle allait retrouver avec bonheur sa jeune amie Haïat-Alnefous, la prenait dans ses bras et s'étendait avec elle sur le matelas. Et toutes deux, enlacées jusqu'au matin comme un époux avec une épouse, se consolaient par toutes sortes d'ébats et de jeux délicats, en attendant le retour de leur bien-aimé Kamaralzamân. Et voilà pour tous ceux-là !

Mais pour ce qui est de Kamaralzamân, voici ! Il était resté dans la maison du bon jardinier musulman, située hors des murs de la ville habitée par les envahisseurs si inhospitaliers et si malpropres venus des pays de l'Occident. Et son père le roi Schahramân, dans les îles de Khaledân, ne douta plus, après avoir vu dans la forêt les membres sanglants, de la perte de son bien-aimé Kamaralzamân ; et il prit le deuil, lui et tout son royaume, et fit bâtir un monument funèbre où il s'enferma pour pleurer dans le silence la mort de son enfant.

Et, de son côté, Kamaralzamân, malgré la compagnie du vieux jardinier qui faisait de son mieux pour le distraire et lui faire espérer l'arrivée d'un navire qui pût le transporter à l'île d'Ébène, vivait tristement et se rappelait avec douleur les beaux jours passés.

Or, un jour que le jardinier était allé, selon son habitude, faire son tour du côté du port dans le but de trouver le navire qui consentît à prendre son hôte, Kamaralzamân était assis bien triste dans le jardin et se récitait des vers, en regardant s'ébattre les oiseaux, quand soudain son attention fut attirée par les cris rauques de deux grands oiseaux. Il leva la tête vers l'arbre d'où venait ce bruit, et vit une dispute acharnée à coups cruels de bec, de griffes et d'ailes. Mais bientôt, juste devant lui, l'un des deux oiseaux dégringola sans vie, alors que le vainqueur prenait son vol vers le loin.

Mais, au même moment, deux oiseaux bien plus grands, perchés sur un arbre du voisinage, et qui avaient vu le combat, vinrent se poser aux côtés du mort ; l'un se plaça à la tête du défunt et l'autre à ses pieds ; puis tous deux inclinèrent tristement la tête et se mirent notoirement à pleurer.

À cette vue, Kamaralzamân fut ému à l'extrême et pensa à son épouse Sett Boudour, puis se mit, par sympathie pour les larmes des oiseaux, à pleurer également.

Au bout d'un certain temps, Kamaralzamân vit les deux oiseaux creuser une fosse avec leurs griffes et leurs becs et y enterrer le mort. Puis ils s'envolèrent et, au bout de quelques moments, ils revinrent à l'endroit même de la fosse, mais en tenant, l'un par l'aile et l'autre par les pieds, l'oiseau meurtrier qui faisait de grands efforts pour s'échapper et lançait des cris effroyables. Ils le déposèrent, sans le lâcher sur la tombe du défunt, et de quelques rapides coups de bec, ils l'éventrèrent, pour venger ainsi le crime, lui arrachèrent les entrailles et s'envolèrent en le laissant palpiter, dans l'agonie, sur le sol…

À ce moment de sa narration, Schahrazade vit apparaître le matin et, discrète, se tut.

Mais lorsque fut la deux cent seizième nuit. Elle dit :

… Et s'envolèrent en le laissant palpiter, dans l'agonie, sur le sol.

Tout cela ! Et Kamaralzamân était resté immobile de surprise à regarder un spectacle si extraordinaire. Puis, les oiseaux envolés, il fut poussé par la curiosité et s'approcha de l'endroit où gisait l'oiseau criminel sacrifié, et en regardant son cadavre, il vit, au milieu de l'estomac éventré, briller quelque chose de rouge, qui fixa son attention. Il se baissa et, l'ayant ramassé, il tomba évanoui d'émotion : il venait de retrouver la cornaline talismanique de Sett Boudour !

Lorsqu'il fut revenu de son évanouissement, il serra contre son cœur le précieux talisman, cause de tant de soucis, de soupirs, de regrets et de douleurs, et s'écria : « Fasse Allah que ce soit là un présage de bonheur et le signe que je retrouverai également ma bien-aimée Boudour ! » Puis il baisa le talisman et le porta à son front, ensuite il l'enveloppa soigneusement dans un morceau de toile et l'attacha autour de son bras, pour éviter tout risque de le perdre désormais. Et il se mit à sauter de joie.

Lorsqu'il se fut calmé, il se rappela que le bon jardinier l'avait prié de déraciner un vieux caroubier qui ne donnait plus ni feuilles ni fruits. Il se ceignit donc la taille d'une ceinture de chanvre, releva ses manches, prit une cognée et une couffe et se mit immédiatement à l'œuvre, en donnant de grands coups sur les racines à fleur de terre du vieil arbre. Mais soudain il sentit le fer de l'instrument résonner sur un corps métallique et résistant, et il entendit comme un bruit sourd qui se prolongeait sous terre. Il écarta alors vivement la terre et les cailloux et mit ainsi à découvert une grande plaque de bronze qu'il se hâta d'enlever. Alors il trouva un escalier, taillé dans le roc, de dix marches assez hautes ; et après avoir prononcé les paroles propitiatoires « *la ilah ill' Allah* » il se hâta de descendre et vit un large caveau carré de construction fort ancienne, des temps reculés de Thammoud et d'Aâd ; et dans ce grand caveau voûté il trouva vingt énormes vases, rangés en bon ordre de chaque côté. Il souleva le couvercle du premier et vit qu'il était entièrement rempli de lingots d'or rouge ; il souleva alors le second couvercle, et trouva que le second vase était entièrement rempli de poudre d'or. Il ouvrit alors les dix-huit autres et les trouva remplis de lingots et de poudre d'or, alternativement.

Kamaralzamân, remis de sa surprise, sortit alors du caveau, replaça la plaque, acheva son travail, arrosa les arbres selon l'habitude qu'il avait prise d'aider le jardinier, et ne cessa qu'avec le soir, lorsque son vieil ami fut revenu.

Les premières paroles que le jardinier dit à Kamaralzamân furent pour lui annoncer une bonne nouvelle. Il lui dit en effet : « Ô mon enfant, j'ai la joie de t'annoncer ton prochain retour vers le pays des musulmans. J'ai trouvé, en effet, un navire affrété par de riches marchands et qui va mettre à la voile dans trois jours ; et j'ai parlé au capitaine qui a accepté de te donner passage jusqu'à l'île d'Ébène. » À ces paroles, Kamaralzamân se réjouit fort, et baisa la main au jardinier et lui dit : « Ô mon père, de même que tu viens de m'annoncer la bonne nouvelle, j'ai également à t'annoncer, à mon tour, une autre nouvelle qui te réjouira…

À ce moment de sa narration, Schahrazade vit apparaître le matin et, discrète, se tut.

Mais lorsque fut la deux cent dix-neuvième nuit. Elle dit :

… Une autre nouvelle qui te réjouira, je crois, bien que tu ignores l'avidité des hommes du siècle, et que ton cœur soit pur de toute ambition ! Prends seulement la peine de venir avec moi dans le jardin, et je te ferai voir, ô mon père, la bonne fortune que t'envoie le sort miséricordieux ! »

Il mena alors le jardinier à l'endroit où s'élevait le caroubier déraciné, souleva la grande plaque et, malgré sa surprise et sa frayeur, il le fit descendre dans le caveau et découvrit devant lui les vingt vases remplis de lingots et de poudre d'or. Et le bon jardinier, ébahi, levait les bras et ouvrait de grands yeux en disant, devant chaque vase : « Ya Allah ! » Puis Kamaralzamân lui dit : « Voici maintenant ton hospitalité récompensée par le Donateur ! La main même que l'étranger tendait vers toi, pour être secouru dans l'adversité, du même geste fait couler l'or dans ta demeure ! Ainsi le veulent les destinées propices aux si rares actions colorées par la beauté pure et par la bonté des cœurs spontanés ! »

À ces paroles, le vieux jardinier, sans pouvoir prononcer une parole, se mit à pleurer, et les larmes glissaient silencieusement dans sa longue barbe et jusque sur sa poitrine. Puis il put parler et dit : « Mon enfant, que veux-tu qu'un vieillard comme moi fasse de cet or et de ces richesses ? Je suis pauvre, en vérité, mais mon bonheur est suffisant et il sera complet si tu veux bien me donner seulement un drachme ou deux pour acheter un linceul qu'en mourant dans ma solitude je déposerai à mes côtés, afin que le passant charitable y mette ma dépouille, en vue du jugement ! »

Et cette fois ce fut au tour de Kamaralzamân de pleurer. Puis il dit au vieillard : « Ô père de la sagesse, ô cheikh aux mains parfumées, la sainte solitude où s'écoulent tes années pacifiques efface devant tes yeux les lois, faites pour le bétail adamique, du juste et de l'injuste, du faux et du vrai ! Mais je retourne, moi, au milieu des humains féroces, et ces lois, je ne saurais les oublier sous peine d'être dévoré ! Cet or, ô mon père, t'appartient donc en toute certitude puisque la terre est à toi après Allah ! Mais, si tu veux, partageons ! Je prendrai la moitié, et toi l'autre moitié. Sinon, je n'en toucherai absolument rien ! »

Alors le vieux jardinier répondit : « Mon fils, ma mère m'enfanta ici même il y a quatre-vingt-dix ans, puis elle est morte ; et mon père est mort également. Et l'œil d'Allah a suivi mes pas et je grandis à l'ombre de ce jardin et au bruit du ruisseau natal. J'aime ce ruisseau et ce jardin, ô mon enfant, et ces murmurantes feuilles et ce soleil et cette terre maternelle où mon ombre en liberté s'allonge et se reconnaît, et la nuit sur ces arbres la lune qui me sourit jusqu'au matin. Tout cela me parle, ô mon enfant ! Je te le dis pour que tu saches la raison qui me retient ici, qui m'empêche de partir avec toi vers les pays musulmans. Je suis le dernier musulman de ce pays où vécurent les aïeux. Que mes os y blanchissent donc, et que le dernier musulman meure la face tournée vers le soleil qui éclaire une terre maintenant immonde, souillée qu'elle est par les fils barbares de l'obscur Occident ! »

Ainsi parla le vieillard aux tremblantes mains. Puis il ajouta : « Pour ce qui est de ces vases précieux qui te préoccupent, prends, puisque ainsi tu le désires, les dix premiers et laisse les dix autres dans ce caveau. Ils seront la récompense de celui qui mettra en terre le linceul où je dormirai.

« Mais ce n'est pas tout ! Le difficile n'est pas là ; le difficile est d'embarquer ces vases sur le navire sans attirer l'attention et exciter la cupidité des hommes à l'âme noire qui habitent la ville. Or, dans mon jardin, ces oliviers sont chargés de leurs fruits, et là-bas où tu vas, à l'île d'Ébène, les olives sont chose rare et fort estimée ! Je vais donc courir acheter vingt grands pots que nous remplirons à moitié de lingots et de sable d'or et le reste, jusqu'en haut, des olives de mon jardin. Et alors seulement nous pourrons les faire porter sans crainte au navire en partance. »

Ce conseil fut immédiatement suivi par Kamaralzamân qui passa la journée à préparer les pots achetés. Et, comme il ne lui restait plus que le dernier pot à remplir, il se dit : « Ce miraculeux talisman n'est pas assez en sûreté autour de mon bras ; on peut me le voler pendant mon sommeil ; il peut se perdre autrement. Il vaut donc mieux, à coup sûr, que je le mette au fond de ce vase ; puis je le couvrirai avec les lingots et la poudre d'or, et par-dessus le tout je placerai les olives ! » Et aussitôt il mit son projet à exécution ; et la chose finie, il recouvrit le dernier pot de son couvercle de bois blanc ; et, pour reconnaître au besoin ce pot au milieu des vingt, il y fit une encoche vers la base, puis entraîné par ce travail, il grava complètement son nom au couteau, « Kamaralzamân », en beaux caractères entrelacés.

Cette besogne finie, il pria son vieil ami d'aviser les hommes du navire qu'ils eussent à venir le lendemain prendre les pots. Et le vieillard s'acquitta aussitôt de la commission, puis revint à sa maison, un peu fatigué, et se coucha avec une fièvre légère et quelques frissons.

Le lendemain matin le vieux jardinier qui, de sa vie entière n'avait été souffrant, sentit augmenter son mal de la veille, mais n'en voulut rien dire à Kamaralzamân pour ne pas attrister son départ. Il resta sur son matelas, en proie à une grande faiblesse, et comprit que ses derniers moments n'allaient plus tarder.

Dans la journée les hommes de la mer vinrent au jardin pour prendre les pots, et demandèrent à Kamaralzamân, qui était allé leur ouvrir la porte, de leur indiquer ce qu'ils avaient à prendre. Il les mena près de la haie et leur montra, rangés, les vingt pots, en disant : « Ils sont remplis d'olives de premier choix. Je vous prie donc de prendre garde de ne pas trop les abîmer ! » Puis le capitaine qui avait accompagné ses hommes dit à Kamaralzamân : « Et surtout, seigneur, ne manque pas d'être exact ; car demain matin le vent souffle de terre, et nous mettons à la voile aussitôt ! » Et ils prirent les pots et s'en allèrent…

À ce moment de sa narration, Schahrazade vit apparaître le matin et, discrète, se tut.

Mais lorsque fut la deux cent vingt-deuxième nuit. Elle dit :

… Et ils prirent les pots et s'en allèrent.

Alors Kamaralzamân entra chez le jardinier et lui trouva le visage fort pâle, bien qu'empreint d'une grande sérénité. Il lui demanda de ses nouvelles et apprit ainsi le mal dont souffrait son ami ; et, malgré les paroles que le malade lui disait pour le rassurer, il ne laissa pas d'être fort inquiet. Il lui fit prendre diverses décoctions d'herbes vertes, mais sans grand résultat. Puis il lui tint compagnie toute la journée, et le veilla durant la nuit, et put voir de la sorte le mal s'aggraver. Aussi, avec le matin, le bon jardinier qui avait à peine eu la force de l'appeler à son chevet, lui prit la main et lui dit : « Kamaralzamân, mon fils, écoute ! Il n'y a d'autre Dieu qu'Allah ! Et notre seigneur Mohammad est l'envoyé d'Allah ! » Puis il expira.

Alors Kamaralzamân fondit en larmes et resta longtemps assis à pleurer, à côté. Il se leva ensuite, lui ferma les yeux, lui rendit les derniers devoirs, lui confectionna un linceul blanc, creusa la fosse et mit en terre le dernier musulman de ce pays devenu mécréant. Et alors seulement il songea à aller s'embarquer.

Il acheta quelques provisions, ferma la porte du jardin, prit la clef avec lui, et courut en hâte au port, alors que le soleil était déjà bien haut ; mais ce fut pour voir le navire, toutes voiles dehors, emporté par le vent vers la haute mer.

La douleur de Kamaralzamân, à cette vue, fut extrême ; mais il n'en fit rien paraître pour ne pas faire rire à ses dépens la canaille du port ; et tristement il reprit le chemin du jardin dont il était devenu, par la mort du vieillard, le seul héritier et le seul propriétaire. Aussi, une fois arrivé dans la petite maison, il s'effondra sur le matelas et pleura sur lui-même, sur sa bien-aimée Boudour et sur le talisman qu'il venait de perdre pour la seconde fois.

L'affliction de Kamaralzamân fut donc sans limites quand il se vit forcé, par le destin farouche, de rester encore dans ce pays inhospitalier jusqu'à une date inconnue ; et la pensée d'avoir pour toujours perdu le talisman de Sett Boudour le désolait encore bien plus, et il se disait : « Mes malheurs ont commencé avec la perte du talisman ; et la chance m'est revenue quand je l'ai retrouvé ; et maintenant que je l'ai reperdu, qui sait les calamités qui vont s'abattre sur ma tête ! » Il finit pourtant par s'écrier : « Il n'y a de recours qu'en Allah le Très-Haut ! » Puis il se leva et, pour ne pas risquer de perdre les dix autres vases qui formaient le trésor souterrain, il alla acheter vingt nouveaux pots, y mit la poudre et les lingots d'or et acheva de les remplir d'olives jusqu'au haut, en se disant : « Ils seront ainsi prêts, le jour qu'Allah écrira pour mon embarquement ! » Et il recommença à arroser les légumes et les arbres à fruits, en se récitant des vers bien tristes sur son amour pour Boudour. Et voilà pour lui !

Quant au vaisseau, il eut un vent favorable, et ne tarda pas à arriver à l'île d'Ébène, et alla mouiller juste au-dessous de la jetée où s'élevait le palais qu'habitait la princesse Boudour sous le nom de Kamaralzamân.

À la vue de ce navire qui entrait, toutes ses voiles déployées et toutes ses bannières au vent, Sett Boudour eut une envie extrême de l'aller visiter, d'autant plus qu'elle avait toujours l'espoir de retrouver un jour ou l'autre son époux Kamaralzamân embarqué à bord de l'un des navires qui arrivaient du loin. Elle ordonna à quelques-uns de ses chambellans de l'accompagner, et se rendit à bord du navire qu'on lui disait, d'ailleurs, chargé de fort riches marchandises.

Lorsqu'elle fut arrivée à bord, elle fit appeler le capitaine et lui dit qu'elle voulait visiter son navire. Puis, lorsqu'elle se fut assurée que Kamaralzamân n'était point au nombre des passagers, elle demanda, par curiosité, au capitaine : « Qu'as-tu avec toi comme cargaison, ô capitaine ? » Il répondit : « Ô mon maître, outre les marchands qui sont passagers, nous avons dans nos cales de fort belles étoffes et des soieries de tous les pays, des broderies sur velours et des brocarts, des toiles peintes anciennes et modernes du plus bel effet, et d'autres marchandises de prix ; nous avons des médicaments chinois et indiens, des drogues en poudres et en feuilles, des dictames, des pommades, des collyres, des onguents et des baumes précieux ; nous avons des pierreries, des perles, de l'ambre jaune et du corail ; nous avons aussi des aromates de toutes sortes et des épices de choix, du musc, de l'ambre gris et de l'encens, du mastic en larmes transparentes, du benjoin gouri et de l'essence de toutes les fleurs ; nous avons également du camphre, du coriandre, du cardamome, des clous de girofle, de la cannelle de Serendib, du tamar indien et du gingembre ; enfin nous avons embarqué, au dernier port, des olives de qualité, de celles dites « des oiseaux », celles qui ont une peau très fine et une chair douce, juteuse et de la couleur de l'huile blonde…

À ce moment de sa narration, Schahrazade vit apparaître le matin et, discrète, se tut.

Mais lorsque fut la deux cent vingt-cinquième nuit. Elle dit :

… Celles qui ont une peau très fine et une chair douce, juteuse et de la couleur de l'huile blonde. »

Lorsque la princesse Boudour eut entendu ce mot d'olives, comme elle raffolait des olives, elle arrêta le capitaine et lui demanda, avec des yeux brillants de désir : « Ah ! et combien en avez-vous de ces olives des oiseaux ? » Il répondit : « Nous en avons vingt gros pots. » Elle dit : « Sont-ils très gros, dis-le-moi ? Et contiennent-ils aussi des olives de la qualité farcie, tu sais, celle dont on enlève les noyaux pour les remplacer par des câpres acides, et que mon âme préfère de beaucoup aux autres noyaux ? » Le capitaine ouvrit les yeux et dit : « Je crois qu'il doit aussi y en avoir dans ces pots. »

À ces paroles, la princesse Boudour sentit la salive lui remplir le palais de désir insatisfait, et elle demanda : « Je désirerais fort acheter l'un de ces pots. » Le capitaine répondit : « Bien que le propriétaire ait manqué le vaisseau, au moment du départ, et que je ne puisse en disposer librement, notre maître le roi a le droit de prendre ce qui lui plaît ! » Et il cria : « Hé ! vous autres, apportez de la cale l'un des vingt pots d'olives ! » Et aussitôt les marins apportèrent, l'ayant sorti de la cale, l'un des vingt.

Sett Boudour fit lever le couvercle et fut si émerveillée de l'aspect admirable de ces olives des oiseaux qu'elle s'écria : « Je désire acheter les vingt ! Combien peuvent-ils coûter au cours du souk ? » Le capitaine répondit : « Au cours du souk de l'île d'Ébène, les olives valent bien maintenant, je pense, cent drachmes le pot. » Sett Boudour dit à ses chambellans : « Payez au capitaine mille drachmes pour chaque pot. » Et elle ajouta : « Lorsque tu retourneras au pays du marchand, tu lui payeras ainsi le prix de ses olives. » Et elle s'en alla, suivie des porteurs chargés des pots d'olives.

Le premier soin de Sett Boudour, en arrivant au palais, fut d'entrer chez son amie Haïat-Alnefous pour la prévenir de l'arrivée des olives. Et quand les pots eurent été, suivant les ordres donnés, apportés à l'intérieur du harem, Boudour et Haïat-Alnefous, à la limite de l'impatience, firent apporter un grand plateau, le plus grand de tous les plateaux à confitures, et ordonnèrent aux femmes esclaves de soulever délicatement le premier pot et d'en verser tout le contenu dans le plateau, de façon à faire un tas bien arrangé, où l'on pût distinguer les olives à noyaux de celles qui pouvaient être farcies.

Aussi quel ne fut point l'étonnement émerveillé de Boudour et de son amie en voyant des olives mêlées à des lingots et à de la poudre d'or ! Et cette surprise n'était pourtant pas exempte de désappointement, à la pensée que les olives pouvaient être gâtées par ce mélange. Aussi Boudour fit-elle apporter d'autres plateaux et vider tous les autres pots, l'un après l'autre, jusqu'au vingtième. Mais lorsque les esclaves eurent renversé ce vingtième et que le nom de Kamaralzamân eut paru sur la base, et que le talisman eut brillé au milieu des olives renversées, Boudour poussa un cri, devint toute pâle et tomba évanouie dans les bras de Haïat-Alnefous ! Elle venait de reconnaître la cornaline qu'elle portait dans le temps attaché au nœud de soie de son caleçon !

Lorsque, grâce aux soins de Haïat-Alnefous, Sett Boudour fut revenue de son évanouissement, elle prit la cornaline talismanique et la porta à ses lèvres en poussant des soupirs de bonheur ; puis pour ne point faire reconnaître son déguisement par les esclaves, elle les congédia toutes, et dit à son amie : « Voici, ô ma bien-aimée chérie, le talisman cause de ma séparation d'avec mon époux adoré. Mais, de même que je l'ai retrouvé, je pense retrouver également celui dont la venue nous remplira toutes deux de félicité ! »

Aussitôt elle envoya mander le capitaine du navire qui se présenta entre ses mains et embrassa la terre et attendit d'être questionné. Alors Boudour lui dit : « Peux-tu me dire, ô capitaine, ce que fait dans son pays le propriétaire des pots d'olives ? » Il répondit : « Il est aide-jardinier, et devait s'embarquer avec ses olives pour venir les vendre ici, quand il manqua le navire. » Boudour dit : « Eh bien, sache, ô capitaine, qu'en goûtant aux olives, dont les plus belles sont en effet farcies, j'ai découvert que celui qui les avait préparées ne pouvait être que mon ancien cuisinier ; car lui seul savait donner à la farce aux câpres ce piquant et ce moelleux à la fois, que je goûte infiniment. Et ce maudit cuisinier un jour prit la fuite, de crainte d'être puni pour avoir déchiré son garçon de cuisine en essayant sur lui des étreintes trops dures et peu proportionnées. Il te faut donc remettre à la voile et me ramener le plus vite possible cet aide-jardinier que je soupçonne fort d'être mon ancien cuisinier, l'auteur de la déchirure de son délicat assistant. Et je te récompenserai largement si tu apportes une grande diligence à l'exécution de mes ordres ; sinon jamais plus je ne te permettrai de venir dans ce royaume ; et même, si tu reviens je te ferai mettre à mort, avec tous les hommes de l'équipage…

À ce moment de sa narration, Schahrazade vit apparaître le matin et, discrète, se tut.

Mais lorsque fut la deux cent vingt-huitième nuit. Elle dit :

… Mettre à mort, avec tous les hommes de l'équipage ! »

À ces paroles, le capitaine ne put répondre que par l'ouïe et l'obéissance et malgré le préjudice que ce départ forcé portait à ses marchandises, il pensa en être tout de même dédommagé à son retour par le roi, et mit aussitôt à la voile. Et Allah lui écrivit une si heureuse navigation qu'il arriva en quelques jours à la ville mécréante, et débarqua de nuit avec les marins les plus solides de son équipage. Aussitôt il se rendit avec son escorte au jardin habité par Kamaralzamân et frappa à la porte.

À ce moment, Kamaralzamân, ayant fini son travail de la journée, étais assis fort triste et, les larmes aux yeux, se récitait des vers sur la séparation. Mais en entendant frapper à la porte il se leva et alla demander : « Qui est là ? » Le capitaine prit une voix cassée et dit : « Un pauvre d'Allah ! » À cette supplique, dite en arabe, Kamaralzamân sentit battre son cœur de commisération ; il ouvrit. Mais aussitôt il fut appréhendé et garrotté ; et son jardin fut envahi par les marins qui, voyant les vingt pots rangés comme la première fois, se hâtèrent de les emporter. Puis ils s'en retournèrent tous au navire et mirent immédiatement à la voile.

Alors le capitaine, entouré de ses hommes, s'approcha de Kamaralzamân et lui dit : « Ah ! c'est toi l'amateur de garçons qui a déchiré l'enfant, dans la cuisine du roi ! À l'arrivée du navire, tu trouveras le pal tout prêt à te rendre la pareille, à moins que dès maintenant tu ne préfères être embroché par ces gaillards continents ! » Et il lui montra les marins qui clignaient de l'œil en le regardant, car ils le trouvaient excellent comme aubaine à se mettre sous la dent.

À ces paroles, Kamaralzamân qui, bien que libéré de ses liens depuis l'arrivée à bord, n'avait prononcé mot et s'était laissé aller à sa destinée, ne put supporter pareille imputation et s'écria : « Je me réfugie en Allah ! N'as-tu pas honte de parler de la sorte, ô capitaine ? Prie pour le Prophète ! » Le capitaine répondit : « Que la bénédiction d'Allah et la prière soient sur Lui [le Prophète] et sur tous les siens ! Mais c'est bien toi qui as enculé le garçon ! »

À ces paroles, Kamaralzamân s'écria de nouveau : « Je me réfugie en Allah ! » Le capitaine répliqua : « Qu'Allah nous fasse miséricorde ! Nous nous mettons sous sa garde ! » Et Kamaralzamân reprit : « Ô vous tous, je jure sur la vie du Prophète (sur Lui la prière et la paix !) que je ne comprends rien à pareille accusation et que je n'ai jamais mis les pieds dans cette île d'Ébène, où vous me menez, et dans le palais de son roi ! Priez pour le Prophète, ô bonnes gens ! » Alors tous répliquèrent, suivant l'usage : « Que sur Lui soit la bénédiction ! »

Mais le capitaine reprit : « Alors tu n'as jamais été cuisinier et tu n'as jamais déchiré d'enfant dans ta vie ? » Kamaralzamân, à la limite de l'indignation, cracha à terre et s'écria : « Je me réfugie en Allah ! Faites de moi ce que vous voudrez, car, par Allah ! ma langue ne tournera plus pour de pareilles réponses ! »

Et il ne voulut plus dire un mot. Alors le capitaine reprit : « Quant à moi, ma mission sera accomplie quand je t'aurai livré au roi. Si tu es innocent, tu te débrouilleras comme tu pourras ! »

Sur ces entrefaites, le navire arriva à l'île d'Ébène heureusement ; et aussitôt le capitaine débarqua et mena Kamaralzamân au palais, et demanda à entrer chez le roi. Et immédiatement, comme il était attendu, il fut introduit dans la salle du trône.

Or, Sett Boudour, pour ne point se trahir, et dans son intérêt à elle et à Kamaralzamân, avait combiné un plan fort sage, surtout pour une femme.

Aussi lorsqu'elle eut regardé celui que le capitaine amenait, d'un seul coup d'œil elle reconnut son bien-aimé Kamaralzamân ; elle devint d'une pâleur extrême et jaune comme le safran. Et tous attribuèrent son changement de teint à sa colère au sujet de la déchirure de l'enfant. Elle le regarda longtemps, sans pouvoir parler, alors que lui-même, sous son vieil habit de jardinier, était à la limite de la confusion et du tremblement. Et il était loin de se douter qu'il était en présence de celle pour laquelle il avait versé tant de pleurs et éprouvé tant de peines, de chagrins et de mauvais traitements.

Sett Boudour put enfin se maîtriser et se tourna vers le capitaine et lui dit : « Tu garderas pour toi, pour le prix de ta fidélité, l'argent que je t'avais donné pour les olives ! » Le capitaine embrassa la terre et dit : « Et les autres vingt pots qui sont encore dans ma cale, de cette dernière fois ? » Boudour dit : « Si tu as encore vingt pots, hâte-toi de me les envoyer. Et tu recevras mille dinars d'or ! » et elle le congédia.

Puis elle se tourna vers Kamaralzamân, qui tenait les yeux baissés, et dit aux chambellans : « Prenez ce jeune homme et conduisez-le au hammam…

À ce moment de sa narration, Schahrazade vit apparaître le matin et, discrète, se tut.

Mais lorsque fut la deux cent trentième nuit. Elle dit :

« Prenez ce jeune homme et conduisez-le au hammam ! Puis vous l'habillerez somptueusement et vous le ramènerez en ma présence demain matin, à la première heure du diwân ! » Et cela fut exécuté à l'instant.

Quant à Sett Boudour, elle alla retrouver son amie Haïat-Alnefous et lui dit : « Mon agneau, notre bien-aimé est de retour ! Par Allah ! j'ai combiné un plan admirable pour que notre reconnaissance ne soit pas un coup funeste à quelqu'un qui de jardinier se verrait roi, sans transition. Et ce plan est tel que s'il était écrit avec les aiguilles sur le coin intérieur de l'œil, il servirait de leçon à ceux qui aiment à s'instruire. » Et Haïat-Alnefous fut si heureuse qu'elle se jeta dans les bras de Sett Boudour ; et toutes deux, cette nuit-là, commencèrent à être fort sages pour se préparer à recevoir en toute fraîcheur le bien-aimé de leur cœur.

Or, le matin, dans le diwân, on amena Kamaralzamân habillé somptueusement. Et le hammam avait rendu à son visage tout son éclat, et les vêtements légers, bien ajustés, mettaient en valeur sa taille si fine et sa croupe montagneuse. Aussi tous les émirs, les notables et les chambellans ne furent point surpris en entendant le roi dire au grand vizir : « Tu donneras à ce jeune homme cent esclaves pour le servir et tu lui fourniras des émoluments sur le trésor qui soient dignes du rang auquel je l'élève à l'instant ! » Et elle le nomma vizir d'entre les vizirs, et lui donna un train de maison, et des chevaux et des mulets et des chameaux, sans compter les coffres pleins et les armoires. Puis elle se retira.

Le lendemain Sett Boudour, toujours sous le nom de roi de l'île d'Ébène, fit venir en sa présence le nouveau vizir, et destitua de son emploi le grand vizir ; puis elle nomma Kamaralzamân grand vizir à sa place. Et Kamaralzamân entra aussitôt au conseil et l'assemblée fut dirigée sous son autorité.

Pourtant, lorsque le diwân fut levé, Kamaralzamân se mit à réfléchir profondément et pensa en lui-même : « Les honneurs que m'accorde ce jeune roi et l'amitié dont il m'honore ainsi devant tout le monde doivent certainement avoir une cause ! Mais quelle est cette cause ? Les marins m'ont enlevé et conduit ici sous l'inculpation d'une déchirure à un garçon, alors qu'ils me supposaient l'ancien cuisinier de ce roi. Et le roi, au lieu de me punir, m'envoie au hammam et me nomme aux emplois et tout le reste. Ô Kamaralzamân, quelle peut bien être la cause d'un événement si étrange ? »

Il réfléchit encore pendant quelques instants, puis s'écria : « Par Allah ! j'ai trouvé la cause, mais qu'Éblis soit confondu ! Sûrement, ce roi, qui est fort jeune et fort beau, doit me croire amateur de garçons ; et il ne me montre autant d'amabilité qu'à cause de cela seulement. Mais, par Allah ! je ne puis accepter de remplir de pareilles fonctions. Et même je vais aller éclaircir ses projets ; et si vraiment il voulait cela de moi ou de lui, je lui rendrais sur l'heure toutes les choses qu'il m'a données et j'abdiquerais mon emploi de grand vizir et je retournerais à mon jardin ! »

Et Kamaralzamân alla aussitôt trouver le roi et lui dit : « Ô roi fortuné, en vérité tu as comblé ton esclave d'honneurs et d'égards qu'on ne rend d'ordinaire qu'aux vénérables vieillards blanchis dans la sagesse ; et moi je ne suis qu'un jeune garçon d'entre les plus jeunes garçons. Or, si tout cela n'avait une cause inconnue, ce serait le prodige le plus immense d'entre les prodiges ! »

À ces paroles, Sett Boudour sourit et regarda Kamaralzamân avec des yeux langoureux et lui dit : « Certes, ô mon beau vizir, tout cela a une cause, et c'est l'amitié que ta beauté a soudain allumée dans mon foie. Car en vérité je suis captivé à l'extrême par ton teint si délicat et si tranquille ! » Mais Kamaralzamân dit : « Qu'Allah allonge les jours du roi ! Mais ton esclave a une épouse qu'il aime et pour laquelle il pleure toutes les nuits depuis une aventure étrange qui l'a éloigné d'elle. Aussi, ô roi, ton esclave te demande la permission de s'en aller en voyage, après avoir remis entre tes mains les charges dont tu as bien voulu l'honorer ! »

Mais Sett Boudour prit la main du jeune homme et lui dit : « Ô mon beau vizir, assieds-toi ! Qu'as-tu donc à parler encore de voyage et de départ. Reste ici près de celui qui brûle pour tes yeux et qui est tout disposé, si tu veux partager sa passion, à te faire régner avec lui sur ce trône. Car sache bien que moi-même je n'ai été nommé roi qu'à cause de l'affection que le vieux roi m'a témoignée et de la gentillesse que j'ai eue à mon tour pour lui. Mets-toi donc au courant de nos mœurs, ô jeune garçon si gentil, en ce siècle où la priorité revient de droit aux êtres beaux ; et n'oublie pas les paroles si justes de l'un de nos poètes les plus exquis…

À ce moment de sa narration, Schahrazade vit apparaître le matin et se tut discrètement.

Mais lorsque fut la deux cent trente-deuxième nuit. Elle dit :

… Et n'oublie pas les paroles si justes de l'un de nos poètes les plus exquis :

« Notre siècle rappelle ces temps délicats où vivait le vénérable Loth, parent d'Abraham l'ami d'Allah.

Le vieux Loth avait une barbe comme le sel encadrant un jeune visage où respiraient les roses.

Dans sa ville ardente visitée par les anges, il hospitalisait les anges et donnait à la foule ses filles en échange.

Le ciel lui-même le débarrassa de sa femme fâcheuse, en l'immobilisant figée dans un sel froid et sans vie !

En vérité, je vous le dis, ce siècle charmant appartient aux petits ! »

Lorsque Kamaralzamân eut entendu ces vers et saisi leur signification, il fut excessivement confus et ses joues rougirent à l'égal d'un tison enflammé ; puis il dit : « Ô roi, ton esclave t'avoue son manque de goût pour ces choses dont il n'a pu prendre l'habitude. Et de plus je suis trop petit pour pouvoir supporter des poids et des mesures que ne pourrait tolérer le dos d'un vieux portefaix ! »

À ces paroles, Sett Boudour se mit à rire extrêmement, puis dit à Kamaralzamân : « Vraiment, ô délicieux garçon, je ne comprends rien à ton effarouchement ! Écoute donc ce que j'ai à te dire à ce sujet : ou bien tu es petit ou bien tu es majeur. Si tu es encore petit et que tu n'aies pas atteint l'âge de la responsabilité, on n'a rien à te reprocher ; car il n'y a point à blâmer les actes sans conséquences des petits ou à les considérer d'un œil dur et violent ; – si tu es dans un âge responsable, et je le crois plutôt, à t'entendre discuter avec tant de raison – alors qu'as-tu à hésiter ou à t'effaroucher puisque tu es libre de ton corps et que tu peux le consacrer à l'usage que tu préfères, et que rien n'arrive que ce qui est écrit ? Songe surtout que c'est moi plutôt qui devrais m'effaroucher, puisque je suis plus petit que toi ; mais moi, je mets en application ces vers si parfaits du poète :

« Comme l'enfant me regardait, mon zebb se mouvementa ; alors il s'écria : « Il est énorme ! » Et je lui dis : « Il est connu comme tel ! »

Il répliqua : « Hâte-toi de me montrer son héroïsme et sa résistance ! » Mais je lui dis : « Cela n'est point licite ! » Il répliqua : « Chez moi c'est bien licite ! Hâte-toi de le manier ! »

Alors moi je le lui fis, par obéissance et politesse seulement ! »

Lorsque Kamaralzamân eut entendu ces paroles et ces vers, il vit la lumière se changer en ténèbres devant son visage, et il baissa la tête et dit à Sett Boudour : « Ô roi plein de gloire, tu as dans ton palais bien des jeunes femmes et des jeunes esclaves et des vierges fort belles, et telles que nul roi de ce temps n'en possède de semblables. Pourquoi délaisser tout cela pour ne vouloir que de moi seulement ? Ne sais-tu qu'il t'est loisible d'user avec les femmes de tout ce qui peut solliciter tes souhaits ou encourager ta curiosité et provoquer tes essais ? »

Mais Sett Boudour sourit en fermant les yeux à demi et en les tournant de côté, puis répondit : « Rien n'est plus vrai que ce que tu avances, ô mon judicieux vizir si beau ! Mais que faire, quand notre goût change de désir, quand nos autres sens s'affinent ou se transforment, et quand nos humeurs tournent leur nature ? Oui, que nous reste-t-il à faire ? Mais laissons là une discussion qui ne peut mener à rien, et écoutons ce que disent à ce sujet nos poètes les plus estimés. Voici quelques-uns seulement de leurs vers.

L'un a dit :

« Voici les étalages appétissants dans le souk des fruitiers. Tu trouves d'un côté, sur le plateau de palmes, les grosses figues au cul brun et sympathique. Oh ! mais regarde le grand plateau, à la place de choix ! Voici les fruits du sycomore, les petits fruits au cul rose du sycomore ! »

Un second a dit :

« Demande à la jeune fille pourquoi, quand ses seins durcissent et que son fruit mûrit, elle préfère le goût âcre des citrons aux pastèques douces et aux grenades ! »

Un autre a dit :

« Ô mon unique beauté, ô jeune garçon, ton amour est ma foi ! Il est pour moi la religion préférée entre toutes les croyances !

Pour toi j'ai délaissé les femmes, si bien que mes amis ont vu cette abstinence et prétendu – ce sont des ignorants – que je m'étais fait moine et religieux ! »

Un autre a dit :

« Ô Zeinab aux seins bruns, et toi Hind aux tresses teintes avec art, vous ne savez pas pourquoi il y a si longtemps que j'ai disparu !

J'ai trouvé les roses – celles qui d'ordinaire se voient sur les joues des jeunes filles – j'ai trouvé ces roses non point sur des joues de jeune fille, ô Zeinab, mais sur le cul fondamental et duveté de mon ami.

Voici pourquoi, ô Hind, jamais plus ne saurait m'attirer ta chevelure teinte, et toi, Zeinab, ton jardin rasé, où manque le duvet, ou même ton derrière trop lisse qui manque de granulé ! »

Un autre a dit :

« Prends garde de médire de ce jeune daim en le comparant, parce qu'il est imberbe, à une femme simplement ! Il faut être scélérat pour dire ou croire une chose pareille. Il y a de la différence !

Quand, en effet, tu t'approches d'une femme, c'est par-devant ; aussi t'embrasse-t-elle au visage. Mais le jeune daim, quand tu l'approches, est obligé de se courber et de la sorte, songe ! il embrasse la terre ! Il y a de la différence. »

Un autre a dit :

« Enfant mignon, tu étais mon esclave et, de propos délibéré, je t'ai libéré pour te faire servir à des assauts inféconds. Car toi du moins tu ne peux couver des œufs dans tes flancs.

Quelle chose effrayante en effet pour moi, ce serait d'approcher une femme vertueuse aux larges flancs : sitôt assaillie, elle me donnerait tant d'enfants que le pays tout entier ne saurait les contenir ! »

Un autre a dit :

« Mon épouse me lança tant d'œillades épicées et se mit à mouvoir ses hanches avec tant d'élasticité, que je me laissai entraîner sur notre lit si longtemps évité. Mais elle ne put réussir à réveiller le cher enfant qu'elle sollicitait !

Alors, furieuse, elle me cria : « si tout de suite tu ne l'obliges à durcir pour ses devoirs et à pénétrer, ne t'étonne pas si demain, tu te trouves cornufié ! »

Un autre a dit :

« D'ordinaire c'est en levant les bras qu'on demande à Allah ses grâces et ses bienfaits ! Les femmes tout autrement ! Pour solliciter les faveurs de leur amant, elles lèvent les jambes et les cuisses ! Le geste est plus méritoire assurément, puisqu'il va vers leurs profondeurs ! »

Un autre enfin a dit :

« Que les femmes parfois sont naïves ! Elles s'imaginent, parce qu'elles ont un derrière, pouvoir nous l'offrir au besoin, par analogie ! J'ai prouvé à l'une d'elles combien elle se trompait !

Cette jeune femme était venue me trouver avec, en vérité, une douce vulve excellente au possible. Mais je lui dis : « Je ne fais pas ça de cette façon ! »

Elle me répondit : « Oui ! je le sais, ce siècle abandonne la mode ancienne ! Mais qu'à cela ne tienne ! Je suis au courant ! » Et elle se tourna et offrit à ma vue un orifice aussi vaste que l'abîme de la mer !

Mais je lui dis : « Vraiment je te remercie, ô ma maîtresse, je te remercie beaucoup ! Ton hospitalité, je le vois, est fort large ! Et je crains de me perdre dans une route où la brèche est plus énorme que dans une ville prise d'assaut ! »

Lorsque Kamaralzamân eut entendu tous ces vers, il comprit fort bien qu'il n'y avait plus moyen de se tromper sur les intentions de Sett Boudour qu'il prenait toujours pour le roi, et il vit qu'il ne lui servirait à rien de résister davantage ; et puis il fut assez tenté de savoir à quoi s'en tenir sur cette mode nouvelle dont parlait le poète…

À ce moment de sa narration, Schahrazade vit apparaître le matin et, discrète, se tut.

Mais lorsque fut la deux cent trente-quatrième nuit. Elle dit.

… À quoi s'en tenir sur cette mode nouvelle dont parlait le poète. Donc il répondit : « Ô roi du siècle, du moment que tu y tiens tant que ça, promets-moi que nous ne ferons cette chose-là ensemble qu'une seule fois. Et si j'y consens c'est, sache-le bien, pour essayer de te démontrer ensuite qu'il est préférable de retourner à la mode ancienne ! En tout cas, pour ma part, j'aime te voir me promettre formellement que jamais plus tu ne me demanderas la répétition de cet acte dont, d'avance, je réclame le pardon à Allah le Clément sans bornes ! » Et Sett Boudour s'écria : « Je te le promets formellement ! Et moi aussi je veux en demander la rémission à Allah miséricordieux, dont la bonté est sans limites, pour qu'Il nous fasse sortir des ténèbres de l'erreur vers la lumière de la vraie sagesse ! » Puis elle ajouta : « Mais vraiment il faut absolument le faire, ne fût-ce qu'une fois, pour donner raison au poète qui a dit :

« Les gens, ô mon ami, nous accusent de choses qui nous sont inconnues, et disent de nous tout le mal qu'ils pensent.

Viens, ami ! Soyons assez généreux pour donner raison à nos ennemis, et, puisqu'ils nous soupçonnent de cela, faisons-le au moins une fois ! Puis nous nous repentirons, si tu le veux ! Viens, ami docile, travailler avec moi à libérer la conscience de nos accusateurs ! »

Et elle se leva vivement et l'entraîna vers les larges matelas étendus sur les tapis, alors qu'il essayait un peu de s'en défendre et hochait la tête d'un air résigné en soupirant : « Il n'y a de recours qu'en Allah ! Tout n'arrive qu'avec son ordre ! » Et, comme Sett Boudour impatiente le harcelait pour qu'il se dépêchât, il se dévêtit de ses amples culottes bouffantes, puis de son caleçon de lin, et se trouva soudain renversé sur les matelas par le roi qui s'étendit contre lui et le prit dans ses bras. Et le roi lui dit : « Tu verras que même les anges ne sauront te donner une nuit pareille à celle-ci ! » Et le roi ajouta : « Ah ! serre-toi ! » et lui jeta les deux jambes autour des cuisses et lui dit : « Oh ! donne ta main ! Tends-la entre mes cuisses pour réveiller cet enfant et l'obliger à se lever depuis le temps qu'il est endormi ! » Et Kamaralzamân, un peu gauche tout de même, dit : « Je n'ose pas ! » Le roi dit : « Je vais t'y aider ! » Et il lui prit la main et la promena sur ses cuisses.

Alors Kamaralzamân sentit que cet attouchement des cuisses du roi était fort délicieux et plus moelleux que le toucher du beurre et bien plus doux que de la soie. Et cela lui plut beaucoup et l'entraîna à explorer tout seul le haut et le bas, et cela jusqu'à ce que sa main fût arrivée à une coupole qu'il trouva excessivement mouvementée et, en vérité, pleine de bénédictions. Mais il eut beau chercher de tous les côtés, autour et alentour, il ne put trouver le minaret ! Alors il pensa en lui-même : « Ya Allah ! tes œuvres sont cachées ! Comment peut-il y avoir une coupole sans minaret ? » Puis il se dit : « Il est probable que ce roi charmant n'est ni homme ni femme, mais un eunuque blanc. C'est bien moins intéressant ! » Et il dit au roi : « Ô roi, je ne sais pas, mais je ne trouve pas l'enfant ! »

À ces paroles, Sett Boudour fut prise d'un tel rire qu'elle faillit s'évanouir...

À ce moment de sa narration, Schahrazade vit apparaître le matin et, discrète comme toujours, se tut.

Mais lorsque fut la deux cent trente-cinquième nuit. Elle dit :

... Sett Boudour fut prise d'un tel rire qu'elle faillit s'évanouir. Puis soudain elle devint sérieuse et reprit son ancienne voix si douce et si charmante et dit à Kamaralzamân : « Ô mon époux bien-aimé, comme tu as vite oublié nos belles nuits passées ! » Et elle se leva vivement et, jetant loin d'elle les habits masculins dont elle était vêtue et le turban, elle apparut toute nue avec sa chevelure éparse sur son dos.

À cette vue, Kamaralzamân reconnut son épouse Boudour, fille du roi Ghaïour, maître d'El-Bouhour et d'El-Koussour. Et il l'embrassa et elle l'embrassa, et il la serra et elle le serra, puis tous deux, pleurant de joie, se confondirent en baisers sur les matelas. Et elle lui récita ces vers entre mille :

« Voici mon bien-aimé ! C'est le danseur au corps d'harmonie ! Regardez-le quand il s'avance d'un pied souple et si léger !

Le voici ! Ne croyez pas que ses jambes se plaignent du poids énorme qui les précède et qui ferait, en vérité, une grosse charge de chameau !

Voici mon bien-aimé ! Sur sa route pour tapis j'étendis les fleurs de mes joues, ô mon bonheur ! Et la poussière de sa semelle fut un baume bienfaisant pour mes yeux.

J'ai vu danser l'aurore, ô fille d'Arabie, sur le visage de mon aimé ! Comment pourrais-je oublier ses charmes et sa douceur ?... »

Après quoi, la reine Boudour raconta à Kamaralzamân tout ce qui lui était arrivé depuis le commencement jusqu'à la fin ; et lui aussi agit de même ; puis il lui fit des reproches et lui dit : « Vraiment c'est énorme, ce que tu m'as fais cette nuit ! » Elle répondit : « Par Allah ! c'était pour plaisanter seulement ! » Ensuite ils continuèrent leurs ébats, au milieu des cuisses et des bras, jusqu'au lever du jour.

Alors la reine Boudour se réunit avec le roi Armanos, père de Haïat-Alnefous, lui raconta la vérité sur son histoire, et lui révéla que la jeune Haïat-Alnefous, sa fille, était encore tout à fait vierge, exactement comme avant.

Lorsque le roi Armanos, maître de l'île d'Ébène, eut entendu ces paroles de Sett Boudour, fille du roi Ghaïour, il s'émerveilla à la limite de l'émerveillement et ordonna que cette histoire prodigieuse fût écrite en lettres d'or sur des parchemins de choix. Puis il se tourna vers Kamaralzamân et lui demanda : « Ô fils du roi Schahramân, veux-tu entrer dans ma parenté en acceptant comme seconde épouse ma fille Haïat-Alnefous, qui est encore intacte de toute secousse ? » Kamaralzamân répondit : « Il me faut d'abord consulter mon épouse Sett Boudour, à qui je dois le respect et l'amour ! » Et il se tourna vers la reine Boudour et lui demanda : « Puis-je avoir ton agrément au sujet de Haïat-Alnefous comme seconde épouse ? » Boudour répondit : « Mais certainement !

Car c'est moi-même qui te l'ai réservée pour fêter ton retour ! Et je serai heureuse de tenir même le second rang, car je dois beaucoup de gratitude à Haïat-Alnefous pour toutes ses gentillesses et son hospitalité ! »

Alors Kamaralzamân se tourna vers le roi Armanos et lui dit : « Mon épouse Sett Boudour m'a répondu par l'agrément, sans détours, en me disant qu'elle s'estimerait heureuse d'être au besoin l'esclave de Haïat-Alnefous. »

À ces paroles, le roi Armanos se réjouit à la limite de la joie, et alla aussitôt s'asseoir, pour la circonstance, sur le trône de sa justice et fit assembler tous les vizirs, les émirs, les chambellans et les notables du royaume et leur raconta l'histoire de Kamaralzamân et de son épouse Sett Boudour, depuis le commencement jusqu'à la fin. Puis il leur fit part de son projet de donner Haïat-Alnefous comme seconde épouse à Kamaralzamân et de le nommer, par la même occasion, roi de l'île d'Ébène à la place de son épouse la reine Boudour. Et tous embrassèrent la terre entre ses mains et répondirent : « Du moment que le prince Kamaralzamân est l'époux de Sett Boudour, qui avait régné d'abord sur ce trône, nous l'acceptons avec joie pour notre roi, et nous serons heureux d'être ses esclaves fidèles ! »

À ces paroles, le roi Armanos se convulsa de plaisir à la limite de la convulsion, et fit aussitôt mander les kâdis, les témoins et les chefs principaux et écrire le contrat de mariage de Kamaralzamân avec Haïat-Alnefous. Et cela fut l'occasion de grandes réjouissances et de festins merveilleux et de milliers de bêtes égorgées pour les pauvres et les malheureux, et de largesses à tout le peuple et à toute l'armée. Aussi il ne resta personne dans le royaume, qui ne fît des vœux de longue vie et de bonheur pour le roi Kamaralzamân et ses deux épouses Boudour et Haïat-Alnefous.

Et Kamaralzamân, à son tour, montra autant de justice à gouverner son royaume qu'à contenter ses deux épouses ; car il passait une nuit avec chacune d'elles, alternativement. Quant à Sett Boudour et à Haïat-Alnefous, elles vécurent toujours ensemble en parfaite harmonie, en donnant leurs nuits à leur époux, mais en s'accordant à elles deux les heures du jour.

Après quoi, Kamaralzamân dépêcha des courriers à son père le roi Schahramân pour lui apprendre tous ces heureux événements, et lui dire qu'il comptait aller le voir, sitôt qu'il aurait conquis sur les mécréants une ville au bord de la mer dont ils avaient massacré les habitants musulmans.

Sur ces entrefaites, la reine Boudour et la reine Haïat-Alnefous, brillamment fécondées par Kamaralzamân, donnèrent à leur époux chacune un enfant mâle, beau comme la lune. Et tous vécurent dans le bonheur parfait jusqu'à la fin de leurs jours ! Et telle est l'histoire merveilleuse de Kamaralzamân et de Sett Boudour.

Et Schahrazade, en souriant, se tut.

Or, la petite Doniazade, aux joues si blanches d'ordinaire, avait, surtout à la fin de cette histoire, rougi à l'extrême, et ses yeux s'étaient agrandis de plaisir, de curiosité et aussi de confusion, et elle avait fini par se couvrir le visage de ses deux mains, mais en regardant au travers.

Aussi, pendant que Schahrazade, pour se refaire la voix, mouillait ses lèvres à une coupe glacée de décoction de raisins secs, Doniazade battit des mains et s'écria : « Ô ma sœur, quel dommage que cette histoire merveilleuse soit si vite finie ! C'est la première de son espèce que j'entends de ta bouche. Et je ne sais pas pourquoi je rougis comme ça ! »

*Et Schahrazade, après avoir bu une gorgée, sourit à sa sœur du coin des yeux et lui dit : « Mais que serait-ce alors lorsque tu auras entendu l'*HISTOIRE DE GRAIN-DE-BEAUTÉ *?... Mais je ne te la raconterai qu'après seulement la gentille* HISTOIRE DE BEL-HEUREUX ET DE BELLE-HEUREUSE *! »*

À ces paroles, Doniazade sauta de joie et d'émotion et s'écria : « Ô ma sœur, de grâce ! dis-moi d'abord, avant de commencer l'histoire de Bel-Heureux et de Belle-Heureuse, dont déjà j'aime les noms infiniment, ce que c'est que Grain-de-Beauté ! »

Et Schahrazade répondit : « Mais, ma chérie, Grain-de-Beauté est un adolescent ! »

Alors le roi Schahriar, dont la tristesse avait disparu dès les premiers mots de l'histoire de Sett Boudour, qu'il avait tout entière écoutée avec une grande attention, dit : « Ô Schahrazade, cette histoire de Boudour, je suis obligé de te l'avouer, m'a charmé et m'a réjoui et, de plus, m'a incité à mieux me rendre compte de cette mode nouvelle dont parlait Sett Boudour en prose et en vers. Si donc, dans les histoires que tu nous promets, cette mode se trouve expliquée avec d'autres détails que je ne connais pas, tu peux tout de suite les commencer ! »

Mais à ce moment de sa narration, Schahrazade vit apparaître le matin et, discrète comme elle était, se tut.

Et le roi Schahriar pensa en son âme : « Par Allah ! je ne la tuerai que lorsque j'aurai entendu d'autres détails sur la mode nouvelle qui me paraît, jusqu'à présent, affligée d'obscurité et de complications ! »

Mais lorsque fut la deux cent trente-septième nuit. Doniazade s'écria : « Ô Schahrazade, ma sœur, je t'en prie, commence ! » Et Schahrazade sourit à sa sœur, puis se tourna vers le roi Schahriar et dit :

HISTOIRE DE BEL-HEUREUX ET DE BELLE-HEUREUSE

On raconte – mais Allah est plus savant – qu'il y avait dans la ville de Koufa un homme qui comptait parmi les habitants les plus riches et les plus considérables et s'appelait Printemps.

Dès la première année de son mariage, le marchand Printemps sentit descendre sur sa maison la bénédiction du Très-Haut par la naissance d'un fils fort beau qui vint au monde en souriant. Aussi l'enfant fut-il nommé Bel-Heureux.

Le septième jour après la naissance de son fils, le marchand Printemps alla au souk des esclaves pour acheter une servante à son épouse. Arrivé au milieu de la place centrale, il jeta un regard circulaire sur les femmes et les jeunes garçons que l'on proposait à la vente, et il vit au milieu de l'un des groupes une esclave à la figure fort douce qui portait sur son dos, serrée dans la large ceinture, sa fillette endormie.

Le marchand Printemps alors pensa : « Allah est généreux ! » et il s'avança vers le courtier et lui demanda : « Combien cette esclave avec sa fillette ? » Le courtier répondit : « Cinquante dinars, ni plus ni moins ! » Printemps dit : « J'achète ! Écris le contrat, et prends l'argent. » Puis, cette formalité remplie à l'heure même, le marchand Printemps dit doucement à la jeune femme : « Suis-moi, ma fille. » Et il la conduisit à sa maison.

Lorsque la fille de son oncle vit arriver Printemps avec l'esclave, elle lui demanda : « Ô fils de l'oncle, pourquoi cette dépense vraiment inutile ; car moi, à peine relevée de mes couches, je pourrai toujours tenir ta maison comme avant ! » Le marchand Printemps répondit avec aménité : « Ô fille de l'oncle, j'ai acheté cette esclave à cause de la fillette qu'elle porte sur le dos, et que nous élèverons avec notre enfant Bel-Heureux. Et sache bien qu'à en juger par ce que j'ai vu de ses traits, cette petite fille en grandissant n'aura pas son égale en beauté dans tous les pays de l'Irak, de la Perse et de l'Arabie ! »

Alors l'épouse de Printemps se tourna vers l'esclave et lui demanda avec bonté : « Comment t'appelles-tu ? » Elle répondit : « On me nomme Prospérité, ô ma maîtresse ! » L'épouse du marchand fut très heureuse de ce nom et dit : « Il te sied, par Allah ! Et comment s'appelle ta fille ? » Elle répondit : « Fortune. » Alors l'épouse de Printemps, à la limite de la joie, dit : « Puisses-tu dire vrai ! Et qu'Allah, avec ta venue, fasse durer la fortune et la prospérité sur ceux qui t'ont achetée, ô figure blanche ! »

Après quoi, elle se tourna vers son époux Printemps et lui demanda : « Puisqu'il est d'usage pour les maîtres de donner un nom aux esclaves achetés, comment penses-tu appeler la petite fille ? » Printemps répondit : « À toi la préférence. » Elle répondit : « Nommons-la Belle-Heureuse ! »

Et l'enfant, de la sorte, fut appelée Belle-Heureuse, et fut élevée avec Bel-Heureux, exactement sur le même pied. Et tous deux grandirent ensemble en augmentant tous les jours en beauté ; et Bel-Heureux appelait la fille de l'esclave « ma sœur », et elle l'appelait « mon frère ».

Lorsque Bel-Heureux eut atteint l'âge de cinq ans, on songea à célébrer sa circoncision. On attendit pour cela la fête de la naissance du Prophète (sur lui la prière et le salut !) afin de donner à ce rite précieux toute la manifestation de beauté qu'il comporte. Solennellement donc on fit la circoncision à Bel-Heureux qui, au lieu de pleurer, ne fut pas loin de trouver à la chose de l'agrément et qui, comme d'ailleurs en toute circonstance, souriait gentiment. Alors le cortège se forma nombreux et imposant, composé de tous les parents, amis et connaissances de Printemps et de la fille de son oncle ; puis, bannières et clarinettes en tête, il traversa toutes les rues de Koufa, et Bel-Heureux était juché sur un palanquin rouge porté par une mule richement caparaçonnée de brocart, et à ses côtés était assise la petite Belle-Heureuse qui l'éventait avec un mouchoir de soie. Derrière le palanquin suivaient les amies, les voisines et les enfants qui charmaient l'air de leurs « lu-lu-lu » de joie, cependant que le digne Printemps, dilaté à l'extrême, conduisait par la bride la mule importante et docile.

Lorsqu'on fut revenu à la maison, les invités vinrent, faire leurs souhaits au marchand Printemps, avant de se retirer, disant : « Que la bénédiction te visite ! Puisses-tu jouir durant une longue vie de l'abondance des joies de l'âme...

À ce moment de sa narration, Schahrazade vit apparaître le matin et se tut discrètement.

Mais lorsque fut la deux cent trente-huitième nuit. Elle dit :

... Puisses-tu jouir durant une longue vie de l'abondance des joies de l'âme ! » Puis les années s'écoulèrent dans le bonheur, et les deux enfants atteignirent l'âge de douze ans.

Alors Printemps alla trouver son fils Bel-Heureux qui jouait au mari avec Belle-Heureuse et le prit à part et lui dit : « Voici, ô mon enfant, que tu viens d'avoir l'âge de douze ans, grâce à la bénédiction d'Allah ! Aussi, dès ce jour, il ne faut plus appeler Belle-Heureuse ta sœur, car je dois maintenant te dire que Belle-Heureuse est la fille de notre esclave Prospérité, bien que nous l'ayons fait élever avec toi dans le même berceau et que nous la traitions comme notre fille. De plus, il faut désormais qu'elle se couvre le visage du voile, car ta mère m'a dit que Belle-Heureuse a atteint, la semaine dernière, l'époque de sa nubilité. Aussi ta mère va-t-elle s'employer à lui trouver un époux qui deviendra pour nous un esclave dévoué. »

À ces paroles, Bel-Heureux dit à son père : « Du moment que Belle-Heureuse n'est pas ma sœur, je veux moi-même la prendre pour épouse ! » Printemps répondit : « Il faut demander la permission à ta mère. »

Alors Bel-Heureux alla trouver sa mère, et lui baisa la main et la porta à son front ; puis il lui dit : « Je désire prendre Belle-Heureuse, la fille de notre esclave Prospérité, pour épouse secrète. » Et la mère de Bel-Heureux répondit : « Belle-Heureuse t'appartient, mon enfant ! Car ton père l'avait achetée à ton nom. »

Aussitôt Bel-Heureux, fils de Printemps, courut trouver son ancienne sœur et la prit par la main et l'aima et elle l'aima, et, le soir même, ils dormirent ensemble en époux heureux.

Puis, cet état de choses ne cessant point, ils vécurent tous deux à la limite du bonheur durant encore cinq années bénies. Aussi, dans toute la ville de Koufa, il n'y avait pas d'adolescente plus belle ou plus douce ou plus délicieuse que la jeune épouse du fils de Printemps. Il n'y en avait pas non plus d'aussi instruite ou d'aussi savante. En effet, Belle-Heureuse avait concacré ses loisirs à apprendre le Koran, les sciences, la belle écriture koufique et l'écriture courante, les belles-lettres et la poésie, le jeu des instruments à cordes et à percussion. Et elle était devenue tellement habile dans l'art du chant, qu'elle savait plus de quinze modes différents de chanter et qu'elle pouvait sur un seul mot du premier vers d'une chanson prolonger pendant plusieurs heures, et même toute une nuit, des variations infinies qui ravissaient par leurs rythmes et leurs tremblements.

Aussi que de fois Bel-Heureux et son esclave Belle-Heureuse ne venaient-ils pas, aux heures chaudes, s'asseoir, dans leur jardin, sur le marbre nu autour du bassin, où la fraîcheur de l'eau et de la pierre les pénétrait de délices. Là ils mangeaient des pastèques exquises à la chair fondante et légère, et des amandes et des noisettes et des grains torréfiés et salés et bien d'autres choses admirables. Et ils s'interrompaient pour respirer des roses ou des jasmins ou pour se réciter des poèmes charmants.

Et c'est alors que Bel-Heureux priait son esclave de préluder ; et Belle-Heureuse prenait sa guitare aux cordes doubles dont elle savait tirer des sons à nuls autres pareils. Et tous deux chantaient des couplets alternés dont ceux-ci entre mille merveilles :

« — Il pleut des fleurs et des oiseaux, adolescente ! Allons avec le vent vers la chaude Bagdad aux dômes roses !

— Non, mon émir ! Restons encore dans le jardin sous le flamboiement des palmes d'or et, les mains à la nuque, ô délice ! rêvons…

— Viens, adolescente ! Il pleut des diamants sur les feuilles bleues et la courbe des rameaux est belle sur l'azur.

Lève-toi, ô légère, et secoue les gouttes furtives qui pleurent dans tes cheveux !

— Non, mon émir ! Assieds-toi là, et pose ta tête sur mes genoux. Dans mes robes enivre-toi de tout le parfum de mes seins fleuris… puis entends la douce brise qui chante *ya leil* ! »

D'autres fois les deux adolescents modulaient des vers comme ceux-ci, en s'accompagnant sur le daff seulement :

« Je suis heureuse et légère comme une danseuse légère ! Ralentissez vos trilles, ô lèvres sur les flûtes ; guitares sous les doigts, arrêtez-vous, pour écouter la chanson des palmiers.

Debout sont les palmiers, comme des jeunes filles ; en sourdine ils murmurent dans la nuit claire ; et le remous de leurs chevelures mélodieuses répond à la brise musicienne.

Ah ! je suis heureuse et légère comme une danseuse légère !

— Épouse de pure création, ô parfumée ! aux notes de ta voix les pierres s'élèvent en dansant et viennent en ordre bâtir un édifice harmonieux.

Que Celui qui créa la beauté de l'amour nous accorde le bonheur, épouse de pure création, ô parfumée !

— Ô ! noir de mon œil, pour toi je vais bleuir mes paupières avec la baguette de cristal, et macérer mes mains dans la pâte du henné.

Mes doigts te sembleront ainsi des fruits de jujubier, ou, si tu les aimes mieux, des dattes fines.

Puis, sur l'encens délicat, je parfumerai mes seins, mon ventre et tout mon corps, afin que ma peau dans ta bouche fonde avec suavité, ô noir de mon œil ! »

Et c'est ainsi que le fils de Printemps et que la fille de Prospérité coulaient leurs soirs et leurs matins dans une vie abritée et délectable…

À ce moment de sa narration, Schahrazade vit apparaître le matin et, discrète comme elle était, se tut.

Mais lorsque fut la deux cent trente-neuvième nuit. Elle dit :

… Dans une vie abritée et délectable.

Mais hélas ! ce qui est tracé sur le front de l'homme par les doigts d'Allah, la main de l'homme ne saurait l'effacer ; et la créature aurait des ailes qu'elle ne saurait échapper à son destin.

C'est pour cela que Bel-Heureux et Belle-Heureuse eurent à éprouver pendant un certain temps les vicissitudes du sort. Mais tout de même la bénédiction native qu'ils avaient apportée avec eux sur la terre devait les sauvegarder du malheur sans secours.

En effet, le gouverneur de la ville de Koufa au nom du khalifat avait entendu parler de la beauté de Belle-Heureuse, épouse du fils de Printemps le marchand. Et il se dit en son âme : « Il me faut absolument trouver le moyen d'enlever cette Belle-Heureuse dont on me vante les perfections et l'art dans le chant ! Ce sera un magnifique cadeau à faire à mon maître l'émir des Croyants, Abd El-Malek ben-Merouân ! »

Un jour donc le gouverneur de Koufa résolut de mettre son projet à exécution ; et, dans ce but, il fit mander près de lui une vieille femme fort rouée qui était chargée, en temps ordinaire, du recrutement et de l'instruction spéciale des jeunes esclaves.

Et il lui dit : « Je te demande d'aller à la maison du marchand Printemps et de faire la connaissance de l'esclave de son fils, l'adolescente nommée Belle-

Heureuse, que l'on dit si versée dans l'art du chant et si belle ! Et il faut, d'une façon ou d'une autre, que tu me l'amènes ici, car je veux l'envoyer en cadeau au khalifat Abd El-Malek. » Et la vieille répondit : « J'écoute et j'obéis ! » et s'en alla aussitôt se préparer dans ce but.

Le matin, à la première heure, elle se vêtit de bure et se passa au cou un énorme chapelet aux grains par milliers, attacha une gourde à sa ceinture, prit à la main une béquille et se dirigea à pas fatigués vers la maison de Printemps en s'arrêtant de temps à autre pour soupirer avec componction : « Louange à Allah ! Il n'y a d'autre Dieu qu'Allah ! il n'y a de recours qu'en Allah ! Allah est le plus grand ! » Et elle ne cessa de se comporter de la sorte tout le long du chemin, à la grande édification des passants, jusqu'à ce qu'elle fût arrivée à la porte de la demeure de Printemps. Elle heurta à la porte en disant : « Allah est généreux ! Ô Donateur ! Ô Bienfaiteur ! »

Alors vint lui ouvrir le portier, qui était un vieillard respectable, serviteur ancien de Printemps. Il vit la vieille dévote et, l'ayant examinée, il ne lui trouva pas une figure empreinte de piété, au contraire ! Et de son côté il déplut fort à la vieille, qui lui jeta un regard de travers. Et le portier sentit d'instinct ce regard, et d'instinct, pour conjurer le mauvais œil, il formula mentalement : « Mes cinq doigts gauches dans ton œil droit, et mes cinq autres doigts dans ton œil gauche ! » Puis, à haute voix, il lui demanda : « Que veux-tu, ma vieille tante ? » Elle répondit : « Je suis une pauvre vieille dont le seul souci est la prière. Or, comme je vois que l'heure de la prière approche, je voudrais entrer dans cette demeure pour faire mes dévotions en ce jour saint ! » Le bon portier se rebiffa et lui dit d'un ton brusque : « Marche ! ce n'est point ici une mosquée ni un oratoire ; car c'est la maison du marchand Printemps et de son fils Bel-Heureux ! » La vieille répondit : « Je le sais bien ! Mais y a-t-il mosquée ou oratoire plus digne de la prière que la demeure bénie de Printemps et de son fils Bel-Heureux ? Sache aussi, ô toi, portier à la figure sèche, que je suis une femme connue à Damas, dans le palais de l'émir des Croyants. Et j'en suis partie pour visiter les lieux saints et prier dans tous les endroits dignes de vénération. » Mais le portier répondit : « Je veux bien que tu sois une dévote, mais ce n'est point une raison pour entrer ici. Continue ta marche en l'état de ta voie ! » Mais la vieille tint bon et insista si longtemps que le bruit de sa voix parvint aux oreilles de Bel-Heureux, qui sortit pour se rendre compte de la cause de cette altercation et entendit la vieille qui disait au portier : « Comment peut-on empêcher une femme de ma condition d'entrer dans la maison de Bel-Heureux fils de Printemps, alors que les portes les plus fermées des émirs et des grands me sont toujours très larges ouvertes ? »

En entendant ces paroles, Bel-Heureux sourit, selon son habitude, et pria la vieille d'entrer. Alors la vieille le suivit et arriva avec lui dans l'appartement de Belle-Heureuse. Elle lui souhaita la paix de la façon la plus sentie, et, d'un coup d'œil, elle fut stupéfaite de sa beauté.

Lorsque Belle-Heureuse vit entrer la sainte vieille, elle se hâta de se lever en son honneur et lui rendit son salam avec respect et lui dit : « Que ta venue nous soit de bon augure, ma bonne mère ! Daigne te reposer. » Mais elle répondit : « L'heure de la prière vient d'être annoncée, ma fille. Laisse-moi prier ! » Et elle se tourna aussitôt dans la direction de La Mecque, et se mit à genoux dans l'attitude de la prière. Et elle resta ainsi jusqu'au soir, sans bouger, et personne n'osait la déranger dans une fonction si auguste. Et d'ailleurs elle-même était tellement enfoncée dans l'extase, qu'elle ne prêtait aucune attention à ce qui se passait autour d'elle.

À la fin, Belle-Heureuse s'enhardit un peu et s'approcha timidement de la sainte et lui dit d'une voix douce et respectueuse : « Ma mère, repose tes genoux, ne fût-ce qu'une heure seulement ! » La vieille répondit : « Celui qui ne fatigue pas son corps en ce monde ne peut aspirer au repos réservé aux purs et aux élus dans le futur ! » Belle-Heureuse, édifiée à l'extrême, reprit : « De grâce ! ô notre mère, honore notre table de ta présence, et consens à partager avec nous le pain et le sel. » Elle répondit : « J'ai fait vœu de jeûner, ma fille. Je ne puis manquer à mon vœu. Ne te préoccupe donc plus de moi et va rejoindre ton époux. Vous autres, qui êtes jeunes et beaux, mangez et buvez et soyez heureux… »

À ce moment de sa narration, Schahrazade vit apparaître le matin et, discrète, se tut.

Mais lorsque fut la deux cent quarantième nuit. Elle dit :

… Vous autres, qui êtes jeunes et beaux, mangez et buvez et soyez heureux ! »

Alors Belle-Heureuse alla trouver son maître et lui dit : « Ô maître, je t'en prie, va conjurer cette sainte d'élire domicile désormais dans notre demeure, car son visage macéré dans la piété illuminera notre maison ! » Bel-Heureux répondit : « Sois tranquille. Je lui ai déjà fait préparer dans une chambre à elle une natte neuve et un matelas, ainsi qu'une aiguière et une cuvette. Et personne ne la dérangera. »

Quant à la vieille, elle passa toute la nuit à prier et à lire à voix haute le Koran. Puis, au lever du jour, elle se lava et alla trouver Bel-Heureux et son amie et leur dit : « Je viens prendre congé de vous autres. Qu'Allah vous ait sous sa garde ! » Mais Belle-Heureuse lui dit : « Ô notre mère, comment peux-tu nous quitter avec si peu de regret, alors que nous deux nous nous réjouissions déjà de voir notre maison pour toujours bénie par ta présence, et que nous t'avions préparé la meilleure chambre pour que tu fasses tes dévotions sans être dérangée ? » La vieille répondit : « Qu'Allah vous conserve tous deux et fasse durer sur vous ses bienfaits et ses grâces ! Du moment que la charité musulmane tient dans votre cœur une place de choix, je suis heureuse d'être abritée par votre hospitalité. Seulement je vous prierais d'avertir votre portier, qui a une figure sèche et si peu avenante, de ne plus s'opposer à me laisser entrer ici à l'heure où je pourrais ! Je vais de ce pas visiter les lieux saints de Koufa, où je ferai des vœux à Allah pour qu'il vous rétribue selon vos mérites ; puis je reviendrai me dulcifier à votre hospitalité ! » Puis elle les quitta, alors que tous deux lui prenaient les mains et les portaient à leurs lèvres et à leur front.

Ah ! pauvre Belle-Heureuse, si tu savais le motif pour lequel cette vieille de poix entrait ainsi dans ta maison, et les noirs desseins qu'elle ruminait contre ton bonheur et ta tranquillité ! Mais quelle est la créature qui peut deviner le caché et dévoiler l'avenir ?

La vieille maudite sortit donc et se dirigea vers le palais du gouverneur, et se présenta devant lui aussitôt. Alors il lui demanda : « Eh bien ! qu'as-tu fait, ô débrouilleuse des toiles d'araignée, ô subtile et sublime rouée ? » La vieille dit : « Quoi que je fasse, ô mon maître, je ne suis que ton élève et la protégée de tes regards. Voici. J'ai vu l'adolescente Belle-Heureuse, l'esclave du fils de Printemps. Le ventre de la fécondité n'a jamais modelé pareille beauté ! » Le gouverneur s'écria : « Ya Allah ! » La vieille continua : « Elle est pétrie de délices. Elle est un ruissellement continu de douceurs et de charmes ingénus ! » Le gouverneur s'écria : « Ô mon œil ! ô battement de mon cœur ! » La vieille reprit : « Que dirais-tu alors si tu entendais le timbre de sa voix plus fraîche que le bruit de l'eau sous une voûte sonore ! Que ferais-tu si tu voyais ses yeux d'antilope et leurs regards modestes ? » Il s'écria : « Je ne pourrais qu'admirer de toute mon admiration, car, je te le répète, je la destine à notre maître le khalifat. Hâte-toi donc dans la réussite ! » Elle dit : « Je te demande pour cela un délai d'un mois entier. » Et le gouverneur répondit : « Prends ce délai, mais que ce soit avec résultat ! Et chez moi tu trouveras une générosité dont tu seras satisfaite. Voici, pour commencer, mille dinars comme arrhes de ma bonne volonté ! »

Et la vieille serra les mille dinars dans sa ceinture et commença, dès ce jour, à visiter régulièrement Bel-Heureux et Belle-Heureuse dans leur demeure, et de leur côté ils lui montraient de jour en jour plus d'égards et de considération.

Or, cet état ne cessant point, la vieille devint la conseillère inséparable du logis. Elle dit donc un jour à Belle-Heureuse : « Ma fille, la fécondité n'a pas encore visité tes jeunes flancs. Veux-tu venir avec moi demander la bénédiction des saints ascètes, des cheikhs aimés d'Allah, des santons et des oualis qui sont en communication avec le Très-Haut ? Ces oualis, ma fille, me sont connus, et je sais le pouvoir immense qu'ils ont de faire des miracles et d'accomplir les choses les plus prodigieuses au nom d'Allah. Ils guérissent les aveugles et les infirmes, ressuscitent les morts, nagent dans l'air, marchent sur l'eau. Quant à la fécondation des femmes, c'est là le moindre des privilèges qu'Allah leur a accordés ! Et tu obtiendras ce résultat rien qu'en touchant le pan de leur robe ou en baisant les grains de leur chapelet ! »

À ces paroles de la vieille, Belle-Heureuse sentit en son âme s'agiter le désir de la fécondité, et dit à la vieille : « Il faut que je demande à mon maître Bel-Heureux la permission de sortir. Attendons son retour. » Mais la vieille répondit : « Avise seulement ta belle-mère, cela suffira. » Alors la jeune femme alla trouver sa belle-mère, la mère de Bel-Heureux, et lui dit : « Je te supplie par Allah, ô ma maîtresse, de m'accorder la permission de sortir avec cette sainte vieille pour aller visiter les oualis, amis d'Allah, et leur demander leur bénédiction dans leur demeure sainte. Et je te promets d'être de retour ici avant l'arrivée de mon maître Bel-Heureux. » Alors l'épouse de Printemps répondit : « Ma fille, songe à la peine de ton maître s'il rentrait et ne te trouvait pas ! Il me dirait : « Comment Belle-Heureuse a-t-elle pu sortir ainsi sans ma permission ? C'est la première fois que cela arrive ! »

À ce moment, la vieille intervint et dit à la mère de Bel-Heureux : « Par Allah ! nous ferons un tour rapide dans les lieux saints, et je ne la laisserai même pas s'asseoir se reposer, et je la ramènerai sans retard. » Alors la mère de Bel-Heureux consentit à la chose, mais tout de même en soupirant.

La vieille emmena donc Belle-Heureuse et la conduisit directement à un pavillon isolé, dans le jardin du palais, l'y laissa un instant seule, et courut prévenir de son arrivée le gouverneur qui se rendit aussitôt au pavillon…

À ce moment de sa narration, Schahrazade vit apparaître le matin et, discrète, se tut.

Mais lorsque fut la deux cent quarante et unième nuit. Elle dit :

… Le gouverneur qui se rendit aussitôt au pavillon et resta interdit au seuil, tant il avait été ébloui par cette beauté.

Lorsque Belle-Heureuse vit entrer cet homme étranger, elle se hâta de se voiler le visage, et soudain elle éclata en sanglots ; et chercha des yeux une issue pour s'enfuir, mais en vain.

Alors, comme la vieille ne reparaissait point, Belle-Heureuse ne douta plus de la trahison de la maudite et se remémora certaines paroles que le bon portier lui avait dites au sujet des yeux pleins d'artifices de cette sainte.

Quant au gouverneur, une fois assuré que Belle-Heureuse était celle-là même qu'il voyait devant lui, il ressortit en fermant la porte, et alla donner quelques ordres rapides ; il écrivit une lettre au khalifat Abd El-Malek ben-Merouân, et confia la lettre et l'adolescente au chef de ses gardes en lui ordonnant de se mettre immédiatement en route pour Damas.

Alors le chef des gardes emmena de force Belle-Heureuse, la plaça sur un dromadaire rapide, se mit lui-même devant elle et, suivi de quelques esclaves, il partit en toute hâte vers Damas.

Quant à Belle-Heureuse, durant toute la route, elle se cacha la tête dans son voile et sanglota en silence, indifférente aux arrêts, aux secousses, aux haltes et aux départs. Et le chef des gardes ne put tirer d'elle un mot ni un signe, et cela jusqu'à l'arrivée à Damas. Aussi, sans tarder, il se dirigea vers le palais de l'émir des Croyants, remit l'esclave et la lettre au chef des chambellans, prit la réponse d'agrément, et s'en retourna à Koufa comme il était venu.

Le lendemain, le khalifat entra dans le harem et apprit à son épouse et à sa sœur l'arrivée de la nouvelle esclave, en leur disant : « Le gouverneur de Koufa vient de m'envoyer en cadeau une jeune esclave ; et il m'écrit pour me dire que cette esclave, achetée par lui, est une fille de roi enlevée dans son pays par les marchands d'esclaves. » Et son épouse lui répondit : « Qu'Allah augmente ta joie et ses bienfaits ! » Et la sœur du khalifat demanda : « Comment s'appelle-t-elle ? Est-elle brune ou blanche ? » Le khalifat répondit : « Je ne l'ai pas encore vue. »

Alors la sœur du khalifat, dont le nom était Sett Zahia, s'informa de l'appartement où était l'adolescente, et alla aussitôt la voir. Elle la trouva courbée en deux, le visage brûlé par le soleil et tout en larmes : et elle était presque sans connaissance.

À cette vue, Sett Zahia, dont le cœur était tendre, fut prise de compassion et s'approcha de l'adolescente et lui demanda : « Pourquoi pleures-tu, ma sœur ? Ne sais-tu qu'ici tu es désormais en sûreté, et que la vie te sera légère et sans soucis ? Où peux-tu mieux tomber que dans le palais de l'émir des Croyants ? » À ces paroles, la fille de Prospérité leva des yeux surpris et demanda : « Mais, ô ma maîtresse, en quelle ville suis-je donc, puisque c'est ici le palais de l'émir des Croyants ? » Sett Zahia repondit : « Dans la ville de Damas. Comment ! tu ne le savais donc pas ? Et le marchand qui t'a vendue ne t'a-t-il pas avisée que c'était pour le compte du khalifat Abd El-Malek ben-Merouân ? Mais oui, ma sœur, tu es ici désormais la propriété de l'émir des Croyants, dont je suis la sœur. Sèche donc tes larmes et dis-moi ton nom. »

À ces paroles, la jeune femme ne put plus retenir les sanglots qui l'étouffaient, et murmura : « Ô ma maîtresse, dans mon pays on m'appelait Belle-Heureuse ! »

Comme elle achevait ces mots le khalifat entra. Il s'avança vers Belle-Heureuse en souriant avec bonté, s'assit à côté d'elle et lui dit : « Lève le voile de ton visage, ô jeune fille ! » Mais Belle-Heureuse, au lieu de se découvrir le visage, fut terrifiée à cette seule idée et ramena complètement l'étoffe jusqu'au-dessous de son menton, d'une main tremblante. Et le khalifat ne voulut point s'offusquer d'une action si extraordinaire et dit à Sett Zahia : « Je te confie cette jeune fille, et j'espère que dans quelques jours tu l'auras habituée à toi et encouragée et rendue moins timide. » Puis il jeta encore un regard sur Belle-Heureuse et ne put voir, hors des étoffes dont elle était étroitement drapée, que la jointure de ses fins poignets. Mais cette seule vue suffit pour la lui faire aimer à l'extrême : des poignets aussi admirablement moulés ne pouvaient appartenir qu'à une parfaite beauté ! Et il se retira.

Alors Sett Zahia emmena Belle-Heureuse et la conduisit au hammam du palais, et la revêtit après le bain de robes fort belles et piqua dans ses cheveux plusieurs rangs de perles et de pierreries ; puis elle lui tint compagnie le reste de la journée, en essayant de l'habituer à elle. Mais Belle-Heureuse, bien que fort confuse des égards que lui témoignait la sœur du khalifat, ne pouvait arriver à tarir ses larmes et ne voulait pas non plus révéler la cause de ses peines. Car elle se disait que cela ne changerait guère sa destinée. Elle garda donc pour elle seule l'acuité de sa douleur et continua à se consumer le jour et la nuit, si bien qu'au bout de peu de temps elle tomba gravement malade ; et l'on désespéra de la sauver, après avoir essayé sur elle la science des médecins les plus réputés de Damas.

Quant à Bel-Heureux, fils de Printemps, voici. Vers le soir il rentra dans sa maison et, selon son habitude, s'allongea sur le divan et appela : « Ô Belle-Heureuse ! » Mais, pour la première fois, personne ne répondit. Alors il se leva vivement et appela une seconde fois : « Ô Belle-Heureuse ! » Mais personne ne répondit. Et personne non plus n'osa entrer. Car toutes les esclaves s'étaient cachées et nulle d'entre elles n'osait bouger. Alors Bel-Heureux se dirigea vers l'appartement de sa mère, et entra précipitamment ; il trouva sa mère assise toute triste la main sur la joue, et perdue dans ses pensées. À cette vue, son inquiétude ne fit qu'augmenter et il demanda avec effroi à sa mère : « Où est Belle-Heureuse ? »

Mais, pour toute réponse, l'épouse de Printemps fondit en larmes ; et puis elle soupira : « Qu'Allah nous protège, ô mon enfant ! Belle-Heureuse, en ton absence, est venue me demander la permission de sortir avec la vieille pour aller, m'a-t-elle dit, visiter un saint ouali qui accomplit des miracles. Et elle n'est pas encore rentrée. Ah ! mon fils, jamais mon cœur n'a été tranquille depuis l'entrée de cette vieille dans notre maison. Notre portier non plus, ce vieux serviteur fidèle qui nous a tous élevés, ne l'a jamais regardée d'un œil de paix ! J'ai toujours eu le pressentiment que cette vieille-là porterait malheur avec ses prières trop prolongées et ses regards si rusés ! » Mais Bel-Heureux interrompit sa mère pour demander : « Quand, exactement, Belle-Heureuse est-elle sortie ? » Elle répondit : « Ce matin, de bonne heure, après ton départ pour le souk. » Et Bel-Heureux s'écria : « Tu vois, ma mère, à quoi cela nous sert de changer nos habitudes et d'accorder à nos femmes des libertés dont elles ne savent que faire et qui ne peuvent que leur être funestes ! Ah ! ma mère, pourquoi as-tu permis à Belle-Heureuse de sortir ? Qui sait où elle a pu s'égarer, et si elle n'est pas tombée dans l'eau, et si un minaret ne l'a pas ensevelie sous sa chute ? Mais je vais courir chez le gouverneur pour l'obliger à faire immédiatement des recherches ! »

Et Bel-Heureux, hors de lui, courut au palais, et le gouverneur le reçut, sans le faire attendre, par égard pour son père Printemps qui comptait parmi les plus hauts notables de la ville. Et Bel-Heureux, sans même s'arrêter aux formules obligatoires du salam, dit au gouverneur : « Mon esclave a disparu depuis ce matin, de ma maison, en compagnie d'une vieille femme que nous avions hébergée chez nous. Je viens te prier de m'aider à la rechercher. » Le gouverneur prit un ton plein d'intérêt en répondant : « Mais certainement, mon fils ! Il n'y a rien que je ne fasse, en considération de ton digne père. Va trouver de ma part le chef de la police et expose-lui ton affaire. C'est un homme fort avisé et plein d'expédients, qui, sans aucun doute, vous trouvera l'esclave d'ici peu de jours. »

Alors Bel-Heureux courut chez le chef de la police et lui dit : « Je viens te voir de la part du gouverneur pour retrouver mon esclave qui a disparu de la maison. » Le chef de la police, assis sur le tapis, jambes croisées au-dessous de lui, souffla deux ou trois fois, et demanda : « Et avec qui est-elle partie ? » Bel-Heureux répondit : « Avec une vieille dont le signalement est *tel* et *tel*. Et cette vieille est habillée de bure et porte au cou un chapelet aux grains par milliers. » Et le chef de la police dit : « Par Allah ! dis-moi où se trouve la vieille et j'irai tout de suite te chercher l'esclave ! »

À ces paroles, Bel-Heureux répondit : « Mais sais-je, moi, où se trouve la vieille ? Et viendrais-je ici si je savais l'endroit où elle est ? » Le chef de la police changea la position de ses jambes, les ramena sous lui en sens inverse, et dit : « Mon fils, il n'y a qu'Allah l'Omniscient pour découvrir les choses invisibles ! » Alors Bel-Heureux, irrité à l'extrême, s'écria : « Par le Prophète ! c'est toi seul que je rends responsable de la chose ! Et, s'il le faut, j'irai trouver le gouverneur et même l'émir des Croyants pour les édifier sur ton compte ! » L'autre répondit : « Tu peux aller où bon te semble ! Je n'ai pas appris la sorcellerie pour dévoiler les choses cachées ! »

Alors Bel-Heureux s'en retourna chez le gouverneur et lui dit : « Je suis allé chez le chef de la police, et il s'est passé *telle* et *telle* chose. » Et le gouverneur dit : « Ce n'est pas possible ! Holà ! gardes, allez me chercher ce fils de chien-là ! » Et lorsque ce dernier fut arrivé, le gouverneur lui dit : « Je t'ordonne de faire les recherches les plus minutieuses pour retrouver l'esclave de Bel-Heureux, fils de Printemps ! Envoie tes cavaliers dans toutes les directions ; cours toi-même et cherche partout ; mais il faut que tu la retrouves ! » Et en même temps il lui cligna de l'œil pour que rien ne fût fait ; puis il se tourna vers Bel-Heureux et lui dit : « Quant à toi, mon fils, je veux désormais que tu ne réclames l'esclave que de ma barbe ! Et si, par extraordinaire (car tout peut arriver), on ne retrouvait pas l'esclave, je te donnerais moi-même, à sa place, dix vierges de l'âge des houris, aux seins fermes, aux fesses dures et assises comme des cubes de pierre ! Et je forcerai également le chef de la police à te donner de son harem dix jeunes esclaves aussi intactes que mon œil ! Seulement tranquillise ton âme, car sache bien que le destin t'accordera toujours ce qui t'est réservé et que, d'autre part, tu n'auras jamais ce que le sort ne t'a pas destiné…

À ce moment de sa narration, Schahrazade vit apparaître le matin et, discrète, se tut.

Mais lorsque fut la deux cent quarante-deuxième nuit. Elle dit :

… Tu n'auras jamais ce que le sort ne t'a pas destiné ! »

Alors Bel-Heureux prit congé du gouverneur, et rentra désespéré à sa maison, après avoir erré toute la nuit à la recherche de Belle-Heureuse. Aussi le lendemain fut-il obligé de s'aliter, en proie à une faiblesse extrême et à une fièvre qui ne fit qu'augmenter de jour en jour, à mesure qu'il perdait ce qui lui restait d'espoir au sujet des recherches ordonnées par le gouverneur. Et les médecins consultés répondirent : « Son mal n'a d'autre remède que le retour de son épouse ! »

Sur ces entrefaites, arriva dans la ville de Koufa un Persan fort versé dans la médecine, l'art des drogues, la science des étoiles et du sable divinatoire. Et le marchand Printemps se hâta de le faire venir auprès de son fils. Alors le savant persan, après avoir été traité avec les plus grands égards par Printemps, s'approcha de Bel-Heureux et lui dit : « Donne-moi la main ! » Et il lui prit la main, lui tâta le pouls pendant un long moment, le regarda avec attention au visage, puis sourit et se tourna vers le marchand Printemps en lui disant : « Le mal de ton fils réside dans son cœur ! » Et Printemps répondit : « Par Allah ! tu dis vrai, ô médecin ! » Le savant continua : « Et ce mal a pour cause la disparition d'une personne aimée. Eh bien ! je vais vous dire, avec l'aide des puissances mystérieuses, l'endroit où se trouve actuellement cette personne ! »

Et, ayant achevé ces mots, le Persan s'accroupit, tira d'un sac un paquet de sable qu'il défit et étendit devant lui ; puis il plaça au milieu du sable cinq cailloux blancs et trois cailloux noirs, deux baguettes et un ongle de tigre, les disposa sur un plan, puis sur deux plans, puis sur trois plans, les regarda en prononçant quelques mots en langue persane, et dit : « Ô vous qui m'écoutez, sachez que la personne se trouve en ce moment à Bassra ! » Puis il se reprit et dit : « Non ! les trois fleuves que je vois là m'ont trompé. La personne se trouve en ce moment à Damas, dans un grand palais, et dans le même état de langueur que ton fils, ô illustre marchand ! »

À ces paroles, Printemps s'écria : « Et que nous faut-il faire, ô vénérable médecin ? De grâce, éclaire-nous, et tu n'auras pas à te plaindre de l'avarice de Printemps. Car, par Allah ! je te donnerai de quoi vivre dans l'opulence durant l'espace de trois vies humaines ! » Et le Persan répondit : « Tranquillisez tous deux vos âmes et que vos paupières se rafraîchissent et couvrent vos yeux sans inquiétude ! Car je me charge de réunir les deux jeunes gens, et la chose est encore plus aisée à faire que tu ne te l'imagines ! » Puis il ajouta, en s'adressant à Printemps : « Tire de ta poche quatre mille dinars ! » Et Printemps défit aussitôt sa ceinture et rangea devant le Persan quatre mille dinars et mille autres dinars. Et le Persan dit : « Maintenant qu'il y a ainsi de quoi suffire à toutes les dépenses, je vais immédiatement me mettre en route pour Damas, en emmenant ton fils avec moi ! Et, si Allah veut, nous reviendrons avec celle qu'il aime ! » Puis il se tourna vers l'adolescent étendu sur le lit et lui demanda : « Ô fils de l'honorable Printemps, quel est ton nom ? » Il répondit : « Bel-Heureux ! » Le Persan dit : « Eh bien, Bel-Heureux, lève-toi, et que ton âme soit désormais sauve de toute inquiétude, car tu peux dès cet instant considérer que ton esclave t'est rendue ! » Et Bel-Heureux, mû soudain par la bonne influence du médecin, se leva et s'assit. Et le médecin continua : « Raffermis donc ton courage et ton cœur. Chasse tous les soucis. Mange, bois et dors ! Et dans une semaine, une fois tes forces revenues, je reviendrai te prendre pour faire avec toi le voyage. » Et il prit congé de Printemps et de Bel-Heureux, et s'en alla se préparer lui aussi au départ.

Alors Printemps donna à son fils cinq mille autres dinars, et lui acheta des chameaux qu'il fit charger de riches marchandises et de ces soieries de Koufa si belles de couleur, et lui donna des chevaux pour lui et pour sa suite. Puis au bout de la semaine, comme Bel-Heureux avait suivi les prescriptions du savant et s'en était admirablement trouvé, Printemps jugea que son fils pouvait sans inconvénient entreprendre le voyage de Damas. Bel-Heureux fit donc ses adieux à son père, à sa mère, à Prospérité et au portier et, accompagné des vœux que tous les bras des siens appelaient sur sa tête, il partit de Koufa avec le savant de Perse.

Or, Bel-Heureux à ce moment-là avait atteint la perfection de l'adolescence, et ses dix-sept ans avaient duveté soyeusement ses joues à l'incarnat léger : ce qui rendait ses charmes encore plus séducteurs et faisait que nul ne le pouvait regarder sans s'arrêter extatiquement.

Aussi le savant de Perse ne fut pas longtemps sans éprouver l'effet délicieux des charmes de l'adolescent, et l'aima-t-il de toute son âme, en vérité, et se priva-t-il, durant tout le voyage, de toutes les commodités pour l'en faire profiter. Et de le voir content il était ravi à l'extrême…

À ce moment de sa narration, Schahrazade vit apparaître le matin et, discrète, se tut.

Mais lorsque fut la deux cent quarante-troisième nuit. Elle dit :

… Et de le voir content il était ravi à l'extrême.

Dans ces conditions le voyage fut agréable et sans fatigue, et l'on arriva de la sorte à Damas.

Aussitôt le savant de Perse alla avec Bel-Heureux au souk principal et loua, séance tenante, une grande boutique qu'il fit remettre à neuf. Puis il fit faire des étagères élégantes tendues de velours, où il rangea en bon ordre ses flacons précieux, ses dictames, ses baumes, ses poudres, ses sirops contenus dans le cristal, ses thériaques fines conservées dans l'or pur, ses pots de faïence persane aux reflets métalliques où mûrissaient les vieilles pommades composées du suc de trois cents herbes rares ; et entre les grands flacons, les cornues et les alambics, il plaça l'astrolabe d'or.

Après quoi il se vêtit de sa robe de médecin et se coiffa de son grand turban à sept tours, puis songea à habiller Bel-Heureux qui devait lui servir d'assistant, exécuter les prescriptions, piler dans le mortier, faire les sachets et écrire les remèdes sous sa dictée. À cet effet il le vêtit, lui-même, d'une chemise de soie bleue et d'un gilet de cachemire, lui passa autour des hanches un tablier de soie rose où couraient des filets d'or, et le fit se tenir entre ses mains. Puis il lui dit : « Ô Bel-Heureux, dès ce moment il te faut m'appeler ton père, et moi je t'appellerai mon fils, sans quoi les habitants de Damas croiraient qu'il y a entre nous ce que tu comprends ! » Et Bel-Heureux répondit : « J'écoute et j'obéis ! »

Or, à peine la boutique où le Persan devait donner ses consultations eut été ouverte, que de tous côtés les habitants s'y rendirent en foule, les uns pour exposer leur cas, les autres seulement pour admirer la beauté de l'adolescent ; et tous étaient stupéfaits et charmés à la fois d'entendre Bel-Heureux converser avec le médecin dans la langue persane qu'ils ne connaissaient pas et qu'ils trouvaient délicieuse de la bouche du bel assistant. Mais ce qui porta à son extrême limite l'ébahissement des visiteurs, c'était la façon dont le médecin persan devinait les maladies.

En effet, le médecin regardait dans le blanc des yeux pendant quelques moments le malade qui avait recours à lui, puis lui présentait un grand verre de cristal et lui disait : « Pisse ! » Et le malade pissait dans le verre, et le Persan mettait le verre à hauteur de son œil et l'examinait, puis disait : « Tu as *telle* et *telle* chose ! » Et le malade toujours s'écriait : « Par Allah ! c'est la vérité ! » Ce qui faisait que tout le monde levait les bras en disant : « Ya Allah ! quel savant prodigieux ! Nous n'avons jamais ouï parler d'une chose pareille ! Comment peut-on connaître ainsi les maladies par l'urine ? »

Aussi, il ne faut point s'étonner que le médecin persan ait été réputé en quelques jours, parmi tous les notables et les gens riches, pour sa science extraordinaire, et que le bruit de tous ses prodiges soit arrivé aux oreilles mêmes du khalifat et de sa sœur El-Sett Zahia.

Donc, un jour que le médecin était assis au milieu de la boutique et dictait une ordonnance à Bel-Heureux qui était à ses côtés et tenait le calam à la main, une respectable dame, montée sur un âne à la selle de brocart rouge constellée de pierreries, s'arrêta à la porte, noua la bride de l'âne à l'anneau de cuivre qui surmontait le pommeau de la selle, puis fit signe au savant de venir l'aider à descendre. Aussitôt il se leva avec empressement, courut lui prendre la main et la fit descendre de l'âne et entrer dans la boutique, où il la pria de s'asseoir après que Bel-Heureux lui eut avancé un coussin en souriant discrètement.

Alors la dame sortit, l'ayant tiré de sa robe, un flacon rempli d'urine et demanda au Persan : « C'est bien toi, ô vénérable cheikh, qui es le médecin arrivé de l'Irak-Ajami pour faire ces cures admirables à Damas ? » Il répondit : « C'est ton esclave lui-même. » Elle dit : « Nul n'est l'esclave que d'Allah ! Sache donc, ô maître sublime de la science, que ce flacon-là contient la chose que tu comprends, et dont la propriétaire est la favorite, bien que vierge encore, de notre souverain l'émir des Croyants. Ici les médecins n'ont pu deviner la cause de la maladie qui l'a alitée dès le premier jour de son arrivée au palais. Aussi El-Sett Zahia, la sœur de notre maître, m'a envoyée vous porter ce flacon pour que vous y découvriez cette cause inconnue. »

À ces paroles, le médecin dit : « Ô ma maîtresse, il te faut me dire le nom de cette malade afin que je puisse faire mes calculs et savoir au juste l'heure la plus favorable pour lui faire boire les remèdes. » La dame répondit : « Elle s'appelle Belle-Heureuse. »

Alors le médecin se mit à tracer sur un bout de papier qu'il tenait à la main des calculs en grand nombre, les uns à l'encre rouge et les autres à l'encre verte. Puis il fit la somme des chiffres rouges et celle des chiffres verts, les additionna et dit : « Ô ma maîtresse, j'ai découvert la maladie ! C'est une affection connue sous le nom de « tremblement des éventails du cœur. » À ces paroles, la dame s'écria : « Par Allah ! c'est la vérité ! Car les éventails de son cœur tremblent si fort que nous les entendons ! » Le médecin continua : « Mais il me faut, avant de prescrire les remèdes, connaître de quel pays elle est. Cela est très important, car c'est par là que je saurai, une fois mes calculs faits, l'influence de la légèreté de l'air ou de sa pesanteur sur les éventails de son cœur. De plus, pour juger de l'état de conservation de ces éventails délicats, il me faut également savoir depuis combien de temps elle est à Damas et son âge précis ! » La dame répondit : « Elle a été élevée, paraît-il, à Koufa, ville de l'Irak ; elle est âgée de seize ans, car elle est née, d'après ce qu'elle nous a dit, l'année de l'incendie du souk de Koufa. Quant à son séjour à Damas, il est de quelques semaines seulement…

À ce moment de sa narration, Schahrazade vit apparaître le matin et se tut discrètement.

Mais lorsque fut la deux cent quarante-quatrième nuit. Elle dit :

… De quelques semaines seulement. »

À ces paroles, le savant de Perse dit à Bel-Heureux dont le cœur battait comme un moulin : « Mon fils, prépare les remèdes *tel* et *tel,* d'après la formule d'Ibn-Sina, à l'article sept ! »

Alors la dame se tourna vers l'adolescent, qu'elle se mit à dévisager plus attentivement pour lui dire quelques moments après : « Par Allah ! ô mon enfant, la malade te ressemble fort, et son visage est aussi beau et aussi doux que le tien ! » Puis elle dit au savant : « Dis-moi, ô noble Persan, cet adolescent est-il ton fils ou ton esclave ? » Il répondit : « C'est mon fils, ô respectable, et ton esclave ! » Et la vieille dame, excessivement flattée de tous ces égards, répondit : « En vérité, je ne sais ce que je dois le plus admirer ici, de ta science, ô médecin sublime, ou de ta descendance ! » Puis elle continua à converser avec le savant tandis que Bel-Heureux finissait de faire les petits paquets de remèdes et les mettait dans une boîte où il glissait un billet et en peu de mots apprenait de la sorte à Belle-Heureuse son arrivée à Damas avec le médecin de Perse. Après quoi, il cacheta la boîte et écrivit sur le couvercle son nom et son adresse en caractères koufiques, illisibles pour les habitants de Damas, mais déchiffrables pour Belle-Heureuse qui connaissait fort bien l'écriture arabe courante aussi bien que la koufique. Et la dame prit la boîte, déposa dix dinars d'or sur l'étagère du médecin, prit congé des deux et sortit pour se rendre directement au palais où elle se hâta de monter chez la malade.

Elle la trouva les yeux à demi fermés et mouillés vers les coins de larmes, comme toujours. Elle s'approcha d'elle et lui dit : « Ah ! ma fille, puissent ces remèdes te procurer autant de bien que la vue de celui qui les a faits m'a donné de plaisir. C'est un adolescent aussi beau qu'un ange, et la boutique où il se tient est un lieu de délices ! Voici la boîte qu'il m'a donnée pour toi. » Alors Belle-Heureuse, pour ne point repousser l'offre, tendit la main, prit la boîte et jeta sur le couvercle un regard vague ; mais soudain elle changea de couleur en voyant, sur le couvercle, ces mots tracés en koufique : « Je suis Bel-Heureux, fils de Printemps de Koufa ! » Mais elle eut assez de force sur son âme pour ne pas s'évanouir ou se trahir. Et elle dit à la vieille dame, en souriant : « Alors tu dis que c'est un bel adolescent ? Comment est-il ? » Elle répondit : « Il est un tel mélange de délices qu'il m'est impossible de te le dépeindre ! Il a des yeux ! et des sourcils ! ya Allah ! mais ce qui ravit l'âme c'est un grain de beauté qu'il a sur le coin gauche de la lèvre et une fossette qui se creuse, au sourire, sur sa joue droite ! »

À ces paroles, Belle-heureuse ne douta plus que ce ne fût là son maître bienaimé, et elle dit à la vieille dame : « Puisqu'il en est ainsi, puisse ce visage être de bon augure ! Donne-moi les remèdes. » Et elle les prit et, en souriant, les avala en une fois. Et au même moment elle vit le billet, qu'elle ouvrit et parcourut. Alors elle sauta à bas de son lit et s'écria : « Ma bonne mère, je sens que je suis guérie. Ces remèdes sont miraculeux. Ô ! quel jour béni ! » Et la vieille s'écria : « Oui ! par Allah, c'est là une bénédiction du Très-Haut ! » Et Belle-Heureuse ajouta : « De grâce, hâte-toi de m'apporter à manger et à boire, car je me sens mourir de faim depuis près d'un mois que je ne puis toucher aux mets ! »

Alors la vieille, après avoir fait apporter à Belle-Heureuse, par les esclaves, des plateaux chargés de toutes sortes de rôtis, de fruits et de boissons, se hâta d'aller annoncer au khalifat la guérison de la jeune esclave par la science inouïe du médecin persan. Et le khalifat dit : « Va vite lui porter de ma part mille dinars ! » Et la vieille se hâta d'exécuter l'ordre, après avoir toutefois passé chez Belle-Heureuse qui lui remit également un cadeau pour le médecin dans une boîte cachetée.

Lorsque la vieille dame fut arrivée à la boutique, elle remit les mille dinars au médecin de la part du khalifat, et la boîte à Bel-Heureux qui l'ouvrit et en lut le contenu. Mais alors son émotion fut telle qu'il éclata en sanglots et tomba évanoui : car Belle-Heureuse, dans un billet, lui racontait sommairement toute son aventure et son enlèvement par ordre du gouverneur et son envoi en cadeau au khalifat Abd El-Malek, à Damas.

À cette vue, la bonne vieille demanda au médecin : « Mais pourquoi donc ton fils a-t-il été pris d'évanouissement après avoir tout à coup fondu en larmes ? » Il répondit : « Comment veux-tu, ô vénérable, qu'il en soit autrement, puisque l'esclave Belle-Heureuse que j'ai guérie est la propriété même de celui que tu crois être mon fils et qui n'est autre que le fils de l'illustre marchand de Koufa ? Et notre venue à Damas n'a eu d'autre but que la recherche de la jeune Belle-Heureuse qui avait un jour disparu, enlevée par une maudite vieille aux yeux de trahison ! Aussi, ô notre mère, nous plaçons désormais en ta bienveillance notre espoir le plus cher, et nous ne doutons pas de te voir nous aider à recouvrer le plus sacré des biens ! » Puis il ajouta : « Et pour gages de notre reconnaissance, voici, pour commencer, les mille dinars du khalifat. Ils sont à toi ! Et l'avenir te démontrera, en outre, que la gratitude pour tes bienfaits a dans notre cœur une place de choix…

À ce moment de sa narration, Schahrazade vit apparaître le matin et, discrète, se tut.

Mais lorsque fut la deux cent quarante-cinquième nuit. Elle dit :

… La gratitude pour tes bienfaits a dans notre cœur une place de choix ! » Alors la bonne dame se hâta d'abord d'aider le médecin à faire reprendre connaissance à Bel-Heureux évanoui, et lui dit : « Vous pouvez compter sur la ferveur de ma bonne volonté et de mon dévouement. » Et elle les quitta pour se rendre aussitôt auprès de Belle-Heureuse qu'elle trouva le visage rayonnant de joie et de santé. Elle s'approcha d'elle en souriant et lui dit : « Ma fille, pourquoi n'as-tu pas eu dès le début confiance en ta mère ? Mais aussi, que tu as eu raison de pleurer toutes les larmes de ton âme d'être séparée de ton maître, le joli et doux Bel-Heureux, fils de Printemps de Koufa ! » Et comme elle voyait la surprise de l'adolescente, elle se hâta d'ajouter : « Tu peux, ma fille, compter sur mon entière discrétion et mon maternel vouloir à ton égard. Je te jure de te réunir à ton bien-aimé, dussé-je y risquer ma vie ! Tranquillise donc ton âme et laisse la vieille agir dans ton bien, selon son savoir ! »

Elle quitta alors Belle-Heureuse, qui lui baisait les mains en pleurant de joie, et alla faire un paquet dans lequel elle mit des habits de femme, des bijoux et tous les accessoires nécessaires à un déguisement complet, et retourna à la boutique du médecin, où elle fit signe à Bel-Heureux de venir avec elle à l'écart. Alors Bel-Heureux la mena au fond de la boutique, derrière le rideau, et apprit d'elle ses projets, qu'il trouva parfaitement combinés, et se laissa guider d'après le plan qu'elle lui soumit.

La bonne dame habilla donc Bel-Heureux des habits de femme qu'elle avait apportés, et lui allongea les yeux de kohl et agrandit de noir le grain de beauté de sa joue ; puis elle lui passa des bracelets aux poignets et piqua des bijoux dans ses cheveux recouverts d'un voile de Mossoul ; et, cela fait, elle jeta un dernier coup d'œil sur sa toilette, et trouva qu'il était ravissant ainsi et de beaucoup plus beau que toutes les femmes réunies du palais du khalifat. Elle lui dit alors : « Béni soit

Allah dans ses œuvres ! Maintenant, mon fils, il te faut prendre la démarche des jeunes filles encore vierges, n'avancer qu'à tout petits pas en mouvant ta hanche droite et reculant ta hanche gauche, tout en donnant de légères secousses à ta croupe, savamment. Essaie d'abord un peu ces manœuvres, avant de sortir ! »

Alors Bel-Heureux, dans la boutique, se mit à répéter les gestes en question et s'en acquitta de telle façon que la bonne dame s'écria : « Maschallah ! les femmes peuvent désormais s'abstenir de se vanter ! Quels merveilleux mouvements de croupe et quels coups de reins splendides ! Pourtant, pour que la chose soit admirable tout à fait, il faut donner à ta physionomie une expression plus langoureuse en penchant le cou un peu plus et en regardant du coin des yeux. Là ! c'est parfait ! Tu peux me suivre maintenant. » Et elle s'en alla avec lui au palais.

Lorsqu'ils furent arrivés à la porte d'entrée du pavillon réservé au harem, le chef eunuque s'avança et dit : « Aucune personne étrangère ne peut entrer sans l'ordre spécial de l'émir des Croyants. Arrière donc avec cette jeune fille, ou bien, si tu veux, entre toi seule ! » Mais la vieille dame dit : « Qu'as-tu fait de ta sagesse, ô couronne des gardiens ? Toi d'ordinaire le délice même et l'urbanité, tu prends maintenant un ton qui jure tellement avec ton aspect exquis ! Ne sais-tu, ô doué de nobles manières, que cette esclave est la propriété de Sett Zahia, la sœur de notre maître le khalifat, et que Sett Zahia, en apprenant ton manque d'égards vis-à-vis de son esclave préférée, ne manquera pas de te faire destituer et même de te faire décapiter ? Et c'est toi-même qui auras été de la sorte la cause de ton infortune ! » Puis la dame se tourna vers Bel-Heureux et lui dit : « Viens, esclave ! oublie tout à fait ce manque d'égards de notre chef, et surtout n'en dis rien à ta maîtresse ! Allons ! viens ! » Et elle le prit par la main et le fit entrer, tandis qu'il penchait sa tête câlinement de droite et de gauche en jetant un sourire des yeux au chef eunuque, qui hochait la tête.

Une fois dans la cour du harem, la dame dit à Bel-Heureux : « Mon fils, nous t'avons fait réserver une chambre à l'intérieur même du harem, et tu vas de ce pas y aller tout seul. Pour la trouver, tu vas entrer, par cette porte-ci, tu prendras la galerie qui se présentera devant toi, tu tourneras à gauche, puis à droite, et encore à droite, tu compteras ensuite cinq portes et tu ouvriras la sixième : c'est celle de la chambre qui t'est réservée et où ira te rejoindre Belle-Heureuse que je vais prévenir. Et je me chargerai alors de vous faire sortir tous deux du palais sans éveiller l'attention des gardiens et des eunuques. »

Alors Bel-Heureux entra dans la galerie, et dans son trouble, se trompa de côté : il tourna à droite, puis à gauche dans un corridor parallèle à l'autre, et pénétra dans la sixième chambre…

À ce moment de sa narration, Schahrazade vit apparaître le matin et se tut discrètement.

Mais lorsque fut la deux cent quarante-sixième nuit. Elle dit :

… Dans la sixième chambre.

Il arriva de la sorte dans une haute salle creusée en dôme léger, dont les parois étaient ornées de versets en caractères d'or qui couraient partout, entrelacés en mille lignes de perfection ; là les murs étaient tendus de soie rose, les fenêtres tamisées de fins rideaux de gaze, et le sol recouvert d'immenses tapis du Khorassân et du Cachemire ; là, sur les tabourets, étaient posées des coupes de fruits et, directement sur les tapis, s'étalaient les plateaux recouverts du foulard protecteur qui laissait deviner, à leurs formes et à leurs odeurs admirables, ces pâtisseries fameuses, délices des gosiers les plus difficiles, et que la seule Damas, parmi toutes les villes de l'Orient et de l'univers entier, savait doter de leurs si sympathiques qualités.

Or, Bel-Heureux était loin de se douter de ce que lui réservaient, dans cette salle, les puissances inconnues.

Au milieu de la salle il y avait un trône recouvert de velours, seul meuble visible ; aussi Bel-Heureux, n'osant plus reculer de peur d'être rencontré errant dans les corridors, alla s'asseoir sur le trône et attendit sa destinée.

Il était là à peine depuis quelques instants, quand un bruit de soieries parvint à ses oreilles, répercuté par la voûte, et il vit entrer, par l'une des portes latérales, une jeune femme à l'aspect royal, habillée seulement de ses vêtements d'intérieur, sans voile sur le visage ou foulard sur les cheveux ; et elle était suivie d'une petite esclave mignonne, les pieds nus, qui portait sur la tête des fleurs et tenait à la main un luth en bois de sycomore. Et cette dame n'était autre que Sett Zahia elle-même, la sœur de l'émir des Croyants.

Lorsque Sett Zahia vit cette personne voilée assise dans la salle, elle s'approcha d'elle gentiment et lui demanda : « Qui es-tu, ô étrangère que je ne connais pas ? Et pourquoi restes-tu ainsi voilée dans le harem où nul œil indiscret ne peut te voir ? » Mais Bel-Heureux, qui s'était hâté de se mettre debout, n'osa articuler un mot et prit le parti de faire le muet. Et Sett Zahia lui demanda : « Ô jeune fille aux yeux si beaux, pourquoi ne me réponds-tu pas ? Si par hasard tu es une esclave renvoyée du palais par mon frère l'émir des Croyants, hâte-toi de me le dire et j'irai intercéder en ta faveur, car il ne me refuse jamais rien. » Mais Bel-Heureux n'osa guère faire de réponse. Et Sett Zahia pensa que le mutisme de la jeune fille avait pour cause la présence de la petite esclave qui était là, les yeux écarquillés, à regarder avec étonnement cette personne voilée et si timide. Elle lui dit donc : « Va, ma mignonne, et reste derrière la porte pour empêcher n'importe qui d'entrer dans la salle. » Et lorsque la petite fut sortie, elle vint tout près de Bel-Heureux, qui fut tenté de se serrer encore davantage dans son grand voile, et lui dit : « Dis-moi maintenant, adolescente, qui tu es, et dis-moi ton nom et le motif de ta venue dans cette salle où je suis seule à entrer avec l'émir des Croyants ? Tu peux me parler le cœur sur la main, car je te trouve charmante et tes yeux me plaisent déjà beaucoup ! Oui ! vraiment je te trouve ravissante, ma petite ! » Et Sett Zahia, qui aimait à l'extrême les vierges blanches et délicates, avant d'attendre la réponse prit la jeune fille par la taille en l'attirant à elle et porta la main à ses seins pour les caresser, tout en lui dégrafant la robe de l'autre main. Mais elle fut stupéfaite de constater que la poitrine de la jeune fille était aussi lisse que celle d'un adolescent ! Elle recula d'abord, puis se rapprocha et voulut lui soulever la robe pour voir plus clair dans l'affaire.

Lorsque Bel-Heureux vit ce mouvement, il jugea plus prudent de parler, et, prenant la main de Sett Zahia, qu'il porta à ses lèvres, il dit : « Ô ma maîtresse, je me livre entièrement à ta bonté et me mets sous ton aile en demandant ta protection ! » Sett Zahia dit : « Je te l'accorde entière. Parle. » Il dit : « Ô ma maîtresse, je ne suis point une jeune fille ; je m'appelle Bel-Heureux, fils de Printemps le Koufique. Et si je suis venu ici au risque de ma vie, c'est dans le but de revoir mon épouse Belle-Heureuse, l'esclave que le gouverneur de Koufa m'a enlevée pour l'envoyer en cadeau à l'émir des Croyants. Par la vie de notre Prophète, ô ma maîtresse, aie compassion de ton esclave et de son épouse ! » Et Bel-Heureux fondit en larmes.

Mais déjà Sett Zahia avait appelé la petite esclave, et lui avait dit : « Cours vite, ma mignonne, à l'appartement de Belle-Heureuse, et dis-lui : « Ma maîtresse Zahia te demande ! » Puis elle se tourna…

À ce moment de sa narration, Schahrazade vit apparaître le matin et se tut discrètement.

Mais lorsque fut la deux cent quarante-septième nuit. Elle dit :

… Puis elle se tourna vers Bel-Heureux et lui dit : « Calme ton âme, adolescent. Il ne t'arrivera que des choses heureuses ! »

Or, durant ce temps, la bonne vieille dame était allée trouver Belle-Heureuse et lui avait dit : « Suis-moi vite, ma fille. Ton maître bien-aimé est dans la chambre que je lui ai réservée ! » Et elle la mena, pâle d'émotion, dans la chambre où elle croyait retrouver Bel-Heureux. Aussi leur douleur fut-elle très grande et leur terreur de ne le voir pas là ; et la vieille dit : « Il a dû certainement s'égarer dans les corridors ! Rentre, ma fille, dans ton appartement, pendant que je vais aller me mettre à sa recherche ! »

Et c'est alors que la petite esclave entra chez Belle-Heureuse qu'elle trouva toute tremblante et bien pâle, et lui dit : « Ô Belle-Heureuse, ma maîtresse Sett Zahia te demande ! » Alors Belle-Heureuse ne douta plus de sa perte et de celle de son bien-aimé et suivit, en chancelant, la gentille fillette aux pieds nus. Mais à peine était-elle entrée dans la salle, que la sœur du khalifat vint à elle, le sourire aux lèvres, lui prit la main et la conduisit à Bel-Heureux, toujours voilé, en leur disant à tous deux : « Voici le bonheur ! » Et les deux jeunes gens se reconnurent à l'instant et tombèrent évanouis dans les bras l'un de l'autre.

Alors la sœur du khalifat, aidée de la petite, les aspergea d'eau de rose, leur fit reprendre connaissance, et les laissa seuls. Puis elle rentra au bout d'une heure et les trouva assis, étroitement embrassés, et des larmes tout plein les yeux de bonheur et de gratitude pour sa bonté. Elle leur dit alors : « Il nous faut maintenant fêter votre réunion en buvant ensemble à l'éternelle durée de votre félicité ! » Et aussitôt, sur un signe, la petite esclave rieuse remplit les coupes de vin exquis et les leur présenta. Ils burent, et Sett Zahia leur dit : « Comme vous vous aimez, mes enfants ! Aussi vous devez savoir des vers admirables sur l'amour et des chansons fort belles sur les amants. J'aimerais vous entendre me chanter quelque chose ! Prenez ce luth ! Et, à tour de rôle, faites résonner l'âme de son bois mélodieux ! »

Alors Bel-Heureux et Belle-Heureuse baisèrent les mains à la sœur du khalifat et, le luth accordé, ils chantèrent ces merveilleuses strophes alternées :

« — Je t'apporte des fleurs légères sous mon voile de Koufa et des fruits encore poudrés de l'or du soleil !

— Tout l'or du Soudan est sur ta peau, ô bien-aimée, les rayons du soleil sont dans tes cheveux et le velours de Damas dans tes yeux !

— Me voici ! Vers toi je viens avec l'heure où les soirs tièdes sont propices !… L'air est léger, la nuit se fait soyeuse et transparente, et le murmure vient à nous des feuilles et des eaux !

— Te voici, te voici, ô ma gazelle des nuits ! La ténèbre tout entière est éblouie de tes yeux. Ah ! dans tes yeux où je plonge comme l'oiseau qui s'enivre sur la mer !

— Approche-toi plus près et sur mes lèvres prends leurs roses. Puis laisse-moi lentement glisser de mon calice et, de mes épaules à mes chevilles, achever pour toi d'être nue !

— Oh ! bien-aimée !...

— Me voici ! Le fruit secret de ma chair de lune a la forme, tu le sais, de la datte mûre. Viens !... t'apparaîtra toute la mer, la mer pleine de houle où s'enivrent les oiseaux ! »

Les dernières notes de ce chant à peine avaient-elles expiré sur les lèvres de Belle-Heureuse pâmée de bonheur, que soudain les rideaux s'écartèrent et le khalifat en personne fit son entrée dans la salle.

À sa vue, tous les trois se levèrent vivement et baisèrent la terre entre ses mains. Et le khalifat leur sourit à tous et vint s'asseoir au milieu d'eux sur le tapis, et ordonna à la petite esclave de verser le vin et d'apporter les coupes. Puis il dit : « Nous allons boire ainsi pour fêter le retour à la santé de Belle-Heureuse ! » Et il leva la coupe d'or et dit : « Pour l'amour de tes yeux, ô Belle-Heureuse ! » et il but lentement. Il déposa alors la coupe et, remarquant la présence de cette esclave voilée qu'il ne connaissait pas, il demanda à sa sœur : « Qui est donc cette jeune fille dont les traits me paraissent si beaux sous ce voile léger ? » Sett Zahia répondit : « C'est une compagne dont ne peut se séparer Belle-Heureuse ; car elle ne peut manger ni boire avec plaisir si elle ne la sent pas près d'elle ! »

Alors le khalifat écarta le voile de l'adolescent, et fut stupéfait de sa beauté ! Bel-Heureux, en effet, n'avait point encore de poils sur les joues, mais un léger duvet seulement qui mettait une ombre adorable sur sa blancheur, sans compter la goutte de musc qui souriait en beauté sur son menton.

Aussi le khalifat, ravi à l'extrême, s'écria : « Par Allah ! ô Zahia, dès ce soir je veux également prendre cette nouvelle adolescente pour concubine, et je lui réserverai, comme à Belle-Heureuse, un appartement digne de sa beauté et un train de maison comme à mon épouse légitime ! » Et Sett Zahia répondit : « Certes, ô mon frère, cette adolescente est un morceau digne de toi ! » Puis elle ajouta : « Il me vient justement à l'idée de te raconter une histoire que j'ai lue dans un livre écrit par un de nos savants. » Et le khalifat demanda : « Et quelle est cette histoire ? » Sett Zahia dit :

« Sache, ô émir des Croyants, qu'il y avait dans la ville de Koufa un adolescent nommé Bel-Heureux, fils de Printemps...

À ce moment de sa narration, Schahrazade vit apparaître le matin et se tut discrètement.

Mais lorsque fut la deux cent quarante-huitième nuit. Elle dit :

... Un adolescent nommé Bel-Heureux, fils de Printemps. Il était le maître d'une esclave fort belle qu'il aimait et qui l'aimait, car tous deux avaient été élevés ensemble dans le même berceau et s'étaient possédés dès les premiers temps de leur puberté. Et ils furent heureux pendant des années, jusqu'à ce qu'un jour le temps se tournât contre eux en les ravissant l'un à l'autre. Ce fut une vieille femme qui servit d'instrument de malheur au destin farouche. Elle enleva la jeune esclave et la livra au gouverneur de la ville, qui se hâta de l'envoyer en cadeau au roi de ce temps-là.

« Mais le fils de Printemps, en apprenant la disparition de celle qu'il aimait, n'eut de repos qu'il ne l'eût retrouvée dans le palais même du roi, au milieu du harem. Mais au moment même où tous deux se félicitaient de leur réunion et versaient des larmes de joie, le roi entra dans la salle où ils se trouvaient, et les surprit ensemble. Sa fureur fut à sa limite et, sans chercher à éclaircir la situation, il leur fit couper la tête, à tous deux, séance tenante ! Or, continua Sett Zahia, comme le savant qui a écrit cette histoire ne donne pas sa conclusion sur le procédé, je voudrais, ô émir des Croyants, te demander ton avis sur l'acte de ce roi, et savoir ce que tu aurais fait à sa place, dans les mêmes conditions ! »

L'émir des Croyants, Abd El-Malek ben-Merouân, répondit sans hésiter : « Ce roi aurait dû se garder d'agir avec autant de précipitation et il aurait mieux fait de pardonner aux jeunes gens, et ce pour trois raisons : la première est que les deux jeunes gens s'aimaient sérieusement et depuis longtemps, la seconde est qu'ils étaient à ce moment-là les hôtes de ce roi puisqu'ils étaient dans son palais, et la troisième est qu'un roi ne doit agir qu'avec prudence et circonspection. Je conclus donc que ce roi a fait un acte indigne d'un vrai roi ! »

À ces paroles, Sett Zahia se jeta aux genoux de son frère et s'écria : « Ô commandeur des Croyants, tu viens, sans le savoir, de te juger toi-même dans l'acte futur que tu vas accomplir ! Je t'adjure par la mémoire sacrée de nos grands ancêtres et de notre auguste père l'intègre, d'être équitable dans le cas que je vais te soumettre ! » Et le khalifat, fort surpris, dit à sa sœur : « Tu peux me parler en toute confiance. Mais relève-toi ! » Et la sœur du khalifat se releva et se tourna vers les deux jeunes gens et leur dit : « Tenez-vous debout ! » Et ils se tinrent debout, et Sett Zahia dit à son frère : « Ô émir des Croyants, cette adolescente si douce et si belle, qui est couverte de ce voile, n'est autre que le jeune Bel-Heureux, fils de Printemps. Et Belle-Heureuse est celle qui fut élevée avec lui et devint plus tard son épouse ! Et son ravisseur n'est autre que ce gouverneur de Koufa, dont le nom est Ben-Youssef El-Thékafi. Il a menti dans la lettre où il te disait avoir acheté l'esclave pour dix mille dinars. Je te demande sa punition et le pardon de ces deux jeunes gens si excusables. Accorde-moi leur grâce, en te souvenant qu'ils sont tes hôtes et qu'ils sont abrités par ton ombre ! » À ces paroles de sa sœur, le khalifat dit : « Certes ! je n'ai point pour coutume de revenir sur mes paroles. »

Puis il se tourna vers Belle-Heureuse et lui demanda : « Ô Belle-Heureuse, tu reconnais que c'est bien là ton maître Bel-Heureux ? » Elle répondit : « Tu l'as dit, ô commandeur des Croyants ! » Et le khalifat conclut : « Je vous rends l'un à l'autre ! »

Après quoi il regarda Bel-Heureux et lui demanda : « Mais peux-tu au moins me dire comment tu as pu pénétrer ici et connaître la présence de Belle-Heureuse dans mon palais ? » Bel-Heureux répondit : « Ô émir des Croyants, accorde à ton esclave quelques instants d'attention et il te racontera toute son histoire ! » Et aussitôt il mit le khalifat au courant de toute l'aventure, depuis le commencement jusqu'à la fin, sans omettre un seul détail.

Le khalifat fut extrêmement étonné et voulut voir le médecin de Perse qui avait eu une intervention si prodigieuse, et il le nomma médecin de son palais à Damas, et le combla d'honneurs et d'égards. Puis il retint Bel-Heureux et Belle-Heureuse dans son palais, pendant sept jours et sept nuits, où il donna en leur honneur de grandes réjouissances, et les renvoya à Koufa chargés de cadeaux et d'honneurs. Et il destitua l'ancien gouverneur et nomma à sa place Printemps, père de Bel-Heureux. Et de la sorte tous vécurent à la limite du bonheur pendant une longue et délicieuse vie.

Lorsque Schahrazade eut cessé de parler, le roi Schahriar s'écria : « Ô Schahrazade, cette histoire m'a charmé et les vers surtout m'ont exalté à l'extrême. Mais, en vérité, je suis bien surpris de n'y trouver pas les détails sur le mode d'amour que tu me faisais prévoir ! »

*Et Schahrazade sourit légèrement et dit : « Ô Roi fortuné, justement ces détails promis sont dans l'*HISTOIRE DE GRAIN-DE-BEAUTÉ, *que je me réserve de te raconter, si toutefois tu as encore des insomnies ! »*

*Et le roi Schahriar s'écria : « Que dis-tu, ô Schahrazade ? Mais, par Allah ! ne sais-tu que, même au risque de mourir d'insomnie, je veux écouter l'*HISTOIRE DE GRAIN-DE-BEAUTÉ *? Hâte-toi donc de la commencer ! »*

Mais à ce moment Schahrazade vit apparaître le matin et renvoya cette histoire au lendemain.

Aussi lorsque fut la deux cent cinquantième nuit. Elle dit :

HISTOIRE DE GRAIN-DE-BEAUTÉ

Il m'est revenu, ô Roi fortuné, qu'il y avait au Caire un vénérable cheikh qui était le syndic des marchands de la cité. Il était respecté de tout le souk pour son honnêteté, ses manières graves et polies, son langage mesuré, sa richesse et le nombre de ses esclaves et de ses serviteurs. Il s'appelait Schamseddîn.

Un jour de vendredi, avant la prière, il alla au hammam, puis entra chez le barbier où, selon les prescriptions sacrées, il se fit couper les moustaches juste au ras de la lèvre supérieure, et se fit soigneusement raser la tête. Après quoi il prit le miroir que lui tendait le barbier et s'y regarda, après avoir toutefois récité l'acte de foi pour se préserver d'une complaisance trop marquée pour ses traits. Et il constata avec une tristesse infinie que les poils blancs de sa barbe étaient devenus bien plus nombreux que les noirs, et qu'il fallait beaucoup d'attention pour distinguer ces derniers parmi les touffes blanches où ils se disséminaient. Et il pensa : « La barbe blanchissante est un indice de la vieillesse, et la vieillesse est un avertissement de la mort ! Pauvre Schamseddîn ! Te voici près de la porte du tombeau, et tu n'as pas encore de postérité ! Tu t'éteindras, et il sera de toi comme si jamais tu n'avais été ! » Puis, tout plein de ces désolantes pensées, il se rendit à la mosquée pour la prière et de là rentra à sa maison où son épouse, connaissant les heures habituelles de son arrivée, s'était préparée à le recevoir en se baignant et se parfumant et s'épilant avec beaucoup de soin. Et elle le reçut avec un visage souriant et lui souhaita le bonsoir, disant : « Ô soirée de félicité sur toi ! »

Mais le syndic, sans rendre le souhait à son épouse, lui dit d'un ton aigre : « De quelle félicité me parles-tu ? Peut-il encore y avoir quelque félicité pour moi ? » Son épouse, étonnée, lui dit : « Le nom d'Allah sur toi et autour de toi ! Pourquoi ces suppositions néfastes ? Que manque-t-il à ton bonheur ? Et quelle est la cause de ton chagrin ? » Il répondit : « C'est toi seule ! Écoute-moi donc, ô femme ! Songe à la peine et à l'amertume que j'éprouve chaque fois que je me rends au souk ! Je vois dans les boutiques les marchands assis avec, à leurs côtés, leurs enfants au nombre de deux ou trois ou quatre qui grandissent sous leurs yeux. Et ils sont fiers de leur postérité. Et moi seul je suis privé de cette consolation ! Et souvent je me souhaite la mort pour échapper à cette vie sans consolations ! Et je prie Allah, qui a appelé mes pères dans son sein, de m'écrire aussi une fin qui mette un terme à mes tourments ! »

À ces paroles, l'épouse du syndic lui dit : « Ne t'arrête donc pas à ces affligeantes pensées, et viens faire honneur à la nappe que j'ai tendue pour toi. » Mais le marchand s'écria : « Non ! par Allah, je ne veux plus ni manger ni boire, ni surtout accepter désormais quoi que ce soit de tes mains ! C'est toi seule la cause de notre stérilité ! Voilà quarante ans déjà écoulés depuis notre mariage, et cela sans aucun résultat ! Et tu m'as toujours empêché de prendre d'autres épouses, et, en femme intéressée que tu es, tu as profité de la faiblesse de ma chair, lors de notre première nuit de noces, pour me faire prêter serment de ne jamais introduire dans la maison une autre femme en ta présence, et de ne jamais même coucher avec une autre femme que toi ! Et moi, naïvement, je t'ai promis tout cela. Et le plus fort, c'est que j'ai tenu ma promesse et que toi, voyant ta stérilité, tu n'as pas eu la générosité de me délier de mon serment ! Mais, par Allah ! je jure maintenant que je préfère me couper le zebb plutôt que de te le donner désormais ou même de t'en caresser. Car je vois bien à présent que c'est peine perdue d'œuvrer avec toi ; et il y a autant à gagner à enfoncer mon outil dans un trou de rocher qu'à essayer de féconder une terre aussi sèche que la tienne ! Oui ! par Allah, c'est autant de foutreries perdues que celles si généreusement éparpillées par moi dans ton abîme sans fond ! »

Lorsque l'épouse du syndic eut entendu ces paroles plutôt vives, elle vit la lumière se changer en ténèbres devant son visage, et du ton le plus aigre qu'elle pût prendre dans sa colère, elle cria à son époux le syndic : « Ah ! vieux refroidi ! Parfume donc ta bouche avant de parler ! Le nom d'Allah sur moi et autour de moi ! Préservée sois-je de toute laideur et fausse imputation ! Crois-tu donc que, de nous deux, ce soit moi la retardataire ? Détrompe-toi, vieil oncle ! Ne t'en prends qu'à toi-même et à tes œufs froids ! Oui, par Allah ! ce sont tes œufs qui sont froids et sécrètent un liquide trop clair et sans vertu ! Va acheter de quoi réchauffer et épaissir leur suc ! Et tu verras alors si mon fruit est plein de beaux grains ou stérile ! »

À ces paroles de son épouse irritée, le syndic des marchands fut assez ébranlé dans ses convictions, et, d'un ton hésitant, il demanda : « En admettant, comme tu le prétends, que mes œufs soient froids et transparents et que leur suc soit clair et sans vertu, pourrais-tu par hasard m'indiquer, pour que j'y coure, l'endroit où l'on vend la drogue capable d'épaissir ce qui est fluide ? » Son épouse lui répondit : « Tu trouveras chez le premier droguiste venu la mixture qui épaissit les œufs de l'homme et les rend aptes à féconder la femme…

À ce moment de sa narration, Schahrazade vit apparaître le matin et, discrète, se tut.

Mais lorsque fut la deux cent cinquante et unième nuit. Elle dit :

… La mixture qui épaissit les œufs de l'homme et les rend aptes à féconder la femme ! » En entendant ces paroles, le syndic se dit : « Par Allah ! dès demain j'irai chez le droguiste acheter un peu de cette mixture pour m'épaissir les œufs ! »

Aussi le lendemain, à peine le souk ouvert, le syndic prit avec lui une porcelaine vide et alla chez un droguiste et lui dit : « La paix sur toi ! » Le droguiste lui rendit son salam et lui dit : « Ô matinée bénie qui t'amène comme premier client ! Ordonne ! » Le syndic dit : « Je viens te demander de me vendre une once de la mixture qui épaissit les œufs de l'homme. » Et il lui tendit le bol de porcelaine. À ces paroles, le droguiste ne sut que penser et se dit : « Notre syndic, si grave d'ordinaire, veut sans doute plaisanter. Je vais lui répondre à sa manière. » Et il lui dit : « Non, par Allah ! j'en avais encore hier, mais cette mixture est tellement demandée que mes provisions sont épuisées. Va donc en demander à mon voisin. »

Alors le syndic alla chez le second droguiste, puis chez le troisième, puis chez tous les droguistes du souk, et tous le renvoyaient avec la même réponse, en riant à part eux d'une demande aussi extraordinaire.

Quand le syndic vit que ces recherches restaient sans résultat, il revint à sa boutique et s'y assit tout songeur et dégoûté de l'existence. Et comme il se faisait ainsi du mauvais sang, il vit s'arrêter devant sa porte le cheikh des courtiers, un mangeur de haschisch exemplaire, un ivrogne, un consommateur d'opium, en un mot le modèle des crapules et de la canaille du souk. De son nom il s'appelait Sésame.

Pourtant le courtier Sésame respectait beaucoup le syndic Schamseddîn, et ne passait jamais devant sa boutique sans le saluer jusqu'à terre en employant les formules les plus choisies. Et ce matin-là il ne manqua pas de rendre ces habituels égards au digne syndic qui ne put s'empêcher de lui rendre son salam d'un ton de fort méchante humeur. Et Sésame qui s'en aperçut lui demanda : « Quel désastre assez grand a-t-il pu survenir pour jeter un tel trouble en ton âme, ô notre vénérable syndic ? ».

Il répondit : « Tiens ! Sésame, viens t'asseoir ici et écoute mes paroles. Et tu verras si j'ai lieu de m'affliger. Songe, Sésame, que voilà déjà quarante ans que je suis marié, et je ne connais pas encore même l'odeur d'un enfant ! Et l'on a fini par me dire que le retard provenait de moi seul qui aurais, paraît-il, les œufs transparents et le suc trop clair et sans vertu ! Et l'on m'a conseillé de chercher chez les droguistes la mixture qui épaissit les œufs. Mais aucun droguiste n'en possède dans sa boutique. Tu me vois donc bien malheureux de ne pouvoir trouver de quoi donner la consistance nécessaire au suc le plus précieux de mon individu ! »

Lorsque le courtier Sésame eut entendu ces paroles du syndic, loin de s'en montrer étonné ou d'en rire comme les droguistes, il avança la main, la paume tournée en haut, et dit : « Mets un dinar dans cette main, et donne-moi ce bol de porcelaine. J'ai, moi, ton affaire ! » Et le syndic lui répondit : « Par Allah ! serait-ce possible ? Mais, ô Sésame, sache bien que si vraiment tu réussis dans cette affaire-là, ta fortune est faite ! Je te le jure sur la vie du Prophète ! Et voici pour commencer deux dinars au lieu d'un ! » Et il lui mit les deux pièces d'or dans la main et lui remit la porcelaine.

Alors la fabuleuse crapule qu'était ce Sésame se montra en cette occasion-là bien plus au courant de la science que tous les droguistes du souk. En effet, il rentra chez lui après avoir acheté au souk tout ce dont il avait besoin et se mit aussitôt à préparer la mixture suivante :

Il prit deux onces de rob de cubèbe chinois, une once d'extrait gras de chanvre ionien, une once de caryophille frais, une once de cinnamome rouge de Serendib, dix drachmes de cardamome blanc de Malabar, cinq de gingembre indien, cinq de poivre blanc, cinq de piment des îles, une once de baies étoilées de badiane de l'Inde, et une demi-once de thym des montagnes. Il mêla le tout avec dextérité, après avoir pilé et passé au tamis, y versa du miel pur et fit ainsi une pâte bien liée à laquelle il ajouta cinq grains de musc et une once d'œufs pilés de poissons. Il y ajouta encore un peu de julep léger à l'eau de rose, et mit le tout dans le bol de porcelaine.

Il se hâta alors d'aller porter le bol au syndic Schamseddîn, en lui disant : « Voilà la mixture souveraine qui durcit les œufs de l'homme et en épaissit le suc trop fluide…

À ce moment de sa narration, Schahrazade vit apparaître le matin et se tut discrètement.

Mais lorsque fut la deux cent cinquante-deuxième nuit. Elle dit :

… Voilà la mixture souveraine qui durcit les œufs de l'homme et en épaissit le suc trop fluide ! » Puis il ajouta : « Il faut manger cette pâte deux heures avant le moment de l'approche sexuelle. Mais au préalable il te faut, durant trois jours, ne prendre, pour toute nourriture, que des pigeons grillés, extrêmement assaisonnés d'épices, des poissons mâles avec leur laitance au-dedans, et enfin des œufs de bélier grillés légèrement. Et si avec tout cela tu n'arrives pas à percer même les murailles et à féconder un rocher nu, je consens, moi Sésame, à me raser la barbe et les moustaches, et je te permets de me cracher au visage ! » Et, ayant dit ces paroles, il remit au syndic le bol de porcelaine et s'en alla.

Alors le syndic pensa : « Sûrement ce Sésame, qui passe sa vie dans la débauche, doit s'y connaître en drogues durcissantes ! Je vais donc mettre ma foi en Allah et en lui ! » Et il rentra à sa maison et se hâta de se réconcilier avec son épouse, qu'il aimait d'ailleurs et dont il était aimé, et tous deux s'excusèrent l'un envers l'autre de leur emportement passager, et s'exprimèrent toute la peine qu'ils avaient eue de se sentir, pendant toute une nuit, brouillés pour des paroles sans conséquence.

Après quoi, Schamseddîn se mit à suivre scrupuleusement pendant trois jours le régime prescrit par Sésame, et finit par manger la pâte en question qu'il trouva excellente. Alors il sentit que son sang s'échauffait à l'extrême, comme au temps de sa jeunesse quand il faisait des paris avec les gamins de son âge. Il s'approcha donc de son épouse et la monta ; et elle le lui rendit ; et tous deux furent émerveillés du résultat en tant que durée, répétition, chaleur, jet, intensité et consistance.

Aussi cette nuit-là l'épouse du syndic fut incontestablement fécondée ; ce dont elle eut la certitude complète quand elle eut constaté que trois mois se passaient sans écoulement de sang.

La grossesse poursuivit normalement son cours ; et, au bout du neuvième mois, jour pour jour, l'épouse eut des couches heureuses, mais effroyablement difficiles, car l'enfant qui venait de lui naître était aussi gros que s'il avait un an d'âge. Et la sage-femme déclara, après les invocations d'usage, que de sa vie elle n'avait vu d'enfant aussi fort et aussi beau. Ce dont il ne faut point s'étonner si l'on songe à la pâte merveilleuse de Sésame.

Donc la sage-femme reçut l'enfant et le lava en invoquant le nom d'Allah, de Mohammad et d'Ali, et lui récita à l'oreille l'acte de foi musulman, et l'emmaillota et le remit à la mère qui lui donna le sein jusqu'à ce qu'il fût bien repu et endormi. Et la sage-femme resta encore trois jours auprès de la mère, et ne s'en alla que lorsqu'elle se fut assurée que tout était bien, et que l'on eut distribué à toutes les voisines les douceurs préparées à cette occasion.

Le septième jour on jeta du sel dans la chambre, et le syndic alors entra féliciter son épouse. Puis il lui demanda : « Où est le don d'Allah ? » Aussitôt elle lui tendit le nouveau-né. Et le syndic Schamseddîn fut émerveillé de la beauté de cet enfant de sept jours qui avait l'air d'avoir un an, et dont le visage était plus brillant que la pleine lune à son lever. Et il demanda à son épouse : « Comment vas-tu l'appeler ? » Elle répondit : « Si c'était une fille je lui aurais moi-même donné un nom ; mais comme c'est un garçon, à toi la priorité du choix ! »

Or, à ce moment-là, l'une des esclaves qui emmaillotaient l'enfant pleura d'émotion et de plaisir en voyant sur la fesse gauche du petit une jolie envie brune, comme un grain de musc, qui tranchait par sa forme et sa couleur sur la blancheur du reste. Et, d'ailleurs, sur les deux joues de l'enfant, il y avait également, mais en plus petit, un gentil grain noir et velouté. Aussi le digne syndic, inspiré par cette découverte, s'écria : « Nous l'appellerons Alaeddîn Grain-de-Beauté ! »

L'enfant fut donc nommé Alaeddîn Grain-de-Beauté ; mais comme c'était trop long, on ne l'appelait que Grain-de-Beauté. Et Grain-de-Beauté fut allaité durant quatre ans par deux nourrices différentes et par sa mère ; aussi devint-il fort comme un jeune lion et resta-t-il blanc comme le jasmin et rose comme les roses. Et il était si beau que toutes les petites filles des voisines et des parents l'adoraient à la folie ; et il acceptait leurs hommages, mais ne consentait jamais à se laisser embrasser par elles et les griffait cruellement quand elles l'approchaient de trop près ; aussi les petites filles, et même les jeunes filles, profitaient de son sommeil pour venir impunément le couvrir de baisers et s'émerveiller de sa beauté et de sa fraîcheur.

Quand le père et la mère de Grain-de-Beauté virent combien leur fils était admiré et choyé, ils eurent peur pour lui du mauvais œil ; et ils résolurent de le soustraire à cette influence maligne. Pour cela, au lieu de faire comme les autres parents qui laissent les mouches et la saleté couvrir le visage de leurs enfants afin de les faire paraître moins beaux et ne point attirer sur eux le mauvais œil, les parents de Grain-de-Beauté enfermèrent l'enfant dans un souterrain situé au-dessous de la maison, et le firent ainsi élever loin de tous les yeux. Et Grain-de-Beauté grandit de la sorte, ignoré de tous, mais entouré des soins incessants des esclaves et des eunuques. Et lorsqu'il eut atteint un âge plus avancé, on lui donna des maîtres fort instruits qui lui enseignèrent la belle écriture, le Koran et les sciences. Et il devint à son tour aussi savant qu'il était beau et bien fait. Et ses parents résolurent de ne le sortir du souterrain que lorsque sa barbe aurait poussé et grandi à traîner par terre…

À ce moment de sa narration, Schahrazade vit apparaître le matin et se tut discrètement.

Mais lorsque fut la deux cent cinquante-troisième nuit. Elle dit :

… Lorsque sa barbe aurait poussé et grandi à traîner par terre.

Or, un jour l'un des esclaves, qui portait à Grain-de-Beauté les plateaux des mets, oublia de fermer derrière lui la porte du souterrain ; et Grain-de-Beauté voyant ouverte cette porte qu'il n'avait jamais remarquée, tant le souterrain était vaste et plein de rideaux et de portières, se hâta de sortir et de monter vers l'étage où se trouvait sa mère entourée de diverses nobles dames venues en visite.

À ce moment-là Grain-de-Beauté était devenu un merveilleux adolescent de quatorze ans, beau comme un ange ivre, et les joues duvetées comme un fruit, avec toujours, près des lèvres, un grain noir de chaque côté, sans compter celui qu'on ne voyait pas.

Aussi quand les femmes virent entrer tout à coup au milieu d'elles cet adolescent qu'elles ne connaissaient pas, elles se hâtèrent de se voiler le visage, effarouchées, et dirent à l'épouse de Schamseddîn : « Par Allah ! quelle honte sur toi de faire ainsi entrer auprès de nous un jeune homme étranger ! Ne saistu donc que la pudeur est un des dogmes essentiels de la foi ? »

Mais la mère de Grain-de-Beauté répondit : « Invoquez le nom d'Allah ! Ô mes invitées, celui que vous voyez n'est autre que mon enfant bien-aimé, le fruit de mes entrailles, le fils du syndic des marchands du Caire, celui qui a été élevé sur les seins des nourrices au lait généreux et sur les bras des belles esclaves, sur les épaules des vierges choisies et sur la poitrine des plus pures et des plus nobles ; c'est l'œil de sa mère et l'orgueil de son père, c'est Grain-de-Beauté ! Invoquez le nom d'Allah, ô mes invitées ! » Et les épouses des émirs et des riches marchands répondirent : « Le nom d'Allah sur lui et autour de lui ! ô mère de Grain-de-Beauté, comment se fait-il que tu ne nous aies jamais montré ton fils jusqu'à ce jour ? »

Alors l'épouse de Schamseddîn se leva d'abord et baisa son fils sur les yeux et le renvoya, pour ne pas gêner davantage les invitées, puis leur dit : « Son père l'a fait élever dans le souterrain de notre maison pour le soustraire au mauvais œil. Et il a résolu de ne le montrer que lorsque sa barbe aura poussé, tant sa beauté risque d'attirer sur lui le danger et les mauvaises influences. Et s'il est sorti maintenant, c'est certainement par la faute de l'un des eunuques qui a dû oublier de fermer la porte. »

À ces paroles, les invitées félicitèrent beaucoup l'épouse du syndic d'avoir un fils si beau, et appelèrent sur lui les bénédictions du Très-Haut, puis s'en allèrent.

Alors Grain-de-Beauté revint près de sa mère et, comme il voyait les esclaves harnacher une mule, il demanda : « Pour qui cette mule ? » Elle répondit : « C'est pour aller chercher ton père au souk. » Il demanda : « Et quel est le métier de mon père ? » Elle dit : « Ton père, ô mon œil, est un grand marchand, et il est le syndic de tous les marchands du Caire ; et c'est lui qui est le fournisseur du sultan des Arabes et de tous les rois musulmans. Et pour te donner une idée de l'importance de ton père, sache que les acheteurs ne s'adressent directement à lui que pour les grosses affaires qui dépassent le chiffre de mille dinars ; mais si une affaire est moindre, serait-elle même de neuf cent quatre-vingt-dix dinars, ce sont les employés de ton père qui s'en occupent sans le déranger. Et il n'y a aucune marchandise ni aucun chargement qui puisse entrer au Caire ou en sortir sans qu'au préalable ton père en soit avisé et sans qu'on vienne le consulter. Allah a donc accordé à ton père, ô mon enfant, des richesses incalculables. Grâces lui en soient rendues ! »

Grain-de-Beauté répondit : « Oui ! Louanges à Allah qui m'a fait naître le fils du syndic des marchands ! Aussi je ne veux plus désormais passer ma vie enfermé, loin de tous les yeux, et dès demain il me faut aller au souk avec mon père ! » Et la mère répondit : « Qu'Allah t'entende, mon fils ! Je vais en parler à ton père dès son arrivée. »

Aussi lorsque Schamseddîn fut rentré, son épouse lui raconta ce qui venait de se passer et lui dit : « Il est temps vraiment de prendre notre fils au souk avec toi. » Le syndic répondit : « Ô mère de Grain-de-Beauté, ignores-tu donc que le mauvais œil est une chose réelle et qu'on ne plaisante pas avec des sujets aussi sérieux ? Et oublies-tu le sort du fils de notre voisin *tel* et de tant d'autres tués par le mauvais œil ? Crois bien que les tombeaux sont habités la moitié du temps par des morts emportés par le mauvais œil ! »

L'épouse du syndic répondit : « Ô père de Grain-de-Beauté, en vérité, la destinée de l'homme est attachée à son cou ! Comment peut-il y échapper ? Et la chose écrite ne peut s'effacer, et le fils suivra le même chemin que son père dans la vie et dans la mort. Et ce qui existe aujourd'hui demain ne sera plus ! Puis songe aux conséquences funestes dont notre fils sera un jour la victime par ta faute ! En effet, quand, après une vie que je souhaite longue et toujours bénie, tu seras mort, nul ne voudra reconnaître notre fils comme l'héritier légitime de tes richesses et de tes propriétés, puisque jusqu'aujourd'hui tout le monde ignore son existence ! Et de la sorte c'est le Trésor de l'État qui se saisira de tous tes biens et frustrera ton enfant, sans recours. Et j'aurai beau invoquer le témoignage des vieillards, les vieillards ne pourront que dire : « Nous n'avons jamais eu connaissance que le syndic Schamseddîn ait eu un fils quelconque ou une fille ! »

Ces paroles sensées firent réfléchir le syndic qui, au bout d'un instant, répondit : « Par Allah ! tu as raison, ô femme ! Dès demain j'emmènerai avec moi Grain-de-Beauté et je lui apprendrai la vente et l'achat, les négociations et tous les éléments du métier. » Puis il se tourna vers Grain-de-Beauté, que cette nouvelle transportait de joie, et lui dit : « Je sais que tu es ravi de venir avec moi. C'est fort bien ! Mais sache, mon fils, que dans le souk il faut être très sérieux et tenir les yeux baissés avec modestie ; aussi j'espère que tu mettras là en pratique les sages leçons de tes maîtres et les bons principes dont tu as été nourri ! »

Le lendemain, le syndic Schamseddîn, avant de conduire son fils au souk, le fit entrer au hammam…

À ce moment de sa narration, Schahrazade vit apparaître le matin et, discrète, se tut.

Mais lorsque fut la deux cent cinquante-quatrième nuit. Elle dit :

… Le fit entrer au hammam et, après le bain, le vêtit d'une robe de satin tendre, la plus belle qu'il avait en magasin, et lui ceignit le front d'un léger turban à l'étoffe rayée de minces filets de soie dorée. Après quoi tous deux mangèrent un morceau et burent un verre de sorbet et, rafraîchis de la sorte, ils sortirent du hammam. Le syndic enfourcha la mule blanche que lui tenaient les esclaves et prit derrière lui son fils Grain-de-Beauté dont la fraîcheur de teint s'était faite encore plus remarquable, et dont les yeux brillants eussent séduit les anges eux-mêmes. Puis, montés ainsi tous deux sur la mule, précédés et suivis par les esclaves habillés de neuf, ils prirent le chemin du souk.

À cette vue, tous les marchands du souk et tous les acheteurs et les vendeurs furent émerveillés ; et ils se disaient les uns aux autres : « Ya Allah ! regardez l'enfant ! C'est la lune à sa quatorzième nuit ! » Et d'autres disaient : « Qui est donc ce délicieux enfant qui est derrière le syndic Schamseddîn ? Nous ne l'avons jamais vu ! »

Pendant qu'ils s'exclamaient de la sorte sur le passage de la mule montée par le syndic et Grain-de-Beauté, le courtier Sésame vint à passer dans le souk et aperçut le jeune garçon. Or, Sésame, à force de débauches et d'excès de haschisch et d'opium, avait fini par perdre complètement la mémoire et ne se souvenait même plus de la cure qu'il avait opérée jadis au moyen de sa miraculeuse mixture à base de laitance, de musc, de rob de cubèbe et de choses excellentes.

Donc, en voyant le syndic avec ce jeune garçon, il se mit à ricaner d'un air entendu et à plaisanter crapuleusement sur son compte, en disant aux marchands qui l'écoutaient : « Voyez un peu ce vieillard à barbe blanche ! Il est comme le poireau ! Blanc du dehors et vert en dedans ! » Et il allait d'un marchand à l'autre, répétant à chacun ses bons mots et ses plaisanteries, jusqu'à ce qu'il ne fût resté personne dans le souk qui n'eût la certitude que le syndic Schamseddîn avait un jeune mamelouk mignon dans sa boutique. Lorsque cette rumeur parvint aux oreilles des notables et des principaux marchands, une assemblée se forma composée des plus âgés et des plus respectés, pour juger du cas de leur syndic. Et au milieu de l'assemblée, Sésame pérorait et faisait de grands gestes indignés et disait : « Nous ne voulons plus désormais avoir à notre tête, comme syndic du souk, cette barbe vicieuse qui se frotte en public aux jeunes garçons ! Aussi nous allons nous abstenir dès aujourd'hui d'aller réciter avant l'ouverture des boutiques, comme nous avons l'habitude de le faire chaque matin, les sept versets sacrés de la Fatiha en présence du syndic. Et, dans la journée, nous élirons un autre syndic qui soit un peu moins amateur de garçons que ce vieux-là ! »

À ce discours de Sésame les marchands ne trouvèrent rien à redire, et s'arrêtèrent au plan proposé, à l'unanimité.

Quant au digne Schamseddîn, lorsqu'il vit l'heure passer sans que les marchands et les courtiers vinssent devant lui réciter les versets rituels de la Fatiha, il ne sut à quoi attribuer cette négligence si grave et si contraire à la tradition. Et comme il voyait non loin de là cette crapule de Sésame qui le regardait du coin de l'œil, il lui fit signe de s'approcher pour écouter deux mots. Et Sésame, qui n'attendait que ce signe, s'approcha, mais lentement et en prenant tout son temps et en traînant le pas fort négligemment, tout en jetant de droite et de gauche des sourires d'intelligence aux boutiquiers qui n'avaient d'yeux que pour lui, tant la curiosité les tenait en suspens et leur faisait souhaiter une solution à cette affaire qui primait tout à leurs yeux.

Donc Sésame, se sachant le centre de convergence de tous les regards et de l'attention générale, vint, en se dandinant, s'appuyer sur la devanture de la boutique ; et Schamseddîn lui demanda : « Eh bien, Sésame, comment se fait-il que les marchands, avec le cheikh en tête, ne soient pas venus réciter devant moi les versets du premier chapitre du Koran ? » Sésame répondit : « Heuh ! heuh ! je ne sais pas, moi. Il y a des bruits, comme ça, qui courent dans le souk, des bruits, comment dirais-je, des bruits ! En tout cas, ce que je sais fort bien, c'est qu'un parti s'est formé, composé des principaux cheikhs, qui a résolu de te destituer et d'appeler un autre aux fonctions de syndic ! »

À ces paroles, le digne Schamseddîn changea de teint et, d'un ton resté grave tout de même, il demanda : « Peux-tu au moins me dire sur quoi est fondée cette décision ? » Sésame cligna de l'œil, fit mouvoir ses hanches, et répondit : « Voyons, vieux cheikh, ne fais donc pas le malin ! Tu le sais mieux que n'importe qui ! Et ce jeune garçon-là, que tu as mis dans la boutique, il n'est pas là pour chasser les mouches seulement ! En tout cas, sache bien que moi, malgré tout, j'ai pris ta défense, seul de toute l'assemblée, et j'ai dit que tu n'étais pas du tout un amateur de garçons, vu que j'aurais été le premier à le savoir puisque je suis lié d'amitié avec tous ceux qui cultivent de préférence ce jeune sexe acide. Et j'ai même ajouté que ce garçon devait être quelque parent de ton épouse ou le fils de quelqu'un de tes amis de Tantah, de Mansourah ou de Bagdad, venu chez toi pour affaires. Mais l'assemblée entière s'est tournée contre moi et a voté ta destitution. Allah est le plus grand, ô cheikh ! Tu as pour te consoler ce garçon si joli dont tu me permets, entre nous, de te féliciter. Il est vraiment très bien...

À ce moment de sa narration, Schahrazade vit apparaître le matin et, discrète, se tut.

Mais lorsque fut la deux cent cinquante-cinquième nuit. Elle dit :

... Garçon si joli dont tu me permets, entre nous, de te féliciter. Il est vraiment très bien ! »

À ces paroles de Sésame, le syndic Schamseddîn ne put plus contenir son indignation, et s'écria : « Tais-toi, ô le plus pourri des débauchés ! Ne sais-tu donc plus que c'est mon enfant ! Où est ta mémoire, ô mangeur de haschisch ? » Mais Sésame répondit : « On ne me la fait pas ! Et depuis quand as-tu un fils ? Ce garçon de quatorze ans est-il donc sorti, tel qu'il est, du ventre de sa mère ? » Schamseddîn répliqua : « Mais, ô Sésame, ne te souviens-tu donc pas que c'est toi-même, il y a quatorze ans, qui m'as apporté cette miraculeuse mixture qui épaissit les œufs et concentre le suc ? Par Allah ! c'est grâce à elle que j'ai pu connaître la fécondité et qu'Allah m'a doté de ce fils ! Et tu n'es jamais plus revenu me demander des nouvelles de cette cure. Quant à moi, par peur du mauvais œil, j'ai fait élever cet enfant dans le grand souterrain de notre maison, et aujourd'hui c'est la première fois qu'il sort avec moi. Car, bien que ma première intention eût été de ne le faire sortir que lorsqu'il aurait pu tenir sa barbe dans ses mains, sa mère m'a décidé à l'emmener avec moi pour lui faire apprendre le métier et le mettre au courant des affaires, en prévision de l'avenir. »

Puis il ajouta : « Quant à toi, Sésame, je suis enfin content de te rencontrer pour me libérer de ma dette ! Voici mille dinars, pour le service que tu m'as jadis rendu grâce à ta drogue admirable ! »

Lorsque Sésame eut entendu ces paroles, il ne douta plus de la vérité et courut détromper tous les marchands, qui aussitôt se hâtèrent d'accourir pour féliciter d'abord leur syndic et s'excuser ensuite auprès de lui du retard apporté à la prière d'ouverture que, séance tenante, ils récitèrent entre ses mains. Après quoi Sésame, au nom de tous, prit la parole et dit : « Ô notre vénérable syndic, qu'Allah conserve à notre affection et le tronc de l'arbre et les rameaux ! Et puissent les rameaux, à leur tour, fleurir et donner des fruits odorants et dorés ! Mais, ô notre syndic, d'ordinaire les pauvres gens eux-mêmes, à l'occasion d'une naissance, font faire des douceurs et les distribuent aux amis et aux voisins : et nous n'avons pas encore dulcifié notre palais de la pâte d'assida au beurre et au miel, qu'il est si bon de goûter en faisant des vœux pour le nouveau-né ! À quand donc le grand chaudron de cette excellente assida ? »

Le syndic Schamseddîn répondit : « Mais comment donc ! Je ne demande pas mieux ! Ce ne sera pas seulement un chaudron d'assida que je vous offrirai, mais un grand festin dans ma maison de campagne aux portes du Caire, au milieu des jardins ! Je vous invite donc tous, ô mes amis, à vous rendre demain matin à mon jardin que vous connaissez. Et là, si Allah veut, nous rattraperons ce qui n'était que différé ! »

Aussitôt rentré chez lui, le digne syndic fit faire de grands préparatifs pour le lendemain et envoya au four, pour être rôtis à la première heure, des moutons gavés pendant six mois de feuilles vertes, et des agneaux entiers, avec du beurre en quantité, et des plateaux innombrables de pâtisseries et autres choses semblables ; et il mit, pour cela, à contribution toutes les esclaves de la maison qui étaient expertes en l'art des douceurs, et tous les confiseurs et pâtissiers de la rue Zeini. Mais aussi la chose, il faut le dire, après tant de peines, ne laissait vraiment rien à désirer.

Le lendemain, de bonne heure, Schamseddîn se rendit au jardin avec son fils Grain-de-Beauté, et fit tendre par les esclaves deux immenses nappes en deux endroits séparés assez éloignés l'un de l'autre ; puis il appela Grain-de-Beauté et lui dit : « Mon fils, j'ai fait tendre, tu le vois, deux nappes différentes ; l'une est réservée aux hommes, et l'autre aux garçons de ton âge qui viendront avec leurs pères. Moi je recevrai les hommes à barbe, et toi, mon fils, tu te chargeras de recevoir les jeunes garçons sans barbe. » Mais Grain-de-Beauté, surpris, demanda à son père : « Pourquoi cette séparation et ces deux services différents ? D'ordinaire cela ne se pratique de la sorte qu'entre hommes et femmes. Et les garçons comme moi qu'ont-ils donc à craindre des hommes à barbe ? » Le syndic répondit : « Mon fils, les jeunes garçons imberbes se trouveront plus libres d'être seuls et pourront mieux s'amuser entre eux que s'ils sont en présence de leurs pères ! » Et Grain-de-Beauté, qui n'y entendait pas malice, se contenta de cette réponse.

Donc, à l'arrivée des invités, Schamseddîn se mit à recevoir les hommes âgés, et Grain-de-Beauté les enfants et les jeunes garçons. Et l'on mangea, et l'on but, et l'on chanta, et l'on s'amusa au possible ; et la gaieté et la joie brillèrent sur tous les visages ; et l'encens et les aromates furent brûlés dans les cassolettes. Puis, quand le festin fut terminé, les esclaves passèrent aux invités les coupes pleines de sorbet à la neige. Et ce fut alors pour les hommes le moment de deviser agréablement, alors que les jeunes garçons, de l'autre côté, se livraient entre eux à mille jeux amusants.

Or, parmi les invités se trouvait un marchand, l'un des meilleurs acheteurs du syndic ; mais c'était un pédéraste fameux, qui n'avait laissé indemne de ses exploits aucun des jolis garçons du quartier. Il s'appelait Mahmoud, mais il n'était connu que sous le surnom de « Bilatéral ».

Lorsque Mahmoud-le-Bilatéral eut entendu les cris que faisaient les enfants de l'autre côté…

À ce moment de sa narration, Schahrazade vit apparaître le matin et interrompit le récit autorisé par le roi Schahriar.

Mais lorsque fut la deux cent cinquante-sixième nuit. Elle dit :

Lorsque Mahmoud-le-Bilatéral eut entendu les cris que faisaient les enfants de l'autre côté, il fut ému à l'extrême et pensa : « Il doit sûrement y avoir une bonne aubaine de ce côté-là ! » Et il profita de l'inattention générale pour se lever et faire semblant d'aller satisfaire un besoin pressant ; et il se glissa doucement entre les arbres et arriva au milieu des jeunes garçons ; et il tomba en arrêt devant leurs mouvements gracieux et leurs jolis visages. Et il ne fut pas longtemps sans remarquer que le plus beau, sans conteste, d'entre les plus beaux était Grain-de-Beauté. Et il se mit à faire mille projets pour savoir comment lui parler et le prendre à l'écart, et il pensa : « Ya Allah ! pourvu qu'il s'éloigne un peu de ses camarades ! » Or, le destin le servit au-delà de ses souhaits.

En effet, à un moment donné, Grain-de-Beauté, excité par le jeu, et les joues toutes roses de mouvement, sentit lui aussi le besoin d'aller pisser. Et, en garçon bien élevé qu'il était, il ne voulut pas s'accroupir devant tout le monde, et s'en alla sous les arbres. Aussitôt le Bilatéral se dit : « Sûrement si je m'approchais de lui maintenant, je l'effaroucherais. Je vais m'y prendre autrement ! » Et il sortit de derrière l'arbre où il était et parut au milieu des jeunes garçons qui le reconnurent et se mirent à le huer en lui courant entre les jambes. Et lui, fort content, se laissait faire en leur souriant ; puis il finit par leur dire : « Écoutez-moi, mes enfants ! Je vous promets de vous donner demain à chacun une robe neuve et de l'argent de quoi satisfaire tous vos caprices, si vous réussissez à inciter en Grain-de-Beauté l'amour du voyage et le désir de s'éloigner du Caire ! » Et les garçons lui répondirent : « Ô Bilatéral, cela est très facile ! » Alors il les laissa et retourna s'asseoir au milieu des hommes à barbe.

Lorsque Grain-de-Beauté, ayant fini de pisser, fut revenu à sa place, ses camarades clignèrent de l'œil entre eux, et le plus éloquent de la troupe, s'adressant à Grain-de-Beauté, lui dit : « Nous parlions, pendant ton absence, des merveilles du voyage et des pays magnifiques du loin, et de Damas et d'Alep et de Bagdad ! Toi, ô Grain-de-Beauté, dont le père est si riche, tu as dû certainement l'accompagner bien des fois dans ses voyages avec les caravanes ? Raconte-nous donc un peu de ce que tu as vu de plus merveilleux ! » Mais Grain-de-Beauté répondit : « Moi ? Mais vous ne savez donc pas que j'ai été élevé dans le souterrain et que je n'en suis sorti qu'hier seulement ? Comment voulez-vous voyager dans ces conditions ? Et maintenant c'est tout au plus si mon père me permet de l'accompagner de la maison à notre boutique ! » Alors le même garçon répliqua : « Pauvre Grain-de-Beauté, tu as été sevré des joies les plus délicieuses avant même d'avoir pu les goûter ! Si tu savais, ô mon ami, le goût merveilleux du voyage, tu ne voudrais plus rester un instant de plus dans la maison de ton père ! Les poètes ont tous chanté à l'envi les délices de vagabonder, et voici d'ailleurs un ou deux seulement des vers qu'ils nous ont transmis à ce sujet :

« Voyage, qui dira tes merveilles ? Ô mes amis, toutes les belles choses aiment le changement ! Les perles elles-mêmes sortent des fonds obscurs de la mer, et traversent les immensités pour se poser sur le diadème des rois et le cou des princesses ! »

En entendant cette strophe, Grain-de-Beauté dit : « Assurément ! Mais le repos chez soi a bien aussi son charme ! » Alors l'un des garçons se mit à rire et dit à ses compagnons : « Voyez un peu ce Grain-de-Beauté ! Il est comme les poissons : ils meurent sitôt qu'ils quittent l'eau ! » Et un autre renchérit et dit : « Non ! c'est probablement qu'il craint de faner les roses de ses joues ! » Et un troisième ajouta : « Vous ne voyez donc pas qu'il est comme les femmes : elles ne peuvent plus faire un pas toutes seules, sitôt qu'elles sont dans la rue ! » Et un autre enfin s'écria : « Alors quoi ? Grain-de-Beauté, n'as-tu pas honte de n'être pas un homme ! »

En entendant toutes ces apostrophes, Grain-de-Beauté fut tellement mortifié qu'il quitta incontinent ses invités et, enfourchant la mule, prit le chemin de la ville et arriva, la rage dans le cœur et les larmes aux yeux, auprès de sa mère qui fut épouvantée de le voir en cet état. Et Grain-de-Beauté lui répéta les moqueries dont il avait été l'objet de la part de ses camarades, et lui déclara vouloir partir à l'instant pour n'importe où, mais partir ! Et il ajouta : « Tu vois bien ce couteau ! Il sera dans ma poitrine si tu ne veux pas me laisser voyager ! »

Devant cette résolution si inattendue, la pauvre mère ne put que dévorer ses larmes et consentir à ce projet. Elle dit donc à Grain-de-Beauté : « Mon fils, je te promets de t'aider de tout mon pouvoir ! Mais comme d'avance je suis sûre du refus de ton père, je vais moi-même te faire préparer un chargement de marchandises, à mes frais. » Et Grain-de-Beauté dit : « Mais alors que cela soit fait tout de suite, avant l'arrivée de mon père ! »

Aussitôt l'épouse de Schamseddîn fit ouvrir par les esclaves l'un des entrepôts de réserve des marchandises, et fit faire par les emballeurs des balles en nombre suffisant pour suffire au chargement de dix chameaux. Quant au syndic Schamseddîn, une fois les invités partis, il chercha en vain son fils dans le jardin, et finit par apprendre qu'il l'avait devancé à la maison. Et le syndic, terrifié à l'idée qu'un malheur avait pu survenir à son fils le long du chemin, mit sa mule au grand galop et arriva hors d'haleine dans la cour où il put enfin calmer son émotion en apprenant, par le portier, l'arrivée sans encombre de Grain-de-Beauté. Mais quelle ne fut point sa surprise en voyant, dans la cour, des balles et des balles, déjà toutes prêtes à être chargées et portant, sur leurs étiquettes, en grosses lettres, leurs différentes destinations : Alep, Damas et Bagdad…

À ce moment de sa narration, Schahrazade vit apparaître le matin et, discrète, se tut.

Mais lorsque fut la deux cent cinquante-septième nuit. Elle dit :

… En grosses lettres, leurs différentes destinations : Alep, Damas et Bagdad !

Il se hâta de monter alors chez son épouse qui lui apprit tout ce qui venait de se passer et le grave inconvénient qu'il y aurait à contrarier Grain-de-Beauté. Et le syndic dit : « Je vais tout de même essayer de le dissuader : « Et il appela Grain-de-Beauté et lui dit : « Ô mon enfant, qu'Allah t'éclaire et te détourne de ce funeste projet ! Ne sais-tu donc ce qu'a dit notre Prophère (sur lui la prière et la paix !) : « Heureux l'homme qui se nourrit des fruits de sa terre et trouve en son pays même la satisfaction de sa vie ! » Et les anciens ont dit : « N'entreprenez jamais de voyage, ne serait-il que d'un seul mille ! » « Donc, ô mon fils, je te demande de me dire si, après ces paroles, tu persistes encore dans ta résolution. » Grain-de-Beauté répondit : « Sache, ô mon père, que je ne veux point te désobéir ; mais si tu t'opposes à mon départ en me refusant le nécessaire, je me dépouillerai de mes habits, je vêtirai la robe des pauvres derviches, et j'irai à pied parcourir tous les pays et toutes les terres ! »

Lorsque le syndic vit que son fils était résolu à partir coûte que coûte, il fut bien obligé de renoncer à contrarier son projet, et lui dit : « Voici alors, ô mon enfant, quarante charges en plus ; et tu auras de la sorte, avec les dix autres que t'a données ta mère, cinquante charges de chameau. Tu y trouveras les marchandises spéciales pour les besoins de chacune des villes où tu entreras ; car il ne faudrait pas essayer de vendre à Alep, par exemple, les étoffes qu'affectionnent les habitants de Damas ; ce serait de la mauvaise spéculation ! Pars donc, mon fils, et qu'Allah te protège et t'aplanisse le chemin ! Et surtout prends toutes tes précautions en traversant, dans le Désert du Lion, un endroit qu'on nomme la Vallée-des-Chiens. C'est le repaire de bandits coupeurs de routes, dont le chef est un Bédouin surnommé : « le Rapide » à cause de la soudaineté de ses attaques et de ses incursions. » Et Grain-de-Beauté répondit : « Les événements bons ou mauvais nous viennent de la main d'Allah ! Et, quoi que je fasse, je n'aurai que ce qui doit m'échoir ! »

Comme ces paroles étaient sans réplique, le syndic ne dit plus rien ; mais son épouse n'eut de paix qu'après avoir fait mille vœux et promis cent moutons aux santons et mis son fils sous la sainte protection d'El-Saïed Abd El-Kâder El-Guilani, protecteur des voyageurs.

Après quoi, le syndic accompagné de son fils, qui put à grand-peine s'échapper des bras de sa pauvre mère pleurant sur lui toutes les larmes de son cœur, alla trouver la caravane déjà toute prête. Et il prit à part le vieux mokaddem des chameliers et des muletiers, le cheikh Kamal, et lui dit : « Ô vénérable mokaddem, je te confie cet enfant, la prunelle de mes yeux, et je le mets sous l'aile d'Allah et sous ta garde ! Et toi, mon fils, dit-il à Grain-de-Beauté, voici celui qui te tiendra lieu de père, en mon absence. Obéis-lui et ne fais jamais rien sans le consulter ! » Puis il donna mille dinars d'or à Grain-de-Beauté, et, comme dernière recommandation, lui dit : « Je te donne ces mille dinars, mon fils, pour que tu puisses les utiliser et attendre patiemment le moment le plus avantageux pour la vente de tes marchandises ; car il faut bien te garder de les vendre au moment de la baisse ; tu dois saisir l'occasion où les étoffes et les autres articles sont le plus en hausse, pour les placer dans les meilleures conditions ! » Puis, les adieux faits, la caravane se mit en marche et fut bientôt hors des portes du Caire.

Or, pour ce qui est de Mahmoud-le-Bilatéral, voici ! En apprenant le départ de Grain-de-Beauté, il eut bientôt fait de se préparer lui aussi, et, en quelques heures, il avait mulets et chameaux chargés et chevaux sellés. Et, sans perdre de temps, il se mit en route et rejoignit la caravane à quelques milles du Caire. Et il se disait : « Maintenant, dans le désert, ô Mahmoud, nul n'ira te dénoncer et nul ne viendra te surveiller ! Et tu pourras, sans crainte d'être troublé, te délecter de cet enfant ! »

Aussi, dès la première étape, le Bilatéral fit dresser ses tentes à côté des tentes de Grain-de-Beauté, et recommanda au cuisinier de Grain-de-Beauté de ne pas prendre la peine d'allumer le feu, vu que lui, Mahmoud, avait invité Grain-de-Beauté à venir partager son repas, sous sa tente. Et, de fait, Grain-de-Beauté vint sous la tente du Bilatéral, mais accompagné du cheikh Kamal, le mokaddem des chameliers. Et ce soir-là le Bilatéral en fut pour ses frais. Et le lendemain, à la seconde halte, il en fut de même, et cela tous les jours, jusqu'à l'arrivée à Damas ; car, chaque fois, Grain-de-Beauté acceptait l'invitation, mais venait sous la tente du Bilatéral, accompagné du mokaddem des chameliers. Mais lorsqu'on fut arrivé à Damas où le Bilatéral avait, comme d'ailleurs au Caire, à Alep et à Bagdad, une maison à lui pour y recevoir ses amis...

À ce moment de sa narration, Schahrazade, la fille du vizir, vit apparaître le matin et interrompit le récit autorisé.

Mais lorsque fut la deux cent cinquante-huitième nuit. Elle dit :

... À Damas où le Bilatéral avait, comme d'ailleurs au Caire, à Alep et à Bagdad, une maison à lui pour y recevoir ses amis, il envoya à Grain-de-Beauté, resté sous les tentes à l'entrée de la ville, un esclave pour l'inviter, lui seulement, à venir l'honorer de sa présence. Et Grain-de-Beauté répondit : « Attends que j'aille demander l'avis du cheikh Kamal ! » Mais le mokaddem des chameliers fronça les sourcils à la proposition et répondit : « Non, mon fils, il faut refuser ! » Et Grain-de-Beauté déclina l'invitation.

Le séjour à Damas ne fut pas de longue durée, et l'on se mit bientôt en route pour Alep, où, dès l'arrivée, le Bilatéral envoya inviter Grain-de-Beauté ; mais, comme à Damas, le cheikh Kamal conseilla l'abstention, et Grain-de-Beauté, sans trop savoir pourquoi le mokaddem était si sévère, ne voulut pas le contrarier. Et, cette fois encore, le Bilatéral en fut pour son voyage et ses frais. Mais quand on eut quitté Alep, le Bilatéral se jura bien que cette fois les choses ne se passeraient plus de la sorte. Aussi, dès la première halte dans la direction de Bagdad, il fit faire les préparatifs d'un festin sans précédent, et vint en personne inviter Grain-de-Beauté à l'accompagner. Et cette fois Grain-de-Beauté fut bien obligé d'accepter, n'ayant pas de motif sérieux à opposer, et rentra d'abord sous la tente pour se vêtir d'une façon convenable. Alors le cheikh Kamal vint le rejoindre et lui dit : « Que tu es imprudent, ô Grain-de-Beauté ! Pourquoi as-tu accepté l'invitation de Mahmoud ? Ne connais-tu donc pas ses intentions ? Et ne sais-tu le motif qui l'a fait surnommer le Bilatéral ? En tout cas tu aurais dû demander l'avis du vieillard que je suis et dont les poètes ont dit :

« J'ai demandé au vieillard : « Pourquoi marches-tu courbé ? » Il m'a répondu : « J'ai perdu sur la terre humide ma jeunesse ! Et je me suis courbé pour la chercher. Et maintenant l'expérience est si lourde qui pèse sur moi qu'elle m'empêche de redresser le dos ! »

Mais Grain-de-Beauté répondit : « Ô vénérable mokaddem, il serait tout à fait inconvenant de refuser l'invitation de notre ami Mahmoud qu'on appelle, je ne sais trop pourquoi, le Bilatéral ! Et d'ailleurs je ne vois pas bien ce que j'ai à perdre à l'accompagner. Il ne me mangera pas ! » Et le mokaddem répliqua vivement : « Mais oui ! par Allah ! il te mangera ! Il en a déjà mangé bien d'autres ! » À ces paroles, Grain-de-Beauté éclata de rire et se hâta d'aller rejoindre le Bilatéral qui l'attendait avec impatience. Et tous deux s'en allèrent sous la tente où était dressé le festin.

Or, vraiment, le Bilatéral n'avait rien épargné pour recevoir comme il fallait le merveilleux adolescent, et tout était disposé pour charmer les yeux et flatter les sens ; aussi le repas fut-il gai et plein d'animation ; et tous deux mangèrent de grand appétit, et burent dans la même coupe jusqu'à satiété. Et lorsque le vin eut fermenté dans leurs têtes, et que les esclaves se furent discrètement retirés, le Bilatéral, ivre de vin et de passion, se pencha sur Grain-de-Beauté et lui prenant les joues de ses deux mains voulut en prendre un baiser. Mais Grain-de-Beauté, fort troublé, leva instinctivement la main ; et le baiser de Bilatéral ne rencontra que la paume de l'adolescent. Alors Mahmoud lui jeta un bras autour du cou et de l'autre lui entoura la taille, et, comme Grain-de-Beauté lui demandait : « Mais que veux-tu donc me faire ? » Il lui dit : « Simplement, essayer d'expliquer, pour les mettre en pratique, ces vers du poète :

« Oh mes frissons quand les regards de ses yeux me branlent l'âme ! Oh délices du premier désir qui gonfle ses œufs enfantins !

Voici, ô mon œil ! Saisis ce que tu peux saisir, soulève ce que tu peux soulever, prends une poignée, ou deux, ou trois, et fais-le entrer d'un empan ou plus ! Mais que cela ne te gêne pas ! Il faut de la douceur ! »

Puis, ayant dit ces vers d'une certaine manière, Mahmoud-le-Bilatéral se disposa à les expliquer d'une façon pratique à l'adolescent. Mais Grain-de-Beauté, sans trop se rendre compte de la situation, se sentit tout de même fort gêné de ces airs, de ces gestes et de ces mouvements, et voulut s'en aller. Et le Bilatéral le retint et finit par lui faire enfin comprendre de quoi il s'agissait.

Lorsque Grain-de-Beauté eut bien saisi les intentions de Bilatéral et pesé sa demande…

À ce moment de sa narration, Schahrazade vit apparaître le matin et, discrète, se tut.

Mais lorsque fut la deux cent cinquante-neuvième nuit. Elle dit :

… Lorsque Grain-de-Beauté eut bien saisi les intentions de Bilatéral et pesé sa demande, il se leva sur l'heure et lui dit : « Non, par Allah ! Je ne vends pas cette marchandise-là ! En tout cas, pour te consoler, je dois te dire que si je la vendais aux autres pour de l'or, à toi je la donnerais pour rien ! » Et, malgré les supplications de Bilatéral, Grain-de-Beauté ne voulut pas rester un moment de plus sous la tente ; il sortit assez brusquement et regagna en hâte le campement où le mokaddem, fort inquiet, attendait son retour.

Aussi lorsque le mokaddem Kamal vit entrer Grain-de-Beauté avec cet air étrange, il lui demanda : « Par Allah ! que s'est-il donc passé ? » Il répondit : « Mais absolument rien ! Seulement il nous faut tout de suite lever le campement et nous en aller à Bagdad, sans retard ; car je ne veux plus voyager avec le Bilatéral ! Il a des prétentions exagérées et fort gênantes ! » Le cheikh des chameliers dit : « Ne te l'avais-je pas dit, mon fils. Mais loué soit Allah qu'il ne soit rien arrivé ! Seulement je dois te faire remarquer qu'il serait fort périlleux de voyager ainsi seuls. Il vaut mieux rester, comme nous sommes, en une seule caravane, afin de pouvoir résister aux attaques des brigands bédouins dont ces terres sont infestées ! » Mais Grain-de-Beauté ne voulut rien entendre et donna l'ordre du départ.

La petite caravane se mit donc seule en marche, et ne cessa de voyager de la sorte jusqu'à ce qu'un jour, vers le coucher du soleil, elle ne fût plus qu'à quelques milles des portes de Bagdad.

Le mokaddem des chameliers vint alors trouver Grain-de-Beauté et lui dit : « Il vaut mieux, mon fils, pousser jusqu'à Bagdad, cette nuit même, sans nous arrêter ici pour le campement. Car cet endroit où nous sommes est le plus dangereux de tout le voyage : c'est la Vallée-des-Chiens ! Nous courons très grand risque d'y être attaqués si nous y passons la nuit ! Hâtons-nous donc d'arriver à Bagdad, avant la fermeture des portes. Car, mon fils, tu dois savoir que le khalifat fait chaque soir soigneusement fermer les portes de la ville pour empêcher les hordes fanatiques d'entrer en cachette et de s'emparer des livres de la science et des manuscrits des lettres, enfermés dans les salles des écoles, et de les jeter dans le Tigre ! »

Grain-de-Beauté, à qui cette proposition n'agréait pas, répondit : « Non, par Allah ! je ne veux pas entrer de nuit dans la ville, car je veux jouir de la vue de Bagdad au lever du soleil ! Passons donc la nuit ici, car enfin je ne suis pas pressé, moi ; et je ne voyage pas pour affaires, mais pour mon plaisir simplement et pour voir ce que je ne connais pas ! » Et le vieux mokaddem ne put que s'incliner, tout en déplorant l'entêtement si dangereux du fils de Schamseddîn.

Quant à Grain-de-Beauté, il mangea un morceau ; puis, les esclaves partis se coucher, il sortit de la tente et s'éloigna un peu dans la vallée et alla s'asseoir sous un arbre au clair de lune. Et le souvenir lui vint des lectures que lui faisaient ses maîtres dans le souterrain, et, inspiré d'un lieu si propice aux rêveries, il commença ce chant du poète :

« Reine de l'Irak aux délices légères, ô Bagdad, cité des khalifats et des poètes, si longtemps je t'ai rêvée, ô tranquille… »

Mais soudain, avant qu'il eût achevé la première strophe, il entendit à sa gauche une clameur effroyable et un galop de chevaux, et des vociférations criées par cent bouches à la fois ! Et il se tourna et vit le campement envahi par une troupe nombreuse de Bédouins surgis de toutes parts comme s'ils sortaient de sous terre.

Ce spectacle si nouveau pour lui le cloua sur place, et il put voir ainsi le massacre général de la caravane qui avait voulu se défendre, et le pillage de tout le campement. Et quand les Bédouins virent qu'il n'y avait plus personne debout, ils emmenèrent les chameaux et les mulets, et disparurent en un clin d'œil par où ils étaient venus.

Lorsque la stupéfaction où il était se fut un peu dissipée, Grain-de-Beauté descendit vers l'endroit où se trouvait son campement, et put voir tous ses gens massacrés. Et le cheikh Kamal lui-même, le mokaddem des chameliers, malgré son âge respectable, n'avait pas été épargné plus que les autres et gisait mort, la poitrine percée de nombreux coups de lance. Aussi il ne put supporter davantage la vue d'un spectacle si terrifiant, et il prit la fuite sans oser regarder derrière lui.

Il se mit à courir de la sorte, toute la nuit, et, pour ne pas exciter la cupidité de quelque nouveau brigand, il se dépouilla entièrement de ses riches vêtements qu'il jeta au loin, et ne garda sur lui que sa chemise. Et c'est ainsi qu'à demi-nu il fit son entrée à Bagdad au lever du jour.

Alors, harassé de fatigue et ne pouvant plus rester debout sur ses jambes, il s'arrêta devant la première fontaine publique qui se présenta devant lui, à l'entrée de la ville. Il se lava les mains, le visage et les pieds et monta sur la plateforme qui surmontait la fontaine, s'y étendit tout de son long et ne tarda pas à s'endormir.

Mais pour ce qui est de Mahmoud-le-Bilatéral, il s'était également mis en route, mais avait pris un raccourci, d'un autre côté, et de la sorte il avait pu éviter la rencontre des brigands ; et, de plus, il était arrivé aux portes de Bagdad, au moment même où Grain-de-Beauté les franchissait et s'endormait sur la fontaine.

Comme il passait près de cette même fontaine, le Bilatéral s'approcha de l'abreuvoir de pierre où l'eau coulait pour les bestiaux, et voulut y faire boire son cheval altéré. Mais la bête vit l'ombre qui s'allongeait de l'adolescent endormi et recula en soufflant. Alors le Bilatéral leva les yeux sur la plateforme et faillit tomber de cheval en reconnaissant Grain-de-Beauté dans l'adolescent demi-nu endormi sur la pierre…

À ce moment de sa narration, Schahrazade vit apparaître le matin et, discrète, se tut.

Mais lorsque fut la deux cent soixantième nuit. Elle dit :

… En reconnaissant Grain-de-Beauté dans l'adolescent demi-nu endormi sur la pierre.

Aussitôt il sauta à bas de son cheval, grimpa sur la plate-forme et s'immobilisa d'admiration devant Grain-de-Beauté étendu, la tête reposant sur l'un de ses bras, dans l'alanguissement du sommeil. Et, pour la première fois, il put enfin contempler à nu les perfections de ce jeune corps cristallin où les grains bruns tranchaient d'une façon si belle sur la blancheur du reste. Et il ne comprenait guère par l'effet de quel hasard il rencontrait ainsi sur sa route, endormi sur cette fontaine, cet ange pour l'amour duquel il avait entrepris tout ce voyage. Et il ne parvenait point à détacher son regard de la petite envie, ronde comme un grain de musc, qui ornait sa fesse gauche en ce moment à découvert. Et il se disait, ne sachant exactement à quel parti se résoudre : « Que vaut-il mieux que je fasse ? Le réveiller ? L'emporter tel qu'il est, sur mon cheval, et fuir avec lui au désert ? Attendre qu'il soit réveillé, et lui parler, l'attendrir, et le décider à m'accompagner à ma maison de Bagdad ? »

Il finit par s'arrêter à cette dernière idée et, s'asseyant sur le rebord de la plateforme, aux pieds de l'adolescent, il attendit son réveil en se baignant les yeux de toute la limpidité rosée que le soleil mettait sur son corps enfantin.

Grain-de-Beauté, une fois abreuvé de sommeil, s'étira les jambes et entrouvrit les yeux ; et au même moment Mahmoud lui prit la main et, d'une voix très douce, lui dit : « N'aie pas peur, mon enfant, tu es en sûreté auprès de moi ! Mais hâte-toi, de grâce, de m'expliquer la cause de tout cela ! »

Alors Grain-de-Beauté se leva sur son séant et, bien que gêné tout de même par la présence de son admirateur, lui raconta l'aventure dans tous ses détails. Et Mahmoud lui dit : « Louange à Allah, mon jeune ami, qui t'a enlevé la fortune, mais t'a conservé la vie ; car le poète a dit : « Si la tête est sauve, la fortune perdue n'est qu'une rognure coupée de l'ongle sans le léser ! » Et d'ailleurs ta fortune elle-même n'est point perdue, puisque tout ce que je possède t'appartient. Viens donc avec moi à la maison te baigner et t'habiller ; et dès cet instant tu peux considérer tous les biens de Mahmoud comme les tiens propres, et la vie de Mahmoud est à ta dévotion ! » Et il continua à parler si paternellement à Grain-de-Beauté qu'il le décida à l'accompagner.

Il descendit donc le premier et l'aida ensuite à se mettre à cheval derrière lui, puis se mit en route vers sa maison, en frissonnant de plaisir au seul toucher du corps chaud et nu de l'adolescent cramponné à lui. Son premier soin fut de conduire Grain-de-Beauté au hammam et de le baigner lui-même, sans l'aide d'un masseur ou d'un serviteur quelconque ; et, après l'avoir vêtu d'une robe de grande valeur, il le fit entrer dans la salle où d'ordinaire il recevait ses amis.

C'était une salle délicieuse de fraîcheur et d'ombre, éclairée seulement par les reflets bleuâtres des émaux et des faïences et les scintillements tombant de haut en étoiles. Une odeur d'encens ravissait qui transportait l'âme vers des jardins rêvés de camphre et de cinnamome. Au milieu, une fontaine jaillissante chantait. Le repos là était parfait et sûr, et l'extase pouvait y être pleine de sérénité. Tous deux s'assirent sur les tapis, et Mahmoud avança un coussin à Grain-de-Beauté pour s'y appuyer le bras. Des mets étaient servis sur les plateaux, et ils en mangèrent ; et ils burent ensuite les vins de choix contenus dans les pots. Alors le Bilatéral, qui jusque-là n'avait pas été trop pressant, ne put plus se contenir et éclata, en récitant cette strophe du poète :

« Désir ! ni les caresses délicates des yeux ni le baiser des lèvres pures ne sauraient t'apaiser ! Ô mon désir ! tu sens peser sur toi la lourdeur d'une passion qui ne s'allégerait qu'en jaillissant ! »

Mais Grain-de-Beauté, qui, maintenant habitué aux vers du Bilatéral, en saisissait aisément le sens parfois obscur, se leva immédiatement et dit à son hôte : « En vérité, je ne comprends point ton insistance à ce sujet. Je ne puis que te répéter ce que je t'ai déjà dit : le jour où je vendrais aux autres cette marchandise pour de l'or, à toi je la donnerais pour rien ! »

Et sans vouloir écouter davantage les explications de Bilatéral, il le quitta brusquement et s'en alla.

Lorsqu'il fut dehors, il se mit à errer par la ville. Mais il faisait déjà noir ; et comme il ne savait où se diriger, étranger qu'il était à Bagdad, il résolut de passer la nuit dans une mosquée qui se présenta sur sa route. Il entra donc dans la cour, et comme il allait enlever ses sandales pour pénétrer à l'intérieur de la mosquée, il vit venir à lui deux hommes précédés de leurs esclaves qui tenaient devant eux deux lanternes allumées. Il se rangea pour les laisser passer, mais le plus vieux des deux s'arrêta devant lui et, l'ayant considéré avec beaucoup d'attention, lui dit : « La paix sur toi ! » Et Grain-de-Beauté lui rendit son salam. L'autre reprit : « Es-tu étranger, mon enfant ? » Il répondit : « Je suis du Caire. Mon père est Schamseddîn, syndic des marchands de la Cité. »

À ces paroles, le vieillard se tourna vers son compagnon et lui dit : « Allah nous favorise au-delà de nos vœux ! Nous n'espérions pas trouver si tôt l'étranger que nous cherchions et qui doit nous tirer d'embarras…

À ce moment de sa narration, Schahrazade vit apparaître le matin et se tut discrètement.

Mais lorsque fut la deux cent soixante et unième nuit. Elle dit :

… L'étranger que nous cherchions et qui doit nous tirer d'embarras ! » Puis il prit Grain-de-Beauté à part et lui dit : « Béni soit Allah qui t'a mis sur notre chemin ! Nous avons à te demander un service que nous rétribuerons en te donnant cinq mille dinars, des effets pour mille dinars et un cheval de mille dinars. Voici !

« Tu n'ignores pas, mon fils, que d'après notre loi, quand un musulman a répudié une première fois son épouse, il peut la reprendre sans formalités au bout de trois mois et dix jours ; et s'il vient à divorcer une seconde fois, il peut également la reprendre, après le délai légal expiré ; mais s'il vient à la répudier pour la troisième fois, ou si, ne l'ayant jamais répudiée, il lui dit simplement : « Tu es répudiée par trois fois ! » Ou bien : « Tu n'es plus rien pour moi, je le jure par le troisième divorce ! » eh bien ! la loi, dans ce cas, veut, si toutefois le mari désire encore une fois reprendre sa femme, qu'un autre homme se marie d'abord légalement avec la femme répudiée, et la répudie à son tour après avoir couché, ne fût-ce qu'une nuit avec elle. Et alors seulement le premier mari peut la reprendre comme femme légitime.

« Or, tel est le cas de ce jeune homme qui est avec moi. Il s'est laissé l'autre jour emporter par un accès de mauvaise humeur et a crié à son épouse, qui est ma fille : « Sors de ma maison ! Je ne te connais plus ! Tu es répudiée par les Trois ! » Et aussitôt ma fille, qui est son épouse, a ramené son voile sur son visage, devant son mari devenu désormais pour elle un étranger, a repris sa dot et est rentrée le jour même dans ma maison. Mais maintenant son mari, que voici, désire ardemment la reprendre. Il est venu me baiser les mains et me supplier de le réconcilier avec son épouse. Et moi je consentis à la chose. Et aussitôt nous sommes sortis à la recherche de l'homme qui doit servir de successeur momentané durant une nuit. Et c'est ainsi, mon fils, que nous t'avons trouvé. Comme tu es étranger à notre ville, les choses se passeront en secret, en présence du kâdi seulement, et rien n'en transpirera au-dehors ! »

L'état de dénuement où était Grain-de-Beauté lui fit accepter de bon cœur la proposition et il se dit : « Je vais toucher cinq mille dinars, je vais prendre des effets pour mille dinars et un cheval de mille dinars, et de plus je vais copuler toute la nuit. Par Allah ! j'accepte ! » Et il dit aux deux hommes qui attendaient la réponse avec anxiété : « Par Allah ! j'accepte d'être le Délieur ! »

Alors le mari de la femme, qui n'avait pas encore parlé, se tourna vers Grain-de-Beauté et lui dit : « Tu nous tires vraiment d'un grand embarras, car je dois te dire que j'aime mon épouse à l'extrême ! Seulement j'ai bien peur que demain matin, ayant trouvé mon épouse à ta convenance, tu ne veuilles plus la répudier et te refuses à me la rendre. La loi, dans ce cas, te donne raison. C'est pour cela que tout à l'heure, devant le kâdi, tu vas t'engager à me verser dix mille dinars de dommages-intérêts, en compensation, si, par malheur, tu ne voulais plus consentir au divorce, le lendemain. » Et Grain-de-Beauté accepta la condition, car il était bien résolu à ne coucher qu'une nuit avec la femme en question. Ils allèrent donc tous trois chez le kâdi et, par-devant lui, firent le contrat dans les conditions légales. Et le kâdi, à la vue de Grain-de-Beauté, fut excessivement ému et l'aima beaucoup.

Aussi le retrouverons-nous dans le courant de cette histoire.

Donc, le contrat fait, ils sortirent de chez le kâdi, et le père de la femme divorcée emmena Grain-de-Beauté et le fit entrer dans sa maison. Il le pria d'attendre dans le vestibule, et alla aussitôt prévenir sa fille en lui disant : « Ma chère fille, je t'ai trouvé un garçon fort bien fait qui, je l'espère, te plaira. Je te le recommande à la limite de la recommandation. Passe avec lui une nuit charmante et ne te prive de rien. On n'a pas toutes les nuits un si merveilleux garçon dans les bras ! » Et, ayant prêché sa fille de la sorte, le bon père s'en alla fort content retrouver Grain-de-Beauté pour lui dire la même chose. Et il le pria d'attendre encore un peu que sa nouvelle épouse eût fini de se préparer à le recevoir.

Quant au premier époux, il alla trouver tout de suite une vieille femme fort rouée qui l'avait élevé, et lui dit : « Je t'en prie, ma bonne mère, il faut imaginer quelque expédient pour empêcher le Délieur que nous avons trouvé d'approcher cette nuit de mon épouse divorcée ! » Et la vieille répondit : « Par ta vie ! rien ne m'est plus facile ! » Et elle s'enveloppa de son voile…

À ce moment de sa narration, Schahrazade vit apparaître le matin et se tut discrètement.

Mais lorsque fut la deux cent soixante-deuxième nuit. Elle dit :

Et elle s'enveloppa de son voile et alla à la maison de la divorcée, où elle vit d'abord Grain-de-Beauté dans le vestibule. Elle le salua et lui dit : « Je viens trouver l'adolescente divorcée pour lui enduire le corps de pommades, comme je le fais tous les jours, afin de la guérir de la lèpre dont elle est atteinte, la pauvre femme ! » Et Grain-de-Beauté s'écria : « Qu'Allah m'en préserve ! Comment, ô bonne mère ? Cette femme est-elle donc atteinte de lèpre ! Et moi qui devais cette nuit copuler avec elle ! Car je suis le Délieur choisi par son ancien époux. » Et la vieille femme répondit : « Ô mon fils, qu'Allah préserve ta belle jeunesse ! Oui certes ! tu ferais bien de t'abstenir de copuler ! » Et elle le laissa ahuri et rentra chez la divorcée, à laquelle elle persuada la même chose au sujet de l'adolescent qui devait servir de Délieur. Et elle lui conseilla l'abstention afin de ne pas se faire contaminer. Après quoi elle s'en alla.

Quant à Grain-de-Beauté, il continua à attendre un signe de l'adolescente, avant d'entrer chez elle. Mais il attendit longtemps sans voir rien venir si ce n'est une esclave qui lui porta un plateau de mets. Il mangea et but, puis, pour occuper le temps, il récita une sourate du Korân, et se mit ensuite à fredonner quelques strophes lyriques d'une voix plus suave que celle du jeune David en présence de Saül.

Lorsque la jeune femme, à l'intérieur, eut entendu cette voix, elle se dit : « Que prétendait-elle donc, cette vieille de malheur ? Est-ce qu'un homme atteint de lèpre peut être doué d'une si belle voix ? Par Allah ? je vais l'appeler et voir de mes propres yeux si cette vieille-là ne m'a pas menti. Mais auparavant je vais lui répondre. » Et elle prit un luth indien qu'elle accorda savamment et, d'une voix à faire s'arrêter au fond du ciel les oiseaux dans leur vol, elle chanta :

« J'aime un jeune daim aux doux yeux langoureux. Sa taille est si souple que les flexibles rameaux apprennent à onduler à le voir se balancer ! »

Lorsque Grain-de-Beauté eut entendu les premières notes de ce chant, il cessa de fredonner, et écouta avec une attention charmée. Et il pensa : « Que me disait-elle, cette vieille marchande de pommades ? Par Allah ! elle a dû me mentir ! Une si belle voix ne saurait appartenir à une lépreuse ! » Et aussitôt, prenant le ton sur les dernières notes qu'il venait d'entendre, il chanta d'une voix à faire danser les rochers :

« Mon salut va vers la fine gazelle qui se cache du chasseur et porte mes hommages aux roses éparses sur le parterre de ses joues ! »

Et cela fut dit d'un accent tel, que la jeune femme, secouée d'émotion, courut relever les rideaux qui la séparaient du jeune homme et s'offrit à sa vue, telle la lune se dégageant soudain d'un nuage. Et elle lui fit signe d'entrer vivement, et le précéda en mouvant ses hanches, à mettre debout un vieillard impotent. Et Grain-de-Beauté fut stupéfait de sa beauté, de sa fraîcheur et de sa jeunesse. Pourtant il n'osa l'aborder, hanté qu'il était par la crainte d'une contagion.

Mais soudain l'adolescente, sans prononcer une parole, en un clin d'œil se dévêtit de sa chemise et de son caleçon, qu'elle jeta au loin, et parut toute nue et aussi nette que le vierge argent et aussi ferme et élancée que la tige du jeune palmier. À cette vue, Grain-de-Beauté sentit se mouvementer en lui l'héritage de son vénérable père, l'enfant charmant qu'il portait entre ses cuisses. Et, comme il percevait distinctement son appel pressant, il voulut le passer, pour le calmer, à la jeune femme qui devait savoir où le mettre. Mais elle lui dit : « Ne m'approche pas ! J'ai peur d'attraper la lèpre que tu as sur le corps ! »

À ces paroles, Grain-de-Beauté, sans prononcer une parole, se dévêtit de tous ses habits, puis de sa chemise et de son caleçon, qu'il jeta au loin, et parut dans sa parfaite nudité, aussi limpide que l'eau de roche et aussi intact que l'œil d'un enfant. Alors l'adolescente ne douta plus du stratagème employé par la vieille entremetteuse, sur l'instigation de son premier époux, et, éblouie par les charmes du jeune homme, elle courut à lui, et l'enveloppa de ses bras et l'entraîna vers le lit, sur lequel elle roula avec lui. Et, haletante de désir, elle lui dit : « Fais tes preuves, ô cheikh Zacharias, ô père puissant des gros nerfs ! » À cet appel si formel, Grain-de-Beauté saisit l'adolescente par les hanches, et pointa le gros nerf de confiture dans la direction de la porte des triomphes, et, le poussant vers le corridor de cristal, le fit vivement aboutir à la porte des victoires. Puis il le fit dévier de la grande route, et le poussa vigoureusement, par le chemin raccourci, vers la porte du monteur ; mais comme le nerf hésitait devant l'étroitesse de cette porte claquemurée, il força le passage en défonçant le couvercle du pot, et se trouva alors chez lui comme si l'architecte avait pris les mesures des deux côtés à la fois. Après cela, il continua son excursion en visitant lentement le souk du lundi, le marché du mardi, le bazar du mercredi et l'étalage du jeudi. Puis, ayant délié de la sorte tout ce qui était à délier, il se reposa, en bon musulman, à l'entrée du vendredi.

Et tel fut le voyage d'essai de Grain-de-Beauté et de son enfant dans le jardin de l'adolescente…

À ce moment de sa narration, Schahrazade vit apparaître le matin et, discrète, se tut.

Mais lorsque fut la deux cent soixante-troisième nuit. Elle dit :

… Et tel fut le voyage d'essai de Grain-de-Beauté et de son enfant dans le jardin de l'adolescente.

Après quoi, Grain-de-Beauté, avec son enfant assoupi dans la félicité, s'enlaça tendrement à l'adolescente aux plates-bandes saccagées ; et tous trois s'endormirent jusqu'au matin.

Une fois réveillé, Grain-de-Beauté demanda à son épouse transitoire : « Comment t'appelles-tu, mon cœur ? » Elle répondit : « Zobéida. » Il lui dit : « Eh bien ! Zobéida, je regrette beaucoup d'être forcé de te quitter ! » Elle demanda, émue : « Et pourquoi me quitterais-tu ? » Il dit : « Mais tu sais bien que je ne suis que Délieur seulement ! »

Elle s'écria : « Non, par Allah ! je l'avais oublié ! Et je me figurais, dans mon bonheur, que tu étais un cadeau merveilleux que me faisait mon bon père, pour remplacer l'autre ! » Il dit : « Mais oui, ô charmante Zobéida, je suis un Délieur choisi et par ton père et par ton premier époux. Et, en prévision d'un mauvais vouloir probable de ma part, ils ont eu soin tous deux de me faire signer un contrat, par-devant le kâdi, qui m'oblige à leur payer dix mille dinars si ce matin je ne te répudie pas. Or, vraiment, je ne vois pas comment je pourrais leur payer cette somme fabuleuse, moi qui n'ai pas en poche un drachme seulement. Il vaut donc mieux que je m'en aille, sans quoi c'est la prison en perspective, puisque je ne suis pas solvable. »

À ces paroles, la jeune Zobéida réfléchit un instant ; puis, baisant les yeux de l'adolescent, lui demanda : « Comment t'appelles-tu, mon œil ? » Il dit : « Grain-de-Beauté. » Elle s'écria : « Ya Allah ! jamais nom n'a été mieux porté ! Eh bien ! mon chéri, ô Grain-de-Beauté, comme je préfère à tous les sucres candis ce délicieux nerf blanc de confiture dont tu as dulcifié mon jardin, toute cette nuit, je te jure que nous allons trouver l'expédient pour ne jamais nous quitter : car je préfère mourir plutôt que d'appartenir à un autre, après t'avoir goûté ! » Il demanda : « Et comment allons-nous faire ? » Elle dit : « La chose est fort simple. Voici ! Tout à l'heure mon père va venir te chercher et il te conduira chez le kâdi pour accomplir les formalités du contrat. Alors, toi, tu t'approcheras gentiment du kâdi et tu lui diras : « Je ne veux plus divorcer ! » Il te demandera : « Comment ? tu refuses les cinq mille dinars et le cheval de mille dinars, pour rester avec une femme ? » Tu répondras : « J'estime que chaque cheveu de cette femme vaut mille dinars ! C'est pour cela que je garde la propriétaire de cette précieuse chevelure. » Alors le kâdi te dira : « C'est ton droit ! Mais tu vas payer au premier époux la somme de dix mille dinars, en compensation. » « Alors là, mon chéri, écoute bien ce que je vais te dire ! Le vieux kâdi, homme d'ailleurs excellent, aime les jeunes garçons à la folie. Or, toi, tu as dû déjà produire sur lui une considérable impression, j'en suis sûre ! »

Grain-de-Beauté s'écria : « Tu crois alors que le kâdi, lui aussi, est bilatéral ? » Zobéida éclata de rire et dit : « Certainement ! Pourquoi donc cela t'étonne-t-il tant que ça ? » Il dit : « Décidément il est écrit que toute sa vie Grain-de-Beauté doit aller d'un bilatéral à un autre bilatéral ! Mais, ô subtile Zobéida, continue, je t'en prie, ton développement ! Tu disais donc : « Le vieux kâdi, homme d'ailleurs excellent, aime les jeunes garçons à la folie. » Ne va pas me conseiller maintenant de lui vendre ma marchandise ! » Elle dit : « Non ! tu vas voir ! »

Et elle continua : « Lorsque le kâdi t'aura dit : « Il faut payer les dix mille dinars ! » toi, tu le regarderas comme ça, d'une certaine manière, tu feras mouvoir gentiment tes hanches, pas trop, mais cependant de façon à le liquéfier d'émotion sur son tapis. Et lui alors, sûrement, te donnera un sursis pour régler cette dette. Et d'ici là Allah pourvoira ! »

À ces paroles, Grain-de-Beauté réfléchit un instant et dit : « Cela se peut ! » Et au même moment une esclave, derrière le rideau, donna de la voix et dit : « Ma maîtresse Zobéida, ton père est là qui attend mon maître ! » Alors Grain-de-Beauté se leva, s'habilla à la hâte et alla trouver le père de Zobéida. Et tous deux, rejoints dans la rue par le premier mari, se rendirent chez le kâdi.

Or, les prévisions de Zobéida se réalisèrent à la lettre ; mais il faut dire aussi que Grain-de-Beauté prit soin de suivre scrupuleusement les précieuses indications qu'elle lui avait fournies.

Aussi le kâdi, absolument annihilé par les œillades de côté que lui jetait Grain-de-Beauté, accorda-t-il non seulement le sursis de trois jours que réclamait modestement l'adolescent, mais conclut son jugement en ces termes : « Nos lois religieuses et notre jurisprudence ne peuvent faire du divorce une obligation ! Et nos quatre rites orthodoxes sont absolument d'accord sur ce point. D'un autre côté le Délieur, devenu l'époux de droit, profite d'un sursis, étant donné sa condition d'étranger. Nous lui donnons donc dix jours pour payer sa dette. »

Alors Grain-de-Beauté baisa respectueusement la main du kâdi qui pensait à part lui : « Par Allah ! ce bel adolescent vaut bien dix mille dinars. Et je les lui avancerais moi-même volontiers ! »

Puis Grain-de-Beauté prit congé fort gentiment et courut retrouver son épouse, la subtile Zobéida...

À ce moment de sa narration, Schahrazade vit apparaître le matin et, discrète, se tut.

Mais lorsque fut la deux cent soixante-quatrième nuit. Elle dit :

... Fort gentiment et courut retrouver son épouse, la subtile Zobéida.

Et Zobéida, le visage éclairé de joie, reçut Grain-de-Beauté en le félicitant du résultat obtenu, et lui donna cent dinars en vue de faire préparer pour eux deux un festin qui durerait toute la nuit. Et Grain-de-Beauté, avec l'argent de son épouse, fit aussitôt apprêter le festin en question. Et tous deux se mirent à manger et à boire jusqu'à satiété. Alors, réjouis à la limite de la réjouissance, ils copulèrent longuement. Puis, pour prendre du répit, ils descendirent dans la salle de réception, allumèrent les flambeaux, et organisèrent à eux deux un concert à faire danser les rochers et à suspendre le vol des oiseaux au fond du ciel. Aussi il ne faut point s'étonner que soudain des coups se soient fait entendre sur la porte extérieure de la maison. Et Zobéida, qui les entendit la première, dit à Grain-de-Beauté : « Va donc voir qui frappe à la porte. » Et Grain-de-Beauté descendit aussitôt ouvrir.

Or, cette nuit-là, le khalifat Haroun Al-Rachid, s'étant senti la poitrine rétrécie, avait dit à son vizir Giafar, à son porte-glaive Massrour et à son poète favori, le délicieux Abou-Nowas : « Je me sens un peu oppressé de la poitrine. Allons nous promener un peu par les rues de Bagdad, pour trouver de quoi nous dilater les humeurs ! » Et ils s'étaient déguisés tous les quatre en derviches persans, et s'étaient mis à parcourir les rues de Bagdad, dans l'espoir de quelque aventure amusante. Et ils étaient arrivés de la sorte devant la maison de Zobéida et, ayant entendu les chants et le jeu des instruments, avaient, selon l'habitude des derviches, frappé à la porte, sans se gêner aucunement.

Lorsque Grain-de-Beauté vit les derviches, comme il n'était point ignorant des devoirs de l'hospitalité et qu'en outre il était dans d'excellentes dispositions, il les reçut cordialement et les introduisit dans le vestibule et leur apporta de quoi manger. Mais ils refusèrent la nourriture en disant : « Par Allah ! les esprits délicats n'ont guère besoin de nourriture pour se réjouir les sens, mais d'harmonie seulement ! Et justement nous constatons que les accords, entendus du dehors, se sont tus à notre entrée. Ne serait-ce point une chanteuse de profession qui chantait si merveilleusement ? » Grain-de-Beauté répondit : « Mais non, mes seigneurs ! C'était ma propre épouse. » Et il leur raconta son histoire depuis le commencement jusqu'à la fin, sans omettre un seul détail. Mais il n'y a point d'utilité à la répéter.

Alors le chef des derviches, qui était le khalifat lui-même, dit à Grain-de-Beauté, qu'il trouvait délicieux au possible et pour lequel il s'était senti pris d'une soudaine affection : « Mon fils, tu peux être tranquille au sujet de ces dix mille dinars que tu dois à l'ancien mari de ton épouse. Je suis le chef de la tekké des derviches de Bagdad qui compte quarante membres ; nous sommes, grâce à Allah, dans l'aisance ; et dix mille dinars pour nous ne sont point un sacrifice. Je te promets donc de te les faire parvenir avant dix jours. Mais va prier ton épouse de nous chanter quelque chose, de derrière le rideau, pour nous exalter l'âme. Car, mon fils, la musique sert aux uns de dîner, aux autres de remède et à d'autres d'éventail : pour nous elle remplit les trois rôles à la fois. »

Grain-de-Beauté ne se fit pas prier davantage ; et son épouse Zobéida voulut bien consentir à chanter pour les derviches. Aussi leur joie fut-elle extrême ; et ils passèrent une nuit délicieuse, tantôt à écouter le chant et à répondre : « Ah ! ah ! » de tout leur cœur, tantôt à deviser agréablement, et tantôt à écouter les hilarantes improvisations du poète Abou-Nowas, que la beauté de l'adolescent faisait délirer à la limite du délire.

Avec le matin, les faux derviches se levèrent, et le khalifat, avant de s'en aller, mit sous le coussin sur lequel il était appuyé une bourse contenant, pour commencer, cent dinars d'or, les seuls qu'il eût sur lui en ce moment. Puis ils prirent congé de leur jeune hôte, en le remerciant par la bouche d'Abou-Nowas qui lui improvisa des vers exquis et se promit bien à part lui de ne point le perdre de vue.

Vers le milieu du jour, Grain-de-Beauté, à qui Zobéida avait remis les cent dinars trouvés sous le coussin, voulut sortir pour aller au souk faire quelques emplettes, quand, en ouvrant la porte, il vit, arrêtés devant la maison, cinquante mulets lourdement chargés de balles d'étoffes et, sur une mule bellement harnachée, un jeune esclave abyssin, aux traits charmants, au corps brun, qui tenait à la main une missive enroulée.

En voyant Grain-de-Beauté, le gentil petit esclave mit vivement pied à terre, vint baiser la terre devant l'adolescent et, lui remettant la missive, lui dit : « Ô mon maître Grain-de-Beauté, je viens d'arriver à l'instant du Caire, envoyé vers toi par ton père, mon maître Schamseddîn, syndic des marchands de la cité. Je suis porteur pour toi de cinquante mille dinars en marchandises de prix, et d'un paquet contenant un cadeau de ta mère, destiné à ton épouse Sett Zobéida, composé d'une aiguière d'or enrichie de pierreries et d'une cuvette d'or ciselé…

À ce moment de sa narration, Schahrazade vit apparaître le matin et, discrète, se tut.

Mais lorsque fut la deux cent soixante-cinquième nuit. Elle dit :

… Composé d'une aiguière d'or enrichie de pierreries et d'une cuvette d'or ciselé. »

Grain-de-Beauté fut tellement surpris et réjoui à la fois de cet événement miraculeux, qu'il ne songea d'abord qu'à prendre connaissance du contenu de la lettre. Il l'ouvrit et lut ce qui suit :

« Après les souhaits les plus parfaits de bonheur et de santé de la part de Schamseddîn à son fils Alaeddîn Grain-de-Beauté !

Sache, ô mon fils bien-aimé, que le bruit du désastre subi par ta caravane et de la perte de tes biens est parvenu jusqu'à moi. Aussitôt je t'ai fait préparer une nouvelle caravane de cinquante mulets chargés de marchandises pour cinquante mille dinars d'or. De plus ta mère t'envoie une belle robe qu'elle a brodée elle-même, et, en cadeau pour ton épouse, une aiguière et une cuvette qui, nous osons l'espérer, lui agréeront.

Nous avons, en effet, appris avec un certain étonnement que tu as servi de Délieur dans un divorce lié par la formule de la Répudiation par Trois. Mais du moment que tu trouves la jeune femme à ta convenance, après essai, tu as bien fait de la garder. Aussi les marchandises qui t'arrivent sous la garde du petit Abyssin Salim serviront, et au-delà, à payer les dix mille dinars que tu dois, comme compensation, au premier mari.

Ta mère et tous les nôtres sont dans le bonheur et la santé, espèrent ton prochain retour et t'envoient leurs salams affectueux et la plus grande expression de leur tendresse.

Vis heureux longtemps ! »

Cette lettre et l'arrivée inattendue de ces richesses mirent Grain-de-Beauté dans un tel émoi qu'il ne pensa pas un instant à l'invraisemblance de l'événement. Et il monta chez son épouse et lui apprit la chose. Il n'avait pas fini ses explications que l'on frappa à la porte, et le père de Zobéida et le premier mari entrèrent dans le vestibule. Ils venaient essayer de persuader Grain-de-Beauté de divorcer à l'amiable.

Le père de Zobéida dit donc à Grain-de-Beauté : « Mon fils, aie pitié de mon premier gendre qui aime beaucoup son ancienne épouse ! Allah t'a envoyé des richesses qui te permettront d'acheter les plus belles esclaves du marché et aussi de te marier, en noces légitimes, avec la fille du plus considérable d'entre les émirs. Rends donc à ce pauvre homme son ancienne épouse, et il consent à devenir ton esclave ! » Mais Grain-de-Beauté répondit : « Justement Allah m'a envoyé toutes ces richesses pour rémunérer largement mon prédécesseur. Je suis disposé à lui donner les cinquante mulets avec leurs marchandises et même le joli esclave Abyssin Salim, et à ne garder de tout cela que le cadeau destiné à mon épouse, à savoir la cuvette et l'aiguière ! » Puis il ajouta : « Et si ta fille Zobéida consent à retourner à son ancien mari, je veux, à mon tour, la délier ! »

Alors le beau-père entra chez Zobéida et lui demanda : « Hein ! consens-tu à retourner à ton premier mari ? » Elle répondit, avec de grands gestes : « Ya

Allah ! Ya Allah ! Mais il n'a jamais su le prix des plates-bandes de mon jardin, et s'est toujours arrêté à mi-route ! Non, par Allah ! je reste à l'adolescent qui m'a exploré dans tous les sens ! »

Lorsque le premier mari eut constaté que tout espoir pour lui était perdu, il en eut un tel chagrin que son foie éclata à l'heure même, et il mourut. Et voilà pour lui !

Quant à Grain-de-Beauté il continua à se réjouir avec la charmante et subtile Zobéida ; et tous les soirs, après le festin et de multiples foutreries, copulations et autres choses semblables, il organisait avec elle un concert à faire danser les pierres et à suspendre au fond du ciel le vol des oiseaux. Le dixième jour après son mariage, il se rappela soudain la promesse que lui avait faite le chef des derviches de lui envoyer dix mille dinars, et il dit à son épouse : « Tu vois ce chef des menteurs ! Si j'avais dû attendre la réalisation de sa promesse, je serais déjà mort de faim en prison ! Par Allah ! si je le rencontre encore, je lui dirai ce que je pense de sa mauvaise foi ! »

Puis, comme le soir tombait, il fit allumer les flambeaux de la salle de réception et se disposait à organiser le concert, comme toutes les nuits, quand on frappa à la porte. Il voulut aller lui-même ouvrir et ne fut pas peu surpris de voir les quatre derviches de la première nuit. Il éclata de rire à leur figure et leur dit : « Bienvenus soient les menteurs, les hommes de mauvaise foi ! Mais je veux vous inviter tout de même à entrer ; car Allah m'a dispensé d'avoir désormais besoin de vos services. Et vous êtes d'ailleurs, bien que menteurs et hypocrites, tout à fait charmants et bien élevés ! » Et ils les introduisit dans la salle de réception et pria Zobéida de leur chanter quelque chose, de derrière le rideau. Et elle le fit d'une façon à ravir la raison, à faire danser les pierres et à suspendre au fond du ciel le vol des oiseaux.

À un moment donné, le chef des derviches se leva et s'absenta pour satisfaire un besoin. Alors l'un des faux derviches, qui était le poète Abou-Nowas, se pencha à l'oreille de Grain-de-Beauté et lui dit…

À ce moment de sa narration, Schahrazade vit apparaître le matin et se tut discrètement.

Mais lorsque fut la deux cent soixante-sixième nuit. Elle dit :

… Le poète Abou-Nowas se pencha à l'oreille de Grain-de-Beauté et lui dit : « Ô notre hôte charmant, permets-moi de te poser une question. Comment as-tu pu croire un instant à l'envoi par ton père Schamseddîn des cinquante mulets chargés de richesses ? Voyons ! Combien de jours faut-il pour aller au Caire de Bagdad ? » Il répondit : « Quarante-cinq jours. » Abou-Nowas demanda : « Et pour revenir ? » Il répondit : « Quarante-cinq autres jours, au moins. » Abou-Nowas se mit à rire et dit : « Comment veux-tu alors qu'en moins de dix jours ton père ait appris la perte de ta caravane et ait pu t'en envoyer une seconde ? » Grain-de-Beauté s'écria : « Par Allah ! ma joie a été si grande que je n'ai guère eu le temps de réfléchir à tout cela ! Mais, dis-moi, ô derviche : et la lettre, qui l'a écrite ? et cet envoi, d'où vient-il ? » Abou-Nowas répondit : « Ah ! Grain-de-Beauté, si tu étais aussi perspicace que tu es beau, il y a longtemps que tu aurais déjà deviné en notre chef, sous les habits de derviche, notre maître le khalifat lui-même, l'émir des Croyants, Haroun Al-Rachid, et dans le second derviche le sage vizir Giafar le Barmécide, dans le troisième le porte-glaive Massrour, et en moi-même ton esclave et admirateur Abou-Nowas, poète simplement ! »

À ces paroles, Grain-de-Beauté fut à la limite de la surprise et de la confusion, et timidement il demanda : « Mais, ô grand poète Abou-Nowas, quel est le mérite qui a attiré sur moi tous ces bienfaits de la part du khalifat ? » Abou-Nowas sourit et dit : « Ta beauté ! » Et il ajouta : « C'est le plus grand des mérites à ses yeux d'être jeune, sympathique et beau. Et il considère que l'on n'achète jamais assez cher le simple spectacle d'un être beau et la vue d'un joli visage ! »

Sur ces entrefaites, le khalifat vint reprendre sa place sur le tapis. Alors Grain-de-Beauté vint s'incliner entre ses mains et lui dit : « Ô émir des Croyants, qu'Allah te conserve à notre respect et à notre amour, et qu'il ne nous prive jamais des bienfaits de ta générosité ! » Et le khalifat lui sourit et lui caressa légèrement la joue et lui dit : « Je t'attends demain au palais. » Puis il leva la séance et, suivi de Giafar, de Massrour et d'Abou-Nowas qui recommanda à Grain-de-Beauté de ne pas oublier de venir, il s'en alla.

Le lendemain, Grain-de-Beauté, à qui son épouse avait beaucoup conseillé de se rendre au palais, choisit les choses les plus précieuses que lui avait apportées le petit Abyssin Salim, les mit dans un fort beau coffret sur la tête du joli esclave ; puis, après avoir été habillé et accommodé avec beaucoup de soin par son épouse Zobéida, il se dirigea vers le diwan en emmenant le petit avec sa charge. Et il monta au diwan et, déposant le coffret aux pieds du khalifat, lui fit un compliment en vers bien rythmés, et lui dit : « Ô émir des Croyants, notre Prophète béni (sur lui la prière et la paix !) acceptait les cadeaux pour ne point faire de la peine à ceux qui les lui offraient. Ton esclave serait lui aussi dans la félicité si tu voulais bien agréer ce petit coffret comme marque de sa gratitude ! » Alors le khalifat fut charmé de cette attention de l'adolescent et lui dit : « C'est trop, ô Grain-de-Beauté, car toi-même tu nous es déjà un si beau présent ! Sois donc le bienvenu dans mon palais et dès aujourd'hui je veux te nommer à un haut emploi. » Et aussitôt il destitua de sa charge le grand syndic des marchands de Bagdad et nomma Grain-de-Beauté à sa place.

Puis, pour que cette nomination fût connue de tout le monde, le khalifat écrivit un firman où il décrétait la chose, fit remettre ce firman au wali, lequel le remit au crieur public qui le cria par toutes les rues et tous les souks de Bagdad.

Quant à Grain-de-Beauté, il commença dès ce jour à se rendre régulièrement auprès du khalifat, qui ne pouvait plus se passer de le voir. Et, pour vendre ses marchandises, comme il n'en avait guère le temps lui-même, il fit ouvrir une belle boutique à la tête de laquelle il mit le petit esclave brun qui s'acquitta à merveille de ce métier tout de délicatesse.

À peine deux ou trois jours s'étaient-ils écoulés de la sorte que l'on vint annoncer au khalifat la mort subite de son grand échanson. Et le khalifat, sur-le-champ, nomma Grain-de-Beauté aux fonctions de grand échanson, et lui fit don d'une robe d'honneur appropriée à cette haute charge, et lui fixa des émoluments somptueux. Et de la sorte il ne s'en sépara plus.

Le surlendemain, comme Grain-de-Beauté se tenait aux côtés du khalifat, le grand chambellan entra, baisa la terre devant le trône et dit : « Qu'Allah conserve les jours de l'émir des Croyants, et les augmente d'autant de jours que la mort vient d'en ravir au commandant du palais ! » Et il ajouta : « Ô émir des Croyants, le commandant du palais vient de mourir ! » L'émir des Croyants dit : « Qu'Allah l'ait en sa miséricorde ! » Et séance tenante il nomma Grain-de-Beauté commandant du palais à la place du défunt, et lui fixa des émoluments encore plus somptueux. Et de la sorte Grain-de-Beauté devait rester continuellement à côté du khalifat. Puis, cette nomination faite et annoncée à tout le palais, le khalifat leva la séance en agitant, comme d'habitude, son mouchoir…

À ce moment de sa narration, Schahrazade vit apparaître le matin et, discrète, se tut.

Mais lorsque fut la deux cent soixante-septième nuit. Elle dit :

… Le khalifat leva la séance en agitant, comme d'habitude, son mouchoir, et ne garda auprès de lui que Grain-de-Beauté.

Aussi, dès ce jour, Grain-de-Beauté passa toutes ses journées au palais ; et il ne rentrait à sa maison que bien tard dans la nuit, et se couchait heureux avec son épouse qu'il mettait au courant des événements de la journée. L'affection du khalifat pour Grain-de-Beauté ne fit qu'augmenter de jour en jour, au point qu'il aurait tout sacrifié plutôt que de laisser insatisfait le moindre désir de l'adolescent, comme le prouve le trait suivant.

Le khalifat donnait un concert où se trouvaient présents ses intimes ordinaires : Giafar, le poète Abou-Nowas, Massrour et Grain-de-Beauté. Derrière le rideau chantait la favorite même du khalifat, la plus belle et la plus parfaite de ses concubines. Mais soudain le khalifat regarda fixement Grain-de-Beauté et lui dit : « Ami, ma favorite te plaît, je le lis dans tes yeux. » Et Grain-de-Beauté répondit : « Ce qui plaît au maître doit plaire à l'esclave ! » Mais le khalifat s'écria : « Par ma tête et la tombe de mes aïeux, ô Grain-de-Beauté, ma favorite t'appartient dès cet instant ! » Et il appela aussitôt le chef des eunuques et lui dit : « Transporte à la maison de mon commandant du palais tous les effets et les quarante esclaves de ma favorite Délice-des-Cœurs, puis conduis-la elle-même à sa maison dans une chaise à porteurs. » Mais Grain-de-Beauté dit : « Par ta vie, ô commandeur des Croyants, dispense ton indigne esclave de prendre ce qui appartient au maître ! » Alors le khalifat comprit la pensée de Grain-de-Beauté et lui dit : « Tu as peut-être raison. Probablement ton épouse serait jalouse de mon ancienne favorite ! Que celle-ci reste donc au palais ! » Puis il se tourna vers Giafar, son vizir, et lui dit : « Ô Giafar, il te faut descendre immédiatement au souk des esclaves, car c'est aujourd'hui jour de marché, et acheter pour dix mille dinars la plus belle esclave de tout le souk. Et tu l'enverras tout de suite à la maison de Grain-de-Beauté ! »

Giafar se leva à l'heure même, descendit au souk des esclaves, et pria Grain-de-Beauté de l'accompagner pour lui indiquer lui-même le choix à faire. Or, le wali de la ville, l'émir Khaled, était également descendu ce jour-là au souk, pour acheter une esclave à son fils qui venait d'atteindre l'âge de la puberté.

Le wali de la ville avait en effet un fils. Mais ce fils était un garçon d'une laideur à faire avorter une femme en couches – contrefait, puant, l'haleine fétide, les yeux de travers, la bouche aussi vaste que la vulve d'une vieille vache. Aussi l'appelait-on Gros-Bouffi. Justement, la veille au soir, Gros-Bouffi avait atteint sa quatorzième année, et sa mère était inquiète, depuis déjà un certain temps, de ne constater en lui aucun symptôme de réelle virilité. Mais elle ne tarda pas à se tranquilliser en remarquant, le matin même de ce jour-là, que son fils Gros-Bouffi avait, à la suite d'un rêve, copulé tout seul dans son sommeil en laissant sur le matelas un signe péremptoire. Cette constatation avait ravi à l'extrême la mère de Gros-Bouffi et l'avait fait courir auprès de son époux à qui elle avait rapporté l'heureuse nouvelle, en l'obligeant à descendre immédiatement au souk accompagné de son fils, pour lui acheter une belle esclave à sa convenance.

Donc le Destin, qui est entre les mains d'Allah, voulut ce jour-là faire ainsi se rencontrer au souk des esclaves, Giafar et Grain-de-Beauté avec l'émir Khaled et son fils Gros-Bouffi. Après les salams d'usage, ils se réunirent en un seul groupe et firent défiler devant eux les courtiers, chacun avec les esclaves blanches, brunes ou noires dont il disposait. Ils virent de la sorte une quantité innombrable de jeunes filles grecques, abyssines, chinoises et persanes, et ils allaient se retirer sans fixer ce jour-là leur choix sur aucune, quand le chef des courtiers en personne passa le dernier en tenant par la main une jeune fille au visage découvert, plus belle que la pleine lune du mois de Ramadân.

À sa vue, Gros-Bouffi se mit à renifler avec force pour exprimer son désir et dit à l'émir Khaled, son père : « C'est celle-ci qu'il me faut ! » Et de son côté Giafar demanda à Grain-de-Beauté : « Celle-ci te convient-elle ? » Il répondit : « Elle fait l'affaire ! » Alors Giafar demanda à la jeune fille : « Comment t'appelles-tu, ô gentille esclave ? » Elle répondit : « Ô mon maître, Yasmine ! » Alors le vizir demanda au courtier : « Combien la mise à prix d'Yasmine ? » Il dit : « Cinq mille dinars, ô mon maître ! » Alors Gros-Bouffi s'écria : « J'en offre six mille ! »

À ce moment, Grain-de-Beauté s'avança et dit : « J'en offre huit mille ! » Alors Gros-Bouffi renifla de rage et dit : « Huit mille dinars et un ! » Giafar dit : « Neuf mille et un ! » Mais Grain-de-Beauté dit : « Dix mille dinars ! » Alors, le courtier, craignant un revirement des deux parties, dit : « À dix mille dinars, l'esclave Yasmine ! » Et il la livra à Grain-de-Beauté. À cette vue, Gros-Bouffi tomba en battant l'air des pieds et des mains, à la grande désolation de son père, l'émir Khaled, qui ne l'avait conduit au souk que pour obéir à son épouse, car il le détestait pour sa laideur et son idiotie.

Quant à Grain-de-Beauté, après avoir remercié le vizir Giafar, il emmena Yasmine et l'aima et elle aussi l'aima. Aussi, après l'avoir présentée à son épouse Zobéida, qui la trouva sympathique et le loua de son choix, il s'unit à elle d'une façon légitime, en la prenant comme seconde épouse. Et il dormit avec elle cette nuit-là, et du coup la féconda, comme il sera prouvé dans la suite de l'histoire.

Mais pour ce qui est de Gros-Bouffi, voici !

Lorsqu'on eut réussi, à force de promesses et de cajoleries, à le ramener à la maison, il se jeta sur les matelas et ne voulut plus se relever pour manger ou boire, et d'ailleurs il avait presque perdu la raison. Pendant que toutes les femmes de la maison, consternées, entouraient la mère de Gros-Bouffi qui était à la limite de la perplexité, une vieille femme vint à entrer qui était la mère d'un voleur illustre, actuellement détenu en vertu d'une condamnation à la prison perpétuelle, et connu de tout Bagdad sous le nom d'Ahmad-la-Teigne.

Cet Ahmad-la-Teigne était si habile dans l'art du vol que c'était pour lui un jeu d'enlever une porte devant le portier même et de la faire disparaître en un clin d'œil comme s'il l'avalait, de percer les murs devant le propriétaire en faisant semblant de pisser, d'arracher les cils des yeux à un individu sans en être remarqué, et d'essuyer le kohl des yeux d'une femme sans qu'elle le sentît.

La mère d'Ahmad-la-Teigne entra donc chez la mère de Gros-Bouffi, et, après les salams, lui demanda : « Quelle est la cause de ton affliction, ô ma maîtresse ? Et de quel mal souffre mon jeune maître, ton fils, qu'Allah conserve ? » Alors la mère de Gros-Bouffi raconta à cette vieille, qui lui servait depuis longtemps de procureuse de servantes, la contrariété qui les mettait toutes dans cet état. Et la mère d'Ahmad-la-Teigne s'écria : « Ô ma maîtresse, il n'y a que mon fils pour vous tirer d'embarras, je te le jure sur ta vie ! Tâche d'obtenir son élargissement, et il saura trouver un expédient pour amener la belle Yasmine entre les mains de notre jeune maître, ton fils. Car tu sais bien que mon pauvre enfant est enchaîné, avec, aux pieds, un anneau de fer sur lequel sont gravés ces mots : « À perpétuité ! » Et tout cela parce qu'il a fabriqué de la fausse monnaie ! » Et la mère de Gros-Bouffi lui promit de la protéger.

En effet, le soir même, lorsque le wali, son époux, fut rentré à la maison, elle alla le trouver après souper ; et elle s'était arrangée et parfumée, et avait pris son air le plus aimable. Aussi l'émir Khaled, qui était un homme très bon, ne put résister au désir que provoquait en lui la vue de sa femme et voulut la prendre ; mais elle lui résista en disant : « Jure-moi sur le divorce que tu m'accorderas ce que je te demanderai ! » Et il le lui jura. Alors elle l'apitoya sur le sort de la vieille mère du voleur et obtint de lui la promesse de l'élargissement. Aussi elle se laissa monter par son époux.

Aussi, le lendemain matin, l'émir Khaled, après les ablutions et la prière, se rendit à la prison où était enfermé Ahmad-la-Teigne et lui demanda : « Eh bien, bandit, te repens-tu de tes méfaits passés ? » Il répondit : « Je m'en repens et je le proclame par la parole comme je le pense dans mon cœur ! » Alors le wali le tira de la prison et l'amena devant le khalifat qui fut extrêmement étonné de le voir encore en vie et lui demanda : « Comment, ô bandit, tu n'es donc pas mort ? » Il répondit : « Par Allah ! ô émir des Croyants, la vie du méchant est fort dure à la détente ! » Alors le khalifat se mit à rire aux éclats et dit : « Qu'on fasse venir le forgeron pour lui enlever les fers ! » Puis il lui dit : « Comme je suis au courant de tes exploits, je veux t'aider à persister maintenant dans ton repentir et, comme nul ne connaît mieux les voleurs que toi, je te nomme chef de la police de Bagdad. » Et aussitôt le khalifat fit proclamer un édit par lequel il nommait Ahmad-la-Teigne chef de la police. Alors Ahmad baisa la main au khalifat et entra immédiatement dans l'exercice de ses fonctions.

Il commença donc, afin de joyeusement fêter sa délivrance et ses nouvelles fonctions, par aller au cabaret tenu par le juif Abraham, le témoin de ses anciens exploits, vider deux ou trois vieux pots de sa boisson favorite, un vin ionien excellent. Aussi quand sa mère vint le trouver pour lui parler de la gratitude qu'il devait témoigner désormais à celle qui avait été la cause de sa délivrance, l'épouse de l'émir Khaled, la mère de Gros-Bouffi – elle le trouva à moitié ivre et en train de tirer la barbe du juif qui n'osait protester par respect pour les fonctions redoutables du chef de la police, l'ancien Ahmad-la-Teigne. Elle réussit tout de même à le tirer de là et, le prenant à part, lui raconta tous les incidents qui avaient eu pour résultat sa délivrance, et lui dit qu'il fallait tout de suite imaginer quelque chose pour enlever l'esclave à Grain-de-Beauté, le commandant du palais.

À ces paroles, Ahmad-la-Teigne dit à sa mère : « La chose sera faite ce soir. Car rien n'est plus facile. » Et il la quitta pour aller préparer le coup...

À ce moment de sa narration, Schahrazade vit apparaître le matin et se tut discrètement.

Mais lorsque fut la deux cent soixante-huitième nuit. Elle dit :

... Et il la quitta pour aller préparer le coup.

Or, il faut savoir que, cette nuit-là, le khalifat Haroun Al-Rachid était entré dans l'appartement de son épouse : car c'était le premier jour du mois, et régulièrement il lui réservait ce jour pour parler avec elle des affaires courantes et prendre son avis sur toutes les questions générales et particulières de son empire. Il avait en elle, en effet, une confiance illimitée, et il l'aimait pour sa sagesse et sa beauté toujours vivante. Mais il faut également savoir que le khalifat avait l'habitude, avant d'entrer dans la chambre de son épouse, de déposer dans le vestibule, sur un guéridon spécial, son chapelet aux grains alternés d'ambre et de turquoises, son sabre droit au pommeau de jade incrusté de rubis aussi gros que des œufs de pigeon, son cachet royal et une petite lampe d'or enrichie de pierreries qui l'éclairait quand il faisait la nuit son inspection secrète du palais.

Ces détails étaient bien connus d'Ahmad-la-Teigne. Aussi lui servirent-ils pour mettre son projet à exécution. Il attendit les ténèbres de la nuit et le sommeil des esclaves pour accrocher son échelle de corde le long du mur du pavillon qui servait d'appartement à l'épouse du khalifat, y grimper, et pénétrer aussi silencieux qu'une ombre dans le vestibule où, en un clin d'œil, il s'empara des quatre objets précieux, pour se hâter de descendre par où il était monté. De là, il courut à la maison de Grain-de-Beauté et, de la même façon, il pénétra dans la cour où, sans faire le moindre bruit, il enleva l'un des carrés de marbre qui la pavaient, creusa rapidement une fosse et y enfouit les objets volés. Puis, après avoir tout remis en ordre, il disparut pour aller continuer de boire au cabaret du juif Abraham.

Toutefois, Ahmad-la-Teigne, en voleur parfait qu'il était, n'avait pu résister au désir de s'approprier l'un des quatre objets précieux. Il avait donc distrait la petite lampe d'or et, au lieu de l'enfouir avec le reste au fond de la fosse, il l'avait enfouie dans sa poche en se disant : « Il n'est pas dans mes habitudes de ne pas percevoir la commission. Ici je me paie moi-même ! »

Mais, pour revenir au khalifat, sa surprise d'abord fut grande quand le matin il ne trouva plus sur le guéridon les quatre objets précieux. Puis, quand les eunuques interrogés se furent jetés la face contre terre en protestant de leur ignorance, le khalifat entra dans une colère sans limites et telle qu'il revêtit sur l'heure la terrible robe de la fureur. Cette robe était toute en soie rouge ; et quand le khalifat la portait c'était signe d'un désastre certain et de calamités effroyables sur la tête de tous ceux qui l'entouraient.

Le khalifat, une fois vêtu de cette robe rouge, entra dans le diwan et s'assit sur le trône, tout seul dans la salle. Et tous les chambellans, et tous les vizirs entrèrent un à un et se prosternèrent la face contre terre, et restèrent dans cette position, excepté Giafar qui, pâle pourtant, se tenait droit et les yeux fixés sur les pieds du khalifat. Au bout d'une heure de ce silence effrayant, le khalifat regarda Giafar impassible et lui dit d'une voix sourde : « La coupe bouillonne ! » Giafar répondit : « Qu'Allah empêche tout mal ! »

Mais à ce moment entra le wali accompagné d'Ahmad-la-Teigne. Et le khalifat lui dit : « Approche-toi d'ici, émir Khaled ! Et dis-moi comment va la tranquillité publique à Bagdad ! » Le wali, père de Gros-Bouffi, répondit : « La tranquillité est parfaite à Bagdad, ô émir des Croyants ! » Le khalifat s'écria : « Tu mens ! » Et comme le wali, bouleversé, ne savait encore comment s'expliquer cette colère, Giafar, qui était à côté de lui, lui glissa à l'oreille, en deux mots, le motif qui acheva de le consterner. Puis le khalifat lui dit : « Si avant la nuit tu n'as pu retrouver les objets précieux, qui me sont plus chers que mon royaume, ta tête sera suspendue à la porte du palais ! »

À ces paroles, le wali embrassa la terre entre les mains du khalifat et s'écria : « Ô émir des Croyants, le voleur doit certainement être quelqu'un du palais, car le vin qui s'aigrit porte en lui-même son propre ferment. Et puis permets à ton esclave de dire que le seul homme responsable ne peut être que le commandant de la police, qui est seul chargé de cette surveillance, et qui d'ailleurs connaît, un par un, tous les voleurs de Bagdad et de l'empire ! Sa mort devrait donc précéder la mienne, au cas où l'on ne retrouverait pas les objets perdus. »

Alors s'avança le commandant de la police, Ahmad-la-Teigne, et, après les hommages dus, il dit au khalifat : « Ô émir des Croyants, le voleur sera découvert. Mais je prie le khalifat de me délivrer un firman qui me permette de faire des perquisitions chez tous les habitants du palais et chez tous ceux qui entrent ici, même chez le kâdi, même chez le grand vizir Giafar et chez le commandant du palais, Grain-de-Beauté ! » Et le khalifat lui fit aussitôt délivrer le firman en question et dit : « Il me faut, en tout cas, faire couper la tête à quelqu'un, et ce sera ou la tienne ou celle du voleur. Choisis ! Et je jure sur ma vie et sur la tombe de mes ancêtres que, le voleur fût-il mon propre fils, l'héritier de mon trône, ma décision sera la même : la mort par la pendaison sur la place publique ! »

À ces paroles, Ahmad-la-Teigne, le firman à la main, se retira et alla quérir deux gardes de chez le kâdi et deux gardes de chez le wali, et commença immédiatement ses perquisitions en visitant la maison de Giafar, celle du wali, et celle du kâdi. Puis il arriva à la maison de Grain-de-Beauté, qui ignorait encore tout ce qui venait de se passer. Ahmad-la-Teigne, tenant le firman dans une main et dans l'autre main une lourde baguette d'airain, entra dans le vestibule et mit Grain-de-Beauté au courant de la situation, et lui dit : « Mais je me garderais bien, seigneur, d'opérer des perquisitions dans la maison du fidèle confident du khalifat ! Permets-moi donc de me retirer, comme si la chose était faite ! » Grain-de-Beauté dit : « Qu'Allah m'en préserve, ô chef de la police ! Il faut accomplir ton devoir jusqu'au bout ! » Alors Ahmad-la-Teigne dit : « Je vais le faire pour la forme seulement ! » Et d'un air négligent il sortit dans la cour et se mit à en faire le tour en frappant chaque carré de marbre de sa lourde baguette d'airain, jusqu'à ce qu'il fût arrivé au carré en question qui, sous le choc, rendit un son creux.

En entendant ce son, Ahmad-la-Teigne s'écria : « Ô seigneur, par Allah ! je crois bien qu'il doit y avoir là-dessous quelque ancien caveau qui recèle un trésor des temps passés ! » Et Grain-de-Beauté dit aux quatre gardes : « Alors essayez d'enlever ce marbre pour voir un peu ce qu'il y a dessous ! » Et aussitôt les gardes firent pénétrer leurs instruments dans les interstices du carré de marbre et le soulevèrent. Et, devant les yeux de tous, apparurent trois des objets volés, à savoir le sabre, le cachet et le chapelet ! À cette vue, Grain-de-Beauté s'écria : « Au nom d'Allah ! » et tomba évanoui.

Alors Ahmad-la-Teigne envoya chercher le kâdi et le wali et les témoins, qui dressèrent aussitôt procès-verbal de cette découverte ; et tous cachetèrent la feuille, et le kâdi en personne alla la remettre au khalifat, alors que les gardes s'assuraient de la personne de Grain-de-Beauté.

Lorsque le khalifat eut entre les mains les trois objets, sans la lampe, et eut appris leur découverte dans la maison de celui qu'il considérait comme son plus fidèle confident et son intime, celui qu'il avait comblé de ses faveurs et en qui il avait placé une confiance sans limites, il resta pendant une heure de temps sans prononcer une parole, puis il se tourna vers le chef de ses gardes et dit : « Qu'on le pende ! »

Aussitôt le chef des gardes sortit et fit crier la sentence par toutes les rues de Bagdad, et se rendit à la maison de Grain-de-Beauté, qu'il arrêta lui-même et dont il confisqua sur l'heure les femmes et les biens. Les biens furent versés au trésor public, et les deux femmes allaient être criées sur le marché comme esclaves : mais alors le wali, père de Gros-Bouffi, déclara qu'il emmenait l'une, qui était l'ancienne esclave achetée par Giafar ; et le chef des gardes fit conduire à sa propre maison l'autre qui était Zobéida à la belle voix.

Or, ce chef des gardes était justement le meilleur ami de Grain-de-Beauté, et il lui avait voué une affection de père qui ne s'était jamais démentie. Aussi, bien qu'il exécutât en public les terribles mesures de rigueur prises contre Grain-de-Beauté par la colère du khalifat, se jura-t-il de sauver la tête de son fils adoptif, et commença-t-il par mettre chez lui en sûreté l'une de ses épouses, la belle Zobéida, que le malheur avait anéantie.

Le soir même devait avoir lieu la pendaison de Grain-de-Beauté, qui était pour le moment enchaîné au fond de la prison. Mais le chef des gardes veillait sur lui. Il alla trouver le gardien en chef de la prison et lui dit : « Combien as-tu de prisonniers condamnés à être pendus cette semaine, sans recours ? » Il répondit : « Près de quarante, à deux ou trois près. » Le chef des gardes dit : « Je veux les voir tous. » Et il les passa en inspection, l'un après l'autre, à diverses reprises, et finit par en choisir un qui ressemblait étonnamment à Grain-de-Beauté, et dit au gardien de la prison : « Celui-ci va me servir comme jadis la bête sacrifiée par le Patriarche, père d'Ismaël, à la place de son fils ! »

Il emmena donc le prisonnier et, à l'heure fixée pour la pendaison, il alla le remettre à l'exécuteur qui aussitôt, devant la foule immense assemblée sur la place, et après les formalités pieuses d'usage, passa la corde au cou du faux Grain-de-Beauté, et, d'un mouvement, le culbuta dans l'espace, pendu.

Cela fait, le chef des gardes attendit l'obscurité pour aller tirer Grain-de-Beauté de la prison et le conduire chez lui en cachette. Et alors seulement il lui révéla ce qu'il venait de faire pour lui et lui dit : « Mais, par Allah ! ô mon fils, pourquoi t'es-tu laissé tenter par ces objets précieux, toi en qui le khalifat avait placé toute sa confiance ? » À ces paroles, Grain-de-Beauté tomba évanoui d'émotion, et quand, à force de soins, il fut revenu à ses sens, il s'écria : « Par le Nom auguste et par le Prophète, ô mon père, je suis complètement étranger à ce vol, et j'en ignore et le motif et l'auteur ! » Et le chef des gardes n'hésita pas à le croire et s'écria : « Tôt ou tard, mon fils, le coupable sera découvert ! Quant à toi, tu ne saurais rester un instant de plus à Bagdad, car on n'a pas en vain pour ennemi un roi. Je vais donc partir avec toi, en laissant dans ma maison, auprès de ma femme, ton épouse Zobéida, jusqu'à ce qu'Allah, dans sa sagesse, change cet état de choses ! » Puis, sans même laisser le temps à Grain-de-Beauté de faire ses adieux à son épouse Zobéida, il l'emmena en lui disant : « Nous allons de ce pas aller au port d'Aïas, sur la mer salée, pour de là nous embarquer pour Iskandaria[1], où tu attendras les événements dans une vie tranquille ; car cette ville d'Iskandaria, ô mon fils, est fort agréable à habiter, et son approche est verte et bénie ! »

Aussitôt tous deux se mirent en route, dans la nuit, et furent bientôt hors de Bagdad. Mais ils n'avaient point de montures, et déjà ils se demandaient comment ils allaient faire pour s'en procurer, quand ils virent deux juifs, qui étaient des changeurs de Bagdad, hommes fort riches et connus du khalifat. Alors le chef des gardes eut peur qu'ils n'allassent raconter au khalifat l'avoir vu avec Grain-de-Beauté vivant. Il s'avança donc vers eux et leur cria : « Descendez de vos mules ! » Et les deux juifs tremblants descendirent, et le chef des gardes leur coupa la tête, prit leur argent, et monta sur une mule en donnant l'autre à Grain-de-Beauté ; et tous deux continuèrent leur route vers la mer.

Arrivés à Aïas, ils prirent soin de confier leurs mules au propriétaire du khân où ils descendirent se reposer, en lui recommandant de les bien soigner, et le lendemain ils cherchèrent ensemble un navire en partance pour Iskandaria. Ils finirent par en trouver un qui était sur le point de mettre à la voile. Alors le chef des gardes, après avoir remis à Grain-de-Beauté tout l'or qu'il avait pris aux deux juifs, lui conseilla vivement d'attendre à Iskandaria en toute sérénité les nouvelles qu'il ne manquerait pas de lui envoyer de Bagdad, et même d'espérer son arrivée à lui-même à Iskandaria d'où il le ramènerait à Bagdad quand le coupable serait découvert. Puis il l'embrassa en pleurant et le quitta, alors que le navire gonflait déjà ses voiles. Et il s'en retourna à Bagdad.

Or, voici ce qu'il apprit :

Le lendemain de la pendaison du faux Grain-de-Beauté, le khalifat, fort bouleversé encore, appela Giafar et lui dit : « As-tu vu, ô mon vizir, comment ce Grain-de-Beauté a su reconnaître mes bontés, et l'abus de confiance qu'il a commis à mon égard ! Comment un être si beau peut-il recéler une âme si laide ? » Le vizir Giafar, homme d'une sagesse admirable, qui ne pouvait pourtant arriver à saisir les mobiles d'une action si peu logique, se contenta de répondre : « Ô commandeur des Croyants, les actions les plus étranges ne sont étranges que parce que leur mobile nous échappe. En tout cas, nous ne pouvons juger que de l'effet seul de l'acte. Or, cet effet a été ici déplorable pour l'auteur puisqu'il l'a élevé jusqu'à la potence ! Pourtant, ô commandeur des Croyants, Grain-de-Beauté l'Égyptien avait dans les yeux un tel reflet de beauté spirituelle que mon entendement se refuse à croire au fait contrôlé par mon sens visuel ! »

Le khalifat, à ces paroles, réfléchit pendant une heure de temps, puis dit à Giafar : « Au fait, je veux en tout cas aller voir sur la potence se balancer le corps du coupable ! » Et il se déguisa et sortit avec Giafar et arriva à l'endroit où le faux Grain-de-Beauté pendait entre ciel et terre. Le corps était recouvert d'un suaire qui l'enveloppait en entier. Aussi le khalifat dit à Giafar : « Enlève le suaire ! » Et Giafar enleva le suaire et le khalifat regarda, mais recula aussitôt, stupéfait, en s'écriant : « Ô Giafar, ce n'est point là Grain-de-Beauté ! » Giafar examina le corps et reconnut qu'en effet ce n'était point là Grain-de-Beauté ; mais il n'en fit rien voir et, calme, il demanda : « Mais à quoi reconnais-tu, ô émir des Croyants, que ce n'est point Grain-de-Beauté ? » Il dit : « Il était plutôt petit de taille, et celui-ci est très grand. » Giafar répondit : « Ce n'est point une preuve. La pendaison allonge. » Le khalifat dit : « L'ancien commandant du palais avait deux grains de beauté sur les joues, et celui-ci n'en a aucun ! » Giafar dit : « La mort transforme, et elle brouille la physionomie ! » Mais le khalifat s'écria : « Soit ! mais regarde, ô Giafar, la plante des pieds de ce pendu : elle porte, en tatouage, selon la coutume des hérétiques sectateurs d'Ali, le nom des deux grands cheikhs ! Or, tu sais bien que Grain-de-Beauté n'était point schiite mais sunnite ! » À cette constatation, Giafar conclut : « Allah seul connaît le mystère des choses. » Puis tous deux regagnèrent le palais, et le khalifat donna l'ordre d'enterrer le corps. Et depuis ce jour il bannit de sa mémoire jusqu'au souvenir même de Grain-de-Beauté.

Mais pour ce qui est de l'esclave, la seconde épouse de Grain-de-Beauté, elle fut conduite par l'émir Khaled auprès de Gros-Bouffi, son fils. Et à sa vue

Gros-Bouffi, qui n'avait pas bougé du lit depuis le jour de la vente, se leva en reniflant et voulut s'approcher d'elle et la prendre dans ses bras. Mais la belle esclave, indignée et dégoûtée de l'aspect horrible de l'idiot, tira soudain de sa ceinture un poignard et, levant le bras, elle s'écria : « Éloigne-toi ou je vais te tuer avec ce poignard et me l'enfoncer ensuite dans la poitrine ! » Alors la mère de Gros-Bouffi s'élança, les bras en avant, et cria : « Comment oses-tu résister au désir de mon fils, ô insolente esclave ? » Mais la jeune femme dit : « Ô déloyale, où est donc la loi qui permet à une femme d'appartenir à deux hommes à la fois ? Et depuis quand, dis-le-moi, les chiens peuvent-ils habiter dans la demeure des lions ? »

À ces paroles, la mère de Gros-Bouffi dit : « Eh bien ! puisqu'il en est ainsi, tu vas voir la vie dure que tu vas mener ici ! » Et la jeune femme : « Je préfère mourir plutôt que de renoncer à l'affection de mon maître, vivant fût-il ou mort ! » Alors l'épouse du wali la fit déshabiller et lui prit ses beaux vêtements de soie et ses bijoux, et lui mit sur le corps une méchante robe de cuisinière en poil de chèvre, et l'envoya à la cuisine en lui disant : « Désormais tes fonctions d'esclave ici consisteront à éplucher les oignons, à mettre le feu au-dessous des marmites, à exprimer le jus des tomates et à faire la pâte du pain ! » Et la jeune femme dit : « Je préfère encore faire ce métier d'esclave que de voir la figure de ton fils ! » Et dès ce jour elle entra dans la cuisine, mais ne tarda pas à gagner le cœur de toutes les autres esclaves qui l'empêchèrent de faire tout travail, en la remplaçant dans l'ouvrage.

Quant à Gros-Bouffi, de ne plus pouvoir arriver à la belle esclave Yasmine il s'alita pour de bon et ne se releva plus.

Or, il faut se rappeler que Yasmine avait été, dès la première nuit de son mariage, rendue enceinte par Grain-de-Beauté. Aussi, quelques mois après son arrivée à la maison du wali, elle accoucha à terme d'un enfant mâle aussi beau que la lune, qu'elle appela Aslân, tout en pleurant à chaudes larmes, elle et toutes les esclaves, que le père ne fût pas là pour donner lui-même un nom à son fils.

Le petit Aslân fut allaité deux ans par sa mère, et devint solide et fort beau. Et comme il savait déjà marcher tout seul, sa destinée voulut qu'un jour, pendant que sa mère était occupée, il montât les marches de l'escalier de la cuisine et arrivât dans la salle où se tenait assis, égrenant son chapelet d'ambre, le wali, l'émir Khaled, père de Gros-Bouffi.

À la vue du petit Aslân, dont la ressemblance avec son père Grain-de-Beauté était absolue, l'émir Khaled sentit les larmes lui venir aux yeux, et il appela l'enfant et le prit sur ses genoux et se mit à le caresser, fort ému, et se dit : « Béni soit Celui qui crée des objets si beaux et leur donne l'âme et la vie ! »

Pendant ce temps, l'esclave Yasmine s'apercevait de l'absence de son enfant ; affolée, elle le chercha partout et se décida, en dépit de toutes les convenances, à entrer, les yeux hagards, dans la salle où se tenait l'émir Khaled. Et elle vit le petit Aslân assis sur les genoux du wali ; et il s'amusait à enfoncer ses petits doigts dans la barbe vénérable de l'émir. Mais, à la vue de sa mère, le petit se jeta en avant en tendant les bras ; et l'émir Khaled le retint encore et dit à Yasmine avec bonté : « Approche-toi, ô esclave ! Cet enfant serait-il ton fils ? » Elle répondit : « Oui, ô mon maître, c'est le fruit de mon cœur ! » Il lui demanda : « Et qui est son père ? Est-ce un de mes serviteurs ? » Elle dit, en répandant un torrent de larmes : « Son père est mon époux Grain-de-Beauté. Mais maintenant, ô mon maître, il est ton fils ! » Le wali, très ému, dit à l'esclave : « Par Allah ! tu l'as dit.

Il est désormais mon fils ! » Et sur l'heure il l'adopta, et dit à la mère : « Il te faut donc, dès aujourd'hui, considérer ton fils comme mien, et lui faire croire pour toujours, quand il sera en âge de comprendre, qu'il n'a jamais eu d'autre père que moi ! » Et Yasmine répondit : « J'écoute et j'obéis ! »

Alors l'émir Khaled se chargea, en vrai père, du fils de Grain-de-Beauté, et lui donna une éducation soignée et le mit entre les mains d'un maître fort savant qui était un calligraphe de premier ordre et qui lui apprit la belle écriture, le Korân, la géométrie et la poésie. Puis quand le jeune Aslân fut devenu plus grand, son père adoptif, l'émir Khaled, lui apprit lui-même à monter à cheval, à manier les armes, à jouter de la lance et à lutter dans les tournois. Et il devint de la sorte, à l'âge de quatorze ans, un cavalier accompli, et fut élevé par le khalifat au titre d'émir, comme son père le wali.

Or, le destin voulut un jour faire se rencontrer le jeune Aslân et Ahmad-la-Teigne, à la porte du cabaret du juif Abraham. Et Ahmad-la-Teigne invita le fils de l'émir à entrer prendre un rafraîchissement. Lorsqu'ils se furent assis, Ahmad-la-Teigne se mit à boire, selon son habitude, jusqu'à l'ivresse. Alors il tira de sa poche la petite lampe d'or enrichie de pierreries, qu'il avait autrefois volée, et, comme il faisait déjà obscur, il l'alluma. Alors Aslân lui dit : « Ya Ahmad, cette lampe est fort belle. Donne-la-moi ! » Le chef de la police répliqua : « Qu'Allah m'en préserve ! Comment pourrais-je te donner un objet qui a fait perdre tant d'âmes ? Sache, en effet, que cette lampe a été la cause de la mort de l'ancien commandant du palais, un certain individu d'Égypte nommé Grain-de-Beauté. » Et Aslân, fort intéressé, s'écria : « Raconte-moi cela ! »

Alors Ahmad-la-Teigne lui raconta toute l'histoire depuis le commencement jusqu'à la fin, en se glorifiant, dans son ivresse, d'avoir été lui-même l'auteur du coup.

Lorsque le jeune Aslân fut rentré à la maison, il raconta à sa mère Yasmine l'histoire qu'il venait d'entendre d'Ahmad-la-Teigne et lui dit que la lampe était encore entre ses mains. À ces paroles, Yasmine jeta un cri et tomba évanouie...

À ce moment de sa narration, Schahrazade vit apparaître le matin et se tut discrètement.

Mais lorsque fut la deux cent soixante-neuvième nuit. Elle dit :

... À ces paroles, Yasmine jeta un grand cri et tomba évanouie. Et lorsqu'elle fut revenue à elle, elle éclata en sanglots et se jeta au cou de son fils Aslân et lui dit, à travers ses larmes : « Ô mon enfant, Allah vient de faire apparaître la vérité. Je ne puis donc te taire mon secret plus longtemps ! Sache donc, ô mon petit Aslân, que l'émir Khaled n'est que ton père adoptif ; quant à ton père par le sang, c'est mon époux bien-aimé Grain-de-Beauté, qui a été puni, comme tu le vois, à la place du coupable. Il te faut donc, mon fils, aller trouver tout de suite un ancien grand ami de ton père, le vénérable chef des gardes du khalifat, et lui raconter ce que tu viens de découvrir. Puis tu lui diras : « Ô mon grand, je t'adjure par Allah de me venger du meurtrier de mon père Grain-de-Beauté ! »

Aussitôt le jeune Aslân courut trouver le chef des gardes du palais, celui-là même qui avait sauvé la tête à Grain-de-Beauté, et lui dit ce que Yasmine avait recommandé de dire. Alors le chef des gardes, à la limite de la surprise et de la joie, dit à Aslân : « Béni soit Allah qui déchire les voiles et jette la clarté dans les ténèbres ! » Et il ajouta : « Dès demain, ô mon fils, Allah te vengera ! »

En effet, ce jour-là le khalifat donnait un grand tournoi où devaient jouter tous les émirs et les meilleurs cavaliers de Bagdad, et où l'on devait organiser une partie de jeu de balle au maillet, à cheval. Et le jeune Aslân lui-même était du nombre des joueurs de maillet. Et il avait revêtu sa cotte de mailles et enfourché le plus beau cheval des écuries de son père adoptif, l'émir Khaled. Et vraiment il était splendide ainsi ; et le khalifat lui-même fut extrêmement charmé de sa tenue et de sa vivante jeunesse. Aussi voulut-il l'avoir comme son partenaire.

Et le jeu commença. Et de part et d'autre les joueurs déployèrent un grand art dans leurs mouvements et une adresse merveilleuse à renvoyer la balle au moyen de leur maillet, au grand galop de leurs chevaux.

Mais soudain l'un des joueurs du camp opposé à celui que dirigeait le khalifat en personne lança la balle droit au visage du khalifat, et d'un coup si adroit et si vigoureux qu'infailliblement c'en était fait des yeux et de la vie peut-être du khalifat, si le jeune Aslân, avec une dextérité admirable, n'eût, d'un coup de son maillet, arrêté juste à temps la balle au vol. Et il la renvoya si terriblement dans la direction opposée qu'elle atteignit au dos le cavalier qui l'avait lancée et le désarçonna en lui cassant la colonne !

À cette action d'éclat, le khalifat regarda le jeune Aslân et lui dit : « Vivent les braves, ô fils de l'émir Khaled ! » Et le khalifat descendit aussitôt de cheval, après avoir mis fin au tournoi, et assembla ses émirs et tous les cavaliers qui avaient pris part au jeu ; puis il appela le jeune Aslân, et devant toute l'assistance, il lui dit : « Ô valeureux fils du wali de Bagdad, je veux t'entendre toi-même estimer la récompense que mérite un exploit pareil au tien ! Je suis prêt à accéder à toutes tes demandes. Parle ! »

Alors le jeune Aslân embrassa la terre entre les mains du khalifat et dit : « Je demande au commandeur des Croyants la vengeance ! Le sang de mon père n'a pas encore été racheté, et le meurtrier est vivant ! »

À ces paroles, le khalifat fut à la limite de l'étonnement et s'écria : « Que parles-tu, ô Aslân, de venger ton père ? Mais ton père, l'émir Khaled, le voici à mes côtés, bien vivant, grâces en soient rendues à Allah ! » Mais Aslân répondit : « Ô commandeur des Croyants, l'émir Khaled a été pour moi le meilleur des pères adoptifs. Sache, en effet, que je ne suis point son fils par le sang, car mon père est ton ancien commandant du palais, Grain-de-Beauté ! »

Lorsque le khalifat eut entendu ces paroles, il vit la lumière se changer en ténèbres devant ses yeux, et, d'une voix altérée, il dit : « Mon fils, ne sais-tu donc que ton père a été traître à l'égard du commandeur des Croyants ? » Mais Aslân s'écria : « Qu'Allah préserve mon père d'avoir été l'auteur de la trahison ! Le traître est à ta gauche, ô émir des Croyants ! C'est le chef de la police, Ahmad-la-Teigne ! Fais-le fouiller et tu trouveras dans sa poche la preuve de la trahison ! »

À ces paroles, le khalifat changea de couleur et devint jaune comme le safran, et, d'une voix effrayante il appela le chef des gardes et lui dit : « Fouille devant moi le chef de la police ! » Alors le chef des gardes, le vieil ami de Grain-de-Beauté, s'approcha d'Ahmad-la-Teigne et lui fouilla les poches en un clin d'œil, et retira soudain la petite lampe d'or volée au khalifat !

Alors le khalifat, pouvant à peine se contenir, dit à Ahmad-la-Teigne : « Avance ! D'où te vient cette lampe ? » Il répondit : « Je l'ai achetée, ô commandeur des Croyants ! » Et le khalifat dit aux gardes : « Administrez-lui tout de suite la bastonnade, jusqu'à l'aveu ! » Et aussitôt Ahmad-la-Teigne fut saisi par les gardes, mis nu et fustigé et criblé de coups jusqu'à ce qu'il eût tout avoué et raconté toute l'histoire depuis le commencement jusqu'à la fin.

Le khalifat se tourna alors vers le jeune Aslân et lui dit : « À ton tour maintenant. Tu vas le pendre de ta propre main ! » Et aussitôt les gardes passèrent la corde au cou d'Ahmad-la-Teigne, et Aslân la saisit de ses deux mains et, aidé du chef des gardes, il hissa le bandit au haut de la potence dressée au milieu du champ de courses.

Lorsque justice fut ainsi faite, le khalifat dit à Aslân : « Mon fils, tu ne m'as pas encore demandé une faveur pour ton exploit ! » Et Aslân répondit : « Ô commandeur des Croyants, du moment que tu me permets une demande, je te prie de me rendre mon père ! »

À ces paroles, le khalifat, extrêmement ému, se mit à pleurer, puis il soupira : « Mais ne sais-tu, mon fils, que ton pauvre père, injustement condamné, est mort pendu ? Ou plutôt il est probable qu'il est mort, mais la chose n'est pas tout à fait certaine. C'est pour cela que je te jure par la valeur de mes ancêtres d'accorder la plus grande des faveurs à celui qui m'annoncera que Grain-de-Beauté, ton père, n'est pas mort ! »

Alors le chef des gardes s'avança entre les mains du khalifat et dit : « Donne-moi la parole de sécurité ! » Et le khalifat répondit : « La sécurité est sur toi ! Parle ! » Et le chef des gardes dit : « Je t'annonce la bonne nouvelle, ô émir des Croyants. Ton ancien serviteur fidèle, Grain-de-Beauté, est en vie ! » Le khalifat s'écria : « Ah ! que dis-tu là ? » Il répondit : « Par la vie de ta tête, je te jure que c'est la vérité ! Et c'est moi-même qui ai sauvé Grain-de-Beauté en faisant pendre à sa place un condamné ordinaire qui lui ressemblait comme un frère ressemble à son frère. Et il est maintenant en sûreté à Iskandaria, où il doit être boutiquier dans le souk, probablement. » À ces paroles, le khalifat jubila et dit au chef des gardes : « Il te faut partir à sa recherche et me le ramener dans le plus bref délai ! » Et le chef des gardes répondit : « J'écoute et j'obéis ! » Alors le khalifat lui fit verser dix mille dinars pour ses frais de voyage ; et le chef des gardes se mit en route aussitôt pour Iskandaria, où il sera retrouvé, si Allah veut !

Mais pour ce qui est de Grain-de-Beauté, voici !

Le navire où il avait pris passage arriva à Iskandaria après une excellente traversée qui lui avait été écrite par Allah (qu'Il soit béni !). Grain-de-Beauté débarqua aussitôt et fuit charmé de l'aspect d'Iskandaria qu'il n'avait jamais vue, bien qu'il fût natif du Caire. Et il alla aussitôt au souk, où il loua une boutique toute prête déjà et que le crieur public proposait à la vente, telle quelle. C'était, en effet, une boutique dont le propriétaire venait de subitement mourir ; elle était meublée, comme d'usage, de coussins et contenait, comme marchandises, des objets pour les gens de mer, tels que voiles, cordages, ficelles, coffres solides, sacs pour pacotilles, armes de toutes formes et de tous prix et surtout une quantité énorme de ferrailles et de vieilleries fort estimées des capitaines marins qui les achetaient là pour les revendre aux gens de l'Occident ; car les gens de ces pays-là estiment à l'extrême les vieilleries des temps anciens et échangent leurs femmes et leurs filles contre, par exemple, un morceau de bois pourri, une pierre talismanique ou un vieux sabre rouillé.

Aussi il n'y a point à s'étonner que Grain-de-Beauté, durant les longues années de son exil loin de Bagdad, ait merveilleusement réussi dans son commerce et réalisé le dix pour un ; car rien n'est plus productif que la vente des vieilleries qu'on achète pour, par exemple, un drachme et qu'on revend pour dix dinars.

Lorsqu'il eut vendu tout ce que contenait la boutique, Grain-de-Beauté se disposait à la revendre vide, quand soudain il aperçut, sur une des étagères qu'il savait absolument dégarnies, un objet rouge et brillant. Il le prit et constata, à la limite de l'étonnement, que c'était une grosse gemme talismanique, taillée sur six faces et suspendue à une chaînette d'or ancien ; et sur les faces étaient gravés des noms en caractères inconnus et ressemblant fort à des fourmis ou à d'autres insectes de même taille. Et il la considérait toujours avec une attention extrême, en calculant ce qu'elle pouvait lui rapporter, quand il vit devant sa boutique un capitaine marin qui s'était arrêté pour voir de plus près cet objet qu'il avait aperçu de la rue.

Le capitaine, après le salam, dit à Grain-de-Beauté : « Ô mon maître, peux-tu me céder cette gemme, ou bien n'est-elle pas à vendre ? » Il répondit : « Tout est à vendre ici, même la boutique ! » Il demanda : « Alors consens-tu à me vendre cette gemme pour quatre-vingt mille dinars d'or ? »

À ces paroles, Grain-de-Beauté pensa : « Par Allah ! cette gemme doit être fabuleusement précieuse ! Je vais faire le difficile. » Et il répondit : « Tu plaisantes sans doute, ô capitaine ! Car, par Allah ! elle me revient à moi, comme prix coûtant, à cent mille dinars ! » L'autre dit : « Alors veux-tu la donner à cent mille ? » Grain-de-Beauté dit : « Soit ! Mais c'est par égard pour toi seul ! » Et le capitaine le remercia et lui dit : « Je n'ai point sur moi tout cet argent-là ; car il serait fort dangereux de circuler à Iskandaria avec une si forte somme. Mais tu vas venir avec moi à bord où tu toucheras le prix avec, en plus, un cadeau de deux pièces de drap, de deux pièces de velours et de deux pièces de satin. »

Alors Grain-de-Beauté se leva, ferma à clef la porte de sa boutique et suivit à bord le capitaine. Et le capitaine le pria de l'attendre sur le pont, et s'éloigna pour chercher l'argent. Mais il ne reparut plus, et soudain les voiles furent déployées toutes grandes et le navire fendit la mer, comme l'oiseau. Lorsque Grain-de-Beauté se vit ainsi prisonnier sur l'eau, sa stupéfaction fut extrême. Mais à qui pouvait-il avoir recours, d'autant plus qu'il ne voyait aucun marin à qui demander des explications, et que le navire semblait voler sur la mer sous l'impulsion de l'invisible. Pendant qu'il était ainsi perplexe et épouvanté, il vit enfin arriver le capitaine, qui se caressait la barbe et le regardait d'un air moqueur, et qui finit par lui dire : « C'est bien toi, le musulman Grain-de-Beauté, fils de Schamseddîn du Caire, qui as été à Bagdad au palais du khalifat ? » Il répondit : « C'est moi le fils de Schamseddîn ! » Le capitaine dit : « Eh bien ! dans quelques jours nous allons arriver à Genoa, dans notre pays chrétien. Et tu verras, ô musulman, le sort qui t'y attend ! » Puis il s'en alla. Et de fait, la navigation ayant été fort heureuse, le navire arriva au port de Genoa, ville des chrétiens d'Occident. Et aussitôt une vieille femme, accompagnée de deux hommes, vint à bord chercher Grain-de-Beauté, qui ne savait plus que penser de l'événement. Pourtant, se fiant à la destinée bonne ou mauvaise qui le dirigeait, il suivit la vieille, qui le conduisit, à travers la ville, à une église appartenant à un couvent de moines.

Arrivée à la porte de l'église, la vieille se tourna vers Grain-de-Beauté et lui dit : « Désormais tu dois te considérer comme domestique de cette église et de ce couvent. Ton service consistera à te réveiller tous les jours à l'aube pour aller d'abord à la forêt faire du bois et revenir au plus vite laver le pavé de l'église et du couvent, secouer les nattes, balayer partout ; ensuite cribler le blé, le moudre, faire la pâte du pain, cuire le pain au four ; prendre une mesure de lentilles, les moudre, les cuisiner, et en remplir ensuite trois cent soixante-dix écuelles que tu devras remettre une par une à chacun des trois cent soixante-dix moines du couvent ; après quoi tu iras vider les pots d'ordures qui sont dans les cellules des moines ; puis tu termineras l'ouvrage en arrosant le jardin et en remplissant les quatre bassins et les tonneaux rangés le long du mur. Et ce travail-là doit être terminé quotidiennement avant midi. Car tu devras consacrer tous tes après-midi à obliger les passants à se rendre bon gré mal gré à l'église écouter le prêche ; et, s'ils refusent, voici une masse surmontée d'une croix en fer avec laquelle tu les assommeras, par ordre du roi. De la sorte, il ne restera dans la ville que les chrétiens fervents, qui viendront ici se faire bénir par les moines. Et maintenant, commence l'ouvrage, et prends bien garde d'oublier mes recommandations ! » Et, ayant dit ces paroles, la vieille le regarda en clignant de l'œil, et s'en alla. Alors Grain-de-Beauté se dit : « Par Allah ! tout cela est énorme ! » Et, ne sachant plus à quoi se résoudre, il entra dans l'église, en ce moment tout à fait déserte, et s'assit sur un banc pour essayer de réfléchir à tous ces événements assez étranges qui lui arrivaient coup sur coup.

Il était là depuis une heure de temps quand il entendit venir jusqu'à lui, sous les piliers, une voix si douce de femme qu'aussitôt, oubliant ses tribulations, il écouta en extase. Et il fut ému tellement de cette voix qu'aussitôt tous les oiseaux de son âme se mirent à chanter à la fois, et il sentit descendre en lui la fraîcheur bénie que met dans l'esprit la mélodie solitaire. Et il se levait déjà à la recherche de la voix, quand elle se tut. Mais soudain, d'entre les colonnes, une figure apparut de femme drapée qui s'avança jusqu'à lui, et d'une voix tremblante lui dit : « Ah ! Grain-de-Beauté, depuis si longtemps je songeais à toi ! Enfin béni soit Allah qui a permis notre réunion ! Voici ! Nous allons tout de suite nous marier ! »

À ces paroles, Grain-de-Beauté s'écria : « Il n'y a d'autre Dieu qu'Allah ! Sûr ! tout ce qui m'arrive là n'est qu'un rêve ! Et lorsque ce rêve sera dissipé je me verrai à nouveau dans ma boutique d'Iskandaria ! » Mais la jeune femme dit : « Mais non, ô Grain-de-Beauté, c'est la réalité ! Tu es dans la ville de Genoa, où je t'ai fait transporter, malgré toi, par l'entremise du capitaine marin qui est aux ordres de mon père, le roi de Genoa. Sache, en effet, que je suis la princesse Hosn-Mariam, fille du roi de cette ville. La sorcellerie, que j'ai apprise tout enfant, m'a révélé ton existence et ta beauté et j'ai été si amoureuse de toi que j'ai envoyé le capitaine te chercher à Iskandaria. Et voici à mon cou la gemme talismanique que tu avais trouvée dans ta boutique, et qui avait été déposée sur une de tes étagères par le capitaine lui-même, pour t'attirer à bord de son navire. Et dans quelques instants tu vas constater les pouvoirs miraculeux que me donne cette gemme. Mais avant tout, tu vas te marier avec moi. Et alors tous tes désirs seront satisfaits. » Grain-de-Beauté lui dit : « Ô princesse, me promets-tu au moins de me ramener à Iskandaria ? » Elle dit : « C'est la chose la plus facile ! » Alors il consentit à se marier avec elle. Aussitôt la princesse Mariam lui dit : « Alors tu veux retourner tout de suite à Iskandaria ? » Il répondit : « Oui, par Allah ! » Elle dit : « Allons-y ! » Et elle prit la cornaline et tourna vers le ciel l'une de ses faces, sur laquelle était gravée l'image d'un lit, et elle frotta vivement cette face avec son pouce, en disant : « Ô cornaline, au nom de Soleïmân, je t'ordonne de me procurer un lit de voyage ! »

À peine ces paroles eurent-elles été prononcées qu'un lit de voyage, avec ses couvertures et ses coussins, vint se poser devant eux. Ils y prirent place tous deux, et s'étendirent à leur aise. Alors la princesse Mariam prit entre ses doigts la cornaline, tourna vers le ciel l'une des faces, sur laquelle était gravé un oiseau, et dit : « Cornaline, ô cornaline, je t'ordonne, par le nom de Soleïmân, de nous transporter sains et saufs à Iskandaria, en suivant la ligne la plus directe ! »

Cet ordre avait à peine été donné que le lit se souleva de lui-même en l'air, sans secousses, monta jusqu'à la coupole, sortit par la grande fenêtre, et, plus rapide que le plus rapide d'entre les oiseaux, il fendit l'espace avec une régularité merveilleuse et, en moins de temps qu'il n'en faudrait pour pisser, les déposa à Iskandaria.

Or, au moment même où ils mettaient pied à terre, ils virent arriver dans leur direction un homme habillé à la mode de Bagdad, que Grain-de-Beauté reconnut aussitôt : c'était le chef des gardes. Il venait lui aussi de débarquer, à l'instant même, pour se mettre à la recherche de l'ancien condamné. Ils se jetèrent dans les bras l'un de l'autre, et le chef des gardes annonça à Grain-de-Beauté la nouvelle de la découverte du coupable et de sa pendaison, lui raconta tous les événements qui s'étaient passés à Bagdad depuis quatorze ans, et lui apprit de la sorte la naissance de son fils Aslân qui était devenu le cavalier le plus beau de Bagdad. Et Grain-de-Beauté, de son côté, raconta au chef des gardes toutes ses aventures depuis le commencement jusqu'à la fin. Et cela stupéfia à l'extrême le chef des gardes qui, une fois son émotion un peu calmée, lui dit : « Le commandeur des Croyants souhaite te revoir au plus tôt ! » Il répondit : « Mais certainement ! Permets-moi toutefois d'aller au Caire baiser la main à mon père Schamseddîn et à ma mère, et les décider à venir avec nous à Bagdad. »

Alors le chef des gardes monta avec eux sur le lit qui les transporta en un clin d'œil au Caire, juste dans la rue Jaune où était située la maison de Schamseddîn. Et ils frappèrent à la porte. Et la mère descendit voir qui frappait ainsi et demanda : « Qui frappe ? » Il répondit : « C'est moi, ton fils Grain-de-Beauté ! »

La joie de la mère fut immense, elle qui depuis de si longues années avait revêtu les habits de deuil, et elle tomba évanouie dans les bras de son enfant. Et le vénérable Schamseddîn également.

Lorsqu'ils se furent reposés pendant trois jours à la maison, ils montèrent tous ensemble sur le lit qui, sur l'ordre de la princesse Hosn-Mariam, les transporta sains et saufs à Bagdad, où le khalifat reçut Grain-de-Beauté en l'embrassant comme un fils et le combla de charges et d'honneurs, lui, ainsi que son père Schamseddîn et son fils Aslân. Après quoi Grain-de-Beauté se souvint qu'en somme la cause première de sa fortune était Mahmoud-le-Bilatéral qui l'avait d'abord si ingénieusement obligé à voyager et l'avait ensuite recueilli, dénué de tout, sur la plate-forme de la fontaine publique. Aussi le fit-il chercher partout et finit-il par le trouver assis dans un jardin au milieu de jeunes garçons avec lesquels il chantait et buvait. Et il le pria de venir au palais où il le fit nommer, tout bilatéral qu'il fût, chef de la police à la place d'Ahmad-la-Teigne.

Ce devoir rempli, Grain-de-Beauté, heureux de retrouver un fils aussi beau et vaillant que l'était le jeune Aslân, remercia Allah de ses faveurs. Et il vécut à la limite du bonheur, à Bagdad, au milieu de ses trois épouses Zobéida, Yasmine et Hosn-Mariam, pendant des années et des années, jusqu'à ce qu'il fût visité par la Destructrice des délices et la Séparatrice des amis ! Louanges soient rendues à l'Immuable vers Lequel convergent toutes choses créées !

Et Schahrazade, ayant fini de raconter cette histoire, se sentit un peu fatiguée, et se tut.

Alors le roi Schahriar, qui était resté immobile d'attention pendant tout ce temps, s'écria : « Cette histoire de Grain-de-Beauté, ô Schahrazade, est vrai-

ment extraordinaire, et Mahmoud-le-Bilatéral et Sésame le courtier avec sa recette pour réchauffer les œufs froids m'ont ravi à l'extrême. Mais je dois te dire mon étonnement de voir si peu de poèmes dans cette histoire, alors que tu m'avais habitué à des vers splendides ! Et puis, il faut que je te le dise, les gestes de Bilatéral ont encore pour moi une certaine obscurité, et je serais charmé de t'entendre m'en donner une explication plus claire, si tu le peux toutefois ! »

À ces paroles du roi Schahriar, Schahrazade sourit légèrement et regarda sa sœur Doniazade qu'elle trouva extrêmement amusée ; puis elle dit au Roi : « Maintenant, ô Roi fortuné, que cette petite peut tout entendre, je veux te raconter une ou deux des AVENTURES DU POÈTE ABOU-NOWAS, *le plus délicieux et le plus charmant et le plus spirituel de tous les poètes de l'Iran et de l'Arabie ! »*

Et la petite Doniazade se leva du tapis où elle était blottie et courut se jeter dans les bras de sa sœur, qu'elle embrassa tendrement, et elle lui dit : « Oh ! de grâce, Schahrazade, commence tout de suite ! Tu serais si gentille, ô ma sœur ! » Et Schahrazade dit : « De tout cœur amical et comme hommages dus à ce Roi doué de bonnes manières ! »

Mais comme elle voyait apparaître le matin, Schahrazade, toujours discrète, renvoya le récit au lendemain.

Lorsque fut la deux cent soixante-dixième nuit. La petite Doniazade attendit que Schahrazade eût fini sa chose ordinaire avec le roi Schahriar et, levant la tête, elle s'écria :« Ô ma sœur, je t'en prie, qu'attends-tu maintenant pour nous raconter des anecdotes sur le délicieux poète Abou-Nowas, l'ami du khalifat, le plus charmant de tous les poètes de l'Iran et de l'Arabie ? » Et Schahrazade sourit à sa sœur et lui dit : « Je n'attends que la permission du Roi pour narrer quelques-unes des aventures d'Abou-Nowas qui était en effet un poète exquis mais un bien grand libertin ! »

Alors la petite Doniazade sursauta et courut embrasser sa sœur en lui disant : « Oh ! je t'en prie, qu'a-t-il donc fait ? Hâte-toi de nous le dire ! »

Mais le roi Schahriar, se tournant vers Schahrazade, lui dit : « En vérité, Schahrazade, je ne serai point fâché de t'entendre nous raconter une ou deux de ces aventures que je prévois délicieuses. Mais je dois te dire que je me sens cette nuit porté vers des pensées plus élevées, et disposé à entendre de ta bouche quelques paroles de sagesse. Si donc tu connaissais une histoire qui pût me fortifier dans la connaissance des bons préceptes et faire profiter mon esprit de l'expérience des sages et des savants, ne crois point qu'elle ne m'intéresserait pas ! Au contraire ! Tu pourras ensuite, si ma patience n'est pas à bout, Schahrazade, m'entretenir de ces aventures d'Abou-Nowas. »

À ces paroles du roi Schahriar, Schahrazade se hâta de répondre : « Justement, ô Roi fortuné, j'ai réfléchi toute la journée passée à l'histoire d'une adolescente admirable de beauté et de savoir et qu'on nommait Sympathie. Et je suis toute prête à te rapporter ce que je sais de sa conduite et de ses merveilleuses connaissances ! »

Et le roi Schahriar s'écria : « Par Allah ! ne diffère pas davantage de me mettre au courant de ce que tu m'annonces là ! Car rien ne m'est plus agréable à écouter que les doctes paroles dites par des jeunes filles belles. Et je souhaite fort que l'histoire promise me satisfasse complètement et me soit un profit à la fois et un exemple de l'instruction que toute vraie musulmane doit posséder. »

Alors Schahrazade réfléchit un instant et, ayant levé un doigt, dit :

HISTOIRE DE LA DOCTE SYMPATHIE

Il est raconté – mais Allah est le mieux instruit sur toutes choses – qu'il y avait à Bagdad un marchand très riche, au commerce immense. Il avait honneurs, considération, prérogatives et privilèges de toutes sortes, mais il n'était point heureux, car Allah n'étendait pas sur lui sa bénédiction jusqu'à lui accorder un enfant, fût-il même de sexe féminin. Aussi était-il devenu vieux dans la tristesse, et voyait-il de jour en jour ses os devenir transparents et son dos se voûter, sans qu'il pût obtenir de l'une de ses nombreuses épouses un résultat consolateur. Mais un jour qu'il avait distribué de très nombreuses aumônes et visité les santons et jeûné et prié avec une grande ferveur, il coucha avec la plus jeune de ses épouses et, cette fois, par la bonté du Très-Haut, il la rendit enceinte à l'heure et à l'instant.

Le neuvième mois, jour pour jour, l'épouse du marchand accoucha heureusement d'un enfant mâle si beau qu'il était comme un morceau de lune. Aussi le marchand, dans sa gratitude envers le Donateur, n'oublia pas d'accomplir les vœux qu'il avait formés, et il fit de grandes largesses aux pauvres, aux veuves et aux orphelins, pendant sept jours entiers ; puis, au matin du septième jour, il songea à donner un nom à son fils, et l'appela Aboul-Hassan.

L'enfant fut porté sur les bras des nourrices et sur les bras des belles esclaves et soigné comme une chose précieuse par les femmes et les domestiques, jusqu'à ce qu'il fût d'âge à apprendre. Alors on le confia aux maîtres les plus savants, qui lui enseignèrent à lire les paroles sublimes du Korân, et lui apprirent la belle écriture, la poésie, le calcul, et surtout l'art de tirer de l'arc. Aussi son instruction dépassa-t-elle en étendue celle de sa génération et de son siècle ; et ce ne fut point tout ! En effet, il joignait à ces diverses connaissances un charme magicien, et il était parfaitement beau. Car voici en quels termes les poètes de son temps ont dépeint ses grâces juvéniles, la fraîcheur de ses joues, les fleurs de ses lèvres et le duvet naissant qui les ornait :

« Vois-tu sur le parterre de ses joues ces boutons de rose qui cherchent à s'entrouvrir, alors que le printemps est déjà passé sur les rosiers ?

Ne t'étonnes-tu de voir fleurir encore la rose et, dans le coin ombreux des lèvres, le duvet pousser comme des violettes sous les feuilles ? »

Le jeune Aboul-Hassan fut donc la joie de son père et les délices de ses prunelles, aussi longtemps que la destinée l'avait d'avance fixé. Mais lorsque le vieillard sentit s'approcher le terme qui lui était échu, il fit asseoir son fils entre ses mains, un jour d'entre les jours, et lui dit : « Mon fils, voici que l'échéance est proche, et il ne me reste plus qu'à me préparer à paraître devant le Maître Souverain. Je te lègue de grands biens, beaucoup de richesses et de propriétés, des villages entiers et de belles terres et de beaux vergers, de quoi vous suffire, et au-delà, à toi et aux enfants de tes enfants. Je te recommande seulement de savoir en jouir sans excès, en remerciant le Rétributeur et en vivant dans le respect qui Lui est dû ! » Puis le vieux marchand mourut de sa maladie, et Aboul-Hassan fut extrêmement affligé et, les devoirs des funérailles accomplis, il prit le deuil et s'enferma avec sa douleur.

Mais bientôt ses compagnons réussirent à le distraire et à l'arracher à ses chagrins et firent si bien qu'ils l'obligèrent à entrer au hammam se rafraîchir, puis à changer de vêtements ; et ils lui dirent pour le consoler tout à fait : « Celui qui se reproduit lui-même en des enfants comme toi ne meurt pas ! Éloigne donc la tristesse et songe à profiter de ta jeunesse et de tes biens ! »

Aussi Aboul-Hassan oublia-t-il peu à peu les conseils de son père, et finit-il par se persuader que le bonheur et la fortune étaient inusables. Dès lors, il ne cessa de satisfaire tous ses caprices, de s'adonner à tous les plaisirs, de fréquenter les chanteuses et les joueuses d'instruments, de manger tous les jours une quantité énorme de poulets, car il aimait les poulets, de se plaire à desceller les vieux pots de liqueurs enivrantes et d'entendre le cliquetis des coupes entrechoquées, de détériorer ce qu'il put détériorer, d'âbimer ce qu'il put abîmer, et de bouleverser ce qu'il put bouleverser, tant qu'à la fin il se réveilla un jour avec rien entre les mains si ce n'est lui-même ! Et, de tout ce que lui avait légué son défunt père en fait de serviteurs et de femmes, il ne lui resta plus rien qu'une seule esclave d'entre les nombreuses esclaves.

Mais encore faut-il d'avance admirer la continuité heureuse du sort qui voulut justement que ce fût la merveille même de toutes les esclaves des contrées de l'Orient et de l'Occident qui demeurât dans la maison, désormais sans lustre, du prodigue Aboul-Hassan, fils du défunt marchand.

En effet, cette esclave s'appelait Sympathie, et vraiment jamais nom n'avait mieux convenu aux qualités de celle qui le portait. L'esclave Sympathie était une adolescente aussi droite que la lettre « aleph », d'une taille proportionnée, et si mince et si délicate qu'elle pouvait défier le soleil d'allonger son ombre sur le sol ; la beauté et la fraîcheur de son visage étaient merveilleuses ; tous ses traits portaient clairement la marque de la bénédiction et du bon augure ; sa bouche paraissait scellée par le sceau de Soleïmân, comme pour garder précieusement le trésor de perles qu'elle renfermait ; ses dents étaient des colliers doubles et égaux ; les deux grenades de son sein étaient séparées par le plus charmant intervalle, et son nombril était assez creux et assez large pour contenir une once de beurre muscade. Quant à sa croupe monumentale, elle terminait à point la finesse de sa taille et laissait profondément imprimé sur les sofas et les matelas le creux formé par l'importance de son poids. Et c'est d'elle qu'il s'agissait dans ce chant du poète :

« Elle est solaire, elle est lunaire, elle est végétale telle la tige du rosier ; elle est aussi loin des couleurs de la tristesse que le soleil, la lune et la tige du rosier.

Lorsqu'elle paraît, sa présence émeut profondément les cœurs, et lorsqu'elle s'éloigne, les cœurs restent anéantis.

Le ciel est sur son visage ; les pelouses d'Éden, parmi lesquelles coule la source de vie, s'étendent sous sa tunique, et la lune brille sous son manteau.

Sur son corps charmant s'harmonisent toutes les couleurs : l'incarnat des roses, l'éclatante blancheur de l'argent, le noir de la baie mûre et la couleur du sandal. Et sa beauté est si grande qu'elle la défend même contre le désir.

Béni soit Celui qui a déployé sur elle la beauté, et heureux l'amant qui peut savourer les délices de ses paroles ! »

Telle était l'esclave Sympathie, seul trésor que possédât encore le prodigue Aboul-Hassan.

À ce moment de sa narration, Schahrazade vit apparaître le matin et se tut discrètement.

Mais lorsque fut la deux cent soixante-douzième nuit. Elle dit :

Telle était l'esclave Sympathie, seul trésor que possédât encore le prodigue Aboul-Hassan.

Donc, à cette constatation de son patrimoine dissipé sans retour, Aboul-Hassan fut plongé dans un état de désolation qui lui enleva le sommeil et l'appétit ; et il resta ainsi trois jours et trois nuits sans manger, ni boire, ni dormir, si bien que l'esclave Sympathie crut le voir mourir et résolut coûte que coûte de le sauver.

Elle se para de ses robes le plus en état d'être exhibées et de ce qui lui restait de bijoux et d'atours, et se présenta à son maître avec, sur les lèvres, un sourire de bon augure, en lui disant : « Allah va faire cesser tes tribulations par mon entremise. Pour cela, tu n'auras qu'à me conduire devant notre maître l'émir des Croyants Haroun Al-Rachid, le cinquième des descendants d'Abbas, et à lui demander de moi, comme prix de vente, dix mille dinars. S'il trouve ce prix trop élevé, dis-lui : « Ô émir des Croyants, cette adolescente vaut encore davantage, ce dont tu te rendras mieux compte en la mettant à l'épreuve. Alors elle haussera beaucoup à tes yeux, et tu verras qu'elle n'a point d'égale ou de rivale, et qu'elle est digne vraiment de servir notre maître le khalifat ! » Puis elle lui recommanda, en y insistant beaucoup, de bien se garder de diminuer ce prix.

Aboul-Hassan, qui jusqu'à ce moment avait négligé, par insouciance, d'observer les qualités et les talents de sa belle esclave, n'était plus guère en état d'apprécier par lui-même les mérites qui pouvaient être en elle. Il trouva seulement que l'idée n'était pas mauvaise et avait des chances de réussite. Il se leva donc sur l'heure et, emmenant derrière lui Sympathie, il la conduisit devant le khalifat, à qui il répéta les paroles qu'elle lui avait recommandé de dire. Alors le khalifat se tourna vers elle et lui demanda : « Comment t'appelles-tu ? » Elle dit : « Je m'appelle Sympathie. » Il lui dit : « Ô Sympathie, es-tu versée dans les connaissances, et peux-tu m'énumérer le titre des diverses branches du savoir que tu as cultivées ? » Elle répondit : « Ô mon maître, j'ai étudié la syntaxe, la poésie, le droit civil et le droit canon, la musique, l'astronomie, la géométrie, l'arithmétique, la jurisprudence au point de vue des successions, et l'art de déchiffrer les grimoires et de lire les anciennes inscriptions. Je connais par cœur le Livre Sublime, et je puis le lire de sept manières différentes ; je sais exactement le nombre de ses chapitres, de ses versets, de ses divisions, de ses diverses parties, et leurs combinaisons, et combien il renferme de lignes, de mots, de lettres, de consonnes et de voyelles ; je sais au juste quels chapitres ont été inspirés et écrits à La Mecque, et quels autres ont été dictés à Médine ; je connais les lois et les dogmes, je sais les distinguer d'avec les traditions et différencier leur degré d'authenticité ; je ne suis point étrangère à la logique, à l'architecture et à la philosophie, non plus qu'à l'éloquence, au beau langage, à la rhétorique et aux règles des vers, que je sais ordonner et cadencer en n'omettant aucun tour de force dans leur construction ; je sais les faire simples et coulants, comme aussi compliqués et enchevêtrés pour le plaisir des délicats seulement ; et si j'y mets parfois des obscurités, c'est pour mieux conserver l'attention et charmer l'esprit qui arrive à en dénouer la trame subtile et fragile ; enfin j'ai appris beaucoup de choses, et j'ai retenu ce que j'ai appris. Avec tout cela je sais parfaitement chanter, et danser comme un oiseau, et jouer du luth et de la flûte, de même que je manie tous les instruments à cordes, et cela sur plus de cinquante modes différents. Aussi, quand je chante et que je danse, ceux-là se damnent qui me voient et m'entendent ; si, habillée et parfumée, je marche en me balançant, je tue ; si je secoue ma croupe, je renverse ; si je cligne de l'œil, je transperce ; si je secoue mes bracelets, j'aveugle ; si je touche, je donne la vie, et si je m'éloigne, je fais mourir ! Je suis versée dans tous les arts, et j'ai poussé dans ce sens mon savoir jusqu'à des limites telles que seuls pourraient arriver à en distinguer l'horizon les très rares dont les années auraient macéré dans l'étude de la sagesse ! »

Lorsque le khalifat Haroun Al-Rachid eut entendu ces paroles, il fut étonné et charmé de trouver tant l'éloquence à la fois et de beauté, tant de savoir et de jeunesse en celle qui se tenait devant lui, les yeux respectueusement baissés. Il se tourna vers Aboul-Hassan et lui dit : « Je veux à l'instant donner les ordres pour faire venir tous les maîtres de la science, afin de mettre ton esclave à l'épreuve et de m'assurer, par un examen public et décisif, si elle est réellement aussi instruite qu'elle est belle. Au cas où elle sortirait victorieuse de l'épreuve, non seulement je te donnerais les dix mille dinars, mais encore je te comblerais d'honneurs pour m'avoir amené une si grande merveille. Sinon, rien n'est fait, et elle reste ta propriété ! »

Puis, séance tenante, le khalifat fit mander le plus grand savant de cette époque, Ibrahim ben-Saïar, qui avait approfondi toutes les connaissances humaines ; il fit mander aussi tous les poètes, les grammairiens, les lecteurs du Korân, les médecins, les astronomes, les philosophes, les jurisconsultes et les doctes en théologie. Et tous se hâtèrent de se rendre au palais et s'assemblèrent dans la salle de réception sans savoir pour quel motif on les convoquait.

Lorsque le khalifat leur en eut donné l'ordre, ils s'assirent tous en rond sur les tapis, alors qu'au milieu, sur un siège d'or où l'avait fait placer le khalifat, l'adolescente Sympathie se tenait, le visage recouvert d'un léger voile, et que ses yeux brillaient et ses dents souriaient de leur sourire, à travers...

À ce moment de sa narration, Schahrazade vit apparaître le matin et, discrète, se tut.

Mais lorsque fut la deux cent soixante-quatorzième nuit. Elle dit :

... Souriaient de leur sourire, à travers.

Quand sur cette assemblée le silence se fut établi si complet qu'on eût pu entendre le son d'une aiguille jetée sur le sol, Sympathie fit à tous un salam plein de grâce et de dignité et, d'une façon de parler exquise, en vérité, elle dit au khalifat : « Ô émir des Croyants, ordonne ! me voici prête à répondre à toutes les questions que voudront me poser les doctes et vénérables savants, lecteurs du Korân, jurisconsultes, médecins, architectes, astronomes, géomètres, grammairiens, philosophes et poètes ! » Alors le khalifat Haroun Al-Rachid, assis sur son trône, se tourna vers tous ceux-là et leur dit : « Je vous ai fait mander ici pour que vous examiniez cette adolescente sur ses connaissances en tant que variété et profondeur, et que vous n'épargniez rien pour mettre en valeur à la fois votre érudition et son savoir ! » Et tous les savants répondirent, en s'inclinant jusqu'à terre et en portant les mains sur leurs yeux et sur leur front : « L'ouïe et l'obéissance à Allah et à toi, ô émir des Croyants ! »

À ces paroles, l'adolescente Sympathie resta quelques instants la tête baissée, réfléchissant, puis releva le front et dit : « Ô vous tous, mes maîtres, quel est d'abord le plus versé d'entre vous dans le Korân et les traditions du Prophète ? (sur lui la paix et la prière !) » Alors l'un des docteurs se leva, désigné par tous les doigts, et dit : « Je suis cet homme ! » Elle lui dit : « Interroge-moi donc à ta guise sur ta partie ! »

Et le savant lecteur du Korân demanda : « Ô jeune fille, du moment que tu as étudié à fond le saint Livre d'Allah, tu dois connaître le nombre de chapitres, de mots et de lettres qu'il renferme et les préceptes de notre foi ! Dis-moi donc, pour commencer, quel est ton Seigneur, quel est ton Prophète, quel est ton Imam, quelle est ton orientation, quelle est ta règle de vie, quel est ton guide dans les chemins, et quels sont tes frères ? »

Elle répondit : « Allah est mon Seigneur ; Môhammad (sur lui la prière et la paix !) est mon Prophète ; le Korân est ma loi, il est donc mon Imam ; la Kâaba, la maison d'Allah élevée par Abraham à La Mecque, est mon orientation ; l'exemple de notre saint Prophète est ma règle de vie ; la Sunna, recueil des traditions, est mon guide dans les chemins ; et tous les Croyants sont mes frères ! »

Le savant reprit, alors que le khalifat commençait à s'émerveiller de la netteté et de la précision de ces réponses dans la bouche d'une si gentille jeune fille : « Dis-moi ! comment sais-tu qu'il y a un Dieu ? »

Elle répondit : « Par la raison ! »

Il demanda : « Qu'est-ce que la raison ? »

Elle dit : « La raison est un don double : il est inné et il est acquis. La raison innée est celle qu'Allah a placée dans le cœur de ceux de ses serviteurs qu'il a élus, afin de les faire marcher dans la voie de la vérité. Et la raison acquise est celle qui est, chez l'homme bien doué, le fruit de l'éducation et d'un labeur constant. »

Il reprit : « C'est excellent ! Mais où est le siège de la raison ? »

Elle répondit : « Dans notre cœur ! Et c'est de là que ses inspirations s'élèvent vers notre cerveau pour y établir domicile. »

Il dit : « Parfaitement ! Mais peux-tu me dire comment tu as appris à connaître le Prophète (sur lui la prière et la paix !) ? »

Elle répondit : « Par la lecture du Livre d'Allah, par les sentences y incluses, par les preuves et les témoignages de cette misson divine ! »

Il dit : « C'est excellent ! Mais peux-tu me dire quels sont les devoirs indispensables de notre religion ? »

Elle répondit : « Il y a cinq devoirs indispensables dans notre religion : la profession de foi : « Il n'y a de Dieu qu'Allah, et Môhammad est l'envoyé d'Allah ! » ; la prière ; l'aumône ; le jeûne du mois de Ramadân ; le pèlerinage à La Mecque, quand on peut le faire. »

Il demanda : « Quels sont les actes pies les plus méritoires ? »

Elle répondit : « Ils sont au nombre de six : la prière ; l'aumône ; le jeûne ; le pèlerinage ; la lutte contre les mauvais instincts et les choses illicites, et enfin la guerre sainte ! »

Il dit : « Que c'est bien répondu ! Mais dans quel but fais-tu la prière ? »

Elle répliqua : « Simplement pour offrir au Seigneur l'hommage de mon admiration, célébrer ses louanges et élever mon esprit vers les régions sereines !

Il s'écria : « Ya Allah ! que cette réponse est excellente ! Mais la prière ne suppose-t-elle pas au préalable des préparatifs indispensables ? »

Elle répondit : « Certes ! Il faut se purifier entièrement le corps par les ablutions rituelles, se vêtir d'habits qui n'aient pas l'indice d'une saleté, choisir un lieu propre et net pour s'y tenir, bien garantir la partie du corps comprise entre le nombril et les genoux, avoir des intentions pures et se tourner vers la Kâaba, dans la direction de La Mecque sainte ! »

— Quelle est la valeur de la prière ?

— Elle est le soutien de la foi, dont elle est la base !

— La prière vraiment belle n'a point d'utilité terrestre. Elle est simplement le lien spirituel entre la créature et son Seigneur ! Elle peut produire dix fruits immatériels et d'autant plus beaux ; elle éclaire le cœur, elle illumine le visage, elle plaît au Très-Clément, elle excite la fureur du Malin, elle attire la miséricorde, elle éloigne les maléfices, elle préserve du mal, elle préserve contre les entreprises des ennemis, elle consolide l'esprit qui chancelle et rapproche l'esclave de son Maître !

— Quelle est la clef de la prière ? Et quelle est la clef de cette clef ?

— La clef de la prière, c'est l'ablution, et la clef de l'ablution, c'est la formule initiale : « Au nom d'Allah le Clément-sans-bornes, le Miséricordieux ! »

— Quelles sont les prescriptions à suivre dans l'ablution ?

— D'après le rite orthodoxe de l'imam El-Schafiy ben-Idris, il y en a six : l'intention bien arrêtée de se purifier en vue simplement d'être agréable au Créateur ; l'ablution d'abord du visage ; l'ablution des mains jusqu'au coude ; le frottement d'une partie de la tête ; l'ablution des pieds, y compris les talons, jusqu'aux chevilles, et un ordre strict dans l'accomplissement de ces actes divers. Or, cet ordre suppose l'observance de douze conditions bien précises, à savoir : d'abord prononcer la formule initiale : « Au nom d'Allah ! » ; se laver les paumes des mains avant de les plonger dans le vase ; se rincer la bouche ; se laver les narines en prenant l'eau dans le creux de la main en la reniflant ; se frotter toute la tête et se frotter les oreilles à l'extérieur et à l'intérieur avec une nouvelle eau ; se peigner la barbe avec les doigts ; se tordre les doigts et les orteils en les faisant craquer ; placer le pied droit devant le pied gauche ; répéter trois fois chaque ablution ; prononcer après chaque ablution l'acte de foi ; et enfin, une fois les ablutions terminées, réciter en outre cette formule pieuse : « Ô mon Dieu ! comptemoi au nombre des repentants, des purs et fidèles serviteurs ! Louanges à mon Dieu ! Je confesse qu'il n'y a de Dieu que Toi seul ! C'est Toi mon refuge ; c'est de Toi que, plein de repentir, j'implore le pardon de mes fautes ! Amîn ! » C'est cette formule, en effet, que le Prophète (sur lui la prière et la paix !) nous a bien recommandé de réciter, en disant : « J'ouvrirai toutes grandes à qui la récitera les huit portes d'Éden ; et il pourra entrer par la porte qui lui plaira ! »

Le savant dit : « Cela est répondu avec excellence, en vérité ! Mais que font les anges et les démons auprès de celui qui fait ses ablutions ? »

Sympathie répondit : « Lorsque l'homme se prépare à faire ses ablutions, les anges viennent se tenir à sa droite et les diables à sa gauche ; mais aussitôt qu'il prononce la formule initiale : « Au nom d'Allah ! » les diables prennent la fuite, et les anges s'approchent de lui en déployant sur sa tête un pavillon de lumière, de forme carrée, dont ils soutiennent les quatre coins ; et ils chantent les louanges d'Allah et implorent le pardon des péchés de cet homme. Mais, s'il oublie d'invoquer le nom d'Allah, les diables reviennent…

À ce moment de sa narration, Schahrazade vit apparaître le matin et, discrète, se tut.

Mais lorsque fut la deux cent soixante-quinzième nuit. Elle dit :

… Les diables reviennent en foule et font tous leurs efforts pour jeter le trouble dans son âme, lui suggérer le doute et refroidir son esprit et sa ferveur ! Il est obligatoire, pour l'homme qui fait ses ablutions, de faire couler l'eau sur tout son coups, sur tous ses poils, apparents ou secrets, et sur ses membres sexuels, de se bien frotter toutes les parties et de ne se laver les pieds qu'en dernier lieu ! »

Le savant dit : « Bien répondu ! Peux-tu maintenant me dire quels sont les usages à suivre dans l'ablution nommée tayamum ? »

Elle répondit : « L'ablution nommée tayamum est la purification avec le sable et la poussière. Cette ablution se fait dans les sept cas suivants, établis par les usages conformes à la pratique du Prophète. Et elle se fait suivant les quatre indications prévues par l'enseignement direct du Livre.

Les sept cas qui permettent cette ablution sont : le manque d'eau ; la peur d'épuiser la provision d'eau ; le besoin de cette eau pour la boisson ; la crainte d'en perdre une partie en la transportant ; les maladies qui craignent l'usage de l'eau ; les fractures qui demandent le repos pour se consolider ; les blessures qu'on ne doit pas toucher.

Quant aux quatre conditions nécessaires pour accomplir cette ablution avec le sable et la poussière, ce sont : d'abord être de bonne foi ; ensuite prendre le sable ou la poussière avec les mains et faire le geste de s'en frotter le visage ; puis faire le geste de s'en frotter les bras jusqu'aux coudes ; et s'essuyer les mains.

Deux pratiques sont également recommandables, parce que conformes à la Sunna : commencer l'ablution par la formule invocatoire ; « Au nom d'Allah ! » et faire l'ablution de toutes les parties droites du corps avant les parties gauches. »

Le savant dit : « C'est fort bien ! Mais, pour revenir à la prière, peux-tu me dire comment on doit l'accomplir, et quels actes elle comporte ? »

Elle reprit : « Les actes requis pour faire la prière constituent autant de colonnes qui la soutiennent. Ces colonnes de la prière sont : premièrement la bonne intention ; secondement la formule du Takbir, qui consiste à prononcer ces mots : « Allah est le plus grand ! » ; troisièmement réciter la Fatiha, qui est le chapitre qui ouvre le Korân ; quatrièmement se prosterner la face contre terre ; cinquièmement se relever ; sixièmement faire la profession de foi ; septièmement s'asseoir sur les talons ; huitièmement faire des vœux pour le Prophète, en disant : « Que sur lui soient la prière et la paix d'Allah ! » ; neuvièmement être toujours dans la même intention pure. D'autres conditions d'une bonne prière sont seulement tirées de la Sunna, à savoir : lever les deux bras, les paumes tournées en haut, dans la direction de La Mecque ; réciter encore une fois la Fatiha ; réciter un autre chapitre du Korân, par exemple la Sourate de la Vache ; prononcer diverses autres formules pieuses, et terminer par les vœux sur notre prophète Môhammad (sur lui la prière et la paix !). »

Le savant dit : « En vérité, cela est répondu parfaitement ! Peux-tu maintenant me dire comment on doit s'acquitter de la dîme de l'aumône ? »

Elle répondit : « On peut s'acquitter de la dîme de l'aumône de quatorze manières : en or ; en argent ; en chameaux ; en vaches ; en moutons ; en blé ; en orge ; en millet ; en maïs ; en fèves ; en pois chiches ; en riz ; en raisins secs et en dattes.

Pour ce qui est de l'or, si l'on n'a qu'une somme inférieure à vingt drachmes d'or de La Mecque, on n'a point de dîme à payer ; au-dessus de cette somme, on donne le trois pour cent. Il en est de même pour l'argent, toutes proportions gardées.

Pour ce qui est du bétail, celui qui possède cinq chameaux paie un mouton ; celui qui possède vingt-cinq chameaux en donne un comme dîme, et ainsi de suite, toutes proportions gardées.

Pour ce qui est des moutons et des agneaux, on en donne un sur quarante. Et ainsi de suite pour tout le reste. »

Le savant dit : « Parfait ! Parle-moi maintenant du jeûne ! » Sympathie répondit : « Le jeûne c'est l'abstinence du manger, du boire et des jouissances sexuelles, pendant la journée, jusqu'au coucher du soleil, durant le mois de Ramadân, aussitôt qu'on aperçoit la nouvelle lune. Il est recommandable de s'abstenir également, pendant le jeûne, de tout vain discours et de toute lecture autre que celle du Korân. »

Le savant demanda : « Mais n'y a-t-il point certaines choses qui, à première vue, paraîtraient rendre inefficace le jeûne, mais qui, selon l'enseignement du Livre, n'enlèvent en réalité rien à sa valeur. »

Elle répondit : « Il y a, en effet, des choses qui ne rendent point le jeûne inefficace. Ce sont : les pommades, les baumes et les onguents ; le kohl pour les yeux et les collyres ; la poussière du chemin ; l'action d'avaler la salive ; les éjaculations nocturnes ou diurnes involontaires de la semence virile ; la saignée et les ventouses simples ou scarifiées. Ce sont là toutes choses qui n'enlèvent rien à l'efficacité du jeûne. »

Le savant dit : « C'est excellent ! Et la retraite spirituelle, qu'en penses-tu ? »

Elle dit : « La retraite spirituelle est un séjour de longue durée que l'on fait dans une mosquée, sans jamais en sortir que pour satisfaire un besoin, et en renonçant au commerce avec les femmes et à l'usage de la parole. Elle est simplement recommandée par la Sunna, mais n'est point une obligation dogmatique. »

Le savant dit : « Excellent ! Mais je désire maintenant t'entendre me parler du pèlerinage ! »

Elle répondit : « Le pèlerinage à La Mecque ou hadj est un devoir que tout musulman doit accomplir au moins une fois en sa vie, quand il a atteint l'âge de raison. Pour l'accomplir, diverses conditions sont à observer. On doit se revêtir du manteau de pèlerin ou ihram, se garder d'avoir commerce avec les femmes, de se raser les poils, de se couper les ongles et de se couvrir la tête et le visage. D'autres prescriptions sont également faites par la Sunna. »

Le savant dit : « C'est fort bien ! mais passons à la guerre sainte ! »

Elle répondit : « La guerre sainte est celle que l'on fait contre les infidèles quand l'Islam est en danger. On ne doit la faire que pour se défendre, et jamais on ne doit prendre l'offensive. Aussitôt que le Croyant est en armes il doit marcher sur l'infidèle sans jamais revenir sur ses pas ! »

Le savant demanda : « Peux-tu me donner quelques détails sur la vente et l'achat ? »

Sympathie répondit : « Dans la vente et l'achat, on doit être libre des deux côtés et dresser, dans les cas importants, un acte de consentement et d'acceptation. Mais il y a certaines choses dont la Sunna prohibe la vente ou l'achat. Ainsi, par exemple…

À ce moment de sa narration, Schahrazade vit apparaître le matin et, discrète, se tut.

Mais lorsque fut la deux cent soixante-dix-septième nuit. Elle dit :

… Ainsi, par exemple, il est expressément défendu d'échanger des dattes sèches contre des dattes fraîches, des figues sèches contre des figues fraîches, de la viande séchée et salée contre de la viande fraîche, du beurre salé contre du beurre frais, et, d'une manière générale, toutes les provisions fraîches contre les anciennes et les sèches, quand elles sont de la même espèce. »

Lorsque le savant commentateur du Livre eut entendu ces réponses de Sympathie, il ne put s'empêcher de penser qu'elle en savait autant que lui et ne voulut pas s'avouer impuissant à la prendre en défaut. Il résolut donc de lui poser des questions plus subtiles et lui demanda : « Que signifie linguistiquement le mot ablution ? »

Elle répondit : « Se débarrasser par le lavage de toutes impuretés internes ou externes. »

Il demanda : « Que signifie le mot jeûner ? »

Elle dit : « S'abstenir. »

Il demanda : « Que signifie le mot donner ? »

Elle dit : « S'enrichir. »

Il demanda : « Et aller en pèlerinage ? »

Elle répondit : « Atteindre le but. »

Il demanda : « Et faire la guerre ? »

Elle dit : « Se défendre. »

À ces paroles, le savant se leva debout sur ses pieds et s'écria : « En vérité, mes questions et mes arguments sont à court ? Cette esclave est étonnante de savoir et de clarté, ô émir des Croyants ! »

Mais Sympathie sourit légèrement et l'interrompit : « Je voudrais, lui dit-elle, te poser à mon tour une question. Peux-tu, ô savant lecteur, me dire quelles sont les bases de l'Islam ? »

Il réfléchit un instant et dit : « Elles sont au nombre de quatre : la foi éclairée par la saine raison ; la droiture ; la connaissance de ses devoirs et de ses droits stricts et la discrétion ; l'accomplissement des engagements pris. »

Elle reprit : « Permets-moi de te poser encore une question ! Si tu n'arrives pas à la résoudre, j'aurai le droit de t'arracher ton manteau distinctif de savant lecteur du Livre ! »

Il dit : « J'accepte ! Pose la question, ô esclave ! »

Elle demanda : « Quelles sont les branches de l'Islam ? »

Le savant resta un temps à réfléchir et finalement ne sut que répondre.

Alors le khalifat lui-même parla et dit à Sympathie : « Réponds toi-même à la question, et le manteau de ce savant t'appartient ! »

Sympathie s'inclina et répondit : « Les rameaux de l'Islam sont au nombre de vingt : l'observance stricte de l'enseignement du Livre ; se conformer aux traditions et à l'enseignement oral de notre saint Prophète ; ne jamais commettre d'injustice ; manger les aliments permis ; ne jamais manger les aliments défendus ; punir les malfaiteurs, pour ne point voir augmenter la malice des méchants par suite de l'indulgence des bons ; se repentir de ses fautes ; approfondir l'étude de la religion ; faire du bien à ses ennemis ; être modeste dans sa vie ; secourir les serviteurs d'Allah ; fuir toute innovation et tout changement ; déployer du courage dans l'adversité et de la force dans les épreuves ; pardonner quand on est fort et qu'on est puissant ; patienter dans le malheur ; connaître Allah Très-Haut ; connaître le Prophète (sur lui la prière et la paix !) ; résister aux suggestions du Malin ; résister à ses passions et aux mauvais instincts de son âme ; se vouer entièrement au service d'Allah en toute confiance et en toute soumission ! »

Lorsque le khalifat Haroun Al-Rachid eut entendu cette réponse, il ordonna à ses eunuques d'arracher immédiatement le manteau du savant et de le donner à Sympathie ; ce qui fut aussitôt exécuté, à la confusion du savant, qui sortit de la salle, la tête basse.

Alors un second savant se leva, qui était réputé pour sa subtilité dans les connaissances théologiques, et que tous les yeux désignaient à l'honneur d'interroger l'adolescente. Il se tourna vers Sympathie et lui dit : « Je ne te poserai, ô esclave, que de brèves questions et en petit nombre. Peux-tu d'abord me dire quels sont les devoirs à observer pendant les repas ? »

Elle répondit : « On doit d'abord se laver les mains, invoquer le nom d'Allah et lui rendre des actions de grâces. On s'assied ensuite sur la hanche gauche, on se sert pour manger du pouce et des deux premiers doigts seulement, on ne prend que de petites bouchées, on mâche bien le morceau et on ne doit pas regarder son voisin de crainte de le gêner ou de lui couper l'appétit. »

Le savant demanda : « Peux-tu me dire maintenant, ô esclave, ce que c'est que quelque chose, la moitié de quelque chose, et moins que quelque chose ? »

Elle répondit sans hésiter : « Le Croyant c'est quelque chose, l'hypocrite est la moitié de quelque chose, et l'infidèle est moins que quelque chose ! »

Il reprit : « Cela est exact ! Dis-moi ! Où se trouve la foi ? »

Elle répondit : « La foi habite dans quatre endroits : dans le cœur, dans la tête, dans la langue et dans les membres. De la sorte, la force du cœur consiste dans la joie, la force de la tête dans la connaissance de la vérité, la force de la langue dans la sincérité et la force des autres membres dans la soumission ! »

Il demanda : « Combien y a-t-il de cœurs ? »

— Il y en a plusieurs : le cœur du croyant qui est un cœur pur et sain ; le cœur de l'infidèle, cœur complètement opposé au premier…

À ce moment de sa narration, Schahrazade vit apparaître le matin et, discrète, se tut.

Mais lorsque fut la deux cent soixante-dix-huitième nuit. Elle dit :

… Le cœur de l'infidèle, cœur complètement opposé au premier ; le cœur attaché aux choses de la terre et le cœur attaché aux joies spirituelles ; il y a le cœur dominé par les passions ou par la haine ou par l'avarice ; il y a le cœur lâche, le cœur brûlé d'amour, le cœur gonflé d'orgueil ; puis il y a le cœur éclairé, comme celui des compagnons de notre saint Prophète, et il y a enfin le cœur de notre saint Prophète lui-même, cœur de l'Élu !

Lorsque le savant théologien eut entendu cette réponse, il s'écria : « Mon approbation t'est acquise, ô esclave ! »

Alors la belle Sympathie regarda le khalifat et dit : « Ô commandeur des Croyants, permets-moi de poser à mon tour une seule question à mon examinateur et de lui prendre son manteau s'il ne peut répondre ! » Et, le consentement accordé, elle demanda au savant : « Peux-tu me dire, ô vénérable cheikh, quel est le devoir qui doit être rempli avant tous les devoirs bien qu'il n'en soit pas le plus important ? »

À cette question, le savant ne sut que dire, et l'adolescente se hâta de lui enlever son manteau et fit elle-même cette réponse : « C'est le devoir de l'ablution ; car il est formellement prescrit de se purifier avant d'accomplir le moindre des devoirs religieux et avant tous les actes prévus par le Livre et la Sunna ! »

Après quoi Sympathie se tourna vers l'assemblée et l'interrogea d'un regard circulaire auquel répondit l'un des savants qui était un des hommes les plus célèbres du siècle et qui n'avait point son égal dans la connaissance du Korân. Il se leva et dit à Sympathie : « Ô jeune fille pleine de spiritualité et de parfums charmants, peux-tu, puisque tu connais le Livre d'Allah, nous donner un échantillon de la précision de ton savoir ? »

Elle répondit : « Le Korân est composé de cent quatorze sourates ou chapitres, dont soixante-dix ont été dictés à La Mecque et quarante-quatre à Médine. Il est divisé en six cent vingt et une divisions, appelées « aschar », et en six mille deux cent trente-six versets. Il renferme soixante dix-neuf mille quatre cent trente-neuf mots, et trois cent vingt-trois mille six cent soixante-dix lettres, à chacune desquelles sont attachées dix vertus spéciales. On y trouve cité le nom de vingt-cinq prophètes : Adam, Nouh, Ibrahim, Ismaïl, Isaac, Yâcoub, Youssef, El-Yosh, Younés, Loth, Saleh, Houd, Schoaïb, Daoud, Soleïmân, Zoul-Kefel, Édris, Élias, Yahia, Zacharia, Ayoub, Moussa, Haroun, Issa [Jésus] et Môhammad (sur eux tous la prière et la paix !). On y trouve le nom de neuf oiseaux ou animaux ailés : le moustique, l'abeille, la mouche, la huppe, le corbeau, la sauterelle, la fourmi, l'oiseau ababil, et l'oiseau d'Issa (sur lui la prière et la paix !) qui n'est autre que la chauve-souris. »

Le cheikh dit : « Ta précision est merveilleuse. Aussi je voudrais savoir de toi quel est le verset où notre saint Prophète juge les infidèles ? »

Elle répondit : « C'est le verset où se trouvent ces paroles : « Les juifs disent que les chrétiens sont dans l'erreur et les chrétiens affirment que les juifs ignorent la vérité. Or, sachez que des deux côtés ils ont raison dans cette affirmation ! »

Lorsque le cheikh eut entendu ces paroles, il se déclara fort satisfait, mais voulut l'interroger encore. Il lui demanda donc : « Comment le Korân est-il venu sur terre du ciel. Est-il descendu tout complet, copié sur les tables qui sont gardées au ciel, ou bien est-il descendu en plusieurs fois ? »

Elle répondit : « C'est l'ange Gabriel qui, sur l'ordre du Maître de l'univers, l'a apporté à notre prophète Môhammad, le prince des envoyés d'Allah, et cela par versets, selon les circonstances, durant l'espace de vingt années. »

Il demanda : « Quels sont les compagnons du Prophète qui ont pris soin de rassembler tous les versets épars du Korân ? »

Elle dit : « Ils sont quatre : Abi ben-Kâab, Zzïd ben-Tabet, Abou-Obeïda ben-Al-Djerrah et Othman ben-Affân. (Qu'Allah les ait tous quatre dans ses bonnes grâces !) »

Il demanda : « Quels sont ceux qui nous ont transmis et enseigné la vraie manière de lire le Korân ? »

Elle répondit : « Ils sont quatre : Abdallah ben-Mâssoud, Abi ben-Kâab, Moaz ben-Djabal et Salem ben-Abdallah. »

Il demanda : « À quelle occasion est descendu du ciel le verset suivant : « Ô Croyants, ne vous privez donc point des jouissances terrestres dans toute leur plénitude ! »

Elle répondit : « C'est lorsque quelques compagnons, voulant pousser plus loin qu'il ne fallait la spiritualité, eurent résolu de se châtrer et de porter des habits de crin…

À ce moment de sa narration, Schahrazade vit apparaître le matin et se tut discrètement.

Mais lorsque fut la deux cent soixante-dix-neuvième nuit. Elle dit :

… Eurent résolu de se châtrer et de porter des habits de crin. »

Lorsque le savant eut entendu ces réponses de Sympathie, il ne put s'empêcher de s'écrier : « Je témoigne, ô émir des Croyants, que cette fille est inégalable de savoir ! »

Alors Sympathie demanda la permission de poser une question au cheikh et lui dit : « Peux-tu me dire quel est le verset du Korân qui renferme vingt-trois fois la lettre kaf, quel est celui qui renferme seize fois la lettre mim et quel est celui qui renferme cent quarante fois la lettre aïn ? »

Le savant resta bouche ouverte sans pouvoir faire la moindre citation ; et Sympathie, après lui avoir pris son manteau, se hâta d'indiquer elle-même les versets demandés, à la stupéfaction générale des assistants.

Alors du milieu de l'assemblée se leva un médecin réputé pour l'étendue de ses connaissances et qui avait composé des livres fort estimés. Il se tourna vers Sympathie et lui dit : « Tu as parlé excellemment sur les choses spirituelles, il est temps de s'occuper du corps. Explique-nous, ô belle esclave, le corps de l'homme, sa formation, ses nerfs, ses os et ses vertèbres, et pourquoi Adam fut appelé Adam ! »

Elle répondit : « Le nom d'Adam vient du mot arabe adim qui signifie la peau, la surface de la terre, et fut donné au premier homme qui avait été créé avec une masse de terre formée du terrain des diverses parties du monde. En effet, la tête d'Adam fut formée avec la terre de l'Orient, sa poitrine avec la terre de la Kâaba, et ses pieds avec la terre de l'Occident. Allah composa le corps en y ménageant sept portes d'entrée et deux portes de sortie : les deux yeux, les deux oreilles, les deux narines et la bouche, et, de l'autre côté, un devant et un anus. Ensuite le Créateur, pour donner un tempérament à Adam, réunit en lui les quatre éléments : l'eau, la terre, le feu et l'air. De la sorte, le tempérament bilieux eut la nature du feu, qui est chaud et sec ; le tempérament nerveux eut la nature de la terre, qui est sèche ; le lymphatique eut la nature de l'eau, qui est froide et humide ; et le sanguin, la nature de l'air, qui est chaud et sec. Après quoi Allah acheva de constituer le corps humain. Il y mit trois cent soixante conduits et deux cent quarante os. Il lui donna trois instincts : l'instinct de la vie, l'instinct de la reproduction et l'instinct de l'appétit. Ensuite il lui mit un cœur, une rate, des poumons, six tripes, un foie, deux reins, une cervelle, deux œufs, un nerf et une peau. Il le dota de cinq sens guidés par sept esprits vitaux. Quant à l'ordre des organes, Allah posa le cœur à gauche dans la poitrine, et au-dessous de lui l'estomac, les poumons pour servir d'éventails au cœur, le foie à droite pour servir de garde au cœur, et l'entrelacement des intestins, et l'articulation des côtes. Pour ce qui est de la tête, elle est composée de quarante-huit os ; quant à la poitrine, elle contient vingt-quatre côtes chez l'homme et vingt-cinq chez la femme : cette côte supplémentaire se trouve à droite, et sert à renfermer l'enfant dans le ventre de sa mère et à le soutenir en l'entourant. »

Le savant médecin ne put réprimer sa surprise, puis ajouta : « Peux-tu maintenant nous parler des signes des maladies. »

Elle répondit : « Les signes des maladies sont extérieurs et intérieurs, et servent à faire connaître le genre de la maladie et son degré de gravité. L'homme habile dans son art sait, en effet, deviner le mal rien qu'en prenant le pouls du malade : de la sorte il constate le degré de sécheresse, de chaleur, de raideur, de froid et d'humidité ; il sait également qu'un homme qui a des yeux jaunes doit avoir le foie malade, qu'un autre qui a le dos courbé doit avoir les poumons gravement atteints d'inflammation. Quant aux signes intérieurs qui guident l'observation du médecin, ce sont : les vomissements, les douleurs, les œdèmes, les excréments et les urines. »

Il demanda : « Quelles sont les causes du mal de tête ? »

Elle répondit : « Le mal de tête est dû principalement à la nourriture, quand on en fait entrer dans l'estomac avant que les premiers aliments ne soient digérés ; il est également dû à des repas faits quand la faim n'existe pas. C'est la gourmandise qui est la cause de toutes les maladies qui ravagent la terre. Celui qui veut prolonger sa vie doit donc pratiquer la sobriété et, de plus, se lever de bonne heure, éviter les veilles, ne pas faire d'excès de femmes, ne pas abuser de la saignée ou des scarifications, et enfin surveiller son ventre. Pour cela, il doit diviser son ventre en trois parties, qu'il remplira l'une de nourriture, l'autre d'eau et la troisième de rien du tout, afin de la laisser libre pour la respiration, et que l'âme puisse s'y loger. Il en sera de même pour l'intestin, dont la longueur est de dix-huit empans. »

Il demanda : « Quels sont les symptômes de l'ictère ? »

Elle répondit : « L'ictère, qui est la jaunisse fébrile, est caractérisée par le teint jaune, l'amertume de la bouche, les vertiges, la fréquence du pouls, les vomissements et le dégoût des femmes. Celui qui en est atteint est sous le coup de graves accidents, tels que les ulcères de l'intestin, la pleurésie, l'hydropisie et les œdèmes, ainsi que la mélancolie à forme grave qui, en affaiblissant le corps, peut provoquer le cancer et la lèpre. »

Il dit : « C'est parfait ! Mais comment divise-t-on la médecine ? »

Elle répondit : « On la divise en deux parties : l'étude des maladies et l'étude des remèdes. »

Il dit : « Je vois que ta science ne laisser rien à désirer. Mais peux-tu me dire quelle est la meilleure eau ? »

Elle répondit : « C'est l'eau pure et fraîche contenue dans un vase poreux frotté de quelque excellent parfum ou simplement parfumé aux vapeurs d'encens. On ne doit la boire que bien après le repas. On évitera ainsi toutes sortes de malaises et on mettra en pratique cette parole du Prophète qui a dit : « L'estomac est le réceptacle de toutes les maladies, la constipation la cause de toutes les maladies, et l'hygiène le principe de tous les remèdes. »

Il demanda : « Quel est le mets excellent entre tous ? »

Elle répondit : « C'est celui qui est préparé par la main d'une femme, qui n'a pas coûté trop de préparatifs et qui est mangé d'un cœur content. Le mets appelé « tharid » est certainement le plus délicieux de tous les mets, car le Prophète (sur lui la prière et la paix !) a dit : « Le tharid est de beaucoup le meilleur des mets, comme Aïscha est la plus vertueuse des femmes ! »

Il demanda : « Que penses-tu des fruits ? »

Elle dit : « C'est, avec la viande de mouton, la nourriture la plus saine. Mais il n'en faut plus manger quand la saison est passée. »

Il demanda : « Parle-nous du vin ! »

À ce moment de sa narration, Schahrazade vit apparaître le matin et se tut discrètement.

Mais lorsque fut la deux cent quatre-vingtième nuit. Elle dit :

Sympathie répondit : « Comment peux-tu m'interroger sur le vin, alors que le Livre est si explicite à ce sujet ? Malgré ses nombreuses vertus, il est défendu, parce qu'il trouble la raison et échauffe les humeurs. Le vin et le jeu de hasard sont deux choses que le Croyant doit éviter sous peine des pires calamités ! »

Il dit : « Ta réponse est sage. Peux-tu maintenant nous parler de la saignée ? »

Elle répondit : « La saignée est nécessaire à toutes les personnes qui ont trop de sang. On doit la pratiquer à jeun, dans une journée de printemps sans nuages, ni vent, ni pluie. Quand ce jour tombe un mardi, la saignée produit ses meilleurs effets, surtout si ce jour est le dix-septième du mois. En vérité, il n'y a rien qui soit aussi bon que la saignée pour la tête, les yeux et le sang. Mais rien n'est pire que la saignée si on la pratique pendant les grandes chaleurs ou les grands froids, si, en même temps, on mange des choses salées ou acides et que ce soit un mercredi ou un samedi. »

Le savant réfléchit un instant et dit : « Jusqu'ici tu as répondu parfaitement, mais je veux encore te poser une question capitale qui nous démontrera si ton savoir s'étend à toutes les choses essentielles à la vie. Peux-tu donc nous parler clairement de la copulation ? »

Lorsque la jeune fille eut entendu cette question, elle rougit et baissa la tête : ce qui fit croire au khalifat qu'elle était incapable d'y répondre. Mais elle ne tarda pas à relever la tête et, se tournant vers le khalifat, lui dit : « Par Allah, ô émir des Croyants, mon silence ne doit point être attribué à mon ignorance de cette question dont la réponse se trouve sur le bout de ma langue et refuse de sortir de mes lèvres par égard pour notre maître le khalifat ! » Mais il lui dit : « J'aurais un plaisir extrême à entendre cette réponse de ta bouche. Sois donc sans crainte, et parle clairement ! »

Alors la docte Sympathie dit : « La copulation est l'acte qui unit sexuellement l'homme à la femme. C'est une chose excellente, et nombreux sont ses bienfaits et ses vertus. La copulation allège le corps et soulage l'esprit, éloigne la mélancolie, tempère la chaleur de la passion, attire l'amour, contente le cœur, console de l'absence, et fait recouvrer le sommeil perdu. Il s'agit là, bien entendu, de la copulation d'un homme avec une femme jeune, mais c'est tout autre chose si la femme est vieille, car alors il n'y a pas de méfait que cet acte ne puisse engendrer. Copuler avec une vieille femme, c'est s'exposer à des maux sans nombre parmi lesquels, entre autres, le mal des yeux, le mal des reins, le mal des cuisses et le mal du dos. En un mot, c'est affreux ! Il faut donc s'en garer avec soin comme d'un poison sans remède. De préférence il faut choisir pour cet acte une experte, qui comprenne d'un coup d'œil, qui parle avec les pieds et les mains et qui dispense son propriétaire d'avoir un jardin et des parterres de fleurs !

Toute copulation complète est suivie d'humidité. Cette humidité est produite chez la femme par l'émotion que ressentent ses parties honorables, et chez l'homme par le suc que sécrètent ses deux œufs. Ce suc suit un chemin fort compliqué. En effet, l'homme possède une grosse veine qui donne naissance à toutes les autres veines. Le sang qui arrose toutes ces veines, au nombre de trois cent soixante, finit par se canaliser en un tuyau qui aboutit à l'œuf gauche. Dans cet œuf gauche le sang, à force de tourner, finit par se clarifier et se transformer en un liquide blanc qui s'épaissit grâce à la chaleur de l'œuf et dont l'odeur rappelle celle du lait de palmes…

À ce moment de sa narration, Schahrazade vit apparaître le matin et, discrète, se tut.

Mais lorsque fut la deux cent quatre-vingt-deuxième nuit. Elle dit :

… Un liquide qui s'épaissit grâce à la chaleur de l'œuf et dont l'odeur rappelle celle du lait de palmes. »

Le savant s'écria : « Que c'est répondu avec sagacité ! Mais j'ai encore deux questions à te poser, et ce sera tout. Peux-tu me dire quel est l'être vivant qui ne vit qu'emprisonné et qui meurt sitôt qu'il respire l'air libre ? Et quels sont les meilleurs fruits ? »

Elle répondit : « Le premier, c'est le poisson ; et les seconds sont le cédrat et la grenade ! »

Lorsque le médecin eut entendu toutes ces réponses de la belle Sympathie, il ne put s'empêcher de s'avouer incapable de la prendre en défaut de science, et voulut regagner sa place. Mais Sympathie l'en empêcha d'un signe et lui dit : « Il faut qu'à mon tour je te pose une question : « Peux-tu me dire, ô savant, quelle est la chose qui est ronde comme la terre et se loge dans un œil, qui tantôt se sépare de cet œil et tantôt y pénètre, qui copule sans organe mâle, qui se sépare de sa compagne durant la nuit pour s'enlacer à elle durant le jour, et qui élit domicile habituellement aux extrémités ? »

À cette question, le savant eut beau se tourmenter l'esprit, il ne sut que répondre, et Sympathie, après lui avoir pris son manteau, sur l'invitation du khalifat, répondit elle-même : « C'est le bouton et la boutonnière ! »

Après quoi, d'entre les vénérables cheikhs un astronome se leva, qui était le plus fameux de tous les astronomes du royaume et que la belle Sympathie regarda en souriant, sûre d'avance qu'il trouverait ses yeux plus embarrassants que toutes les étoiles des cieux.

L'astronome vint donc s'asseoir devant l'adolescente et, après le préambule d'usage, lui demanda : « D'où se lève le soleil et où va-t-il lorsqu'il disparaît ? »

Elle répondit : « Sache que le soleil se lève des sources de l'Orient et disparaît dans les sources de l'Occident. Ces sources sont au nombre de cent quatre-vingts. Le soleil est le sultan du jour, comme la lune est la sultane des nuits. Et Allah a dit dans le Livre : « C'est moi qui ai donné au soleil sa lumière et à la lune son éclat et qui leur ai assigné des places ordonnées, afin de vous permettre de connaître le calcul des jours et des années. C'est moi qui ai fixé une limite à la course des astres et défendu à la lune de jamais atteindre le soleil comme à la nuit de dépasser le jour ! De la sorte le jour et la nuit, les ténèbres et la lumière, sans jamais mêler leur essence, s'identifient continuellement ! »

Le savant astronome s'écria : « Quelle réponse merveilleuse de précision ! Mais, ô adolescente, peux-tu nous parler des autres astres et nous dire leurs bonnes ou mauvaises influences ? »

Elle répondit : « Si je devais parler de tous les autres astres, il faudrait y consacrer bien plus d'une séance. Je n'en dirai donc que peu de mots. Outre le soleil et la lune, il y a cinq autres planètes qui sont : Outared (Mercure), El-Zohrat (Vénus), El-Merrikh (Mars), El-Mouschtari (Jupiter) et Zôhal (Saturne).

La Lune, froide et humide, de bonne influence, a pour séjour le Cancer, pour apogée le Taureau, pour inclinaison le Scorpion, et pour périgée le Capricorne.

La planète Saturne, froide et sèche, d'influence maligne, a pour séjour le Capricorne et le Verseau, son apogée est la Balance, son inclinaison le Bélier, et son périgée le Capricorne et le Lion.

Jupiter, d'influence bénigne, est chaud et humide et a pour séjour le Poisson et le Collier, pour apogée le Cancer, pour inclinaison le Capricorne, et pour périgée les Gémeaux et le Lion.

Vénus, tempérée, d'influence bénigne, a pour séjour le Taureau, pour apogée les Poissons, pour inclinaison la Balance et pour périgée le Bélier et le Scorpion.

Mercure, d'influence tantôt bénigne tantôt maligne, a pour séjour les Gémeaux, pour apogée la Vierge, pour inclinaison les Poissons, pour périgée le Taureau.

Mars enfin, chaud et humide, d'influence maligne, a pour séjour le Bélier, pour apogée le Capricorne, pour inclinaison le Cancer et pour périgée la Balance. »

Lorsque l'astronome eut entendu cette réponse, il admira fort la profondeur des connaissances de la jeune Sympathie. Il voulut pourtant essayer de la troubler par une question plus difficile et lui demanda : « Ô adolescente, penses-tu que nous aurons de la pluie ce mois-ci ? »

À cette question, la docte Sympathie baissa la tête et réfléchit longuement : ce qui fit supposer au khalifat qu'elle se reconnaissait incapable d'y répondre. Mais bientôt elle releva la tête et dit au khalifat : « Ô émir des Croyants, je ne parlerai guère à moins d'une permission spéciale de dire toute ma pensée ! » Le khalifat, étonné, dit : « Tu as la permission ! » Elle dit : « Alors, ô émir des Croyants, je te prie de me prêter un instant ton sabre pour que je coupe la tête à cet astronome qui n'est qu'un esprit fort et un mécréant ! »

À ces paroles, le khalifat et tous les savants de l'assemblée ne purent s'empêcher de rire. Mais Sympathie continua : « En effet, sache, ô toi l'astronome, qu'il y a cinq choses qu'Allah seul connaît : l'heure de la mort, la tombée de la pluie, le sexe de l'enfant dans le sein de sa mère, les événements du lendemain et l'endroit où chacun devra mourrir ! »

L'astronome sourit et lui dit : « Ma question ne t'a été posée que pour t'éprouver. Peux-tu, et ainsi nous ne nous éloignerons point trop du sujet, nous dire l'influence des astres sur les jours de la semaine ? »

Elle répondit : « Le dimanche est le jour consacré au soleil. Quand l'année commence un dimanche, c'est signe que les peuples auront beaucoup à souffrir de la tyrannie et des vexations de leurs sultans, de leurs rois et de leurs gouverneurs, qu'il y aura de la sécheresse, que les lentilles surtout ne pousseront guère, que les raisins tourneront et qu'il y aura des combats féroces entre les rois. Mais en tout cela Allah est encore plus savant !

Le lundi est jour consacré à la lune. Quand l'année commence par un lundi, c'est de bon augure. Il y aura des pluies abondantes, beaucoup de grain et de raisin ; mais il y aura de la peste, et, en outre, le lin ne poussera pas et le coton sera mauvais ; de plus, la moitié du bétail mourra frappée d'épidémie. Mais Allah est plus savant !

Le mardi, jour consacré à Mars, peut commencer l'année. Alors les grands et les puissants seront frappés de mort, les grains hausseront de prix, il y aura peu de pluie, peu de poisson, le miel sera à bon compte, les lentilles se vendront pour rien, les grains de lin seront d'un prix très élevé, il y aura une excellente récolte d'orge. Mais beaucoup de sang sera versé, et il y aura une épidémie chez les ânes, dont le prix haussera à l'extrême. Mais Allah est plus savant !

Le mercredi est le jour de Mercure. Lorsque l'année commence le mercredi, c'est signe de grandes tueries sur mer, de beaucoup de journées d'orage et d'éclairs, de cherté des grains et de prix élevé des radis et des oignons, sans compter une épidémie qui frappera les petits enfants. Mais Allah est plus savant !

Le jeudi est le jour consacré à Jupiter. Il est, s'il ouvre l'année, l'indice de la concorde entre les peuples, de la justice chez les gouverneurs et les vizirs, de l'intégrité chez les kâdis, et de grands bienfaits sur l'humanité, entre autres choses l'abondance des pluies, des fruits, des grains, du coton, du lin, du miel, du raisin et du poisson. Mais Allah est plus savant !

Le vendredi est le jour consacré à Vénus. S'il ouvre l'année, c'est signe que la rosée sera abondante, le printemps fort beau, mais il naîtra une quantité énorme d'enfants des deux sexes, et il y aura beaucoup de pastèques, de courges, d'aubergines et de tomates, et aussi des topinambours. Mais Allah est plus savant !

Le samedi enfin est le jour de Saturne. Malheur à l'année qui commence ce jour-là ! Malheur à cette année ! il y aura une avarice générale du ciel et de la terre, la famine succédera à la guerre, les maladies à la famine, et les habitants de l'Égypte et de la Syrie jetteront les hauts cris sous l'oppression qui les tiendra et la tyrannie des gouverneurs ! Mais Allah est plus savant ! »

Lorsque l'astronome eut entendu cette réponse il s'écria : « Que tout cela est admirablement répondu ! Mais peux-tu nous dire encore le point ou l'étage du ciel où sont suspendues les sept planètes ? »

Sympathie répondit : « Certainement ! La planète Saturne est suspendue exactement au septième ciel ; Jupiter est suspendu au sixième ciel ; Mars au cinquième ; le Soleil au quatrième ; Vénus au troisième ; Mercure au second ; et la Lune au premier ciel ! » Puis Sympathie ajouta : « À mon tour maintenant de t'interroger...

À ce moment de sa narration, Schahrazade vit apparaître le matin et, discrète, se tut.

Mais lorsque fut la deux cent quatre-vingt-quatrième nuit. Elle dit :

... À mon tour maintenant de t'interroger ! Quelles sont les trois classes d'étoiles ? »

Le savant eut beau réfléchir et lever les yeux au ciel, il ne put se tirer d'embarras. Alors Sympathie, après lui avoir arraché son manteau, répondit elle-même à sa propre question : « Les étoiles sont divisées en trois classes suivant leur destination : les unes sont suspendues à la voûte céleste, comme des flambeaux, et servent à éclairer la terre ; les autres sont situées dans l'air, par une suspension invisible, et servent à éclairer les mers ; et les étoiles de la troisième catégorie sont mobiles à volonté entre les doigts d'Allah : on les voit filer pendant la nuit, et elles servent alors à lapider et punir les démons qui veulent enfreindre les ordres du Très-Haut ! »

À ces paroles, l'astronome s'avoua de beaucoup inférieur en connaissances à la belle adolescente et se retira de la salle. Alors, sur l'ordre du khalifat, un philosophe lui succéda qui vint se placer devant Sympathie et lui demanda : « Peux-tu nous parler de l'infidélité et nous dire si elle naît avec l'homme ? »

Elle répondit : « Là-dessus je veux te répondre par les paroles mêmes de notre Prophète (sur lui la prière et la paix !) qui a dit : « L'infidélité circule parmi les fils d'Adam comme le sang circule dans les veines, aussitôt qu'ils se laissent aller à blasphémer la terre et les fruits de la terre et les heures de la terre. Le plus grand crime est le blasphème contre le temps et le monde : car le temps, c'est Dieu même, et le monde est fait par Dieu ! »

Le philosophe s'écria : « Ces paroles sont sublimes et définitives ! Dis-moi maintenant quelles sont les cinq créatures d'Allah qui ont bu et mangé sans qu'il soit sorti quelque chose soit de leur corps, soit de leur ventre, soit de leur dos ! »

Elle répondit : « Ces cinq créatures sont : Adam, Siméon, le dromadaire de Saleh, le bélier d'Ismaël et l'oiseau que vit le saint Aboubekr dans la caverne ! »

Il lui dit : « Parfait ! Dis-moi encore quelles sont les cinq créatures du paradis qui ne sont ni hommes, ni génies, ni anges ! »

Elle répondit : « Ce sont : le loup de Jacob, le chien des sept dormants, l'âne d'El-Azir, le dromadaire de Saleh et la mule Daldal de notre saint Prophète (sur lui la prière et la paix !). »

Il demanda : « Peux-tu me dire quel est l'homme dont la prière ne se faisait ni dans le ciel ni sur la terre ? »

Elle répondit : « C'est Soleïmân, qui faisait sa prière sur un tapis suspendu en l'air, entre le ciel et la terre ! »

Il dit : « Explique-moi le fait suivant : un homme regarde le matin une esclave, et aussitôt il commet une action illicite ; il regarde cette même esclave à midi, et la chose devient licite ; il la regarde dans l'après-midi, et de nouveau la chose devient illicite ; au coucher du soleil il lui est permis de la regarder ; la nuit cela lui est défendu, et au matin il peut parfaitement s'approcher d'elle en toute liberté ! Peux-tu m'expliquer comment des circonstances aussi différentes peuvent se succéder si rapidement en un jour et une nuit ? »

Elle répondit : « L'explication est aisée ! Un homme jette ses regards le matin sur une esclave qui n'est point la sienne, et, d'après le Livre, cela est illicite. Mais à midi il l'achète, et alors il peut tant qu'il veut la regarder et en faire son plaisir ; dans l'après-midi, pour une raison ou une autre, il lui rend la liberté, et aussitôt il n'a plus le droit de jeter les yeux sur elle. Mais, au coucher du soleil, il l'épouse, et tout lui devient licite ; la nuit, il juge à propos de divorcer d'avec elle, et ne peut plus s'en approcher ; mais, le matin, il la reprend pour épouse, après les cérémonies d'usage, et peut alors renouer ses relations avec elle ! »

Le philosophe dit : « C'est juste ! Peux-tu me dire quel est le tombeau qui s'est mis à se mouvoir avec celui qu'il contenait ? »

Elle répondit : « C'est la baleine qui a englouti Jonas dans son ventre ! »

Il demanda : « Quelle est la vallée que le soleil n'éclaira qu'une seule fois et qu'il n'éclairera jamais plus, jusqu'au jour de la Résurrection ? »

Elle répondit : « C'est la vallée que forma la baguette de Moïse en fendant la mer pour laisser passer son peuple en fuite ! »

Il demanda : « Quelle est la première queue qui ait traîné sur le sol ! »

Elle répondit : « C'est la queue de la robe d'Agar, mère d'Ismaël, quand elle balaya la terre devant Sarah ! »

Il demanda : « Quelle est la chose qui respire sans être animée ? »

Elle répondit : « C'est le matin ! Car il est dit dans le Livre : « Lorsque le matin respire… »

Il dit : « Dis-moi ce que tu peux, concernant le problème que voici : une troupe de pigeons s'abat sur un arbre ; les uns se perchent sur les branches supérieures, et les autres sur les branches du bas. Les pigeons qui occupent la cime de l'arbre disent à ceux du bas : « Si l'un de vous se joint à nous, notre troupe sera double de la vôtre, mais si l'un de nous descend vers vous, vous nous égalerez en nombre. Combien y avait-il de pigeons ? »

Elle répondit : « Il y avait douze pigeons en tout. En effet, il y en avait sept sur la cime de l'arbre et cinq sur les branches du bas. Si l'un des pigeons du bas s'était joint à ceux du haut, le nombre de ces derniers se serait trouvé porté à huit, qui est le double de quatre ; mais si l'un de ceux du haut était descendu vers ceux du bas, ils eussent été six des deux côtés. Mais Allah est plus savant ! »

Lorsque le philosophe eut entendu ces diverses réponses, il craignit que l'adolescente ne l'interrogeât, et, comme il tenait à son manteau, il se hâta de prendre la fuite et de disparaître.

C'est alors que se leva l'homme le plus savant du siècle, le sage Ibrahim ben-Saïar qui vint prendre la place du philosophe et dit à la belle Sympathie : « Je veux croire que d'avance tu t'avoues vaincue, et qu'il est inutile de t'interroger davantage ! »

Elle répondit : « Ô vénérable savant, je te conseille d'envoyer chercher d'autres habits que ceux que tu portes, puisque dans quelques instants je dois te les enlever ! »

Le savant dit : « Nous allons bien voir ! Quelles sont les cinq choses que créa le Très-Haut avant Adam ? »

Elle répondit : « L'eau, la terre, la lumière, les ténèbres et le feu ! »

Il demanda : « Quelles sont les œuvres formées par les mains mêmes de la Toute-Puissance, alors que toutes les autres choses ont été créées par le simple effet de sa volonté ? »

Elle répondit : « Le Trône, l'Arbre du Paradis, l'Éden et Adam ! Oui, ces quatre choses ont été formées par les mains mêmes d'Allah, tandis que pour créer toutes les autres choses il dit : « Quelles soient ! » et elles furent ! »

Il demanda : « Quel est ton père dans l'Islam et quel est le père de ton père ? »

Elle répondit : « Mon père dans l'Islam est Môhammad (sur lui la prière et la paix !), et le père de Môhammad est Abraham, l'ami d'Allah ! »

— En quoi consiste la foi de l'Islam ?

— Dans la simple profession de foi : « La ilah ill'Allah, oua Môhammad rassoul Allah ! »

— Quelle est la chose qui a commencé par être en bois et qui a fini par avoir la vie ?

— C'est la verge que jeta Moïse et qui fut transformée en serpent. C'est cette même verge qui pouvait, suivant les cas, se transformer, une fois enfoncée dans le sol, soit en un arbre fruitier, soit en un grand arbre touffu pour garantir Moïse de l'ardeur du soleil, soit en un chien énorme qui veillait à la garde du troupeau durant la nuit.

— Peux-tu me dire quelle est la femme qui a été engendrée par un homme, sans avoir été portée dans le sein d'une mère, et quel est l'homme qui fut engendré par une femme sans le concours d'un père ?

— C'est Ève, qui naquit d'Adam, et c'est Jésus qui naquit de Marie !

Le savant continua…

À ce moment de sa narration, Schahrazade vit apparaître le matin et, discrète, se tut.

Mais lorsque fut la deux cent quatre-vingt-sixième nuit. Elle dit :

… Le savant continua : « Parle-moi des diverses sortes de feux ! »

Elle répondit : « Il y a le feu qui mange et qui ne boit pas : c'est le feu du monde ; le feu qui mange et qui boit : c'est le feu de l'enfer ; le feu qui boit et ne mange point : c'est le feu du soleil ; enfin le feu qui ne mange ni ne boit : c'est le feu de la lune ! »

— Quel est le mot de cette énigme : « Lorsque je bois, l'éloquence coule de mes lèvres ; et je marche et je parle sans faire de bruit. Et pourtant, en dépit de ces qualités, je ne suis guère dans les honneurs, pendant ma vie ; et après ma mort on ne me regrette pas davantage !

Elle répondit : « C'est la plume ! »

Et le mot de cette autre énigme : « Je suis oiseau, mais n'ai ni chair, ni sang, ni plumes, ni duvet ; on me mange rôti ou bouilli ou tel que je suis, et il est bien difficile de savoir si je suis vivant ou mort ; quant à ma couleur, elle est d'argent et d'or ! »

Elle répondit : « En vérité, c'est trop de mots pour me faire connaître qu'il s'agit simplement d'un œuf. Tâche donc de me demander quelque chose de plus ardu ! »

Il demanda : « Combien de paroles, en tout, Allah a-t-il dit à Moïse ? »

Elle répondit : « Allah a dit exactement à Moïse mille cinq cent quinze mots ! »

Il demanda : « Quelle est l'origine de la création ? »

Elle dit : « Allah a tiré Adam de la boue desséchée ; la boue fut formée avec de l'écume ; l'écume fut tirée de la mer ; la mer, des ténèbres ; les ténèbres, de la lumière ; la lumière, d'un monstre marin ; le monstre marin, d'un rubis ; le rubis, d'un rocher ; le rocher, de l'eau ; et l'eau fut créée par la parole toute-puissante : « Qu'elle soit ! »

— Et le mot de cette autre énigme : « Je mange, sans avoir ni bouche ni ventre, et me nourris d'arbres et d'animaux. Les aliments seuls attisent en moi la vie, alors que toute boisson me tue !

— C'est le feu !

— Et le mot de cette énigme : « Ce sont deux amis qui n'ont jamais éprouvé de jouissance, bien qu'ils passent toutes leurs nuits dans les bras l'un de l'autre. Ce sont eux les gardiens de la maison et ils ne se séparent qu'avec le matin ! »

— Ce sont les deux battants d'une porte !

Quelle est la signification de ceci : « Je traîne toujours de longues queues derrière moi ; j'ai une oreille pour ne point entendre, et je fais des habits pour n'en porter jamais ! »

— C'est l'aiguille !

— Quelle est la longueur et la largeur du pont Sirat ?

— La longueur du pont Sirat, sur lequel doivent passer tous les hommes au jour de la Résurrection, est de trois mille ans de chemin, mille pour le monter, mille pour traverser son horizontalité et mille pour le descendre. Il est plus aigu que le tranchant d'un glaive et plus mince qu'un cheveu !

Il demanda : « Peux-tu maintenant me dire combien de fois le Prophète (sur lui la prière et la paix !) a le droit d'intercéder pour chaque croyant ? »

Elle répondit : « Trois fois, ni plus ni moins ! »

— Quel est le premier qui ait embrassé la foi de l'Islam ?

— C'est Aboubekr !

— Mais alors ne crois-tu pas qu'Ali ait été musulman avant Aboubekr ?

— Ali, par la grâce du Très-Haut, n'a jamais été idolâtre ; car dès l'âge de sept ans Allah l'a mis dans la voie droite et a éclairé son cœur en le dotant de la foi de Môhammad (sur lui la prière et la paix !).

— Oui ! mais je voudrais bien savoir qui des deux est le plus grand en mérites à tes yeux, Ali ou Abbas ?

À cette question fort insidieuse, Sympathie s'aperçut que le savant cherchait à tirer d'elle une réponse compromettante ; car, en accordant la prééminence à Ali, gendre du Prophète, elle déplairait au khalifat qui était le descendant d'Abbas, oncle de Môhammad (sur lui la prière et la paix !). Elle se mit d'abord à rougir, puis à pâlir, et, après un instant de réflexion, elle répondit : « Sache, ô Ibrahim, qu'il n'y a aucune prééminence entre deux qui ont chacun un mérite excellent ! »

Lorsque le khalifat eut entendu cette réponse, il fut à la limite de l'enthousiasme et, se levant debout sur ses deux pieds, s'écria : « Par le Seigneur de la Kâaba ! quelle réponse admirable, ô Sympathie ! »

Mais le savant continua : « Peux-tu me dire de quoi il s'agit dans cette énigme : « Elle est svelte et tendre et de goût délicieux ; elle est droite comme la lance, mais n'a point de fer aigu ; elle est utile dans sa douceur, et se mange volontiers le soir, au mois de Ramadân ! »

Elle répondit : « C'est la canne à sucre ! »

Il dit : « J'ai encore quelques questions à t'adresser, et vais le faire rapidement. Peux-tu donc me dire, sans trop de mots : Qui est plus doux que le miel ? Qui est plus tranchant que le glaive ? Qui est plus rapide dans ses effets que le poison ? Quelle est la jouissance d'un instant ? Quel est le bonheur qui dure trois jours ? Quel est le jour le plus heureux ? Quelle est la joie d'une semaine ? Quelle est la dette que même le méchant ne peut s'empêcher de payer ? Quel est le supplice qui nous suit jusqu'au tombeau ? Quelle est la joie du cœur ? Quelle est la souffrance de l'esprit ? Quelle est la désolation de la vie ? Quel est le mal qui n'a point de remède ? Quelle est la honte qui ne peut s'effacer ! Quel est l'animal qui vit dans les endroits déserts et habite loin des villes, qui fuit l'homme, et qui réunit la forme et la nature de sept bêtes ? »

Elle répondit : « Avant de parler, je veux auparavant que tu me livres ton manteau ! »

Alors le khalifat Haroun Al-Rachid dit à Sympathie : « Tu as certainement raison. Mais peut-être vaudrait-il mieux, eu égard à son âge, que tu répondisses d'abord à ses questions ? »

Elle dit : « L'amour des enfants est plus doux que le miel ! La langue est plus tranchante que le glaive ! Le mauvais œil est plus rapide que le poison ! La jouissance de l'amour ne dure qu'un instant ! Le bonheur de trois jours est celui qu'éprouve le mari lors des époques mensuelles de son épouse, puisqu'il prend du repos ! Le jour le plus heureux est celui du gain dans une affaire ! La joie qui dure une semaine est celle de la noce ! La dette que toute personne doit payer, c'est la mort ! La mauvaise conduite des enfants est la peine qui nous suit jusqu'au tombeau ! La joie du cœur, c'est la femme soumise à son époux ! La souffrance de l'esprit, c'est un mauvais serviteur ! La pauvreté est la désolation de la vie. Le mauvais caractère est le mal sans remède ! La honte ineffaçable, c'est le déshonneur d'une fille. Quant à l'animal qui vit dans les endroits déserts et déteste l'homme, c'est la sauterelle, car elle réunit la forme et la nature de sept bêtes : elle a, en effet, la tête du cheval, le cou du taureau, les ailes de l'aigle, les pieds du chameau, la queue du serpent, le ventre du scorpion et les cornes de la gazelle ! »

Devant tant de sagacité et tant de savoir, le khalifat Haroun Al-Rachid fut édifié à l'extrême et ordonna au savant Ibrahim ben-Saïar de donner son manteau à l'adolescente. Le savant, après avoir livré son manteau, leva sa main droite et témoigna publiquement que l'adolescente l'avait dépassé en connaissances et qu'elle était la merveille du siècle.

Alors le khalifat demanda à Sympathie : « Sais-tu jouer des instruments d'harmonie et chanter en les accompagnant ? » Elle répondit : « Mais certainement ! » Aussitôt il fit apporter un luth dans un étui de satin rouge terminé par un gland de soie jaune et fermé avec une agrafe d'or. Sympathie tira le luth de l'étui, et y trouva ces vers gravés tout autour en caractères entrelacés et fleuris :

« J'étais encore un rameau vert et déjà les oiseaux amoureux m'apprenaient les chansons ! »

« Maintenant, sur les genoux des jeunes filles, je résonne sous les doigts et chante comme les oiseaux ! »

Alors elle l'appuya contre elle, se pencha comme une mère sur son nourrisson, en tira des accords sur douze modes différents et, au milieu du ravissement général, elle chanta d'une voix qui résonna dans tous les cœurs et arracha des larmes émues de tous les yeux.

Quand elle eut fini, le khalifat se leva debout sur ses deux pieds et s'écria : « Qu'Allah augmente en toi ses dons, ô Sympathie, et qu'Il ait en sa miséricorde ceux qui ont été tes maîtres et ceux qui t'ont donné le jour ! » Et, séance tenante, il fit compter dix mille dinars d'or, en cent sacs, à Aboul-Hassan, et dit à Sympathie : « Dis-moi, ô merveilleuse adolescente, préfères-tu entrer dans mon harem et avoir un palais et un train de maison à toi toute seule, ou bien retourner avec ce jeune homme, ton ancien maître ? »

À ces paroles, Sympathie embrassa la terre entre les mains du khalifat...

À ce moment de sa narration, Schahrazade vit apparaître le matin et, discrète, se tut.

Mais lorsque fut la deux cent quatre-vingt-septième nuit. Elle dit :

... Sympathie embrassa la terre entre les mains du khalifat et répondit : « Qu'Allah répande ses grâces sur notre maître le khalifat ! Mais son esclave souhaite retourner dans la maison de son ancien maître ! »

Le khalifat, loin de se montrer offensé de cette préférence, acquiesça immédiatement à sa demande, lui fit verser, en cadeau, cinq autres mille dinars, et lui dit : « Puisses-tu être aussi experte en amour que tu l'es en connaissances spirituelles ! »

Puis il voulut encore mettre le comble à sa magnificence en nommant Aboul-Hassan à un haut emploi au palais ; et il l'admit au nombre de ses favoris les plus intimes. Puis il leva la séance.

Alors Sympathie, lourde des manteaux des savants, et Aboul-Hassan, chargé des sacs remplis des dinars d'or, sortirent tous deux de la salle, suivis par tous ceux de l'assemblée qui, tout en s'émerveillant de ce qu'ils venaient de voir et d'entendre, levaient les bras et s'écriaient : « Où y a-t-il dans le monde une générosité pareille à celle des descendants d'Abbas ? »

« Telles sont, ô Roi fortuné, continua Schahrazade, les paroles que la docte Sympathie dit au milieu de l'assemblée des savants et qui, transmises par les annales du règne, servent depuis à faire l'instruction de toute femme musulmane. »

Puis Schahrazade, voyant que le roi Schahriar fronçait déjà les sourcils et réfléchissait d'une façon inquiétante, se hâta d'aborder les AVENTURES DU POÈTE ABOU-NOWAS, *et commença tout de suite le récit, tandis que la petite Doniazade, à moitié somnolente, se réveillait soudain en sursaut, en entendant prononcer le nom d'Abou-Nowas, et s'apprêtait, les yeux élargis d'attente, à écouter de toutes ses oreilles.*

AVENTURE DU POÈTE ABOU-NOWAS

Il est raconté – mais Allah est plus savant – qu'une nuit d'entre les nuits le khalifat Haroun Al-Rachid, pris d'insomnie et l'esprit fort préoccupé, sortit seul de son palais et alla faire un tour du côté de ses jardins, pour essayer de distraire son ennui. Il arriva de la sorte devant un pavillon dont la porte était ouverte, mais barrée par le corps d'un eunuque noir endormi sur le seuil. Il franchit le corps de l'esclave et pénétra dans l'unique salle dont ce pavillon était composé, et il vit tout d'abord un lit aux rideaux abaissés, éclairé à droite et à gauche par deux grands flambeaux. À côté du lit, il y avait une petite table qui soutenait un plateau où était une cruche de vin surmontée d'une tasse renversée.

Le khalifat fut étonné de trouver dans ce pavillon ces choses qu'il n'y soupçonnait pas et, s'avançant vers le lit, il en releva les rideaux et s'immobilisa émerveillé de la beauté endormie qui s'offrait à son regard. C'était une jeune esclave aussi belle que la lune dans son plein et dont la chevelure éployée était le seul voile.

À cette vue, le khalifat, charmé à l'extrême, prit la tasse qui surmontait le goulot de la cruche, la remplit de vin et formula en son âme : « Aux roses de tes joues, adolescente ! » et le but lentement. Puis il se pencha sur le jeune visage et déposa un baiser sur une petite envie noire qui souriait sur le coin de la lèvre gauche.

Mais ce baiser, quelque léger qu'il fût, réveilla la jeune femme qui, reconnaissant l'émir des Croyants, se leva vivement sur son séant, pleine d'effroi. Mais le khalifat la calma et lui dit : « Ô jeune esclave, voici près de toi un luth ! Tu dois certes savoir en tirer des accords charmants. Comme j'ai résolu de passer cette nuit avec toi, bien que je ne te connaisse pas, je ne serais pas fâché de te voir le manier, en l'accompagnant de ta voix ! »

Alors la jeune femme prit le luth et, l'ayant accordé, en tira des sons admirables sur vingt et un modes différents, si bien que le khalifat s'exalta à la limite de l'exaltation, et la jeune femme, s'en étant aperçu, ne manqua pas d'en profiter. Elle lui dit donc : « Je souffre, ô commandeur des Croyants, des rigueurs de la destinée ! » Le khalifat demanda : « Et comment cela ? » Elle dit : « Ton fils El-Amîn, ô commandeur des Croyants, m'avait achetée il y a quelques jours pour dix mille dinars afin de te faire cadeau de ma personne. Mais ton épouse Sett Zobéida, ayant eu connaissance de ce projet, remboursa à ton fils l'argent qu'il avait dépensé pour mon achat, et me remit entre les mains d'un eunuque noir pour qu'il m'enfermât dans ce pavillon isolé ! »

Lorsque le khalifat eut entendu ces paroles, il fut extrêmement courroucé et promit à la jeune femme de lui donner, dès le lendemain, un palais pour elle seule avec un train de maison digne de sa beauté. Puis, après une prise de possession, il sortit à la hâte, réveilla l'eunuque endormi et lui ordonna d'aller immédiatement prévenir le poète Abou-Nowas qu'il eût à se rendre aussitôt au palais.

C'était, en effet, la coutume du khalifat d'envoyer chercher le poète toutes les fois qu'il avait des soucis, pour l'entendre improviser des poèmes ou le voir mettre en vers une aventure quelconque qu'il lui racontait.

L'eunuque se rendit donc à la maison d'Abou-Nowas et, ne l'y ayant pas trouvé, se mit à sa recherche dans tous les endroits publics de Bagdad et finit par le trouver dans un cabaret mal famé, au fond du quartier de la Porte Verte. Il s'approcha de lui et lui dit : « Ô Abou-Nowas, notre maître le khalifat te demande ! » Abou-Nowas éclata de rire et répondit : « Comment veux-tu, ô père des blancheurs, que je bouge d'ici, alors que je suis retenu en otage par un jeune garçon de mes amis ? » L'eunuque demanda : « Où est-il et quel est-il ? » Il répondit : « Il est mignon, imberbe et joli. Je lui ai promis un cadeau de mille drachmes ; mais comme je n'ai point sur moi cet argent, je ne puis décemment m'en aller avant de m'acquitter de ma dette ! »

À ces paroles, l'eunuque s'écria : « Par Allah ! Abou-Nowas, montre-moi ce jeune garçon, et si vraiment il est aussi gentil que tu as l'air de me le donner à entendre, tu es tout excusé et au-delà ! »

Comme ils s'entretenaient de la sorte, le mignon montra sa jolie tête dans l'entrebâillement de la porte, et Abou-Nowas s'exclama, en se tournant de son côté : « Si le rameau se balançait quel ne serait point le chant des oiseaux...

À ce moment de sa narration, Schahrazade vit apparaître le matin et se tut discrètement.

Mais lorsque fut la deux cent quatre-vingt-huitième nuit. Elle dit :

... Si le rameau se balançait, quel ne serait point le chant des oiseaux ! »

Alors le jeune garçon entra tout à fait dans la salle. Il était vraiment de la plus grande beauté et était vêtu de trois tuniques superposées et de couleur différente : la première, blanche entièrement ; la seconde, rouge ; la troisième, noire.

Lorsque Abou-Nowas le vit d'abord vêtu de blanc, il sentit pétiller en son esprit le feu de l'inspiration, et il improvisa ces vers en son honneur :

« Il s'est montré vêtu d'un lin à la blancheur de lait, et ses yeux étaient languissants sous ses paupières bleues, et les roses tendres de ses joues bénissaient Qui les avait créées !

Et moi je lui dis : « Pourquoi passes-tu sans me regarder, alors que je consens à me livrer entre tes mains comme la victime sous les coups du sacrificateur ? »

Il me répondit : « Laisse ces discours et regarde en silence l'œuvre du Créateur. Blanc est mon corps et blanche ma tunique, blanc est mon visage et blanche est ma destinée : c'est blanc sur blanc, et blanc sur blanc ! »

Lorsque le jeune garçon eut entendu ces vers, il sourit et se dévêtit de sa tunique blanche pour paraître tout en rouge. À cette vue, Abou-Nowas sentit l'émotion poétique l'étreindre tout à fait et, séance tenante, il improvisa ces vers :

« Il s'est montré vêtu d'une tunique rouge comme ses procédés cruels !

Et moi je m'écriai, ému de surprise : « Comment se fait-il que tu puisses, bien que tu sois d'une blancheur de lune, apparaître avec tes deux joues rougies, on le dirait, du sang de nos cœurs, et vêtu d'une tunique prise aux anémones ? »

Il me répondit : « L'aurore m'avait d'abord prêté son vêtement, mais c'est maintenant le soleil lui-même qui m'a fait cadeau de ses flammes : de flamme sont mes joues et rouge mon habit, de flamme sont mes lèvres et rouge le vin qui les colore : c'est rouge sur rouge, et rouge sur rouge ! »

Lorsque le mignon eut entendu ces vers, d'un geste il rejeta sa tunique rouge et parut vêtu de la tunique noire qu'il portait directement sur la peau et qui dessinait bien la taille serrée par une ceinture de soie. Et Abou-Nowas, à cette vue, fut à la limite de l'exaltation et improvisa ces vers en son honneur.

« Il s'est montré vêtu d'une tunique noire comme la nuit, et il ne daigna me jeter un regard seulement ! Et je lui dis : « Ne vois-tu donc pas que mes ennemis et mes envieux exultent de ton abandon ?

Ah ! je le vois bien maintenant : noirs sont tes vêtements et noire ta chevelure, noirs sont tes yeux et noire ma destinée : c'est noir sur noir, et noir sur noir ! »

Lorsque l'envoyé du khalifat eut vu le jeune homme et entendu ces vers, il excusa en son âme Abou-Nowas, et retourna sur l'heure au palais où il mit le khalifat au courant de l'aventure survenue à Abou-Nowas et lui raconta comment le poète s'était constitué en otage dans le cabaret, n'ayant pu payer la somme promise au beau jeune homme.

Alors le khalifat, fort irrité à la fois et amusé, remit à l'eunuque la somme nécessaire à la délivrance de l'otage, et lui ordonna d'aller le tirer de là sur-le-champ et de l'amener en sa présence, de gré ou de force.

L'eunuque se hâta d'exécuter l'ordre et bientôt s'en revint en soutenant avec difficulté le poète qui chancelait, pris de boisson. Et le khalifat l'apostropha d'une voix qu'il essaya de rendre furieuse ; puis, voyant qu'Abou-Nowas éclatait de rire, il s'approcha de lui, le prit par la main et s'achemina avec lui vers le pavillon où se trouvait l'adolescente.

Lorsque Abou-Nowas vit, assise sur le lit et tout de satin bleu habillée et le visage recouvert d'un léger voile de soie bleue, l'adolescente aux grands yeux noirs qui souriaient de sa mine, il se sentit dégrisé mais, en revanche, il fut enflammé d'enthousiasme et inspiré sur l'heure, il improvisa cette strophe en son honneur :

« Dis à la belle au voile bleu que je la supplie de compatir à quelqu'un que brûle le désir de sa beauté. Dis-lui : « Je t'adjure, par la blancheur de ton beau teint que ne valent ni la tendre rose ni le jasmin, je t'adjure, par ton sourire qui fait pâlir perles et rubis, de me jeter un regard où je puisse lire la trace des calomnies que sur moi mes envieux ont inventées ! »

Lorsque Abou-Nowas eut fini son improvisation, l'adolescente présenta un plateau de boissons au khalifat qui, voulant s'amuser, invita le poète à boire tout seul tout le vin de la coupe. Abou-Nowas s'exécuta de bonne grâce et ne tarda pas à ressentir sur sa raison les effets de la liqueur enivrante. À ce moment, il prit fantaisie au khalifat, pour faire peur à Abou-Nowas, de se lever soudain, et le glaive à la main, de se précipiter sur lui en faisant mine de lui couper la tête.

À cette vue, Abou-Nowas terrifié se mit à courir à travers la salle en jetant de grands cris ; et le khalifat de la poursuivre dans tous les coins en le piquant de la pointe du glaive. Puis il finit par lui dire : « Soit ! reviens à ta place boire un coup ! » Et, en même temps, il fit signe à l'adolescente de cacher la coupe ; c'est ce qu'elle fit immédiatement en la dissimulant sous sa robe. Mais Abou-Nowas, malgré son ivresse, s'en aperçut et improvisa cette strophe :

« Quelle étrange aventure est mon aventure ! Une naïve jeune fille se transforme en voleuse et me ravit la coupe pour la cacher sous sa robe dans un endroit où je me voudrais voir moi-même caché. C'est un endroit que je ne nommerai pas, par égard pour le khalifat ! »

En entendant ces vers, le khalifat se mit à rire et, par manière de plaisanterie, dit à Abou-Nowas : « Par Allah ! dès maintenant je veux te nommer à un haut emploi. Désormais tu es le chef attitré des entremetteurs de Bagdad ! » Abou-Nowas se mit à ricaner et riposta à l'instant : « Dans ce cas, ô commandeur des Croyants, je me mets à tes ordres et te prie de me dire si tu as tout de suite besoin de mon entremise ? »

À ces paroles, le khalifat entra dans une grande colère et cria à l'eunuque d'aller immédiatement appeler Massrour le porte-glaive, l'exécuteur de sa justice. Et quelques instants après, Massrour arriva, et le khalifat lui ordonna de dépouiller Abou-Nowas de ses vêtements…

À ce moment de sa narration, Schahrazade vit apparaître le matin et, discrète, se tut.

Mais lorsque fut la deux cent quatre-vingt-dixième nuit. Elle dit :

… Et le khalifat lui ordonna de dépouiller Abou-Nowas de ses vêtements, de lui mettre un bât sur le dos, de lui passer un licou, de lui enfoncer un aiguillon dans le fondement, et de le conduire ainsi équipé devant tous les pavillons des favorites et des autres esclaves, pour qu'il pût servir de risée à tous les habitants du palais, puis de le mener à la porte de la ville et, devant tout le peuple de Bagdad, de lui couper la tête et de la lui apporter sur un plateau. Et Massrour répondit : « J'écoute et j'obéis ! » et aussitôt se mit à l'œuvre pour exécuter les ordres du khalifat. Il emmena donc Abou-Nowas, qui jugea complètement vain d'essayer de détourner la fureur du khalifat, et, après l'avoir mis dans l'état prescrit, commença à le promener lentement devant les divers pavillons dont le nombre était exactement celui des jours de l'année.

Or, Abou-Nowas, dont la réputation de drôlerie était universelle dans le palais, ne manqua pas d'attirer la sympathie de toutes les femmes qui, pour mieux exprimer leur apitoiement, se mirent, chacune à son tour, à le couvrir d'or et de bijoux, et finirent par s'attrouper et le suivre, en lui disant de bonnes paroles ; si bien que le vizir Giafar Al-Barmaki, qui passait par là pour se rendre au palais où l'appelait une affaire de première importance, l'aperçut qui tantôt pleurait et tantôt se lamentait, s'approcha et lui dit : « C'est toi, Abou-Nowas ? Quel crime as-tu donc commis pour être châtié de la sorte ! » Il répondit : « Par Allah ! je n'ai pas commis même l'odeur d'un crime ! J'ai tout simplement récité quelques-uns de mes plus beaux vers devant le khalifat qui, par manière de gratitude, m'a loti de ses plus beaux vêtements ! »

Le khalifat, qui à ce moment précis se trouvait tout près, caché derrière une portière d'un des pavillons, entendit la réponse d'Abou-Nowas et ne put s'empêcher de rire. Il pardonna à Abou-Nowas, lui fit don d'une robe d'honneur et d'une grosse somme d'argent et continua, comme par le passé, à en faire son compagnon inséparable dans ses moments de mauvaise humeur.

Lorsque Schahrazade eut fini de raconter cette aventure du poète Abou-Nowas, la petite Doniazade, qui était prise d'un rire silencieux qu'elle étouffait vainement sur le tapis où elle était blottie, courut à sa sœur et lui dit : « Par Allah ! Ma sœur Schahrazade, que cette histoire est amusante et comme Abou-Nowas déguisé en âne devait être drôle à regarder ! Tu serais si gentille de nous dire encore quelque chose à son sujet ! »

Mais le roi Schahriar s'écria : « Je n'aime pas du tout cet Abou-Nowas-là ! Si tu tiens absolument à avoir la tête coupée sur l'heure, tu n'as qu'à continuer le récit de ses aventures. Sinon, et pour achever de nous faire passer cette nuit, hâte-toi de me raconter une histoire de voyages, car, depuis le jour où, avec mon frère Schahzaman, roi de Samarcand Al-Ajam, j'ai entrepris une excursion aux pays lointains, à la suite de l'aventure avec ma femme maudite dont j'ai fait couper la tête, j'ai pris goût à tout ce qui a rapport aux voyages instructifs. Si donc tu connaissais un conte vraiment délicieux à écouter, ne tarde pas à le commencer ; car cette nuit mon insomnie est plus tenace que jamais ! »

À ces paroles du roi Schahriar, la diserte Schahrazade de s'écrier : « Justement ce sont ces histoires de voyages qui sont les plus étonnantes et les plus délicieuses d'entre toutes celles que j'ai racontées. Tu vas en juger tout de suite, ô Roi fortuné : car, en vérité, il n'y a point dans les livres une histoire comparable à celle du voyageur qui s'appelle SINDBAD LE MARIN[1]. *Et c'est précisément de cette histoire-là que je vais t'entretenir, ô Roi fortuné, du moment que tu veux bien me le permettre ! »*

Et aussitôt Schahrazade de raconter :

HISTOIRE DE SINDBAD LE MARIN

Il est parvenu jusqu'à moi qu'il y avait, au temps du khalifat Haroun Al-Rachid, dans la ville de Bagdad, un homme appelé Sindbad le portefaix. C'était un homme pauvre de condition et qui avait coutume, pour gagner sa vie, de porter des charges sur sa tête. Il lui arriva, un jour d'entre les jours, de porter une charge fort lourde ; et ce jour-là précisément était excessif de chaleur : aussi le portefaix se fatigua de cette charge-là, et transpira. La chaleur était devenue intolérable, quand enfin le portefaix passa devant la porte d'une maison qui devait appartenir à quelque riche marchand, à en juger par le sol qui, tout autour, était bien balayé et arrosé d'eau de rose. Là soufflait une brise fort agréable ; et il y avait, près de la porte, un large banc où s'asseoir. Aussi le portefaix Sindbad, pour se reposer et respirer le bon air, déposa sa charge sur le banc en question, et sentit aussitôt une brise qui de cette porte-là s'en venait jusqu'à lui, pure et mêlée d'une délicieuse odeur ; aussi se délecta-t-il à tout cela, et alla-t-il s'asseoir à l'extrémité du banc. Alors il perçut un concert d'instruments divers et de luths qui accompagnaient des voix ravissantes chantant des chansons en une langue savante ; et il perçut aussi des voix d'oiseaux chanteurs qui glorifiaient Allah Très-Haut sur des modes charmeurs ; il distingua, entre autres, la voix des tourterelles, des rossignols, des merles, des bulbuls, des pigeons à collier et des perdrix apprivoisées. Alors il s'émerveilla en son âme et, à cause du plaisir énorme qu'il ressentait, il passa la tête par l'ouverture de la porte et vit, au fond, un jardin immense où se pressaient de jeunes serviteurs, et des esclaves, et des domestiques, et des gens de toute qualité, et il y avait là des choses qu'on ne pouvait trouver que chez les rois et les sultans.

Après cela, bouffa sur lui une bouffée d'odeurs de mets certainement admirables et délicieux, bouffée où se mêlaient toutes sortes de fumets exquis de toutes les diverses victuailles et boissons de bonne qualité. Alors il ne put s'empêcher de soupirer ; et il tourna les yeux vers le ciel et s'écria : « Gloire à Toi, Seigneur Créateur, ô Donateur ! Tu fais tes donations à qui te plaît, sans calcul ! Ô mon Dieu ! si je crie vers toi, ce n'est point pour te demander compte de tes actes ou pour te questionner sur ta justice et ta volonté, car la créature n'a point à interroger son maître tout-puissant ! Mais, simplement, je constate. Gloire à toi ! Tu enrichis ou tu appauvris, tu élèves ou tu abaisses, selon tes désirs, et c'est toujours logique, bien que nous ne puissions comprendre ! Ainsi, voilà le maître de cette riche maison… Il est heureux aux extrêmes limites de la félicité ! Il est dans les délices de ces odeurs charmantes, de ces fumets agréables, de ces mets savoureux, de ces boissons supérieurement délicieuses ! Il est heureux et dispos et bien content, alors que d'autres, moi par exemple, sont aux limites extrêmes de la fatigue et de la misère ! »

Puis le portefaix appuya sa main contre sa joue et, de toute sa voix, chanta ces vers, qu'il improvisait à mesure :

« Souvent un malheureux sans gîte se réveille à l'ombre d'un palais créé par son destin. Moi, je me réveille, hélas ! chaque matin plus misérable que la veille !

Mon infortune augmente encore d'instant en instant avec le faix chargeant mon dos qui se fatigue, tandis qu'au sein des biens que le sort leur prodigue, d'autres sont heureux et contents !

Le destin chargea-t-il jamais le dos d'un homme d'une charge pareille à celle de mon dos ?... Pourtant d'autres, gorgés d'honneurs et de repos, ne sont que mes pareils en somme.

Ils ne sont que pareils à moi, mais c'est en vain : le sort entre eux et moi mit quelque différence, puisque je leur ressemble autant qu'amer et rance le vinaigre ressemble au vin.

Mais si je n'ai jamais joui de ta largesse, ô Seigneur, ne crois point que je t'accuse en rien ! Tu es grand, magnanime et juste ! Et je sais bien que tu juges avec sagesse ! »

Lorsque Sindbad le Portefaix eut fini de chanter ces vers, il se leva et voulut remettre la charge sur sa tête et continuer sa route, quand de la porte du palais sortit et s'avança vers lui un petit esclave au visage gentil, aux jolies formes ténues, aux vêtements fort beaux, qui vint le prendre doucement par la main en lui disant : « Entre parler à mon maître, car il désire te voir. » Le portefaix, fort intimidé, essaya bien de trouver quelque excuse qui pût le dispenser de suivre le jeune esclave, mais en vain. Il déposa dans sa charge chez le portier, dans le vestibule, et il pénétra avec l'enfant dans l'intérieur de la demeure.

Il vit une maison splendide, pleine de gens graves et respectueux, au centre de laquelle s'ouvrait une grande salle où il fut introduit. Il y remarqua une assemblée nombreuse composée de personnages à l'air honorable et de convives fort notables. Il y remarqua aussi des fleurs de toutes sortes, des parfums de toutes les espèces, des confitures sèches de toutes les qualités, des sucreries, des pâtes d'amandes, des fruits merveilleux, et une quantité prodigieuse de plateaux chargés d'agneaux rôtis et de mets somptueux, et d'autres plateaux chargés de boissons extraites du jus des raisins. Il y remarqua aussi des instruments d'harmonie que tenaient sur leurs genoux de belles esclaves assises en bon ordre, chacune selon le rang qui lui était assigné.

Au centre de la salle, le portefaix aperçut, au milieu des autres convives, un homme au visage imposant et digne, dont la barbe était blanchie par les ans, dont les traits étaient fort beaux et très agréables à regarder, et dont toute la physionomie était empreinte de gravité, de bonté, de noblesse et de grandeur. À la vue de tout cela, le portefaix Sindbad...

À ce moment de sa narration, Schahrazade vit apparaître le matin et se tut discrètement.

Mais lorsque fut la deux cent quatre-vingt-onzième nuit. Elle dit :

... À la vue de tout cela, le portefaix Sindbad resta interdit et se dit en lui-même : « Par Allah ! cette demeure est quelque palais du pays des génies puissants ou la résidence d'un roi très grand ou d'un sultan ! » Puis il se hâta de prendre l'attitude que réclamaient la politesse et le savoir-vivre, fit ses souhaits de paix à tous les assistants, formula des vœux à leur intention, embrassa la terre entre leurs mains, et finit par se tenir debout, la tête baissée, avec respect et modestie.

Alors le maître du logis lui dit de s'approcher et l'invita à s'asseoir à ses côtés, puis, après lui avoir souhaité la bienvenue d'un ton fort aimable, il lui servit à manger, lui offrant ce qu'il y avait de plus délicat et de plus délicieux et de plus habilement apprêté parmi tous les mets qui couvraient les plateaux. Et Sindbad le Portefaix ne manqua pas de faire honneur à l'invitation, toutefois après avoir prononcé la formule invocatoire. Il mangea donc jusqu'à satiété ; puis il remercia Allah disant : « Louanges Lui soient rendues en toute occasion ! » Après quoi, il se lava les mains et remercia tous les convives pour leur amabilité.

Alors seulement le maître, suivant les usages qui ne permettent de questionner l'hôte que lorsqu'on lui a servi à manger et à boire, dit au portefaix : « Sois ici le bienvenu, et mets-toi largement à ton aise ! Que ta journée soit bénie ! Mais, ô mon hôte, peux-tu me dire ton nom et ta profession ? » Il lui répondit : « Ô mon maître, je m'appelle Sindbad le Portefaix, et ma profession consiste à porter sur ma tête des charges, moyennant salaire. » Le maître du lieu sourit et lui dit : « Sache, ô portefaix, que ton nom est comme mon nom, car je m'appelle Sindbad le Marin ! »

Puis il continua : « Sache aussi, ô portefaix, que, si je t'ai prié de venir ici, c'est pour t'entendre répéter les belles strophes que tu chantais quand tu étais assis dehors sur le banc ! »

À ces paroles, le portefaix devint fort confus et dit : « Par Allah sur toi ! ne me blâme pas trop pour cette action inconsidérée ; car les peines, les fatigues et la misère qui ne laisse rien dans la main apprennent à l'homme l'impolitesse, la sottise et l'insolence ! »

Mais Sindbad le Marin dit à Sindbad le Portefaix : « N'aie aucune honte de ce que tu as chanté et sois ici sans gêne, car désormais tu es mon frère. Seulement hâte-toi, je t'en prie, de me chanter ces strophes que j'ai entendues et qui m'ont fort émerveillé ! »

Alors le portefaix chanta les strophes en question, qui ravirent à l'extrême Sindbad le Marin.

Aussi, les strophes finies, Sindbad le Marin se tourna vers Sindbad le Portefaix et lui dit : « Ô portefaix, sache que j'ai une histoire, moi aussi, qui est étonnante et que je me réserve de te raconter à mon tour. Je te dirai ainsi toutes les aventures qui me sont arrivées et toutes les épreuves que j'ai subies avant de parvenir à cette félicité et d'habiter ce palais. Et tu verras alors au prix de quels terribles et étranges travaux, au prix de quelles calamités, de quels maux et quels malheurs initiaux j'ai acquis ces richesses au milieu desquelles tu me vois vivre dans ma vieillesse. Car tu ignores sans doute les sept voyages extraordinaires que j'ai accomplis, et comment chacun de ces voyages est à lui seul une chose si prodigieuse que d'y penser seulement on reste interdit et à la limite de toutes les stupéfactions. Mais tout ce que je vais te raconter, à toi et à tous mes honorables invités, ne m'est, en somme, arrivé que parce que l'avait ainsi d'avance fixé la destinée, et que toute chose écrite doit courir sans qu'on puisse l'éviter ou la fuir !

PREMIER VOYAGE

Sachez, ô vous tous, seigneurs, ô très illustres, et toi honorable portefaix qui t'appelles, comme moi, Sindbad, que j'avais un père marchand qui était des grands d'entre les gens et les marchands. Chez lui il y avait de nombreuses richesses dont il faisait usage sans cesse pour distribuer aux pauvres des largesses, pourtant avec sagesse, car à sa mort il me laissa en héritage, alors que j'étais encore en bas âge, beaucoup de biens, de terres et de villages.

Lorsque j'eus atteint l'âge d'homme, je mis la main sur tout cela, et je me plus à manger des mets extraordinaires et à boire des boissons extraordinaires, à fréquenter les jeunes gens et à faire le beau avec des habits excessivement chers, et à cultiver les amis et les camarades. De la sorte, je finis par être convaincu que cela devait durer toujours pour mon plus grand avantage. Et je continuai à vivre ainsi un long espace de temps, jusqu'à ce qu'un jour, revenu de mon égarement et retourné à ma raison, j'eusse constaté que mes richesses étaient dissipées, ma condition changée et mes biens en allés. Alors, réveillé tout à fait de mon inaction, je me vis en proie à la peur et à l'ahurissement d'arriver un jour à la vieillesse dans le dénuement. Alors aussi me vinrent à la mémoire ces paroles que mon défunt père se plaisait à répéter, paroles de notre maître Soleïmân ben-Daoud (sur eux deux la prière et la paix !) : « Il y a trois choses préférables à trois autres : Le jour de la mort est moins fâcheux que le jour de la naissance, un chien vivant vaut mieux qu'un lion mort, et le tombeau est préférable à la pauvreté. »

À ces pensées, je me levai à l'heure et à l'instant ; je ramassai ce qui me restait en meubles et vêtements, et je les vendis, sans tarder, à l'encan avec les débris de ce qui était sous ma main en biens, propriétés et arpents. De la sorte, je réunis la somme de trois mille drachmes.

À ce moment de sa narration, Schahrazade vit apparaître le matin et, discrète, se tut.

Mais lorsque fut la deux cent quatre-vingt-douzième nuit. Elle dit :

... Je réunis, de la sorte, la somme de trois mille drachmes, et aussitôt il me vint à l'esprit de voyager vers les contrées et les pays des hommes, car je me souviens des paroles du poète, qui a dit :

« Les peines font la gloire acquise encore plus belle ! La gloire des humains est la fille immortelle de bien des longues nuits qui passent sans sommeil !

Celui qui veut trouver le trésor sans pareil des perles de la mer, blanches, grises ou roses, se fait plongeur avant d'atteindre aux belles choses.

Il suivrait l'impossible espoir jusqu'à sa mort, celui-là qui voudrait la gloire sans effort ! »

Aussi, sans plus différer, je courus au souk, où je pris soin de faire emplette de marchandises diverses et de pacotilles de toutes sortes. Je transportai immédiatement le tout à bord d'un navire où se trouvaient déjà d'autres marchands prêts au départ, et, mon âme habituée maintenant à l'idée de la mer, je vis le navire s'éloigner de Bagdad et descendre le fleuve jusqu'à Bassra, sur la mer.

De Bassra le navire fit voile vers la haute mer et alors, durant des jours et des nuits, nous naviguâmes en atteignant des îles et des îles et une mer après une autre mer et une terre après une autre terre ! Et à chaque endroit où nous descendions, nous vendions des marchandises pour en acheter d'autres et nous faisions des trocs et des échanges fort avantageux.

Un jour, que nous naviguions depuis plusieurs jours sans voir de terre, nous vîmes émerger de la mer une île qui nous sembla, par sa végétation, quelque merveilleux jardin d'entre les jardins d'Éden. Aussi, le capitaine du navire voulut bien atterrir et, une fois l'ancre jetée et l'échelle abaissée, nous laisser débarquer. Nous descendîmes, nous tous, les marchands, emportant avec nous tout ce qui était nécessaire en vivres et ustensiles de cuisine. Quelques-uns se chargèrent d'allumer le feu et de préparer la nourriture et de laver le linge, tandis que d'autres se contentèrent de se promener, de se divertir et de se reposer des fatigues de la mer. Moi, je fus du nombre de ceux qui préférèrent se promener et jouir des beautés de la végétation dont ces côtes étaient couvertes, tout en n'oubliant pas de manger et de boire.

Pendant que nous nous délassions de la sorte, nous sentîmes tout à coup l'île trembler dans toute sa masse et nous donner une secousse si rude que nous fûmes projetés à quelques pieds au-dessus du sol. Et, au même moment, nous vîmes apparaître à l'avant du navire le capitaine qui, d'une voix terrible et avec des gestes effrayants, nous cria : « Ô passagers, sauvez-vous ! Hâtez-vous ! Remontez vite à bord ! Lâchez tout ! Abandonnez vos effets à terre et sauvez vos âmes ! Fuyez l'abîme qui vous attend ! Courez vite ! Car l'île sur laquelle vous vous trouvez n'est point une île ! C'est une baleine gigantesque ! Elle a élu domicile au milieu de cette mer, depuis les temps de l'Antiquité ; et les arbres ont poussé sur son dos, grâce au sable marin ! Vous l'avez réveillée de son sommeil ! Vous avez troublé son repos et dérangé ses sensations en allumant du feu sur son dos ! Et la voici qui bouge ! Sauvez-vous, ou elle va s'enfoncer dans la mer qui vous engloutira sans retour ! Sauvez-vous ! Lâchez tout ! Je m'en vais ! »

À ces paroles du capitaine, les passagers épouvantés lâchèrent là leurs effets, vêtements, ustensiles et fourneaux et prirent leur course vers le navire qui déjà levait l'ancre. Quelques-uns purent l'atteindre juste à temps ; les autres ne le purent pas. Car la baleine était déjà en mouvement et, après quelques sauts effrayants, s'enfonçait dans la mer avec tous ceux qui se trouvaient sur son dos, et les flots qui se choquaient et s'entrechoquaient se refermaient sur elle et sur eux à tout jamais.

Or, moi, je fus du nombre de ceux qui furent abandonnés sur cette baleine-là et furent noyés ! Mais Allah Très-Haut me sauvegarda et me délivra de la noyade en me mettant sous la main une pièce de bois creuse, sorte de grand baquet qu'avaient apporté les passagers pour y laver leur linge. Je m'y cramponnai d'abord, puis je réussis à me mettre dessus à califourchon, grâce aux efforts extraordinaires dont me rendirent capable le danger et la cherté de mon âme, qui m'était précieuse ! Alors je me mis à battre l'eau avec mes pieds comme avec des avirons, tandis que les vagues se jouaient de moi et me faisaient chavirer tantôt à droite et tantôt à gauche !

Quant au capitaine, il s'était hâté de s'éloigner, toutes voiles au vent, avec ceux qui avaient pu se sauver, sans plus s'occuper de ceux qui surnageaient encore. Ceux-ci ne tardèrent pas à périr, tandis que moi je ramais de mes pieds, en y mettant toutes mes forces, pour essayer d'atteindre le navire que je suivis ainsi de l'œil jusqu'à ce qu'il eût disparu à ma vue, et que sur la mer la nuit tombât, m'apportant la certitude de ma perte et de mon abandon. Je demeurai ainsi à lutter contre l'abîme durant une nuit et un jour entier. Je fus enfin entraîné par le vent et par les courants jusqu'aux bords d'une île escarpée couverte de plantes grimpantes qui descendaient le long des falaises et trempaient dans la mer. Je m'accrochai à ces branchages et réussis, m'aidant des pieds et des mains, à grimper jusqu'au haut de la falaise.

Alors, échappé de la sorte à une perdition si certaine, je songeai à m'examiner le corps, et je vis les meurtrissures qui le couvraient et le gonflement de mes pieds et les traces des morsures faites par les poissons qui s'étaient rempli le ventre de mes extrémités. Pourtant, je ne ressentais aucune douleur, tant j'étais insensibilisé par la fatigue et le danger couru. Je me jetai donc sur le sol de l'île à plat ventre comme un cadavre, et m'évanouis, noyé dans un abrutissement total. Je restai dans cet état jusqu'au second jour et ne me réveillai que grâce au soleil qui tombait sur moi à pic. Je voulus me lever, mais mes pieds gonflés et endoloris me refusèrent leur secours, et je retombai sur le sol.

Alors, bien attristé de l'état où je me trouvais réduit, je me mis à me traîner, tantôt en rampant sur les pieds et les mains, tantôt en marchant sur les genoux, à la recherche de quelque chose dont me nourrir. Je finis enfin par arriver au milieu d'une plaine couverte d'arbres fruitiers et arrosée par des sources à l'eau pure et excellente. Et je me reposai là durant plusieurs jours, mangeant des fruits et buvant aux sources. Aussi, mon âme ne tarda pas à se revivifier et à ranimer mon corps engourdi qui put se mouvoir plus aisément et recouvrer l'usage de ses membres, pas tout à fait cependant, car, pour marcher, je fus obligé de me confectionner une paire de béquilles pour me soutenir encore. De la sorte, je pus me promener lentement entre les arbres en rêvant et en mangeant des fruits, et passai de longs moments à admirer ce pays et à m'extasier devant l'œuvre du Tout-Puissant.

Un jour que je me promenais sur le rivage, je vis quelque chose au loin m'apparaître que je crus être une bête sauvage ou quelque monstre d'entre les monstres de la mer. Ce quelque chose m'intrigua si fort que, malgré les sentiments divers qui s'agitaient en moi, je m'en approchai, tantôt avançant et tantôt reculant. Et je finis par voir que c'était une cavale merveilleuse, attachée à un piquet. Elle était si belle, que je voulus m'en approcher encore pour la voir de tout près, quand soudain un cri épouvantable me terrifia et me figea sur place, alors que je ne souhaitais plus que fuir au plus vite ; et, au même instant, de dessous terre, un homme sortit qui, à grands pas, s'avança sur moi et me cria : « Qui es-tu ? Et d'où viens-tu ? Et quel est le motif qui t'a poussé à t'aventurer jusqu'ici ? »

Je répondis : « Ô mon maître, sache que je suis un homme étranger et que j'étais à bord d'un navire quand je me noyai avec divers autres passagers. Mais Allah me gratifia d'un baquet en bois que j'enfourchai et qui me soutint jusqu'à ce que je fusse jeté sur cette côte par les vagues ! »

Lorsqu'il eut entendu mes paroles, il me prit la main et me dit : « Suis-moi ! » Et je le suivis. Alors il me fit descendre dans une caverne souterraine, et me fit entrer dans une grande salle où il me fit asseoir à la place d'honneur, et il m'apporta quelque chose à manger, car j'avais faim. Moi, je mangeai jusqu'à ce que je fusse rassasié et en eusse assez et que mon âme se fût apaisée. Alors il m'interrogea sur mon aventure et je la lui racontai depuis le commencement jusqu'à la fin ; et elle l'étonna prodigieusement. Puis j'ajoutai : « Par Allah sur toi, ô mon maître, ne me blâme pas trop de ce que je vais te demander ! Moi je viens de te raconter la vérité sur mon aventure, et je souhaite maintenant savoir qui tu es et le motif de ton séjour dans cette salle de souterrain et la cause qui t'a fait attacher cette jument toute seule sur le rivage de la mer ! »

Il me dit : « Sache que dans cette île nous sommes plusieurs qui, postés à des endroits différents…

À ce moment de sa narration, Schahrazade vit apparaître le matin et se tut discrètement.

Mais lorsque fut la deux cent quatre-vingt-treizième nuit. Elle dit :

… Sache donc que dans cette île nous sommes plusieurs qui, postés à des endroits différents, servons à garder les chevaux du roi Mihrajân. Tous les mois, à la nouvelle lune, chacun de nous amène ici une cavale de race, encore vierge, l'attache sur le rivage et se hâte de descendre se cacher dans la grotte souterraine. Alors, attiré par l'odeur de la femelle, sort de l'eau un cheval des chevaux marins qui regarde de droite et de gauche et qui, ne voyant personne, fond sur la cavale et la couvre. Puis, lorsqu'il a fini sa chose avec elle, il descend de sur son dos et essaie de l'emmener avec lui. Mais elle, attachée au piquet, ne peut le suivre ; alors il crie hautement et lui donne des coups avec la tête et les pieds, et il crie de plus en plus fort. Alors nous, nous l'entendons et nous comprenons qu'il a fini de la couvrir ; aussitôt nous sortons de tous les côtés et nous courons à lui en lançant de grands cris qui l'effraient et l'obligent à rentrer dans la mer ! Quant à la cavale, elle devient enceinte et enfante un poulain ou une pouliche qui vaut tout un trésor et qui ne peut avoir son semblable sur toute la surface de la terre. Et justement c'est aujourd'hui que viendra le cheval marin. Et moi, je te promets, une fois cette chose finie, de t'emmener avec moi et de te présenter à notre roi Mihrajân et de te faire connaître notre pays. Bénis donc Allah qui t'a fait me rencontrer, car sans moi tu mourais de tristesse dans cette solitude sans jamais plus revoir les tiens et ton pays, et sans que personne sût jamais ce que tu serais devenu ! »

À ces paroles, je remerciai beaucoup le gardien de la cavale et continuai à m'entretenir avec lui, quand soudain le cheval marin sortit de l'eau, fonça sur la cavale et la couvrit. Et quand il eut terminé ce qu'il avait à terminer, il descendit de dessus elle et voulut l'emmener ; or, elle ne pouvait se détacher du piquet et elle ruait et hennissait. Mais le gardien de la cavale se précipita hors de la caverne, appela ses compagnons à grands cris et tous, munis de glaives, de lances et de boucliers, s'élancèrent sur le cheval marin qui, pris de peur, lâcha prise et alla tel qu'un buffle se replonger dans la mer et disparut sous les eaux.

Alors tous les autres gardiens, chacun avec sa cavale, se groupèrent autour de moi et me firent mille amabilités et, après m'avoir encore offert à manger et avoir mangé avec moi, m'offrirent une bonne monture et, sur l'invitation du premier gardien, me proposèrent de les accompagner auprès du roi, leur maître. Moi, j'acceptai sur l'heure ; et nous partîmes tous ensemble.

Lorsque nous arrivâmes dans la ville, mes compagnons me précédèrent et allèrent mettre leur maître au courant de ce qui m'était arrivé. Après quoi, ils revinrent me chercher et me menèrent au palais ; et, sur la permission qui me fut accordée, j'entrai dans la salle du trône et vins me présenter entre les mains du roi Mihrajân, auquel je fis mon souhait de paix. Le roi me rendit mon souhait de paix, me dit des paroles de bienvenue et voulut entendre de ma bouche le récit de mon aventure. J'obéis aussitôt et lui racontai tout ce qui m'était arrivé, sans omettre un détail.

À cette histoire, le roi Mihrajân fut émerveillé et me dit : « Mon fils, par Allah ! n'eût été ta chance d'avoir une vie longue, tu aurais déjà certainement succombé, à l'heure qu'il est, à tant d'épreuves et de malheurs. Mais louange à Allah pour ta délivrance ! » Il me dit encore beaucoup d'autres paroles bienveillantes, voulut m'admettre désormais dans son intimité, et, pour me donner une preuve de son bon vouloir à mon égard et de son estime pour mes connaissances maritimes, il me nomma sur-le-champ directeur des ports et rades de son île, et greffier des arrivages et départs de tous les navires.

Mes nouvelles fonctions ne m'empêchèrent pas de me rendre tous les jours au palais faire mes souhaits au roi, qui s'habitua tellement à moi qu'il me préféra à tous ses intimes et me le prouva par des présents sans nombre et des largesses étonnantes, et cela tous les jours. Aussi j'eus une telle influence sur lui, que toutes les requêtes et toutes les affaires du royaume passaient par mon entremise, pour le bien général des habitants.

Mais tous ces soins ne me faisaient point oublier mon pays ni perdre l'espoir d'y retourner. Aussi je ne manquais jamais d'interroger tous les voyageurs qui arrivaient dans l'île et tous les marins, en leur demandant s'ils connaissaient Bagdad et de quel côté elle était située. Mais nul ne pouvait me répondre à ce sujet ; et tous me disaient n'avoir jamais entendu parler de cette ville ni appris l'endroit où elle était. Et ma peine augmentait de plus en plus de me voir ainsi condamné à vivre en pays étranger, et ma perplexité était à ses limites de voir les gens ne pas même se douter de l'existence de ma ville et ignorer le chemin qui y conduisait.

Durant mon séjour dans cette île, j'eus l'occasion de voir des choses étonnantes, dont celles-ci entre mille.

Un jour que je m'étais rendu, selon mon habitude, auprès du roi Mihrajân, je fis la connaissance de personnages indiens qui, après les salams de part et d'autre, voulurent bien se prêter à mes questions et m'apprirent que dans le pays de l'Inde il y avait un grand nombre de castes, dont les deux principales étaient la caste des kchatryas, composée d'hommes nobles et justes qui ne commettaient jamais d'exactions ou d'actes répréhensibles, et la caste des brahmes, qui étaient des hommes purs ne buvant jamais de vin et amis de la joie, de la douceur des manières, des chevaux, du faste et de la beauté. Ce sont ces Indiens savants qui m'apprirent également que les castes principales se divisaient en soixante-douze autres castes qui n'avaient aucun rapport l'une avec l'autre. Cela m'étonna à la limite de l'étonnement.

Dans cette île-là, j'eus également l'occasion de visiter une terre appartenant au roi Mihrajân, et qu'on appelait Cabil. On y entendait toutes les nuits résonner les timbales et les tambours. Et j'ai pu constater que les habitants étaient très forts en syllogismes et fertiles en belles pensées. D'ailleurs, leur réputation était déjà faite à ce sujet auprès des voyageurs et des marchands. Dans ces mers lointaines, j'ai vu un jour un poisson long de cent coudées et d'autres poissons dont le visage ressemblait au visage des hiboux.

En vérité, ô mes maîtres, j'ai vu encore des choses bien extraordinaires et des prodiges stupéfiants dont le récit m'entraînerait trop loin. Il me suffira d'ajouter que je demeurai encore dans cette île le temps nécessaire pour apprendre beaucoup de choses et m'enrichir par divers échanges, ventes et achats.

Un jour, j'étais, selon mon habitude, debout sur le rivage, dans l'exercice de mes fonctions, et j'étais, comme toujours, appuyé sur ma béquille, quand je vis entrer dans la rade un grand navire rempli de marchands. J'attendis que le navire eût jeté l'ancre solidement et abaissé son échelle, pour monter à bord et aller trouver le capitaine afin d'inscrire sa cargaison. Devant moi, les matelots débarquèrent tout le chargement, que je notais au fur et à mesure ; et, lorsqu'ils eurent terminé leur travail, je demandai au capitaine : « Y a-t-il encore quelque chose dans ton navire ? » Il me répondit : « Ô mon maître, il y a bien encore quelques marchandises au fond du ventre du navire mais elles ne sont là qu'en dépôt seulement, car leur propriétaire, qui était avec nous en voyage, il y a long-temps de cela, s'est perdu en se noyant. Et nous voudrions bien maintenant vendre ces marchandises-là et en rapporter le prix aux parents du défunt à Bagdad, la demeure de paix ! » Alors moi, ému à l'extrême limite de l'émotion, je m'écriai : « Et comment s'appelait-il ce marchand, ô capitaine ? » Il me répondit : « Sindbad le Marin ! » À ces mots, je regardai plus attentivement le capitaine, et je reconnus en lui le maître du navire qui avait été obligé de nous abandonner sur la baleine. Et de toute ma voix je m'écriai : « Je suis Sindbad le Marin ! »

Puis je continuai : « Lorsque la baleine se fut mouvementée sous l'action du feu allumé sur son dos, je fus de ceux-là qui ne purent gagner ton navire et se noyèrent. Mais je fus sauvé grâce au baquet en bois qu'avaient transporté les marchands pour y laver leur linge. Je me mis, en effet, à califourchon sur ce baquet-là, et je ramai des pieds comme avec des avirons. Et il arriva ce qui arriva, avec la permission de l'Ordonnateur ! »

Et je racontai au capitaine comment j'avais pu me sauver, et à travers quelles vicissitudes j'étais parvenu aux hautes fonctions de scribe maritime auprès du roi Mihrajân.

Lorsque le capitaine eut entendu mes paroles, il s'écria : « Il n'y a de recours et de puissance qu'en Allah le Très-Haut, l'Omnipotent…

À ce moment de sa narration, Schahrazade vit apparaître le matin et se tut discrètement.

Mais lorsque fut la deux cent quatre-vingt-quatorzième nuit. Elle dit :

… Il n'y a de recours et de puissance qu'en Allah le Très-Haut, l'Omnipotent ! il n'y a plus de conscience ni d'honnêteté chez aucune créature de ce monde ! Comment oses-tu, ô scribe astucieux, prétendre être Sindbad le Marin, quand nous avons tous vu de nos yeux se noyer Sindbad avec tous les marchands ! Quelle honte sur toi de mentir si impudemment ! »

Alors moi, je répondis : « Certes, ô capitaine, le mensonge est l'apanage des fourbes ! Écoute-moi donc, car je vais te donner les preuves que je suis bien Sindbad le noyé ! » Et je racontai au capitaine divers incidents connus de moi seul et de lui, et qui étaient survenus durant cette maudite traversée-là. Alors le capitaine ne douta plus de mon identité et il appela les marchands passagers, et tous ensemble me félicitèrent pour ma délivrance et me dirent : « Par Allah ! nous ne pouvions croire que tu aies pu te sauver de la noyade ! Mais Allah t'a fait don d'une seconde vie ! »

Après cela, le capitaine se hâta de me livrer mes marchandises que je fis sur l'heure porter au souk, après toutefois m'être assuré que rien n'y manquait et que mon nom et mon cachet se trouvaient encore sur les ballots.

Une fois au souk, j'ouvris mes ballots et je vendis la plus grande partie de mes marchandises, avec des bénéfices de cent pour un, mais je pris soin de réserver quelques objets de prix que je me hâtai d'aller offrir en présent au roi Mihrajân.

Le roi, auquel je relatai l'arrivée du capitaine et du navire, fut extrêmement étonné de cette occurrence inattendue, et, comme il m'aimait beaucoup, il ne voulut pas être avec moi en reste d'amabilité, et me fit à son tour des cadeaux inestimables qui ne contribuèrent pas peu à m'enrichir tout à fait. Car je me hâtai de vendre tout cela et de réaliser ainsi une fortune considérable que je transportai à bord du navire même sur lequel j'avais entrepris mon voyage.

Cela fait, j'allai au palais prendre congé du roi Mihrajân et le remercier pour toutes ses générosités et sa protection. Il me donna congé en me disant des paroles fort touchantes, et ne me laissa partir qu'après m'avoir encore offert des présents somptueux et des objets de prix que je ne pus me décider à vendre, cette fois-là, et que d'ailleurs vous voyez devant vous dans cette salle, ô mes honorables invités ! Je pris également soin d'emporter avec moi, pour toute cargaison, les parfums que vous sentez ici, le bois d'aloès, le camphre, l'encens et le sandal, produits de cette île du loin.

Je me hâtai alors de monter à bord, et le navire mit aussitôt à la voile, avec l'autorisation d'Allah. Aussi fûmes-nous favorisés par la fortune et aidés par le destin durant cette traversée qui dura des jours et des nuits, et enfin nous arrivâmes un matin en bonne santé, en vue de Bassra, où nous ne nous arrêtâmes que fort peu de temps, pour remonter aussitôt le fleuve et rentrer enfin, l'âme en joie, dans la cité de paix, Bagdad, mon pays. J'arrivai de la sorte, chargé de richesses et la main prête aux largesses, dans ma rue, et j'entrai dans ma maison, où je revis ma famille et mes amis, tous en bonne santé. Et je me hâtai d'acheter des esclaves en grande quantité, de l'un et l'autre sexe, des mamalik, de belles femmes secrètes, plus que je n'en avais jamais eu à la mort de mon père.

J'oubliai, dans cette vie nouvelle, les vicissitudes passées, les peines et les dangers éprouvés, la tristesse de l'exil, les maux et les fatigues du voyage. J'eus des amis nombreux et délicieux, et je vécus, dans une vie pleine d'agrément et de plaisirs et exempte de soucis et de tracas, pendant un très long espace de temps, en jouissant de toute mon âme de ce qui me plaisait et en mangeant des mets admirables et en buvant des boissons précieuses.

Et tel est le premier de mes voyages !

Mais demain, si Allah veut, je vous raconterai, ô mes invités, le second des sept voyages que j'ai entrepris, et qui est bien plus extraordinaire que le premier ! » Et Sindbad le Marin se tourna vers Sindbad le Portefaix et le pria à dîner avec lui. Puis, après l'avoir traité avec beaucoup d'égards et d'affabilité, lui fit donner mille pièces d'or et, avant de le quitter, l'invita à revenir le lendemain, en lui disant : « Tu seras pour moi une réjouissance par ton urbanité et un délice par tes bonnes manières ! » Et Sindbad le Portefaix répondit : « Sur ma tête et sur mon œil ! J'obéis avec respect ! Et que soit continuelle la joie dans ta maison, ô mon maître ! »

Alors il sortit de là, après avoir encore remercié et avoir pris avec lui le cadeau qu'il venait de recevoir, et il s'en retourna chez lui en s'émerveillant à la limite de l'émerveillement et songea toute la nuit à ce qu'il venait d'entendre et d'éprouver. Aussi, à peine matin, il se hâta de retourner à la maison de Sindbad le Marin…

À ce moment de sa narration, Schahrazade vit apparaître le matin et se tut discrètement.

Mais lorsque fut la deux cent quatre-vingt-quinzième nuit. Elle dit :

… Il se hâta de retourner à la maison de Sindbad le Marin, qui le reçut d'un air affable et lui dit : « Qu'ici l'amitié te soit chose facile ! Et que l'aisance soit avec toi ! » Et le portefaix voulut lui baiser la main, et comme Sindbad ne voulait pas y consentir, il lui dit : « Qu'Allah blanchisse tes jours et consolide sur toi ses bienfaits ! » Et comme les autres invités étaient déjà arrivés, on commença par s'asseoir en rond autour de la nappe tendue où jutaient les agneaux rôtis et se doraient les poulets, au milieu des farces délicieuses et des pâtes aux pistaches, aux noix et aux raisins ! Et l'on mangea, et l'on but, et l'on se divertit et l'on se charma l'esprit et l'ouïe en écoutant chanter les instruments sous les doigts expérimentés des joueurs.

Lorsqu'on eut fini, Sindbad, au milieu des convives silencieux, parla en ces termes :

SECOND VOYAGE

Je me trouvais en vérité dans la plus savoureuse vie quand, un jour d'entre les jours, se présenta à mon esprit l'idée du voyage vers les contrées des hommes ; et mon âme ressentit vivement l'envie d'aller se promener et se réjouir par la vue des terres et des îles et regarder avec curiosité les choses inconnues, sans toutefois perdre de vue la vente et l'achat dans les divers pays.

Je m'arrêtai résolument à ce projet et m'apprêtai aussitôt à l'exécuter. Je me rendis au souk où, moyennant une très forte somme d'argent, j'achetai des marchandises propres au trafic que j'avais en vue ; je les mis en ballots solides et les transportai au bord de l'eau, où je ne tardai pas à découvrir un navire bel et neuf, gréé de voiles de bonne qualité, et plein de matelots et d'un ensemble imposant de machineries de toutes formes. Sa vue m'inspira confiance et j'y transportai aussitôt mes ballots, comme le faisaient divers marchands qui m'étaient connus et avec lesquels je n'étais pas fâché de faire le voyage.

Nous partîmes le même jour ; et nous eûmes une excellente navigation. Nous voyageâmes d'île en île et de mer en mer pendant des jours et des nuits, et à chaque escale nous nous rendions auprès des marchands de l'endroit et des notables et des vendeurs et des acheteurs, et nous vendions et nous achetions et nous faisions des trocs à notre avantage. Et nous continuâmes à naviguer de la sorte, et nous touchâmes, guidés par la destinée, à une île fort belle, couverte de grands arbres, abondante en fruits, riche en fleurs, habitée par le chant des oiseaux, arrosée par des eaux pures, mais absolument vierge de toute habitation et de tout être vivant.

Le capitaine voulut bien se prêter à notre désir et s'arrêter là quelques heures, et il jeta l'ancre à proximité de la terre. Nous débarquâmes aussitôt et allâmes respirer le bon air dans les prairies ombragées par des arbres où s'ébattaient les oiseaux. Moi, muni de quelques provisions de bouche, j'allai m'asseoir près d'une source à l'eau limpide, abritée du soleil par les branches touffues, et je pris un plaisir extrême à manger un morceau et à boire à même cette eau délicieuse. Avec cela, une brise discrète jouait des accords en sourdine et invitait au repos parfait. Aussi je m'étendis sur le gazon et me laissai gagner par le sommeil, au milieu de la fraîcheur et des parfums de l'air.

Quand je me réveillai, je ne vis plus aucun des passagers, et le navire était parti sans que personne se fût douté de mon absence. J'eus beau, en effet, regarder à droite, à gauche, devant ou derrière, je ne vis d'autre personne dans toute l'île que moi seul. Au loin, sur la mer, une voile s'éloignait et disparaissait bientôt à ma vue. Alors moi, je fus plongé dans une stupeur qui n'avait point sa pareille et qui ne pouvait avoir d'augmentation ; et de douleur et de chagrin je sentis ma vésicule biliaire sur le point d'éclater dans mon foie. Car que pouvais-je bien devenir dans cette île déserte, moi qui avais laissé à bord du navire tous mes effets et tous mes biens ? Qu'allait-il encore m'arriver de désastreux dans cette solitude inconnue ? À ces pensées désolantes, je m'écriai : « Tout espoir est perdu pour toi, Sindbad le Marin ! Si la première fois tu as pu te tirer d'affaire grâce à des circonstances suscitées par la destinée heureuse, ne crois point que ce sera toujours la même chose, car, comme dit le proverbe, « se casse la gargoulette la seconde fois qu'on la jette ! »

Là-dessus, je me mis à pleurer, à gémir, puis à pousser des cris épouvantables jusqu'à ce que le désespoir se fût bien consolidé dans mon cœur. Alors je me frappai la tête de mes deux mains et je m'écriai encore : « Qu'avais-tu donc besoin, misérable, de voyager encore, alors qu'à Bagdad tu vivais dans les délices ? N'avais-tu pas des mets excellents, des liquides excellents et des habits excellents ? Que manquait-il à ton bonheur ? Ton premier voyage ne t'a-t-il donc été d'aucun fruit ? » Alors je me jetai la face contre terre en pleurant déjà ma mort et disant : « Nous appartenons à Allah et vers lui nous devons retourner ! » Et ce jour-là je faillis devenir fou.

Mais comme à la fin je voyais bien que tous mes regrets étaient inutiles et mon repentir fort tardif, je me résignai à ma destinée. Je me levai, debout sur mes jambes, et, après avoir erré quelque temps sans but, j'eus bien peur de quelque rencontre désagréable d'une bête sauvage ou d'un ennemi inconnu, et je grimpai au haut d'un arbre d'où je me mis à regarder plus attentivement à droite et à gauche ; mais je ne pus distinguer rien autre chose que le ciel, la terre, la mer, les arbres, les oiseaux, les sables et les rochers. Toutefois, en observant un point de l'horizon avec plus d'attention, je crus apercevoir un fantôme blanc et gigantesque. Alors, attiré par la curiosité, je descendis de l'arbre ; mais, retenu par la peur, je ne me dirigeai que fort lentement et avec beaucoup de circonspection de son côté. Lorsque je ne fus plus qu'à quelque distance de cette blancheur, je découvris que c'était un dôme immense, d'un blanc éblouissant, large de base et d'une grande hauteur. Je m'en approchai encore davantage et j'en fis tout le tour ; mais je n'en découvris point la porte d'entrée, que je cherchais. Alors je voulus monter dessus ; mais il était si lisse et si glissant que je n'eus ni l'adresse ni l'agilité ni la possibilité de m'y hisser. Je me contentai alors de le mesurer : je marquai sur le sable la trace de mon premier pas, et je refis le tour en comptant mes pas. Je trouvai de la sorte que la rondeur exacte en était de cent cinquante pas, plutôt plus que moins.

Comme je réfléchissais tout de même à la façon dont je devais m'y prendre pour trouver quelque porte d'entrée ou de sortie à ce dôme, je m'aperçus que soudain le soleil disparaissait et que le jour se changeait en une nuit noire. Je crus tout d'abord que c'était un gros nuage qui passait sur le soleil, bien que la chose fût impossible en plein été. Je levai donc la tête pour juger de ce nuage qui m'étonnait, et je vis un oiseau énorme aux ailes formidables qui volait devant l'œil du soleil, qu'il cachait ainsi en entier en répandant l'obscurité sur l'île.

Mon étonnement alors fut à ses bornes extrêmes, et je me rappelai ce que, du temps de ma jeunesse, des voyageurs et des marins m'avaient raconté au sujet d'un oiseau de grosseur extraordinaire appelé « rokh » qui se trouvait dans une île fort éloignée, et qui pouvait soulever un éléphant. Je conclus alors que celui que je voyais maintenant devait être le rokh, et que le dôme au pied duquel je me trouvais devait être un œuf d'entre les œufs de ce rokh-là ! Mais j'avais à peine eu cette idée que l'oiseau s'abattait sur l'œuf et se posait dessus comme pour le couver. En effet, il étendit ses ailes immenses sur l'œuf, laissa ses deux pieds se poser à terre de chaque côté, et s'endormit dessus ! (Béni soit Celui qui ne dort de toute l'éternité !)

Alors moi, qui m'étais aplati à plat ventre sur le sol et me trouvais juste au-dessous de l'un des pieds, qui me parut être plus gros qu'un vieux tronc d'arbre, je me relevai vivement, je défis l'étoffe de mon turban...

À ce moment de sa narration, Schahrazade vit apparaître le matin et se tut discrètement.

Mais lorsque fut la deux cent quatre-vingt-seizième nuit. Elle dit :

... Je me relevai vivement, je défis l'étoffe de mon turban, je la mis en double et la roulai de façon à en faire une grosse corde, je m'en entourai la taille solidement, et je finis par en enrouler les deux bouts autour de l'un des doigts de l'oiseau, en faisant un nœud à toute épreuve. Car je m'étais dit en mon âme : « Cet énorme oiseau-là finira bien par s'envoler et, de la sorte, me tirera de cette solitude et me transportera en quelque endroit où voir des êtres humains. En tout cas, le lieu où je serai déposé sera toujours préférable à cette île déserte dont je suis le seul habitant ! »

Tout cela ! Et malgré mes mouvements, l'oiseau ne s'apercevait pas plus de ma présence que si j'avais été quelque mouche sans importance ou quelque fourmi modeste en promenade !

Je restai en cet état toute la nuit, ne pouvant fermer l'œil dans la crainte que l'oiseau ne s'envolât et m'enlevât pendant mon sommeil. Mais il ne bougea pas jusqu'au lever du jour. Alors seulement il se leva de dessus son œuf, lança un cri effroyable et prit son vol en m'emportant. Il s'éleva et s'éleva si haut que je croyais déjà toucher à la voûte du ciel ; puis brusquement il descendit avec une telle rapidité que je ne sentais plus mon propre poids, et arriva avec moi sur le sol. Il se posa sur un endroit escarpé, alors que moi, sans attendre davantage, je me hâtais de délier mon turban, avec une terreur folle d'être de nouveau enlevé avant que j'eusse le temps de me libérer de mon attache. Mais je réussis à me détacher sans encombre et après m'être secoué et avoir ramené ma robe sur moi, je m'éloignai vivement jusqu'à n'être plus à portée de l'oiseau, que je vis bientôt s'élever de nouveau dans les airs. Il tenait cette fois dans ses serres un gros objet noir, qui n'était autre chose qu'un serpent de longueur inouïe et de forme détestable. Bientôt il disparut, se dirigeant dans son vol vers la mer.

Moi, ému extrêmement de ce qui venait de m'arriver, je jetai mes regards autour de moi, et je restai cloué sur place d'épouvante. Je me trouvais, en effet, transporté dans une vallée large et profonde, environnée de toutes parts de montagnes si hautes que, pour les mesurer du regard, je dus tellement relever la tête que mon turban roula derrière mon dos sur le sol. Elles étaient en outre, si escarpées qu'il était impossible d'en faire l'ascension, et que je jugeai inutile toute tentative dans ce sens-là !

À cette constatation, ma désolation et mon désespoir furent sans bornes, et je m'écriai : « Ah ! comme il aurait mieux valu pour moi ne point bouger de l'île déserte où je me trouvais, et qui était mille fois préférable à cette solitude désolée et sèche, où il n'y a rien à manger ni à boire. Là-bas, du moins, il y avait des fruits pleins les arbres et des sources à l'eau délicieuse ; mais ici, rien que des rochers hostiles et nus où mourir de faim et de soif ! Ô ma calamité ! Il n'y a de recours et de puissance qu'en Allah l'Omnipotent ! Je n'échappe chaque fois à une catastrophe que pour tomber dans une autre pire et plus définitive ! »

Je me levai tout de même de ma place et marchai par cette vallée pour la reconnaître un peu, et je constatai qu'elle était entièrement formée de roches de diamant. Partout, autour de moi, le sol était jonché de gros et de petits diamants détachés de la montagne et qui faisaient en certains endroits des tas de la hauteur d'un homme. Je commençais déjà à prendre quelque intérêt à les regarder quand un spectacle plus effroyable que toutes les horreurs déjà éprouvées me figea immobile de terreur. Au milieu des roches de diamant, je vis circuler les gardiens, qui étaient des serpents noirs en quantité innombrable, plus gros et plus grands que des palmiers, et qui pouvaient certainement engloutir, chacun d'eux, un gros éléphant. En ce moment, ils commençaient à rentrer dans leurs antres ; car pendant le jour ils se cachaient pour n'être pas enlevés par leur ennemi le rokh, et ne circulaient que la nuit.

Alors moi, avec des précautions infinies, j'essayai de m'éloigner de là, en regardant bien où poser mes pieds et en pensant en mon âme : « Voilà, pour avoir voulu abuser de la clémence du destin, ô Sindbad, homme à l'œil insatiable et toujours vide, ce que tu gagnes au change ! » Et, en proie à toutes les terreurs accumulées, je continuai à circuler sans but à travers la vallée des diamants, en me reposant de temps en temps dans les endroits qui me paraissaient le plus à l'abri, et cela jusqu'à la tombée de la nuit.

Pendant tout ce temps, j'avais complètement oublié le manger et le boire, et je ne pensais qu'à me tirer de ce mauvais pas et à sauver mon âme des serpents. Je finis de la sorte par découvrir, tout proche de l'endroit où je m'étais laissé tomber, une grotte dont l'entrée était fort étroite, mais suffisante pour que je pusse la franchir. Je m'avançai donc et pénétrai dans la grotte en prenant soin d'en boucher l'entrée avec un rocher que je réussis à rouler jusque-là. Rassuré de la sorte, je m'avançai à l'intérieur et me mis à chercher l'endroit le plus commode pour y dormir en attendant le matin ; et je pensai : « Demain, dès le lever du jour, je sortirai pour voir ce que me réserve le destin ! »

J'allais donc m'étendre, quand je m'aperçus que ce que tout d'abord je prenais pour une grosse roche noire était un effroyable serpent enroulé en couvaison sur ses œufs. Alors ma chair ressentit l'horreur de ce spectacle et ma peau se recroquevilla comme une feuille desséchée et frissonna dans toute son étendue ; et je tombai sans connaissance sur le sol, et je restai ainsi jusqu'au matin. Alors, sentant que je n'avais pas encore été dévoré, j'eus la force de ramper jusqu'à l'entrée, de repousser le rocher et de me glisser au-dehors, où j'arrivai comme ivre et sans pouvoir me soutenir sur mes jambes, tant j'étais épuisé par le manque de sommeil et de nourriture et par cette terreur sans répit.

Je regardai autour de moi et soudain, à quelques pas de mon nez, je vis tomber un gros quartier de viande qui vint s'aplatir avec fracas sur le sol. D'abord ébahi, je sursautai, puis je levai les yeux pour voir celui qui voulait ainsi m'assommer ; mais je ne vis personne. Alors je me souvins d'une histoire entendue jadis de la bouche des marchands voyageurs et des explorateurs de la montagne des diamants, où il était raconté que les chercheurs de diamants, ne pouvant descendre dans cette vallée inaccessible, avaient recours à un moyen curieux pour se procurer ces pierres précieuses. Ils tuaient des moutons, les découpaient en gros quartiers et les lançaient au fond de la vallée où ils allaient tomber sur les pointes des diamants qui s'y incrustaient profondément. Alors les rokhs et les aigles gigantesques venaient fondre sur cette proie et l'enlevaient de cette vallée pour la porter dans leurs nids, au haut des rochers, où servir de pâtures à leurs petits. Alors les chercheurs de diamants se précipitaient sur l'oiseau en faisant de grands gestes et de grands cris qui lui faisaient lâcher prise et l'obligeaient à s'envoler. Ils fouillaient alors le quartier de viande et prenaient les diamants qu'ils y trouvaient attachés.

L'idée me vint que je pouvais encore essayer de sauver ma vie et de sortir de cette vallée qui m'avait bien l'air d'être mon tombeau. Je me levai donc et commençai par ramasser une grande quantité de diamants, en choisissant les plus gros et les plus beaux. J'en mis partout sur moi ; j'en remplis mes poches, j'en fis glisser entre ma robe et ma chemise, j'en emplis mon turban et mon caleçon, et j'en mis jusque dans la doublure de mes vêtements. Après quoi, je déroulai l'étoffe de mon turban, comme la première fois…

À ce moment de sa narration, Schahrazade vit apparaître le matin et se tut discrètement.

Mais lorsque fut la deux cent quatre-vingt-dix-septième nuit. Elle dit :

… Après quoi, je déroulai l'étoffe de mon turban, comme la première fois, je m'en ceignis la taille et j'allai me placer au-dessous du quartier de mouton, que j'attachai solidement sur ma poitrine avec les deux bouts du turban.

J'étais dans cette position depuis déjà quelque temps, quand soudain je me sentis enlevé dans les airs comme une plume, dans les serres formidables d'un rokh, moi et le quartier de viande de mouton. Et, en un clin d'œil, j'étais hors de la vallée, sur le sommet de la montagne, dans le nid du rokh, qui s'apprêta aussitôt à déchiqueter la viande et ma propre chair, afin d'en nourrir ses petits rokhs. Mais soudain une clameur s'éleva et s'approcha qui fit peur à l'oiseau et l'obligea à prendre son vol en me lâchant là. Alors moi, je défis mes liens et me levai debout sur mes deux pieds, avec des traces de sang sur mes habits et ma figure.

Je vis alors s'approcher de l'endroit où j'étais un marchand qui eut l'air fort désappointé et fort effrayé en m'apercevant. Mais, en voyant que je ne lui voulais point de mal, et que, d'ailleurs, je ne bougeais pas, il se pencha sur le quartier de viande et le fouilla, sans arriver à y trouver les diamants qu'il cherchait. Alors il leva au ciel ses grands bras et se lamenta, disant : « Ô désillusion ! ô ma perte ! il n'y a de recours qu'en Allah ! Je me réfugie en Allah contre le Maudit, le Malfaisant ! » Et il frappa ses paumes l'une contre l'autre, avec les signes d'un immense désespoir.

À cette vue, je m'approchai et lui souhaitai la paix. Mais lui, sans me rendre mon salam, me dévisagea avec fureur et me cria : « Qui es-tu ? Et de quel droit es-tu venu voler ici mon bien ? » Je répondis : « Sois sans crainte, ô digne marchand, car je ne suis point voleur, et ton bien n'a en rien diminué. Je suis un être humain, et non point un génie malfaisant, comme tu as l'air de le croire. Je suis même un honnête homme d'entre les honnêtes gens, et anciennement j'étais marchand de mon métier, avant que de courir des aventures étranges extrêmement. Quant au motif de ma venue en cet endroit, c'est une histoire étonnante, que je te raconterai tout à l'heure. Mais, auparavant, je veux te prouver mes bonnes intentions, en te gratifiant de quelques diamants, que j'ai moi-même ramassés au fond de ce gouffre qui n'a jamais été sondé par l'œil des humains ! »

Je tirai aussitôt de ma ceinture quelques beaux échantillons de diamant, et je les remis en disant : « Voilà un gain que, de ta vie, tu n'aurais osé espérer ! » Alors, le propriétaire du quartier de mouton fut dans une joie inimaginable et me remercia beaucoup, et, après mille effusions, me dit : « Ô mon maître, la bénédiction est en toi ! Mais un seul de ces diamants suffit pour m'enrichir jusqu'à la vieillesse la plus reculée ! Car, de ma vie, je n'en ai vu de semblables à la cour des rois et des sultans ! » Et il me remercia encore et finit par appeler les autres marchands qui étaient par là et qui vinrent s'attrouper autour de moi, en me souhaitant la paix et la bienvenue. Et moi, je leur racontai mon étrange aventure, depuis le commencement jusqu'à la fin. Mais il n'y a point d'utilité à la répéter.

Alors les marchands, revenus de leur étonnement, me félicitèrent beaucoup pour ma délivrance, en me disant : « Par Allah ! ta destinée t'a tiré d'un abîme d'où jamais personne avant toi n'est revenu ! » Puis, comme ils me voyaient exténué de fatigue, de faim et de soif, ils se hâtèrent de me donner largement à manger et à boire, et me conduisirent sous une tente où ils veillèrent sur mon sommeil, qui dura un jour entier et une nuit.

Au matin, les marchands m'emmenèrent avec eux, alors que je commençais à sentir avec intensité ma joie d'avoir échappé à ces dangers sans précédents. Nous arrivâmes, après un voyage assez court, dans une île fort agréable, où croissaient de magnifiques arbres à l'ombrage si touffu et si étendu que chacun d'eux pouvait abriter aisément cent hommes. C'est justement de ces arbres-là qu'on tire la substance blanche, à l'odeur chaude et agréable, qui est le camphre. Dans ce but, on perce le haut de l'arbre, et on reçoit dans un vase le suc qui s'écoule d'abord sous forme de gouttes de gomme, et qui n'est autre chose que le miel de l'arbre.

C'est également dans cette île que j'ai vu l'effroyable animal nommé karkadann, qui paît là-bas exactement comme paissent les vaches et les buffles dans nos prairies. Le corps de cette bête est plus gros que le corps du chameau ; son nez porte à son extrémité une corne de dix coudées, et sur laquelle est gravée la figure d'un être humain. Cette corne est si solide qu'elle sert au karkadann à combattre et à vaincre l'éléphant, puis à l'embrocher et à le soulever de terre, jusqu'à ce qu'il soit mort. Alors la graisse de l'éléphant mort coule dans les yeux du karkadann, qui en est aveuglé et tombe sur place. Alors du haut des airs fond sur eux deux le terrible rokh, qui les transporte dans son nid pour en nourrir ses petits. Je vis aussi, dans cette île, diverses sortes de buffles.

Nous y séjournâmes quelque temps, à respirer le bon air ; ce qui me donna le temps de faire l'échange de mes diamants contre de l'or et de l'argent comptant, plus que n'en pouvait tenir la cale d'un navire. Puis, nous partîmes de là ; et, d'île en île, et de pays en pays, et de ville en ville, où j'admirai chaque fois l'œuvre belle du Créateur, en faisant par-ci par-là quelques ventes, achats et échanges, nous finîmes par toucher, en pays béni, à Bassra, pour de là remonter jusqu'à Bagdad, la demeure de paix !

Alors je me hâtai de courir à ma rue et d'entrer dans ma demeure riche de sommes considérables, de dinars d'or et des plus beaux diamants, que je n'avais pas eu le cœur de vendre. Aussi, après les effusions du retour au milieu de mes parents et de mes amis, je ne manquai pas de me comporter généreusement en répandant les largesses autour de moi, sans oublier personne.

Ensuite, j'usai joyeusement de la vie, en mangeant des mets exquis, en buvant délicatement, en m'habillant de riches habits, et en ne me privant guère de la société des personnes délicieuses. Aussi, j'avais tous les jours de nombreux visiteurs de marque qui, ayant entendu parler de mes aventures, m'honoraient de leur présence pour me demander de leur raconter mes voyages, et de les mettre au courant des affaires des pays lointains. Et moi, j'éprouvais un contentement effectif à les instruire sur tout cela : ce qui faisait que tous s'en allaient en me félicitant d'avoir échappé à de si terribles dangers, et en s'émerveillant de mon récit à la limite de l'émerveillement. Et c'est ainsi que prit fin mon second voyage. Mais demain, ô mes amis…

À ce moment de sa narration, Schahrazade vit apparaître le matin et se tut discrètement.

Mais lorsque fut la deux cent quatre-vingt-dix-huitième nuit. Elle dit :

… Mais demain, ô mes amis, si Allah veut, je vous raconterai les péripéties de mon troisième périple qui certainement est, de beaucoup, plus intéressant et plus stupéfiant que les deux premiers ! »

Puis Sindbad se tut. Alors les esclaves servirent à manger et à boire à tous les invités, qui étaient prodigieusement étonnés de ce qu'ils venaient d'entendre. Ensuite, Sindbad le Marin fit donner cent pièces d'or à Sindbad le Terrien, qui les prit, en remerciant beaucoup, et s'en alla en appelant sur la tête de son hôte les bénédictions d'Allah, et arriva à sa maison en s'émerveillant de ce qu'il venait de voir et d'écouter.

Au matin, le portefaix Sindbad se leva, pria la prière du matin, et revint chez le riche Sindbad, comme cela lui avait été demandé. Et il fut reçu cordialement et traité avec beaucoup d'égards, et invité à prendre part au festin du jour et aux réjouissances, qui durèrent toute la journée. Après quoi, Sindbad le Marin, au milieu des convives attentifs et graves, commença son récit de la manière suivante…

TROISIÈME VOYAGE

Sachez, ô mes amis – mais Allah sait les choses mieux que la créature ! –, que dans la délicieuse vie que je menais depuis mon retour du second voyage, au milieu des richesses et de l'épanouissement, je finis par perdre complètement le souvenir des maux éprouvés et des dangers courus, et par m'ennuyer de l'oisiveté monotone de mon existence à Bagdad. Aussi mon âme désirat-elle avec ardeur le changement et la vue des choses du voyage. Et moi-même je fus de nouveau tenté par l'amour du commerce, du gain et du profit. Or, c'est toujours l'ambition qui est la cause de nos malheurs. Je devais bientôt en faire l'expérience de la façon la plus effroyable.

Je mis donc mon projet immédiatement à exécution, et, après m'être muni de riches marchandises du pays, je partis de Bagdad pour Bassra. Là je découvris un grand navire déjà rempli de passagers et de marchands qui étaient tous des gens de bien, honnêtes, au cœur bon, pleins de conscience, et capables de rendre service et de vivre entre eux dans les meilleurs rapports. Aussi je n'hésitai pas à m'embarquer avec eux sur ce navire ; et, aussitôt à bord, nous mîmes à la voile, avec la bénédiction d'Allah sur nous et sur notre traversée.

Notre navigation commença, en effet, sous d'heureux auspices. Dans tous les endroits où nous abordions, nous faisions d'excellentes affaires, tout en nous promenant et en nous instruisant de toutes les nouvelles choses que sans cesse nous voyions. Et vraiment rien ne manquait à notre bonheur, et nous étions à la limite de la dilatation et de l'épanouissement.

Un jour d'entre les jours, nous étions en pleine mer, bien loin des pays musulmans, quand soudain nous vîmes le capitaine du navire se donner de grands coups au visage, après avoir longtemps scruté l'horizon, s'arracher les poils de la barbe, déchirer ses habits et jeter à terre son turban. Puis il se mit à se lamenter, à gémir et à pousser des cris de désespoir. À cette vue, nous entourâmes tous le capitaine et nous lui dîmes : « Qu'y a-t-il donc, ô capitaine ? » Il répondit : « Sachez, ô passagers de paix, que le vent contraire nous a vaincus et nous a fait dévier de notre route pour nous jeter dans cette mer sinistre. Et, pour mettre la dernière mesure à notre malchance, le destin nous fait aborder à cette île que vous voyez devant vous et dont jamais personne, après y avoir touché, n'a pu se tirer avec la vie sauve. Cette île est l'île des Singes ! Je sens bien, dans le profond de mon intérieur, que nous sommes tous perdus sans recours ! »

Le capitaine n'avait pas encore fini ces explications que nous vîmes notre navire entouré par une multitude d'êtres velus comme des singes, plus innombrables qu'une armée de sauterelles, tandis que, sur le rivage de l'île, d'autres singes, en quantité inimaginable, poussaient des hurlements qui nous glacèrent sur place. Et nous, nous n'osâmes guère maltraiter, attaquer ou même chasser aucun d'entre eux, de peur qu'ils ne se ruassent tous sur nous et, grâce à leur nombre, ne nous tuassent jusqu'au dernier : car il est bien certain que le nombre vient toujours à bout du courage. Nous ne voulûmes donc faire aucun mouvement, alors que de tous côtés nous étions envahis par ces singes qui commençaient à faire main basse sur tout ce qui nous appartenait. Ils étaient bien laids. Ils étaient même plus laids que tout ce que j'avais vu de laid jusqu'à ce jour de ma vie. Ils étaient poilus et velus, avec des yeux jaunes dans des faces noires ; leur taille était toute petite, à peine longue de quatre empans, et leurs grimaces et leurs cris plus horribles que tout ce que l'on pourrait inventer dans ce sens-là ! Quant à leur langage, ils avaient beau nous parler et nous invectiver en claquant des mâchoires, nous ne parvenions guère à le comprendre, bien que nous y prêtassions la meilleure attention. Aussi nous les vîmes bientôt mettre à exécution le plus funeste des projets. Ils grimpèrent aux mâts, déplièrent les voiles, coupèrent tous les cordages avec leurs dents, et finirent par s'emparer du gouvernail. Alors le navire, poussé par le vent, alla à la côte, où il s'ensabla. Et les petits singes s'emparèrent de nous tous, nous firent débarquer l'un après l'autre, nous laissèrent sur le rivage et, sans plus s'occuper de nous, remontèrent sur le navire qu'ils réussirent à pousser au large, et disparurent tous avec lui sur la mer.

Alors nous, à la limite de la perplexité, nous jugeâmes inutile de rester ainsi sur le rivage à regarder la mer, et nous nous avançâmes dans l'île où nous finîmes par découvrir quelques arbres fruitiers et de l'eau courante : ce qui nous permit de nous restaurer un peu pour retarder le plus longtemps possible une mort qui nous paraissait à tous certaine.

Pendant que nous étions en cet état, il nous sembla voir, entre les arbres, un édifice très grand qui avait l'air abandonné. Nous fûmes tentés de nous en approcher ; et quand nous y arrivâmes, nous vîmes que c'était un palais...

À ce moment de sa narration, Schahrazade vit apparaître le matin et se tut discrètement.

Mais lorsque fut la deux cent quatre-vingt-dix-neuvième nuit. Elle dit :

... Nous vîmes que c'était un palais fort élevé de forme carrée, entouré de solides murailles, et qui avait une grande porte d'ébène à deux battants.

Comme cette porte était ouverte et qu'elle n'était gardée par aucun portier, nous la franchîmes et nous pénétrâmes de plain-pied dans une immense salle aussi vaste qu'une cour. Cette salle avait pour tous meubles d'énormes ustensiles de cuisine et des broches d'une longueur démesurée ; le sol avait, pour tous tapis, des monceaux d'ossements, les uns déjà blanchis, d'autres frais encore. Aussi, là-dedans régnait une odeur qui offusqua à l'extrême nos narines. Mais comme nous étions exténués de fatigue et de peur, nous nous laissâmes choir tout de notre long et nous nous endormîmes profondément.

Le soleil était déjà couché quand un bruit de tonnerre nous fit sursauter et du coup nous réveilla ; et, devant nous, nous vîmes descendre du plafond un être à figure d'homme noir, de la hauteur d'un palmier, qui était plus horrible à voir que tous les singes noirs réunis. Il avait des yeux rouges comme deux tisons enflammés, les dents de devant longues et saillantes comme les défenses d'un cochon, une bouche énorme aussi vaste que l'orifice d'un puits, des lèvres pendantes sur la poitrine, des oreilles sursautantes comme les oreilles de l'éléphant et qui lui couvraient les épaules, et des ongles crochus comme les griffes du lion.

À cette vue, nous commençâmes d'abord par nous convulser de terreur, puis nous devînmes rigides comme des morts. Mais lui vint s'asseoir sur un banc élevé adossé au mur et de là se mit à nous examiner en silence, un à un, de tous ses yeux. Après quoi, il s'avança sur nous, vint droit à moi, de préférence à tous les autres marchands, étendit la main et me saisit par la peau de la nuque, comme on saisit un paquet de chiffons. Il me tourna alors et me retourna dans tous les sens, en me palpant comme fait un boucher pour une tête de mouton. Mais il dut certainement ne point me trouver à sa convenance, liquéfié que j'étais par la terreur, et la graisse de ma peau fondue par les fatigues du voyage et le chagrin. Alors il me lâcha en me laissant rouler sur le sol, et se saisit de mon plus proche voisin, et le mania comme il m'avait manié, mais pour le rejeter ensuite et s'emparer du suivant. Il prit de la sorte tous les marchands, l'un après l'autre, et arriva en dernier lieu au capitaine du navire.

Or, le capitaine était un homme gras et plein de chair, et d'ailleurs il était le mieux portant et le plus solide de tous les hommes du navire. Aussi le choix de l'effroyable géant n'hésita pas à se fixer sur lui : il le prit entre ses doigts comme un boucher aurait tenu un agneau, le jeta par terre, lui posa un pied sur le cou et, d'un seul mouvement, lui cassa la nuque. Il se saisit alors d'une des immenses broches en question et la lui enfonça dans la bouche en la faisant sortir par le fondement. Alors il alluma un grand feu de bois dans le fourneau en terre qui se trouvait sans la salle, plaça au milieu de la flamme le capitaine embroché, et se mit à le tourner lentement jusqu'à cuisson parfaite. Il le retira alors du feu et commença par le séparer en morceaux comme on aurait fait d'un poulet, en se servant pour cela de ses ongles. Cela fait, il avala le tout en un clin d'œil. Après quoi il suça les os, les vida de leur moelle, et les jeta au milieu des tas qui s'amoncelaient dans la salle.

Ce repas achevé, l'effroyable géant alla s'étendre sur le banc, pour digérer, et ne tarda pas à s'endormir en ronflant exactement comme un buffle que l'on aurait égorgé ou comme un âne que l'on aurait excité à braire. Et il resta ainsi endormi jusqu'au matin. Nous le vîmes alors se lever et s'éloigner comme il était venu, en nous laissant figés d'épouvante.

Lorsque nous fûmes certains qu'il avait disparu, nous sortîmes du silence terrifié que nous avions gardé toute la nuit, pour enfin nous faire part les uns aux autres de nos réflexions, et pour sangloter et gémir en pensant au sort qui nous attendait.

Et nous nous disions tristement : « Que ne sommes-nous morts noyés dans la mer ou mangés par les singes, plutôt que d'être rôtis sur la braise ! Par Allah ! c'est là une mort fort détestable ! Mais qu'y faire ! Ce que veut Allah doit courir ! Il n'y a de recours qu'en Allah le Tout-Puissant ! »

Nous sortîmes alors de cet édifice et nous rôdâmes toute la journée par l'île, à la recherche de quelque cachette où nous mettre à l'abri, mais vainement ; car cette île était plate, et ne contenait ni cavernes ni quoi que ce fût qui nous permît de nous soustraire aux recherches. Aussi, comme le soir tombait, nous trouvâmes qu'il était encore plus prudent de regagner le palais. Mais à peine y étions-nous arrivés que l'horrible homme noir fit son apparition par un bruit de tonnerre et par l'enlèvement, après palpation et maniement, de l'un des marchands, mes compagnons, qu'il se hâta d'embrocher, de rôtir et d'avaler dans son ventre, pour ensuite s'étendre sur le banc et ronfler comme une brute égorgée, jusqu'au matin. Il se réveilla alors et s'étira en grognant férocement, et s'en alla, sans plus s'occuper de nous que s'il ne nous voyait pas.

Lorsqu'il fut parti, et comme nous avions eu le temps de réfléchir sur notre triste situation, nous nous écriâmes tous à la fois : « Allons nous jeter à la mer et mourir noyés, plutôt que de finir rôtis et avalés. Car ce serait une mort bien affreuse ! » Comme nous allions mettre ce projet à exécution, l'un de nous se leva et dit : « Écoutez-moi, compagnons ! Ne pensez-vous pas qu'il vaut peut-être mieux tuer l'homme noir avant qu'il ne nous extermine ? » Alors moi, à mon tour, je levai le doigt et dis : « Écoutez-moi, compagnons ! Au cas où vraiment vous auriez résolu de tuer l'homme noir, il faudrait d'abord commencer par utiliser les pièces de bois dont le rivage est couvert pour nous construire un radeau sur lequel nous puissions fuir cette île maudite après avoir débarrassé la création de ce barbare mangeur de musulmans ! Nous aborderions alors dans quelque île où attendre la clémence du destin qui nous enverrait quelque navire pour retourner à notre pays ! En tout cas, si le radeau fait naufrage et que nous nous noyions, nous aurons évité la rôtisserie et nous n'aurons pas commis une mauvaise action en nous tuant volontairement. Notre mort serait un martyre et compterait au jour de la Rétribution...

À ce moment de sa narration, Schahrazade vit apparaître le matin et se tut discrètement.

Mais lorsque fut la trois centième nuit. Elle dit :

... Notre mort serait un martyre et compterait au jour de la Rétribution ! » Alors tous les marchands s'écrièrent : « Par Allah ! C'est là une idée excellente et une action raisonnable ! »

Aussitôt nous nous rendîmes sur le rivage et nous construisîmes le radeau en question, sur lequel nous eûmes soin de mettre quelques provisions, telles que fruits et herbes bonnes à manger ; puis nous retournâmes au palais attendre en tremblant l'arrivée de l'homme noir.

Il vint, avec un coup de tonnerre ; et nous crûmes voir entrer quelque énorme chien enragé. Il nous fallut nous résoudre encore à voir, sans murmurer, embrocher et rôtir l'un de nos compagnons qui fut choisi pour sa graisse et son embonpoint, après palpation et maniement. Mais lorsque l'effroyable brute se fut endormie et eut commencé à ronfler en tonnerre, nous songeâmes à profiter de son sommeil pour le rendre inoffensif à jamais. Nous prîmes pour cela deux des immenses broches en fer, et nous les chauffâmes sur le feu jusqu'au rouge blanc ; puis nous les saisîmes fortement avec nos mains par le bout froid, et, comme elles étaient fort lourdes, nous nous mîmes à plusieurs pour porter chacune d'elles. Nous nous approchâmes alors doucement, et tous ensemble nous enfonçâmes les deux broches à la fois dans les deux yeux de l'horrible homme noir endormi, et nous pesâmes dessus de toutes nos forces, de façon qu'il fût définitivement aveuglé.

Il dut probablement ressentir une douleur extrême, car le cri qu'il lança fut si effroyable que du coup nous roulâmes sur le sol à une distance notoire. Et il bondit à l'aveuglette, et, étendant les mains dans le vide, il essaya, en hurlant et en courant de tous côtés, de se saisir de quelqu'un d'entre nous. Mais nous avions eu le temps de l'éviter et de nous jeter à plat ventre de droite et de gauche de façon à ce qu'il ne rencontrât que le vide chaque fois. Aussi, voyant qu'il ne pouvait réussir, il finit par se diriger à tâtons vers la porte et sortit en poussant des cris épouvantables.

Alors nous, persuadés que le géant aveugle finirait par mourir de son supplice, nous commençâmes à nous tranquilliser et, d'un pas lent, nous nous dirigeâmes vers la mer. Nous arrangeâmes un peu mieux le radeau, nous nous y embarquâmes, nous le détachâmes du rivage et déjà nous allions ramer pour nous éloigner, quand nous vîmes nous courir sus l'horrible géant aveugle, guidé par une femelle géante encore plus horrible et plus dégoûtante que lui. Arrivés sur le rivage, ils lancèrent des cris effroyables en nous voyant nous éloigner ; puis ils se saisirent chacun de quartiers de roche et se mirent à nous lapider en les lançant sur le radeau. Ils réussirent de la sorte à nous atteindre et à noyer tous mes compagnons, à l'exception de deux. Quant à nous trois, nous pûmes enfin nous éloigner hors de portée des roches lancées. Nous arrivâmes bientôt au milieu de la mer où nous fûmes saisis par le vent et poussés vers une île qui était distante de deux jours de celle où nous avions failli périr embrochés et rôtis. Nous pûmes y trouver des fruits qui nous empêchèrent de succomber ; puis, comme la nuit était déjà avancée, nous grimpâmes sur un grand arbre pour y passer la nuit.

Lorsqu'au matin nous nous réveillâmes, le premier objet qui se présenta devant nos yeux effarés fut un terrible serpent, aussi gros que l'arbre sur lequel nous nous trouvions et qui dardait sur nous des yeux flamboyants en ouvrant une mâchoire large comme un four. Et soudain il se détendit, et sa tête fut sur nous, au sommet de l'arbre. Il saisit dans sa gueule l'un de mes deux compagnons et l'avala jusqu'aux épaules, puis d'un second mouvement de déglutition il l'avala tout entier. Et aussitôt nous entendîmes les os de l'infortuné craquer dans le ventre du serpent qui descendit de l'arbre et nous laissa anéantis d'épouvante et de douleur. Et nous pensâmes : « Par Allah ! chaque nouveau genre de mort est plus détestable que le premier. La joie d'avoir échappé à la broche de l'homme noir se change maintenant en un pressentiment pire encore que tout ce que nous avons éprouvé ! Il n'y a de recours qu'en Allah ! »

Nous eûmes tout de même la force de descendre de l'arbre et de cueillir quelques fruits que nous mangeâmes, et d'étancher notre soif à l'eau des ruisseaux. Après quoi, nous errâmes dans l'île à la recherche de quelque abri plus sûr que celui de la précédente nuit, et nous finîmes par trouver un arbre d'une hauteur prodigieuse qui nous parut pouvoir nous protéger efficacement. Nous y grimpâmes à la tombée de la nuit et, nous y étant installés le mieux que nous pûmes, nous commencions à nous assoupir quand un sifflement et un bruit de branches cassées nous réveilla, et avant que nous eussions le temps de faire un mouvement pour nous échapper, le serpent avait saisi mon compagnon, qui était perché plus bas que moi, et l'avait d'une seule déglutition avalé aux trois quarts. Je le vis ensuite s'enrouler autour de l'arbre et faire craquer dans son ventre les os de mon dernier compagnon qu'il acheva d'avaler. Puis, me laissant mort d'épouvante, il se retira.

Moi, je continuai à rester immobile sur l'arbre jusqu'au matin, et alors seulement je me décidai à en descendre. Mon premier mouvement fut d'aller me jeter à la mer pour en finir avec une vie misérable et pleine d'alarmes plus terribles les unes que les autres ; mais je m'arrêtai en route, car mon âme n'y consentit pas, étant donné que l'âme est une chose précieuse ; et même elle me suggéra une idée à laquelle je dus mon salut.

Je commençai par chercher du bois et, en ayant bientôt trouvé, je m'étendis par terre et je pris une grande planche que je fixai solidement dans toute sa longueur sur la plante de mes pieds ; j'en pris ensuite une seconde que j'attachai sur mon flanc gauche, une autre sur mon flanc droit, une quatrième sur mon ventre, et une cinquième, plus large et plus longue que les précédentes, que je fixai sur ma tête. Je me trouvais de la sorte entouré d'une muraille de planches qui, dans tous les sens, opposait un obstacle à la queue du serpent. Cela fait, je restai étendu sur le sol, et j'attendis là ce que me réservait le destin.

À la tombée de la nuit, le serpent ne manqua pas de venir. Sitôt qu'il me vit, il fut sur moi et voulut m'avaler dans son ventre ; mais il en fut empêché par les planches. Il se mit alors à ramper et à tourner autour de moi pour essayer de me saisir par un côté plus accessible, mais il ne put y réussir malgré tous ses efforts et bien qu'il me tiraillât dans tous les sens. Il passa ainsi toute la nuit à me faire souffrir, et moi, déjà je me croyais mort et je sentais sur ma figure son haleine puante. Il finit enfin par me laisser là, au lever du jour, et s'éloigna plein de fureur contre moi et à la limite extrême de la rage et de la colère.

Lorsque je me fus assuré qu'il s'était véritablement éloigné…

À ce moment de sa narration, Schahrazade vit apparaître le matin et se tut discrètement.

Mais lorsque fut la trois cent et unième nuit. Elle dit :

… Lorsque je me fus assuré qu'il s'était véritablement éloigné, j'étendis la main et me débarrassai des liens qui m'attachaient aux planches. Mais j'étais si mal en point que je ne pus d'abord mouvoir mes membres et que, pendant plusieurs heures de temps, je désespérai de pouvoir en recouvrer jamais l'usage. Mais je finis tout de même par me mettre debout et peu à peu je pus marcher et rôder à travers l'île. Je me dirigeai vers la mer où, à peine arrivé, je découvris au loin un navire, toutes voiles dehors, qui filait à grande vitesse. À cette vue, je me mis à agiter les bras et à crier comme un fou ; puis je dépliai la toile de mon turban et, l'ayant fixée à une branche d'arbre, je la levai au-dessus de ma tête et m'évertuai à faire des signaux pour que l'on me remarquât du navire. Le destin voulut que mes efforts ne fussent pas inutiles. Bientôt, en effet, je vis le navire virer de bord et se diriger du côté de la terre ; et, peu après, j'étais recueilli par le capitaine et ses hommes.

Une fois à bord du navire, on commença par me donner des vêtements et cacher ma nudité, vu que depuis le temps, j'avais usé ceux dont j'étais couvert ;

puis on m'offrit de manger un morceau, ce que je fis de grand appétit, à cause de mes privations passées ; mais ce qui me ravit l'âme, ce fut surtout certaine eau fraîche juste à point et vraiment délicieuse dont je bus jusqu'à satiété. Aussi mon cœur se calma et mon âme se tranquillisa et je sentis le repos et le bien-être descendre enfin en mon corps exténué.

Je recommençai donc à bien vivre après avoir vu la mort de mes deux yeux, et je bénis Allah pour sa miséricorde et le remerciai pour avoir interrompu mes tribulations. De la sorte, je ne tardai pas à me remettre complètement de mes émotions et de mes fatigues, si bien que je ne fus pas loin de croire que toutes ces calamités ne m'étaient arrivées qu'en songe.

Notre navigation fut excellente et, avec la permission d'Allah, le vent nous fut tout le temps favorable et nous fit heureusement aborder à une île nommée Salahata, où nous devions faire escale et dans la rade de laquelle le capitaine fit jeter l'ancre pour permettre aux marchands de débarquer et de vaquer à leurs affaires. Lorsque les passagers furent à terre, comme j'étais le seul à rester à bord, faute de marchandises à vendre ou à échanger, le capitaine s'approcha de moi et me dit : « Écoute ce que j'ai à te dire ! Tu es un homme pauvre et étranger, et tu nous as raconté combien tu as subi d'épreuves dans ta vie. Aussi je veux maintenant t'être de quelque utilité et t'aider à retourner dans ton pays, afin que, quand tu penseras à moi, ce soit avec plaisir et en appelant sur moi les bénédictions ! » Moi, je répondis : « Certainement, ô capitaine ! je ne manquerai pas de faire des vœux pour toi. » Il me dit : « Sache qu'il y a de cela quelques années nous avions avec nous un voyageur qui s'est perdu dans une île où nous avions fait escale. Et depuis lors nous n'avons plus eu de ses nouvelles, et nous ne savons s'il est mort ou s'il est encore en vie. Comme nous avons en dépôt dans le navire les marchandises laissées par ce voyageur, j'ai eu l'idée de te les confier pour que, moyennant un courtage prélevé sur le gain, tu les vendes dans cette île et m'en rapportes le prix afin qu'à mon retour à Bagdad je puisse le remettre à ses parents ou le lui remettre à lui-même s'il a réussi à regagner sa ville. » Et moi je répondis : « Je te dois l'ouïe et l'obéissance, ô maître ! Et je te devrai vraiment beaucoup de gratitude pour ce que tu veux me faire honnêtement gagner ! »

Alors le capitaine ordonna aux matelots de tirer les marchandises de la cale et de les porter sur le rivage, à mon intention. Puis il appela l'écrivain du navire et lui dit de les compter et de les inscrire, ballot par ballot. Et l'écrivain répondit : « À qui appartiennent ces ballots, et au nom de qui dois-je les inscrire ? » Le capitaine répondit : « Le propriétaire de ces ballots s'appelait Sindbad le Marin. Maintenant inscris-les au nom de ce pauvre passager, et demande-lui son nom. » À ces paroles du capitaine, je fus prodigieusement étonné et je m'écriai : « Mais c'est moi, Sindbad le Marin ! » Et, ayant regardé attentivement le capitaine, je le reconnus pour celui qui, au commencement de mon second voyage, m'avait oublié dans l'île où je m'étais endormi.

Aussi mon émotion fut-elle à ses limites extrêmes, à cette découverte inattendue, et je continuai : « Ô capitaine, ne me reconnais-tu donc pas ? C'est bien moi, Sindbad le Marin, natif de Bagdad ! Écoute mon histoire ! Rappelle-toi, ô capitaine, que c'est bien moi qui étais descendu dans l'île, il y a tant d'années, et qui n'étais plus revenu. Je m'étais, en effet, endormi près d'une source délicieuse, après avoir mangé un morceau, et ne m'étais réveillé que pour voir le navire déjà éloigné sur la mer. D'ailleurs, beaucoup de marchands de la montagne des diamants m'ont vu et pourront témoigner que c'est bien moi Sindbad le Marin ! »

Je n'avais pas encore fini de m'expliquer que l'un des marchands qui étaient remontés à bord prendre des marchandises s'approcha de moi, me considéra attentivement, et, sitôt que j'eus cessé de parler, frappa de surprise ses mains l'une contre l'autre, et s'écria : « Par Allah ! ô vous tous, vous ne m'aviez pas cru quand je vous avais raconté dans le temps l'étrange aventure qui m'était un jour arrivée dans la montagne des diamants, où je vous avais dit avoir vu un homme attaché à un quartier de mouton et transporté de la vallée sur la montagne par un oiseau nommé rokh. Eh bien ! cet homme-là, le voici ! C'est celui-ci même qui est Sindbad le Marin, l'homme généreux qui m'avait fait cadeau de si beaux diamants ! » Et, ayant parlé de la sorte, le marchand vint m'embrasser comme un frère retrouvé.

Alors, le capitaine du navire me considéra un instant et soudain me reconnut lui aussi pour être Sindbad le Marin. Et il me prit dans ses bras comme il aurait fait de son fils, me félicita d'être encore en vie et me dit : « Par Allah, ô mon maître, ton histoire est étonnante et ton aventure est prodigieuse ! Mais béni soit Allah qui a permis notre réunion et t'a fait retrouver tes marchandises et ton bien ! » Puis il fit porter à terre mes marchandises pour que je les vendisse, à mon entier profit cette fois. Et, de fait, le gain que je fis fut énorme et me dédommagea au-delà de toute espérance de ce que le temps m'avait fait perdre jusque-là. Après quoi, nous quittâmes l'île Salahata et nous arrivâmes dans les pays de Sind, où nous vendîmes et achetâmes également.

Dans ces mers lointaines, je vis des choses étonnantes et des prodiges innombrables dont je ne puis vous faire le récit en détail. Mais, entre autres choses, je vis un poisson qui avait l'aspect d'une vache, et un autre qui ressemblait à un âne. Je vis aussi un oiseau qui naissait de la nacre marine, et dont les petits vivaient à la surface des eaux, sans jamais voler sur la terre.

Après cela, nous continuâmes notre navigation, avec la permission d'Allah, et nous finîmes par arriver à Bassra, où nous ne restâmes que peu de jours, pour enfin rentrer dans Bagdad.

Alors je me dirigeai vers ma rue, j'entrai dans ma maison, je saluai mes parents, mes amis et mes anciens compagnons, et je fis de grandes largesses aux veuves et aux orphelins. J'étais, en effet, rentré enrichi plus que jamais des dernières affaires que j'avais faites en vendant mes marchandises.

Mais demain, ô mes amis, si Allah veut, je vous raconterai l'histoire de mon quatrième voyage qui dépasse en intérêt les trois que vous venez d'entendre ! »

Puis Sindbad le Marin fit donner, comme les jours précédents, cent pièces d'or à Sindbad le Portefaix en l'invitant à revenir le lendemain.

Le Portefaix ne manqua pas d'obéir et, le jour suivant, il revint écouter ce que, le repas terminé, raconta Sindbad le Marin…

À ce moment de sa narration, Schahrazade vit apparaître le matin et, discrète, se tut.

Mais lorsque fut la trois cent deuxième nuit. Elle dit :

QUATRIÈME VOYAGE

Et Sindbad le Marin dit : « Ni les délices, ni les plaisirs de la vie à Bagdad, ô mes amis, ne surent me faire oublier les voyages. En revanche je ne me souvenais guère des fatigues endurées et des dangers courus. Et l'âme perfide qui m'habitait ne manqua pas de me montrer les avantages qu'il y aurait à parcourir de nouveau les contrées des hommes. Aussi je ne pus résister à ses tentations, et, un jour, laissant là maison et richesses, je pris avec moi une grande quantité de marchandises de prix, bien plus que je n'en avais emporté dans mes derniers voyages, et de Bagdad je partis pour Bassra, où je m'embarquai sur un grand navire en compagnie de plusieurs notables marchands fort avantageusement connus sur la place.

Notre voyage sur mer, grâce à la bénédiction, fut d'abord excellent. Nous allâmes d'île en île et d'une terre à une terre vendant et achetant et réalisant des bénéfices fort appréciables jusqu'à ce qu'un jour, en pleine mer, le capitaine fît jeter l'ancre en nous criant : « Nous sommes perdus sans recours ! »

Et soudain un coup de vent terrible souleva toute la mer qui se précipita sur le navire, le fracassa dans tous les sens, et emporta les passagers, y compris le capitaine, les matelots et moi-même. Et d'abord tout le monde se noya, et moi également.

Mais moi, je pus, grâce à la miséricorde, trouver sur l'abîme une planche du navire à laquelle je m'accrochai des mains et des pieds, et sur laquelle je fus ballotté pendant une demi-journée, moi et quelques autres marchands qui purent s'y accrocher avec moi. Alors, à force de ramer avec nos pieds et nos mains, nous finîmes, aidés par le vent et le courant, par être jetés comme des épaves, morts déjà à moitié de froid et d'épouvante, sur le rivage d'une île. Nous restâmes toute une nuit anéantis, sans mouvement, sur le rivage de cette île. Mais le lendemain nous pûmes nous lever et nous avancer à l'intérieur, où nous aperçûmes une habitation vers laquelle nous nous dirigeâmes.

À notre arrivée, nous vîmes sortir de la porte de cette habitation une troupe de gens complètement nus et noirs qui, sans nous dire un seul mot, s'emparèrent de nous et nous firent pénétrer dans une grande salle où, sur un haut siège, était assis un roi.

Le roi nous ordonna de nous asseoir, et nous nous assîmes. Alors devant nous on apporta des plateaux remplis de mets que de notre vie entière nous n'avions vus ailleurs. Leur vue n'excita guère mon appétit, contrairement à mes compagnons qui en mangèrent gloutonnement pour apaiser la faim qui les tenait depuis notre naufrage. Quant à moi, mon abstention fut la cause qui devait me conserver la vie jusqu'aujourd'hui.

En effet, dès les premières bouchées, une fringale énorme s'empara de mes compagnons, qui se mirent à avaler pendant des heures tout ce qu'on leur présentait, avec des gestes de fous, et des reniflements extraordinaires.

Pendant qu'ils étaient en cet état, les hommes nus apportèrent un vase rempli d'une sorte de pommade dont ils leur enduisirent le corps, et dont l'effet sur leur ventre fut extraordinaire. En effet, je vis le ventre de mes compagnons se dilater peu à peu, dans tous les sens, jusqu'à devenir plus gros qu'une outre gonflée ; et leur appétit augmenta en proportion, si bien qu'ils continuèrent à manger sans arrêt, alors que moi je les regardais, effaré de voir que leur ventre ne se remplissait pas.

Or moi, voyant cet effet sur mes compagnons, je persistai à ne point toucher à ces mets et je refusai de me laisser enduire de pommade. Et vraiment ma sobriété fut salutaire, car je découvris que ces hommes nus étaient des mangeurs de chair humaine, et qu'ils employaient ces divers moyens pour engraisser les hommes qui tombaient entre leurs mains et rendre de la sorte leur chair plus tendre et plus juteuse. Et quand au roi de ces mangeurs, je découvris qu'il était ogre. On lui servait tous les jours en rôti un homme engraissé par cette méthode ; quant aux hommes nus ils n'aimaient pas le rôti et mangeaient de la chair humaine crue, sans aucun assaisonnement, telle quelle.

À cette triste découverte, mon anxiété sur mon sort et sur celui de mes compagnons connut d'autant moins de bornes que je constatai bientôt une diminution notable de l'intelligence de mes compagnons au fur et à mesure que leur ventre grossissait et que leur individu s'épaississait. Ils finirent même par s'abrutir complètement à force de manger et, devenus absolument comme des bêtes d'abattoir, ils furent confiés à la garde d'un berger qui tous les jours les conduisait paître dans la prairie.

Quant à moi, la faim d'un côté et la peur de l'autre avaient fait de moi l'ombre de moi-même, et ma viande s'était desséchée sur mes os. Aussi, quand les natifs de cette île me virent si maigre et si emacié, ils ne s'occupèrent plus de moi et m'oublièrent tout à fait, me jugeant sans doute indigne d'être servi rôti à leur roi ou même en grillade.

Ce manque de surveillance de la part de ces insulaires noirs et nus me permit de m'éloigner de leur habitation et de marcher dans une direction opposée. Sur ma route, je rencontrais le berger qui fait paître le bétail composé de mes malheureux compagnons abrutis par leur ventre. Je me hâtai de m'enfoncer dans les hautes herbes et de marcher et de courir pour les perdre de vue, tant leur aspect m'était un objet de tortures et de tristesse.

Le soleil était déjà couché et je ne cessais pas de marcher. Je continuai à me diriger devant moi toute la nuit, sans éprouver le besoin de dormir, tant la peur me tenait de retomber entre les mains des Noirs mangeurs de chair humaine. Et je marchai encore tout le jour suivant, et aussi les six autres jours, ne prenant que juste le temps nécessaire à un repas qui me permît de continuer ma route vers l'inconnu. Et, pour toute nourriture, je ramassais, des herbes et je les mangeais, juste de quoi ne pas succomber à la faim.

Au matin du huitième jour…

À ce moment de sa narration, Schahrazade vit apparaître le matin et se tut discrètement.

Mais lorsque fut la trois cent troisième nuit. Elle dit :

… Au matin du huitième jour j'arrivai sur le rivage opposé de l'île, et j'aperçus des hommes comme moi, blancs et habillés de vêtements, qui étaient occupés à cueillir des grains de poivre sur les arbres dont était couverte cette région. Lorsqu'ils m'eurent aperçu, ils vinrent m'entourer et me parlèrent dans ma langue, l'arabe, que depuis si longtemps je n'avais pas entendue. Ils me demandèrent qui j'étais et d'où je venais. Je répondis : « Ô bonnes gens, je suis un homme étranger et pauvre ! » Et je leur racontai ce que j'avais éprouvé de malheurs et de dangers. Mon récit les étonna merveilleusement, et ils me félicitèrent d'avoir su échapper aux avaleurs de chair humaine, m'offrirent à manger et à boire, me laissèrent me reposer une heure de temps, puis m'emmenèrent dans leur barque, pour me présenter à leur roi dont la résidence était une autre île du voisinage.

L'île sur laquelle régnait ce roi avait pour capitale une ville fort peuplée, abondante en toutes les choses de la vie, riche en souks et en marchands dont les boutiques étaient pourvues d'objets de prix, percée de belles rues où circulaient de nombreux cavaliers sur des chevaux splendides, mais sans selles ni étriers. Aussi lorsque je fus présenté au roi, je ne manquai pas, après les salams, de lui faire part de l'étonnement où j'étais de voir les hommes monter à cru les chevaux. Et je lui dis : « Pour quel motif, ô maître et suzerain, ne se sert-on pas ici de la selle ? C'est un objet si commode pour aller à cheval ! Et puis cela rend le cavalier mieux maître de son cheval ! »

Le roi fut très étonné de mes paroles et me demanda : « Mais en quoi donc consiste une selle ? C'est là une chose que nous n'avons jamais vue de notre vie ! » Je lui dis : « Veux-tu alors me permettre de te confectionner une selle pour que tu puisses en essayer la commodité et en expérimenter l'agrément ? » Il me répondit : « Certainement ! »

Je fis alors un habile menuisier et je lui fis exécuter, sous mes yeux, le bois d'une selle exactement d'après mes indications. Et je restai près de lui jusqu'à ce qu'il l'eût terminé. Alors je garnis moi-même ce bois de la selle avec de la bourre de laine et du cuir, et achevai de l'orner tout autour avec de la broderie d'or et des glands de diverses couleurs. Je fis venir ensuite un forgeron auquel j'enseignai l'art de confectionner un mors et des étriers ; et il exécuta parfaitement ces choses, car je ne le quittai pas un instant.

Lorsque le tout fut dans un état parfait, je choisis le plus beau cheval des écuries du roi, et le sellai et bridai et harnachai splendidement, sans oublier de lui mettre les divers accessoires d'ornement, tels que longues traînes, glands de soie et d'or, houppe et collier bleu. Et j'allai aussitôt le présenter au roi qui l'attendait depuis quelques jours avec une grande impatience. Le roi monta dessus immédiatement, et se sentit si bien d'aplomb et fut si satisfait de cette invention qu'il m'en témoigna sa joie par des cadeaux somptueux et de grandes largesses.

Lorsque le grand vizir eut vu cette selle, et constaté sa supériorité sur le mode ancien, il me pria de lui en faire une semblable. Et moi je voulus bien y consentir. Alors tous les grands du royaume et les hauts dignitaires voulurent également avoir une selle, et m'en firent la commande. Et ils me donnèrent des cadeaux qui en peu de temps firent de moi l'homme le plus riche et le plus considéré de la ville.

J'étais devenu l'ami du roi, et, comme j'allais un jour chez lui selon mon habitude, il se tourna vers moi et me dit : « Tu sais bien, Sindbad, que je t'aime beaucoup ! Tu es devenu, dans mon palais, comme l'un des miens, et je ne puis plus me passer de toi, ni supporter l'idée qu'un jour viendra où tu nous quitteras. Je désire donc te demander une chose sans te voir me la refuser ! » Je répondis : « Ô roi, ordonne ! Ton pouvoir sur moi est consolidé par tes bienfaits et par la gratitude que je te dois pour tout le bien dont je te suis redevable depuis mon arrivée dans ce royaume ! » Il répondit : « Je désire te marier chez nous avec une femme belle, jolie, parfaite, riche d'argent et de qualités, pour qu'elle te décide à toujours rester dans notre ville et dans mon palais. Je te demande donc de ne point rejeter mon offre et mes paroles ! »

Moi, à ce discours, je fus bien confus, je baissai la tête, et je ne pus faire de réponse, tant la timidité me retenait. Aussi le roi me demanda : « Pourquoi ne me réponds-tu pas, ô mon enfant ? » Je répliquai : « Ô roi du temps, l'affaire est ton affaire, et je suis ton esclave ! » Aussitôt il envoya chercher le kâdi et les témoins, et me donna, séance tenante, comme épouse une femme noble, de haute lignée, fort riche, maîtresse de meubles, de propriétés bâties et de terres, et douée d'une grande beauté. En même temps, il me fit présent d'un palais, tout meublé, avec ses domestiques, ses esclaves hommes et femmes, et un train de maison vraiment royal.

Aussi moi, je vécus dans un repos parfait, et j'arrivai à la limite de la dilatation et de l'épanouissement. Et je me réjouissais d'avance de pouvoir un jour m'échapper de cette ville et retourner à Bagdad en emmenant mon épouse ; car je l'aimais beaucoup et elle aussi m'aimait, et l'accord entre nous était parfait. Mais quand une chose a été fixée par le destin, nul pouvoir humain ne peut la faire dévier. Et quel est l'être créé qui peut connaître l'avenir ? Je devais, hélas ! faire encore une fois l'expérience que tous nos projets sont jeux enfantins en face du vouloir de la destinée.

Un jour, l'épouse de mon voisin, de par l'ordre d'Allah, mourut. Comme ce voisin était mon ami, je me rendis auprès de lui et essayai de le consoler en lui disant : « Ne t'afflige donc pas au-delà de ce qui est permis, mon voisin ! Allah te dédommagera bientôt en te donnant une épouse encore plus bénie ! Qu'Allah prolonge tes jours ! » Mais mon voisin, stupéfait de mes paroles, releva la tête et me dit : « Comment peux-tu me souhaiter une longue vie alors que tu sais bien que je n'ai qu'une heure encore à vivre ! » Alors moi je fus à mon tour stupéfait, et je lui dis : « Mon voisin, pourquoi parler de la sorte, et avoir de pareils pressentiments ? Tu es, grâce à Allah, bien portant, et rien ne te menace ! Voudrais-tu donc te tuer de ta propre main ? » Il répondit : « Ah ! je vois bien maintenant ton ignorance des usages de notre pays. Sache donc que la coutume veut que tout mari vivant soit enterré vif avec sa femme morte, et que toute femme vivante soit enterrée vive avec son mari mort. Cela est inviolable ! Et tout à l'heure je dois être enterré vif avec ma femme morte ! Ici tout le monde, y compris le roi, doit subir cette loi établie par les ancêtres ! » À ces paroles, je m'écriai : « Par Allah ! cette coutume est bien détestable ! Et jamais je ne pourrai m'y conformer ! »

Pendant que nous parlions de la sorte, les parents et les amis de mon voisin entrèrent, et se mirent effectivement à le consoler au sujet de sa propre mort et de celle de sa femme. Après quoi, on procéda aux funérailles. On mit le corps de la femme dans un cercueil découvert, après qu'il eut été revêtu des plus beaux habits et paré des joyaux les plus précieux. Puis le convoi fut formé ; le mari marcha en tête, derrière le cercueil ; et tout le monde, moi compris, se dirigea vers le lieu de l'enterrement.

Nous arrivâmes hors de la ville à une montagne sur la mer. À un certain endroit, je vis une sorte de puits immense dont on se hâta d'enlever le couvercle de pierre. On y descendit le cercueil, où se trouvait la femme morte parée de ses bijoux ; puis on se saisit de mon voisin, qui n'opposa aucune résistance ; on le descendit au moyen d'une corde jusqu'au fond du puits, avec un grand pot d'eau et sept pains, comme provisions. Cela fait, on reboucha l'orifice du puits avec les grandes pierres qui en faisaient le couvercle, et l'on s'en retourna par où l'on était venu.

Or, moi, j'avais assisté à tout cela dans un état inimaginable d'effroi, en pensant en mon âme : « Cela est encore pire que tout ce que j'ai vu ! » Et, à peine de retour au palais, je courus trouver le roi et lui dis : « Ô mon maître, j'ai parcouru jusqu'aujourd'hui bien des pays, mais je n'ai vu nulle part une coutume aussi barbare que celle qui consiste à enterrer le mari vivant avec sa femme morte ! Aussi je voudrais bien savoir, ô roi du temps, si l'étranger est également astreint à cette loi à la mort de sa femme ! » Il me répondit : « Mais certainement ! Il sera enterré avec elle ! »

Lorsque j'eus entendu ces paroles, je sentis de chagrin ma vésicule à fiel éclater dans mon foie, et je sortis de là fou de terreur et m'en allai chez moi, craignant déjà que mon épouse ne fût morte en mon absence, et que l'on ne m'astreignît à subir l'affreux supplice dont j'avais été témoin. J'essayai vainement de me consoler en disant : « Sindbad, sois tranquille. Tu mourras certainement le premier ! Et, de la sorte, tu n'auras pas à être enterré vivant ! » Cela ne devait me servir de rien, car, peu de temps après, ma femme tomba malade, s'alita quelques jours et mourut, malgré tous les soins de jour et de nuit dont je ne cessai de l'entourer.

Alors ma douleur fut sans limites ; car, en vérité, je ne trouvais guère que le fait d'être enterré vif fût moins déplorable que celui d'être dévoré par les mangeurs de chair humaine. Je ne doutai d'ailleurs plus de mon sort quand je vis le roi en personne venir dans ma maison me faire ses condoléances au sujet de mon enterrement. Il voulut même, accompagné de tous les personnages de la cour, me faire l'honneur d'assister à mon enterrement en marchant à côté de moi à la tête du convoi, derrière le cercueil où l'on avait placé mon épouse morte couverte de ses joyaux et ornée de tous ses atours.

Lorsque nous fûmes au pied de la montagne située sur la mer, où s'ouvrait le puits en question, on fit descendre au fond du trou le corps de mon épouse ; après quoi, tous les assistants s'approchèrent de moi et me firent leurs condoléances et leurs adieux. Alors moi, je voulus faire une tentative sur l'esprit du roi et des assistants pour qu'ils me dispensassent de cette épreuve, et je m'écriai en pleurant : « Je suis un étranger, et il n'est pas juste que je sois soumis à votre loi ! J'ai d'ailleurs dans mon pays une épouse qui est en vie et des enfants qui ont besoin de moi ! »

Mais j'eus beau crier et sangloter, ils me saisirent, sans vouloir m'écouter, me fixèrent des cordes sous les bras, attachèrent sur moi un pot d'eau et sept pains, selon l'usage, et me descendirent au fond du puits. Lorsque je fus arrivé tout au bas, ils me crièrent : « Défait tes liens pour que nous retirions les cordes ! » Mais je ne voulus point me délier, et continuai à tirer dessus pour les décider à me remonter. Alors ils lâchèrent eux-mêmes les cordes en les jetant sur moi, rebouchèrent l'orifice du puits avec les grandes pierres, et s'en allèrent en leur chemin, sans plus écouter mes cris pitoyables…

À ce moment de sa narration, Schahrazade vit apparaître le matin et se tut discrètement.

Mais lorsque fut la trois cent quatrième nuit. Elle dit :

… Sans plus écouter mes cris pitoyables.

Bientôt la puanteur de ce lieu souterrain m'obligea à me boucher le nez. Mais cela ne m'empêcha pas, grâce au peu de lumière qui descendait du haut, d'inspecter cette grotte mortuaire, remplie de cadavres anciens et récents. Elle était fort spacieuse et s'étendait si loin que mon regard n'en pouvait sonder la profondeur. Alors je me jetai par terre, en pleurant, et je m'écriai : « Tu mérites bien ton sort, Sindbad à l'âme insatiable ! Et puis, qu'avais-tu donc besoin de prendre femme dans cette ville ? Ah ! que n'as-tu succombé dans la vallée des diamants ! Ou que n'as-tu été dévoré par les mangeurs d'hommes ! Plût à Allah que tu eusses été englouti par la mer dans l'un de tes naufrages, plutôt que de succomber à une mort si effroyable ! » Et là-dessus je me mis à me donner de grands coups sur la tête et sur l'estomac et partout. Toutefois, pressé par la faim et la soif, je ne pus me décider à me laisser mourir d'inanition, et je détachai de la corde les pains et le pot d'eau, et je mangeai et je bus, mais parcimonieusement, en prévision des jours suivants.

Je vécus de la sorte pendant quelques jours, m'habituant peu à peu à l'odeur insupportable de cette grotte, et je m'endormais par terre dans un endroit que j'avais pris soin de déblayer des ossements qui le jonchaient. Mais bientôt je vis arriver le moment où il ne me resterait plus ni pain ni eau. Et ce moment arriva. Alors, au désespoir absolu, je fis mon acte de foi et j'allai fermer les yeux pour attendre la mort, quand soudain au-dessus de ma tête je vis s'ouvrir l'orifice du puits et descendre un homme mort dans un cercueil, et, après lui, son épouse avec les sept pains et le pot à eau.

Alors, moi, j'attendis que les hommes du haut eussent à nouveau bouché l'orifice et, sans faire le moindre bruit, tout doucement, je saisis un grand os de mort, et d'un bond je fus sur la femme que d'un coup sur la tête j'assommai ; et, pour m'assurer de sa mort, je lui assenai encore un second et un troisième coup de toute ma force. Je m'emparai alors des sept pains et de l'eau, et j'eus de la sorte des provisions pour quelques jours encore. Au bout de ce temps-là, de nouveau l'orifice s'ouvrit et on descendit cette fois une femme morte et un homme. Je ne manquai pas pour vivre, car l'âme est chère ! d'assommer l'homme et de lui enlever ses pains et son eau. Et je continuai à vivre ainsi pendant un long temps, en tuant chaque fois la personne que l'on enterrait vivante et en lui volant ses provisions.

Un jour d'entre les jours, je dormais à ma place ordinaire, quand je me réveillai en sursaut à un bruit inaccoutumé. C'était comme un souffle humain et un bruit de pas. Je me levai et pris cet os qui me servait à assommer les individus enterrés vivants, pour me diriger du côté d'où semblait venir le bruit. Au bout de quelques pas, je crus entrevoir que quelque chose prenait la fuite en soufflant avec force. Alors moi, toujours armé de mon os, je suivis cette espèce d'ombre fuyante, je la suivis longtemps, et je continuais à courir derrière elle dans l'obscurité, en trébuchant à chaque pas sur les ossements des morts, quand soudain, droit devant moi, dans le fond de la grotte, je crus apercevoir comme une étoile lumineuse qui tantôt brillait et tantôt s'éteignait. Je continuai à m'avancer dans cette direction, et à mesure que j'avançais je voyais la lumière grandir et s'élargir. Mais je n'osais point croire que ce fût là une ouverture par où m'échapper vers le dehors ; et je me disais : « Ce doit être certainement un second orifice de ce puits, par où des hommes font descendre un cadavre ! » Aussi quelle ne fut point mon émotion quand je vis l'ombre fuyante, qui n'était autre chose qu'un animal, prendre son élan et sauter à travers cet orifice. Alors je compris que c'était là un trou creusé par les bêtes pour venir manger les corps morts, dans la grotte. Et moi je sautai derrière la bête et me trouvai soudain en plein air, sous le ciel. À cette constatation, je tombai à genoux et remerciai de tout mon cœur le Très-Haut pour ma délivrance ; et j'apaisai mon âme et la tranquillisai dans son émoi. J'examinai alors les cieux, et je vis que j'étais au pied d'une montagne, au bord de la mer ; et je remarquai que cette montagne ne devait avoir aucune communication avec la ville, tant elle était escarpée et impraticable. Je tentai, en effet, d'en faire l'ascension, mais en vain. Alors, pour ne pas mourir de faim, je rentrai dans la grotte par le trou en question et j'allai prendre du pain et de l'eau ; et je revins m'en nourrir sous le ciel : ce que je fis de bien meilleur appétit que durant mon séjour au milieu des morts.

Je continuai à aller tous les jours dans la grotte enlever les pains et l'eau, en assommant ceux que l'on enterrait vivants. Puis j'eus l'idée de ramasser tous les joyaux des morts, les diamants, les bracelets, les colliers, les perles, les rubis, les métaux ciselés, les étoffes précieuses et tous les objets en or et en argent. Et chaque fois je transportais mon butin au bord de la mer, dans l'espoir qu'un jour je pourrais me sauver avec ces richesses. Et, pour que le tout fût prêt, j'en fis des ballots bien enveloppés avec les habits et les étoffes de ceux, hommes ou femmes, qui étaient dans la grotte.

J'étais un jour assis à songer à mes aventures et à mon état actuel, au bord de la mer, quand je vis un navire passer près de ma montagne. Je me levai en hâte, je déroulai la toile de mon turban et me mis à l'agiter avec de grands gestes et de grands cris, en courant sur le rivage. Par la grâce d'Allah, les gens du navire aperçurent mes signaux, et détachèrent une barque pour me venir prendre et me porter à leur bord. Ils m'emmenèrent avec eux et voulurent bien se charger aussi de mes ballots.

Lorsque nous fûmes arrivés à bord, le capitaine s'approcha de moi et me dit : « Ô toi, qui es-tu et comment as-tu fait pour te trouver sur cette montagne où, depuis le temps que je navigue dans ces parages, je n'ai jamais vu un être humain ? » Je répondis : « Ô mon maître, je suis un pauvre marchand, étranger à ces contrées. J'étais embarqué sur un grand navire qui a fait naufrage sur cette côte ; et moi, seul parmi tous mes compagnons, j'ai pu, grâce à mon courage et à mon endurance, me sauver de la noyade et sauver avec moi mes ballots de marchandises en les mettant sur une grande planche dont j'ai pu me saisir à temps quand ce navire eut été désemparé ! La destinée et mon sort m'ont jeté sur ce navire, et Allah a voulu que je ne fusse pas mort de faim et de soif ! » Et voilà ce que je dis au capitaine, en me gardant bien de lui dire la vérité sur mon mariage et mon enterrement, de peur qu'il n'y eût à bord quelqu'un de cette ville où régnait l'effroyable coutume dont j'avais failli être la victime !

En achevant mon discours au capitaine, je tirai de l'un de mes paquets un bel objet de prix et le lui offris en présent, pour qu'il me regardât de bon œil pendant le voyage. Mais, à ma grande surprise, il fit preuve d'un rare désintéressement, ne voulut point accepter mon présent, et me dit d'un ton bienveillant : « Je n'ai point pour habitude de me faire payer une bonne action. Tu n'es point le premier que nous ayons recueilli en mer. Nous avons secouru d'autres naufragés, nous les avons transportés dans leur pays, pour Allah ; et non seulement nous n'avons point voulu nous faire payer, mais, comme ils étaient dénués de tout, nous leur avons donné à manger et à boire, et nous les avons vêtus ; et, toujours pour Allah, nous leur avons donné de quoi subvenir à leurs semblables, pour Allah ! » À ces paroles, je remerciai le capitaine et fis des vœux pour lui en lui souhaitant une longue vie, alors qu'il ordonnait de déplier les voiles et faisait marcher le navire.

Nous naviguâmes excellemment pendant des jours et des jours, d'île en île et de mer en mer, alors que moi je restais étendu délicieusement pendant des heures à songer à mes étranges aventures et à me demander si réellement j'avais éprouvé tous ces maux ou si je n'étais pas en rêve. Et quelquefois même, en pensant à mon séjour dans la grotte souterraine avec mon épouse morte, je me sentais devenir fou d'épouvante.

Mais enfin, par le pouvoir d'Allah le Très-Haut, nous arrivâmes en bonne santé à Bassra, où nous ne nous arrêtâmes que quelques jours, pour ensuite entrer dans Bagdad.

Alors moi, chargé de richesses infinies, je pris le chemin de ma rue et de ma maison, où j'arrivai et où je trouvai mes parents et mes amis ; ils fêtèrent mon retour et se réjouirent à l'extrême en me félicitant pour mon salut. Alors moi, j'enfermai avec soin mes trésors dans les armoires, en n'oubliant pas toutefois de faire de grandes aumônes aux pauvres, aux veuves et aux orphelins, et de grandes largesses aux amis et connaissances. Et depuis lors je ne cessai de m'adonner à tous les divertissements et à tous les plaisirs, en compagnie des personnes agréables.

Mais tout ce que je vous ai raconté là n'est vraiment rien en comparaison de ce que je me réserve de vous narrer demain, si Allah veut !

Ainsi parla Sindbad ce jour-là ! Et il ne manqua pas de faire donner cent pièces d'or au Portefaix, et de l'inviter à dîner avec lui, en compagnie des notables qui étaient présents. Puis tout le monde s'en retourna chez soi, émerveillé de tout cela.

Quant à Sindbad le Portefaix…

À ce moment de sa narration, Schahrazade vit apparaître le matin et se tut discrètement.

Mais lorsque fut la trois cent sixième nuit. Elle dit :

… Quant à Sindbad le Portefaix il arriva chez lui, où il rêva toute la nuit à ce récit étonnant. Et le lendemain, quand il fut de retour à la maison de Sindbad le Marin, il était encore bien ému de l'enterrement de son hôte. Mais comme la nappe était déjà tendue, il prit place avec les autres, et mangea et but et bénit le Bienfaiteur. Après quoi, au milieu du silence général, il écouta ce que racontait Sindbad le Marin.

CINQUIÈME VOYAGE

Sindbad dit : « Sachez, ô mes amis, qu'à mon retour du quatrième voyage je me plongeai dans la joie, les plaisirs et les divertissements, et tellement que j'oubliai bientôt mes souffrances passées, et ne me rappelai que les gains admirables que m'avaient procurés mes aventures extraordinaires. Aussi ne vous étonnez pas si je vous dis que je ne manquai point d'obéir à mon âme, qui m'incitait à de nouveaux voyages vers les pays des hommes.

Je me levai donc et achetai des marchandises que, par expérience, je savais être d'écoulement facile et de gain sûr et fructueux ; je les fis emballer et partis avec elles pour Bassra.

Là, j'allai me promener sur la rade et je vis un grand navire, tout neuf, qui me plut beaucoup et que j'achetai pour moi seul, séance tenante. Je pris à mon service un bon capitaine expérimenté et des matelots, et je fis charger sur mon navire mes marchandises par mes esclaves qui demeurèrent à bord pour me servir. J'acceptai aussi comme passagers quelques marchands à bonne mine, qui me payèrent honnêtement leur prix de passage. De la sorte, devenu cette fois maître d'un navire, je pouvais, grâce à l'expérience acquise aux choses de la mer, aider le capitaine de mes conseils.

Nous partîmes de Bassra le cœur léger et joyeux, en nous souhaitant mutuellement toutes sortes de bénédictions. Aussi notre navigation fut heureuse, favorisée tout le temps par un vent favorable et une mer clémente. Et, après avoir fait diverses escales, pour vendre et acheter, nous abordâmes un jour à une île complètement inhabitée et déserte, et où l'on ne voyait, pour toute habitation, qu'un seul dôme blanc. Mais moi, en examinant de plus près ce dôme blanc, je devinai que c'était l'œuf d'un rokh. Je n'en dis pourtant rien aux passagers, qui, une fois débarqués, ne trouvèrent rien de mieux à faire que de jeter de grosses pierres contre la surface de l'œuf. Aussi finirent-ils par le casser et, à leur grande stupéfaction, il en coula beaucoup d'eau ; et quelques instants après le petit rokh fit sortir l'un de ses pieds de l'œuf.

À cette vue, les marchands continuèrent à casser l'œuf ; puis ils tuèrent le petit rokh, en coupèrent de bonnes tranches, et revinrent à bord me raconter l'aventure. Alors moi je fus à la limite de l'effroi et je m'écriai : « Nous sommes perdus ! Le père et la mère du rokh vont venir bientôt nous attaquer et nous faire périr ! Il faut donc nous éloigner au plus vite de cette île ! » Et aussitôt nous déployâmes les voiles et, aidés par le vent, nous prîmes le large.

Pendant ce temps, les marchands s'occupaient à rôtir les quartiers de rokh ; mais ils n'avaient pas même commencé de s'en régaler, que nous vîmes sur l'œil du soleil deux gros nuages qui le masquèrent complètement. Quand ces nuages furent plus près de nous, nous vîmes qu'ils n'étaient autre chose que deux gigantesques rokhs, le père et la mère de celui qui avait été tué. Et nous les entendîmes qui battaient des ailes et lançaient des cris plus terribles que le tonnerre. Et nous les vîmes bientôt juste au-dessus de nos têtes, mais à une grande hauteur, tenant chacun dans ses griffes un énorme rocher plus grand que notre navire.

À cette vue, nous ne doutâmes plus de notre perte, par l'effet de la vengeance des rokhs. Et soudain l'un des rokhs laissa du haut des airs tomber la roche dans la direction du navire. Mais le capitaine était fort expérimenté ; d'un coup de barre, il manœuvra si rapidement que le navire vira de bord, et que le rocher alla tomber, en passant juste à côté de nous, dans la mer qui s'entrouvrit d'une façon si béante que nous en vîmes le fond, et que le navire monta et descendit et remonta effroyablement. Mais, au même moment, notre destin voulut que le second rokh lâchât lui aussi son rocher qui, avant que nous eussions pu l'éviter, vint tomber sur l'arrière en brisant le gouvernail en vingt morceaux et en emportant la moitié du navire dans l'eau. Du coup, les marchands et les matelots furent les uns écrasés et les autres submergés. Moi, je fus du nombre des submergés. Mais moi, je pus revenir un moment au-dessus de l'eau, tant j'avais lutté contre la mort poussé par l'instinct de conserver mon âme précieuse. Et, par bonheur, je pus m'accrocher à une planche de mon navire, qui avait disparu.

Je finis par pouvoir me mettre à califourchon sur cette planche et, en ramant des pieds, je pus, aidé par le vent et le courant, arriver à une île, juste à temps pour ne pas rendre mon dernier souffle, tant j'étais exténué de fatigue, de faim et de soif. Je me jetai d'abord sur le rivage où je restai anéanti une heure de temps, jusqu'à ce que mon âme et mon cœur puissent se reposer et se tranquilliser. Je me levai alors et m'avançai dans l'île pour reconnaître les lieux.

Je n'eus pas besoin de faire un long chemin pour remarquer que, cette fois, la destinée m'avait transporté dans un jardin si beau qu'il pouvait être comparé aux jardins du paradis. Partout, devant mes yeux charmés, des arbres aux fruits dorés, des ruisseaux coureurs, des oiseaux aux mille ramages et des fleurs ravissantes. Aussi je ne manquai point de manger de ces fruits, de boire à cette eau et de respirer ces fleurs ; et je trouvai le tout excellent au possible...

À ce moment de sa narration, Schahrazade vit apparaître le matin et se tut discrètement.

Mais lorsque fut la trois cent septième nuit. Elle dit :

... Et je trouvai le tout excellent au possible. Aussi je ne bougeai plus de l'endroit où je me trouvais, et continuai à m'y reposer de mes fatigues jusqu'au soir.

Mais lorsque vint la nuit et que je me vis seul dans cette île, au milieu de ces arbres, je ne pus m'empêcher, malgré la beauté et la paix qui m'entouraient, d'avoir une peur atroce ; aussi je ne pus guère dormir que d'un œil, et mon sommeil fut obsédé de cauchemars terribles, au milieu de ce silence et de cette solitude.

Avec le matin, je me levai plus tranquille, et poussai un peu plus loin mon exploration. J'arrivai de la sorte près d'un réservoir où venait tomber l'eau d'une source, et sur le bord de ce réservoir était assis, immobile, un vénérable vieillard drapé d'un grand manteau fait avec les feuilles des arbres. Et moi je pensai en mon âme : « Ce vieillard doit être aussi quelque naufragé qui, avant moi, aura trouvé refuge dans cette île ! »

Je m'approchai donc et lui souhaitai la paix. Il me rendit mon souhait, mais seulement par signes, sans prononcer une parole. Et je lui demandai : « Ô vénérable cheikh, comment se fait-il que tu sois en cet endroit ? » Il ne me répondit pas davantage, mais il hocha la tête d'un air triste et me fit avec la main des signes qui signifiaient : « Je te prie de me prendre sur tes épaules et de me faire traverser le ruisseau : je voudrais cueillir des fruits de l'autre côté ! »

Alors moi je pensai : « Sindbad, certes tu feras une bonne action en rendant ce service à ce vieillard ! » Je me baissai donc et le chargeai sur mes épaules, en ramenant ses jambes sur ma poitrine ; et il m'entoura ainsi le cou de ses cuisses et la tête de ses bras. Et je le transportai de l'autre côté du ruisseau, jusqu'à l'endroit qu'il m'avait désigné ; puis je me baissai de nouveau et lui dis : « Descends tout doucement, ô vénérable cheikh ! » Mais il ne bougea pas ! Au contraire il serra davantage ses cuisses autour de mon cou, et se cramponna de toutes ses forces à mes épaules.

À cette constatation, je fus à la limite de l'étonnement et regardai plus attentivement ses jambes. Elles me parurent noires et velues et rudes comme la peau d'un buffle, et me firent bien peur. Aussi, pris soudain d'un effroi sans limites, je voulus me désenlacer de son étreinte et le jeter à terre ; mais alors il me serra si fortement à la gorge qu'il m'étrangla à moitié, et que le monde noircit devant mon visage. Je fis encore un dernier effort, mais ce fut pour perdre connaissance, à bout de respiration, et tomber évanoui sur le sol.

Au bout d'un certain temps, je revins à moi, et, malgré mon évanouissement, je trouvai le vieillard toujours cramponné à mes épaules ; il avait seulement légèrement écarté ses jambes pour permettre à l'air de pénétrer dans ma gorge. Lorsqu'il me vit respirer, il me donna deux coups de pied dans l'estomac, pour m'obliger à me relever. La douleur me fit obéir, et je me remis debout sur les jambes, tandis qu'il se cramponnait plus que jamais à mon cou. De la main il me fit signe de marcher sous les arbres ; et là il se mit à cueillir les fruits et à les manger. Et chaque fois que je m'arrêtais contre son gré ou que je marchais trop vite, il me donnait des coups de pied fort violents qui me forçaient à l'obéissance. Il resta ce jour-là sur mes épaules, me faisant aller comme une bête de somme ; et, la nuit venue, il m'obligea à m'étendre avec lui, pour qu'il pût dormir, toujours attaché à mon cou. Et, le matin, d'un coup de pied dans le ventre il me réveilla pour se faire porter comme la veille. Il resta ainsi cramponné sur mes épaules le jour et la nuit, sans discontinuer. Il faisait sur moi tous ses besoins liquides ou solides, et me faisait marcher sans pitié, à coups de pied et à coups de poing.

Aussi je vis bien que jamais je n'avais souffert dans mon âme autant d'humiliations et dans mon corps autant de mauvais traitements qu'au service forcé de ce vieillard plus solide qu'un homme jeune et plus impitoyable qu'un ânier. Et je ne savais plus quel moyen employer pour me débarrasser de lui ; et je déplorais le bon mouvement qui me l'avait fait prendre en pitié, et porter sur mes épaules. Et vraiment, en ce moment, je me souhaitais la mort du plus profond de mon cœur.

J'étais depuis déjà un long temps dans cet état déplorable, quand un jour qu'il me faisait marcher sous des arbres où pendaient de grosses citrouilles, l'idée me vint de me servir de ces fruits desséchés pour m'en faire des récipients. Je ramassai donc une grosse calebasse sèche tombée depuis longtemps de l'arbre, je l'évidai entièrement et la nettoyai, et j'allai cueillir à une vigne de belles grappes de raisin que j'exprimai dedans jusqu'à la remplir. Je la bouchai ensuite soigneusement et la posai au soleil, où je la laissai plusieurs jours jusqu'à ce que le jus fût devenu du vin pur.

Alors je pris la calebasse et en bus une quantité suffisante pour me relever les forces et m'aider à supporter les fatigues de charge, mais pas assez pourtant pour aller jusqu'à l'ivresse. Toutefois je me sentis ragaillardi et en grande gaieté, et tellement que, pour la première fois, je me mis à gambader de-ci de-là, avec ma charge que je ne sentais plus, et à danser en chantant à travers les arbres. Je me mis même à applaudir en accompagnant ma danse et en riant aux éclats de toute ma gorge.

Lorsque le vieillard me vit dans cet état inaccoutumé et eut constaté que mes forces s'étaient multipliées tellement que je le portais sans fatigue, il m'ordonna par signes de lui passer la calebasse. Moi, je fus bien contrarié de cette demande ; mais j'avais tellement peur de lui que je n'osai pas refuser : je me hâtai donc de lui donner la calebasse, bien à contrecœur. Il la prit de mes mains, la porta à ses lèvres, goûta d'abord pour essayer, et, comme il trouvait la liqueur agréable, il la but, vidant la calebasse jusqu'à la dernière goutte et la jetant ensuite loin de lui.

Bientôt l'effet du vin commença à se faire sentir sur son cerveau ; et comme il avait bu suffisamment pour s'enivrer, il ne tarda pas à danser d'abord à sa manière et à se trémousser sur mes épaules, pour ensuite s'affaisser, tous muscles relâchés, et à se pencher de droite et de gauche se tenant juste assez pour ne pas tomber.

Alors moi, sentant que je n'étais plus serré comme d'habitude, d'un mouvement rapide je dénouai ses jambes de mon col, et d'un coup d'épaules je l'envoyai sauter à quelques pieds et rouler sur le sol, où il resta sans mouvement. Alors je bondis sur lui, et, ramassant entre les arbres une pierre énorme, je lui en assenai sur la tête divers coups si bien ajustés que je lui écrasai le crâne et mêlai son sang à sa chair. Il mourut ! Puisse Allah n'avoir jamais compassion de son âme…

À ce moment de sa narration, Schahrazade vit apparaître le matin et se tut discrètement.

Mais lorsque fut la trois cent huitième nuit. Elle dit :

… Puisse Allah n'avoir jamais compassion de son âme !

À la vue de son cadavre, je me sentis l'âme encore bien plus allégée que le corps, et je me mis à courir de joie et arrivai de la sorte sur le rivage, à l'endroit même où m'avait jeté la mer, lors du naufrage de mon navire. La destinée voulut que, juste à ce moment, des matelots se trouvassent là, débarqués d'un navire à l'ancre, pour chercher de l'eau et des fruits. Ils furent, en me voyant, à la limite de l'étonnement, et vinrent m'entourer et m'interroger, après les salams de part et d'autre. Et moi je leur racontai ce qui venait de m'arriver, comment j'avais fait naufrage et comment j'avais été réduit à l'état de perpétuelle bête de somme par le vieillard que j'avais fini par tuer.

Au récit de mon histoire, les matelots furent stupéfaits et s'écrièrent : « Quelle chose prodigieuse que tu aies pu échapper à ce cheikh, connu de tous les navigateurs sous le nom de Vieillard de la mer ! Tu es le premier qu'il n'ait pas étranglé ; car il a toujours étouffé entre ses cuisses tous ceux dont il était parvenu à se rendre maître. Béni soit Allah qui t'en a délivré ! »

Après quoi, ils m'emmenèrent à leur navire où leur capitaine me reçut cordialement et me donna des vêtements pour couvrir ma nudité ; et, après m'avoir fait raconter mon aventure, il me félicita de ma délivrance, et remit à la voile.

Après plusieurs jours et plusieurs nuits de navigation, nous entrâmes dans la rade d'une ville aux maisons bien bâties et donnant sur la mer. Cette ville s'appelait la Ville des Singes, à cause de la quantité prodigieuse de singes qui habitaient les arbres d'alentour. Je descendis à terre avec l'un des marchands du navire, pour visiter cette ville et essayer de faire quelque affaire. Le marchand, qui était devenu mon ami, me donna un sac en coton et me dit : « Prends ce sac, remplis-le de cailloux, et joins-toi aux habitants de la ville qui sortent des murs. Tu feras exactement comme tu les verras faire. Et de la sorte tu gagneras largement ta vie. » Alors moi, je fis ce qu'il me conseillait, je remplis mon sac de cailloux et, comme je finissais ce travail, je vis sortir de la ville une troupe de gens également chargés chacun d'un sac semblable au mien. Mon ami le marchand me recommanda chaleureusement à eux, en leur disant : « C'est un homme pauvre et étranger. Emmenez-le pour lui apprendre à gagner ici sa vie ! En lui rendant ce service, vous serez largement récompensés par le Rétributeur ! » Ils répondirent par l'ouïe et l'obéissance et m'emmenèrent avec eux.

Après avoir marché quelque temps, nous arrivâmes dans une large vallée couverte d'arbres si hauts que nul ne pouvait y grimper ; et ces arbres étaient peuplés des singes en question et leurs branches étaient lourdes de gros fruits à l'écorce dure, nommés cocos d'Inde. Nous nous arrêtâmes au pied de ces arbres, et mes compagnons déposèrent leurs sacs à terre et se mirent à lapider les singes en leur lançant les cailloux. Et moi, je fis comme eux. Alors les singes, furieux, ripostèrent en nous lançant du haut des arbres une quantité énorme de cocos. Et nous, en nous garant de temps à autre, nous ramassions ces fruits et en remplissions nos sacs.

Une fois nos sacs remplis, nous les rechargeâmes sur nos épaules et reprîmes le chemin de la ville, où le marchand me prit le sac et m'en donna la valeur en argent. Et moi je continuai de la sorte à accompagner tous les jours les ramasseurs de cocos, et à vendre en ville les fruits, et cela jusqu'à ce que, peu à peu, à force d'amasser ce que je gagnais, j'eusse acquis une fortune qui elle-même grossit à la suite de diverses échanges et achats, et me permit de m'embarquer sur un navire qui partait pour la Mer des Perles.

Comme j'avais pris soin d'emporter avec moi une quantité prodigieuse de cocos, je ne manquai pas, en arrivant dans diverses îles, de les échanger contre du poivre et de la cannelle ; et je vendis le poivre et la cannelle ailleurs, et avec l'argent que je gagnai, je me rendis dans la Mer des Perles, où je pris des plongeurs à mes gages. Ma chance, dans la pêche des perles, fut admirable. Elle me permit de réaliser en peu de temps une fortune immense. Aussi je ne voulus pas différer davantage mon retour et après avoir acheté, pour mon usage personnel, du bois d'aloès de la meilleure qualité aux indigènes de ce pays idolâtre, je m'embarquai sur un navire qui faisait voile pour Bassra, où j'arrivai heureusement après une excellente navigation. De là, je partis sans retard pour Bagdad, et courus à ma rue et à ma maison, où je fus reçu avec des transports de joie par mes parents et mes amis.

Comme je revenais plus riche que je ne l'avais jamais été, je ne manquai pas de répandre l'aisance autour de moi en faisant de grandes largesses à ceux qui étaient dans le besoin. Et moi-même je vécus dans un repos parfait, au sein de la joie et des plaisirs.

Mais vous autres, ô mes amis, dînez ce soir chez moi, et demain ne manquez pas de venir écouter le récit de mon sixième voyage ; car celui-là est vraiment étonnant, et vous fera oublier les aventures que vous venez d'entendre, quelque extraordinaires qu'elles aient été !

Puis Sindbad le Marin, ayant terminé cette histoire, fit donner, selon son habitude, cent pièces d'or au Portefaix émerveillé qui se retira, après le dîner, avec les autres convives. Et le lendemain, devant la même assistance, après un festin aussi somptueux que la veille, Sindbad le Marin parla en ces termes :

SIXIÈME VOYAGE

Sachez, ô vous tous, mes amis, mes compagnons et mes chers hôtes, qu'à mon retour du cinquième voyage j'étais un jour assis devant ma porte à prendre le frais, et je me sentais vraiment à la limite de l'épanouissement, quand je vis passer dans ma rue des marchands qui avaient l'air de revenir de voyage. À cette vue, je me rappelai avec bonheur le jour de mon arrivée, moi aussi, de voyage, ma joie de retrouver mes parents, mes amis et mes anciens compagnons, et ma joie encore plus grande de revoir mon pays natal ; et ce souvenir invita mon âme au voyage et au commerce. Aussi je résolus de voyager ; j'achetais de riches marchandises de prix, propres à supporter la mer, je fis charger mes ballots, et je partis de la ville de Bagdad pour la ville de Bassra. Là je trouvai un grand navire rempli de marchands et de notables qui avaient avec eux des marchandises somptueuses. Je fis embarquer mes ballots avec les leurs à bord de ce navire, et nous quittâmes en paix la ville de Bassra…

À ce moment de sa narration, Schahrazade vit apparaître le matin et se tut discrètement.

Mais lorsque fut la trois cent neuvième nuit. Elle dit :

… Et nous quittâmes en paix la ville de Bassra.

Nous ne cessâmes de naviguer de place en place et de ville en ville, en vendant, en achetant et en nous réjouissant la vue au spectacle des pays et des hommes, favorisés tout le temps par une heureuse navigation que nous mettions à profit pour jouir de la vie. Mais voici qu'un jour d'entre les jours, pendant que nous étions en pleine sécurité, nous entendîmes des cris de désespoir. C'était le capitaine lui-même qui les poussait. En même temps nous le vîmes jeter à terre son turban, se frapper la figure, s'arracher la barbe et se laisser choir au beau milieu du navire, en proie à un chagrin inimaginable.

Alors tous les passagers et les marchands l'entourèrent et lui demandèrent. « Ô capitaine, quelle nouvelle y a-t-il donc ? » Le capitaine leur répondit : « Sachez, bonnes gens ici assemblés, que nous nous sommes égarés avec notre navire, et nous sommes sortis de la mer où nous étions pour entrer dans une mer dont nous ne connaissons guère la route. Si donc Allah ne nous destine pas quelque chose pour nous sauver de cette mer, nous sommes anéantis, tous tant que nous sommes. Il faut donc supplier Allah le Très-Haut de nous tirer de cette affaire-là ! »

Le capitaine, après cela, se ramassa et monta sur le mât et voulut ranger les voiles ; mais le vent soudain souffla avec violence et renversa le navire sur l'arrière si brusquement que le gouvernail cassa, tandis que nous étions tout près d'une haute montagne. Alors le capitaine descendit du mât et s'écria : « Il n'y a de recours et de force qu'en Allah, le Très Haut, le Tout Puissant ! Nul ne peut arrêter le destin ! par Allah ! Nous sommes tombés dans une perdition effroyable, sans aucune chance de salut ou de délivrance ! »

À ces paroles les passagers se mirent tous à pleurer sur eux-mêmes, et à se faire mutuellement leurs adieux avant de voir s'achever leur existence et tomber leur espoir. Et soudain le navire se pencha sur la montagne en question et se brisa et se dispersa en planches de tous côtés. Et tous ceux qui étaient dedans furent submergés. Et les marchands tombèrent à la mer. Les uns furent noyés et les autres se cramponnèrent à la montagne en question et purent se sauver. Moi je fus du nombre de ceux qui purent s'accrocher à la montagne.

Cette montagne était située dans une île très grande dont les côtes étaient couvertes de débris de navires naufragés, et de toutes sortes d'épaves. À l'endroit où nous prîmes pied nous vîmes près de nous une quantité prodigieuse de ballots rejetés par la mer, des marchandises et de riches objets de toutes sortes. Et moi je me mis à marcher au milieu de ces choses éparses et, au bout de quelques pas, j'arrivais à une petite rivière d'eau douce qui, contrairement à toutes les autres rivières, qui viennent se jeter à la mer, sortait de la montagne et s'éloignait de la mer pour s'enfoncer plus loin dans une grotte située au bas de cette même montagne et y disparaître. Mais ce n'est point tout. Je remarquai que les bords de cette rivière étaient semés de pierres de rubis, de gemmes de toutes les couleurs, de pierreries de toutes les formes et de métaux précieux. Et toutes ces pierres précieuses étaient aussi nombreuses que les cailloux dans le lit d'un fleuve. Aussi tout le terrain environnant brillait-il et étincelait-il de ces reflets et de ces feux, tellement que les yeux n'en pouvaient supporter l'éclat.

Je remarquai également que cette île contenait la meilleure qualité du bois d'aloès chinois et d'aloès comari. Il y avait aussi, dans cette île, une source d'ambre brut liquide, de la couleur du bitume, qui coulait comme de la cire fondue sur le rivage sous l'action du soleil ; et les gros poissons sortaient de la mer et venaient l'avaler ; ils le chauffaient dans leur ventre, et le vomissaient au bout d'un certain temps à la surface de l'eau ; alors il devenait dur et changeait de nature et de couleur ; et les vagues le rapportaient sur le rivage qui en était embaumé. Quant à l'ambre que les poissons n'avalaient pas, il fondait sous l'action des rayons du soleil et répandaient par toute l'île une odeur semblable au parfum du musc.

Je dois également vous dire que toutes ces richesses ne pouvaient servir à personne, puisque nul n'avait pu aborder à cette île et en sortir vivant ou mort. En effet, tout navire qui s'en approchait était brisé contre la montagne ; et nul ne pouvait faire l'ascension de cette montagne, tant elle était impraticable. Aussi les passagers qui avaient pu se sauver du naufrage de notre navire, et moi-même nous fûmes bien perplexes, et nous demeurâmes sur le rivage hébétés de tout ce que nous avions sous les yeux en richesses, et du sort misérable qui nous attendait au milieu de ces somptuosités.

Nous demeurâmes donc pendant un certain temps sur le rivage, sans savoir quel parti prendre ; comme nous avions trouvé quelques provisions, nous les partageâmes entre nous en toute équité. Or, mes compagnons, qui n'étaient point habitués aux aventures, mangèrent leur part en une seule fois ou en deux fois ; aussi ils ne tardèrent pas, au bout d'un certain temps, variable suivant l'endurance de chacun, à succomber l'un après l'autre, faute de nourriture. Mais moi je sus ménager avec prudence mes provisions, et je n'en mangeai qu'une fois par jour ; d'ailleurs j'avais trouvé, à moi seul, d'autres provisions dont je me gardai bien de parler à mes compagnons.

Ceux d'entre nous qui moururent les premiers furent enterrés par les autres, après qu'on les eut lavés et mis dans un linceul confectionné avec les étoffes ramassées sur le rivage. Aux privations vint d'ailleurs s'ajouter une épidémie de mal de ventre, occasionnée par le climat humide de la mer. Aussi mes compagnons ne tardèrent pas à mourir jusqu'au dernier ; et c'est moi-même qui creusai de ma main la fosse du dernier de mes compagnons.

À ce moment il ne me restait plus que très peu de provisions, malgré mon économie et ma prudence ; et comme je voyais approcher le moment de ma mort, je me mis à pleurer sur moi-même en pensant : « Pourquoi n'ai-je pas succombé avant mes compagnons qui m'eussent rendu les derniers devoirs en me lavant et m'ensevelissant ! Il n'y a de recours et de force qu'en Allah le Tout-Puissant ! » Et là-dessus je me mis à me mordre les mains de désespoir…

À ce moment de sa narration, Schahrazade vit apparaître le matin et se tut discrètement.

Mais lorsque fut la trois cent dixième nuit. Elle dit :

… Je me mis à me mordre les mains de désespoir.

Je me décidai alors à me lever, et me mis à creuser une fosse profonde, en me disant : « Lorsque je sentirai arriver mon dernier moment, je me traînerai jusque-là et me mettrai dans cette fosse où je mourrai. Le vent se chargera d'accumuler peu à peu le sable sur ma tête et de combler la fosse ! » Et moi, tout en faisant ce travail, je me reprochais mon manque d'intelligence et mon départ de mon pays, malgré tout ce que j'avais enduré dans mes précédents voyages et ce que j'avais éprouvé premièrement, secondement, troisièmement, quatrièmement et cinquièmement, et chaque épreuve pire que la précédente. Et je me disais : « Que de fois tu t'es repenti pour recommencer ! Qu'avais-tu besoin de voyager encore ? N'avais-tu pas à Bagdad des richesses suffisantes et de quoi dépenser sans compter et sans crainte de jamais épuiser ton fonds qui suffirait à deux existences comme la tienne ? »

À ces pensées, succéda bientôt une autre réflexion suscitée par la vue de la rivière. Je me dis en effet : « Par Allah ! cette rivière doit certainement avoir un commencement et une fin. J'en vois bien d'ici le commencement, mais la fin en est invisible ! Pourtant cette rivière qui s'enfonce ainsi sous la montagne doit, à n'en pas douter, sortir de l'autre côté par quelque endroit. Aussi je pense que la seule idée vraiment pratique pour m'échapper d'ici, c'est de me construire une embarcation quelconque, de me mettre dedans, et de me laisser aller au courant de l'eau qui me fera entrer dans la grotte. Si c'est ma destinée, je trouverai bien par là le moyen de me sauver ; sinon je mourrai là-dedans, et ce sera moins affreux que de mourir de faim sur cette plage ! »

Je me levai donc, un peu ragaillardi par cette idée, et me mis aussitôt à exécuter mon projet. Je rassemblai de grands fagots de bois d'aloès comari et chinois, et les liai entre eux solidement avec des cordes ; je posai dessus de grandes planches de bois ramassées sur le rivage et provenant des navires naufragés, et réunis le tout ainsi sous forme d'un radeau aussi large que la rivière, ou plutôt un petit peu moins large, mais pas de beaucoup. Quand ce travail fut achevé, je chargeai le radeau de quelques gros sacs remplis de rubis, de perles et de toutes sortes de pierreries, en choisissant les plus grosses, celles qui étaient comme des cailloux ; et je pris aussi quelques ballots d'ambre gris, que je choisis tout à fait bon et débarrassé de ses impuretés ; et je ne manquai pas d'emporter aussi ce qui me restait de provisions. Je mis alors le tout bien en équilibre sur le radeau que j'avais pris soin de munir de deux planches en guise de rames, et je finis par m'embarquer dessus en me confiant à la volonté d'Allah et en me rappelant ces vers du poète :

« Ami, déserte les lieux où règne l'oppression, et laisse la demeure résonner des cris de deuil sur ceux qui l'ont bâtie.

Tu trouveras d'autre terre que ta terre, mais ton âme est une et tu ne la retrouveras pas.

Et ne t'afflige point devant les accidents des nuits, car les malheurs, même les plus grands, voient arriver leur terme.

Et sache bien que celui dont le trépas a été d'avance fixé sur une terre ne pourra mourir sur une autre terre que celle-là !

Et dans ton malheur n'envoie point de message à quelque conseiller : nul ne te sera meilleur conseiller que ton âme ! »

Le radeau fut donc entraîné par le courant sous la voûte de la grotte, où il commença à se frotter fort rudement contre les parois, et ma tête aussi reçut divers chocs contre la voûte, alors que moi, épouvanté de l'obscurité complète où je me trouvais soudain, je voulais déjà revenir sur la plage. Mais je ne pouvais plus reculer ; le courant très fort m'entraînait de plus en plus à l'intérieur ; et le lit de la rivière tantôt s'élargissait et tantôt se rétrécissait, tandis que les ténèbres de plus en plus autour de moi s'épaississaient, et me fatiguaient par-dessus toutes choses. Alors moi, lâchant les rames qui ne m'avaient d'ailleurs pas servi à grand-chose, je me jetai à plat ventre sur le radeau et, je ne sais comment, je fus insensibilisé dans un profond sommeil.

Mon sommeil dura certainement une année ou plus, si j'en dois juger par le chagrin qui l'avait sans doute occasionné. En tout cas, en me réveillant, je me trouvai en pleine lumière. J'ouvris mieux les yeux et me vis étendu sur l'herbe, dans une vaste campagne ; et mon radeau était attaché au bord d'une rivière ; et tout autour de moi il y avait des Indiens et des Abyssins. Lorsque ces hommes me virent me réveiller, ils se mirent à me parler ; mais je ne compris rien à leur langage et ne pus leur répondre. Je commençais même à croire que tout cela n'était qu'un rêve, quand je vis s'avancer vers moi un homme qui me dit en langue arabe : « La paix sur toi, ô notre frère ! Qui es-tu, d'où viens-tu, et quel motif t'a fait venir en ce pays ? Quant à nous, nous sommes des laboureurs qui venons ici arroser nos plantations et nos champs. Nous avons aperçu le radeau sur lequel tu étais endormi, et nous l'avons arrêté et attaché sur la rive ; puis nous avons attendu que tu te fusses réveillé seul tout doucement, pour ne pas t'effrayer. Raconte-nous donc par quelle aventure tu te trouves en ce lieu ! » Moi je répondis : « Par Allah sur toi, ô mon maître, donne-moi d'abord à manger, car je suis affamé ; et ensuite interroge-moi tant qu'il te plaira ! »

À ces paroles, l'homme se hâta de courir et de m'apporter de la nourriture ; et moi je mangeai jusqu'à ce que je me fusse rassasié et apaisé et ragaillardi. Je sentis alors mon âme revenir, et je remerciai Allah en l'occurrence, et je me félicitai fort d'avoir échappé à cette rivière souterraine. Après quoi, je racontai à ceux qui m'entouraient tout ce qui m'était arrivé, depuis le commencement jusqu'à la fin. Lorsqu'ils eurent entendu mon récit, ils furent merveilleusement étonnés et se mirent à parler entre eux, et celui qui parlait arabe m'expliquait ce qu'ils se disaient, comme il leur avait d'ailleurs fait comprendre mes paroles. Ils voulaient, tant ils étaient dans l'admiration, me conduire auprès de leur roi pour qu'il entendît mes aventures. Moi je consentis immédiatement ; et ils m'emmenèrent. Et ils ne manquèrent pas de transporter également le radeau tel quel avec ses ballots d'ambre et ses gros sacs remplis de pierreries.

Le roi, auquel ils racontèrent qui j'étais, me reçut avec beaucoup de cordialité ; et, après les salams réciproques, il me demanda de lui faire moi-même le récit de mes aventures. Aussitôt j'obéis et lui narrai tout ce qui m'était arrivé, sans omettre un détail. Mais il n'y a point utilité à le répéter.

À mon récit, le roi de cette île, qui était l'île de Serendib, fut à la limite de l'étonnement, et me félicita beaucoup d'avoir eu la vie sauve malgré tous les dangers courus. Alors moi je voulus lui montrer que les voyages m'avaient tout de même servi à quelque chose, et je me hâtai d'ouvrir en sa présence mes sacs et mes ballots.

Alors le roi, qui était grand connaisseur en pierreries, admira fort ma collection ; et moi, par égard pour lui, je choisis un échantillon fort beau de chaque espèce de pierres, et aussi plusieurs grosses perles et des morceaux entiers d'or et d'argent, et les lui offris en cadeau. Il voulut bien les accepter, et, en retour, me combla de prévenances et d'honneurs, et me pria de loger dans son propre palais. C'est ce que je fis.

Aussi je devins dès ce jour l'ami du roi et des principaux personnages de l'île. Et tous m'interrogeaient sur mon pays, et je leur répondais ; et à mon tour je les interrogeais sur leur pays, et ils me répondaient. J'appris de la sorte que l'île de Serendib avait quatre-vingts parasanges de longueur et quatre-vingts de largeur ; qu'elle avait une montagne, qui était la plus haute de toute la terre, sur le sommet de laquelle notre père Adam avait habité durant un certain temps ; qu'elle contenait beaucoup de perles et pierres précieuses, moins belles, il est vrai, que celles de mes ballots.

À ce moment de sa narration, Schahrazade vit apparaître le matin et se tut discrètement.

Mais lorsque fut la trois cent onzième nuit. Elle dit :

Un jour, le roi de Serendib m'interrogea lui-même sur les affaires publiques à Bagdad et sur la façon de gouverner du khalifat Haroun Al-Rachid. Et moi je lui racontai combien le khalifat était équitable et plein de magnanimité, et je m'étendis longuement sur ses mérites et ses belles qualités. Et le roi de Serendib fut émerveillé et me dit : « Par Allah ! je vois que le khalifat connaît véritablement la sagesse et l'art de gouverner son empire. Et toi tu viens de me le faire prendre en grande affection. Aussi je désirerais fort lui préparer quelque cadeau digne de lui et le lui envoyer avec toi ! » Moi je répondis aussitôt : « J'écoute et j'obéis, ô notre maître. Certes ! je remettrai fidèlement ton cadeau au khalifat qui en sera à la limite de l'enchantement. Et en même temps je lui dirai quel excellent ami tu es pour lui, et qu'il peut compter sur ton alliance ! »

À ces paroles, le roi de Serendib donna quelques ordres à ses chambellans qui se hâtèrent d'obéir. Et voici en quoi consistait le cadeau qu'ils me remirent pour le khalifat Haroun Al-Rachid. Il y avait là, premièrement, un grand vase taillé dans un seul rubis, de couleur admirable, et haut d'un demi-pied et épais d'un doigt. Ce vase, qui avait la forme d'une coupe, était entièrement rempli de perles rondes et blanches, de la grosseur d'une noisette, chacune. Deuxièmement, il y avait un tapis formé d'une énorme peau de serpent, avec des écailles grandes comme un dinar d'or, qui avait la vertu de guérir de toutes les maladies ceux qui couchaient dessus. Troisièmement, il y avait deux cents grains du camphre le plus exquis, chaque grain de la grosseur d'une pistache. Quatrièmement, il y avait deux dents d'éléphant, longues chacune de douze coudées, et larges, par la base, de deux coudées. En plus, il y avait, couverte de ses pierreries, une belle jeune fille de Serendib.

En même temps, le roi me remit une lettre pour l'émir des Croyants, en me disant : « Tu m'excuseras auprès du khalifat du peu que je lui envoie en cadeau. Et tu lui diras que je l'aime beaucoup ! » Et moi je répondis : « J'écoute et j'obéis ! » et je lui baisai la main. Alors il me dit : « Toutefois, Sindbad, si tu préfères rester dans mon royaume, tu seras sur notre tête et dans nos yeux ; et, dans ce cas, j'enverrai quelqu'un à ta place auprès du khalifat, à Bagdad ! » Alors moi je m'écriai : « Par Allah ! ô roi du siècle, ta générosité est une grande générosité, et tu m'as comblé de tes bienfaits ; mais il y a justement un navire en partance pour Bassra, et je désirerais fort m'y embarquer pour aller voir mes parents, mes enfants et mon pays ! »

À ces paroles, le roi ne voulut pas me presser davantage de rester, et fit immédiatement mander le capitaine du navire en question, ainsi que les marchands qui partaient avec moi, et leur fit mille recommandations à mon sujet, leur ordonnant de me traiter avec toutes sortes d'égards. Il paya lui-même le prix de mon passage, et me fit cadeau de beaucoup de choses précieuses que je conserve encore, car je n'ai pu me résoudre à les vendre, en souvenir de cet excellent roi de Serendib.

Après les adieux au roi et à tous les amis que je m'étais faits durant mon séjour dans cette île charmante, je m'embarquai sur le navire, qui mit aussitôt à la voile. Nous partîmes avec un bon vent, en nous confiant à la miséricorde d'Allah, et nous naviguâmes d'île en île et de mer en mer, jusqu'à ce que nous fussions arrivés, par la grâce d'Allah, en toute sécurité à Bassra, d'où je me rendis en hâte à Bagdad, avec mes richesses et le présent destiné au khalifat.

Aussi, avant toute chose, je me rendis au palais de l'émir des Croyants, et je fus introduit dans la salle de réception. Alors j'embrassai la terre entre les mains du khalifat, je lui remis la lettre et les présents et lui racontai mon aventure dans tous ses détails. Lorsque le khalifat eut fini de lire la lettre du roi de Serendib et qu'il eut examiné les présents, il me demanda si ce roi était aussi riche et aussi puissant que l'indiquaient sa lettre et ses présents. Moi, je répondis : « Ô émir des Croyants, je puis témoigner que le roi de Serendib n'exagère pas. De plus, à sa puissance et à sa richesse il joint un grand sentiment de justice, et gouverne son peuple avec sagesse. Il est le seul kâdi de son royaume, où d'ailleurs les gens sont si paisibles qu'ils n'ont jamais entre eux de contestations ! En vérité, ce roi est digne de ton amitié, ô émir des Croyants ! »

Le khalifat fut satisfait de mes paroles et me dit : « La lettre que je viens de lire et ton discours me prouvent que le roi de Serendib est un homme excellent qui n'ignore point les préceptes de la sagesse et du savoir-vivre. Heureux le peuple qu'il gouverne ! » Puis le khalifat me fit présent d'une robe d'honneur et de riches cadeaux, et me combla d'égards et de prérogatives, et voulut que mon histoire fût écrite par les scribes les plus habiles pour être conservée dans les archives du règne.

Alors, moi, je me retirai, et courus à ma rue et à ma maison, où je vécus au sein des richesses et des honneurs, au milieu de mes parents et de mes amis, oubliant mes tribulations et ne songeant qu'à tirer de l'existence tous les biens qu'elle pouvait me procurer.

Et telle est mon histoire durant ce sixième voyage. Mais demain, ô mes hôtes, si Allah veut, je vous raconterai l'histoire de mon septième voyage, qui est plus merveilleux et plus étonnant et plus plein de prodiges que les six autres réunis.

Et Sindbad le Marin fit tendre la nappe du festin et servir à dîner à ses hôtes, y compris Sindbad le Portefaix, à qui il fit donner, avant son départ, cent pièces d'or comme les autres jours. Et le portefaix se retira chez lui, s'émerveillant de tout ce qu'il venait d'entendre. Puis, le lendemain, il fit sa prière du matin et revint au palais de Sindbad le Marin. Lorsque tous les invités furent au complet et qu'ils eurent mangé et bu et causé entre eux et ri et entendu les chants et les jeux des instruments, ils se rangèrent en cercle, graves et muets. Et Sindbad le Marin ainsi parla :

SEPTIÈME VOYAGE

Sachez, ô mes amis, qu'à mon retour du sixième voyage, je laissai résolument de côté toute idée d'en faire d'autres désormais ; car non seulement mon âge ne me permettait plus les expéditions lointaines, mais vraiment je n'avais plus guère le désir de tenter de nouvelles aventures après tous les dangers courus et les maux éprouvés. D'ailleurs, j'étais devenu l'homme le plus riche de Bagdad, et le khalifat me faisait souvent appeler auprès de lui pour entendre de ma bouche le récit des choses extraordinaires que j'avais vues durant mes voyages.

Un jour que le khalifat m'avait fait venir, selon son habitude, je me disposais à lui raconter une ou deux ou trois de mes aventures, quand il me dit : « Sindbad, il faut aller auprès du roi de Serendib lui porter ma réponse et les cadeaux que je lui destine. Nul ne connaît comme toi la route qui conduit à ce royaume dont le roi sera certainement fort content de te revoir ! Prépare-toi donc à partir aujourd'hui même ; car il ne serait pas bienséant pour nous d'être redevables au roi de cette île, ni digne de nous de différer davantage notre réponse et notre envoi ! »

À ces paroles du khalifat, le monde noircit devant mon visage, et je fus à la limite de la perplexité et de la surprise. Pourtant je parvins à maîtriser mes sentiments, pour ne point déplaire au khalifat ; et, bien que j'eusse fait vœu de ne jamais plus sortir de Bagdad, j'embrassai la terre entre les mains du khalifat et répondis par l'ouïe et l'obéissance. Alors il me fit donner dix mille dinars d'or pour mes frais de voyage, et me remit une lettre écrite de sa main et les cadeaux destinés au roi de Serendib.

Et voici en quoi consistaient ces cadeaux. Il y avait d'abord un magnifique lit complet de velours cramoisi, qui pouvait bien valoir une somme énorme de dinars d'or ; il y avait un autre lit d'une autre couleur, et encore un d'une autre couleur. Il y avait cent robes en étoffe fine brodée de Koufa et d'Alexandrie, et cinquante de Bagdad. Il y avait un vase, en cornaline blanche, qui datait des temps anciens, et sur le fond duquel était figuré un guerrier armé de son arc tendu contre un lion. Il y avait encore bien d'autres choses qu'il serait interminable d'énumérer, et, de plus, une paire de chevaux de la plus belle race d'Arabie...

À ce moment de sa narration, Schahrazade vit apparaître le matin et se tut discrètement.

Mais lorsque fut la trois cent douzième nuit. Elle dit :

... Une paire de chevaux de la plus belle race d'Arabie.

Alors moi, je fus obligé de partir, contre mon gré cette fois, et je m'embarquai à Bassra sur un navire en partance.

Le destin nous favorisa tellement qu'au bout de deux mois, jour pour jour, nous arrivâmes à Serendib en toute sécurité. Et je me hâtai de porter au roi les présents et la lettre de l'émir des Croyants.

Le roi, en me revoyant, se dilata et s'épanouit ; et il fut très satisfait de la courtoisie du khalifat. Il voulut alors me retenir auprès de lui pour un long séjour ; mais je ne voulus rester que juste le temps de me reposer. Après quoi, je pris congé de lui, et, comblé d'égards et de cadeaux, je me hâtai de me rembarquer pour prendre la route de Bassra, comme j'étais venu. Le vent nous fut d'abord favorable, et le premier endroit où nous abordâmes fut une île nommée l'île de Sin. Et vraiment jusque-là nous avions été dans un état parfait de contentement ; et, pendant toute la traversée, nous parlions entre nous et nous causions et nous devisions de choses et d'autres, fort agréablement.

Mais un jour, comme nous avions quitté depuis une semaine l'île en question où les marchands avaient fait divers échanges et achats, et comme nous étions étendus bien tranquilles, selon notre habitude, soudain sur nos têtes un orage terrible éclata et une pluie torrentielle nous inonda. Alors nous nous hâtâmes de tendre de la toile de chanvre sur nos ballots et nos marchandises pour éviter que l'eau les détériorât, et nous nous mîmes à supplier Allah d'éloigner tout danger de notre route.

Pendant que nous étions en cet état, le capitaine du navire se leva, se serra la taille avec sa ceinture, retroussa ses manches et releva sa robe, puis grimpa au haut du mât, d'où il se mit à regarder longtemps à droite et à gauche. Puis il descendit, bien jaune de teint, nous regarda avec un air de complet désespoir, se mit à se donner en silence de grands coups sur la figure et à s'arracher la barbe. Alors, nous, fort effrayés, nous courûmes vers lui et nous lui demandâmes : « Qu'y a-t-il ? » Il nous répondit : « Demandez à Allah de nous tirer de l'abîme où nous sommes tombés ! Ou plutôt pleurez sur vous-mêmes et faites-vous les uns aux autres vos adieux ! Sachez, en effet, que le courant nous a fait dévier de notre route et nous a jeté aux confins des mers du monde ! »

Puis, ayant parlé de la sorte, le capitaine ouvrit sa caisse et en tira un sac en coton qu'il dénoua et d'où il retira de la poussière qui ressemblait à de la cendre. Il mouilla la terre avec un peu d'eau, patienta quelques instants, et se mit ensuite à renifler le mélange. Après quoi, il prit dans la caisse un petit livre, y lut quelques pages en marmottant, et finit par nous dire : « Sachez, ô passagers, que ce livre prodigieux vient de me confirmer dans mes suppositions. La terre que vous voyez se dessiner devant vous, dans le loin, est la terre connue sous le nom de Climat des Rois. C'est là que se trouve le tombeau de notre seigneur Soleïmân ben-Daoud (sur eux la prière et la paix !). Là on voit des monstres et des serpents à la mine effroyable. De plus, cette mer où nous sommes est habitée par des monstres marins qui peuvent avaler, en une seule bouchée, les navires les plus grands avec leur cargaison et leurs passagers ! Vous voilà donc avertis ! Et adieu ! »

Lorsque nous entendîmes ces paroles du capitaine, nous fûmes stupéfaits à l'extrême ; et nous nous demandions ce qui allait se passer d'épouvantable, quand nous nous sentîmes soulevés avec le navire, puis brusquement descendus, tandis qu'un cri, aussi terrible que le tonnerre, s'élevait de la mer. Nous fûmes si épouvantés que nous fîmes notre dernière prière et nous nous immobilisâmes, comme morts. Et voici que devant nous, sur l'eau bouillonnante, nous aperçûmes s'avancer vers le navire un monstre aussi grand et aussi haut qu'une montagne, puis un second monstre encore plus grand et un troisième qui les suivait, aussi grand que les deux réunis. Ce dernier bondit soudain sur la mer qui s'écartait en gouffre, ouvrit une gueule plus énorme qu'un abîme, et avala notre navire aux trois quarts, avec tout ce qu'il contenait. Moi, j'eus le temps de reculer vers le haut du navire et de sauter dans la mer, pendant que le monstre achevait d'engloutir dans son ventre le quatrième quart et disparaissait dans les profondeurs, avec ses deux autres compagnons.

Quant à moi, je réussis à me cramponner à une des planches qui avaient éclaté du navire sous les dents du monstre marin, et je pus, après mille difficultés, aborder à une île qui heureusement était couverte d'arbres fruitiers et arrosée par une rivière à l'eau excellente. Mais je remarquai que cette rivière était d'une grande rapidité de courant, et tellement qu'elle se faisait entendre par un bruit qui s'étendait au loin. Alors, moi, je conçus l'idée, en me rappelant la façon dont j'avais échappé à la mort dans l'île aux pierreries, de me construire un radeau, comme le précédent, et de me laisser emporter par le courant. Je voulais, en effet, malgré la clémence de cette île nouvelle, essayer de regagner mon pays. Et je me disais : « Si je parviens à me sauver, tout sera pour le mieux et je ferai le vœu de ne jamais faire venir sur ma langue le mot voyage, et de ne jamais plus penser à la chose durant le reste de ma vie. Si, au contraire, je péris dans ma tentative, tout sera également pour le mieux ; car j'en aurai de la sorte fini avec les tribulations et les dangers, définitivement ! »

Je me levai donc sur l'heure et, après avoir mangé quelques fruits, je ramassai une grande quantité de grosses branches, dont j'ignorais alors l'espèce, mais que plus tard je sus être du bois de santal, de la qualité la plus estimée par les marchands à cause de sa rareté. Cela fait, je me mis à la recherche de cordes et de ficelles, et je n'en trouvai point d'abord ; mais je remarquai, sur les arbres, des plantes grimpantes et flexibles, fort solides, qui pouvaient faire mon affaire.

J'en coupai autant qu'il m'en fallait, et m'en servis pour lier entre elles les grosses branches de santal. Je confectionnai de la sorte un radeau énorme, sur lequel je plaçai beaucoup de fruits, et je m'y embarquai moi-même, en formulant : « Si je suis sauvé, c'est d'Allah ! »

À peine étais-je sur le radeau et avais-je eu le temps de le détacher de la rive, qu'il fut entraîné avec une rapidité effroyable par le courant, et que j'eus le vertige et tombai évanoui sur le tas de fruits que j'y avais placé, exactement comme un poulet ivre. Quand je repris connaissance, je regardai autour de moi, et je fus plus que jamais immobilisé d'épouvante et assourdi par un bruit de tonnerre. La rivière n'était plus qu'un torrent d'écume bouillonnante qui, plus rapide que le vent et avec des fracas contre les rochers, se précipitait vers un précipice béant que je sentais plus que je ne voyais. J'allais indubitablement me fracasser en y tombant qui sait de quelle hauteur !

À cette idée terrifiante, je me cramponnai de toutes mes forces aux branches du radeau, et je fermai les yeux d'instinct pour ne pas me voir en état d'écrasement et réduit en bouillie, et j'invoquai le nom d'Allah, avant de mourir. Et d'un coup, au lieu de rouler dans l'abîme, je sentis le radeau s'arrêter brusquement sur l'eau, et j'ouvris les yeux une minute pour juger du point où j'en étais de ma mort, et ce fut pour me voir non point fracassé contre les rochers, mais saisi, avec mon radeau, dans un immense filet que des gens avaient lancé sur moi du rivage. Je fus pris de la sorte et traîné vers la terre, et là je fus retiré, mort à moitié, d'entre les mailles du filet, tandis qu'on ramenait mon radeau sur la rive.

Comme j'étais là étendu, inerte et grelottant, vers moi s'avança un vénérable cheikh à barbe blanche qui commença par me souhaiter la bienvenue et par me couvrir de vêtements chauds qui me firent le plus grand bien…

À ce moment de sa narration, Schahrazade vit apparaître le matin et se tut discrètement.

Mais lorsque fut la trois cent treizième nuit. Elle dit :

… Qui me firent le plus grand bien.

Une fois ranimé par les frictions et le massage qu'eut la bonté de me faire le vieillard, je pus me lever sur mon séant, sans toutefois recouvrer encore l'usage de la parole. Alors le vieillard me soutint par le bras et me conduisit doucement au hammam où il me fit donner un bain excellent qui acheva de me restituer mon âme, puis il me fit humer des parfums exquis et m'en répandit sur tout le corps, puis il m'emmena chez lui.

Lorsque je fus introduit dans la maison de ce vieillard, toute sa famille se réjouit fort de mon arrivée et me reçut avec beaucoup de cordialité et de démonstrations d'amitié. Le vieillard lui-même me fit asseoir au milieu du divan de la salle de réception et me fit manger des choses de premier ordre et boire d'une eau agréablement parfumée, aux fleurs. Après quoi, on brûla autour de moi de l'encens, et les esclaves m'apportèrent de l'eau chaude et parfumée pour m'en laver les mains et me présentèrent des serviettes ourlées de soie pour m'essuyer les doigts, la barbe et les lèvres. Après quoi, le vieillard me conduisit dans une chambre fort bien meublée, où il me laissa seul, et se retira avec beaucoup de discrétion. Mais il laissa à mes ordres divers esclaves qui, de temps à autre, venaient voir si je n'avais pas besoin de leurs services.

Pendant trois jours je fus traité de la sorte, sans que personne m'eût interrogé ou posé une question quelconque ; et on ne me laissait manquer de rien, me soignant avec beaucoup d'obligeance, jusqu'à ce qu'enfin j'eusse senti mes forces complètement revenues et mon âme et mon cœur calmés et rafraîchis. Alors, comme c'était le matin du quatrième jour, le vieillard vint s'asseoir à côté de moi, après les salams, et me dit : « Ô notre hôte, que ta présence nous a rempli d'aise et de plaisir ! Qu'Allah soit béni qui nous a mis sur ta route pour te sauver de l'abîme ! Qui es-tu et d'où viens-tu ? » Alors, moi, je remerciai beaucoup le vieillard pour le service énorme qu'il m'avait rendu en me sauvant la vie et ensuite en me faisant manger excellemment et boire excellemment et en me parfumant excellemment, et je lui dis : « Je m'appelle Sindbad le Marin ! On me nomme ainsi à cause de mes grands voyages sur mer et des choses extraordinaires qui m'arrivèrent et qui, si elles étaient écrites avec les aiguilles sur le coin de l'œil, serviraient de leçon aux lecteurs attentifs ! » Et je racontai au vieillard mon histoire depuis le commencement jusqu'à la fin, sans omettre un détail.

Alors le vieillard fut prodigieusement étonné et resta une heure de temps sans pouvoir parler, tant il était ému par ce qu'il venait d'entendre. Ensuite il releva la tête, me réitéra l'expression de sa joie de m'avoir secouru, et me dit : « Maintenant, ô mon hôte, si tu voulais écouter mon conseil, tu vendrais tes marchandises qui valent certainement beaucoup d'argent, à cause de leur rareté et de leur qualité ! »

À ces paroles du vieillard, je fus à la limite de l'étonnement, et, ne sachant ni ce qu'il voulait dire, ni de quelles marchandises il parlait, puisque j'étais dénué de tout, je me tus d'abord pendant quelques instants ; puis, comme je ne voulais pas tout de même laisser échapper une occasion si extraordinaire qui se présentait fortuitement, je pris un air entendu, et répondis : « Cela se peut bien ! » Alors le vieillard me dit : « N'aie aucune préoccupation, mon enfant, au sujet de ta marchandise. Tu n'as seulement qu'à te lever et à m'accompagner au souk. Et je me charge de tout le reste. Si elle rapporte à la criée un prix qui vraiment puisse nous convenir, nous l'accepterons ; sans quoi, je te rendrai le service de garder la marchandise dans mes magasins jusqu'à la hausse du cours ; et alors nous pourrons en tirer le prix le plus avantageux ! »

Alors, moi, je fus intérieurement de plus en plus perplexe ; mais je n'en fis rien paraître, car je me disais : « Patiente encore, Sindbad, et tu verras bien de quoi il s'agit ! » Et je dis au vieillard : « Ô mon oncle vénérable, j'écoute et j'obéis ! Tout ce que tu jugeras bon de faire sera plein de bénédiction ! Pour ma part, après tout ce que tu as fait pour mon bien, je ne saurais que me conformer à ta volonté ! » Et je me levai sur l'heure et l'accompagnai au souk.

Lorsque nous arrivâmes au milieu du souk où se faisait la criée publique, quel ne fut pas mon étonnement de voir mon radeau transporté là et entouré par une foule de courtiers et de marchands qui le regardaient avec respect et haussements de tête. Et de tous les côtés j'entendais les exclamations d'admiration : « Ya Allah ! quelle merveilleuse qualité de santal ! Nulle part dans le monde il n'y a une qualité pareille ! » Alors, moi, je compris que c'était là la marchandise en question, et je jugeai important pour la vente de prendre un air digne et réservé.

Mais voici que tout de suite le vieillard, mon protecteur, s'approchant du chef des courtiers, lui dit : « Ouvre la criée ! » Et la criée fut ouverte, comme première mise à prix sur le radeau, à mille dinars ! Et le chef courtier cria : « À mille dinars, le radeau de santal, ô acheteurs ! » Alors le vieillard s'écria : « Je suis preneur à deux mille ! » Mais un autre cria : « À trois mille ! » Et les marchands continuèrent à hausser la mise à prix jusqu'à dix mille dinars ! Alors le chef courtier regarda de mon côté et me demanda : « C'est dix mille ! on n'augmente plus. » Mais moi je dis : « Je ne vends pas à ce prix-là ! »

Alors mon protecteur s'approcha de moi et me dit : « Mon enfant, le souk, ces temps-ci, n'est pas très prospère, et la marchandise a un peu perdu de sa valeur. Il vaut donc mieux accepter le prix offert. Mais moi, si tu veux, je vais encore hausser à mon compte, et j'augmente de cent dinars ! Veux-tu donc me laisser le tout à dix mille dinars et cent dinars ? » Je répondis : « Par Allah ! mon bon oncle, pour toi seulement je ferais la chose afin de reconnaître tes bienfaits ! Je consens à te laisser le bois pour la somme ! » À ces paroles, le vieillard ordonna à ces esclaves de transporter tout le santal dans les magasins de réserve, et m'emmena à sa maison, où il me compta sur l'heure les dix mille dinars et cent dinars, et les renferma dans une caisse solide dont il me remit la clef, en me remerciant encore de ce que j'avais fait pour lui.

Ensuite, il fit tendre la nappe, et nous mangeâmes et nous bûmes et nous devisâmes gaiement. Après quoi nous nous lavâmes les mains et la bouche ; puis il me dit : « Mon enfant je veux te faire une demande que je souhaite beaucoup te voir accepter ! » Je répondis : « Mon bon oncle, tout me sera aisé de t'accorder ! » Il me dit : « Tu vois mon fils, que je suis devenu un homme très avancé en âge, et que je n'ai point d'enfant mâle qui puisse hériter un jour de mes biens. Mais je dois te dire que j'ai une fille, toute jeune encore, pleine de charme et de joliesse, qui sera fort riche à ma mort. Aussi je souhaite te la donner en mariage, à condition que tu consentes à habiter notre pays et à vivre notre vie. Tu seras ainsi le maître de tout ce que je possède et de tout ce que ma main dirige. Et tu me remplaceras dans mon autorité et dans la possession de mes biens ! » Lorsque j'eus entendu ces paroles du vieillard, je baissai la tête en silence, et restai de la sorte sans dire une parole. Il reprit alors : « Crois-moi, ô mon fils, accorde-moi ce que je te demande ! Cela te portera la bénédiction ! J'ajouterai, pour tranquilliser ton âme, qu'après ma mort tu pourras retourner dans ton pays en emmenant ton épouse, ma fille. Je ne te demande que de rester ici le temps qui m'est encore échu sur la terre ! » Alors moi je répondis : « Par Allah, mon oncle le cheikh, tu es comme mon père et, devant toi, je ne puis avoir d'opinion ni prendre de résolutions autres que celles qui te conviennent ; car, moi, chaque fois que j'ai voulu dans ma vie exécuter un projet, je n'ai eu que des malheurs et des déceptions. Je suis donc prêt à me conformer à ta volonté ! »

Aussitôt le vieillard, extrêmement réjoui de ma réponse, ordonna à ses esclaves d'aller quérir le kâdi et les témoins, qui ne tardèrent pas à arriver…

À ce moment de sa narration, Schahrazade vit apparaître le matin et se tut discrètement.

Mais lorsque fut la trois cent quatorzième nuit. Elle dit :

… Le kâdi et les témoins qui ne tardèrent pas à arriver. Et le vieillard me maria avec sa fille, et nous donna un festin énorme et nous fit une noce splendide. Après quoi il me prit et me conduisit chez sa fille que je n'avais pas encore vue. Je la trouvai à la perfection de la beauté et de la gentillesse, de la finesse de la taille et des proportions. De plus, elle était parée de somptuosités et de bijoux, de soieries et de brocarts, de joyaux et de pierreries ; et ce qu'elle portait sur elle valait des milliers et des milliers de pièces d'or, et même personne n'en aurait pu faire exactement l'estimation.

Aussi, lorsque je fus auprès d'elle, elle me plut. Nous devînmes amoureux l'un de l'autre. Et nous restâmes longtemps, à la limite de la câlinerie et du bonheur.

Quelque temps après le vieillard, père de mon épouse, trépassa dans la paix et la miséricorde du Très-Haut. Nous lui fîmes de belles funérailles et nous l'enterrâmes. Et moi, je mis la main sur tout ce qu'il possédait, et tous ses esclaves et ses serviteurs devinrent mes esclaves et mes serviteurs, sous ma seule autorité. De plus, les marchands de la ville me nommèrent leur chef, à sa place, et je fus à même alors d'étudier les mœurs des habitants de cette ville et leur manière de vivre.

En effet, je remarquai un jour, à ma stupéfaction, que les gens de cette ville éprouvaient chaque année une mue, à l'époque du printemps : ils muaient du jour au lendemain en changeant de forme et d'aspect ; des ailes leur poussaient aux épaules, et ils devenaient des volatiles. Ils pouvaient alors s'envoler jusqu'au plus haut de la voûte aérienne ; et ils profitaient de leur état nouveau pour s'envoler tous de la ville, n'y laissant que les femmes et les enfants qui, eux, n'avaient pas ce pouvoir d'avoir des ailes.

Cette découverte m'étonna les premiers temps, mais je finis par m'habituer à ces changements périodiques. Seulement, un jour vint où je commençai à avoir honte d'être le seul homme sans ailes, et d'être obligé de garder à moi seul la ville avec les femmes et les enfants. J'eus beau alors m'informer auprès des habitants du moyen à employer pour que des ailes me poussassent aux épaules, nul ne put ni ne voulut me répondre à ce sujet. Et moi, je fus bien mortifié de n'être que Sindbad le Marin, sans pouvoir ajouter à mon surnom la qualité d'aérien.

Un jour, comme je désespérais de pouvoir arriver jamais à leur faire avouer ce secret de la croissance des ailes, j'avisai l'un d'eux, auquel j'avais rendu maints services, et, le prenant par le bras, je lui dis : « Par Allah sur toi, au moins rends-moi une fois, en raison de ce que j'ai fait pour toi, le service de me laisser me suspendre à toi, et de m'envoler avec toi dans ta course à travers les airs. C'est là un voyage qui me tente beaucoup, et que je veux ajouter au nombre de ceux que j'ai faits sur mer ! » L'homme ne voulut pas d'abord m'écouter ; mais à force de prières je finis par le décider à consentir. Je fus tellement enchanté de la chose que je ne pris même pas le temps d'avertir mon épouse et les gens de ma maison ; je me suspendis à lui en le prenant par la taille, et il m'emporta dans les airs en s'envolant, les ailes largement éployées.

Notre course à travers les airs fut d'abord ascendante en droite ligne, pendant un temps considérable. Aussi nous finîmes par arriver si haut dans la voûte céleste, que je fus à même d'entendre distinctement les anges chanter leurs mélodies sous la coupole des cieux. En entendant ces chants merveilleux, je fus à la limite de l'émotion religieuse, et je m'écriai, moi aussi : « Louange à Allah au profond des cieux ! Béni soit-il et glorifié par toutes les créatures ! » À peine avais-je prononcé ces paroles, que mon porteur ailé lança un jurement effroyable, et brusquement, dans un coup de tonnerre précédé d'un éclair terrible, descendit avec une rapidité telle que l'air me manqua et que je faillis m'évanouir et lâcher prise au risque de tomber dans l'abîme insondable. Et, en un clin d'œil, nous arrivâmes sur le sommet d'une montagne où mon porteur, me jetant un regard infernal, m'abandonna et disparut en reprenant son vol dans l'invisible.

Alors moi, resté seul sur cette montagne déserte, je ne sus plus que devenir ni de quel côté me diriger pour retourner auprès de mon épouse, et je m'écriai, à la limite de la perplexité : « Il n'y a de recours et de puissance qu'en Allah le Très-Haut l'Omnipotent ! Chaque fois que je finis avec une calamité, je recommence avec une autre encore pire ! Au fond je mérite bien tout ce qui m'arrive là ! » Je m'assis alors sur un rocher pour réfléchir au moyen de remédier au présent, quand soudain je vis s'avancer vers moi deux jeunes garçons d'une beauté merveilleuse qui ressemblaient à deux lunes. Chacun d'eux tenait à la main une canne en or rouge, sur laquelle il s'appuyait en marchant. Alors moi, je me levai vivement, j'allai à leur rencontre et leur souhaitai la paix. Ils me rendirent gentiment mon souhait, ce qui m'encouragea à leur adresser la parole, et je leur dis : « Par Allah sur vous deux, ô merveilleux jeunes garçons, dites-moi qui vous êtes et ce que vous faites ! » Ils me répondirent : « Nous sommes des adorateurs du vrai Dieu ! » Puis l'un d'eux, sans ajouter une parole de plus, me fit de la main un signe dans une direction, comme pour m'inviter à diriger mes pas de ce côté-là, me laissa entre les mains sa canne d'or, et, prenant son beau compagnon par la main, il disparut avec lui à mes yeux.

Alors, moi, je pris la canne d'or en question et n'hésitai pas à me diriger dans le sens qui m'avait été indiqué, tout en m'émerveillant au souvenir de ces deux garçons si beaux. Comme je marchais de la sorte depuis un certain temps, je vis soudain sortir de derrière un rocher un serpent gigantesque qui tenait dans sa gueule un homme aux trois quarts avalé et dont je ne voyais que la tête et les bras. Les bras se débattaient désespérément et la tête criait : « Ô passant, sauve-moi de la gueule de ce serpent, et tu n'auras pas à te repentir de ton action ! » Moi, alors, je courus derrière le serpent et lui assenai par-derrière avec ma canne d'or rouge un coup si bien ajusté qu'il resta inanimé à l'heure et à l'instant. Et je tendis la main à l'homme avalé et l'aidai à sortir du ventre du serpent.

Lorsque j'eus mieux regardé l'homme au visage, je fus à la limite de la surprise de reconnaître en lui le volatile qui m'avait fait faire mon voyage aérien et avait fini par se précipiter avec moi, au risque de m'abîmer, du haut de la voûte du ciel sur le sommet de la montagne, où il m'avait abandonné en danger de mourir de faim et de soif. Mais je ne voulus tout de même pas lui montrer de la rancune pour sa mauvaise action, et me contentai de lui dire doucement : « Est-ce ainsi que les amis agissent avec leurs amis ? » Il me répondit : « J'ai d'abord à te remercier de ce que tu viens de faire pour moi. Seulement tu ignores que c'est toi, grâce à tes invocations inopportunes en prononçant le Nom, qui m'as, malgré moi, précipité du haut des airs ! Le Nom a sur nous tous cet effet ! Aussi nous ne le prononçons jamais ! » Alors, moi, pour qu'il me tirât de cette montagne, je lui dis : « Excuse-moi et ne me blâme pas, car vraiment je ne pouvais deviner les conséquences funestes de mon hommage au Nom ! Je te promets de ne plus le prononcer, durant le trajet, si tu veux maintenant consentir à me transporter à ma maison ! »

Alors le volatile se baissa, me prit sur son dos et, en un clin d'œil, me déposa sur la terrasse de ma maison, et retourna chez lui.

Lorsque mon épouse me vit, descendant de la terrasse, entrer dans la maison après une si longue absence, elle comprit tout ce qui venait de se passer, et elle bénit Allah qui m'avait encore une fois sauvé de la perdition. Puis, après les effusions du retour, elle me dit : « Il ne faut plus désormais fréquenter les habitants de cette ville ; ce sont les frères des démons ! » Je lui dis : « Mais comment donc ton père vivait-il avec eux ? » Elle me répondit : « Mon père n'appartenait pas à leur société, et ne faisait guère comme eux et ne vivait point de leur vie. En tout cas, si j'ai un conseil à te donner, nous n'avons rien de mieux à faire, puisque mon père est mort…

À ce moment de sa narration, Schahrazade vit apparaître le matin et, discrète, se tut.

Mais lorsque fut la trois cent quinzième nuit. Elle dit :

… Nous n'avons rien de mieux à faire, puisque mon père est mort, que de quitter cette ville impie, après avoir toutefois vendu nos biens, nos maisons et nos propriétés. Tu réaliseras tout cela le mieux que tu pourras, tu achèteras de belles marchandises avec une partie de la somme que tu toucheras, et tous deux nous nous en irons à Bagdad, ton pays, voir tes parents et tes amis, et vivre dans la paix et la sécurité, et dans le respect dû à Allah Très-Haut ! » Alors, moi, je répondis par l'ouïe et l'obéissance. Aussitôt je me mis à vendre, au mieux de mon savoir-faire pièce par pièce, et chaque chose en son temps, tous les biens de mon oncle le cheikh, père de mon épouse, le défunt qu'Allah ait en sa pitié et en sa miséricorde ! Et je réalisai de la sorte tout ce qui nous appartenait, comme meubles ou propriétés, en pièces d'or ; et je fis ainsi un bénéfice de cent pour un.

Après quoi, j'emmenai mon épouse et les marchandises que j'avais pris soin d'acheter, j'affrétai à mon compte un navire qui, avec la volonté d'Allah, eut une heureuse et fructueuse navigation ; si bien que, d'île en île et de mer en mer, nous finîmes par arriver en sécurité à Bassra, où nous ne nous arrêtâmes que fort peu de temps. Nous remontâmes le fleuve et nous entrâmes dans Bagdad, la cité de paix.

Je me dirigeai alors, avec mon épouse et mes richesses, vers ma rue et ma maison, où mes parents nous reçurent avec de grands transports de joie, et aimèrent beaucoup mon épouse, la fille du cheikh.

Quant à moi, je me hâtai de mettre ordre définitivement à mes affaires, j'emmagasinai mes belles marchandises, j'enfermai mes richesses, et je pus enfin, en paix, recevoir les félicitations de mes amis et de mes proches qui, ayant calculé le temps que j'étais resté absent, trouvèrent que ce septième voyage, le dernier de mes voyages, avait duré exactement vingt-sept années d'un bout à l'autre. Et moi, je leur racontai en détail mes aventures durant cette longue absence ; et je fis le vœu, que je tiens scrupuleusement, comme vous voyez, de ne jamais plus, durant le reste de ma vie, entreprendre un voyage, par mer fût-il ou simplement par terre. Et je ne manquai de rendre grâces à Allah Très-Haut de m'avoir, à plusieurs reprises et malgré mes récidives, délivré de tant de dangers et ramené au milieu de ma famille et de mes amis !

Et tel a été, ô mes invités, ce voyage septième et dernier qui fut le définitif remède à mes désirs aventureux ! »

Lorsque Sindbad le Marin eut terminé de la sorte son récit, au milieu des convives silencieux et émerveillés, il se tourna vers Sindbad le Portefaix et lui dit : « Et maintenant, ô Sindbad terrien, considère les travaux que j'ai accomplis et les difficultés que j'ai surmontées par la grâce d'Allah, et dis-moi si ton sort, comme portefaix, n'a pas été de beaucoup plus favorable à une vie tranquille que celui qui m'est échu par la destinée ? Tu es, il est vrai, resté pauvre et moi j'ai acquis des richesses incalculables ; mais n'est-ce point que chacun de nous a été rétribué selon son effort ? » À ces paroles, Sindbad le Portefaix vînt baiser la main de Sindbad le Marin et lui dit : « Par Allah sur toi, ô mon maître, excuse l'inconséquence de ma chanson ! »

Alors Sindbad le Marin fit tendre la nappe pour ses invités, et leur donna un festin qui dura trente nuits. Puis il voulut garder auprès de lui, comme intendant de sa maison, Sindbad le Portefaix. Et tous deux vécurent en amitié parfaite et à la limite de la dilatation jusqu'à ce que vînt les visiter celle qui fait s'évanouir les délices, qui rompt les amitiés, qui détruit les palais et élève les tombeaux, l'amère mort. Gloire au Vivant qui ne meurt pas !

Lorsque Schahrazade, la fille du vizir, eut fini de raconter l'histoire de Sindbad le Marin, elle se sentit légèrement fatiguée, et, comme elle voyait d'ailleurs s'approcher le matin et ne voulait pas, discrète selon son habitude, abuser de la permission accordée, elle se tut en souriant.

Alors la petite Doniazade qui avait écouté, émerveillée et les yeux dilatés, cette histoire étonnante, se leva du tapis où elle était blottie et courut embrasser sa sœur en lui disant : « Ô Schahrazade, ma sœur, que tes paroles sont douces et gentilles et pures et délicieuses au goût et savoureuses en leur fraîcheur ! Et qu'il est terrible et prodigieux et téméraire, Sindbad le Marin ! »

Et Schahrazade lui sourit et dit : « Oui, ma sœur ! Mais qu'est cela comparé à ce que je vous raconterai à tous deux la nuit prochaine, si je suis encore en vie par la grâce d'Allah et le bon plaisir du Roi ! »

Et le roi Schahriar, qui avait trouvé les voyages de Sindbad beaucoup plus longs que celui qu'il avait fait lui-même avec son frère Schahzamân dans la prairie, au bord de la mer, là où leur était apparu le genni chargé de la caisse, se tourna vers Schahrazade, et lui dit : « En vérité, Schahrazade, je ne vois pas quelle histoire tu peux encore me raconter ! En tout cas, j'en veux une qui soit farcie de poèmes ! Tu m'en avais déjà promis, et tu n'as pas l'air de te douter que si tu diffères davantage d'accomplir ta promesse, ta tête ira rejoindre les têtes de celles qui t'ont précédée ! » Et Schahrazade dit : « Sur mes yeux ! Justement celle que je te réserve, ô Roi fortuné, te donnera entière satisfaction, et, de plus, elle est infiniment plus attachante que toutes celles que tu as entendues ! Tu peux déjà en juger par le titre qui est : HISTOIRE DE LA BELLE ZOUMOURROUD[1] ET D'ALISCHAR FILS DE GLOIRE ».

Alors le roi Schahriar dit en son âme : « Je ne la tuerai qu'après ! » Puis il la prit dans ses bras et passa avec elle le reste de la nuit.

Au matin, il se leva et sortit vers la salle de sa justice. Et le diwân fut rempli de la foule des vizirs, des émirs, des chambellans, des gardes et des gens du palais. Et le dernier qui entra fut le grand vizir, père de Schahrazade, qui arriva avec, sous le bras, le linceul destiné à sa fille qu'il croyait, cette fois, trépassée pour de bon. Mais le Roi ne lui dit rien à ce sujet, et continua à juger, à nommer aux emplois, à destituer, à gouverner et à terminer les affaires pendantes, et cela jusqu'à la fin du jour. Puis le diwân fut levé et le Roi rentra dans le palais, tandis que le grand vizir restait dans la perplexité et à l'extrême limite de l'étonnement.

Puis, lorsque vint la nuit, le roi Schahriar pénétra chez Schahrazade et ils firent ensemble leur chose ordinaire.

Et comme c'était la trois cent seizième nuit. La petite Doniazade, une fois la chose terminée entre le Roi et Schahrazade, s'écria de l'endroit où elle était blottie :

« Ô ma sœur, je t'en prie, qu'attends-tu encore pour commencer l'histoire promise de la belle Zoumourroud avec Alischar fils de Gloire ! » Et Schahrazade, en souriant, répondit : « Je n'attends que la permission de ce Roi bien élevé et doué de bonnes manières ! » Alors le roi Schahriar prononça : « Tu peux ! » Et Schahrazade dit :

HISTOIRE DE LA BELLE ZOUMOURROUD AVEC ALISCHAR FILS DE GLOIRE

Il est raconté qu'il y avait en l'antiquité du temps et le passé de l'âge et du moment, dans le pays de Khorassân, un fort riche marchand qui s'appelait Gloire et avait un fils, beau comme la pleine lune, nommé Alischar.

Or, un jour le riche marchand Gloire, déjà fort avancé en âge, se sentit atteint de la maladie de la mort. Il appela son fils auprès de lui et lui dit : « Ô mon fils, voici tout proche le terme de ma destinée, et je désire te recommander une recommandation ! » Alischar, bien peiné, dit : « Et quelle est-elle, ô mon père ? » Le marchand Gloire dit : « Je te recommande de ne jamais te créer de relations et de ne jamais fréquenter le monde, car le monde est comparable au forgeron : s'il ne te brûle pas avec le feu de sa forge ou s'il ne te crève pas un œil ou les deux yeux avec les étincelles de son enclume, il te suffoquera sûrement avec sa fumée ! Et d'ailleurs le poète a dit :

« Illusion ! Ne crois point trouver sur ta route noire, quand la destinée t'a trahi, l'ami au cœur fidèle.

Ô solitude ! chère solitude bénie, tu enseignes à qui te cultive la force qui ne dévie point et l'art de ne se fier qu'à soi-même ! »

Un autre a dit :

« Néfaste sur ses deux faces, tel est le monde, si ton attention l'examine : l'une de ses faces est l'hypocrisie, et l'autre la trahison. »

Un autre a dit :

« Futilités, sottises et propos saugrenus, c'est là le riche apanage du monde ! Mais si le destin sur ton chemin place un être exceptionnel, fréquente-le quelquefois : simplement pour l'améliorer ! »

Lorsque le jeune Alischar eut entendu ces paroles de son père mourant, il répondit : « Ô mon père, je suis ton écouteur obéissant ! Que me conseilles-tu encore ? » Et Gloire le marchand dit : « Fais le bien, si toutefois tu le peux. Et n'attends point d'en être récompensé en retour par de la gratitude ou un semblable bien. Ô mon fils, on n'a pas, hélas ! l'occasion de faire le bien tous les jours. » Et Alischar répondit : « J'écoute et j'obéis ! Mais sont-ce là toutes tes recommandations ? » Gloire le marchand dit : « N'éparpille point les richesses que je te laisse : tu ne seras considéré qu'en raison de ce que ta main possède sous son pouvoir ! Et le poète a dit :

« Du temps de ma pauvreté, je ne me connaissais point d'amis ; et maintenant ils pullulent à ma porte et me coupent l'appétit.

Oh ! combien de féroces ennemis a dompté ma richesse, et que d'ennemis je gagnerais si ma richesse diminuait ! »

Puis le vieillard continua : « Ne néglige pas les conseils des gens d'expérience, et ne crois point inutile de demander conseil à qui peut te conseiller ; car le poète a dit :

« Joins ton idée à l'idée du conseiller, pour te mieux assurer du résultat. Quand tu veux regarder ton visage, un seul miroir te suffit, tu ne peux le tirer au clair que par le jeu de deux miroirs ! »

« De plus, mon fils, j'ai encore un dernier conseil à te donner. Garde-toi du vin ! Il est la cause de tous les maux. Il risque de t'enlever la raison, et de te rendre un objet de risée et de dédain. Telles sont mes recommandations sur le seuil dernier. Ô mon enfant, souviens-toi de mes paroles. Sois un excellent fils. Et que ma bénédiction t'accompagne dans la vie ! »

Et Gloire, le vieux marchand, ayant parlé ainsi, ferma un instant les yeux et se recueillit. Puis il leva son index à la hauteur de ses yeux et prononça son acte de foi. Après quoi il trépassa dans la miséricorde du Très-Haut.

Il fut pleuré par son fils et par toute sa famille ; et on lui fit des funérailles auxquelles assistèrent les plus grands et les plus petits, les plus riches et les plus pauvres. Et, après qu'on l'eut mis en terre, on inscrivit ces vers sur la pierre de son tombeau :

« De la poussière je suis né et à la poussière je suis revenu, poussière moi-même ! C'est comme si je n'avais jamais vécu ! »

Et voilà pour le marchand Gloire. Mais pour ce qui est d'Alischar fils de Gloire, voici :

Après la mort de son père, Alischar continua le commerce dans la boutique principale du souk, et suivit consciencieusement les recommandations paternelles, notamment en ce qui concernait les relations avec autrui. Mais, au bout d'un an exactement et d'un jour, heure pour heure, il se laissa tenter par les perfides garçons, les fils de putains, les adultérins sans vergogne. Et il les fréquenta avec frénésie, et connut leurs mères et leurs sœurs, des rouées, filles de chiens. Et il se plongea jusqu'au cou dans la débauche, et il nagea dans le vin et la dépense, dans une voie bien opposée au droit chemin. Car, n'étant plus dans un état sain d'esprit, il se faisait ce triste raisonnement : « Du moment que mon père m'a laissé toutes ses richesses, il faut bien que j'en use, pour ne pas en faire hériter d'autres après moi ! Et je veux profiter du moment et du plaisir qui passe, car je ne vivrai pas deux fois ! »

Or, ce raisonnement lui réussit si bien, et Alischar continua si régulièrement à unir le jour et la nuit par leurs extrémités, sans épargner aucun excès, qu'il se vit bientôt réduit à vendre sa boutique, sa maison, ses meubles et tous ses vêtements ; et il ne lui resta que juste les habits qu'il avait sur le corps.

Alors il put, en toute évidence, voir clair dans ses errements, et constater l'excellence des conseils de son père Gloire. Les amis qu'il avait fastueusement traités, et à la porte desquels il alla frapper à tour de rôle, trouvèrent tous un motif quelconque pour l'éconduire. Aussi, réduit maintenant à l'extrême limite de la misère, il fut obligé, n'ayant rien mangé depuis la veille, de sortir du misérable khân où il logeait et de mendier de porte en porte, dans les rues.

Pendant qu'il cheminait de la sorte, il arriva sur la place du marché, où il vit une grande foule rassemblée en cercle. Il fut tenté de s'en approcher, pour juger de ce qui se passait, et il vit, au milieu du cercle formé par les marchands, par les courtiers et les acheteurs...

À ce moment de sa narration, Schahrazade vit apparaître le matin et se tut discrètement.

Mais lorsque fut la trois cent dix-septième nuit. Elle dit :

... Il vit, au milieu du cercle formé par les marchands, par les courtiers et les acheteurs, une jeune esclave blanche d'une élégante et délicieuse tournure : une taille de cinq palmes, et des roses comme joues, et des seins bien assis, et quel derrière ! Aussi pouvait-on lui appliquer, sans crainte de se tromper, ces vers du poète :

« Du moule de la Beauté sans défaut elle est sortie ! Ses proportions sont admirables : ni trop grande, ni trop petite, ni trop grasse, ni trop maigre ; et des rondeurs partout.

Aussi la Beauté elle-même se trouva-t-elle éprise de son image que rehaussait le léger voile tamisant ses traits modestes à la fois et hautains.

La lune est son visage ; le flexible rameau qui ondule, sa taille ; et le suave parfum du musc, son haleine.

On la dirait formée de perles liquides ; car ses membres sont si polis qu'ils réfléchissent la lune de son visage, et paraissent eux-mêmes formés de lunes, à leur tour.

Mais où est la langue qui saurait décrire ce miracle de clarté : son derrière brillant… ? »

Lorsque Alischar eut jeté ses regards sur la belle jeune fille, il fut extrêmement émerveillé, et, soit qu'il fût immobilisé par l'admiration, soit qu'il voulût oublier un instant sa misère au spectacle de la beauté, il se mêla à la foule rassemblée qui déjà s'apprêtait à la vente. Et les marchands et les courtiers qui étaient là, ignorant encore sa ruine, ne doutèrent pas un instant qu'il ne fût venu pour acquérir l'esclave : car ils le savaient très riche de l'héritage de son père, le syndic Gloire.

Mais bientôt à côté de l'esclave vint se placer le chef courtier et, par-dessus les têtes empressées, il clama : « Ô marchands, ô maîtres des richesses, citadins ou habitants libres du désert, l'ouvreur de la porte de l'encan n'a aucun blâme à encourir ! Hardi donc ! Voici devant vous la souveraine de toutes les lunes, la perle des perles, la vierge pleine de pudeur, la noble Zoumourroud, incitatrice de tous les désirs et jardin de toutes les fleurs ! Ouvrez l'encan, ô assistants ! Nul blâme à l'ouvreur de l'encan ! Voici devant vous la souveraine de toutes les lunes, la vierge pleine de pudeur Zoumourroud, jardin de toutes les fleurs ! »

Aussitôt d'entre les marchands quelqu'un cria : « J'ouvre à cinq cents dinars ! » Un autre dit : « Et dix ! » Alors un vieux difforme et hideux, aux yeux bleus et louches, qui s'appelait Rachideddîn, cria : « Et cent ! » Mais une voix dit : « Et dix ! » À ce moment, le vieillard aux yeux bleus si laids renchérit en bloc en criant : « Mille dinars ! »

Alors tous les autres acheteurs emprisonnèrent leur langue et gardèrent le silence. Et le crieur se tourna vers le maître de la jeune esclave et lui demanda si le prix offert par le vieillard lui convenait et s'il fallait conclure le marché. Et le maître de l'esclave répondit : « Je veux bien. Mais, auparavant, il faut que mon esclave y consente aussi, car je lui ai juré de ne la céder qu'à l'acheteur qui lui plairait. Il te faut donc lui demander son consentement, ô courtier ! » Et le courtier s'approcha de la belle Zoumourroud et lui dit : « Ô souveraine des lunes, voudrais-tu appartenir à ce vénérable vieillard, le cheikh Rachideddîn ? »

La belle Zoumourroud, à ces paroles, jeta un regard sur celui que lui indiquait le courtier, et le trouva tel que nous venons de le dépeindre. Alors elle se détourna, avec un geste de dégoût, et s'écria : « Ne connais-tu donc pas, ô chef courtier, ce que disait un poète vieux, bien que pas aussi repoussant que ce vieillard-ci ? Écoute alors :

« Je la priai pour un baiser. Elle me regarda. Et son regard ne fut point haineux, ni dédaigneux, mais il fut indifférent !

Elle me savait riche pourtant et considéré. Elle passa. Et ces mots d'un pli de sa bouche tombèrent : « Les cheveux blancs ne sont point pour me plaire : je n'aime point entre mes lèvres mettre du coton mouillé ! »

En entendant ces vers, le courtier dit à Zoumourroud : « Par Allah ! tu refuses et tu as bien raison ! Ce n'est d'ailleurs pas un prix, mille dinars ! Tu en vaux dix mille, à mon estimation ! » Puis il se tourna vers la foule des acheteurs et demanda si un autre ne désirait pas l'esclave au prix déjà offert. Alors un marchand s'approcha et dit : « Moi ! » Et la belle Zoumourroud le regarda, et vit qu'il n'était point hideux comme le vieux Rachideddîn, et que ses yeux n'étaient ni bleus ni louches ; mais elle remarqua qu'il s'était teint la barbe en rouge, pour avoir l'air plus jeune qu'il n'était. Alors elle s'écria : « Ô honte ! noircir et rougir de la sorte la face de la vieillesse ! » Et, sur-le-champ, elle improvisa ces vers :

« Ô toi qui es épris de ma taille et de mon visage, tu peux tant qu'il te plaît te déguiser sous des couleurs d'emprunt, tu ne réussiras pas à attirer mon regard.

Tu teintes d'opprobre tes cheveux blancs, sans réussir à cacher tes tares.

Tu changes de barbe comme tu changes de visage, et tu deviens un épouvantail tel qu'à te regarder la femme avorte dans sa fécondité ! »

Lorsque le chef courtier eut entendu ces vers, il dit à Zoumourroud : « Par Allah ! la vérité est de ton côté ! » Mais déjà, comme cette seconde proposition n'était pas agréée, un troisième marchand s'avança et dit au courtier : « J'y mets le prix. Demande-lui si elle m'accepte ! » Et le courtier interrogea la belle adolescente qui regarda alors l'homme en question. Elle vit qu'il était borgne, et éclata de rire en disant : « Mais ne sais-tu, ô courtier, les paroles du poète sur le borgne ? Écoute donc :

« Ami, crois-moi, ne fais jamais d'un borgne ton compagnon, et méfie-toi de ses mensonges et de sa fausseté.

Il y a si peu à gagner à le fréquenter, qu'Allah s'est hâté de lui enlever un œil pour le signaler à la méfiance ! »

Alors le courtier lui montra un quatrième acquéreur et lui demanda : « Voudrais-tu de celui-ci ? » Elle examina ce dernier et vit que c'était un tout petit homme avec une barbe qui lui traînait jusqu'au nombril ; et aussitôt elle dit : « Quant à ce petit barbu-là, voici comment l'a dépeint le poète :

« Il a une barbe prodigieuse, plante inutile et encombrante. Elle est triste comme une nuit d'hiver longue, froide et obscure. »

Lorsque le crieur vit qu'aucun n'était accepté de ceux-là qui d'eux-mêmes se présentaient pour l'achat, il dit à Zoumourroud : « Ô ma maîtresse, regarde tous ces marchands et ces nobles acheteurs, et indique-moi celui qui a la chance de te plaire pour que j'aille t'offrir à lui pour l'achat ! »

Alors la belle adolescente examina un à un tous les assistants avec la plus grande attention, et son regard finit par tomber sur Alischar fils de Gloire. Et l'aspect du jeune homme l'enflamma subitement du plus violent amour ; car Alischar fils de Gloire était, en vérité, d'une beauté extraordinaire, et nul ne le pouvait voir sans se sentir porté vers lui avec ardeur. Aussi la jeune Zoumourroud se hâta de le montrer au crieur, et dit : « Ô crieur, c'est ce jouvenceau-là que je veux, celui au visage gentil, à la taille onduleuse ; car je le trouve délicieux et d'un sang sympathique et plus léger que la brise du nord ; et c'est de lui que le poète a dit :

« Ô jouvenceau, comment ceux qui t'ont vu dans ta beauté pourront-ils t'oublier ?

Que ceux qui déplorent les tourments dont tu leur remplis le cœur cessent de te regarder.

Ceux-là qui veulent se préserver de tes charmes dangereux, que ne couvrent-ils d'un voile ton visage enchanteur !... »

Et c'est également de lui qu'un poète a dit :

« Ô mon seigneur, comprends ! Comment ne point t'aimer ? Ta taille n'est-elle point svelte et tes reins ne sont-ils pas cambrés ?

Comprends, ô mon seigneur ! L'amour de ces choses n'est-il pas l'attribut des sages, des gens exquis et des esprits fins ?

Ô jouvenceau, mon seigneur, je te contemple et mes forces s'évanouissent !

Si tu t'assieds sur mes genoux, tes fesses sont lourdes ; mais, si tu t'en vas, leur absence me pèse !

Oh ! ne me tue pas d'un regard : nulle religion ne recommande le meurtre. Oh ! que ton cœur soit tendre et fléchisse comme ta taille ! Que ton œil pour moi soit doux, comme lisse est ta joue ! »

Un troisième poète a dit :

« Ses joues sont pleines et glissantes ; sa salive est un lait doux à boire, remède aux maladies ; son regard fait rêver les prosateurs et les poètes ; et ses perfections rendent perplexes les architectes. »

Un autre a dit :

« La liqueur de ses lèvres est un vin enivrant ; son haleine a le parfum de l'ambre, et ses dents sont des grains de camphre.

Aussi Radouân, le gardien du Paradis, l'a-t-il prié de s'en aller, de crainte qu'il ne séduisît les houris.

Les gens grossiers, à l'esprit lourd, déplorent ses gestes et sa conduite, comme si la lune n'est pas belle dans tous ses quartiers, comme si sa marche n'est pas également harmonieuse dans toutes les parties du ciel ! »

Un poète a dit encore :

« Ce jeune faon, à la chevelure frisée, aux joues pleines de roses, au regard enchanteur, consentit enfin à un rendez-vous. Et me voici exact, avec le cœur ému et l'œil anxieux.

Il me l'a promis, ce rendez-vous, en fermant les yeux pour me dire oui ! Mais si ses paupières sont fermées comment peuvent-elles tenir leur promesse ? »

Enfin un autre a dit à son sujet :

« J'ai des amis peu subtils qui m'ont demandé : « Comment peux-tu si passionnément aimer un jeune homme dont les joues sont ombragées par un duvet déjà si fort ? »

Je leur dis : « Qu'elle est grande votre ignorance ! Les fruits du jardin d'Éden ont été cueillis sur ses belles joues ! Comment auraient-elles, ces joues, fourni de si beaux fruits, si elles n'étaient déjà si touffues ? »

Le courtier fut extrêmement émerveillé de voir tant de talent chez une esclave si jeune, et il exprima son étonnement au propriétaire, qui lui dit : « Je comprends que tu sois émerveillé de tant de beauté et de tant de finesse d'esprit. Mais sache que cette miraculeuse adolescente, qui rend honteux les astres et le soleil, ne se contente pas seulement de connaître les poètes les plus délicats et les plus compliqués, et d'être elle-même une constructrice de strophes, elle sait, en outre, écrire, avec sept plumes, les sept caractères différents, et ses mains sont plus précieuses que tout un trésor. Elle connaît, en effet, l'art de la broderie et du tissage de la soie, et tout tapis ou rideau qui sort de ses mains est coté au souk cinquante dinars. Note, de plus, qu'il lui suffit de huit jours pour parachever le tapis le plus beau ou le rideau le plus somptueux. Aussi l'acquéreur qui l'achètera rentrera-t-il dans son argent au bout de quelques mois, en toute certitude ! »

À ces paroles, le courtier leva ses bras d'admiration et s'écria : « Ô bonheur de celui qui aura cette perle dans sa demeure, et la conservera comme son trésor le plus secret ! » Et il s'approcha d'Alischar fils de Gloire, que lui avait indiqué l'adolescente, s'inclina devant lui jusqu'à terre, lui prit la main et la baisa, puis il lui dit...

À ce moment de sa narration, Schahrazade vit apparaître le matin et se tut discrètement.

Mais lorsque fut la trois cent dix-neuvième nuit. Elle dit :

... S'inclina devant lui jusqu'à terre, lui prit la main et la baisa, puis il lui dit : « En vérité, ô mon maître, ta chance est une grande chance de pouvoir acheter ce trésor pour la centième partie de sa valeur, et le Donateur n'a point lésiné avec toi dans ses dons ! Que cette adolescente t'apporte donc avec elle le bonheur ! »

À ces paroles, Alischar baissa la tête, et ne put s'empêcher de rire en lui-même de l'ironie de la destinée, et il se dit : « Par Allah ! je n'ai pas de quoi m'acheter un morceau de pain, et l'on me croit assez riche pour acheter cette esclave ! En tout cas, je ne dirai ni oui ni non, pour ne pas me couvrir de honte devant tous les marchands ! » Et il baissa les yeux et ne souffla mot.

Comme il ne bougeait pas, Zoumourroud le regarda pour l'encourager dans l'achat ; mais il tenait les yeux baissés et ne la voyait pas ; elle dit alors au courtier : « Prends-moi par la main et conduis-moi auprès de lui ; je veux lui parler moi-même et le décider à m'acheter ; car j'ai bien résolu de n'appartenir qu'à lui, et pas à un autre ! » Et le courtier la prit par la main et la conduisit auprès d'Alischar fils de Gloire.

L'adolescente se tint droite, dans sa vive beauté, devant le jeune homme et lui dit : « Ô maître bien-aimé, ô jouvenceau dont brûlent mes entrailles, que ne proposes-tu le prix d'achat ? Et même que ne donnes-tu toi-même l'estimation qui te semble plus juste ! Je veux être ton esclave, à n'importe quel prix ! » Alischar releva la tête, en la secouant avec tristesse, et dit : « La vente et l'achat ne sont jamais une obligation ! » Zoumourroud s'écria : « Je vois, ô maître bien-aimé, que tu trouves trop élevé le prix de mille dinars. N'en offre donc que neuf cents, et je t'appartiens ! » Il hocha la tête et ne dit mot. Elle reprit : « Achète-moi pour huit cents ! » Il hocha la tête. Elle dit : « Pour sept cents ! » Il hocha encore la tête. Elle se mit encore à diminuer jusqu'à lui dire : « Pour cent dinars seulement ! » Alors il lui dit : « Eh bien ! ces cent dinars je ne les ai pas tout à fait au complet ! » Elle se mit à rire et lui dit : « Combien t'en manque-t-il pour faire cette somme de cent dinars ? Car, si tu n'as pas le tout aujourd'hui, tu paieras le reste un autre jour. » Il répondit : « Ô ma maîtresse, sache enfin que je n'ai ni cent ni même un dinar ! Par Allah ! moi, je ne possède pas plus une pièce blanche qu'une pièce rouge, un dinar d'or qu'un drachme d'argent. Ainsi ne perds pas ton temps avec moi, et cherche un autre acheteur ! »

Lorsque Zoumourroud eut compris que le jeune homme n'avait aucune ressource, elle lui dit : « Conclus tout de même le marché : frappe-moi dans la main, enveloppe-moi de ton manteau et passe un de tes bras autour de ma taille : c'est, comme tu le sais, le signe de l'acceptation ! » Alischar, alors, n'ayant plus de motif de refuser, se hâta de faire ce que lui ordonnait Zoumourroud ; et, au même instant, celle-ci tira de sa poche une bourse qu'elle lui remit, et lui dit : « Il y a là-dedans mille dinars ; il te faut en offrir neuf cents à mon maître, et garder les cent autres pour subvenir à nos besoins les plus pressants ! » Et aussitôt

Alischar compta au marchand les neuf cents dinars, et se hâta de prendre l'esclave par la main et de l'emmener chez lui.

Lorsqu'on fut arrivé à la maison, Zoumourroud ne fut pas peu surprise de voir que le logis consistait en une misérable chambre n'ayant pour tous meubles qu'une méchante natte vieille et déchirée en plusieurs endroits. Elle se hâta de lui remettre encore mille dinars dans une seconde bourse et lui dit : « Cours vite au souk nous acheter tout ce qui est nécessaire en meubles et tapis, et tout ce qu'il faut pour manger et boire. Et choisis ce qu'il y a de meilleur au souk ! De plus rapporte-moi une grande pièce de soie de Damas, de la plus belle qualité, rouge grenat, et des bobines de fil d'or et des bobines de fil d'argent et des bobines de fil de soie de sept couleurs différentes. N'oublie pas non plus de m'acheter de grandes aiguilles et un dé en or pour mon doigt du milieu ! » Et Alischar exécuta aussitôt ces ordres, et apporta à Zoumourroud tout cela. Alors elle étendit par terre les tapis, rangea les matelas et les divans, mit tout en ordre, et tendit la nappe, après avoir allumé les flambeaux.

Tous deux s'assirent alors, et mangèrent et burent et furent contents. Après quoi, ils s'étendirent sur leur couche neuve, et se satisfirent mutuellement. Et ils passèrent toute la nuit étroitement enlacés, dans les plus pures délices et les plus gais ébats, jusqu'au matin. Et leur amour se consolida par des preuves indubitables, et se grava dans leur cœur d'une façon inaltérable.

Sans perdre de temps, la diligente Zoumourroud se mit aussitôt à l'ouvrage. Elle prit la pièce de soie rouge grenat de Damas, et, en quelques jours, elle en fit un rideau sur le pourtour duquel elle représenta avec un art infini des figures d'oiseaux et d'animaux ; et elle ne laissa pas un seul animal dans le monde, grand ou petit, qu'elle ne l'eût dessiné sur cette étoffe. Et l'exécution en fut si frappante de ressemblance et si vivante, que les animaux à quatre pieds semblaient se mouvoir, et que l'on croyait entendre chanter les oiseaux. Au milieu du rideau étaient brodés de grands arbres chargés de leurs fruits, et à l'ombrage si beau que l'on sentait une grande fraîcheur à s'y reposer les yeux. Et tout cela fut exécuté en huit jours, ni plus ni moins ! Gloire à Celui qui met tant d'habileté dans les doigts de ses créatures !

Le rideau achevé, Zoumourroud le lustra, le lissa, le plia et le remit à Alischar en lui disant : « Va le porter au souk et vends-le à quelque marchand en boutique, pour pas moins de cinquante dinars. Seulement garde-toi bien de le céder à quelqu'un de passage, qui ne soit pas connu dans le souk ; sinon tu serais la cause entre nous d'une cruelle séparation. Nous avons, en effet, des ennemis qui nous guettent : méfie-toi du passant ! » Et Alischar répondit : « J'écoute et j'obéis ! » et il alla au souk et vendit pour cinquante dinars à un marchand en boutique le merveilleux rideau en question…

À ce moment de sa narration, Schahrazade vit apparaître le matin et, discrète, se tut.

Mais lorsque fut la trois cent vingtième nuit. Elle dit :

… Et vendit pour cinquante dinars à un marchand en boutique le merveilleux rideau en question. Puis, de nouveau, il acheta de la soie et des fils d'or et d'argent, en quantité suffisante pour un nouveau rideau ou quelque belle tapisserie, et porta le tout à Zoumourroud, qui se remit à l'ouvrage et, en huit jours, exécuta un tapis encore plus beau que la première fois, lequel rapporta également la somme de cinquante dinars. Et ils vécurent de la sorte, en mangeant, en buvant, et en ne manquant de rien, sans oublier de satisfaire leur mutuel amour, plus ardent de jour en jour, pendant encore l'espace d'une année.

Un jour, Alischar sortit de la maison, porteur, selon son habitude, d'un paquet renfermant une tapisserie exécutée par Zoumourroud ; et il prit le chemin du souk pour le proposer aux marchands, par l'entremise du crieur, comme toujours. Arrivé au souk, il la remit au crieur qui se mit à la crier devant les boutiques des marchands, quand vint à passer un chrétien, un de ces individus comme il en pullule à l'entrée des souks et qui obsèdent le client de leurs offres de service.

Ce chrétien s'approcha du crieur et d'Alischar et leur proposa soixante dinars de la tapisserie, au lieu de cinquante qui en était le prix crié. Mais Alischar, qui avait de l'aversion et de la défiance pour ces sortes d'individus et qui, d'ailleurs, se rappelait la recommandation de Zoumourroud, ne voulut pas la lui céder. Alors le chrétien augmenta son offre, et finit par proposer cent dinars ; et le crieur dit à l'oreille d'Alischar : « En vérité, ne laisse pas échapper cette excellente aubaine ! » Car le crieur avait déjà été secrètement soudoyé par le chrétien moyennant dix dinars. Et il manœuvra si bien sur l'esprit d'Alischar, qu'il le décida à livrer la tapisserie au chrétien, contre la somme convenue. Il le fit donc, mais non sans une grande appréhension, toucha les cent dinars, et reprit le chemin de sa maison.

Tandis qu'il marchait, il s'aperçut à un tournant de rue que le chrétien le suivait. Il s'arrêta et lui demanda : « Qu'as-tu à faire dans ce quartier où n'entrent pas les gens de ton espèce, chrétien ? » Celui-ci dit : « Excuse-moi, ô mon maître, mais j'ai une commission à remplir au bout de cette ruelle. Qu'Allah te conserve ! » Alischar continua sa route et il arriva à la porte de sa maison ; et là il s'aperçut que le chrétien, après avoir fait un crochet, était revenu par l'autre bout de la rue, et arrivait devant sa porte au même moment que lui. Il lui cria, pris de colère : « Maudit chrétien, qu'as-tu à me suivre de la sorte partout où je vais ? » Il répondit : « Ô mon maître, crois bien que c'est par hasard que je suis là encore ; mais je te prie de me donner une gorgée d'eau, et Allah t'en rémunérera, car la soif me brûle l'intérieur ! » Et Alischar pensa : « Par Allah ! il ne sera pas dit qu'un musulman ait refusé de donner à boire à un chien altéré ! Je vais donc lui porter de l'eau. » Et il entra dans sa maison, prit une cruche d'eau et allait ressortir pour l'aller porter au chrétien, quand Zoumourroud l'entendit ouvrir le loquet et courut à sa rencontre, émue de son absence prolongée. Elle lui dit, en l'embrassant : « Pourquoi as-tu tant tardé à rentrer aujourd'hui ? As-tu fini par vendre la tapisserie, et est-ce à un brave marchand en boutique, ou à un passant ? » Il répondit, troublé fort visiblement : « J'ai tardé un peu car le souk était plein ; j'ai fini tout de même par vendre la tapisserie à un marchand ! » Elle dit, avec un doute dans la voix : « Par Allah ! mon cœur n'est pas tranquille. Mais où portes-tu cette cruche ? » Il dit : « Je vais donner à boire au crieur du souk qui m'a accompagné jusqu'ici ! » Mais cette réponse ne la satisfit point, et, tandis qu'Alischar sortait, elle récita, fort anxieuse, ce vers du poète :

« Ô mon cœur qui t'attaches à l'aimé, pauvre cœur plein d'espoir et qui crois éternel le baiser, ne vois-tu qu'à ton chevet, les bras tendus, veille la séparatrice, et que dans l'ombre te guette, perfide, la destinée ?… »

Comme Alischar se dirigeait vers le dehors, il trouva le chrétien déjà entré dans le vestibule, par la porte laissée ouverte. À cette vue, le monde noircit devant son visage et il s'écria : « Que fais-tu là, chien fils de chien ? Et comment as-tu osé pénétrer dans ma maison sans mon consentement ? » Il répondit : « De grâce, ô mon maître, excuse-moi ! Épuisé d'avoir marché tout le jour, et ne pouvant plus me tenir debout, je me vis forcé de franchir ton seuil, puisqu'en somme il n'y a pas grande différence entre la porte et le vestibule. D'ailleurs, le temps seulement de prendre haleine, et je m'en vais ! Ne me repousse pas et Allah ne te repoussera pas ! » Et il prit la cruche que tenait Alischar fort perplexe, but son besoin, et la lui rendit. Et Alischar resta debout en face de lui, à attendre qu'il s'en allât. Mais une heure se passa de la sorte et le chrétien ne bougeait pas. Alors Alischar lui cria, suffoqué : « Veux-tu tout de suite sortir d'ici et t'en aller en ta voie ? » Mais le chrétien lui répondit : « Ô mon maître, tu n'es certes pas de ceux qui font un bienfait à quelqu'un pour le lui faire sentir toute la vie, ni de ceux dont le poète a dit :

« Évanouie, la race généreuse de ceux qui sans compter remplissaient la main du pauvre avant qu'elle ne fût tendue.

Maintenant c'est une race vile d'usuriers qui supputent l'intérêt d'un peu d'eau prêtée au pauvre du chemin. »

« Quant à moi, ô mon maître, j'ai déjà étanché ma soif à l'eau de ta maison, mais la faim m'est en ce moment une telle torture que je me contenterais bien des restes de ton repas, ne serait-ce qu'un morceau de pain sec et un oignon, rien de plus ! » Alischar, de plus en plus furieux, lui cria : « Allons ! va-t'en d'ici ! assez de citations comme ça ! Il n'y a plus rien à la maison ! » Il répondit sans bouger de sa place : « Mon seigneur, pardonne-moi ! mais, s'il n'y a plus rien à la maison, tu as sur toi les cent dinars que t'a rapportés la tapisserie. Je te prie donc, par Allah, d'aller au souk le plus proche m'acheter une galette de froment, pour qu'il ne soit pas dit que j'aie quitté ta maison sans qu'il y ait eu entre nous le pain et le sel ! »

Lorsque Alischar eut entendu ces paroles, il se dit en lui-même : « Il n'y a pas de doute possible, ce maudit chrétien est un fou et un extravagant. Et je vais le jeter à la porte et exciter après lui les chiens de la rue ! » Et comme il s'apprêtait à le pousser dehors, le chrétien immobile lui dit : « Ô mon maître, ce n'est qu'un seul pain que je désire, et un seul oignon, de quoi seulement chasser la faim. Ne va donc pas faire une grande dépense pour moi, c'est vraiment de trop ! Car le sage se contente de peu ; et, comme dit le poète :

« Un pain sec suffit pour mettre en fuite la faim qui torture le sage, alors que le monde entier ne saurait calmer le faux appétit du gourmand. »

Quand Alischar vit qu'il ne pouvait faire autrement que de s'exécuter, il dit au chrétien : « Je vais au souk te chercher à manger. Reste ici à m'attendre, sans bouger ! »

Et il sortit de la maison, après avoir fermé la porte et enlevé la clef de la serrure pour la mettre dans sa poche. Il alla en toute hâte au souk où il acheta du fromage rôti au miel, des concombres, des bananes, des feuilletés et du pain soufflé tout frais sortant du four, et apporta le tout au chrétien en lui disant : « Mange ! » Mais celui-ci se récusa en disant : « Mon seigneur, quelle générosité est la tienne ! Ce que tu apportes là suffira à nourrir dix personnes ! C'est vraiment trop ! à moins que tu ne veuilles m'honorer en mangeant avec moi ! » Alischar répondit : « Moi, je suis rassasié ; mange donc tout seul ! » Il s'écria : « Mon seigneur, la sagesse des nations nous apprend que celui qui refuse de manger avec son hôte est indubitablement un bâtard adultérin…

À ce moment de sa narration, Schahrazade vit apparaître le matin et se tut discrètement.

Mais lorsque fut la trois cent vingt et unième nuit. Elle dit :

… Celui qui refuse de manger avec son hôte est indubitablement un bâtard adultérin ! » À ces paroles sans réplique possible, Alischar n'osa refuser et s'assit à côté du chrétien et se mit à manger avec lui, distraitement. Le chrétien profita de l'inattention de son hôte pour éplucher une banane, la partager et y glisser adroitement du banj pur mêlé à de l'extrait d'opium, à dose suffisante pour terrasser un éléphant et l'endormir pendant un an. Il trempa cette banane dans le miel blanc où nageait l'excellent fromage rôti, et l'offrit à Alischar en lui disant : « Ô mon seigneur ! accepte de ma main cette succulente banane que j'ai épluchée À ton intention ! » Alischar, qui tenait à en finir, prit la banane et l'avala.

À peine la banane était-elle arrivée dans son estomac, qu'Alischar tomba à la renverse, la tête avant les pieds, privé de sentiment. Alors le chrétien bondit tel un loup pelé et s'élança au-dehors où, dans la ruelle en face, se tenaient aux aguets des hommes avec un mulet, ayant à leur tête le vieux Rachideddîn, le misérable aux yeux bleus auquel n'avait pas voulu appartenir Zoumourroud, et qui avait juré de l'avoir de force, coûte que coûte. Ce Rachideddîn n'était qu'un ignoble chrétien qui professait extérieurement l'islamisme pour en avoir les privilèges auprès des marchands, et il était le propre frère du chrétien qui venait de trahir Alischar, et dont le nom était Barssoum.

Ce Barssoum courut donc aviser son misérable frère du succès de leur ruse, et tous deux, suivis de leurs hommes, pénétrèrent dans la maison d'Alischar, se précipitèrent dans l'appartement d'à côté, qu'avait loué Alischar pour en faire le harem de Zoumourroud, s'élancèrent sur la belle adolescente, qu'ils bâillonnèrent et prirent à bras-le-corps pour la transporter en un clin d'œil sur le dos du mulet qu'ils mirent au galop pour arriver, en quelques instants, sans avoir été inquiétés en route, à la maison du vieux Rachideddîn.

Le vieux misérable aux yeux bleus et louches fit alors porter Zoumourroud dans la chambre la plus retirée de la maison, et il s'assit seul près d'elle, après lui avoir ôté le bâillon, et lui dit : « Te voici enfin en mon pouvoir, belle Zoumourroud, et ce n'est point ce vaurien d'Alischar qui viendra maintenant te tirer de mes mains. Commence donc, avant de coucher dans mes bras et d'éprouver ma vaillance au combat, par abjurer ta mécréante foi et consentir à devenir chrétienne comme je suis chrétien. Par le Messie et la Vierge ! si, tout de suite, tu ne te rends à mon double désir, je te ferai subir les pires tortures et te rendrai plus malheureuse qu'une chienne ! »

À ces paroles du misérable chrétien, les yeux de l'adolescente se remplirent de larmes qui roulèrent le long de ses joues, et ses lèvres frémirent, et elle s'écria : « Ô scélérat à barbe blanche, par Allah ! tu peux me faire couper en morceaux, mais tu n'arriveras pas à me faire abjurer ma foi ; tu peux même prendre mon corps par la violence, comme le bouc en rut la chèvre enfantine, mais tu ne soumettras pas mon esprit à l'impureté partagée ! Et Allah saura bien tôt ou tard te demander compte de tes ignominies ! »

Lorsque le vieillard vit qu'il ne pouvait la persuader par la parole, il appela ses esclaves et leur dit : « Renversez-la et tenez-la sur le ventre solidement ! » Et ils la renversèrent et la couchèrent sur le ventre. Alors ce misérable vieux chrétien prit un fouet et se mit à l'en flageller cruellement sur ses belles parties arrondies, de façon que chaque coup laissait une longue raie rouge sur le blanc de son derrière. Et Zoumourroud à chaque coup qu'elle recevait, loin de faiblir dans sa foi, s'écriait : « Il n'y a de Dieu qu'Allah, et Mohammad est l'envoyé d'Allah ! » Et il ne s'arrêta de la frapper que lorsqu'il ne put plus lever le bras. Alors il ordonna à ses esclaves de la jeter à la cuisine, avec les servantes, et de ne lui rien donner à manger ni à boire. Et ils obéirent à l'instant. Et voilà pour eux !

Quant à Alischar, il resta étendu, privé de sentiment, dans le vestibule de sa maison, jusqu'au lendemain. Il put alors reprendre ses sens et ouvrir les yeux, une fois dissipée l'ivresse du banj et envolées de sa tête les fumées de l'opium. Il se leva alors sur son séant et, de toutes ses forces, il appela : « Ya Zoumourroud ! » Mais personne ne lui répondit. Il se leva anxieux et entra dans l'appartement vide et silencieux, et où les voiles de Zoumourroud et ses écharpes gisaient sur le sol. Alors il se rappela le chrétien ; et, comme lui aussi avait disparu, il ne douta plus de l'enlèvement de sa bien-aimée Zoumourroud. Il se jeta alors par terre, en se frappant la tête et en sanglotant ; puis il déchira ses vêtements, et pleura toutes les larmes de la désolation, et, à la limite du désespoir, il s'élança hors de sa maison, ramassa deux gros cailloux dont il se mit un dans chaque main, et commença à parcourir, hagard, toutes les rues en se frappant la poitrine avec ces cailloux et en criant : « Ya Zoumourroud ! Zoumourroud ! » Et les enfants l'entourèrent en courant avec lui et en criant : « Un fou ! un fou ! » Et les gens de connaissance qui le rencontraient le regardaient avec compassion et pleuraient de la perte de sa raison, en disant : « C'est le fils de Gloire ! Pauvre Alischar ! »

Il continua à errer de la sorte, les deux cailloux lui faisant résonner la poitrine, quand il rencontra une vieille femme d'entre les femmes de bien, qui lui dit : « Mon enfant, puisses-tu jouir de la sécurité et de la raison ! Depuis quand es-tu devenu fou ? » Et Alischar lui répondit par ce vers :

« C'est l'absence d'une qui m'a fait perdre la raison ! Ô vous qui croyez à ma folie, ramenez celle qui l'a causée, et sur mon esprit vous mettrez la fraîcheur d'un dictame ! »

En entendant ce vers et en regardant Alischar plus attentivement, la bonne vieille comprit qu'il devait être un amoureux en souffrance, et lui dit : « Mon enfant, ne crains pas de me raconter tes peines et ton infortune. Peut-être qu'Allah ne m'a placée sur ton chemin que pour te venir en aide ! » Alors Alischar lui raconta son aventure avec Barssoum le chrétien.

La bonne vieille, à ce discours, réfléchit pendant une heure de temps, puis elle releva la tête et dit à Alischar : « Lève-toi, mon enfant, et va vite m'acheter une corbeille de colporteur, dans laquelle tu mettras, après les avoir achetés au souk, des bracelets de verre coloré, des anneaux en cuivre argenté, des pendants d'oreilles, des breloques, et diverses autres choses comme en vendent aux femmes dans les maisons les vieilles pourvoyeuses. Et moi je mettrai cette corbeille sur ma tête, et j'irai faire le tour de toutes les maisons de la ville, en vendant aux femmes ces diverses choses. Et de la sorte je pourrai faire des investigations qui nous mettront sur la bonne voie et nous feront, s'il plaît à Allah, retrouver ton amante Sett Zoumourroud…

À ce moment de sa narration, Schahrazade vit apparaître le matin et se tut discrètement.

Mais lorsque fut la trois cent vingt-deuxième nuit. Elle dit :

… Retrouver ton amante Sett Zoumourroud. » Et Alischar se mit à pleurer de joie et, après avoir baisé les mains de la bonne vieille, se hâta d'aller acheter et de lui rapporter ce qu'elle lui avait indiqué.

Alors la vieille rentra chez elle pour s'habiller. Elle se voila le visage avec un voile couleur de miel brun, se couvrit la tête d'un foulard de cachemire, et s'enveloppa d'un grand voile de soie noire ; puis elle mit sur sa tête la corbeille en question et, prenant en main un bâton pour soutenir sa respectable vieillesse, elle se mit à faire lentement le tour des harems des notables et des marchands, dans les différents quartiers, et ne tarda pas à arriver à la maison du vieux Rachiddedîn, le misérable chrétien qui se faisait passer pour musulman, le maudit qu'Allah confonde et brûle dans les feux de son enfer et torture jusqu'à l'extinction des temps. Amîn !

Or, elle y arriva juste au moment où la malheureuse adolescente, jetée au milieu des esclaves et des servantes de la cuisine, endolorie encore des coups qu'elle avait reçus, gisait à moitié morte sur une méchante natte. Elle frappa à la porte, et l'une des esclaves vint lui ouvrir et la saluer avec amitié ; et la vieille lui dit : « Ma fille, j'ai là quelques jolis objets à vendre. Y a-t-il chez vous autres des acheteurs ? » La servante dit : « Mais je crois bien ! » Et elle l'introduisit à la cuisine, où la vieille s'assit avec componction et fut aussitôt entourée par les esclaves. Elle fut fort accommodante dans la vente, et se mit à leur céder, pour des prix fort modiques, bracelets, anneaux et pendants d'oreilles, si bien qu'elle gagna leur confiance et qu'elles l'aimèrent pour son langage onctueux et la douceur de ses manières.

Mais, en tournant la tête, voici qu'elle aperçut Zoumourroud étendue ; et elle interrogea à son sujet les esclaves, qui lui apprirent tout ce qu'elles savaient. Et aussitôt elle fut persuadée qu'elle était en présence de celle qu'elle cherchait. Elle s'approcha de l'adolescente et lui dit : « Ma fille, que tout mal s'éloigne de toi ! Allah m'envoie à ton secours ! Tu es Zoumourroud, l'esclave aimée d'Alischar fils de Gloire ! » Et elle lui apprit pourquoi elle était venue, déguisée en pourvoyeuse, et lui dit : « Demain soir tiens-toi prête à être enlevée ; mets-toi à la fenêtre de la cuisine qui donne sur la rue, et quand tu verras quelqu'un dans l'ombre qui se mettra à siffler, ce sera le signal. Réponds-lui en sifflant, et saute sans crainte dans la rue. C'est Alischar lui-même qui sera là et qui te délivrera ! » Et Zoumourroud baisa les mains de la vieille, qui se hâta de sortir et d'aller mettre Alischar au courant de ce qui venait de se passer, ajoutant : « Tu iras donc là-bas, au dessous de la fenêtre de la cuisine de ce maudit-là, et tu feras *comme ça* et *comme ça.* »

Alors Alischar remercia beaucoup la vieille pour ses bons offices et voulut lui faire cadeau de quelque chose ; mais elle refusa et s'en alla, en lui souhaitant le succès et le bonheur, le laissant se réciter des vers sur toute l'amertume de la séparation.

Le lendemain soir Alischar prit la route qui conduisait à la maison dépeinte par la bonne vieille et finit par la trouver. Il vint s'asseoir au bas du mur, où il attendit que fut venue l'heure de siffler ! mais comme il était là depuis un certain temps, et qu'il avait déjà passé deux nuits sans sommeil, il fut tout d'un coup vaincu par la fatigue et s'endormit. Glorifié soit le Seul qui jamais ne s'endort !

Pendant qu'Alischar était ainsi assoupi au bas de la cuisine, cette nuit-là, le destin poussa de ce côté, en quête de quelque bonne aubaine, un larron d'entre les larrons audacieux, qui, après avoir fait le tour de la maison, sans trouver d'issue, arriva à l'endroit où dormait Alischar. Il se pencha sur lui et, tenté par la richesse de ses habits, il lui vola tout doucement son beau turban et son manteau et s'en affubla en un clin d'œil. Et au même moment il vit la fenêtre s'ouvrir et entendit quelqu'un siffler. Il regarda et aperçut une forme de femme, et cette femme lui faisait et sifflait. C'était Zoumourroud qui le prenait pour Alischar.

À cette vue, le voleur sans trop comprendre, se dit : « Si je lui répondais ? » Et il siffla. Aussitôt Zoumourroud sortit de la fenêtre et sauta dans la rue, en s'aidant d'une corde. Et le voleur, qui était un fort solide gaillard, la reçut sur son dos et s'éloigna avec la rapidité de l'éclair.

Quand Zoumourroud vit une telle force chez son porteur, elle fut extrêmement étonnée et lui dit : « Alischar, mon bien-aimé, la vieille m'a dit que tu pouvais à peine te traîner, tant tu avais été affaibli par la douleur et la crainte. Et je vois que tu es plus fort qu'un cheval ! » Mais comme le voleur ne répondait pas et galopait plus rapidement, Zoumourroud lui passa la main sur le visage, et le trouva tout hérissé de poils plus durs que le balai du hammam, et tel qu'on l'eût cru quelque cochon ayant avalé une poule et dont les plumes lui seraient sorties de la gueule. À cette constatation elle eut une terreur épouvantable et se mit à lui donner des coups sur la figure en lui criant : « Qui es-tu ? Qu'est-ce que tu es ? » Or, comme à ce moment ils étaient déjà loin des habitations, dans la pleine campagne envahie par la nuit et la solitude, le voleur s'arrêta un instant, déposa l'adolescente à terre et lui cria : « Moi je suis Djiwân le Kourde, le plus terrible compagnon de la bande d'Ahmad El-Danaf. Nous sommes quarante gaillards qui depuis longtemps sommes privés de chair fraîche ! La nuit prochaine sera la plus bénie de tes nuits, car nous monterons sur toi, à tour de rôle, et nous pataugerons dans ton ventre, et nous nous vautrerons entre tes cuisses scélératement, et nous ferons rouler ton bouton jusqu'au matin ! »

Lorsque Zoumourroud eut entendu ces paroles de son ravisseur, elle comprit toute l'horreur de sa situation, et se mit à pleurer en se frappant le visage et en déplorant l'erreur qui l'avait livrée à ce bandit perpétrateur de violences, et bientôt à ces compagnons, les quarante. Puis voyant que la mauvaise destinée avait pris le dessus dans sa vie et qu'il n'y avait pas à lutter contre elle, elle se laissa emporter de nouveau par son ravisseur, sans opposer de résistance, et se contenta de soupirer : « Il n'y a de Dieu qu'Allah ! En lui je me réfugie ! Chacun porte sa destinée attachée à son cou, et, quoi qu'il fasse, il ne peut s'en éloigner…

À ce moment de sa narration, Schahrazade vit apparaître le matin et se tut discrètement…

Mais lorsque fut la trois cent vingt-troisième nuit. Elle dit :

Chacun porte sa destinée attachée à son cou, et, quoi qu'il fasse, il ne peut s'en éloigner ! »

Le terrible Kourde Djiwân rechargea donc l'adolescente sur son dos et continua à courir jusqu'à une caverne, cachée dans les rochers, où la bande des quarante et son chef avait élu domicile. Là une vieille, la mère justement du ravisseur de Zoumourroud, faisait le ménage des larrons et préparait leur nourriture. Ce fut donc elle qui, entendant le signal convenu, sortit à l'entrée de la caverne recevoir son fils et sa capture. Djiwân remit Zoumourroud à sa mère et lui dit : « Prends bien soin de cette gazelle jusqu'à mon retour, car je vais à la recherche de mes compagnons, afin qu'ils viennent la monter avec moi. Mais, comme nous ne serons pas revenus avant demain à midi, à cause de quelques exploits que nous avons à accomplir, je te charge de la bien nourrir pour qu'elle soit capable de supporter nos charges et nos assauts. » Et il s'en alla.

Alors la vieille s'approcha de Zoumourroud et lui porta à boire et lui dit : « Ma fille, quel bonheur pour toi de te sentir bientôt pénétrée dans ton milieu par quarante jeunes gaillards, sans compter leur chef qui est à lui seul plus solide qu'eux tous ! Par Allah ! que tu es heureuse d'être jeune et désirable ! » Zoumourroud ne put répondre et, s'enveloppant la tête de son voile, s'étendit par terre et resta ainsi jusqu'au matin.

Or, la nuit l'avait fait réfléchir ; et elle avait repris courage et s'était dit : « Quelle est donc cette indifférence condamnable vis-à-vis de moi-même dans un tel moment ! Me faudrait-il donc attendre sans bouger la venue de ces quarante bandits perforateurs, qui vont m'abîmer en me pénétrant et qui me rempliront comme l'eau remplit un navire jusqu'à ce qu'il s'enfonce au fond de la mer ! Non, par Allah ! je sauverai mon âme et je ne leur livrerai pas mon corps ! » Et comme déjà c'était le matin, elle se leva et, s'approchant de la vieille, elle lui baisa la main et lui dit : « Cette nuit m'a bien reposée, ma bonne mère, et je me sens ragaillardie et toute disposée à faire honneur à mes hôtes ! Que nous faut-il faire maintenant pour passer le temps jusqu'à leur arrivée ? Veux-tu, par exemple, venir avec moi au soleil et me laisser chercher les poux de ta tête et te lisser les cheveux, ma bonne mère ? » La vieille répondit : « Par Allah ! ton idée est excellente, ma fille, car depuis le temps que je suis dans cette caverne, je n'ai pu me laver la tête, et elle sert maintenant d'habitation à toutes les espèces de poux qui se logent dans les cheveux des hommes et les poils des animaux ; et, la nuit venue, ils sortent de ma tête et circulent en bande sur mon corps : il y en a de blancs et de noirs, de gros et de petits ; il y en a même, ma fille, qui ont une queue fort longue et qui se promènent à rebours ; d'autres ont une odeur plus fétide que les vieilles vesses et les pets les plus puants ! Si donc tu arrives à me débarrasser de ces bêtes malfaisantes, ta vie avec moi sera fort heureuse ! » Et elle sortit avec Zoumourroud hors de la caverne et s'accroupit au soleil en enlevant le mouchoir qu'elle avait sur la tête. Zoumourroud alors put voir qu'en effet il y avait là toutes les variétés de poux connues et les autres également. Sans perdre courage, elle se mit donc à les enlever d'abord par poignées, puis à peigner les cheveux à la racine avec plusieurs grosses épines ; et, quand il ne resta qu'une petite quantité normale de ces poux, elle se mit à les chercher avec des doigts agiles et nombreux et à les écraser entre deux ongles, comme à l'ordinaire. Cela fait, elle lui lissa les cheveux lentement, si lentement que la vieille se sentit délicieusement envahie par la tranquillité de sa propre peau nettoyée et finit par s'assoupir profondément.

Sans perdre de temps, Zoumourroud se leva et courut à la caverne où elle prit des vêtements d'homme dont elle s'affubla ; elle s'entoura la tête d'un beau turban, un de ceux qui venaient des vols commis par les quarante, et ressortit en hâte pour aviser un cheval, également volé, qui passait par là, les deux pieds attachés ; elle le sella et le brida, sauta dessus à califourchon, et le mit au grand galop, droit devant elle, en invoquant le Maître de la délivrance.

Elle galopa ainsi, sans répit, jusqu'à la tombée de la nuit ; et le lendemain, dès l'aube, elle reprit sa course, ne s'arrêtant que de temps à autre pour se reposer, manger quelques racines et laisser paître son cheval. Et elle continua de la sorte pendant dix jours et dix nuits. Vers le matin du onzième jour, elle sortit enfin du désert qu'elle venait de traverser, et elle déboucha dans une verdoyante prairie où couraient de belles eaux et où s'égayaient les regards au spectacle des grands arbres, des ombrages et des roses et des fleurs qu'un climat printanier faisait là pousser par milliers ; là s'ébattaient aussi des oiseaux de la création et paissaient par troupeaux les gazelles et les plus jolis des animaux.

Zoumourroud se reposa une heure en cet endroit délicieux, puis elle remonta à cheval et suivit une route fort belle qui courait entre les massifs de verdure et conduisait à une grande ville dont au loin, sous le soleil, brillaient les minarets.

Lorsqu'elle fut proche des murs et de la porte de la ville, elle vit une foule immense qui, à sa vue, se mit à pousser des cris délirants de joie et de triomphe ; et, aussitôt, de la porte sortirent et vinrent à sa rencontre des émirs à cheval et des notables et des chefs de soldats qui se prosternèrent et embrassèrent la terre avec les marques de la soumission des sujets à leur roi, tandis que, de tous côtés, une clameur immense s'élevait de la multitude délirante : « Qu'Allah donne la victoire à notre sultan ! Que ta bienvenue apporte la bénédiction au peuple des musulmans, ô roi de l'univers ! Qu'Allah consolide ton règne, ô notre roi ! » Et, en même temps, des milliers de guerriers à cheval firent la haie sur deux rangs, pour écarter et maintenir la foule à la limite de l'enthousiasme, et un crieur public, juché sur un chameau richement caparaçonné, annonçait au peuple, de toute sa voix, l'arrivée heureuse de son roi !

Mais Zoumourroud, toujours déguisée en cavalier, ne comprenait guère ce que tout cela pouvait signifier, et elle finit par demander aux grands dignitaires qui avaient pris les rênes du cheval, de chaque côté : « Qu'y a-t-il donc, honorables seigneurs, dans votre ville ? Et que me voulez-vous ? » Alors, d'entre tous ceux-là, s'avança un grand chambellan qui, après s'être incliné jusqu'à terre, dit à Zoumourroud : « Le Donateur, ô notre maître, n'a point compté ses grâces en te les accordant ! Louanges Lui soient rendues ! Il t'amène par la main jusqu'à nous pour te placer comme notre roi sur le trône de ce royaume ! Louanges à Lui qui nous donne un roi si jeune et si beau, de la noble race des enfants des Turcs, au brillant visage ! Gloire à Lui ! car s'il nous avait envoyé quelque mendiant ou toute autre personne de peu d'importance, nous eussions été également forcés de l'accepter comme notre roi et de lui rendre hommage. Sache, en effet…

À ce moment de sa narration, Schahrazade vit apparaître le matin et se tut discrètement.

Mais lorsque fut la trois cent vingt-quatrième nuit. Elle dit :

… Sache, en effet, que notre usage, à nous habitants de cette ville, lorsque notre roi meurt sans laisser d'enfant mâle, est de nous rendre sur cette route-ci et d'attendre l'arrivée du premier passant que nous envoie le destin, pour l'élire notre nouveau roi et le saluer comme tel ! Et nous avons aujourd'hui le bonheur de te rencontrer, ô toi le plus beau de tous les rois de la terre, et l'unique de ton siècle et de tous les siècles ! »

Or, Zoumourroud, qui était une femme de tête et d'idées excellentes, ne se laissa pas décontenancer par cette nouvelle si extraordinaire, et elle dit au grand chambellan et aux autres dignitaires : « Ô vous tous, mes sujets désormais fidèles, ne croyez point tout de même que je sois quelque Turc de naissance obscure ou quelque fils de roturier. Au contraire ! Vous avez devant vous un Turc de haute lignée qui a fui son pays et sa maison, après s'être brouillé avec ses parents, et qui a résolu de parcourir le monde en cherchant des aventures. Et comme justement le destin me fait rencontrer une occasion assez belle de voir du nouveau, je consens à être votre roi ! »

Aussitôt elle se mit à la tête du cortège et, au milieu des acclamations et des cris de joie de tout un peuple, elle fit dans la ville son entrée triomphale.

Lorsqu'elle fut arrivée devant la grande porte du palais, les émirs et les chambellans mirent pied à terre et vinrent la soutenir sous les bras et l'aidèrent à descendre de cheval, et la transportèrent sur leurs bras dans la grande salle de réception et la firent s'asseoir, l'ayant revêtue des attributs royaux, sur le trône d'or des anciens rois. Et tous ensemble se prosternèrent et embrassèrent la terre entre ses mains, en prononçant le serment de soumission.

Alors Zoumourroud commença son règne en faisant ouvrir les trésors royaux accumulés depuis les siècles ; et elle en fit tirer des sommes considérables qu'elle distribua aux soldats, aux pauvres et aux indigents. Aussi le peuple l'aima-t-il et fit-il des vœux pour la durée de son règne. Et, d'autre part, Zoumourroud n'oublia pas non plus de faire cadeau d'une grande quantité de robes d'honneur aux dignitaires du palais, et d'accorder des faveurs aux émirs et aux chambellans ainsi qu'à leurs épouses et à toutes les femmes du harem. En outre, elle abolit les perceptions d'impôts, les octrois et les contributions, et fit élargir les prisonniers et redressa tous les torts. Et de la sorte elle gagna l'affection des grands et des petits, qui tous la prenaient pour un homme et s'émerveillaient de sa continence et de sa chasteté en apprenant qu'elle n'entrait jamais dans le harem et ne couchait jamais avec ses femmes. En effet, elle n'avait voulu prendre à son service particulier de nuit que deux gentils petits eunuques qu'elle faisait coucher en travers de sa porte.

Bien loin d'être heureuse, Zoumourroud ne faisait que penser à son bien-aimé Alischar qu'elle ne put retrouver malgré toutes les recherches qu'elle fit faire secrètement. Aussi elle ne cessait de pleurer toute seule et de prier et de jeûner, pour attirer la bénédiction du Très-Haut sur Alischar et obtenir de le retrouver sain et sauf, après l'absence. Et elle resta ainsi une année ; si bien que toutes les femmes du palais levaient les bras de désespoir et s'écriaient : « Quel malheur sur nous que le roi soit si dévot et si continent ! »

Au bout de l'année, Zoumourroud eut une idée, et voulut tout de suite la mettre à exécution. Elle fit appeler les vizirs et les chambellans et leur ordonna de faire aplanir par les architectes et les ingénieurs un vaste meidân long d'un parasange et large d'autant, et de faire construire en son milieu un magnifique pavillon en dôme qui serait richement tapissé et où seraient placés un trône et autant de sièges qu'il y avait de dignitaires dans le palais.

L'ordre de Zoumourroud fut exécuté en fort peu de temps. Et, le meidân tracé et le pavillon élevé et le trône et les sièges disposés dans l'ordre hiérarchique, Zoumourroud y convoqua tous les grands de la ville et du palais, et leur donna un festin qui de mémoire de vieillard n'avait eu son pareil dans le royaume. Et, à la fin du festin, Zoumourroud se tourna vers les invités et leur dit : « Désormais, durant tout mon règne, je vous convoquerai dans ce pavillon au commencement de chaque mois, et vous prendrez place sur vos sièges, et je convoquerai également tout mon peuple, afin qu'il prenne part au festin et qu'il mange et boive et remercie le Créateur pour ses dons ! » Et tous lui répondirent par l'ouïe et l'obéissance. Alors elle ajouta : « Les crieurs publics appelleront mon peuple au festin, et l'aviseront que quiconque refusera de venir sera pendu ! »

Donc, au commencement du mois, les crieurs publics parcoururent les rues de la ville en criant : « Ô vous tous, marchands et acheteurs, riches et pauvres, affamés ou rassasiés, par l'ordre de notre maître le roi, accourez au pavillon du meidân. Vous y mangerez et vous y boirez et vous bénirez le Bienfaiteur. Et pendu sera quiconque ne s'y rendra ! Fermez vos boutiques et cessez la vente et les achats ! Quiconque refusera pendu sera ! »

À cette invitation, la foule accourut et se massa dans le pavillon en flots pressés, au milieu de la salle, alors que le roi était assis sur son trône et que, tout autour de lui, sur leurs sièges respectifs, étaient hiérarchiquement rangés les grands et les dignitaires. Et tous se mirent à manger toutes sortes de choses excellentes, telles que moutons rôtis, riz au beurre, et surtout de cet excellent mets appelé « Kisck », préparé au blé pulvérisé et au lait fermenté. Et pendant qu'ils mangeaient, le roi les examinait attentivement, l'un après l'autre, et si longtemps, que chacun disait à son voisin : « Par Allah ! je ne sais pour quel motif le roi me regarde avec obstination ! » Et les grands et les dignitaires, pendant ce temps, ne cessaient d'encourager tous ces gens, leur disant : « Mangez sans honte et rassasiez-vous ! Vous ne pouvez faire plus grand plaisir au roi que de lui montrer votre appétit ! » Et eux se disaient : « Par Allah ! de notre vie nous n'avons vu un roi aimer à ce point son peuple et lui vouloir tant de bien ! »

Or, parmi les gloutons qui mangeaient avec le plus d'ardente voracité, faisant disparaître dans leur gosier des plateaux entiers, se trouvait le misérable chrétien Barssoum qui avait endormi Alischar et volé Zoumourroud, aidé de son frère le vieux Rachideddîn. Lorsque ce Barssoum eut fini de manger la viande et les mets au beurre ou au gras, il avisa un plateau, placé hors de portée de sa main, et qui était rempli d'un admirable riz à la crème, saupoudré de sucre fin et de cannelle ; il bouscula tous ses voisins et atteignit le plateau qu'il attira à lui et plaça sous sa main, et en prit une énorme bouchée qu'il engouffra dans sa bouche. Alors, l'un de ses voisins, scandalisé, lui dit…

À ce moment de sa narration, Schahrazade vit apparaître le matin et se tut discrètement.

Mais lorsque fut la trois cent vingt-cinquième nuit. Elle dit :

… Alors l'un de ses voisins, scandalisé, lui dit : « N'as-tu donc pas honte de tendre la main vers ce qui est loin de ta portée, et de t'emparer pour toi seul d'un si grand plateau ? Ignores-tu donc que la politesse nous enseigne de ne manger que ce qui est devant nous ? » Et un autre voisin ajouta : « Puisse ce mets te peser sur le ventre et bouleverser tes tripes ! » Et un amusant bonhomme, grand mangeur de haschisch lui dit : « Hé, par Allah ! partageons ! Approche-moi ça, que j'en prenne une bouchée ou deux ou trois ! » Mais Barssoum lui jeta un regard de mépris et lui cria violemment : « Ah ! maudit mangeur de haschisch, ce noble mets n'est pas fait pour ta mâchoire ; il est destiné au palais des émirs et des gens délicats ! » Et il s'apprêtait à plonger ses doigts dans la délicieuse pâte, quand Zoumourroud, qui l'observait depuis un certain temps, le reconnut et dépêcha vers lui quatre gardes, en leur disant : « Courez vite vous emparer de cet individu qui mange du riz au lait, et amenez-le-moi ! » Et les quatre gardes se précipitèrent sur Barssoum, lui arrachèrent des doigts la bouchée qu'il s'apprêtait à avaler, le jetèrent la face contre terre, et le traînèrent par les jambes devant le roi, au milieu des spectateurs étonnés qui cessèrent aussitôt de manger en se chuchotant les uns aux autres : « Voilà ce que c'est que de faire le glouton et de s'emparer de la nourriture d'autrui ! » Et le mangeur de haschisch dit à ceux qui l'entouraient : « Par Allah ! j'ai bien fait de ne pas manger avec lui de cet excellent riz à la cannelle ! Qui sait la punition qui va lui être infligée ? » Et tous se mirent à regarder attentivement ce qui allait se passer.

Zoumourroud, les yeux intérieurement allumés, demanda à l'homme : « Dis-moi, toi, l'homme aux mauvais yeux bleus, quel est ton nom, et quel est le motif de ta venue dans notre pays ? » Le misérable chrétien qui s'était coiffé du turban blanc, privilège des seuls musulmans, dit : « Ô notre maître le roi, je m'appelle Ali, et j'exerce le métier de passementier. Je suis venu dans ce pays pour exercer mon métier, et gagner ma vie du travail de mes mains ! »

Alors Zoumourroud dit à l'un de ses petits eunuques : « Va vite me chercher ma table de sable divinatoire et la plume de cuivre qui me sert à y tracer les lignes géomantiques ! » Et, son ordre aussitôt exécuté, Zoumourroud étendit soigneusement le sable divinatoire sur la surface plane de la table et, avec la plume de cuivre, y traça la figure d'un signe et quelques lignes de caractères inconnus. Après quoi, elle réfléchit pendant quelques instants, puis releva soudain la tête et, d'une voix terrible qui fut entendue de toute la foule, elle cria au misérable : « Ô chien, comment oses-tu mentir aux rois ? N'es-tu point chrétien et ton nom n'est-il pas Barssoum ? Et n'es-tu donc pas venu dans ce pays pour te mettre à la recherche d'une esclave volée par toi dans le temps ? Ah ! chien ! Ah ! maudit ! tu vas tout de suite avouer la vérité que vient de me révéler si clairement mon sable divinatoire ! »

À ces paroles, le chrétien terrifié croula sur le sol, les mains jointes, et dit : « Grâce ! ô roi du temps, tu ne te trompes pas ! Je suis, en effet – préservé sois-tu de tout mal ! – un ignoble chrétien, et je suis venu ici dans l'intention de ravir une musulmane que j'avais volée et qui s'était enfuie de notre maison ! »

Alors Zoumourroud, au milieu des murmures d'admiration de tout le peuple qui disait : « Ouallah ! il n'y a pas dans le monde un géomancien liseur de sable comparable à notre roi ! » appela le porte-glaive et ses aides et leur dit : « Emmenez ce misérable chien hors de la ville, écorchez-le vif, empaillez-le avec du foin de mauvaise qualité, et revenez clouer cette peau à la porte du meidân ! Quant à son cadavre, il faut le brûler avec des excréments desséchés, et enfouir ce qui en restera dans la fosse aux ordures ! » Et ils répondirent par l'ouïe et l'obéissance, emmenèrent le chrétien, et l'exécutèrent selon la sentence que le peuple trouva pleine de justice et de sagesse.

Quant aux voisins qui avaient vu le misérable manger du riz au lait, ils ne purent s'empêcher de se communiquer mutuellement leurs impressions. L'un dit : « Ouallah ! jamais plus de ma vie je ne me laisserai tenter par ce plat que pourtant j'aime à l'extrême. Il porte malheur ! » Et le mangeur de haschisch, se tenant le ventre tant il avait des coliques de terreur, s'écria : « Hé ! ouallah ! ma bonne destinée m'a préservé de toucher à ce maudit riz à la cannelle ! » Et tous jurèrent de ne jamais plus prononcer le mot de riz à la crème !

En effet, quand vint le mois suivant et que le peuple fut de nouveau convoqué à prendre part au festin en présence du roi, il y eut un grand vide autour du plateau qui contenait le riz à la crème, et personne ne voulut même regarder de ce côté. Puis tout le monde, pour faire plaisir au roi, qui observait chaque convive avec la plus grande attention, se mit à manger et à boire et à se réjouir, mais chacun en ne touchant qu'aux mets placés devant lui.

Sur ces entrefaites, entra un homme à l'aspect effrayant qui s'avança rapidement en bousculant tout le monde sur son passage, et qui, voyant toutes les places prises excepté à l'entour du plateau de riz à la crème, vint s'accroupir devant ce plateau et, au milieu de l'effarement général, se disposa à tendre la main pour en manger.

Or, Zoumourroud aussitôt reconnut en cet homme son ravisseur le terrible Djiwân le Kourde, l'un des quarante de la bande d'Ahmad El-Danaf. Le motif qui l'amenait en cette ville n'était autre que la recherche de l'adolescente dont la fuite l'avait mis dans une fureur épouvantable, alors qu'il s'était préparé à la monter avec ses compagnons. Et il s'était mordu la main de désespoir et avait fait le serment de la retrouver, fût-elle derrière le mont Caucase ou cachée comme la pistache dans sa coque. Et il était parti à sa recherche, et avait fini par arriver à la ville en question et entrer, avec les autres, dans le pavillon, pour ne pas être pendu…

À ce moment de sa narration, Schahrazade vit apparaître le matin et se tut discrètement.

Mais lorsque fut la trois cent vingt-sixième nuit. Elle dit :

… Et entrer dans le pavillon pour ne pas être pendu.

Il s'assit donc en face du plateau de riz à la crème en question, et plongea sa main tout entière au beau milieu. Alors de toutes parts on lui cria : « Holà ! que vas-tu faire ! Prends garde ! Tu vas être écorché vif ! Ne touche pas à ce plat qui porte malheur ! » Mais l'homme roula des yeux terribles et leur cria : « Taisez-vous, vous autres ! Je veux manger de ce plat-là et m'en remplir le ventre. Je l'aime, ce riz doux à la crème ! » On lui cria encore : « Tu seras pendu écorché ! » Pour toute réponse il attira à lui encore davantage le plateau dans lequel il avait plongé déjà la main, et se pencha dessus. À cette vue, le mangeur de haschisch, son plus proche voisin, s'enfuit épouvanté et dégrisé des vapeurs du haschisch pour aller s'asseoir plus loin, en protestant qu'il n'était pour rien dans ce qui allait se passer.

Donc, Djiwân le Kourde, après avoir plongé dans le plateau sa main noire comme la patte du corbeau, la sortit énorme et pesante comme le pied du chameau. Il arrondit dans sa paume la prodigieuse poignée qu'il avait retirée, en fit une boule aussi grosse qu'un cédrat, et la lança d'un mouvement tournant au fond de son gosier où elle s'engloutit dans une caverne sonore, tant que le dôme du pavillon résonna d'un écho retentissant qui se répercuta bondissant et rebondissant. Et la trace fut telle dans la masse où la bouchée avait été prise que le fond apparut à nu du grand plateau !

À cette vue, le mangeur de haschisch leva les bras et s'écria : « Qu'Allah nous protège ! il a englouti le plateau d'une seule bouchée. Grâces soient rendues à Allah qui ne m'a pas créé riz au lait ou cannelle ou autre chose semblable entre ses mains ! » Et il ajouta : « Laissons-le manger à son aise, car déjà je vois sur son front se dessiner l'image de l'écorché et du pendu qu'il sera ! » Puis il se mit encore plus hors de portée de la main du Kourde, et lui cria : « Puisse ta digestion s'arrêter et t'étouffer, ô effroyable abîme ! » Mais le Kourde, sans prêter attention à ce qui se disait autour de lui, plongea une seconde fois ses doigts, aussi gros que des matraques, dans la masse tendre qui s'entrouvrit avec un claquement sourd, et il les retira avec, au bout, une grosse boule telle une courge ; et il la faisait déjà tourner dans sa paume avant de l'engloutir, quand Zoumourroud dit aux gardes : « Vite, amenez-moi l'homme au riz avant qu'il n'avale la bouchée ! » Et les gardes bondirent sur le Kourde qui ne les voyait pas, courbé qu'il était de toute la moitié du corps sur le plateau. Et ils le renversèrent avec agilité et lui lièrent les bras derrière le dos, et le traînèrent devant le roi, tandis que les assistants se disaient : « Il a voulu lui-même sa propre perte. Nous lui avions bien conseillé de s'abstenir de toucher à ce néfaste riz à la crème ! »

Lorsqu'il fut devant elle, Zoumourroud lui demanda : « Quel est ton nom ? quel est ton métier ? et quel motif t'a poussé à venir dans notre ville ? » Il répondit : « Je m'appelle Othmân, et je suis jardinier de mon métier. Quant au motif de ma venue, c'est la recherche d'un jardin où travailler pour manger ! » Zoumourroud s'écria : « Qu'on m'apporte la table de sable et la plume de cuivre ! » Et lorsqu'elle eut les objets entre les mains, elle traça avec la plume des caractères et des figures sur le sable étalé, réfléchit et calcula une heure de temps, puis releva la tête et dit : « Malheur à toi, misérable menteur ! Mes calculs sur ma table de sable m'apprennent que de ton vrai nom tu t'appelles Djiwân le Kourde, et que de ton métier tu es bandit, voleur et assassin ! Ah ! cochon, fils de chien et de mille putains ! avoue tout de suite la vérité, ou les coups te la feront vite retrouver ! »

En entendant ces paroles du roi, qu'il était loin de soupçonner d'être l'adolescente ravie naguère par lui, il devint jaune de teint et ses mâchoires claquèrent et ses lèvres se contractèrent sur des dents qui apparurent tels des crocs de loup ou de quelque bête sauvage. Puis il pensa sauver sa tête en avouant la vérité, et dit : « Tu dis vrai, ô roi ! Mais je me repens sur tes mains dès cet instant, et je serais à l'avenir dans la bonne voie ! » Mais Zoumourroud lui dit : « Il ne m'est pas permis de laisser vivre une bête malfaisante sur le chemin des musulmans ! » Puis elle ordonna : « Qu'on l'emmène et qu'on l'écorche vif et qu'on l'empaille pour le clouer sur la porte du pavillon, et qu'on fasse subir à son cadavre le même sort qu'à celui du chrétien ! »

Lorsque le mangeur de haschisch vit les gardes emmener l'homme en question, il se leva et tourna son derrière au plateau de riz et dit : « Ô riz à la crème, ô saupoudré de sucre et de cannelle, je te tourne le dos, car, ô plat de malheur, je ne te juges pas digne de mon regard, et à peine de mon derrière…

À ce moment de sa narration, Schahrazade vit apparaître le matin et se tut discrètement.

Mais lorsque fut la trois cent vingt-septième nuit. Elle dit :

… Car, ô plat de malheur, je ne te juge pas digne de mon regard, et à peine de mon derrière ! Je crache sur toi et t'abomine ! » Et voilà pour lui.

Mais pour ce qui est du troisième festin, voici ! Comme dans les deux circonstances précédentes, les crieurs firent la même annonce, et l'on fit les mêmes préparatifs ; puis le peuple se rassembla sous le pavillon, les grands se placèrent en ordre et le roi s'assit sur son trône. Et tout le monde se mit à manger, à boire et à se réjouir ; et la foule était massée partout, excepté devant le plateau de riz à la crème qui restait intact au milieu de la salle, ayant tous les dos des mangeurs tournés de son côté. Et soudain on vit entrer un homme à barbe blanche qui, voyant vide l'endroit tout autour du plateau, se dirigea de ce côté et s'assit pour manger, afin de n'être pas pendu. Et Zoumourroud le regarda et reconnut le vieux Rachideddîn, le misérable chrétien qui l'avait fait enlever par son frère Barssoum.

En effet, comme Rachideddîn, au bout d'un mois, ne voyait pas revenir son frère qu'il avait envoyé à la recherche de l'adolescente enfuie, il résolut de partir lui-même essayer de la retrouver, et le destin le conduisit dans cette ville jusqu'à ce pavillon, devant le plateau de riz à la crème.

Zoumourroud, en reconnaissant le maudit chrétien, pensa en elle-même : « Par Allah ! ce riz à la crème est un mets béni, puisqu'il me fait retrouver tous les êtres malfaisants. Il me faut un jour le faire crier par toute la ville comme mets obligatoire pour tous les habitants. Et je ferai pendre ceux qui ne l'aimeront pas ! En attendant, je vais m'occuper de ce vieux scélérat ! » Elle cria donc à ses gardes : « Amenez-moi l'homme au riz ! » Et les gardes, habitués maintenant, reconnurent l'homme aussitôt, et se précipitèrent sur lui et le traînèrent par la barbe devant le roi qui lui demanda : « Quel est ton nom ? quelle est ta profession ? et quel est le motif de ton arrivée parmi nous ? » Il répondit : « Ô roi fortuné, je m'appelle Rustem, mais je n'ai point de profession si ce n'est d'être un pauvre, un derviche ! » Elle s'écria : « À moi, le sable et la plume ! » Et on les lui apporta. Et elle, après avoir étendu le sable et y avoir tracé des figures et des caractères, réfléchit une heure de temps, puis releva la tête et dit : « Tu mens devant le roi, chien maudit ! Ton nom est Rachideddîn ; ton métier est de faire enlever traîtreusement les femmes des musulmans et de les enfermer dans ta maison ; tu professes extérieurement la foi de l'Islam en restant au fond du cœur un misérable chrétien pourri de vices. Avoue la vérité ou ta tête va sur l'heure sauter à tes pieds ! » Et le misérable, terrifié, crut sauver sa tête et avoua ses crimes et ses hontes. Alors Zoumourroud dit aux gardes : « Renversez-le et appliquez-lui mille coups de bâton sur chaque plante des pieds ! » Et cela fut exécuté immédiatement. Elle dit alors : « Maintenant emmenez-le, arrachez-lui la peau, empaillez-la avec du foin pourri et clouez-la, avec les deux autres, à l'entrée du pavillon. Et faites subir à son cadavre le même sort qu'à celui des deux autres chiens ! » Et cela fut exécuté sur-le-champ.

Cela fait, tout le monde se remit à manger en s'émerveillant de la sagesse et de la science divinatoire du roi, et en vantant sa justice et son équité.

Lorsque le festin eut pris fin, le peuple s'écoula et la reine Zoumourroud rentra dans son palais. Mais elle n'était point heureuse intérieurement, et elle se disait : « Grâces soient rendues à Allah qui m'a apaisé le cœur en m'aidant à tirer vengeance de ceux qui m'avaient fait du mal ! Mais tout cela ne me rend pas mon bien-aimé Alischar ! Pourtant le Très-Haut est en même temps le Tout-Puissant, et il peut ce qui lui plaît, à l'égard de ceux qui l'adorent et le reconnaissent pour leur seul Dieu ! » Et, émue au souvenir de son amoureux, elle versa d'abondantes larmes toute la nuit ; puis elle s'enferma seule, avec sa douleur, jusqu'au commencement du mois suivant.

Alors le peuple fut encore rassemblé pour le festin accoutumé, et le roi et les dignitaires prirent place, comme à l'ordinaire, sous le dôme. Et déjà le festin était en train, et Zoumourroud désespérait de jamais retrouver son bien-aimé, et elle faisait en son âme cette prière : « Ô toi qui as rendu Youssouf à son vieux père Yâcoub, qui as guéri de ses plaies inguérissables le saint Ayoub, accorde-moi dans ta bonté de retrouver moi aussi mon bien-aimé Alischar. Tu es l'Omnipotent, ô maître de l'univers ! Toi qui mets dans la bonne voie ceux qui sont dans l'égarement, toi qui écoutes toutes les voix, qui exauces tous les vœux, et qui fais succéder le jour à la nuit, rends-moi mon esclave Alischar ! »

À peine Zoumourroud avait-elle formulé intérieurement cette invocation, qu'un jeune homme entra par la porte du meidân, et sa taille flexible ployait comme sous la brise se balance le rameau du saule. Il était beau comme est belle la lumière, mais il paraissait délicat et un peu pâle et fatigué. Il chercha partout une place où s'asseoir, et ne trouva libre que l'endroit autour du plateau de riz à la crème en question. Il vint y prendre place, et de tous côtés le suivaient les regards épouvantés de ceux qui le croyaient déjà perdu, et le voyaient écorché et pendu.

Or, Zoumourroud dès le premier regard reconnut Alischar. Et son cœur se mit à battre précipitamment, et elle faillit lancer un cri de joie. Mais elle réussit à vaincre ce mouvement irréfléchi, pour ne point s'exposer à se trahir devant son peuple. Pourtant elle était prise d'une grande émotion, et ses entrailles s'agitèrent, et son cœur battit de plus en plus fort. Et elle attendit de s'être calmée tout à fait avant que de faire venir Alischar.

Quant à Alischar, voici ! Lorsqu'il s'était réveillé...

À ce moment de sa narration, Schahrazade vit apparaître le matin et se tut discrètement.

Mais lorsque fut la trois cent vingt-huitième nuit. Elle dit :

... Lorsqu'il s'était réveillé, le jour était levé, et les marchands commençaient déjà à ouvrir le souk. Alischar, étonné de se voir étendu dans cette rue, porta la main à son front, et constata que son turban avait disparu, et son manteau également. Il commença alors à comprendre la réalité, et courut, fort ému, raconter sa mésaventure à la bonne vieille qu'il pria d'aller aux nouvelles. Elle y consentit de bon cœur, et partit pour revenir au bout d'une heure, le visage et les cheveux défaits, lui apprendre la disparition de Zoumourroud, et lui dire : « Je crois bien, mon enfant, que désormais tu dois renoncer à jamais retrouver ton amoureuse. Il n'y a de recours et de force dans les calamités qu'en Allah le Tout-Puissant ! Tout ce qui t'arrive est bien de ta faute ! »

À ces paroles, Alischar vit la lumière se changer en ténèbres devant son visage, et il désespéra de la vie, et souhaita mourir, et se mit à pleurer et à sangloter dans les bras de la bonne vieille, tellement qu'il s'évanouit. Puis, à force de bons soins, il reprit ses sens, mais ce fut pour s'aliter, atteint d'une grave maladie qui lui fit perdre le goût du sommeil et qui l'aurait certainement conduit droit à la tombe s'il n'avait eu la bonne vieille pour le soigner, l'aimer et l'encourager. Il resta ainsi fort malade durant la longueur d'une année, sans que la vieille le quittât un instant ; elle lui donnait à boire les sirops, et lui faisait bouillir les poulets, et lui faisait respirer les parfums vivifiants. Et lui, dans un état d'extrême faiblesse et de langueur, se laissait faire, et se récitait des vers fort tristes sur la séparation, parmi lesquels ceux-ci entre mille :

« Les soucis s'accumulent, l'amour se désagrège, les larmes coulent et le cœur est brûlé.

Le faix de la douleur pèse sur un dos qui ne peut le tolérer, sur un cœur épuisé par le désir d'aimer, par la passion sans chemin, et par les veilles continues.

Seigneur Dieu, est-il encore moyen de me venir en aide ? Hâte-toi de me secourir avant que le souffle dernier de vie ne s'exhale d'un corps exténué ! »

Alischar resta donc en cet état sans espoir de guérir comme sans espoir de revoir Zoumourroud. Et la bonne vieille ne savait plus comment faire pour le tirer de sa torpeur, quand un jour elle lui dit : « Mon enfant, ce n'est point en continuant à te lamenter sans sortir de ta maison que tu pourras retrouver ton amie. Si tu veux me croire, lève-toi et raffermis tes forces et sors la chercher dans les villes et les contrées. On ne sait jamais le chemin d'où peut venir le salut ! » Et elle ne cessa de l'encourager de la sorte et de lui donner de l'espoir qu'elle ne l'eût obligé à se lever et à entrer au hammam, où elle lui donna elle-même le bain, et lui fit boire des sorbets, et lui fit manger un poulet. Et elle continua pendant un mois à le traiter de la sorte, si bien qu'il finit par être en état de voyager. Alors il fit ses adieux à la vieille, après avoir terminé ses préparatifs de départ, et se mit en route à la recherche de Zoumourroud. Et c'est ainsi qu'il finit par arriver dans la ville où Zoumourroud était roi, et par entrer dans le pavillon du festin et s'asseoir devant le plateau de riz à la crème saupoudré de sucre et de cannelle.

Comme il avait une grande faim, il releva ses manches jusqu'aux coudes, dit la formule « Bismillah » et se disposa à manger. Alors ses voisins, apitoyés de voir à quel danger il s'exposait, le prévinrent qu'il lui arriverait certainement malheur s'il avait la mauvaise chance de toucher à ce mets. Et, comme il s'obstinait, le mangeur de haschisch lui dit : « Tu seras écorché et pendu, prends garde ! » Il répondit : « Bénie soit la mort qui me délivrera d'une vie pleine d'infortunes ! Mais auparavant je veux manger de ce riz à la crème ! » Et il tendit la main et se mit à manger de grand appétit.

Tout cela ! Et Zoumourroud qui, tout en émoi, l'observait, se dit : « Je veux d'abord le laisser assouvir sa faim, avant que de le faire venir ! » Et lorsqu'elle vit qu'il avait cessé de manger, et qu'il avait prononcé la formule : « Le merci à Allah ! » Elle dit aux gardes : « Allez trouver tout doucement ce jeune homme qui est assis devant le plateau de riz à la crème, et priez-le, avec beaucoup de bonnes manières, de venir me parler, en lui disant : « Le roi vous demande pour une question et sa réponse, sans plus ! » Et les gardes vinrent s'incliner devant Alischar et lui dirent : « Seigneur, notre maître le roi te demande pour une question et une réponse, sans plus ! » Alischar répondit : « J'écoute et j'obéis ! » Et il se leva et les accompagna devant le roi.

Pendant ce temps, les gens du peuple faisaient entre eux mille conjectures. Les uns disaient : « Quel malheur pour sa jeunesse ! Qui sait ce qui va lui arriver ! » Mais les autres répondaient : « S'il devait lui arriver malheur, le roi ne l'aurait pas laissé manger à satiété ! Il l'aurait fait arrêter dès la seconde bouchée ! » Et d'autres disaient : « Les gardes ne l'ont pas traîné par les pieds ou par les habits ! Ils l'ont accompagné, en le suivant respectueusement à distance ! »

Tout cela, pendant qu'Alischar se présentait devant le roi. Là il s'inclina et embrassa la terre entre les mains du roi, qui lui demanda, d'une voix tremblante et fort douce : « Quel est ton nom, ô tendre jouvenceau ? quel est ton métier ? et quel motif t'a obligé à quitter ton pays pour ces contrées lointaines ? » Il répondit : « Ô roi fortuné, je m'appelle Alischar fils de Gloire, et je suis un d'entre les enfants des marchands, dans le pays de Khorassân. Ma profession était celle de mon père, mais il y a longtemps que les calamités m'y firent renoncer. Quant au motif de ma venue dans ce pays…

À ce moment de sa narration, Schahrazade vit apparaître le matin et se tut discrètement.

Mais lorsque fut la trois cent vingt-neuvième nuit. Elle dit :

… Quant au motif de ma venue dans ce pays, c'est la recherche d'une personne aimée que j'ai perdue, et qui m'était plus chère que ma vue et mon ouïe et mon âme ! Et depuis qu'elle m'a été prise, je vis comme un somnambule ! Et telle est ma lamentable histoire ! » Et Alischar, en achevant ces paroles, fondit en larmes, et fut pris d'un tel hoquet qu'il tomba évanoui.

Alors Zoumourroud, à la limite de l'attendrissement, ordonna à ses deux petits eunuques de lui asperger le visage avec de l'eau de rose. Et les deux petits esclaves aussitôt exécutèrent l'ordre, et Alischar revint à lui en sentant l'eau de rose. Alors Zoumourroud dit : « Maintenant qu'on m'apporte la table de sable et la plume de cuivre ! » Et elle prit la table et elle prit la plume, et, après avoir tracé des lignes et des caractères et réfléchi pendant une heure de temps, elle dit doucement, mais de façon à être entendue de tout le peuple : « Ô Alischar fils de Gloire, le sable divinatoire confirme tes paroles. Tu dis la vérité. Aussi je puis te prédire que bientôt Allah te fera retrouver ta bien-aimée ! Que ton âme s'apaise et que ton cœur se rafraîchisse ! » Puis elle leva la séance, et ordonna aux deux petits esclaves de le conduire au hammam, et de le revêtir après le bain d'une robe de l'armoire royale, de le faire monter sur un cheval des écuries royales, et de le lui ramener à l'entrée de la nuit ! Et les deux petits eunuques répondirent par l'ouïe et l'obéissance, et se hâtèrent d'exécuter l'ordre de leur roi.

Quant aux gens du peuple qui avaient assisté à toute cette scène et entendu les ordres donnés, ils se demandèrent les uns aux autres : « Quel motif secret a donc poussé le roi à traiter ce joli jouvenceau avec tant d'égards et de douceur ? » D'autres répondirent : « Par Allah ! le motif est tout indiqué : le garçon est fort beau ! » Et d'autres dirent : « Nous avons prévu ce qui allait se passer, rien qu'en voyant le roi le laisser assouvir sa faim à ce plateau de riz à la crème douce ! Ouallah ! nous n'avions jamais entendu dire que le riz pût produire de pareils prodiges ! » Et ils s'en allèrent, chacun donnant son avis ou lâchant un bon mot.

Quant à Zoumourroud, elle attendit avec une impatience inimaginable l'entrée de la nuit, pour pouvoir enfin s'isoler avec le bien-aimé de son cœur. Aussi à peine le soleil eut-il disparu et les muezzins eurent-ils appelé les croyants à la prière, Zoumourroud se déshabilla et s'étendit sur sa couche, ne gardant pour tout vêtement que sa chemise de soie. Et elle abaissa les rideaux, pour être dans l'ombre, et ordonna aux deux eunuques de faire entrer Alischar qui attendait dans le vestibule.

Quant aux chambellans et aux dignitaires du palais, ils ne doutèrent plus des intentions du roi en le voyant traiter de cette façon inaccoutumée le bel Alischar. Et ils se dirent : « Il est maintenant bien certain que le roi est épris de ce jouvenceau. Et sûrement demain, après sa nuit avec lui, il le nommera chambellan ou général d'armée ! » Et voilà pour eux.

Quant à Alischar, voici ! Lorsqu'il fut en présence du roi, il embrassa la terre entre ses mains, en lui adressant ses hommages et lui offrant ses vœux, et il attendit d'être interrogé. Alors Zoumourroud pensa en son âme : « Je ne puis lui révéler tout de suite qui je suis ; car, s'il me reconnaissait subitement, il mourrait d'émotion. » Elle se tourna donc vers lui, et lui dit : « Ô gentil jouvenceau, viens plus près de moi ! Dis ! as-tu été au hammam ? » Il répondit : « Oui, ô mon bon seigneur ! » Elle reprit : « T'es-tu lavé partout et parfumé et rafraîchi ? » Il répondit : « Oui, ô mon seigneur ! » Elle demanda : « Sûrement le bain a dû exciter ton appétit, ô Alischar ! Voici, à portée de ta main, sur ce tabouret, un plateau rempli de poulets et de pâtisseries. Commence d'abord à apaiser ta faim ! » Alors Alischar répondit par l'ouïe et l'obéissance, et mangea son plein, et fut content. Et Zoumourroud lui dit : « Tu dois avoir soif maintenant ! Voici, sur le second tabouret, le plateau des boissons. Bois ta soif, et puis viens tout près de moi ! » Et Alischar but une tasse de chaque pot de boisson, et, fort timidement, s'approcha de la couche du roi.

Alors le roi lui prit la main et lui dit : « Tu me plais beaucoup, ô jouvenceau ! Tu as une jolie figure, et j'aime les jolies figures ! Baisse-toi et commence par me masser les pieds ! » Et Alischar se baissa, et, relevant ses manches, se mit à masser les pieds du roi.

Au bout d'un certain temps, le roi lui dit : « Masse-moi maintenant les jambes et les cuisses ! » Et Alischar fils de Gloire se mit à masser les jambes et les cuisses du roi. Et il fut étonné à la fois et émerveillé de leur trouver une tendreté et une souplesse et une blancheur sans pareilles. Et il se disait : « Ouallah ! les cuisses des rois sont bien blanches ! Et puis elles n'ont pas de poils ! »

À ce moment, Zoumourroud lui dit : « Ô joli jouvenceau, aux mains si expertes dans l'art du massage, allonge tes mouvements jusqu'à mon nombril, en passant par le milieu ! »

Mais Alischar s'arrêta soudain dans son massage, et, fort intimidé, dit : « Excuse-moi, mon seigneur, mais je ne sais point faire le massage du corps plus haut que les cuisses. Tout ce que je sais, je te l'ai fait…

À ce moment de sa narration, Schahrazade vit apparaître le matin et se tut discrètement.

Mais lorsque fut la trois cent trentième nuit. Elle dit :

… Plus haut que les cuisses. Tout ce que je sais, je te l'ai fait ! »

À ces paroles, Zoumourroud prit un ton de voix fort courroucé, et s'écria : « Comment ! Tu oses me désobéir ? Par Allah si tu hésites encore, ta nuit sera bien néfaste sur ta tête ! Hâte-toi donc de t'incliner et de satisfaire à mon désir ! Et moi, en retour, je ferai de toi mon amant en titre, et je te nommerai émir entre les émirs et chef d'armée entre les chefs de mes armées ! » Alischar demanda : « Je ne comprends pas exactement ce que tu veux, ô roi ! Que faut-il que je fasse pour t'obéir ? » Elle répondit : « Défais ton caleçon et étends-toi sur la figure ! » Alischar s'écria : « C'est là une chose que de ma vie je n'ai faite ! Si donc tu veux me forcer à la commettre, je t'en demanderai compte au jour de la Résurrection. Laisse-moi donc sortir d'ici et m'en aller dans mon pays ! » Mais Zoumourroud reprit, d'un ton encore plus furieux : « Je t'ordonne de mettre bas ton caleçon et de te coucher sur le visage, sinon je te fais sur l'heure trancher la tête ! Viens donc, ô jouvenceau, et dors avec moi ! Tu ne t'en repentiras pas ! »

Alors Alischar, désespéré, ne put faire autrement que d'obéir. Il mit bas son caleçon et se coucha sur le visage. Aussitôt Zoumourroud le prit dans ses bras et, montant sur lui, elle s'étendit tout de son long sur le dos d'Alischar.

Lorsque Alischar vit le roi peser avec cette impétuosité sur son dos, il se dit : « Il va m'abîmer sans recours ! » Mais bientôt il sentit sur lui, légèrement, quelque chose de doux qui le caressait, comme de la soie ou du velours, quelque chose de tendre à la fois et d'arrondi, au toucher beurré et ferme, et il se dit : « Ouallah ! ce roi a une peau préférable à celle de toutes les femmes ! » Et il attendit le moment redoutable. Mais au bout d'une heure qu'il était dans cette posture sans rien sentir d'effroyable et de perforant, il vit le roi se détacher soudain de son dos, et s'étendre lui-même sur le dos, à ses côtés. Et il pensa : « Béni et glorifié soit Allah qui n'a pas permis à son zebb de s'ériger ! Que serais-je devenu si cela avait réussi ! » Et il commençait à respirer plus à son aise, quand le roi lui dit : « Sache, ô Alischar, que mon zebb est habitué à s'ériger seulement quand on le manipule avec les doigts ! Il te faut donc me le manipuler ou tu es un homme mort ! Allons ! donne ta main ! » Et, toujours étendue sur le dos, Zoumourroud prit la main d'Alischar fils de Gloire, et la posa doucement sur la rotondité de son histoire ! Et Alischar, à ce toucher, sentit une rondeur haute comme un trône, et grasse comme un poulet, et plus chaude que la gorge du pigeon, et plus brûlante qu'un cœur brûlé par la passion ; et cette rondeur était lisse et blanche et fondante et énorme ! Et soudain il la sentit, sous ses doigts, se cabrer comme un mulet piqué aux naseaux, ou comme un âne aiguillonné au milieu du dos !

À cette constatation, Alischar, à la limite de l'étonnement, pensa en son âme : « Ce roi a une fente, c'est certain ! C'est là la chose la plus prodigieuse d'entre les prodiges ! » Et Alischar, enhardi par cette trouvaille qui lui enlevait ses dernières hésitations, se mit soudain à s'ériger quand à son zebb, et celà à l'extrême limite de l'érection.

Or, Zoumourroud n'attendait que ce moment-là ! Et tout à coup elle éclata de rire quant à son gosier, et tellement qu'elle serait tombée à la renverse si elle n'eût été à la renverse déjà. Puis elle dit à Alischar : « Comment se fait-il que tu ne reconnaisses pas ta servante, ô mon maître bien-aimé ? » Mais Alischar ne comprenait pas encore, et demanda : « Quelle servante et quel maître, ô roi du temps ? » Elle répondit : « Ô Alischar, je suis Zoumourroud, ton esclave ! Ne me reconnais-tu pas à tous ces signes-là ! »

À ces paroles, Alischar regarda plus attentivement le roi, et reconnut en lui sa bien-aimée Zoumourroud. Et il la prit dans ses bras et l'embrassa avec les plus grands transports de joie. Et Zoumourroud lui demanda : « Maintenant opposeras-tu encore de la résistance ? » Et Alischar, pour toute réponse, fondit sur elle comme le lion sur la brebis, et, reconnaissant la route, il enfonça le bâton du berger dans le sac à provisions, et alla de l'avant sans se soucier de l'étroitesse du sentier. Et, arrivé au terme de la route, il resta longtemps droit et rigide, portier de cette porte et imam de ce mirhab. Et elle, de son côté, ne le quittait pas d'un doigt, et s'élevait avec lui, et s'agenouillait, et roulait, et se relevait, et haletait, en suivant le mouvement. Et à la câlinerie répondait la câlinerie, et au remous un second remous, et diverses agaceries minauderies et coquetteries ! Et ils se répondaient par de tels soupirs et de tels cris que les deux petits eunuques, attirés par le bruit, soulevèrent le rideau pour voir si le roi n'avait pas besoin de leurs services. Et devant leurs yeux effarés apparut le spectacle de leur roi étendu sur le dos avec, le couvrant intimement, le jouvenceau, en diverses poses mouvementées, donnant la réplique aux ronflements par des ronflements, aux assauts par des coups de lance, aux incrustations par coups de ciseau, et aux remuements par des agitations.

À cette vue, les deux eunuques…

À ce moment de sa narration, Schahrazade vit apparaître le matin et se tut discrètement.

Mais lorsque fut la trois cent trente et unième nuit. Elle dit :

À cette vue, les deux eunuques se hâtèrent de s'éloigner silencieusement, en se disant : « Il est certain que ces façons de faire du roi ne sont point des façons d'un homme, mais d'une femme en délire ! » Mais ils se gardèrent bien de divulguer aux autres ce secret.

Lorsque vint le matin, Zoumourroud se revêtit de ses habits royaux et fit assembler dans la grande cour du palais ses vizirs, ses chambellans, ses conseillers, ses émirs, ses chefs d'armée, et les notables d'entre les habitants, et leur dit : « Je vous permets, ô vous tous, mes sujets fidèles, d'aller dès aujourd'hui sur la route où vous m'avez rencontré, et de chercher quelqu'un d'autre pour l'élire comme votre roi à ma place. Moi, j'ai résolu d'abdiquer la royauté et de m'en aller vivre dans le pays de cet adolescent que j'ai choisi comme ami pour la vie ; car je veux lui donner tous mes instants comme je lui ai donné mon affection. Ouassalam ! »

À ces paroles, les assistants lui répondirent par l'ouïe et l'obéissance ; et les esclaves aussitôt s'empressèrent, en rivalisant de zèle, de faire les préparatifs du départ, et remplirent des caisses et des caisses de provisions de route, de richesses, de bijoux, de robes, de choses somptueuses, et d'or et d'argent, et les chargèrent sur le dos des mulets et des chameaux. Et, sitôt tout cela prêt, Zoumourroud et Alischar montèrent sur un palanquin de velours et de brocart porté par un dromadaire, et, suivis des deux petits eunuques seulement, ils retournèrent dans le Khorassân, dans la ville où se trouvaient leur maison et leurs parents. Et ils y arrivèrent en toute sécurité ; et Alischar fils de Gloire ne manqua pas de faire de grandes largesses aux pauvres, aux veuves et aux orphelins, et de distribuer des cadeaux extraordinaires à ses amis, à ses connaissances et à ses voisins. Et tous deux vécurent de nombreuses années, au milieu de beaucoup d'enfants que leur octroya le Donateur. Et ils furent à la limite des joies et des félicités, jusqu'à ce que vînt les visiter la destructrice des plaisirs et la séparatrice des amants ! Gloire à Celui qui demeure dans son éternité ! Et béni soit Allah, dans tous les cas !

« *Mais, continua Schahrazade en s'adressant au roi Schahriar, ne crois point un instant que cette histoire soit plus délicieuse que l'*HISTOIRE DES SIX ADOLESCENTES AUX COULEURS DIFFÉRENTES *! Et si les vers n'y sont pas de beaucoup plus admirables que tous ceux que tu as déjà entendus, tu me feras couper la tête sans différer davantage !* »

Et Schahrazade dit :

HISTOIRE DES SIX ADOLESCENTES AUX COULEURS DIFFÉRENTES

On raconte qu'un jour d'entre les jours l'émir des Croyants El-Mâmoun s'assit sur son trône, dans la salle de son palais, et fit rassembler entre ses mains, outre ses vizirs, ses émirs et les principaux chefs de son empire, tous les poètes et tous les gens d'esprit délicieux dont il avait fait ses intimes. Or, le plus intime d'entre les plus intimes de ceux qui se trouvaient là réunis, était Môhammad El-Bassri. Et le khalifat El-Mâmoun se tourna vers lui et lui dit : « Ô Môhammad, j'ai bien envie de t'entendre me raconter à cette heure quelque histoire jamais entendue ! » Il répondit : « Ô émir des Croyants, la chose est facile ! Mais veux-tu de moi une histoire que j'ai ouïe de mes oreilles, ou bien quelque fait que, témoin, j'aie observé de mes yeux ? » Et El-Mâmoun dit : « Ô Môhammad, il n'importe ! Mais je veux le plus merveilleux ! » Alors Môhammad El-Bassri dit : « Sache, ô émir des Croyants, que j'ai connu, ces temps derniers, un homme de fortune considérable, natif de l'Yamân, qui avait quitté son pays pour venir habiter dans Bagdad, notre ville, afin d'y mener une vie agréable et tranquille. Il s'appelait Ali El-Yamani. Et comme au bout d'un certain temps, il avait trouvé les mœurs de Bagdad absolument à sa convenance, il fit venir de l'Yamân ses effets en entier, ainsi que son harem composé de six jeunes esclaves belles comme autant de lunes. La première de ces adolescentes était blanche, la seconde brune, la troisième grasse, la quatrième mince, la cinquième blonde et la sixième noire. Et toutes les six, en vérité, étaient à la limite des perfections, avaient l'esprit orné de la connaissance des belles-lettres, et excellaient dans l'art de la danse et des instruments d'harmonie. L'adolescente blanche s'appelait…

À ce moment de sa narration, Schahrazade vit apparaître le matin et se tut discrètement.

Mais lorsque fut la trois cent trente-deuxième nuit. Elle dit :

L'adolescente blanche s'appelait Visage-de-Lune ; la brune, s'appelait Flamme-du-Brasier ; la grasse, Pleine-Lune ; la mince, Houria-du-Paradis ; la blonde, Soleil-du-Jour ; la noire, Prunelle-de-l'Œil.

Or, un jour, Ali El-Yamani, heureux de la quiétude goûtée dans la délectable Bagdad, et se sentant dans des dispositions d'esprit meilleures encore que d'habitude, invita ses six esclaves à la fois à venir dans la salle de réunion lui tenir compagnie et passer le temps à boire, à s'entretenir et à chanter avec lui. Et toutes les six se présentèrent aussitôt entre ses mains ; et par toutes sortes de jeux, de réjouissances et d'amusements, ils se délectèrent ensemble infiniment. Lorsque la gaieté régna sans mélange parmi eux, Ali El-Yamani prit une coupe, la remplit de vin, et, se tournant vers Visage-de-Lune, lui dit : « Vas-tu oublier enfin cet amour enflammé ? » Je lui dis : « Ô blanche et aimable esclave, ô Visage-de-Lune, fais-nous entendre quelques accords délicats de ta ravissante voix ! » Et Visage-de-Lune, l'esclave blanche, prit un luth, en harmonisa les sons et y exécuta quelques préludes bas qui firent danser les pierres et se lever les bras ! Puis elle s'accompagna, en chantant ces vers qu'elle improvisa :

« L'ami que j'ai, qu'il soit loin ou qu'il soit près, a pour toujours empreint son image sur mes yeux, et gravé à jamais son nom sur mes membres fidèles.

Pour dorloter son souvenir je deviens entièrement un cœur, et pour le contempler je deviens entièrement un œil !

Le censeur qui me blâme sans cesse, m'a dit : « Vas-tu oublier enfin cet amour enflammé ? » Je lui dis : « Ô censeur sévère, laisse-moi et va-t'en ! Ne vois-tu comme tu te leurres en me demandant l'impossible ? »

En entendant ces vers, le maître de Visage-de-Lune fut ému de plaisir, et, après avoir mouillé ses lèvres à la coupe, il l'offrit à l'adolescente qui la but. Il la remplit alors une seconde fois et, la tenant à la main, il se tourna vers l'esclave brune et lui dit : « Ô Flamme-du-Brasier, ô remède des âmes, tâche, sans m'embraser toutefois, de me faire entendre les accents de ta voix, en chantant quelques vers de ton choix ! » Et Flamme-du-Brasier prit le luth et l'accorda sur une autre clef ; puis elle préluda par un jeu qui fit danser les pierres et les cœurs, et tout de suite après elle chanta :

« Je te le jure par ce cher visage, je t'aime et n'aimerai que toi jusqu'à la mort ; et jamais je ne trahirai ton amour !

Ô brillant visage que la beauté enveloppe de ses voiles, tu enseignes aux êtres les plus beaux ce que peut être une chose belle !

Par ta gentillesse tu as fait la conquête de tous les cœurs, car tu es bien l'œuvre pure sortie des doigts du Créateur ! »

En entendant ces vers, le maître de Flamme-du-Brasier fut ému de plaisir, et, après avoir mouillé ses lèvres à la coupe, il l'offrit à l'adolescente qui la but. Il la remplit alors une seconde fois et, la tenant à la main, il se tourna vers l'esclave à l'embonpoint considérable, et lui dit : « Pleine-Lune, ô lourde à la surface mais au sang si sympathique et si léger, veux-tu nous chanter un air sur de beaux vers clairs comme ta chair ! » Et l'adolescente grasse prit le luth et l'accorda et préluda de façon à faire vibrer les âmes et les roches les plus dures, et, après quelques agréables murmures, elle chanta d'une voix pure :

« Si je pouvais réussir à te plaire, ô toi, objet de mon désir, je braverais tout l'univers et sa colère, avec ton seul sourire comme salaire.

Si vers mon âme qui soupire tu t'avançais de ta fière démarche balancée, les rois de la terre entière disparaîtraient que je ne m'en apercevrais !

Si tu agréais l'humilité de mon amour, mon bonheur serait de passer à tes pieds tous mes jours, ô toi vers qui convergent les attributs de la beauté et ses atours ! »

En entendant ces vers, le maître de la grasse Pleine-Lune fut ému de plaisir, et, après avoir mouillé ses lèvres à la coupe, il l'offrit à l'adolescente qui la but. Alors il la remplit de nouveau et, la tenant à la main, il se tourna vers l'esclave mince et lui dit : « Ô svelte Houria-du-Paradis, à ton tour maintenant de nous procurer l'extase des beaux chants ! » Et la svelte adolescente s'inclina sur le luth, comme une mère sur son enfant, et chanta les vers suivants :

« Pour toi mon ardeur est extrême, et ton indifférence l'égale. Où est la loi qui conseille des sentiments si opposés ?

Est-il un juge suprême des cas d'amour, afin d'y avoir recours ? Il rendrait les parties égales en donnant l'excès de mon ardeur au bien-aimé, et en me donnant l'excès de son indifférence ! »

En entendant ces vers, le maître de la mince et svelte Houria-du-Paradis fut ému de plaisir et, après avoir mouillé ses lèvres à la coupe, il l'offrit à l'adolescente qui la but. Après quoi, il la remplit de nouveau et, la tenant à la main, il se tourna vers l'esclave blonde et lui dit…

À ce moment de sa narration, Schahrazade vit apparaître le matin et se tut discrètement.

Mais lorsque fut la trois cent trente-troisième nuit. Elle dit :

… Il se tourna vers l'esclave blonde et lui dit : « Ô Soleil-du-Jour, ô corps d'ambre et d'or, veux-tu, sur un délicat motif d'amour, nous broder quelques vers encore ? » Et la blonde adolescente inclina sa tête d'or sur l'instrument sonore, ferma à demi ses yeux clairs comme l'aurore, préluda par quelques mélodieux accords qui firent vibrer sans effort les âmes et les corps, au-dedans comme au-dehors, et, après avoir incité les transports par un début pas trop fort, elle donna à sa voix, trésor des trésors, le plein de son essor, et chanta pour lors :

« L'ami que j'ai, lorsque devant lui je parais,
Il me contemple et darde sur mon cœur
Le glaive tranchant de ses regards.

Je dis à mon pauvre cœur transpercé : « Pourquoi ne veux-tu pas guérir de tes blessures ?

Pourquoi ne te tiens-tu pas sur tes gardes envers lui ? »

Mais mon cœur ne me répond pas, et toujours cède au penchant qui l'entraîne sous ses pas ! »

En entendant ces vers, le maître de la blonde esclave Soleil-du-Jour fut ému de plaisir et, après avoir mouillé ses lèvres à la coupe, il l'offrit à l'adolescente qui la but. Après quoi, il la remplit de nouveau et, la tenant à la main, il se tourna vers l'esclave noire et lui dit : « Ô Prunelle-de-l'Œil, ô noire à la surface et si blanche au-dedans, toi dont le corps porte la couleur de deuil et dont le visage de bon accueil cause le bonheur de notre seuil, cueille-nous quelques vers qui soient des merveilles aussi vermeilles que le soleil ! » Alors, la noire Prunelle-de-l'Œil prit le luth et y joua des variantes de vingt manières différentes. Après quoi, elle reprit le premier air et chanta ce chant qu'elle aimait d'ordinaire, et qu'elle avait composé sur le mode impair :

« Mes yeux, laissez couler abondamment vos larmes
Sur le meurtre de mon cœur par le feu de mon amour.
Tout ce feu dont je brûle, toute cette passion qui me consume,
Je les dois à l'ami cruel qui me fait languir,
Au cruel qui fait la joie de mes rivales.
Mes censeurs me blâment, et m'encouragent à renoncer aux roses de ses joues en fleur !
Mais que faire d'un cœur sensible aux fleurs et aux roses ?...
Maintenant, voici la coupe de vin qui circule là-bas,
Et les sons de la guitare invitent au plaisir nos âmes, et nos corps à la volupté...
Moi, je n'aime que son haleine !
Mes joues hélas ! sont flétries par les feux de mes désirs. Mais que m'importe ! Les roses du Paradis – ses joues – les voici !
Que m'importe, puisque je l'adore ! Si, toutefois, mon crime n'est pas trop grand d'aimer la créature ! »

En entendant ces vers, le maître de Prunelle-de-l'Œil fut ému de plaisir et, après avoir mouillé ses lèvres à la coupe, il l'offrit à l'adolescente qui la but.

Après quoi, toutes les six se levèrent à la fois et embrassèrent la terre entre les mains de leur maître, et le prièrent de leur faire connaître celle dont il avait été le plus charmé et dont les vers et la voix étaient le plus plaisants. Et Ali El-Yamani fut à la limite de la perplexité, et se mit à longtemps les regarder et à admirer leurs charmes et leurs mérites avec des regards indécis ; et il trouvait, en son âme, que leurs formes et leurs couleurs étaient également admirables. Il finit enfin par se décider à parler et dit : « Louanges à Allah le Distributeur des grâces et de la beauté, qui m'a donné en vous autres, les six, des femmes merveilleuses douées de toutes les perfections ! Eh bien, voici ! Je vous déclare que je vous préfère toutes également, et que je ne puis prendre sur ma conscience d'accorder à l'une d'entre vous la préexcellence. Venez donc, mes agneaux, m'embrasser toutes à la fois ! »

À ces paroles de leur maître, les six adolescentes se précipitèrent dans ses bras, et le caressèrent mille fois, et lui également, pendant une heure de temps. Après quoi, il les fit se ranger en cercle devant lui et leur dit : « Je n'ai point voulu moi-même commettre l'injustice de fixer spécialement mon choix sur l'une de vous, en lui accordant la préférence sur ses compagnes. Mais ce que je n'ai point fait, vous pouvez le faire vous-mêmes. Toutes, en effet, vous êtes également versées dans la lecture du Korân et dans les belles-lettres ; vous avez lu les annales des anciens et l'histoire de nos pères musulmans ; vous êtes enfin douées d'éloquence et d'une diction merveilleuse. Je veux donc que chacune de vous se donne les louanges qu'elle croit mériter, qu'elle fasse remarquer ses avantages et ses qualités, et qu'elle rabaisse les charmes de sa rivale. Ainsi, que la lutte s'engage, par exemple, entre deux rivales de couleurs ou de formes différentes, entre la blanche et la noire, la maigre et la grasse, la blonde et la brune ; mais dans cette lutte vous ne devez pas vous battre autrement qu'avec les belles paroles, les belles maximes, les citations des sages et des savants, l'autorité des poètes et l'appui du Korân…

À ce moment de sa narration, Schahrazade vit apparaître le matin et se tut discrètement.

Mais lorsque fut la trois cent trente-quatrième nuit. Elle dit :

… L'autorité des poètes et l'appui du Korân ! » Et les six adolescentes répondirent par l'ouïe et l'obéissance, et se disposèrent à la lutte charmante.

La première qui se leva fut la blanche esclave Visage-de-Lune, qui fit signe à la noire Prunelle-de-l'Œil de venir se tenir vis-à-vis d'elle. Et aussitôt elle dit : « Ô noire, il est rapporté dans les livres des savants que la Blancheur parla ainsi : « Je suis une lumière éclatante ! Je suis une lune qui se lève à l'horizon ! Ma couleur est claire et évidente ! Mon front brille de l'éclat de l'argent. Et ma beauté a inspiré le poète qui a dit :

« Blanche, aux joues lisses et douces et polies, elle est une perle de beauté soigneusement gardée.

Elle est droite comme la lettre aleph ; la lettre mim, c'est sa bouche ; ses sourcils sont deux nouns renversés ; et ses regards sont des flèches lancées par l'arc redoutable de ses sourcils.

Mais si tu veux savoir ses joues et sa taille, je te dirai : « Ses joues – des feuilles de rose, des fleurs de myrtes et des narcisses. Sa taille – un tendre rameau flexible qui gracieux se balance dans le jardin, et pour lequel on donnerait le jardin entier et ses parterres ! »

Mais, ô noire, je continue ! Ma couleur est la couleur du jour. Elle est aussi la couleur de la fleur d'oranger et de l'étoile perlée du matin.

Sache qu'Allah Très-Haut, dans le Livre vénéré, dit à Moussa (sur lui la prière et la paix !) qui avait la main couverte de lèpre : « Fais entrer ta main dans ta poche ; et quand tu l'en retireras tu la trouveras blanche, c'est-à-dire pure et intacte ! »

Il est également écrit dans le Livre de notre foi : « Ceux qui ont su garder leur visage blanc, c'est-à-dire indemne de toute souillure, seront du nombre des élus dans la miséricorde d'Allah ! »

Ma couleur est donc la reine des couleurs, et ma beauté, c'est ma perfection, et ma perfection, c'est ma beauté. Les beaux vêtements et les belles parures siéent toujours à ma couleur, et font mieux ressortir mon éclat qui subjugue les âmes et les cœurs.

Ignores-tu que la neige qui tombe du ciel est toujours blanche ? Ignores-tu que les Croyants ont choisi de préférence la mousseline blanche comme toile pour leur turban ? Que de choses admirables n'aurais-je pas encore à dire sur ma couleur ! Mais je ne veux pas m'étendre davantage sur mes mérites, car la vérité est évidente par elle-même, comme la lumière frappe les regards. Et puis je veux tout de suite commencer ta critique, ô noire, couleur de l'encre et du fumier, limaille du forgeron, visage du corbeau, le plus néfaste des oiseaux !

Et d'abord rappelle-toi les vers du poète qui parlait de la blanche et de la noire :

« Ne sais-tu que la valeur d'une perle tient à sa blancheur, et qu'un sac de charbon s'achète pour un drachme à peine ?

Ne sais-tu que les visages blancs sont de bon augure et qu'ils portent le signe du paradis, mais que les visages noirs ne sont que de la poix et du goudron destinés à entretenir le feu de l'enfer ? »

Apprends aussi que les annales des hommes justes rapportent que le saint homme Nouh s'endormit un jour, alors que ses deux fils Sâm et Hâm étaient à ses côtés. Et voici que s'éleva une brise qui vint soulever sa robe et mettre à nu ses membres cachés. À cette vue, Hâm se mit à rire et, fort amusé du spectacle, car Nouh, second père des hommes, était fort riche en rigides somptuosités, ne voulut pas recouvrir la nudité de son père. Alors Sâm se leva gravement et se hâta de cacher le tout en ramenant la robe. Sur ces entrefaites, le vénérable Nouh se réveilla et, voyant rire Hâm, il le maudit ; et, voyant la mine grave de Sâm, il le bénit. Et à l'instant la figure de Sâm devint blanche, et celle de Hâm devint noire. Et, dès lors, Sâm fut la souche d'où naquirent les prophètes, les pasteurs des peuples, les sages et les rois ; et Hâm, qui s'était enfui de la présence de son père, fut le tronc d'où naquirent les nègres, les soudaniens ! Et tu sais bien, ô noire, que tous les savants, et tous les hommes en général, sont d'accord sur cette opinion, à savoir : qu'il ne peut y avoir un sage dans l'espèce nègre et dans les pays noirs ! »

À ces paroles de l'esclave blanche, son maître lui dit : « Tu peux maintenant t'arrêter ! Au tour de la noire ! » Alors Prunelle-de-l'Œil, qui s'était tenue immobile, regarda Visage-de-Lune et lui dit : « Ne connais-tu pas, ô blanche ignorante, le passage du Korân où Allah Très-Haut a juré par la nuit ténébreuse et le jour éclatant ? Or, Allah Très-Haut, dans ce serment, a commencé par nommer d'abord la nuit, et ensuite le jour. Il ne l'aurait pas fait, s'il ne préférait la nuit au jour. Et puis ! La couleur noire des poils et des cheveux n'est-elle pas le signe et l'ornement de la jeunesse, comme la couleur blanche est l'indice de la vieillesse et de la fin des jouissances de la vie ? Et si la couleur noire n'était pas la plus estimée des couleurs…

À ce moment de sa narration, Schahrazade vit apparaître le matin et se tut discrètement.

Mais lorsque fut la trois cent trente-cinquième nuit. Elle dit :

… Et si la couleur noire n'était pas la plus estimée des couleurs, Allah ne l'eût pas rendue tellement chère au noyau des yeux et du cœur. Aussi, qu'elles sont vraies ces paroles du poète :

« Si j'aime tant un corps d'ébène, c'est qu'il est jeune et contient un cœur chaud et des prunelles de feu.

Quant à ce qui est blanc, ô l'horreur extrême ! Si des fois je suis forcé d'avaler un blanc d'œuf, ou de me consoler, à défaut de mieux, d'une chair couleur de blanc d'œuf, c'est fort rare !

Mais jamais vous ne me verrez éprouver un amour extrême pour un linceul blanc, ou me plaire à des cheveux de même couleur. »

Et un autre poète a dit :

« Si je deviens fou de l'excès de mon amour pour cette femme noire au corps lustré, ne nous étonnez pas, ô mes amis,

Car toute folie, nous apprennent les médecins, est toujours précédée par des idées noires ! »

Un autre a dit également :

« Je n'aime point ces femmes blanches dont on croirait la peau recouverte de farine dartreuse !

L'amie que j'aime est une noire dont la couleur est celle de la nuit et le visage celui de la lune : couleur et visage inséparables, car si la nuit n'existait pas il n'y aurait pas de clarté de lune ! »

Et puis ! Quand se font-elles, les réunions intimes des amis, si ce n'est la nuit ? Et quelle gratitude ne doivent-ils point, les amoureux, aux ténèbres de la nuit qui favorisent leurs ébats, les préservent des indiscrets et les abritent contre les blâmes. Mais, en revanche, quels sentiments de répulsion n'ont-ils point contre le jour indiscret qui les dérange et les compromet ? Cette seule différence devrait te suffire, ô blanche ! Mais écoute encore ce que dit le poète :

« Je n'aime point ce garçon lourd dont la couleur blanche est due à la graisse dont il est bouffi ; mais j'aime ce jeune noir, svelte et mince, aux chairs fermes.

Car de ma nature j'ai toujours préféré comme monture, pour la joute des lances, un jeune étalon aux fins jarrets, et j'ai laissé les autres monter les éléphants ! »

Et un autre a dit :

« L'ami est venu me voir cette nuit, et nous nous couchâmes côte à côte avec délices. Le matin nous surprit accolés encore !

Si j'ai un vœu à formuler au Seigneur, c'est de faire de tous mes jours des nuits pour que jamais ne me quitte l'ami ! »

Si donc, ô blanche je devais continuer à t'énumérer les mérites et les louanges de la couleur noire, j'irais contre ce dicton : « Des mots nets et courts valent mieux qu'un long discours ! » Seulement je dois encore te dire que tes mérites à côté des miens font une bien piètre mine. Tu es blanche, en effet, comme la lèpre est blanche et fétide et suffocante ! Et si tu te compares à la neige, oublies-tu donc que dans l'enfer il n'y a pas seulement du feu, mais que dans certains endroits, la neige produit un froid terrible qui torture les réprouvés plus que la brûlure des flammes ? Et si tu me compares à l'encre, oublies-tu que c'est avec l'encre noire qu'est écrit le Livre d'Allah ? et que noir est le musc précieux dont les rois se font des présents ? Enfin je te conseille, pour ton bien, de te rappeler ces vers du poète :

« N'as-tu point remarqué que le musc ne serait plus le musc s'il n'était si noir, et que le plâtre n'est si méprisable que parce qu'il est blanc ?

Et le noir de l'œil, quel prix n'y attache-t-on pas, alors qu'on s'inquiète si peu du blanc ! »

À ces paroles de Prunelle-de-l'Œil, son maître, Ali El-Yamani, lui dit : « Certes, ô noire, et toi esclave blanche, vous avez toutes deux excellemment parlé. Au tour maintenant des deux autres ! »

Alors la grosse et la mince se levèrent, tandis que la blanche et la noire regagnaient leur place. Et elles se tinrent debout en face l'une de l'autre, et la grosse Pleine-Lune se disposa à parler la première. Mais auparavant elle commença par se déshabiller, en mettant à découvert ses poignets, ses chevilles, ses bras et ses cuisses, et elle finit par se mettre presque complètement nue, de façon à bien faire valoir l'opulence de son ventre aux magnifiques plis superposés, et la rondeur de son nombril ombreux, et la richesse de sa croupe considérable. Et elle ne garda sur elle que sa chemise fine dont le tissu léger et transparent, sans cacher ses formes arrondies, les voilait agréablement. Et alors seulement, après quelques frissonnements, elle se tourna vers sa rivale, la mince Houria-du-Paradis, et lui dit…

À ce moment de sa narration, Schahrazade vit apparaître le matin et se tut discrètement.

Mais lorsque fut la trois cent trente-sixième nuit. Elle dit :

… Alors seulement la grasse Pleine-Lune, après quelques frissonnements, se tourna vers sa rivale la mince Houria-du-Paradis, et lui dit : « Louanges à Allah qui m'a créée avec de l'embonpoint, qui a mis des coussins dans tous mes coins et recoins, qui a pris soin de me farcir la peau avec de la graisse qui sent le benjoin de près et de loin, et qui, néanmoins, n'a point refusé de me donner, comme appoint, assez de muscles pour, en cas de besoin, appliquer à mon ennemi un coup de poing qui en fasse une marmelade de coings. Or, ô maigre, sache que les sages ont dit : « La joie de la vie et la volupté consistent en trois choses : manger de la chair, monter sur de la chair, et faire entrer la chair dans la chair ! »

Qui pourrait, sans frémir de plaisir, contempler mes formes plantureuses ? Allah lui-même, dans le Livre, fait l'éloge de la graisse quand il commande d'immoler dans les sacrifices des moutons gras ou des agneaux gras ou des veaux gras. Mon corps est un verger dont les fruits sont : les grenades, mes seins ; les pêches, mes joues ; les pastèques, mes fesses. Quel est le volatile qui fut le plus regretté dans le désert par Bani-Israël en fuite hors d'Égypte ? N'est-ce point la caille à la chair juteuse et grasse ? A-t-on jamais vu quelqu'un s'arrêter chez le boucher pour lui demander de la chair étique ? Et le boucher ne donne-t-il pas à ses meilleurs clients les morceaux les plus charnus ?

Écoute, d'ailleurs, ô maigre, ce que le poète dit au sujet de la femme grasse comme je le suis :

« Regarde-la marcher quand elle remue des deux côtés deux outres balancées, lourdes et redoutables dans leur lascivité !

Regarde-la quand elle s'assied, comme elle laisse à l'endroit quitté, en souvenir de son passage, ses fesses imprimées !

Regarde-la danser quand d'un coup de hanche elle fait se pâmer nos âmes, et tomber nos cœurs à ses pieds ! »

Quant à toi, ô maigre, à quoi peux-tu bien ressembler sinon à quelque moineau déplumé ; et tes jambes sont-elles faites autrement que les pattes du corbeau ; et tes cuisses ne ressemblent-elles pas au bâton du four ; et ton corps enfin n'est-il point sec et dur comme le poteau du pendu ? Et c'est bien de toi, femme décharnée, qu'il s'agit dans ces vers du poète :

« Qu'Allah me préserve d'être jamais forcé d'accoler cette femme maigre, et de servir de frottoir dans son passage obstrué de cailloux.

Elle a dans chaque membre une corne qui se heurte et se bat avec mes os, tant que je me réveille avec la peau bleuie et fendillée ! »

Lorsque Ali El-Yamani eut entendu ces paroles de la grasse Pleine-Lune, il lui dit : « Tu peux maintenant t'arrêter ! Au tour de Houria-du-Paradis ! »

Alors la mince et svelte adolescente regarda la grasse Pleine-Lune en souriant et lui dit : « Louanges à Allah qui m'a créée en me donnant la forme du flexible rameau du peuplier, la souplesse de la tige du cyprès et le balancement du lis ! Lorsque je me lève, je suis légère ; lorsque je m'assieds, je suis gentille ; lorsque je plaisante, je suis charmante. Mon haleine est douce et parfumée, car mon âme est simple et pure de tout contact épaississant. Je n'ai jamais, ô grasse, entendu un amant louer sa bien-aimée en disant : « Elle est énorme comme l'éléphant ; elle est charnue comme une montagne est haute ! »

En revanche, j'ai toujours entendu l'amant, pour dépeindre sa bien-aimée, dire : « Sa taille est mince et souple et élégante. Sa démarche est si légère que ses pas s'impriment à peine sur le sol ! Peu de chose suffit à la nourrir, et quelques gouttes d'eau apaisent sa soif. Ses jeux et ses caresses sont discrets, et ses embrassements pleins de volupté. Elle est plus agile que le moineau, et plus vive que l'étourneau ! Elle est flexible comme la tige du bambou ! Son sourire est gracieux et gracieuses sont ses manières. Si je l'attire à moi, c'est sans faire d'effort. Et quand elle se penche sur moi, elle s'incline délicatement ; et si elle s'assied sur mes genoux, elle ne tombe pas lourdement, mais elle se pose comme une plume d'oiseau ! »

Sache donc, ô grasse, que c'est moi la svelte, la fine, pour qui brûlent tous les cœurs. C'est moi qui inspire les passions les plus violentes et qui rends fous les hommes les plus sensés ! C'est moi enfin qu'on compare à la vigne grimpante autour du palmier, qui s'enlace à la tige avec tant de nonchalance. C'est moi, la gazelle svelte aux beaux yeux humides et languissants. Et mon nom de Houria n'est point usurpé ! Quant à toi, ô grasse, laisse-moi maintenant te dire toutes tes vérités…

À ce moment de sa narration, Schahrazade vit apparaître le matin et, discrète, se tut.

Mais lorsque fut la trois cent trente-septième nuit. Elle dit :

… Quant à toi, ô grasse, laisse-moi maintenant te dire toutes tes vérités.

Ô monceau de graisse et de chair, quand tu marches, c'est comme le canard ; quand tu manges, c'est comme l'éléphant. Dans la copulation tu es insatiable, et dans le repos tu es intraitable.

D'ailleurs, quel est l'homme au membre assez long pour arriver à ta cavité cachée par les montagnes de ton ventre et de tes cuisses ? Et si cet homme se rencontre et qu'il puisse te pénétrer, il est aussitôt repoussé d'un coup de ton ventre gonflé !

Tu n'as guère l'air de te douter que, grasse comme tu es, tu n'es bonne que comme viande de boucherie ! Ton âme est aussi grossière que ton corps. Ta plaisanterie est si pesante qu'elle suffoque. Tes jeux sont si lourds qu'ils tuent. Et ton rire si épouvantable qu'il fracasse les os de l'oreille. Si ton amant soupire dans tes bras, tu peux à peine respirer ; s'il t'embrasse, tu es moite et gluante de sueur.

Lorsque tu dors, tu es ronflante ; lorsque tu veilles, tu souffles comme un buffle ; tu peux à peine changer de place ; et lorsque tu reposes, tu es un fardeau pour toi-même. Ta vie se passe à mouvoir tes mâchoires, comme la vache, et à régurgiter comme le chameau.

Si tu pisses, tu mouilles tes robes ; si tu jouis, tu inondes les matelas ; si tu vas à la selle, tu t'y plonges jusqu'au cou ; et si tu vas au bain, tu ne peux atteindre ta vulve, qui reste macérée dans son jus et embrouillée dans ses poils jamais épilés !

Si l'on te regarde par-devant, tu es comme l'éléphant ; si l'on te regarde de côté, tu es comme le chameau ; et si l'on te regarde par-derrière, tu es comme une outre gonflée.

Enfin c'est de toi certainement que le poète a dit :

« Elle est lourde comme une vessie gonflée d'urine ; ses cuisses sont deux contreforts de montagne, et sa démarche ébranle le sol comme un tremblement.

Mais si elle vient à lâcher un pet en Occident, l'Orient entier en retentit ! »

À ces paroles de Houria-du-Paradis, Ali El-Yamani, son maître, lui dit : « En vérité, ô Houria, ton éloquence est notoire ! Et toi, Pleine-Lune, ton langage est admirable. Mais maintenant il est temps de regagner vos places afin de laisser parler la blonde et la brune ! »

Alors Soleil-du-Jour et Flamme-du-Brasier se levèrent et vinrent se tenir en face l'une de l'autre. Et, la première, l'adolescente blonde, dit à sa rivale : « C'est moi la blonde décrite longuement dans le Korân ! C'est moi qu'Allah a qualifiée quand il a dit : « Le jaune est la couleur qui réjouit les regards ! » Je suis ainsi la plus belle des couleurs ! Ma couleur est une merveille, ma beauté est une limite, et mon charme est une fin. Car ma couleur donne à l'or sa valeur, et au soleil et aux astres leur beauté. C'est elle qui embellit les pommes et les pêches, et donne sa teinte au safran. Je donne leurs tons aux pierres précieuses, et aux blés leur maturité ! Les automnes me doivent l'or de leur parure, et la terre n'est si belle de son tapis de feuilles qu'à cause de la teinte qui fige sur elle les rayons du soleil.

Mais toi, ô brune, quand ta couleur se trouve dans un objet, elle suffit pour le déprécier. Rien n'est plus commun ou plus laid que cela ! Regarde les buffles, les ânes, les loups et les chiens : ils sont bruns ! Nomme-moi un seul mets dans lequel on voie de bon œil ta couleur ! Ni les fleurs ni les pierreries n'ont jamais été brunes ; seul le cuivre sale a ta couleur. Tu n'es point blanche, et tu n'es point noire. Aussi on ne peut t'attribuer aucun des mérites de ces deux couleurs ni aucune des paroles qu'on dit à leur louange ! »

À ces paroles de la blonde, son maître lui dit : « Laisse maintenant parler Flamme-du-Brasier ! »

Alors la brune adolescente fit briller dans un sourire le double collier de ses dents – des perles – et, comme elle avait, outre sa couleur de miel, des formes gracieuses, une taille merveilleuse, des proportions harmonieuses, des manières élégantes et des cheveux de charbon qui retombaient en lourdes nattes jusqu'à sa croupe qui était admirable, elle commença d'abord par mettre en valeur ses charmes, dans un moment de silence, puis elle dit à sa rivale la blonde : « Louanges à Allah qui ne m'a faite ni grasse difforme, ni maigre maladive, ni blanche comme le plâtre, ni jaune comme les coliques, ni noire comme la poudre de charbon, mais qui a réuni en moi, avec un art admirable, les couleurs les plus délicates et les formes les plus attrayantes.

Tous les poètes d'ailleurs ont chanté à l'envi mes louanges dans tous les langages, et je suis la préférée de tous les âges et de tous les sages. Mais, sans moi-même faire mon éloge, qui n'est plus à faire, voici quelques-uns seulement des poèmes ouvragés en mon honneur.

Un poète a dit…

À ce moment de sa narration, Schahrazade vit apparaître le matin et se tut discrètement.

Mais lorsque fut la trois cent trente-huitième nuit. Elle dit :

…Voici quelques-uns seulement des poèmes ouvragés en mon honneur.

Un poète a dit :

« Les brunes ont en elles un sens caché. Si tu le devines, tes yeux ne daigneront jamais plus regarder les autres femmes.

Elles savent, les enchanteresses, l'art subtil dans tous ses détours, et l'enseigneraient même à l'ange Harout. »

Un autre a dit :

« J'aime une brune charmante dont la couleur m'enchante, et dont la taille est droite comme la lance.

La soyeuse petite tache noire, tant caressée, tant baisée, qui orne son cou, tant de fois m'a ravi !

Par la couleur de sa peau lisse, par le parfum délicat qui s'en exhale, elle ressemble à la tige odorante de l'aloès.

Et quand la nuit étend les voiles des ombres, elle vient me voir, la brune. Et je la retiens auprès de moi, jusqu'à ce que les ombres elles-mêmes deviennent de la couleur de nos songes ! »

Mais toi, ô jaune, tu es fanée comme les feuilles de la mouloukhia[1] de mauvaise qualité que l'on cueille à Bab El-Louk, et qui est fibreuse et dure.

Tu as la couleur de la marmite en terre cuite qui sert au marchand de têtes de mouton.

Tu as la teinte de l'ocre et de l'orpiment dont on se sert au hammam pour s'épiler, et du chiendent.

Tu as un visage de cuivre jaune, semblable aux fruits de l'arbre Zakoum qui, dans l'enfer, porte comme fruits des crânes diaboliques.

Et c'est de toi que le poète a dit :

« Le sort m'a doté d'une femme à la couleur jaune si criarde qu'elle me fait mal à la tête, et que mon cœur et mes yeux tressautent de malaise.

Si mon âme ne veut pas renoncer pour toujours à la voir, pour me punir je me donnerai de grands coups au visage, de façon à m'arracher les molaires ! »

Lorsque Ali El-Yamani eut entendu ces paroles, il se trémoussa de plaisir, et se mit à rire tellement qu'il tomba à la renverse, après quoi il dit aux deux adolescentes de s'asseoir à leur place ; et, pour leur prouver à toutes la joie qu'il avait eue de les entendre, il leur fit des dons égaux, en belles robes et en pierreries terrestres et marines ! Et telle est, ô émir des Croyants, continua Môhammad El-Bassri en s'adressant au khalifat El-Mâmoun, l'histoire de ces six adolescentes qui maintenant continuent à vivre en bons termes entre elles, dans la demeure de leur maître Ali El-Yamani, à Bagdad, notre ville ! »

Le khalifat fut charmé à l'extrême de cette histoire et demanda : « Mais, ô Môhammad, sais-tu au moins où est la maison du maître de ces adolescentes ? Et pourrais-tu aller lui demander s'il veut les vendre ? S'il veut les vendre, achète-les-moi et me les amène ! » Môhammad répondit : « Ce que je puis te dire, ô émir des Croyants, c'est que je suis sûr que le maître de ces esclaves ne voudra pas s'en séparer, vu qu'il en est amoureux à l'extrême ! » El-Mâmoun dit : « Prends avec toi, pour prix de chacune d'elles, dix milles dinars : ce qui fait en tout soixante mille dinars. Tu les remettras de ma part à cet Ali El-Yamani, et tu lui diras que je désire ses six esclaves ! »

À ces paroles du khalifat, Môhammad El-Bassri se hâta de prendre la somme en question, et alla trouver le maître des esclaves, à qui il fit part du désir de l'émir des Croyants. Ali El-Yamani, dans son premier mouvement, n'osa pas se refuser à la demande du khalifat, et, ayant touché les soixante mille dinars, il remit les six esclaves à Môhammad El-Bassri qui les conduisit aussitôt entre les mains d'El-Mâmoun.

Le khalifat, à leur vue, fut à la limite de l'enchantement, tant de la variété de leur couleur, que de leurs manières élégantes, de leur esprit cultivé et de leurs divers agréments. Et il leur donna à chacune, dans son harem, une place de choix, et, durant plusieurs jours, il put jouir de leurs perfections et de leur beauté.

Sur ces entrefaites, le premier maître des six, Ali El-Yamani, sentit peser sur lui la solitude, et se mit à regretter le mouvement qui l'avait fait céder au désir du khalifat.

Puis un jour, à bout de patience, il envoya au khalifat une lettre pleine de désespoir, et où, entre autres choses tristes, il y avait les vers suivants :

« Que mon salut désespéré aille aux belles dont mon âme est séparée. Elles sont mes yeux, mes oreilles, ma nourriture, ma boisson, mon jardin et ma vie.

Depuis que j'en suis éloigné, rien ne vient distraire ma douleur, et le sommeil lui-même a fui mes paupières !

Que ne les ai-je, plus jaloux que ne je ne l'ai été, enfermées toutes les six dans mes yeux, et sur elles que n'ai-je abaissé mes paupières comme rideaux !

Ô douleur ! ô douleur ! J'eusse préféré n'être point né, que de tomber blessé par des flèches – leurs regards – meurtrières, retirées de la blessure ! »

Lorsque le khalifat El-Mâmoun eut parcouru cette lettre, comme il avait une âme magnanime, il fit appeler en toute hâte les six adolescentes, leur donna à chacune dix mille dinars, et des robes merveilleuses, et d'autres cadeaux admirables, et les fit aussitôt rendre à leur ancien maître. Lorsque Ali El-Yamani les vit arriver, plus belles qu'elles ne l'avaient jamais été, et plus riches et plus heureuses, il fut à la limite de la joie, et continua à vivre avec elles dans les délices et les plaisirs, jusqu'au jour de la séparation dernière !

*Mais, continua Schahrazade, ne crois point, ô Roi fortuné, que toutes les histoires que tu as entendues jusqu'à présent puissent valoir, de près ou de loin, l'*HISTOIRE PRODIGIEUSE DE LA VILLE D'AIRAIN, *que je me réserve de te raconter, la nuit prochaine, si tel est toutefois ton désir ! Et la petite Doniazade s'écria : « Oh ! que tu serais gentille, Schahrazade, de nous en dire, en attendant, les premiers mots seulement ! »*

Alors elle sourit et dit :

On raconte qu'il y avait un roi – Allah seul est roi ! – dans la ville de…

À ce moment de sa narration, Schahrazade vit apparaître le matin et, discrète, se tut.

Lorsque fut la trois cent trente-neuvième nuit Schahrazade dit :

HISTOIRE PRODIGIEUSE DE LA VILLE D'AIRAIN

On raconte qu'il y avait sur le trône des khalifats Ommiades, à Damas, un roi – Allah seul est roi ! – qui s'appelait Abdalmalek ben-Merwân. Il aimait souvent à s'entretenir, avec les sages de son royaume, de notre maître Soleïmân ben-Daoud (sur lui la prière et la paix !), de ses vertus, de sa puissance et de son pouvoir illimité sur les fauves des solitudes, les éfrits qui peuplent l'air, et les génies maritimes et souterrains.

Un jour que le khalifat, au récit qu'on lui faisait de vases de cuivre ancien dont le contenu était une étrange fumée noire aux formes diaboliques, s'étonnait à l'extrême et avait l'air de mettre en doute la réalité de faits si avérés, d'entre les assistants se leva Taleb ben-Sehl, le voyageur fameux, qui confirma le récit que l'on venait d'entendre, et ajouta : « En effet, ô émir des Croyants, ces vases de cuivre ne sont autres que ceux où furent enfermés, dans les temps anciens, les génies rebelles aux ordres de Soleïmân, et qui furent jetés, une fois scellés du sceau redoutable, au fond de la mer mugissante, aux confins du Maghreb, dans l'Afrique occidentale. La fumée qui s'en échappe est tout simplement l'âme condensée des éfrits, lesquels ne manquent pas de reprendre à l'air libre leur première forme formidable. »

À ces paroles, la curiosité et l'étonnement du khalifat Abdalmalek augmentèrent considérablement, et il dit à Taleb ben-Sehl : « Ô Taleb, je désire beaucoup voir l'un de ces vases de cuivre qui renferment les éfrits en fumée ! Crois-tu la chose possible ? Dans ce cas je suis prêt à aller moi-même faire les recherches nécessaires. Parle. » Il répondit : « Ô émir des Croyants, tu peux avoir cet objet ici même, sans te déplacer, et sans fatigues pour ta personne vénérée. Tu n'as pour cela qu'à envoyer une lettre à l'émir Moussa, ton lieutenant au pays du Maghreb. Car la montagne au pied de laquelle se trouve la mer qui renferme ces vases est reliée au Maghreb par une langue de terre qu'on peut traverser à pied sec. L'émir Moussa, au reçu de la lettre, ne manquera pas d'exécuter les ordres de notre maître le khalifat ! »

Ces paroles eurent le don de convaincre Abdalmalek qui, à l'instant, dit à Taleb : « Et qui mieux que toi, ô Taleb, est capable d'aller avec célérité au pays du Maghreb porter ma lettre à l'émir Moussa, mon lieutenant ? Je te donne tout pouvoir de puiser à mon trésor ce que tu juges nécessaire pour les frais du voyage, et de prendre autant d'hommes qu'il t'en faut pour ta suite. Mais hâte-toi, ô Taleb ! » Et à l'heure même le khalifat écrivit une lettre de sa propre main à l'émir Moussa, la cacheta, et la remit à Taleb qui embrassa la terre entre ses mains et, une fois les préparatifs faits, partit en toute diligence pour le Maghreb, où, sans encombre, il arriva.

L'émir Moussa le reçut avec joie et avec tous les égards dus à l'envoyé de l'émir des Croyants ; et Taleb lui remit la lettre, qu'il prit, et, après l'avoir parcourue et en avoir compris le sens, il la porta à ses lèvres puis à son front, et dit : « J'écoute et j'obéis ! » Et aussitôt il fit mander auprès de lui le cheikh Abdossamad, homme qui avait parcouru toutes les régions habitables de la terre, et qui maintenant passait les jours de sa vieillesse à noter avec soin, pour les âges, ses connaissances acquises dans une vie de voyages sans répit. Et lorsque le cheikh arriva, l'émir Moussa le salua avec respect et lui dit : « Ô cheikh Abdossamad, voici que l'émir des Croyants m'envoie ses ordres pour que j'aille à la recherche des vases de cuivre ancien où furent enfermés les génies rebelles par notre maître Soleïmân ben-Daoud. Ils gisent au fond d'une mer située au pied d'une montagne qui, paraît-il, se trouverait aux confins extrêmes du Maghreb. Bien que je connaisse de longue date tout le pays, je n'ai jamais ouï parler de cette mer ni de la route qui y conduit ; mais toi, ô cheikh Abdossamad qui as parcouru le monde entier, tu n'ignores sans doute pas l'existence de cette montagne et de cette mer-là ! »

Le cheikh réfléchit une heure de temps et répondit : « Ô émir Moussa ben-Nossaïr, cette montagne et cette mer ne sont pas inconnues à ma mémoire, mais jusqu'aujourd'hui je n'ai pu, malgré le désir, y aller moi-même : le chemin qui y conduit est très difficile à cause du manque d'eau dans les citernes ; et il faut bien deux ans et quelques mois pour y aller et davantage pour en revenir, si toutefois on peut revenir d'une contrée dont les habitants n'ont jamais donné un signe quelconque de leur existence et vivent dans une ville située, dit-on, au sommet même de la montagne en question, une ville où nul n'a pu encore pénétrer et qu'on nomme la Ville d'Airain ! »

Et, ayant dit ces paroles, le vieillard se tut, réfléchit encore un moment, et ajouta : « De plus je ne dois pas te cacher, ô émir Moussa, que cette route est semée de dangers et de choses pleines d'effroi, et qu'il y a un désert à traverser qui est peuplé par les éfrits et les génies, gardiens de ces terres vierges de pas humains depuis l'Antiquité. Sache, en effet, ô ben-Nossaïr, que ces contrées de l'extrême occident africain sont interdites aux fils des hommes ; deux d'entre eux ont pu seuls les traverser, l'un est Soleïmân ben-Daoud, et l'autre El-Iskandar aux Deux-Cornes. Et, depuis ces époques abolies, le silence est devenu le maître introublé de ces vastitudes désertées ! Si donc tu tiens, dédaigneux des obstacles mystérieux et des périls, à exécuter les ordres du khalifat et à tenter ce voyage dans un pays sans routes tracées, et sans autre guide que ton serviteur, fais charger mille chameaux d'outres remplies d'eau et mille autres chameaux de vivres et de provisions ; prends le moins de gardes possible, car nul pouvoir humain ne nous préserverait de la colère des puissances ténébreuses dont nous allons violer les domaines, et il ne nous faut pas les indisposer par un déploiement d'armes menaçantes et vaines. Et lorsque tout sera prêt, fais ton testament, émir Moussa, et partons…

À ce moment de sa narration, Schahrazade vit apparaître le matin et se tut discrètement.

Mais lorsque fut la trois cent quarantième nuit. Elle dit :

… Et lorsque tout sera prêt, fais ton testament, émir Moussa, et partons ! »

À ces paroles, l'émir Moussa, gouverneur du Maghreb, après avoir invoqué le nom d'Allah, ne voulut pas avoir un moment d'hésitation : il rassembla les chefs de ses soldats et les principaux du royaume, testa devant eux tous et nomma comme son remplaçant son fils Haroun. Après quoi, il fit faire les préparatifs en question, ne prit avec lui que quelques hommes choisis, et, accompagné du cheikh Abdossamad et de Taleb, l'envoyé du khalifat, il prit la route du désert, suivi de mille chameaux chargés d'eau et de mille autres chargés de vivres et de provisions.

La caravane marcha dans les solitudes plates pendant des jours et des mois, sans rencontrer sur sa route un être vivant dans ces immensités unies comme la mer lorsqu'elle est tranquille. Et le voyage continua de la sorte au milieu du silence infini, jusqu'à ce qu'un jour ils eussent aperçu au loin comme un nuage brillant, à ras de l'horizon, vers lequel ils se dirigèrent. Et ils reconnurent que c'était un édifice aux hautes murailles en acier chinois, et soutenu par quatre rangées de colonnes d'or de quatre mille pas de circonférence. Mais le dôme de ce palais était en plomb, et servait de reposoir à des milliers de corbeaux, seuls habitants visibles sous le ciel. Sur la grande muraille où s'ouvrait la porte principale en ébène massif lamé d'or, une plaque immense de métal rouge laissait lire sur sa table, tracés en caractères ioniens, ces mots que déchiffra le cheikh Abdossamad et qu'il traduisit à l'émir Moussa et à ses compagnons :

« Entre ici pour apprendre l'histoire de ceux qui furent les dominateurs !

Ils passèrent, tous ceux-là ! Ils eurent à peine le temps de se reposer à l'ombre de mes tours.

Ils furent dispersés comme des ombres par la mort ! Ils furent dissipés comme la paille au vent par la mort ! »

L'émir Moussa fut excessivement ému en entendant ces paroles, que traduisait le vénérable Abdossamad, et murmura : « Il n'y a d'autre Dieu qu'Allah ! » Puis il dit : « Entrons ! » et, suivi de ses compagnons, il franchit le seuil de la porte principale, et pénétra dans le palais.

Devant eux surgissait, au milieu du vol muet des grands oiseaux noirs, dans sa haute nudité de granit, une tour dont le sommet se perdait au regard, et au pied de laquelle s'alignaient en rond quatre rangées de cent sépulcres qui entouraient un monumental sarcophage de cristal poli autour duquel se lisait cette inscription, gravée en caractères ioniens, avec des lettres d'or rehaussées de pierreries :

« L'ivresse de la jouissance est passée comme le délire des fièvres.

De combien d'événements n'ai-je pas été témoin ?

De quelle brillante renommée n'ai-je pas joui durant les jours de ma gloire ?

Combien de capitales n'ont-elles pas retenti du sabot sonore de mon cheval ?

Que de villes n'ai-je pas saccagées comme le simoun destructeur ? Que d'empires n'ai-je pas détruits comme le tonnerre ?

Que de potentats n'ai-je pas traînés derrière mon char ?

Que de lois n'ai-je pas dictées à l'univers ?

Et voici !

L'ivresse de ma jouissance est passée comme le délire de la fièvre, sans laisser plus de trace que l'écume sur le sable.

La mort m'a surpris sans que ma puissance l'ait repoussée, sans que mes armées ni mes courtisans aient pu me défendre contre elle !

Écoute donc, voyageur, les paroles que jamais mes lèvres ne prononcèrent de mon vivant :

« Conserve ton âme ! Jouis en paix du calme de la vie, de la beauté calme de la vie ! Demain la mort t'enlèvera !

« Demain la terre répondra à ceux qui t'appelleront : « Il est mort ! Jamais mon sein jaloux ne rend ceux qu'il enferme pour l'éternité ! »

En entendant ces paroles, que traduisait le cheikh Abdossamad, l'émir Moussa et ses compagnons ne purent s'empêcher de pleurer. Et ils restèrent longtemps debout devant le sarcophage et les sépulcres, en se répétant les paroles funèbres. Puis ils se dirigèrent vers la tour qui était fermée par une porte à deux battants d'ébène, sur laquelle cette inscription se lisait, également gravée en caractères ioniens rehaussés de pierreries :

« Au nom de l'Éternel, de l'Immuable,

Au nom du Maître de la force et de la puissance !

Apprends, voyageur qui parcours ces lieux, à ne point t'enorgueillir des apparences ! Leur éclat est trompeur.

Apprends par mon exemple à ne point te laisser éblouir par les illusions ! Elles te précipiteraient dans l'abîme !

Je te parlerai de ma puissance !

J'avais dix mille coursiers généreux dans mes écuries, soignés par les rois captifs de mes armes.

J'avais dans mes appartements privés, comme concubines, mille vierges issues du sang des rois, et mille autres vierges choisies parmi celles dont les seins sont glorieux et dont la beauté fait pâlir l'éclat de la lune.

Mes épouses me donnèrent, pour postérité, mille princes royaux, courageux comme des lions.

Je possédais d'immenses trésors ; et sous ma domination se courbaient les peuples et les rois, depuis l'Orient jusqu'aux extrêmes limites de l'Occident, subjugués par mes armées indomptables.

Et je croyais éternelle ma puissance, et assise pour les siècles la durée de ma vie, quand soudain la voix se fit entendre qui m'annonçait les irrévocables décrets de Celui qui ne meurt pas !

Alors je réfléchis sur ma destinée !

Je rassemblai mes cavaliers et mes fantassins par milliers, armés de leurs lances et de leurs glaives.

Et je rassemblai les rois, mes tributaires, et les chefs de mon empire et les chefs de mes armées.

Et devant eux tous, je fis apporter mes cassettes et les coffres de mes trésors, et à tous ceux-là je dis :

« Ces richesses, ces quintaux d'or et d'argent, je vous les donne si vous prolongez d'un jour seulement ma vie sur la terre ! »

Mais ils tinrent leurs yeux baissés, et gardèrent le silence. Alors moi je mourus ! Et mon palais devint l'asile de la mort.

Si tu veux savoir mon nom, je m'appelais Kousch ben-Scheddad ben-Aâd le Grand ! »

En entendant ces sublimes vérités, l'émir Moussa et ses compagnons éclatèrent en sanglots et pleurèrent longuement. Après quoi ils pénétrèrent dans la tour, et se mirent à parcourir d'immenses salles, habitées par le vide et le silence. Ils finirent de la sorte par arriver dans une chambre, plus grande que les autres, à la voûte arrondie en dôme, et qui, seule dans la tour, contenait un meuble. C'était une colossale table en bois de santal, ciselée merveilleusement, et sur laquelle se détachait cette inscription en beaux caractères semblables aux précédents : « Autrefois, à cette table, s'asseyaient mille rois borgnes et mille rois qui avaient de bons yeux.

Maintenant dans la tombe ils sont également aveugles ! »

L'étonnement de l'émir Moussa ne fit qu'augmenter devant ce mystère ; et, ne pouvant en avoir la solution, il transcrivit ces paroles sur ses parchemins ; puis il sortit du palais, ému à l'extrême, et reprit, avec ses compagnons, la route de la Ville d'Airain…

À ce moment de sa narration, Schahrazade vit apparaître le matin et, discrète, se tut.

Mais lorsque fut la trois cent quarante et unième nuit. Elle dit :

… Et reprit, avec ses compagnons, la route de la Ville d'Airain.

Ils marchèrent durant le premier, le second et le troisième jour, jusqu'au soir. Alors ils virent leur apparaître, dressée sur un haut piédestal, découpée par les rayons du soleil rouge au couchant, une silhouette de cavalier immobile brandissant une lance au large fer qui semblait être une flamme embrasée, de la couleur même de l'astre en feu à l'horizon.

Lorsqu'ils furent tout proches de cette apparition, ils reconnurent que le cavalier et son cheval et le piédestal étaient du plus pur airain, et que sur le fer de lance, du côté éclairé par les derniers rayons de l'astre, ces mots étaient gravés en fins caractères de feu :

« Audacieux voyageurs qui avez pu arriver jusqu'aux terres interdites, maintenant vous ne sauriez retourner sur vos pas !

Si le chemin de la Ville vous est inconnu, faites-moi, par l'effort de vos bras, mouvoir sur mon piédestal et dirigez-vous du côté où, en m'arrêtant, je resterai le visage tourné. »

Alors l'émir Moussa s'approcha du cavalier et le poussa de la main. Et aussitôt, avec la rapidité de l'éclair, le cavalier pivota sur lui-même et tourna la tête vers une direction tout opposée à celle qui avait été suivie par les voyageurs. Et le cheikh Abdossamad reconnut qu'en effet il s'était trompé, et que la direction nouvelle était la bonne.

Aussitôt la caravane, revenant sur ses pas, s'engagea dans cette nouvelle voie, et continua de la sorte le voyage, durant des jours et des jours, jusqu'à ce qu'elle fût arrivée, à une tombée de nuit, devant une colonne de pierre noire à laquelle était enchaîné un être étrange dont on ne voyait émerger que la moitié du corps, l'autre moitié étant enfoncée profondément dans le sol. Ce tronc qui sortait de terre semblait quelque enfantement monstrueux poussé là par la force des puissances infernales. Il était noir et grand comme le tronc d'un vieux palmier déchu dépouillé de ses palmes. Il avait deux énormes ailes noires et quatre mains dont deux étaient semblables aux pattes griffues des lions. Une chevelure hérissée en crins rudes de queue d'onagre se mouvait sauvagement sur son crâne épouvantable. Sous les arcades orbitaires deux yeux rouges flamboyaient, tandis que le front aux doubles cornes de bœuf était troué d'un œil unique qui béait immobile et fixe en lançant des lueurs vertes comme l'œil des tigres et des panthères. À la vue des voyageurs, le tronc agita les bras en poussant des cris effroyables et des mouvements désespérés comme pour briser les chaînes qui l'attachaient à la colonne noire. Et la caravane, prise d'une terreur extrême, se figea sur place, n'ayant ni la force d'avancer ni de reculer.

Alors l'émir Moussa se tourna vers le cheikh Abdossamad et lui demanda : « Peux-tu, ô vénérable, nous dire ce que peut bien être cela ? » le cheikh répondit : « Par Allah ! ô émir, cela dépasse mon entendement ! » Et l'émir Moussa dit : « Alors avance plus près et interroge-le ! Peut-être nous éclairera-t-il lui-même ! » Et le cheikh Abdossamad ne voulut point montrer d'hésitation : il s'approcha du monstre, auquel il cria : « Au nom du Maître invisible qui tient sous sa main les empires du Visible et de l'Invisible, je t'adjure de me répondre ! Dis-moi qui tu es, depuis quand tu es là et la cause qui te valut un si étrange châtiment ! » Alors le tronc aboya. Et voici les paroles qu'entendirent l'émir Moussa, le cheikh Abdossamad et leurs compagnons :

« Je suis un éfrit de la postérité d'Eblis, père des genn. Je m'appelle Daësch ben-Alaëmasch. Ici je suis enchaîné par la Force Invisible jusqu'à l'extinction des siècles.

« Autrefois, dans ce pays gouverné par le roi de la Mer, il y avait, comme protectrice de la Ville d'Airain, une idole d'agate rouge dont j'étais à la fois le gardien et l'habitant. J'avais, en effet, élu domicile dans son intérieur ; et de tous les pays on venait en foule consulter le sort par mon entremise et écouter les oracles que je rendais et mes prédictions augurales.

« Le roi de la Mer, dont j'étais le vassal, avait sous son commandement toute l'armée des génies rebelles aux ordres de Soleïmân ben-Daoud ; et il m'avait nommé chef de cette armée pour le cas où éclaterait une guerre entre lui et ce maître redoutable des génies. Et cette guerre ne tarda pas à éclater.

« Le roi de la Mer avait une fille d'une beauté dont le renom était parvenu jusqu'aux oreilles de Soleïmân. Celui-ci, désireux de l'avoir au nombre de ses épouses, dépêcha un envoyé au roi de la Mer pour la lui demander en mariage, en même temps qu'il lui enjoignait de briser la statue d'agate et de reconnaître qu'il n'y a point d'autre Dieu qu'Allah et que Soleïmân est le prophète d'Allah ! Et il le menaçait de son courroux et de sa vengeance si l'on ne se soumettait pas immédiatement à ses désirs.

« Alors le roi de la Mer assembla ses vizirs et les chefs des genn et leur dit : « Voici que Soleïmân me menace de toutes sortes de calamités pour m'obliger à lui donner ma fille et à briser la statue qui sert d'habitation à votre chef Daësch ben-Alaëmasch. Que pensez-vous de ces menaces ? Dois-je m'incliner ou résister ? »

« Les vizirs répondirent : « Et qu'as-tu, ô notre roi, à redouter de la puissance de Soleïmân ? Nos forces sont au moins aussi redoutables que les siennes. Et celles-ci, nous saurons bien les anéantir ! » Puis ils se tournèrent vers moi et me demandèrent mon avis. Alors, moi je dis : « Notre seule réponse à Soleïmân est de donner la bastonnade à son envoyé ! » Cela fut exécuté sur-le-champ. Et nous dîmes à cet envoyé : « Retourne maintenant instruire ton maître de l'aventure ! »

« Lorsque Soleïmân eut appris le traitement infligé à son envoyé, il fut à la limite de l'indignation, et rassembla aussitôt toutes ses forces disponibles en génies, hommes, oiseaux et animaux. Il confia à Assaf ben-Barkhia le commandement des guerriers hommes, et à Domriat, roi des éfrits, le commandement de toute l'armée des génies au nombre de soixante millions, et celui des animaux et des oiseaux de proie, rassemblés de tous les points de l'univers et des îles et des mers de la terre. Cela fait, Soleïmân vint, à la tête de cette armée formidable, envahir le pays du roi de la Mer, mon suzerain. Et dès son arrivée il rangea son armée en ordre de bataille.

« Il commença par placer sur les deux ailes les animaux, par rangs alignés de quatre, et posta dans les airs les grands oiseaux de proie destinés à servir de sentinelles pour l'aviser de nos mouvements et à fondre soudain sur les guerriers pour leur crever et arracher les yeux. Il composa l'avant-garde avec l'armée des hommes et l'arrière-garde avec l'armée des génies ; et il plaça à sa droite son vizir Assaf ben-Barkhia et à sa gauche Domriat, roi des éfrits de l'air. Lui-même demeura au centre, assis sur un trône de porphyre et d'or, porté par quatre éléphants formant carré. Et il donna alors le signal de la bataille.

« Aussitôt une clameur se fit entendre, grandissante avec la course au galop et le vol tumultueux des génies, des hommes, des oiseaux de proie et des fauves de guerre ; et l'écorce de la terre résonnait sous la formidable poussée des pas, tandis que l'air retentissait des battements de millions d'ailes et des huées et des cris et des rugissements.

« Moi, de mon côté, j'eus le commandement de l'avant-garde de l'armée des génies soumis au roi de la Mer. Je donnai le signal à mes troupes, et à leur tête je me précipitai sur le corps des génies ennemis commandé par le roi Domriat...

À ce moment de sa narration, Schahrazade vit apparaître le matin et se tut discrètement.

Mais lorsque fut la trois cent quarante-deuxième nuit. Elle dit :

« ... Je donnai le signal à mes troupes, et à leur tête je me précipitai sur le corps des génies ennemis commandé par le roi Domriat. Et moi-même je cherchai à attaquer le chef des adversaires, quand je le vis soudain se muer en une montagne enflammée qui se mit à vomir le feu par torrents, en s'efforçant de m'accabler et de m'étouffer sous les débris lancés qui retombaient de notre côté en nappes embrasées. Moi, longtemps, stimulant les miens, je me défendis et j'attaquai avec acharnement ; et ce ne fut que lorsque je vis bien que le nombre de mes ennemis allait indubitablement m'écraser que je donnai le signal de la retraite et que je me retirai en m'enfuyant à tire d'aile à travers les airs. Mais nous fûmes, sur l'ordre de Soleïmân, poursuivis et environnés de tous les côtés à la fois par nos adversaires, génies, hommes, animaux et oiseaux : et nous fûmes les uns anéantis, les autres écrasés sous les pieds des quadrupèdes, et d'autres précipités du haut des airs, les yeux crevés et les chairs en lambeaux. Moi-même je fus atteint dans ma fuite qui dura trois mois. Alors, pris et garrotté, je fus condamné à être attaché à cette colonne noire jusqu'à l'extinction des âges, tandis que tous les génies à mes ordres étaient faits prisonniers, transformés en fumée et enfermés dans des vases de cuivre qui, scellés du sceau de Soleïmân, furent précipités au fond de la mer où baignent les murailles de la Ville d'Airain !

« Quant aux hommes qui habitaient ce pays, je ne sais exactement ce qu'ils sont devenus, enchaîné que je suis depuis la ruine de notre pouvoir. Mais, si vous allez à la Ville d'Airain, peut-être verrez-vous leurs traces et apprendrez-vous leur histoire ! »

Lorsque le tronc eut fini de parler, il se mit à s'agiter éperdument comme pour essayer de se désenchaîner de la colonne. Et l'émir Moussa et ses compagnons, craignant qu'il ne parvînt à se mettre en liberté ou à les obliger à seconder ses efforts, ne voulurent point stationner davantage et se hâtèrent de continuer leur route vers la ville dont ils voyaient déjà au loin se profiler dans le rouge du soir les tours et les murailles. Lorsqu'ils ne furent plus qu'à une légère distance de la ville, comme la nuit tombait et que les choses d'alentour prenaient un aspect hostile, ils préférèrent attendre le matin pour s'approcher des portes ; et ils dressèrent les tentes pour passer la nuit, harassés qu'ils étaient des fatigues du voyage.

À peine l'aube première eut-elle commencé à éclaircir les sommets des montagnes à l'Orient, l'émir Moussa éveilla ses compagnons et se mit en route avec eux pour arriver à l'une des portes d'entrée. Alors, devant eux ils virent, dans la clarté matinale, se dresser, formidables, les murailles d'airain, si lisses qu'on les eût dites sorties toutes neuves du moule où elles avaient été coulées. Leur hauteur était telle qu'elles semblaient former le premier plan des monts gigantesques qui les entouraient et dans les flancs desquels elles semblaient s'incruster, taillées à même quelque métal originel.

Lorsqu'ils purent sortir de la surprise immobile où les avait cloués ce spectacle, ils cherchèrent des yeux une porte par où entrer dans la ville. Mais ils n'en trouvèrent point. Alors ils se mirent à marcher, en longeant les murailles, espérant toujours trouver l'entrée. Mais ils ne virent point d'entrée. Et ils continuèrent à marcher encore des heures sans voir ni porte ni brèche quelconque, ni personne qui se dirigeât vers la ville ou en sortît. Et malgré l'heure déjà avancée du jour, ils n'entendaient aucun bruit pas plus au-dedans qu'au-dehors des murs, et ils ne remarquaient aucun mouvement pas plus sur les sommets des murs qu'à leur pied. Mais l'émir Moussa, sans perdre espoir, encouragea ses compagnons à marcher encore ; et ils marchèrent ainsi jusqu'au soir, et toujours ils voyaient se déployer devant eux la ligne inflexible des murailles d'airain, qui suivaient les mouvements du sol, les vallées et les côtes et semblaient surgir du sein même de la terre.

Alors l'émir Moussa ordonna à ses compagnons de s'arrêter pour le repos et la nourriture. Et lui-même s'assit quelque temps pour réfléchir à la situation. Lorsqu'il se fut reposé, il dit à ses compagnons de rester là à veiller sur le campement jusqu'à son retour et, suivi du cheikh Abdossamad et de Taleb ben-Sehl, il fit avec eux l'ascension d'une haute montagne, dans le dessein d'inspecter les environs et de reconnaître cette ville qui ne voulait pas se laisser violer par les tentatives des humains…

À ce moment de sa narration, Schahrazade vit apparaître le matin et, discrète, se tut.

Mais lorsque fut la trois cent quarante-troisième nuit. Elle dit :

… Cette ville qui ne voulait pas se laisser violer par les tentatives des humains.

D'abord ils ne purent rien distinguer dans les ténèbres, car la nuit avait déjà épaissi les ombres sur la plaine ; mais soudain la lueur à l'Orient se fit plus vive, et sur le sommet de la montagne la lune magnifique s'élança et d'un clignement de ses yeux illumina le ciel et la terre. Et à leurs pieds un spectacle se déroula qui les fit s'arrêter de respirer.

Ils dominaient une ville de songe. Sous la nappe blanche qui tombait de haut, aussi loin que pouvait s'étendre le regard vers des horizons noyés dans la nuit, des dômes de palais, des terrasses de maisons, de calmes jardins s'étageaient dans l'enceinte d'airain, et des canaux illuminés par l'astre se promenaient en mille, circuits clairs dans le sombre des massifs, tandis que, tout au bout, une mer de métal contenait dans son sein froid les feux du ciel réfléchi : ce qui faisait que l'airain des murailles, les pierreries allumées des dômes, les terrasses candides, les canaux et toute la mer, ainsi que les ombres projetées vers l'Occident se mariaient sous la brise nocturne et la lune magique.

Cependant cette vastitude était ensevelie dans le silence universel comme dans un tombeau. Nulle vie humaine ne se laissait soupçonner là-dedans. Mais de hautes figures d'airain, chacune sur quelque socle monumental, mais de grands cavaliers taillés dans le marbre, mais des animaux ailés au vol sans vertu se profilaient dans un même geste figé ; et dans le ciel, à ras des édifices, tournoyaient, seuls êtres mobiles sur cette immobilité, d'immenses vampires par milliers, tandis que, trouant le silence étale, d'invisibles hiboux jetaient leurs lamentations et leurs appels funèbres sur les palais morts et les terrasses endormies.

Lorsque l'émir Moussa et ses deux compagnons eurent rempli leurs yeux de ce spectacle étrange, ils descendirent de la montagne en s'étonnant à l'extrême de n'avoir pas aperçu, dans cette ville immense, trace de quelque être humain vivant. Et ils arrivèrent au pied des murs d'airain, dans un endroit où ils virent quatre inscriptions gravées en caractères ioniens, et que le cheikh Abdossamad déchiffra aussitôt et traduisit à l'émir Moussa. La première inscription disait : « Ô fils des hommes ! que tes calculs sont vains ! La mort est proche. Ne compte pas sur l'avenir. Il est un Maître de l'Univers qui disperse les nations et les armées, et de leurs palais aux vastes magnificences précipite les rois dans l'étroite demeure du tombeau. Et leur âme réveillée dans l'égalité de la terre les voit réduits en amas de cendre et de poussière. »

À ces paroles, l'émir Moussa s'écria : « Ô sublimes vérités ! Ô réveil de l'âme dans l'égalité de la terre ! Que tout cela est frappant ! » Et il transcrivit aussitôt ces paroles sur ses parchemins. Mais déjà le cheikh traduisait la seconde inscription qui disait :

« Ô fils des hommes ! pourquoi t'aveugles-tu de tes propres mains ? Comment peux-tu mettre ta confiance dans un monde vain ? Ne sais-tu pas que c'est un séjour passager, une demeure transitoire ? Dis ! Où sont les rois qui jetèrent les fondements des empires ? Où sont les conquérants, les maîtres de l'Irak, d'Ispahân et du Khorassân ? Ils ont passé comme s'ils n'avaient jamais été ! »

L'émir Moussa transcrivit également cette inscription, et, fort ému, écouta le cheikh qui traduisait la troisième :

« Ô fils des hommes, voici que les jours s'écoulent, et tu vois ta vie avec indifférence marcher vers le terme final. Songe au jour du Jugement devant le Seigneur ton maître. Où sont les souverains de l'Inde, de la Chine, de Sina et de Nubie ? Le souffle implacable de la mort les a renversés dans le néant ! »

Et l'émir Moussa s'écria : « Où sont les souverains de Sina et de Nubie ? Renversés dans le néant ! » Or la quatrième inscription disait :

« Ô fils des hommes ! Tu noies ton âme dans les plaisirs, et tu ne vois pas sur tes épaules la mort cramponnée qui suit tes mouvements ! Le monde est comme la toile de l'araignée, et derrière cette fragilité te guette le néant ! Où sont les hommes aux vastes espérances et leurs projets éphémères ? Ils ont échangé contre la tombe les palais où maintenant habitent les hiboux ! »

L'émir Moussa ne put alors contenir son émotion et se mit à pleurer longtemps, les tempes dans les mains, et il se disait : « Ô mystère de la naissance et de la mort ! Pourquoi naître s'il faut mourir ? Pourquoi vivre si la mort donne l'oubli de la vie ? Mais Allah seul connaît les destinées, et notre devoir est de nous incliner dans l'obéissance muette ! » Ces réflexions faites, il reprit avec ses compagnons la route du campement, et ordonna à ses hommes de se mettre sur-le-champ à l'ouvrage pour construire, avec du bois et des branchages, une échelle longue et solide qui leur permît d'atteindre le haut des murs, pour de là essayer de descendre dans cette ville sans portes.

Aussitôt les hommes se mirent à la recherche de bois et de grosses branches sèches, les rabotèrent le mieux qu'ils purent avec leurs sabres et leurs couteaux, les lièrent entre elles avec leurs turbans, leurs ceintures, les cordes des chameaux, les sangles et les cuirs des harnachements, et réussirent à construire une échelle assez haute pour atteindre au faîte des murailles. Ils la portèrent alors à l'endroit le plus propice, la soutinrent de tous côtés avec de grosses pierres, et, en invoquant le nom d'Allah, commencèrent à y grimper lentement…

À ce moment de sa narration, Schahrazade vit apparaître le matin et se tut discrètement.

Mais lorsque fut la trois cent quarante-quatrième nuit. Elle dit :

… Commencèrent à y grimper lentement, l'émir Moussa en tête. Mais quelques-uns restèrent au bas des murs, pour surveiller le campement et les environs.

L'émir Moussa et ses compagnons se mirent à marcher sur les murs pendant quelque temps, et finirent par arriver devant deux tours reliées entre elles par une porte d'airain dont les deux battants étaient fermés et joints d'une façon si parfaite qu'on n'aurait pu introduire la pointe d'une aiguille dans leur interstice. Sur cette porte était gravée l'image en relief d'un cavalier d'or qui avait le bras tendu et la main ouverte ; et sur la paume de cette main des caractères ioniens étaient tracés, que le cheikh Abdossamad déchiffra aussitôt et traduisit ainsi : « Frotte douze fois le clou qui est dans mon nombril. »

Alors l'émir Moussa, bien que fort surpris de ces paroles, s'approcha du cavalier et remarqua qu'en effet un clou d'or se trouvait enfoncé juste au milieu de son nombril. Il tendit la main et frotta ce clou douze fois. Et au douzième frottement les deux battants s'ouvrirent dans toute leur largeur sur un escalier de granit rouge qui s'enfonçait en tournant. Aussitôt l'émir Moussa et ses compagnons descendirent les marches de cet escalier qui les conduisit au centre d'une salle donnant de plain-pied sur une rue où stationnaient des gardes armés d'arcs et de glaives. Et l'émir Moussa dit : « Allons à eux pour leur parler avant qu'ils ne nous inquiètent ! »

Ils s'approchèrent donc de ces gardes dont les uns étaient debout le bouclier au bras et le sabre nu, et les autres assis ou étendus ; et l'émir Moussa, se tournant vers celui qui avait l'air d'être leur chef lui souhaita la paix avec affabilité ; mais l'homme ne bougea pas et ne lui rendit pas le salam ; et les autres gardes restèrent également immobiles et les yeux fixes, ne prêtant pas plus attention aux nouveaux venus que s'ils ne les voyaient pas.

Alors l'émir Moussa, voyant que ces gardes ne comprenaient pas l'arabe, dit au cheikh Abdossamad : « Ô cheikh, adresse-leur la parole dans toutes les langues que tu connais ! » Et le cheikh commença à leur parler d'abord en langue grecque ; puis, voyant l'inanité de sa tentative, il leur parla en indien, en hébreu, en persan, en éthiopien et en soudanais ; mais nul d'entre eux ne comprit un mot de ces langues et ne fit un geste quelconque d'intelligence. Alors l'émir Moussa dit : « Ô cheikh, ces gardes sont peut-être offensés de ce que tu ne leur ébauches pas le salut de leur pays. Il te faut donc leur faire des salams gesticulés selon tous les pays que tu connais ! » Et le vénérable Abdossamad exécuta à l'instant tous les gestes des salams usités chez les peuples de toutes les contrées qu'il avait parcourues. Mais aucun des gardes ne bougea, et chacun resta immobilisé dans la même attitude qu'au commencement.

À cette vue, l'émir Moussa, à la limite de l'étonnement, ne voulut pas davantage insister ; il dit à ses compagnons de le suivre et continua sa route, ne sachant à quelle cause attribuer un tel mutisme. Et le cheikh Abdossamad se disait : « Par Allah ! jamais, dans mes voyages, je n'ai vu une chose si extraordinaire ! »

Ils continuèrent à marcher de la sorte jusqu'à ce qu'ils fussent arrivés à l'entrée du souk. Ils trouvèrent les portes ouvertes et pénétrèrent à l'intérieur. Le souk était rempli de gens qui vendaient et achetaient ; et les devantures des boutiques étaient merveilleusement garnies de marchandises. Mais l'émir Moussa et ses compagnons remarquèrent que tous les acheteurs et vendeurs, ainsi que tous ceux qui se trouvaient dans le souk, s'étaient, comme d'un commun accord, arrêtés dans leurs gestes et leurs mouvements dès qu'ils les eurent aperçus ; et l'on eût dit qu'ils n'attendaient que le départ des étrangers pour reprendre leurs occupations habituelles. Pourtant ils semblaient ne faire aucune attention à leur présence, et se contentaient d'exprimer leur mécontentement de cette intrusion par le mépris et la négligence. Et, pour donner plus de signification encore à cette attitude dédaigneuse, un silence général se faisait sur leur passage, de façon que l'on entendait dans l'immense souk voûté résonner leurs pas de marcheurs solitaires au milieu de l'immobilité d'alentour. Et ils parcoururent de la sorte, ne rencontrant nulle part ni geste bienveillant ou hostile ni sourire de bienvenue ou de moquerie, le souk des bijoutiers, le souk des soieries, le souk des selliers, le souk des marchands de drap, celui des savetiers, et enfin le souk des marchands d'épinards et d'aromates.

Lorsqu'ils eurent traversé le souk des aromates, ils débouchèrent soudain sur une place immense où le soleil mettait une clarté d'autant plus éblouissante que les souks avaient une lumière tamisée qui avait habitué les regards à sa douceur. Et tout au fond, entre des colonnes d'airain d'une hauteur prodigieuse qui servaient de piédestaux à de grands animaux d'or aux ailes déployées, se dressait un palais de marbre flanqué de tours d'airain, et gardé par une ceinture d'hommes armés et immobiles dont les lances et les glaives flambaient sans se consumer. Une porte d'or donnait accès à ce palais où l'émir Moussa pénétra, suivi de ses compagnons.

Ils virent d'abord, courant tout le long de l'édifice et limitant une cour aux bassins de marbre de couleur, une galerie supportée par des colonnes de porphyre ; et cette galerie servait de réserve d'armes, car on y voyait partout, suspendues aux colonnes, aux murs et au plafond, d'admirables armes, merveilles enrichies d'incrustations précieuses, et provenant de tous les pays de la terre. Tout autour de cette galerie ajourée étaient adossés des bancs d'ébène d'un travail merveilleux, niellés d'argent et d'or, et où étaient assis ou couchés des guerriers, vêtus de leurs costumes de parade, qui ne firent aucun mouvement, soit pour barrer la route aux visiteurs soit pour les inviter à continuer leur promenade étonnée…

À ce moment de sa narration, Schahrazade vit apparaître le matin et, discrète, se tut.

Mais lorsque fut la trois cent quarante-cinquième nuit. Elle dit :

… Soit pour barrer la route aux visiteurs, soit pour les inviter à continuer leur promenade étonnée.

Ils suivirent donc cette galerie, dont la partie supérieure était ornée d'une corniche fort belle, et où ils virent, gravée en lettres d'or sur un fond d'azur, une inscription en langue ionienne qui contenait des préceptes sublimes dont voici la traduction fidèle faite par le cheikh Abdossamad :

« Au nom de l'Immuable, Souverain des destinées ! Ô fils des hommes, tourne la tête et tu verras la mort prête à fondre sur ton âme ! Où est Adam, père des humains ? Où est Nouh et sa descendance ? Où est Nemroud le redoutable ? Où sont les rois, les conquérants, les Khosroès, les Césars, les pharaons, les empereurs de l'Inde et de l'Irak, les maîtres de la Perse et ceux de l'Arabie, et Iskandar aux Deux-Cornes ? Où sont les souverains de la terre, Haman et Karoun, et Scheddad fils d'Aâd et tous ceux de la postérité de Kanaân ? Par ordre de l'Éternel ils ont quitté la terre pour aller rendre compte de leurs actions au jour de la Rétribution.

Ô fils des hommes ! ne t'abandonne pas au monde et à ses plaisirs ! Crains le Seigneur et sers-le d'un cœur pieux ! Crains la mort ! La piété envers le Seigneur et la crainte de la mort sont la base de toute sagesse ! De la sorte tu moissonneras de belles actions qui te parfumeront pour le jour terrible du Jugement ! »

Lorsqu'ils eurent écrit sur les parchemins cette inscription qui les émut beaucoup, ils franchirent une grande porte qui s'ouvrait au milieu de la galerie, et entrèrent dans une salle au centre de laquelle était un beau bassin de marbre transparent d'où s'élançait un jet d'eau. Au-dessus de ce bassin se déployait, formant un plafond agréablement colorié, un pavillon en étoffes de soie et d'or aux teintes diverses et mariées entre elles avec un art parfait. L'eau, pour arriver dans ce bassin, suivait quatre canaux tracés dans le sol de la salle en contours charmants et chaque canal avait un lit d'une couleur particulière : le premier canal avait un lit de porphyre rose ; le second, de topazes ; le troisième, d'émeraudes, et le quatrième, de turquoises ; si bien que l'eau se teintait selon son lit et, frappée par la lumière atténuée filtrant des soieries du haut, projetait sur les objets d'alentour et les murs de marbre une douceur de paysage marin.

De là ils franchirent une seconde porte et entrèrent dans une seconde salle. Ils la trouvèrent remplie de monnaies anciennes d'or et d'argent, de colliers, de bijoux, de perles, de rubis et de toutes les pierreries. Et tout cela formait de tels amoncellements que l'on pouvait à peine circuler et traverser cette salle pour pénétrer dans une troisième. Celle-ci était remplie d'armures en métaux précieux, de boucliers d'or enrichis de pierreries, de casques anciens, de sabres de l'Inde, de lances, de javelots et de cuirasses du temps de Daoud et de Soleïmân ; et ces armes étaient toutes dans un état tel de conservation qu'on les eût dites sorties la veille des mains qui les avaient fabriquées. Ils entrèrent ensuite dans une quatrième salle, occupée entièrement par des armoires et des étagères en bois précieux où, en bon ordre, étaient rangés de riches habits, des robes somptueuses, des étoffes de prix et des brocarts admirablement ouvragés. De là ils se dirigèrent vers une porte qui, ouverte, leur livra l'accès d'une cinquième salle. Elle ne contenait, du sol au plafond, rien que des vases et des objets destinés aux boissons, aux mets et aux ablutions : des vases d'or et d'argent, des bassins en cristal de roche, des coupes de pierres précieuses, des plateaux en jade ou en agate de diverses couleurs.

Lorsqu'ils eurent admiré tout cela, ils songèrent à revenir sur leurs pas, quand ils furent tentés de relever un immense rideau de soie et d'or qui couvrait l'un des murs de la salle. Et ils virent derrière ce rideau une grande porte ouvragée de fines marqueteries d'ivoire et d'ébène et fermée par des verrous massifs d'argent sans aucune trace de trou pour y adapter une clef. Aussi le cheikh Abdossamad se mit-il à étudier le mécanisme de ces verrous et finit-il par trouver un ressort caché qui céda à ses efforts. Aussitôt la porte tourna d'elle-même et donna libre accès aux voyageurs dans une salle miraculeuse creusée entièrement en dôme dans un marbre si poli qu'il semblait être un miroir d'acier. Des fenêtres de cette salle filtrait, à travers des treillis d'émeraudes et de diamants, une clarté qui nimbait les objets d'une splendeur inouïe. Au centre se dressait, soutenu par des pilastres d'or sur chacun desquels se tenait un oiseau au plumage d'émeraude et au bec de rubis, une sorte d'oratoire tendu d'étoffes de soie et d'or qui venait lentement, par une suite de degrés d'ivoire, prendre contact avec le sol où un magnifique tapis aux couleurs glorieuses, à la laine savante, fleurissait de ses fleurs sans odeur, de son gazon sans sève, et vivait de toute la vie artificielle de ses forêts pleines d'oiseaux et d'animaux saisis dans leur exacte beauté de nature et leurs rigoureuses lignes.

L'émir Moussa et ses compagnons montèrent les degrés de cet oratoire et, arrivés sur la plate-forme, ils s'arrêtèrent dans une surprise qui les cloua muets. Sous un dais de velours piqué de gemmes et de diamants, sur un large lit de tapis de soie superposés reposait une adolescente au teint éblouissant, aux paupières alanguies de sommeil sous leurs longs cils recourbés, et dont la beauté se rehaussait du calme admirable de ses traits, de la couronne d'or qui retenait sa chevelure, du diadème de pierreries qui étoilait son front et du collier humide de perles qui caressait de leur chair sa peau dorée. À droite et à gauche du lit se tenaient deux esclaves, l'un blanc et l'autre noir, armés d'un glaive nu et d'une pique d'acier. Au pied du lit, il y avait une table de marbre sur laquelle ces paroles étaient gravées :

« Je suis la vierge Tadmor, fille du roi des Amalécites. Cette ville est ma ville ! Toi qui as pu pénétrer jusqu'ici, voyageur, tu peux emporter tout ce qui plaît à ton désir. Mais prends garde d'oser, attiré par mes charmes et la volupté, porter sur moi une main violatrice ! »

Lorsque l'émir Moussa fut revenu de l'émotion que lui avait causée la vue de l'adolescente endormie, il dit à ses compagnons : « Il est temps que nous nous éloignions de ces lieux, maintenant que nous avons vu toutes ces choses étonnantes, et que nous allions vers la mer pour essayer de trouver les vases de cuivre. Vous pouvez toutefois prendre dans ce palais tout ce qui vous tente ; mais gardez-vous de porter la main sur la fille du roi ou de toucher à ses vêtements…

À ce moment de sa narration, Schahrazade vit apparaître le matin et se tut discrètement.

Mais lorsque fut la trois cent quarante-sixième nuit. Elle dit :

… Mais gardez-vous de porter la main sur la fille du roi ou de toucher à ses vêtements ! »

Alors Taleb ben-Sehl dit : « Ô notre émir, rien dans ce palais ne peut se comparer à la beauté de cette adolescente. Ce serait dommage de la laisser là au lieu de l'emporter à Damas pour l'offrir au khalifat. Ce cadeau vaudrait mieux que tous les vases d'éfrits de la mer ! » L'émir Moussa répondit : « Nous ne pouvons toucher à la princesse. Ce serait l'offenser et attirer sur nous les calamités ! » Mais Taleb s'écria : « Ô notre émir, les princesses ne s'offensent jamais de telles violences, qu'elles soient vivantes ou endormies ! » Et, ayant dit ces paroles, il s'approcha de l'adolescente et voulut l'enlever dans ses bras. Mais soudain il tomba mort, transpercé par les sabres et les piques des deux esclaves qui le frappèrent en même temps sur la tête et dans le cœur.

À cette vue, l'émir Moussa ne voulut point stationner un moment de plus dans ce palais et ordonna à ses compagnons d'en sortir à la hâte pour prendre le chemin de la mer. Lorsqu'ils furent arrivés sur le rivage, ils virent une quantité d'hommes noirs occupés à sécher leurs filets de pêche, et qui leur rendirent, en arabe, leurs salams selon la formule musulmane. Et l'émir Moussa dit à celui qui était le plus âgé d'entre eux et paraissait être le chef : « Ô vénérable cheikh, nous venons de la part de notre maître le khalifat Abdalmalek ben-Merwân chercher dans cette mer des vases où se trouvent des éfrits du temps du prophète Soleïmân ! Peux-tu nous aider dans nos recherches, et nous expliquer le mystère de cette ville où tous les êtres sont sans mouvement ? » Le vieillard répondit : « Mon fils, sache d'abord que nous tous ici, les pêcheurs de ce rivage, nous sommes des croyants à la parole d'Allah et à celle de son Envoyé (sur lui la prière et la paix) ; mais tous ceux qui se trouvent dans cette Ville d'airain sont enchantés depuis l'Antiquité, et resteront dans cet état jusqu'au jour du Jugement. Mais pour ce qui est des vases où se trouvent les éfrits, rien n'est plus facile que de vous les procurer, puisque nous en avons là une provision dont nous nous servons, une fois débouchés, pour faire cuire nos poissons et nos aliments. Nous pouvons vous en donner tant que vous voudrez. Seulement il est nécessaire, avant de les déboucher, de les faire résonner en les frappant avec les mains et d'obtenir de ceux qui les habitent le serment de reconnaître la vérité de la mission de notre prophète Môhammad, pour qu'ils rachètent leur faute première et leur rébellion contre la suprématie de Soleïmân ben-Daoud ! » Puis il ajouta : « Quant à nous, nous voulons également vous donner, comme preuve de notre fidélité à notre maître à tous, l'émir des Croyants, deux Filles de la Mer, que nous avons pêchées aujourd'hui même et qui sont plus belles que toutes les filles des hommes ! »

Et, ayant dit ces paroles, le vieillard remit à l'émir Moussa douze vases de cuivre, scellés de plomb au sceau de Soleïmân, et les deux Filles de la Mer qui étaient deux merveilleuses créatures aux longs cheveux ondulés comme les vagues, à la figure de lune, et aux seins admirables et arrondis et durs comme les galets marins ; mais elles manquaient à partir du nombril des somptuosités charnues qui d'ordinaire sont l'apanage des filles des hommes, et les remplaçaient par un corps de poisson qui se mouvait de droite et de gauche avec les mêmes mouvements que font les femmes quand elles voient qu'on fait attention à leur démarche. Leur voix était fort belle et leur sourire charmant, mais, elles aussi, ne comprenaient et ne parlaient aucun des langages connus, et se contentaient seulement, à toutes les questions qu'on leur adressait, de répondre par le sourire de leurs yeux.

L'émir Moussa et ses compagnons ne manquèrent pas de remercier le vieillard pour sa généreuse bonté et l'invitèrent, lui et tous les pêcheurs qui étaient avec lui, à quitter ce pays et à les accompagner au pays des musulmans, à Damas la ville des fleurs, des fruits et des eaux douces. Le vieillard et les pêcheurs acceptèrent l'offre et tous ensemble revinrent d'abord à la Ville d'Airain où ils prirent tout ce qu'ils purent emporter en choses précieuses, en joyaux, en or, et tout ce qui était léger de poids et lourd de prix. Ils redescendirent, ainsi chargés, des murailles d'airain, remplirent leurs sacs et leurs caisses à provisions de ce butin inouï, et reprirent la route de Damas, où ils arrivèrent en sécurité au bout d'un long voyage sans incidents.

Le khalifat Abdalmalek fut charmé à la fois et émerveillé du récit que lui fit l'émir Moussa de cette aventure, et s'écria : « Mon regret est extrême de n'avoir pas été avec vous à cette Ville d'Airain. Mais, avec la permission d'Allah, j'irai moi-même bientôt admirer ces merveilles et essayer d'éclaircir le mystère de cet enchantement ! » Puis il voulut ouvrir de sa propre main les douze vases de cuivre. Il les ouvrit donc l'un après l'autre. Et chaque fois il en sortait une fumée fort dense qui se muait en un éfrit épouvantable, lequel se jetait aux pieds du khalifat et s'écriait : « Je demande pardon à Allah et à toi de ma rébellion ô notre maître Soleïmân ! » Et il disparaissait à travers le plafond, à la surprise de tous les assistants.

Le khalifat fut ensuite non moins émerveillé de la beauté des deux Filles de la Mer. Leur sourire et leur voix et leur langage inconnu ne manquèrent pas de le toucher et de l'émouvoir. Il les fit placer dans un grand bassin, où elles vécurent quelque temps et finirent par mourir de consomption et de chaleur.

Quant à l'émir Moussa, il obtint du khalifat la permission de se retirer à Jérusalem la Sainte pour y passer le reste de sa vie dans la méditation des paroles anciennes qu'il avait pris soin de transcrire sur ses parchemins. Et il mourut dans cette ville, après avoir été l'objet de la vénération de tous les Croyants qui vont encore visiter la koubba où il repose dans la paix et la bénédiction du Très-Haut !

Et telle est, ô Roi fortuné, continua Schahrazade, l'histoire de la Ville d'Airain !

Alors le roi Schahriar dit : « Ce récit, Schahrazade, est vraiment prodigieux ! » Elle dit : « Oui, ô Roi ! mais je ne veux pas laisser passer cette nuit sans te raconter une histoire tout à fait gentille qui arriva à Ibn Al-Mansour ! » Et le roi Schahriar, étonné, dit : « Mais qui est cet Ibn Al-Mansour-là ? Je ne le connais point ! » Alors Schahrazade, avec un sourire, dit : « Voici ! »

HISTOIRE D'IBN AL-MANSOUR AVEC LES DEUX ADOLESCENTES

Il est déjà venu à notre connaissance, ô Roi fortuné, que le khalifat Haroun Al-Rachid souffrait de fréquentes insomnies provoquées par les soucis que lui causait son royaume. Or, une nuit, il eut beau se tourner dans son lit tantôt sur un côté et tantôt sur l'autre, il ne put réussir à s'assoupir ; et même il fut bien fatigué de l'inutilité de ses tentatives. Il repoussa alors violemment du pied les couvertures et, frappant dans ses mains, il appela Massrour, son porte-glaive, qui veillait toujours à la porte, et lui dit : « Massrour, trouve-moi un moyen de me distraire puisque je ne puis arriver à m'assoupir ! » Il répondit : « Mon seigneur, rien n'égale les promenades nocturnes pour calmer l'âme et assoupir les sens ! Dehors la nuit est belle dans le jardin. Nous descendrons parmi les arbres, parmi les fleurs ; et nous contemplerons les étoiles et leurs incrustations magnifiques, et nous admirerons la beauté de la lune qui lentement s'avance au milieu d'elles et descend jusqu'au fleuve se baigner dans l'eau. » Le khalifat dit : « Massrour, mon âme ne souhaite point voir ces choses, cette nuit ! » Il reprit : « Mon seigneur, tu as dans ton palais trois cents secrètes ; et chaque secrète a, pour elle seule, un pavillon. J'irai les prévenir toutes d'être prêtes ; et alors tu viendras derrière les rideaux de chaque pavillon et tu admireras chacune d'elles dans sa simple nudité, d'autant mieux que tu ne trahiras pas ta présence ! » Le khalifat dit : « Massrour, ce palais est mon palais, et ces jeunes femmes sont ma propriété ; mais mon âme, ce soir, ne souhaite rien de tout cela ! » Il reprit : « Mon seigneur, ordonne et je ferai s'assembler entre tes mains les savants, les sages et les poètes de Bagdad. Les sages te diront de belles sentences ; les savants te mettront au courant de leurs découvertes dans les annales ; et les poètes te charmeront l'esprit de leurs rythmes en vers ! » Le khalifat répondit : « Massrour, mon âme ne souhaite rien de tout cela, ce soir ! » Il reprit : « Mon seigneur, dans ton palais il y a de charmants échansons et de délicieux jeunes gens agréables à voir. Je vais, si tu me l'ordonnes, les faire venir pour qu'ils te tiennent compagnie ! » Le khalifat répondit : « Massrour, mon âme ne souhaite rien de tout cela, ce soir ! » Massrour dit : « Mon seigneur, alors coupe-moi la tête ! Ce sera peut-être le seul moyen de dissiper ton ennui…

À ce moment de sa narration, Schahrazade vit apparaître le matin et se tut discrètement.

Mais lorsque fut la trois cent quarante-septième nuit. Elle dit :

… Mon seigneur, alors coupe-moi la tête ! Ce sera peut-être alors le seul moyen de dissiper ton ennui ! » À ces paroles, Al-Rachid se mit à rire aux éclats ; puis il dit : « Eh, Massrour, cela peut-être t'arrivera un jour ! Mais à présent va voir s'il y a encore dans la salle d'entrée quelqu'un de vraiment agréable à voir et à écouter ! »

Aussitôt Massrour sortit exécuter l'ordre, et revint bientôt en disant au khalifat : « Ô émir des Croyants, je n'ai trouvé dehors que ce vieux mauvais sujet d'Ibn Al-Mansour ! » Et Al-Rachid demanda : « Quel Ibn Al-Mansour ? Est-ce bien Ibn Al-Mansour de Damas ? » Le chef des eunuques dit : « Lui-même, le vieux malicieux ! » Al-Rachid dit : « Fais-le vite entrer ! » Et Massrour introduisit Ibn Al-Mansour qui dit : « Le salam sur toi, ô émir des Croyants ! » Il lui rendit le salam et dit : « Ya Ibn Al-Mansour, mets-moi au courant d'une de tes aventures ! » Il répondit : « Ô émir des Croyants, dois-je t'entretenir d'une chose que j'aie vue par moi-même ou d'une chose que j'aie entendue seulement ? » Le khalifat répondit : « Si tu as vu quelque chose de tout à fait étonnant hâte-toi de m'en parler, car les choses que l'on a vues sont de beaucoup préférables à celles qu'on a seulement entendu raconter ! » Il dit : « Alors, ô émir des Croyants, donne-moi toute ton ouïe et une attention sympathique ! » Le khalifat répondit : « Ya Ibn Al-Mansour, me voici prêt à t'écouter de mon oreille, à te voir de mon œil et à te donner une attention d'un cœur sympathique ! » Alors Ibn Al-Mansour dit :

« Sache, ô émir des Croyants, que chaque année j'allais à Bassra passer quelques jours auprès de l'émir Môhammad Al-Haschami, ton lieutenant dans cette ville. Une année, j'allai donc à Bassra, selon mon habitude, et, en arrivant au palais, je vis l'émir qui était sur le point de monter à cheval pour aller à la chasse à courre. Lorsqu'il me vit, il ne manqua pas, après les salams de bienvenue, de m'inviter à l'accompagner ; mais je lui dis : « Excuse-moi, seigneur ; car vraiment la vue seule d'un cheval m'arrête la digestion, et c'est tout au plus si je sais me tenir à âne. Je ne puis aller à la chasse à courre à dos d'âne ! » L'émir Môhammad m'excusa, mit à ma disposition tout le palais et chargea ses officiers de me servir avec tous les égards, et de ne me laisser manquer de rien durant tout mon séjour. Et c'est ce qu'ils firent.

« Lorsqu'il fut parti, moi je me dis : « Par Allah ! Ya Ibn Al-Mansour, voici des années et des années que tu viens régulièrement de Bagdad à Bassra, et jusqu'aujourd'hui tu t'es contenté, pour toutes promenades en ville, d'aller du palais au jardin et du jardin au palais. Cela n'est pas suffisant pour ton instruction. Va donc, maintenant que tu en as tout le loisir, essayer de voir quelque chose d'intéressant par les rues de Bassra. D'ailleurs il n'y a rien de préférable à la marche pour aider à la digestion ; et ta digestion est bien lourde ; et tu engraisses et tu te gonfles comme une outre ! » Alors moi j'obéis à la voix de mon âme offusquée de mon embonpoint, et sur l'heure je me levai, je mis mes plus beaux habits, et sortis du palais pour errer un peu, de-ci, de-là, à l'aventure.

« Or tu sais bien, ô émir des Croyants, qu'il y a dans Bassra soixante-dix rues, et que chaque rue est longue de soixante-dix parasanges en mesure de l'Irak. Aussi moi, au bout d'un certain temps, je me vis soudain perdu au milieu de tant de rues, et, dans ma perplexité, je me mis à marcher plus vite, n'osant pas demander ma route de peur d'être tourné en ridicule. Cela fit que je me mis à transpirer beaucoup ; et j'eus également bien soif ; et je crus que le soleil terrible allait indubitablement liquéfier la graisse sensible de ma peau.

« Je me hâtai alors de prendre la première ruelle de traverse pour chercher à me mettre un peu à l'ombre, et j'arrivai de la sorte dans un cul-de-sac où se trouvait l'entrée d'une grande maison de fort belle apparence. Cette entrée était à moitié cachée par une portière en soie rouge, et donnait sur un grand jardin qui précédait la maison. De chaque côté, il y avait un banc de marbre ombragé par le feuillage d'une vigne grimpante, et qui m'invita à m'y asseoir pour prendre haleine.

« Pendant que je m'essuyais le front et soufflais de chaleur, j'entendis venir du jardin une voix de femme qui chantait ces paroles sur un air plaintif :

« Depuis le jour où m'a quittée mon jeune daim, mon cœur est devenu l'asile de la douleur.

Est-ce donc, comme il le prétend, une faute si lourde de se laisser aimer par les jeunes filles ? »

« La voix qui chantait était si belle et je fus tellement intrigué par ces paroles que je dis en mon âme : « Si la propriétaire de cette voix est aussi belle que ce chant me le donne à croire, elle est une bien merveilleuse créature ! » Alors moi je me levai et m'approchai de l'entrée dont je relevai tout doucement le rideau ; petit à petit je regardai, de façon à ne pas donner l'éveil. Et j'aperçus, au milieu du jardin deux adolescentes dont l'une semblait être la maîtresse et l'autre l'esclave. Et toutes deux étaient extraordinaires de beauté. Mais la plus belle était celle justement qui chantait ; et l'esclave l'accompagnait du luth. Et moi je crus voir la lune elle-même descendue dans le jardin, à son quatorzième jour ; et je me rappelai, à son sujet, ces vers du poète :

« Babylone la voluptueuse brille dans ses yeux qui tuent par leurs cils recourbés plus sûrement que les grandes épées et le fer trempé des lances.

Quand retombent ses cheveux noirs sur son cou de jasmin, je me demande si c'est la nuit qui vient la saluer !

Mais sur sa poitrine sont-ce deux petites gourdes d'ivoire ou des grenades ou ses seins ? Et sous sa chemise qu'est-ce qui ondule ainsi ? Est-ce sa taille ou du sable mouvant ? »

« Et elle me fit également penser à ces vers du poète :

« Ses paupières sont deux pétales de narcisse ; son sourire est comme l'aurore ; sa bouche est scellée par deux rubis – ses lèvres délicieuses ; et tous les jardins du paradis dodelinent sous sa tunique. »

« Alors moi, ô émir des Croyants, je ne pus m'empêcher de m'exclamer : « Ya Allah ! ya Allah ! » et je restai là, immobile, mangeant et buvant des yeux des charmes si miraculeux. Aussi l'adolescente, ayant tourné la tête de mon côté, m'aperçut et vivement abaissa son petit voile de visage ; puis, avec tous les signes d'une grande indignation, dépêcha vers moi la jeune esclave, la joueuse de luth, qui accourut et, après m'avoir dévisagé, me dit : « Ô cheikh, n'as-tu pas honte de regarder ainsi les femmes dans leur maison ? Et ta vieillesse et ta barbe blanche ne te conseillent-elles donc pas le respect des choses honorables ? » Je répondis, à haute voix de façon à être entendu de l'adolescente assise : « Ô ma maîtresse, tu as raison, ma vieillesse est notoire, mais pour ce qui est de ma honte, c'est autre chose…

À ce moment de sa narration, Schahrazade vit apparaître le matin et, discrète, se tut.

Mais lorsque fut la trois cent quarante-huitième nuit. Elle dit :

… Mais pour ce qui est de ma honte, c'est autre chose ! »

« Lorsque l'adolescente eut entendu ces paroles, elle se leva et vint rejoindre son esclave pour me dire, émue à l'extrême : « Hé, y a-t-il donc honte plus grande sur tes cheveux blancs, ô cheikh, que l'action de t'arrêter avec une telle impudence à la porte d'un harem qui n'est pas ton harem, et d'une demeure qui n'est pas ta demeure ? » Je m'inclinai et répondis : « Par Allah ! ô ma maîtresse, la honte sur ma barbe n'est pas considérable, je le jure sur ta vie ! Mon intrusion ici a une excuse ! » Elle demanda : « Et quelle est ton excuse ? » Je répondis : « Je suis un étranger altéré par une soif dont je vais mourir ! » Elle répondit : « Nous acceptons cette excuse, car, par Allah ! elle est valable ! » Et aussitôt elle se tourna vers sa jeune esclave et lui dit : « Ma gentille, cours vite lui chercher à boire ! »

« La petite disparut pour revenir au bout d'un moment avec une tasse en or sur un plateau et un foulard de soie verte. Elle m'offrit la tasse qui était remplie d'eau fraîche parfumée agréablement au musc pur. Moi je la pris et me mis à boire fort lentement et à longs traits en jetant à la dérobée des regards admiratifs à l'adolescente principale, et des regards notoirement reconnaissants à toutes les deux. Au bout d'un certain temps de ce manège, je rendis la tasse à la jeune fille qui m'offrit alors la serviette de soie en m'invitant à m'essuyer la bouche. Je m'essuyai la bouche, je lui rendis la serviette qui était délicieusement parfumée au sandal, et je ne bougeai pas de ma place.

« Lorsque la belle adolescente vit mon immobilité dépasser les limites permises, elle me dit d'un ton gêné : « Ô cheikh, qu'attends-tu encore pour t'en retourner en ta voie sur le chemin d'Allah ? » Je répondis d'un air songeur : « Ô ma maîtresse, j'ai des pensées qui me préoccupent l'esprit extrêmement, et tu me vois plongé dans des réflexions que je ne puis arriver à résoudre par moi-même ! » Elle me demanda : « Et quelles sont ces réflexions ? » Je dis : « Ô ma maîtresse, je réfléchis au revers des choses et à la marche des événements qui sont les fruits du temps ! » Elle me répondit : « Certes, ce sont là de graves pensées, et nous avons tous à déplorer quelque méfait du temps ! Mais toi, ô cheikh, qu'est-ce qui a pu t'inspirer de pareilles réflexions à la porte de notre maison ? » Je dis : « Justement, ô ma maîtresse, je pensais au maître de cette maison ! Je me le rappelle bien maintenant ! Il m'avait dit autrefois demeurer dans cette ruelle composée d'une seule maison avec jardin. Oui, par Allah ! le propriétaire de cette maison était mon meilleur ami ! » Elle me demanda : « Alors tu dois bien te rappeler le nom de ton ami ? » Je dis : « Certes, ô ma maîtresse ! Il s'appelait Ali ben-Môhammad, et était le syndic respecté de tous les bijoutiers de Bassra ! Il y a des années que je l'ai perdu de vue, et je pense qu'il est maintenant dans la miséricorde d'Allah ! Permets-moi, ô ma maîtresse, de te demander s'il a laissé de la postérité ? »

« À ces paroles, les yeux de l'adolescente se mouillèrent de larmes, et elle dit : « Que la paix et les grâces d'Allah soient sur le syndic Ali ben-Môhammad ! Sache, ô cheikh, puisque tu as été son ami, que le défunt syndic a laissé une fille nommée Badr, comme seule descendance. Et c'est elle qui est l'unique héritière de ses biens et de ses immenses richesses ! » Moi je m'écriai : « Par Allah ! la fille bénie de mon ami ne peut être que toi-même, ô ma maîtresse ! » Elle sourit et répondit : « Par Allah ! tu l'as deviné ! » Je dis : « Qu'Allah accumule sur toi ses bénédictions, ô fille d'Ali ben-Môhammad ! Mais, autant que j'en puis juger à travers la soie qui te voile le visage, ô lune, il me semble que tes traits sont empreints d'une grande tristesse ! Ne crains pas de m'en révéler la cause ; car peut-être qu'Allah m'envoie pour que j'essaie de porter remède à cette douleur qui altère ta beauté ! » Elle répondit : « Mais comment puis-je te parler de ces choses intimes, puisque tu ne m'as encore dit ni ton nom ni ta qualité ! » Je m'inclinais et répondis : « Je suis ton esclave Ibn Al-Mansour, de Damas, un de ceux que notre maître le khalifat Haroun Al-Rachid honore de son amitié et a choisis comme ses compagnons intimes ! »

« À peine eus-je prononcé ces paroles, ô émir des Croyants, que Sett Badr me dit : « Sois le bienvenu dans ma maison, ô cheikh Ibn Al-Mansour, et puisses-tu trouver ici l'hospitalité large et amicale ! » Et elle m'invita à l'accompagner et à entrer m'asseoir dans la salle de réception.

« Alors tous trois nous entrâmes dans la salle de réception, au fond du jardin, et lorsque nous fûmes assis, et, après les rafraîchissements d'usage, qui furent exquis, Sett Badr me dit : « Puisque tu veux, ô cheikh Ibn Al-Mansour, savoir la cause de la peine que tu as devinée sur mes traits, promets-moi le secret et la fidélité ! » Je répondis : « Ô ma maîtresse, le secret est dans mon cœur comme dans un coffret d'acier dont la clef est introuvable ! » Elle me dit alors : « Écoute donc mon histoire, ô cheikh ! » Et, après que la jeune esclave, si gentille, m'eut encore offert une cuillerée de confiture de roses, Sett Badr dit :

« Sache, ô Ibn Al-Mansour, que je suis amoureuse et que mon amoureux est loin de moi ! Voilà toute mon histoire ! »

« Et Sett Badr, après ces paroles, poussa un grand soupir et se tut. Et moi je lui dis : « Ô ma maîtresse, tu es douée de la beauté parfaite, et celui que tu aimes doit être parfaitement beau ! Comment s'appelle-t-il ? » Elle me dit : « Oui, Ibn Al-Mansour, mon amoureux est, comme tu l'as dit, parfaitement beau. C'est l'émir Jobaïr, chef de la tribu des Bani-Schaïbân. Il est sans aucun doute l'adolescent le plus admirable de Bassra et de l'Irak ! » Je dis : « Ô ma maîtresse, il ne peut en être autrement. Mais votre mutuel amour a-t-il été en paroles seulement, ou bien vous en êtes-vous donné des preuves intimes par diverses rencontres prolongées ou riches de conséquences ? » Elle dit : « Certes, nos rencontres eussent été riches de conséquences, si leur longue durée eût pu suffire à lier les cœurs ! Mais l'émir Jobaïr m'a été infidèle sur un simple soupçon ! »

« À ces paroles, ô émir des Croyants, moi je m'écriai : « Hé ! peut-on soupçonner le lys d'aimer la boue si la brise l'incline vers le sol ! Même si les soupçons de l'émir Jobaïr sont fondés, ta beauté est l'excuse vivante, ô ma maîtresse ! » Elle sourit et me dit encore : « Encore, ô cheikh, s'il s'était agi d'un homme ! Mais l'émir Jobaïr m'accuse d'aimer une jeune fille, celle-ci même qui est sous tes yeux, la gentille, la douce qui nous sert ! » Je m'écriai : « J'en demande pardon à Allah pour l'émir, ô ma maîtresse ! Que le Malin soit confondu ! Et comment les femmes peuvent-elles s'entr'aimer ? Mais veux-tu, du moins, me dire sur quoi l'émir a fondé ses soupçons ? » Elle répondit :

« Un jour, après avoir pris mon bain dans le hammam de ma maison, je m'étais étendue sur ma couche et livrée aux mains de mon esclave favorite, cette jeune fille que voici, pour les soins de ma toilette et pour me faire peigner les cheveux. La chaleur était suffocante et mon esclave, pour me donner de la fraîcheur, avait fait glisser les grandes serviettes qui drapaient mes épaules et couvraient mes seins et s'était mise à arranger les tresses de ma chevelure. Lorsqu'elle eut fini, elle me regarda et, m'ayant trouvée belle ainsi, elle m'entoura le cou de ses bras, et me baisa sur la joue en me disant : « Ô ma maîtresse, je voudrais être un homme pour t'aimer encore plus que je ne fais ! » Et, par mille jeux aimables, elle essayait de m'amuser, la gentille. Et voici que juste à ce moment entra l'émir ; il nous jeta à toutes deux un regard singulier, et ressortit brusquement, pour m'envoyer quelques instants après un billet sur lequel ces mots étaient tracés : « L'amour ne peut rendre heureux que lorsqu'il est sans partage ! » Et depuis ce jour-là je ne l'ai plus revu ; et il n'a jamais voulu m'envoyer de ses nouvelles, ya Ibn Al-Mansour ! »

« Alors moi je lui demandai : « Mais vous étiez-vous unis par un contrat de mariage ? » Elle répondit : « Et pour quoi faire, un contrat ? Nous n'étions unis que par notre volonté, sans l'intervention du kâdi et des témoins ! » Je dis : « Alors, ô maîtresse, si tu veux me le permettre, moi je veux être le trait d'union entre vous deux, simplement pour le plaisir de savoir de nouveau ensemble deux êtres de choix ! » Elle s'écria : « Béni soit Allah qui nous a mis sur ta route, ô cheikh au visage blanc ! Ne crois pas que tu vas obliger une personne oublieuse qui ignore le prix des bienfaits ! Je vais donc sur l'heure écrire de ma main à l'émir Jobaïr une lettre que tu lui remettras en tâchant de lui faire entendre raison. » Et elle dit à sa favorite : « Ma gentille, apporte-moi l'encrier et une feuille de papier ! » Elle les lui apporta, et Sett Badr écrivit :

« Mon bien-aimé, pourquoi cette durée dans la séparation ? Ne sais-tu pas que la douleur bannit le sommeil loin de mes yeux, et que ton image, lorsqu'en songe elle m'apparaît, n'est plus reconnaissable, tant elle est altérée ?

Dis ! je t'en conjure, pourquoi avoir laissé ta porte ouverte à mes calomniateurs ? Lève-toi, secoue la poussière des mauvaises pensées, et reviens-moi sans délai ! Quel jour de fête pour nous deux, celui qui verra notre réconciliation ! »

Lorsqu'elle eut fini d'écrire cette lettre, elle la plia, la cacheta, et me la remit…

À ce moment de sa narration, Schahrazade vit apparaître le matin et se tut discrètement.

Mais lorsque fut la trois cent cinquantième nuit. Elle dit :

… Lorsqu'elle eut finit d'écrire cette lettre, elle la plia, la cacheta et me la remit ; et, en même temps, elle glissa dans ma poche, sans me donner le temps de l'en empêcher, une bourse qui contenait mille dinars d'or et que je me décidai à garder en souvenir des bons offices qu'autrefois j'avais rendus au digne syndic, son défunt père, et en prévision de l'avenir. Je pris alors congé de Sett Badr et je me dirigeai vers la demeure de Jobaïr, émir des Bani-Schaïbân, dont j'avais également connu le père, mort depuis de longues années.

« Lorsque j'arrivai au palais de l'émir Jobaïr, on m'apprit qu'il était également à la chasse ; et j'attendis son retour. Il ne tarda pas à arriver et, dès qu'il eut appris mon nom et mes titres, il me fit prier d'accepter son hospitalité et de considérer sa maison comme la mienne propre. Et lui-même vint bientôt me recevoir en personne.

« Or moi, ô émir des Croyants, en constatant la beauté accomplie du jeune homme, je demeurai interdit, et je sentis ma raison me quitter définitivement. Et lui, en voyant que je ne bougeais pas, crut que c'était la timidité qui me retenait, et il vint vers moi en me souriant et, selon l'usage, m'embrassa ; et moi aussi je l'embrassai, et crus à ce moment embrasser le soleil, la lune et l'univers entier avec tout son contenu. Et, comme le temps était venu de nous restaurer, l'émir Jobaïr me prit par le bras et me fit m'asseoir à côté de lui sur le matelas. Et aussitôt les esclaves apportèrent devant nous la table.

« C'était une table couverte de vaisselle du Khorassân, en or et en argent, et de tous les mets frits ou rôtis que le palais, le nez et les yeux pouvaient souhaiter, vraiment. Il y avait là, entre autres choses admirables, des oiseaux farcis de pistaches et de raisins, et des poissons assis sur des galettes soufflées, et surtout une salade de pourpier dont le seul aspect me remplissait d'eau la bouche. Je ne parle pas des autres choses, par exemple un merveilleux riz à la crème de buffle, où j'eusse voulu plonger ma main jusqu'au coude, ni de la confiture de carottes aux noix, que j'aime tant – oh ! celle-ci, je n'en doute pas, me fera mourir quelque jour –, ni des fruits, ni des boissons.

« Pourtant, ô émir des Croyants, je le jure sur la noblesse de tes ancêtres ! moi je comprimai les sollicitations de mon âme, et je ne pris pas une bouchée. Au contraire ! j'attendis que mon hôte m'eût invité beaucoup à tendre la main, et je lui dis : « Par Allah ! j'ai fait vœu de ne toucher à aucun des mets de ton hospitalité, émir Jodaïr, avant que tu n'aies accédé à une prière qui est l'objet même de ma visite dans ta maison ! » Il me demanda : « Puis-je au moins savoir, ô mon hôte, avant de m'engager à une chose si grave et qui risque de te faire renoncer à mon hospitalité, quel est l'objet de cette visite ? » Moi, pour toute réponse, je tirai de mon sein la lettre et la lui tendis.

« Il la prit, l'ouvrit et la lut. Mais aussitôt il la déchira, en jetant les morceaux à terre, les piétina et me dit : « Ya Ibn Al-Mansour ! demande-moi tout ce que tu veux, et cela te sera accordé à l'instant. Mais ne me parle pas du sujet de cette lettre, à laquelle je n'ai aucune réponse à faire ! »

« Alors moi je me levai sur l'heure et voulus m'en aller ; mais il me retint en s'attachant à mes vêtements, et me supplia de rester, en me disant : « Ô mon hôte ! si tu savais le motif de mon refus, tu n'insisterais pas un instant de plus ! D'ailleurs, ne crois point que tu sois le premier auquel on aurait confié une pareille mission ! Et, si tu veux, je vais te dire exactement les paroles qu'elle t'a chargé de me répéter ! » Et aussitôt il me répéta les paroles en question, absolument comme s'il avait été là au moment où on les avait prononcées. Puis il ajouta : « Crois-moi ! Ne t'occupe plus de cette affaire-là ! Et reste te reposer dans ma maison tant que le souhaitera ton âme ! »

« Ces paroles me décidèrent à rester. Et je passai le reste de la journée et toute la soirée à manger, à boire et à m'entretenir avec l'émir Jobaïr. Cependant comme je n'entendais pas de chants ni de musique, je m'étonnai de constater cette exception à des usages si établis dans les festins ; et je me décidai à la fin à en témoigner ma surprise au jeune émir. Je vis aussitôt son visage s'assombrir et je remarquai en lui une grande gêne ; puis il me dit : « Depuis longtemps j'ai supprimé les chants et la musique de mes festins. Toutefois, puisque tel est ton désir, je vais te satisfaire ! » Et à l'instant il fit appeler une de ses esclaves qui vint avec un luth indien enveloppé d'un étui de satin, et s'assit devant nous pour aussitôt préluder sur vingt et un tons différents. Elle revint ensuite au premier ton, et chanta :

« Les filles du destin, les cheveux défaits, pleurent et gémissent dans la douleur, ô mon âme !

La table est pourtant chargée des mets les plus exquis, les roses sont odorantes, les narcisses nous sourient et l'eau rit dans le bassin.

Ô mon âme, âme triste, arme-toi de courage. Un jour l'espoir, de nouveau, luira dans les yeux, et tu boiras à la coupe du bonheur ! »

« Elle passa ensuite à un ton plus plaintif, et chanta :

« Celui qui n'a pas savouré les délices de l'amour et goûté son amertume ne sait ce qu'il perd par la perte d'un ami !

Celui que n'ont pas atteint les blessures de l'amour ne peut savoir les tourments délectables qu'elles procurent.

Où sont les nuits heureuses aux côtés de mon ami, nos jeux aimables, nos lèvres unies, le miel de sa salive ! Ah ! douceur ! Ah ! douceur !

Nos nuits jusqu'au matin, nos jours jusqu'au soir ! Ô passé ! que faire contre les décrets d'un destin farouche, ô cœur brisé ! »

« À peine la chanteuse eut-elle laissé expirer ces dernières plaintes, que je vis mon jeune hôte tomber évanoui en poussant un cri douloureux. Et l'esclave me dit : « Ô cheikh, c'est ta faute ! Car il y a longtemps que nous évitons de chanter devant lui, à cause de l'état d'émotion où cela le met et de l'agitation que lui procure tout poème sur l'amour ! » Et moi j'eus beaucoup de regret d'avoir été la cause d'un ennui pour mon hôte et, sur l'invitation de l'esclave, je me retirai dans ma chambre, pour ne point le gêner davantage par ma présence.

« Le lendemain, au moment où je me disposais à partir et où je priais l'un des serviteurs de transmettre à son maître mes remerciements pour cette hospitalité, un esclave vint qui me remit une bourse de mille dinars de la part de l'émir, en me priant de l'accepter pour le dérangement, et en me disant qu'il était chargé de recevoir mes adieux. Alors moi, n'ayant guère réussi dans mon ambassade, je quittai la maison de Jobaïr et retournai vers celle dont j'étais l'envoyé.

« En arrivant au jardin, je trouvai Sett Badr à la porte qui m'attendait, et qui, sans me donner le temps d'ouvrir la bouche, me dit : « Ya Ibn Al-Mansour, je sais que tu n'as guère réussi dans ta mission ! » Et elle me fit, point par point, le récit de tout ce qui s'était passé entre moi et l'émir Jobaïr, et si exactement que je supposai à sa solde des espions qui lui rendaient compte de ce qui pouvait l'intéresser. Pourtant je lui demandai : « Comment se fait-il, ô ma maîtresse, que tu sois si bien informée ? Étais-tu donc là même, sans que l'on t'ait aperçue ? » Elle me dit : « Ya Ibn Al-Mansour, sache que les cœurs des amants ont des yeux qui voient ce que les autres ne peuvent soupçonner ! Mais tu n'es pour rien dans le refus, je le sais. C'est ma destinée ! » Puis elle ajouta, en levant les yeux au ciel : « Ô Seigneur, maître des cœurs, souverain des âmes, fais que désormais je sois aimée sans jamais aimer ! Fais que ce qui reste d'amour en ce cœur pour Jobaïr soit déversé, pour son tourment, dans le cœur de Jobaïr ! Fais qu'il revienne me supplier de l'écouter, et donne-moi de le faire souffrir ! »

« Après quoi, elle me remercia pour ce que j'avais voulu faire pour elle, et me donna congé. Et moi je retournai au palais de l'émir Môhammad, et de là je revins à Bagdad.

« Or l'année suivante je dus, selon mon habitude, aller de nouveau à Bassra pour mes affaires ; car je dois te dire, ô émir des Croyants, que l'émir Môhammad était mon débiteur, et je n'avais que ce moyen de voyages réguliers pour arriver à lui faire payer l'argent qu'il me devait. Or moi, le lendemain de mon arrivée, je me dis : « Par Allah ! il me faut savoir la suite de l'aventure des deux amants ! » Et je me rendis d'abord à la maison de Sett Badr.

« Je trouvai la porte du jardin fermée et je fus affecté de la tristesse émanant du silence d'alentour. Je regardai alors, à travers le grillage de la porte, et, au milieu de l'allée, sous un saule aux branches en larmes, je vis un tombeau de marbre encore tout neuf dont je ne réussis guère, à cause de l'éloignement, à lire l'inscription funéraire. Et je me dis : « Elle n'est donc plus ! Sa jeunesse a été fauchée ! Quel dommage qu'une pareille beauté soit à jamais perdue ! Le chagrin a dû la déborder et lui noyer le cœur…

À ce moment de sa narration, Schahrazade vit apparaître le matin et se tut discrètement.

Mais lorsque fut la trois cent cinquante et unième nuit. Elle dit :

... Quel dommage qu'une pareille beauté soit à jamais perdue ! Le chagrin a dû la déborder et lui noyer le cœur ! »

« Je me décidai alors, la poitrine rétrécie d'angoisse, à me rendre au palais de l'émir Jobaïr. Là un spectacle bien plus attristant m'attendait. Tout était désert ; les murs tombaient en ruine ; le jardin était desséché et l'on n'y voyait pas trace d'un soin quelconque. La porte du palais n'était gardée par aucun esclave, et il n'y avait là pas un être vivant qui pût me renseigner sur ceux qui habitaient à l'intérieur. À ce spectacle, moi je dis en mon âme : « Lui aussi a dû mourir ! » Puis, bien triste, bien en peine, je m'assis à la porte et improvisai cette élégie :

« Ô demeure ! je m'arrête en ton seuil pour pleurer avec tes pierres au souvenir de l'ami qui n'est plus.

Où est-il, l'hôte généreux dont l'hospitalité s'étendait largement sur les voyageurs ?

Où sont les amis pleins de gaieté qui t'habitaient, palais, au temps de ta splendeur ?

Fais comme eux, toi qui passes ; mais du moins n'oublie pas les bienfaits dont les traces existent encore malgré les ruines du temps ! »

« Pendant que je me laissais aller ainsi à exprimer la tristesse qui était en moi, parut un esclave noir qui s'avança vers moi et me dit, sur un ton violent : « Tais-toi, vieux cheikh ! Puisses-tu avoir ta vie coupée ! Pourquoi dis-tu des choses funèbres à notre porte ? » Je dis : « J'improvisais simplement des vers à la mémoire d'un ami d'entre mes amis qui habitait cette maison et s'appelait Jobaïr, de la tribu des Bani-Schaïbân ! » L'esclave répliqua : « Le nom d'Allah sur lui et autour de lui ! Prie pour le Prophète, ô cheikh ! Mais pourquoi dis-tu que l'émir Jobaïr est mort ! Glorifié soit Allah ! Notre maître est toujours en vie, au sein des honneurs et des richesses ! » Moi je m'écriai : « Mais pourquoi donc cet air de tristesse épars sur la maison et le jardin ? » Il répondit : « À cause de l'amour ! L'émir Jobaïr est en vie, mais c'est comme s'il était déjà au nombre des morts ! Il est étendu sur son lit sans mouvement ; et quand il a faim il ne dit jamais : « Donnez-moi à manger ! » et quand il a soif il ne dit jamais : « Donnez-moi à boire ! »

« À ces paroles du nègre, je dis : « Va vite, par Allah sur toi ! ô visage blanc, lui faire part de mon désir de le revoir ! Dis-lui : « C'est Ibn Al-Mansour qui attend à la porte ! » Le nègre s'en alla et, au bout de quelques instants, revint me prévenir que son maître pouvait me voir. Il me fit entrer en me disant : « Je te préviens qu'il n'entendra rien de ce que tu lui diras, à moins que tu ne saches le toucher par certaines paroles ! »

« Je trouvai, en effet, l'émir Jobaïr étendu sur sa couche, le regard perdu dans le vide, le visage bien pâle et amaigri, et méconnaissable vraiment. Je le saluai aussitôt ; mais il ne me rendit pas le salam. Je lui parlai, mais il ne me répondit pas. Alors l'esclave me dit dans l'oreille : « Il ne comprend que le langage des vers ! Pas autre chose ! » Or par Allah, moi je ne demandais pas mieux, pour entrer en conversation avec lui. Je me recueillis donc un instant ; puis, d'une voix distincte, j'improvisai ces vers :

« L'amour de Sett Badr te tient-il encore à l'âme, ou as-tu trouvé le repos après les transes de la passion ?

Passes-tu toujours tes nuits dans les veilles, ou bien tes paupières connaissent-elles enfin le sommeil ?

Si tes larmes suivent encore leur cours, si tu nourris encore ton âme de désolation, sache que tu atteindras le comble de la folie ! »

Lorsqu'il entendit ces vers, il ouvrit les yeux et me dit : « Sois le bienvenu, Ibn Al-Mansour ! Les choses ont pris en moi une tournure grave ! » Je répondis aussitôt : « Puis-je au moins, seigneur, t'être de quelque utilité ? » Il dit : « Toi seul peux encore me sauver ! Mon intention est d'envoyer une lettre par ton entremise à Sett Badr, car tu es capable de lui persuader de me répondre ! » Moi je répondis : « Sur ma tête et sur mon œil ! » Alors, ranimé, il se leva sur son séant, déroula une feuille de papier sur la paume de sa main, prit un calam et écrivit :

« Ô dure bien-aimée, j'ai perdu la raison, et je roule dans le désespoir. J'avais, avant ce jour, cru chose futile l'amour, chose aisée, chose légère. Mais je vois, hélas ! par mon naufrage sur ses flots, que c'est, pour qui s'y aventure, une mer terrible et démontée. Je reviens à toi le cœur meurtri, et j'implore le pardon du passé. Aie pitié de moi, et souviens-toi de notre amour ! Si tu veux ma mort, oublie la générosité. »

« Il cacheta alors cette lettre et me la remit. Moi, bien que je fusse ignorant du sort de Sett Badr, je n'hésitai pas : je pris la lettre et me rendis au jardin. Je traversai la cour et entrai, sans avertir, dans la salle de réception.

« Or, quel ne fut point mon étonnement d'apercevoir, assises sur les tapis, dix jeunes esclaves blanches au milieu desquelles se trouvait, pleine de vie et de santé, mais en habits de deuil, Sett Badr, tel un pur soleil, devant mes regards étonnés. Je me hâtai pourtant de l'incliner en lui souhaitant la paix ; et elle, sitôt qu'elle m'eut vu entrer, me sourit, me rendit mon salam et me dit : « Sois le bienvenu, Ibn Al-Mansour ! Assieds-toi ! La maison est tienne ! » Alors moi je lui dis : « Que tous les malheurs soient loin d'ici, ô ma maîtresse ! Mais pourquoi te vois-je ainsi en habits de deuil ? » Elle répondit : « Oh ! ne m'interroge pas, Ibn Al-Mansour ! Elle est morte, la gentille ! Tu as pu voir, dans le jardin, la tombe où elle dort ! » Et elle fondit en larmes, tandis que toutes ses compagnes essayaient de la consoler.

« Je crus d'abord de mon devoir de garder le silence, puis je dis : « Qu'Allah l'ait en sa miséricorde ! Et qu'en retour, sur toi-même, ô ma maîtresse, soit déversé tout l'arriéré que la vie devait encore à cette jeune fille, ta douce favorite, que tu pleures ! Car c'est certainement elle-même qui est morte ! » Elle dit : « C'est elle-même, cette pauvre ! »

« Alors moi, je profitai de cet état d'attendrissement où elle était et lui remis, l'ayant tirée de ma ceinture, la lettre. E j'ajoutai : « De ta réponse, ô ma maîtresse, dépendra sa vie ou sa mort ! Car, en vérité, l'attente de cette réponse est la seule chose qui l'attache encore à la terre ! » Elle prit la lettre, l'ouvrit, la lut, sourit et dit : « Est-il donc maintenant arrivé à un tel état de passion, lui qui ne voulait même pas lire mes lettres autrefois ? Il m'a suffi depuis lors de garder le silence et d'user de dédain pour le voir me revenir plus enflammé que jamais ! » Moi je répondis : « Certes, tu as raison ! Oui, certes ! Tu as même le droit d'en parler avec plus d'amertume…

À ce moment de sa narration, Schahrazade vit apparaître le matin et, discrète, se tut.

Mais lorsque fut la trois cent cinquante-deuxième nuit. Elle dit :

... Tu as même le droit d'en parler avec plus d'amertume. Mais le pardon des torts est l'apanage des âmes généreuses. Et puis que ferais-tu dans ce palais, seule avec ta douleur, puisqu'elle est morte, la gentille amie qui te consolait par sa douceur ? » À ces paroles, je vis ses yeux se remplir de larmes, et elle-même rester songeuse pendant une heure de temps. Après quoi, elle me dit : « Ibn Al-Mansour, je crois que tu as dit vrai. Je vais lui répondre ! »

« Alors, ô émir des Croyants, elle prit du papier et écrivit une lettre dont jamais les meilleurs scribes de ton palais ne sauraient égaler l'éloquence émue. Je ne me souviens pas des termes exacts de cette lettre ; mais, en substance, il y était dit :

« Malgré le désir, ô mon amant, jamais je n'ai compris le motif de notre séparation. Il est possible, à bien réfléchir, que j'aie été fautive dans le passé. Mais le passé n'est plus, et toute jalousie doit mourir avec la victime de la Séparatrice.

Laisse-moi maintenant te mettre sous mes paupières pour reposer mes yeux mieux que ne le ferait le sommeil.

Alors ensemble nous boirons à nouveau les gorgées désaltérantes ; et, si nous nous grisons, nul ne pourra nous blâmer. »

« Puis elle cacheta cette lettre et me la remit ; et moi je lui dis : « Par Allah ! voilà de quoi apaiser la soif de l'altéré et guérir les maux de l'infirme ! » Et je me disposai à prendre congé pour aller porter la bonne nouvelle à celui qui l'attendait, quand elle m'arrêta encore pour me dire : « Ya Ibn Al-Mansour, tu peux également ajouter que cette nuit sera sur nous deux une nuit de bénédiction ! » Et moi, plein de joie, je courus chez l'émir Jobaïr, que je trouvai les yeux rivés à la porte par où je devais entrer.

« Lorsqu'il eut parcouru la lettre et en eut compris la portée, il poussa un grand cri de joie et tomba évanoui. Il ne tarda pas à revenir à lui, et me demanda, encore bien anxieux : « Dis-moi, est-ce que c'est elle-même qui a rédigé cette lettre ? Et l'a-t-elle écrite avec sa main ? » Je lui répondis : « Par Allah ! je ne savais pas jusqu'ici que l'on pût quelquefois écrire avec le pied ! »

« Or, ô émir des Croyants, moi j'avais à peine prononcé ces mots que nous entendîmes un cliquetis de bracelets derrière la porte, et un bruit de grelots et de soieries, pour, un instant après, voir apparaître l'adolescente en personne.

« Comme la joie ne peut se décrire dignement par la parole, je n'essaierai point une tentative vaine. Je te dirai seulement, ô émir des Croyants, que les deux amants coururent l'un vers l'autre et s'embrassèrent dans le ravissement, leurs bouches unies en silence.

« Lorsqu'ils sortirent de cette extase, Sett Badr resta debout en refusant de s'asseoir, malgré les instances de son ami. Cela m'étonna beaucoup et je lui en demandai la raison. Elle me dit : « Je m'assiérai seulement lorsque notre pacte sera exécuté ! » Je dis : « Quel pacte, ô ma maîtresse ? » Elle dit : « C'est un pacte qui ne regarde que les amoureux ! » Et elle se pencha vers l'oreille de son ami et lui parla à voix basse. Il répondit : « J'écoute et j'obéis ! » Et il appela un de ses esclaves auquel il donna un ordre ; et l'esclave disparut.

« Quelques instants après, je vis entrer le kâdi et les témoins qui dressèrent le contrat de mariage des deux amants, et s'en allèrent ensuite avec un cadeau de mille dinars que leur donna Sett Badr. Je voulus également me retirer, mais l'émir n'y consentit pas, me disant : « Il ne sera pas dit que tu auras seulement pris part à nos tristesses, sans partager notre joie ! » Et ils m'invitèrent à un festin qui dura jusqu'à l'aurore. Alors ils me laissèrent me retirer dans la chambre qu'ils m'avaient fait réserver.

« Le matin, à mon réveil, un petit esclave entra dans ma chambre porteur d'une cuvette et d'une aiguière, et moi je fis mes ablutions et ma prière du matin. Après quoi j'allai m'asseoir dans la salle de réception où bientôt je vis arriver, sortant encore frais du hammam, après leurs amours, les deux époux. Je leur souhaitai une matinée heureuse et leur adressai mes compliments de bonheur et mes félicitations ; puis j'ajoutai : « Je suis heureux d'avoir été pour quelque chose dans votre réunion. Mais, par Allah ! émir Jobaïr, si tu tiens à me donner une preuve de ton bon vouloir à mon égard, explique-moi ce qui a pu autrefois t'irriter à ce point et te pousser à te séparer, pour ton malheur, de ton amoureuse Sett Badr. Elle m'a bien expliqué elle-même la scène où la petite esclave, après lui avoir peigné et tressé les cheveux, l'avait embrassée et câlinée ! Mais, émir Jobaïr, il est inadmissible, il me semble, que cela seul ait pu causer ton ressentiment, si par ailleurs tu n'avais eu une autre cause de courroux ou d'autres preuves et soupçons ! »

« L'émir Jobaïr, à ces paroles, sourit et me dit : « Ibn Al-Mansour, ta sagacité est excessivement merveilleuse. Maintenant que la favorite de Sett Badr est morte, ma rancune est éteinte. Je puis donc te dire sans mystère l'origine de notre mésintelligence. Elle provient simplement d'une plaisanterie que me rapporta, comme ayant été dite par elles deux, un batelier qui les avait prises dans sa barque un jour qu'elles faisaient une promenade sur l'eau. Il me dit : « Seigneur, comment prends-tu sur toi-même de voir une femme qui se moque de toi avec une favorite qu'elle aime. Sache, en effet, que dans ma barque elles étaient appuyées avec nonchalance l'une sur l'autre, et chantaient des choses bien inquiétantes sur l'amour des hommes. Et elles finirent leurs chants sur ces vers :

« Le feu est moins brûlant que mes entrailles ; mais si je m'approche de mon maître, l'incendie s'éteint et la glace est moins froide que mon cœur devant ses désirs.

Mais mon maître, c'est autre chose ! Chez lui ce qui doit être dur est mou et ce qu'il doit avoir de tendre est dur ; car dur est son cœur comme la roche, et son autre chose est molle comme l'eau ! »

« Alors moi, à ce récit du batelier, je vis le monde noircir devant mes yeux et je courus à la maison de Sett Badr où je vis ce que je vis. Et cela a suffi à consolider mes soupçons...

À ce moment de sa narration, Schahrazade vit apparaître le matin et, discrète, se tut.

Mais lorsque fut la trois cent cinquante-troisième nuit. Elle dit :

... Je courus à la maison de Sett Badr où je vis ce que je vis. Et cela a suffi à consolider mes soupçons. Mais, grâce à Allah ! maintenant tout est oublié ! »

« Alors il me pria d'accepter, comme preuve de sa gratitude pour mes bons offices, la somme de trois mille dinars ; et moi je lui réitérai mes vœux... »

Ibn Al-Mansour s'arrêta soudain dans son récit. Il venait, en effet, d'entendre un ronflement qui lui coupa la parole. C'était le khalifat qui dormait profondément, gagné enfin par le sommeil que lui avait procuré cette histoire. Aussi Ibn Al-Mansour, craignant de le réveiller, s'esquiva doucement par la porte que lui ouvrit plus doucement encore le chef des eunuques.

Et Schahrazade, ayant fini de parler, se tut un instant, regarda le roi Schahriar et lui dit : « En vérité, ô Roi fortuné, je m'étonne que le sommeil ne t'ait pas gagné également, à cette histoire ! » Le roi Schahriar dit : « Pas du tout ! Tu te trompes, Schahrazade ! Je n'ai guère envie de dormir cette nuit ; et prends garde, si tu ne me racontes tout de suite une histoire instructive, que je ne mette moi-même à exécution à ton égard la menace d'Al-Rachid à son porte-glaive ! Ainsi n'aurais-tu pas à me dire quelques mots sur, par exemple, le remède contre les femmes qui tourmentent leurs époux par un désir de chair jamais satisfait et leur ouvrent de la sorte la porte du tombeau ? »

Schahrazade, à ces paroles, réfléchit un instant et dit : « Justement, ô Roi fortuné, il n'y a aucune histoire dont je me souvienne aussi bien que celle ayant trait à ce sujet-là, et je vais tout de suite te la raconter ! »

Et Schahrazade dit :

HISTOIRE DE WARDÂN LE BOUCHER AVEC LA FILLE DU VIZIR

On raconte, entre divers contes, qu'il y avait au Caire un homme appelé Wardân qui était, de sa profession, boucher pour la viande de mouton. Tous les jours il voyait venir à sa boutique une adolescente splendide de corps et de visage, mais les yeux bien fatigués et aussi les traits bien fatigués et le teint fort pâle. Elle arrivait toujours suivie d'un portefaix chargé de sa hotte, choisissait le morceau le plus tendre de la viande et aussi les œufs du mouton, payait le tout d'une pièce d'or pesant deux dinars ou plus, mettait son achat dans la hotte du portefaix, et continuait sa tournée au souk en s'arrêtant à toutes les boutiques et en achetant quelque chose à tous les marchands. Et elle continua à agir de la sorte un long espace de temps, jusqu'à ce qu'un jour le boucher Wardân, intrigué à la limite de l'intrigue de l'air et du silence et des manières de sa jeune cliente, résolut d'éclaircir la chose, pour se débarrasser des pensées qui le travaillaient à son sujet.

Or il trouva justement l'occasion qu'il cherchait en voyant un matin le portefaix de la jeune femme passer seul devant la boutique. Il l'arrêta, lui mit dans la main une tête de mouton excellente au possible, et lui dit : « Ô portefaix, recommande bien au maître du four de ne pas trop brûler la tête, sans quoi elle perdrait de sa saveur ! » Puis il ajouta : « Ô portefaix, tu me vois bien perplexe au sujet de cette adolescente qui te prend tous les jours à son service ! Qui est-elle et d'où vient-elle ? Que fait-elle de ces œufs de mouton ? Et surtout pourquoi ses yeux et ses traits sont-ils si fatigués ? » Il répondit : « Par Allah ! tu me vois à son sujet tout aussi perplexe que toi ! Ce que je sais, je te le dirai tout de suite, puisque ta main est généreuse aux pauvres comme moi. Voici ! Une fois tous ses achats terminés, elle prend encore, chez le marchand nazaréen du coin, pour un dinar ou plus d'un vieux vin précieux, et m'emmène, ainsi chargé, jusqu'à l'entrée des jardins du grand vizir. Là elle me bande les yeux avec son voile, me prend la main et me conduit jusqu'à un escalier dont elle descend les marches avec moi, pour ensuite me décharger de ma hotte, me donner un demi-dinar pour ma peine et une hotte vide à la place de la mienne, et me reconduire, les yeux toujours bandés, jusqu'à la porte des jardins, où elle me donne congé jusqu'au lendemain. Et moi je n'ai jamais pu savoir ce qu'elle faisait de cette viande, de ces fruits, de ces amandes, de ces chandelles et de toutes les choses qu'elle me faisait porter jusqu'à cet escalier souterrain ! » Le boucher Wardân répondit : « Tu ne fais qu'augmenter ma perplexité, ô portefaix ! » Et, comme d'autres clients arrivaient, il laissa le portefaix et se mit à les servir.

Le lendemain, après une nuit passée à songer à cet état de choses qui le préoccupait à l'extrême, il vit arriver, à la même heure, l'adolescente suivie du portefaix. Et il se dit : « Par Allah ! il me faut cette fois, coûte que coûte, savoir ce que je veux savoir ! » Et, après que l'adolescente se fut éloignée avec ses divers achats, il chargea son aide, le garçon boucher, du soin de la boutique comme vente et achat, et se mit à la suivre de loin, de façon à ne pas en être remarqué. Il marcha de la sorte derrière elle jusqu'à l'entrée des jardins du vizir, et se cacha derrière les arbres pour attendre le retour du portefaix, qu'il vit, en effet, les yeux bandés et conduit par la main à travers les allées. Après une absence de quelques instants, il la vit revenir à l'entrée, enlever le voile des yeux du portefaix, le congédier et attendre que ce portefaix eût disparu pour rentrer dans le jardin.

Alors il se leva de sa cachette et la suivit, pieds nus, en se dissimulant derrière les arbres. Il la vit de la sorte arriver devant un quartier de rocher, le toucher d'une certaine façon, le faire tourner sur lui-même, et disparaître par un escalier dont il vit les marches descendre sous terre. Il attendit alors quelques instants et s'approcha du rocher qu'il se mit à manipuler de la même façon, et qu'il réussit à faire tourner. Il s'enfonça alors sous terre, en ramenant le rocher à sa place, et voici, raconté par lui-même, ce qu'il vit.

Il dit : « D'abord je ne distinguai rien dans l'obscurité souterraine ; puis je finis par apercevoir un corridor au fond duquel filtrait de la lumière ; je le suivis, toujours pieds nus et me retenant de respirer, et j'arrivai à une porte derrière laquelle je perçus des rires et des grognements. J'appliquai alors mon œil sur la fissure par où passait le rai de lumière, et je vis, enlacés sur un divan, au milieu de divers contorsions et mouvements, l'adolescente et un singe énorme à la figure humaine tout à fait. Au bout de quelques instants, l'adolescente se désenlaça, se mit debout et défit tous ses vêtements pour s'étendre à nouveau sur le divan, mais toute nue. Et aussitôt le singe fondit sur elle et la couvrit, en la prenant dans ses bras. Et lorsqu'il eut fini sa chose avec elle, il se leva, se reposa un instant, puis la reprit en possession en la couvrant. Il se releva ensuite et se reposa encore, mais pour fondre de nouveau sur elle et la posséder, et ainsi de suite, dix fois de la même manière, alors qu'elle, de son côté, lui donnait tout ce que la femme donne à l'homme de plus fin et de plus délicat. Après quoi, tous deux tombèrent évanouis d'anéantissement. Et ils ne bougèrent plus. Moi, je fus stupéfait…

À ce moment de sa narration, Schahrazade vit apparaître le matin et, discrète, se tut.

Mais lorsque fut la trois cent cinquante-quatrième nuit. Elle dit :

… Moi, je fus stupéfait. Et je dis en mon âme : « C'est le moment ou jamais de saisir l'occasion ! » Et d'un coup d'épaule j'enfonçai la porte, et me précipitai dans la salle en brandissant mon couteau de boucher si aiguisé qu'il pouvait atteindre l'os avant la chair.

« Je me jetai résolument sur l'énorme singe dont pas un muscle ne bougeait, tant ses exercices l'avaient anéanti, je lui appuyai brusquement mon couteau sous la nuque et, du coup, je lui séparai la tête du tronc. Alors la force vitale qui était en lui sortit de son corps avec grand fracas, râles et convulsions, tant que l'adolescente ouvrit soudain les yeux et me vit le couteau plein de sang à la main. Elle jeta alors un cri de terreur tel que je crus un moment la voir expirer morte sans retour. Elle put pourtant, voyant que je ne lui voulais pas de mal, recouvrer ses esprits peu à peu et me reconnaître. Alors, elle me dit : « Est-ce ainsi, ô Wardân, que tu traites une cliente fidèle ? » Je lui dis : « Ô l'ennemie de toi-même ! N'y a-t-il donc plus d'hommes valides pour que tu aies recours à de pareils expédients ? » Elle me répondit : « Ô Wardân, écoute d'abord la cause de tout cela et peut-être m'excuseras-tu !

« Sache, en effet, que je suis la fille unique du grand vizir. Jusqu'à l'âge de quinze ans je vécus tranquille dans le palais de mon père ; mais, un jour, un nègre noir m'apprit ce que j'avais à apprendre et me prit ce qu'il y avait en moi à prendre. Or tu dois savoir qu'il n'y a rien de tel qu'un nègre pour enflammer notre intérieur, à nous, les femmes, surtout quand le terrain a senti cet engrais noir la première fois. Aussi ne t'étonne pas de savoir que mon terrain devint depuis lors si altéré qu'il fallait que le nègre l'arrosât toutes les heures sans discontinuer. Au bout d'un certain temps, le nègre mourut à la tâche, et moi je contai ma peine à une vieille femme du palais qui m'avait connue dès l'enfance. La vieille hocha la tête et me dit : « La seule chose qui désormais peut remplacer un nègre auprès de toi, ma fille, c'est le singe. Car rien n'est plus fécond en assauts que le singe. »

« Moi je me laissai persuader par la vieille, et un jour, voyant passer sous les fenêtres du palais un montreur de singes qui faisait exécuter des cabrioles à ses animaux, je me découvris le visage devant le plus gros d'entre eux qui me regardait. Aussitôt il cassa sa chaîne et, il s'enfuit à travers les rues, fit un grand détour et, par les jardins, revint dans le palais et courut droit à ma chambre où il me prit dans ses bras et fit ce qu'il fit dix fois de suite, sans discontinuer.

« Or mon père finit par apprendre mes relations avec le singe et faillit me tuer ce jour-là. Alors moi, ne pouvant me passer désormais de mon singe, je me fis creuser en secret ce souterrain où je l'enfermai. Et je lui portai moi-même à manger et à boire jusqu'au jour où la fatalité te fit découvrir ma cachette et te poussa à le tuer ! Hélas ! que vais-je maintenant devenir ? »

« Alors moi j'essayai de la consoler, et lui dis, pour la calmer : « Sois sûre, ô ma maîtresse, que je puis avantageusement remplacer le singe auprès de toi. À l'essai tu contrôleras, car je suis réputé comme monteur ! » Et, de fait, je lui montrai, ce jour-là et les suivants, que ma vaillance dépassait celle du défunt singe et du défunt nègre. Cela pourtant ne put aller longtemps de cette façon-là ; car, au bout de quelques semaines, j'étais perdu là-dedans comme dans un abîme sans bord. Et l'adolescente voyait au contraire augmenter de jour en jour ses désirs et s'attiser son feu du dedans.

« Dans cette fâcheuse situation, j'eus recours à la science d'une vieille femme que je connaissais comme incomparable dans l'art de préparer les philtres et de confectionner les remèdes aux maladies les plus indéracinables. Je lui racontai l'histoire depuis le commencement jusqu'à la fin et lui dis : « Maintenant, ma bonne tante, je viens te demander de me faire une préparation capable d'éteindre les désirs de cette femme et de calmer son tempérament ! » Elle me répondit : « Rien n'est plus facile ! » Je dis : « Je me fie entièrement à ta science et à ta sagesse ! » « Alors elle prit une marmite dans laquelle elle mit une once de grains de lupin d'Égypte, une once de vinaigre vierge, deux onces de houblon et quelques feuilles de digitale. Elle fit bouillir le tout pendant deux heures de temps, décanta soigneusement le liquide et me dit : « Le remède est prêt. » Alors je la priai de m'accompagner au souterrain ; et là elle me dit : « Il faut d'abord la monter jusqu'à ce qu'elle tombe épuisée ! » Et elle se retira dans le corridor pour attendre l'exécution de son ordre.

« Moi je fis ce qu'elle me commandait si bien que l'adolescente perdit connaissance. Alors la vieille entra dans la salle, et, après avoir réchauffé le liquide en question, le mit dans un petit bassin de cuivre et le porta entre les cuisses de la fille du vizir. Elle lui fit des fumigations qui lui pénétrèrent bien avant dans les parties fondamentales, et durent produire un effet radical, car soudain je vis tomber d'entre les cuisses écartées deux objets, l'un après l'autre, qui se mirent à frétiller. Je les examinai de plus près et je vis que c'étaient deux anguilles, l'une jaune et l'autre noire. À la vue des deux anguilles…

À ce moment de sa narration, Schahrazade vit apparaître le matin et, discrète, se tut.

Mais lorsque fut la trois cent cinquante-cinquième nuit. Elle dit :

… À la vue des deux anguilles, la vieille fut à la limite de la jubilation et s'écria : « Mon fils, rends grâce à Allah ! L'effet du remède est produit ! Sache en effet que ces deux anguilles étaient la cause de l'inassouvissement dont tu t'étais plaint à moi. L'une des anguilles est née des copulations du nègre et l'autre des copulations du singe. Maintenant qu'elles sont sorties, l'adolescente va jouir d'un tempérament modéré, et ne se montrera plus fatigante et désordonnée dans ses désirs ! » Et, en effet, je constatai que l'adolescente, une fois revenue à elle-même, ne demandait plus à satisfaire ses sens. Et je la trouvai si tranquille que je n'hésitai pas à la demander en mariage. Elle consentit, car elle s'était habituée à moi. Et nous vécûmes ensemble, depuis lors, dans la vie la plus douce et les délices les plus parfaites, après avoir recueilli dans notre maison la vieille qui avait opéré cette guérison stupéfiante et nous avait appris de la sorte le remède aux désirs immodérés. Glorifié soit le Vivant qui ne meurt pas et qui tient dans Sa main les empires et les royaumes ! »

Et Schahrazade continua : « C'est là, ô Roi fortuné, tout ce que je sais au sujet du remède à donner aux femmes à tempérament trop gênant ! » Et le roi Schahriar dit : « J'aurais bien voulu connaître cette recette, l'année dernière, pour faire fumiger la maudite que j'avais surprise au jardin avec l'esclave noir ! » Mais toi, Schahrazade, tu vas maintenant laisser les histoires scientifiques et me raconter cette nuit, si tu le peux, une histoire plus étonnante que toutes celles entendues ; car je me sens la poitrine plus rétrécie que d'habitude ! » Et Schahrazade dit : « Je le peux ! » et aussitôt elle dit :

HISTOIRE DE LA REINE YAMLIKA, PRINCESSE SOUTERRAINE

On raconte qu'il y avait, dans l'antiquité du temps et le passé des âges et des siècles, un sage d'entre les sages de la Grèce qui s'appelait Danial. Il avait beaucoup de disciples respectueux qui écoutaient son enseignement et profitaient de sa science, mais il n'avait point la consolation d'avoir un fils qui put devenir l'héritier de ses livres et de ses manuscrits. Comme il ne savait plus que faire pour obtenir ce résultat, il eut l'idée de prier le Maître du Ciel de lui accorder ce bienfait. Or, le Très Haut, qui n'a point de portier à la porte de Sa générosité, écouta cette prière, et rendit enceinte l'épouse du savant, à l'heure et à l'instant.

Pendant les mois que dura la grossesse de son épouse, le sage Danial, qui se voyait déjà bien vieux, se dit : « La mort est proche, et je ne sais pas si le fils que j'aurai pourra trouver un jour intacts mes livres et mes manuscrits ! » Et aussitôt il se mit à consacrer son temps à résumer en quelques feuilles toute la science qui était contenue dans ces divers écrits. Il remplit de la sorte, d'une très fine écriture, cinq feuilles qui contenaient la quintessence de tout son savoir et des cinq mille manuscrits qu'il possédait. Puis il les relut, réfléchit, et trouva que ces cinq feuilles elles-mêmes contenaient des choses qui pouvaient être encore plus quintessenciées. Alors il consacra encore une année à réfléchir, et finit par résumer les cinq feuilles en une seule qui était elle-même cinq fois plus petite que les premières. Et lorsqu'il eut fini ce travail, il sentit que sa fin était proche.

Alors le vieux savant de peur que ses livres et ses manuscrits ne devinssent la propriété d'autrui, les jeta dans la mer jusqu'au dernier, et ne conserva que la petite feuille de papier en question. Il appela son épouse enceinte et lui dit : « Mon temps est fini, ô femme, et il ne m'est pas donné d'élever moi-même l'enfant que le ciel nous accorde et que je ne verrai pas. Mais je lui laisse comme héritage cette petite feuille de papier que tu lui donneras le jour seulement où il te demandera sa part dans les biens de son père. Et lui s'il arrive à la déchiffrer et à en comprendre la portée, il sera l'homme le plus sage de son siècle. Je désire qu'il soit appelé Hassib ! »

Et, ayant dit ces paroles, le sage Danial expira dans la paix d'Allah. On lui fit des funérailles auxquelles assistèrent tous ses disciples et tous les habitants de la ville. Et tous le pleurèrent et prirent le deuil de sa mort.

Or, quelques jours après, l'épouse de Danial mit au monde un enfant mâle bien fait qui, selon la recommandation du défunt, fut appelé Hassib. Elle fit en même temps appeler les astrologues qui, une fois leurs calculs faits et leur observation des astres terminée, tirèrent l'horoscope de l'enfant et dirent : « Ô femme, ton fils vivra de longues années s'il échappe à un danger qui est suspendu sur sa jeunesse. S'il évite ce danger, il atteindra à un grand degré de science et de richesse ! » Et ils s'en allèrent en leur voie.

Lorsque l'enfant eut cinq ans d'âge, sa mère le mit à l'école pour y apprendre quelque chose ; mais il n'y apprit rien du tout. Elle le retira alors de l'école et voulut lui faire embrasser une profession ; mais il passa de longues années à ne rien faire, et atteignit l'âge de quinze ans sans rien apprendre, et sans arriver à quoi que ce fût pour gagner sa vie et aider sa mère dans les dépenses. Alors sa mère se mit à pleurer et les voisines lui dirent : « Il n'y a que le mariage qui soit capable de lui donner de l'aptitude au travail ; car alors il verra bien que lorsqu'on a une femme on travaille pour la faire subsister ! » Ces paroles décidèrent la mère à se lever et à chercher parmi ses connaissances une jeune fille ; et en ayant trouvé une qui était à sa convenance, elle la lui donna en mariage. Et le jeune Hassib fut parfait pour son épouse, et ne la négligea pas, au contraire ! Mais il continua à ne rien faire et à ne prendre goût à aucun travail.

Or, parmi les voisins, il y avait des bûcherons qui un jour dirent à la mère : « Achète à ton fils un âne, des cordes et une hache, et laisse-le aller avec nous couper du bois sur la montagne. Nous vendrons ensuite le bois et nous partagerons le profit avec lui. De la sorte il pourra t'aider dans les dépenses et mieux entretenir son épouse ! » À ces paroles, la mère de Hassib, pleine de joie, lui acheta tout de suite un âne, des cordes et une hache, et le confia aux bûcherons en le leur recommandant beaucoup ; et les bûcherons lui répondirent : « N'aie aucun souci à son sujet. Il est le fils de Danial, notre maître, et nous saurons le protéger et veiller sur lui ! » Et ils l'emmenèrent avec eux à la montagne, où ils lui apprirent à couper le bois et à le charger sur le dos de l'âne, pour le vendre ensuite au marché. Et Hassib prit un goût extrême à ce métier qui lui permettait de se promener tout en venant en aide à sa mère et à son épouse.

Or un jour d'entre les jours comme ils coupaient du bois dans la montagne, ils furent surpris par une tempête, accompagnée de pluie et de tonnerre, qui les obligea à courir se réfugier dans une caverne non loin de là, et où ils allumèrent du feu pour se réchauffer. En même temps ils chargèrent le jeune Hassib, fils de Danial, de fendre les bûches pour alimenter le feu.

Pendant que Hassib, retiré au fond de la caverne, s'occupait à casser du bois, il entendit soudain sa hache résonner sur le sol avec un bruit sonore comme si, à cet endroit, il y avait un espace vide sous terre. Il se mit alors à creuser à ses pieds et mit ainsi à nu un marbre ancien avec un anneau de cuivre…

À ce moment de sa narration, Schahrazade vit apparaître le matin et se tut discrètement.

Mais lorsque fut la trois cent cinquante-sixième nuit. Elle dit :

… Un marbre ancien avec un anneau de cuivre. À cette vue, il héla ses compagnons qui accoururent et parvinrent à soulever la plaque de marbre. Ils mirent alors à découvert une cavité très large et très profonde où étaient rangés des pots, en quantité innombrable, dont l'aspect était bien vieux et dont le col était scellé soigneusement. Ils descendirent alors Hassib au fond de la cavité, au moyen de cordes, pour qu'il vît le contenu de ces pots et pour qu'il les attachât avec les mêmes cordes, au moyen desquelles on les remonterait dans la caverne.

Le jeune Hassib, une fois descendu dans la cavité, commença par casser avec sa hache le col de l'un de ces pots de terre cuite ; et aussitôt il vit s'en écouler un miel jaune de qualité excellente. Il fit part de sa découverte aux bûcherons qui, bien qu'un peu déçus de trouver du miel là où ils espéraient tomber sur un trésor des temps anciens, ne furent pas peu satisfaits à la pensée du gain que devait leur procurer la vente de ces innombrables pots avec leur contenu. Ils hissèrent donc tous les pots, l'un après l'autre, au fur et à mesure que le jeune Hassib les attachait, les chargèrent sur leurs ânes à la place du bois et, sans vouloir retirer du fond leur compagnon, ils s'en allèrent tous vers la ville en se disant : « Si nous le tirons de la cavité, nous serons obligés de partager avec lui le profit de la vente. C'est d'ailleurs un vaurien dont la mort est préférable à la vie ! »

Ils s'en allèrent donc au marché avec leurs ânes, et dépêchèrent quelqu'un d'entre eux auprès de la mère de Hassib pour lui dire : « Pendant que nous étions dans la montagne, l'âne de ton fils, quand l'orage éclata sur nous, prit la fuite et obligea ton fils à courir derrière lui pour le rattraper, pendant que nous nous étions réfugiés dans une caverne. Le malheur voulut que soudain un loup sortît de la forêt, tuât ton fils et le mangeât ainsi que l'âne. Et nous n'avons retrouvé de leurs traces qu'un peu de sang et quelques ossements ! »

À cette nouvelle, la malheureuse mère et la pauvre femme de Hassib se frappèrent le visage et se couvrirent la tête de poussière en pleurant toutes les larmes de leur désespoir. Et voilà pour elles ! Quant aux bûcherons, ils vendirent les pots de miel à un prix fort avantageux, et réalisèrent un gain si considérable qu'ils purent ouvrir chacun une boutique de marchand pour vendre et acheter. Et ils ne se privèrent d'aucun plaisir, mangeant et buvant les plus excellentes choses, tous les jours. Et voilà pour eux !

Mais pour ce qui est du jeune Hassib, voici ! Lorsqu'il vit qu'on ne le tirait pas de la cavité, il se mit à crier et à supplier, mais en vain, puisque les bûcherons étaient partis et avaient résolu de le laisser mourir là sans le secourir. Il essaya alors de creuser des trous dans les parois pour s'y accrocher des mains et des pieds ; mais il constata que les parois étaient de granit et résistaient à l'acier de la hache. Alors son désespoir fut sans bornes, et il allait se jeter au fond de la cavité pour s'y laisser mourir, quand soudain il vit un gros scorpion sortir d'un interstice de la paroi de granit, et s'avancer vers lui pour le piquer. Il l'écrasa d'un coup de hache et examina l'interstice en question, d'où il vit s'échapper un rai de lumière. Il eut alors l'idée d'enfoncer la lame de la hache dans cet interstice et d'appuyer dessus fortement ; et, à sa grande surprise, il put de la sorte soulever une porte qui remonta peu à peu en ménageant une ouverture assez large pour laisser passer un corps d'homme.

À cette vue, Hassib n'hésita pas un instant, pénétra dans l'ouverture et se trouva de la sorte dans une longue galerie souterraine de l'extrémité de laquelle venait la lumière. Il suivit cette galerie pendant une heure de temps, et arriva à une porte considérable en acier noir avec une serrure d'argent et une clef d'or. Il ouvrit cette porte et se trouva soudain en plein air, sur le rivage d'un lac, au pied d'une colline d'émeraude. Sur le bord de ce lac, il vit un trône d'or resplendissant de pierreries, et, tout autour, se reflétant dans l'eau, des sièges d'or, d'argent, d'émeraude, de cristal, d'acier, de bois d'ébène et de sandal blanc. Il compta ces sièges, et trouva qu'ils étaient au nombre de douze mille, ni plus ni moins. Lorsqu'il eut fini de les compter et d'admirer leur beauté et le paysage, et l'eau qui les reflétait, il alla s'asseoir sur le trône du milieu, pour mieux jouir du spectacle merveilleux du lac et de la montagne.

À peine le jeune Hassib était-il assis sur le trône d'or qu'il entendit des sons de cymbales et de gongs, et soudain il vit s'avancer, de derrière les flancs de la colline d'émeraude, et se déployer vers le lac, une file de personnes qui glissaient plutôt qu'elles ne marchaient ; et il ne sut distinguer leurs formes à cause de l'éloignement. Lorsqu'elles furent plus près, il vit que c'étaient des femmes à la beauté ravissante mais dont toute la moitié inférieure se terminait en un corps allongé et rampant comme celui des serpents. Leur voix était fort agréable, et elles chantaient en grec les louanges d'une reine qu'il ne voyait pas. Mais bientôt apparut de derrière la colline un carré formé par quatre femmes serpentines qui portaient, sur leurs bras élevés au-dessus de leur tête, un grand bassin d'or où se trouvait, souriante et pleine de grâce, la reine. Les quatre femmes s'avancèrent jusqu'au trône d'or, d'où Hassib s'était hâté de s'éloigner, y déposèrent leur reine, arrangèrent les plis de ses voiles, et se placèrent derrière elle, tandis que toutes les autres femmes serpentines avaient glissé chacune vers un des sièges précieux disposés autour du lac. Alors la reine, d'une voix au timbre charmant, dit quelques mots en grec à celles qui l'entouraient ; et aussitôt un signal fut donné avec les cymbales, et toutes les femmes serpentines entonnèrent un hymne grec en l'honneur de la reine, et s'assirent sur les sièges.

Lorsqu'elles eurent fini leur chant, la reine, qui avait remarqué la présence de Hassib, tourna la tête gentiment de son côté et lui fit un signe pour l'encourager à s'approcher. Et Hassib, bien que fort ému, s'approcha, et la reine l'invita à s'asseoir et lui dit : « Sois le bienvenu dans mon royaume souterrain, ô jeune homme que la bonne destinée a conduit jusqu'ici ! Chasse toute crainte loin de toi et dis-moi ton nom, car je suis la reine Yamlika, princesse souterraine. Et toutes ces femmes serpentines sont mes sujettes. Parle donc et dis-moi qui tu es, et comment tu as pu arriver jusqu'à ce lac qui est ma résidence d'hiver et où je viens passer quelques mois chaque année, en quittant ma résidence d'été du mont Caucase. »

À ces paroles, le jeune Hassib, après avoir embrassé la terre entre les mains de la reine Yamlika, s'assit à sa droite sur un siège d'émeraude et dit : « Je m'appelle Hassib, et je suis le fils du défunt Danial, le savant. De ma profession je suis bûcheron bien que j'eusse pu arriver à être marchand parmi les fils des hommes, ou même un grand savant. Mais j'ai préféré respirer l'air des forêts et des montagnes, m'étant dit qu'il était toujours temps de s'enfermer, après la mort, entre les quatre murs du tombeau ! » Puis il raconta en détail ce qui lui était arrivé avec les bûcherons et comment, par l'effet du hasard, il avait pu pénétrer jusqu'à ce royaume souterrain.

Ce discours du jeune Hassib plut beaucoup à la reine Yamlika qui lui dit : « Hassib, tu dois, depuis le temps que tu as été abandonné dans la fosse, avoir bien faim et bien soif ! » Et elle fit signe à l'une de ses suivantes qui aussitôt glissa jusqu'au jeune homme en portant sur sa tête un plateau d'or rempli de raisins, de grenades, de pommes, de pistaches, de noisettes, de noix, de figues fraîches et de bananes. Puis, lorsqu'il eut mangé et calmé sa faim, il but un sorbet délicieux contenu dans une coupe taillée dans un rubis. Alors la porteuse s'éloigna avec le plateau, et la reine Yamlika, s'adressant à Hassib, lui dit : « Maintenant, Hassib, tu peux être assuré que, tant que durera ton séjour dans mon royaume, il ne t'arrivera rien que d'agréable. Si tu as, donc, l'intention de passer une semaine ou deux au milieu de nous, sur le bord de ce lac et à l'ombre de ces montagnes, je te raconterai, pour te faire mieux passer le temps, une histoire qui servira à ton instruction lorsque tu seras de retour au pays des hommes ! »

Et la reine Yamlika, princesse souterraine, au milieu de l'attention des douze mille femmes serpentines assises sur les sièges d'émeraude et d'or, raconta ce qui suit, en langue grecque, au jeune Hassib, fils de Danial le savant :

HISTOIRE DE BELOUKIA

« Sache, ô Hassib, qu'il y avait dans le royaume des Bani-Israïl un roi fort sage qui, à son lit de mort, appela son fils, l'héritier de son trône, et lui dit : « Ô mon fils Beloukia, je te recommande, lorsque tu prendras possession du pouvoir, de faire toi-même l'inventaire de toutes les choses qui se trouvent dans ce palais, et de ne rien laisser passer sans l'examiner avec attention ! »

Aussi le premier soin du jeune Beloukia, en devenant roi, fut de passer en revue les effets et les trésors de son père et de parcourir les différentes salles qui servaient de réserve à toutes les choses précieuses amassées dans le palais. Il arriva de la sorte dans une salle retirée où il aperçut une cassette de bois d'ébène placée sur une petite colonne de marbre blanc qui s'élevait au milieu même de la pièce. Beloukia se hâta d'ouvrir la cassette d'ébène et y trouva un rouleau de parchemin qu'il déploya aussitôt. Il y était dit en langue grecque : « Celui qui désire devenir le maître et le souverain des hommes, des génies, des oiseaux et des animaux, n'aura qu'à trouver l'anneau que le prophète Soleïmân porte au doigt dans l'île des Sept Mers, qui est son lieu de sépulture. C'est cet anneau magique qu'Adam, père des hommes, portait au doigt dans le paradis, avant sa faute, et qui lui fut enlevé par l'ange Gobraïl qui en fit don plus tard au sage Soleïmân. Mais traverser les mers et aborder à cette île située au-delà des Sept Mers, nul navire ne pourrait le tenter. Celui-là seul réussira dans cette entreprise qui trouvera la plante avec le suc de laquelle il suffit de se frotter la plante des pieds pour pouvoir marcher sur la surface de la mer. Cette plante se trouve dans le royaume souterrain de la reine Yamlika. Et seule cette princesse sait l'endroit où croît cette plante ; car elle connaît le langage de toutes les plantes et des fleurs, et elle n'ignore aucune de leurs vertus. Que celui qui veut trouver cet anneau aille d'abord au royaume souterrain de la reine Yamlika. Et s'il est assez heureux pour réussir et prendre l'anneau, il pourra alors, non seulement dominer tous les êtres créés, mais pénétrer aussi dans la Contrée des Ténèbres pour boire à la Fontaine de Vie qui donne la beauté, la jeunesse, la science, la sagesse et l'immortalité ! »

Lorsque le prince Beloukia eut lu ce parchemin, il rassembla aussitôt les prêtres, les mages et les savants de Bani-Israïl…

À ce moment de sa narration, Schahrazade vit apparaître le matin et se tut discrètement.

Mais lorsque fut la trois cent cinquante-huitième nuit. Elle dit :

… Il rassembla aussitôt les prêtres, les mages et les docteurs de Bani-Israïl et leur demanda s'il y avait quelqu'un d'entre eux capable de lui montrer le chemin qui conduisait au royaume souterrain de la princesse Yamlika. Alors tous les assistants lui montrèrent du doigt le sage Offân qui se trouvait au milieu d'eux. Or le sage Offân était un vénérable vieillard qui avait approfondi toutes les sciences connues et possédait les mystères de la magie, les clefs de l'astronomie et de la géométrie, et tous les arcanes de l'alchimie et de la sorcellerie. Il s'avança donc entre les mains du jeune roi Beloukia qui lui demanda : « Peux-tu vraiment, ô sage Offân, me conduire au royaume de la princesse souterraine ? » Il répondit : « Je le peux ! »

Alors le jeune roi Beloukia nomma son vizir comme son remplaçant dans la direction des affaires du royaume pour toute la durée de son absence, enleva ses attributs royaux, se vêtit du manteau de pèlerin et se chaussa des chaussures de voyage. Après quoi, suivi du sage Offân, il sortit de son palais et de sa ville, et s'enfonça dans le désert.

Alors seulement le sage Offân lui dit : « C'est ici le lieu propice pour faire les conjurations qui doivent nous montrer la route ! » Ils s'arrêtèrent donc, et Offân traça autour de lui, sur le sable, le cercle magique, fit les conjurations rituelles et ne tarda pas à découvrir le lieu où se trouvait, de ce côté-là, l'entrée de mon royaume souterrain.

Il fit alors encore quelques autres conjurations, et la terre s'entrouvrit et leur livra passage à tous deux jusqu'au lac que tu as sous les yeux, ô Hassib.

Moi, je les reçus avec tous les égards que je rends à quiconque vient visiter mon royaume. Alors ils m'exposèrent l'objet de leur visite, et aussitôt je me fis porter dans mon bassin d'or sur la tête de mes porteuses, et je les conduisis au sommet de cette colline d'émeraude où, sur mon passage, les plantes et les fleurs se mirent à parler chacune en son langage, qui à droite, qui à gauche, en vantant, à voix haute ou à voix basse, leurs vertus particulières. Et, au milieu de ce concert qui montait ainsi vers nous, musical et parfumé de sucs essentiels, nous arrivâmes devant les touffes d'une plante qui, de toutes les corolles rouges de ses fleurs, chantait sous la brise qui l'inclinait : « C'est moi la merveilleuse qui donne à celui qui se frotte les pieds avec mon suc la vertu de marcher sans se mouiller à la surface de toutes les mers créées par Allah Très-Haut ! »

Alors moi je dis à mes deux visiteurs : « La voilà devant vous, la plante que vous cherchez ! » Et Offân aussitôt cueillit de cette plante autant qu'il en voulut, en écrasa les pousses et en recueillit le suc dans un grand flacon que je lui donnai.

Moi je songeai alors à interroger Offân et lui dis : « Ô sage Offân, peux-tu maintenant me dire le motif qui vous pousse tous deux à traverser les mers ? » Il me répondit : « Ô reine, c'est pour aller à l'île des Sept Mers chercher l'anneau magique de Soleïmân, maître des genn, des hommes, des animaux et des oiseaux ! » Je lui dis : « Comment, ô sage, ne sais-tu pas que personne après Soleïmân ne pourra, quoi qu'il fasse, devenir le propriétaire de cet anneau ? Crois-moi, Offân ! et toi aussi, ô jeune roi Beloukia, écoutez-moi ! Abandonnez ce projet téméraire, ce projet insensé, de courir les mers de la création pour aller à la recherche de cet anneau que nul ne possédera. Cueillez plutôt ici de la plante qui donne à ceux qui en mangent une jeunesse éternelle ! » Mais ils ne voulurent point m'écouter, et, ayant pris congé de moi, disparurent par où ils étaient venus. »

Ici la reine Yamlika s'arrêta de parler, éplucha une banane qu'elle tendit au jeune Hassib, mangea elle-même une figue, et dit : « Avant que je continue, ô Hassib, l'histoire de Beloukia et que je te raconte son voyage sur les Sept Mers et ses autres aventures, ne voudrais-tu savoir exactement la situation de mon royaume au pied du mont Caucase, qui entoure la terre comme une ceinture, et connaître son étendue, ses environs, ses plantes animées et parlantes, ses genn et ses femmes serpentines, nos sujettes, dont Allah seul connaît le nombre ? Veux-tu que je te dise comment le mont Caucase repose tout entier sur un rocher merveilleux d'émeraude, El-Sakhrat, dont le reflet donne aux cieux leur couleur azurée ? Je pourrais par la même occasion te parler de l'endroit précis du Caucase où se trouve le Gennistân, capitale des genn soumis au roi Jân ben-Jân, et te révéler la place où demeure l'oiseau rokh, dans la Vallée des Diamants ; et, en passant, je te montrerais les champs de bataille qui retentirent des exploits de héros fameux ! »

Mais le jeune Hassib répondit : « Ô reine Yamlika, je préfère de beaucoup connaître la suite des aventures du roi Beloukia ! »

Alors la princesse souterraine continua ainsi : « Lorsque le jeune Beloukia et le sage Offân m'eurent quittée pour aller à l'île située au bout des Sept Mers, là où se trouve le corps de Soleïmân, ils arrivèrent sur le rivage de la Première Mer, et là ils s'assirent par terre et commencèrent par se frotter énergiquement la plante des pieds et les chevilles avec le suc qu'ils avaient recueilli dans le flacon. Puis ils se relevèrent et s'avancèrent d'abord avec beaucoup de précaution sur la mer. Mais lorsqu'ils eurent constaté qu'ils pouvaient, sans crainte de se noyer, marcher mieux encore sur l'eau que sur la terre ferme, ils s'enhardirent et se mirent en route d'une allure accélérée pour ne pas perdre de temps. Ils marchèrent de la sorte sur cette mer durant trois jours et trois nuits et, au matin du quatrième jour, ils arrivèrent à une île qu'ils prirent pour le paradis, tant ils furent émerveillés de sa beauté…

À ce moment de sa narration, Schahrazade vit apparaître le matin et se tut discrètement.

Mais lorsque fut la trois cent cinquante-neuvième nuit. Elle dit :

… Une île qu'ils prirent pour le paradis, tant ils furent émerveillés de sa beauté. La terre qu'ils foulaient était de safran doré ; les pierres étaient de jade et de rubis ; les prairies se déployaient en parterres de fleurs exquises aux corolles ondulantes sous la brise qu'elles embaumaient, où se mariaient les sourires des roses aux tendres regards des narcisses, où voisinaient les lis, les œillets, les violettes, les camomilles et les anémones, et où, entre les haies blanches des jasmins, folâtraient, légères, les bondissantes gazelles ; les forêts de bois d'aloès et d'arbres à grandes fleurs éclatantes bruissaient de toutes leurs branches où roucoulaient les tourterelles pour répondre au murmure des ruisseaux, où les rossignols racontaient aux roses d'une voix émue leur martyre amoureux, tandis que les roses les écoutaient attentivement ; là les sources mélodieuses se cachaient sous les touffes délicates des cannes à sucre, seuls roseaux ; là la terre naturelle montrait à l'aise ses jeunes richesses et respirait de tout son printemps.

Aussi le roi Beloukia et Offân se promenèrent-ils avec ravissement jusqu'au soir sous l'ombrage des bosquets, en contemplant ces merveilles qui leur remplissaient l'âme de délices. Puis, comme la nuit tombait, ils montèrent sur un arbre pour s'y endormir ; et ils allaient effectivement fermer les yeux quand soudain l'île retentit d'un formidable mugissement qui l'ébranla jusque dans ses fondements, et ils aperçurent, sortant des flots de la mer, un animal monstrueux qui tenait dans sa gueule une pierre brillante comme un flambeau, et, immédiatement derrière lui, une multitude d'autres monstres marins qui tenaient également chacun dans sa gueule une pierre lumineuse. Aussi l'île devint-elle bientôt aussi éclairée de toutes ces pierres qu'en plein jour. Au même moment, et de tous les côtés à la fois, vinrent des lions, des tigres et des léopards en quantité telle qu'Allah seul aurait pu les dénombrer. Et les animaux de la terre se rencontrèrent sur le rivage avec les animaux marins, et tous se mirent à causer et à converser entre eux jusqu'au matin. Alors les monstres marins retournèrent dans la mer et les fauves se dispersèrent dans les forêts. Et Beloukia et Offân, qui n'avaient pu fermer l'œil de toute la nuit, tant la peur les avait tenus, se hâtèrent de descendre de l'arbre et de courir au rivage où ils se frottèrent les pieds avec le suc de la plante, pour aussitôt poursuivre leur voyage maritime.

Ils voyagèrent de la sorte sur la Deuxième Mer pendant des jours et des nuits jusqu'à ce qu'ils fussent arrivés au pied d'une chaîne de montagnes au milieu desquelles s'ouvrait une vallée merveilleuse où tous les cailloux et tous les rochers étaient en pierre d'aimant, mais où il n'y avait pas trace de fauves ou d'autres animaux féroces. Aussi se promenèrent-ils toute la journée, un peu à l'aventure, se nourrissant de poissons séchés, et vers le soir, ils s'assirent au bord de la mer pour voir se coucher le soleil, quand soudain ils entendirent un miaulement effrayant et, à quelques pas derrière eux, ils virent un tigre qui était tout prêt à bondir sur eux. Ils eurent juste le temps de se frotter les pieds avec le suc de la plante et de s'enfuir, hors de portée, sur la mer.

Or c'était la Troisième Mer. Et cette nuit-là fut une nuit bien noire, et la mer, sous un vent qui soufflait avec violence, devint très agitée, ce qui rendit la marche extrêmement fatigante surtout pour des voyageurs déjà exténués par le manque de sommeil. Heureusement ils arrivèrent, à l'aube, dans une île où ils commencèrent d'abord par s'étendre pour se reposer. Après quoi ils se levèrent pour parcourir l'île et la trouvèrent couverte d'arbres fruitiers. Mais ces arbres avaient cette particularité merveilleuse que leurs fruits croissaient tout confits sur les branches. Aussi les deux voyageurs se plurent-ils extraordinairement dans cette île, surtout Beloukia qui aimait à l'extrême les fruits confits, et en général toutes les choses confites, et qui passa toute la journée à se régaler. Il obligea même le sage Offân à s'arrêter là dix jours entiers pour avoir le temps de se rassasier de ces délicieux fruits-là. Pourtant, à la fin du dixième jour, il avait tellement abusé de ces douceurs qu'il eut mal au ventre et, dégoûté, il se hâta de se frotter la plante des pieds et les chevilles avec le suc de la plante, ainsi qu'Offân, et de se mettre en route sur la Quatrième Mer.

Ils voyagèrent quatre jours et quatre nuits sur cette Quatrième Mer et atterrirent à une île qui n'était qu'un banc de sable très fin de couleur blanche, où nichaient des reptiles de toutes formes dont on voyait les œufs couver au soleil. Comme ils n'apercevaient sur cette île aucun arbre ni un seul brin d'herbe, ils ne voulurent s'y arrêter que juste le temps de se reposer et de se frotter les pieds avec le suc contenu dans le flacon.

Sur la Cinquième Mer, ils voyagèrent seulement un jour et une nuit, car ils trouvèrent au matin une petite île dont les montagnes étaient de cristal, avec de larges veines d'or, et étaient couvertes d'arbres étonnants dont les fleurs étaient d'un jaune brillant. Ces fleurs, à la tombée de la nuit, étincelèrent comme des astres, et leur éclat, reflété par les rochers de cristal, illumina l'île et la rendit plus brillante qu'en plein jour. Et Offân dit à Beloukia : « Tu as sous les yeux l'île des Fleurs d'or. Ce sont ces fleurs qui, une fois tombées des arbres et desséchées, se réduisent en poudre et finissent par former, par leur fusion, les veines d'où l'on tire l'or. Cette île des Fleurs d'or n'est qu'une parcelle du soleil, détachée de l'astre, et tombée ici même autrefois. » Ils passèrent donc dans cette île une nuit magnifique, et le lendemain, ils se frottèrent les pieds avec le liquide précieux et pénétrèrent dans la sixième région maritime. Ils voyagèrent sur la Sixième Mer…

À ce moment de sa narration, Schahrazade vit apparaître le matin et, discrète, se tut.

Mais lorsque fut la trois cent soixantième nuit. Elle dit :

Ils voyagèrent sur la Sixième Mer assez longtemps pour éprouver un grand plaisir à arriver à une île couverte d'une très belle végétation, où ils purent prendre quelque repos sur le rivage. Ils se levèrent ensuite et se mirent à se promener dans l'île. Mais quelle ne fut point leur épouvante de voir que les arbres portaient, en guise de fruits, des têtes humaines suspendues par les cheveux ! Ces fruits à tête humaine n'avaient pas tous la même expression : les uns souriaient, les autres pleuraient ou riaient, tandis que ceux qui étaient tombés des arbres se roulaient dans la poussière et finissaient par se transformer en globes de feu qui éclairaient la forêt et faisaient pâlir la lumière du soleil. Et les deux voyageurs ne purent s'empêcher de penser : « Quelle singulière forêt ! » Mais ils n'osèrent pas trop s'approcher de ces fruits étranges, et préférèrent retourner sur le rivage. Or, comme le soir tombait, ils s'assirent derrière un rocher et virent soudain émerger de l'eau et s'avancer sur le rivage douze Filles de la Mer, d'une beauté sans pareille et le cou entouré d'un collier de perles, qui se mirent à danser en rond, à sauter et à se livrer entre elles à mille jeux folâtres pendant une heure de temps. Après quoi elles se mirent à chanter au clair de lune, et s'éloignèrent en nageant sur l'eau. Et Beloukia et Offân, bien que fort charmés de la beauté, des danses et des chants des Filles de la Mer, ne voulurent point prolonger davantage leur séjour dans cette île, à cause des fruits effrayants à tête humaine. Ils se frottèrent donc la plante des pieds et les chevilles avec le suc renfermé dans le flacon et s'avancèrent sur la Septième Mer.

Leur voyage sur cette Septième Mer fut de très longue durée, car ils marchèrent deux mois, jour et nuit, sans rencontrer aucune terre sur leur route. Et ils étaient obligés, pour ne pas mourir de faim, d'attraper prestement les poissons qui venaient de temps en temps à la surface de l'eau, et de les manger crus, tels quels. Et ils commencèrent ainsi à sentir combien sages étaient les conseils que je leur avais donnés, et à regretter de ne les avoir pas suivis. Ils finirent tout de même par arriver à une île qu'ils conjecturèrent être l'île des Sept Mers où devait se trouver le corps de Soleïman portant l'anneau magique à l'un de ses doigts.

Ils trouvèrent cette île des Sept Mers couverte de très beaux arbres fruitiers, et arrosée par de nombreux cours d'eau. Et comme ils avaient bien faim et avaient la gorge desséchée depuis le temps où ils étaient réduits à ne prendre pour tout aliment que des poissons crus, ce fut avec un plaisir extrême qu'ils s'approchèrent d'un grand pommier aux branches pesantes de grappes de pommes mûres. Et Beloukia tendit la main et voulut cueillir ces fruits : mais soudain, de l'intérieur même de l'arbre, une voix terrible se fit entendre qui leur cria à tous deux : « Si vous touchez à ces fruits, vous allez être coupés en deux moitiés ! » Et, au même instant, en face d'eux apparut un énorme géant haut de quarante bras, en mesure de ce temps-là ! Et Beloukia, à la limite de la terreur, lui demanda : « Ô chef des géants, nous allons mourir de faim, et nous ne savons pourquoi tu nous défends de toucher à ces pommes ! » Le géant répondit : « Comment pouvez-vous prétendre ignorer le motif de cette défense ? Avez-vous donc oublié, ô fils des hommes, que le père de votre race, Adam, a désobéi aux ordres d'Allah en mangeant de ces fruits défendus ? Or, depuis ce temps-là, je suis chargé de garder cet arbre et de tuer tous ceux qui tendraient la main vers ces fruits ! Éloignez-vous donc, et cherchez ailleurs de quoi vous nourrir ! »

À ces paroles, Beloukia et Offân se hâtèrent de quitter cet endroit et s'enfoncèrent dans l'intérieur de l'île. Ils cherchèrent d'autres fruits et les mangèrent tous ; puis ils se mirent à la recherche du lieu où pouvait se trouver le corps de Soleïmân.

Après avoir erré dans l'île pendant un jour et une nuit, ils arrivèrent à une colline dont les rochers étaient en ambre jaune et en musc, et dans les flancs de laquelle s'ouvrait une grotte magnifique dont la voûte et les parois étaient en diamant. Comme elle se trouvait ainsi éclairée aussi bien qu'en plein soleil, ils s'y engagèrent profondément ; et, à mesure qu'ils avançaient, ils voyaient s'augmenter la clarté et s'élargir la voûte. Ils marchaient ainsi, en s'émerveillant, et commençaient à se demander si la grotte avait une fin, quand ils arrivèrent tout à coup dans une salle immense creusée dans le diamant et qui avait en son milieu un grand lit d'or massif sur lequel était étendu Soleïmân ben-Daoud, reconnaissable à son manteau vert orné de perles et de pierreries et à l'anneau magique qui cerclait son doigt de la main droite et lançait des feux dont pâlissait l'éclat de la salle de diamant. Sa main qui portait l'anneau au petit doigt reposait sur sa poitrine, et son autre main étendue tenait le sceptre d'or aux yeux d'émeraude.

À cette vue, Beloukia et Offân furent saisis d'un grand sentiment de respect, et n'osèrent plus avancer. Mais bientôt Offân dit à Beloukia : « Si nous avons affronté tant de périls et éprouvé toutes ces fatigues, ce n'est point pour reculer, maintenant que nous avons atteint le but. Je vais donc m'avancer seul près de ce trône où dort le prophète, et toi, de ton côté, tu vas prononcer les formules de conjuration que je t'ai enseignées et qui sont nécessaires pour faire glisser l'anneau du doigt rigide. »

Alors Beloukia commença à prononcer les formules conjuratoires, et Offân s'approcha du trône et tendit la main pour enlever l'anneau. Mais Beloukia, dans son émotion, avait prononcé de travers les paroles magiques et cette erreur fut fatale à Offân ; car aussitôt du plafond lumineux tomba une goutte de diamant liquide qui l'enflamma tout entier et, en quelques instants, le réduisit en une poignée de cendres, au pied du trône de Soleïmân.

Lorsque Beloukia vit le châtiment infligé à Offân pour sa tentative sacrilège, il se hâta de se sauver à travers la grotte et d'arriver à la sortie pour courir directement à la mer. Là il voulut se frotter les pieds et s'en aller de l'île, mais il vit bien qu'il ne le pouvait plus désormais, puisque…

À ce moment de sa narration, Schahrazade vit apparaître le matin et, discrète, se tut.

Mais lorsque fut la trois cent soixante et unième nuit. Elle dit :

… Mais il vit bien qu'il ne le pouvait plus désormais, puisque Offân était brûlé et que le flacon miraculeux avait été consumé avec lui. Alors, bien triste, il comprit enfin toute l'exactitude et toute la justesse des paroles que je lui avais dites en lui annonçant les malheurs qui l'attendaient dans cette entreprise, et il se mit à marcher dans l'île, au hasard, ne sachant ce qu'il allait devenir, maintenant tout seul, sans personne qui pût lui servir de guide.

Pendant qu'il marchait de la sorte, il vit un grand tourbillon de poussière d'où sortait un tumulte qui devint assourdissant comme le tonnerre ; et il entendit là-dedans le choc des lances et des épées, et le vacarme produit par des galops et des cris qui n'avaient rien d'humain ; et soudain il aperçut, sortant de la poussière dissipée, une armée entière d'éfrits, de genn, de mareds, de ghouls, de Khotrobs, de saals, de baharis, en un mot toutes les espèces d'esprits de l'air, de la terre, des bois, des eaux et du désert.

Cette vue lui causa une terreur telle qu'il n'essaya même plus de bouger, et il attendit là jusqu'à ce que le chef de cette armée étonnante s'avançât jusqu'à lui et lui demandât : « Qui donc es-tu, toi ? Et comment as-tu fait pour arriver jusqu'à cette île, où nous venons chaque année pour surveiller la grotte où dort notre maître à tous, Soleïmân ben-Daoud ? » Beloukia répondit : « Ô chef des braves, je suis Beloukia, roi des Bani-Israïl. Je me suis égaré sur mer, et voilà pourquoi je suis ici. Mais permets-moi, à mon tour, de te demander qui tu es, et qui sont tous ces guerriers ? » Il répondit : « Nous sommes les genn, ceux de la descendance de Jân ben-Jân. Nous venons en ce moment du pays où réside notre roi, le puissant Sakhr, maître de la Terre-Blanche où régna autrefois Scheddad fils d'Aâd ! » Beloukia demanda : « Mais où est-elle située cette Terre-Blanche où règne le puissant Sakhr ? » Il répondit : « Derrière le mont Caucase, qui est à une distance de soixante-quinze mois d'ici en mesure humaine. Mais nous, nous pouvons y aller en l'espace d'un clin d'œil. Si tu veux, puisque tu es un fils de roi, nous pouvons te prendre et te présenter à notre maître ! » Beloukia ne manqua pas d'accepter, et fut aussitôt transporté par les genn dans la résidence du roi Sakhr, leur roi.

Il vit une plaine magnifique sillonnée par des canaux au lit d'or et d'argent ; cette plaine, dont le sol était couvert de musc et de safran, était ombragée par des arbres artificiels aux branches d'émeraude et aux fruits de rubis, et couverte de tentes superbes en soie verte soutenues par des colonnes d'or incrustées de pierreries. Au milieu de cette plaine s'élevait un pavillon plus haut que les autres, en soie rouge et bleue, soutenu par des colonnes d'émeraude et de rubis, et où, sur un trône massif, était assis le roi Sakhr, ayant à sa droite les autres rois, ses vassaux, et à sa gauche ses vizirs et ses lieutenants, ses notables et ses chambellans.

Lorsqu'il fut en présence du roi, Beloukia commença par embrasser la terre entre ses mains, et lui fit son compliment. Alors le roi Sakhr l'invita, avec beaucoup de bienveillance, à s'asseoir sur un siège d'or, à ses côtés. Puis il lui demanda de lui dire son nom et de lui raconter son histoire. Et Beloukia lui dit qui il était et lui raconta, sans omettre un détail, toute son histoire depuis le commencement jusqu'à la fin.

Le roi Sakhr et tous ceux qui l'entouraient furent, en entendant ce récit, à la limite de l'étonnement. Puis, sur un signe du roi, la nappe fut tendue pour le festin, et les genn serviteurs apportèrent les plateaux et les porcelaines. Les plateaux d'or contenaient cinquante jeunes chameaux bouillis et cinquante autres rôtis, tandis que les plateaux d'argent contenaient cinquante têtes de moutons, et que les fruits, merveilleux de grosseur et de qualité, étaient disposés en rangs bien alignés sur les porcelaines. Et, lorsque tout fut prêt, on mangea et on but avec abondance ; et, le repas terminé, il ne resta absolument pas trace sur les plateaux et les porcelaines des mets et des choses exquises qui les remplissaient.

Alors seulement le roi Sakhr dit à Beloukia : « Tu ignores sans doute, ô Beloukia, notre histoire et notre origine. Or je vais te renseigner en quelques mots pour que, à ton retour parmi les fils des hommes, tu puisses transmettre aux âges la vérité sur ces questions encore obscures parmi eux.

« Sache donc, ô Beloukia… »

À ce moment de sa narration, Schahrazade vit apparaître le matin et, discrète, se tut.

Mais lorsque fut la trois cent soixante-deuxième nuit. Elle dit :

Sache donc, ô Beloukia, qu'au commencement des temps Allah Très-Haut créa le Feu, et le renferma dans le Globe de sept différentes régions, placées les unes au-dessous des autres, chacune à une distance de mille années, en mesure humaine.

« Il appela la première région du Feu Gehannam, et, dans son esprit, la destina aux créatures rebelles et non repentantes. Il appela la seconde région Lazy, car il la creusa en gouffre, et la destina à tous ceux qui, après la venue future du prophète Môhammad (sur Lui la prière et la paix !), resteraient dans leurs erreurs et leurs ténèbres et refuseraient de devenir des Croyants ! Il constitua ensuite la troisième région et, lui ayant donné la forme d'une chaudière bouillante, l'appela El-Jahim, et y enferma les démons Gog et Magog. Après quoi il forma la quatrième région, la nomma Saïr, et en fit l'habitation d'Éblis, le chef des anges rebelles, qui avait refusé de reconnaître Adam et de le saluer, désobéissant ainsi aux ordres du Très-Haut. Puis il limita la cinquième région, lui donna le nom de Saqhar et la réserva aux impies, aux meneurs et aux orgueilleux. Cela fait, il creusa une immense caverne, la remplit d'air embrasé et pestilentiel, l'appela Hitmat, et la destina aux tortures des juifs et des chrétiens. Quant à la septième, nommée Hawya, il en fit une réserve toute prête à contenir le surplus des juifs et des chrétiens, et de ceux qui ne seraient Croyants qu'extérieurement. Ces deux dernières régions sont les plus effroyables, tandis que la première est fort supportable. Leur structure est assez pareille. Ainsi dans la première, Gehannam, on ne compte pas moins de soixante-dix mille montagnes de feu, qui renferment chacune soixante-dix mille vallées ; chaque vallée renferme soixante-dix mille villes ; chaque ville, soixante-dix mille tours ; chaque tour, soixante-dix mille maisons, et chaque maison, soixante-dix mille bancs. Or, chacun de ces bancs, dont le nombre vous sera donné par la multiplication de tous ces chiffres, contient soixante-dix mille tortures et supplices divers, dont Allah seul connaît la variété, l'intensité et la durée. Et, comme cette région est la moins brûlante des sept, tu peux te faire une idée, ô Beloukia, des tourments renfermés dans les six autres régions.

« Si je t'ai donné cet aperçu et ces explications sur le Feu, ô Beloukia, c'est que nous, les genn, sommes les fils du Feu. En effet, les deux premiers êtres qu'Allah a créés du Feu, sont deux genn dont Il fit sa garde particulière et qu'Il appela Khallit et Mallit ; et Il donna à l'un la forme d'un lion et à l'autre la forme d'un loup. Il donna au lion des organes mâles et au loup des organes femelles. La queue du lion Khallit avait une longueur égale à une distance parcourue pendant vingt années, et la vulve de Mallit, la louve, avait la forme d'une tortue, dont la grosseur était proportionnée à la longueur de la queue de Khallit. L'un était de couleur bigarrée de blanc et de noir, et l'autre était rose et blanche. Et Allah unit Khallit et Mallit sexuellement, et de leur copulation fit naître des dragons, des serpents, des scorpions et des bêtes puantes dont il peupla les Sept Régions pour le supplice des damnés. Ensuite Allah ordonna à Khallit et à Mallit de copuler une seconde fois, et, de ce second accouplement, fit naître sept mâles et sept femelles qui grandirent dans l'obéissance. À leur majorité, l'un d'eux, qui donnait les plus belles espérances par sa conduite exemplaire, fut spécialement distingué par le Très-Haut qui en fit le chef de ses cohortes constituées par la reproduction incessante du lion et de la louve. C'est lui justement dont le nom était Éblis. Mais plus tard, lors de sa désobéissance aux ordres d'Allah, qui lui enjoignait de se prosterner devant Adam, il fut précipité dans la quatrième région avec tous ceux qui l'avaient soutenu. Et c'est Éblis et sa descendance qui peuplèrent l'enfer de démons mâles et femelles. Quant aux dix autres garçons et aux autres filles, restés dans la soumission, ils s'unirent entre eux et eurent comme enfants les genn, dont nous sommes, ô Beloukia. Et telle est, en peu de mots, notre généalogie. Ne t'étonne donc pas si tu nous vois manger tellement, puisque nous tenons notre origine d'un lion et d'une louve. Pour te donner une idée de la capacité de notre ventre, je te dirai que chacun de nous, dans sa journée, avale dix chameaux, vingt moutons, et boit quarante cuillerées de bouillon, chaque cuillerée de la contenance d'un chaudron.

« Maintenant, ô Beloukia, pour qu'à ton retour parmi les fils des hommes ton instruction soit parfaite, sache que la terre que nous habitons est toujours rafraîchie par les neiges du mont Caucase qui l'environne comme une ceinture. Sans cela, notre terre serait insupportable à habiter à cause du feu souterrain. Elle est constituée, elle aussi, par sept étages qui reposent sur les épaules d'un genni doué d'une force merveilleuse. Ce genni est debout sur un rocher qui repose sur le dos d'un taureau ; le taureau est porté par un énorme poisson, et le poisson nage à la surface de la Mer de l'Éternité. La Mer de l'Éternité a, comme lit, l'étage supérieur de l'enfer, lequel, avec ses sept régions, est contenu dans la gueule d'un monstrueux serpent qui restera immobile jusqu'au jour du Jugement. Alors il vomira de sa gueule l'enfer et son contenu en présence du Très-Haut qui prononcera son arrêt d'une façon définitive.

« Voilà, ô Beloukia…

À ce moment de sa narration, Schahrazade vit apparaître le matin et se tut discrètement.

Mais lorsque fut la trois cent soixante-troisième nuit. Elle dit :

Voilà, ô Beloukia, rapidement résumées, notre histoire, notre origine et la formation du globe. Je dois également te dire, pour achever ton instruction à ce sujet, que notre âge reste toujours le même ; nous ne vieillissons jamais, tandis que sur la terre, autour de nous, la nature et les hommes et tous les êtres créés s'acheminent invariablement vers la décrépitude. Cette vertu, nous la devons à la fontaine de vie dont nous buvons et dont, dans la région des Ténèbres, Khizr est le gardien. C'est lui, ce vénérable Khizr, qui égalise les saisons, revêt les arbres de leurs couronnes vertes, fait courir les eaux fugitives, déroule le tapis verdoyant des prairies et, revêtu de son manteau vert dans les soirs, mêle les teintes légères dont se colorent les cieux au crépuscule. Et maintenant, ô Beloukia, comme tu m'as écouté avec une grande attention, pour te récompenser je vais te faire emporter d'ici et déposer à l'entrée de ton pays, si toutefois tu le désires ! »

À ces paroles, Beloukia remercia avec effusion le roi Sakhr, chef des genn, de son hospitalité, de ses leçons et de son offre, qu'il accepta avec empressement. Il prit donc congé du roi, de ses vizirs et des autres genn, et monta à califourchon sur les épaules d'un fort solide éfrit qui, en moins d'un clin d'œil, lui fit traverser l'espace et le déposa doucement en pays connu, vers les frontières de son pays.

Comme Beloukia, une fois qu'il eut reconnu la direction à suivre, se disposait à prendre la route de sa capitale, il vit, assis entre deux tombeaux et pleurant avec amertume, un jeune homme d'une beauté ravissante, mais au teint pâle et à l'air bien triste.

Il s'approcha de lui, le salua amicalement, et lui dit : « Ô bel adolescent, pourquoi te vois-je assis pleurant entre ces deux tombeaux ? Pourquoi cet air affligé, dis-le-moi, pour que j'essaie de te consoler ! » Le jeune homme leva ses regards tristes vers Beloukia et lui dit, les larmes aux yeux : « Ô voyageur, pourquoi t'arrêter dans ta voie ? Laisse mes larmes couler, dans la solitude, sur ces pierres de ma douleur ! » Mais Beloukia lui dit : « Ô frère d'infortune, sache que j'ai un cœur compatissant prêt à t'écouter. Tu peux donc sans crainte me révéler la cause de ta tristesse ! »

Et il s'assit sur le marbre tout contre lui, lui prit les mains dans les siennes et, pour l'encourager à parler, lui raconta sa propre histoire depuis le commencement jusqu'à la fin. Ensuite il lui dit : « Et toi, ô mon frère, quelle est ton histoire ? Hâte-toi, je t'en prie, de me la raconter, car je pressens qu'elle doit être attachante infiniment ! »

HISTOIRE DU BEL ADOLESCENT TRISTE

Alors l'adolescent à la figure douce et triste, qui pleurait entre les deux tombeaux, dit au jeune roi Beloukia : « Sache, ô mon frère, que moi aussi je suis un fils de roi ; et mon histoire est si étrange et si extraordinaire que si elle était écrite avec les aiguilles sur le coin intérieur de l'œil elle servirait de leçon salutaire à qui la lirait avec sympathie. Je ne veux donc pas différer davantage de te la raconter ! » Il se tut alors quelques instants, essuya ses larmes, et, le front appuyé sur la main, il commença ainsi cette merveilleuse histoire :

« Je suis né, ô mon frère, dans le pays de Kaboul où règne le roi Tigmos, mon père, chef des Bani-Schalân et de l'Afghanistan. Mon père, qui est un roi très grand et très juste, a sous sa suzeraineté sept rois tributaires, maîtres chacun de cent villes et de cent forteresses. Il commande à cent mille cavaliers courageux et à cent mille braves guerriers. Quant à ma mère, elle est la fille du roi Bahrawân, souverain du Khorassân. Mon nom est Jânschah.

Dès mon enfance, mon père me fit instruire dans les sciences, les arts et les exercices du corps, de sorte qu'à l'âge de quinze ans je comptais parmi les meilleurs cavaliers du royaume et dirigeais les chasses et les courses sur mon cheval plus rapide que l'antilope.

Un jour d'entre les jours, dans une chasse où se trouvaient le roi mon père et tous ses officiers, nous étions depuis trois jours dans les forêts et nous avions tué beaucoup de gibier, quand, à la tombée de la nuit, j'aperçus une gazelle d'une élégance extrême apparaître à quelques pas de l'endroit où je me trouvais avec sept de mes mamalik. Lorsqu'elle nous vit, elle s'effaroucha et, bondissant, elle fila de toute sa légèreté. Alors moi, suivi de mes mamalik, je la poursuivis pendant plusieurs heures ; et nous arrivâmes de la sorte devant un fleuve très large et très profond, où nous crûmes pouvoir la cerner et la prendre. Mais elle, après une courte hésitation, se jeta à l'eau et se mit à nager pour atteindre l'autre bord. Et nous, nous descendîmes vivement de nos chevaux, nous les confiâmes à l'un de nous, nous nous élançâmes dans une barque de pêche qui se trouvait là amarrée, et nous manœuvrâmes rapidement pour atteindre la gazelle. Mais lorsque nous arrivâmes au milieu du fleuve, nous ne pûmes plus être les maîtres de notre embarcation que le vent et le courant très fort se mirent à entraîner à la dérive, au milieu de l'obscurité grandissante, sans que nos efforts parvinssent à nous mettre dans une direction salutaire.

Et nous fûmes ainsi entraînés toute la nuit, avec une rapidité effrayante, croyant à chaque instant nous fracasser contre quelque autre obstacle sur notre route forcée. Et cette course dura également toute la journée et toute la nuit suivante. Et ce ne fut que le lendemain matin que nous pûmes enfin aborder à une terre où nous avait jetés le courant.

Pendant ce temps, le roi Tigmos, mon père, avait appris notre disparition sur le fleuve, en interrogeant le mamelouk qui gardait nos chevaux. Et, à cette nouvelle, il fut dans un tel désespoir qu'il éclata en sanglots, jeta sa couronne à terre, se mordit les mains de douleur, et se hâta d'envoyer de toutes parts à ma recherche des émissaires connaissant ces contrées inexplorées. Quant à ma mère, en apprenant ma disparition, elle se donna de grands coups au visage, déchira ses habits, se meurtrit la poitrine, s'arracha les cheveux, et revêtit les habits de deuil.

Pour nous, en abordant à cette terre, nous trouvâmes une belle source qui coulait sous les arbres, et un homme assis tranquillement à se rafraîchir les pieds dans l'eau. Nous le saluâmes poliment et nous lui demandâmes où nous étions. Mais l'homme, sans nous rendre notre salut, nous répondit d'une voix de fausset semblable au cri d'un corbeau ou de quelque autre oiseau de proie…

À ce moment de sa narration, Schahrazade vit apparaître le matin et, discrète, se tut.

Mais lorsque fut la trois cent soixante-quatrième nuit. Elle dit :

… Nous répondit d'une voix de fausset semblable au cri d'un corbeau ou de quelque autre oiseau de proie. Puis il se leva tout d'un coup, se divisa d'un mouvement en deux parties, en se coupant par la moitié, et courut à nous par son tronc seulement, tandis que sa partie inférieure courait dans une autre direction. Et au même moment, de tous les points de la forêt, apparurent d'autres hommes semblables à celui-là, qui coururent à la fontaine, se divisèrent en deux parties d'un mouvement de recul, et s'élancèrent sur nous quant à leur tronc seulement. Ils se jetèrent alors sur trois de mes mamalik qui étaient les plus proches d'eux et se mirent immédiatement à les dévorer vivants, tandis que moi et mes trois autres mamalik, à la limite de l'épouvante, nous nous élancions dans notre barque et, préférant mille fois être engloutis dans l'eau que dévorés par ces monstres, nous nous hâtions de nous éloigner du rivage, nous laissant à nouveau emporter par le courant. Et nous vîmes alors courir sur le rivage, en essayant de nous atteindre, pendant que les troncs dévoraient mes trois malheureux mamalik, toutes les jambes et les cuisses en un galop forcené et sans ordre qui nous terrifia dans notre barque déjà hors de leur portée. Et nous étions aussi bien étonnés de l'appétit farouche de ces troncs au ventre coupé, et nous nous demandions comment une pareille chose était possible, tout en déplorant le sort de nos malheureux compagnons.

Nous fûmes emportés par le courant jusqu'au lendemain, et nous arrivâmes alors à une terre couverte d'arbres fruitiers et de fleurs charmantes dans de grands jardins. Mais, lorsque notre barque fut amarrée, moi je ne voulus pas descendre à terre cette fois, et je chargeai mes trois mamalik d'aller d'abord inspecter les lieux. Ils s'en allèrent donc les premiers et, après s'être absentés une demi-journée, ils revinrent me raconter qu'ils avaient parcouru une grande distance, en allant à droite et à gauche, sans rien trouver de suspect ; après quoi ils avaient vu un palais de marbre blanc dont les pavillons étaient de cristal pur, et au milieu duquel se déployait un jardin magnifique avec un lac superbe ; ils étaient entrés dans le palais et avaient vu une salle immense où des sièges d'ivoire étaient rangés autour d'un trône d'or enrichi de diamants et de rubis ; mais ils n'avaient vu personne, pas plus dans les jardins que dans le palais.

Lorsqu'ils m'eurent fait ce rapport rassurant, moi je me décidai à sortir de la barque et je pris avec eux le chemin du palais. Nous commençâmes d'abord par satisfaire notre faim en mangeant les fruits délicieux des arbres du jardin, puis nous entrâmes dans le palais nous reposer. Moi, je m'assis sur le trône d'or et mes mamalik sur les sièges d'ivoire ; et, à ce spectacle, je me rappelai le roi mon père, ma mère et le trône que j'avais perdu, et je me mis à pleurer ; et mes mamalik aussi pleurèrent d'émotion.

Pendant que nous étions plongés dans ces souvenirs attristants, nous entendîmes un grand bruit, pareil au tumulte de la mer, et nous vîmes bientôt entrer dans la salle où nous étions un cortège formé par des vizirs, des émirs, des chambellans et des notables, mais tous étaient de l'espèce des signes. Il y en avait qui étaient de la grande espèce et d'autres qui étaient de la petite espèce. Et nous crûmes notre fin cette fois arrivée. Mais le grand vizir des singes, qui était de l'espèce la plus énorme, vint, avec les signes les plus évidents du respect, s'incliner devant moi et me dire, en langage humain, que lui et tout le peuple me reconnaissaient pour leur roi, et nommaient mes trois mamalik chefs de leur armée. Puis, après nous avoir fait servir à manger des gazelles rôties, il m'invita à venir passer en revue l'armée des singes, mes sujets, avant le combat que nous devions livrer à leurs ennemis anciens, les ghouls, qui habitaient la contrée voisine.

Alors moi, comme j'étais bien fatigué, je congédiai le grand vizir et les autres, ne gardant auprès de moi que mes trois mamalik. Après nous être entretenus pendant une heure de temps sur notre nouvelle situation, nous résolûmes de nous enfuir au plus vite de ce palais et de cette terre, et nous nous dirigeâmes vers notre embarcation ; mais, en arrivant au fleuve, nous constatâmes qu'elle avait disparu, et nous fûmes obligés de revenir au palais où nous dormîmes jusqu'au matin.

À notre réveil, le grand vizir de mes nouveaux sujets vint me saluer, et me dit que tout était prêt pour le combat contre les ghouls. Et en même temps, les autres vizirs amenèrent, à la porte du palais, pour moi et mes mamalik, quatre gros chiens qui devaient nous servir de chevaux et qui étaient bridés avec des chaînes d'acier. Et moi et mes mamalik nous fûmes bien obligés de monter sur ces chiens, et de prendre les devants, tandis que derrière nous, avec des hurlements et des cris effroyables, nous suivait toute l'armée innombrable de mes sujets singes dirigée par mon grand vizir.

Au bout d'une journée et d'une nuit de marche, nous arrivâmes en face d'une haute montagne noire où se trouvaient les repaires des ghouls, lesquels ne tardèrent pas à se montrer. Ils étaient de différentes formes, toutes plus épouvantables les unes que les autres. Les uns avaient une tête de bœuf sur un corps de chameau, d'autres ressemblaient à des hyènes, tandis que d'autres avaient un aspect indescriptible d'horreur et qui ne ressemblait à rien de connu, pour établir une comparaison.

Lorsque les ghouls nous eurent aperçus, ils descendirent de la montagne, et, s'arrêtant à une certaine distance, ils commencèrent par nous accabler sous une pluie de cailloux. Mes sujets ripostèrent de la même façon, et la mêlée devint bientôt terrible de part et d'autre. Moi et mes mamalik, armés de nos arcs, nous lançâmes aux ghouls une grande quantité de flèches qui en tuèrent un grand nombre, à la joie de mes sujets que ce spectacle remplit d'ardeur. Aussi nous finîmes par remporter la victoire et nous nous mîmes à la poursuite des ghouls.

Alors moi et mes mamalik, nous résolûmes de profiter du désordre de la course pour, montés sur nos chiens, échapper à mes sujets les singes, en prenant la fuite du côté opposé, sans qu'ils nous aperçussent ; et, au grand galop, nous disparûmes à leur vue. Au bout d'une longue course, nous nous arrêtâmes pour laisser respirer nos montures, et nous vîmes en face de nous un grand rocher taillé en forme de table où se trouvait gravée une inscription en langue hébraïque, qui contenait ceci :

« Ô toi, captif que la destinée a jeté dans cette région pour faire de toi le roi des singes, si tu veux renoncer à ta royauté par la fuite, deux chemins s'ouvrent devant toi pour la délivrance : l'un de ces chemins se trouve à ta droite, et il est le plus court pour te conduire au bord de l'océan qui entoure le monde ; mais il traverse des déserts farouches remplis de monstres et de genn malfaisants.

L'autre, à gauche, est long de quatre mois de route, et traverse une grande vallée qui est la Vallée des Fourmis. En prenant ce chemin et en te garant des fourmis, tu aboutiras à une montagne de feu au pied de laquelle se trouve la Ville des Juifs. Moi, Soleïmân ben-Daoud, j'ai écrit cela pour ton salut ! »

Lorsque nous eûmes lu cette inscription, nous fûmes à la limite de l'étonnement, et nous nous hâtâmes de prendre le chemin de gauche qui devait nous conduire à la Ville des Juifs en passant par la Vallée des Fourmis.

À ce moment de sa narration, Schahrazade vit apparaître le matin et, discrète, se tut.

Mais lorsque fut la trois cent soixante-cinquième nuit. Elle dit :

… Le chemin de gauche qui devait nous conduire à la Ville des Juifs en passant par la Vallée des Fourmis. Mais nous n'étions pas en marche depuis une journée quand nous entendîmes le sol trembler sous nos pieds, et bientôt, derrière nous, nous vîmes poindre et arriver à toute vitesse mes sujets les singes avec le grand vizir à leur tête. Lorsqu'ils nous eurent atteints, ils nous entourèrent de tous côtés en poussant des hurlements de joie de nous avoir retrouvés, et le grand vizir se fit l'interprète de tous en prononçant une harangue de compliments pour notre salut.

Cette rencontre nous causa un grand désappointement, que nous prîmes soin de ne pas montrer, et nous allions reprendre avec mes sujets la route du palais, quand nous vîmes sortir de la vallée que nous traversions à ce moment une armée de fourmis dont chacune était grosse comme un chien. Et, en un clin d'œil, une mêlée effroyable eut lieu, entre mes sujets et les fourmis monstrueuses, où les fourmis prenaient les singes dans leurs serres et d'un coup les cassaient en deux, et où les singes se jetaient dix par dix sur une fourmi pour arriver à la tuer.

Quant à nous, nous voulûmes profiter du combat pour nous enfuir sur nos chiens ; mais malheureusement je fus le seul à pouvoir m'échapper, car mes trois mamalik furent aperçus par les fourmis et saisis et cassés en deux dans les serres formidables. Et moi je me sauvai en déplorant la perte de mes derniers compagnons et j'arrivai à un fleuve que je traversai à la nage, en abandonnant ma monture, et j'arrivai sain et sauf sur l'autre rive où je commençai par faire sécher mes vêtements ; et ensuite je m'enfonçai dans le sommeil jusqu'au matin, sûr que j'étais maintenant de n'être plus poursuivi, puisque j'avais mis le fleuve entre moi, les fourmis et les singes mes sujets.

Lorsque je me réveillai, je me mis à marcher pendant des jours et des jours, mangeant des plantes et des racines, jusqu'à ce que je fusse arrivé à la montagne en question au pied de laquelle je vis effectivement une grande ville qui était la Ville des Juifs, exactement comme me l'avait indiqué l'inscription. Mais un détail dont ne parlait pas l'inscription, et que je remarquai plus tard, m'étonna beaucoup dans cette ville ; je constatai, en effet, qu'un fleuve que je traversai à pied sec ce jour-là pour arriver à la ville était rempli d'eau tout le reste de la semaine ; et j'appris ainsi que ce fleuve, abondant les autres jours, ne coulait plus le samedi, jour de fête chez les Juifs.

Or moi j'entrai dans cette ville ce jour-là et je ne vis personne dans les rues. Alors je me dirigeai vers la première maison que je rencontrai sur mon chemin, j'en ouvris la porte et y pénétrai. Je me trouvai alors dans une salle où étaient assis en cercle un grand nombre de personnages à l'aspect vénérable. Alors, encouragé par leur mine, je m'approchai d'eux respectueusement et je leur dis, après le salut : « Je suis Jânschah, fils du roi Tigmos, maître de Kaboul et chef des Bani-Schalân. Je vous prie, ô mes maîtres, de me dire à quelle distance je suis de mon pays, et quel chemin il me faut prendre pour y arriver. De plus, j'ai bien faim ! » Alors tous ceux qui étaient assis là me regardèrent sans me répondre, et celui qui paraissait être leur cheikh me dit, par signes seulement, sans prononcer une parole : « Mange et bois, mais ne parle pas ! » Et il me montra un plateau de mets étonnants que je n'avais jamais vus ailleurs, et dont la base, à en juger par l'odeur, était de l'huile. Alors moi je mangeai, je bus, et je gardai le silence.

Lorsque j'eus fini, le cheikh des Juifs s'approcha de moi et me demanda, par signes également : « Qui ? d'où ? où ? » Alors moi je lui demandai par signes si je pouvais répondre, et, sur son signe affirmatif suivi d'un autre qui voulait dire : « Ne prononce que trois mots ! » Je demandai : « Caravane Kaboul quand ? » Il me répondit : « Je ne sais pas ! » toujours sans prononcer une parole, et il me fit signe de sortir, puisque j'avais terminé mon repas.

Alors moi je le saluai, ainsi que tous ceux qui étaient là, et sortis en m'étonnant à l'extrême de ces manières étranges. Arrivé dans la rue, je voulais tâcher de me renseigner, quand enfin j'entendis un crieur public qui disait à haute voix : « Que celui qui désire gagner mille pièces d'or et posséder une jeune esclave d'une beauté sans égale, me suive pour faire un travail d'une heure de temps ! » Moi, dénué de tout comme j'étais, je m'approchai du crieur et lui dis : « J'accepte le travail et en même temps les mille dinars et la jeune esclave ! » Alors il me prit la main et me conduisit dans une maison fort richement meublée où, sur un siège d'ébène, était un vieux juif devant lequel le crieur vint s'incliner en me présentant, et dit : « Voici enfin un jeune étranger, le seul qui ait répondu à mon appel depuis trois mois que je crie la chose ! »

À ces paroles, le vieux juif, maître de la maison, me fit m'asseoir à ses côtés, me montra beaucoup de bienveillance, me fit servir à manger et à boire sans parcimonie et, le repas terminé, me donna une bourse contenant mille pièces d'or pas fausses, en même temps qu'il ordonnait à ses esclaves de me revêtir d'une robe de soie et de me conduire auprès de la jeune esclave qu'il me donnait d'avance pour le travail projeté que je ne connaissais pas encore…

À ce moment de sa narration, Schahrazade vit apparaître le matin et, discrète, se tut.

Mais lorsque fut la trois cent soixante-sixième nuit. Elle dit :

… La jeune esclave qu'il me donnait pour le travail projeté que je ne connaissais pas encore.

Alors les esclaves, après m'avoir vêtu de la robe de soie en question, me conduisirent dans la chambre où m'attendait la jeune fille, qui devait être vierge d'après ce que m'affirmait le vieux juif. Et moi je trouvai, en effet, une jeune fille fort belle avec laquelle les esclaves me laissèrent seul pour passer la nuit. Et, de fait, je couchai avec elle, et la trouvai parfaite, en vérité. Je passai avec elle trois jours et trois nuits à manger, à boire et à faire ce que j'avais à faire, et au matin du quatrième jour le vieillard me fit appeler et me dit : « Es-tu prêt maintenant à exécuter le travail pour lequel je t'ai payé et que, d'avance, tu as accepté ? » Je déclarai que j'étais prêt à m'acquitter de ce travail-là, sans savoir de quoi il s'agissait.

Alors le vieux juif ordonna à ses esclaves de préparer et d'amener deux mules ; et les esclaves amenèrent deux mules harnachées. Il monta sur l'une et moi sur l'autre, et me dit de le suivre. Nous allâmes à une bonne allure et nous cheminâmes de la sorte jusqu'à l'heure de midi, où nous arrivâmes au pied d'une haute montagne à pic sur les flancs de laquelle on ne voyait aucun sentier où pût s'aventurer un homme ou une monture quelconque. Nous mîmes alors pied à terre, et le vieux juif me tendit un couteau en me disant : « Enfonce-le dans le ventre de ta mule ! C'est le moment du travail ! » Moi, j'obéis et j'enfonçai le couteau dans le ventre de la mule qui ne tarda pas à succomber ; puis, sur l'ordre du juif, j'écorchai la bête, et nettoyai la peau. Alors il me dit : « Il faut maintenant t'étendre par terre sur cette peau, pour que je te couse dedans comme dans un sac. » Et moi j'obéis également et m'étendis sur la peau où le vieillard me cousit soigneusement ; puis il me dit : « Écoute bien mes paroles ! Un grand oiseau va venir à l'instant fondre sur toi et t'enlever pour te porter sur son nid situé sur le sommet de cette montagne escarpée. Prends bien garde de bouger quand tu te sentiras dans les airs, car l'oiseau te lâcherait et, dans ta chute, tu te fracasserais sur le sol ; mais, lorsqu'il t'aura déposé sur la montagne, fends la peau avec le couteau que je t'ai donné et sors du sac. L'oiseau sera effrayé et te lâchera. Alors, toi tu ramasseras les pierres précieuses dont est jonché le sommet de cette montagne, et tu me les jetteras ! Cela fait, tu redescendras me rejoindre. »

Or à peine le vieux juif avait-il fini de parler que je me sentis enlever dans les airs et, au bout de quelques instants, déposer de nouveau sur le sol. Alors moi, avec mon couteau, je fendis le sac et en sortis ma tête. Cette vue effraya l'oiseau monstrueux qui s'enfuit à tire d'aile. Je me mis alors à ramasser des rubis, des émeraudes et d'autres pierres précieuses qui couvraient le sol, et je les jetai au vieux juif. Mais lorsque je voulus descendre je constatai qu'il n'y avait pas un sentier où pouvoir poser le pied, et je vis le vieux juif qui enfourchait sa mule, une fois qu'il eut recueilli les pierres, et s'éloignait rapidement pour disparaître à ma vue.

Alors moi, à la limite du désespoir, je me mis à pleurer sur ma destinée, et me décidai à chercher de quel côté il valait mieux me diriger. Je finis par marcher droit devant moi, à l'aventure, et j'errai de la sorte durant deux mois jusqu'à ce que je fusse arrivé à l'extrémité de la chaîne de montagnes, à l'entrée d'une vallée magnifique où les ruisseaux, les arbres et les fleurs glorifiaient le Créateur au milieu du gazouillis des oiseaux. Là je vis un immense palais qui s'élevait haut dans les airs et vers lequel je me dirigeai. J'arrivai à la porte, où je trouvai assis, sur le banc du vestibule, un vieillard dont le visage s'auréolait de lumière. Il tenait à la main un sceptre de rubis, et portait sur la tête une couronne de diamants. Moi, je le saluai ; et il me rendit le salut avec bienveillance et me dit : « Assieds-toi à côté de moi, mon fils ! » Et, lorsque je fus assis, il me demanda : « D'où viens-tu ainsi sur cette terre que jamais n'a foulée le pied d'un adamite ? Et où penses-tu aller ? » Moi, pour toute réponse, j'éclatai en sanglots, et je faillis m'étouffer de mes pleurs. Alors le vieillard me dit : « Cesse de pleurer ainsi, mon enfant : car tu m'endoloris le cœur. Prends courage, et commence par te fortifier en mangeant et en buvant. » Et il m'introduisit dans une grande salle où il m'apporta à manger et à boire. Et, lorsqu'il me vit dans de meilleures dispositions, il me pria de lui raconter mon histoire ; et moi je satisfis à sa demande, et le priai à mon tour de me dire qui il était et à qui appartenait ce palais. Il me répondit : « Apprends, mon fils, que ce palais a été autrefois bâti par notre maître Soleïmân, dont je suis le lieutenant pour gouverner les oiseaux. Chaque année tous les oiseaux de la terre viennent ici me rendre hommage. Si donc tu désires retourner dans ton pays, je te recommanderai à eux la première fois qu'ils reviendront prendre mes ordres, et ils te transporteront dans ton pays. Mais, pour passer le temps jusqu'à leur arrivée, tu peux circuler partout dans cet immense palais, et tu peux entrer dans toutes les salles à l'exception d'une seule qui s'ouvre avec la clef d'or que tu vois au milieu de toutes ces clefs que je te donne. » Et le vieillard, lieutenant des oiseaux, me remit les clefs et me laissa libre de mes mouvements.

Je commençai par visiter d'abord les salles qui donnaient sur la grande cour du palais, puis je pénétrai dans les autres chambres qui étaient toutes aménagées pour servir de cages aux oiseaux, et j'arrivai de la sorte devant la porte qui s'ouvrait avec la clef d'or…

À ce moment de sa narration, Schahrazade vit apparaître le matin et, discrète, se tut.

Mais lorsque fut la trois cent soixante-septième nuit. Elle dit :

… J'arrivai de la sorte devant la porte qui s'ouvrait avec la clef d'or, et je restai longtemps à la regarder, n'osant même pas la toucher de la main, à cause de la défense que m'avait faite le vieillard ; mais à la fin je ne pus résister à la curiosité dont mon âme était remplie, je mis la clef d'or dans la serrure, j'ouvris la porte, et je pénétrai, saisi de crainte, dans le lieu défendu.

Or, loin d'avoir sous les yeux un spectacle effrayant, je vis d'abord, au milieu d'un pavillon au sol incrusté de pierreries de toutes les couleurs, un bassin d'argent entouré d'oiseaux d'or qui laissaient l'eau couler de leurs becs avec un bruit si merveilleux que je croyais entendre la voix de chacun d'eux résonner mélodieuse contre les parois d'argent. Tout autour de ce bassin, il y avait, divisés en variétés ravissantes, des parterres de fleurs aux suaves parfums, qui mariaient leurs couleurs à celles des fruits dont étaient chargés les arbres qui mettaient leur fraîcheur d'ombre sur l'eau. Le sable que je foulais était de poudre d'émeraude et de diamant, et s'étendait jusqu'aux degrés d'un trône qui s'élevait en face du bassin merveilleux. Ce trône était fait d'un seul rubis dont les facettes projetaient dans le jardin le rouge de leurs rayons froids qui faisaient scintiller l'eau en pierreries.

Moi, je m'arrêtai en extase devant ces simples choses nées de l'union pure des éléments ; puis j'allai m'asseoir sur le trône de rubis que surmontait un baldaquin de soie rouge, et là je fermai un instant les yeux pour laisser cette fraîche vision mieux pénétrer mon âme ravie.

Quand j'ouvris les yeux, je vis s'avancer vers le bassin, en secouant leurs plumes blanches, trois élégantes colombes qui venaient prendre leur bain. Elles sautèrent avec grâce sur le large rebord du bassin d'argent et, ô mes yeux émerveillés ! je les vis, après s'être embrassées et fait mille caresses charmantes, rejeter loin d'elles leur virginal manteau de plumes et en sortir dans une nudité de jasmin, sous l'aspect de trois jeunes filles belles comme des lunes. Et aussitôt elles plongèrent dans le bassin pour se livrer entre elles à mille jeux et mille folies, des fois disparaissant et des fois reparaissant au milieu de grands remous brillants, pour disparaître encore en riant aux éclats, tandis que seules leurs chevelures émergeaient en un vol déployé de flamme sur l'eau. À ce spectacle, ô mon frère Beloukia, moi je sentis ma raison nager dans mon cerveau et essayer de s'en échapper. Et, ne pouvant plus maîtriser mon émotion, je courus affolé au bassin et je criai : « Ô jeunes filles, ô lunes, ô souveraines ! »

Lorsque les jeunes filles m'eurent aperçu, elles poussèrent un cri d'effroi, et, sortant légères de l'eau, elles coururent à leurs manteaux de plumes qu'elles jetèrent sur leur nudité, et s'envolèrent sur l'arbre le plus haut de ceux qui ombrageaient le bassin, et là se mirent à rire en me regardant.

Alors je m'approchai de l'arbre, je levai les yeux et leur dis : « Ô souveraines, je vous en prie, dites-moi qui vous êtes ! Moi, je suis Jânschah, fils du roi Tigmos, souverain de Kaboul et chef des Bani-Schalân ! » Alors la plus jeune des trois, celle justement dont les charmes m'avaient impressionné le plus, me dit : « Nous sommes les filles du roi Nassr qui habite dans le palais des diamants. Nous venons ici faire une promenade et nous amuser seulement. » Je dis : « Dans ce cas, ô ma maîtresse, aie compassion de moi, et descends compléter le jeu avec moi ! » Elle me dit : « Et depuis quand les jeunes filles peuvent-elles jouer avec les jeunes gens, ô Jânschah ! En tout cas, si tu tiens absolument à mieux me connaître, tu n'as qu'à me suivre au palais de mon père ! » Et, ayant dit ces paroles, elle me lança un regard qui me pénétra le foie, et elle s'envola avec ses deux sœurs pour disparaître à mes yeux. À cette vue, moi, à la limite du désespoir, je poussai un grand cri et tombai évanoui sous l'arbre.

Je ne sais combien de temps je restai étendu de la sorte ; mais, lorsque je revins à moi, le vieillard, lieutenant des oiseaux, était à mes côtés et m'aspergeait le visage avec de l'eau de fleurs. Lorsqu'il me vit ouvrir les yeux, il me dit : « Tu vois, mon enfant, ce qu'il t'en coûte de me désobéir ! Ne t'avais-je pas défendu d'ouvrir la porte de ce pavillon ? » Moi, pour toute réponse, je ne pus qu'éclater en sanglots, puis j'improvisai ces vers :

« Mon cœur est ravi par une svelte adolescente au corps harmonieux.

Ravissante est sa taille entre toutes les tailles. Quand elle sourit, ses lèvres excitent la jalousie des roses et des rubis.

Sa chevelure se balance sur sa belle croupe arrondie.

Les flèches lancées par les arcs de ses sourcils atteignent même de loin et font d'inguérissables blessures !

Ô sa beauté ! tu es sans rivale, et tu effaces toutes les beautés de l'Inde ! »

Lorsque j'eus fini de réciter ces vers, le vieillard me dit : « Je comprends ce qui t'est arrivé. Tu as vu les jeunes filles vêtues comme des colombes, qui viennent ici quelquefois prendre leur bain. » Je m'écriai : « Je les ai vues, mon père, et je te prie de me dire où se trouve le palais des diamants qu'elles habitent avec leur père, le roi Nassr ? » Il répondit : « Il ne faut guère songer à y aller, mon fils, car le roi Nassr est un des chefs les plus puissants des genn, et je doute fort qu'il t'accorde l'une de ses filles en mariage. Occupe-toi plutôt à te préparer à retourner dans ton pays. Je vais moi-même te faciliter la tâche en te recommandant aux oiseaux qui vont bientôt venir me présenter leurs hommages, et qui te serviront de guides. » Je répondis : « Je te remercie, mon père, mais je renonce à retourner auprès de mes parents si je ne dois plus revoir la jeune fille qui m'a parlé ! » En disant ces paroles, je me jetai aux pieds du vieillard et le suppliai de m'indiquer le moyen de revoir les jeunes filles habillées en colombes…

À ce moment de sa narration, Schahrazade vit apparaître le matin et se tut discrètement.

Mais lorsque fut la trois cent soixante-huitième nuit. Elle dit :

… Le moyen de revoir les jeunes filles habillées en colombes. Alors le vieillard me tendit la main, me releva et me dit : « Je vois que ton cœur est consumé de passion pour la jeune fille, et je vais t'indiquer le moyen de la revoir. Tu vas donc te cacher derrière les arbres et attendre patiemment le retour de ces colombes. Et tu les laisseras se déshabiller et descendre dans le bassin, et alors, soudain, tu te précipiteras sur leurs manteaux de plumes et tu t'en empareras. Elles, alors, adouciront beaucoup leur langage à ton égard ; elles s'approcheront de toi, te feront mille caresses et te supplieront, en te disant des paroles extrêmement gentilles, de leur rendre leurs plumes. Mais, toi, garde-toi bien de te laisser fléchir, car alors ce serait fini pour toujours des jeunes filles. Au contraire ! Refuse énergiquement de les leur rendre, et dis-leur : « Je veux bien vous donner vos manteaux, mais pas avant que ne revienne le cheikh ! » Et tu attendras, en effet, mon retour en les entretenant avec galanterie, et moi je saurai bien trouver le moyen de faire tourner les choses selon ton gré ! »

À ces paroles, je remerciai beaucoup le vénérable lieutenant des oiseaux, et courus aussitôt me cacher derrière les arbres, tandis qu'il se retirait dans son pavillon pour recevoir ses sujets. Je restai assez longtemps à attendre leur venue. Enfin j'entendis des battements d'ailes et des rires aériens, et je vis les trois colombes s'abattre sur le rebord du bassin et regarder à droite et à gauche pour voir si personne ne les observait. Puis, celle qui m'avait parlé s'adressa aux deux autres et leur dit : « Ne croyez-vous pas, mes sœurs, qu'il y ait quelqu'un de caché dans le jardin ? Qu'est-il devenu, le jeune homme que nous avions vu ? » Mais ses sœurs lui dirent : « Ô Schamsa, ne te préoccupe donc pas tellement, et hâte-toi de faire comme nous ! » Et toutes les trois alors se dépouillèrent de leurs plumes et plongèrent dans l'eau pour aussitôt se livrer à mille jeux folâtres, blanches et nues comme le vierge argent. Et je crus voir trois lunes réfléchies dans l'eau.

J'attendis qu'elles eussent nagé jusqu'au milieu du bassin et je me levai debout sur mes deux pieds pour aussitôt m'élancer avec la rapidité de l'éclair et m'emparer du manteau de la jeune fille que j'aimais. Et à mon geste ravisseur répondirent trois cris d'effroi, et je vis les jeunes filles, honteuses d'être surprises dans leurs ébats, plonger entièrement, en ne laissant que la tête hors de l'eau, et courir vers moi en me jetant des regards éplorés. Mais moi alors, sûr de les tenir cette fois, je me mis à rire en reculant du bord et en brandissant le manteau de plumes d'un air de victoire.

À cette vue, la jeune fille qui m'avait parlé la première fois, et dont le nom était Schamsa, me dit : « Comment oses-tu, ô jeune homme, t'emparer de ce qui ne t'appartient pas ? » Je répondis : « Ô ma colombe, sors du bassin et viens causer avec moi ! » Elle dit : « Je veux bien causer avec toi, ô bel adolescent, mais je suis toute nue et je ne puis sortir ainsi du bassin. Rends-moi donc mon manteau et je te promets de sortir de l'eau pour m'entretenir avec toi, et même je te laisserai me caresser et m'embrasser tant que tu voudras ! » Je dis : « Ô lumière de mon œil, ô ma maîtresse, ô souveraine de beauté, ô fruit de mon foie, si je te rends ton manteau c'est la mort que je me donne de ma propre main. Je ne puis donc le faire, en tout cas pas avant que n'arrive mon ami le cheikh lieutenant des oiseaux ! » Elle me dit : « Alors du moment que tu n'as pris que mon manteau, éloigne-toi un peu et tourne la tête de l'autre côté pour me laisser sortir du bassin et donner le temps à mes sœurs de me couvrir ; et alors elles me prêteront quelques-unes de leurs plumes pour cacher le plus essentiel ! » Moi je dis : « Cela, je puis le faire ! »

Et je m'éloignai et me mis derrière le trône de rubis.

Alors les deux sœurs aînées sortirent les premières, et se vêtirent vivement de leurs manteaux ; puis elles enlevèrent quelques-unes des plumes les plus duvetées et en firent une sorte de petit tablier ; ensuite elles aidèrent leur sœur cadette à sortir à son tour de l'eau, lui ceignirent son essentiel avec ce tablier, puis me crièrent : « Tu peux maintenant venir ! » Et moi je courus au-devant de ces gazelles, et me jetai aux pieds de l'aimable Schamsa et lui embrassai les pieds, tout en tenant solidement son manteau de peur qu'elle ne le prit et s'envolât. Alors elle me releva et se mit à me dire mille paroles gentilles et à me faire mille caresses pour me décider à lui rendre son manteau ; mais je me gardai bien de céder à ses désirs, et je réussis à l'entraîner vers le trône de rubis où je m'assis en la prenant sur mes genoux.

Alors elle, voyant qu'elle ne pouvait m'échapper, se décida enfin à répondre à mes désirs, et jeta ses bras autour de mon cou et me rendit baiser pour baiser et caresse pour caresse, tandis que ses sœurs nous souriaient en regardant de tous côtés pour voir si personne n'arrivait.

Pendant que nous étions en cet état, le cheikh, mon protecteur, ouvrit la porte et entra. Alors nous nous levâmes en son honneur, nous nous avançâmes pour le recevoir, et nous lui baisâmes les mains respectueusement. Il nous pria alors de nous asseoir et, se tournant vers l'aimable Schamsa, lui dit : « Je suis charmé, ma fille, du choix que tu as fait de ce jeune homme qui t'aime à la folie. Sache, en effet, qu'il est d'une illustre origine ! Son père est le roi Tigmos, maître de l'Afghanistan. Tu feras donc bien d'accepter cette alliance et de décider également le roi Nassr, ton père, à te donner son consentement ! » Elle répondit : « J'écoute et j'obéis ! » Alors le cheikh lui dit : « Si vraiment tu acceptes cette alliance, fais-m'en le serment et promets-moi d'être fidèle à ton époux et de ne jamais l'abandonner ! » Et la belle Schamsa se leva aussitôt et prêta le serment en question entre les mains du vénérable cheikh. Alors il nous dit : « Remercions le Très-Haut de votre union, mes enfants. Et puissiez-vous être heureux ! Voici que j'appelle sur vous deux la bénédiction ! Vous pouvez maintenant vous aimer librement. Et toi, Jânschah, tu pourras lui rendre son manteau, car elle ne te quittera plus ! » Et, ayant dit ces paroles, le cheikh nous introduisit dans une salle où il y avait des matelas avec des tapis, et aussi des plateaux couverts de beaux fruits et d'autres choses exquises. Et Schamsa, après avoir prié ses sœurs de la précéder au palais de leur père, pour lui annoncer son mariage et le prévenir de son retour avec moi, fut extrêmement gentille et voulut elle-même m'éplucher les fruits et les partager avec moi. Après quoi nous nous couchâmes ensemble dans les bras l'un de l'autre, à la limite de la jubilation…

À ce moment de sa narration, Schahrazade vit apparaître le matin et se tut discrètement.

Mais lorsque fut la trois cent soixante-neuvième nuit. Elle dit :

… Après quoi nous nous couchâmes ensemble dans les bras l'un de l'autre, à la limite de la jubilation.

Le matin, Schamsa fut la première debout. Elle se vêtit de son manteau de plumes, me réveilla, m'embrassa entre les deux yeux et me dit : « Il est temps que nous allions au palais des diamants voir le roi Nassr, mon père. Hâte-toi donc de t'habiller ! » J'obéis aussitôt et, lorsque je fus prêt, nous allâmes baiser les mains du cheikh lieutenant des oiseaux et nous le remerciâmes beaucoup. Alors Schamsa me dit : « Maintenant mets-toi sur mes épaules et tiens-toi solidement, car le voyage sera un peu long, bien que je me propose d'aller à toute vitesse ! » Et elle me prit sur ses épaules et, après les derniers adieux à notre protecteur, elle me transporta à travers les airs avec la rapidité de l'éclair et en peu de temps me déposa à quelque distance de l'entrée du palais des diamants. Et de là nous nous dirigeâmes doucement vers le palais, tandis que des genn serviteurs, postés par le roi, couraient lui annoncer notre arrivée.

Le roi Nassr, père de Schamsa et maître des genn, éprouva une joie extrême à me voir ; il me prit dans ses bras et me pressa contre sa poitrine. Puis il ordonna qu'on me revêtit d'une magnifique robe d'honneur, me mit sur la tête une couronne taillée d'un seul diamant, puis me conduisit auprès de la reine, mère de mon épouse, qui m'exprima son contentement, et félicita sa fille du choix qu'elle avait fait en ma personne. Elle fit ensuite cadeau à sa fille d'une quantité énorme de pierreries, puisque le palais en était plein, et nous fit conduire tous deux au hammam où l'on nous lava et nous parfuma d'eau de rose, de musc, d'ambre et d'huiles aromatiques qui nous rafraîchirent merveilleusement. Après quoi on donna en notre honneur des festins qui durèrent trente jours et trente nuits consécutives.

Alors j'exprimai le désir de présenter à mon tour mon épouse à mes parents dans mon pays. Le roi et la reine, bien que fort peinés de se séparer de leur fille, approuvèrent mon projet, mais me firent promettre de revenir chaque année passer chez eux un certain temps. Puis le roi fit construire un trône d'une magnificence et d'une grandeur telles qu'il pouvait contenir sur ses marches deux cents génies mâles et deux cents génies femmes. Nous montâmes tous deux sur le trône, et les quatre cents génies des deux sexes, qui étaient là pour nous servir, se tinrent debout sur les marches, tandis que toute une armée d'autres génies servaient de porteurs. Lorsque nous eûmes fait nos derniers adieux, les porteurs s'élevèrent dans les airs avec le trône, et se mirent à parcourir l'espace avec une rapidité telle qu'en deux jours ils accomplirent un trajet de deux ans de marche. Et nous arrivâmes sans encombre au palais de mon père, à Kaboul.

Lorsque mon père et ma mère me virent arriver, après une absence qui leur avait enlevé tout espoir de me retrouver, et qu'ils eurent contemplé mon épouse et appris qui elle était et dans quelles circonstances je l'avais épousée, ils furent à la limite de la joie, et pleurèrent beaucoup en m'embrassant et en embrassant ma bien-aimée Schamsa. Et même ma pauvre mère fut si émue qu'elle tomba évanouie et ne revint à elle que grâce à l'eau de rose dont un grand flacon appartenait à mon épouse Schamsa.

Après tous les festins et toutes les réjouissances donnés à l'occasion de notre arrivée et de nos épousailles, mon père demanda à Schamsa : « Que puis-je faire, ma fille, qui puisse t'agréer ? » Et Schamsa, dont les goûts étaient modestes, répondit : « Ô roi fortuné, je souhaite seulement avoir pour nous deux un pavillon au milieu d'un jardin arrosé de ruisseaux. » Et le roi mon père donna aussitôt les ordres nécessaires, et au bout d'un très court espace de temps nous eûmes notre pavillon et notre jardin où nous vécûmes à la limite de la félicité.

Au bout d'une année, passée de la sorte au milieu d'une mer de délices, mon épouse Schamsa voulut revoir son père et sa mère au palais des diamants, et me rappela la promesse que je leur avais faite d'aller chaque année passer un certain temps au milieu d'eux. Moi je ne voulus pas la contrarier, car je l'aimais beaucoup ; mais, hélas ! le malheur devait s'abattre sur nous à cause de ce maudit voyage !

Nous nous plaçâmes donc sur le trône porté par nos génies serviteurs et nous voyageâmes à une grande vitesse, parcourant tous les jours une distance d'un mois de chemin, et nous arrêtant, le soir, près de quelque source ou sous l'ombrage des arbres, pour nous reposer. Or, un jour nous nous arrêtâmes juste à cet endroit-ci pour passer la nuit, et mon épouse Schamsa voulut aller se baigner dans l'eau de cette rivière qui coule devant nous. Je fis tous mes efforts pour l'en dissuader, lui parlant de la fraîcheur trop grande du soir et du malaise qui pouvait en résulter : elle ne voulut pas m'écouter et emmena quelques-unes de ses esclaves se baigner avec elle. Elles se déshabillèrent sur le rivage et entrèrent dans l'eau, où Schamsa paraissait être la lune à son lever au milieu du cortège des étoiles. Elles étaient là à folâtrer et à jouer entre elles, quand soudain Schamsa poussa un cri de douleur et tomba entre les bras de ses esclaves qui se hâtèrent de la faire sortir de l'eau et de la porter sur le rivage. Mais quand je voulus lui parler et la soigner, elle était morte. Et les esclaves me montrèrent sur son talon la trace d'une morsure de serpent d'eau.

À ce spectacle, moi je tombai évanoui, et je restai si longtemps en cet état que l'on me crut mort également. Mais hélas ! je devais survivre à Schamsa pour la pleurer et lui bâtir ce tombeau que tu vois. Quant au second tombeau, c'est le mien propre que je fis construire à côté de celui de ma pauvre bien-aimée. Et je passe maintenant ma vie dans les larmes et dans ces souvenirs cruels, en attendant le moment où je dormirai à côté de mon épouse Schamsa, loin de mon royaume auquel j'ai renoncé, loin du monde devenu pour moi un désert affreux, dans cet asile solitaire de la mort ! »

Lorsque le bel adolescent triste eut fini de raconter son histoire à Beloukia, il cacha son visage dans ses mains et se mit à sangloter. Alors Beloukia lui dit : « Par Allah ! ô mon frère, ton histoire est si étonnante et si extraordinaire que j'en ai oublié mes propres aventures, que je croyais pourtant prodigieuses entre toutes les aventures. Qu'Allah te soutienne dans ta douleur, ô mon frère, et puisse-t-il enrichir ton âme de l'oubli…

À ce moment de sa narration, Schahrazade vit apparaître le matin et, discrète selon son habitude, se tut.

Mais lorsque fut la trois cent soixante-dixième nuit. Elle dit :

… Qu'Allah te soutienne dans ta douleur, ô mon frère, et puisse-t-il enrichir ton âme de l'oubli ! »

Il resta encore avec lui pendant une heure de temps, essayant de le décider à l'accompagner dans son royaume pour changer d'air et de vue ; mais ce fut en vain. Alors il fut bien obligé de le laisser, de peur de l'importuner, et, après l'avoir embrassé et lui avoir encore dit quelques paroles de consolation, il prit la route de sa capitale où il arriva sans incidents, après s'en être absenté cinq années.

Et depuis lors je n'ai plus eu de ses nouvelles ! Et d'ailleurs, maintenant que tu es là, ô Hassib, j'oublie tout à fait ce jeune roi Beloukia que j'espérais jusqu'ici revoir un jour ou l'autre. Toi, du moins, tu ne vas pas me quitter de sitôt, et je pense bien te garder avec moi pendant de longues années, en ne te laissant manquer de rien, sois-en bien persuadé ! J'ai d'ailleurs encore tant d'histoires étonnantes à te raconter que celles du roi Beloukia et du bel adolescent triste te sembleront simples aventures de tous les jours ! En tout cas, pour te donner dès maintenant une preuve du bien que je te veux, pour m'avoir écoutée tout ce temps avec une telle attention, voici mes femmes qui vont nous servir à manger et à boire et qui vont chanter pour nous charmer et nous délasser l'esprit jusqu'au matin ! »

Lorsque la reine Yamlika, princesse souterraine, eut fini de raconter au jeune Hassib, fils de Danial le savant, l'histoire de Beloukia et celle du bel adolescent triste, et lorsque le festin et les chants et les danses des femmes serpentines eurent pris fin, la séance fut levée et le cortège fut formé pour retourner à l'autre résidence. Mais le jeune Hassib, qui aimait à l'extrême sa mère et son épouse, répondit : « Ô reine Yamlika, je ne suis qu'un pauvre bûcheron, et tu m'offres ici une vie pleine de délices, mais il y a dans ma maison la mère et l'épouse ! Et je ne puis, par Allah ! les laisser plus longtemps dans mon attente et dans le désespoir de mon absence. Permets-moi donc de retourner auprès d'elles, sinon elles mourront sûrement de douleur. Mais il est certain que je regretterai toute ma vie de n'avoir pu écouter les autres histoires dont tu as l'intention de charmer mon séjour dans ton royaume ! »

À ces paroles, la reine Yamlika comprit que le motif du départ de Hassib était le seul valable, et lui dit : « Je veux bien, ô Hassib, te laisser retourner auprès de ta mère et de ton épouse, bien qu'il m'en coûte extrêmement de me séparer d'un auditeur aussi attentionné que toi. Seulement, j'exige de toi un serment, sans lequel il me sera impossible de te laisser partir. Tu vas me promettre de ne jamais aller prendre de bain au hammam désormais, toute ta vie durant. Sinon, il y va simplement de ta perte. Je ne puis pour le moment t'en dire plus long ! »

Le jeune Hassib, que cette demande étonnait à l'extrême, ne voulut pas contrarier la reine Yamlika, et lui fit le serment en question, par lequel il lui promettait de ne jamais aller prendre de bain au hammam, toute sa vie durant. Alors, la reine Yamlika, une fois les adieux finis, le fit accompagner par une de ses femmes serpentines jusqu'à la sortie de son royaume dont l'ouverture était cachée dans une maison en ruine, du côté opposé à l'endroit où se trouvait le trou à miel par lequel Hassib avait pu pénétrer dans la résidence souterraine.

Le soleil jaunissait à l'horizon quand Hassib arriva dans sa rue et frappa à la porte de sa maison. Sa mère vint lui ouvrir et, en le reconnaissant, poussa un grand cri et se jeta dans ses bras en pleurant de joie. Et son épouse, de son côté, en entendant le cri et les sanglots de la mère, courut à la porte, le reconnut également et le salua respectueusement en lui baisant les mains. Après quoi ils entrèrent dans la maison et s'abandonnèrent librement aux transports les plus vifs de la joie.

Lorsqu'ils se furent un peu calmés, Hassib leur demanda des nouvelles des bûcherons, ses anciens camarades, qui l'avaient abandonné dans le trou à miel. Sa mère lui raconta comment ils étaient venus lui apprendre la nouvelle de sa mort sous les dents d'un loup, comment ils étaient devenus de riches marchands et des propriétaires de grands biens et de belles boutiques, et comment ils avaient vu le monde grandir devant eux de plus en plus tous les jours.

Alors Hassib réfléchit un instant et dit à sa mère : « Demain tu iras les trouver au souk, tu les réuniras et tu leur annonceras mon retour, en leur disant que je serai bien content de les voir ! » Aussi, le lendemain, la mère de Hassib ne manqua pas de faire la chose, et les bûcherons, en apprenant la nouvelle, changèrent de teint et répondirent par l'ouïe et l'obéissance en ce qui concernait la visite de bienvenue. Puis ils se concertèrent entre eux, et résolurent d'arranger au mieux la chose. Ils commencèrent d'abord par donner à la mère de Hassib de belles soieries et de belles étoffes, et l'accompagnèrent à la maison, en convenant de donner à Hassib chacun la moitié de ce qui était sous leurs mains en richesses, en esclaves et en propriétés. En arrivant auprès de Hassib, ils le saluèrent et lui baisèrent les mains en lui offrant tout cela et en le priant de l'accepter et d'oublier leurs torts à son égard. Et Hassib ne voulut pas leur garder rancune, accepta leurs offres, et leur dit : « Ce qui est passé est passé, et nulle précaution ne peut empêcher d'arriver ce qui doit arriver ! » Alors ils prirent congé de lui, en l'assurant de leur gratitude, et Hassib devint dès ce jour un homme riche, et s'établit dans le souk comme marchand en ouvrant une boutique qui devint la plus belle entre toutes les boutiques.

Un jour qu'il se rendait à sa boutique, selon son habitude, il passa devant le hammam situé à l'entrée du souk. Or le propriétaire du hammam était justement à prendre l'air devant sa porte et, ayant reconnu Hassib, il le salua et lui dit : « Fais-moi l'honneur d'entrer dans mon établissement. Je ne t'ai jamais eu une seule fois comme client. Mais aujourd'hui je veux te traiter pour mon plaisir simplement, et les masseurs te frotteront avec un gant neuf en crin, et te savonneront avec des filaments de lifa dont personne ne s'est servi ! » Mais Hassib, qui se souvenait de son serment, répondit : « Non, par Allah ! je ne puis accepter ton offre, ô cheikh ! car j'ai fait vœu de ne jamais entrer au hammam…

À ce moment de sa narration, Schahrazade vit apparaître le matin et se tut discrètement.

Mais lorsque fut la trois cent soixante et onzième nuit. Elle dit :

… Car j'ai fait vœu de ne jamais entrer au hammam ! » À ces paroles, le maître du hammam, qui ne pouvait croire à un serment de cette sorte, vu que nul homme ne peut, même au risque de mourir, s'empêcher de prendre des bains toutes les fois qu'il s'est approché sexuellement de son épouse, s'écria : « Pourquoi me refuses-tu, ô mon maître ? Or, par Allah ! je jure à mon tour que si tu persistes dans ta résolution, j'irai immédiatement divorcer d'avec mes trois épouses ! Je le jure trois fois par le divorce ! » Mais comme Hassib, malgré le serment si grave qu'il venait d'entendre, continuait à ne pas accepter, le propriétaire du hammam se jeta à ses pieds en le suppliant de ne pas l'obliger à accomplir son serment ; et il lui embrassa les pieds en pleurant, et lui dit : « Je prends sur ma tête la responsabilité de ton acte et toutes les conséquences ! » Et tous les passants qui s'étaient attroupés autour d'eux, en apprenant ce dont il s'agissait et entendant le serment du divorce, se mirent également à supplier Hassib de ne pas faire gratuitement le malheur d'un homme qui lui offrait un bain sans rémunération. Puis, comme ils voyaient l'inutilité de leurs paroles, ils se décidèrent tous à employer la force, se saisirent de Hassib, l'emportèrent, malgré ses cris terrifiés, à l'intérieur du hammam, le dépouillèrent de ses vêtements, lui versèrent tous ensemble vingt ou trente bassins d'eau sur le corps, le frictionnèrent, le massèrent, le savonnèrent, le séchèrent, et l'entourèrent de serviettes chaudes et lui enveloppèrent la tête d'un grand foulard ourlé et brodé. Puis, le propriétaire du hammam à la limite de la joie de voir qu'il était délié de son serment de divorce, apporta à Hassib une tasse de sorbet parfumé à l'ambre et lui dit : « Que le bain te soit léger et béni ! Que cette boisson te rafraîchisse comme tu m'as rafraîchi ! » Mais Hassib, que tout cela terrifiait de plus en plus, ne savait s'il devait refuser ou accepter cette dernière invitation, et allait répondre, quand soudain le hammam fut envahi par les gardes du roi qui se précipitèrent sur lui, l'enlevèrent tel qu'il était, dans son accoutrement de bain, et, malgré ses protestations et sa résistance, le portèrent au palais du roi et le remirent entre les mains du grand vizir qui les attendait à la porte dans la plus grande impatience.

Le grand vizir, à la vue de Hassib, fut dans une joie extrême, le reçut avec les marques les plus notoires du respect, et le pria de l'accompagner auprès du roi. Et Hassib, résolu maintenant à laisser courir sa destinée, suivit le grand vizir qui l'introduisit auprès du roi dans une salle où se trouvaient, rangés suivant leur rang hiérarchique, deux mille gouverneurs de provinces, deux mille officiers principaux, et deux mille bourreaux porte-glaive qui n'attendaient qu'un signe pour faire voler les têtes. Quant au roi lui-même, il était couché sur un grand lit d'or et semblait dormir, la tête et le visage recouverts d'un foulard de soie.

À la vue de tout cela, le terrifié Hassib se sentit mourir et tomba au pied du lit en protestant de son innocence. Mais le grand vizir se hâta de le relever avec tous les signes du respect, et lui dit : « Ô fils de Danial, nous attendons de toi de sauver notre roi Karazdân ! Une lèpre, sans remède jusqu'ici, lui couvre le visage et le corps ! Et nous avons pensé à toi pour le guérir, car tu es le fils de Danial le savant ! » Et tous les assistants, les gouverneurs, les chambellans, les officiers et les bourreaux s'écrièrent à la fois : « De toi seul nous attendons la guérison du roi Karazdân ! »

À ces paroles, l'effaré Hassib se dit : « Par Allah ! ils me prennent pour un savant ! » Puis il dit au grand vizir : « Je suis en vérité le fils de Danial. Mais je ne suis qu'un ignorant ! On m'a mis à l'école et je n'ai rien appris ; on a voulu m'enseigner la médecine, mais au bout d'un mois on y a renoncé, en voyant la mauvaise qualité de mon entendement. Et ma mère, à bout de ressources, m'acheta un âne et des cordes, et fit de moi un bûcheron. Et voilà tout ce que je sais ! » Mais le vizir lui dit : « Il est inutile, ô fils de Danial, de cacher davantage tes connaissances. Nous savons fort bien que si nous parcourions l'Orient et l'Occident nous ne trouverions point ton égal en médecine ! » Hassib, atterré, dit : « Mais comment, ô vizir plein de sagesse, pourrais-je le guérir, puisque je ne connais guère ni les maladies ni les remèdes ? » Le vizir reprit : « Allons, jeune homme, il est inutile de nier davantage. Nous savons tous que la guérison du roi est entre tes mains ! » Hassib leva les mains au ciel et demanda : « Comment cela ? » Le vizir dit : « Oui certes ! tu peux obtenir cette guérison, car tu connais la princesse souterraine, la reine Yamlika dont le lait virginal, pris à jeun ou employé comme dictame, guérit les maladies les plus incurables...

À ce moment de sa narration, Schahrazade vit apparaître le matin et se tut discrètement.

Mais lorsque fut la trois cent soixante-douzième nuit. Elle dit :

... La reine Yamlika dont le lait virginal, pris à jeun ou employé comme dictame, guérit les maladies les plus incurables ! »

En entendant ces paroles, Hassib comprit que cette information résultait de son entrée au hammam, et il essaya de nier. Il s'écria donc : « Je n'ai jamais vu ce lait, ô mon maître, et je ne sais point qui est la princesse Yamlika ! C'est la première fois que j'entends ce nom-là ! » Le vizir sourit et dit : « Puisque tu nies, je vais te démontrer que cela ne te servira à rien ! Je dis que tu as été chez la reine Yamlika ! Or tous ceux qui y sont allés avant toi, dans les temps anciens, sont revenus avec la peau du ventre noire. C'est ce livre que j'ai là sous les yeux qui me le dit. Ou plutôt, ô fils de Danial, la peau du ventre ne devient noire, chez le visiteur de la reine Yamlika, qu'après son entrée au hammam. Or les espions que j'avais postés au hammam pour examiner le ventre de tous les baigneurs sont venus tout à l'heure me dire que toi tu avais eu soudain le ventre noir, tandis qu'on te baignait. Inutile donc de continuer à nier ! »

À ces paroles, Hassib s'écria : « Non, par Allah ! Je n'ai jamais été chez la princesse souterraine ! » Alors le grand vizir s'approcha de lui, lui enleva les serviettes qui l'enveloppaient et mit son ventre à découvert. Il était noir comme le ventre d'un buffle. À cette vue, Hassib faillit tomber évanoui d'épouvante ; puis il eut une idée et dit au vizir : « Je dois t'avouer, ô mon maître, que je suis né avec le ventre tout noir ! » Le vizir sourit et dit : « Il ne l'était pas à ton entrée au hammam. Les espions me l'ont dit ! » Mais Hassib, qui ne voulait pas tout de même trahir la princesse souterraine en révélant sa résidence, continua à nier d'avoir eu des rapports avec elle ou de l'avoir jamais vue. Alors le vizir fit signe à deux bourreaux qui s'approchèrent de lui, l'étendirent par terre, nu comme il était, et se mirent à lui administrer sur la plante des pieds des coups si cruels et si répétés qu'il en serait mort s'il ne s'était décidé à crier grâce en avouant la vérité.

Aussitôt le vizir le fit relever et ordonna qu'on remplaçât par une magnifique robe d'honneur les serviettes dont il était enveloppé en arrivant. Après quoi il le conduisit lui-même dans la cour du palais, où il le fit monter sur le plus beau cheval des écuries royales, monta également à cheval et, accompagnés tous deux d'une nombreuse suite, ils prirent le chemin de la maison en ruine d'où Hassib était sorti de chez la reine Yamlika.

Là le vizir, qui avait appris dans les livres la science des conjurations, se mit à brûler des parfums et à prononcer les formules magiques de l'ouverture des portes, pendant que Hassib, de son côté, sur l'ordre du vizir, conjurait la reine de se montrer à lui. Et soudain se produisit un tremblement qui renversa à terre la plupart des assistants, et un trou s'ouvrit par où apparut, sur un bassin d'or porté par quatre serpents à tête humaine qui vomissaient des flammes, la reine Yamlika dont le visage brillait comme l'or. Elle regarda Hassib avec des yeux pleins de reproches et lui dit : « Est-ce ainsi, ô Hassib, que tu tiens le serment que tu m'as fait ? » Et Hassib s'écria : « Par Allah ! ô reine, la faute en est au vizir qui a failli me faire mourir sous les coups ! » Elle dit : « Je le sais ! Et c'est pour cela que je ne veux point te punir. On te fait venir ici et l'on m'oblige moi-même à sortir de ma demeure pour la guérison du roi. Et tu viens me demander du lait pour opérer cette guérison. Je veux bien t'accorder la chose, en souvenir de l'hospitalité que je t'ai donnée et de l'attention avec laquelle tu m'as écoutée ! Voici donc deux flacons de mon lait. Pour opérer la guérison du roi, il faut que je t'enseigne le moyen à employer. Approche-toi donc plus près ! » Hassib s'approcha de la reine qui lui dit à voix basse, de façon à n'être entendue que de lui : « L'un des flacons, qui est marqué d'un trait rouge, doit servir à guérir le roi. Mais l'autre est destiné au vizir qui t'a fait donner la bastonnade. En effet, lorsque le vizir aura vu la guérison du roi, il voudra boire de mon lait pour se préserver des maladies, et toi tu lui donneras à boire du second flacon. » Puis, la reine Yamlika remit à Hassib les deux flacons de lait, et disparut aussitôt, tandis que la terre se refermait sur elle et sur ses porteurs.

Lorsque Hassib fut arrivé au palais, il fit exactement comme le lui avait indiqué la reine. Il s'approcha donc du roi et lui donna à boire du premier flacon. Et aussitôt que le roi eut bu de ce lait, il se mit à transpirer de tout le corps, et, en quelques instants, toute sa peau atteinte de lèpre commença à tomber par morceaux, et elle était, au fur et à mesure, remplacée par une peau douce et blanche comme l'argent. Et il fut guéri sur l'heure. Quant au vizir, il voulut également boire de ce lait, prit le second flacon et le vida d'un trait. Et aussitôt il se mit à enfler peu à peu et, devenu gros comme un éléphant, il éclata soudain de toute sa peau et mourut sur-le-champ. Et on se hâta de l'enlever de là pour l'enterrer.

Quand le roi se vit guéri de la sorte, il fit s'asseoir Hassib à ses côtés, le remercia beaucoup et le nomma grand vizir à la place de celui qui venait de mourir sous ses yeux. Il le fit ensuite revêtir d'une robe d'honneur enrichie de pierreries, et fit crier sa nomination par tout le palais, après lui avoir donné en cadeau trois cent mamalik, et trois cents jeunes filles comme secrètes, outre trois princesses de sang royal qui, avec sa femme, faisaient ainsi quatre épouses légitimes ; il lui donna également trois cent mille dinars d'or, trois cents mules, trois cents chameaux et beaucoup de bétail en buffles, bœufs et moutons.

Après quoi, tous les officiers, les chambellans et les notables, sur l'ordre du roi qui leur dit : « Celui qui m'honore l'honore ! » s'approchèrent de Hassib et lui baisèrent la main à tour de rôle, en lui faisant leur soumission et en l'assurant de leur respect. Puis Hassib prit possession du palais de l'ancien vizir, et l'habita avec sa mère, ses épouses et ses favorites. Et il vécut ainsi dans les honneurs et les richesses pendant de longues années, durant lesquelles il eut le temps d'apprendre à lire et à écrire.

Lorsque Hassib eut ainsi appris à lire et à écrire, il se rappela que son père Danial avait été un grand savant et il eut la curiosité de demander à sa mère s'il ne lui avait pas laissé en héritage ses livres et ses manuscrits. La mère de Hassib répondit : « Mon fils, ton père, avant de mourir, a détruit tous ses papiers et tous ses manuscrits, et ne t'a laissé en héritage qu'une petite feuille de papier qu'il m'a chargée de te remettre lorsque tu m'en aurais exprimé le désir ! » Et Hassib dit : « Je souhaite beaucoup l'avoir, car maintenant je désire m'instruire pour mieux diriger les affaires du royaume ! » Alors la mère de Hassib…

À ce moment de sa narration, Schahrazade vit apparaître le matin et, discrète, se tut.

Mais lorsque fut la trois cent soixante-treizième nuit. Elle dit :

… Alors la mère de Hassib courut tirer de la malle, où elle l'avait cachée avec ses bijoux, la petite feuille de papier, seul legs du savant Danial, et vint la remettre à Hassib qui la prit et la déroula. Et il y lut ces simples paroles : « Toute science est vaine, car les temps sont venus où l'élu d'Allah indiquera aux hommes les sources de la sagesse. Il s'appellera Môhammad ! Que sur lui et ses compagnons et ses croyants soient la paix et la bénédiction jusqu'à l'extinction des âges ! »

Et telle est, ô Roi fortuné, continua Schahrazade, l'histoire de Hassib fils de Danial et de la reine Yamlika, princesse souterraine. Mais Allah est plus savant !

Lorsque Schahrazade eut fini de raconter cette histoire extraordinaire, le roi Schahriar tout d'un coup s'écria : « Je sens un grand ennui m'envahir l'âme, Schahrazade. Fais donc bien attention, car si cela continue je crois bien que demain matin ta tête sera d'un côté et ton corps de l'autre ! » À ces paroles, la petite Doniazade, apeurée, se blottit davantage sur le tapis, et Schahrazade, sans se troubler, répondit : « Dans ce cas, ô Roi fortuné, je vais te raconter une ou deux petites histoires, juste de quoi passer la nuit. Après cela, Allah est l'Omniscient ! » Et le roi Schahriar demanda : « Mais comment vas-tu faire pour me trouver une histoire à la fois courte et amusante ? » Schahrazade sourit et dit : « Justement, ô Roi fortuné, ce sont ces histoires-là que je connais le mieux. Je vais donc te raconter à l'instant une ou deux petites anecdotes tirées du PARTERRE FLEURI DE L'ESPRIT *et du* JARDIN DE LA GALANTERIE. *Et après cela je veux avoir la tête coupée ! »*

Et aussitôt elle dit :

LE PARTERRE FLEURI DE L'ESPRIT ET LE JARDIN DE LA GALANTERIE

AL-RACHID ET LE PET

Il m'est revenu, ô Roi fortuné, que le khalifat Haroun Al-Rachid, pris d'ennui et se trouvant dans le même état d'esprit où se trouve en ce moment Ta Sérénité, sortit se promener sur la route qui va de Bagdad à Bassra, en emmenant avec lui son vizir Giafar Al-Barmaki, son échanson favori Abou-Ishak et le poète Abou-Nowas.

Pendant qu'ils se promenaient et que le khalifat avait l'œil sombre et les lèvres fermées, un cheikh vint à passer sur la route, monté sur son âne. Alors le khalifat se tourna vers son vizir Giafar et lui dit : « Interroge ce cheikh sur son lieu de destination ! » Et Giafar, qui depuis un moment ne savait qu'inventer pour distraire le khalifat, résolut aussitôt de l'amuser aux dépens du cheikh qui allait tranquillement son chemin en laissant flotter la corde sur le cou de son âne amène. Il s'approcha donc du cheikh et lui demanda : « Pour où vas-tu comme ça, ô vénérable ? » le cheikh répondit : « Pour Bagdad en venant de Bassra, mon pays ! » Giafar demanda : « Et pour quel motif un si long voyage ? » Il répondit : « Par Allah ! c'est pour trouver à Bagdad un médecin savant qui me prescrive un collyre pour mon œil ! » Il dit : « La chance et la guérison sont entre les mains d'Allah, ô cheikh ! Mais que me donneras-tu si, pour t'éviter les recherches et les dépenses, je te prescris ici, moi-même, un collyre capable de te guérir l'œil en une nuit ? » Il répondit : « Allah seul est capable de te rémunérer selon tes mérites ! » Alors Giafar se tourna vers le khalifat et vers Abou-Nowas et leur cligna de l'œil ; puis il dit au cheikh : « Puisqu'il en est ainsi, mon bon oncle, retiens bien la prescription que je vais te faire, car elle est fort simple. Voici : prends trois onces de souffle de vent, trois onces de rayons de soleil, trois onces de rayons de lune et trois onces de lumière de lanterne ; mêle soigneusement le tout dans un mortier sans fond et laisse-le pendant trois mois exposé au grand air. Alors il te faudra piler le mélange pendant trois mois et le verser dans une écuelle percée que tu exposeras au vent et au soleil pendant encore trois mois. Cela fait, le collyre se trouvera à point, et tu n'auras plus qu'à t'en saupoudrer l'œil trois cents fois la première nuit, en employant trois grosses pincées chaque fois, et tu dormiras. Le lendemain tu te réveilleras guéri, si Allah veut ! »

En entendant ces paroles, le cheikh, en signe de gratitude et de respect, s'inclina à plat ventre sur son âne devant Giafar, et tout d'un coup lâcha un détestable pet suivi de deux longues vesses, et dit à Giafar : « Hâte-toi, ô médecin, de les recueillir avant qu'ils ne s'éparpillent. C'est pour le moment la seule réponse de ma gratitude à ton remède venteux ; mais crois bien qu'à peine de retour dans mon pays, si Allah veut, je t'enverrai en cadeau une esclave au derrière aussi ridé qu'une figue sèche, qui te donnera tant de plaisir que tu en expireras ton âme ; et alors ton esclave aura tant de douleur et d'émotion que, pleurant sur toi, elle ne pourra se retenir ainsi de pisser sur ton visage si froid et d'arroser ta barbe sèche ! »

Et le cheikh caressa tranquillement son âne et continua sa route, tandis que le khalifat, à la limite du trémoussement, se laissait tomber sur son derrière et étouffait de rire en voyant la mine de son vizir, cloué dans une surprise embarrassée et sans repartie, et Abou-Nowas qui, paterne, lui ébauchait des gestes de félicitation.

Lorsqu'il eut entendu cette anecdote, le roi Schahriar se rasséréna soudain et dit à Schahrazade : « Hâte-toi, Schahrazade, de me raconter encore cette nuit une anecdote au moins aussi amusante ! » Et la petite Doniazade s'écria :

« Ô Schahrazade, ma sœur, que tes paroles sont douces et savoureuses ! » Alors, après un court silence, elle dit :

LE JOUVENCEAU ET SON MAÎTRE

On raconte que le vizir Badreddîn, gouverneur du Yamân, avait un frère qui était un jouvenceau doué d'une beauté incomparable, tellement que sur son passage les hommes et les femmes se retournaient pour l'admirer et se baigner les yeux de ses charmes. Aussi le vizir Badr, craignant pour lui quelque aventure considérable, le tenait-il soigneusement éloigné des regards des hommes et l'empêchait-il de fréquenter les jeunes gens de son âge. Comme il ne voulait pas le mettre à l'école, de peur de ne pouvoir le surveiller, il lui fit venir à la maison, comme maître, un cheikh vénérable et pieux, aux mœurs notoirement chastes, et le mit entre ses mains.

Et le cheikh se rendait ainsi tous les jours auprès de son élève, avec lequel il s'enfermait quelques heures dans une chambre que le vizir leur avait réservée pour les leçons.

Au bout d'un certain temps, la beauté et les charmes de l'adolescent ne manquèrent pas d'opérer leur effet habituel sur le cheikh qui finit par devenir éperdument épris de son élève et sentir son âme, à sa vue, chanter de tous ses oiseaux et réveiller par son chant tout ce qui était endormi.

Aussi, ne sachant plus que faire pour calmer son émoi, il se décida un jour à faire part du trouble de son âme à l'adolescent et lui déclara qu'il ne pouvait plus se passer de sa présence. Alors l'adolescent, fort touché de l'émoi de son maître, lui dit : « Hélas ! tu sais bien que j'ai les mains liées et que tous mes mouvements sont surveillés par mon frère ! » Le cheikh soupira et dit : « Je voudrais bien passer une soirée en tête à tête avec toi ! » L'adolescent répondit : « Y songes-tu ! Si mes journées sont si surveillées, que ne doivent point être mes nuits ! » Le cheikh reprit : « Je le sais bien, mais la terrasse de ma maison fait suite, sans discontinuer, à la terrasse de cette maison où nous sommes, et cela te serait chose facile, une fois ton frère endormi, cette nuit, de monter sans bruit là-haut, où je te cueillerai et t'emmènerai, en traversant simplement le petit mur bas de séparation, sur ma terrasse où personne ne viendra nous surveiller ! »

L'adolescent accepta la proposition en disant : « J'écoute et j'obéis… »

À ce moment de sa narration, Schahrazade vit apparaître le matin et, discrète, se tut.

Et le roi Schahriar se dit : « Je ne la tuerai certes pas avant de savoir ce qui va se passer entre cet adolescent et son maître ! »

Aussi lorsque fut la trois cent soixante-quinzième nuit. Schahrazade dit :

… L'adolescent accepta la proposition et, la nuit venue, il fit semblant de dormir et, lorsque le vizir se fut retiré dans sa chambre, il monta sur la terrasse où l'attendait le cheikh qui le prit aussitôt par la main et se hâta de le conduire sur sa terrasse où étaient rangés les coupes pleines et les fruits. Ils s'assirent donc sur la natte blanche, au clair de lune, et, l'inspiration aidant et la sérénité d'une belle nuit, ils se mirent à chanter et à boire, tandis que les doux rayons de l'astre les illuminaient jusqu'à l'extase.

Pendant qu'ils passaient ainsi le temps, le vizir Badr eut l'idée, avant de se coucher, d'aller voir son jeune frère, et fut bien surpris de ne le trouver pas. Il se mit à sa recherche par toute la maison et finit par monter sur la terrasse et s'approcher du mur bas de séparation : il vit alors son frère et le cheikh, la coupe à la main, assis à chanter l'un à côté de l'autre. Mais le cheikh également avait eu le temps de le voir s'avancer de loin et, avec un à-propos admirable, il interrompit la chanson qu'il disait pour, sans changer de ton, improviser aussitôt sur le même mode ces vers qu'il chanta :

« Il me fait boire un vin mêlé à la salive de sa bouche ; et le rubis de la coupe brille sur ses joues que colore à la fois la pourpre de la pudeur.

Mais quel nom lui donnerai-je ? Son frère s'appelle déjà la Pleine-Lune de la Religion, et d'ailleurs nous éclaire comme la lune en ce moment. Je l'appellerai donc la Pleine-Lune de la Beauté ! »

Lorsque le vizir Badreddîn eut entendu ces vers qui contenaient cette allusion délicate à son égard, comme il était discret et fort galant, et que d'ailleurs il ne voyait se passer rien d'inconvenant, il se retira en se disant : « Par Allah ! je ne troublerai pas leur entretien ! » Et tous deux furent dans une parfaite félicité.

Et, ayant raconté cette anecdote, Schahrazade s'arrêta un instant et dit ensuite :

LE SAC PRODIGIEUX

On raconte que le khalifat Haroun Al-Rachid, tourmenté, une nuit par une de ses fréquentes insomnies, fit venir Giafar, son vizir, et lui dit : « Ô Giafar, cette nuit ma poitrine est rétrécie à l'extrême par l'insomnie, et je souhaite fort te voir me la dilater ! » Giafar répondit : « Ô émir des Croyants, j'ai un ami appelé Ali le Persan, qui possède dans sa sacoche quantité d'histoires délicieuses propres à effacer les chagrins les plus tenaces et à calmer les humeurs irritées ! » Al-Rachid répondit : « À moi donc ton ami à l'instant ! » Et Giafar le fit venir aussitôt entre les mains du khalifat qui le fit s'asseoir et lui dit : « Écoute, Ali ! On m'a dit que tu savais des histoires capables de dissiper le chagrin et l'ennui, et même de procurer le sommeil à qui souffre de l'insomnie. Je désire de toi une de ces histoires-là ! » Ali le Persan répondit : « J'écoute et j'obéis, ô émir des Croyants ! Mais je ne sais s'il faut t'en raconter une que j'aie entendue avec mon oreille ou bien une que j'aie vue avec mon œil ! » Al-Rachid dit : « Je préfère une de celles où tu as toi-même figuré ! » Alors Ali le Persan dit :

« J'étais un jour assis dans ma boutique à vendre et à acheter, quand un Kourde vint me marchander quelques objets ; mais soudain il s'empara d'un petit sac qui était à ma devanture et, sans même prendre la peine de le cacher, voulut s'en aller avec, absolument comme s'il lui appartenait depuis la naissance. Alors moi je bondis de ma boutique dans la rue, je l'arrêtai par le pan de sa robe, et lui enjoignis de me rendre mon sac ; mais il haussa les épaules et me dit : « Ce sac ! mais il m'appartient avec tout ce qu'il contient ! » Alors moi, à la limite de la suffocation, je m'écriai : « Ô musulmans ! sauvez mon bien des mains de ce mécréant ! » À mes cris, tout le souk s'attroupa autour de nous, et les marchands me conseillèrent d'aller me plaindre au kâdi à l'instant. Moi, j'acceptai, et ils m'aidèrent à entraîner le Kourde, ravisseur de mon sac, chez le kâdi.

Lorsque nous fûmes arrivés devant le kâdi, nous restâmes debout respectueusement entre ses mains, et il commença par nous demander : « Qui de vous est le plaignant, et de qui se plaint-il ? » Alors le Kourde, sans me laisser le temps d'ouvrir la bouche, fit quelques pas en avant et répondit : « Qu'Allah donne l'appui à notre maître le kâdi ! Ce sac que voici est mon sac, et tout ce qu'il contient m'appartient. Je l'avais perdu, et je viens de le retrouver à la devanture de cet homme ! » Le kâdi lui demanda : « Quand l'avais-tu perdu ? » Il répondit : « Dans la journée d'hier, et sa perte m'a empêché de dormir toute la nuit ! » Le kâdi lui demanda : « Dans ce cas, énumère-moi les objets qu'il contient ! » Alors le Kourde, sans hésiter un instant, dit : « Dans mon sac, ô notre maître le kâdi, il y a deux flacons de cristal remplis de kohl, deux baguettes d'argent pour étendre le khôl, un mouchoir, deux verres à limonade dont le pourtour est doré, deux flambeaux, deux cuillers, un coussin, deux tapis pour table de jeu, deux pots à eau, deux bassins, un plateau, une marmite, un réservoir à eau en terre cuite, une louche de cuisine, une grosse aiguille à tricoter, deux sacs à provisions, une chatte enceinte, deux chiennes, une écuelle à riz, deux ânes, deux litières de femme, un habit de drap, deux pelisses, une vache, deux veaux, une brebis, avec ses deux agneaux, une chamelle et deux petits chameaux, deux dromadaires de course avec leurs femelles, un buffle et deux bœufs, une lionne et deux lions, une ourse, deux renards, un divan, deux lits, un palais avec deux grandes salles de réception, deux tentes en toile verte, deux baldaquins, une cuisine à deux portes et une assemblée de Kourdes de mon espèce tout prêts à témoigner que ce sac est mon sac ! »

Alors le kâdi se tourna vers moi et me demanda...

À ce moment de sa narration, Schahrazade vit apparaître le matin et, discrète, se tut.

Mais lorsque fut la trois cent soixante-seizième nuit. Elle dit :

... Alors le kâdi se tourna vers moi et me demanda : « Et toi, à ton tour, quelle sera ta réponse ? »

Moi, ô émir des Croyants, j'étais stupéfait de tout cela. Pourtant je m'avançai un peu et répondis : « Qu'Allah élève et honore notre maître le kâdi ! Moi, je sais que dans mon sac il y a seulement un pavillon en ruine, une maison sans cuisine, un logement pour les chiens, une école de garçons, des jeunes gens qui jouent aux dés, un repaire de brigands, une armée avec ses chefs, la ville de Bassra et la ville de Bagdad, le palais antique de l'émir Scheddad ben-Aâd, un fourneau de forgeron, un filet de pêcheur, un bâton de berger, cinq jolis garçons, douze jeunes filles intactes, et mille conducteurs de caravane prêts à témoigner que ce sac est mon sac ! »

Lorsque le Kourde eut entendu ma réponse, il éclata en pleurs et en sanglots, puis s'écria en larmoyant : « Ô notre maître le kâdi, ce sac qui m'appartient est connu et reconnu, et tout le monde sait qu'il est ma propriété. Il renferme en outre deux villes fortifiées et dix tours, deux alambics d'alchimiste, quatre joueurs d'échecs, une jument et deux poulains, un étalon et deux chevaux hongres, deux longues lances, deux lièvres, un garçon enculé et deux entremetteurs, un aveugle et deux clairvoyants, un boiteux et deux paralytiques, un capitaine marin, un navire avec ses matelots, un prêtre chrétien et deux diacres, un patriarche et deux moines, et enfin un kâdi et deux témoins prêts à témoigner que ce sac est mon sac ! »

Le kâdi, à ces paroles, se tourna vers moi et me demanda : « Qu'as-tu à répondre, toi, à tout cela ? » Moi, ô émir des Croyants, je me sentais bourré de rage jusqu'à mon nez. J'avançai pourtant de quelques pas et répondis avec tout le calme dont j'étais capable : « Qu'Allah éclaire et consolide le jugement de notre maître le kâdi ! Je dois ajouter que dans ce sac il y a, en outre, des médicaments contre le mal de tête, des philtres et des enchantements, des cottes de mailles et des armoires remplies d'armes, mille béliers dressés à lutter des cornes, un parc à bestiaux, des hommes adonnés aux femmes, des amateurs de garçons, des jardins remplis d'arbres et de fleurs, des vignes chargées de raisin, des pommes et des figues, des ombres et des fantômes, des flacons, et des coupes, des nouveaux mariés avec toute la noce, des cris et des plaisanteries, douze pets honteux et autant de vesses sans odeur, des amis assis dans une prairie, des bannières et des drapeaux, une mariée sortant du hammam, vingt chanteuses, cinq belles esclaves abyssines, trois Indiennes, quatre Grecques, cinquante Turques, soixante-dix Persanes, quarante Cachemiriennes, quatre-vingts Kourdes, autant de Chinoises, quatre-vingt-dix Géorgiennes, tout le pays de l'Irak, le Paradis Terrestre, deux étables, une mosquée, plusieurs hammams, cent marchands, une planche de bois, un clou, un nègre qui joue de la clarinette, mille dinars, vingt caisses remplies d'étoffes, vingt danseuses, cinquante magasins de réserve, la ville de Koufa, la ville de Gaza, Damiette, Assouân, le palais de Khosrou-Anouschirwân et celui de Soleïmân, toutes les contrées situées entre Balkh et Ispahân, les Indes et le Soudan, Bagdad et le Khorassân ; il contient, en outre – qu'Allah préserve les jours de notre maître le kâdi ! –, un linceul, un cercueil et un rasoir pour la barbe du kâdi si le kâdi ne veut point reconnaître mes droits et juger que ce sac est mon sac ! »

Lorsque le kâdi eut entendu tout cela, il nous regarda et me dit : « Par Allah ! ou bien vous êtes deux garnements qui vous moquez de la loi et de son représentant, ou bien ce sac doit être un abîme sans fond ou même la Vallée du Jour du Jugement ! »

Et aussitôt le kâdi, pour contrôler nos paroles, fit ouvrir le sac devant les témoins. Il contenait quelques écorces d'oranges et des noyaux d'olives ! Alors moi, je déclarai au kâdi ahuri à la limite de l'ahurissement que ce sac-là appartenait au Kourde, mais que le mien avait disparu ! Et je m'en allai. »

Lorsque le khalifat Haroun Al-Rachid eut entendu cette histoire, il se renversa sur son derrière par la force explosive de son rire, et donna un magnifique cadeau à Ali le Persan. Et cette nuit-là il dormit d'un profond sommeil jusqu'au matin !

Puis Schahrazade ajouta : « Mais ne crois point, ô Roi fortuné, que cette anecdote soit plus délicieuse que celle où Al-Rachid se trouve dans un cas embarrassant d'amour ! » Et le roi Schahriar demanda : « Quelle est cette anecdote que je ne connais pas ?» Alors Schahrazade dit :

AL-RACHID JUSTICIER D'AMOUR

On raconte qu'une nuit Haroun Al-Rachid s'étant couché entre deux belles adolescentes qu'il aimait également, dont l'une était de Médine et l'autre de Koufa, ne voulut pas exprimer sa préférence, quant à la terminaison finale, spécialement à l'une au détriment de l'autre. Le prix devait donc revenir à celle qui le mériterait le mieux. Aussi l'esclave de Médine commença par lui prendre les mains et se mit à les caresser gentiment, tandis que celle de Koufa, couchée un peu plus bas, lui massait les pieds et en profitait pour glisser sa main jusqu'à la marchandise du haut et la soupeser de temps en temps. Sous l'influence de ce soupèsement délicat, la marchandise se mit soudain à augmenter de poids considérablement. Alors l'esclave de Koufa se hâta de s'en emparer et, l'attirant en entier à elle, de la cacher dans le creux de ses mains ; mais l'esclave de Médine lui dit : « Je vois que tu gardes le capital pour toi seule, et tu ne songes même pas à m'abandonner les intérêts ! » Et, d'un geste rapide, elle repoussa sa rivale et s'empara du capital à son tour en le serrant soigneusement dans ses deux mains. Alors l'esclave ainsi frustrée, qui était fort versée dans la connaissance des traditions du Prophète, dit à l'esclave de Médine : « C'est moi qui dois avoir droit au capital, en vertu de ces paroles du Prophète (sur lui la prière et la paix !) : Celui qui fait revivre une terre morte en devient le seul propriétaire ! » Mais l'esclave de Médine, qui ne lâchait pas la marchandise, n'était pas moins versée dans la Sunna que sa rivale de Koufa, et lui répondit aussitôt : « Le capital m'appartient en vertu de ces paroles du Prophète (sur lui la prière et la paix !) qui nous ont été conservées et transmises par Sofiân : « Le gibier appartient, non point à celui qui le lève, mais à celui qui le prend ! »

Lorsque le khalifat eut entendu ces citations, il les trouva si justes qu'il satisfit également les deux adolescentes cette nuit-là !

Puis Schahrazade ajouta : « Mais, ô Roi fortuné, aucune de ces anecdotes ne vaut celle où deux femmes discutaient pour savoir s'il fallait donner la préférence en amour à l'adolescent ou à l'homme mûr ! »

À QUI LA PRÉFÉRENCE ?
À L'ADOLESCENT OU À L'HOMME MÛR ?

L'anecdote suivante nous est rapportée par Aboul-Aïna. Il dit : « J'étais un soir monté sur ma terrasse pour prendre l'air, quand j'entendis une conversation de femmes sur la terrasse voisine. Celles qui causaient ainsi étaient les deux épouses de mon voisin, lesquelles avaient chacune un amant qui les contentait autrement que ne le faisait le vieil époux impotent. Mais l'amant de l'une était un bel adolescent, encore tout à fait tendre et les joues roses et imberbes, et l'amant de l'autre était un homme mûr et poilu dont la barbe était compacte et drue. Or, justement mes deux voisines, ne se sachant pas écoutées, discutaient sur les mérites respectifs de leurs amoureux. L'une disait…

À ce moment de sa narration, Schahrazade vit apparaître le matin et, discrète, se tut.

Mais lorsque fut la trois cent soixante-dix-septième nuit. Elle dit :

… L'une disait : « Ô ma sœur, comment peux-tu faire pour supporter la rudesse de la barbe de ton amant, lors du baiser, quand sa barbe vient frotter tes seins et que ses moustaches viennent heurter de leurs épines tes joues et tes lèvres ? Comment fais-tu pour ne pas être chaque fois abîmée quant à ta peau, et cruellement déchirée ? Crois-moi, ma sœur, change d'amoureux et fais comme moi : trouve quelque adolescent aux joues légèrement duvetées et désirables comme un fruit, à la chair délicate qui fonde dans ta bouche sous le baiser. Par Allah ! il saura bien compenser auprès de toi son manque de barbe par tant d'autres choses pleines de saveur ! »

À ces paroles, sa compagne lui répondit : « Que tu es sotte, ma sœur, et que tu manques de finesse et de bon sens ! Ne sais-tu donc pas que l'arbre n'est beau que chargé de ses feuilles, et que le concombre n'est savoureux qu'avec tout son duvet et ses aspérités ? Quoi de plus laid au monde qu'un homme imberbe et chauve comme un topinambour ? Sache donc que la barbe et les moustaches sont pour l'homme ce que les tresses des cheveux sont pour les femmes. Et cela est tellement notoire qu'Allah Très-Haut (qu'Il soit glorifié !) a spécialement créé dans le ciel un ange qui n'a d'autre occupation que de chanter les louanges du Créateur pour avoir donné la barbe aux hommes et doué les femmes de longs cheveux ! Que me dis-tu donc de choisir pour amoureux un adolescent imberbe ? Crois-tu que je consentirais à m'étendre sous quelqu'un qui, à peine monté, songe à descendre, à peine tendu, songe à se détendre, à peine noué, songe à dénouer le nœud, à peine en place, songe à se défaire, à peine solidifié, songe à fondre, à peine érigé, songe à s'effondrer, à peine enlacé, songe à se délier, à peine collé, songe à se dissoudre, et à peine tiré, songe à se relâcher ? Détrompe-toi, ma pauvre sœur ! Jamais je ne quitterai l'homme qui à peine a reniflé qu'il enlace, qui lorsqu'il entre reste en place, lorsqu'il se vide se remplit, lorsqu'il finit recommence, lorsqu'il remue est excellent, lorsqu'il s'agite est supérieur, lorsqu'il donne est généreux, et lorsqu'il fonce perfore ! »

En entendant cette explication, la femme dont l'amant était imberbe, s'écria : « Par le Maître de la Kaâba sainte ! ô ma sœur, tu me donnes envie de goûter à l'homme barbu ! »

Puis Schahrazade, après un court silence, dit immédiatement :

LE PRIX DES CONCOMBRES

Un jour l'émir Moïn ben-Zaïda rencontra à la chasse un Arabe, monté sur son âne, qui venait du désert. Il alla au-devant de lui et, après les salams, lui demanda : « Où vas-tu ainsi, frère Arabe, et que portes-tu si soigneusement enroulé dans ce petit sac ? » L'Arabe répondit : « Je vais trouver l'émir Moïn pour lui porter ces concombres qui ont poussé avant leur temps dans ma terre dont c'est la première récolte. Comme c'est l'homme le plus généreux que l'on connaisse, je suis sûr qu'il me payera mes concombres un prix digne de sa libéralité ! » L'émir Moïn, que l'Arabe n'avait pas encore vu jusque-là, lui demanda : « Et combien espères-tu que te donnera l'émir Moïn pour ces concombres ? » L'Arabe répondit : « Au moins mille dinars d'or ! » Il demanda : « Et si l'émir te disait que c'est trop ? » Il répondit : « Je n'en demanderais que cinq cents ! — Et s'il disait que c'est trop ? — Je demanderais trois cents ! — Et s'il te disait que c'est trop ? — Cent ! — Et s'il te disait que c'est trop ? — Cinquante ! — Et s'il te disait que c'est trop ? — Trente ! — Et s'il te disait que c'est encore trop ? — Oh ! alors je ferais entrer mon âne dans son harem et je prendrais la fuite les mains vides ! »

En entendant ces paroles, Moïn se mit à rire et éperonna son cheval pour courir rejoindre sa suite et rentrer en hâte à son palais où il avisa ses esclaves et son chambellan de laisser entrer l'Arabe avec ses concombres.

Aussi lorsque, une heure plus tard, l'Arabe arriva au palais, le chambellan s'empressa-t-il de le conduire dans la salle de réception où l'attendait l'émir Moïn assis majestueusement au milieu de la pompe de sa cour et entouré de ses gardes l'épée nue à la main. Aussi l'Arabe fut loin de reconnaître en lui le cavalier qu'il avait rencontré sur la route et, le sac de concombres entre les mains, il attendit, après les salams, que l'émir l'interrogeât le premier. L'émir lui demanda : « Que m'apportes-tu dans ce sac, frère Arabe ? » Il répondit : « Confiant dans la libéralité de notre maître l'émir, je lui apporte la primeur de jeunes concombres qui ont poussé dans mon champ ! » — « Quelle bonne inspiration ! Et combien estimes-tu ma libéralité ? — Mille dinars ! — C'est un peu trop ! — Cinq cents ! — C'est trop ! — Trois cents ! — C'est trop ! — Cent ! — C'est trop ! — Cinquante ! — C'est trop ! — Trente alors ! — C'est encore trop ! » Alors l'Arabe s'écria : « Par Allah ! quelle rencontre de mauvais augure ai-je faite tout à l'heure à rencontrer ce visage de goudron que j'ai vu dans le désert ! Non, par Allah ! ô émir, je ne puis laisser mes concombres à moins de trente dinars ! »

En entendant ces paroles, l'émir Moïn sourit et ne répondit pas. Alors l'Arabe le regarda et, s'étant aperçu que l'homme rencontré dans le désert n'était autre que l'émir Moïn lui-même, il dit : « Par Allah ! ô mon maître, fais venir les trente dinars, car l'âne est attaché là-bas à la porte ! » À ces paroles, l'émir Moïn partit d'un tel éclat de rire qu'il tomba sur son derrière ; et il fit venir son intendant et lui dit : « Il faut compter immédiatement à ce frère Arabe d'abord mille dinars, puis cinq cents, puis trois cents, puis cent, puis cinquante, et enfin trente, pour le décider à laisser son âne attaché où il est ! » Et l'Arabe fut à la limite de la stupéfaction de recevoir mille neuf cent quatre-vingts dinars pour un sac de concombres. Or, telle était la libéralité de l'émir Moïn !

Puis Schahrazade dit :

CHEVEUX BLANCS

Aba-Souwaïd raconte : « J'étais un jour entré dans un verger pour y acheter des fruits, quand j'aperçus de loin, assise à l'ombre d'un abricotier, une femme qui se peignait les cheveux. Je m'en approchai aussitôt et je vis qu'elle était vieille et que ses cheveux étaient blancs ; mais son visage était parfaitement gentil et son teint frais et délicieux. En me voyant m'approcher d'elle, elle ne fit aucun mouvement pour se voiler le visage ni aucun geste pour se couvrir la tête, et continua en souriant à se démêler les cheveux avec son peigne qui était d'ivoire. Moi je m'arrêtai en face d'elle et, après les salams, je lui dis : « Ô vieille par l'âge, mais si jeune de visage, pourquoi ne pas te teindre les cheveux et ressembler alors tout à fait à une jeune fille ? Quel motif t'empêche de le faire…

À ce moment de sa narration, Schahrazade vit apparaître le matin et se tut discrètement.

Mais lorsque fut la trois cent soixante-dix-huitième nuit. Elle dit :

… Quel motif t'empêche de le faire ? » Elle leva alors la tête, me regarda avec de grands yeux et me répondit par les vers suivants :

« Je les ai teints autrefois, mais la couleur a disparu et celle du temps est restée.

Pourquoi les teindrais-je encore, puisque je puis, quand je veux, balancer ma croupe fastueusement, et me le faire mettre au choix par-devant ou par-derrière ? »

Et Schahrazade dit ensuite :

LE DIFFÉREND TRANCHÉ

On raconte que le vizir Giafar reçut chez lui une nuit le khalifat Haroun Al-Rachid, et n'épargna rien pour l'amuser agréablement. Soudain le khalifat lui dit : « Giafar, il m'est revenu que tu as acheté pour toi une esclave fort belle que j'avais remarquée et que je voulais acheter pour moi-même. Je désire donc de toi que tu me la cèdes au prix qui te convient ! » Giafar répondit : « Je n'ai guère l'intention de la vendre, ô émir des Croyants ! » Il dit : « Alors offre-la-moi en présent ! » Giafar répondit : « Je n'ai point cette intention-là, ô émir des Croyants ! » Alors Al-Rachid fronça les sourcils et s'écria : « Je jure par les trois serments[1] que je divorce à l'instant d'avec mon épouse Sett Zobéida, si tu ne veux pas consentir à me vendre l'esclave ou à me la céder ! » Giafar répondit : « Je jure par les trois serments que je divorce à l'instant d'avec mon épouse, la mère de mes enfants, si je consens à te vendre l'esclave ou à te la céder ! » Lorsqu'ils eurent fait tous deux ce serment, soudain ils s'aperçurent qu'ils s'étaient laissés aller trop loin, aveuglés par les fumées du vin, et, d'un commun accord, se demandèrent quel moyen employer pour sortir d'embarras. Après quelques instants de perplexité et de réflexion, Al-Rachid dit : « Nous n'avons d'autre moyen de sortir de ce cas si embarrassant que de recourir aux lumières du kâdi Abi-Youssouf, si versé dans la jurisprudence en matière de divorce ! » Ils l'envoyèrent aussitôt chercher, et Abi-Youssouf pensa : « Si le khalifat m'envoie chercher au milieu de la nuit, c'est qu'un événement fort grave se passe dans l'Islam ! » Puis il sortit en toute hâte de sa maison, enfourcha sa mule, et dit à son esclave qui suivait la mule : « Prends avec toi le sac à fourrage de la bête qui n'a pas encore fini sa ration, et n'oublie pas de le lui suspendre à la tête, à notre arrivée, pour qu'elle continue à manger ! »

Lorsqu'il entra dans la salle où l'attendaient le khalifat et Giafar, le khalifat se leva en son honneur et le fit s'asseoir à côté de lui : privilège qu'il n'accordait jamais qu'au seul Abi-Youssouf. Puis il lui dit : « Je t'ai mandé pour une affaire de la plus grande gravité ! » Et il lui expliqua le cas. Alors Abi-Youssouf dit : « Mais la solution, ô émir des Croyants, est la chose la plus simple qui soit ! » Il se tourna alors vers Giafar et lui dit : « Tu n'as qu'à vendre au khalifat la moitié de l'esclave et à lui donner en présent la seconde moitié ! »

Cette solution ravit le khalifat à l'extrême, et il en admira toute la finesse : car elle les déliait tous deux de leur serment en le faisant bénéficier de l'esclave qu'il souhaitait. Ils firent donc venir l'esclave sur-le-champ, et le khalifat dit : « Je ne puis attendre que soit passé le temps réglementaire pour la libération définitive qui me permettra de prendre l'esclave à son premier maître. Il faut donc, ô Abi-Youssouf, que tu me trouves également le moyen de faire immédiatement cette libération ! » Abi-Youssouf répondit : « La chose est encore plus facile ! Qu'on fasse venir un jeune mamelouk ! » Aussitôt on fit venir le mamelouk en question, et Abi-Youssouf dit : « Pour que cette libération immédiate soit licite, il faut que l'esclave soit légitimement mariée. Je vais donc la donner en mariage à ce mamelouk qui, moyennant rétribution, divorcera d'avec elle avant de la toucher ! Et alors seulement, ô émir des Croyants, l'esclave pourra t'appartenir comme concubine ! » Et il se tourna vers le mamelouk et lui dit : « Acceptes-tu cette esclave comme épouse légitime ? » Il répondit : « Je l'accepte ! » Alors le kâdi lui dit : « Tu es marié ! Maintenant voici mille dinars pour toi ! Divorce d'avec elle ! » Le mamelouk répondit : « Du moment que je suis marié légitimement, je tiens à rester marié, car l'esclave me plaît ! »

En entendant cette réponse du mamelouk, le khalifat fronça les sourcils de colère, et dit au kâdi : « Par l'honneur de mes ancêtres ! ta solution va te mener à la potence ! » Mais Abi-Youssouf, amène, dit : « Que notre maître le khalifat ne se préoccupe pas du refus de ce mamelouk, et qu'il soit persuadé que la solution devient plus facile que jamais ! » Puis il ajouta : « Permets-moi seulement, ô émir des Croyants, d'user de ce mamelouk comme s'il était mon esclave ! » Le khalifat lui dit : « Je te le permets ! Il est ton esclave et ta propriété ! » Alors Abi-Youssouf se tourna vers l'adolescente et lui dit : « Je te fais cadeau de ce mamelouk et te le donne comme esclave acheté ! L'acceptes-tu ainsi ? » Elle répondit : « Je l'accepte ! » Abi-Youssouf s'écria : « Dans ce cas le mariage qu'il vient de contracter avec toi est cassé de lui-même. Et tu es déliée d'avec lui ! Ainsi le veut la loi du mariage ! J'ai jugé ! »

En entendant ce jugement, Al-Rachid, à la limite de l'admiration, se leva debout sur ses deux pieds et s'écria : « Ô Abi-Youssouf, il n'y a pas ton second dans l'Islam ! » Et il lui fit apporter un grand plateau rempli d'or et le pria de l'accepter. Le kâdi remercia le khalifat, mais ne sut comment emporter tout cet or. Soudain il se rappela le sac à picotin de la mule, et, l'ayant fait apporter, il y vida tout l'or du plateau et s'en alla.

Or cette anecdote est pour nous prouver que l'étude de la jurisprudence mène aux honneurs et à la richesse. Que la miséricorde d'Allah soit donc sur tous ceux-là ! »

Ensuite Schahrazade dit :

ABOU-NOWAS ET LE BAIN DE SETT ZOBÉIDA

On raconte que le khalifat Haroun Al-Rachid qui aimait d'un amour extrême son épouse et cousine Sett Zobéida, lui avait fait construire, dans un jardin réservé à elle seule, un grand bassin d'eau environné d'un bosquet d'arbres touffus, où elle pouvait se baigner sans jamais être exposée aux regards des hommes ni aux rayons du soleil, tant ce bosquet était impénétrable et feuillu.

Or un jour que la chaleur était grande Sett Zobéida vint toute seule dans le bosquet, se dévêtit complètement au bord du bassin, et descendit dans l'eau. Mais elle n'y baigna seulement que ses jambes jusqu'aux genoux ; car elle avait peur du frisson que donne l'eau au corps qui s'y plonge en entier, et, en outre, elle ne savait pas nager. Mais avec une tasse qu'elle avait apportée elle se versait de l'eau sur les épaules par petites ondées en tressaillant sous la caresse humide de la fraîcheur.

Le khalifat, qui l'avait vue se diriger vers le bassin, la suivit doucement et, amortissant le bruit de ses pas, arriva au moment où elle était déjà nue. À travers les feuilles, il se mit à l'observer et à admirer sa nudité blanche sur l'eau. Comme il avait la main appuyée sur une branche, soudain la branche craqua et Sett Zobéida…

À ce moment de sa narration, Schahrazade vit apparaître le matin et, discrète, se tut.

Mais lorsque fut la trois cent soixante-dix-neuvième nuit. Elle dit :

… Soudain la branche craqua et Sett Zobéida, saisie de frayeur, se retourna en portant ses deux mains sur son histoire pour, d'un geste instinctif, la soustraire aux regards.

Or l'histoire de Sett Zobéida était chose si considérable que les deux mains ne parvenaient guère à la cacher qu'à moitié ; et cette histoire-là était si grasse et si glissante que Sett Zobéida ne put réussir à la retenir, et elle lui glissa entre les doigts et apparut dans toute sa gloire aux yeux du khalifat.

Al-Rachid, qui jusqu'alors n'avait pas eu l'occasion d'observer l'histoire de sa cousine à l'air libre et au naturel, fut émerveillé à la fois et stupéfait de son énormité et de son faste, et se hâta de s'éloigner furtivement comme il était venu. Mais ce spectacle éveilla en lui l'inspiration, et il se sentit en veine d'improviser. Il commença par trouver, sur un rythme léger, le vers suivant :

« Dans le bassin, j'ai vu l'argent candide… »

Mais il eut beau ensuite se torturer l'esprit pour construire d'autres rythmes, il ne put guère réussir non seulement à achever le poème mais à faire un second vers qui donnât la rime ; et il se sentait bien malheureux, et il transpirait en répétant : « *Dans le bassin, j'ai vu l'argent candide…* » et il ne parvenait point à sortir d'embarras. Alors il se décida à faire venir le poète Abou-Nowas, et lui dit : « Voyons si toi tu peux arriver à composer un court poème dont le premier vers serait : « *Dans le bassin, j'ai vu l'argent candide…* » Alors Abou-Nowas, qui, lui aussi, avait rôdé aux alentours du bassin et remarqué toute la scène en question, répondit : « J'écoute et j'obéis ! » Et, à la stupéfaction du khalifat, il improvise tout de suite les vers suivants :

« Dans le bassin j'ai vu l'argent candide, et mes yeux se sont enivrés de lait.

Une gazelle a captivé mon âme sous l'ombre de ses hanches, quand de ses doigts joints a glissé son histoire.

Oh ! que n'ai-je pu me changer en onde pour caresser cette délicate histoire qui glisse, ou me changer en poisson pour une heure ou deux ! »

Le khalifat ne chercha pas à savoir comment Abou-Nowas avait pu donner à ses vers une signification exacte, et le rémunéra largement pour lui prouver sa satisfaction.

Puis Schahrazade ajouta : « Mais ne crois point, ô Roi fortuné, que cette finesse d'esprit d'Abou-Nowas ait été plus admirable que sa charmante improvisation dans l'anecdote que voici :

ABOU-NOWAS IMPROVISANT

Une nuit le khalifat Haroun Al-Rachid, pris d'une tenace insomnie, se promenait seul sous les galeries de son palais, quand il aperçut une de ses esclaves, qu'il aimait à l'extrême, se diriger vers son pavillon réservé. Il la suivit et pénétra derrière elle dans le pavillon. Il la prit alors dans ses bras et se mit à la caresser et à jouer avec elle, si bien que le voile tomba qui l'enveloppait, et que sa tunique glissa également de ses épaules.

À cette vue, le désir s'alluma dans l'âme du khalifat qui voulut à l'instant posséder sa belle esclave ; mais elle se récusa, disant : « De grâce ! ô émir des Croyants, remettons la chose à demain, car ce soir je ne m'attendais pas à l'honneur de ta visite, et je ne me suis guère préparée pour cela. Mais demain, si Allah veut ! tu me trouveras toute parfumée, et sur la couche mes jasmins embaumeront ! » Alors Al-Rachid n'insista pas et retourna se promener.

Le lendemain, à la même heure, il envoya le chef des eunuques, Massrour, prévenir l'adolescente de la visite projetée. Mais justement l'adolescente avait eu dans la journée un commencement de fatigue et, se sentant lasse et plus mal disposée que jamais, se contenta, pour toute réponse à Massrour qui lui rappelait sa promesse de la veille, de citer le proverbe : « Le jour efface les paroles de la nuit ! »

Au moment où Massrour rapportait au khalifat ces paroles de l'adolescente, entrèrent les poètes Abou-Nowas, El-Rakaschi, et Abou-Mossâb. Et le khalifat se tourna vers eux et leur dit : « Que chacun de vous m'improvise à l'instant quelques rythmes en y faisant entrer ces mots : « Le jour efface les paroles de la nuit ! »

Alors, le premier, le poète El-Rakaschi dit :

« Garde-toi, mon cœur, d'une belle enfant inflexible qui n'aime ni faire ni recevoir les visites, qui promet un rendez-vous et n'y est point fidèle, et qui s'excuse en disant : « Le jour efface les paroles de la nuit ! »

Ensuite, Abou-Mossâb s'avança et dit :

« Mon cœur vole à toute vitesse, et elle se joue de son ardeur. Mes yeux pleurent, et mes entrailles brûlent de son désir ; mais elle se contente de sourire. Et si je lui rappelle sa promesse, elle me répond : « Le jour efface les paroles de la nuit ! »

Le dernier, Abou-Nowas s'avança et dit :

« Oh ! qu'elle était jolie dans son trouble, ce soir-là ! et que sa résistance avait de charme !

Le vent ivre de la nuit lentement balançait le rameau de sa taille et sa lourde croupe qui ondulait ; et son buste pliait aussi où pointaient deux petites grenades, ses seins.

Par des jeux aimables, par des caresses hardies ma main fit glisser le voile qui la drapait ; et de ses épaules, ô rondeur de perles ! la tunique aussi glissa.

Elle parut alors à moitié nue, sortant de sa robe retournée comme une fleur de son calice.

Alors, comme la nuit abaissait sur nous le rideau des ombres, je voulus être plus audacieux ; et je lui dis : « Le couronnement ! »

Mais elle me répondit : « La suite à demain ! »

Je vins à elle le lendemain et lui dis : « La promesse ! » Elle se renversa, riant, et me répondit : « Le jour efface les paroles de la nuit ! »

Ayant entendu ces diverses improvisations, Al-Rachid fit donner une grosse somme d'argent à chacun des poètes, excepté à Abou-Nowas dont il ordonna la mise à mort à l'instant, en s'écriant : « Par Allah ! tu es d'intelligence avec la jeune fille ! Sinon comment as-tu pu faire une si exacte description d'une scène où j'étais seul présent ? » Abou-Nowas se mit à rire et répondit : « Notre maître le khalifat oublie que le vrai poète est celui qui sait deviner ce qu'on lui cache, d'après ce qu'on lui dit ! Et d'ailleurs le Prophète (sur lui la prière et la paix !) nous a dépeint excellemment quand, parlant de nous, il a dit : « Les poètes suivent toutes les routes comme des insensés. Seule leur inspiration les guide, et le démon ! Et ils racontent et disent des choses qu'ils ne font pas ! »

Al-Rachid, à ces paroles, ne voulut pas approfondir davantage ce mystère et, après avoir pardonné à Abou-Nowas, lui donna une somme double de celle qu'avaient reçue les deux autres poètes.

Lorsque le roi Schahriar eut entendu cette anecdote, il s'écria : « Non ! par Allah, moi je ne lui aurais pas pardonné à cet Abou-Nowas-là, et j'aurais approfondi ce mystère, et j'aurais fait couper la tête de ce vaurien. Je ne veux plus, m'entends-tu, Schahrazade, que tu me parles encore de cette crapule-là qui ne respectait ni les khalifats ni les lois ! » Et Schahrazade dit : « Alors, ô Roi fortuné, je vais te raconter l'anecdote de l'âne ! »

L'ÂNE

Un jour, un brave homme d'entre les hommes qui sont tellement les dupes d'autrui, marchait dans le souk en conduisant son âne derrière lui par une simple corde qui servait de licou à la bête. Un larron fort expérimenté l'aperçut, et résolut de lui voler l'âne. Il fit part de son projet à l'un de ses compagnons qui lui demanda : « Mais comment feras-tu pour ne pas éveiller l'attention de l'homme ? » Il répondit : « Suis-moi, et tu vas voir…

À ce moment de sa narration, Schahrazade vit apparaître le matin et, discrète, se tut.

Mais lorsque fut la trois cent quatre-vingtième nuit. Elle dit :

… Suis-moi, et tu vas voir ! » Il s'approcha alors de l'homme par-derrière, et, tout doucement, défit le licou de l'âne, se le passa à lui-même, sans que l'homme se fût aperçu du changement, et marcha comme une bête de somme, tandis que son compagnon s'éloignait avec l'âne mis en liberté.

Lorsque le larron se fut assuré que l'âne était déjà loin, il s'arrêta brusquement dans sa marche ; et l'homme, sans se retourner, essaya en tirant sur lui de l'obliger à marcher. Mais, sentant de la résistance, l'homme se retourna pour réprimander l'âne, et vit le larron pris dans le licou à la place de la bête, et l'air bien humble et avec des yeux qui imploraient. Il fut si stupéfait qu'il resta immobile en face du larron ; et, au bout d'un moment, il put enfin articuler quelques syllabes et demander : « Quelle chose es-tu ? » Le larron, des larmes plein la voix, s'écria : « Je suis ton âne, ô mon maître ! Mais mon histoire est étonnante ! Sache, en effet, que j'étais dans ma jeunesse un vaurien adonné à toutes sortes de vices honteux. Un jour, je rentrai tout à fait ivre et dégoûtant chez ma mère, qui, à ma vue, ne put guère maîtriser son ressentiment, m'accabla de reproches et voulut me chasser de la maison. Mais moi je la repoussai et même, dans mon ivresse, je la frappai. Alors, indignée de ma conduite à son égard, elle me maudit, et l'effet de sa malédiction fut que je changeai aussitôt de forme et devins un âne. Alors toi, ô mon maître, tu m'as acheté au souk des ânes pour cinq dinars, et tu m'as gardé tout ce temps-là et tu t'es servi de moi comme bête de somme, et tu m'aiguillonnais le derrière, quand, fourbu, je refusais de marcher, et tu me lançais mille jurons que je n'oserais jamais te répéter. Tout cela ! et moi je ne pouvais guère me plaindre, puisque la parole m'était enlevée, et c'est tout au plus si, des fois, mais rarement, je réussissais à péter pour remplacer la parole qui me manquait ! Enfin aujourd'hui ma pauvre mère a dû certainement se souvenir de moi avec aménité, et la pitié a dû entrer dans son cœur et l'inciter à employer pour moi la miséricorde du Très-Haut. Or c'est, je n'en doute pas, par l'effet de cette miséricorde que tu me vois maintenant revenir à ma forme première humaine, ô mon maître ! »

À ces paroles, le pauvre homme s'écria : « Ô mon semblable, pardonne-moi mes torts à ton égard, par Allah sur toi ! et oublie les mauvais traitements que je t'ai fait endurer à mon insu ! Il n'y a de recours qu'en Allah ! » Et il se hâta de défaire le licou qui attachait le larron, et s'en alla bien contrit à sa maison, où il ne put fermer l'œil cette nuit-là, tant il avait de remords et de chagrin.

Quelques jours après, le pauvre homme alla au souk des ânes, pour s'acheter un autre âne, et quelle ne fut point sa surprise de retrouver sur le marché son premier âne sous l'aspect qu'il avait avant son changement ! Et il pensa en lui-même : « Certainement le vaurien a dû commettre encore quelque délit ! » Et il s'approcha de l'âne, qui s'était mis à braire en le reconnaissant, se pencha sur son oreille et lui cria de toutes ses forces : « Ô l'incorrigible vaurien ! tu as encore dû outrager et frapper ta mère, pour de nouveau être ainsi transformé en âne. Mais, par Allah ! ce n'est pas moi qui t'achèterai encore ! » Et, furieux, il lui cracha au visage et s'en alla acheter un autre âne notoirement connu comme descendant de père et de mère de l'espèce des ânes.

Et, cette nuit-là, Schahrazade dit encore.

LE FLAGRANT DÉLIT DE SETT ZOBÉIDA

On raconte que le commandeur des Croyants Haroun Al-Rachid entra un jour faire sa sieste dans l'appartement de Sett Zobéida, son épouse, et il allait s'étendre sur le lit quand il y remarqua, juste sur le milieu, une large tache encore fraîche dont l'origine était péremptoire d'elle-même. À cette vue, le monde noircit devant son visage et il fut à la limite de l'indignation. Il fit aussitôt mander Sett Zobéida et, les yeux enflammés de colère et la barbe tremblante, il lui cria : « Qu'est-ce que c'est que cette tache-là sur notre lit ? » Sett Zobéida pencha la tête sur la tache en question, la renifla et dit : « C'est de la semence d'homme, ô émir des Croyants ! » Il lui cria, contenant à grand-peine le bouillonnement de sa colère : « Et peux-tu m'expliquer la présence de ce liquide-là encore tout tiède sur un lit où je n'ai pas couché avec toi depuis plus d'une semaine ? » Elle s'écria, bien émue : « La fidélité sur moi et autour de moi, ô émir des Croyants ! Me soupçonnerais-tu par hasard de fornication ? » Al-Rachid dit : « Je te soupçonne tellement que je vais tout de suite faire venir le kâdi Abi-Youssouf pour qu'il expertise la chose et me donne là-dessus son sentiment. Et, par l'honneur de nos ancêtres ! ô fille de mon oncle, je ne reculerai devant rien si tu es reconnue coupable par le kâdi ! »

Lorsque le kâdi fut arrivé, Al-Rachid lui dit : « Ô Abi-Youssouf, dis-moi ce que peut bien être cette tache-là ! » Le kâdi s'approcha du lit, mit son doigt au milieu de la tache, le porta ensuite à la hauteur de son œil et de son nez et dit : « C'est de la semence d'homme, ô émir des Croyants…

À ce moment de sa narration, Schahrazade vit apparaître le matin et, discrète, se tut.

Mais lorsque fut la trois cent quatre-vingt et unième nuit. Elle dit :

… C'est de la semence d'homme, ô émir des Croyants ! » Il demanda : « Quelle peut en être l'origine immédiate ? » Le kâdi fort perplexe et ne voulant pas affirmer une chose qui lui aurait attiré l'inimitié de Sett Zobéida, leva la tête au plafond comme pour réfléchir, et aperçut dans une fente l'aile d'une chauve-souris qui y était blottie. Aussi une idée de salut lui illumina l'entendement, et il dit : « Donne-moi une lance, ô émir des Croyants ! » Le khalifat lui remit une lance, et Abi-Youssouf en perça la chauve-souris qui tomba lourdement. Alors il dit : « Ô émir des Croyants, les livres de médecine nous enseignent que la chauve-souris a une semence qui ressemble étrangement à celle de l'homme. Le délit a donc été commis par elle, à l'aspect de Sett Zobéida endormie ! Tu vois que je viens de l'en châtier par la mort ! »

Cette explication satisfit pleinement le khalifat qui, ne doutant plus de l'innocence de son épouse, combla le kâdi de présents, en signe de gratitude. Et Sett Zobéida, de son côté, à la limite de la jubilation, lui fit de somptueux cadeaux et l'invita à rester avec elle et le khalifat manger quelques fruits et des primeurs, qu'on lui avait apportés. Le kâdi s'assit entre le khalifat et Sett Zobéida, sur les tapis, et Sett Zobéida éplucha une banane et, la lui offrant, lui dit : « J'ai dans mon jardin d'autres fruits, rares en cette époque-ci de l'année ; les préfères-tu aux bananes ? » Il répondit : « J'ai pour principe, ô ma maîtresse, de ne jamais prononcer de jugement par défaut. Il faut donc que je voie d'abord ces primeurs-là pour les comparer à ces primeurs-ci, et donner ensuite mon avis sur leur excellence respective ! » Sett Zobéida fit aussitôt cueillir et apporter les primeurs de son jardin et, les ayant fait goûter au kâdi, lui demanda : « Lesquels de ces fruits préfères-tu maintenant ? » Le kâdi sourit d'un air entendu, regarda le khalifat, puis Sett Zobéida et leur dit : « Par Allah ! la réponse est bien difficile ! Si je préférais l'un de ces fruits, je condamnerais l'autre par le fait même, et je risquerais ainsi une indigestion que, dans sa rancune contre moi, il m'occasionnerait ! »

En entendant cette réponse, Al-Rachid et Zobéida se mirent tellement à rire qu'ils se renversèrent sur leur derrière !

Et Schahrazade, voyant à certains indices que le roi Schahriar avait l'air, lui, plutôt de vouloir condamner sans miséricorde Sett Zobéida en la chargeant elle-même du délit, se hâta, pour faire diversion, de lui raconter l'anecdote suivante :

MÂLE OU FEMELLE ?

On raconte, entre diverses anecdotes sur le roi de Perse le grand Khosrou, que ce roi était un grand amateur de poissons. Un jour qu'il était assis sur sa terrasse avec son épouse la belle Schirîn, un pêcheur vint lui apporter en présent un poisson d'une grosseur et d'une beauté extraordinaires. Le roi fut émerveillé de ce présent, et ordonna de faire donner quatre mille drachmes au pêcheur. Mais la belle Schirîn, qui n'approuvait jamais la généreuse prodigalité du roi, attendit le départ du pêcheur et dit : « Il n'est pas permis d'être prodigue au point de donner à un pêcheur quatre mille drachmes pour un seul poisson. Tu devrais te faire rendre cette somme, sinon tous ceux qui, à l'avenir, t'apporteraient un présent, régleraient leurs espoirs sur ce prix-là, comme point de départ ; et tu ne pourrais plus faire face à leurs prétentions ! » Le roi Khosrou répondit : « Ce serait pourtant un opprobre pour un roi de reprendre ce qu'il a donné. Oublions donc ce qui s'est passé ! » Mais Schirîn répondit : « Non ! il n'est pas possible de laisser la chose courir de la sorte ! Il y a moyen de reprendre la somme sans que le pêcheur ni personne puisse trouver à redire. On n'a pour cela qu'à faire revenir le pêcheur et à lui demander : « Le poisson que tu m'as apporté est-il mâle ou femelle ? » S'il te répond que c'est un mâle rends-lui le poisson en disant : « C'est une femelle que je veux ! » et s'il te dit que c'est une femelle, rends-le en disant : « C'est un mâle que je veux ! »

Le roi Khosrou, qui aimait d'un amour extrême la belle Schirîn, ne voulut pas la contrarier, et se hâta de faire, mais avec regret, ce qu'elle lui conseillait. Seulement, le pêcheur était un homme doué de finesse d'esprit et d'à-propos, et lorsque Khosrou, l'ayant fait revenir, lui eut demandé : « Le poisson est-il mâle ou femelle ? » il embrassa la terre et dit : « Ce poisson-là est hermaphrodite ! »

À ces paroles, Khosrou se dilata d'aise et se mit à rire, puis ordonna à son intendant de donner au pêcheur huit mille drachmes au lieu de quatre mille. Le pêcheur s'en alla avec l'intendant qui lui compta les huit mille drachmes ; et il les mit dans le sac qui lui avait servi à apporter le poisson, et sortit. Lorsqu'il fut dans la cour du palais, il laissa, par inadvertance, tomber du sac un drachme d'argent. Aussitôt il s'empressa de poser son sac par terre, de chercher ce drachme et de le ramasser avec une satisfaction très grande.

Or Khosrou et Schirîn l'observaient de la terrasse, et virent ce qui venait de se passer. Alors Schirîn, contente de l'occasion qui s'offrait à elle, s'écria…

À ce moment de sa narration, Schahrazade vit apparaître le matin et se tut discrètement.

Mais lorsque fut la trois cent quatre-vingt-deuxième nuit. Elle dit :

… Alors Schirîn, contente de l'occasion qui s'offrait à elle, s'écria : « Voilà ce pêcheur ! Quelle ignominie est la sienne ! Il laisse tomber un drachme, et, au lieu de le laisser là pour qu'il soit ramassé par quelque pauvre, il est assez vil pour le reprendre et en frustrer le besogneux ! » À ces paroles, Khosrou fut très impressionné et, faisant rappeler le pêcheur, lui dit : « Ô être abject ! tu n'es certes pas un homme, pour avoir une âme si petite ! Ton avarice te perd, qui te fait déposer un sac rempli d'or pour ramasser un seul drachme tombé pour la chance du besogneux ! »

Alors le pêcheur embrassa la terre et répondit : « Qu'Allah prolonge la vie du roi ! Si j'ai ramassé ce drachme ce n'est point parce qu'il m'est cher comme prix, mais parce que sa valeur est grande à mes yeux ! Ne porte-t-il pas, en effet, sur une de ses faces l'image du roi et sur l'autre son nom ? Je n'ai point voulu le laisser exposé à être foulé par inadvertance aux pieds de quelque passant. Et je me suis hâté de le ramasser, suivant en cela l'exemple du roi qui m'a tiré moi-même de la poussière, moi qui vaux un drachme à peine ! »

Cette réponse plut tellement au roi Khosrou qu'il fit encore donner quatre mille drachmes au pêcheur, et ordonna aux crieurs publics de crier par tout l'empire : « Il ne faut jamais se laisser guider par le conseil des femmes. Car celui qui les écoute commet deux fautes en voulant éviter la moitié d'une ! »

Le roi Schahriar, en entendant cette anecdote dit : « J'approuve fort la conduite de Khosrou et sa méfiance des femmes. Elles sont la cause de bien des calamités ! » Mais Schahrazade, souriante, disait :

LE PARTAGE

Une nuit, le khalifat Haroun Al-Rachid se plaignait de ses insomnies devant son vizir Giafar et son porte-glaive Massrour, quand soudain Massrour partit d'un éclat de rire. Le khalifat le regarda en fronçant les sourcils, et lui dit : « Et de quoi ris-tu donc ainsi ? Serait-ce par folie ou par moquerie ? » Massrour répondit : « Non, par Allah ! ô émir des Croyants, je te la jure par la parenté qui te rattache au Prophète, si je ris ce n'est point par l'effet d'aucune de ces causes, mais simplement parce que je me suis rappelé les bons mots d'un certain Ibn Al-Karabi autour duquel on faisait cercle hier sur le Tigre pour l'écouter ! » Le khalifat dit : « Dans ce cas, va vite me chercher cet Ibn Al-Karabi. Peut-être réussira-t-il à me dilater un peu la poitrine ! »

Aussitôt il courut à la recherche du plaisant Ibn Al-Karabi et, l'ayant rencontré, lui dit : « J'ai parlé de toi au khalifat, et il m'envoie te chercher pour que tu le fasses rire. » Il répondit : « J'écoute et j'obéis. » Massrour alors ajouta : « Oui ! je veux bien te conduire auprès du khalifat, mais c'est, bien entendu, à la condition que tu me donneras les trois quarts de ce que t'accordera le khalifat comme rémunération ! » Ibn Al-Karabi dit : « C'est trop ! Je te donnerai les deux tiers pour ton courage. Ce sera suffisant ! » Massrour, après quelques difficultés, pour la forme, finit par accepter l'accord, et conduisit l'homme auprès du khalifat Haroun Al-Rachid.

Al-Rachid, en le voyant entrer, lui dit : « On prétend que tu sais de bons mots fort amusants. Dévide-les pour voir ! Mais sache bien que si tu ne parviens pas à me faire rire, la bastonnade t'attend ! »

Cette menace eut pour résultat de glacer complètement l'esprit d'Ibn Al-Karabi qui ne sut alors trouver que des banalités à l'effet désastreux ; car Al-Rachid, au lieu d'en rire, sentit augmenter son irritation, et à la fin s'écria : « Qu'on lui administre cent coups de bâton sur la plante des pieds pour faire dévier vers ses extrémités le sang qui lui obstrue le cerveau ! » Aussitôt on étendit l'homme et on lui administra des coups de bâton en mesure sur la plante des pieds. Soudain, lorsque le chiffre de trente coups fut dépassé, l'homme s'écria : « Qu'on rémunère maintenant Massrour à qui reviennent, d'après l'accord intervenu entre nous, les deux autres tiers ! » Les gardes alors, sur un signe du khalifat, s'emparèrent de Massrour, l'étendirent, et commencèrent, sur la plante de ses pieds, à faire sentir le rythme du bâton. Mais dès les premiers coups, Massrour s'écria : « Par Allah ! je veux bien me contenter du tiers seulement et même du quart, et je lui abandonne tout le reste ! » À ces paroles, le khalifat se mit à rire tellement qu'il se renversa sur son derrière, et fit donner mille dinars à chacun des deux patients.

Ensuite Schahrazade ne voulut pas laisser passer la nuit sans raconter l'anecdote suivante :

LE MAÎTRE D'ÉCOLE

Une fois, un homme, dont le métier était de vagabonder et de vivre aux dépens d'autrui, eut l'idée, bien qu'il ne sût ni lire ni écrire, de se faire maître d'école, puisque c'était le seul métier qui pût lui permettre de gagner de l'argent sans rien faire ; car il est notoire qu'on peut être maître d'école et ignorer complètement les règles et les premiers éléments de la langue ; il suffit pour cela d'être assez roué pour faire croire aux autres qu'on est soi-même un grand grammairien ; et l'on sait qu'un savant grammairien est d'ordinaire un pauvre homme à l'esprit étroit, mesquin, déprimant, incomplet et impotent.

Donc, notre vagabond s'improvisa ainsi maître d'école, et n'eut pour cela que la peine d'augmenter le nombre de tours et le volume de son turban, et aussi d'ouvrir, au fond d'une petite rue, une salle qu'il décora de tableaux d'écriture et autres choses semblables, et où il attendit les clients.

Or, à la vue d'un turban si imposant, les habitants du quartier ne doutèrent pas un instant de la science de leur voisin, et se hâtèrent de lui envoyer leurs enfants...

À ce moment de sa narration, Schahrazade vit apparaître le matin et, discrète, se tut.

Mais lorsque fut la trois cent quatre-vingt-troisième nuit. Elle dit :

... Et se hâtèrent de lui envoyer leurs enfants.

Mais, comme il ne savait ni lire ni écrire, il trouva un moyen fort ingénieux de se tirer d'affaire : ce moyen consistait à faire donner des leçons par les enfants qui savaient un peu lire et écrire, à ceux qui ne savaient rien du tout, pendant que lui faisait semblant de surveiller, d'approuver et de désapprouver. De cette façon, l'école prospéra et les affaires du maître prirent une tournure excellente.

Un jour qu'il tenait sa baguette à la main et faisait des yeux terribles aux malheureux petits enfants effondrés d'épouvante, une femme entra dans la salle, en tenant à la main une lettre, et se dirigea vers le maître pour le prier de la lui lire, comme il est d'usage chez les femmes qui ne savent pas lire. À sa vue, le maître d'école ne sut comment faire pour éviter une pareille épreuve, et soudain se leva en hâte pour sortir. Mais la femme le retint, en le suppliant de lui lire la lettre avant de sortir. Il répondit : « Je ne puis attendre davantage : le muezzin vient d'annoncer la prière de midi, et il faut que je me rende à la mosquée ! » Mais la femme ne voulut pas le lâcher, et lui dit : « Par Allah sur toi ! cette lettre me vient de mon époux, absent depuis cinq années, et toi seul, dans le quartier, peux me la lire ! » Et elle l'obligea à prendre la lettre.

Le maître d'école fut bien forcé alors de prendre la lettre ; mais il la tint à rebours, et, dans l'embarras extrême où il se trouvait, il se mit à froncer les sourcils, en regardant l'écriture, à se frapper le front, à déplacer son turban et à transpirer de peine.

À cette vue, la pauvre femme pensa : « Il n'y a plus de doute ! pour que le maître d'école devienne si agité, il doit lire des mauvaises nouvelles ! Ô calamité ! mon époux est peut-être mort ! » Puis, pleine d'anxiété, elle demanda au maître d'école : « De grâce ! ne me cache rien ! Est-il mort ? » Pour toute réponse il haussa la tête d'un signe vague, et garda le silence. Elle s'écria alors : « Ô calamité sur ma tête ! dois-je me déchirer les habits ? » Il répondit : « Déchire ! » Elle demanda, à la limite de l'anxiété : « Dois-je me frapper et me griffer les joues ? » Il répondit : « Frappe et griffe ! »

À ces paroles, la pauvre femme, affolée, s'élança hors de l'école et courut à sa maison qu'elle remplit de cris de deuil. Alors toutes les voisines accoururent chez elle, et se mirent à la consoler, mais en vain. À ce moment, un des parents de la malheureuse entra, vit la lettre et, l'ayant lue, dit à la femme : « Mais qui donc a pu t'annoncer la mort de ton époux ? Il n'y a rien de cela dans la lettre. En voici le contenu : « Après les salams et les souhaits. Ô fille de mon oncle, je continue à jouir d'une excellente santé, et j'espère être de retour auprès de toi dans quinze jours. Mais auparavant, je t'envoie, pour te prouver ma sollicitude, une toile de lin enveloppée dans une couverture. Ouassalam ! »

La femme prit alors la lettre et retourna à l'école pour reprocher au maître de l'avoir ainsi induite en erreur. Elle le trouva assis à sa porte, et lui dit : « N'est-ce point une honte sur toi de tromper de la sorte une pauvre femme et de lui annoncer la mort de son époux, alors que dans la lettre il est écrit que mon époux doit bientôt revenir, et qu'il m'envoie à l'avance une toile et une couverture ? » À ces paroles, le maître d'école répondit : « Certes ! ô pauvre femme, tu as raison de me faire ces reproches. Mais pardonne-moi, car au moment où j'avais ta lettre entre les mains, j'étais fort préoccupé, et, ayant lu un peu vite et de travers, j'ai cru que la toile et la couverture étaient un souvenir qu'on t'envoyait des effets de ton époux mort ! »

Schahrazade dit ensuite :

INSCRIPTION SUR UNE CHEMISE

On raconte qu'El-Amîn, frère du khalifat El-Mâmoun, étant allé un jour en visite chez son oncle El-Mahdi, aperçut une jeune esclave d'une grande beauté, qui jouait du luth ; et il en devint aussitôt amoureux. Aussi El-Mahdi ne tarda pas à remarquer l'impression que l'esclave avait produite sur son neveu, et, pour lui faire un agréable cadeau, attendit qu'il fût parti pour lui envoyer l'esclave chargée de bijoux et de riches habits. Mais El-Amîn crut que son oncle avait déjà eu la primeur de l'adolescente, et la lui donnait défraîchie ; car il le savait excessivement amateur de fruits encore acides. Il ne voulut donc pas accepter l'esclave, et la lui renvoya avec une lettre où il lui disait qu'une pomme mordue par le jardinier avant la maturité ne dulcifiait jamais la bouche de l'acheteur.

Alors El-Mahdi fit déshabiller complètement l'adolescente, lui mit un luth à la main, et la renvoya de nouveau à El-Amîn, vêtue seulement d'une chemise de soie sur laquelle cette inscription courait en lettres d'or :

« Le butin caché à l'ombre de mes plis est vierge de tout toucher.
Seul le regard l'a examiné pour en admirer les perfections ! »

En voyant les charmes de l'esclave ainsi vêtue de cette chemise gentille, et en lisant l'inscription, El-Amîn n'eut plus de raison de résister, et accepta le cadeau qu'il honora particulièrement.

Schahrazade, cette nuit-là, dit encore :

INSCRIPTION SUR UNE COUPE

Le khalifat El-Motawakkel tomba un jour malade, et son médecin Yahia lui prescrivit des remèdes si excellents que la maladie se dissipa, et survint la convalescence. Alors de tous côtés affluèrent auprès du khalifat les cadeaux de félicitation. Or, entre autres envois, le khalifat reçut d'Ibn-Khakân, en cadeau, une jeune fille intacte dont les seins défiaient par leur belle forme les seins de toutes les femmes de son époque. En même temps que sa beauté, la jeune fille apportait au khalifat, en se présentant à lui, une admirable carafe de cristal remplie d'un vin choisi. Elle tenait d'une main la carafe et de l'autre main une coupe d'or sur laquelle, en rubis, était gravée cette inscription…

À ce moment de sa narration, Schahrazade vit apparaître le matin, et discrète, se tut.

Mais lorsque fut la trois cent quatre-vingt-quatrième nuit. Elle dit :

… Elle tenait d'une main la carafe et de l'autre main une coupe d'or sur laquelle, en rubis, était gravée cette inscription :

« Quel philtre ou quelle thériaque, quel baume ou quel dictame vaut cette liqueur de pourpre au goût exquis, ce remède universel aux maux du corps et à l'ennui ? »

Or le savant médecin Yahia se trouvait à ce moment auprès du khalifat. En lisant cette inscription, il se mit à rire et dit au khalifat : « Par Allah ! ô émir des Croyants, cette adolescente et la médecine qu'elle t'apporte feront mieux pour le retour de tes forces que tous les remèdes anciens et modernes ! »

Puis Schahrazade, sans s'arrêter, commença immédiatement l'anecdote suivante :

LE KHALIFAT DANS LA CORBEILLE

L'histoire que voici nous est rapportée par le fameux chanteur Ischak de Mossoul. Il dit : « J'étais une nuit sorti tard d'un festin chez le khalifat El-Mâmoun, et, comme j'étais fort gêné d'une rétention d'urine dont je souffrais, je pris une ruelle où l'on ne voyait pas de lumière, je m'approchai d'un mur, pas trop près cependant de peur de recevoir le jet de ma propre urine, je m'accroupis commodément et je pissai mon plein avec soulagement. À peine avais-je fini et m'étais-je secoué, que je sentis quelque chose me tomber sur la tête au milieu de l'obscurité. Je sautai sur mes jambes, bien saisi, en vérité, j'attrapai l'objet et, l'ayant tâté de tous côtés, je remarquai, à ma surprise extrême, que c'était une grande corbeille attachée par ses quatre oreilles à une corde qui pendait de la maison sous laquelle je me trouvais. Je la tâtai encore, et la trouvai garnie de soie intérieurement, avec deux coussins qui sentaient bon.

Or moi, ayant bu un peu plus que de coutume, je fus poussé par mon esprit enivré à entrer m'asseoir dans cette corbeille qui s'offrait d'elle-même à mon repos. Je ne pus résister à la tentation et je me mis dans la corbeille, pour aussitôt, avant d'avoir pu sauter à terre, me voir enlever rapidement jusqu'à la terrasse où je fus cueilli, sans un mot, par quatre jeunes filles qui me déposèrent dans la maison et m'invitèrent à les suivre. L'une d'elles marcha devant moi, un flambeau à la main, et les trois autres se tinrent derrière moi, et me firent descendre un escalier de marbre et entrer dans une salle d'une magnificence comparable à celle du palais du khalifat. Et moi je pensai en mon âme : « On doit me prendre pour un autre à qui l'on aura donné rendez-vous cette nuit ! Allah arrangera la situation ! »

Comme j'étais encore dans cette perplexité, un grand rideau de soie qui cachait une partie de la salle se souleva, et j'aperçus dix jeunes filles ravissantes, à la taille souple, à la démarche exquise, qui portaient les unes des flambeaux et les autres des cassolettes d'or où brûlaient du nard et de l'aloès de la qualité la plus fine. Au milieu d'elles s'avançait, comme une lune, une adolescente qui aurait rendu jalouses toutes les étoiles. Elle se balançait en marchant et regardait gentiment de côté, à faire s'envoler les âmes les plus lourdes. Or moi, à sa vue, je sautai sur mes deux pieds et m'inclinai devant elle jusqu'à terre. Et elle me regarda en souriant et me dit : « Bienvenu le visiteur ! » Puis elle s'assit et, d'une voix charmante, me dit : « Repose-toi, seigneur ! » Moi, je m'assis avec déjà l'ivresse du vin dissipée et remplacée par une griserie bien plus forte. Alors elle me dit : « Et comment as-tu fait, seigneur, pour venir dans notre rue et t'asseoir dans la corbeille ? » Je répondis : « Ô ma maîtresse, c'est l'angoisse de mon urine seulement qui m'a poussé jusqu'à la rue ; c'est ensuite le vin qui m'a fait m'asseoir dans la corbeille ; et maintenant c'est ta générosité qui m'introduit dans cette salle où tes charmes ont remplacé dans mon cerveau l'ivresse par la griserie ! »

À ces paroles, l'adolescente fut visiblement satisfaite, et me demanda : « Quel métier exerces-tu ? » Moi je me gardai bien de lui dire que j'étais le chanteur et le musicien du khalifat, et lui répondis : « Je suis tisserand dans le souk des tisserands à Bagdad ! » Elle me dit : « Tes manières sont exquises et font honneur au souk des tisserands. Si à cela tu unis la connaissance de la poésie, nous n'aurons point à regretter de t'avoir reçu au milieu de nous ! Sais-tu des vers ? » Je répondis : « J'en sais un peu ! » Elle dit : « Dis-nous-en quelques-uns ! » Je répondis : « Ô ma maîtresse, le visiteur est toujours un peu ému de la réception qu'on lui fait. Encourage-moi donc en commençant, toi la première, à nous réciter quelques-unes des poésies de ton choix ! » Elle me répondit : « Volontiers ! » Et aussitôt elle me récita un choix d'admirables poèmes des poètes les plus anciens tels qu'Amri'Ikaïs, Zohaïr, Antara, Nabigha, Amrou ben-Kalthoum, Tharafa et Chanfara, et des poètes les plus modernes tels qu'Abou-Nowas, El-Rakaschi, Abou-Mossab et les autres ! Et moi j'étais aussi émerveillé de sa diction qu'ébloui de sa beauté. Puis elle me dit : « J'espère maintenant que ton émotion est passée ! » Je dis : « Oui ! par Allah ! » Et à mon tour je choisis, parmi les vers que je connaissais, ceux qui étaient les plus délicats, et je les lui récitai avec beaucoup de sentiment. Lorsque j'eus fini, elle dit : « Par Allah ! je ne savais point qu'il y eût des gens aussi exquis dans le souk des tisserands… »

À ce moment de sa narration, Schahrazade vit apparaître le matin et se tut discrètement.

Mais lorsque fut la trois cent quatre-vingt-cinquième nuit. Elle dit :

… Des gens aussi exquis dans le souk des tisserands. »

Après quoi on servit le festin où ne furent épargnés ni les fruits ni les fleurs ; et elle me servit elle-même les meilleurs morceaux. Puis, la nappe enlevée, on apporta les boissons et les coupes, et elle me versa elle-même à boire, et me dit : « Voici le meilleur moment de la causerie. Connais-tu de belles histoires ? » Moi je m'inclinai et lui racontai aussitôt quantité de détails amusants sur les rois, leur cour et leurs manières, tant qu'elle m'arrêta soudain pour me dire : « En vérité, je suis surprise prodigieusement de voir un tisserand si au courant des usages des rois ! » Je répondis : « Il n'y a là rien d'étonnant, car j'ai pour voisin un homme délicieux qui est reçu chez le khalifat, et qui, dans ses loisirs, se plaît à m'orner l'esprit de ses propres connaissances ! » Elle me dit : « Dans ce cas, je n'admire pas moins la sûreté de ta mémoire qui retient si exactement des détails aussi précis ! » Tout cela ! Et moi, sentant les parfums de nard et d'aloès qui embaumaient la salle, et en regardant cette beauté et en l'écoutant me parler des yeux et des lèvres, je me sentais à la limite du ravissement, et je pensais en mon âme : « Que ferait le khalifat s'il était ici à ma place ? Sûrement il ne se posséderait plus d'émoi, et s'envolerait d'amour ! »

L'adolescente me dit ensuite : « En vérité, tu es un homme excessivement distingué, ton esprit est orné de fort belles connaissances et tes manières sont raffinées à l'extrême. Il ne me reste plus qu'une seule chose à te demander ! » Je répondis : « Sur ma tête et sur mon œil ! » Elle dit : « Je désire t'entendre me chanter quelques vers en t'accompagnant sur le luth ! » Or moi, musicien de profession, il ne m'était guère agréable de chanter moi-même ; aussi je répondis : « Autrefois j'ai cultivé l'art du chant ; mais comme je ne suis guère arrivé à un bon résultat, j'ai préféré le délaisser. Je voudrais bien pouvoir m'exécuter, mais mon excuse est dans mon ignorance. Quant à toi, ô ma maîtresse, tout m'indique que ta voix doit être parfaitement belle ! Si donc tu voulais nous chanter quelque chose pour rendre notre nuit plus délicieuse encore ! »

Elle fit alors apporter un luth et chanta. Or de ma vie je n'avais entendu timbre de voix plus plein, plus grave ou plus parfait, et une science si consommée des effets. Elle vit mon émerveillement et me demanda : « Sais-tu de qui sont les vers et de qui la musique ? » Je répondis, bien que je fusse fixé à ce sujet : « Je l'ignore tout à fait, ô ma maîtresse ! » Elle s'écria : « Est-il possible vraiment que quelqu'un au monde puisse ignorer cet air-là ! Sache-le donc, les vers sont d'Abou-Nowas, et la musique, qui est admirable, est du grand musicien Ischak de Mossoul ! » Je répondis, sans me trahir : « Par Allah ! Ischak n'est plus rien à côté de toi ! » Elle s'écria : « Bakh ! bakh ! quelle erreur est la tienne ! Y a-t-il au monde quelqu'un qui soit l'égal d'Ischak ? On voit bien que tu ne l'as jamais entendu ! » Puis elle se mit à chanter encore, en s'interrompant pour voir si je ne manquais de rien ; et nous continuâmes à nous réjouir de la sorte jusqu'à l'apparition de l'aurore.

Alors une vieille femme, qui devait être sa nourrice, vint la prévenir que l'heure était arrivée de lever la séance ; et l'adolescente, avant de se retirer, me dit : « Ai-je besoin de te recommander la discrétion, ô mon hôte ? Les réunions intimes sont comme un gage qu'on laisse à la porte avant de se retirer ! » Je répondis en m'inclinant : « Je ne suis pas de ceux qui ont besoin de pareilles recommandations ! » Et, une fois que j'eus pris congé d'elle, on me mit dans la corbeille et on me descendit dans la rue.

J'arrivai chez moi où je fis ma prière du matin, et me mis au lit où je dormis jusqu'au soir. À mon réveil, je m'habillai à la hâte et me rendis au palais ; mais les chambellans me dirent que le khalifat était sorti et me faisait dire d'attendre son retour, car il avait un festin pour la nuit et ma présence lui était nécessaire pour le chant. Moi j'attendis un bon moment ; puis, comme le khalifat tardait à revenir, je me dis que ce serait une folie de manquer une soirée comme celle de la veille, et je courus à la ruelle où je trouvai la corbeille qui pendait. Je me mis dedans, et, une fois remonté, je me présentai à la dame.

En me voyant, elle me dit, en riant : « Je crois bien, par Allah ! que tu as l'intention d'établir ta demeure auprès de nous ! » Je m'inclinai et répondis : « Et qui ne ferait pareil souhait ! Seulement tu sais bien, ô ma maîtresse, que les droits de l'hospitalité durent trois jours, et je ne suis qu'au deuxième. Si je revenais après le troisième, tu aurais le droit de prendre mon sang ! »

Nous passâmes cette nuit fort agréablement, à nous entretenir, à raconter des histoires, à réciter des vers et à chanter, comme la veille. Mais, au moment de descendre dans la corbeille, je pensai à la colère du khalifat, et me dis : « Il n'admettra aucune excuse, à moins que je ne lui raconte l'aventure. Et il ne croira pas à l'aventure, à moins qu'il ne la contrôle par lui-même ! » Je me tournai donc vers l'adolescente et lui dis : « Ô ma maîtresse, je vois que tu aimes le chant et les belles voix. Or j'ai un cousin qui est bien plus gentil de visage que moi, bien plus distingué de manières, qui a beaucoup plus de talents que moi et connaît mieux que n'importe qui au monde les airs d'Ischak de Mossoul ! Veux-tu donc me permettre de l'amener avec moi demain, qui est le troisième et dernier jour de ton hospitalité charmante…

À ce moment de sa narration, Schahrazade vit apparaître le matin et se tut discrètement.

Mais lorsque fut la trois cent quatre-vingt-sixième nuit. Elle dit :

… Le troisième et dernier jour de ton hospitalité charmante ? » Elle me répondit : « Voilà que déjà tu vas commencer à être indiscret. Mais puisque ton cousin est si agréable, tu peux me l'amener ! » Je la remerciai et m'en allai par le même chemin.

En arrivant chez moi, j'y trouvai les gardes du khalifat qui m'accablèrent d'injures, s'emparèrent de moi et me traînèrent devant El-Mâmoun. Je le vis assis sur son trône, comme aux pires jours de sa colère, les yeux flamboyants et terribles. Et à peine m'aperçut-il qu'il me cria : « Ah ! fils de chien, tu as osé me désobéir ! » Je lui dis : « Non par Allah ! ô émir des Croyants ! J'ai ma justification ! » Il dit : « Et quelle est-elle ! » Je répondis : « Je ne puis t'en parler qu'en secret ! » Il ordonna aussitôt à tous ceux qui étaient là de se retirer, et me dit : « Parle ! » Alors je lui racontai l'aventure dans tous ses détails, et j'ajoutai : « Et maintenant l'adolescente nous attend tous deux pour cette nuit ; car je le lui ai promis ! »

Lorsque El-Mâmoun eut entendu mes paroles, il se rasséréna et me dit : « Certes ! la raison est excellente. Et tu as été bien inspiré de songer à moi pour cette nuit ! » Et, dès cet instant, il ne sut plus comment faire pour attendre avec patience la tombée de la nuit. Et moi je lui recommandai beaucoup de bien se garder de se trahir et de me trahir en m'appelant par mon nom devant l'adolescente. Il me le promit formellement et, dès que le moment propice fut venu, il se déguisa en marchand et m'accompagna à la ruelle.

Nous trouvâmes, à la place ordinaire, deux corbeilles au lieu d'une, et nous prîmes place chacun dans l'une d'elles. Nous fûmes aussitôt enlevés et déposés sur la terrasse, d'où nous descendîmes dans la magnifique salle en question, où bientôt vint nous rejoindre l'adolescente, plus belle cette nuit qu'elle ne l'avait jamais été. À sa vue, je remarquai que le khalifat devenait éperdument épris. Mais lorsqu'elle se mit à chanter, ce fut du délire, d'autant plus que déjà les vins qu'elle nous présentait avec grâce avaient échauffé nos raisons. Dans sa gaieté et son enthousiasme, le khalifat oublia soudain la résolution qu'il avait prise, et me dit : « Eh bien ! Ischak, qu'attends-tu pour lui donner la réplique par quelque chant sur un air nouveau de ton invention ? » Alors moi, bien embarrassé, je fus obligé de répondre : « J'écoute et j'obéis à ton ordre, ô émir des Croyants ! »

Sitôt qu'elle eut entendu ces paroles, l'adolescente nous regarda un instant et se leva en toute hâte pour se couvrir le visage et disparaître, comme il était séant de la part d'une femme en présence de l'émir des Croyants. Alors El-Mâmoun, un peu désappointé de son départ, du fait de l'oubli qu'il avait eu, me dit : « Informe-toi à l'instant du maître de cette maison ! » Alors je fis appeler la vieille nourrice et lui demandai le renseignement de la part du khalifat. Elle me répondit : « Quelle calamité sur nous ! ô opprobre sur notre tête ! C'est la fille du vizir du khalifat, Hassân ben-Sehl ! » Aussitôt El-Mâmoun dit : « À moi le vizir ! » La vieille disparut en tremblant, et, quelques instants après, le vizir Hassân ben-Sehl, à la limite de la stupéfaction, faisait son entrée dans les mains du khalifat.

En le voyant, El-Mâmoun se mit à rire et lui dit : « Tu as une fille ? » Il dit : « Oui ! ô émir des Croyants ! » Il demanda : « Comment s'appelle-t-elle ? » Il répondit : « Khadiga ! » Il demanda : « Est-elle mariée ou vierge ? » Il répondit : « Vierge, ô émir des Croyants ! » Il dit : « Je la veux de toi comme épouse légitime ! » Il s'écria : « Ma fille et moi, nous sommes les esclaves de l'émir des Croyants ! » Il dit : « Je lui reconnais cent mille dinars de dot que tu toucheras pour toi-même demain matin au palais, sur le trésor ! En même temps, tu feras conduire ta fille au palais, avec toute la magnificence que comporte la cérémonie du mariage, et tu feras distribuer au sort, à toutes les personnes qui seront du cortège de la mariée, en cadeau de ma part, mille villages et mille terres de mes propriétés particulières ! » Après quoi le khalifat se leva, et je le suivis. Nous sortîmes cette fois par la porte principale, et il me dit : « Garde-toi bien, Ischak, de parler de l'aventure à qui que ce soit. Ta tête me répondra de ta discrétion ! »

Moi je gardai le secret jusqu'à la mort du khalifat et de Sett Khadiga, qui était certainement la femme la plus belle que mes yeux aient vue ! »

Lorsque Schahrazade eut raconté cette anecdote, la petite Doniazade, de la place où elle était blottie, s'écria : « Ô ma sœur, que tes paroles sont douces et savoureuses et gentilles ! » Et Schahrazade sourit et dit : « Mais que sera-ce lorsque tu auras entendu l'anecdote du Nettoyeur de tripes ! » Et aussitôt elle dit :

LE NETTOYEUR DE TRIPES

On raconte qu'un jour à La Mecque, au temps du pèlerinage annuel, au moment où la foule compacte des hadjs faisait les sept tours autour de la Kaâba sainte, un homme se détacha du groupe, s'approcha du mur de la Kaâba et, prenant des deux mains le voile sacré qui recouvrait tout l'édifice, se mit dans l'attitude de la prière et, avec un accent qui lui partait du fond du cœur, s'écria : « Fasse Allah que de nouveau cette femme s'irrite contre son mari, pour que je puisse coucher avec elle ! »

Lorsque les hadjs eurent entendu cette étrange prière, dite en ce lieu saint, ils furent si scandalisés qu'ils se précipitèrent sur l'homme, le jetèrent à terre et le rassasièrent de coups. Après quoi ils le traînèrent devant l'émir el-hadj, dont l'autorité s'exerçait sur tous les pèlerins avec les droits les plus étendus, et lui dirent : « Nous avons entendu cet homme, ô émir, proférer des paroles impies en tenant le voile de la Kaâba ! » Et ils lui répétèrent les paroles prononcées. Alors l'émir el-hadj dit : « Qu'on le pende...

À ce moment de sa narration, Schahrazade vit apparaître le matin et se tut discrètement.

Mais lorsque fut la trois cent quatre-vingt-septième nuit. Elle dit :

... Alors l'émir el-hadj dit : « Qu'on le pende ! » Mais l'homme se jeta aux pieds de l'émir et lui dit : « Ô émir, par les mérites de l'Envoyé d'Allah (sur lui la prière et la paix !) je te conjure d'écouter d'abord mon histoire, et tu feras ensuite de moi ce que tu jugeras équitable de faire ! » L'émir acquiesça d'un signe de tête, et le condamné à la pendaison dit :

« Sache, ô notre émir, que de mon métier je ramasse les immondices des rues et, en outre, je nettoie les tripes des moutons pour les vendre et gagner ma vie. Or un jour je marchais tranquillement derrière mon âne chargé de tripes encore pleines, que je venais d'enlever de l'abattoir, quand je rencontrai quantité de personnes affolées qui s'enfuyaient de tous côtés ou se cachaient à l'intérieur des portes ; et, un peu plus loin, je vis paraître plusieurs esclaves armés de longs bâtons qui chassaient devant eux tous les passants. Moi je m'informai de ce que pouvait bien être l'affaire, et il me fut répondu que le harem d'un grand personnage allait passer dans la rue, et qu'il fallait que la rue fût déserte de passants. Alors moi, sachant que je m'exposais à un grand danger si je persistais à continuer ma route, j'arrêtai mon âne et m'enfonçai avec lui dans un coin de muraille, en m'effaçant le plus que je pouvais, et en tournant le visage du côté du mur pour ne pas être tenté de regarder les femmes de ce grand personnage. Bientôt j'entendis le passage du harem, que je n'osais regarder, et j'allais songer à me retourner et à continuer mon chemin, quand je me sentis brusquement saisi par deux bras de nègre, et je vis mon âne entre les mains d'un autre nègre qui le prit et s'éloigna. Et moi, terrifié, je tournai la tête, et je vis dans la rue, toutes me regardant, trente adolescentes au milieu desquelles s'en trouvait une semblable, par ses regards languissants, à une gazelle que la soif rend moins farouche et, par sa taille souple et élégante, au rameau flexible de l'arbre de ban. Et moi, les mains liées derrière le dos par le nègre qui me tenait, je fus entraîné de force par les autres eunuques, malgré mes protestations et malgré les cris et les témoignages de tous les passants qui m'avaient vu contre le mur, et qui disaient à mes ravisseurs : « Il n'a rien fait ! C'est un pauvre homme, balayeur d'immondices et nettoyeur de tripes ! Il est illicite devant Allah d'arrêter et de ligoter un innocent ! » Mais eux, sans rien vouloir entendre, continuèrent à m'entraîner derrière le harem.

« Pendant ce temps, moi je pensais en moi-même : « Quel délit ai-je pu commettre ? Sans doute ce doit être l'odeur assez désagréable des tripes qui a offusqué l'odorat de la dame, laquelle doit être probablement enceinte et, par le fait, a dû ressentir quelque dérangement dans son intérieur. Je crois bien que c'est là le motif, ou peut-être aussi mon aspect assez dégoûtant et ma robe déchirée qui laisse voir les parties malséantes de mon individu. Il n'y a de recours qu'en Allah seul ! »

« Je continuai donc à être ainsi entraîné par les eunuques, au milieu des protestations des passants apitoyés sur moi, jusqu'à ce que nous fussions tous arrivés à la porte d'une grande maison et que l'on me fît entrer dans une avant-cour dont je ne saurais jamais dépeindre la magnificence. Et moi je pensai en mon âme : « Voilà l'endroit réservé à mon supplice. Je vais être mis à mort, et personne de ma famille ne saura la cause de ma disparition ! » Et je pensai aussi, dans ces derniers instants, à mon pauvre âne qui était si serviable et qui ne butait jamais du pied, jamais, et ne renversait ni les tripes ni les hottes d'immondices. Mais bientôt je fus tiré de mes affligeantes pensées par l'arrivée d'un joli petit esclave qui vint me prier doucement de le suivre, et me conduisit dans un hammam où me reçurent trois belles esclaves qui me dirent : « Hâte-toi de te débarrasser de tes haillons ! » Moi je m'exécutai, et aussitôt elles m'introduisirent dans la salle chauffée où elles me baignèrent de leurs propres mains, en se chargeant qui de ma tête, qui de mes jambes, qui de mon ventre, me massèrent, me frictionnèrent, me parfumèrent et me séchèrent. Après quoi elles m'apportèrent de magnifiques habits, et me prièrent de m'en revêtir. Mais moi je fus bien perplexe, et je ne sus par quel bout les prendre, ni comment les mettre n'en ayant jamais vu dans mon existence ; et je dis aux jeunes filles : « Par Allah ! ô mes maîtresses, je crois bien que je vais rester nu, car jamais je ne parviendrai à me vêtir tout seul de ces habits extraordinaires ! »

Alors elles s'approchèrent de moi en riant, et m'aidèrent à m'habiller, tout en me chatouillant et me pinçant et soulevant le poids de ma marchandise, qu'elles trouvèrent énorme et de bon aloi…

À ce moment de sa narration, Schahrazade vit apparaître le matin et, discrète, se tut.

Mais lorsque fut la trois cent quatre-vingt-huitième nuit. Elle dit :

… Tout en me chatouillant et me pinçant et soulevant le poids de ma marchandise qu'elles trouvèrent énorme et de bon aloi. Et moi, au milieu d'elles, je ne savais ce que j'allais devenir, quand, ayant fini de m'habiller et de m'asperger avec de l'eau de rose, elles me prirent par les bras et, comme on conduit un nouveau marié, elles me guidèrent vers une salle meublée avec une élégance que jamais ma langue ne saurait dépeindre, et ornée de peintures en lignes entrelacées et coloriées fort agréablement. Et à peine y étais-je entré que je vis, étendue avec nonchalance sur un lit de bambou et d'ivoire, et vêtue d'une robe légère en étoffe de Mossoul, la dame elle-même entourée de quelques-unes de ses esclaves. En me voyant, elle m'appela en me faisant signe d'approcher. Je m'approchai, et elle me dit de m'asseoir ; je m'assis. Elle ordonna alors aux esclaves de nous servir le repas ; et on nous servit des mets étonnants dont je ne pourrais jamais citer le nom, n'en ayant jamais de ma vie vu de semblables. J'en mangeai quelques porcelaines, de quoi satisfaire ma faim ; puis je me lavai les mains pour manger les fruits. Alors on apporta les coupes des boissons et les cassolettes remplies de parfums ; et, après que l'on nous eut parfumés aux vapeurs d'encens et de benjoin, la dame me versa à boire de ses propres mains, et but avec moi à la même coupe, jusqu'à ce que nous fussions ivres tous les deux. Alors elle fit un signe à ses esclaves qui disparurent toutes et nous laissèrent seuls dans la salle. Aussitôt elle m'attira à elle et me prit dans ses bras. Et moi je lui servis la confiture de façon à la dulcifier, en lui donnant à la fois les tranches du fruit et la gelée. Et chaque fois que je la pressais contre moi, je me sentais grisé par le parfum de musc et d'ambre de son corps et je croyais être en rêve ou tenir dans mes bras quelque houria du paradis.

« Nous demeurâmes ainsi enlacés jusqu'au matin ; puis elle me dit que le moment était venu pour moi de me retirer ; mais auparavant elle me demanda où je demeurais ; et, lorsque je lui eus donné les indications nécessaires à ce sujet, elle me dit qu'elle me ferait venir au moment favorable, et me donna un mouchoir brodé d'or et d'argent, dans lequel il y avait quelque chose de noué de plusieurs nœuds, en me disant : « C'est pour acheter de quoi manger à ton âne ! » Et je sortis de chez elle, absolument dans le même état que si je sortais du paradis.

« Lorsque je fus arrivé à la triperie où j'avais mon logement, je dénouai le mouchoir en me disant : « Il ne contiendrait que cinq ronds de cuivre, que j'aurais tout de même de quoi m'acheter à déjeuner ! » Or quelle ne fut point ma surprise d'y trouver cinquante mitkals d'or ! Je me hâtai de creuser un trou et de les y enterrer pour les jours mauvais, et je m'achetai, pour deux cuivres, du pain et un oignon dont je fis mon repas, assis à la porte de ma triperie et rêvant à l'aventure qui m'arrivait.

« À la tombée de la nuit, un petit esclave vint me chercher de la part de celle qui m'aimait ; et moi je le suivis. Arrivé dans la salle où elle m'attendait, j'embrassai la terre entre ses mains ; mais elle me releva aussitôt et s'étendit avec moi sur le lit de bambou et d'ivoire, et me fit passer une nuit aussi bénie que la précédente. Et le matin elle me donna un second mouchoir contenant, comme la veille, cinquante mitkals d'or. Et je continuai à vivre de la sorte pendant huit jours entiers, avec, chaque fois, un festin de la confiture sèche et humide, de part et d'autre, et cinquante mitkals d'or pour moi.

« Or je m'étais rendu un soir chez elle, et j'étais déjà sur le lit prêt à déballer ma marchandise, selon la coutume, quand une esclave entra soudain, dit quelques mots à l'oreille de sa maîtresse, et m'entraîna vivement hors de la salle pour m'emmener à l'étage supérieur, où elle m'enferma à clef, et s'en alla. Et moi j'entendis en même temps un grand bruit de chevaux dans la rue, et je vis, par la fenêtre qui donnait sur la cour, entrer dans la maison un jeune homme beau comme la lune, accompagné d'une suite nombreuse de gardes et d'esclaves. Il entra dans la salle où se trouvait l'adolescente, et passa avec elle toute la nuit, en ébats, assauts et autres choses semblables. Et moi j'entendais leurs mouvements et je pouvais compter sur mes doigts le nombre des clous qu'ils enfonçaient, au bruit étonnant qu'ils faisaient chaque fois. Et je pensais en mon âme : « Par Allah ! ils ont installé sur le lit un établi de forgeron ! Et la barre de fer doit être bien chaude pour que l'enclume gémisse tellement...

À ce moment de sa narration, Schahrazade vit apparaître le matin et, discrète, se tut.

Mais lorsque fut la trois cent quatre-vingt-neuvième nuit. Elle dit :

... Et la barre de fer doit être bien chaude pour que l'enclume gémisse tellement ! »

« Enfin le bruit cessa avec le matin, et je vis le jeune homme au marteau retentissant sortir par la grande porte, et s'en aller suivi de son escorte. À peine avait-il disparu, que l'adolescente vint me trouver et me dit : « Tu as sans doute vu le jeune homme qui vient de partir ? » Je répondis : « Certainement ! » Elle me dit : « C'est mon mari ! Mais je vais tout de suite te raconter ce qui s'est passé entre nous et t'expliquer la cause qui m'a fait te choisir pour amant ! Sache donc que j'étais assise un jour à côté de lui dans le jardin, quand il me quitta soudain pour disparaître du côté de la cuisine. Je crus d'abord qu'il était allé satisfaire quelque besoin pressant ; mais au bout d'une heure de temps, comme je ne le voyais pas revenir, j'allai à sa recherche là où je le croyais trouver, mais il n'y était pas. Je revins alors sur mes pas, et me dirigeai vers la cuisine pour demander aux servantes de ses nouvelles. En y entrant, je le vis couché sur la natte avec la servante la plus grossière, celle qui lavait les assiettes. À cette vue, je me retirai en toute hâte et je fis le serment de ne pas le recevoir dans mon lit avant que je ne me fusse vengée de lui en me livrant à mon tour à un homme de la condition la plus basse et de l'aspect le plus dégoûtant. Et je me mis aussitôt à parcourir la ville à la recherche de cet homme-là. Or il y avait déjà quatre jours que je parcourais les rues dans ce but, quand je t'ai rencontré, et que ton aspect sale et ton odeur infecte m'ont décidée à te choisir comme l'homme le plus dégoûtant entre tous ceux que j'avais vus. Maintenant il s'est passé ce qui s'est passé, et j'ai accompli mon serment, en ne me réconciliant avec mon mari qu'après m'être livrée à toi. Tu peux donc te retirer, et être sûr que, si mon mari venait à coucher une seconde fois avec l'une de ses esclaves, je ne manquerais pas de te faire appeler pour lui rendre la pareille ! » Et, me congédiant, elle me remit encore quatre cents mitkals de gratification. Moi je m'éloignai alors, et je vins ici implorer Allah de pousser le mari à retourner auprès de la servante, pour que la femme me fît appeler auprès d'elle ! Et telle est mon histoire, ô maître émir el-hadj ! »

En entendant ces paroles, l'émir el-hadj se tourna vers les assistants et leur dit : « Il nous faut pardonner à cet homme ses paroles condamnables à la Kaâba ; car son histoire l'excuse ! »

Puis Schahrazade dit :

L'ADOLESCENTE FRAÎCHEUR-DES-YEUX

Amrou ben-Môsseda nous raconte l'anecdote suivante :

« Un jour Abou-Issa, fils de Haroun Al-Rachid, aperçut chez son parent Ali, fils de Hescham, une jeune esclave nommée Fraîcheur-des-Yeux dont il devint violemment épris. Abou-Issa s'étudia à cacher avec le plus grand soin le secret de son amour, et à ne faire part à personne des sentiments qu'il éprouvait ; mais il fit tous ses efforts pour décider indirectement Ali à lui vendre son esclave. Au bout d'un long espace de temps, il vit que toutes ses peines à ce sujet étaient inutiles, et se décida à changer de plan. Il alla trouver son frère le khalifat Al-Mâmoun, fils d'Al-Rachid, et le pria de l'accompagner au palais d'Ali afin de faire à ce dernier une surprise de leur visite. Le khalifat approuva l'idée ; on fit préparer les chevaux, et l'on se rendit au palais d'Ali, fils de Hescham.

Lorsque Ali les vit entrer, il embrassa la terre entre les mains du khalifat, et fit ouvrir la salle des festins où il les introduisit. Et ils trouvèrent une salle de toute beauté dont les piliers et les murs étaient de marbres de différentes couleurs, avec des incrustations de style grec qui faisaient des dessins fort agréables à l'œil ; et le parquet de la salle était recouvert d'une natte des Indes sur laquelle se déployait un tapis de Bassra fait d'une seule pièce, et occupant toute la superficie de la salle en large et en long. Et Al-Mâmoun s'arrêta d'abord un instant à admirer le plafond, les murs et le parquet, puis il dit : « Eh bien, Ali ! qu'attends-tu pour nous donner à manger ? » Aussitôt Ali frappa des mains, et des esclaves entrèrent chargés de mille variétés de poulets, de pigeons, et de rôtis de toute espèce, chauds et froids ; il y avait aussi toutes sortes de mets liquides et de mets solides, et surtout beaucoup de gibier farci de raisins secs et d'amandes ; car Al-Mâmoun aimait énormément le gibier, surtout farci de raisins secs et d'amandes. Le repas fini, on apporta un vin étonnant extrait de grappes choisies grain par grain, et cuit avec des fruits parfumés et des noyaux odorants comestibles ; et il fut servi dans des coupes d'or, d'argent et de cristal, par de jeunes garçons beaux comme des lunes, qui étaient vêtus de légères étoffes ondulantes d'Alexandrie, ornées de délicates broderies d'argent et d'or ; et ces jeunes garçons, en même temps qu'ils présentaient les coupes aux convives, les aspergeaient d'eau de rose musquée, au moyen d'aspersoirs d'or enrichis de pierreries.

Le khalifat fut si charmé de tout cela qu'il embrassa son hôte et lui dit : « Par Allah ! ô Ali, désormais je ne t'appellerai plus Ali, mais le Père-de-la-Beauté ! » Et Ali, fils de Hescham, qui fut, en effet, depuis lors surnommé Aboul-Jamal, baisa la main du khalifat, puis fit un signe à son chambellan. Aussitôt un grand rideau se souleva, au fond de la salle, et apparurent dix jeunes chanteuses habillées de soieries noires, et belles comme un parterre de fleurs. Elles s'avancèrent et vinrent s'asseoir sur des sièges d'or que dix esclaves noirs avaient aussitôt rangés en cercle dans la salle. Elles préludèrent par les jeux des instruments à cordes avec une science parfaite, puis chantèrent en chœur une ode d'amour. Alors Al-Mâmoun regarda celle des dix qui l'avait le plus vivement ému et lui demanda : « Comment t'appelles-tu ? » Elle répondit : « Je m'appelle Harmonie, ô émir des Croyants ! » Il dit : « Que tu portes bien ton nom, Harmonie ! Je désire t'entendre toute seule chanter quelque chose ! » Alors Harmonie accorda son luth et chanta :

« Ma douceur craint les regards, et mon cœur sensible redoute les yeux des ennemis. Mais à l'approche de l'ami le plaisir me fait frémir, et toute fondue je me rends à lui. Mais il s'éloigne, je tremble d'émoi comme la gazelle qui perd son enfant. »

Al-Mâmoun, charmé, lui dit : « Tu as excellé, ô jeune fille ! Et qui a composé ces vers ? » Elle répondit : « C'est Amrou Al-Zobaïdi ; et la musique est de Môbed. » Le khalifat vida la coupe qu'il tenait, et son frère Abou-Issa et Aboul-Jamal firent de même. Comme ils déposaient leurs coupes, entrèrent dix nouvelles chanteuses habillées de soie bleue, et ceintes d'écharpes du Yamân brodées d'or ; elles prirent la place des dix premières, qui s'éloignèrent, accordèrent leurs luths et préludèrent par un chœur d'une science remarquable. Alors le khalifat fixa ses regards sur l'une d'elles, qui était comme un cristal de roche, et lui demanda : « Quel est ton nom, ô jeune fille ? » Elle répondit : « Biche, ô émir des Croyants ! » Il dit : « Eh bien, Biche, chante-nous quelque chose ! » Alors celle qui s'appelait Biche accorda son luth et chanta…

À ce moment de sa narration, Schahrazade vit apparaître le matin et se tut discrètement.

Mais lorsque fut la trois cent quatre-vingt-dixième nuit. Elle dit :

… Alors celle qui s'appelait Biche accorda son luth et chanta :

« Libres houris et vierges nous nous rions des soupçons. Nous sommes les gazelles de La Mecque qu'il est défendu de chasser. Les gens grossiers nous accusent de vices à cause de nos yeux langoureux et de notre langage charmant. Nous avons des gestes indécents qui font se détourner les pieux musulmans ! »

Al-Mâmoun trouva délicieuse cette chanson et demanda à l'adolescente : « De qui est-elle ? » Elle répondit : « Les vers sont de Jarir, et la musique est d'Ibn-Sôraïj. » Alors le khalifat et les deux autres vidèrent leurs coupes, tandis que les esclaves se retiraient pour être aussitôt remplacées par dix autres chanteuses vêtues de soie écarlate, et ceintes d'écharpes écarlates, avec leurs cheveux dénoués et retombant lourdement dans le dos. Elles ressemblaient ainsi, en cette couleur rouge, à quelque pierre de rubis aux multiples éclats. Elles s'assirent sur les sièges d'or et chantèrent en chœur en s'accompagnant chacune de son luth. Et Al-Mâmoun se tourna vers celle qui brillait le plus au milieu de ses compagnes, et lui demanda : « Comment t'appelles-tu ? » Elle répondit : « Séduction, ô émir des Croyants ! » Il dit : « Alors, ô Séduction, hâte-toi de nous faire seule entendre ta voix. » Et Séduction, en s'accompagnant du luth, chanta :

« Les diamants et les rubis, les brocarts et les soieries inquiètent peu les belles filles. Leurs yeux sont des diamants, leurs lèvres sont des rubis, et le reste est la soierie ! »

Le khalifat, extrêmement charmé, demanda à la chanteuse : « De qui ce poème, ô Séduction ? » Elle répondit : « Il est d'Adi ben-Zeïd ; quant à la musique, elle est très ancienne, et l'auteur en est inconnu. » Al-Mâmoun, son frère Abou-Issa et Ali ben-Hescham vidèrent leurs coupes, et dix nouvelles chanteuses, vêtues d'étoffes d'or et la taille serrée par des ceintures d'or étincelantes de pierreries, vinrent se placer sur les sièges et chantèrent comme les précédentes. Et le khalifat demanda à la plus fine de taille : « Ton nom ? » Elle dit : « Goutte-de-Rosée, ô émir des Croyants ! » Il dit : « Eh bien, Goutte-de-Rosée, nous attendons quelques vers de toi ! » Aussitôt elle chanta :

« J'ai bu le vin sur sa joue et ma raison s'est envolée. Alors, vêtue seulement de ma chemise parfumée de nard et d'aromates, je me montrai à toute la rue pour témoigner de nos amours, dans ma chemise parfumée de nard et d'aromates ! »

En entendant ces vers, Al-Mâmoun s'écria : « Ya Allah ! tu as excellé, ô Goutte-de-Rosée ! Répète encore ces derniers vers ! » Et Goutte-de-Rosée, ayant pincé les cordes de son luth, répéta, sur un ton plus senti :

« Je me montrai à toute la rue pour témoigner de nos amours, dans ma chemise parfumée de nard et d'aromates ! »

Et le khalifat lui demanda : « De qui sont ces vers, ô Goutte-de-Rosée ? » Elle dit : « D'Abou-Nowas, ô émir des Croyants ; et la musique est d'Ischak. »

Lorsque les dix esclaves eurent fini leur jeu, le khalifat voulut lever la séance et se retirer. Mais Ali ben-Hescham s'avança et lui dit : « Ô émir des Croyants, j'ai encore une esclave que j'ai achetée pour dix mille dinars et que je désire montrer au khalifat ; qu'il daigne donc rester encore quelques moments ! Si elle lui plaît, il pourra la garder comme sienne ; si elle ne lui plaît pas, je l'aurai tout de même soumise à son appréciation ! » Al-Mâmoun dit : « À moi donc cette esclave ! » Au même moment apparut une adolescente d'une incomparable beauté, souple et mince comme un rameau de ban, avec des yeux babyloniens pleins d'enchantements, des sourcils comme l'arc rigoureux, et un teint emprunté aux jasmins ; elle avait le front ceint d'un diadème d'or enrichi de perles et de pierreries, sur lequel ce vers courait, en lettres de diamants :

« Enchanteresse, élevée par les génies, elle sait percer les cœurs avec les flèches d'un arc sans corde ! »

L'adolescente continua à s'avancer lentement, et vint s'asseoir en souriant sur le siège d'or qui lui était réservé. Mais à peine Abou-Issa, le frère du khalifat, l'eut-il vue entrer qu'il laissa tomber sa coupe, et changea de couleur d'une si inquiétante façon qu'Al-Mâmoun s'en aperçut et lui demanda : « Qu'as-tu donc, mon frère, à changer ainsi de teint ? » Il répondit : « Ô émir des Croyants, c'est seulement par suite d'un malaise au foie qui me prend quelquefois ! » Mais Al-Mâmoun insista et lui dit : « Connaîtrais-tu, par hasard, cette adolescente, et l'aurais-tu vue avant ce jour ? » Il ne voulut plus nier, et dit : « Y a-t-il quelqu'un, ô émir des Croyants, qui ignore l'existence de la lune ? » Le khalifat se tourna alors vers l'adolescente et lui demanda : « Comment t'appelles-tu, jeune fille ? » Elle répondit : « Fraîcheur-des-Yeux, ô émir des Croyants ! » Il dit : « Eh bien, Fraîcheur-des-Yeux, chante-nous quelque chose ! » Et elle chanta :

« Sait-il aimer, celui qui ne porte l'amour que sur la langue et loge l'indifférence dans son cœur ?

Sait-il aimer, celui dont le cœur est un rocher alors que son visage feint la passion ?

On m'a dit que l'absence guérit les tortures de l'amour ! Mais hélas ! l'absence ne nous a point guéri !

On nous a dit de revenir près de l'objet aimé ; mais le remède est sans vertu, puisque l'aimé méconnaît notre amour ! »

Le khalifat, émerveillé de sa voix, lui demanda : « Et de qui cette chanson, ô Fraîcheur-des-Yeux ? » Elle dit : « Les vers sont d'El-Kherzaï et la musique est de Zarzour. » Mais Abou-Issa, que l'émotion suffoquait, dit à son frère : « Permets-moi de lui répondre, ô émir des Croyants ! » Le khalifat donna son approbation et Abou-Issa chanta :

« Un corps amaigri se trouve dans mes vêtements, et un cœur torturé dans mon sein !

Si j'ai tu mon amour sans le montrer dans mes yeux, c'est par crainte d'offenser la lune qui en est l'objet ! »

Lorsque Ali Père-de-la-Beauté eut entendu cette réponse, il comprit qu'Abou-Issa aimait éperdument son esclave Fraîcheur-des-Yeux. Il se leva aussitôt et, s'inclinant devant Abou-Issa, lui dit : « Ô mon hôte, il ne sera pas dit qu'un souhait ait été formulé, même mentalement, par quelqu'un dans ma maison sans avoir été exaucé à l'instant. Si donc le khalifat veut bien me permettre une offre en sa présence, Fraîcheur-des-Yeux est devenue ton esclave ! » Et le khalifat, ayant donné son consentement, Abou-Issa emmena l'adolescente.

Or telle était la générosité sans pareille d'Ali, et des hommes de son époque ! »

Puis Schahrazade, pour finir, dit encore cette anecdote :

ADOLESCENTES OU JOUVENCEAUX ?

Le sage Omar Al-Homsi raconte : « En l'année hégirienne cinq cent soixante et unième vint en tournée à Hama la femme la plus instruite et la plus éloquente de Bagdad, celle que tous les savants de l'Irak appelaient la Maîtresse des Maîtres. Or, en cette année-là, de tous les points des pays musulmans, étaient venus à Hama les hommes les plus versés dans les diverses branches des connaissances ; et tous étaient heureux de pouvoir entendre et interroger cette femme merveilleuse entre toutes les femmes, qui voyageait ainsi de pays en pays, en compagnie de son jeune frère, pour soutenir des thèses publiques sur les questions les plus difficiles, et interroger et être interrogée sur toutes les sciences, la jurisprudence, la théologie et les belles-lettres.

Moi, désireux de l'entendre, je priai mon ami le savant cheikh El-Salhani de m'accompagner au lieu où elle argumentait ce jour-là. Le cheikh El-Salhani accepta, et nous nous rendîmes tous deux dans la salle où Sett Zahia se tenait derrière un rideau de soie, pour ne pas contrevenir à la coutume de notre religion. Nous nous assîmes sur un des bancs de la salle, et son frère eut soin de nous en nous servant des fruits et des rafraîchissements.

Moi, après m'être fait annoncer à Sett Zahia et avoir décliné mon nom et mes titres, j'entamai avec elle une discussion sur la jurisprudence divine et sur les différentes interprétations de la loi faite par les plus savants théologiens des anciens temps. Quant à mon ami, le cheikh El-Salhani, dès l'instant qu'il eut aperçu le jeune frère de Sett Zahia, jouvenceau d'une beauté extraordinaire de visage et de formes, il fut ravi d'admiration à la limite du ravissement, et ne parvint plus à détacher de lui ses regards. Aussi Sett Zahia ne tarda pas à s'apercevoir de la distraction de mon compagnon et, l'ayant observé, finit par comprendre les sentiments qui l'agitaient. Elle l'appela soudain par son nom, et lui dit : « Il me semble ô cheikh, que tu dois être de ceux qui préfèrent les jouvenceaux aux adolescentes…

À ce moment de sa narration, Schahrazade vit apparaître le matin, et discrète, se tut.

Mais lorsque fut la trois cent quatre-vingt-onzième nuit. Elle dit :

… De ceux qui préfèrent les jouvenceaux aux adolescentes ! » Mon ami sourit et dit : « Assurément ! » Elle demanda : « Et pourquoi, ô cheikh ? » Il dit : « Parce qu'Allah a modelé le corps des jouvenceaux avec une perfection admirable, au détriment des femmes, et que mes goûts me poussent à préférer en toute chose le parfait à l'imparfait ! » Elle rit derrière le rideau et dit : « Eh bien, si tu veux défendre ton opinion, je suis prête à te répondre ! » Il dit : « Très volontiers ! » Alors elle lui demanda : « En ce cas explique-moi comment tu pourras me prouver la préexcellence des hommes et des adolescents sur les femmes et les jeunes filles ! » Il dit :

« Ô ma maîtresse, la preuve que tu me demandes peut se faire d'une part par la logique du raisonnement et d'autre part par le Livre et par la Sunna.

« En effet, il est dit dans le Kôran : « Les hommes surpassent de beaucoup les femmes, car Allah leur a donné la supériorité ! » Il y est dit encore : « Dans un héritage, la part de l'homme doit être le double de celle de la femme ; ainsi le frère héritera deux fois plus que sa sœur ! » Ces paroles saintes nous prouvent donc, et établissent d'une façon permanente, qu'une femme ne doit être regardée que comme la moitié d'un homme.

« Quant à la Sunna, elle nous enseigne que le Prophète (sur lui la prière et la paix !) estimait le sacrifice expiatoire d'un homme comme ayant deux fois plus de valeur que celui d'une femme.

« Si maintenant nous recourons à la logique pure, nous voyons que la raison confirme la tradition et l'enseignement. En effet, si nous nous demandons simplement : « Qui a la priorité ? L'être actif ou l'être passif ? » La réponse sera, sans nul doute, en faveur de l'être actif. Or l'homme est le principe actif, et la femme est le principe passif. Donc aucune hésitation. L'homme est au-dessus de la femme, et le jeune garçon est préférable à la jeune fille ! »

Mais Sett Zahia répondit : « Tes citations sont exactes, ô cheikh ! Et je reconnais avec toi qu'Allah, dans son Livre, a donné la préférence aux hommes sur les femmes. Seulement Il n'a rien spécifié, et Il a parlé de façon générale. Pourquoi donc, si tu cherches la perfection des choses, vas-tu seulement aux jeunes garçons ? Tu devrais plutôt préférer les hommes à barbe, les vénérables cheikhs, au front ridé, puisqu'ils sont allés bien plus loin dans la voie de la perfection ! »

Il répondit : « Oui certes ! ô ma maîtresse ! Mais je ne compare pas ici les vieillards avec les vieilles femmes ; il ne s'agit guère de cela, mais seulement des jeunes garçons auxquels j'arrive par la déduction. En effet, tu m'accorderas, ô ma maîtresse, que rien chez la femme ne peut être comparé aux perfections d'un bel adolescent, à sa taille souple, à la finesse de ses membres, au mélange des couleurs tendres sur ses joues, à la gentillesse de son sourire, et au charme de sa voix. D'ailleurs le Prophète lui-même, pour nous mettre en garde contre une chose si claire, nous dit : « Ne prolongez pas vos regards sur les jeunes garçons sans barbe, car ils ont des yeux plus tentants que ceux des houris ! » Tu sais, en outre, que la plus grande louange qu'on puisse donner à la beauté d'une jeune fille, c'est de la comparer à celle d'un jouvenceau. Tu connais bien les vers où le poète Abou-Nowas parla de tout cela, et le poème où il dit :

« Elle a les hanches d'un jeune garçon, et se balance au vent léger comme au souffle du nord se balance le rameau du bang ! »

« Donc, si les charmes des jeunes garçons n'étaient pas notoirement supérieurs à ceux des jeunes filles, pourquoi les poètes s'en serviraient-ils comme point de comparaison ?

« De plus, tu n'ignores pas que l'adolescent ne se contente pas seulement d'être bien fait, mais il sait ravir nos cœurs par le charme de son langage et l'agrément de ses manières. Avec cela il est si délicieux quand un jeune duvet commence à ombrager ses lèvres et ses joues où se marient les pétales des roses ! Et peut-on trouver quelque chose au monde qui soit comparable au charme qu'il dégage à ce moment-là ? Qu'il avait donc raison le poète Abou-Nowas qui s'écriait :

« Ils me dirent, ses calomniateurs envieux : « Les poils commencent à rendre rugueuses ses lèvres ! » Je leur dis : « Que votre erreur est grande ! Comment pouvez-vous regarder cet ornement comme un défaut ?

Ce duvet relève la blancheur de son visage et de ses dents, comme une parure verte relève l'éclat des perles ! Il est un signe charmant des forces nouvelles qu'acquiert sa croupe !

Les roses ont fait le serment solennel de ne jamais effacer de ses joues leurs miraculeuses couleurs. Ses paupières savent nous parler un langage plus éloquent que celui des lèvres, et ses sourcils savent répondre avec précision.

Les poils, objet de votre médisance, n'ont poussé que pour préserver ses charmes et les garder à l'abri de vos yeux grossiers. Ils donnent au vin de sa bouche un goût plus savoureux ; et le vert de sa barbe sur ses joues d'argent y ajoute une couleur gaie pour nous charmer ! »

« Un autre poète a dit également :

« Les envieux me dirent : « Que ta passion est aveugle ! Ne vois-tu donc que les poils recouvrent déjà ses joues ? »

« Je leur dis : « Si la blancheur de son visage n'était tempérée par l'ombre douce de ce duvet, il serait impossible à mes yeux d'en soutenir l'éclat.

Et d'ailleurs comment pourrais-je, après avoir aimé une terre alors qu'elle était stérile, la délaisser alors que l'a fertilisée le printemps ? »

« Un autre a dit aussi :

« Je n'ai point délaissé l'ami lorsque ses joues n'avaient que des roses ! Comment le quitterais-je quand autour des roses ont poussé les myrtes et les violettes ? »

« Enfin un autre, entre mille, a dit :

« Le svelte garçon ! Ses regards et ses joues luttent entre eux à qui ferait le plus de victimes parmi les hommes.

Il répand le sang des cœurs avec un glaive fait de pétales de narcisse dont le fourreau et le ceinturon sont empruntés aux myrtes.

Ses perfections suscitent de telles jalousies que la beauté désire se changer elle-même en joue duvetée ! »

« Voilà donc, ô ma maîtresse, assez de preuves pour démontrer la supériorité de la beauté des garçons sur celle des femmes en général...

À ce moment de sa narration, Schahrazade vit apparaître le matin et, discrète, se tut.

Mais lorsque fut la trois cent quatre-vingt-douzième nuit. Elle dit :

... La supériorité de la beauté des garçons sur celle des femmes en général ! »

En entendant ces paroles, Sett Zahia répondit : « Qu'Allah te pardonne tes arguments erronés, à moins que tu n'aies parlé par jeu simplement ou pour plaisanter. Mais, maintenant, au tour de la vérité à triompher ! N'endurcis donc pas ton cœur et prépare ton ouïe à mes arguments.

« Par Allah sur toi ! dis-moi où est l'adolescent dont la beauté peut être comparée à celle d'une jeune fille ? Oublies-tu que la peau d'une jeune fille n'a pas seulement l'éclat et la blancheur de l'argent, mais encore la douceur du velours et des soieries ! Sa taille ! mais c'est le rameau du myrte et de l'arbre de ban. Sa bouche ! mais c'est une camomille en fleur, et ses lèvres, deux anémones humides ! Ses joues, des pommes ; ses seins, de petites gourdes d'ivoire. Son front rayonne de clarté, et ses deux sourcils hésitent sans cesse pour savoir s'ils doivent se réunir ou se séparer. Lorsqu'elle parle, les perles fines s'égrènent de sa bouche ; lorsqu'elle sourit, des torrents de lumière coulent de ses lèvres qui sont plus douces que le miel et plus fondantes que le beurre. Le sceau de la beauté est imprimé sur la fossette de son menton. Quant à son ventre, il est joli ! Il a des lignes de flanc admirables et des plis généreux qui se superposent l'un sur l'autre. Ses cuisses sont faites d'un seul morceau d'ivoire et sont soutenues par les colonnes de ses pieds formés de pâte d'amande. Mais pour ce qui est de ses fesses, elles sont de bonne nature, et quand elles s'élèvent et s'abaissent on les prendrait pour les vagues d'une mer de cristal ou pour des montagnes de lumière. Ô pauvre cheikh ! peut-on comparer les hommes aux génies ? Ne sais-tu que les rois, les khalifats et les plus grands personnages dont parlent les annales ont été les esclaves obéissants des femmes, et ont considéré comme une gloire de porter leur joug ? Que d'hommes éminents ont courbé le front, subjugués par leurs charmes ! Combien ont tout quitté pour elles : richesses, pays, père et mère ! Que de royaumes ont été perdus par elles ! Ô pauvre cheikh ! n'est-ce point pour elles qu'on élève les palais, qu'on brode la soie et les brocarts, qu'on tisse les riches étoffes ? N'est-ce point pour elles que l'ambre et le musc sont tellement recherchés pour leur parfum si doux ? Oublies-tu que leurs charmes ont damné les habitants du paradis et bouleversé la terre et l'univers, et fait couler des fleuves de sang ?

« Mais pour ce qui est des Paroles du Livre que tu as citées, elles sont bien plus favorables à ma cause qu'à la tienne. Les Paroles sont : « Ne prolongez pas vos regards sur les jeunes garçons sans barbe, car ils ont des yeux plus tentants que ceux des houris ! » En effet, c'est là une louange directe aux houris du paradis, qui sont des femmes et non pas des garçons, puisqu'elles servent de point de comparaison. Et d'ailleurs, vous autres, les amateurs de jeunes garçons, quand vous voulez dépeindre vos amis, vous comparez leurs caresses à celles des jeunes filles ! Vous n'avez point honte de vos goûts corrompus, vous en faites parade, et les satisfaites en public.

« Vous oubliez les paroles du Livre : « Pourquoi rechercher l'amour des mâles ? Allah n'a-t-il point créé les femmes pour la satisfaction de vos désirs ? Jouissez-en donc à votre guise ! Mais vous êtes un peuple obstiné ! »

« Si toutefois il vous arrive de comparer les jeunes filles aux garçons, c'est uniquement pour donner le change à vos désirs corrompus et à votre goût perverti ! Oui ! nous les connaissons bien, vos poètes amateurs de garçons ! Le plus grand d'entre eux, le cheikh des pédérastes, Abou-Nowas, n'a-t-il pas dit en parlant d'une jeune fille :

« Tel un jeune garçon, elle n'a point de hanches, et s'est même coupé les cheveux ! Mais un tendre duvet veloute son visage et double ses charmes. Elle satisfait ainsi le pédéraste et l'adultérin ! »

« Mais pour ce qui est du prétendu attrait que donne la barbe aux jeunes hommes, ne sais-tu...

À ce moment de sa narration, Schahrazade vit apparaître le matin et, discrète, se tut.

Mais lorsque fut la trois cent quatre-vingt-treizième nuit. Elle dit :

... Mais pour ce qui est du prétendu attrait que donne la barbe aux jeunes hommes, ne sais-tu point, ô cheikh, les vers du poète à ce sujet ? Écoute plutôt :

« Voici qu'aux premiers poils poussés sur sa joue, son amant a pris la fuite.

Quand, en effet, le charbon de la barbe noircit le menton, il réduit en fumée les charmes du jeune homme.

Et quand la page blanche du visage est remplie par le noir de l'écriture, qui voudrait encore prendre la plume, sinon seul l'ignorant ? »

« Donc, ô cheikh, rendons hommage à Allah Très-Haut qui a su réunir dans les femmes toutes les jouissances qui peuvent remplir la vie, et qui a promis aux prophètes, aux saints et aux Croyants, comme récompense au paradis, les houris merveilleuses. D'ailleurs, si Allah Très-Bon savait qu'il pût y avoir réellement d'autres voluptés en dehors des femmes, il les aurait certainement promises et réservées à ses fidèles Croyants. Or Allah ne cite jamais les jeunes garçons autrement que pour les représenter comme les serviteurs des élus dans le paradis ; mais aucune fois il ne les a promis pour d'autre fin que celle-là ! Et le Prophète lui-même (sur lui la prière et la paix !) n'a jamais eu un penchant quelconque de ce côté-là, au contraire ! Il avait, en effet, coutume de répéter à ses compagnons : « Trois choses me font aimer ce monde vôtre : les femmes, les parfums et la fraîcheur de l'âme dans la prière ! » Mais je ne saurais mieux résumer mon opinion, ô cheikh, que par ces vers du poète :

« Entre un derrière et un derrière il y a de la différence. Si vous approchez de l'un, votre robe se teinte de jaune, mais si vous touchez l'autre, elle se parfume !

Qui vient comparer le garçon à la fille ? Osa-t-on jamais préférer au bois odorant du nadd les excréments des pourceaux ? »

« Mais je vois que la discussion m'a trop animée et m'a fait dépasser les limites de la convenance dont ne doivent point se départir les femmes, surtout en présence des cheikhs et des savants. Je me hâte donc d'en demander pardon à ceux qui auraient pu s'en formaliser ou s'en offusquer, et je compte sur leur discrétion au sortir de cet entretien, car le proverbe dit : « Le cœur des hommes bien nés est un tombeau pour les secrets ! »

Lorsque Schahrazade eut fini de raconter cette anecdote, elle dit : « Et tel est, ô Roi fortuné, ce que je puis me rappeler des anecdotes renfermées dans le Parterre fleuri de l'esprit et le Jardin de la galanterie ! » Et le roi Schahriar dit : « En vérité, Schahrazade, ces anecdotes m'ont charmé à l'extrême, et me font maintenant souhaiter entendre une histoire comme celles que tu me racontais auparavant ! » Schahrazade répondit : « Justement j'y pensais ! » Et aussitôt elle dit :

L'ÉTRANGE KHALIFAT

On raconte qu'une nuit le khalifat Haroun Al-Rachid, pris d'insomnie, fit appeler son vizir Giafar Al-Barmaki et lui dit : « Ma poitrine est rétrécie, et je désire aller me promener par les rues de Bagdad et pousser jusqu'au Tigre, pour essayer de me distraire cette nuit ! » Giafar répondit par l'ouïe et l'obéissance, et se déguisa aussitôt en marchand, après avoir aidé le khalifat à se déguiser également et appelé le porte-glaive Massrour pour qu'il les accompagnât, déguisé aussi comme eux. Puis ils sortirent du palais par la porte secrète, et se mirent à parcourir lentement les rues, silencieuses à cette heure, de Bagdad, et parvinrent de la sorte au bord du fleuve. Ils virent dans une barque amarrée un vieux batelier qui se disposait à s'enrouler dans sa couverture pour dormir. Ils s'approchèrent de lui et, après les salams, lui dirent : « Ô cheikh, nous souhaitons de ton obligeance que tu veuilles bien nous faire descendre dans ta barque pour nous promener un peu sur le fleuve, maintenant que l'heure est fraîche et la brise délicieuse ! Et voici un dinar pour ta peine ! » Il répondit, avec un accent de terreur dans la voix : « Que me demandez-vous là, seigneurs ! Ne connaissez-vous donc pas la défense ? Et ne voyez-vous pas venir à vous le bateau où se trouve le khalifat avec toute sa suite ? » Ils demandèrent, fort étonnés : « Es-tu sûr que ce bateau qui s'avance contienne le khalifat lui-même ? » Il répondit : « Par Allah ! et qui ne connaît pas à Bagdad la figure de notre maître le khalifat ? C'est lui-même, mes seigneurs, avec son vizir Giafar et son porte-glaive Massrour ! Et voici avec eux les mamalik et les chanteurs ! Entendez le crieur, debout sur la proue, qui crie : « Défense aux grands et aux petits, aux jeunes et aux vieux, aux notables et aux hommes du peuple de se promener sur le fleuve ! Quiconque contreviendra à cet ordre aura la tête coupée ou sera pendu au mât de son bateau ! »

En entendant ces paroles…

À ce moment de sa narration, Schahrazade vit apparaître le matin et se tut discrètement.

Mais lorsque fut la trois cent quatre-vingt-quatorzième nuit. Elle dit :

… En entendant ces paroles, Al-Rachid fut à la limite de l'étonnement, car il n'avait jamais donné un ordre pareil, et depuis plus d'une année il ne s'était promené sur le fleuve. Il regarda donc Giafar et l'interrogea des yeux sur la signification de ce procédé. Mais Giafar, aussi étonné que le khalifat, se tourna vers le vieux batelier et lui dit : « Ô cheikh, voici pour toi deux dinars. Seulement, hâte-toi de nous descendre dans ta barque et de nous cacher dans un de ces abris voûtés qui sont sur l'eau, simplement pour que nous puissions, sans être aperçus et appréhendés, voir le passage du khalifat et de sa suite. » Le batelier, tout hésitant, finit par accepter l'offre, et, les ayant fait descendre tous les trois dans sa barque, les conduisit sous un abri voûté, et étendit sur eux une couverture noire pour qu'ils fussent encore moins remarqués.

À peine étaient-ils dans cette position, qu'ils virent s'approcher le bateau éclairé par la lueur des torches et des flambeaux qu'alimentaient, avec du bois d'aloès, de jeunes esclaves vêtus de satin rouge, les épaules couvertes de manteaux jaunes et la tête enveloppée de mousseline blanche. Les uns se tenaient à la proue et les autres à la poupe, et ils élevaient leurs torches et leurs flambeaux en criant, de temps en temps, la défense en question. Ils virent aussi deux cents mamalik debout, rangés sur les deux bords du bateau, et entourant une estrade située au centre où, sur un trône d'or, était assis un jeune homme habillé d'une robe en drap noir, que rehaussaient des broderies d'or ; à sa droite se tenait un homme qui ressemblait étonnamment au vizir Giafar, et à sa gauche se tenait un autre homme, l'épée nue à la main, qui ressemblait exactement à Massrour, tandis qu'au bas de l'estrade étaient assis en bon ordre vingt chanteuses et joueurs d'instruments.

À cette vue, Al-Rachid s'écria : « Giafar ! » Le vizir répondit : « À tes ordres, ô émir des Croyants ! » Il dit : « Ce doit être sûrement un de nos fils, ou bien Al-Mâmoun, ou bien Al-Amîn ! Et les deux qui sont debout à ses côtés ressemblent l'un à toi et l'autre à mon porte-glaive Massrour. Et tous ceux qui sont assis au bas de l'estrade ressemblent étrangement à mes chanteurs habituels et à mes joueurs d'instruments. Que penses-tu de tout cela ? Moi je sens mon esprit dans une bien grande perplexité ! » Giafar répondit : « Moi aussi, par Allah ! ô émir des Croyants ! »

Mais déjà le bateau illuminé s'était éloigné de leurs yeux, et le vieux batelier, délivré de ses angoisses, s'écria : « Enfin ! la sécurité est sur nous. Personne ne nous a vus ! » Et il sortit de l'abri et ramena ses trois passagers sur le rivage. Lorsqu'ils eurent débarqué, le khalifat se tourna vers lui et lui demanda : « Ô cheikh, tu dis que le khalifat vient de la sorte se promener toutes les nuits dans le bateau ainsi illuminé ? » Il répondit : « Oui, seigneur, et cela depuis déjà une année ! » Il dit : « Ô cheikh, nous sommes des étrangers en voyage qui aimons à nous réjouir de tous les spectacles et à nous promener partout où il y a à voir de belles choses ! Veux-tu donc prendre ces dix dinars et nous attendre ici même, demain, à cette heure ? » Il répondit : « J'aime et j'honore ! » Alors le khalifat et ses deux compagnons prirent congé de lui et s'en retournèrent au palais en s'entretenant de ce spectacle étrange.

Le lendemain, le khalifat, après avoir tenu toute la journée son diwan et reçu ses vizirs, ses chambellans, ses émirs et ses lieutenants, et expédié les affaires en cours et jugé et condamné et absous, se retira dans ses appartements où il enleva ses habits royaux pour se déguiser en marchand, et prit, avec Giafar et Massrour, le même chemin que la veille pour arriver bientôt au fleuve, où les attendait le vieux batelier. Ils descendirent dans la barque et allèrent se cacher sous la voûte, où ils attendirent l'arrivée du bateau illuminé.

Ils n'eurent pas le temps de s'impatienter, car, quelques instants après, le bateau, au son des instruments, apparut sur l'eau embrasée par les flambeaux. Ils aperçurent les mêmes personnes que la veille, le même nombre de mamalik et les mêmes convives avec, au milieu d'eux, assis sur l'estrade entre l'étrange Giafar et l'étrange Massrour, l'étrange khalifat.

À cette vue, Al-Rachid dit à Giafar : « Ô vizir, je vois là une chose que je n'aurais jamais crue si l'on était venu me la raconter ! » Puis il dit au batelier : « Ô cheikh, prends encore ces dix dinars, et conduis-nous sur la trace de leur bateau ; et ne sois point effrayé, car ils ne nous verront pas, puisqu'ils sont dans la lumière et que nous serons dans les ténèbres. Notre but est de jouir du beau spectacle de cette illumination sur l'eau ! »

Le batelier accepta les dix dinars et, bien qu'ému de crainte, se mit à ramer sans bruit dans le sillage du bateau, en se gardant bien d'entrer dans le cercle lumineux…

À ce moment de sa narration, Schahrazade vit apparaître le matin et se tut discrètement.

Mais lorsque fut la trois cent quatre-vingt-quinzième nuit. Elle dit :

… En se gardant d'entrer dans le cercle lumineux jusqu'à ce qu'ils fussent tous arrivés à un parc qui descendait en pente jusqu'au fleuve, et où le bateau fut amarré. L'étrange khalifat et toute sa suite débarquèrent, et, au son des instruments, pénétrèrent dans le parc.

Lorsque le bateau se fut éloigné, le vieux cheikh fit accoster sa barque dans l'obscurité pour permettre à ses trois passagers de débarquer à leur tour. Une fois à terre, ils allèrent se mêler à la foule des gens qui tenaient les flambeaux et marchaient autour de l'étrange khalifat.

Or, pendant qu'ils suivaient ainsi le cortège, ils furent soudain remarqués par quelques-uns des mamalik et reconnus comme intrus. Aussitôt ils furent saisis et conduits devant le jeune homme qui leur demanda : « Comment avez-vous fait pour entrer ici, et pour quelle raison y êtes-vous venus ? » Ils répondirent : « Ô notre seigneur, nous sommes des marchands étrangers à ce pays. Nous sommes arrivés aujourd'hui seulement, et nous avons poussé notre promenade jusqu'ici, sans savoir que l'accès de ce jardin fût défendu. Et nous marchions tranquillement quand nous avons été appréhendés par vos gens et conduits entre vos mains, sans que nous ayons pu nous douter de la faute commise ! » Il leur dit : « Soyez donc sans crainte, puisque vous êtes étrangers à Bagdad ! Sans cela, je vous eusse certainement fait trancher la tête ! » Puis il se tourna vers son vizir et lui dit : « Laisse ceux-là venir avec nous. Ils seront nos hôtes ce soir ! » Ils accompagnèrent alors le cortège et arrivèrent de la sorte à un palais qui ne pouvait être comparé en magnificence qu'à celui de l'émir des Croyants. Sur la porte de ce palais était gravée cette inscription :

« En cette demeure où l'hôte est le bienvenu, le temps a mis la beauté de ses teintes, l'art a semé sa décoration, et l'accueil généreux du maître ouvre l'esprit au contentement. »

Ils entrèrent alors dans une salle magnifique dont le sol était couvert de tapis de soie jaune, et l'étrange khalifat, s'étant assis sur un trône d'or, permit à tous les autres de s'asseoir autour de lui. On servit immédiatement le festin ; ils mangèrent et se lavèrent les mains ; puis, les boissons rangées sur la nappe, ils burent largement dans la même coupe à tour de rôle. Mais lorsque vint le tour du khalifat Haroun Al-Rachid, celui-ci se défendit de boire. Alors l'étrange khalifat se tourna vers Giafar et lui demanda : « Pourquoi ton ami ne veut-il pas boire ? » Il répondit : « Il y a longtemps, seigneur, qu'il ne boit plus ! » L'autre dit : « En ce cas, je vais lui faire servir autre chose ! »

Aussitôt il donna un ordre à un de ses mamalik qui se hâta d'apporter un flacon rempli de sorbet aux pommes, et l'offrit à Al-Rachid, qui cette fois se mit à boire avec beaucoup de plaisir.

Lorsque la boisson eut eu raison de leur cerveau, l'étrange khalifat, qui tenait à la main une petite baguette d'or, frappa trois coups sur la table, et aussitôt les deux battants d'une large porte s'ouvrirent au fond de la salle pour livrer passage à deux nègres qui portaient sur leurs épaules un siège d'ivoire sur lequel était assise une jeune esclave blanche, au visage brillant comme le soleil. Ils vinrent déposer le siège en face du maître, et allèrent se tenir debout derrière, dans une pose immobile. Alors l'esclave prit un luth indien, l'accorda, et préluda par vingt-quatre modes différents avec un art qui ravit l'esprit des auditeurs. Puis elle revint au premier mode, et chanta :

« Comment peux-tu, loin de moi, te consoler, alors que mon cœur est dans le deuil de ton absence ?

La destinée a séparé les amants, et la demeure est vide qui résonnait des chants du bonheur ! »

Lorsque l'étrange khalifat eut entendu ces vers chantés, il poussa un grand cri, déchira sa belle robe constellée de diamants, sa chemise et ses autres vêtements, et tomba évanoui. Aussitôt les mamalik s'empressèrent de jeter sur lui une couverture de satin, mais pas assez vite pour que le khalifat, Giafar et Massrour n'eussent le temps de remarquer que le corps du jeune homme portait de larges cicatrices et des traces de coups de bâton et de fouet.

À cette vue, le khalifat dit à Giafar : « Par Allah ! Quel dommage qu'un jeune homme si beau porte sur le corps des signes qui nous démontrent, d'une façon évidente, que nous avons affaire à quelque brigand ou à quelque criminel étonnant échappé des prisons ! » Mais déjà les mamalik avaient habillé leur maître d'une nouvelle robe, plus belle que la précédente ; et le jeune homme reprit sa place sur le trône, comme si rien ne s'était passé. Il aperçut alors ses trois invités qui se parlaient à voix basse, et leur dit : « Pourquoi cet air étonné et ces paroles à voix basse ? » Giafar répondit : « Mon compagnon que voici me disait qu'il avait parcouru tous les pays et fréquenté bien des personnages et des rois, mais qu'il n'avait jamais vu quelqu'un d'aussi généreux que notre hôte. Il s'étonnait, en effet, de te voir déchirer une robe de la valeur certainement de dix mille dinars. Et il me citait ces vers en ton honneur…

À ce moment de sa narration, Schahrazade vit apparaître le matin et, discrète, se tut.

Mais lorsque fut la trois cent quatre-vingt-seizième nuit. Elle dit :

… Et il me citait ces vers en ton honneur :

« La générosité a bâti sa demeure au milieu de la paume, et a fait de cette demeure l'asile désiré. Si la générosité un jour fermait ses portes, ta main serait la clef qui en ouvrirait les serrures ! »

En entendant ces vers, le jeune homme se montra fort satisfait, et ordonna qu'on fît présent à Giafar de mille dinars et d'une robe aussi belle que celle qu'il avait lui-même déchirée, et l'on se remit à boire et à s'amuser. Mais Al-Rachid, qui ne pouvait avoir la paix depuis qu'il avait aperçu les traces des coups sur le corps du jeune homme, dit à Giafar : « Demande-lui donc l'explication de la chose ! » Giafar répondit : « Il vaut mieux prendre encore patience, et ne pas paraître indiscret ! » Il dit : « Par ma tête et par la tombe d'Abbas ! si tout de suite tu ne l'interroges pas à ce sujet, ô Giafar, ton âme ne t'appartiendra plus à notre arrivée au palais ! »

Or, le jeune homme, s'étant tourné vers eux, les aperçut qui causaient encore à voix basse et leur demanda : « Qu'avez-vous donc de si important à vous dire en secret ? » Giafar répondit : « Rien que du bien ! » Il reprit : « Je te supplie par Allah de me mettre au courant de ce que vous vous disiez, sans rien me cacher ! » Il dit : « Mon compagnon a remarqué sur tes flancs, seigneur, des cicatrices et des traces de coups de verges et de fouet ! Et il en a été étonné à la limite de l'étonnement ! Et il désirerait ardemment savoir à la suite de quelle aventure notre maître le khalifat a subi un pareil traitement, si peu compatible avec sa dignité et ses prérogatives ! » À ces paroles, le jeune homme sourit et dit : « Soit ! je veux bien vous révéler, puisque vous êtes des étrangers, la cause de tout cela ! Et d'ailleurs, mon histoire est si prodigieuse et si pleine de merveilleux que, si elle était écrite avec les aiguilles sur le coin intérieur de l'œil, elle servirait de leçon à qui la considérerait avec attention ! » Puis il dit :

« Sachez, mes seigneurs, que je ne suis point l'émir des Croyants, mais je suis simplement le fils du syndic des bijoutiers de Bagdad. Je m'appelle Môhammad-Ali. Mon père, en mourant, me laissa en héritage beaucoup d'or, d'argent, de perles, de rubis, d'émeraudes, de bijoux et de pièces d'orfèvrerie ; il me laissa, en outre, des propriétés bâties, des terrains, des vergers, des jardins, des boutiques et des magasins de réserve ; et il me laissa le maître de ce palais avec tout ce qu'il contient en esclaves hommes et femmes, en gardes et en serviteurs, en jeunes garçons et jeunes filles.

Or, un jour, comme j'étais assis dans ma boutique au milieu de mes esclaves empressés à exécuter mes ordres, je vis s'arrêter à la porte, et descendre d'une mule richement harnachée, une adolescente accompagnée de trois autres adolescentes, toutes les trois belles comme des lunes. Elle entra dans ma boutique et s'assit, tandis que je me levais en son honneur ; puis elle me demanda : « Tu es bien, n'est-ce pas, Môhammad-Ali, le joaillier ! » Je répondis : « Mais oui, ô ma maîtresse, et je suis ton esclave prêt à t'obéir ! » Elle me dit : « Aurais-tu quelque bijou vraiment beau, qui pût me plaire ? » Je lui dis : « Ô ma maîtresse, je vais apporter tout ce que j'ai de plus beau dans ma boutique et le mettre entre tes mains. Si quelque chose, dans le nombre, peut arriver à te convenir, nul ne se considérera plus heureux que ton esclave ; et si rien ne peut arrêter tes regards, je déplorerai ma mauvaise chance pendant toute ma vie ! »

Or moi j'avais justement dans ma boutique cent colliers précieux, merveilleusement ouvragés, que je me hâtai de faire apporter et d'exposer devant elle. Elle les mania et les regarda longuement l'un après l'autre, avec plus de connaissance que je n'en aurais eu moi-même à sa place, puis me dit : « Je veux mieux que cela ! » Je pensai alors à un tout petit collier qu'avait acheté autrefois mon père pour cent mille dinars, et que je tenais, serré tout seul dans un coffret précieux, à l'abri de tous les regards. Je me levai alors et lentement j'apportai le coffret en question avec mille précautions et je l'ouvris avec cérémonie devant l'adolescente, en lui disant : « Je ne crois pas qu'il y ait l'égal de cela chez les rois ou chez les sultans, chez les petits ou chez les grands ! »

Lorsque l'adolescente eut jeté un rapide coup d'œil sur le collier, elle poussa un cri de joie et s'écria : « Voilà ce que j'ai vainement souhaité toute ma vie ! » Puis elle me dit : « À combien ? » Je répondis : « Son prix de revient, à mon défunt père, a été exactement de cent mille dinars. S'il te plaît, ô ma maîtresse, je serai à la limite du bonheur de te l'offrir pour rien ! » Elle me regarda, sourit légèrement et me dit : « Au prix que tu viens de dire ajoute cinq mille dinars, pour les intérêts du capital mort, et le collier devient ma propriété ! » Je répondis : « Ô ma maîtresse, le collier et son propriétaire actuel sont ta propriété et se trouvent entre tes mains ! Je n'ai rien de plus à ajouter ! » Elle sourit encore, et répondit : « Et moi aussi j'ai fixé l'achat. J'ajoute que je deviens par le fait ta débitrice en gratitude ! » Et, ayant dit ces paroles, elle se leva vivement, sauta avec une légèreté extrême sur sa mule, sans recourir à l'aide de ses suivantes, et me dit en partant : « Ô mon maître, veux-tu tout de suite m'accompagner pour me porter le collier et venir toucher l'argent à la maison ? Crois bien que cette journée, grâce à toi, est devenue pour moi comme le lait ! » Moi je ne voulus pas insister davantage, de peur de la contrarier, j'ordonnai à mes serviteurs de fermer la boutique, et suivis l'adolescente, au pas, jusqu'à sa maison…

À ce moment de sa narration, Schahrazade vit apparaître le matin et se tut discrètement.

Mais lorsque fut la trois cent quatre-vingt-dix-septième nuit. Elle dit :

… Et suivis l'adolescente, au pas, jusqu'à sa maison. Là je lui remis le collier, et elle pénétra dans son appartement après m'avoir prié de m'asseoir sur le banc du vestibule pour y attendre l'arrivée du changeur qui devait me payer les cent mille dinars avec leurs intérêts.

Pendant que j'étais assis sur ce banc du vestibule, je vis arriver une jeune servante qui me dit : « Ô mon maître, prends la peine d'entrer dans l'antichambre de la maison, car le stationnement à la porte n'est pas fait pour les gens de ta qualité ! » Je me levai alors et pénétrai dans l'antichambre où je m'assis sur un escabeau tendu de velours vert, et restai ainsi à attendre un certain temps. Alors je vis entrer une seconde servante qui me dit : « Ô mon maître, ma maîtresse te prie d'entrer dans la salle de réception où elle désire que tu te reposes en attendant l'arrivée du changeur ! » Je ne manquai pas d'obéir, et suivis la jeune fille dans la salle de réception. J'y étais à peine arrivé qu'un grand rideau au fond fut soulevé, et quatre jeunes esclaves s'avancèrent portant un trône d'or où était assise l'adolescente, avec un visage beau comme un rond de lune, et le collier au cou.

À sa vue, le visage ainsi sans voile et complètement à découvert, je sentis ma raison s'affoler, et se précipiter les battements de mon cœur. Mais elle fit signe à ses esclaves de se retirer, s'avança vers moi et me dit : « Ô lumière de mon œil, est-ce que tout être beau doit, ainsi que tu le fais, agir si durement envers celle qui l'aime ? » Je répondis : « La beauté tout entière est en toi, et ses restes, s'il y en a, sont attribués aux autres humains ! » Elle me dit : « Ô joaillier Môhammad-

Ali, sache que je t'aime, et que je n'ai usé de ce moyen que pour te décider à venir dans ma maison ! » Et, ayant prononcé ces paroles, elle se pencha sur moi nonchalamment et m'attira à elle en me coulant des yeux langoureux. Moi alors, extrêmement ému, je lui pris la tête dans mes mains et l'embrassai à plusieurs reprises, tandis qu'elle me rendait mes baisers sans avarice et me pressait contre ses seins, que je sentais durs à s'incruster dans ma poitrine. Alors je compris que je ne devais pas reculer, et je voulus mettre à exécution ce qu'il était de ma vertu d'exécuter. Mais au moment où l'enfant, complètement réveillé, réclamait hardiment sa mère, celle-ci me dit : « Que veux-tu donc faire avec cela, ô mon maître ? » Je répondis : « Le cacher, pour m'en débarrasser ! » Elle me dit : « Certes ! tu ne pourras guère le cacher chez moi, car la maison n'est pas ouverte. Il faudrait pour cela d'abord qu'on y ménageât une brèche ! Or sache bien que je suis une vierge intacte de toute perforation ! De plus, si tu crois que tu as affaire à quelque femme inconnue ou à quelque chiffon d'entre les chiffons de Bagdad, hâte-toi de te détromper ! Apprends, en effet, ô Môhammad-Ali, que, telle que tu me vois, je suis la sœur du grand vizir Giafar ; je suis la fille de Yahia ben-Khaled Al-Barmaki. »

En entendant ces paroles, ô mes maîtres, moi soudain je sentis l'enfant retomber dans un profond sommeil, et je compris combien il avait été malséant de ma part d'écouter ses cris et de vouloir les apaiser en demandant l'aide de l'adolescente. Pourtant je lui dis : « Par Allah ! ô ma maîtresse, la faute n'est pas à moi si j'ai voulu faire profiter l'enfant de l'hospitalité accordée au père. C'est toi-même qui avais bien voulu être généreuse à mon égard, en me faisant voir la route du gîte à travers les portes ouvertes de ton hospitalité ! » Elle me répondit : « Tu n'as point de reproches à te faire, au contraire ! Et tu parviendras à tes fins, si tu veux, mais par les seules routes légales. Avec la volonté d'Allah tout peut arriver ! Je suis, en effet, la maîtresse de mes actes, et nul n'a le droit de les contrôler ! Veux-tu donc de moi comme épouse légitime ? » Je répondis : « Certainement ! » Aussitôt elle fit venir le kâdi et les témoins, et leur dit : « Voici Môhammad-Ali fils d'Ali le défunt syndic. Il me demande en mariage et me reconnaît comme dot ce collier qu'il m'a donné. Moi j'accepte et je consens ! » Aussitôt on écrivit notre contrat de mariage, et, cela fait, on nous laissa seuls. Les esclaves apportèrent les boissons, les coupes et les luths, et nous commençâmes tous deux à boire, jusqu'à ce que notre esprit eût resplendi ! Elle prit alors le luth et chanta en s'accompagnant :

« Par la souplesse de ta taille, par ta démarche fière, je jure que je souffre de ton éloignement.

Aie pitié d'un cœur brûlé du feu de ton amour !

La coupe d'or m'exalte où je trouve, en buvant à sa liqueur, ton souvenir vivace.

De même, au milieu des roses éclatantes, la fleur de myrte me fait mieux apprécier les vives couleurs ! »

Lorsqu'elle eut fini de chanter, je pris le luth à mon tour, et, après avoir montré que je savais en tirer le meilleur parti, je dis ces vers du poète, en m'accompagnant en sourdine :

« Ô prodige ! Je vois sur tes joues s'unir les choses contraires : la fraîcheur de l'eau et la rougeur de la flamme.

Tu es pour mon cœur le feu et la fraîcheur ! Oh ! que tu es amère et douce dans mon cœur ! »

Lorsque nous eûmes terminé nos chants, nous vîmes qu'il était temps de songer au lit. Je l'enlevai dans mes bras et l'étendis sur la couche somptueuse que nous avaient préparée les esclaves…

À ce moment de sa narration, Schahrazade vit apparaître le matin et se tut discrètement.

Mais lorsque fut la trois cent quatre-vingt-dix-huitième nuit. Elle dit :

… Sur la couche somptueuse que nous avaient préparée les esclaves. Alors, l'ayant mise nue, je pus constater qu'elle était une perle imperforée et une cavale non montée. Je me réjouis de cela grandement, et, en outre, je puis assurer que de ma vie je n'ai passé une nuit aussi agréable que cette nuit-là, où, jusqu'au matin, je la tins serrée contre moi comme on tient un pigeon les ailes repliées dans la main !

Or ce ne fut point une nuit seulement que je passai de la sorte, mais un mois entier, sans discontinuer. Et j'en oubliai mes intérêts, ma boutique, mes biens à gérer, et ma maison avec tout ce qu'elle contenait, jusqu'à ce qu'elle vînt me trouver un jour, qui était le premier jour du second mois, et me dit : « Je suis obligée de m'absenter quelques heures, le temps seulement d'aller au hammam et d'en revenir. Toi, je t'en supplie, ne quitte pas ce lit ; et ne te lève pas jusqu'à ce que je sois de retour. Et je te reviendrai toute fraîche du hammam, et légère et parfumée ! » Puis, pour être plus sûre de l'exécution de cet ordre, elle me fit prêter le serment de ne point bouger du lit. Après quoi elle emmena deux de ses esclaves, qui prirent les serviettes et les paquets de linge et de vêtements, et s'en alla avec elles au hammam.

Or, ô mes maîtres, elle était à peine sortie de la maison que je vis, par Allah ! la porte s'ouvrir, et entrer dans ma chambre une vieille femme qui me dit, après les salams : « Ô mon maître Môhammad, l'épouse de l'émir des Croyants, Sett Zobéida m'envoie vers toi pour te prier de te rendre au palais où elle désire te voir et t'entendre : car on lui a parlé en termes si admiratifs de tes manières distinguées, de ta politesse et de ta belle voix, qu'elle a eu grande envie de te connaître ! » Je répondis : « Par Allah ! ma bonne tante, Sett Zobéida me fait un honneur extrême de m'inviter à aller la voir ; mais je ne puis quitter la maison avant le retour de mon épouse qui est allée au hammam. » La vieille me dit : « Mon enfant, je te conseille, dans ton intérêt, de ne pas différer d'un instant la visite qu'on te demande, si tu ne veux pas que Sett Zobéida devienne ton ennemie ! Or, peut-être l'ignores-tu, elle est bien dangereuse, l'inimitié de Sett Zobéida ! Lève-toi donc et va lui parler ! Puis tu reviendras bien vite à ta maison ! »

Ces paroles me décidèrent à sortir, en dépit du serment que j'avais fait à mon épouse, et je suivis la vieille qui marcha devant moi, et me conduisit au palais où elle m'introduisit sans difficulté.

Lorsque Sett Zobéida me vit entrer, elle me sourit, me fit m'approcher d'elle, et me dit : « Ô lumière de l'œil ! c'est toi le bien-aimé de la sœur du grand vizir ? » Je répondis : « Je suis ton esclave et ton serviteur ! » Elle me dit : « En vérité, ils n'ont guère exagéré tes mérites, ceux qui m'ont dépeint tes manières charmantes et ton parler distingué. Je désirais te voir et te connaître, pour juger par mes yeux du choix et des goûts de la sœur de Giafar. Maintenant, je suis satisfaite. Mais tu ferais parvenir mon plaisir à ses limites extrêmes si tu voulais bien me faire entendre ta voix en me chantant quelque chose ! » Je répondis : « J'aime et j'honore ! » Et je pris un luth, que m'apporta une esclave, et, après l'avoir accordé, je préludai doucement et chantai deux ou trois strophes sur l'amour partagé. Lorsque je cessai de chanter, Sett Zobéida me dit : « Qu'Allah achève son œuvre en te rendant encore plus parfait que tu n'es, ô charmant jeune homme ! Je te remercie d'être venu me voir. Maintenant hâte-toi de rentrer chez toi, avant le retour de ton épouse, pour qu'elle ne s'imagine point que je veuille te ravir à son affection ! » Moi j'embrassai alors la terre entre ses mains, et je sortis du palais par la porte même de mon entrée.

Lorsque je fus à la maison, je trouvai au lit mon épouse, qui m'y avait précédé. Elle dormait déjà, et ne fit aucun mouvement de réveil. Je me couchai alors à ses pieds, et, tout doucement, je me mis à lui masser les jambes. Mais soudain elle ouvrit les yeux et froidement me donna un coup de pied dans le flanc, qui m'envoya rouler au bas du lit, par terre, et me cria : « Ô traître ! ô parjure ! Tu as manqué à ton serment, et tu t'es rendu auprès de Sett Zobéida ! Par Allah ! si je n'avais horreur de l'opprobre et horreur de livrer mon intimité au public, j'irais à cette heure même lui faire voir, à Sett Zobéida, ce qu'il en coûte de débaucher les maris des autres femmes ! Mais toi, en attendant, tu vas payer pour elle et pour toi ! » Et elle frappa dans ses mains et cria : « Ya Saouab ! » Aussitôt apparut son chef eunuque, un nègre qui m'avait toujours regardé de travers, et elle lui dit : « Coupe tout de suite le cou à ce traître, à ce menteur, à ce parjure ! » Le nègre aussitôt brandit son épée, déchira un coin du bas de sa robe, et me banda les yeux avec le lambeau d'étoffe qu'il avait ainsi arraché. Puis il me dit : « Fais ton acte de foi ! » et se disposa à me couper le cou. Mais à ce moment entrèrent toutes les esclaves, envers lesquelles j'avais toujours été généreux, les grandes et les petites, les jeunes et les vieilles…

À ce moment de sa narration, Schahrazade vit apparaître le matin et, discrète, se tut.

Mais lorsque fut la trois cent quatre-vingt-dix-neuvième nuit. Elle dit :

… Les grandes et les petites, les jeunes et les vieilles, et lui dirent : « Ô notre maîtresse, nous te supplions de lui faire grâce à cause de son ignorance de la gravité de sa faute. Il ne savait pas que rien ne te pouvait plus contrarier que sa visite à Sett Zobéida, ton ennemie ! Il ignorait absolument ce qu'il pouvait y avoir de rivalité entre vous deux ! Pardonne-lui, ô notre maîtresse ! » Elle répondit : « Soit ! je veux bien lui laisser la vie sauve, mais je désire également lui faire garder un souvenir ineffaçable de son manquement ! » Et elle fit signe à Saouab de laisser l'épée pour le bâton. Et le nègre prit aussitôt une verge d'une souplesse terrible, et se mit à m'en donner des coups sur les endroits les plus sensibles de mon corps. Après quoi il prit un fouet et m'en assena cinq cents tournées, ajustées cruellement sur mes parties les plus délicates et sur mes côtes. C'est ce qui vous explique, mes seigneurs, les traces et les cicatrices que vous avez pu observer tout à l'heure sur mon corps. Lorsque ce traitement m'eut été infligé, elle me fit emporter de là et jeter comme une hotte d'ordures dans la rue.

Alors, moi je me ramassai comme je pus, et me traînai jusqu'à ma maison, tout ensanglanté, pour tomber évanoui tout de mon long, à peine arrivé dans ma chambre depuis si longtemps abandonnée.

Lorsque, au bout d'un long temps, je fus revenu de mon évanouissement, je fis venir chez moi un savant rebouteur, à la main très légère, qui pansa délicatement mes blessures et, à force de baumes et d'onguents, réussit à obtenir ma guérison. Je restai pourtant étendu dans l'immobilité pendant deux mois ; et lorsque je pus sortir, je commençai par aller au hammam ; et, mon bain terminé, je me rendis à ma boutique. Là je me hâtai de vendre aux enchères tout ce qu'elle contenait de choses précieuses, je réalisai tout ce que je pus réaliser, et, avec la somme acquise, j'achetai quatre cents jeunes mamalik que j'habillai richement, et ce bateau où vous m'avez vu cette nuit en leur compagnie. Je choisis l'un d'eux, qui ressemblait à Giafar, pour en faire mon compagnon de droite, et un autre pour lui donner les prérogatives de porte-glaive, à l'exemple de l'émir des Croyants. Et, dans le but d'oublier mes tribulations, je me déguisai moi-même en khalifat, et pris l'habitude de me promener chaque nuit sur le fleuve, au milieu de l'illumination de mon bateau et des chants et des jeux des instruments. Et c'est ainsi que, depuis une année, je passe ma vie, me donnant à moi-même cette illusion suprême d'être le khalifat, pour tâcher de chasser de mon esprit le chagrin qui l'habite à partir du jour où mon épouse m'a fait châtier si cruellement, pour satisfaire la rivalité que Sett Zobéida et elle-même nourrissaient à l'égard l'une de l'autre ! Et c'est moi seul, l'ignorant de tout cela, qui ai subi les conséquences de cette dispute de femmes ! Or telle est ma triste histoire, ô mes maîtres ! Et je n'ai plus qu'à vous remercier d'avoir bien voulu vous joindre à nous pour passer cette nuit amicalement ! »

Lorsque le khalifat Haroun Al-Rachid eut entendu cette histoire, il s'écria : « Louanges à Allah qui a fait que chaque effet ait sa cause ! » Puis il se leva et demanda au jeune homme la permission de se retirer avec ses compagnons. Le jeune homme le lui permit ; et il sortit de là pour se rendre au palais, en songeant au moyen de réparer l'injustice commise par les deux femmes à l'égard du jeune homme. Et, de son côté, Giafar se désolait fort que sa sœur fût la cause d'une pareille aventure, maintenant destinée à être connue de tout le palais.

Le lendemain, le khalifat, revêtu des insignes de son autorité, au milieu de ses émirs et de ses chambellans, dit à Giafar : « À moi le jeune homme qui nous a donné l'hospitalité hier dans la nuit ! » Et Giafar sortit immédiatement, pour revenir bientôt avec le jeune homme qui embrassa la terre entre les mains du khalifat et, après les salams, lui fit en vers un compliment. Al-Rachid, charmé, le fit s'approcher, et s'asseoir à côté de lui et lui dit : « Ô Môhammad-Ali, je te fais venir pour entendre de ta bouche l'histoire que tu as racontée hier aux trois marchands. Elle est prodigieuse et pleine de leçons utiles ! » Le jeune homme, bien ému, dit : « Je ne puis parler, ô émir des Croyants, avant que tu m'aies donné le mouchoir de la sécurité ! » Le khalifat aussitôt lui jeta son mouchoir, en signe de sécurité, et le jeune homme répéta son récit, sans omettre un détail. Lorsqu'il eut fini, Al-Rachid lui dit : « Et maintenant aimerais-tu voir ton épouse revenir auprès de toi, malgré ses torts à ton égard ? » Il répondit : « Tout ce qui me viendrait de la main du khalifat serait le bienvenu ; car les doigts de notre maître sont les clefs des bienfaits, et ses actions ne sont pas des actions mais des colliers précieux, ornements des cous ! » Alors le khalifat dit à Giafar : « À moi ta sœur, ô Giafar, la fille de l'émir Yahia ! » Et Giafar fit aussitôt venir sa sœur ; et le khalifat lui demanda : « Dis-moi, ô fille de notre fidèle Yahia ! reconnais-tu ce jeune homme ? » Elle répondit : « Ô émir des Croyants, depuis quand les femmes ont-elles appris à connaître les hommes ? » Il sourit et dit : « Eh bien ! je vais te dire son nom. Il s'appelle Môhammad-Ali, fils du défunt syndic des bijoutiers. Tout ce qui est passé est passé, et dans le présent je désire te donner à lui comme épouse ! » Elle répondit : « Le don de notre maître est sur nos têtes et dans nos yeux ! »

Le khalifat fit aussitôt venir le kâdi et les témoins, et fit écrire légalement le contrat de mariage, qui unit cette fois les deux jeunes gens d'une façon durable, pour leur bonheur qui fut parfait. Et il voulut retenir auprès de lui Môhammad-Ali pour qu'il devînt l'un de ses intimes jusqu'à la fin de ses jours. Et voilà comment Al-Rachid savait consacrer ses loisirs à unir ce qui était désuni et à rendre heureux ceux que le destin avait trahis !

Mais ne crois point, ô Roi fortuné, continua Schahrazade, que cette histoire, que je ne t'ai racontée que pour faire simplement diversion aux courtes anecdotes, puisse égaler, de près ou de loin, la merveilleuse HISTOIRE DE ROSE-DANS-LE-CALICE ET DÉLICE-DU-MONDE *! Et Schahrazade dit au roi Schahriar :*

HISTOIRE DE ROSE-DANS-LE-CALICE ET DE DÉLICE-DU-MONDE

On raconte qu'il y avait, en l'antiquité du temps et le passé des époques et des âges, un roi d'un très haut rang, plein de puissance et de gloire. Il avait un vizir nommé Ibrahim, dont la fille était une merveille de grâce et de beauté, tout à fait supérieure en élégance et en perfection, et douée d'une intelligence remarquable et de manières notoirement exquises. En outre, elle aimait à l'extrême les réunions joyeuses et le vin qui donne la gaieté, sans dédaigner les visages jolis, les vers en ce qu'ils ont de plus raffiné, et les histoires extraordinaires. Elle avait en elle tant de délicates délices qu'elle attirait d'amour vers elle les têtes et les cœurs, comme l'a d'ailleurs dit un des poètes qui l'ont chantée :

« Je suis épris de la séductrice ! Enchanteresse des Turcs et des Arabes, elle connaît toutes les finesses de la jurisprudence, de la syntaxe et des belles-lettres.

Ainsi, quand nous discutons ensemble sur tout cela, voici ce que me dit parfois la maligne :

Je suis agent passif, et tu t'obstines à me mettre au cas indirect. Pourquoi cela ? En revanche, tu laisses toujours à l'accusatif ton régime dont le rôle est d'être actif, et tu ne lui donnes jamais le signe de l'érection ! »

Je lui dis : « Ce n'est point mon régime seul qui t'appartient, ô ma maîtresse, mais ma vie et toute mon âme ! Seulement ne t'étonne plus de ce renversement des rôles. Aujourd'hui les temps sont changés et les choses bouleversées.

Toutefois, si, malgré ce que je t'en dis tu refuses de croire à ce renversement, eh bien ! n'hésite plus et regarde mon régime ! Ne remarques-tu point que le nœud de la tête se trouve à la queue ? »

Or cette adolescente était si exquise, si douce et d'une beauté si vive qu'on l'appelait Rose-dans-le-Calice...

À ce moment de sa narration, Schahrazade vit apparaître le matin et, discrète, se tut.

Mais lorsque fut la quatre centième nuit. Elle dit :

... Or cette adolescente était si exquise, si douce et d'une beauté si vive qu'on l'appelait Rose-dans-le-Calice !

Le roi, qui aimait beaucoup l'avoir à ses côtés, dans les festins, tant elle était douée de finesse d'esprit et de distinction, avait coutume, chaque année, de donner de grandes fêtes et, par la même occasion, de profiter de la présence au palais des principaux personnages de son royaume pour jouer avec eux à la balle.

Lorsque le jour arriva où les invités du roi se réunissaient pour ce jeu de balle, Rose-dans-le-Calice s'assit à la fenêtre pour jouir du spectacle. Bientôt le jeu commença à s'animer, et la fille du vizir, qui suivait les mouvements et observait les joueurs, aperçut au milieu d'eux un jeune homme infiniment beau, au visage charmant, aux dents souriantes, à la taille élancée et aux vastes épaules. Elle éprouva un tel plaisir à sa vue, qu'elle ne put se rassasier de le contempler ni s'empêcher de lui lancer des œillades répétées. Elle finit par appeler sa nourrice et lui demanda : « Sais-tu le nom de ce jeune homme exquis si plein de distinction, qui est là au milieu des joueurs ? » La nourrice répondit : « Ô ma fille, ils sont tous beaux ! Je ne vois donc pas de qui tu veux parler. » Elle dit : « Attends alors ! Je vais te le montrer ! » Et aussitôt elle prit une pomme et la lança sur le jeune homme qui se retourna et leva la tête vers la fenêtre. Il vit alors Rose-dans-le-Calice, souriante et belle comme la pleine lune illuminant les ténèbres ; et, du coup, avant même qu'il eût le temps de ramener à lui son regard, il se sentit extrêmement ému d'amour ; et il se récita ces vers du poète :

« Mon cœur amoureux, qui l'a percé ? Est-ce l'archer ou la flèche de tes prunelles ?

Flèche acérée ! viens-tu si rapide de la masse des guerriers ou simplement d'une fenêtre ? »

Rose-dans-le-Calice demanda alors à sa nourrice : « Et maintenant peux-tu me dire enfin le nom de ce jeune homme ? » Elle répondit : « Il s'appelle Délice-du-Monde. » En entendant ces mots, la jeune fille secoua la tête de plaisir et d'émotion, se laissa tomber sur le divan, gémit profondément, et improvisa ces strophes :

« Il n'a pas eu à le regretter, celui qui t'a nommé Délice-du-Monde, ô toi qui allies la délicatesse exquise des manières à toutes les choses excellentes.

Ô lever de la pleine lune ! Ô visage éclatant qui éclaires l'univers et illumines le monde,

Tu es, entre toutes les créatures, le seul sultan de la beauté ! Et j'ai des témoins pour me donner raison !

Ton sourcil n'est-il point la lettre *noun*, parfaitement tracée ? L'amande de ton œil ne ressemble-t-elle pas à la lettre *sad*, écrite par les doigts amoureux du Créateur ?

Et ta taille ! N'est-elle pas le jeune, le tendre rameau flexible qui prend toutes les formes désirables ?

Si déjà ton intrépidité, ô cavalier, a surpassé la valeur des plus forts, que ne dirai-je pas de ta grâce supérieure et de ta beauté ? »

Cette improvisation terminée, Rose-dans-le-Calice prit une feuille de papier et y transcrivit les vers, soigneusement. Elle la plia ensuite et la mit dans un cachet de soie brodé d'or qu'elle cacha sous le coussin du divan.

Or la vieille nourrice, qui avait observé ces divers mouvements de sa maîtresse, se mit à causer avec elle de choses et d'autres jusqu'à ce qu'elle l'eût endormie. Alors elle tira doucement la feuille de dessous le coussin, la lut et, s'étant ainsi assurée de la passion de Rose-dans-le-Calice, la remit à la même place. Puis, une fois l'adolescente réveillée, elle lui dit : « Ô ma maîtresse, je suis pour toi la meilleure et la plus tendre des conseillères ! Je tiens donc à te dire combien violente est la passion d'amour, et à te prévenir que, lorsqu'elle se concentre dans un cœur sans pouvoir s'en épancher, elle le fait fondre, fût-il d'acier, et occasionne dans le corps bien des maladies et des infirmités. Au contraire, si la personne qui souffre de ce mal d'amour le divulgue à une autre, elle ne pourra qu'en tirer du soulagement ! »

En entendant ces paroles de sa nourrice, Rose-dans-le-Calice dit : « Ô nourrice, connaîtrais-tu le remède de l'amour ? » Elle répondit : « Je le connais. C'est de jouir de celui qui en est l'objet ! » Elle demanda : « Et comment fait-on pour arriver à cette jouissance ? » Elle dit : « Ô ma maîtresse, pour cela on n'a d'abord qu'à échanger des lettres pleines de paroles gentilles, de salutations et de compliments ; car c'est là le meilleur moyen qu'ont deux amis de se réunir, et c'est la première chose à faire pour résoudre les difficultés et prévenir les complications. Si donc...

À ce moment de sa narration, Schahrazade vit apparaître le matin et, discrète, se tut.

Mais lorsque fut la quatre cent et unième nuit. Elle dit :

... Si donc, ô ma maîtresse, tu as quelque chose de caché dans le cœur, ne crains point de me le confier ; car si c'est un secret je le garderai intact de toute divulgation, et personne ne saura comme moi te servir avec ses yeux et sa tête pour satisfaire tes moindres désirs et porter discrètement tes missives ! »

Lorsque Rose-dans-le-Calice eut entendu ces paroles de sa nourrice, elle sentit sa raison s'envoler de joie ; mais elle retint son âme de toutes paroles désordonnées, de peur de trahir le trouble qui l'agitait, se disant en elle-même : « Nul ne connaît encore mon secret ; et il vaut mieux pour ma sécurité que cette femme n'en soit informée qu'après des preuves certaines de fidélité. » Mais déjà la nourrice ajoutait : « Ô mon enfant, la nuit dernière j'ai vu un homme qui m'apparut en songe et me dit : « Sache que ta jeune maîtresse et Délice-du-Monde sont amoureux l'un de l'autre, et que c'est à toi à favoriser l'aventure en te chargeant de leurs missives et en leur rendant toutes sortes de services avec une grande discrétion, si tu veux bénéficier sûrement d'une énorme quantité d'avantages ! » Or moi, ô ma maîtresse, je te raconte là ce que j'ai vu ! À toi maintenant la décision ! » Rose-dans-le-Calice répondit : « Ô nourrice, te sens-tu vraiment capable de taire les secrets ? » Elle dit : « Peux-tu en douter un instant, alors que je suis une essence d'entre les essences des cœurs d'élection ? » L'adolescente alors n'hésita plus, lui exhiba le papier sur lequel elle avait écrit les vers et le lui remit en disant : « Hâte-toi de porter ceci à Délice-du-Monde et de me rapporter la réponse ! » La nourrice aussitôt se leva et se rendit chez Délice-du-Monde dont elle commença par baiser la main, pour ensuite le complimenter avec les expressions les plus gentilles et les plus courtoises. Après quoi elle lui remit le billet.

Délice-du-Monde déplia le papier et le lut. Puis, lorsqu'il eut bien compris la portée du contenu, il écrivit sur le revers du feuillet les vers suivants :

« Mon cœur, que l'amour exalte, bat passionnément, et je comprime ses élans tumultueux, mais en vain ! Mon état dévoile mes sentiments !

Si mes larmes débordent, je dis à mon censeur : « C'est l'effet d'un mal aux yeux ! » Je pense ainsi lui donner le change sur le vrai motif, et lui cacher mes intimités.

Libre de tous les liens hier encore, et le cœur tranquille, je ne savais point l'amour ! Je me réveille avec le cœur dominé par l'amour.

Je viens vous soumettre mon état et vous conter ma plainte d'amour, afin que votre cœur ait compassion du malheureux que brûle la passion et que torture le sort.

Cette plainte, je vous la trace ici avec les larmes de mes yeux, pour qu'elle vous prouve mieux ainsi l'amour qui l'a causée.

Qu'Allah préserve de toute atteinte un visage que la beauté a pris soin de recouvrir de son voile, devant qui s'incline la lune et qu'honorent, en esclaves, les étoiles.

Sous le rapport de la beauté, je n'ai jamais vu sa pareille ! Ô sa taille ! Les flexibles rameaux apprennent à onduler en la voyant se balancer.

Maintenant j'ose vous prier, si cela ne vous est point une cause d'ennui, de venir me voir. Ô ! cela m'est d'un grand prix.

Il ne me reste plus qu'à vous faire don de mon âme, dans l'espoir que vous l'accepterez peut-être. Votre venue me sera le Paradis, et votre refus la Géhenne ! »

Cela écrit, il plia la feuille, la baisa et la remit à la nourrice en lui disant : « Ma mère, je compte sur ta bonté pour prédisposer en ma faveur le bon vouloir de ta maîtresse ! » Elle répondit : « J'écoute et j'obéis ! » prit le billet, et se hâta de se rendre auprès de sa maîtresse à qui elle le remit.

Rose-dans-le-Calice, ayant pris le billet, le porta à ses lèvres, puis à son front, le déplia et le lut. Lorsqu'elle en eut bien compris le sens, elle écrivit en dessous les vers suivants :

« Ô toi dont le cœur est épris de notre beauté, ne crains point d'unir la patience à l'amour ! C'est un moyen peut-être d'arriver à nous posséder.

Lorsque nous eûmes reconnu que ton amour était sincère, et que ton cœur était éprouvé par les mêmes tourments que ceux de notre cœur,

Nous eûmes un désir égal à ton désir de nous voir enfin unis, mais nous fûmes retenu par la crainte de nos gardiens.

Sache que lorsque sur nous descend la nuit pleine de ténèbres, notre ardeur s'exalte tant que les feux s'allument dans nos entrailles.

Les tyranniques tourments de ton désir chassent alors le sommeil de notre couche, et la douleur cuisante s'empare de notre corps.

Toutefois n'oublie point que le premier devoir des amoureux est de taire aux autres leur amour ! Garde-toi donc de soulever pour d'autres yeux le voile qui nous protège.

Et maintenant je veux crier que mes entrailles sont bourrées d'amour pour un jouvenceau ! Oh ! que n'est-il toujours resté dans nos demeures ! »

Lorsqu'elle eut fini d'écrire ces vers…

À ce moment de sa narration, Schahrazade vit apparaître le matin et, discrète, se tut.

Mais lorsque fut la quatre cent deuxième nuit. Elle dit :

… Lorsqu'elle eut fini d'écrire ces vers, elle plia la feuille et la remit à la nourrice qui la prit et sortit du palais. Mais la destinée voulut qu'elle rencontrât justement le chambellan du vizir, père de Rose-dans-le-Calice, qui lui demanda : « Où vas-tu ainsi à cette heure ? » À ces paroles, elle fut saisie d'un trouble extrême et répondit : « Au hammam ! » et elle continua sa route, mais dans un tel trouble qu'elle laissa tomber, sans y faire attention, le billet qu'elle avait mal assuré dans un pli de sa ceinture. Et voilà pour elle ! Mais pour ce qui est du billet, tombé par terre près de la porte du palais, il fut ramassé par un des eunuques qui se hâta d'aller le porter au vizir.

Or, justement, le vizir venait de sortir de son harem et était entré s'asseoir sur son divan dans la salle de réception. Et pendant qu'il était assis de la sorte, bien tranquille, l'eunuque s'avança en tenant à la main le billet en question et lui dit : « Mon seigneur, je viens de trouver par terre, dans la maison, ce billet que je me suis hâté de ramasser. » Le vizir le lui prit des mains, le déplia, et y trouva écrits les vers en question. Il les lut et, lorsqu'il en eut compris le sens, il en examina l'écriture qui lui parut être sans conteste celle de sa fille Rose-dans-le-Calice.

À cette vue, il se leva et se rendit auprès de son épouse, mère de la jeune fille, en pleurant si abondamment que sa barbe en était toute mouillée. Et son épouse lui demanda : « Qu'est-ce qui te fait pleurer ainsi, ô mon maître ? » Il répondit : « Prends ce papier et regarde ce qu'il contient ! » Elle prit le papier, le lut, et trouva que c'était une correspondance entre sa fille Rose-dans-le-Calice et Délice-du-Monde. À cette constatation, des larmes lui vinrent aux yeux, mais elle maîtrisa son âme, empêcha ses pleurs et dit au vizir : « Ô mon seigneur, les larmes ne peuvent être d'aucune utilité ; la seule idée excellente serait de songer au moyen de sauvegarder ton honneur et cacher l'affaire de ta fille ! » Et elle continua à le consoler et à l'alléger de ses chagrins. Il lui répondit : « Moi je crains fort pour ma fille cette passion-là ! Ne sais-tu point que le sultan éprouve une affection très grande pour Rose-dans-le-Calice ? Aussi ma crainte dans cette affaire tient à deux causes ; la première me concerne, car c'est ma fille ; la seconde, par rapport au sultan, est que Rose-dans-le-Calice est la favorite du sultan, et il se peut que de là sortent de graves complications ! Toi, que penses-tu de tout cela ? » Elle répondit : « Attends un peu, pour me donner le temps de faire la Prière du Parti à prendre ! » Et aussitôt elle se mit dans l'attitude de la prière, selon le rite et la Sunna, en exécutant les pratiques pieuses prescrites en pareil cas.

Cette prière terminée, elle dit à son époux : « Sache qu'il y a, au milieu de la mer qu'on nomme Bahr Al-Konouz, une montagne appelée montagne de Celle-qui-a-perdu-son-enfant. Nul ne peut aborder cet endroit-là qu'avec des difficultés infinies. Je te conseille donc d'installer là une demeure pour ta fille. »

Le vizir, d'accord sur ce point avec son épouse, résolut de faire construire, sur cette Montagne-de-la-Mère-qui-a-perdu-son-enfant, un palais inaccessible où il confinerait Rose-dans-le-Calice, en ayant soin toutefois de la pourvoir de provisions suffisantes pour une année, renouvelables au commencement de l'année suivante, et de lui donner des gens pour lui tenir compagnie et la servir. Une fois qu'il eut pris cette résolution, le vizir réunit des menuisiers, des maçons et des architectes, et les envoya à cette montagne, où ils ne manquèrent pas de bâtir un palais inaccessible et tel que l'on n'avait jamais vu son pareil dans le monde.

Alors le vizir fit préparer les provisions du voyage, disposa la caravane, et pénétra durant la nuit chez sa fille et lui ordonna de partir. À cet ordre, Rose-dans-le-Calice ressentit violemment les angoisses de la séparation et ne put, lorsqu'elle fut sortie du palais et qu'elle eut remarqué les préparatifs du voyage, s'empêcher de pleurer des pleurs abondants. Elle eut alors l'idée, pour informer

Délice-du-Monde de ce qui se passait en elle en fait d'ardeur amoureuse violente à faire frissonner la peau, fondre les rochers les plus durs et déborder les larmes, d'écrire sur la porte les vers suivants :

« Ô maison ! si le bien-aimé passe au matin, en saluant par les signes des amoureux,

Rends-lui de notre part un salut délicieux et parfumé, car nous ne savons où le sort nous mènera ce soir !

Je ne sais moi-même vers quels lieux me porte le voyage, car on m'emmène avec hâte et bien peu de bagages.

La nuit viendra et l'oiseau du fourré annoncera par ses plaintes modulées, sur les rameaux, la nouvelle de notre triste destinée.

Il dira dans son langage : « Ô douleur ! qu'il est cruel de se séparer de celui qu'on aime ! »

Et moi quand j'ai vu les coupes de la séparation déjà pleines et le sort prêt à nous les offrir, malgré nous,

J'ai coupé le breuvage amer avec de la résignation ! Mais la résignation, je le vois bien, hélas ! ne pourra jamais me procurer l'oubli ! »

Lorsqu'elle eut tracé ces vers sur la porte…

À ce moment de sa narration, Schahrazade vit apparaître le matin et se tut discrètement.

Mais lorsque fut la quatre cent troisième nuit. Elle dit :

… Lorsqu'elle eut tracé ces vers sur la porte, elle prit place sur son palanquin, et la caravane se mit en marche. Ils franchirent les plaines et les déserts, les terrains unis et les monts accidentés, et arrivèrent de la sorte à la mer d'Al-Konouz, sur le rivage de laquelle ils dressèrent leurs tentes ; et ils construisirent un grand navire où ils firent s'embarquer la jeune fille avec sa suite.

Or comme le vizir avait donné l'ordre aux conducteurs de la caravane de ne point manquer, une fois la jeune fille confinée dans le palais au sommet de la montagne, de revenir sur le rivage et de détruire le navire, ils se gardèrent bien de désobéir et exécutèrent en tous points la mission dont ils étaient chargés, pour revenir ensuite auprès du vizir en pleurant de tout cela. Et voilà pour eux !

Mais pour ce qui est de Délice-du-Monde, lorsqu'il se fut réveillé le lendemain, il ne manqua pas de faire sa prière du matin et de monter à cheval pour se rendre, suivant sa coutume, au service du sultan. Comme il passait devant la porte du vizir, il remarqua les vers qui y étaient inscrits, et il faillit, à cette vue, perdre tout sentiment ; et le feu s'alluma dans ses entrailles bouleversées. Il revint alors chez lui, où, en proie à l'impatience, à l'inquiétude et à l'agitation, il ne put rester un moment en place. Puis, comme la nuit tombait, et qu'il craignait de révéler son état aux gens de sa maison, il se hâta de sortir pour, perplexe et hagard, errer à l'aventure sur les chemins.

Il marcha de la sorte toute la nuit et une partie de la matinée, jusqu'à ce que la chaleur intense et la soif torturante l'eussent obligé à prendre quelque repos. Or, justement il était arrivé au bord d'un ruisseau qu'un arbre ombrageait, et où il s'assit et prit de l'eau dans le creux de ses mains pour boire. Mais, en portant cette eau à ses lèvres, il ne lui trouva aucun goût ; en même temps il sentit que sa figure était altérée et son teint bien jaune ; et il vit ses pieds enflés par la marche et la fatigue. Alors il se mit à pleurer abondamment, et, les larmes ruisselant sur ses joues, il se récita ces vers :

« L'amoureux s'enivre de l'amour de son ami, et son ivresse augmente de l'intensité de ses désirs.

Il erre avec la folie de son amour, exalté et frénétique ; il ne trouve nulle part d'asile ; il ne trouve aucun goût à la nourriture.

Comment l'amoureux peut-il trouver de la joie à vivre loin de son ami ? Ah ! cela serait prodigieux !

Je suis en fusion depuis que m'habite l'amour ; et des pleurs en torrents lavent mes joues.

Oh ! quand verrai-je l'ami, ou quelqu'un de sa tribu qui mette un peu de calme dans ce cœur torturé ? »

Lorsqu'il eut récité ces vers, Délice-du-Monde pleura jusqu'à ce qu'il eût mouillé la terre ; puis il se leva et s'éloigna de ces lieux. Pendant que, désolé, il cheminait de la sorte dans les plaines et déserts, il vit soudain devant lui un lion à la vaste crinière, au cou redoutable, à la tête énorme comme un dôme, à la gueule plus large qu'une porte et aux dents pareilles aux défenses de l'éléphant. À cette vue, il ne douta pas un instant de sa perte ; il se tourna dans la direction de La Mecque, prononça l'acte de foi, et se prépara à la mort. Toutefois il se souvint à ce moment précis avoir lu autrefois dans les livres anciens que le lion était sensible à la douceur des paroles, qu'il trouvait son plaisir dans les flatteries, et se laissait de cette façon facilement apprivoiser. Il se mit donc à lui dire : « Ô lion des forêts, ô lion des plaines, ô lion intrépide, ô chef redouté des braves, ô sultan des animaux, tu vois devant ta grandeur un pauvre amoureux anéanti par la séparation, à la tête affolée, que la passion a réduit à toute extrémité. Écoute mes paroles, et aie pitié de ma perplexité et de ma douleur ! »

Lorsque le lion eut entendu ce discours, il recula de quelques pas, s'assit sur son derrière, leva la tête vers Délice-du-Monde, et se mit à jouer avec sa queue et ses pattes de devant. En voyant ces divers mouvements du lion, Délice-du-Monde récita ces vers :

« Ô lion du désert, vas-tu me tuer avant que j'aie retrouvé celui qui m'a lié le cœur ?

Je ne suis point un gibier de prix, oh ! non ! ni même gras, car mon corps est consumé par la perte de l'ami, et mon cœur dévasté !

Que feras-tu d'un mort à qui ne manque que le linceul ?
Ô lion tumultueux de la mêlée,
Si tu me maltraites tu fais la joie de mes envieux !
Je ne suis qu'un pauvre amoureux noyé dans les larmes,
Au cœur brisé par l'absence de l'ami !
Qu'est-il devenu, l'ami ? Ô tristes pensées de mes nuits inquiètes !
Voici que je ne sais plus si ma vie n'est point déjà le néant ! »

Lorsque le lion eut entendu ces vers, il se leva…

À ce moment de sa narration, Schahrazade vit apparaître le matin et se tut discrètement.

Mais lorsque fut la quatre cent quatrième nuit. Elle dit :

… Lorsque le lion eut entendu ces vers, il se leva et, les yeux remplis de larmes, il s'avança avec beaucoup de douceur vers Délice-du-Monde dont il se mit à lécher les pieds et les mains avec la langue. Après quoi il lui fit signe de le suivre et marcha devant lui. Délice-du-Monde suivit le lion, et tous deux marchèrent de la sorte pendant un certain temps. Après avoir gravi une haute montagne et en avoir descendu le versant, ils virent dans la plaine les traces des pas de la caravane. Alors Délice-du-Monde se mit à suivre ces traces avec attention, et le lion, le voyant ainsi sur la piste, le laissa continuer seul ses recherches et rebroussa chemin pour s'en aller en sa voie.

Quant à Délice-du-Monde, il continua à suivre jour et nuit les traces de la caravane, et arriva de la sorte au bord de la mer mugissante aux vagues entrechoquées, où les pas se perdaient à la limite des flots. Il comprit alors que la caravane s'était embarquée et avait continué sa route par mer, et il perdit tout espoir de retrouver sa bien-aimée. Alors il fit couler ses larmes et récita ces vers :

« L'amie est si loin maintenant, et ma patience est à bout.
Comment aller vers elle par les abîmes de la mer ?
Comment me résigner, alors que mes entrailles sont consumées,
Et que l'insomnie a remplacé dans mes yeux le sommeil ?
Du jour qu'il a quitté les demeures et notre terre,
Mon cœur s'est enflammé. Ah ! par quelle flamme !
Ô grands fleuves ! Seyhoun, Jeyhoun, et toi Euphrate ! mes larmes coulent comme vous !
Elles coulent et débordent bien plus que les déluges et les pluies !
Mes paupières sont heurtées par de tels torrents de larmes qu'elles en sont ulcérées,
Et mon cœur a pris feu au contact de tant d'étincelles.
Les hordes de ma passion et de tous mes désirs sont montées à l'assaut de mon cœur.
Et l'armée de ma patience est vaincue et en déroute.
J'ai risqué ma vie sans calculs, pour son amour ;
Mais le risque de ma vie est le moindre de mes dangers.
Puissent mes yeux ne point être punis pour avoir vu dans l'enceinte défendue
Cette merveilleuse beauté plus éclatante que la lune !
Je me suis vu terrassé, le cœur transpercé par les flèches
Décochées sans arc par de larges yeux merveilleusement fendus.
Il m'a séduit par l'harmonie de ses mouvements et sa souplesse,
Sa souplesse que n'égalerait la flexibilité du jeune rameau sur la tige du saule.
De toute mon âme je l'implore pour être secouru dans mes peines et mes chagrins.
Mais il m'a réduit au triste état où vous me voyez
Et son regard séducteur a seul causé ma perte. »

Lorsqu'il eut fini de réciter ces vers, il se mit à pleurer tellement qu'il tomba sans connaissance et resta longtemps dans cet état. Mais, une fois qu'il fut revenu de son évanouissement, il tourna la tête à droite et à gauche et, comme il se voyait dans un désert sans habitants, il eut bien peur de devenir la proie des animaux sauvages et se mit à gravir une haute montagne, sur le sommet de laquelle il entendit, sortant d'une caverne, les sons d'une voix humaine. Il écouta attentivement la voix et reconnut que c'était celle d'un ermite qui avait quitté le monde et s'était voué à la dévotion. Il s'approcha de cette caverne et en heurta trois fois la porte sans obtenir une réponse de l'ermite, et sans le voir sortir. Alors il soupira profondément et récita ces vers :

« Ô mes désirs, comment arriverez-vous à votre but ?
Ô mon âme, comment oublieras-tu tes chagrins, tes peines et tes fatigues ?

Toutes les calamités sont venues une à une vieillir mon cœur
Et blanchir ma tête dès ma première jeunesse.
Nul secours pour adoucir la passion qui me consume,
Nul ami pour alléger le fardeau qui pèse sur mon âme.
Ah ! qui saura dire les tourments de mes désirs,
Maintenant que la destinée s'est tournée contre moi ?
Oh ! grâce, pitié pour le pauvre amoureux désolé,
Celui qui a bu le calice de la séparation et de l'abandon !
Le feu est dans ce cœur ; les entrailles sont consumées,
Et la raison s'est envolée tant la séparation l'a torturée !
Nul jour ne me fut plus terrible que celui de ma venue dans sa demeure,
Quand j'ai vu les vers écrits sur la porte !
Oh ! j'ai bien pleuré ! J'ai fait boire à la terre mes larmes brûlantes,
Mais j'ai tu mon secret aux proches et aux étrangers.
Ô ermite qui as cherché le refuge de cette grotte pour ne rien voir de ce monde,
Peut-être as-tu toi-même goûté à l'amour, et que ta raison aussi s'est envolée !
Mais moi pourtant, malgré ceci et cela, malgré tout cela,
Si j'atteins mon but, j'oublierai, certes ! mes peines et mes fatigues. »

Lorsqu'il eut fini de réciter ces vers, il vit soudain la porte de la grotte s'ouvrir et il entendit quelqu'un s'écrier : « La miséricorde sur toi ! »

À ce moment de sa narration, Schahrazade vit apparaître le matin et se tut discrètement.

Mais lorsque fut la quatre cent cinquième nuit. Elle dit :

... Et il entendit quelqu'un s'écrier : « La miséricorde sur toi ! » Alors il franchit la porte et souhaita la paix à l'ermite qui lui rendit son souhait et lui demanda : « Quel est ton nom ? » Il dit : « Mon nom est Délice-du-Monde ! » Il lui demanda : « Quelle est la cause de ta venue ? » Il lui raconta alors son histoire depuis le commencement jusqu'à la fin, et aussi tout ce qui lui était arrivé. Et l'ermite se mit à pleurer et lui dit : « Ô Délice-du-Monde, il y a vingt ans déjà que j'habite ces lieux, et je n'ai jamais vu personne ici durant mon séjour, si ce n'est dans la journée d'hier. J'ai entendu, en effet, des pleurs et du tumulte, et, ayant regardé du côté d'où venaient ces voix, j'ai vu une foule de gens et aussi des tentes dressées sur le rivage. J'ai vu ensuite ces gens construire un navire où ils s'embarquèrent pour disparaître vers la haute mer. Peu de temps après ils revinrent, mais moins nombreux qu'à l'aller, mirent en pièces le navire et s'en retournèrent en leur voie par où ils étaient venus. Aussi je pense que ceux qui sont partis sans revenir sont précisément ceux que tu cherches, ô Délice-du-Monde ! Je comprends donc l'intensité de ton chagrin, et je t'excuse ! Sache pourtant qu'on ne peut trouver un amoureux qui n'ait éprouvé les peines d'amour ! » Et l'ermite récita ces vers :

« Ô Délice-du-Monde, tu me crois sans souci et le cœur plein de quiétude,
Et tu ne sais point que l'ardeur de la passion me plie comme un linge et me déplie.
J'ai connu l'amour dès ma première enfance,
J'ai connu les transports d'amour alors que je tétais encore.
J'ai longtemps pratiqué l'amour, si longtemps que j'en devins célèbre,
Et, si tu l'interroges à mon sujet, il te dira qu'il me connaît.
J'ai bu la coupe de l'amour, et j'en ai goûté la langueur amère.

Je ne suis plus qu'une apparence de moi-même, tant mon corps a dépéri.
J'étais plein de force autrefois ; maintenant ma vigueur a disparu
Et l'armée de ma patience s'est effondrée sous les glaives des regards.
Ne crois point arriver à l'amour sans épreuves,
Car dès les temps anciens les choses contraires se touchent.
L'amour a décrété pour tous les amoureux
Que l'oubli est illicite à l'égal de l'impiété. »

Et lorsque l'ermite eut fini de réciter ces vers, il s'approcha de Délice-du-Monde et le serra dans ses bras ; et tous deux pleurèrent ensemble tellement que les montagnes retentirent de leurs gémissements, et qu'ils finirent par tomber évanouis.

Lorsqu'ils eurent repris connaissance, ils se jurèrent mutuellement de se considérer désormais comme frères en Allah (qu'Il soit exalté !) ; et l'ermite dit à Délice-du-Monde : « Moi je vais prier cette nuit et consulter Allah sur ce que tu as à faire. » Délice-du-Monde répondit : « J'écoute et j'obéis ! » Et voilà pour eux.

Mais pour ce qui est de Rose-dans-le-Calice, voici ! Lorsque les gens qui l'accompagnaient l'eurent conduite à la Montagne-de-la-Mère-qui-a-perdu-son-enfant, et qu'elle fut entrée dans le palais préparé pour elle, elle l'examina avec attention et regarda tout son aménagement, puis se mit à pleurer et s'écria : « Ô demeure, par Allah ! tu es délicieuse, mais il manque la présence de l'ami dans tes murs ! »

Puis, comme elle remarquait que l'île était habitée par des oiseaux, elle ordonna à sa suite de tendre des filets pour capturer ces oiseaux et de les mettre dans des cages au fur et à mesure de leur capture, pour les placer ensuite à l'intérieur du palais. Et son ordre fut immédiatement exécuté. Alors Rose-dans-le-Calice s'accouda à la fenêtre, et laissa sa pensée aller vers les souvenirs. Et cela réveilla en elle les ardeurs passées, les désirs cuisants et les transports, et lui fit verser des larmes de regret en même temps que cela lui reportait à la mémoire ces vers qu'elle récita :

« Vers qui jetterai-je la plainte de l'amour qui tient mon âme, des angoisses que l'éloignement de l'ami me cause et du feu qui brûle sous mes côtes ? Mais je me tairai par crainte de mon gardien.

Je suis devenue plus chétive de corps que le bois d'un cure-dent, consumée que je suis par les ardeurs, les tristesses de l'absence et les lamentations.

Où sont les yeux de l'ami pour qu'ils voient le triste état d'égarement où m'a réduite son souvenir ?

Ils ont outrepassé leurs droits en me transportant dans un endroit où ne peut venir mon bien-aimé !

Je charge le soleil de porter mes saluts par milliers, dans les soirs et les matins, à l'amant dont la beauté couvre de honte la pleine lune à son lever, et dont la souplesse de taille surpasse celle du jeune rameau !

Si les roses veulent imiter sa joue, je dirai aux roses : « Vous ne sauriez, ô roses, ressembler à sa joue, si vous n'êtes pas les roses de l'autre joue ! »

Sa bouche distille une salive qui rafraîchirait le feu d'un brasier flambant.

Comment l'oublier alors qu'il est mon cœur, mon âme, ma souffrance, mon mal, mon médecin et mon bien-aimé ? »

Mais lorsque s'avança la nuit avec ses ténèbres, Rose-dans-le-Calice sentit augmenter l'intensité de ses désirs…

À ce moment de sa narration, Schahrazade vit apparaître le matin et se tut discrètement.

Mais lorsque fut la quatre cent sixième nuit. Elle dit :

... Rose-dans-le-Calice sentit augmenter l'intensité de ses désirs, et s'attiser le souvenir cuisant de ses maux. Alors elle récita ces vers :

« Voici la nuit qui m'apporte, avec ses ténèbres, les ardeurs intenses et les malaises ; et mes désirs attisent en moi les brûlantes douleurs.

Le tourment de la séparation habite maintenant mes entrailles ; mes pensées m'anéantissent, mes ardeurs m'agitent, mes transports me brûlent, et mes larmes trahissent un cher secret.

Amoureux comme je suis, je ne sais point le moyen de faire cesser mon amaigrissement, ma faiblesse et ma douleur.

L'enfer de mon cœur est attisé de plus en plus, et l'intensité de sa flamme abîme mon foie.

Au jour de la séparation, je n'ai pu faire mes adieux au bien-aimé, ô regrets ! ô douleur !

Mais toi, passant, qui informeras l'ami de tous mes tourments, dis-lui que j'ai enduré des souffrances que nulle plume ne saurait décrire.

Par Allah ! je serai toujours fidèle en amour au bien-aimé, j'en fais le serment ! Car dans le code de l'amour le serment est chose licite.

Ô nuit ! va porter mon salut au bien-aimé, et dis-lui que tu es témoin de mes insomnies. »

Et voilà comment se lamentait Rose-dans-le-Calice.

Quant à Délice-du-Monde, voici ! L'ermite lui dit : « Descends dans la vallée et rapporte-m'en une grande quantité de fibres de palmier. » Il descendit, pour revenir ensuite avec les fibres demandées ; et l'ermite les prit et en confectionna une sorte de filet semblable aux filets où l'on transporte la paille ; puis il dit à Délice-du-Monde : « Sache qu'au fond de la vallée il croît une espèce de courge qui, une fois mûre, se dessèche et se détache de ses racines. Descends ramasser une quantité de ces courges desséchées, attache-les à ce filet, et jette le tout à la mer. Toi, ne manque point de monter dessus, et alors laisse le courant te porter vers la haute mer, et il te fera parvenir au but que tu souhaites. Et n'oublie point que sans risques on ne parvient jamais au but que l'on se propose ! » Il répondit : « J'écoute et j'obéis ! » et, après que l'ermite lui eut souhaité bonne chance, il lui fit ses adieux et descendit dans la vallée où il ne manqua pas de faire ce qui lui avait été conseillé.

Lorsqu'il fut arrivé, porté sur le filet aux courges, au milieu de la mer, un vent s'éleva avec violence qui le poussa rapidement et le fit disparaître aux yeux de l'ermite. Il fut ainsi ballotté par les flots, tantôt soulevé sur le sommet des lames, tantôt engouffré dans leur creux béant, jouet des terreurs de la mer pendant trois jours et trois nuits, jusqu'à ce qu'il fût jeté par les destins au pied de la Montagne-de-la-Mère-qui-a-perdu-son-enfant. Il arriva au rivage, dans l'état d'un poulet pris de vertige, souffrant de la faim et de la soif ; mais il ne tarda pas à trouver près de là des ruisseaux d'eau courante, des oiseaux gazouillants, et des arbres chargés de grappes de fruits, et put ainsi assouvir sa faim en mangeant de ces fruits et étancher sa soif en buvant de cette eau pure. Après quoi il se dirigea vers l'intérieur de l'île, et aperçut au loin quelque chose de blanc, dont il s'approcha ; et il reconnut que c'était un palais imposant, aux murs escarpés, et il se dirigea vers la porte qu'il trouva fermée. Alors il s'assit et ne bougea plus durant trois jours, au bout desquels il vit enfin la porte s'ouvrir et en sortir un eunuque qui lui demanda : « D'où viens-tu ? Et comment as-tu fait pour venir jusqu'ici ? » Il répondit : « Je viens d'Ispahân ! Je voyageais sur mer avec mes marchandises, quand le navire où j'étais se fracassa, et les vagues me jetèrent dans cette île ! » À ces paroles, l'esclave se mit à pleurer, puis se jeta au cou de Délice-du-Monde et lui dit : « Qu'Allah te conserve en vie, ô visage ami ! Ispahân est mon pays, et là vivait aussi la fille de mon oncle, celle que j'avais aimée dès ma première enfance et à laquelle j'étais extrêmement attaché. Mais un jour nous fûmes attaqués par une tribu plus nombreuse que la nôtre qui captura une grande partie de nos gens ; et moi je fus compris dans le butin. Comme à cette époque-là j'étais encore enfant, on me coupa les œufs, pour augmenter mon prix, et l'on me vendit comme eunuque. Et tu me vois justement en cet état-là ! » Puis l'eunuque, après avoir encore souhaité la bienvenue à Délice-du-Monde, le fit entrer dans la grande cour du palais.

Il vit alors un merveilleux bassin entouré d'arbres aux belles branches feuillues où des oiseaux, enfermés dans des cages d'argent aux portes d'or, gazouillaient agréablement en bénissant le Créateur. Il s'approcha de la première cage, l'examina avec attention et vit qu'elle contenait une tourterelle, laquelle aussitôt lança un cri signifiant : « Ô généreux ! » Et Délice-du-Monde, en entendant ce cri, tomba évanoui ; puis, une fois revenu à lui, il poussa de profonds soupirs et récita ces vers…

À ce moment de sa narration, Schahrazade vit apparaître le matin et, discrète, se tut.

Mais lorsque fut la quatre cent septième nuit. Elle dit :

… Il poussa de profonds soupirs et récita ces vers :

« Si comme moi, ô tourterelle, tu es éperdue d'amour, invoque le Seigneur et roucoule : « Ô généreux ! »

Qui sait si ton chant est un cri d'allégresse ou la plainte d'amour d'un cœur torturé !

Gémis-tu à cause du départ de ton ami, ou parce qu'il t'a délaissée faible et languissante, ou bien parce que tu as perdu l'objet de ton amour ?

S'il en est ainsi, ne crains point d'exhaler tes plaintes et de crier l'amour ancien qui te remplit le cœur.

Pour moi, qu'Allah conserve mon bien-aimé et je promets de ne jamais l'oublier, mes os seraient-ils déjà poussière ! »

Lorsqu'il eut récité ces vers, il se mit à pleurer tellement qu'il tomba évanoui. Et lorsqu'il eut repris connaissance, il marcha jusqu'à ce qu'il fût arrivé devant la seconde cage, où il vit un ramier qui à sa vue se mit à chanter disant : « Ô Éternel ! je te glorifie ! » Alors Délice-du-Monde soupira longuement et récita ces vers :

« Le ramier plaintif a dit : Ô Éternel, je te glorifie malgré mes calamités !

Ô Éternel ! j'espère que dans ta bonté tu permettras ma réunion avec la bien-aimée, en ce pays d'exil.

Que de fois elle m'est apparue avec ses lèvres de miel aromatique, et m'a laissé plus embrasé que jamais.

Tandis que les feux consument mon cœur et le réduisent en cendres, je pleure des larmes de sang dont le débordement inonde mes joues ; et je m'écrie :

La créature ne se fortifie que par les épreuves. Aussi je veux prendre mes maux en patience.

Et si Allah veut permettre ma réunion avec la maîtresse de mon cœur, je dépenserai mes richesses à héberger la tribu des amoureux, mes semblables.

Je relâcherai les oiseaux de leur prison, et, dans mon bonheur, je me dévêtirai de mon deuil ! »

Lorsqu'il eut fini de réciter ces vers, il s'approcha de la troisième cage et vit qu'elle contenait un rossignol qui, sitôt qu'il l'eut aperçu, se mit à chanter. En l'entendant, Délice-du-Monde récita ces vers :

« Oh ! que le rossignol m'enchante quand il fait entendre sa voix gentille qui ressemble à une amoureuse voix languissante d'amour.

Pitié pour les amoureux ! Que de nuits ne passent-ils point dans les transes, les désirs et l'inquiétude ! Ils semblent, tant leurs angoisses sont cruelles, n'avoir jamais connu que les nuits sans sommeil et sans matin !

Pour moi dès que j'eus connu mon amie, je fus enchaîné par son amour ; et, enchaîné de la sorte, des chaînons de larmes se déroulent de mes yeux.

Et je m'écriai : « Voici de mes yeux les chaînons qui se déroulent et m'enchaînent tout entier. Et c'est mon ardeur qui déborde sous cette forme ! »

En même temps je suis brisé par l'éloignement de l'amie. Les trésors de ma patience sont épuisés, et mes forces sont anéanties.

Certes ! si le sort était équitable, il me réunirait avec mon amie !

Et maintenant, qu'Allah me couvre de son voile pour que je puisse dénuder mon corps devant l'amie et lui faire voir ainsi à quel degré d'épuisement m'ont réduit les larmes, l'inquiétude, et l'abandon ! »

Lorsqu'il eut fini de réciter ces vers, il s'avança jusqu'à la quatrième cage et y vit un bulbul qui se mit aussitôt à moduler quelques notes plaintives. Et Délice-du-Monde, à ce chant, poussa de profonds soupirs et récita ces vers :

« Dans les aubes et les aurores, le bulbul ravit le cœur de l'amoureux par le jeu mélodieux des cordes de sa voix.

Ô Délice-du-Monde, plaintif et languissant ! ton être est anéanti par l'amour !

Que de chants merveilleux viennent jusqu'à moi, dont s'attendrirait la dureté du fer et de la pierre !

Et voici que l'air léger du matin vient à nous en passant sur les édens des prairies et les fleurs exquises.

Oh ! les chants des oiseaux dans les aubes et les matins ! Et toi, brise embaumée des premières lueurs du jour ! Oh ! transports de mon âme de tout cela !

Je pense alors à l'amie si loin, et mes larmes se précipitent en pluies et en torrents, alors qu'un feu terrible dans mes entrailles crépite en étincelles.

Qu'Allah accorde enfin à l'amoureux passionné de revoir son amie et de jouir de ses charmes. Car l'amoureux n'est-il point manifestement excusable ?

Moi je fais ce vœu, car je sais bien qu'il n'y a que l'homme clairvoyant pour voir clair et excuser ! »

Puis ayant fini de réciter ces vers, Délice-du-Monde marcha quelque peu…

À ce moment de sa narration, Schahrazade vit apparaître le matin et, discrète, se tut.

Mais lorsque fut la quatre cent huitième nuit. Elle dit :

… Délice-du-Monde marcha quelque peu et vit une cage merveilleuse, bien plus belle que toutes les autres réunies. Cette cage renfermait un pigeon sauvage, qui avait au cou un collier de perles admirables. Et Délice-du-Monde, à la vue de ce pigeon, connu par son chant plaintif et amoureux, et maintenant prisonnier dans cette cage où il avait l'air bien triste et rêveur, se mit à sangloter et récita ces vers :

« Ô pigeon des bois touffus, ô frère des amants, compagnon des âmes sensibles, je te salue !

J'aime une tendre gazelle dont le regard a pénétré dans mon cœur plus profondément que le tranchant d'une lame coupante.

Son amour a brûlé mon cœur et mes entrailles, et anéanti mon corps par les maladies.

Depuis si longtemps je ne goûte plus les douceurs du manger et du dormir.

La patience et la tranquillité ont fui mon âme, et la passion est venue s'y fixer pour toujours.

Comment désormais pourrais-je retrouver de la joie à vivre loin de l'ami absent ! N'est-il point mon but, mon désir et toute mon âme ? »

Lorsque le pigeon eut entendu ces vers de Délice-du-Monde, il sortit de sa rêverie, et se mit à gémir et à roucouler d'une façon si plaintive et si mélancolique qu'il semblait employer la voix humaine, et, dans son langage, réciter ces vers :

« Ô jeune amoureux, tu viens de me rappeler le temps de ma jeunesse anéantie dans le passé,

Quand mon ami dont j'adorais les formes gracieuses, car il était merveilleusement beau, me séduisait.

Sa voix, à travers les branches du monticule sablonneux, me détournait, en extase ravi, des accords aimés de la flûte !

Un jour le chasseur tendit un filet et le prit. Et mon ami s'écria : « Ô ma liberté dans l'espace ! Ô bonheur envolé !

J'espérais pourtant voir le chasseur compatir à mon amour, et me rendre mon ami ! mais il fut cruel !

Et mes tortures maintenant sont devenues excessives, et mes désirs sont entretenus par le feu de cette absence si dure !

Ah ! qu'Allah protège les amants éperdus, torturés par les mêmes angoisses que les miennes !

Et puisse l'un d'eux, me voyant si triste dans ma cage, m'en ouvrir la porte et me rendre à mon ami ! »

Alors Délice-du-Monde se tourna vers son ami l'eunuque d'Ispahân, et lui dit : « Quel est ce palais ? Quels en sont les habitants ? Et qui l'a bâti ? » Il répondit : « C'est le vizir du roi Un Tel qui l'a bâti pour sa fille, pour la sauvegarder des événements du temps et des accidents de la destinée ! Et il l'y a confinée avec ses serviteurs et sa suite. Ainsi l'on n'ouvre les portes qu'une fois l'an, le jour où l'on nous envoie les provisions ! »

À ces paroles, Délice-du-Monde pensa en son âme : « J'ai atteint le but ! Mais il m'est bien pénible d'attendre si longtemps avant de la voir ! » Et voilà pour lui.

Mais pour ce qui est de Rose-dans-le-Calice, voici !

Depuis son arrivée à ce palais, elle ne pouvait plus goûter le plaisir du boire et du manger, ni celui du repos et du sommeil ; au contraire !

Elle sentit augmenter en elle les tourments de ses transports passionnés ; et elle passait son temps à parcourir tout le palais à la recherche de quelque issue, mais sans résultat. Et un jour, n'en pouvant plus, elle éclata en sanglots, et récita ces vers :

« Pour me torturer ils m'ont emprisonnée loin de mon ami, et m'ont fait goûter tous les tourments dans ma prison.

Ils ont brûlé mon cœur des feux de la passion, en éloignant mes yeux de mon ami.

Ils m'ont enfermée dans des tours fortifiées, bâties sur des montagnes au milieu des abîmes marins.

Ont-ils donc ainsi voulu me donner l'oubli ? Or mon amour, depuis lors, s'est accru tellement !

Comment pourrai-je oublier ? Tout ce que je souffre n'est-il pas dû à un seul regard jeté sur le visage de l'aimé ?

Mes journées s'écoulent dans les peines, et je passe mes nuits en proie à de tristes pensées !

Mais bien que privée de la présence aimée, il m'en reste le souvenir pour me consoler dans la solitude.

Oh ! puissé-je un jour, après tout cela, voir la destinée me réunir avec le bien-aimé ! »

Lorsqu'elle eut fini de réciter ces vers, Rose-dans-le-Calice monta sur la terrasse du palais…

À ce moment de sa narration, Schahrazade vit apparaître le matin et, discrète, se tut.

Mais lorsque fut la quatre cent neuvième nuit. Elle dit :

… Rose-dans-le-Calice monta sur la terrasse du palais et, au moyen de solides étoffes de Baalbek auxquelles elle s'attacha soigneusement, elle se glissa du haut des murs jusqu'à terre. Et, vêtue comme elle était de ses plus belles robes et le cou orné d'un collier de pierreries, elle traversa les plaines désertes qui entouraient le palais et arriva de la sorte au bord de la mer.

Là elle aperçut un pêcheur, que le vent du large avait jeté le long de cette côte, en train de pêcher, assis dans sa barque. Le pêcheur aperçut également Rose-dans-le-Calice et, croyant à quelque apparition d'éfrit, eut bien peur et se mit à manœuvrer pour s'éloigner de là au plus vite. Alors Rose-dans-le-Calice l'appela à plusieurs reprises et, tout en lui faisant de nombreux signes, elle lui récita ces vers :

« Ô pêcheur ! calme ton trouble, car je suis un être humain semblable à tous les autres !

Je te demande de répondre à mes prières et d'écouter ma très véridique histoire.

Aie pitié de moi et Allah te préservera des ardeurs dont je brûle, s'il t'arrive un jour de jeter les yeux sur un ami farouche et sans pitié,

Car j'aime un jouvenceau dont le visage resplendissant fait pâlir l'éclat du soleil et de la lune,

Dont les regards ont fait s'écrier la gazelle elle-même, en s'excusant : « Je suis son esclave ! »

La beauté a écrit sur son front cette ligne charmante au sens concis :

Quiconque le regarde comme le flambeau de l'amour entre dans la voie droite ; mais quiconque s'en écarte commet une faute grave et une impiété.

Ô pêcheur ! si tu consens à me consoler en me le faisant retrouver, quel ne sera pas mon bonheur ! et comme je t'en saurai gré !

Je te donnerai des pierreries et des joyaux, et des perles fraîchement cueillies et toutes les choses précieuses.

Puisse mon ami satisfaire un jour mes désirs ! car mon cœur fond dans l'attente et s'émiette ! »

Lorsque le pêcheur eut entendu ces paroles, il pleura, gémit et se lamenta en se souvenant lui aussi des jours de sa jeunesse, quand il était vaincu par l'amour, tourmenté par la passion, torturé par les transes et les désirs, brûlé par le feu des transports amoureux. Et il se mit à réciter ces vers :

« Quelle excuse péremptoire de l'intensité de mon ardeur ! Membres décharnés, larmes répandues, yeux cassés par les veilles, cœur battu comme un briquet étincelant !

La calamité de l'amour m'a atteint dès la jeunesse, et j'en ai goûté toutes les décevantes douceurs.

Maintenant je veux bien me vendre pour faire retrouver un ami absent, au risque d'y perdre l'âme !

J'espère pourtant que cette vente sera pour moi lucrative, car la coutume des amoureux est de ne jamais marchander le prix de leur ami ! »

Une fois que le pêcheur eut fini de réciter ces vers, il s'approcha avec sa barque du rivage et dit à l'adolescente : « Descends dans la barque, car me voici prêt à te conduire n'importe où tu désireras ! » Alors Rose-dans-le-Calice descendit dans la barque, et le pêcheur s'éloigna de terre à coups de rames.

Lorsqu'ils furent à quelque distance, un vent s'éleva qui poussa la barque par l'arrière et si rapidement qu'ils perdirent bientôt la terre de vue, et que le pêcheur ne sut plus où il était. Pourtant au bout de trois jours la tempête se calma, le vent tomba avec la permission d'Allah (qu'Il soit exalté !), la barque arriva à une ville située sur le bord de la mer.

Or justement, au moment où la barque du pêcheur abordait, le roi de la ville, dont le nom était le roi Derbas, était assis avec son fils dans son palais à une fenêtre qui donnait sur la mer ; et il vit la barque du pêcheur qui atterrissait, et il aperçut cette adolescente, belle comme la pleine lune au sein du ciel pur, qui portait à ses oreilles des pendants de rubis magnifiques et au cou un collier de merveilleuses pierreries. Alors il comprit qu'elle devait être une fille de roi ou de souverain, et, suivi de son fils, il descendit de son palais et se dirigea vers le rivage en sortant par la porte qui donnait sur la mer.

À ce moment la barque était déjà amarrée, et la jeune fille charmante y dormait tranquillement.

Alors le roi s'approcha d'elle et la surveilla. Et elle, sitôt qu'elle eut ouvert les yeux, se mit à pleurer. Et le roi lui demanda : « D'où viens-tu ? De qui es-tu la fille ? Et quelle est la cause de ta venue en cet endroit ? » Elle répondit : « Je suis la fille d'Ibrahim, vizir du roi Schamikh. Et la cause de ma venue ici est une affaire extraordinaire et une aventure bien étrange ! » Puis elle raconta au roi toute son histoire depuis le commencement jusqu'à la fin, sans rien lui cacher. Après quoi elle poussa de profonds soupirs, versa des pleurs et récita ces vers :

« Voici que les larmes ont ulcéré ma paupière ! Ah ! il a fallu de bien singulières tribulations pour un tel débordement !

Et la cause de tout cela est un être cher à mon cœur, avec lequel je n'ai jamais pu assouvir la soif de mes désirs.

Son visage est si beau, si radieux, si éclatant, qu'il surpasse la beauté des Turcs et des Arabes !

Le soleil et la lune, en le voyant, se sont inclinés d'amour, épris de ses charmes, et ont rivalisé avec lui de galanterie.

Son regard chargé de sorcellerie est si enchanteur qu'il fascine tous les cœurs par son arc tendu prêt à décocher les flèches.

Ô toi à qui je viens conter par le menu mes peines amères, aie pitié d'un amoureux devenu le jouet des vicissitudes de l'amour.

Hélas ! l'amour m'a jeté dans un triste état au milieu de ton pays, et je n'ai plus d'espoir que dans ta générosité !

L'homme au cœur généreux qui protège celui qui implore son hospitalité acquiert d'ordinaire un grand mérite.

Ô toi, mon espoir, étends le voile protecteur sur la tribu des amoureux, et sois, ô mon seigneur, la cause de leur réunion ! »

Puis, une fois qu'elle eut récité ces vers, elle raconta au roi quelques autres détails encore…

À ce moment de sa narration, Schahrazade vit apparaître le matin et se tut discrètement.

Mais lorsque fut la quatre cent dixième nuit. Elle dit :

… Une fois qu'elle eut récité ces vers, elle raconta au roi quelques autres détails encore, puis elle fondit en larmes et improvisa les vers suivants :

« J'ai pu jouir de la vie jusqu'au jour où j'ai connu ce prodige d'amour ! Puissent tous les mois de l'année être pour l'ami des mois de tranquillité comme l'est le mois sacré de Ragab !

Quelle chose étonnante que le jour de mon exil les larmes que j'ai versées aient pu se transformer dans mes entrailles en un feu liquide.

Ce jour-là de mes paupières il est tombé une pluie de sang en plaques rondes ; et la surface de mes joues en a été colorée en rouge.

Et les étoffes avec lesquelles on essuya toutes ces larmes furent aussitôt teintes en rouge, tellement que l'on aurait dit la tunique de Joseph colorée d'un sang menteur ! »

Lorsque le roi eut entendu les paroles de Rose-dans-le-Calice, il ne douta pas un instant de la profondeur de son mal d'amour ; et il la prit en compassion et lui dit : « N'aie aucune crainte ni terreur : tu as atteint ton but ! Car me voici prêt à te faire parvenir à tes fins, et à t'envoyer celui que tu demandes ! Crois-moi donc et écoute de moi ces quelques mots ! » Et aussitôt le roi lui récita ces vers :

« Ô fille d'une race noble et généreuse, tu es arrivée au but poursuivi ! Je te l'annonce avec joie ! Ici tu n'as plus rien à redouter.

Aujourd'hui même j'amasserai de grandes richesses et les enverrai au roi Schamikh sous la garde des cavaliers et des guerriers.

Je lui enverrai des coffrets de musc et des ballots de brocarts, en y joignant l'or et le vierge argent.

Certes ! et mes lettres lui apprendront, par l'artifice de l'écriture, que je désire devenir son allié et son parent !

Aujourd'hui même je ferai tous mes efforts pour t'aider et te réunir au plus tôt à celui que tu aimes !

J'ai toujours goûté moi-même à l'amertume de l'amour ! Et, depuis, j'ai appris à plaindre et à excuser ceux qui ont bu à ce calice amer ! »

Lorsqu'il eut fini de réciter ces vers, le roi sortit vers ses soldats et, ayant appelé son vizir, lui fit préparer des ballots en nombre incalculable, contenant les présents en question, lui donna l'ordre de se mettre en route lui-même pour aller les porter au roi Schamikh et lui dit : « Il te faut, en outre, sans faute, me ramener avec toi de là-bas une personne qu'on nomme Délice-du-Monde. Et tu diras au roi : « Mon maître désire devenir ton allié, et le pacte d'alliance entre toi et lui sera le mariage à conclure entre ta fille et Délice-du-Monde, l'un des personnages de ta suite. Il faut donc me confier ce jeune homme et je le conduirai auprès du roi Derbas afin que devant lui soit dressé le contrat de mariage ! »

Après quoi le roi Derbas écrivit une lettre à ce sujet au roi Schamikh, la remit à son vizir en lui réitérant les ordres qui concernaient Délice-du-Monde, et lui dit : « Sache bien que si tu ne me le ramènes pas, tu seras destitué de ta charge ! » Le vizir répondit : « J'écoute et j'obéis ! » et se mit aussitôt en route avec les présents vers les contrées du roi Schamikh.

Lorsqu'il arriva auprès du roi Schamikh, il lui transmit le salam de la part du roi Derbas, et lui remit la lettre et les présents qu'il lui avait apportés.

À la vue de ces présents et à la lecture de la lettre, où il était question de Délice-du-Monde, le roi Schamikh versa des larmes en grande quantité et dit au vizir du roi Derbas : « Hélas ! où est à présent Délice-du-Monde ? Il a disparu ! Et nous ignorons en quel endroit il se trouve ! Si tu peux me le rendre, ô vizir-ambassadeur, je te donnerai le double de ce que tu m'as apporté en présents ! » Et le roi, en disant ces paroles, se mit à fondre en larmes, à pousser des gémissements, à se lamenter et à éclater en sanglots. Puis il récita ces vers :

« Rendez-moi mon bien-aimé ! Qu'ai-je à faire des trésors, des présents de perles et de diamants. Il était pour moi la pleine lune au sein d'un ciel pur et beau. Il était l'ami d'élection aux façons exquises et charmantes.

La fine gazelle ne saurait lui être comparée ! Sa taille est la branche de l'arbre bân dont les fruits seraient ses délicieuses manières.

Mais la souple branche elle-même ne peut, malgré sa jeune beauté, séduire comme lui la raison des hommes !

Je l'ai élevé, dès ses tendres années, au milieu des caresses ! Et me voici maintenant triste et désolé de son éloignement, et l'esprit en proie au trouble sans répit. »

Après quoi il se tourna vers le vizir envoyé, qui lui avait apporté les cadeaux et la lettre, et lui dit : « Retourne vers ton maître et dis-lui : « Délice-du-Monde s'en est allé il y a plus d'une année déjà, et le roi, son maître, ignore ce qu'il est devenu ! » Le vizir répondit : « Ô mon seigneur, mon maître m'a dit : « Si tu ne me ramènes pas Délice-du-Monde, tu seras destitué du vizirat, et tu ne remettras jamais plus le pied dans la ville ! » Comment donc oserais-je m'en retourner sans le jeune homme ? »

Alors le roi Schamikh se tourna vers son propre vizir Ibrahim, père de Rose-dans-le-Calice, et lui dit : « Tu vas accompagner le vizir envoyé, et tu prendras avec toi une forte escorte ; et de la sorte tu l'aideras à faire les recherches nécessaires dans toutes les contrées pour retrouver Délice-du-Monde ! » Il répondit : « J'écoute et j'obéis ! » Et aussitôt il se fit escorter d'une troupe de gardes et, accompagné du vizir envoyé, il partit à la recherche de Délice-du-Monde.

Ils voyagèrent longtemps de la sorte, et chaque fois qu'ils passaient à côté de Bédouins ou de caravanes, ils leur demandaient des nouvelles de Délice-du-Monde en leur disant : « Avez-vous vu passer Un Tel, dont le nom est Tel et le signalement tel et tel ! » Et les gens répondaient…

À ce moment de sa narration, Schahrazade vit apparaître le matin et se tut discrètement.

Mais lorsque fut la quatre cent onzième nuit. Elle dit :

… Et les gens répondaient : « Nous ne le connaissons pas ! » Et ils continuèrent à s'informer de la sorte dans les villes et les villages, et à faire des recherches dans les plaines et les terrains accidentés, les terres et les déserts, jusqu'à ce qu'ils fussent arrivés au bord de la mer. Ils s'embarquèrent alors à bord d'un navire, et partirent par mer pour atterrir un jour à la Montagne-de-la-Mère-qui-a-perdu-son-enfant.

Le vizir du roi Derbas dit alors au vizir du roi Schamikh : « Pour quel motif a-t-on donné ce nom à cette montagne ? » Il répondit : « Je vais tout de suite te satisfaire !

« Sache donc que dans les anciens temps une gennia, de la race des genn chinois, est descendue sur cette montagne. Or il advint qu'un jour, dans ses excursions terrestres, elle fit la rencontre d'un homme et elle l'aima d'un amour éperdu. Mais, craignant pour elle-même la colère des genn de sa race, si l'aventure venait à être connue, elle se mit, quand elle ne put plus réprimer l'ardeur de ses désirs, à la recherche de quelque endroit solitaire où cacher son amant aux yeux des genn, ses parents, et finit par trouver cette montagne inconnue aux hommes et aux genn, puisqu'elle n'était sur aucune route parcourue par ceux-ci ou ceux-là. Elle enleva alors son amant et le transporta à travers les airs pour le déposer dans cette île, où elle demeura avec lui. Et elle ne s'absentait de là que pour aller de temps en temps faire acte de présence au milieu de ses parents, et se hâtait de revenir aussitôt auprès de son bien-aimé, en cachette. Cela fit qu'au bout d'un certain temps de cette vie-là elle devint enceinte de lui à plusieurs reprises, et mit au monde dans cette montagne des enfants nombreux. Or chaque fois que les marchands qui voyageaient de ce côté-là sur leur navire passaient près de cette montagne, ils entendaient les cris des enfants qui ressemblaient beaucoup aux cris plaintifs d'une mère se lamentant, et ils se disaient : « Il doit y avoir sur cette montagne une pauvre mère qui a perdu ses enfants ! » Et tel est le motif de cette appellation. »

En entendant ces paroles, le vizir du roi Derbas fut extrêmement étonné. Mais déjà ils étaient descendus à terre, et étaient arrivés au palais dont ils heurtèrent la porte. Aussitôt la porte s'ouvrit et un eunuque en sortit qui reconnut immédiatement son maître, le vizir Ibrahim, père de Rose-dans-le-Calice. Aussitôt il lui baisa la main et l'introduisit, avec son compagnon et sa suite, dans le palais.

Le vizir Ibrahim, arrivé dans la cour du palais, aperçut au milieu des serviteurs un homme d'aspect misérable qu'il ne reconnut pas et qui n'était autre que Délice-du-Monde. Aussi il demanda à ses gens : « D'où vient celui-là ? » Ils répondirent : « C'est un pauvre marchand qui, ayant fait naufrage, a perdu toutes ses marchandises et a réussi à se sauver tout seul. C'est d'ailleurs un homme inoffensif, un saint sans cesse ravi dans l'extase de la prière ! » Le vizir n'insista pas et pénétra à l'intérieur du palais.

Il se dirigea vers l'appartement de sa fille et, en y arrivant, ne l'y trouva pas. Il s'en informa auprès des jeunes filles, ses esclaves, qui se trouvaient par là ; et elles lui répondirent : « Nous ne savons pas comment elle est partie d'ici ! Tout ce que nous pouvons te dire, c'est qu'elle n'est restée au milieu de nous que fort peu de temps ; puis elle disparut ! » À ces paroles, le vizir versa des larmes à profusion, et improvisa ces vers :

« Ô maison, toi qu'ont chantée tes oiseaux, toi dont les seuils ont été si fiers et si beaux,

Jusqu'au moment où l'amoureux est venu vers toi sanglotant son désir, et a trouvé larges ouvertes tes portes hospitalières,

Oh ! qui me dira où s'est perdu mon amour, le maître de cette demeure maintenant solitaire !

Ici jadis les chambellans vivaient dans le luxe, la félicité et les honneurs ! Et partout étaient tendues les draperies en brocart !

Hélas ! qui me dira maintenant le sort des maîtres qui l'habitaient ? »

Puis, ayant fini de dire ces vers, le vizir Ibrahim recommença à pleurer, à gémir et à se lamenter, et dit : « On ne peut échapper aux décrets d'Allah, ni ruser avec ce qu'il a tracé d'avance ! » Puis il monta sur la terrasse du palais et y trouva les étoffes de Baâlbek qui étaient attachées par un bout aux créneaux et pendaient jusqu'au bas des murs. Alors il comprit que sa fille avait pris la fuite de cette façon-là et, égarée par la passion et affolée par la douleur, s'en était ainsi allée.

En même temps il aperçut deux gros oiseaux, dont l'un était un corbeau et l'autre un hibou ; et, ne doutant plus que ce ne fût là un triste présage, il éclata en sanglots et récita ces vers :

« Je suis venu à la demeure de l'ami dans l'espoir d'éteindre par sa vue la flamme de mon amour et mes tourments.

Mais l'ami n'était point dans la maison, et je n'ai vu que la sinistre apparition du corbeau et du hibou.

Et ce spectacle me disait : « Tu as opprimé deux êtres qui s'aimaient avec tendresse, en les séparant par la violence.

À ton tour maintenant d'approcher de tes lèvres la coupe du chagrin que tu leur as fait goûter ! Et passe ta vie dans la douleur, entre les larmes et les brûlures. » Après quoi il descendit de la terrasse…

À ce moment de sa narration, Schahrazade vit apparaître le matin et se tut discrètement.

Mais lorsque fut la quatre cent douzième nuit. Elle dit :

… Après quoi il descendit de la terrasse en pleurant, et donna l'ordre aux esclaves d'aller à la montagne faire toutes les recherches nécessaires pour retrouver leur maîtresse. Et les esclaves exécutèrent l'ordre. Mais ils ne retrouvèrent pas leur maîtresse. Et voilà pour eux ! Mais pour ce qui est de Délice-du-Monde, voici !

Lorsque le jeune homme eut acquis la certitude de la fuite de Rose-dans-le-Calice, il poussa un grand cri et tomba évanoui sur le sol. Comme il restait étendu de la sorte sans reprendre connaissance, les gens du palais pensèrent qu'il venait d'être ravi dans l'extase divine et qu'il avait l'âme noyée dans la beauté de la contemplation auguste du Très-Haut. Et voilà pour lui !

Quant au vizir du roi Derbas, lorsqu'il vit que le vizir Ibrahim avait perdu tout espoir de retrouver sa fille et Délice-du-Monde, et que son cœur était fort péniblement affecté de tout cela, il résolut de retourner à la ville du roi Derbas sans avoir réussi dans la mission dont il était chargé. Il fit donc ses adieux au vizir Ibrahim, père de Rose-dans-le-Calice, et lui dit, en lui montrant le pauvre jeune homme : « Je voudrais bien emmener avec moi ce saint homme. Peut-être que, grâce à ses mérites, la bénédiction sera sur nous et qu'Allah (qu'Il soit exalté !) touchera le cœur du roi, mon maître, et l'empêchera de me destituer de mes fonctions ! Et moi, après cela, je ne manquerai pas de renvoyer ce saint homme à Ispahân, sa ville, qui n'est pas éloignée de notre pays. » Le vizir Ibrahim lui répondit : « Fais ce que tu veux ! »

Puis les deux vizirs se séparèrent, et chacun d'eux prit la route de son pays respectif, le vizir du roi Derbas ayant au préalable pris soin d'emmener avec lui Délice-du-Monde, dont il était bien loin de soupçonner l'identité, et qu'il prit soin de placer sur un mulet, étant donné l'état d'évanouissement tenace où il se trouvait.

Cet état d'évanouissement dura encore trois jours, pendant le voyage, et Délice-du-Monde ignorait absolument ce qui se passait autour de lui. Il finit enfin par revenir de son évanouissement et dit : « Où suis-je ? » On lui répondit : « Tu es en compagnie du vizir du roi Derbas ! » Puis on alla aussitôt prévenir le vizir que le saint homme était revenu de son évanouissement. Alors le vizir lui envoya de l'eau de rose sucrée qu'on lui fit boire et qui acheva de le ranimer. Après quoi on continua le voyage et l'on arriva à la ville du roi Derbas.

Aussitôt le roi Derbas envoya dire à son vizir : « Si Délice-du-Monde n'est pas avec toi, prends bien garde de paraître en ma présence ! » Et recevant cet ordre, le malheureux vizir ne sut plus quel parti prendre ! En effet, il ignorait complètement la présence de Rose-dans-le-Calice auprès du roi, ni pourquoi le roi désirait retrouver Délice-du-Monde et s'allier avec lui ; et il ignorait également que Délice-du-Monde était là, avec lui, qu'il était ce jeune homme si longtemps en proie aux crises d'évanouissement. De son côté, Délice-du-Monde ne savait point où on le menait, ni que le vizir avait été précisément envoyé à sa recherche.

Or lorsque le vizir vit que Délice-du-Monde avait repris connaissance, il lui dit : « Ô saint homme d'Allah, je désire avoir recours à tes conseils dans la perplexité cruelle où je me trouve. Sache que le roi, mon maître, m'avait envoyé pour une mission que je n'ai point réussi à accomplir. Et maintenant qu'il a été informé de mon retour, il m'a envoyé une lettre où il me dit : « Si tu n'as pas réussi dans ta mission, tu ne dois pas rentrer dans ma ville ! » Il lui demanda : « Et quelle était cette mission ? » Le vizir lui raconta alors toute l'histoire, et Délice-du-Monde dit : « Ne crains rien ! Rends-toi chez le roi, et prends-moi avec toi. Et je prends sur moi la responsabilité du retour de Délice-du-Monde ! » Le vizir se réjouit fort de la chose, et dit : « Parles-tu vrai ? » Il répondit : « Certainement ! » Alors le vizir monta à cheval, l'emmena, et se rendit avec lui chez le roi.

Lorsqu'ils se présentèrent devant le roi, celui-ci demanda au vizir : « Où est Délice-du-Monde ? » Alors le saint homme s'avança et répondit : « Ô grand roi, moi je sais où se trouve Délice-du-Monde ! » Le roi lui fit signe de s'approcher davantage, et lui demanda, extrêmement ému : « En quel lieu se trouve-t-il ? » Il répondit : « Dans un lieu fort proche d'ici ! Mais dis-moi d'abord ce que tu lui veux, et moi je me hâterai de le faire venir entre tes mains. » Le roi dit : « Certes ! je te le dirai avec plaisir et par devoir ; mais ce cas exige que nous soyons seuls ! » Et aussitôt il ordonna à ses gens de s'éloigner, emmena le jeune homme dans une salle retirée, et lui raconta l'histoire depuis le commencement jusqu'à la fin.

Alors Délice-du-Monde dit au roi : « Fais-moi apporter des habits somptueux et donne-les-moi pour m'en revêtir. Et moi je te ferai venir Délice-du-Monde à l'instant même ! » Le roi aussitôt lui fit apporter une robe somptueuse, et Délice-du-Monde s'en revêtit et s'écria : « C'est moi qui suis Délice-du-Monde, la désolation des envieux ! » Et, à ces mots, perçant les cœurs de ses beaux regards, il improvisa ces vers…

À ce moment de sa narration, Schahrazade vit apparaître le matin et se tut discrètement.

Mais lorsque fut la quatre cent treizième nuit. Elle dit :

… À ces mots, perçant les cœurs de ses beaux regards, il improvisa ces vers : « Le souvenir de ma bien-aimée me tient délicieuse compagnie dans ma solitude, et chasse loin de moi les pénibles regrets de l'éloignement !

Ici je n'ai point d'autre source que celle de mes larmes ; mais quand cette source coule de mes yeux elle allège mes angoisses !

Mes désirs sont violents et rien ne peut leur être comparé. Ah ! quelle chose prodigieuse que mon cas en amour et en amitié !

Je passe mes nuits les paupières ouvertes dans l'insomnie ; et ma vie amoureuse s'écoule dans l'enfer et le paradis.

Autrefois j'étais doué de la noble résignation ; mais j'ai perdu cette vertu maintenant ; et le seul don que m'ait légué l'amour c'est l'affliction.

Mon corps s'est aminci et mon visage s'est changé dans la douleur de l'éloignement et l'ardeur de la passion.

Les paupières de mes yeux se sont ulcérées par l'écoulement des larmes, et je ne puis pourtant faire rentrer ces larmes dans mes yeux.

Ah ! je n'en puis plus ! J'ai perdu mon cœur ! Ah ! les chagrins en moi s'accumulent sur les chagrins !

Mon cœur et ma tête se ressemblent, maintenant qu'ils ont vieilli ensemble et blanchi, par suite de l'absence de la bien-aimée, la plus belle des bien-aimées.

C'est contre son gré que s'est faite notre séparation ; et son seul souci maintenant est de me revoir et de me posséder.

Mais qui sait maintenant si, après cette longue absence, la destinée me réunira encore avec mon amie, si le sort fermera le livre de l'éloignement resté tout ce temps ouvert et s'il permettra qu'aux angoisses de l'absence succèdent les délices de la réunion !

Et qui sait s'il me sera donné de revoir encore, dans les demeures, mon amie partager mes plaisirs ; et si mes deuils se changeront enfin en pures délices ! »

Lorsque Délice-du-Monde eut fini de réciter ces vers, le roi Derbas lui dit : « Par Allah ! je vois bien maintenant que vous vous aimez tous deux avec la même sincérité et la même intensité. En vérité vous êtes dans le ciel de la beauté deux astres lumineux ! Votre histoire est prodigieuse et vos aventures surprenantes ! » Puis le roi lui raconta dans tous ses détails l'histoire de Rose-dans-le-Calice. Et Délice-du-Monde lui demanda : « Peux-tu maintenant me dire, ô roi du temps, où elle se trouve ? » Il répondit : « Elle se trouve dans mon palais ! » Et aussitôt il fit venir le kâdi et les témoins et leur fit dresser le contrat de mariage de Rose-dans-le-Calice avec Délice-du-Monde. Après quoi il le combla d'honneur et de bienfaits, et envoya aussitôt un courrier informer le roi Schamikh de tout ce qui était arrivé à Délice-du-Monde et à Rose-dans-le-Calice.

Lorsque le roi Schamikh eut appris cette nouvelle, il se réjouit à la limite de la joie et envoya au roi Derbas une lettre dans laquelle il lui disait : « Du moment que le contrat de mariage a déjà été dressé, je désire que la célébration des noces et la consommation du mariage aient lieu dans mon palais ! » Et aussitôt il fit préparer les chameaux, les chevaux et les hommes, et les envoya chercher les nouveaux mariés.

À l'arrivée de cette lettre et de cette escorte, le roi Derbas fit don aux nouveaux mariés de sommes considérables, leur donna une magnifique escorte et leur fit ses adieux. Et ils partirent. Or ce fut un jour mémorable que celui de leur arrivée dans leur pays, au milieu de la ville d'Ispahân où régnait le roi Schamikh. Jamais on n'avait vu un jour plus beau ou même comparable à celui-là !

Le roi Schamikh, en effet, pour célébrer cette fête, réunit tous les joueurs d'instruments d'harmonie et donna de grands festins. Et les réjouissances durèrent trois jours entiers, durant lesquels le roi distribua de grandes largesses au peuple et fit don de nombreuses robes d'honneur.

Quant aux nouveaux mariés, voici ! Délice-du-Monde, une fois le festin terminé de la première nuit, pénétra dans la chambre nuptiale de Rose-dans-le-Calice ; et tous deux se jetèrent dans les bras l'un de l'autre, puisque c'était à ce moment qu'ils avaient pu enfin se voir depuis leur rencontre ; et ils furent dans une telle joie et une telle félicité qu'ils pleurèrent beaucoup. Et Rose-dans-le-Calice improvisa ces vers :

« La joie est enfin venue chasser la tristesse et le chagrin ; et nous voici réunis à la grande confusion de nos envieux.

La brise de la réunion a soufflé sur nous son haleine parfumée qui nous a ranimé le cœur, les entrailles et le corps.

L'enivrement du retour a brillé sur nos visages ; et tout autour de nous les cris de joie et les tambours ont annoncé notre retour !

Ne croyez pas que nos larmes soient causées par le chagrin ; croyez au contraire que c'est le bonheur qui nous fait pleurer !

Que de calamités nous avons éprouvées, évanouies maintenant ! Avec quelle résignation n'avons-nous pas supporté des douleurs angoissantes ?

J'ai oublié en une heure de réunion des tortures et des traverses si terribles que ma tête en a blanchi ! »

Cette improvisation terminée, ils s'étreignirent et restèrent dans les bras l'un de l'autre étroitement enlacés, jusqu'à ce qu'ils fussent tombés pâmés de jouissance et de bonheur…

À ce moment de sa narration, Schahrazade vit apparaître le matin et, discrète, se tut.

Mais lorsque fut la quatre cent quatorzième nuit. Elle dit :

… Jusqu'à ce qu'ils fussent tombés pâmés de jouissance et de bonheur.

Une fois revenu de sa pâmoison, Délice-du-Monde improvisa les vers suivants :

« Ô douceur des nuits longtemps attendues, quand le bien-aimé se montre équitable dans sa promesse et se donne à son amie !

Nous voici à jamais réunis, après l'absence ; et les chaînes sont brisées qui nous tenaient captifs dans la séparation.

Le destin, après s'être montré si farouche à notre égard, nous sourit et nous accorde ses faveurs avec empressement.

Le bonheur a déployé son étendard en notre honneur, et nous a présenté, pour nous y désaltérer, la coupe pure du plaisir.

Réunis enfin, après la tourmente, nous nous racontons nos chagrins passés et nos nuits d'insomnie écoulées dans les tristesses !

Ô mon seigneur, oublions maintenant nos souffrances ! Et que le Dispensateur des miséricordes enrichisse notre âme de l'oubli !

Ah ! que la vie est douce ! que la vie est délicieuse ! L'union ne fait qu'attiser ma flamme et mon ardeur ! »

Ces vers récités, les deux amants s'étreignirent pour la seconde fois et, s'étant jetés sur leur couche nuptiale, ils s'enlacèrent étroitement dans les plus exquises voluptés ; et ils continuèrent à se caresser, à se livrer à mille ébats et aux jeux aimables jusqu'à ce qu'ils se fussent tout à fait noyés dans la mer des amours tumultueuses. Et leurs délices, leurs voluptés, leur bonheur, leurs plaisirs et leurs joies furent si intenses qu'ils laissèrent s'écouler sept jours et sept nuits sans qu'ils se fussent aperçus de la fuite du temps et de son changement, tout comme si les sept journées n'étaient qu'une seule. Ce ne fut qu'en voyant arriver les joueurs d'instrument qu'ils comprirent qu'ils étaient à la fin du septième jour de leur mariage. Aussi Rose-dans-le-Calice, à la limite de l'émerveillement, improvisa-t-elle à l'instant les vers que voici :

« Bien que j'aie été l'objet de tant d'envie et si gardée, j'ai pu posséder mon bien-aimé.

Sur la soie vierge et les velours il s'est donné à moi par mille caresses,

Sur un matelas en peau tendre, garni d'un fin duvet d'oiseaux d'une espèce extraordinaire !

Qu'ai-je besoin de boire du vin, quand un amant plein d'ardeurs nouvelles me fait goûter sa salive de volupté !

Pour nous, le passé et le présent se confondent dans une union qui nous donne l'oubli.

N'est-ce point une chose prodigieuse que sept nuits entières aient passé sur nos têtes sans que nous nous en soyons doutés.

On est, en effet, venu me féliciter à l'occasion du septième jour et me dire : « Qu'Allah éternise ton union avec ton ami ! » Lorsqu'elle eut récité ces vers, Délice-du-Monde l'embrassa un nombre incalculable de fois, puis il improvisa ces vers :

« Voici le jour du bonheur et de la félicité ! Et mon amie est venue me délivrer de l'isolement !

Que son approche est enivrante et délicieuse ! Quel enchantement que son langage spirituel ! Elle m'a fait boire le sorbet voluptueux de son intimité, et cette boisson a transporté mes sens hors de ce monde !

Nous nous sommes épanouis ! Nous nous sommes dilatés ! Nous nous sommes enivrés, étendus sur notre couche ! Et, tout en buvant, nous avons chanté !

L'ivresse du bonheur nous a fait perdre la notion du temps, et nous n'avons plus su distinguer le premier jour du dernier.

Que l'amour nous soit toujours délicieux ! Mon amie a éprouvé les mêmes jouissances que moi ! Pas plus que moi elle ne se souvient des jours amers. Mon Seigneur l'a favorisée comme Il m'a favorisé ! »

Ces vers récités, ils se levèrent tous deux, sortirent de la chambre nuptiale, et distribuèrent à tous les gens du palais de grandes sommes d'argent, des robes magnifiques, des cadeaux et des présents. Après quoi, Rose-dans-le-Calice donna l'ordre à ses esclaves de faire évacuer pour elle seule le hammam du palais, et dit à Délice-du-Monde : « Ô fraîcheur de mon œil, je veux maintenant te voir enfin au hammam, pour être tous deux seuls à notre aise ! » Et, arrivée à ce moment à la limite du bonheur, elle improvisa ces vers :

« Ami, qui depuis si longtemps domines mon cœur – je ne veux plus parler des choses anciennes –,

Ô toi dont je ne pourrai plus me passer et que je ne pourrai plus remplacer dans mon intimité,

Viens au hammam, ô lumière de mon œil ! Ce me sera un enfer de flammes au milieu de paradis de délices !

Nous y brûlerons le parfum du nadd, jusqu'à ce que les vapeurs embaumées remplissent toute la salle et se répandent dans tous les sens.

Nous pardonnerons à la destinée ses crimes à notre égard, et nous glorifierons la bonté de notre Seigneur !

Et moi, en te voyant dans le bain, je chanterai : « Que le bain, ô bien-aimé, te soit léger et délicieux ! »

Une fois ces vers récités, les deux amants se levèrent et se rendirent au hammam où ils purent jouir de fort agréables moments. Après quoi ils revinrent au palais, où ils passèrent leur vie dans les félicités les plus intenses, jusqu'au moment où vint les visiter la Destructrice des plaisirs et la Séparatrice des amis !

Gloire à l'Immuable, à l'Éternel, vers lequel les êtres et les choses convergent !

*Mais ne crois point, ô Roi fortuné, continua Schahrazade, que cette histoire ressemble à l'*HISTOIRE MAGIQUE DU CHEVAL D'ÉBÈNE *! Et le roi Schahriar dit : « J'ai été ravi, ô Schahrazade, par les vers nouveaux que se sont récités ces deux amants fidèles ! Aussi tu me vois prêt à t'entendre me raconter cette histoire magique que je ne connais pas ! »*

Et Schahrazade dit :

HISTOIRE MAGIQUE DU CHEVAL D'ÉBÈNE

Il m'est revenu, ô Roi fortuné, qu'il y avait dans l'antiquité du temps et le passé des époques et des âges, un roi très grand et très puissant d'entre les rois des Persans, nommé Sabour, qui était certainement le roi le plus riche en trésors de toutes sortes comme aussi le plus doué de sagacité et de sagesse. De plus il était plein de générosité et de bienveillance, et sa main était toujours large ouverte sans lassitude, pour aider ceux qui l'imploraient et ne jamais repousser ceux qui lui demandaient secours. Il savait donner largement l'hospitalité à ceux qui ne lui demandaient que l'abri, et réconforter à l'occasion, par ses paroles et ses manières pleines de douceur et d'aménité, les cœurs brisés. Il était bon et charitable pour les pauvres gens ; et les étrangers ne voyaient jamais fermées à leur appel les portes de ses palais. Quant aux oppresseurs, ils ne trouvaient ni grâce ni indulgence devant sa sévère justice. Et tel il était, en vérité.

Or le roi Sabour avait trois filles, qui étaient comme autant de belles lunes dans un ciel plein de gloire ou comme trois fleurs merveilleuses d'éclat dans un parterre bien soigné, et un fils qui était la lune elle-même, et s'appelait Kamaralakmar[1].

Chaque année, le roi donnait à son peuple deux grandes fêtes, une au commencement du printemps, celle du Nourouz, et une autre à l'automne, celle du Mihrgân ; et, à ces deux occasions, il faisait ouvrir les portes de tous ses palais, distribuait des largesses, faisait proclamer des édits de grâce par ses crieurs publics, nommait de nouveaux dignitaires, et faisait avancer en grade ses lieutenants et ses chambellans. Aussi de tous les points de son vaste empire accouraient les populations pour rendre hommage à leur roi et le réjouir en ces deux jours de fête en lui portant des présents de toutes sortes et des esclaves et des eunuques en cadeau.

Or, à l'une de ces fêtes, qui était précisément la fête du printemps, le roi, qui à toutes ses qualités joignait l'amour de la science, de la géométrie et de l'astronomie, était assis sur le trône de son royaume quand il vit s'avancer devant lui trois savants, hommes fort versés dans les diverses branches des connaissances les plus secrètes et des arts les plus subtils, sachant modeler les formes avec une perfection qui confondait l'entendement, et n'ignorant aucun des mystères qui échappent d'ordinaire à l'esprit humain. Et ces trois savants arrivaient dans la ville du roi, venant de trois contrées différentes et parlant chacun une langue différente : le premier était Hindi, le second Roumi et le troisième Ajami des frontières extrêmes de la Perse.

Le premier, le savant Hindi, s'approcha du trône, se prosterna devant le roi, embrassa la terre entre ses mains et, après lui avoir souhaité joie et bonheur en ce jour de fête, lui offrit un présent vraiment royal : c'était un homme en or, incrusté de gemmes et de pierreries d'un grand prix, qui tenait à la main une trompette d'or. Et le roi Sabour lui dit : « Ô savant, quelle est l'utilité de cette figure ? » Il répondit : « Ô mon seigneur, l'utilité de cet homme en or est une vertu admirable ! Si tu le places à la porte de la ville, il en deviendra un gardien à toute épreuve ; car si un ennemi vient à entrer dans la place, il le devine à distance, et, soufflant dans la trompette dirigée contre sa figure, il le paralyse et le fait tomber mort de terreur ! » Et le roi, à ces paroles, s'émerveilla beaucoup et dit : « Par Allah ! ô savant, si tu dis vrai je te promets la réalisation de tous tes souhaits et de tous tes désirs ! »

Alors s'avança le savant Roumi qui embrassa la terre entre les mains du roi et lui offrit en cadeau un grand bassin d'argent au milieu duquel se trouvait un paon en or entouré de vingt-quatre paonnes du même métal. Et le roi Sabour les regarda avec étonnement et, se tournant vers le Roumi, lui dit : « Ô savant, quelle est l'utilité de ce paon et de ces paonnes ? » Il répondit : « Ô mon seigneur, chaque fois qu'une heure est écoulée du jour ou de la nuit, le paon donne un coup de bec à l'une des vingt-quatre paonnes et la monte, en battant des ailes, et ainsi de suite jusqu'à ce qu'il ait monté toutes les paonnes, en marquant ainsi les heures ; puis lorsque le mois est écoulé de la sorte, il ouvre la bouche et le croissant de la nouvelle lune apparaît au fond de son gosier ! » Et le roi, émerveillé, s'écria : « Par Allah ! si tu dis vrai, tous tes vœux seront accomplis ! »

Le troisième qui s'avança fut le savant de Perse. Il embrassa la terre entre les mains du roi, et, après les compliments et les souhaits, lui offrit un cheval en bois d'ébène, de la qualité la plus noire et la plus rare, incrusté d'or et de pierreries, et harnaché merveilleusement d'une selle, d'une bride et d'étriers comme on n'en voit qu'aux chevaux des rois. Aussi le roi Sabour fut-il émerveillé à la limite de l'émerveillement, et déconcerté de la beauté et des perfections de ce cheval ; puis il dit : « Et quelles sont les vertus de ce cheval d'ébène ? » Le Persan répondit : « Ô mon seigneur, les vertus que possède ce cheval sont une chose prodigieuse et telle que lorsqu'on le monte, il part avec son cavalier à travers les airs avec la rapidité de l'éclair, et le porte partout où on veut le diriger, en couvrant en un jour des distances qu'un cheval ordinaire mettrait un an à parcourir ! » Le roi, prodigieusement étonné de ces trois choses prodigieuses qui se succédaient dans le même jour, se tourna vers le Persan et lui dit : « Par Allah le Tout-Puissant (qu'Il soit exalté !), qui créa tous les êtres et leur donna le manger et le boire, si la vérité de tes paroles m'est prouvée, je te promets la réalisation de tes souhaits et du moindre de tes désirs ! »

Après quoi le roi fit mettre à l'épreuve, pendant trois jours, les vertus diverses des trois cadeaux, en faisant exécuter leurs divers mouvements par les trois savants. Et, de fait, l'homme en or souffla dans sa trompette d'or ; le paon en or becqueta et monta régulièrement ses vingt-quatre paonnes d'or, et le savant de Perse…

À ce moment de sa narration, Schahrazade vit apparaître le matin et, discrète, se tut.

Mais lorsque fut la quatre cent seizième nuit. Elle dit :

… Et le savant de Perse monta sur le cheval d'ébène, le fit s'élever dans les airs et parcourir un grand espace avec une rapidité extraordinaire pour, après avoir décrit un grand cercle, redescendre doucement à la place d'où il était parti. À la vue de tout cela, le roi Sabour fut stupéfait d'abord, puis se trémoussa tellement qu'il faillit s'envoler de joie. Il dit alors aux savants : « Ô savants illustres, j'ai maintenant la preuve de la vérité de vos paroles, et c'est à mon tour de m'acquitter de ma promesse. Demandez-moi donc tout ce que vous désirez, et cela vous sera accordé à l'instant ! »

Alors les trois savants répondirent : « Du moment que notre maître le roi est satisfait de nous et de nos présents, et qu'il nous laisse le choix de la demande à lui faire, nous le prions de nous accorder ses trois filles en mariage, car nous souhaitons vivement devenir ses gendres ! Et c'est là une chose qui ne peut en rien troubler la tranquillité du royaume ! En tout cas les rois ne reviennent jamais sur leurs promesses ! » Et le roi répondit : « Je vous accorde à l'instant la satisfaction de votre désir ! » Et aussitôt il donna l'ordre de faire venir le kâdi et les témoins pour dresser le contrat du mariage de ses trois filles avec les trois savants.

Tout cela !

Or il advint que, pendant ce temps, les trois filles du roi étaient justement assises derrière un rideau de la salle de réception, et entendaient ces paroles. Aussi la plus jeune des trois sœurs se mit-elle à considérer avec attention le savant qui devait lui échoir comme époux, et voici ! C'était un vieux bien ancien, âgé d'au moins cent ans, si ce n'est davantage, avec un reste de cheveux blanchis par le temps, une tête branlante, les sourcils mangés de teigne, les oreilles tombantes et fendues, la barbe et les moustaches teintes et sans vie, des yeux rouges et louches se regardant de travers, des bajoues flasques, jaunes et criblées de creux, un nez comme une grosse aubergine noire, une figure ratatinée comme le tablier d'un savetier, les dents saillantes comme les dents d'un cochon sauvage, et des lèvres pendantes et pantelantes comme les testicules du chameau ; en un mot ce vieux savant-là était quelque chose d'effrayant, une horreur composée de monstrueuses laideurs qui en faisaient l'être certainement le plus difforme de son temps et le plus épouvantable de son époque ; car comment ne l'eût-il pas été avec ces divers attributs et, en plus, ses mâchoires vides de leurs molaires et armées, en guise de canines, de crocs qui le rendaient semblable aux éfrits qui épouvantent les petits enfants dans les maisons désertes, et font crier d'effroi les poules dans les poulaillers.

Tout cela !

Et justement la princesse, la plus jeune des trois filles du roi, était l'adolescente la plus belle et la plus gracieuse de son temps, plus élégante que la tendre gazelle, plus douce et plus suave que la brise la plus caressante, et plus brillante que la lune dans son plein ; elle était ainsi vraiment faite pour les ébats amoureux ; elle se mouvait et le rameau flexible était confus de ses balancements onduleux ; elle marchait et le chevreuil léger était confondu de sa gracieuse allure ; et sans conteste elle surpassait de beaucoup ses sœurs en beauté, en blancheur, en charmes et en douceur. Et telle elle était, en vérité.

Aussi lorsqu'elle vit le savant qui devait lui échoir en lot, elle courut à sa chambre et là se laissa tomber la face contre terre en se déchirant les habits, en se griffant les joues et en sanglotant et se lamentant.

Pendant qu'elle était dans cet état, son frère, le prince Kamaralakmar, qui l'aimait beaucoup et la préférait à ses autres sœurs, rentrait d'une partie de chasse et, entendant sa sœur qui se lamentait et pleurait, pénétra dans sa chambre et lui demanda : « Qu'as-tu ? Que t'est-il arrivé ? Hâte-toi de me le dire, et ne me cache rien ! » Alors elle se frappa la poitrine et s'écria : « Ô mon unique frère, ô le chéri, je ne te cacherai rien. Sache que, si même le palais devait se rétrécir devant ton père, je suis prête à m'en aller ; et si ton père devait commettre des choses si odieuses, je n'hésiterais pas à le quitter et à m'enfuir d'ici, sans qu'il m'ait donné les provisions de route ; car Allah pourvoira ! »

À ces paroles, le prince Kamaralakmar lui dit : « Mais dis-moi enfin ce que signifie ce langage, et ce qui te rétrécit la poitrine et trouble tes humeurs ? » La jeune princesse répondit : « Ô mon unique frère, ô le chéri, sache que mon père m'a promise en mariage à un vieux savant, un horrible magicien, qui lui a apporté, en cadeau, un cheval en bois d'ébène, et lui a certainement jeté un sort au moyen de sa sorcellerie et l'a abusé avec son astuce et sa perfidie ! Quant à moi, je suis bien résolue plutôt que de me donner à ce vieux laid, à ne plus être de ce monde ! »

Son frère se mit alors à la calmer et à la consoler en la caressant et en la cajolant, puis se hâta d'aller trouver le roi son père et lui dit : « Qu'est-ce que c'est que ce sorcier à qui tu as promis en mariage ma sœur la petite ? Et qu'est-ce que c'est que ce cadeau qu'il t'a apporté, pour te décider ainsi à faire mourir ma sœur de chagrin ? Cela n'est pas juste et ne peut arriver ! »

Or, le Persan était tout près de là, et il entendait ces paroles du fils du roi, et il en était bien furieux et bien mortifié. Mais le roi répondit...

À ce moment de sa narration, Schahrazade vit apparaître le matin et, discrète, se tut.

Mais lorsque fut la quatre cent dix-septième nuit. Elle dit :

... Le roi répondit : « Ô mon fils Kamaralakmar, si tu connaissais le cheval que m'a donné le savant, tu ne serais point si troublé et si stupéfait ! » Et il sortit aussitôt avec son fils dans la grande cour du palais et donna l'ordre aux esclaves d'amener le cheval en question. Et ils exécutèrent l'ordre.

Lorsque le jeune prince vit le cheval, il le trouva fort beau et en fut ravi. Et comme il était un excellent cavalier il sauta sur son dos avec légèreté et lui piqua les flancs soudain avec les éperons, en mettant ses pieds dans les étriers. Mais le cheval ne bougea pas. Et le roi dit au savant : « Va voir pourquoi il ne bouge pas ; et aide mon fils qui, à son tour, ne manquera pas de t'aider à réaliser tes souhaits ! »

Or le Persan, qui gardait rancune au prince à cause de son opposition au mariage de sa sœur, s'approcha du prince à cheval et lui dit : « Regarde sur le pommeau de la selle cette cheville en or que voici à droite. C'est la cheville de l'ascension. Tu n'as qu'à la tourner ! »

Alors le prince tourna la cheville de l'ascension et voici ! Le cheval aussitôt l'enleva dans les airs avec la rapidité de l'oiseau, et si haut que le roi et tous les assistants le perdirent de vue au bout de peu d'instants.

En voyant ainsi disparaître son fils et en ne le voyant plus revenir au bout de quelques heures d'attente, le roi Sabour fut bien inquiet et bien perplexe et dit au Persan : « Ô savant, comment allons-nous faire maintenant pour qu'il revienne ? » Il répondit : « Ô mon maître, moi je n'y puis rien ; et toi tu ne reverras ton fils qu'au jour de la Résurrection ! En effet, au lieu de me donner le temps de lui expliquer la façon de se servir de la cheville de gauche, qui est la cheville de la descente, le prince n'a voulu écouter que sa suffisance et son ignorance, et a fait partir le cheval trop vite ! »

Lorsque le roi Sabour eut entendu ces paroles du savant, il fut plein de fureur et, enrageant à la limite de la rage, il ordonna aux esclaves de lui donner la bastonnade et de le jeter dans le cachot le plus noir, tandis que lui-même arrachait sa couronne de sur sa tête, se donnait de grands coups sur la figure et s'arrachait la barbe. Après quoi il se retira dans son palais, en fit fermer toutes les portes, et se mit à sangloter, à gémir et à se lamenter, lui, son épouse, ses trois filles, ses gens et tous les habitants du palais ainsi que ceux de la ville. Et de la sorte leur joie se changea en affliction, et leur félicité en tristesse et en désespoir. Et voilà pour eux !

Quant au prince, le cheval continua à s'élever avec lui dans les airs sans s'arrêter, tellement qu'il fut sur le point de toucher au soleil. Alors il comprit le péril qu'il courait et quelle mort affreuse l'attendait dans ces régions du ciel ; et il fut bien inquiet et se repentit fort d'être monté sur le cheval, et il pensa en son âme : « Il est certain que l'intention du savant a été de me perdre à cause de ma sœur la petite ! Que faire maintenant ? Il n'y a de force et de puissance qu'en Allah l'Omnipotent ! Me voici perdu sans recours ! » Puis il se dit : « Mais qui sait s'il n'y a pas là une seconde cheville qui serait celle de la descente, comme l'autre est celle de l'ascension ? » Et comme il était doué de sagacité, de science et d'intelligence, il se mit à faire des recherches sur toutes les parties du cheval et finit par trouver une toute petite vis, pas plus grosse qu'une tête d'épingle, sur le côté gauche de la selle ; et il se dit : « Je n'en vois pas d'autre ! » Alors il pressa cette vis, et aussitôt l'ascension diminua peu à peu et le cheval s'arrêta un instant dans les airs pour, immédiatement après, commencer à descendre avec la même rapidité en se ralentissant ensuite petit à petit à mesure que l'on s'approchait de la surface du sol ; et il finit par toucher terre sans secousse aucune et sans mal, tandis que son cavalier commençait à respirer à son aise et à se tranquilliser sur sa vie.

Une fois que le jeune prince Kamaralakmar eut compris le maniement de la cheville et de la vis, il se réjouit fort de sa découverte et remercia Allah le Très-Haut qui avait daigné le délivrer d'une mort certaine. Après quoi il se mit, en faisant tourner tantôt la cheville et tantôt la vis, et en se servant de la bride, soit à gauche soit à droite, à faire aller le cheval en avant, en arrière, en haut, en bas, partout où il voulait, tantôt avec la rapidité de l'éclair, tantôt à l'allure de promenade, jusqu'à ce qu'il se fût rendu bien maître de ses divers mouvements. Alors il le fit monter à une certaine hauteur et le poussa dans une certaine direction avec une rapidité modérée, de façon à pouvoir bien jouir du beau spectacle qui se déroulait à ses pieds, sur la terre. Et de cette façon il put regarder à son aise les merveilles de la terre et des mers, et admirer des contrées et des villes qu'il n'avait jamais vues ni connues, sa vie durant.

Or, parmi les villes qui de la sorte se déployaient au-dessous de lui, il aperçut une cité aux maisons et aux édifices distribués avec symétrie d'une manière charmante, au milieu d'une contrée riante couverte d'une splendide végétation, sillonnée de nombreuses eaux courantes, et riche en pâturages où s'ébattaient en paix les bondissantes gazelles…

À ce moment de sa narration, Schahrazade vit apparaître le matin et, discrète, se tut.

Mais lorsque fut la quatre cent dix-huitième nuit. Elle dit :

… Où s'ébattaient en paix les bondissantes gazelles.

Comme de sa nature il aimait se distraire et regarder, Kamaralakmar se dit : « Il faut que je sache le nom de cette ville, et dans quelle contrée elle est située ! » Et il se mit à tourner en l'air tout autour de la ville, en s'arrêtant dans les endroits les plus beaux.

Cependant le jour commençait à décliner et le soleil était arrivé à l'horizon au bas de sa course ; et le prince pensa : « Par Allah ! je ne trouverai certainement pas de meilleure place pour passer la nuit que cette cité ! Ainsi je dormirai ici, et demain à la pointe du jour je reprendrai la route de mon royaume pour rentrer au milieu de mes parents et de mes amis. Et je raconterai alors à mon père tout ce qui m'est arrivé et tout ce que mes yeux ont vu ! » Et il tourna ses regards autour de lui pour choisir un endroit où passer la nuit en sécurité et sans être dérangé, et où remiser son cheval, et il finit par laisser tomber son choix sur un palais élevé, situé au milieu de la ville flanquée de tours crénelées, et gardé par quarante esclaves noirs vêtus de cottes de mailles et armés de lances, de glaives, d'arcs et de flèches. Donc il se dit : « Voilà un endroit excellent ! » et, pressant la vis de descente, il dirigea de ce côté-là son cheval qui vint, tel un oiseau fatigué, se poser doucement sur la terrasse du palais. Alors le prince dit : « Louange à Allah ! » et descendit de son cheval. Il se mit à tourner autour de lui et à l'examiner, en disant : « Par Allah ! celui qui t'a façonné avec une telle perfection est un maître ouvrier et le plus habile des artisans. Aussi, si le Très-Haut prolonge le terme de ma vie et me réunit avec mon père et les miens, je ne manquerai pas de combler ce savant de mes bontés et de le faire bénéficier de ma générosité ! »

Mais déjà la nuit était tombée, et le prince continua à rester sur la terrasse en attendant que tout le palais fût endormi. Puis comme il était torturé par la faim et la soif, vu que depuis son départ il n'avait encore rien mangé ni bu, il se dit : « Un palais comme celui-ci ne doit certes pas manquer de vivres ! » Il laissa donc le cheval sur la terrasse, et résolu à chercher de quoi se nourrir, il se dirigea vers l'escalier du palais et en descendit les marches jusqu'au bas. Il se trouva soudain dans une large cour pavée de marbre blanc et d'albâtre transparent qui reflétaient dans la nuit la lumière de la lune. Et il s'émerveilla de la beauté de ce palais et de son architecture ; mais il eut beau regarder à droite et à gauche, il ne vit pas une âme vivante et n'entendit pas un son de voix humaine ; et il fut bien inquiet et bien perplexe, et ne sut que devenir. Il finit tout de même par se décider, pensant : « Je n'ai rien de mieux à faire pour le moment qu'à remonter sur la terrasse d'où je suis descendu, et à passer la nuit à côté de mon cheval ; et demain, dès les premières lueurs du jour, je remonterai à cheval et je m'en irai ! » Et comme il allait mettre ce projet à exécution, il aperçut une lumière à l'intérieur du palais, et s'avança de ce côté-là pour voir ce qu'était l'affaire. Et il vit que cette lumière était celle d'un flambeau allumé, placé devant la porte du harem, à la tête du lit d'un eunuque noir endormi, qui ronflait sur un ton fort bruyant, et ressemblait à quelque éfrit d'entre les éfrits aux ordres de Soleimân ou à quelque genni de la tribu noire des genn ; il était étendu sur un matelas en travers de la porte, et il la bouchait mieux que ne l'aurait fait un tronc d'arbre ou un banc de portiers ; et le pommeau de son glaive étincelait furieusement à la lueur du flambeau, tandis que, au-dessus de sa tête, était pendu à une colonne de granit rose son sac à provisions.

À la vue de ce nègre effroyable le jeune Kamaralakmar fut terrifié et murmura : « Je me réfugie en Allah le Tout-Puissant ! Ô Maître unique du ciel et de la terre, Toi qui m'as déjà sauvé d'une perte certaine, secours-moi encore et tire-moi sain et sauf de l'aventure qui m'attend dans ce palais ! » Il dit, et tendant la main vers le sac à provisions du nègre, il le prit légèrement, sortit de la chambre, l'ouvrit et y trouva des vivres de la meilleure qualité. Il se mit à en manger, et finit par vider complètement le sac ; et, après s'être ainsi restauré, il alla au bassin de la cour et étancha sa soif en buvant de l'eau qui en jaillissait, pure et douce. Après quoi il retourna près de l'eunuque, suspendit le sac à sa place, et, retirant du fourreau le glaive de l'esclave, le prit, tandis que celui-ci était plus endormi et plus ronflant que jamais, et sortit ne sachant encore d'où sa destinée devait venir à sa rencontre...

À ce moment de sa narration, Schahrazade vit apparaître le matin et, discrète, se tut.

Mais lorsque fut la quatre cent dix-neuvième nuit. Elle dit :

... Ne sachant encore d'où sa destinée devait venir à sa rencontre.

Il s'avança donc dans l'intérieur du palais et arriva à une seconde porte sur laquelle retombait un rideau de velours. Il souleva cette portière et, dans une salle merveilleuse, il vit un large lit de l'ivoire le plus blanc, incrusté de perles, de rubis, d'hyacinthes et d'autres pierreries, et, étendues sur le sol quatre jeunes esclaves endormies. Il s'approcha alors doucement du lit pour savoir qui pouvait bien y être couché, et vit une adolescente qui n'avait pour toute chemise que sa chevelure ! Et elle était si belle qu'on l'aurait prise, non point pour la lune à son lever à l'horizon oriental, mais pour une seconde lune plus merveilleuse sortie des mains du Créateur ! Son front était une rose blanche, et ses joues deux anémones d'un rouge tendre, dont l'éclat se rehaussait d'un délicat grain de beauté de chaque côté !

À la vue de tant de beauté et de grâces, de charmes et d'élégance, Kamaralakmar faillit tomber à la renverse évanoui sinon mort. Et, lorsqu'il put maîtriser tant soit peu son émotion, il s'approcha de l'adolescente endormie, en tremblant de tous ses muscles et de tous ses nerfs, et frémissant de plaisir et de volupté, il la baisa sur la joue droite. Au contact de ce baiser, la jeune fille s'éveilla en sursaut, ouvrit de grands yeux et, apercevant le jeune prince qui était debout à son chevet, s'écria : « Qui es-tu et d'où viens-tu ? » Il répondit : « Je suis ton esclave et l'amoureux de tes yeux ! » Elle demanda : « Et qui t'a conduit jusqu'ici ? » Il répondit : « Allah, ma destinée et ma bonne chance ! »

À ces paroles, la princesse Schamsennahar (car tel était son nom), sans trop montrer de frayeur ou d'épouvante, dit au jeune homme : « Peut-être es-tu ce fils du roi de l'Inde qui m'a demandée hier en mariage, et que le roi mon père n'a pas accepté comme gendre à cause, prétend-on, de sa laideur. Car si c'est toi, tu n'es, par Allah ! rien moins que laid, et ta beauté me subjugue déjà, ô mon seigneur ! » Et comme, en effet, il était aussi radieux que la brillante lune, elle l'attira à elle et l'embrassa, et il l'embrassa, et, tous deux, enivrés de leur mutuelle beauté et de leur jeunesse, se firent mille caresses, étendus dans les bras l'un de l'autre, et se dirent mille folies en se faisant mille jeux aimables et mille cajoleries douces ou hardies.

Pendant qu'ils s'égayaient de la sorte, soudain les servantes se réveillèrent, et, apercevant le prince avec leur maîtresse, s'écrièrent : « Ô notre maîtresse, quel est ce jeune homme qui est avec toi ? » Elle répondit : « Je ne sais pas ! En me réveillant, je l'ai trouvé à mes côtés ! Je crois bien toutefois que c'est celui qui m'a demandée hier en mariage à mon père ! » Elles s'écrièrent, éperdues d'émotion : « Le nom d'Allah sur toi et autour de toi ! ô notre maîtresse, ce n'est point du tout celui qui t'a demandée hier en mariage ; car il était bien laid et bien hideux, celui-là ; et cet adolescent est gentil et délicieusement beau ; et il est certainement d'une illustre naissance. Quant à l'autre, le laid d'hier, il n'est même pas digne d'être son esclave ! » Sur quoi les servantes se levèrent et allèrent réveiller l'eunuque de la porte, et lui jetèrent l'alarme au cœur en lui disant : « Comment se fait-il qu'étant le gardien du palais et du harem, tu laisses les hommes pénétrer chez nous pendant notre sommeil ? »

Lorsque l'eunuque nègre entendit ces paroles, il sauta sur ses deux pieds et voulut se saisir de son glaive, mais ne le trouva plus dans le fourreau. Cela le jeta dans une grande terreur, et, tout tremblant, il souleva la portière et entra dans la salle. Et il vit, avec sa maîtresse au lit, le beau jeune homme, dont il fut ébloui tellement qu'il lui demanda : « Ô mon seigneur, es-tu un homme ou un genni ? » Le prince répondit : « Et toi, misérable esclave et le plus maléfique des nègres noirs, comment oses-tu confondre les fils des rois Khosroès avec les genn démoniaques et les éfrits ? » Et ce disant, furieux comme un lion blessé, il se saisit du glaive, et cria à l'eunuque : « Je suis le gendre du roi, et il m'a marié avec sa fille, et m'a enjoint de pénétrer chez elle ! »

En entendant ces paroles, l'eunuque répondit : « Ô mon seigneur, si tu es vraiment un homme de l'espèce des hommes, et non point un genni, notre jeune maîtresse est digne de ta beauté, et tu la mérites bien plus que n'importe quel autre roi fils de rois ou de sultan ! »

Là-dessus l'eunuque courut chez le roi, en jetant les hauts cris, en déchirant ses habits et en se couvrant la tête de poussière. Aussi, en entendant ces cris affolés, le roi lui demanda-t-il : « De quelle calamité as-tu donc été atteint ? Parle vite et sois bref, car tu as fait frémir mon cœur ! » L'eunuque répondit…

À ce moment de sa narration, Schahrazade vit apparaître le matin et, discrète, se tut.

Mais lorsque fut la quatre cent vingtième nuit. Elle dit :

… L'eunuque répondit : « Ô roi, hâte-toi de voler au secours de ta fille, car un genni d'entre les genn, sous les apparences d'un fils de roi, a pris possession d'elle et a élu domicile en elle ! Il n'y a pas ! Il faut courir ! Sus à lui ! »

En entendant ces paroles de son eunuque, le roi fut à la limite de la fureur, et fut sur le point de le tuer ; puis il lui cria : « Comment as-tu osé être assez négligent pour perdre ma fille de vue quand je t'avais chargé de sa garde diurne et nocturne, et pour laisser cet éfrit démoniaque pénétrer chez elle et prendre possession d'elle ? » Et, fou d'émotion, il s'élança vers l'appartement de la princesse, où il trouva les servantes qui l'attendaient à la porte pâles et tremblantes, et leur demanda : « Qu'est-il arrivé à ma fille ? » Elles répondirent : « Ô roi, pendant que nous étions endormies nous ne savons ce qui est arrivé ; mais lorsque nous nous sommes réveillées nous avons trouvé dans le lit de la princesse un jeune homme que nous avons pris pour la pleine lune, tant il était beau, et qui causait avec elle d'une manière délicieuse et rassurante. Et vraiment nous n'avons jamais vu quelqu'un de plus beau que cet adolescent. Pourtant nous lui demandâmes qui il était, et il nous répondit : « Je suis celui à qui le roi a accordé sa fille en mariage ! » Plus que cela nous ne savons rien ! Et nous ne pouvons guère te dire s'il est un homme ou un genni. En tout cas nous pouvons t'assurer qu'il est aimable, bien intentionné, modeste, bien élevé, incapable de commettre un méfait quelque léger qu'il soit, ou de faire quelque chose de blâmable ! Comment, quand on est si beau, pourrait-on faire une chose blâmable ? »

Lorsque le roi eut entendu ces paroles, sa colère se refroidit et son inquiétude s'apaisa ; et, tout doucement et avec mille précautions, il souleva un peu la portière et il vit avec sa fille, couché à côté d'elle dans le lit et causant gentiment, un prince des plus charmants, dont le visage était éclatant comme la pleine lune.

Cette vue, au lieu d'achever de l'apaiser, eut pour résultat d'exciter au plus haut point sa jalousie paternelle et ses craintes au sujet du danger que courait l'honneur de sa fille. Aussi, se précipitant par la portière, il s'élança sur eux, l'épée à la main, et furieux et féroce comme un ghoul monstrueux. Mais le prince, qui le vit venir de loin, demanda à la jeune fille : « Est-ce là ton père ? » Elle répondit : « Mais oui ! » Aussitôt il sauta sur ses deux pieds et, saisissant son glaive, il lança un cri si terrible à la figure du roi que celui-ci en fut épouvanté. Alors Kamaralakmar, plus menaçant que jamais, se disposa à se jeter sur lui et à le transpercer ; mais le roi, qui avait compris qu'il était le plus faible, se hâta de rengainer son glaive et prit une attitude conciliante. Aussi, quand il vit le jeune homme déjà sur lui, il lui dit du ton le plus courtois et le plus aimable : « Ô jouvenceau, es-tu homme ou genni ! » Il répondit : « Par Allah ! si je ne respectais tes droits à l'égal des miens propres, et si je ne me souciais de l'honneur de ta fille, j'aurais déjà répandu ton sang ! Comment oses-tu me confondre avec les genn et les démons, alors que je suis un prince royal de la race des Khosroès, de ceux qui, s'ils voulaient s'emparer de ton royaume, n'hésiteraient pas à se faire un jeu de te faire sauter de ton trône comme par un tremblement de terre, et de te frustrer de tes honneurs, de ta gloire et de ta puissance ! »

Lorsque le roi eut entendu ces paroles, il eut pour lui un grand sentiment de respect et craignit beaucoup pour sa propre sécurité. Aussi se hâta-t-il de répondre : « Comment se fait-il, si tu es vraiment le fils des rois, que tu n'aies pas craint de pénétrer dans mon palais sans mon consentement, de détruire mon honneur et d'arriver à la possession de ma fille, en prétendant être son époux et en proclamant que je te l'avais accordée en mariage, alors que moi j'ai fait tuer tant de rois et de fils de rois qui voulaient me forcer à la leur donner comme épouse ? » Et, le roi excité par ses propres paroles, continua : « Et maintenant, toi aussi, qui pourra te sauver d'entre les mains de ma puissance quand je vais crier à mes esclaves l'ordre de te faire mettre à mort par la pire des morts, et qu'ils obéiront à l'heure et à l'instant ? »

Lorsque le prince Kamaralakmar eut entendu ces paroles du roi, il répondit : « En vérité, je suis stupéfait de ta courte vue et de l'épaisseur de ton entendement ! Dis-moi, pourras-tu donc jamais trouver pour ta fille un meilleur parti que moi ? Et as-tu jamais vu un homme plus intrépide ou mieux partagé ou plus riche en armées, en esclaves et en possessions que moi-même ? » Le roi répondit : « Non, par Allah ! mais, ô jouvenceau, j'eusse bien voulu te voir devenir l'époux de ma fille par-devant le kâdi et les témoins ! Mais un mariage fait de cette façon secrète-là ne pourrait que détruire mon honneur ! » Le prince répondit : « Que tu parles bien, ô roi ! Mais ne sais-tu donc que si vraiment tes esclaves et tes gardes devaient, comme tu viens de m'en menacer, se précipiter tous sur moi et me mettre à mort, tu ne ferais que courir plus sûrement à la perte de ton honneur et de ton royaume, en rendant publique ta disgrâce et en forçant ton peuple lui-même à se tourner contre toi ? Crois-moi donc, ô roi ! Il ne te reste qu'un seul parti à prendre, c'est d'écouter ce que j'ai à te dire et de suivre mes conseils ! » Et le roi demanda : « Parle donc, que j'entende un peu ce que tu as à me dire...

À ce moment de sa narration, Schahrazade vit apparaître le matin et, discrète, se tut.

Mais lorsque fut la quatre cent vingt et unième nuit. Elle dit :

... Parle donc, que j'entende, un peu ce que tu as à me dire ! » Il répondit : « Voici ! De deux choses l'une : ou bien tu vas accepter de lutter avec moi en combat singulier, et alors celui qui vaincra son adversaire sera proclamé le plus vaillant et aura ainsi un titre sérieux au trône du royaume ; ou bien tu vas me laisser ici toute cette nuit avec ta fille, et demain matin tu enverras contre moi la masse entière de tes cavaliers, de tes fantassins et de tes esclaves, et... ; mais auparavant dis-moi quel est leur nombre ! » Le roi répondit : « Ils sont au nombre de quarante mille cavaliers, sans compter mes propres esclaves et les esclaves de mes esclaves, dont le nombre est égal à celui des premiers ! » Alors Kamaralakmar dit : « C'est bien. Donc dès les premières lueurs du jour, fais-les avancer contre moi en ordre de bataille et dis-leur : « Cet homme que voici vient solliciter de moi ma fille en mariage, à condition de lutter à lui seul contre vous tous réunis et de vous vaincre et de vous mettre en déroute, sans que vous puissiez arriver à en venir à bout ! Et c'est là ce qu'il prétend ! » Puis tu me laisseras seul lutter contre eux tous ! S'ils me tuent, alors ton secret est ainsi bien plus sûrement gardé à jamais, et ton honneur sauvé. Si au contraire c'est moi qui triomphe d'eux tous et les mets en déroute, tu auras trouvé un gendre dont pourraient s'honorer les plus grands rois ! »

Le roi alors ne manqua pas de partager cette dernière opinion et d'accepter cette proposition, bien qu'il fût stupéfait d'une telle assurance et qu'il ne sût à quoi attribuer une si folle prétention ; car au fond de son cœur il était persuadé que le jeune prince périrait dans cette lutte insensée, et qu'ainsi son secret serait le mieux gardé et son honneur sauf. Aussi appela-t-il le chef eunuque et lui donna-t-il l'ordre d'aller sans délai trouver le vizir et de lui enjoindre de rassembler toutes les troupes et de les tenir prêtes sur leurs chevaux et revêtues de leurs armes de guerre. Et l'eunuque transmit l'ordre au vizir, qui aussitôt rassembla les chefs et les principaux notables du royaume, et les rangea en ordre de bataille à la tête de leurs troupes revêtues de leurs armes de guerre. Et voilà pour eux !

Quant au roi, il resta encore près du jeune prince à causer avec lui, tant il était charmé de ses paroles sensées, de son bon jugement, de ses manières distinguées, et de sa beauté, et aussi parce qu'il ne voulait pas le laisser encore seul avec sa fille cette nuit-là. Mais, à peine jour, il regagna son palais et s'assit sur son trône et donna l'ordre à ses esclaves de tenir prêt pour le prince le plus beau cheval des écuries royales, de le seller magnifiquement et de le harnacher de housses somptueuses. Mais le prince lui dit : « Je ne veux monter à cheval que lorsque je serai arrivé devant les troupes ! » Le roi répondit : « Qu'il soit fait selon ton désir ! » Et tous deux sortirent au meidân où les troupes étaient rangées en ordre de bataille, et le prince put ainsi juger de leur nombre et de leur qualité. Après quoi le roi se tourna vers tous ceux-là, et leur cria : « Oh ! Guerriers, ce jeune homme que voici est venu me trouver et m'a demandé ma fille en mariage. Et moi en vérité je n'ai jamais vu rien de plus beau que lui ni cavalier plus intrépide. D'ailleurs il prétend lui-même qu'il peut, à lui seul, triompher de vous tous et vous mettre en déroute ; et fussiez-vous cent mille fois plus nombreux, il vous considérerait comme peu de chose et vous vaincrait tout de même. Ainsi donc ne manquez pas, quand il vous chargera, de le recevoir sur la pointe de vos glaives et de vos lances ! Cela lui apprendra ce qu'il en coûte de se mêler de si graves affaires ! » Puis le roi se tourna vers le jeune homme et lui dit : « Hardi, mon fils ! et fais-nous voir tes prouesses ! » Mais il répondit : « Ô roi, tu ne me traites ni avec justice ni avec impartialité ! Comment veux-tu en effet que je lutte avec tous ceux-là, moi à pied et eux à cheval ! » Le roi dit : « Je t'avais offert de monter à cheval, et tu avais refusé ! Tu peux encore le faire, et choisir au milieu de tous mes chevaux celui qui te plaît le mieux ! » Mais il répondit : « Aucun de tes chevaux ne me plaît, et je ne monterai que sur celui qui m'a porté jusqu'à ta ville ! » Le roi lui demanda : « Et où est-il, ton cheval ? » Il dit : « Il est au-dessus de ton palais. » Il demanda : « Où ça, au-dessus de mon palais ? » Il répondit : « Sur la terrasse de ton palais. » À ces paroles, le roi regarda avec attention et s'écria : « Ô l'extravagant ! Voilà la meilleure preuve de ta folie ! Comment un cheval peut-il être sur la terrasse ? Mais nous allons tout de suite voir si tu mens ou si tu dis la vérité ! » Puis il se tourna vers le chef de ses troupes, et lui dit : « Cours au palais et reviens me dire ce que tu auras vu ! Et apporte-moi tout ce que tu trouveras sur la terrasse ! »

Quant au peuple, il s'émerveilla des paroles du jeune prince ; et tous les gens demandèrent : « Comment un cheval pourra-t-il descendre l'escalier du haut de la terrasse ? Vraiment voilà une chose que nous n'avons jamais entendue de notre vie ! »

Cependant le messager du roi arriva au palais et, étant monté sur la terrasse, y trouva le cheval et jugea qu'il n'avait jamais vu son égal en beauté ; mais lorsqu'il s'en fut approché et qu'il l'eut examiné, il vit qu'il était en bois d'ébène et en ivoire ! Alors lui et tous ceux qui l'accompagnaient se mirent, en voyant la chose, à rire et à se dire les uns aux autres…

À ce moment de sa narration, Schahrazade vit apparaître le matin et se tut discrètement.

Mais lorsque fut la quatre cent vingt-deuxième nuit. Elle dit :

… À rire et à se dire les uns aux autres : « Par Allah ! est-ce là le cheval dont parlait ce jouvenceau qui ne doit être désormais regardé par nous que comme un fou. Pourtant nous voulons bien voir ce qu'il peut y avoir de vrai dans tout cela. Car il se pourrait en somme que ce fût là une affaire plus importante qu'on ne croit, et que ce jeune homme fût réellement quelqu'un d'un haut rang et d'un mérite excellent ! » Ce disant, ils soulevèrent à eux tous le cheval de bois et, le transportant sur leurs bras, ils le déposèrent devant le roi, alors que tous les gens s'attroupaient tout autour à le regarder en s'émerveillant de sa beauté, de ses proportions, de la richesse de sa selle et de son harnachement. Et le roi aussi l'admira beaucoup et s'en émerveilla à la limite de l'émerveillement ; puis il demanda à Kamaralakmar : « Ô jeune homme, est-ce là ton cheval ? » Il répondit : « Oui, ô roi ! C'est mon cheval, et tu verras bientôt les choses merveilleuses qu'il te montrera ! » Et le roi dit : « Alors prends-le et monte-le ! » Le prince répondit : « Je ne le monterai que lorsque tous ces gens et ces troupes se seront éloignés d'autour de lui ! »

Alors le roi donna l'ordre à tout le monde de s'éloigner de là à la distance d'une portée d'arc. Et le jeune prince lui dit : « Ô roi, regarde-moi bien ! Je vais sauter sur mon cheval et me précipiter au grand galop sur tes troupes que je disperserai à droite et à gauche ; et je jetterai l'épouvante dans leurs cœurs et le tremblement ! » Et le roi répondit : « Fais ce que tu veux maintenant ; mais surtout ne les épargne pas, car ils ne t'épargneront pas ! »

Et Kamaralakmar appuya légèrement sa main sur l'encolure de son cheval, et d'un saut fut sur son dos. De leur côté, les troupes, anxieuses, s'étaient alignées plus loin en rangs serrés et tumultueux ; et les guerriers se disaient les uns aux autres : « Lorsque ce jouvenceau sera arrivé devant nos rangs nous le cueillerons à la pointe de nos piques et nous le recevrons sur le tranchant de nos cimeterres ! » Mais d'autres disaient : « Par Allah ! c'est là une grande misère ! Comment aurons-nous le cœur de tuer un si beau garçon, un jouvenceau si tendre, si élégant et si gentil ? » Et d'autres disaient : « Par Allah ! il faut que nous soyons insensés pour croire que nous allons facilement venir à bout de ce jeune homme ! Il est certain que s'il s'est jeté dans une pareille aventure, c'est qu'il avait la certitude de réussir. En tout cas, cela nous est une preuve de son courage, de sa valeur, et de l'intrépidité de son âme et de son cœur ! »

Quant à Kamaralakmar, une fois qu'il se fut bien consolidé sur la selle, il fit manœuvrer la cheville de l'ascension, tandis que tous les yeux étaient tournés de son côté pour voir ce qu'il allait faire. Et aussitôt le cheval se mit à s'agiter, à palpiter, à haleter, à piaffer, à se balancer, à se pencher, à avancer et à reculer, pour ensuite, avec une élasticité merveilleuse, commencer à caracoler et à marcher de côté plus élégamment que ne caracolèrent jamais les chevaux les mieux dressés des rois et des sultans. Et soudain ses flancs frémirent et se gonflèrent de vent, et, plus rapide qu'une flèche lancée dans les airs, il prit son essor en s'élevant avec son cavalier en ligne droite dans le ciel !

À cette vue, le roi faillit s'envoler de surprise et de fureur, et cria aux chefs de ses gardes : « Ho ! malheur à vous ! attrapez-le ! attrapez-le ! Il nous échappe ! » Mais ses vizirs et ses lieutenants lui répondirent : « Ô roi, est-ce qu'un homme peut atteindre l'oiseau qui a des ailes ? Celui-là n'est certainement pas un homme comme les autres, mais un puissant magicien ou quelque éfrit ou mared d'entre les éfrits et les mareds de l'air ! Et Allah t'a délivré de lui, et nous avec toi ! Remercions donc le Très-Haut qui a bien voulu te sauver d'entre ses mains, et ton armée avec toi ! »

Alors le roi, à la limite de l'émotion et de la perplexité, retourna à son palais et, rentrant chez sa fille, la mit au courant de ce qui venait de se passer sur le meidân. Et la jeune fille, à la nouvelle de la disparition du jeune prince, fut si affligée et si désespérée, et pleura et se lamenta si douloureusement qu'elle tomba gravement malade et fut étendue, sur son lit, en proie à la chaleur de la fièvre et à la noirceur des idées ! Et son père, la voyant dans cet état, se mit à l'embrasser, à la bercer, à la serrer contre sa poitrine, et à la baiser entre les deux yeux, en lui répétant ce qu'il avait vu au meidân et en lui disant : « Ma fille, remercie plutôt Allah (qu'Il soit exalté !) et glorifie-le pour nous avoir délivrés d'entre les mains de cet insigne magicien, de ce menteur, de ce séducteur, de ce voleur, de ce cochon ! » Mais il eut beau lui parler et la cajoler pour la consoler, elle n'entendait, ni n'écoutait, ni ne se consolait, au contraire ! Elle ne fit que sangloter davantage, et pleurer et gémir, en soupirant : « Par Allah ! je ne veux plus manger ni boire, et cela jusqu'à ce qu'Allah me réunisse avec mon amoureux, le charmant ! Et je ne veux plus savoir que répandre des larmes et m'enterrer dans mon désespoir ! » Alors son père, voyant qu'il ne pouvait tirer sa fille de cet état de langueur et d'affliction, devint fort chagriné, et son cœur s'attrista, et le monde noircit devant son visage. Et voilà pour le roi et sa fille, la princesse Schamsennahar…

À ce moment de sa narration, Schahrazade vit apparaître le matin et, discrète, se tut.

Mais lorsque fut la quatre cent vingt-troisième nuit. Elle dit :

… Et voilà pour le roi et pour sa fille, la princesse Schamsennahar !

Mais pour ce qui est du prince Kamaralakmar, voici ! Lorsqu'il se fut élevé si haut dans les airs, il fit tourner la tête à son cheval du côté de sa terre natale, et, une fois dans la bonne direction, il se mit à rêver à la beauté de la princesse et à ses charmes, et aux moyens à employer pour la retrouver. Et la chose lui semblait bien difficile, bien qu'il eût soin de s'informer auprès d'elle du nom de la ville de son père. Il avait appris de la sorte que cette ville s'appelait Sana, et était la ville capitale du royaume d'Al-Yaman.

Durant toute la route il continua à songer à tout cela, et finit, grâce à la grande rapidité d'allure de son cheval, par arriver à la ville de son père. Alors il fit exécuter à son cheval un circuit aérien au-dessus de la cité, et alla mettre pied à terre sur la terrasse du palais. Il laissa alors son cheval sur la terrasse et descendit au palais où, voyant partout un air de deuil et toutes les chambres jonchées de cendres, il pensa qu'un membre de sa famille était mort, et, selon sa coutume, il pénétra dans l'appartement privé, et trouva son père, sa mère et ses sœurs vêtus d'habits de deuil, et bien jaunes de figure et bien amaigris et bien changés et tristes et défaits. Et voici qu'à son entrée son père se leva soudain en l'apercevant et, ayant acquis la certitude que c'était là vraiment son fils, il poussa un grand cri et tomba évanoui ; puis il reprit ses sens, et se jeta dans les bras de son fils et l'embrassa et le serra contre sa poitrine avec les transports de la joie la plus folle, et ému à la limite de l'émotion ; et sa mère et ses sœurs, pleurant et sanglotant, le dévoraient de baisers à qui mieux mieux, et dansaient et sautaient dans leur bonheur.

Lorsqu'ils se furent un peu calmés, ils l'interrogèrent sur ce qui lui était arrivé ; et il leur raconta la chose depuis le commencement jusqu'à la fin ; mais il n'y a pas d'utilité à la répéter. Alors son père s'écria : « Louanges à Allah pour ton salut, ô la fraîcheur de mes yeux et le noyau de mon cœur ! » Et il fit donner de grandes fêtes au peuple et de grandes réjouissances, pendant sept jours entiers, et distribua les largesses, au son des fifres et des cymbales, et fit décorer toutes les rues et proclamer le pardon général de tous les prisonniers, en faisant ouvrir toutes grandes les portes des prisons et des cachots. Puis, accompagné de son fils, il parcourut à cheval les divers quartiers de la ville, pour donner à son peuple la joie de revoir le jeune prince que l'on croyait à jamais perdu.

Cependant, une fois les fêtes finies, Kamaralakmar dit à son père : « Ô mon père, qu'est-il donc devenu, le Persan qui t'a donné le cheval ? » Et le roi répondit : « Qu'Allah confonde ce savant et lui retire sa bénédiction à lui et à l'heure où mes yeux l'ont vu pour la première fois ; car il est la cause de ta séparation d'avec nous, ô mon fils ! En ce moment il est enfermé dans le cachot, et il est le seul qui n'ait pas été pardonné ! » Mais, à la prière de son fils, le roi le fit sortir de prison et, l'ayant fait venir en sa présence, le fit rentrer en grâce, lui donna une robe d'honneur et le traita avec une grande libéralité en lui accordant toutes sortes d'honneurs et de richesses ; mais il ne lui fit aucune mention de sa fille et ne songea pas à la lui donner en mariage. Aussi le savant enragea-t-il de cela à la limite de la rage, et se repentit-il fort de l'imprudence qu'il avait commise en laissant le jeune prince monter sur le cheval ; car il comprit que le secret du cheval avait été découvert, ainsi que la façon de le manœuvrer ! Quant au roi, qui n'était pas encore bien tranquille au sujet du cheval, il dit à son fils : « Je suis d'avis, mon fils, que tu ne t'approches plus désormais de ce cheval de malheur et surtout que tu ne le montes jamais plus, car tu es loin de connaître ce qu'il peut encore contenir de choses mystérieuses, et tu n'es pas en sûreté là-dessus ! »

De son côté Kamaralakmar raconta à son père son aventure avec le roi de Sana et sa fille, et comment il avait échappé au ressentiment de ce roi ; et son père répondit : « Mon fils, si le roi de Sana devait te tuer, il t'aurait tué ; mais ton heure n'était pas encore fixée par le destin ! »

Pendant ce temps Kamaralakmar, malgré toutes les réjouissances et les festins que son père continuait à donner pour son retour, était loin d'oublier la princesse Schamsennahar et, en mangeant et en buvant, il pensait toujours à elle. Or un jour le roi, qui avait des esclaves fort expertes dans l'art du chant et du luth, leur ordonna de faire résonner les cordes des instruments et de chanter quelques beaux vers. Et l'une d'elles prit son luth et, l'appuyant sur ses genoux comme une mère met son enfant dans son sein, elle chanta, en s'accompagnant, ces vers entre autres vers :

« Ton souvenir, ô bien-aimé, ne s'effacera point de mon cœur, ni par l'absence ni par l'éloignement. Les jours peuvent passer et le temps mourir, mais jamais ne peut mourir ton amour dans mon cœur.

Dans cet amour je veux moi-même mourir, et dans cet amour ressusciter. »

Lorsque le prince eut entendu ces vers, les feux du désir étincelèrent dans son cœur, les flammes de la passion redoublèrent de chaleur, les regrets et les tristesses remplirent de deuil son esprit, et l'amour lui bouleversa les entrailles. Aussi, ne pouvant plus résister aux sentiments qui l'agitaient au sujet de la princesse de Sana, il se leva à l'heure et à l'instant, monta sur la terrasse du palais et, malgré le conseil de son père, sauta sur le dos du cheval d'ébène et tourna la cheville de l'ascension. Aussitôt le cheval, comme un oiseau, s'éleva avec lui dans les airs en prenant son essor vers les hautes régions du ciel.

Or, le lendemain matin, le roi son père le chercha dans le palais et, ne le trouvant pas, monta sur la terrasse et fut consterné en constatant la disparition du cheval ; et il se mordit les doigts de repentir, pour n'avoir pas pris ce cheval et ne l'avoir pas mis en pièces ; et il se dit : « Par Allah ! si mon fils me revient encore, je détruirai ce cheval, afin que mon cœur puisse être tranquille et mon esprit désormais sans secousses ! » Et il redescendit dans son palais, où il retomba dans les pleurs, les sanglots et les lamentations. Et voilà pour lui !

Quant à Kamaralakmar, il continua son rapide voyage aérien, et arriva à la ville de Sana. Il mit pied à terre sur la terrasse du palais, descendit l'escalier sans faire de bruit, et se dirigea vers l'appartement de la princesse. Il trouva l'eunuque endormi, selon son habitude, en travers de la porte ; il l'enjamba et, pénétrant à l'intérieur de l'appartement, il arriva à la seconde porte. Il s'approcha alors tout doucement de la portière et, avant de la soulever, écouta attentivement. Et voici ! Il entendit sa bien-aimée qui sanglotait amèrement et récitait des vers plaintifs, tandis que ses femmes essayaient de la consoler, et lui disaient : « Ô notre maîtresse…

À ce moment de sa narration, Schahrazade vit apparaître le matin et, discrète, se tut.

Mais lorsque fut la quatre cent vingt-quatrième nuit. Elle dit :

… Ô notre maîtresse, pourquoi pleures-tu quelqu'un qui certainement ne doit point te pleurer ? » Elle répondit : « Que dites-vous, ô dénuées de jugement ? Croyez-vous donc que le charmant que j'aime et que je pleure soit de ceux-là qui oublient ou que l'on peut oublier ? » Et elle redoubla de pleurs et de gémissements, et si fort et si longtemps qu'elle en eut un évanouissement. Alors le prince sentit son cœur s'émietter pour elle et son ampoule à fiel éclater dans son foie. Aussi, sans plus tarder, il souleva la portière et pénétra dans la chambre. Et il vit la jeune fille couchée sur son lit, avec, pour toute chemise, sa chevelure, et pour toute couverture son éventail de plumes blanches. Et comme elle avait l'air d'être assoupie, il s'approcha d'elle et tout doucement il la toucha d'une caresse. Aussitôt elle ouvrit les yeux et le vit debout à côté d'elle, penché dans une interrogation pleine d'anxiété, et murmurant : « Pourquoi ces larmes et ces gémissements ? » À cette vue, la jeune fille, ranimée d'une vie nouvelle, se leva soudain et, se jetant tout contre lui, lui entoura le cou de ses bras et se mit à lui couvrir le visage de baisers en lui disant : « Mais tout cela, c'était à cause de ton amour et de ton éloignement, ô lumière de mon œil ! » Il répondit : « Ô ma maîtresse, et moi ! dans quelle désolation n'ai-je pas été à cause de toi tout ce temps-là ! » Elle reprit : « Et moi ! comme aussi j'ai été désolée de ton absence ! Si tu avais tardé plus longtemps à revenir, je serais morte certainement ! » Il dit : « Ô ma maîtresse, que penses-tu de mon cas avec ton père, et de la façon dont il m'a traité ? Par Allah ! n'était ton amour, ô séductrice de la Terre, du Soleil et de la Lune et tentatrice des habitants du Ciel, de la Terre et de l'Enfer, je l'aurais certainement égorgé et j'en aurais fait un exemple et un enseignement à tous les observateurs ! Mais de même que je t'aime, je l'aime lui aussi maintenant ! » Elle reprit : « Comment as-tu pu te décider à m'abandonner ? Et comment la vie m'aurait-elle paru douce après toi ? » Il dit : « Du moment que tu m'aimes, voudras-tu m'écouter et suivre mes conseils ? » Elle répondit : « Tu n'as qu'à parler, et je t'obéirai et j'écouterai tes conseils et je suivrai tous tes avis ! » Il dit : « Commence alors par m'apporter à manger et à boire, car j'ai bien faim et bien soif ! Et, après cela, nous parlerons ! »

Alors la jeune fille donna l'ordre à ses servantes d'apporter les mets et les boissons ; et tous deux se mirent à manger, à boire et à causer jusqu'à ce que la nuit fût à peu près écoulée. Alors, comme le jour commençait à poindre, Kamaralakmar se leva pour prendre congé de la jeune fille et s'en aller avant que l'eunuque fût réveillé ; mais Schamsennahar lui demanda : « Et où vas-tu aller de la sorte ? » Il répondit : « À la maison de mon père ! Mais je m'engage sous serment à revenir te voir une fois par semaine ! » À ces paroles, elle éclata en sanglots et s'écria : « Oh ! je te conjure par Allah le Tout-Puissant de me prendre avec toi et de m'emmener partout où tu veux, plutôt que de me faire goûter de nouveau à l'amertume de la coloquinte de la séparation ! » Et lui, épanoui, s'écria : « Vraiment tu veux venir avec moi ? » Elle répondit : « Mais oui ! » Il dit : « Alors lève-toi et partons ! » Aussitôt elle se leva, ouvrit un coffre rempli de robes somptueuses et d'objets de prix, et s'orna et mit sur elle tout ce qui était de plus riche et de plus précieux parmi les belles choses qui lui appartenaient, sans oublier les colliers, les bagues, les bracelets et les divers joyaux sertis des plus belles pierreries ; puis elle sortit avec son bien-aimé, sans que les servantes eussent songé à l'en empêcher.

Alors Kamaralakmar l'emmena et, l'ayant fait monter sur la terrasse du palais, il sauta sur le dos de son cheval, la prit elle-même en croupe, lui enjoignit de se serrer fort contre lui, et l'attacha a lui au moyen de solides liens. Après quoi il tourna la cheville de l'ascension, et le cheval prit son essor et s'éleva avec eux dans les airs.

À cette vue, les servantes jetèrent les hauts cris, et firent si bien que le roi et la reine accoururent sur la terrasse, à moitié vêtus, sortant de leur sommeil, et eurent juste le temps de voir le cheval magique s'élever en son vol aérien avec le prince et la princesse. Et le roi, ému et consterné à la limite de la consternation, eut la force de crier au jeune homme qui s'élevait de plus en plus : « Ô fils du roi, je t'en conjure, aie compassion de moi et de mon épouse, cette vieille que voici, et ne nous prive pas de notre fille ! » Mais le prince ne lui répondit même pas. Toutefois il eut un instant l'idée que la jeune fille éprouvait peut-être un regret de quitter son père et sa mère, et lui demanda : « Dis-moi, ô splendeur, ô ravissement de ton siècle et de mes yeux, veux-tu que je te rende à ton père et à ta mère ?...

À ce moment de sa narration, Schahrazade vit apparaître le matin et, discrète, se tut.

Mais lorsque fut la quatre cent vingt-cinquième nuit. Elle dit :

... Ô ravissement de ton siècle et de mes yeux, veux-tu que je te rende à ton père et à ta mère ? » Elle répondit : « Par Allah ! ô mon maître, ce n'est point là mon désir ! La seule chose que je souhaite est d'être avec toi partout où tu es ; car l'amour que j'éprouve pour toi me fait tout négliger et tout oublier, y compris mon père et ma mère ! »

En entendant ces paroles, le prince se réjouit à la limite de la joie, et fit voler son cheval à l'allure la plus rapide, sans que cela émût ou troublât la jeune fille ; et de cette façon ils ne tardèrent pas à arriver à mi-route, à un endroit où s'étendait une magnifique prairie arrosée d'eaux courantes, où ils mirent un instant pied à terre. Ils mangèrent, burent, et prirent quelque repos, pour, immédiatement après, remonter sur leur cheval magique et partir à toute vitesse dans la direction de la capitale du roi Sabour, en vue de laquelle ils arrivèrent un matin. Et le prince se réjouit beaucoup de leur arrivée sans accident, et eut d'avance un grand plaisir en songeant qu'il allait enfin pouvoir montrer à la princesse ce qu'il possédait sous sa main en propriétés et en territoires, et lui faire constater la puissance et la gloire de son père, le roi Sabour, tout en lui prouvant combien le roi Sabour était plus riche et plus grand que son père à elle, le roi de Sana ! Il commença donc par atterrir au milieu d'un beau jardin, situé hors de la ville, où le roi son père avait l'habitude de venir se distraire et respirer le bon air, conduisit la jeune fille dans le pavillon d'été, surmonté d'une coupole, que le roi avait fait construire et apprêter pour lui-même, et lui dit : « Je vais te laisser un moment ici pour aller prévenir mon père de notre arrivée. En attendant, je te charge de veiller sur le cheval d'ébène que je laisse à la porte, et de ne pas le perdre de vue. Et moi je t'enverrai bientôt un messager pour t'emmener d'ici et te conduire au palais spécial que je vais faire préparer pour toi seule ! » Et la jeune fille, en entendant ces paroles, fut charmée à l'extrême et comprit qu'en effet elle ne devait entrer en ville qu'avec les honneurs et les hommages dus à son rang ! Puis le prince prit congé d'elle et se dirigea vers le palais du roi son père.

Lorsque le roi Sabour vit arriver son fils, il faillit mourir de joie et d'émotion et, après les embrassades et les souhaits de bienvenue, lui reprocha, en pleurant, son départ qui les avait tous mis aux portes du tombeau. Après quoi, Kamaralakmar lui dit : « Devine un peu qui j'ai amené de là-bas avec moi ? » Il répondit : « Par Allah ! je ne devine pas ! » Il dit : « La fille même du roi de Sana, l'adolescente la plus accomplie de la Perse et de l'Arabie ! Je l'ai laissée pour le moment hors de la ville, dans notre jardin, et je viens te prévenir que tu peux faire préparer de suite le cortège qui doit aller la chercher et qui devra être assez splendide pour lui donner dès l'abord une haute idée de ta puissance, de ta grandeur et de tes richesses ! » Et le roi répondit : « Avec joie et générosité, pour ton plaisir ! » Et aussitôt il donna l'ordre de décorer la ville et de l'orner avec les plus belles décorations et les plus beaux ornements ; et lui-même, après avoir constitué un cortège extraordinaire, se mit à la tête de ses cavaliers chamarrés, toutes bannières déployées, et sortit à la rencontre de la princesse Schamsennahar, en traversant tous les quartiers de la ville au milieu de tous les habitants massés sur plusieurs rangs, précédé de joueurs de fifre, de clarinette, de timbale et de tambour et suivi de la foule immense des gardes, des soldats, des gens du peuple, des vieillards, des femmes et des enfants.

De son côté le prince Kamaralakmar ouvrit ses coffres, ses cassettes et ses trésors, et en tira ce qu'il y avait de plus beau en joyaux, bijouteries et autres choses merveilleuses dont se parent les fils des rois afin de déployer leur faste, leurs richesses et leur splendeur ; et il fit préparer pour la jeune fille un immense baldaquin en brocarts rouges, verts et jaunes, au milieu duquel était dressé un trône étincelant de pierreries ; et il fit ranger sur les degrés de cet immense baldaquin, surmonté d'un dôme en soies dorées, de jeunes esclaves indiennes, grecques et abyssines, les unes assises et les autres debout, tandis qu'autour du trône se tenaient quatre autres esclaves blanches avec de grands éventails en plumes d'oiseaux d'une espèce extraordinaire. Et des nègres nus jusqu'à la ceinture portèrent le baldaquin sur leurs épaules ou suivirent le cortège entourés d'une population encore plus dense et, au milieu des cris de joie de tout un peuple et des lulu perçants jetés par les gosiers des femmes assises dans le baldaquin et de toutes celles qui se pressaient à l'entour, prirent la route des jardins.

Quant à Kamaralakmar, il ne put se résoudre à accompagner le cortège au pas, et, lançant son cheval à une allure de course, il prit par le chemin le moins long et arriva en quelques instants au pavillon où il avait laissé la princesse, fille du roi de Sana. Et il la chercha partout ; mais il ne trouva pas plus la princesse que le cheval d'ébène. Alors, Kamaralakmar, à la limite du désespoir, se donna de grands coups au visage, mit en pièces ses vêtements et se mit à courir sans but et à rôder comme un fou dans le jardin, en jetant de grands cris et en appelant de toute la force de son gosier. Mais ce fut en vain !

Au bout d'un certain temps il finit par se calmer un peu et rentrer dans sa raison ; et il se dit : « Comment a-t-elle pu connaître le secret de la manœuvre du cheval, alors que moi je ne lui ai rien appris à ce sujet ? Il se peut donc que ce soit justement le savant persan, le constructeur du cheval, qui soit venu tomber sur elle à l'improviste et l'enlever, pour se venger du traitement à lui infligé par mon père ! » Et aussitôt il courut trouver les gardiens du jardin et leur demanda…

À ce moment de sa narration, Schahrazade vit apparaître le matin et, discrète, se tut.

Mais lorsque fut la quatre cent vingt-sixième nuit. Elle dit :

… Et aussitôt il courut trouver les gardiens du jardin et leur demanda : « Avez-vous vu quelqu'un passer par ici ou traverser le jardin ? Dites-moi la vérité ou je fais sauter vos têtes à l'instant ! » Les gardiens furent terrifiés par ses menaces, et répondirent d'une seule voix : « Par Allah ! nous n'avons vu personne entrer dans le jardin, si ce n'est le savant persan, qui est venu ici pour cueillir des herbes curatives et que nous n'avons pas encore vu ressortir ! » À ces paroles, le prince acquit la certitude que c'était le Persan qui avait enlevé la jeune fille, et en fut à la limite de la consternation et de la perplexité ; et, bien ému et déconcerté, il alla au-devant du cortège et, se tournant vers son père, lui raconta ce qui était arrivé et lui dit : « Prends tes troupes et retourne avec elles à ton palais ; quant à moi je n'y retournerai plus avant que je n'aie éclairci cette affaire noire ! » En entendant ces paroles et en voyant cette résolution de son fils, le roi se mit à pleurer, à se lamenter et à se frapper la poitrine, et lui dit : « Ô mon fils, de grâce ! calme ta colère, maîtrise ton chagrin et reviens avec nous à la maison. Et alors tu verras quelle fille de roi ou de sultan tu désires avoir, et moi je te la donnerai en mariage ! » Mais Kamaralakmar ne voulut point prêter la moindre attention aux paroles de son père ni écouter ses prières, lui dit quelques mots d'adieu et s'en alla sur son cheval, tandis que le roi à la limite du désespoir s'en retournait à la ville au milieu des pleurs et des gémissements. Et leur joie fut ainsi changée en tristesse, en alarmes et en tourments. Et voilà pour tous ceux-là !

Mais pour ce qui est du magicien et de la princesse, voici ! Comme le destin l'avait décrété d'avance, le magicien persan était venu ce jour-là au jardin pour cueillir en effet des herbes curatives et des simples et des plantes aromatiques, et il sentit une odeur délicieuse de musc et autres parfums admirables ; aussi, mettant son nez au vent, il se dirigea du côté d'où s'en venait vers lui cette odeur extraordinaire. Or justement c'était l'odeur de la princesse qui se dégageait de la sorte et embaumait tout le jardin. Aussi le magicien, guidé par son odorat perspicace, ne tarda pas à arriver, après quelques tâtonnements, au pavillon même où se trouvait la princesse. Et quelle ne fut point sa joie de voir, dès le seuil, debout sur ses quatre pieds, le cheval magique, l'œuvre de ses mains ! Et quels ne furent point les frémissements de son cœur à la vue de cet objet dont la perte lui avait enlevé le goût du manger et du boire et le repos du sommeil ! Il se mit donc à l'examiner de tous côtés et le trouva intact et en bon état. Puis, comme il allait sauter dessus et lui donner son vol, il se dit en lui-même : « Il est d'abord nécessaire que je voie ce que le prince a bien pu apporter et laisser ici avec le cheval ! », et il pénétra dans le pavillon. Alors il vit, nonchalamment étendue sur le divan, la princesse qu'il prit d'abord pour le soleil à son lever dans un ciel tranquille. Et il ne douta pas un instant qu'il n'eût là devant les yeux quelque dame d'illustre naissance, et que le prince l'eût amenée sur le cheval et laissée dans ce pavillon, en attendant qu'il fût allé lui-même à la ville lui préparer un splendide cortège. Aussi il s'avança de son côté, se prosterna devant elle et embrassa la terre entre ses mains, alors qu'elle levait lentement les yeux vers lui, et, le trouvant extraordinairement horrible et hideux, se hâtait de les refermer pour éviter sa vue, et lui demandait : « Qui donc es-tu ? » Il répondit : « Ô ma maîtresse, je suis le messager envoyé vers toi par le prince Kamaralakmar, afin de te conduire à un autre pavillon, plus beau que celui-ci et plus proche de la ville ; car ma maîtresse, la reine, mère du prince, est aujourd'hui un peu indisposée et, comme elle ne veut pas tout de même, à cause de sa joie de ton arrivée, être devancée auprès de toi par personne, elle souhaite ce changement qui la dispensera d'une course trop prolongée. » Elle demanda : « Mais où est le prince ? » Le Persan répondit : « Il est en ville, avec le roi, et va bientôt arriver à ta rencontre en grand apparat, au milieu d'un cortège splendide ! » Elle dit : « Et toi ! dis-moi, est-ce que le prince n'aurait pas pu trouver quelque autre messager un peu moins hideux, pour me l'envoyer ? » À ces paroles, le magicien, bien que fort mortifié, se mit à rire dans le tablier ratatiné de sa figure jaune, et répondit : « Oui, certes, par Allah ! ô ma maîtresse, il n'y a point au palais de mamelouk aussi hideux que moi ! Seulement que la mauvaise apparence de ma physionomie et l'abominable laideur de ma figure ne t'induisent pas en erreur sur ma valeur ! Et puisses-tu un jour éprouver mes capacités et mettre à profit, comme le prince, les dons précieux que je possède. Et alors tu me loueras, tel que je suis ! Quant au prince, il m'a choisi, moi, pour me dépêcher vers toi, il l'a fait justement à cause de ma laideur et de ma dégoûtante physionomie ; et cela pour n'avoir rien à redouter, dans sa jalousie pour tes charmes et ta beauté ! Et ce ne sont pas les mamelouks, ni les jeunes esclaves, ni les beaux nègres, ni les eunuques, ni les serviteurs qui manquent au palais ! Grâce à Allah, leur nombre est incalculable ; et ils sont tous plus séduisants les uns que les autres…

À ce moment de sa narration, Schahrazade vit apparaître le matin et, discrète, se tut.

Mais lorsque fut la quatre cent vingt-septième nuit. Elle dit :

… Et ils sont tous plus séduisants les uns que les autres ! » Or ces paroles du magicien eurent le don de persuader la jeune fille, qui se leva aussitôt, mit sa main dans la main du vieux savant et lui dit : « Ô mon père, que m'as-tu apporté avec toi pour me le faire monter ? » Il répondit : « Ô ma maîtresse, tu monteras le cheval sur lequel tu es venue ! » Elle dit : « Mais je ne puis le monter toute seule ! » Alors il eut un sourire et comprit qu'elle était désormais sous sa puissance ; et il répondit : « Moi-même je monterai avec toi ! » Et il sauta sur son cheval, et prit en croupe la jeune fille qu'il serra bien fort contre lui et l'attacha à lui avec des liens, solidement, tandis qu'elle était loin de se douter de ce qu'il allait faire d'elle. Il tourna alors la cheville de l'ascension, et aussitôt le cheval se remplit de vent quant à son ventre, se mouvementa et s'agita en bondissant comme les vagues de la mer, puis prit avec eux son essor en s'élevant comme un oiseau dans les airs, et, en un instant, laissa loin derrière lui la ville et les jardins.

À cette vue, la jeune fille, bien surprise, s'écria : « Ho, toi ! où vas-tu de la sorte sans exécuter les ordres de ton maître ? » Il répondit : « Mon maître ! Et qui est mon maître ? » Elle dit : « Le fils du roi ! » Il demanda : « Quel roi ? » Elle dit : « Je ne sais pas ! » À ces paroles, le magicien éclata de rire et dit : « Si c'est du jeune Kamaralakmar que tu veux parler, qu'Allah le confonde ! c'est une espèce de stupide coquin, un pauvre garçon, en somme ! » Elle s'écria : « Malheur à toi, ô barbe de malheur ! Comment oses-tu parler de la sorte de ton maître, et lui désobéir ! » Le magicien répondit : « Je te répète que ce jouvenceau-là n'est point mon maître ! Sais-tu, toi, qui je suis ? » La princesse dit : « Je ne sais rien de toi si ce n'est ce que tu m'en as dit toi-même ! » Il sourit et dit : « Tout ce que je t'ai dit n'était qu'un stratagème tramé par moi contre toi et le fils du roi ! Sache, en effet, que ce vaurien avait réussi à me voler ce cheval, l'œuvre de mes mains, sur lequel tu te trouves maintenant ; et il m'a ainsi longtemps brûlé le cœur et fait pleurer sa perte. Mais me voici redevenu le maître de mon bien, et à mon tour je brûle le cœur de ce voleur et je fais pleurer ses yeux sur ta perte ! Raffermis donc ton âme de courage et sèche et rafraîchis tes yeux, car moi je serai pour toi d'un bien plus grand profit que ce jeune fou. Je suis, en outre, généreux et puissant et riche ; mes serviteurs et mes esclaves t'obéiront comme à leur maîtresse ; je te vêtirai des plus belles robes et t'ornerai des plus beaux ornements ; et je réaliserai le moindre de tes désirs avant même qu'il ne soit exprimé ! »

En entendant ces paroles, la jeune fille se frappa le visage et se mit à sangloter ; puis elle dit : « Ah ! mon malheur ! Ah ! Hélas ! Je viens de perdre mon bien-aimé ; et j'ai perdu mon père et ma mère ! » Et elle continuait à verser des larmes bien amères et bien abondantes sur ce qui lui arrivait, tandis que le magicien dirigeait le vol de son cheval vers le pays des Roums, et, après un long mais rapide voyage, descendait atterrir sur une verte prairie abondante en arbres et en eaux courantes.

Or cette prairie était située près d'une cité où régnait un roi très puissant. Et justement ce jour-là le roi sortit respirer l'air hors de la ville, et dirigea sa promenade du côté de cette prairie. Et il aperçut le savant qui se tenait à côté du cheval et de la jeune fille. Aussi, avant que le magicien eût le temps de se garer, les esclaves du roi s'étaient déjà précipités sur lui et l'avaient enlevé lui, la jeune fille et le cheval, et les avaient tous amenés entre les mains du roi.

Lorsque le roi vit la laideur dégoûtante du vieux et son horrible physionomie, et la beauté de la jeune fille et ses charmes ravissants, il dit : « Ô ma maîtresse, quelle parenté t'unit donc à ce très vieil homme-là qui est si hideux ? » Mais ce fut le Persan qui se hâta de répondre : « Elle est mon épouse et la fille de mon oncle ! » Alors la jeune fille, à son tour, de répondre, en démentant le vieux : « Ô roi, par Allah ! je ne connais guère ce laid-là ! Et il n'est pas mon époux du tout ! Mais c'est un perfide sorcier qui m'a enlevée par la ruse et par la force ! »

À ces paroles de la jeune fille, le roi des Roums donna l'ordre à ses esclaves de donner la bastonnade au magicien ; et ils la lui donnèrent d'une manière si soignée qu'il faillit expirer sous les coups. Après quoi le roi le fit emporter à la ville et jeter dans le cachot, tandis que lui-même emmenait la jeune fille et faisait transporter le cheval magique dont il était loin de soupçonner les merveilleuses vertus ou le maniement secret. Et voilà pour le magicien et la princesse !

Quant au prince Kamaralakmar, il se vêtit d'habits de voyage, prit avec lui ce dont il avait besoin en vivres et en argent, et se mit en route, le cœur bien triste et l'esprit dans un bien mauvais état. Et il se mit à la recherche de la princesse, en voyageant de pays en pays et de ville en ville ; et partout il s'enquérait du cheval d'ébène, alors que tous ceux qu'il interrogeait s'étonnaient à l'extrême de son langage et trouvaient ses questions tout à fait énormes et extravagantes...

À ce moment de sa narration, Schahrazade vit apparaître le matin et, discrète, se tut.

Mais lorsque fut la quatre cent vingt-huitième nuit. Elle dit :

... Et trouvaient ses questions tout à fait énormes et extravagantes. Et il continua à agir de la sorte un très long espace de temps, en faisant des recherches de plus en plus actives et en demandant des renseignements de plus en plus nombreux, sans arriver à avoir aucune nouvelle qui pût le mettre sur la voie. Après tout cela il finit par arriver à la ville de Sana, où régnait le père de Schamsennahar, et se renseigna sur son arrivée ; mais nul n'en avait plus entendu parler et ne put lui dire ce qu'elle était devenue depuis son enlèvement ; et on lui dit dans quel état d'anéantissement et de désespoir était enseveli le vieux roi. Alors il continua sa route et se dirigea vers le pays des Roums, en continuant toujours à s'enquérir de la princesse et du cheval d'ébène partout où il passait et à toutes les étapes qu'il faisait.

Or, un jour il s'arrêta en route à un kâhn où il vit une troupe de marchands assis en rond à causer entre eux ; et il s'assit à côté d'eux, et entendit l'un d'eux qui disait : « Ô mes amis, tout dernièrement il vient de m'arriver la chose la plus prodigieuse d'entre les choses prodigieuses ! » Et tous lui demandèrent : « Qu'est-ce donc ? » Il répondit : « J'étais allé avec mes marchandises dans le district *tel* à la ville *telle* (et il dit le nom de la ville où se trouvait la princesse) et j'entendis les habitants qui se racontaient les uns aux autres une chose bien étrange qui venait d'avoir lieu. Ils disaient que le roi de la ville, étant sorti un jour à la chasse à courre avec sa suite, avait rencontré un vieux bien dégoûtant debout à côté d'une jeune fille à la beauté incomparable et d'un cheval d'ébène et d'ivoire ! » Et le marchand raconta à ses compagnons, qui s'en émerveillèrent extrêmement, l'histoire en question qu'il n'y a aucune utilité à répéter.

Lorsque Kamaralakmar eut entendu cette histoire, il ne douta pas un instant qu'il ne s'agît là de sa bien-aimée et du cheval magique. Aussi, après s'être bien informé du nom et de la situation de la ville, il se mit aussitôt en route en se dirigeant de ce côté-là, et voyagea sans sursis jusqu'à ce qu'il y fût arrivé. Mais lorsqu'il voulut en franchir les portes, les gardes s'emparèrent de lui pour le conduire, selon les usages en cours dans ce pays, devant leur roi, afin qu'il fût interrogé sur sa condition, sur la cause de sa venue dans le pays et sur son métier. Or ce jour-là il était fort tard quand le prince arriva ; et les gardes, sachant le roi très occupé, remirent la présentation du jeune homme au lendemain, et le conduisirent à la prison pour qu'il y passât la nuit. Mais lorsque les geôliers virent sa beauté et sa gentillesse, ils ne purent se résoudre à l'enfermer, et le prièrent de s'asseoir au milieu d'eux et de leur tenir compagnie ; et ils l'invitèrent à partager avec eux leur repas. Puis lorsqu'ils eurent mangé, ils se mirent à causer, et demandèrent au prince : « Ô jouvenceau, de quel pays es-tu ? » Il répondit : « Du pays de Perse, terre des Khosroès ! » À ces paroles, les geôliers éclatèrent de rire et l'un d'eux dit au jeune homme : « Ô natif du pays des Khosroès, serais-tu, toi, un aussi prodigieux menteur que ton compatriote qui est enfermé dans nos cachots ? » Et un autre dit : « En vérité, j'ai vu bien des gens et j'ai entendu leurs discours et leurs histoires, et j'ai examiné leur manière d'être, mais je n'ai jamais rencontré quelqu'un d'aussi extravagant que ce vieux fou enfermé ! » Et un autre ajouta : « Et moi, par Allah ! je n'ai jamais rien vu d'aussi hideux que sa figure ou d'aussi laid et dégoûtant que sa physionomie ! » Le prince demanda : « Et qu'avez-vous vu de ses mensonges ? » Ils répondirent : « Il prétend être un savant et illustre médecin ! Or le roi l'avait trouvé, dans une partie de chasse, en compagnie d'une jeune fille et d'un cheval merveilleux en ébène et en ivoire. Et le roi s'éprit à l'extrême de la beauté de la jeune fille, et voulut se marier avec elle ; mais elle devint subitement folle ! Si donc ce vieux savant était, comme il le prétend, un illustre médecin il aurait trouvé le moyen de la guérir ; car le roi a fait tout le possible pour découvrir un remède qui pût guérir la maladie de cette jeune fille, et voilà déjà un an qu'il dépense pour ce cas d'immenses richesses en frais de médecins et d'astrologues, mais sans résultat ! Quant au cheval d'ébène, il est enfermé dans les trésors du roi ; et le vieux laid est ici, en prison ; et il ne cesse de gémir et de se lamenter toute la nuit, tellement qu'il nous empêche de dormir ! »

En entendant ces paroles, Kamaralakmar se dit : « Me voici enfin sur la voie tant souhaitée. Il me faut maintenant trouver le moyen d'arriver au but ! » Mais bientôt les geôliers, voyant venir pour eux l'heure de dormir, le conduisirent à l'intérieur de la prison et refermèrent la porte sur lui. Alors il entendit le savant qui pleurait et gémissait et déplorait son malheur en langue persane, disant : « Hélas ! quelle calamité pour moi de n'avoir pas su mieux arranger mon plan, et de m'être ainsi perdu moi-même, sans avoir réalisé mes souhaits ni satisfait mon désir sur cette jeune fille ! Tout cela m'est arrivé à cause de mon peu de jugement, et pour avoir ambitionné ce qui n'était guère fait pour moi ! » Alors Kamaralakmar s'adressa à lui en persan et lui dit : « Jusqu'à quand ces pleurs et ces lamentations ? Crois-tu donc être le seul à avoir éprouvé des malheurs ? » Et le savant, encouragé par ces paroles, lia conversation avec lui et se mit à se plaindre à lui, sans le connaître, de ses malheurs et de ses infortunes ! Et ils passèrent de la sorte la nuit à causer entre eux comme deux amis.

Le lendemain matin, les geôliers vinrent tirer Kamaralakmar de la prison, et l'amenèrent devant le roi, en disant : « Ce jeune homme…

À ce moment de sa narration, Schahrazade vit apparaître le matin et, discrète, se tut.

Mais lorsque fut la quatre cent vingt-neuvième nuit. Elle dit :

… Et l'amenèrent devant le roi, en disant : « Ce jeune homme est arrivé hier fort tard dans la soirée, et nous n'avons pu l'amener en ta présence, ô roi, pour qu'il fût interrogé ! » Alors le roi lui demanda : « D'où viens-tu ? Quel est ton nom ! Quelle est ta profession ? Et quel est le motif de ta venue dans notre ville ? » Il répondit : « Pour ce qui est de mon nom, je m'appelle en persan Harjah ! Quant à mon pays, c'est la Perse ! Et de mon métier, je suis un savant d'entre les savants, spécialement versé dans la médecine et l'art de guérir les fous et les aliénés. Et c'est dans ce but que je parcours les contrées et les villes pour exercer mon art et acquérir de nouvelles connaissances à ajouter à celles que je possède déjà ! Et je fais tout cela sans l'accoutrement ordinaire des astrologues et des savants : sans élargir mon turban ni en augmenter le nombre de tours, sans allonger mes manches, sans tenir sous mon bras un gros paquet de livres, sans me noircir les paupières de khôl noir, sans porter au cou un immense chapelet au gros grains par milliers ; et je guéris mes malades sans marmotter des paroles en un langage mystérieux, sans leur souffler au visage et sans leur mordre le lobe de l'oreille ! Et telle est, ô roi, ma profession ! »

Lorsque le roi eut entendu ces paroles, il se réjouit d'une joie considérable, et lui dit : « Ô très excellent médecin, tu arrives chez nous au moment où nous avons le plus besoin de tes services ! » Et il lui raconta le cas de la jeune fille, et ajouta : « Si tu veux la traiter et si tu la guéris de la folie où l'ont jetée les gens malfaisants, tu n'auras qu'à me demander ce que tu souhaites ; et tout te sera accordé ! » Il répondit : « Qu'Allah accorde ses plus grandes grâces et faveurs à notre maître le roi ! Mais il te faut d'abord me narrer par le détail toutes les choses que tu as constatées de sa folie, et me dire depuis combien de jours elle est dans cet état, sans oublier de me raconter comment tu l'as eue, elle, ainsi que le vieux Persan et le cheval d'ébène ! » Et le roi lui raconta toute l'histoire depuis le commencement jusqu'à la fin, et ajouta : « Quant au vieux, il est dans un cachot ! » Il demanda : « Et le cheval ? » Il répondit : « Il est chez moi, précieusement gardé dans un de mes pavillons ! » Et Kamaralakmar se dit en lui-même : « Il me faut, avant toutes choses, revoir le cheval et m'assurer de mes yeux de l'état où il se trouve. S'il est intact et en bon état, tout est gagné et mon but atteint ; mais si son mécanisme est détérioré, il me faudra songer à quelque autre moyen de délivrer ma bien-aimée ! » Alors il se tourna vers le roi et lui dit : « Ô roi, il faut d'abord que je voie le cheval ; car il est probable que je trouverai, en l'examinant, quelque chose qui me servira pour la guérison de la jeune fille ! » Il répondit : « Avec plaisir et bon cœur ! » et il le prit par la main et le conduisit à l'endroit où se trouvait le cheval d'ébène. Et le prince se mit à faire le tour du cheval, l'examina attentivement, et, l'ayant trouvé intact et en bon état, il se réjouit fort et dit au roi : « Qu'Allah favorise et exalte le roi ! Me voici prêt à aller trouver la jeune fille, pour voir ce qu'elle peut bien avoir ! Et j'espère, avec le secours d'Allah, arriver à la guérir par ma main guérissante et par l'entremise de ce cheval de bois ! » Et il recommanda aux gardes de faire bien attention au cheval, et se dirigea avec le roi vers l'appartement de la princesse.

Dès qu'il eut pénétré dans la chambre où elle se tenait, il la vit qui se tordait les mains, et se frappait la poitrine, et se jetait et se roulait par terre, en mettant ses vêtements en lambeaux, selon son habitude. Et il vit bien que ce n'était là qu'une folie simulée et que ni genn ni hommes ne lui avaient malmené la raison, au contraire ! Et il comprit qu'elle ne faisait tout cela que dans le but d'empêcher quiconque de l'approcher !

À cette vue Kamaralakmar s'avança vers elle et lui dit : « Ô enchanteresse des Trois Mondes, loin de toi les peines et les tourments ! » Et elle, l'ayant regardé, le reconnut aussitôt et fut dans une joie si énorme qu'elle poussa un grand cri et tomba sans connaissance. Et le roi ne douta pas que cette crise ne fût l'effet de la crainte que lui inspirait le médecin. Mais Kamaralakmar se pencha sur elle et, l'ayant ranimée, lui dit à voix basse : « Ô Schamsennahar, ô noir de mon œil, noyau de mon cœur, prends soin de ta vie et de ma vie et aie du courage et un peu de patience encore ; car notre situation réclame une grande prudence et des précautions infinies, si nous voulons nous tirer des mains de ce roi tyrannique. Moi, je vais de suite commencer par le raffermir dans son idée à ton sujet, à savoir que tu es possédée par les genn et que c'est de là que découle ta folie ; mais je lui dirai que je viens de te guérir à l'instant au moyen des vertus mystérieuses que je possède ! Toi, seulement, il te faut lui parler avec calme et aménité pour lui donner ainsi la preuve de ta guérison par mon entremise ! Et de la sorte notre but sera atteint, et nous pourrons réaliser notre plan ! » Et la jeune fille répondit : « J'écoute et j'obéis ! »

Alors Kamaralakmar s'approcha du roi, qui se tenait au fond de la pièce, et, avec un visage de bonne nouvelle, lui dit : « Ô roi fortuné, j'ai pu, grâce à ta bonne destinée, reconnaître sa maladie et trouver le remède de sa maladie. Et je te l'ai guérie ! Tu peux donc t'approcher d'elle et lui parler doucement et avec bonté, et lui promettre ce que tu as à lui promettre ; et tout ce que tu désireras d'elle sera accompli ! » Et le roi, à la limite de l'émerveillement, s'approcha de la jeune fille, qui aussitôt se leva pour lui et embrassa la terre entre ses mains, puis lui souhaita la bienvenue et lui dit : « Ta servante est confuse de l'honneur que tu lui fais en lui rendant visite aujourd'hui ! » Et le roi, en entendant et voyant tout cela, fut sur le point de s'envoler de joie…

À ce moment de sa narration, Schahrazade vit apparaître le matin et, discrète se tut.
Mais lorsque fut la quatre cent trentième nuit. Elle dit :

… Fut sur le point de s'envoler de joie, et donna l'ordre aux servantes, aux esclaves femmes et aux eunuques de se mettre à son service, de la conduire au hammam, et de lui préparer les robes et les ornements. Et les femmes et les esclaves entrèrent, et lui firent leurs salams ; et elle leur rendit les salams de la façon la plus gentille et du ton de voix le plus doux. Alors elles la vêtirent d'habits royaux, lui entourèrent le cou d'un collier de pierreries et la conduisirent au hammam où elles la baignèrent et la servirent pour, ensuite, la ramener à son appartement, telle la lune à son quatorzième jour. Tout cela !

Aussi le roi, la poitrine dilatée à l'extrême et l'âme épanouie, dit au jeune prince : « Ô sage, ô savant médecin, ô doué de philosophie, tout ce qui nous arrive là d'heureux est dû à tes mérites et à ta bénédiction. Qu'Allah augmente sur nous les bénéfices de ton souffle guérisseur ! » Il répondit : « Ô roi, pour l'achèvement de la guérison, il est nécessaire que tu sortes avec ta suite, tes gardes et tes troupes pour aller vers l'endroit où tu avais trouvé la jeune fille, en l'emmenant elle-même avec toi, et en faisant transporter là-bas le cheval d'ébène qui était avec elle, et qui n'est pas autre chose qu'un genni démoniaque ; et c'est justement lui qui la possédait et la rendait folle. Et alors moi je ferais là-bas les exorcismes nécessaires ; sans cela ce genni reviendra la posséder au commencement de chaque mois, et tout serait à recommencer ; tandis que maintenant, moi, une fois que je m'en serai rendu tout à fait maître, je l'enfermerai et le tuerai ! » Et le roi des Roums s'écria : « De tout cœur amical et comme hommages dus ! » Et aussitôt, accompagné du prince et de la jeune fille et suivi de toutes ses troupes, il prit le chemin de la prairie en question.

Lorsqu'ils furent tous arrivés, Kamaralakmar donna l'ordre de faire monter la jeune fille sur le cheval d'ébène, et de les tenir tous deux assez éloignés à une assez grande distance pour n'être point distinctement aperçus par le roi et ses troupes. Et on exécuta l'ordre à l'instant. Alors il dit au roi des Roums : « Maintenant, avec ta permission et ton bon vouloir, je vais procéder aux fumigations et aux conjurations, et m'emparer de cet ennemi du genre humain, de façon qu'il ne puisse plus être nuisible désormais ! Après quoi je monterai moi aussi sur ce cheval de bois qui semble être d'ébène, et je mettrai la jeune fille derrière moi. Et alors tu verras le cheval s'agiter dans tous les sens et se mouvementer pour aussitôt prendre son élan et venir en courant s'arrêter entre tes mains. Et tu auras de la sorte la preuve que nous l'avons tout à fait en notre puissance. Après cela tu pourras faire tout ce que tu veux avec la jeune fille ! »

Lorsque le roi des Roums entendit ces paroles il se réjouit à la limite de la joie, tandis que Kamaralakmar montait sur le cheval et attachait solidement derrière lui la jeune fille. Et pendant que tous les yeux étaient dirigés vers lui et le regardaient faire, il tourna la cheville de l'ascension ; et le cheval, prenant son essor, s'éleva avec eux en ligne droite en disparaissant au plus haut des airs. Le roi des Roums, qui était loin de se douter de la vérité, continua à rester dans la prairie avec ses troupes, et à attendre leur retour, pendant une demi-journée. Mais, comme il ne les voyait pas revenir, il finit par se décider à aller les attendre dans son palais. Et ce fut également une attente vaine. Alors il pensa au vieux laid qui était enfermé dans le cachot et, l'ayant fait venir en sa présence, lui dit : « Ah ! vieux traître, ah ! cul de singe, comment as-tu osé me cacher le mystère de ce cheval ensorcelé et possédé par les genn démoniaques ? Voilà maintenant qu'il vient d'enlever dans les airs le médecin qui a guéri la jeune fille de sa folie, et la jeune fille elle-même. Et qui sait ce qui va leur arriver ! De plus je te rends responsable de la quantité de bijoux et de choses précieuses, qui ont la valeur d'un trésor, dont je l'avais fait orner à sa sortie du hammam ! Or à l'instant ta tête va sauter de ton corps ! » Et, sur un signe du roi, le porte-glaive s'avança et, d'un seul tournoiement, fit du Persan deux Persans ! Et voilà pour tous ceux-là !

Quant au prince Kamaralakmar et la princesse Schamsennahar, ils continuèrent tranquillement leur rapide voyage aérien, et arrivèrent en toute sécurité à la capitale du roi Sabour. Ils atterrirent cette fois, non plus dans le pavillon du jardin, mais sur la terrasse même du palais. Et le prince se hâta de mettre en lieu sûr sa bien-aimée pour aller au plus vite aviser son père et sa mère de leur arrivée. Il entra donc dans l'appartement où, plongés dans les larmes et le désespoir, se tenaient le roi, la reine et les trois princesses, ses sœurs, et leur souhaita la paix en les embrassant, tandis que, à sa vue, leur âme se remplissait de bonheur et que leur cœur s'allégeait du poids des afflictions et des tourments.

Alors, pour fêter ce retour et la venue de la princesse, fille du roi de Sana, le roi Sabour donna de grands festins aux habitants de la ville et des réjouissances qui durèrent un mois entier. Et Kamaralakmar entra dans la chambre nuptiale et se réjouit avec la jeune fille durant de longues nuits bénies. Après quoi le roi Sabour, pour avoir désormais l'esprit tranquille, fit mettre en pièces le cheval d'ébène et détruisit lui-même son mécanisme. De son côté Kamaralakmar écrivit une lettre...

À ce moment de sa narration, Schahrazade vit apparaître le matin et, discrète, se tut.

Mais lorsque fut la quatre cent trente-deuxième nuit. Elle dit :

... De son côté Kamaralakmar écrivit une lettre au roi de Sana, père de son épouse, où il le mettait au courant de toute leur histoire, lui annonçait leur mariage et leur séjour ensemble dans le bonheur le plus complet. Et il envoya cette lettre par un messager accompagné de porteurs de présents magnifiques et de choses rares d'une grande valeur. Et le messager arriva à Sana, dans l'Yâman, et remit la lettre et les cadeaux au père de la princesse, qui, ayant lu la lettre, se réjouit à la limite de la joie et accepta les cadeaux. Après quoi il prépara à son tour de fort riches présents pour son gendre, le fils du roi Sabour, et les lui envoya avec le même messager.

Au reçu des présents du père de son épouse, le beau prince Kamaralakmar se réjouit extrêmement ; car il lui eût été pénible de savoir le vieux roi de Sana mécontent de leur conduite à tous deux. Et même il prit pour règle de lui envoyer chaque année une nouvelle lettre et de nouveaux présents. Et il continua à agir de la sorte jusqu'à la mort du roi de Sana. Puis, quand son propre père, le roi Sabour, mourut à son tour, il lui succéda sur le trône du royaume, et commença son règne en mariant sa plus jeune sœur, celle qu'il aimait tant, avec le nouveau roi de l'Yamân. Après quoi il gouverna son royaume avec sagesse et ses sujets avec équité ; et de cette façon il acquit la suprématie sur toutes les contrées, et la fidélité de cœur de tous les habitants. Et lui et son épouse Schamsennahar continuèrent à vivre dans la vie la plus délicieuse, la plus douce, la plus calme et la plus tranquille jusqu'à ce que vînt à eux la Destructrice des délices, la Séparatrice des sociétés et des amis, la Pillarde des palais et des cabanes, la Bâtisseuse des tombeaux et la Pourvoyeuse des cimetières !

Et maintenant gloire au Seul Vivant qui ne meurt point et qui tient dans Ses mains la domination des Mondes et l'empire du Visible et de l'Invisible !

Et Schahrazade, la fille du vizir, ayant ainsi terminé cette histoire, se tut. Alors le roi Schahriar lui dit : « Cette histoire, Schahrazade, est prodigieuse ! Et je voudrais bien connaître le mécanisme extraordinaire de ce cheval d'ébène ! » Schahrazade dit : « Hélas ! il a été détruit ! » Et Schahriar dit : « Par Allah ! mon esprit est bien torturé de cette recherche-là ! » Schahrazade répondit : « Alors, ô Roi fortuné, pour te reposer l'esprit, je suis disposée, si toutefois tu me le permets, à te raconter l'histoire la plus dilatante que je connaisse, celle où il est question de Dalila-la-Rouée et de sa fille Zeinad-la-Fourbe ! » Et le roi Schahriar s'écria : « Par Allah ! tu peux parler ! Car je ne connais pas cette histoire-là ! Après cela je me déciderai quant à ta tête ! »

Alors Schahrazade dit :

HISTOIRE DES ARTIFICES DE DALILA-LA-ROUÉE

On raconte, ô Roi fortuné, qu'il y avait à Bagdad, au temps du khalifat Haroun Al-Rachid, un homme appelé Ahmad-la-Teigne et un autre appelé Hassan-la-Peste, tous deux réputés pour leur maîtrise en ruses et en larcins. Leurs exploits en ce genre-là étaient tout à fait prodigieux : c'est pourquoi le khalifat, qui savait tirer parti de tous les genres de talents, les appela à lui et les nomma chefs de la police. À cet effet il les investit de leur charge en leur donnant à chacun une robe d'honneur, des émoluments de mille dinars d'or par mois, et une garde de quarante solides cavaliers. De cette façon Ahmad-la-Teigne était chargé de la sûreté de la ville du côté de la terre, et Hassan-la-Peste du côté de l'eau. Et tous deux, dans les grandes cérémonies, marchaient aux côtés du khalifat, l'un à sa droite, et l'autre à sa gauche.

Or, le jour de leur nomination à cet emploi, ils sortirent avec le wali de Bagdad, l'émir Khaled, accompagnés de leurs quarante gaillards à cheval, et précédés d'un héraut qui criait le décret du khalifat et disait : « Ô vous tous, habitants de Bagdad, par ordre du khalifat ! sachez que le chef de la police de la Main Droite n'est autre désormais qu'Ahmad-la-Teigne, et que le chef de la police de la Main

Gauche n'est autre que Hassan-la-Peste ! Et vous leur devez l'obéissance et le respect en toute occasion ! »

Dans le même temps vivait à Bagdad une vieille redoutable, appelée Dalila, et connue, depuis, sous le nom de Dalila-la-Rouée, qui avait deux filles : l'une mariée et mère d'un petit garnement nommé Mahmoud-l'Avorton, et l'autre, encore célibataire, et connue depuis sous le nom de Zeinab-la-Fourbe. Le mari de la vieille Dalila avait été autrefois un grand personnage, directeur des pigeons qui servaient à porter les messages et les lettres par tout l'empire, et dont l'existence était plus chère et plus précieuse au khalifat, à cause des services qu'ils rendaient, que celle même de ses propres enfants. Aussi l'époux de Dalila avait-il honneurs et prérogatives, et des émoluments de mille dinars par mois. Mais il était mort et oublié, et avait laissé cette vieille femme et ces deux filles-là ! Et, en vérité, cette Dalila était une vieille experte en roueries, artifices, larcins, fourberies, et expédients de toutes sortes, une sorcière capable de circonvenir le serpent en l'attirant hors de son repaire, et de donner à Éblis lui-même des leçons de ruse et de tromperie.

Donc, le jour de l'investiture d'Ahmad-la-Teigne et de Hassan-la-Peste dans les fonctions de chefs de la police, la jeune Zeinab entendit le crieur qui annonçait la chose à la population, et elle dit à sa mère : « Vois, ô mère, ce gredin d'Ahmad-la-Teigne ! Il vint jadis à Bagdad en fugitif, expulsé d'Égypte, et il n'y a point d'expédients et de hauts exploits qu'il n'ait commis ici depuis son arrivée. Et il s'est rendu si fameux que le khalifat vient de l'investir de la charge de chef de la police de Sa Main Droite, tandis que son compère Hassan-la-Peste, ce galeux au crâne chauve comme une courge, est investi de la charge de chef de la police de Sa Main Gauche ! Et chacun d'eux a nappe servie de jour et de nuit au palais du khalifat, et une garde, et des émoluments mensuels de mille dinars, et les honneurs et toutes les prérogatives. Et nous, hélas ! nous restons dans notre maison, sans emploi et dans l'oubli, sans honneurs ni privilèges, et sans personne qui se préoccupe de notre sort ! » Et la vieille Dalila hocha la tête et dit : « Oui, par Allah ! ma fille ! » Alors Zeinab lui dit : « Lève-toi donc, ô mère, et trouve-nous quelque expédient capable de nous donner la renommée ou quelque tour qui nous rende si fameuses et si notoires dans Bagdad, que le bruit en arrive aux oreilles du kahlifat qui nous rendra les appointements et les prérogatives de notre père ! » Lorsque Zeinab-la-Fourbe eut dit ces paroles à sa mère Dalila-la-Rouée, celle-ci lui répondit : « Par la vie de ta tête, ô ma fille…

À ce moment de sa narration, Schahrazade vit apparaître le matin et, discrète, se tut.

Mais lorsque fut la quatre cent trente-troisième nuit. Elle dit :

… Par la vie de ta tête, ô ma fille, je te promets de jouer dans Bagdad quelques tours de tout à fait première qualité, qui surpasseront, et de beaucoup, tous ceux joués par Ahmad-la-Teigne et Hassan-la-Peste ! » Et elle se leva à l'heure et à l'instant, se couvrit le visage du litham, s'habilla comme un pauvre soufi en revêtant un grand manteau aux manches si prodigieuses qu'elles descendaient jusqu'à ses talons, et s'entoura la taille d'une large ceinture de laine ; puis elle prit une aiguière qu'elle remplit d'eau jusqu'au col, et mit trois dinars dans l'ouverture qu'elle boucha avec un tampon en fibres de palmier ; ensuite elle s'entoura les épaules et la poitrine de plusieurs rangs de gros chapelets aux grains aussi lourds qu'une charge de fagots, et prit à la main une bannière semblable à celle que portent les soufis mendiants, faite de quelques lambeaux de chiffons rouges, jaunes et verts ; et, accoutrée de la sorte, elle sortit de sa maison en disant à haute voix : « Allah ! Allah ! », priant ainsi avec la langue, tandis que son cœur courait dans le champ de courses des démons, et que sa pensée s'appesantissait dans la recherche d'expédients pervers et redoutables.

Elle parcourut ainsi les divers quartiers de la ville, en passant d'une rue à une autre rue, jusqu'à ce qu'elle fût arrivée à une impasse pavée de marbre et balayée et arrosée, au fond de laquelle elle vit une grande porte surmontée d'une magnifique corniche d'albâtre, sur le seuil de laquelle était assis le portier, un Moghrabin fort proprement habillé. Et cette porte était en bois de sandal garnie de solides anneaux en bronze et d'un cadenas en argent. Or cette maison appartenait au chef des gardes du khalifat, un homme fort considéré et propriétaire de grands biens, meubles et immeubles, auquel il était alloué de gros émoluments pour ses fonctions ; mais c'était aussi un homme très violent et mal maniéré ; et c'est pourquoi on l'appelait Mustapha Fléau-des-Rues, vu que chez lui les coups précédaient toujours la parole ! Il était marié avec une jouvencelle charmante qu'il aimait beaucoup et à qui il avait juré, lors de la nuit de sa pénétration première, de ne jamais prendre une seconde femme de son vivant et de ne jamais dormir une nuit hors de sa maison. Et il en fut ainsi jusqu'à ce qu'un jour Mustapha Fléau-des-Rues, étant allé au Diwân, vit que chaque émir avait avec lui un fils ou deux. Et ce jour-là précisément il alla ensuite au hammam et, s'étant regardé dans un miroir, vit que les poils blancs de sa barbe l'emportaient en nombre sur les poils noirs qu'ils recouvraient complètement, et il se dit en lui-même : « Est-ce que Celui qui a déjà pris ton père ne va pas enfin te gratifier d'un fils ? » Et il alla trouver son épouse et, de fort méchante humeur, s'assit sur le divan sans la regarder ni lui adresser la parole. Alors elle s'approcha de lui et lui dit : « Bonsoir à toi ! » Il répondit : « Va-t'en de devant moi ! Du jour où je t'ai vue je n'ai plus rien vu de bon ! » Elle demanda : « Comment cela ? » Il dit : « La nuit de ma pénétration en toi, tu m'as fait prêter serment de ne point prendre femme sur toi ! Et moi je t'ai écoutée ! Or aujourd'hui j'ai vu au Diwân chaque émir avec un fils ou même deux fils, et alors me vint la pensée de la mort ; et cela m'affecta à l'extrême puisque je ne suis gratifié ni d'un fils ni même d'une fille ! Et je n'ignore point que celui qui ne laisse pas de postérité ne laisse pas de mémoire ! Et tel est le motif de ma mauvaise humeur, ô stérile, ô mes semailles dans une terre de rocs et de cailloux ! » À ces paroles la rougissante jouvencelle répliqua : « Cela te sied de parler, toi ! Le nom d'Allah sur moi et autour de moi ! Le retard n'est pas de moi ! Et la chose n'est pas de ma faute. Moi je me drogue tellement que j'ai fini par user et trouer les mortiers à force d'y piler des épices, d'y pulvériser des simples et d'y concasser des racines bonnes contre la stérilité ! Mais c'est toi le retardataire ! Tu n'es qu'un mulet sans vertu au nez camard, et tes œufs sont clairs avec de la semence sans consistance et des graines qui ne fécondent pas ! » Il répondit : « C'est bon ! Mais dès mon retour de voyage je prendrai une seconde femme sur toi ! » Elle répliqua : « Mon lot et ma chance sont sur Allah ! » Alors il sortit de sa maison ; mais, arrivé dans la rue, il regretta ce qui venait d'avoir lieu ; et son épouse, la jouvencelle, regretta également ses paroles un peu vives à l'égard de son maître. Et voilà pour le propriétaire de la maison située dans l'impasse pavée de marbre !

Mais pour ce qui est de Dalila-la-Rouée, voici ! Comme elle était arrivée sous les murs de la maison, elle vit soudain la jeune épouse de l'émir accoudée à sa fenêtre, telle une nouvelle mariée, si belle ! et brillante comme un vrai trésor de tous les bijoux dont elle était ornée, et lumineuse comme une coupole de cristal des blancs habits de neige dont elle était vêtue ! À cette vue, la vieille entremetteuse de malheur se dit en elle-même : « Ô Dalila, voici pour toi le moment arrivé d'entrouvrir le sac de tes fourberies ! Nous verrons bien si tu vas pouvoir attirer cette adolescente hors de la maison de son maître, et la dépouiller de ses bijoux et la dénuder de ses beaux vêtements, pour t'emparer de tout le lot ! » Alors elle s'arrêta sous la fenêtre de l'émir, et se mit à invoquer à haute voix le nom d'Allah, disant : « Allah ! Allah ! Et vous tous, les Amis d'Allah, les Walis Bienfaisants, éclairez-moi ! »

En entendant ces invocations, et en voyant cette sainte vieille vêtue comme les soufis mendiants, toutes les femmes du quartier accoururent baiser les pans de son manteau et lui demander sa bénédiction ; et la jeune épouse de l'émir Fléau-des-Rues pensa : « Allah nous accordera ses grâces par l'entremise de cette sainte vieille ! » Et, les yeux mouillés d'émotion, la jouvencelle appela sa servante et lui dit : « Descends trouver notre portier le cheikh Abou-Ali, baise-lui la main, et dis-lui : « Ma maîtresse Khatoun te prie de laisser entrer chez nous cette sainte vieille pour qu'elle nous obtienne les grâces d'Allah ! » Et la servante descendit trouver le portier et lui baisa la main et lui dit : « Ô cheikh Abou-Ali, ma maîtresse Khatoun te dit : « Laisse entrer chez nous cette sainte vieille pour qu'elle nous obtienne les grâces d'Allah ! Et sa bénédiction s'étendra peut-être sur nous tous ! » Alors le portier s'approcha de la vieille et voulut d'abord lui baiser la main ; mais elle recula vivement et l'en empêcha, disant : « Éloigne-toi de moi ! Toi, qui fais tes prières sans ablutions, comme tous les domestiques, tu vas me souiller de ton contact impur et rendre mon ablution nulle et vaine ! Qu'Allah te délivre de cette servitude, ô portier Abou-Ali, car tu es dans les bonnes grâces des saints d'Allah et des Walis ! » Or ce souhait toucha à l'extrême le portier Abou-Ali, car précisément il avait un arriéré de trois mois de paye que ne lui donnait pas le terrible émir Fléau-des-Rues, et il était depuis longtemps dans une grande anxiété à ce sujet, et il ne savait quel moyen employer pour recouvrer son dû. Aussi il dit à la vieille : « Ô ma mère, fais-moi boire un peu d'eau de ton aiguière, pour qu'ainsi je puisse gagner de ta bénédiction ! » Alors elle prit l'aiguière de dessus son épaule et la fit tournoyer en l'air plusieurs fois, si bien que le tampon en fibres de palmier s'échappa du col et que les trois dinars d'or roulèrent sur le sol comme s'ils tombaient du ciel ! Et le portier se hâta de les ramasser, et dit en son âme : « Gloire à Allah ! Cette vieille mendiante est une sainte d'entre les saints qui ont les trésors cachés à leur disposition ! Il vient de lui être révélé que je suis un pauvre portier frustré de sa paye et dans un grand besoin d'argent pour les dépenses les plus pressées ; et elle a fait des conjurations pour m'obtenir ces trois dinars en les attirant du fond de l'air ! » Puis il tendit les trois dinars à la vieille et lui dit : « Prends, ma tante, les trois dinars qui sont peut-être tombés de ton aiguière ! » Elle répondit : « Éloigne-toi de moi avec cet argent-là ! Je ne suis point de ceux-là qui s'occupent des choses de ce monde, non, jamais ! Tu peux garder cet argent pour toi, et t'en élargir un peu l'existence, afin de remplacer par là les appointements que l'émir te doit ! » Alors le portier leva les bras et s'écria : « Louanges à Allah pour son assistance ! Voilà un fait du domaine de la révélation ! »

Cependant la servante s'était déjà approchée de la vieille et, après lui avoir baisé la main, s'était hâtée de la conduire auprès de sa jeune maîtresse. Lorsque la vieille fut arrivée auprès de la jouvencelle, elle fut stupéfaite de sa beauté ; car elle était vraiment comme un trésor nu dont les sceaux talismaniques eussent été brisés pour ainsi l'exposer dans sa gloire…

À ce moment de sa narration, Schahrazade vit apparaître le matin et, discrète, se tut.

Mais lorsque fut la quatre cent trente-quatrième nuit. Elle dit :

… Lorsque la vieille fut arrivée auprès de la jouvencelle, elle fut stupéfaite de sa beauté ; car elle était vraiment comme un trésor nu dont les sceaux talismaniques eussent été brisés pour ainsi l'exposer dans sa gloire. Et de son côté la belle Khatoun s'empressa de se jeter aux pieds de la vieille et de lui baiser les mains ; et la vieille lui dit : « Ô ma fille, je ne viens que parce que j'ai deviné que tu avais besoin de mes conseils, après l'inspiration d'Allah ! » Et Khatoun commença d'abord par lui servir à manger, selon la coutume usitée à l'égard des saints mendiants : mais la vieille ne voulut par toucher aux mets, et dit : « Je ne veux plus manger que les mets du paradis ; aussi je jeûne tout le temps, excepté cinq jours par an ! Mais, ô mon enfant, je te vois affligée, et je désire que tu me racontes la cause de ta tristesse ! » Elle répondit : « Ô ma mère, le jour de la pénétration, j'ai fait jurer à mon époux de ne jamais prendre une seconde femme sur moi ; mais il vit les fils des autres et il eut bien envie d'en avoir lui aussi ; et il me dit : « Tu es stérile ! » Je lui répondis : « Tu es un mulet qui n'engrosse pas ! » Alors il sortit en colère et me dit : « À mon retour de voyage, je me marierai sur toi ! » Or moi, ô ma mère, j'ai bien peur maintenant qu'il ne réalise sa menace et ne prenne sur moi une seconde femme qui lui donne des enfants ! Et il est riche en terres, en maisons, en émoluments, en villages entiers ; et s'il a des enfants de la seconde, moi je serai frustrée de tous ses biens ! » La vieille répondit : « Ma fille, on voit bien combien tu es ignorante des vertus de mon seigneur, le cheikh Père-des-Assauts, le puissant Maître-des-Charges, le Multiplicateur-des-Grossesses ! Ne sais-tu donc point qu'une seule visite à ce saint fait d'un pauvre débiteur un riche créancier et d'une femme stérile un grenier de fécondité ? » La belle Khatoun répondit : « Ô ma mère, depuis le jour de mon mariage je ne suis pas sortie une seule fois de la maison, et je n'ai même pas pu rendre les visites de félicitations ou de condoléances ! » La vieille dit : « Ô mon enfant, je veux te conduire chez mon seigneur le cheikh Père-des-Assauts et Multiplicateur-des-Grossesses. Et toi, ne crains point de lui confier le poids qui t'oppresse, et fais-lui un vœu. Et alors tu peux être sûre qu'à son retour de voyage, ton époux couchera avec toi, en s'unissant à toi par la copulation ; et tu seras enceinte de ses œuvres d'une fille ou d'un garçon. Mais que ton enfant soit mâle ou femelle, fais le vœu de le consacrer comme derviche au service de mon seigneur le Père-des-Assauts ! »

À ces paroles, la belle Khatoun, émue d'espoir et de plaisir, revêtit ses plus belles robes et s'orna de ses plus beaux bijoux, puis dit à sa servante : « Fais bien attention à la maison ! » Et la servante répondit : « J'écoute et j'obéis, ô ma maîtresse ! » Alors Khatoun sortit avec Dalila et rencontra à la sortie le vieux portier moghrabin Abou-Ali, qui lui demanda : « Pour où, ô ma maîtresse ? » Elle répondit : « Moi je vais visiter le cheikh Multiplicateur-des-Grossesses ! » Le portier dit : « Quelle bénédiction d'Allah que cette sainte vieille, ô ma maîtresse ! Elle a à sa disposition des trésors entiers ! Elle m'a donné trois dinars d'or rouge ; et elle a deviné mon cas et connu ma situation, sans me poser aucune question ; et elle a su que j'étais dans le besoin ! Puisse le bénéfice de son jeûne toute l'année revenir sur ma tête ! »

Là-dessus, Dalila et la jeune Khatoun s'éloignèrent, et, en chemin, la vieille rouée dit à l'épouse de l'émir Fléau-des-Rues : « Inschallah ! ô ma maîtresse, lorsque tu auras visité le cheikh Père-des-Assauts, puisse-t-il non seulement te donner le calme de l'âme et la satisfaction de tes désirs et le retour de l'affection de ton époux, mais aussi faire en sorte que, jamais plus à l'avenir vous n'ayez entre vous deux des sujets de mécontentement ou d'ennui ou vous disiez des paroles désobligeantes ! » Et Khatoun répondit : « Ô ma mère, comme je désire déjà être chez ce saint cheikh ! »

Pendant ce temps, Dalila-la-Rouée se disait en elle-même : « Comment vais-je pouvoir, au milieu de la foule des passants qui vont et viennent, la dépouiller de ses bijoux et la mettre nue ? » Puis soudain elle lui dit : « Ô ma fille, marche loin derrière moi sans toutefois me perdre de vue ; car moi, ta mère, je suis une vieille femme lourdement chargée des fardeaux dont m'accablent ceux qui ne peuvent plus en supporter le poids ; et tout le long du chemin les gens viennent me charger des offres pieuses qu'ils ont consacrées à mon seigneur le cheikh, et me prient de les lui porter. Il vaut donc mieux que je marche seule pour le moment ! » Et l'adolescente marcha loin derrière la vieille rouée, jusqu'à ce qu'elles fussent toutes deux arrivées au souk principal des marchands. Et de loin on entendait dans le souk voûté résonner, aux pas de la jouvencelle, le bruit des grelots d'or de ses pieds délicats et le cliquetis des sequins de sa chevelure si mélodieux et cadencé que l'on eût dit une musique de cithares et de cymbales retentissantes !

Sur ces entrefaites elles passèrent, dans le souk, devant la boutique d'un jeune marchand, nommé Sidi-Mohsen, qui était un adolescent très joli avec à peine un léger duvet naissant sur les joues. Et il remarqua la beauté de la jouvencelle et il se mit à lui lancer à la dérobée des œillades que la vieille ne fut pas longtemps à deviner. Aussi elle revint à l'adolescente et lui dit : « Viens t'asseoir un moment à l'écart, ma fille, pour te reposer, pendant que je vais parler d'une affaire avec ce jeune marchand qui est là ! » Et Khatoun obéit et s'assit non loin de la boutique du bel adolescent qui put ainsi mieux la regarder et, d'un seul regard qu'elle lui lança, faillit devenir fou ! Lorsqu'il fut ainsi cuit à point, la vieille entremetteuse s'approcha de lui et lui dit, après les salams : « N'es-tu point Sidi-Mohsen le marchand ! » Il répondit : « Mais oui ! Qui a pu te dire mon nom…

À ce moment de sa narration, Schahrazade vit apparaître le matin et, discrète, se tut.

Mais lorsque fut la quatre cent trente-cinquième nuit. Elle dit :

… Mais oui ! Qui a pu te dire mon nom ? » Elle dit : « Ce sont les gens de bien qui m'ont envoyée vers toi. Et je viens t'apprendre, mon fils, que cette adolescente que tu vois est ma fille ; et son père, qui était un grand marchand, est mort en lui laissant des richesses considérables. Elle sort aujourd'hui de la maison pour la première fois, car il n'y a pas longtemps qu'elle est pubère et qu'elle est entrée dans l'âge mariable, et cela par divers signes péremptoires. Or moi je me suis hâtée de la faire sortir, car les sages disent : « Offre ta fille en mariage, mais n'offre point ton fils ! » C'est pourquoi, avertie par une inspiration divine et un secret pressentiment, je me suis décidée à venir te l'offrir en mariage. Et toi n'aie aucun souci à son sujet : si tu es pauvre, je te donnerai tout son capital, et je t'ouvrirai au lieu d'une boutique deux boutiques ! Et de cette façon tu auras été gratifié par Allah, non seulement d'une jouvencelle charmante, mais des trois choses désirables en C, à savoir : cassette, confort et cul ! »

À ces paroles, le jeune marchand Sidi-Mohsen répondit à la vieille : « Ô ma mère, tout cela est excellent et c'est plus que je n'en ai jamais souhaité. Aussi je t'en remercie et je ne doute point de tes paroles quant à ce qui concerne les deux premiers C. Mais pour ce qui est du troisième C, je t'avoue que je ne serai tranquille à son sujet que lorsque je l'aurai vu et contrôlé avec mes yeux ; car ma mère, avant de mourir, m'a bien recommandé la chose et m'a dit : « Que j'aurais souhaité te marier, mon fils, avec une jeune fille dont je me serais assurée par mes propres yeux ! » Et moi je lui ai juré que je ne manquerai pas de le faire à sa place ! Et elle est morte tranquille ! » Alors la vieille répondit : « Dans ce cas lève-toi sur tes deux pieds et suis-moi ! Et je me charge de te la montrer toute nue. Seulement prends bien soin de marcher loin derrière elle, mais sans la perdre de vue. Et moi je marcherai en tête pour montrer le chemin ! »

Alors le jeune marchand se leva et prit avec lui une bourse contenant mille dinars, en se disant : « On ne sait ce qui peut arriver ; et je pourrai de la sorte déposer, séance tenante, les frais requis pour le contrat ! » Et il suivit de loin la vieille putain qui ouvrait la marche, et qui se disait en elle-même : « Comment vas-tu faire maintenant, ô Dalila pleine de sagacité, pour dépouiller ce jeune veau ? »

Comme elle marchait de la sorte, suivie par l'adolescente qui était elle-même suivie par le joli marchand, elle arriva devant la boutique d'un teinturier, un nommé Hagg-Môhammad, un homme réputé dans tout le souk pour ses goûts dédoublés. En effet il était semblable au couteau de vendeur de colocases, qui perfore en même temps les parties mâles et femelles du tubercule ; et il aimait au même degré le goût tendre de la figue et le goût acide de la grenade. Or donc le Hagg-Môhammad, en entendant le cliquetis des sequins et des grelots, leva la tête et aperçut le joli garçon et la belle jouvencelle. Et il ressentit ce qu'il ressentit ! Mais déjà Dalila s'était approchée de lui et, après les salams, lui avait dit en s'asseyant : « Tu es bien le Hagg-Môhammad, le teinturier ? » Il répondit : « Oui ! je suis le Hagg-Môhammad ! Que désires-tu ? » Elle répondit : « Moi, des gens de bien m'ont parlé de toi ! Regarde cette jouvencelle charmante, qui est ma fille, et ce gracieux jouvenceau imberbe, qui est mon fils ! Je les ai élevés tous deux, et leur éducation m'a coûté bien des dépenses ! Or sache maintenant que notre maison d'habitation est un vaste et vieil édifice en ruines que j'ai été obligée dernièrement de faire consolider avec des solives de bois et de gros étais ; mais le maître architecte m'a dit : « Tu ferais bien d'aller habiter une autre maison que celle-là ; car elle risque fort de s'écrouler sur toi ! Et lorsque tu l'auras fait reconstruire, tu pourras revenir l'habiter ; mais pas avant ! » Alors moi je suis sortie à la recherche de quelque autre maison où habiter momentanément avec ces deux enfants ; et des gens de bien m'ont adressée à toi. Je désirerais donc me loger chez toi avec ces deux enfants que voici ! Et toi ne doute point de ma générosité ! »

En entendant ces paroles de la vieille, le teinturer sentit son cœur danser au milieu de ses entrailles, et il se dit en lui-même : « Ya Hagg-Môhammad, voici que vient s'offrir à tes dents un bloc de beurre sur un gâteau ! » Puis il dit à Dalila : « Il est vrai que j'ai une maison avec une grande pièce à l'étage supérieur ; mais je ne puis disposer d'aucune chambre, car j'habite en bas, et la pièce du haut me sert à recevoir mes invités les paysans qui m'apportent l'indigo ! » Elle répondit : « Mon fils, la réparation de ma maison ne demandera qu'un mois ou deux tout au plus ; et nous ne connaissons pas beaucoup de monde ici ! Je te prie donc de diviser en deux la grande pièce du haut et de nous en donner la moitié pour nous trois.

Et par ta vie, ô mon fils ! si tu veux que tes invités, les paysans planteurs d'indigo, soient nos invités, qu'ils soient les bienvenus ! Nous sommes prêtes à manger avec eux et à dormir avec eux ! » Alors le teinturier se hâta de lui remettre les clefs de sa maison ; il y en avait trois : une grande, une petite et une tordue. Et il lui dit : « La grande clef est celle de la porte de la maison ; la petite clef est celle du vestibule, et la clef tordue est celle de la pièce du haut. Tu peux, ma bonne mère, disposer du tout ! » Alors Dalila prit les clefs et s'éloigna, suivie de l'adolescente, qui était suivie du jeune marchand, et arriva de la sorte à la ruelle où se trouvait la maison du teinturier, dont elle se hâta d'ouvrir la porte avec la grande clef…

À ce moment de sa narration, Schahrazade vit apparaître le matin et, discrète, se tut.

Mais lorsque fut la quatre cent trente-sixième nuit. Elle dit :

… Dont elle se hâta d'ouvrir la porte avec la grande clef.

D'abord elle commença par entrer la première et fit entrer la jeune femme en disant au marchand d'attendre. Et elle emmena la belle Khatoun à la pièce du haut, en lui disant : « Ma fille, en bas demeure le vénérable cheikh Père-des-Assauts ! Toi attends-moi ici, et commence par défaire ton grand voile ! Je ne tarderai pas à revenir te trouver ! » Et elle descendit aussitôt ouvrir la porte au jeune marchand, et l'introduisit dans le vestibule en lui disant : « Assieds-toi ici et attends-moi que je revienne te trouver avec ma fille, pour que tu t'assures de ce dont tu veux t'assurer avec tes yeux ! » Puis elle remonta chez la belle Khatoun et lui dit : « Nous allons maintenant rendre visite au Père-des-Assauts ! » Et la jouvencelle s'écria : « Quelle joie, ô ma mère ! » Elle reprit : « Mais, ma fille, j'ai peur pour toi d'une chose ! » Elle demanda : « Et quelle est-elle, ô ma mère ? » Elle répondit : « En bas j'ai un fils idiot, qui est le représentant et l'aide du cheikh Père-des-Assauts. Il ne sait différencier le temps froid d'avec le temps chaud, et reste continuellement nu ! Mais quand une noble visiteuse comme toi entre chez le cheikh, la vue des ornements et des soieries dont elle est vêtue le fait entrer en fureur, et il se précipite sur elle et lui met en pièces les habits, et lui arrache ses pendeloques, en lui déchirant les oreilles, et la dépouille de tous ses bijoux. Tu ferais donc bien de commencer par enlever ici tes bijoux et te dévêtir de toutes tes robes et chemises ; et moi je te garderai le tout en attendant que tu sois revenue de ta visite au cheikh Père-des-Assauts ! » Alors la jouvencelle enleva tous ses bijoux, se dévêtit de tous ses habits, en ne gardant sur elle que sa chemise en soie de dessous, et remit le tout à Dalila, qui lui dit : « Je vais les déposer pour toi sous la robe du Père-des-Assauts, pour qu'ainsi, à son contact, t'advienne la bénédiction ! » Et elle descendit en emportant tout le paquet et, pour le moment, le cacha sous la voûte de l'escalier ; puis elle entra chez le jeune marchand et le trouva dans l'attente de la jouvencelle. Il lui demanda : « Où donc est ta fille, pour que je puisse l'examiner ? » Mais soudain la vieille se mit à se frapper le visage et la poitrine, en silence. Et le jeune marchand lui demanda : « Qu'as-tu ? » Elle répondit : « Ah ! Puissent-elles ne plus être en vie, les voisines mal intentionnées et les envieuses et les calomniatrices ! Elles viennent de te voir entrer avec moi, et m'ont demandé qui tu étais ; et moi je leur ai dit que je t'avais choisi pour époux futur à ma fille. Mais elles, jalouses de moi probablement, et enviant ma chance sur toi, sont allées trouver ma fille et lui ont dit : « Ta mère serait-elle donc si fatiguée de te nourrir qu'elle veuille ainsi te marier avec quelqu'un qui est atteint de la gale et de la lèpre ? » Alors moi je lui ai juré, comme tu l'avais fait toi-même à ta mère, de ne point t'unir à elle avant qu'elle t'ait vu tout nu ! » À ces paroles le jeune marchand s'écria : « Je recours à Allah contre les envieux et les mal intentionnés ! » Et, ce disant, il se dévêtit de tous ses habits, et en sortit nu et intact et blanc comme du vierge argent. Et la vieille lui dit : « Certes ! beau et pur comme tu es, tu n'as rien à redouter ! » Et il s'écria : « Qu'elle vienne me voir maintenant ! » Et il finit de ranger de côté sa belle pelisse de martre, sa ceinture, son poignard d'argent et d'or, et le reste de ses habits, en cachant dans leurs plis la bourse de mille dinars ! Et la vieille lui dit : « Il ne faut point laisser dans le vestibule toutes ces choses tentantes. Je vais les mettre en lieu sûr ! » Et elle fit un paquet de tous ces objets, comme elle avait fait des vêtements de la jouvencelle et, quittant le jeune marchand, referma sur lui la porte à clef, alla prendre sous l'escalier le premier paquet et sortit sans bruit de la maison, en emportant le tout.

Une fois dans la rue, elle commença par mettre en effet en lieu sûr les deux paquets, en les déposant chez un marchand d'épices de ses connaissances, et retourna chez le teinturier libidineux qui l'attendait avec impatience et lui demanda, sitôt qu'il l'eut aperçue : « Eh bien ! ma tante ? Inschallah ! j'espère que ma maison t'a convenu ! » Elle répondit : « Ta maison est une maison bénie ! J'en suis satisfaite à la limite de la satisfaction. Maintenant je vais de ce pas chercher les portefaix, pour y faire transporter nos meubles et nos effets ! Seulement, comme je suis de la sorte bien occupée, et que mes enfants n'ont rien mangé depuis ce matin, voici un dinar ! Prends-le, je t'en prie, et achète-leur de la panade farcie et recouverte de hachis de viande, et va prendre le repas du jour avec eux à la maison, et leur tenir compagnie ! » Le teinturier répondit : « Mais qui me gardera, pendant ce temps, la boutique et les effets des clients ? » Elle dit : « Par Allah ! ton petit employé ! » Il répondit : « Qu'il en soit donc ainsi ! » Et il prit une assiette et une porcelaine et s'en alla, pour acheter et porter la panade farcie en question. Et voilà pour ce qui est du teinturier ! D'ailleurs nous y reviendrons !

Mais pour ce qui est de Dalila-la-Rouée, elle courut aussitôt reprendre les deux paquets qu'elle avait déposés chez l'épicier, et revint immédiatement à la teinturerie, pour dire au garçon teinturier : « Ton maître m'envoie te dire de courir le rejoindre chez le marchand de panades ! Moi, jusqu'à ton retour, je veux bien garder la boutique. Ne tarde donc pas ! » Le garçon répondit : « J'écoute et j'obéis ! » Et il sortit de la boutique, tandis que la vieille commençait par mettre la main sur les effets des clients et ce qu'elle pouvait ramasser dans la boutique. Pendant qu'elle était ainsi occupée, vint à passer, avec son âne, un ânier, qui depuis une semaine n'avait pas trouvé de besogne et qui était un mangeur de haschisch par-dessus le marché. Et la vieille putain l'appela en lui criant : « Hé ! ô ânier, viens ! » Et l'ânier s'arrêta à la porte avec son âne, et la vieille lui demanda : « Toi, connais-tu mon fils, le teinturier ? » Il répondit : « Ya Allah ! et qui le connaît mieux que moi, ô ma maîtresse ? » Elle lui dit : « Alors, sache, ô ânier de bénédiction, que le pauvre garçon…

À ce moment de sa narration, Schahrazade vit apparaître le matin et, discrète, se tut.

Mais lorsque fut la quatre cent trente-septième nuit. Elle dit :

… Alors, sache, ô ânier de bénédiction, que le pauvre garçon est insolvable, et chaque fois qu'il a été mis en prison j'ai réussi à l'en faire sortir. Mais aujourd'hui, je veux, pour en finir, qu'il se déclare en faillite. Et je m'occupe en ce moment à ramasser les effets des clients pour les porter à leurs propriétaires. Je désire donc que tu me prêtes ton âne pour le charger de toutes ces hardes, et voici pour toi un dinar comme salaire de l'âne. Toi, en attendant mon retour, occupe-toi à mettre tout ici en pièces, à casser les jarres de teinture, et à détruire les cuves de réserve ; afin qu'ainsi les gens envoyés par le kâdi pour contrôler la faillite ne puissent rien trouver à saisir dans la boutique ! » L'ânier répondit : « Sur ma tête et sur mes yeux, ô ma maîtresse ! Car ton fils, le maître teinturier, m'a comblé de ses bontés et, comme je lui dois de la reconnaissance, je veux lui rendre ce service pour rien, et tout casser et tout détruire dans la boutique pour Allah ! » Alors la vieille le quitta et, après avoir tout chargé sur l'âne, se dirigea vers sa maison, en conduisant l'âne par le licou.

Avec l'aide et la protection du Protecteur, elle arriva sans encombre à sa maison et entra chez sa fille Zeinab, qui l'attendait assise comme sur une poêle à frire, et qui lui dit : « Ô ma mère, mon cœur a été avec toi ! Qu'as-tu accompli en fait de duperies ? » Dalila répondit : « J'ai joué, pour cette première matinée, quatre tours à quatre personnes : un jeune marchand, une épouse d'un terrible capitaine, un teinturier libidineux et un ânier ! Et je t'apporte toutes leurs hardes et tous leurs effets sur l'âne de l'ânier ! » Et Zeinab s'écria : « Ô ma mère, tu ne vas plus pouvoir désormais circuler dans Bagdad, à cause du capitaine dont tu as dépouillé l'épouse, du jeune marchand que tu as dénudé, du teinturier auquel tu as enlevé les effets de ses clients, et de l'ânier maître de l'âne ! » Dalila répondit : « Pouh ! ma fille, moi je ne me préoccupe guère de tous ceux-là, excepté seulement de l'ânier, car il me connaît ! » Et voilà, pour le moment, ce qui concerne Dalila.

Quant au maître teinturier, une fois qu'il eut acheté les panades farcies en question, il en chargea son garçon et prit avec lui le chemin de sa maison, en repassant devant sa teinturerie. Et voici ! Il vit l'ânier dans la boutique en train de tout démolir et de casser les grandes jarres et les cuves ; et déjà la boutique n'était qu'un amas de décombres et de boue bleue ruisselante. À cette vue, il s'écria : « Arrête, ô ânier ! » Et l'ânier s'arrêta dans sa besogne et dit au teinturier : « Louanges à Allah pour ta sortie de prison, ô maître teinturier ! Vraiment mon cœur était avec toi ! » Il demanda : « Que dis-tu là, ô ânier, et que signifie tout cela ? » L'ânier dit : « On a fait, pendant ton absence, la déclaration de ta faillite ! » Il demanda, avec le gosier serré et des lèvres tremblantes et des yeux saillants : « Qui te l'a dit ? » Il répliqua : « C'est ta mère qui me l'a dit, et m'a ordonné, dans ton intérêt, de tout détruire et de tout casser ici pour que les envoyés du kâdi ne puissent rien saisir ! » Le teinturier, à la limite de la stupéfaction, répondit : « Qu'Allah confonde l'Éloigné-Malin ! Il y a longtemps que ma mère est morte ! » Et il se donna de grands coups sur la poitrine en criant à plein gosier : « Hélas ! ô perte de mon bien et du bien des clients ! » Et de son côté l'ânier se mit à pleurer et à crier : « Hélas ! ô perte de mon âne ! » Puis il cria au teinturier : « Ô teinturier de mon cul, rends-moi mon âne, celui que m'a pris ta mère ! » Et le teinturier se précipita sur l'ânier, le saisit à la nuque et se mit à l'assommer de coups de poing en lui criant : « Où est-elle, ta vieille putain ? » Mais l'ânier se mit à crier du fond de ses entrailles : « Mon âne ! où est mon âne ? Rends-moi mon âne ! » Et tous deux se suspendirent l'un à l'autre, en se mordant, en s'insultant, en s'administrant des horions à qui mieux mieux et des coups de tête dans l'estomac, et en tâchant de s'emparer chacun des testicules de l'adversaire pour les lui écraser avec les doigts ! Cependant la foule s'attroupait autour d'eux en grossissant ; et l'on réussit enfin à les séparer, non sans dommage, et l'un des assistants demanda au teinturier : « Ya Hagg-Môhammad, qu'y a-t-il donc entre vous deux ? » Mais ce fut l'ânier qui se hâta de répondre, en criant son histoire à plein gosier, et il la termina disant : « Moi, j'ai fait tout cela pour rendre service au teinturier ! » Alors on demanda au teinturier : « Ya Hagg-Môhammad, tu dois sans doute connaître cette vieille femme pour lui avoir ainsi confié la garde de ta boutique ? » Il répondit : « Je ne l'ai point connue avant ce jour ! Mais elle est allée habiter dans ma maison avec son fils et sa fille ! » Alors l'un des assistants opina : « Moi, sur ma conscience, je crois que c'est le teinturier qui est responsable de l'âne de l'ânier ; car si l'ânier n'avait pas remarqué que le teinturier avait confié la garde de sa boutique à la vieille, il n'aurait pas à son tour confié son âne à cette vieille-là ! » Et un troisième ajouta : « Ya Hagg-Môhammad, du moment que tu as logé cette vieille chez toi, tu dois rendre l'âne ou lui payer une indemnité ! » Puis tous, avec les deux adversaires, prirent le chemin de la maison du teinturier. Tout cela…

À ce moment de sa narration, Schahrazade vit apparaître le matin et, discrète, se tut.

Mais lorsque fut la quatre cent trente-huitième nuit. Elle dit :

…Tout cela !

Mais pour ce qui est de la jouvencelle et du jeune marchand, voici ! Pendant que le jeune marchand attendait dans le vestibule l'arrivée de la jouvencelle pour l'examiner, celle-ci de son côté attendait dans la pièce du haut que la vieille sainte revînt lui apporter la permission de l'idiot, le lieutenant du Père-des-Assauts, afin qu'elle pût rendre visite au Père-des-Assauts. Mais comme la vieille tardait à revenir, la belle Khatoun, vêtue seulement de sa simple chemise fine, sortit de la pièce et descendit l'escalier. Alors elle entendit, dans le vestibule, le jeune marchand qui, ayant reconnu le cliquetis des grelots qu'elle n'avait pu enlever de ses chevilles, lui disait : « Hâte-toi donc ! Et viens ici avec ta mère qui t'a amenée pour te marier avec moi ! » Mais l'adolescente répondit : « Ma mère est morte ! mais toi, tu es, n'est-ce pas, l'idiot ? Et c'est bien toi le lieutenant du Père-des-Assauts ? » Il répondit à tout hasard : « Non, par Allah, ô mon œil, je ne suis pas encore tout à fait idiot ! Mais quant à être le Père-des-Assauts, je suis réputé comme tel ! » À ces paroles la rougissante jouvencelle ne sut que faire et résolut, malgré les objurgations du jeune marchand qu'elle prenait toujours pour l'idiot, lieutenant du Multiplicateur-des-Grossesses, d'attendre sur l'escalier l'arrivée de la sainte vieille.

Sur ces entrefaites, arrivèrent les gens qui accompagnaient le teinturier et l'ânier ; et ils frappèrent à la porte et attendirent longtemps qu'on leur ouvrît de l'intérieur. Mais comme personne ne répondait, ils enfoncèrent la porte et se précipitèrent d'abord dans le vestibule où ils virent le jeune marchand complètement nu, et essayant de cacher et de contenir dans ses deux mains sa marchandise à découvert. Et le teinturier lui cria : « Ah ! fils de putain, où est ta mère, la calamiteuse ? » Il répondit : « Il y a longtemps que ma mère est morte. Quant à la vieille dont c'est ici la maison, elle n'est que ma future belle-mère. » Et il raconta au teinturier, à l'ânier et à toute la foule son histoire dans tous ses détails. Et il ajouta : « Quant à celle que je dois examiner, elle est là derrière la porte ! » À ces paroles, on enfonça la porte et l'on trouva derrière, l'effarée jouvencelle, toute nue, sauf la chemise seulement qui essayait de recouvrir le plus bas possible la nudité de ses cuisses de gloire. Et le teinturier lui demanda : « Ah ! fille adultérine, où est ta mère, l'entremetteuse ? » Elle répondit, bien honteuse : « Ma mère est bien morte depuis longtemps. Quant à la vieille femme qui m'a conduite ici, c'est une sainte au service de mon seigneur le cheikh Multiplicateur ! » À ces paroles, tous les assistants, et le teinturier, malgré sa boutique détruite, et l'ânier malgré son âne perdu, et le jeune marchand malgré la perte de sa bourse et de ses habits, se mirent à rire tellement qu'ils se renversèrent tous sur le derrière !

Après quoi, ayant compris que la vieille s'était jouée d'eux, les trois dupes résolurent de se venger d'elle ; et l'on commença par donner des habits à l'effarée jouvencelle qui s'en revêtit et se hâta de rentrer à sa maison où nous la retrouverons bientôt, au retour de voyage de son époux.

Quant au teinturier Hagg-Môhammad et à l'ânier, ils se réconcilièrent en se demandant mutuellement pardon, et ils s'en allèrent de compagnie, avec le jeune marchand, trouver le wali de la ville, l'émir Khaled, à qui ils racontèrent leur aventure, en lui demandant vengeance contre la vieille calamiteuse. Et le wali leur répondit : « Ô braves gens, quelle histoire prodigieuse me racontez-vous là ! » Ils répondirent : « Ô notre maître, par Allah ! et par la vie de la tête de l'émir des Croyants, nous ne te disons que la vérité ! » Et le wali leur dit : « Ô braves gens, comment ferais-je pour retrouver une vieille femme au milieu de toutes les vieilles femmes de Bagdad ? Vous savez que nous ne pouvons envoyer nos hommes courir les harems et enlever les voiles des femmes ! » Ils s'écrièrent : « Ô calamité ! ah ! ma boutique ! ah ! mon âne ! ah ! ma bourse de mille dinars ! » Alors le wali, apitoyé sur leur sort, leur dit : « Ô braves gens, allez ! parcourez toute la ville et essayez de retrouver cette vieille-là, et mettez la main sur elle ! Et moi, si vous réussissez, je vous promets de la mettre à la torture pour vous, et je l'obligerai à faire ses aveux ! » Et les trois dupes de Dalila-la-Rouée sortirent de chez le wali et se dispersèrent dans différentes directions, à la recherche de la maudite vieille. Et en attendant, voilà pour eux ! Mais nous les retrouverons !

Quant à la vieille Dalila-la-Rouée, elle dit à sa fille Zeinab : « Ô ma fille, tout cela n'est rien ! Je vais trouver mieux ! » Et Zeinab lui dit : « Ô ma mère, j'ai bien peur maintenant pour toi ! » Elle répondit : « Ne crains rien, ma fille, à mon sujet. Moi je suis comme la fève dans sa cosse, à l'épreuve contre le feu et contre l'eau…

À ce moment de sa narration, Schahrazade vit apparaître le matin et, discrète, se tut.

Mais lorsque fut la quatre cent trente-neuvième nuit. Elle dit :

… Moi je suis comme la fève dans sa cosse, à l'épreuve contre le feu et contre l'eau ! » Et elle se leva, et rejeta ses vêtements de soufi pour revêtir des habits de servante d'entre les servantes des grands, et sortit en songeant au méfait nouveau qu'elle allait perpétrer dans Bagdad.

Elle arriva de la sorte à une rue écartée, entièrement décorée et ornée dans toute sa longueur et sa largeur de belles étoffes et de lanternes multicolores ; et le sol en était recouvert de riches tapis. Et elle entendit là-dedans les voix des chanteuses et les tambourinements des doufoufs et les battements des daraboukas sonores et le retentissement des cymbales. Et elle vit à la porte de la demeure pavoisée une esclave qui portait à califourchon sur son épaule un jeune enfant habillé d'étoffes splendides en velours d'or et d'argent, coiffé d'un tarbousch rouge orné de trois rangs de perles, le cou entouré d'un collier d'or incrusté de pierreries, et les épaules recouvertes d'un mantelet de brocart. Et elle apprit des curieux et des invités qui entraient et sortaient que cette maison appartenait au syndic des marchands de Bagdad, et que cet enfant était son enfant. Et elle apprit également que le syndic avait aussi une fille, vierge et pubère, dont on célébrait précisément ce jour-là les fiançailles ; et que tel était le motif de ce déploiement de décorations et d'ornements. Et comme la mère de l'enfant était fort occupée à recevoir les dames ses invitées, et à leur faire les honneurs de sa maison, elle avait confié l'enfant, qui la dérangeait et s'attachait chaque fois à ses robes, à cette jeune esclave avec charge de le distraire et de le faire jouer en attendant que les invitées fussent parties.

Or, lorsque la vieille Dalila eut aperçu cet enfant à califourchon sur l'épaule de l'esclave, et qu'elle se fut renseignée de la sorte sur ses parents et la cérémonie qui avait lieu, elle se dit en elle-même : « Ô Dalila, le tour à faire pour le moment c'est de subtiliser cet enfant en l'enlevant à cette esclave ! » Et elle s'avança, en s'exclamant : « Quelle honte sur moi d'être si en retard avec la digne épouse du syndic ! » Puis elle dit à la jeune esclave, qui était une niaise, en lui mettant dans la main une pièce de fausse monnaie : « Voici un dinar pour ta peine ! Monte, ma fille auprès de ta maîtresse et dis-lui : « Ta vieille nourrice Omm Al-Khayr se réjouit beaucoup pour toi, en raison de toute la gratitude qu'elle te doit pour tes bontés ! Aussi, au jour de la grande réunion, elle viendra te voir avec ses filles, et ne manquera pas de mettre de généreuses offrandes de noces, selon la coutume, dans les mains des dames d'atours ! » L'esclave répondit : « Ma bonne mère, je ferais volontiers ta commission ; mais mon jeune maître, cet enfant-ci, chaque fois qu'il voit sa mère, s'accroche à elle et s'attache à ses vêtements ! » Elle répondit : « Alors confie-le-moi, le temps pour toi d'aller et de revenir ! » Et l'esclave prit aussitôt la fausse pièce, et remit l'enfant à la vieille, pour monter aussitôt faire sa commission.

Quant à Dalila, elle se hâta de déguerpir avec l'enfant et d'aller à une ruelle obscure où elle le dépouilla de toutes les choses précieuses qu'il portait sur lui, et se dit en elle-même : « Maintenant, ô Dalila, ça n'est pas tout ça ! Si tu es vraiment une fine entre les fines, il s'agit de tirer de ce marmot tout le parti possible en l'engageant, par exemple, pour quelque somme imposante ! » À cette pensée, elle bondit sur ses deux pieds, et alla au souk des bijoutiers où elle vit dans une boutique un Juif, grand joaillier, qui était assis derrière sa boîte de devanture ; et elle entra dans la boutique du Juif, en se disant : « Voilà mon affaire toute trouvée ! » Lorsque le Juif de ses propres yeux la vit entrer, il regarda l'enfant qu'elle portait et reconnut le fils du syndic des marchands. Or ce Juif, bien que fort riche, ne manquait jamais d'être jaloux de ses voisins quand ils faisaient une vente alors que lui, par hasard, n'en faisait pas une autre au même moment. Aussi, fort réjoui de l'entrée de la vieille, il lui demanda : « Que désires-tu, ô ma maîtresse ? » Elle répondit : « C'est bien toi, maître Izra le Juif » Il répondit : « Naâm ! » Elle lui dit : « La sœur de cet enfant, la fille du schahbandar des marchands, est fiancée aujourd'hui, et on célèbre en ce moment la cérémonie des accordailles. Or on a besoin de suite pour elle de certains bijoux : deux paires de bracelets de chevilles en or, une paire de bracelets ordinaires en or, une paire de pendeloques en perles, un ceinturon d'or filigrané, un poignard avec une poignée de jade incrustée de rubis et une bague à cachet ! » Aussitôt le Juif s'empressa de lui donner ce qu'elle demandait, et dont le prix s'élevait pour le moins à mille dinars d'or. Et Dalila lui dit : « Je prends toutes ces choses à condition ! Je vais les porter à la maison, et ma maîtresse choisira ce qui lui plaît le mieux. Après quoi je reviendrai ici te porter le prix de ce qu'elle aura choisi ! Mais en attendant je te prie de garder cet enfant jusqu'à mon retour ! » Le Juif répondit : « Qu'il soit fait selon ton désir ! » Et elle prit les joyaux et se hâta de se rendre directement à sa maison.

Lorsque la jeune Zeinab-la-Fourbe vit entrer sa mère, elle lui dit : « Quel exploit viens-tu d'accomplir, ô mère ? » Elle répondit : « Un tout petit, seulement, pour cette fois. Je me suis contentée d'enlever et de dépouiller le jeune fils du schahbandar des marchands et de le mettre en dépôt chez le Juif Izra contre des bijoux de la valeur de mille dinars ! » Alors sa fille s'écria : « Certes ! cette fois c'est fini ! Tu ne vas plus pouvoir sortir et circuler dans Bagdad ! » Elle répondit : « Tout ce que j'ai fait là n'est rien, pas même une mesure sur mille ! Mais toi, ma fille, sois sans crainte à mon sujet ! »

Quant à ce qui est de la jeune esclave niaise, elle entra dans la salle de réception et dit : « Ô ma maîtresse, ta nourrice Omm Al-Khayr t'envoie ses salams et ses souhaits et te dit qu'elle s'est beaucoup réjouie pour toi, et qu'elle viendra ici avec ses filles le jour du mariage et sera généreuse pour les dames d'atours ! » Sa maîtresse lui demanda : « Où as-tu laissé ton jeune maître ? » Elle répondit : « Je l'ai laissé avec elle, de peur qu'il ne s'accrochât à toi ! Et voici une pièce d'or qu'elle me donna pour les chanteuses ! » Et elle tendit la pièce à la principale chanteuse en disant : « Voilà pour tes étrennes ! » Et la chanteuse prit la pièce et trouva qu'elle était en cuivre. Alors la maîtresse cria à la servante : « Ah ! prostituée, descends vite retrouver ton jeune maître ! » Et l'esclave se hâta de redescendre, mais elle ne retrouva ni l'enfant ni la vieille. Alors elle jeta un grand cri et tomba sur son visage, alors que toutes les femmes accouraient du haut, et que la joie se changeait en deuil dans leurs cœurs. Et voici que, sur ces entrefaites, arriva le syndic lui-même ; et son épouse se hâta, la figure retournée d'émotion, de le mettre au courant de ce qui venait de se passer. Aussitôt il sortit à la recherche de l'enfant, suivi de tous les marchands, ses invités, qui se mirent de leur côté à faire des recherches dans toutes les directions. Et il finit, après mille transes, par trouver l'enfant presque nu sur le seuil de la boutique du Juif, et il se précipita, fou de joie et de colère, sur le Juif en criant : « Ah ! maudit ! Que voulais-tu faire de mon fils ! Et pourquoi l'as-tu dépouillé de ses vêtements ? » Le Juif répondit, en tremblant et à la limite de la stupéfaction : « Par Allah ! ô mon maître, je n'avais pas besoin d'un semblable gage ! Mais c'est la vieille qui a tenu à me le laisser, après m'avoir pris pour mille dinars de bijoux pour ta fille ! » Le syndic, de plus en plus indigné, s'écria : « Eh ! maudit, crois-tu donc que ma fille manque de bijoux pour recourir à toi ? Hâte-toi de me rendre les habits et les ornements dont tu as dépouillé mon fils ! » À ces paroles, le Juif s'écria, terrifié : « À mon secours, ô musulmans ! » Et juste à ce moment apparurent, venant de différentes directions, les trois dupes premières : l'ânier, le jeune marchand et le teinturier. Et ils s'informèrent de l'affaire, et, ayant appris de quoi il s'agissait, ils ne doutèrent pas un instant que ce fût là un nouvel exploit de la vieille calamiteuse, et ils s'écrièrent : « Nous connaissons la vieille ! C'est une escroqueuse qui nous a déjà dupé avant vous ! » Et ils racontèrent leur histoire aux assistants qui en furent stupéfaits et au syndic, qui, faute de mieux, s'écria : « C'est encore une chance que j'aie retrouvé mon enfant ! Je ne veux plus me préoccuper de ses habits perdus, puisqu'ils deviennent sa rançon ! Seulement je saurai bien les réclamer un jour à la vieille ! » Et il ne voulut pas s'attarder davantage hors de sa maison, et courut faire partager à son épouse la joie d'avoir retrouvé leur enfant.

Quant au Juif, il demanda aux trois : « Où pensez-vous aller maintenant ? » Ils répondirent : « Nous allons continuer nos recherches ! » Il dit : « Emmenez-moi avec vous autres ! » Puis il demanda : « Y a-t-il parmi vous quelqu'un qui l'ait connue avant son exploit ? » L'ânier répondit : « Moi ! » Le Juif dit : « Alors il vaut mieux que nous ne marchions pas ensemble, et que nos recherches soient faites séparément, pour ne pas lui donner l'éveil ! » Alors l'ânier répondit : « C'est juste ! Et, pour nous retrouver, prenons comme point de réunion, pour midi, la boutique du barbier moghrabin Hagg-Mass'oud ! » Ils convinrent du rendez-vous, et se mirent en route chacun de son côté. Or il était écrit que c'était l'ânier qui devrait le premier rencontrer la vieille rouée…

À ce moment de sa narration, Schahrazade vit apparaître le matin et, discrète, se tut.

Mais lorsque fut la quatre cent quarante et unième nuit. Elle dit :

… Or il était écrit que c'était l'ânier qui devait le premier rencontrer la vieille rouée, alors qu'elle parcourait la ville à la recherche de quelque nouvel expédient. En effet dès que l'ânier l'eut aperçue, il la reconnut malgré son déguisement et fonça sur elle en lui criant : « Malheur à toi, vieille décrépite, bois sec ! Je te retrouve enfin ! » Elle demanda : « Que t'arrive-t-il, mon fils ? » Il s'écria : « L'âne ! Rends-moi l'âne ! » Elle répondit d'une voix attendrie : « Mon fils, parle bas, et couvre ce qu'Allah a couvert de son voile ! Voyons ! Que demandes-tu ? Est-ce ton âne ou bien les effets des autres gens ? » Il répondit : « Mon âne seulement ! » Elle dit : « Mon fils, je te sais pauvre, et je n'ai point voulu te priver de ton âne. Je te l'ai laissé chez le barbier moghrabin Hagg-Mass'oud, dont la boutique est là, juste en face ! Je vais de suite le trouver et le prier de me remettre l'âne. Attends-moi un instant ! » Et elle le précéda chez le barbier Hagg-Mass'oud. Elle entra en pleurant, lui baisa la main, et dit : « Hélas sur moi ! » Il lui demanda : « Qu'as-tu, bonne tante ? » Elle répondit : « Ne vois-tu pas mon fils qui est là debout en face de ta boutique ? Il était, de sa profession, un ânier conducteur d'ânes. Mais il est tombé malade un jour, et il fut éventé quant à son corps par un coup d'air qui lui a corrompu et fait tourner le sang ; et cela lui a fait perdre la raison et l'a rendu fou ! Depuis, il ne cesse de demander son âne. S'il se lève, il crie : « Mon âne ! » ; s'il se couche, il crie : « Mon âne ! » ; s'il marche, il crie : « Mon âne ! » Alors un médecin d'entre les médecins m'a dit : « Ton fils a sa raison disloquée et dans un grand dérangement. Et rien ne le saurait guérir et remettre dans ses gonds que l'arrachement de ses deux grosses molaires du fond, et une bonne cautérisation sur les tempes avec des mouches cantharides ou un fer chaud ! Voici donc un dinar pour ta peine, et appelle-le et dis-lui : « Ton âne se trouve chez moi. Viens ! »

À ces paroles, le barbier répondit : « Que je reste une année sans manger, si je ne lui remets pas son âne entre les mains, ma tante ! » Là-dessus, comme il avait à son service deux aides barbiers, habitués à tous les travaux du métier, il dit à l'un d'eux : « Va faire chauffer au rouge deux clous ! » Puis il cria à l'ânier : « Eh ! mon fils, viens ici ! Ton âne est chez moi ! » Et pendant que l'ânier entrait dans la boutique, la vieille en sortait et s'arrêtait sur le seuil.

Donc, une fois que l'ânier fut entré, le barbier le prit par la main et le conduisit dans son arrière-boutique, où soudain il lui appliqua un coup de poing dans le ventre en lui allongeant un croc-en-jambe, et le fit ainsi tomber à la renverse sur le sol où les deux aides le garrottèrent solidement des pieds et des mains et l'empêchèrent de faire le moindre mouvement. Alors le maître barbier se leva et commença par lui enfoncer dans le gosier deux tenailles semblables à celles du forgeron, et dont il se servait pour dompter les dents récalcitrantes ; puis d'un tour de bras il lui extirpa les deux molaires à la fois. Après quoi, malgré ses hurlements et ses contorsions, il prit avec une pince, l'un après l'autre, les deux clous rougis, et lui en cautérisa largement les tempes en invoquant le nom d'Allah pour la réussite.

Lorsque le barbier eut terminé ces deux opérations, il dit à l'ânier : « Ouallahi ! ta mère sera contente de moi ! Je vais l'appeler pour qu'elle constate l'efficacité de mon travail et ta guérison ! » Et pendant que l'ânier se débattait sous la poigne des aides, le barbier rentra dans sa boutique et là… ! sa boutique était vide, nettoyée comme par un coup de vent ! Plus rien ! Rasoirs, glaces à main en nacre, ciseaux, cuirs à repasser, cuvettes, aiguières, serviettes, escabeaux, tout avait disparu ! Plus rien ! Pas même l'ombre de tout cela ! Et la vieille aussi avait disparu ! Rien ! Pas même l'odeur de la vieille ! Et, en outre, la boutique était fraîchement balayée et arrosée comme si elle venait d'être nouvellement louée à l'instant.

À cette vue, le barbier, à la limite de la fureur, se précipita dans l'arrière-boutique et, prenant l'ânier à la gorge, le secoua comme une hotte et lui cria : « Où est ta mère, l'entremetteuse ! » Le pauvre ânier, fou de douleur et de rage, lui dit : « Ah ! fils de mille chiffons ! Ma mère ? Mais elle est dans la paix d'Allah ! » Il le secoua encore et lui cria : « Où est ta mère, la vieille putain qui t'a conduit ici, et qui est partie après m'avoir volé toute la boutique ? » L'ânier, le corps agité de tremblements, allait répondre quand soudain entrèrent dans la boutique, revenant de leurs recherches infructueuses, les trois autres dupes : le teinturier, le jeune marchand et le Juif. Et ils virent aux prises le barbier, les yeux hors de la tête, et l'ânier, les tempes cautérisées et gonflées de deux larges ampoules et les lèvres écumantes de sang avec, de chaque côté, les deux molaires encore pendantes au-dehors.

Alors ils s'écrièrent : « Qu'y a-t-il donc ? » Et l'ânier, de tout son gosier, s'exclama : « Ô musulmans, justice contre cet enculé ! » Et il leur raconta ce qui venait d'arriver. Alors ils demandèrent au barbier : « Pourquoi as-tu fait cela à cet ânier, ô maître Mass'oud ? » Et le barbier leur raconta à son tour comment sa boutique venait d'être nettoyée par la vieille. Alors ils ne doutèrent plus que ce fût la vieille qui eût encore accompli ce nouveau forfait, et s'écrièrent : « Par Allah ! c'est la vieille maudite qui est la cause de tout cela ! » Et tous finirent par s'expliquer et tomber d'accord là-dessus.

Alors le barbier se hâta de fermer sa boutique et de se joindre aux quatre dupes pour les aider dans leurs recherches. Et le pauvre ânier ne cessait de geindre : « Ah ! mon âne ! Ah ! mes molaires perdues…

À ce moment de sa narration, Schahrazade vit apparaître le matin et se tut discrètement.

Mais lorsque fut la quatre cent quarante-deuxième nuit. Elle dit :

… Ah ! mon âne ! ah ! mes molaires perdues ! »

Ils parcoururent longtemps ainsi les divers quartiers de la ville ; mais tout d'un coup, à un tournant de rue, l'ânier, cette fois encore, fut le premier à apercevoir et à reconnaître Dalila-la-Rouée, dont aucun d'eux ne connaissait d'ailleurs ni le nom ni l'habitation ! Et dès qu'il la vit, l'ânier se jeta sur elle en criant : « La voilà ! Elle va nous dédommager de tout maintenant ! » Et ils la traînèrent chez le wali de la ville, l'émir Khaled.

Lorsqu'ils furent arrivés au palais du wali, ils remirent la vieille aux gardes et leur dirent : « Nous voulons voir le wali ! » Ils répondirent : « Il fait la sieste. Attendez un peu qu'il soit réveillé ! » Et les cinq plaignants attendirent dans la cour, tandis que les gardes remettaient la vieille aux eunuques pour qu'ils l'enfermassent dans une chambre du harem jusqu'au réveil du wali.

Arrivée dans le harem, la vieille rouée réussit à se glisser jusqu'à l'appartement de l'épouse du wali et, après les salams et les baisemains, dit à la dame qui était loin de se douter de l'affaire : « Ô ma maîtresse, je désirerais bien voir notre maître le wali ! » Elle répondit : « Le wali fait la sieste ! Mais que lui veux-tu ? » Elle dit : « Mon mari, qui est marchand de meubles et d'esclaves, m'a remis, avant de partir en voyage, cinq mamelouks, avec charge de les vendre au plus offrant. Et justement notre maître le wali les a vus avec moi et, m'en ayant offert mille deux cents dinars, j'ai consenti à les laisser à ce prix ! Et je viens maintenant les lui livrer ! » Or le wali avait effectivement besoin d'esclaves et avait même remis, la veille, à son épouse mille dinars pour cet achat. Aussi elle n'hésita pas à croire aux paroles de la vieille, et lui demanda : « Où sont les cinq esclaves ? » Elle répondit : « Là, sous tes fenêtres, dans la cour du palais ! » Et la dame regarda dans la cour et aperçut les cinq dupes qui attendaient le réveil du wali. Alors elle dit : « Par Allah ! ils sont fort beaux, et l'un d'eux vaut à lui seul les mille dinars ! » Puis elle alla ouvrir son coffre, et remit à la vieille mille dinars en lui disant : « Ma bonne mère, je te dois encore deux cents autres dinars, pour faire le prix. Mais comme je ne les ai pas, je te prie d'attendre le réveil du wali. » La vieille répondit : « Ô ma maîtresse, sur ces deux cents dinars il y en a cent que je te laisse pour la gargoulette de sirop que tu m'as fait boire, et cent que tu me devras à ma prochaine visite ! Maintenant je te prie de me faire sortir du palais par la porte réservée du harem, afin que mes anciens esclaves ne me voient pas ! » Et l'épouse du wali la fit sortir par la porte secrète, et le Protecteur la protégea et la fit arriver sans encombre à sa maison.

Lorsque sa fille Zeinab la vit entrer, elle lui demanda : « Ô mère mienne, qu'as-tu fais aujourd'hui ? » Elle répondit : « Ma fille, j'ai joué un tour à l'épouse du wali en lui vendant pour mille dinars, comme esclaves, l'ânier, le teinturier, le Juif, le barbier et le jeune marchand ! Cependant, ô ma fille, de ceux-là il n'y a qu'un seul qui me préoccupe et dont je redoute la perspicacité : c'est l'ânier ! C'est ce fils de putain qui me reconnaît chaque fois ! » Et sa fille lui dit : « Alors, ô mère mienne, assez sortir comme cela ! Garde maintenant la maison, et n'oublie point le proverbe qui dit :

« Il n'est pas certain que la gargoulette
Reste sans se casser chaque fois qu'on la jette ! »

Et elle essaya de persuader sa mère de ne plus sortir désormais, mais inutilement. Quant aux cinq, voici ! Lorsque le wali se fut réveillé de sa sieste, son épouse lui dit : « Puisse la douceur du sommeil t'avoir dulcifié ! Je me suis réjouie pour toi au sujet des cinq esclaves que tu nous as achetés ! » Il demanda : « Quels esclaves ? » Elle dit : « Pourquoi veux-tu me cacher la chose ? Puissent-ils alors te jouer d'aussi mauvais tours que celui que tu me joues ! » Il dit : « Par Allah ! je n'ai point acheté d'esclaves ! Qui t'a donné ce renseignement ! » Elle répondit : « C'est la vieille elle-même, à qui tu les as achetés pour mille deux cents dinars, qui me les a amenés, et me les as montrés là, dans la cour, vêtus chacun d'une robe qui vaut à elle seule mille dinars ! » Il demanda : « Et lui aurais-tu remis l'argent ! » Elle dit : « Oui, par Allah ! » Alors le wali se hâta de descendre dans la cour, où il ne vit que l'ânier, le barbier, le Juif, le jeune marchand et le teinturier ; et il demanda à ses gardes : « Où sont les cinq esclaves que la vieille marchande vient de vendre à votre maîtresse ? » Ils répondirent : « Depuis la sieste de notre maître, nous n'avons vu que ces cinq qui sont là ! » Alors le wali se tourna vers les cinq et leur dit : « Votre maîtresse, la vieille, vient de vous vendre à moi pour mille dinars ! Vous allez commencer votre travail par vider les fosses des vidanges ! » À ces paroles les cinq plaignants, à la limite de la stupéfaction, s'écrièrent : « Si c'est là ta justice, nous n'avons plus qu'à recourir contre toi à notre maître le khalifat ! Nous sommes des hommes libres qu'on ne peut vendre ni acheter ! Yallah ! viens avec nous chez le khalifat…

À ce moment de sa narration, Schahrazade vit apparaître le matin et, discrète, se tut.

Mais lorsque fut la quatre cent quarante-troisième nuit. Elle dit :

… Yallah ! viens avec nous chez le khalifat ! » Alors le wali leur dit ; « Si vous n'êtes pas des esclaves, c'est qu'alors vous êtes des escrocs et des larrons ! Et c'est vous qui avez conduit cette vieille à mon palais et avez combiné avec elle cette escroquerie ! Or, par Allah ! moi, à mon tour, je vais vous revendre à des étrangers pour cent dinars chacun ! »

Sur ces entrefaites entra dans la cour du palais le capitaine Fléau-des-Rues, qui venait se plaindre au wali de la mésaventure subie par son épouse, la jouvencelle. En effet, à son retour de voyage, il avait vu son épouse, au lit, malade de honte et d'émotion, et avait appris d'elle tout ce qui lui était arrivé, et elle avait ajouté : « Tout cela ne m'est arrivé qu'à cause de tes paroles désobligeantes, qui m'ont décidée à recourir à l'entremise du cheikh Multiplicateur ! »

Aussi dès que le capitaine Fléau eut aperçu le wali, il lui cria : « Est-ce toi qui permets ainsi aux vieilles entremetteuses de pénétrer dans les harems et d'escroquer les épouses des émirs ? Est-ce là tout ton métier ? Or, par Allah ! moi je te rends responsable de l'escroquerie commise à mon égard et des dommages causés à mon épouse ! » À ces paroles du capitaine Fléau-des-Rues, les cinq s'écrièrent : « Ô émir, ô vaillant capitaine Fléau, nous remettons aussi notre cause entre tes mains ! » Et il leur demanda : « Qu'avez-vous, vous autres aussi, à réclamer ? » Alors ils lui racontèrent toute leur histoire, qu'il est inutile de répéter. Et le capitaine Fléau leur dit : « Certes ! vous aussi vous avez été dupés ! Et maintenant le wali se trompe fort s'il croit pouvoir nous incarcérer ! »

Lorsque le wali eut entendu toutes ces paroles, il dit au capitaine Fléau : « Ô émir, je prends à ma charge le paiement des indemnités qui te sont dues et la restitution des effets de ton épouse ; et je me porte garant de la vieille escroqueuse ! » Puis il se tourna vers les cinq et leur demanda : « Qui de vous saura reconnaître la vieille ? » L'ânier répondit, accompagné par les autres en chœur : « Nous tous nous saurons la reconnaître ! » Et l'ânier ajouta : « Moi, je la reconnaîtrais entre mille putains à ses yeux bleus et étincelants ! Seulement donne-nous dix de tes gardes pour nous aider à nous en emparer ! » Et le wali, leur ayant donné les gardes demandés, ils sortirent du palais.

Or à peine avaient-ils fait quelques pas dans la rue, l'ânier en tête, qu'ils tombèrent juste sur la vieille, qui voulut alors s'échapper. Mais ils réussirent à l'attraper et lui attachèrent les mains derrière le dos et la traînèrent devant le wali qui lui demanda : « Qu'as-tu fait de toutes les choses volées ? » Elle répondit : « Moi ! je n'ai jamais rien volé à personne ! Et je n'ai rien vu ! Et je ne comprends pas ! » Alors le wali se tourna vers le gardien en chef des prisons et lui dit : « Jette-la jusqu'à demain dans ton cachot le plus moisi ! » Mais le geôlier répondit : « Par Allah ! je me garderai bien de prendre sur moi une telle responsabilité ! Je suis sûr qu'elle saura trouver un expédient pour m'échapper ! » Alors le wali se dit : « Le mieux, c'est de l'exposer à tous les regards, pour qu'elle ne puisse s'échapper, et de la faire surveiller toute cette nuit, pour que demain nous puissions la juger ! » Et il monta à cheval et, suivi de toute la bande, il la fit traîner hors des murs de Bagdad et attacher par les cheveux à un poteau en rase campagne. Puis, pour qu'il n'y eût pas de mécompte, il chargea les cinq plaignants eux-mêmes de la veiller cette nuit-là jusqu'au matin.

Donc les cinq, surtout l'ânier, commencèrent par assouvir sur elle leur ressentiment en l'appelant par tous les noms que leur suggéraient les avanies et escroqueries par eux subies ! Mais comme toute chose a une fin, même le fond du sac à quolibets d'un ânier et de la cuvette à malices d'un barbier et de la cuve à acides d'un teinturier, et comme d'ailleurs la privation de sommeil depuis trois jours et les émotions les avaient anéantis, les cinq plaignants finirent, une fois leur repas terminé, par s'assoupir au pied du poteau où était attachée par les cheveux Dalila-la-Rouée.

Or la nuit était déjà avancée, et les cinq compagnons ronflaient autour du poteau, lorsque deux Bédouins à cheval, qui s'entretenaient ensemble en allant au pas, s'approchèrent de l'endroit où était attachée Dalila. Et la vieille les entendit qui se faisaient part de leurs sensations. L'un des Bédouins, en effet, demandait à son compagnon : « Toi, frère, qu'as-tu fait de mieux durant ton séjour dans la merveilleuse Bagdad…

À ce moment de sa narration, Schahrazade vit apparaître le matin et, discrète, se tut.

Mais lorsque fut la quatre cent quarante-quatrième nuit. Elle dit :

… Toi, frère, qu'as-tu fait de mieux durant ton séjour dans la merveilleuse Bagdad ? » L'autre répondit, après un silence : « Moi, par Allah ! j'y ai mangé de délicieux beignets au miel et à la crème, ceux-là que j'aime ! Et voilà certes ce que j'ai fait de mieux à Bagdad ! » Alors l'autre, reniflant dans l'air l'odeur d'imaginaires beignets frits à l'huile et farcis de crème et dulcifiés de miel, s'écria : « Par l'honneur des Arabes ! je vais de ce pas aller à Bagdad manger de ces délicieuses bouchées-là dont je n'ai goûté de ma vie, durant mes courses dans le désert ! » Alors le Bédouin qui avait déjà mangé des beignets farcis à la crème et au miel prit congé de son compagnon l'alléché, pour retourner sur ses pas, tandis que celui-ci, continuant sa route sur Bagdad, arrivait au poteau et y découvrait Dalila attachée par les cheveux avec, autour d'elle, les cinq hommes endormis.

À cette vue, il s'approcha de la vieille et lui demanda : « Qui es-tu ? Et pourquoi es-tu là ! » Elle dit, en pleurant : « Ô cheikh des Arabes, je me mets sous ta protection ! » Il dit : « Allah est le plus grand Protecteur ! Mais pourquoi es-tu attachée à ce poteau ? » Elle répondit : « Sache, ô cheikh arabe, ô très honorable, que j'ai comme ennemi un pâtissier marchand de beignets farcis à la crème et au miel, qui est certainement le plus réputé à Bagdad pour la confection à point, dans la friture, de ces beignets. Or moi, l'autre jour, pour me venger d'une injure qu'il m'avait faite, je me suis approchée de sa devanture et j'ai craché sur ses beignets. Alors le pâtissier alla porter plainte contre moi au wali qui m'a condamnée à être attachée à ce poteau et à y demeurer si je ne puis manger, en une seule séance, dix plateaux entiers remplis de beignets. Et c'est demain matin que l'on doit me présenter les dix plateaux de beignets. Or moi, par Allah ! ô cheikh des Arabes, j'ai une âme qui a toujours eu du dégoût pour toutes les douceurs, et qui surtout n'accepte pas les beignets farcis de crème et de miel. Hélas sur moi ! Je vais donc me laisser ici mourir de faim ! » À ces paroles, le Bédouin s'écria : « Par l'honneur des Arabes ! moi je ne suis venu de ma tribu et je ne vais à Bagdad que pour satisfaire mon désir sur les beignets ! Si tu veux, ma bonne tante, je mangerai les plateaux à ta place ! » Elle répondit : « On ne te le laissera pas faire, à moins que tu ne sois attaché à ma place à ce poteau ! Et justement, comme j'ai toujours eu la figure voilée, nul ne m'a vue et ne saurait deviner le changement ! Tu n'as, pour cela, qu'à changer d'habits avec moi, après m'avoir détachée ! » Le Bédouin, qui ne demandait que cela, se hâta de la détacher et, après avoir changé d'habits avec elle, se fit attacher au poteau à sa place, tandis qu'elle-même, revêtue du burnous du Bédouin et la tête ceinte de ses cordelières noires en poils de chameau, sautait sur le cheval et disparaissait dans le loin, vers Bagdad.

Le lendemain, en ouvrant les yeux, les cinq, pour souhaiter le bonjour à la vieille, recommencèrent leurs invectives de la nuit. Mais le Bédouin leur dit : « Où sont les beignets ? Mon estomac les souhaite ardemment ! » En entendant cette voix, les cinq s'écrièrent : « Par Allah ! c'est un homme ! Et son parler est celui des Bédouins ! » Et l'ânier sauta sur ses pieds et s'approcha de lui, et lui demanda : « Ya Badawi, que fais-tu là ? Et comment as-tu osé détacher la vieille ? » Il répondit : « Où sont les beignets ? Je n'ai pas mangé de toute la nuit ! Surtout n'économisez pas le miel ! Elle, la pauvre vieille, avait une âme qui abhorrait les pâtisseries ; mais la mienne les aime bien ! »

À ces paroles, les cinq comprirent que le Bédouin avait été dupé comme eux par la vieille et, après s'être donné à eux-mêmes, dans leur désespoir, de grands coups sur le visage, s'écrièrent : « On ne peut fuir sa destinée ni éviter l'accomplissement de ce qui est écrit par Allah ! » Et pendant qu'ils étaient dans l'incertitude sur ce qui leur restait à faire, le wali, accompagné de ses gardes, arriva à l'endroit où ils se trouvaient, et s'approcha du poteau. Alors le Bédouin lui demanda : « Où sont les plateaux de beignets au miel ? » À ces paroles le wali leva les yeux vers le poteau et aperçut là le Bédouin à la place de la vieille ; et il demanda aux cinq : « Qu'est-ce que cela ? » Ils répondirent : « C'est la destinée ! » et ajoutèrent : « La vieille s'est échappée en dupant ce Bédouin. Et c'est toi, ô wali, que nous rendons responsable devant le khalifat de sa fuite ; car si tu nous avais donné des gardes pour la surveiller, elle n'aurait pas réussi à s'échapper. Nous ne sommes pas plus des gardes que nous ne sommes des esclaves bons à vendre ou à acheter ! » Alors le wali se tourna vers le Bédouin et lui demanda ce qui s'était passé ; et celui-ci, avec force exclamations de désir, lui raconta son histoire, et termina en disant : « À moi les beignets, maintenant ! » À ces paroles, le wali et les gardes lancèrent un considérable éclat de rire, alors que les cinq roulaient des yeux rouges de sang et de vengeance, et disaient au wali : « Nous ne te quitterons que chez notre maître l'émir des Croyants ! » Et le Bédouin, ayant fini par comprendre qu'il avait été dupé, dit également au wali : « Moi, je ne rends que toi seul responsable de la perte de mon cheval et de mes vêtements ! » Alors le wali fut obligé de les emmener et d'aller avec eux à Bagdad, au palais de l'émir des Croyants, le khalifat Haroun Al-Rachid…

À ce moment de sa narration, Schahrazade vit apparaître le matin et, discrète, se tut.

Mais lorsque fut la quatre cent quarante-cinquième nuit. Elle dit :

… Et d'aller avec eux à Bagdad, au palais de l'émir des Croyants, le khalifat Haroun Al-Rachid.

L'audience leur fut accordée et ils entrèrent au diwân, où déjà les avait précédés le capitaine Fléau-des-Rues, l'un des premiers plaignants. Le khalifat, qui faisait tout par lui-même, commença par les interroger l'un après l'autre, l'ânier le premier et le wali le dernier. Et chacun d'eux raconta au khalifat son histoire, avec tous ses détails. Alors le khalifat, extrêmement émerveillé de toute l'affaire, dit à tous ceux-là : « Par l'honneur de mes aïeux les Bani-Abbas ! je vous donne l'assurance que tout ce qui vous a été dérobé vous sera rendu. Toi, l'ânier, tu auras ton âne et une indemnité ! Toi, le barbier, tu auras tous tes meubles et ustensiles ! Toi, marchand, ta bourse et tes vêtements ! Toi, juif, tes bijoux ! Toi, teinturier, une boutique neuve ! Et toi, cheikh arabe, ton cheval, tes habits et autant de plateaux de beignets au miel que peut en souhaiter la capacité de ton âme ! Aussi faut-il d'abord retrouver la vieille ! » Et il se tourna vers le wali et le capitaine Fléau et leur dit : « Toi, émir Khaled, tes mille dinars te seront également restitués ! Et toi, émir Mustapha, les bijoux et les vêtements de ton épouse et une indemnité. Mais il faut, à vous deux, retrouver la vieille ! Je vous charge de ce soin. »

À ces paroles, l'émir Khaled secoua ses habits et leva les bras au ciel, en s'écriant : « Par Allah ! ô émir des Croyants, excuse-moi ! Je n'ose me charger encore de l'accomplissement de cette tâche-là ! Après tous les tours que cette vieille m'a joués, je ne réponds pas qu'elle ne trouve encore quelque expédient pour se tirer d'affaire à mes dépens ! » Et le khalifat se mit à rire et lui dit : « Alors charge un autre de ce soin ! » Il dit : « Dans ce cas, ô émir des Croyants, donne toi-même l'ordre de rechercher la vieille à l'homme le plus habile de Bagdad, le chef même de la police de Ta Droite, Ahmad-la-Teigne ! Jusqu'à présent, malgré toute son habilité, les services qu'il peut rendre et les gros appointements qu'il touche chaque mois, il n'a encore rien eu à faire ! » Alors le khalifat appela : « Ya mokaddem Ahmad ! » Et Ahmad-la-Teigne s'avança aussitôt entre les mains du khalifat et dit : « À tes ordres, ô émir des Croyants ! » Le khalifat lui dit : « Écoute ! capitaine Ahmad, il y a une vieille qui a fait *telle* et *telle* chose ! Et c'est toi que je charge de la retrouver et de me l'amener ! » Et Ahmad-la-Teigne dit : « Je réponds d'elle, ô émir des Croyants ! »

Et il sortit, suivit de ses quarante archers, tandis que le khalifat gardait auprès de lui les cinq et le Bédouin.

Or le chef des archers d'Ahmad-la-Teigne était un homme rompu à ces sortes de recherches, et qui s'appelait Ayoub Dos-de-Chameau. Comme il avait l'habitude de parler librement à son chef Ahmad-la-Teigne, l'ancien larron, il s'approcha de lui et lui dit : « Capitaine Ahmad, il n'y a pas qu'une seule vieille dans Bagdad ; et la capture va être difficile, crois ma barbe ! » Et Ahmad-la-Teigne lui demanda : « Alors qu'as-tu à me dire à ce sujet, ô Ayoub Dos-de-Chameau ? » Il répondit : « Nous ne serons jamais assez nombreux pour arriver à circonvenir la vieille ; et je suis d'avis de décider le capitaine Hassan-la-Peste à nous accompagner avec ses quarante archers ; car il a mieux que nous l'expérience de ces sortes d'expéditions ! » Mais Ahmad-la-Teigne, qui ne voulait point partager avec son collègue la gloire de la capture, répondit à haute voix, de façon à être entendu de Hassan-la-Peste qui se tenait à la grande porte du palais : « Par Allah ! ô Dos-de-Chameau, depuis quand avons-nous besoin d'autrui pour faire nos affaires ? » Et il passa fièrement à cheval, avec ses quarante archers, devant Hassan-la-Peste mortifié par cette réponse et aussi du choix qu'avait fait le khalifat du seul Ahmad-la-Teigne, en le négligeant, lui Hassan ! Et il se dit : « Par la vie de ma tête rasée ! ils auront besoin de moi ! »

Quant à Ahmad-la-Teigne, une fois qu'il fut arrivé sur la place qui s'étendait devant le palais du khalifat, il harangua ses hommes, pour les encourager, et leur dit : « Ô mes braves, vous allez vous diviser en quatre groupes pour faire des perquisitions dans les quatre quartiers de Bagdad. Et demain, vers l'heure de midi, vous reviendrez tous me trouver au cabaret de la rue Mustapha pour me rendre compte de ce que vous aurez fait ou trouvé ! » Et, ayant ainsi convenu du point de réunion, ils se divisèrent en quatre groupes, qui allèrent parcourir chacun un quartier différent, tandis que de son côté Ahmad-la-Teigne se mettait à flairer le vent devant lui.

Mais pour ce qui est de Dalila et de sa fille Zeinab, elles ne tardèrent pas à apprendre, par la rumeur publique, les perquisitions dont le khalifat avait chargé Ahmad-la-Teigne dans le but d'arrêter une vieille friponne dont les ruses faisaient l'entretien de tout Bagdad. À cette nouvelle, Dalila dit à sa fille : « Ô fille mienne, je n'ai rien à craindre de tous ceux-là, du moment que Hassan-la-Peste n'est pas avec eux ; car Hassan est le seul homme à Bagdad dont je redoute la perspicacité, puisqu'il est le seul à Bagdad à me connaître et à te connaître ; et il peut, quand il veut, aujourd'hui même, venir nous arrêter sans que nous puissions trouver le moindre expédient pour lui échapper. Remercions donc le Protecteur qui nous protège ! » Sa fille Zeinab répondit : « Ô mère mienne, quelle belle occasion alors ce serait pour nous de jouer quelque tour excellent à cet Ahmad-la-Teigne et à ses quarante idiots ! Quelle joie ce serait, ô mère mienne ! » Dalila répondit : « Ô fille de mes entrailles, aujourd'hui je me sens un peu indisposée, et je compte sur toi pour berner ces quarante et un bandits ! La chose est aisée, et je ne doute pas de ta sagacité ! » Alors Zeinab, qui était une adolescente gracieuse et souple avec des yeux sombres dans un visage charmant et clair…

À ce moment de sa narration, Schahrazade vit apparaître le matin et, discrète, se tut.

Mais lorsque fut la quatre cent quarante-sixième nuit. Elle dit :

… Alors Zeinab, qui était une adolescente gracieuse et souple avec des yeux sombres dans un visage charmant et clair, se leva aussitôt et s'habilla avec une grande élégance et se voila le visage d'une légère mousseline de soie, tant que l'éclat de ses yeux en était plus velouté et captivant. Alors, attifée de la sorte, elle vint embrasser sa mère et lui dit : « Ô mère, je jure, par la vie de mon cadenas intact et fermé ! de me rendre la maîtresse des Quarante et Un, et d'en faire mon jouet ! » Et elle sortit de la maison et s'en alla à la rue Mustapha, et entra dans le cabaret tenu par le Hagg-Karim de Mossoul.

Elle commença d'abord par faire un salam très gentil au Hagg-Karim, le cabaretier, qui, charmé, lui rendit au double son salam. Alors elle lui dit : « Ya Hagg-Karim, voici cinq dinars pour toi si tu veux me louer pour jusqu'à demain ta grande salle du fond, où je veux inviter quelques amis, sans que les clients ordinaires puissent y pénétrer ! » Il répondit : « Par ta vie, ô ma maîtresse, et par la vie de tes yeux, les beaux yeux, je consens à te louer ma grande salle pour rien, à charge seulement pour toi de ne point ménager les boissons à tes invités ! » Elle sourit et lui dit : « Ceux que j'invite, ya Hagg, sont des gargoulettes dont le potier a oublié de fermer le cul ! Toute ta boutique, quant à ses liquides, y passera ! Sois sans crainte à ce sujet ! » Et aussitôt elle retourna à la maison où elle prit l'âne de l'ânier et le cheval du Bédouin, les chargea de matelas, de tapis, d'escabeaux, de nappes, de plateaux, d'assiettes et autres ustensiles et revint en toute hâte au cabaret, et déchargea l'âne et le cheval de toutes ces choses pour les ranger dans la grande salle qu'elle avait louée. Elle tendit ensuite les nappes, mit en ordre les pots de boissons, les coupes et les mets qu'elle avait achetés, et, ce travail achevé, elle alla se poster à la porte du cabaret.

Il n'y avait pas longtemps qu'elle était là quand elle vit poindre dix des archers d'Ahmad-la-Teigne, avec, à leur tête, Dos-de-Chameau qui avait un air bien farouche. Et il se dirigea précisément vers la boutique, avec les neuf autres, et vit à son tour la belle adolescente qui avait pris soin de relever, comme par inadvertance, le léger voile de mousseline qui lui couvrait le visage. Et Dos-de-Chameau fut ébloui à la fois et charmé de sa jeune beauté si avenante, et lui demanda : « Que fais-tu là, ô jouvencelle ? » Elle répondit, en lui coulant de côté un regard langoureux : « Rien ! J'attends ma destinée ! Serais-tu le capitaine Ahmad ? » Il dit : « Non, par Allah ! Mais je puis le remplacer s'il s'agit d'un service que tu lui demandes, car je suis le chef de ses archers, Ayoub Dos-de-Chameau, ton esclave, ô œil de gazelle ! » Elle lui sourit encore et lui dit : « Par Allah ! ô chef archer, si la politesse et les bonnes manières voulaient élire un domicile sûr, elles choisiraient les quarante vôtres pour guides ! Entrez donc ici, et soyez les bienvenus ! L'accueil amical que vous trouverez chez moi n'est qu'un hommage dû aux hôtes charmants ! » Et elle les introduisit dans la salle apprêtée et, les ayant invités à s'asseoir autour des grands plateaux de boissons, leur offrit à boire du vin mélangé au soporifique bang. Aussi, dès les premières coupes vidées, les dix tombèrent sur le dos comme des éléphants ivres ou des buffles pris de vertiges, et ils s'enfoncèrent dans un profond sommeil.

Alors Zeinab les traîna, à tour de rôle, par les pieds et les jeta tout au fond de la boutique en les entassant les uns sur les autres, les cacha sous une large couverture, tira sur eux un grand rideau, remit tout en ordre dans la pièce, et sortit se poster de nouveau à la porte du cabaret.

Bientôt apparut la seconde escouade de dix archers qui subit le même ensorcellement par les yeux sombres et le visage clair de la belle Zeinab et le même traitement que la précédente, ainsi que la troisième et la quatrième escouade. Et l'adolescente, après avoir entassé tous les archers les uns sur les autres derrière le grand rideau, remit tout en ordre dans la salle et sortit attendre l'arrivée d'Ahmad-la-Teigne lui-même.

Elle n'était pas là depuis longtemps quand apparut sur son cheval, menaçant et les yeux chargés d'éclairs et les poils de la barbe et des moustaches hérissés comme les poils de l'hyène affamée, Ahmad-la-Teigne. Arrivé devant la porte, il descendit de cheval et attacha la bête par la bride à l'un des anneaux en fer scellés dans les murs du cabaret, et s'écria : « Où sont-ils, tous ces fils de chiens ? Je leur avais ordonné de m'attendre ici ? Les aurais-tu vus, toi ? » Alors Zeinab balança ses hanches, coula un regard doux à gauche, puis un autre à droite, sourit de ses lèvres et dit : « Qui donc, ô mon maître ? » Or, Ahmad, des deux regards à lui jetés par l'adolescente, sentit ses entrailles lui bouleverser l'estomac, et gémir l'enfant, seul héritage qui lui restât, capital et intérêts ! Alors il dit à la souriante Zeinab immobile dans une pose naïve : « Ô jouvencelle, mes quarante archers ! » À ces paroles Zeinab, comme subitement prise d'un grand sentiment de respect, s'avança vers Ahmad-la-Teigne, et lui baisa la main en disant : « Ô capitaine Ahmad, chef de la Droite du khalifat, les quarante archers m'ont chargée de te dire qu'ils avaient aperçu, au fond de la ruelle, la vieille Dalila que tu cherches, et qu'ils allaient se mettre à sa poursuite sans s'arrêter ici ; mais ils t'assurent qu'ils reviendront bientôt avec elle ; et tu n'as qu'à les attendre dans la grande salle du cabaret où je te servirai moi-même avec mes yeux ! » Alors Ahmad-la-Teigne, précédé par l'adolescente, pénétra dans la boutique où il ne tarda pas, grisé par les charmes de la friponne et subjugué par ses artifices, à boire coupe sur coupe et à tomber comme mort sous l'effet opéré sur sa raison par le bang soporifique mélangé aux boissons.

Alors Zeinab, sans perdre de temps, commença par dépouiller Ahmad-la-Teigne de tous ses habits et de tout ce qu'il portait sur lui, ne lui laissant sur le corps que sa chemise et son large caleçon ; puis elle alla aux autres et les dépouilla de la même façon. Après quoi elle ramassa tous ses ustensiles et tous les effets qu'elle venait de voler, les chargea sur le cheval d'Ahmad-la-Teigne, sur celui du Bédouin et sur l'âne de l'ânier et, riche ainsi de tous ces trophées de sa victoire, elle regagna sa maison sans encombre, et remit le tout à sa mère Dalila qui l'embrassa en pleurant de joie. Quant à Ahmad-la-Teigne et à ses quarante compagnons…

À ce moment de sa narration, Schahrazade vit apparaître le matin et, discrète, se tut.

Mais lorsque fut la quatre cent quarante-septième nuit. Elle dit :

… Quant à Ahmad-la-Teigne et à ses quarante compagnons, ils restèrent endormis pendant deux jours et deux nuits, et lorsque, au matin du troisième jour, ils se furent réveillés de leur sommeil extraordinaire, ils ne surent d'abord comment s'expliquer leur présence là-dedans, et finirent, à force de suppositions, par ne plus douter du tour qui leur avait été joué. Alors ils se trouvèrent fort humiliés, surtout Ahmad-la-Teigne qui avait montré une telle assurance en présence de Hassan-la-Peste, et qui éprouvait maintenant une grande honte à se montrer dans la rue, dans l'accoutrement où il se trouvait. Il se décida pourtant à sortir du cabaret et, précisément, la première personne qu'il rencontra sur sa route fut son collègue Hassan-la-Peste qui, le voyant ainsi vêtu de la chemise et du caleçon, et suivi de ses quarante archers accoutrés comme lui, comprit, à ce seul coup d'œil, l'aventure dont ils venaient tous d'être les victimes. À cette vue Hassan-la-Peste exulta à la limite de l'exultation et se mit à chanter ces vers :

« Les jeunes filles naïves croient tous les hommes semblables ! Elles ne savent point que nous ne nous ressemblons que par nos turbans !

Parmi nous les uns sont des savants, et les autres des imbéciles ! N'y a-t-il point au ciel des étoiles sans éclat et d'autres qui sont des perles ?

Les aigles et les faucons ne mangent point la chair morte ; mais les vautours impurs s'abattent sur les cadavres ! »

Lorsque Hassan-la-Peste eut fini de chanter, il s'approcha d'Ahmad-la-Teigne, qu'il feignit de reconnaître à l'instant, et lui dit : « Par Allah ! mokaddem Ahmad, les matinées sont fraîches sur le Tigre, et vous êtes des imprudents de sortir ainsi en chemise et en caleçon ! » Et Ahmad-la-Teigne répondit : « Et toi, ya Hassan, tu es encore plus lourd et plus froid d'esprit que cette matinée ! Nul n'échappe à son sort, et notre sort a été d'être joué par une jeune fille. La connaîtrais-tu, toi ? » Il répondit : « Je la connais et je connais sa mère ! Et si tu veux, je vais aller les capturer à l'instant ? » Il demanda : « Et comment cela ? » Il répondit : « Tu n'auras qu'à te présenter devant le khalifat, et, en signe d'incapacité, tu secoueras ton collier ; et tu lui diras de me charger de la capture à ta place ! » Alors Ahmad-la-Teigne, après s'être habillé, alla au diwân avec Hassan-la-Peste, et le khalifat lui demanda : « Où est la vieille, mokaddem Ahmad ? » Il secoua son collier et répondit : « Par Allah ! ô émir des Croyants, moi je ne la connais pas ! Le mokaddem Hassan ferait mieux l'affaire ! Il la connaît et affirme même que la vieille n'a fait tout cela que pour faire parler d'elle et attirer l'attention de notre maître le khalifat ! » Alors Al-Rachid se tourna vers Hassan et lui demanda : « Est-ce vrai, mokaddem Hassan ? Connais-tu la vieille ? Et crois-tu qu'elle n'a fait tout cela que pour mériter mes faveurs ? » Il répondit : « C'est vrai, ô émir des Croyants ! » Alors le khalifat s'écria : « Par la tombe et l'honneur de mes ancêtres ! si cette vieille restitue à tous ceux-là ce qu'elle leur a pris, je lui pardonne ! » Et Hassan-la-Peste dit : « Alors, ô émir des Croyants, donne-moi pour elle le sauf-conduit de la sécurité ! » Et le khalifat jeta son mouchoir à Hassan-la-Peste comme gage de sécurité pour la vieille.

Aussitôt Hassan, après avoir ramassé le gage de la sécurité, sortit du diwân et courut directement à la maison de Dalila qu'il connaissait de longue date. Il frappa à la porte et Zeinab vint lui ouvrir elle-même. Il demanda : « Où est ta mère ? » Elle dit : « En haut ! » Il dit : « Va lui dire que Hassan, le mokaddem de la Gauche, est en bas porteur pour elle, de la part du khalifat, du mouchoir de la sécurité, mais à condition qu'elle restitue tout ce qu'elle a pris. Et dis-lui de descendre par les bonnes manières, sinon je serais obligé d'employer la force à son égard ! » Or Dalila, qui avait entendu ces paroles, s'écria du dedans : « Jette-moi le mouchoir de la sécurité ! Et je t'accompagne chez le khalifat avec toutes les choses enlevées ! » Alors la Peste lui jeta le mouchoir, dont aussitôt Dalila s'entoura le cou ; puis elle se mit, aidée par sa fille, à charger l'âne de l'ânier et les deux chevaux de tous les objets dérobés. Lorsqu'elles eurent fini, Hassan dit à Dalila : « Il reste encore les effets d'Ahmad-la-Teigne et de ses quarante ! » Elle répondit : « Par le Nom le Plus Grand ! ce n'est pas moi qui les ai enlevés ! » Il se mit à rire et dit : « C'est vrai ! c'est ta fille Zeinab qui a joué le tour ! Soit ! Garde-les ceux-là ! » Puis, suivi des trois bêtes qu'il traînait l'une derrière l'autre par une corde les reliant toutes, il emmena Dalila et la conduisit au diwân…

À ce moment de sa narration, Schahrazade vit apparaître le matin et, discrète, se tut.

Mais lorsque fut la quatre cent quarante-huitième nuit. Elle dit :

… Il emmena Dalida et la conduisit au diwân, entre les mains du khalifat. Lorsque Al-Rachid vit entrer cette vieille diabolique, il ne put s'empêcher de crier l'ordre de la jeter immédiatement sur le tapis du sang pour qu'elle y fût exécutée. Alors elle s'écria : « Je suis sous ta protection, ô Hassan ! » Et Hassan-la-Peste se leva et baisa les mains du khalifat et lui dit : « Pardon pour elle, ô émir des Croyants ! Tu lui as donné le gage de la sécurité. Et le voilà à son cou ! » Le khalifat lui répondit : « C'est vrai ! Aussi je lui pardonne par égard pour toi ! » Puis il se tourna vers Dalila et lui dit : « Viens ici, ô vieille femme ! Quel est ton nom ? » Elle répondit : « Mon nom est Dalila, l'épouse de ton ancien directeur des pigeons ! » Il dit : « En vérité, tu es une astucieuse pleine d'expédients. Et désormais tu seras appelée Dalila-la-Rouée ! » Puis il lui dit : « Peux-tu au moins me dire dans quel but tu as joué tous ces tours à ces gens que voici, et tu nous as donné tant de tracas en fatiguant nos cœurs ? » Alors Dalila se jeta aux pieds du khalifat, et répondit : « Moi, ô émir des Croyants, je n'ai point agi de la sorte par cupidité ! Ayant entendu parler des anciens expédients et des tours joués autrefois dans Bagdad par les chefs de Ta Droite et de Ta Gauche, Ahmad-la-Teigne et Hassan-la-Peste, j'ai eu l'idée à mon tour de faire comme eux, sinon de les dépasser, afin de pouvoir obtenir de notre maître le khalifat les appointements et la charge de mon défunt mari, le père de mes pauvres filles ! »

À ces paroles, l'ânier se leva vivement et s'écria : « Qu'Allah juge et se prononce entre moi et cette vieille ! Elle ne s'est pas seulement contentée de me voler mon âne, mais elle a poussé le barbier moghrabin que voici à m'arracher mes deux molaires du fond et à me cautériser les deux tempes au fer rougi des clous ! » Et le Bédouin aussi se leva et s'écria : « Qu'Allah juge et se prononce entre moi et cette vieille ! Elle ne s'est pas seulement contentée de m'attacher au poteau à sa place et de me voler mon cheval, mais elle m'a occasionné une envie rentrée, en m'empêchant de satisfaire mon désir sur les beignets farcis au miel ! » Et le teinturier, le barbier, le jeune marchand, le capitaine Fléau, le juif et le wali se levèrent chacun à son tour en demandant à Allah la réparation des dommages à eux causés par la vieille. Aussi le khalifat, qui était magnanime et généreux, commença par rendre à chacun d'eux les objets qui leur avaient été volés, et les dédommagea amplement sur sa cassette particulière. Et spécialement à l'ânier, à cause de la perte de ses deux molaires et des cautérisations subies, il fit donner mille dinars d'or, et il le nomma chef de la corporation des âniers. Et tous sortirent du diwân, en se félicitant de la générosité du khalifat et de sa justice, et oublièrent leurs tribulations.

Quant à Dalila, le khalifat lui dit : « Maintenant, ô Dalila, tu peux me demander ce que tu souhaites ! » Elle embrassa la terre entre les mains du khalifat et répondit : « Ô émir des Croyants je ne souhaite qu'une seule chose de ta générosité, et c'est de rentrer dans la charge et les appointements de mon défunt mari, le directeur des pigeons messagers ! Et je saurai remplir ces fonctions, car du vivant de mon mari c'était moi, qui aidée de ma fille Zeinab, donnais les grains aux pigeons et nettoyais le pigeonnier et attachais les lettres à leur cou. Et c'était moi également qui surveillais le grand khân que tu as fait construire pour le service des pigeons, et que gardaient jour et nuit quarante nègres et quarante chiens, ceux-là mêmes que tu as pris au roi des Afghans, descendants de Soleimân, lors de ta victoire sur ce roi ! » Et le khalifat répondit : « Soit ! ô Dalila, je vais te faire écrire à l'instant la direction du grand khân des pigeons messagers et le commandement des quarante nègres et des quarante chiens enlevés au roi des Afghans, descendants de Soleimân ! Et tu seras ainsi responsable sur ta tête de la perte d'un de ces pigeons qui me sont plus précieux que la vie même de mes enfants. Mais je ne doute point de tes capacités ! » Alors Dalila ajouta : « Je voudrais également, ô émir des Croyants, que ma fille Zeinab habitât avec moi dans le khân pour m'aider dans la surveillance générale ! » Et le khalifat lui en donna l'autorisation.

Alors Dalila, après avoir baisé les mains du khalifat, se rendit à sa maison et, aidée par sa fille Zeinab, fit transporter ses meubles et ses effets dans le grand khân, et choisit comme lieu d'habitation le pavillon construit à l'entrée même du khân. Et, le jour même, elle prit le commandement des quarante nègres, et, habillée d'habits d'homme et la tête coiffée d'un casque d'or, elle se rendit à cheval auprès du khalifat pour prendre ses ordres et s'informer des messages qu'il pouvait y avoir à expédier dans les provinces ! Et quand la nuit vint, elle lâcha dans la grande cour du khân, pour la garde, les quarante chiens de la race de ceux des bergers de Soleimân.

Et tous les jours elle continua à se rendre au diwân, à cheval, coiffée du casque d'or surmonté d'un pigeon en argent, et accompagnée du cortège de ses quarante nègres vêtus de soie rouge et de brocart. Et, pour orner sa nouvelle demeure, elle y suspendit les habits d'Ahmad-la-Teigne, d'Ayoub Dos-de-Chameau et de leurs compagnons.

Et c'est ainsi que dans Bagdad Dalila-la-Rouée et sa fille Zeinab-la-Fourbe obtinrent, par leur adresse et leurs artifices, la charge si honorable de la direction des pigeons, et le commandement des quarante nègres et des quarante chiens nocturnes du grand khân ! Mais Allah est plus savant !

« Or, maintenant, ô Roi fortuné, continua Schahrazade, il est temps de te parler d'Ali Vif-Argent et de ses aventures avec Dalila et sa fille Zeinab, et avec le frère de Dalila, Zaraïk, marchand de poisson frit, et le Juif magicien Azaria ! Car ces aventures sont infiniment plus étonnantes et plus extraordinaires que toutes celles entendues jusqu'à présent ! » Et le roi Schahriar se dit en lui-même : « Par Allah ! je ne la tuerai qu'après avoir entendu les aventures d'Ali Vif-Argent ! » Et Schahrazade, voyant apparaître le matin, se tut discrètement.

Mais lorsque fut la quatre cent quarante-neuvième nuit. Elle dit :

Il m'est revenu, ô Roi fortuné, qu'il y avait à Bagdad, du temps où vivaient Ahmad-la-Teigne et Hassan-la-Peste, un autre larron si subtil et si fluide que jamais les gens de la police ne pouvaient mettre la main sur lui ; car sitôt qu'ils croyaient le tenir, il leur échappait comme glisse d'entre les doigts une boule de vif-argent qu'on essaye de saisir. C'est pourquoi on l'avait autrefois surnommé, au Caire, sa patrie, Ali Vif-Argent.

En effet ! Avant son arrivée à Bagdad, Ali Vif-Argent demeurait au Caire, et il n'en était parti pour venir à Bagdad qu'à la suite de circonstances dignes de mémoire, et qui méritent d'être mentionnées au commencement de cette histoire.

Il était un jour assis, triste et désœuvré, au milieu de ses compagnons dans la salle souterraine qui leur servait de point de réunion ; et ceux-ci, voyant qu'il avait le cœur serré et la poitrine rétrécie, essayaient de le distraire, mais il restait farouche dans son coin, avec le visage renfrogné, les traits contractés et les sourcils froncés. Alors l'un d'eux lui dit : « Ô notre grand, pour te dilater la poitrine il n'y a rien de mieux qu'une promenade à travers les rues et les souks du Caire ! » Et Ali Vif-Argent, pour en finir, se leva et sortit errer à travers les quartiers du Caire, sans que s'éclaircît son humeur noire. Et il arriva de la sorte à la rue Rouge, alors que sur son passage tous les gens s'écartaient avec empressement par égard et respect pour lui.

Comme il débouchait dans la rue Rouge et voulait entrer dans un cabaret où il avait coutume de s'enivrer, il vit, près de la porte, un porteur d'eau qui avait son outre en peau de chèvre sur le dos, et allait son chemin en faisant tinter l'une sur l'autre les deux tasses de cuivre où il versait l'eau à boire aux altérés. Et il chantait son cri de rue, où son eau devenait tantôt du miel tantôt du vin, au gré du désir ! Et ce jour-là il chantait ainsi son cri, en le rythmant au tintement de ses deux tasses entrechoquées :

« C'est du raisin que vient la meilleure liqueur ! Il n'est point de bonheur sans un ami de cœur ! Le délice chez soi double ainsi de valeur ! Et la place d'honneur est pour le beau parleur ! »

Lorsque le porteur d'eau aperçut Ali Vif-Argent, il fit tinter en son honneur les deux tasses retentissantes, et chanta :

« Ô passant, voilà la pure ! la douce, la délicieuse, la fraîche, l'eau ! l'œil du coq, mon eau ! le cristal, mon eau ! l'œil, ô mon eau ! la joie des gosiers ! le diamant ! l'eau, l'eau, mon eau ! »

Puis il demanda : « Mon seigneur, en veux-tu une tasse ? » Vif-Argent répondit : « Donne ! » Et le porteur lui remplit une tasse, qu'il eut soin au préalable de soigneusement rincer, et la lui offrit, disant : « Le délice ! » Mais Ali, ayant pris la tasse, la regarda un instant, l'agita et en répandit l'eau à terre, en disant : « Donne-m'en une autre ! » Alors le porteur, formalisé, le mesura des yeux, et s'écria : « Par Allah ! et que trouves-tu dans cette eau plus claire que l'œil du coq, pour ainsi la répandre à terre ? » Il répondit : « C'est mon plaisir ! Verse-m'en une autre ! » Et le porteur remplit d'eau la tasse pour la seconde fois et l'offrit religieusement à Ali Vif-Argent qui la prit et la répandit encore, en disant : « Remplis-la-moi encore une fois ! » Et le porteur s'écria : « Ya sidi, si tu ne veux pas boire, laisse-moi continuer mon chemin ! » et il lui tendit une troisième tasse d'eau. Mais cette fois Vif-Argent vida la tasse d'un trait et la remit au porteur en y déposant un dinar d'or, comme gratification. Or le porteur, loin de se montrer satisfait d'une pareille aubaine, toisa du regard Ali Vif-Argent et lui dit d'un ton narquois : « Bonne chance à toi, mon seigneur, bonne chance à toi ! Les petites gens sont une chose, et les grands seigneurs tout autre chose ! » À ces paroles, Ali Vif-Argent, à qui il ne fallait pas tant pour que la colère le fît éternuer, saisit le porteur d'eau par son caban, lui administra une volée de coups de poing en le secouant, lui et son outre, l'accula contre le mur de la fontaine publique de la rue Rouge, et lui cria : « Ah ! fils d'entremetteur, tu trouves qu'un dinar d'or c'est peu pour trois tasses d'eau ? Ah ! c'est bien peu ? Mais ton outre, telle quelle, vaut à peine trois pièces d'argent, et la quantité d'eau que j'ai jetée ou bue n'arrive même pas à une pinte ! » Le porteur répondit : « C'est juste, mon seigneur ! » Vif-Argent demanda : « Mais alors pourquoi m'as-tu parlé de la sorte ? Aurais-tu trouvé dans ta vie quelqu'un de plus généreux que je ne le suis envers toi ? » Le porteur d'eau répondit : « Oui, par Allah ! J'ai rencontré dans ma vie quelqu'un de plus généreux que toi ! Car tant que les femmes seront enceintes et engendreront des enfants, il y aura toujours sur la terre des hommes au cœur généreux ! » Vif-Argent demanda : « Et pourrais-tu me dire quel est cet homme, plus généreux que moi, que tu as rencontré ! » Le porteur d'eau répondit : « Lâche-moi d'abord, et assieds-toi là, sur la marche de la fontaine ! Et je te raconterai mon aventure qui est étrange extrêmement ! »

Alors Ali Vif-Argent lâcha le porteur d'eau ; et, tous deux s'étant assis sur l'un des degrés de marbre de la fontaine publique, à côté de l'outre déposée sur le sol, le porteur d'eau raconta…

À ce moment de sa narration, Schahrazade vit apparaître le matin et se tut discrètement.

Mais lorsque fut la quatre cent cinquantième nuit. Elle dit :

… Et, tous deux s'étant assis sur l'un des degrés de marbre de la fontaine publique, à côté de l'outre déposée sur le sol, le porteur d'eau raconta :

« Sache, ô mon généreux maître, que mon père était le cheikh de la corporation des porteurs d'eau du Caire, non point des porteurs qui vendent l'eau en gros aux maisons, mais de ceux qui, comme moi, la vendent au détail, en la débitant dans les rues sur leur dos.

« Lorsque mon père mourut, il me laissa en héritage cinq chameaux, un mulet, la boutique et la maison. C'était plus qu'il ne fallait à un homme de ma condition pour vivre heureux ! Mais, ô mon maître, le pauvre n'est jamais satisfait ; et le jour où par hasard il est enfin satisfait, il meurt ! Moi donc je pensai en mon âme : « Je vais augmenter mon héritage par le trafic et le commerce ! » Et aussitôt j'allai trouver divers prêteurs qui me conférent des marchandises. Je chargeai ces marchandises sur mes chameaux et mon mulet, et partis trafiquer au Hedjaz, au temps du pèlerinage de La Mecque. Mais, ô mon maître, le pauvre ne s'enrichit jamais ; et s'il s'enrichit, il meurt ! Moi je fis un trafic si malheureux qu'avant la fin du pèlerinage je perdis tout ce que je possédais, et fus obligé de vendre mes chameaux et mon mulet pour subvenir au plus pressé. Et je me dis : « Si tu retournes au Caire, tes créanciers vont te saisir et te jeter en prison ! » Alors moi je me joignis à la caravane de Syrie, et j'allai à Damas, à Alep et de là à Bagdad.

« Une fois arrivé à Bagdad, je m'informai du chef de la corporation des porteurs d'eau et me rendis auprès de lui. Je commençai, en bon musulman, par lui réciter le chapitre liminaire du Korân, et lui souhaitai la paix. Alors il m'interrogea sur mon état, et je lui racontai tout ce qui m'était arrivé. Et lui, sans tarder, il me donna une camisole, une outre et deux tasses pour que je pusse gagner ma vie. Et je sortis sur la voie d'Allah un matin, avec mon outre sur le dos, et me mis à circuler dans les divers quartiers de la ville, en chantant mon cri, comme les porteurs d'eau du Caire. Mais, ô mon maître, le pauvre reste pauvre, puisque c'est sa destinée !

« En effet, je ne tardai pas à voir combien grande était la différence entre les habitants de Bagdad et ceux du Caire. À Bagdad, ô mon maître, les gens n'ont pas soif ; et ceux qui, par hasard, se décident à boire ne paient pas ! Car l'eau est à Allah ! Je vis donc combien le métier était mauvais, aux réponses des premiers auxquels je fis mes offres chantées. En effet, comme je tendais ma tasse à l'un d'eux, il me répondit : « M'as-tu donc donné à manger, pour m'offrir à boire ? » Moi, je continuai alors mon chemin, en m'étonnant du procédé et de ce mauvais présage de début et je tendis la tasse à un second ; mais il me répondit : « Le gain est sur Allah ! Passe ton chemin, ô porteur ! » Moi, je ne voulus point me décourager, et continuai à cheminer à travers les souks, en m'arrêtant devant les boutiques bien achalandées, mais personne ne me fit signe de verser, ni ne voulut se laisser tenter par mes offres et le tintement de mes gobelets de cuivre. Et je restai de la sorte jusqu'à midi sans avoir gagné de quoi m'acheter une galette de pain et un concombre. Car, ô mon maître, la destinée du pauvre l'oblige à avoir faim quelquefois. Mais la faim, ô mon maître, est moins dure que l'humiliation ! Et le riche éprouve bien des humiliations, et les supporte moins bien que le pauvre qui n'a rien à perdre ni à gagner. Ainsi moi, par exemple, si je me suis formalisé de ton emportement, ce n'est point à cause de moi, mais à cause de mon eau qui est un don excellent d'Allah ! Mais toi, ô mon maître, ton emportement contre moi est dû à des motifs qui te touchent dans ta personne !

« Donc moi, en voyant mon séjour à Bagdad commencer d'une manière si attristante, je pensai en mon âme : « Mieux eût valu pour toi, ô pauvre, mourir dans une prison de ton pays qu'au milieu de ces gens qui n'aiment pas l'eau ! » Et comme je m'appesantissais dans mes pensées, je vis soudain une grande poussée se faire dans le souk et des gens courir dans une certaine direction. Alors moi, dont le métier est d'être là où se trouve la foule, je courus de toutes mes forces, avec mon outre sur le dos ; et je suivis le mouvement. Et je vis alors un cortège splendide composé d'hommes qui marchaient sur deux rangs, portaient de longs bâtons à la main, étaient coiffés de grands bonnets enrichis de perles, étaient habillés de beaux burnous en soie, et laissaient pendre à leur côté de beaux glaives incrustés richement. Et à leur tête marchait un cavalier à l'aspect terrible, devant qui s'inclinaient toutes les têtes jusqu'à terre. Alors moi je demandai : « Pour qui ce cortège ? Et qui est ce cavalier ? » On me répondit : « On voit bien, à ton accent égyptien et à ton ignorance, que tu n'es point de Bagdad ! Ce cortège est celui du mokaddem Ahmad-la-Teigne, le chef de la police de la Droite du khalifat, celui qui est chargé de maintenir l'ordre dans les faubourgs. Et c'est lui-même que tu vois à cheval. Il est très honoré, et a des appointements de mille dinars par mois, exactement comme son collègue Hassan-la-Peste, chef de la Gauche ! Et chacun de leurs hommes touche cent dinars par mois ! Ils viennent justement de sortir du diwân, et vont rentrer chez eux prendre leur repas de midi ! »

« Alors moi, ô mon maître, je me mis à chanter mon cri, selon le mode égyptien, exactement comme tu m'as entendu le faire tout à l'heure, en m'accompagnant au rythme de mes gobelets retentissants. Et je fis si bien que le mokaddem Ahmad m'entendit et m'aperçut et, poussant son cheval de mon côté, me dit : « Ô frère d'Égypte, je te reconnais à ton chant ! Donne-moi une tasse de ton eau ! » Et il prit la tasse que je lui tendais, la secoua et jeta le contenu à terre, pour me la faire remplir une seconde fois et en répandre encore l'eau à terre, exactement comme toi, ô mon maître, et boire d'un trait la troisième tasse qu'il me fit remplir. Puis il s'écria à haute voix : « Vive le Caire avec ses habitants, ô porteur, mon frère ! Pourquoi es-tu venu dans cette ville où les porteurs d'eau ne sont point estimés et rémunérés ? » Et moi je lui racontai mon histoire et lui fis comprendre que j'étais endetté, et en fuite précisément à cause de mes dettes et de ma détresse ! Alors il s'écria : « Sois donc le bienvenu à Bagdad ! » et il me donna cinq dinars d'or et, se tournant vers tous les hommes de son cortège, il leur dit : « Pour l'amour d'Allah, je recommande cet homme de ma patrie à votre libéralité ! » Aussitôt chaque homme du cortège me demanda une tasse d'eau et, après l'avoir vidée, y déposa un dinar d'or ! Si bien que j'eus, au bout de ma tournée, plus de cent dinars d'or dans la boîte en cuivre pendue à ma ceinture. Puis le mokaddem Ahmad-la-Teigne me dit : « Durant tout ton séjour à Bagdad, telle sera ta rémunération chaque fois que tu nous verseras à boire ! » Aussi, en peu de jours, ma boîte de cuivre se trouva plusieurs fois remplie ; et moi je comptai les dinars et vis qu'il y en avait mille et quelques ! Alors je pensai en mon âme : « Il est maintenant venu pour toi, le temps de retourner dans ton pays, ô porteur ! car, si bien qu'on soit sur une terre étrangère, on se trouve encore mieux dans sa patrie ! Et d'ailleurs tu as des dettes, et il te faut aller les payer ! » Alors je me dirigeai vers le diwân, où déjà l'on me connaissait et où l'on me traitait avec beaucoup d'égards ; et j'entrai prendre congé de mon bienfaiteur, en lui récitant ces vers…

À ce moment de sa narration, Schahrazade vit apparaître le matin et, discrète, se tut.

Mais lorsque fut la quatre cent cinquante et unième nuit. Elle dit :

… Et j'entrai prendre congé de mon bienfaiteur, en lui récitant ces vers :

« La demeure de l'étranger sur la terre étrangère est semblable à un édifice construit sur les vents.

Le vent souffle, l'édifice s'écroule et l'étranger l'abandonne ! Mieux eût-il valu ne rien construire ! »

« Puis je lui dis : « Voici d'ailleurs qu'une caravane part pour Le Caire, et je voudrais bien me joindre à elle pour retourner au milieu des miens ! » Alors il me donna une mule et cent dinars, et me dit : « Je voudrais, à mon tour, te charger, ô cheikh, d'une mission de confiance. Connais-tu beaucoup de gens au Caire ? » Je répondis : « Je connais tous les gens généreux qui l'habitent. » Il me dit : « Alors prends cette lettre que voici, et remets-la en main propre à mon ancien compagnon Ali Vif-Argent ; et dis-lui de ma part : « Ton grand t'envoie ses salams et ses souhaits ! Il est maintenant avec le khalifat Haroun Al-Rachid ! »

« Moi alors je pris la lettre, je baisai la main du mokaddem Ahmad, et je quittai Bagdad pour Le Caire, où j'arrivai il y a à peine cinq jours. Je commençai par aller trouver mes créanciers que je payai intégralement avec tout l'argent que j'avais gagné à Bagdad, grâce à la générosité d'Ahmad-la-Teigne. Après quoi je revêtis ma camisole de cuir, je chargeai mon outre sur mon dos, et je devins porteur d'eau comme avant, tel que tu me vois, ô mon maître ! Mais j'ai beau chercher dans tout Le Caire l'ami d'Ahmad-la-Teigne, Ali Vif-Argent, je ne puis arriver à le trouver pour lui remettre la lettre que je porte toujours dans la doublure de mon caban !

« Et telle est, ô mon maître, l'aventure que j'ai eue avec le plus généreux de mes clients ! »

Lorsque le porteur d'eau eut fini de raconter son histoire, Ali Vif-Argent se leva et l'embrassa comme le frère embrasse son frère, et lui dit : « Ô porteur, mon semblable, pardonne-moi mon emportement de tout à l'heure à ton égard ! L'homme, certes plus généreux que moi, le seul plus généreux que moi, que tu as rencontré à Bagdad est mon ancien chef grand ! Car c'est moi-même Ali Vif-Argent que tu cherches, le premier compagnon d'Ahmad-la-Teigne ! Réjouis donc ton âme, rafraîchis tes yeux et ton cœur et donne-moi la lettre de mon grand ! » Alors le porteur d'eau lui remit la lettre qu'il ouvrit et où il lut ce qui suit :

« LE SALAM DU MOKADDEM AHMAD,
AU PLUS ILLUSTRE ET AU PREMIER DE SES ENFANTS ALI VIF-ARGENT ! »

Je t'écris, ô ornement des plus beaux, sur une feuille qui volera vers toi avec les vents.

Si moi-même j'étais oiseau, je m'envolerais de désir vers tes bras ! Mais un oiseau dont on a coupé les ailes pourrait-il encore s'envoler ?

Sache, en effet, ô le plus beau, que je suis maintenant à la tête des quarante gaillards d'Ayoub Dos-de-Chameau, tous, comme nous, d'anciens braves, auteurs de mille superbes coups. Et j'ai été nommé par le khalifat Haroun Al-Rachid, notre maître, chef de la police de Sa Droite, chargé de la garde de la ville et des faubourgs, avec des appointements de mille dinars par mois, sans compter les rentrées extraordinaires et ordinaires de la part des gens qui veulent obtenir mes bonnes grâces.

Si donc, ô le plus cher, tu veux donner un vaste meidân à l'essor de ton génie et t'ouvrir la porte des honneurs et des richesses, tu n'as qu'à venir rejoindre ton ancien à Bagdad. Tu accompliras ici quelques hauts exploits, et je te promets de t'obtenir les faveurs du khalifat, une place digne de toi et de notre amitié, et un traitement aussi considérable que le mien.

Viens donc, mon fils, viens me rejoindre et me dilater le cœur par ta présence désirée !

Et que la Paix d'Allah et ses bénédictions soient sur toi, ya Ali ! »

Lorsque Ali Vif-Argent eut lu cette lettre d'Ahmad-la-Teigne son grand, il se trémoussa de joie et d'émotion et, brandissant son long bâton d'une main et la lettre de l'autre main, il exécuta une danse fantastique sur les marches de la fontaine, en bousculant les vieilles femmes et les mendiants. Puis il baisa plusieurs fois la lettre en la portant ensuite à son front ; et il défit sa ceinture de cuir et la vida de toutes les pièces d'or qu'elle contenait entre les mains du porteur d'eau, pour le remercier de la bonne nouvelle et de la commission. Et il se hâta d'aller rejoindre, dans le souterrain, les gaillards de sa bande pour leur annoncer son départ immédiat pour Bagdad.

Lorsqu'il fut arrivé au milieu d'eux, il leur dit : « Mes enfants, je vous recommande les uns aux autres ! » Alors son lieutenant s'écria : « Comment, maître ! Tu nous quittes donc ? » Il répondit : « Ma destinée m'attend à Bagdad, entre les mains de mon grand, Ahmad-la-Teigne ! » Il dit : « Le moment est bien difficile pour nous justement ! Notre magasin de provisions est vide ! Et sans toi qu'allons-nous devenir ? » Il répondit : « Avant même mon arrivée à Bagdad, dès que je serai entré dans Damas, je saurai bien trouver, pour vous l'envoyer, de quoi subvenir à tous vos besoins. Soyez donc sans crainte, mes enfants ! » Puis il enleva les vêtements qu'il portait, fit ses ablutions et s'habilla d'une robe serrée à la taille, d'un grand manteau de voyage aux vastes manches, enfonça dans sa ceinture de cuir deux poignards et un coutelas, se coiffa d'un extraordinaire tarbousch, et prit à la main une immense lance, longue de quarante-deux coudées, et faite en nœuds de bambou qui pouvaient rentrer les uns dans les autres à volonté. Puis il sauta sur le dos de son cheval et s'en alla.

Il était à peine sorti du Caire, qu'il aperçut…

À ce moment de sa narration, Schahrazade vit apparaître le matin et, discrète, se tut.

Mais lorsque fut la quatre cent cinquante-deuxième nuit. Elle dit :

… Il était à peine sorti du Caire qu'il aperçut une caravane dont il s'approcha et à laquelle il se joignit, ayant appris qu'elle se dirigeait vers Damas et Bagdad. Cette caravane était celle du syndic des marchands de Damas, homme fort riche, qui revenait de La Mecque et regagnait son pays. Or Ali, qui était jeune, beau et sans poils encore sur les joues, plut à l'extrême au syndic des marchands, aux chameliers et aux muletiers, et sut, tout en se défendant contre leurs diverses entreprises nocturnes, leur rendre quantité de services appréciables en les protégeant contre les Bédouins pillards et les lions du désert ; si bien qu'à leur arrivée à Damas ils lui marquèrent leur reconnaissance en le gratifiant chacun de cinq dinars ; et le syndic des marchands lui donna mille dinars. Et Ali, qui n'oubliait point ses compagnons du Caire, se hâta de leur envoyer tout cet argent, ne gardant sur lui que juste ce qui lui était nécessaire pour continuer sa route et arriver enfin à Bagdad ! Et voilà comment Ali Vif-Argent du Caire avait quitté son pays pour aller à Bagdad chercher sa destinée entre les mains d'Ahmad-la-Teigne, son grand, l'ancien chef des braves.

Dès qu'il fut entré dans la ville, il se mit à chercher la demeure de son ami, et s'en informa à plusieurs personnes qui ne purent ou ne voulurent la lui indiquer. Et il arriva de la sorte sur une place, nommée Al-Nafz, où il vit des jeunes garçons qui jouaient entre eux, sous la direction d'un autre, plus petit qu'eux tous, et qu'ils appelaient Mahmoud l'Avorton. Et c'était justement ce petit Mahmoud l'Avorton-là qui était le fils de la sœur de Zeinab, celle-là qui était mariée. Et Ali Vif-Argent pensa en lui-même : « Ya Ali, les nouvelles des gens se prennent chez leurs enfants ! » Et aussitôt, pour attirer à lui les enfants, il se dirigea vers la boutique d'un marchand de douceurs, et y acheta un gros morceau de halva à l'huile de sésame et au sucre ; puis il s'approcha des petits joueurs et leur cria : « Qui de vous veut du halva encore chaud ? » Mais Mahmoud l'Avorton empêcha les enfants de s'avancer, et vint tout seul devant Ali et lui dit : « Donne le halva ! » Alors Ali lui donna le morceau et, en même temps, lui glissa dans la main une pièce d'argent. Mais lorsque l'Avorton vit l'argent, il crut que l'homme le lui donnait pour l'entreprendre et le séduire, et il lui cria : « Va-t'en ! Je ne me vends pas ! Je ne fais pas de turpitudes ! Interroge les autres sur moi, et ils te répondront ! » Ali Vif-Argent, qui ne pensait point à ce moment-là à des turpitudes ou autres choses semblables, dit au petit crapuleux : « Mon enfant, ce que je te donne là est le prix d'un renseignement que je veux te demander ; et je te paie de la sorte, parce que les braves paient toujours les services qu'ils demandent à d'autres braves. Peux-tu seulement me dire où se trouve la demeure du mokaddem Ahmad-la-Teigne ? » L'Avorton répondit : « Si ce n'est que cela que tu me demandes, la chose est facile ! Je vais marcher devant toi, et quand j'arriverai devant la maison d'Ahmad-la-Teigne, j'attraperai un caillou avec mes orteils nus et je le lancerai contre la porte. De cette façon personne ne me verra te donner l'indication. Et tu sauras de la sorte quelle est la demeure d'Ahmad-la-Teigne ! » Et il se mit effectivement à courir devant Vif-Argent, et, au bout d'un certain temps, il ramassa un caillou avec ses orteils nus et le lança, sans bouger, contre la porte d'une maison ! Et Vif-Argent émerveillé de la prudence, de la précocité, de l'adresse, de la méfiance, de la malice et de la finesse du garnement, s'écria : « Inschallah, ya Mahmoud, le jour où moi aussi je serai nommé capitaine de la garde ou chef de police, je te choisirai le premier pour être du nombre de mes braves ! » Puis Ali frappa à la porte d'Ahmad-la-Teigne.

Lorsque Ahmad-la-Teigne entendit les coups frappés à sa porte, il bondit sur ses deux pieds, à la limite de l'émotion, et cria à son lieutenant Dos-de-Chameau : « Ô Dos-de-Chameau, va vite ouvrir au plus beau des fils des hommes ! Celui qui frappe à ma porte n'est autre que mon ancien lieutenant du Caire, Ali Vif-Argent ! Je le reconnais à sa manière de frapper ! » Et Dos-de-

Chameau ne douta pas un instant que ce fût précisément Ali Vif-Argent qui était là, et se hâta d'aller lui ouvrir la porte et de l'introduire auprès d'Ahmad-la-Teigne. Et les deux anciens amis s'embrassèrent tendrement ; et Ahmad-la-Teigne, après les premières effusions et les salams réitérés, le mit en présence de ses quarante gardes qui lui souhaitèrent la bienvenue comme à leur frère. Après quoi Ahmad-la-Teigne l'habilla d'une magnifique robe en lui disant : « Quand le khalifat m'a nommé chef de Sa Droite et donné les habillements de mes hommes, j'ai mis pour toi de côté cette robe, pensant qu'un jour ou l'autre je te retrouverais ! » Puis il le fit s'asseoir au milieu d'eux à la place d'honneur ; et il fit servir un festin prodigieux pour fêter son retour ; et ils se mirent tous à manger, à boire et à se réjouir, durant toute cette nuit-là !

Le lendemain matin, comme c'était l'heure pour Ahmad de se rendre au diwân à la tête de ses quarante, il dit à son ami Ali : « Ya Ali, il te faut être prudent au commencement de ton séjour à Bagdad. Garde-toi donc bien de sortir de la maison, pour ne point attirer sur toi la curiosité des habitants d'ici, qui sont gluants ! Ne crois point que Bagdad soit le Caire ! Bagdad est le siège du khalifat, et les espions y fourmillent comme en Égypte les mouches, et les escrocs et les roués y pullulent comme là-bas les oies et les crapauds ! » Et Ali Vif-Argent répondit : « Ô mon grand, suis-je donc venu à Bagdad pour m'enfermer comme une vierge entre les murs d'une maison ? » Mais Ahmad lui conseilla la patience et s'en alla au diwân à la tête de ses archers.

Quant à Ali Vif-Argent…

À ce moment de sa narration, Schahrazade vit apparaître le matin et, discrète, se tut.

Mais lorsque fut la quatre cent cinquante-troisième nuit. Elle dit :

… Quant à Ali Vif-Argent il eut la patience de rester enfermé trois jours dans la maison de son ami. Mais le quatrième jour il sentit se contracter son cœur et se rétrécir sa poitrine, et il demanda à Ahmad si le temps n'était point venu pour lui de commencer les exploits qui devaient l'illustrer et lui mériter les faveurs du khalifat. Ahmad répondit : « Toute chose vient en son temps, mon fils. Laisse-moi entièrement le soin de m'occuper de toi et de pressentir le khalifat à ton sujet, avant même que tu aies accompli tes exploits ! »

Mais dès qu'Ahmad-la-Teigne fut sorti, Vif-Argent ne put plus rester en place, et se dit : « Je vais aller simplement respirer un peu d'air pour me dilater la poitrine ! » Et il quitta la maison et se mit à parcourir les rues de Bagdad, en passant d'un endroit à l'autre, et s'arrêtant quelquefois chez un pâtissier ou dans une boutique de cuisinier pour manger un morceau ou avaler une bouchée de pâtisserie. Et voici qu'il aperçut un cortège de quarante nègres habillés de soie rouge, coiffés de hauts bonnets de feutre blanc et armés de grands coutelas d'acier. Ils marchaient deux par deux, en bon ordre ; et derrière eux, montée sur une mule harnachée richement, et revêtue d'une cotte de mailles en acier, s'avançait, dans sa gloire et sa splendeur, la directrice des pigeons, Dalila-la-Rouée !

Elle venait précisément de sortir du diwân et rentrait au khân. Mais comme elle passait devant Ali Vif-Argent, qu'elle ne connaissait pas et qui ne la connaissait pas, elle fut étonnée de sa beauté, de sa jeunesse, de sa belle taille, de son maintien élégant, de son extérieur agréable et surtout de sa ressemblance, comme expression de regard, avec Ahmad-la-Teigne lui-même, son ennemi. Et aussitôt elle dit un mot à l'un de ses nègres, qui alla s'informer en cachette auprès des marchands du souk du nom et de la condition du beau jeune homme ; mais nul ne sut le renseigner. Aussi lorsque Dalila fut rentrée à son pavillon du khân, elle appela sa fille Zeinab et lui dit d'apporter la table du sable divinatoire ; puis elle ajouta : « Ma fille, je viens de rencontrer dans le souk un jeune homme si beau que la beauté le reconnaîtrait pour l'un de ses favoris ! Mais, ô ma fille, son regard ressemble étrangement à celui de notre ennemi Ahmad-la-Teigne ! Et je crains fort que cet étranger, que personne ne connaît dans le souk, ne soit venu à Bagdad pour nous jouer quelque mauvais tour ! C'est pour cela que je vais consulter à son sujet ma table divinatoire ! »

À ces paroles, elle agita le sable, selon le mode cabalistique, en marmottant des paroles talismaniques et lisant à l'envers des lignes hébraïques ; puis elle fit, sur un grimoire, des combinaisons de nombres et de lettres algébriques et alchimiques, et, se tournant vers sa fille, lui dit : « Ô fille mienne, ce beau jeune homme s'appelle Ali Vif-Argent du Caire ! Il est l'ami de notre ennemi Ahmad-la-Teigne qui ne l'a fait venir à Bagdad que pour nous jouer quelque mauvais tour, et se venger ainsi de celui que tu lui as joué toi-même en l'enivrant et en le dépouillant de ses habits, lui et ses quarante ! D'ailleurs il loge dans la maison même d'Ahmad-la-Teigne ! » Mais sa fille Zeinab lui répondit : « Ô mère mienne, et qu'est-il après tout, celui-là encore ! Ne voilà-t-il pas que tu fais cas de cet imberbe jouvenceau ! » Elle répondit : « La table de sable vient de me révéler, en outre, que la chance de cet adolescent l'emportera, et de beaucoup, sur ma chance et la tienne ! » Elle dit : « Nous allons bien voir, ô mère ! » Et aussitôt elle se vêtit de sa plus belle robe, après s'être velouté le regard avec sa baguette de kôhl et joint les sourcils avec sa pâte noire parfumée, et sortit pour tâcher de rencontrer le jeune homme en question.

Elle se mit à parcourir lentement les souks de Bagdad, en balançant ses hanches et mouvant ses yeux sous sa voilette, et lançant les regards destructeurs des cœurs, avec des sourires aux uns, des promesses tacites aux autres, des coquetteries, des minauderies, des agaceries, des réponses avec les yeux, des demandes avec les sourcils, des assassinats avec les cils, des réveils avec les bracelets, de la musique avec ses grelots et du feu dans toutes les entrailles, jusqu'à ce qu'elle eût rencontré devant la devanture d'un marchand de kenafa, Ali Vif-Argent lui-même qu'elle reconnut à sa beauté ! Alors elle s'approcha de lui et, comme par inadvertance, lui envoya un coup d'épaule qui le fit trébucher, et, comme formalisée qu'on l'eût touchée elle-même, elle lui dit : « Vivent les aveugles, ô clairvoyant ! »

À ces paroles, Ali Vif-Argent se contenta de sourire, en voyant la belle adolescente dont le regard le transperçait déjà d'outre en outre, et répondit : « Oh ! que tu es belle, ô jouvencelle ! à qui appartiens-tu ? » Elle ferma à demi ses yeux magnifiques sous la voilette, et répondit : « À tout être beau qui te ressemble ! » Ali Vif-Argent demanda : « Es-tu mariée ou vierge ? » Elle répondit : « Mariée, pour ta chance ! » Il dit : « Alors sera-ce chez moi ou chez toi ? » Elle répondit : « J'aime mieux chez moi ! Sache que je suis mariée à un marchand ; et je suis la fille d'un marchand. Et c'est aujourd'hui la première fois que je peux enfin sortir de la maison, vu que mon époux vient de s'absenter pour une semaine. Or moi, dès qu'il fut parti, je voulus me réjouir, et je dis à ma servante de me cuisiner des mets très appétissants. Mais comme les mets les plus appétissants ne sauraient être délicieux qu'en la société des amis, je suis sortie de ma maison à la recherche de quelqu'un d'aussi beau et d'aussi bien élevé que toi pour partager mon repas et passer la nuit avec moi ! Et je t'ai vu, et ton amour m'est entré dans le cœur. Voudrais-tu donc daigner me réjouir l'âme, me soulager le cœur et accepter de manger une bouchée chez moi…

À ce moment de sa narration, Schahrazade vit apparaître le matin et, discrète, se tut.

Mais lorsque fut la quatre cent cinquante-quatrième nuit. Elle dit :

… Et accepter de manger une bouchée chez moi ? » Il répondit : « Quand on est invité, on ne peut refuser ! » Alors elle marcha devant lui, et il la suivit de rue en rue, en marchant à une certaine distance.

Or, pendant qu'il cheminait ainsi derrière elle, il pensa : « Ya Ali, quelle imprudence tu fais, pour un étranger nouvellement arrivé ! Qui sait si tu ne vas pas t'exposer au ressentiment du mari qui tombera soudain sur toi pendant ton sommeil et, pour se venger de toi, te coupera ton coq et ses œufs de couvaison ! Et d'ailleurs le Sage a dit : « Celui qui fornique dans un pays étranger, dont il est l'hôte, sera châtié par le Grand Hospitalier ! » Il serait donc plus raisonnable pour toi de t'excuser poliment auprès d'elle en lui disant quelques paroles gentilles ! » Il profita donc d'un moment où ils étaient arrivés à un endroit écarté, s'approcha d'elle et lui dit : « Ô jouvencelle, tiens, prends ce dinar pour toi, et renvoyons notre rencontre à un autre jour ! » Elle répondit : « Par le Nom le Plus Grand ! il te faut absolument être mon hôte aujourd'hui, car je ne me suis jamais sentie comme aujourd'hui disposée aux multiples ébats et aux jeux hardis ! » Alors il la suivit, et arriva avec elle devant une vaste maison dont la porte était fermée avec une forte serrure de bois. Et la jeune fille fit le geste de chercher dans sa robe la cheville d'ouverture, puis s'écria, désappointée : « Voilà que j'ai perdu ma cheville ! Comment faire pour ouvrir la porte maintenant ? » Puis elle fit semblant d'en prendre son parti et lui dit : « Ouvre-la, toi ! » Il dit : « Comment pourrais-je ouvrir une serrure sans cheville ni clef ? Je ne puis pourtant me décider à l'ouvrir de force ! » Pour toute réponse, elle lui lança de dessous sa voilette deux œillades qui lui ouvrirent ses serrures les plus profondes ; puis elle ajouta : « Tu n'auras qu'à la toucher, et elle s'ouvrira ! » Et Vif-Argent mit la main sur la serrure de bois, et Zeinab se hâta de marmonner sur elle les noms de la mère de Moïse ! Et aussitôt la serrure céda, et la porte s'ouvrit. Ils entrèrent tous deux, et elle le conduisit dans une salle remplie de belles armes et tendue de beaux tapis, où elle le fit s'asseoir. Sans tarder, elle tendit la nappe et, s'asseyant à côté de lui, elle se mit à manger avec lui et à lui mettre elle-même les bouchées entre les lèvres, puis à boire avec lui et à se réjouir, sans toutefois lui permettre de la toucher ou d'en prendre un baiser ou un pincement ou une morsure ; car chaque fois qu'il se penchait sur elle pour l'embrasser, elle interposait vivement sa main entre sa joue et les lèvres du jeune homme, et le baiser ne touchait ainsi que la main. Et, à ses demandes pressantes, elle répondait : « La volupté n'acquiert sa plénitude que la nuit ! »

Leur repas se termina de la sorte ; et ils se levèrent pour se laver les mains, et sortirent dans la cour près du puits ; et Zeinab voulut elle-même manœuvrer la corde et la poulie, et tirer le seau du fond du puits ; mais soudain elle poussa un cri et se pencha sur la margelle, en se frappant la poitrine et se tordant les bras, en proie à un désespoir extrême ; et Vif-Argent lui demanda : « Qu'as-tu donc, ô mon œil ? » Elle répondit : « Ma bague de rubis, trop large à mon doigt, vient de glisser et de tomber au fond du puits. Mon mari me l'avait achetée hier pour cinq cents dinars ! Et moi, l'ayant trouvée trop large, je l'avais rétrécie avec de la cire ! Cela ne m'a servi de rien, puisqu'elle vient de tomber là-dedans ! » Puis elle ajouta : « Je vais à l'instant me mettre nue et descendre dans le puits, qui n'est pas profond, pour chercher ma bague ! Tourne donc ton visage du côté du mur, pour que je puisse me déshabiller ! » Mais Vif-Argent répondit : « Quel opprobre sur moi, ô ma maîtresse, si, moi présent, je souffrais que tu descendisses toi-même ! C'est moi seul qui vais descendre te chercher ta bague au fond de l'eau ! Et aussitôt il se déshabilla complètement, saisit des deux mains la corde en fibres de palmier de la poulie, et se fit descendre dans le seau au fond du puits. Lorsqu'il fut arrivé dans l'eau, il lâcha la corde et plongea à la recherche de la bague ; et l'eau lui arrivait aux épaules, froide et noire dans l'obscurité. Et au même moment Zeinab-la-Fourbe remonta vivement le seau, et cria à Vif-Argent : « Tu peux appeler maintenant à ton secours ton ami Ahmad-la-Teigne ! » et se hâta de sortir de la maison, en emportant les effets de Vif-Argent. Puis sans même refermer la porte derrière elle, elle retourna près de sa mère.

Or la maison dans laquelle Zeinab avait entraîné Vif-Argent appartenait à un émir du diwân, absent alors pour ses affaires. Aussi lorsqu'il fut de retour à sa maison et qu'il vit sa porte ouverte, il fut persuadé qu'un voleur était entré chez lui, et il appela son palefrenier et se mit à faire des recherches par toute la maison ; mais voyant que rien n'avait été enlevé et qu'il n'y avait pas trace de voleur, il ne tarda pas à être rassuré. Puis, comme il voulait faire ses ablutions, il dit à son palefrenier : « Prends l'aiguière, et va me la remplir de l'eau fraîche du puits ! » Et le palefrenier alla au puits et y fit descendre le seau, et, lorsqu'il le crut rempli à point, il voulut le retirer ; mais il le trouva extraordinairement lourd. Alors il regarda au fond du puits et aperçut, assise sur le seau, une vague forme noire qu'il prit pour un éfrit ! À cette vue, il lâcha la corde et, affolé, se mit à courir en criant : « Ya sidi, un éfrit habite le puits ! Il est assis dans le seau ! » Alors l'émir lui demanda : « Et comment est-il ? » Il dit : « Il est terrible et noir ! Et il grognait comme un cochon ! » Et l'émir dit : « Cours vite chercher quatre savants lecteurs du Korân, pour qu'ils viennent lire le Korân sur cet éfrit et l'exorciser…

À ce moment de sa narration, Schahrazade vit apparaître le matin et, discrète, se tut.

Mais lorsque fut la quatre cent cinquante-cinquième nuit. Elle dit :

… Pour qu'ils viennent lire le Korân sur cet éfrit et l'exorciser ! » Et le palefrenier se hâta de courir chercher les savants lecteurs du Korân qui s'installèrent autour du puits. Et ils commencèrent à réciter les versets conjuratoires, pendant que le palefrenier et son maître tiraient sur la corde et ramenaient le seau hors du puits. Et tous, à la limite de l'effarement, virent l'éfrit en question, qui n'était autre qu'Ali Vif-Argent, sauter sur ses deux pieds hors du seau et s'écrier : « Allah Akbar ! » Et les quatre lecteurs se dirent : « C'est un éfrit d'entre les Croyants puisqu'il prononce le Nom ! » Mais l'émir ne tarda pas à voir que c'était un homme de l'espèce des hommes, et lui dit : « Serais-tu un voleur ? » Il répondit : « Non, par Allah ! mais je suis un pauvre pêcheur ! Comme j'étais endormi sur les bords du Tigre, j'ai copulé l'air dans mon sommeil, m'étant réveillé et trouvé mouillé, je suis entré dans l'eau pour me laver ; mais un tourbillon m'entraîna au fond de l'eau, et un courant du fond souterrain me poussa à travers les nappes liquides jusque dans ce puits, où ma destinée se trouvait et mon salut par ton entremise ! » L'émir ne douta pas un instant de la véracité de ce récit et dit : « Tout arrive de ce qui est écrit ! » Et il lui donna un vieux manteau pour s'en couvrir, et le renvoya en le plaignant de son séjour dans l'eau froide du puits.

Lorsque Vif-Argent arriva chez Ahmad-la-Teigne, où l'on était fort inquiet à son sujet, et qu'il raconta son aventure, on se moqua beaucoup de lui, surtout Ayoub Dos-de-Chameau qui lui dit : « Par Allah ! comment peux-tu avoir été chef de bande au Caire, et te laisser duper et dépouiller à Bagdad par une jouvencelle ? » Et Hassan-la-Peste, qui était précisément en visite chez son collègue, demanda à Vif-Argent : « Ô naïf Égyptien, connais-tu au moins le nom de l'adolescente qui s'est jouée de toi, et sais-tu qui elle est, et de qui elle est la fille ? » Il répondit : « Oui, par Allah ! elle est la fille d'un marchand et l'épouse d'un marchand ! Quant à son nom, elle ne me l'a pas dit ! » À ces paroles Hassan-la-Peste partit d'un retentissant éclat de rire, et lui dit : « Je vais te l'apprendre ! Celle que tu crois être une femme mariée est une jeune fille vierge, j'en réponds ! Elle s'appelle Zeinab ! Et elle n'est la fille d'aucun marchand, mais de Dalila-la-Rouée, notre directrice des pigeons messagers ! À elle et sa mère, elles feraient tourner tout Bagdad sur leur petit doigt, ya Ali ! Et c'est elle-même qui s'est jouée de ton grand et l'a dépouillé de ses habits, lui et ses quarante que voici ! » Et comme Vif-Argent réfléchissait profondément, Hassan-la-Peste lui demanda : « Que penses-tu faire maintenant ? » Il répondit : « Me marier avec elle ! Car, malgré tout, je l'aime éperdument ! » Alors Hassan lui dit : « Dans ce cas, mon garçon, je veux t'en fournir les moyens, car, sans moi, tu peux d'avance abandonner un si téméraire projet, faire ton acte de renoncement, et apaiser ton foie au sujet de la fine jouvencelle ! » Vif-Argent s'écria : « Ya Hassan, aide-moi de tes conseils ! » Il lui dit : « De tout cœur amical ! mais à condition que désormais tu ne boives que dans ma paume et ne marches que sous ma bannière ! Et moi, dans ce cas, je te promets la réussite de ton projet et la satisfaction de tes désirs ! » Il répondit : « Ya Hassan, je suis ton garçon et ton disciple ! » Alors la Peste lui dit : « Commence donc par te déshabiller complètement ! » Et Vif-Argent rejeta le vieux manteau qu'il portait, et en sortit tout à fait nu !

Alors Hassan-la-Peste prit un pot rempli de poix et une plume de poule, et en noircit tout le corps de Vif-Argent et son visage, si bien qu'il le rendit semblable à un nègre ; puis, pour compléter la ressemblance, il lui teignit de rouge vif les lèvres et les bords des paupières, le laissa sécher un moment, lui cacha, avec une serviette, le vénérable héritage de son père, puis lui dit : « Te voici transformé en nègre, ya Ali ! Et tu vas également devenir cuisinier. Sache en effet que le cuisinier de Dalila, celui qui s'occupe de la nourriture de Dalila, de Zeinab, des quarante nègres et des quarante chiens de la race de ceux des bergers de Soleimân, est, comme toi, un nègre ! Tu vas essayer de le rencontrer, et tu lui parleras en langage nègre et, après les salams, tu lui diras : « Il y a longtemps, frère nègre, que nous n'avons ensemble bu de cette excellente bouza, notre boisson fermentée, ni mangé du kabab d'agneau ! Allons festoyer aujourd'hui ! » Mais il te répondra que ses occupations et les soins de sa cuisine l'en empêchent, et il t'invitera lui-même à sa cuisine ! Alors, là, tu tâcheras de l'enivrer et de l'interroger sur la qualité et la quantité de mets qu'il cuisine pour Dalila et sa fille, sur la nourriture des quarante nègres et des quarante chiens, sur la place où se trouvent les clefs de la cuisine et du magasin à provisions, et sur tout ! Et lui te dira tout ! Car l'ivrogne ne cache jamais rien de ce qu'il ne raconte point en dehors de l'ivresse. Une fois que tu auras tiré de lui ces divers renseignements, tu l'endormiras avec le bang, tu revêtiras ses propres habits, tu piqueras ses couteaux de cuisine dans ta ceinture, tu prendras le panier à provisions, tu iras au souk acheter la viande et les légumes, tu reviendras à la cuisine, tu iras au magasin à provisions prendre ce qu'il te faut en beurre, huile, riz, et autres choses semblables, tu cuisineras les mets selon les indications apprises, tu les serviras bien, tu y mélangeras du bang, et tu iras les offrir à Dalila, à sa fille, aux quarante nègres et aux quarante chiens, que tu endormiras de la sorte. Alors tu les dépouilleras tous de leurs effets et de leurs vêtements, et tu me les apporteras. Mais si, ya Ali, tu désires arriver à obtenir Zeinab comme épouse, tu devras, en outre, t'emparer des quarante pigeons messagers du khalifat, les mettre dans une cage, et me les apporter…

À ce moment de sa narration, Schahrazade vit apparaître le matin et se tut discrètement.

Mais lorsque fut la quatre cent cinquante-sixième nuit. Elle dit :

… Tu devras, en outre, t'emparer des quarante pigeons messagers du khalifat, les mettre dans une cage et me les apporter ! »

En entendant ces paroles, Ali Vif-Argent, pour toute réponse, porta sa main à son front et, sans prononcer un mot, sortit à la recherche du cuisinier nègre. Il le rencontra au souk, l'accosta et, après les salams de reconnaissance, l'invita à boire de la bouza. Mais le cuisinier prétexta ses occupations et invita Ali à l'accompagner au khân. Là, Vif-Argent agit exactement d'après les instructions de Hassan-la-Peste, et, une fois qu'il eut enivré son hôte, il l'interrogea sur les mets du jour. Le cuisinier répondit : « Ô frère nègre, tous les jours, pour le repas de midi, il me faut préparer pour Sett Dalila et Sett Zeinab cinq plats différents et de couleur différente ; et le même nombre de plats pour le repas du soir. Mais aujourd'hui on m'en a commandé deux de plus. Aussi voici les plats que je vais cuisiner pour midi : des lentilles, des pois, une soupe, une fricassée de mouton en ragoût et du sorbet de rose ; quant aux deux plats supplémentaires, ce sont : du riz au miel et au safran, et un plateau de grains de grenade aux amandes décortiquées, au sucre et aux fleurs ! » Ali lui demanda : « Et comment leur sers-tu leurs repas d'ordinaire à tes maîtresses ? » Il répondit : « Je leurs sers leur nappe à chacune à part. » Il demanda : « Et les quarante nègres ? » Il dit : « Je leur donne des fèves cuites à l'eau et sautées au beurre et aux oignons, et, comme boisson, une cruche de bouza ! C'est assez pour eux ! » Il demanda : « Et les chiens ? » Il dit : « À ceux-là, je leur donne trois onces de viande à chacun, et les os qui restent du repas de mes maîtresses ! »

Lorsque Vif-Argent eut ces divers renseignements, il mélangea prestement du bang avec la boisson du cuisinier qui, l'ayant absorbée, s'écroula sur le sol comme un buffle noir. Alors Vif-Argent s'empara des clefs qui pendaient à un clou, et reconnut la clef de la cuisine aux pelures d'oignons et aux plumes qui y étaient collées, et la clef de la dépense à l'huile et au beurre qui l'enduisaient. Et il alla prendre ou acheter toutes les provisions qu'il lui fallait et, guidé par le chat du cuisinier qui, lui-même, fut trompé par la ressemblance d'Ali avec son maître, il circula par tout le khân, comme s'il l'habitait depuis son enfance, cuisina les mets, tendit les nappes, et servit à manger à Dalila, à Zeinab, aux nègres et aux chiens, après avoir mélangé le bang à leur nourriture, sans que personne pût s'apercevoir du changement de cuisine ou de cuisinier.

Tout cela !

Quand Vif-Argent vit que tout le monde dans le khân était endormi sous l'effet du soporifique, il commença par déshabiller la vieille et la trouva extrêmement laide et tout à fait détestable. Il lui prit alors son costume de parade et son casque et pénétra dans la chambre de Zeinab, celle qu'il aimait et pour laquelle il accomplissait son premier exploit. Il la dévêtit complètement, et la trouva merveilleuse et désirable à souhait, et soignée et propre et sentant bon ; mais, comme il était fort consciencieux, il ne voulut point l'ouvrir sans son consentement, et se contenta de la tâter et de la palper partout en connaisseur pour bien juger de sa valeur future, de sa consistance, de son degré de tendreté, de son velouté, et de sa sensibilité ; et, pour cette dernière expérience, il la chatouilla sous la plante des pieds et vit, au violent coup de pied qu'elle lui envoya, qu'elle était sensible à l'extrême. Alors, rassuré de la sorte sur son tempérament, il lui prit ses habits, et alla dépouiller tous les nègres ; puis il monta sur la terrasse, entra dans le pigeonnier et s'empara de tous les pigeons, qu'il mit dans une cage, et, tranquillement, sans fermer les portes, il revint à la maison d'Ahmad-la-Teigne, où l'attendait Hassan-la-Peste, auquel il remit tout le butin, ainsi que les pigeons. Et Hassan-la-Peste, émerveillé de son adresse, le félicita et lui promit son concours pour lui obtenir Zeinab en mariage.

Quant à Dalila-la-Rouée, elle fut la première à sortir du sommeil où l'avait jetée le bang. Elle mit un certain temps avant de recouvrer complètement ses sens ; mais, lorsqu'elle eut compris qu'elle avait été endormie, elle sauta sur ses deux pieds, se couvrit de ses vêtements ordinaires de vieille femme et courut d'abord au pigeonnier, qu'elle trouva vide de ses pigeons. Elle descendit alors dans la cour du khân et vit ses chiens encore endormis, étendus comme morts dans leurs chenils. Elle chercha les nègres et les trouva plongés dans le sommeil, ainsi que le cuisinier. Alors elle courut, à la limite de la fureur, dans la chambre de sa fille Zeinab, et la trouva endormie, toute nue, avec, au cou, un papier suspendu par un fil. Elle ouvrit le papier, et y lut les mots suivants : « C'est moi, Ali Vif-Argent du Caire, et nul autre que moi, qui suis le brave, le vaillant, le fin, l'adroit auteur de tout cela ! » À cette vue Dalila pensa : « Qui sait si ce maudit ne lui a pas brisé le cadenas ! » Et elle se pencha vivement sur sa fille qu'elle examina, et vit que son cadenas était intact. Cette constatation la consola un peu, et la décida à réveiller Zeinab en lui faisant respirer du contre-bang. Puis elle lui raconta tout ce qui venait de se passer, et ajouta : « Ô fille mienne, tu dois tout de même être reconnaissante à ce Vif-Argent pour n'avoir pas, quand il le pouvait si aisément, brisé ton cadenas ! Il s'est contenté, au lieu de faire saigner ton oiseau, d'enlever les pigeons du khalifat. Qu'allons-nous devenir maintenant ? » Mais bientôt elle trouva un moyen de recouvrer les pigeons, et dit à sa fille : « Attends-moi ici. Je ne vais pas longtemps m'absenter ! » Et elle sortit du khân et se dirigea vers la maison d'Ahmad-la-Teigne, et frappa à la porte.

Aussitôt Hassan-la-Peste, qui était là, s'écria : « C'est Dalila-la-Rouée ! Je la reconnais à sa manière de frapper. Va vite lui ouvrir, ya Ali ! » Et Ali, accompagné de Dos-de-Chameau, alla ouvrir la porte à Dalila qui entra, le visage souriant, et salua toute l'assistance. Or, justement Hassan-la-Peste, Ahmad-la-Teigne et les autres étaient à ce moment assis par terre autour de la nappe, et prenaient leur repas composé de pigeons rôtis, de radis et de concombres. Aussi lorsque

Dalila fut entrée, la Peste et la Teigne se levèrent en son honneur et lui dirent : « Ô vieille pleine de spiritualité, notre mère, assieds-toi manger avec nous de ces pigeons ! Nous t'avons laissé de côté ta part du festin ! » À ces paroles Dalila sentit le monde noircir devant son visage et s'écria : « N'est-ce point une honte sur vous tous de voler et rôtir les pigeons que le khalifat préfère à ses propres enfants ! » Ils répondirent : « Et qui donc a volé les pigeons du khalifat, ô notre mère ? » Elle dit : « C'est cet Égyptien Ali Vif-Argent ! » Celui-ci répondit : « Ô mère de Zeinab, lorsque j'ai fait rôtir ces pigeons je ne savais point qu'ils étaient messagers ! En tout cas, voici celui qui te revient ! » Et il lui offrit un des pigeons rôtis. Alors Dalila prit un morceau de l'aile du pigeon, le porta à ses lèvres, le goûta un instant et s'écria : « Par Allah ! mes pigeons vivent encore ! car ce n'est point là de leur chair ! Moi je les avais nourris avec un grain mélangé de musc, et je les reconnaîtrais à l'odeur et au goût qu'ils en ont conservé ! »

À ces paroles de Dalila, toute l'assistance se mit à rire, et Hassan-la-Peste lui dit : « Ô notre mère, tes pigeons sont en sûreté chez moi ! Et je veux bien consentir à te les rendre, mais à une condition ! » Elle dit : « Parle, ya Hassan ! Je consens d'avance à toutes tes conditions ; et voici ma tête entre tes mains…

À ce moment de sa narration, Schahrazade vit apparaître le matin et, discrète, se tut.

Mais lorsque fut la quatre cent cinquante-septième nuit. Elle dit :

… Parle, ya Hassan ! Je consens d'avance à toutes tes conditions ; et voici ma tête entre tes mains ! » Hassan dit : « Eh bien, si tu veux recouvrer tes pigeons, tu n'as qu'à accéder au désir d'Ali Vif-Argent du Caire, le premier de nos garçons ! » Elle demanda : « Et quel est son désir ? » Il dit : « C'est d'avoir ta fille Zeinab en mariage ! » Elle répondit : « C'est un honneur pour moi et pour elle ! Il sera sur ma tête et mes yeux ! Mais je ne puis forcer ma fille à se marier contre son gré. Commence donc par me rendre mes pigeons ! Car ce n'est point par la rouerie qu'il faut essayer de gagner ma fille, mais par les procédés de la galanterie ! » Alors Hassan dit à Ali : « Rends-lui les pigeons ! » Vif-Argent remit la cage à Dalila, qui lui dit : « Si maintenant, mon garçon, tu désires vraiment t'unir par les bons moyens à ma fille, ce n'est point à moi qu'il faut t'adresser, mais à son oncle, mon frère Zoraïk, le marchand de poisson frit. C'est lui en effet qui est le tuteur légal de Zeinab ; et ni moi ni elle ne pouvons rien sans son consentement ! Mais je te promets de parler de toi à ma fille, et d'intercéder pour toi auprès de Zoraïk, mon frère ! » Et elle s'en alla, en riant, raconter à sa fille Zeinab ce qui venait de se passer, et comme quoi Ali Vif-Argent la demandait en mariage. Et Zeinab répondit : « Ô mère mienne, pour ma part je ne m'oppose pas à ce mariage ; car Ali est beau et gentil et, en outre, il a été fort convenable avec moi en ne brisant pas ce qu'il pouvait briser pendant mon sommeil ! » Mais Dalila répondit : « Ô ma fille, je crois bien qu'avant de réussir à t'obtenir de ton oncle Zoraïk, Ali perdra à la tâche ses bras et jambes, sinon sa vie même ! » Et voilà pour elles !

Quant à Ali Vif-Argent, il demanda à Hassan-la-Peste : « Dis-moi donc qui est ce Zoraïk, et où se trouve sa boutique, pour que j'aille à l'instant lui demander en mariage la fille de sa sœur ! » La Peste répondit : « Mon fils, tu peux dès cet instant faire ton acte de renoncement au sujet de la belle Zeinab, si tu songes à l'obtenir de cet extraordinaire fripon qu'on nomme Zoraïk ! Sache en effet, ya Ali, que ce vieux Zoraïk, actuellement marchand de poisson frit, est un ancien chef de bande connu dans tout l'Irak pour ses exploits qui dépassent les miens, les tiens et ceux de notre frère Ahmad-la-Teigne ! C'est un compère si rusé et si adroit qu'il est capable, sans bouger, de percer les montagnes, de cueillir les étoiles dans le ciel, et de voler le kôhl qui embellit les yeux de la lune. Nul de nous ne peut l'égaler en roueries, en malices et en tours de toutes sortes. Il est vrai que maintenant il s'est assagi et, ayant renoncé à son ancien métier de larron et de chef de bande, a ouvert boutique et s'est fait marchand de poisson frit. Mais cela ne l'a pas, tout de même, empêché de garder quelque chose de ses talents passés. Ainsi pour te donner, ya Ali, une idée de la finesse de ce chenapan, je ne te raconterai que le dernier expédient qu'il a trouvé et qu'il emploie pour attirer les clients à sa boutique et se défaire de son poisson. Il a suspendu au milieu de l'entrée de sa boutique, avec un cordon de soie, une bourse qui contient mille dinars, toute sa fortune, et il a fait annoncer dans tout le souk par le crieur public : « Ô vous tous, larrons de l'Irak, fripons de Bagdad, brigands du désert, voleurs d'Égypte, apprenez la nouvelle ! Et vous tous, genn et éfrits de l'air et de dessous terre, apprenez la nouvelle ! Quiconque pourra enlever la bourse suspendue dans la boutique de Zoraïk, marchand de poisson frit, en sera le légitime possesseur ! » Or tu comprends facilement si, avec une annonce pareille, les clients se sont empressés d'accourir et d'essayer d'enlever la bourse, en achetant du poisson ! Mais les plus habiles d'entre eux n'y ont guère réussi ; car le roué Zoraïk a installé tout un mécanisme qui correspond, au moyen d'une ficelle, avec la bourse suspendue. Or celle-ci, à peine touchée, quelque légèrement que ce soit, met en branle le mécanisme composé d'un système étonnant de clochettes et de grelots qui font un tel vacarme que Zoraïk, au cas où il est au fond de sa boutique ou occupé avec un client, entend le bruit et a le temps d'empêcher le vol de sa bourse. Pour cela il n'a qu'à se baisser pour ramasser un gros morceau de plomb d'une provision de gros morceaux amassés à ses pieds, et à le lancer de toutes ses forces contre le voleur en lui abîmant ainsi un bras ou une jambe, ou même en lui brisant le crâne. Ainsi donc, ya Ali, je te conseille l'abstention, sinon tu ressemblerais à ces gens qui suivent un enterrement et se lamentent sans même savoir le nom du mort. Tu ne peux lutter avec un coquin de cette taille. Et, à ta place, j'oublierais Zeinab et le mariage avec Zeinab ; car l'oubli est le commencement du bonheur ; et celui qui a oublié une chose peut désormais vivre sans elle ! »

Lorsque Ali Vif-Argent entendit ces paroles du prudent Hassan-la-Peste, il s'écria : « Non, par Allah ! je ne pourrai jamais me résoudre à oublier cette jouvencelle aux yeux sombres, à la sensibilité extrême, au tempérament extraordinaire ! Ce serait un opprobre pour un homme comme moi ! Il me faut donc aller tenter d'enlever cette bourse, et obliger de la sorte le vieux bandit à consentir à mon mariage, par l'échange de la jeune fille contre la bourse enlevée ! » Et à l'instant il alla acheter des habits comme en portent les jeunes femmes, et s'en vêtit, après s'être allongé les yeux de kohl et teint les doigts de henné. Après quoi il ramena modestement le voile de soie sur son visage, et se mit à faire quelques pas d'essai, en se balançant comme les femmes, et y réussit à merveille. Mais ce ne fut point tout…

À ce moment de sa narration, Schahrazade vit apparaître le matin et, discrète, se tut.

Mais lorsque fut la quatre cent cinquante-huitième nuit. Elle dit :

… Mais ce ne fut point tout ! Il se fit apporter un mouton, l'égorgea, en recueillit le sang, en retira l'estomac, remplit de sang cet estomac, et le plaça sur son ventre, sous ses vêtements, de façon à avoir l'air d'une femme enceinte. Après quoi il égorgea deux poulets, en retira le gésier, remplit les deux gésiers de lait tiède et se les appliqua chacun sur un sein, de façon à paraître volumineux quant à ces parties-là et pareil à une femme sur le point d'accoucher. Bien plus ! Pour que rien ne laissât à désirer, il s'appliqua sur le derrière plusieurs rangs de serviettes amidonnées qui, une fois sèches, lui firent une croupe monstrueuse et solide à la fois ! Ainsi transformé, Vif-Argent sortit dans la rue, et se dirigea lentement vers la boutique de Zoraïk, le marchand de poisson frit, alors que sur son passage les hommes s'écriaient : « Ya Allah ! quel gros derrière ! »

En route Vif-Argent, qui finit par se trouver gêné, quant à sa croupe, de par les serviettes amidonnées qui la mortifiaient, héla un ânier qui passait avec son âne, et se fit jucher sur l'âne avec mille précautions pour ne point crever la vessie remplie de sang ou les gésiers pleins de lait, et arriva de la sorte devant la boutique aux poissons frits, où il vit en effet la bourse suspendue à l'entrée, et Zoraïk occupé à frire les poissons en les regardant d'un œil tandis que son autre œil surveillait les allées et venues des clients ou des passants. Alors Vif-Argent dit à l'ânier : « Ya hammar, mon odorat est touché par les poissons frits, et mon désir de femme enceinte se porte avec intensité vers ces poissons ! Hâte-toi d'aller m'en chercher un, que je le mange de suite, ou sinon je vais certainement avorter en pleine rue ! » Alors l'ânier arrêta son âne devant la boutique, et dit à Zoraïk : « Donne-moi vite un poisson frit pour cette dame enceinte, dont l'enfant, à cause de cette odeur de friture, est en train de s'agiter éperdument et menace de sortir en avortement ! » Le vieux fripon répondit : « Attends un peu. Les poissons ne sont pas encore cuits ! Puis, si tu ne peux attendre, fais-moi voir la largeur de ton dos ! » L'ânier dit : « Donne-m'en un de ceux qui sont à l'étalage ! » Il répondit : « Ils ne sont pas à vendre, ceux-là ! » Puis, sans plus faire attention à l'ânier qui aidait la prétendue femme enceinte à descendre de l'âne, et à venir s'appuyer, pleine d'attente anxieuse, à la devanture de la boutique, Zoraïk, avec le sourire du métier, continua à tourner les poissons dans la poêle en chantant son cri de vente :

« Repas des délicats, ô chair des oiseaux de l'eau !
Or et argent qu'on acquiert pour une pièce de cuivre !
Ô poissons qui frétillez dans l'huile heureuse de vous contenir
Ô repas des délicats ! »

Or pendant que Zoraïk chantait son cri de la sorte, la femme enceinte poussa soudain un grand cri, tandis qu'un flot de sang s'échappait de dessous ses vêtements et inondait la boutique, et gémit douloureusement : « Aï ! aï ! ouye ! ouye ! le fruit de mes entrailles ! Aï ! mon dos se brise ! Ah ! mes flancs ! Ah ! mon enfant ! »

À cette vue, l'ânier cria à Zoraïk : « Tu vois, ô barbe calamiteuse ! Je te l'avais dit ! Ton mauvais vouloir à satisfaire son désir l'a fait avorter ! Tu en es responsable devant Allah et son mari ! » Alors Zoraïk, un peu effrayé de cet accident et craignant d'être sali par le sang qui s'échappait de la femme, recula jusqu'au fond de la boutique, en perdant de vue un instant sa bourse suspendue à l'entrée. Alors Vif-Argent voulut profiter de ce court moment pour s'emparer de la bourse ; mais à peine en avait-il approché sa main qu'un vacarme extraordinaire de clochettes, de grelots et de ferrailles retentit dans tous les coins de la boutique et avertit de la tentative Zoraïk qui accourut et qui, apercevant la main tendue de Vif-Argent, comprit d'un coup d'œil le tour qu'on lui voulait jouer, saisit une grosse plaque de plomb et la lança dans le ventre de Vif-Argent en lui criant : « Ah ! oiseau de gibet ! attrape ça ! » Et le gâteau de plomb fut envoyé avec une telle violence qu'Ali roula au milieu de la rue, empêtré dans ses serviettes, dans le sang et dans le lait des gésiers crevés, et faillit du coup rendre l'âme. Il put tout de même se relever et se traîner jusqu'à la maison d'Ahmad-la-Teigne où il raconta sa tentative infructueuse, tandis que les passants s'attroupaient devant la boutique de Zoraïk et lui criaient : « Es-tu marchand dans le souk ou bien batailleur de profession ? Si tu es marchand, exerce donc ton métier sans bravades, descends cette bourse tentatrice et épargne ainsi aux gens ta malice et ta méchanceté ! » Il répondit, en ricanant : « Par le Nom d'Allah ! Bismillah ! Sur ma tête et sur mon œil ! »

Quant à Ali Vif-Argent, une fois rentré à la maison et remis de la violente secousse qu'il avait essuyée, il ne voulut point tout de même renoncer à accomplir son projet. Il alla se laver et se nettoyer, se déguisa en palefrenier, prit une assiette vide dans une main et cinq pièces de monnaie de cuivre dans l'autre, et se rendit à la boutique de Zoraïk pour acheter du poisson…

À ce moment de sa narration, Schahrazade vit apparaître le matin et, discrète, se tut.

Mais lorsque fut la quatre cent cinquante-neuvième nuit, Elle dit :

… Il se rendit à la boutique de Zoraïk pour acheter du poisson. Il tendit donc les cinq pièces de cuivre à Zoraïk, et lui dit : « Mets-moi de ton poisson dans mon assiette ! » Et Zoraïk répondit : « Sur ma tête, ô mon maître ! » Et il voulut donner au palefrenier du poisson qui était exposé sur le plateau de devanture ; mais le palefrenier refusa, disant : « J'en veux du chaud ! » Et Zoraïk répondit : « Il est encore à frire. Attends un peu que j'attise le feu ! » et il entra dans son arrière-boutique.

Aussitôt Vif-Argent profita de ce moment pour porter la main à la bourse ; mais soudain toute la boutique retentit du vacarme assourdissant des clochettes, des grelots, des hochets et des ferrailles ; et Zoraïk, bondissant d'une extrémité à l'autre de sa boutique, saisit un gâteau de plomb et le lança de toutes ses forces à la tête du faux palefrenier en lui criant : « Ah ! vieil enculé, si tu crois que je ne t'ai pas deviné, rien qu'à la façon dont tu tenais dans tes mains l'assiette et la monnaie ! » Mais Vif-Argent, qu'une première expérience avait déjà mis en garde, esquiva le coup en baissant prestement la tête, et s'échappa de la boutique, tandis que le lourd gâteau de plomb allait s'abattre au milieu d'un plateau contenant des porcelaines remplies de lait caillé et que portait sur sa tête l'esclave du kâdi ! Et le lait caillé éclaboussa le visage et la barbe du kâdi et lui inonda sa robe et son turban. Et les passants rassemblés autour de la boutique crièrent à Zoraïk : « Cette fois, ô Zoraïk, le kâdi te fera payer les intérêts du capital renfermé dans ta bourse, ô chef des batailleurs ! »

Quant à Vif-Argent, une fois arrivé chez Ahmad-la-Teigne, à qui il raconta ainsi qu'à la Peste sa seconde tentative sans succès, il ne voulut point perdre courage, car l'amour de Zeinab le soutenait. Il se déguisa en charmeur de serpents et joueur de gobelets, et retourna devant la boutique de Zoraïk. Il s'assit par terre, tira de son sac trois gros serpents au cou gonflé, à la langue pointue comme un dard, et se mit à leur jouer de la flûte, en s'interrompant des fois pour faire une multitude de tours de gobelets et de passe-passe ; puis soudain, d'un mouvement brusque il lança le plus gros serpent au milieu de la boutique, aux pieds de Zoraïk qui, épouvanté, car rien ne l'épouvantait comme les serpents, s'enfuit en hurlant au fond de sa boutique. Et Vif-Argent bondit aussitôt vers la bourse et voulut l'enlever. Mais il comptait sans Zoraïk qui, malgré sa terreur, le surveillait d'un œil, et qui réussit d'abord à assener au serpent un coup si ajusté avec un gâteau de plomb qu'il lui écrasa la tête, puis, de l'autre main, à envoyer de toutes ses forces un second gâteau à la tête de Vif-Argent, qui l'esquiva en se baissant et s'enfuit, tandis que le gâteau redoutable allait s'abattre sur une vieille femme et allait l'écraser sans recours. Alors tous les gens attroupés lui crièrent : « Ya Zoraïk, cela n'est point permis, par Allah ! Il te faut absolument décrocher de là ta bourse calamiteuse, ou nous allons te l'enlever par la force ! Assez suscité de malheurs par ta méchanceté ! » Et Zoraïk répondit : « Sur ma tête ! » et il se décida, mais bien à contrecœur, à décrocher la bourse et à aller la cacher dans sa maison, en se disant : « Ce garnement d'Ali Vif-Argent pourrait bien, sans cela, opiniâtre comme il est, s'introduire la nuit dans ma boutique et m'enlever la bourse ! »

Or Zoraïk était marié à une négresse, autrefois esclave de Giafar Al-Barmaki et, depuis, libérée par sa générosité. Et Zoraïk avait même eu de son épouse, la négresse, un enfant mâle dont on allait bientôt célébrer la circoncision. Aussi lorsque Zoraïk eut apporté la bourse à sa femme, celle-ci lui dit : « Voilà une générosité qui ne t'est point habituelle, ô père d'Abdallah ! La circoncision d'Abdallah va donc être célébrée somptueusement ! » Il répondit : « Alors tu crois que je t'apporte la bourse pour que tu la vides en dépenses de circoncision ? Non, par Allah ! Va vite la cacher en bas, dans un trou creusé dans le sol de la cuisine ! Et reviens vite pour dormir ! » Et la négresse descendit creuser un trou dans la cuisine, y enterra la bourse et revint se coucher aux pieds de Zoraïk. Et Zoraïk fut gagné par le sommeil, à cause de la chaleur de la négresse, et eut un rêve dans lequel il lui semblait voir un grand oiseau creuser du bec un trou dans sa cuisine, en déterrer la bourse, et l'emporter dans ses serres en s'envolant dans les airs ! Et il se réveilla en sursaut et criant : « Ô mère d'Abdallah, la bourse vient d'être enlevée ! Va vite voir à la cuisine ! » Et la négresse, tirée de son sommeil, se hâta de descendre à la cuisine avec de la lumière, et vit effectivement non point un oiseau, mais un homme qui, la bourse à la main, s'enfuyait par la porte ouverte et courait dans la rue ! C'était Vif-Argent qui avait suivi Zoraïk, épié ses mouvements et ceux de son épouse, et avait fini, caché derrière la porte de la cuisine, par réussir enfin à enlever cette bourse tant convoitée.

Lorsque Zoraïk eut constaté la perte de sa bourse, il s'écria : « Par Allah ! je la reprendrai ce soir même ! » Et son épouse, la négresse, lui dit : « Si tu ne la rapportes pas, je ne t'ouvrirai point la porte de notre maison, et je te laisserai coucher dans la rue ! » Alors Zoraïk…

À ce moment de sa narration, Schahrazade vit apparaître le matin et, discrète, se tut.

Mais lorsque fut la quatre cent soixantième nuit. Elle dit :

… Alors Zoraïk sortit en toute hâte de chez lui et, par des raccourcis, précéda Ali Vif-Argent à la maison d'Ahmad-la-Teigne où il le savait loger, ouvrit le loquet de la porte au moyen de diverses chevilles dont il avait sur lui tout un attirail, la referma soigneusement derrière lui, et attendit tranquillement Ali Vif-Argent qui ne tarda pas à arriver à son tour, et à frapper selon sa coutume. Alors Zoraïk, contrefaisant la voix de Hassan-la-Peste demanda : « Qui est là ? » Il répondit : « Ali l'Égyptien ! » Il lui demanda : « Et la bourse de ce fripon de Zoraïk, l'as-tu apportée ? » Il répondit : « Je la tiens ! » Il dit : « Hâte-toi, avant que je t'ouvre la porte, de me la passer à travers le creux, car j'ai fait avec la Teigne un pari dont je te parlerai ! » Et Vif-Argent passa la bourse à travers le creux de la porte à Zoraïk qui aussitôt grimpa sur la terrasse et de là passa sur la terrasse d'une maison voisine dont il descendit l'escalier et, en ouvrant la porte, s'échappa dans la ruelle et se dirigea vers sa maison.

Quant à Ali Vif-Argent il stationna longtemps dans la rue ; mais, quand il vit que personne ne se décidait à lui ouvrir, il frappa à la porte un coup terrible qui réveilla toute la maison, et Hassan-la-Peste s'écria : « C'est Ali qui est à la porte ! Va vite lui ouvrir, ô Dos-de-Chameau ! » Puis quand Vif-Argent fut entré, il lui demanda, ironique : « Et la bourse du fripon ? » Vif-Argent s'écria : « Assez plaisanté, ô mon grand ! Tu sais bien que je te l'ai passée à travers la porte ! » À ces paroles Hassan-la-Peste se renversa sur son derrière par la force explosive de son rire, et s'écria : « C'est à recommencer, ya Ali ! C'est Zoraïk qui a repris son bien ! » Alors Vif-Argent réfléchit un instant et s'écria : « Par Allah ! ô mon grand, si cette fois je ne la rapporte pas, cette bourse-là, je ne veux plus me considérer digne de mon nom ! » Et, sans tarder, il courut par des chemins très raccourcis à la maison de Zoraïk, avant que celui-ci y fût arrivé, y pénétra par la terrasse voisine, et commença par entrer dans la chambre où dormait la négresse avec son enfant, le petit garçon qu'on devait circoncire le lendemain. Il se jeta d'abord sur la négresse, l'immobilisa sur son matelas en lui liant les bras et les jambes et la bâillonna ; puis il prit le petit garçon qu'il bâillonna également, le mit dans un panier de gâteaux encore chauds qui devaient servir à la fête du lendemain, et alla s'accouder à la fenêtre en attendant l'arrivée de Zoraïk qui ne tarda pas à venir frapper à la porte.

Alors Vif-Argent, contrefaisant la voix et le parler de la négresse, demanda : « C'est toi, ya sidi ? » Il répondit : « Oui ! c'est moi ! » Il dit : « As-tu rapporté la bourse ? » Il dit : « La voilà ! » Il dit : « Je ne la vois pas dans l'obscurité ! Et je ne t'ouvrirai la porte que lorsque j'aurai compté l'argent ! Je vais te descendre un panier par la fenêtre et tu me l'y mettras ! Et ensuite moi je t'ouvrirai la porte ! » Puis Vif-Argent descendit par la fenêtre un panier où Zoraïk mit la bourse ; et il se hâta de le remonter. Il prit la bourse, le petit garçon et le panier de gâteaux et s'enfuit par le chemin d'où il était venu, pour arriver chez Ahmad-la-Teigne et remettre enfin entre les mains de Hassan-la-Peste le triple butin triomphal. À cette vue la Peste le félicita beaucoup et fut très fier de lui ; et tous se mirent ensuite à manger les gâteaux de la fête, en faisant mille plaisanteries sur le compte de Zoraïk.

Quant à Zoraïk, il attendit longtemps dans la rue que son épouse, la négresse, lui ouvrît ; mais la négresse ne venait pas, et il finit, impatienté, par frapper la porte à grands coups redoublés qui éveillèrent tous les voisins et les chiens du quartier. Et nul ne lui ouvrait. Alors il enfonça la porte, et, furieux, il monta chez son épouse, et il vit ce qu'il vit. Lorsqu'il eut appris de son épouse délivrée ce qui venait de se passer, il se donna de grands coups au visage, s'arracha la barbe et courut, dans cet état, frapper à la porte d'Ahmad-la-Teigne. C'était déjà le matin, et tout le monde était levé. Aussi Dos-de-Chameau alla ouvrir et introduisit Zoraïk, piteux, dans la salle de réunion, où on l'accueillit par un retentissant éclat de rire. Alors il se tourna vers Vif-Argent et lui dit : « Par Allah ! ya Ali, pour ce qui est de la bourse, tu l'as gagnée ! Mais rends-moi mon enfant ! »

Et Hassan-la-Peste répondit : « Sache, ô Zoraïk, que mon garçon Ali Vif-Argent est prêt à te rendre ton enfant et même ta bourse, si tu veux consentir à lui donner en mariage la fille de ta sœur Dalila, la jeune Zeinab qu'il aime ! » Il répondit : « Et depuis quand pose-t-on des conditions au père en lui demandant sa fille en mariage ? Qu'on me rende d'abord l'enfant et la bourse, et nous parlerons après de l'affaire ! » Alors Hassan fit signe à Ali qui aussitôt remit l'enfant et la bourse à Zoraïk, et lui dit : « À quand le mariage ? » Et Zoraïk sourit et répondit : « Doucement ! Doucement ! Crois-tu, ya Ali, que je puis disposer de Zeinab comme d'un mouton ou d'un poisson frit ? Je ne puis te l'accorder, à moins que tu ne lui apportes la dot qu'elle réclame ! » Vif-Argent répondit : « Je suis prêt à lui apporter la dot qu'elle réclame ! Quelle est-elle ? » Zoraïk dit : « Sache qu'elle a fait le serment de ne jamais se laisser monter sur la poitrine par quelqu'un avant qu'il lui eût apporté, en présents de noces, la robe brochée d'or de la jeune Kamaria, fille du Juif Azaria, ainsi que sa couronne d'or, sa ceinture d'or et sa pantoufle d'or…

À ce moment de sa narration, Schahrazade vit apparaître le matin et, discrète, se tut.

Mais lorsque fut la quatre cent soixante et unième nuit. Elle dit :

… Sache qu'elle a fait le serment de ne jamais se laisser monter sur la poitrine par quelqu'un, avant qu'il lui eût apporté, en présents de noces, la robe brochée d'or de la jeune Kamaria, fille du Juif Azaria, ainsi que sa couronne d'or, sa ceinture d'or et sa pantoufle d'or ! » Alors Vif-Argent s'écria : « Si ce n'est que cela, je veux, si ce soir même je n'ai pas apporté les présents réclamés, n'avoir plus aucun droit à mon mariage avec Zeinab ! »

À ces paroles Hassan-la-Peste lui dit : « Malheur à toi, ya Ali ! quel serment as-tu fait ! Tu es un homme mort ! Ne sais-tu donc pas que le Juif Azaria est un magicien perfide, roué et plein de malice ? Il a à ses ordres tous les genn et les éfrits ! Il habite hors de la ville un palais dont les pierres sont en brique d'or et d'argent alternativement ! Mais ce palais, visible seulement quand le magicien l'habite, disparaît chaque jour quand son propriétaire vient en ville pour des affaires d'usurier. Tous les soirs, une fois rentré chez lui, le Juif monte à sa fenêtre et montre sur un plateau d'or la robe de sa fille en criant : « Ô vous tous maîtres voleurs et fripons de l'Irak, de la Perse et de l'Arabie, venez, si vous le pouvez, vous emparer de la robe de ma fille Kamaria. Et je donnerai Kamaria en mariage à celui qui pourra enlever sa robe ! » Or, ya Ali, les plus fins larrons et les plus rusés fripons d'entre nous n'ont pu jusqu'à présent tenter l'aventure qu'à leurs dépens ; car l'insigne magicien a changé les téméraires qui ont entrepris le coup soit en mulets, soit en ours, soit en ânes, soit en singes. Je te conseille donc de renoncer à la chose, et de rester avec nous ! » Mais Ali s'écria : « Quelle honte sur moi si je renonçais, à cause de la difficulté, à l'amour de la sensible Zeinab ! Par Allah ! j'apporterai la robe d'or et j'en revêtirai Zeinab la nuit des noces, et je lui mettrai la couronne d'or sur la tête, la ceinture d'or autour de sa taille exquise, et la pantoufle d'or au pied ! » Et il sortit sur-le-champ à la recherche de la boutique du Juif magicien et usurier Azaria.

Lorsqu'il fut arrivé au souk des changeurs, Ali s'informa de la boutique, et on lui montra le Juif qui était occupé précisément à peser de l'or dans ses balances, à le vider ensuite dans des sacs et à charger les sacs sur le dos d'une mule attachée à la porte. Il était bien laid et d'aspect rébarbatif ! Et Ali fut un peu ému de sa physionomie. Pourtant il attendit que le Juif eût fini de ranger les sacs, de fermer sa boutique et d'enfourcher sa mule, pour le suivre sans être remarqué. Il arriva de la sorte derrière lui hors des murs de la ville.

Ali commençait à se demander jusqu'où il allait marcher encore, quand il vit soudain le Juif tirer de la poche de son manteau un sac, y plonger la main, la sortir pleine de sable et jeter le sable en l'air en soufflant dessus. Et aussitôt devant lui il vit s'élever un magnifique palais en briques alternées d'or et d'argent, avec un immense portique d'albâtre et des marches de marbre que le Juif monta avec sa mule, pour disparaître à l'intérieur. Mais quelques instants après, il parut à la fenêtre avec un plateau d'or où se trouvait une robe splendide brochée d'or, une couronne, une ceinture et la pantoufle d'or ; et il s'écria : « Ô vous tous maîtres voleurs et fripons de l'Irak, de la Perse et de l'Arabie, venez, si vous le pouvez, vous emparer de tout cela, et ma fille Kamaria vous appartiendra ! »

En voyant et entendant ces choses-là, Vif-Argent qui était doué de beaucoup de jugement se dit : « Le plus sage parti est encore d'aller trouver ce maudit Juif-là et de lui demander la robe par les bonnes paroles en lui expliquant mon cas avec Zoraïk ! » Et il leva le doigt en l'air, en criant au magicien : « Moi, Ali Vif-Argent, le premier des garçons d'Ahmad le mokaddem du khalifat, je désire te parler ! » Et le Juif lui dit : « Tu peux monter ! » Et lorsque Ali fut arrivé en sa présence, il lui demanda : « Toi, que veux-tu ? » Et Ali lui raconta son histoire et lui dit : « Or maintenant il me faut cette robe d'or et les autres objets pour les porter à Zeinab fille de Dalila ! »

À ces paroles, le Juif se mit à rire en montrant des dents épouvantables, prit une table de sable divinatoire et, après avoir tiré l'horoscope d'Ali, lui dit : « Écoute ! si ta vie t'est chère, et si tu ne tiens pas à te perdre sans recours, suis mon conseil ! Renonce à ton projet ! Car ceux qui t'ont poussé à entreprendre cette aventure ne l'ont fait que pour te perdre, comme ont été perdus tous ceux qui ont essayé déjà la chose ! D'ailleurs si je ne venais de tirer ton horoscope et de voir par le sable que ta fortune l'emportait sur ma fortune, je n'aurais certes pas hésité à te couper le cou ! » Mais Ali, que ces dernières paroles avaient subitement enflammé et stimulé, tira soudain son glaive et, le dirigeant contre la poitrine du magicien juif, lui cria : « Si tu ne consens à me donner ces effets et, en outre, à abjurer tes hérésies et te faire musulman en prononçant l'acte de foi, ton âme va sortir de ton corps ! » Alors le Juif étendit la main comme pour prononcer l'acte de foi et dit : « Que ta main droite se dessèche ! » Et aussitôt la main droite d'Ali, celle qui tenait le glaive, se dessécha dans la position où elle se trouvait, et le glaive tomba sur le sol. Mais Ali le ramassa de la main gauche et en menaça la poitrine du magicien ; mais celui-ci prononça : « Ô main gauche, dessèche-toi ! » Et la main gauche menaçante d'Ali se dessécha, et le glaive tomba sur le sol. Alors Ali, à la limite de la fureur, leva la jambe droite et voulut l'enfoncer dans le ventre du Juif ; mais celui-ci, étendant sa main, prononça : « Ô jambe droite, dessèche-toi ! » Et la jambe élevée en l'air d'Ali se dessécha dans sa position, et Ali ne se trouva plus debout que sur un seul pied, le gauche…

À ce moment de sa narration, Schahrazade vit apparaître le matin et, discrète, se tut.

Mais lorsque fut la quatre cent soixante-deuxième nuit. Elle dit :

… Et Ali ne se trouva plus debout que sur son seul pied, le gauche ! Et il eut beau vouloir se servir de ses membres hors de service, il ne put qu'arriver à perdre l'équilibre et à tantôt rouler et tantôt se relever jusqu'à ce qu'il fût épuisé et que le magicien lui dit : « As-tu renoncé à ton projet ? » Mais Ali répliqua : « Il me faut absolument les effets de ta fille ! » Alors le Juif lui dit : « Ah ! tu veux les effets ! Eh bien, je vais te les faire porter ! « Et il prit une tasse remplie d'eau, l'en aspergea et lui cria : « Deviens un âne ! » Et à l'instant Ali Vif-Argent fut changé en âne, avec une figure d'âne, des sabots ferrés à neuf, et des oreilles monumentales. Et il se mit incontinent à braire comme un âne en levant le nez et la queue et en reniflant l'air. Et le Juif prononça sur lui les paroles dominatrices, pour s'en rendre complètement maître, et l'obligea à descendre les escaliers sur ses pattes de derrière ; et, une fois dans la cour du palais, il traça autour de lui un cercle magique dans le sable ; et aussitôt une muraille s'éleva en formant une enceinte assez étroite d'où il ne pouvait point s'échapper.

Le matin le Juif vint à lui, le sella, le brida, le monta et lui dit dans l'oreille : « Tu vas remplacer la mule ! » Et il le fit sortir du palais enchanté qui disparut aussitôt et lui fit prendre le chemin de la boutique, où il ne tarda pas à arriver. Il ouvrit sa boutique, attacha l'âne Ali à l'endroit où la veille était attachée la mule, et se mit à s'occuper de ses balances, de ses poids, de son or et de son argent. Et l'âne Ali, qui conservait au-dedans de sa peau toutes ses facultés d'homme en tant que jugement et sensations, à l'exception de la parole seulement, fut obligé, pour ne point mourir de faim, de moudre entre ses dents les fèves sèches de sa ration ; mais, pour se consoler, il déchargeait son humeur noire par des séries de pets retentissants à la figure des clients.

Sur ces entrefaites, un jeune marchand, ruiné par les revers du temps, vint trouver le Juif usurier Azaria et lui dit : « Je suis ruiné, et il faut pourtant que je gagne ma vie et nourrisse mon épouse. Voici que je t'apporte les bracelets d'or de mon épouse, le seul et dernier bien qui nous reste, pour qu'en échange tu me donnes leur valeur en argent, afin que je puisse m'acheter quelque mulet ou quelque âne et exercer le métier de vendeur d'eau d'arrosage ! » Le Juif répondit : « Comptes-tu faire peiner l'âne que tu vas acheter et lui rendre la vie malheureuse s'il refuse de marcher ou de porter de grosses charges d'eau ? » Le futur ânier répondit : « Par Allah ! s'il refuse de marcher ou de travailler, je lui enfoncerai mon bâton dans les parties sensibles, et le forcerai à faire la besogne ! » Tout cela ! Et l'âne Ali entendit les paroles et, en manière de protestations, lança un pet épouvantable. Quant au Juif Azaria, il répondit à son client : « Dans ce cas, je veux bien te céder, pour ces bracelets, mon propre âne qui est là attaché à la porte ! Ne l'épargne pas, sinon il prendra l'habitude de la paresse ; et charge son dos lourdement, car il est solide et jeune ! » Puis, le marché conclu, le vendeur d'eau emmena l'âne Ali, tandis que celui-ci pensait en son âme : « Ya Ali, ton maître est prêt à charger ton dos d'un bât de bois dur et de grosses outres pesantes ; et il te fera faire dix longues courses, ou plus, par jour ! Sans doute tu es abîmé sans recours ! »

Lorsque le vendeur d'eau eut conduit l'âne à sa maison, il dit à son épouse de descendre à l'écurie lui donner sa ration. Et l'épouse, qui était jeune et fort agréable à regarder, prit la ration de fèves et descendit chez l'âne Ali pour la lui mettre au cou, dans le sac des rations. Mais l'âne Ali, qui la regardait du coin de l'œil depuis un moment, se mit soudain à renifler l'air avec force et lui donna un coup de tête qui la renversa sur l'auge, la robe retournée, la saillit en lui caressant la figure avec ses grosses lèvres frémissantes, et étala sa marchandise d'âne, considérable héritage des aïeux ânes.

À cette vue, l'épouse du vendeur d'eau poussa des cris si aigus que toutes les voisines accoururent les premières à l'écurie et, voyant le spectacle, se hâtèrent de repousser l'âne Ali de dessus la poitrine de la renversée. Et voici qu'à son tour arriva le mari qui demanda à la renversée : « Qu'as-tu ? » Elle lui cracha à la figure et lui dit : « Ah ! fils d'adultérins, tu n'as su trouver dans tout Bagdad, pour l'acheter, que cet âne coureur de femmes ? Par Allah ! ou le divorce ou le renvoi de cet âne ! » Il demanda : « Mais qu'a-t-il fait, cet âne ? » Elle dit : « Il m'a renversée et saillie ! Et, sans les voisines, il me pénétrait épouvantablement ! » Alors le vendeur d'eau tomba sur l'âne à coups de trique, et finit par le ramener au Juif auquel il raconta ses entreprises inconvenantes, et le força à le reprendre et à restituer les bracelets.

Lorsque le vendeur d'eau fut parti, le magicien Azaria se tourna vers l'âne Ali et lui dit : « Voilà que tu te lances dans les polissonneries avec les femmes, ô scélérat ! Attends ! puisque tu es si content de ta condition d'âne et que tu ne refrènes guère tes caprices effrontés, je vais t'arranger autrement ! Et tu seras la risée des petits et des grands ! » Et il ferma sa boutique, enfourcha l'âne et sortit de la ville. Comme la veille, il fit sortir de terre et du fond de l'air le palais enchanté…

À ce moment de sa narration, Schahrazade vit apparaître le matin et, discrète, se tut.

Mais lorsque fut la quatre cent soixante-troisième nuit. Elle dit :

… Comme la veille, il fit sortir de terre et du fond de l'air le palais enchanté, et pénétra avec l'âne au fond de la cour, dans l'enceinte protectrice. Il commença d'abord par marmotter sur l'âne Ali des paroles incantatrices et il l'aspergea avec quelques gouttes d'eau qui lui rendirent sa première forme humaine ; puis, le tenant à une certaine distance, il lui dit : « Veux-tu, ya Ali, suivre maintenant mes conseils et, avant que je te métamorphose en quelque forme nouvelle pire que la première, renoncer à ton projet téméraire et t'en aller en ta voie ? » Il répondit : « Non, par Allah ! du moment qu'il est écrit que ma fortune l'emporte sur ta fortune, il me faut ou te tuer ou m'emparer de la robe de Kamaria, et te convertir à la foi de l'Islam ! » Et il voulut se précipiter sur le magicien Azaria qui, à cette vue, étendit la main et lui jeta au visage quelques gouttes de la tasse gravée de paroles talismaniques, en lui criant : « Deviens un ours ! » Et aussitôt Ali Vif-Argent fut transformé en ours, avec une grosse chaîne pendue à un anneau de fer qui lui traversait les naseaux, et muselé et tout dressé à danser. Puis il se pencha à son oreille et lui dit : « Ah ! scélérat, tu es semblable à la noix qui ne saurait être utilisée avant qu'on lui ait cassé la coque et l'écale ! » Et il l'attacha à un pieu fiché dans l'enceinte fortifiée, et ne vint le reprendre que le lendemain. Il monta alors sur la mule des jours passés, et traîna derrière lui l'ours Ali jusqu'à la boutique, après avoir fait disparaître le palais enchanté, et l'attacha à côté de la mule, pour s'occuper ensuite de son or et de ses clients. Et l'ours Ali entendait et comprenait, mais ne pouvait parler !

Sur ces entrefaites, un homme vint à passer devant la boutique qui vit l'ours enchaîné et entra à l'instant demander au Juif : « Ô maître Azaria, veux-tu me vendre cet ours ? On a prescrit à mon épouse malade de la chair d'ours et, comme onguent, de la graisse d'ours ; mais je n'en trouve nulle part ! » Le magicien répondit : « Vas-tu l'immoler de suite ou l'engraisser d'abord pour avoir plus d'onguent ? » Il répondit : « Il est assez gras comme cela pour mon épouse. Et je vais le faire égorger aujourd'hui même ! » Le magicien, à la limite de la joie, répondit : « Puisque c'est pour le bien de ton épouse, je te cède l'ours pour rien ! » Alors l'homme emmena l'ours à sa maison et appela un boucher qui arriva avec deux grands coutelas qu'il se mit à aiguiser l'un sur l'autre, après s'être retroussé les manches. À cette vue, la cherté de l'âme doubla les forces de l'ours Ali qui au moment où ils le renversaient pour l'égorger, bondit soudain d'entre leurs mains et s'envola plus qu'il ne courut jusqu'au palais du magicien.

Lorsque Azaria vit revenir l'ours Ali, il se dit : « Je vais encore faire une dernière tentative sur lui ! » Il l'aspergea, comme à l'ordinaire, et lui rendit sa forme humaine, après avoir appelé, cette fois, sa fille Kamaria à assister à la métamorphose. Et la jeune fille vit Ali sous sa forme humaine et le trouva si beau que dans son cœur elle conçut pour lui un amour violent. Aussi, se tournant vers lui, elle lui demanda : « Est-ce vrai, ô beau jeune homme, que ce n'est point moi que tu désires, mais seulement ma robe et mes effets ? » Il répondit : « C'est vrai ! Car je les destine à Zeinab la sensible, fille de Dalila la fine ! » Ces paroles jetèrent la jeune fille dans une grande douleur et consternation, car aussitôt son père s'écria : « Tu entends toi-même le scélérat ! Il ne se repent pas ! » Et il aspergea à l'instant Ali avec l'eau de la tasse talismanique, en lui criant : « Sois chien ! » Et Ali se trouva de suite changé en chien, de l'espèce des rues ; et le magicien lui cracha à la figure et lui donna un coup de pied en le chassant du palais.

Le chien Ali se mit à errer hors des murs ; mais comme il ne trouvait rien à manger, il se décida à entrer dans Bagdad. Mais aussitôt il fut accueilli par l'immense clameur de tous les chiens des divers quartiers où il passait et qui, à l'aspect de cet étranger qu'ils ne connaissaient pas et qui violait ainsi les frontières dont ils étaient les gardiens, se mirent à le poursuivre à coups de dent jusqu'à leurs limites respectives. Et l'intrus tombait de la sorte de territoire en territoire, partout poursuivi et mordu cruellement ; mais il put enfin se réfugier dans une boutique ouverte qui se trouvait être par hasard en territoire neutre. D'ailleurs le propriétaire, qui était un brocanteur pour les objets de seconde main, voyant ce malheureux chien à la queue entre les jambes poursuivi furieusement par l'armée des autres chiens, prit son bâton et le défendit contre les agresseurs qui finirent par se disperser en aboyant dans le loin. Alors le chien Ali, pour témoigner sa reconnaissance au brocanteur, se coucha à ses pieds, les larmes aux yeux, et le caressa en le léchant et battant de la queue avec émotion. Et il resta auprès de lui jusqu'au soir, en se disant : « Il vaut encore mieux être chien que singe, par exemple, ou pire encore ! » Et le soir, quand le brocanteur eut fermé sa boutique, il se colla à lui et le suivit à sa maison.

Or à peine le brocanteur fut-il entré chez lui, que sa fille se couvrit le visage et s'écria…

À ce moment de sa narration, Schahrazade vit apparaître le matin et, discrète, se tut.

Mais lorsque fut la quatre cent soixante-quatrième nuit. Elle dit :

… Or à peine le brocanteur fut-il entré chez lui, que sa fille se couvrit le visage et s'écria : « Ô mon père, comment prends-tu sur toi de faire entrer chez ta fille un homme étranger ! » Le brocanteur dit : « Quel étranger ? Il n'y a ici que le chien ! » Elle répondit : « Ce chien n'est autre qu'Ali Vif-Argent du Caire qui a été ensorcelé par le Juif Azaria le magicien, et cela à cause de la robe de sa fille Kamaria ! » À ces paroles, le brocanteur se tourna vers le chien et lui demanda : « Est-ce vrai, cela ? » Et le chien lui fit avec la tête un signe qui signifiait :

« Oui ! » Et la jeune fille continua : « Je suis prête, s'il veut consentir à m'épouser, à lui rendre sa première forme humaine ! » Et le brocanteur s'écria : « Par Allah ! ô ma fille, rends-lui cette forme-là, et certainement il t'épousera ! » Puis il se tourna vers le chien et lui demanda : « Tu as entendu ! Consens-tu à la chose ? » Il remua la queue et fit un signe de tête qui signifiait : « Oui ! » Alors la jeune fille prit une tasse talismanique remplie d'eau, et elle commençait à prononcer dessus les paroles conjuratoires, quand soudain un grand cri se fit entendre et la jeune esclave de la jeune fille entra dans la chambre en disant à sa maîtresse : « Où est ta promesse, ô ma maîtresse, et le pacte conclu entre nous deux ? Tu m'as juré, quand je t'ai enseigné la sorcellerie, de ne jamais faire d'opération magique sans me consulter ! Or justement moi aussi je veux épouser le jeune Ali Vif-Argent, chien présentement ; et je ne consentirai à sa transformation en homme qu'à condition qu'il nous appartiendra à toutes deux en commun et qu'il passera une nuit avec moi et une nuit avec toi ! » Et, la jeune fille ayant consenti à cet arrangement, son père, assez étonné de tout cela, lui demanda : « Et depuis quand as-tu appris la sorcellerie ? » Elle répondit : « Depuis l'arrivée de notre nouvelle esclave, celle-ci, qui l'avait apprise elle-même quand elle était autrefois au service du Juif Azaria et qu'elle pouvait feuilleter en cachette les grimoires et les livres anciens de cet insigne magicien ! »

Après quoi les deux jeunes filles prirent chacune une tasse talismanique et, après y avoir marmotté des paroles en langue hébraïque, aspergèrent d'eau le chien Ali en lui disant : « Par les vertus et les mérites de Soleimân, redeviens un être humain vivant ! » Et Ali Vif-Argent sauta à l'instant sur ses deux pieds, plus jeune et plus beau que jamais. Mais au même moment un grand cri se fit entendre, la porte s'ouvrit toute grande, et une merveilleuse jeune fille fit son entrée dans la chambre en portant sur ses bras deux plateaux d'or superposés : sur le plateau d'or du bas se trouvaient la robe d'or, la couronne d'or, la ceinture d'or et la pantoufle d'or, et sur le plateau plus petit du haut, sanglante et les yeux convulsés, se trouvait la tête coupée du Juif Azaria !

Or, cette troisième jeune fille, si belle, n'était autre que Kamaria, la fille du magicien qui, ayant déposé les deux plateaux aux pieds d'Ali Vif-Argent, lui dit : « Je t'apporte, ô Ali, car je t'aime, les effets que tu convoitais et la tête de mon père le Juif ! Car moi maintenant je suis devenue musulmane ! » Et elle prononça : « Il n'y a de Dieu qu'Allah ! Et Môhammad est l'envoyé d'Allah ! »

À ces paroles, Ali Vif-Argent répondit : « Je veux bien consentir à t'épouser conjointement à ces deux jeunes filles que voici, puisque tu m'apportes, toi femme, contrairement aux ordinaires usages, un si beau présent de noces ! Mais c'est à condition qu'à mon tour je fasse cadeau de ces objets à Zeinab, fille de Dalila, que je désire avoir comme quatrième épouse, puisque la loi permet quatre épouses légitimes ! » Kamaria y consentit, et les deux autres jeunes filles également. Et le brocanteur demanda : « Nous promets-tu au moins de ne point prendre sur tes quatre épouses légitimes des concubines ? » Il répondit : « Je le promets ! » Et il prit le plateau d'or qui contenait les effets de Kamaria, et sortit pour aller les porter à Zeinab, fille de Dalila.

Comme il se dirigeait vers la maison de Dalila, il aperçut un marchand ambulant qui portait sur sa tête un grand plateau de confitures sèches, de halva et d'amandes habillées de sucre, et il se dit : « Je ferai bien de prendre avec moi de ces douceurs pour les porter à Zeinab ! » D'ailleurs le marchand, qui semblait le guetter, lui dit : « Ô mon maître, il n'y a pas dans Bagdad quelqu'un qui réussisse comme moi la confiture de carottes aux noix ! Combien t'en faut-il ? Mais d'abord, avant d'acheter, goûte ce petit morceau et dis-moi ce que tu en penses ! » Et Vif-Argent prit le morceau et l'avala. Mais au même moment il tomba sur le sol, comme inanimé. Le morceau de confiture était mélangé de bang ; et le marchand n'était autre que Mahmoud l'Avorton qui exerçait ce métier lucratif de dépouiller les clients. Il avait vu toutes les belles choses que portait Vif-Argent et l'avait endormi pour les lui voler. En effet, une fois Vif-Argent étendu sans mouvement, l'Avorton s'empara de la robe d'or et des autres choses, et se disposa à s'enfuir ; mais soudain apparut à cheval Hassan-la-Peste, accompagné de ses quarante gardes, qui aperçut le voleur et l'arrêta. Et l'Avorton fut obligé de faire des aveux et de montrer à Hassan le corps étendu sur le sol. Aussitôt Hassan, qui, depuis la disparition d'Ali, parcourait avec ses gardes tous les quartiers de Bagdad à sa recherche, fit apporter du contre-bang et le lui administra. Et, quand il fut réveillé, son premier cri fut de demander des nouvelles des effets qu'il portait à Zeinab. Et Hassan les lui montra et, après les effusions de leur rencontre, le félicita de son adresse et lui dit : « Par Allah ! tu nous surpasses tous ! » Puis il le conduisit à la maison d'Ahmad-la-Teigne et, après de nouveaux salams de part et d'autre, il se fit raconter toute l'aventure, et lui dit : « Mais alors ! Le palais enchanté du magicien te revient de droit, puisque tu vas prendre Kamaria comme une de tes quatre épouses ! C'est là que nous célébrerons tes quadruples noces ! Et je vais à l'instant porter les présents de ta part à Zeinab, et décider son oncle Zoraïk à te l'accorder en mariage. Et je te promets que cette fois le vieux fripon ne refusera pas ! Quant à Mahmoud l'Avorton nous ne pouvons le châtier, puisque tu deviens son parent, en entrant dans sa famille…

À ce moment de sa narration, Schahrazade vit apparaître le matin et, discrète, se tut.

Mais lorsque fut la quatre cent soixante-cinquième nuit. Elle dit :

… Quant à Mahmoud l'Avorton, nous ne pouvons le châtier, puisque tu deviens son parent, en entrant dans sa famille ! »

Lorsqu'il eut dit ces paroles, Hassan-la-Peste prit la robe d'or, la couronne d'or, la ceinture d'or et la pantoufle d'or et alla au khân des pigeons, où il trouva Dalila et Zeinab en train justement de distribuer le grain aux pigeons. Après les salams, il leur dit de faire venir Zoraïk ; et, Zoraïk étant arrivé, il leur fit voir les présents de noces qu'ils avaient réclamés pour dot de Zeinab, et leur dit : « Maintenant nul refus n'est possible ! Sinon c'est moi, Hassan, que l'offense regarderait ! » Et Dalila et Zoraïk acceptèrent les présents, et donnèrent leur consentement au mariage de Zeinab avec Ali Vif-Argent.

Or dès le lendemain Ali Vif-Argent alla prendre possession du palais du Juif Azaria ; et le soir même, devant le kâdi et les témoins d'une part, et Ahmad-la-Teigne avec ses quarante et Hassan-la-Peste avec ses quarante d'autre part, on écrivit le contrat de mariage d'Ali Vif-Argent avec Zeinab, fille de Dalila, avec Kamaria, fille d'Azaria, avec la fille du brocanteur, et avec la jeune esclave du brocanteur. Et on célébra somptueusement les cérémonies des quatre mariages. Et c'était certainement Zeinab qui, de l'avis de toutes les femmes du cortège, était la plus touchante sous ses voiles de mariée et la plus belle. Elle était d'ailleurs vêtue de la robe d'or, de la couronne d'or, de la ceinture d'or et de la pantoufle d'or ; et les trois autres adolescentes marchaient autour d'elle comme les étoiles autour de la lune.

Aussi, cette nuit-là même, Ali Vif-Argent commença sa tournée de noces en pénétrant d'abord chez son épouse Zeinab. Et il trouva qu'elle était une vraie perle imperforée et une pouliche non montée. Et il se délecta d'elle à la limite de la délectation, et pénétra ensuite chez chacune de ses trois autres épouses, à tour de rôle. Et, comme il les trouva absolument parfaites en beauté et en virginité, il se délecta d'elles également, et leur prit ce qu'il avait à leur prendre et leur donna ce qu'il avait à leur donner, et cela en toute générosité de part et d'autre et complète satisfaction.

Quant aux festins donnés à l'occasion des noces, ils durèrent trente jours et trente nuits ; et l'on n'épargna rien pour qu'ils fussent dignes de celui qui en était le dispensateur. Et l'on se réjouit, et l'on rit, et l'on chanta, et l'on s'amusa extrêmement.

Lorsque les fêtes furent terminées, Hassan-la-Peste vint trouver Vif-Argent et, après lui avoir réitéré ses félicitations, lui dit : « Ya Ali, voici que le temps est enfin venu pour toi d'être présenté à notre maître le khalifat, pour qu'il t'accorde ses faveurs ! » Et il l'emmena au diwân, où le khalifat ne tarda pas à faire son entrée.

Le khalifat, à la vue du jeune Ali Vif-Argent, fut très charmé : car, en vérité, sa bonne mine ne pouvait que prévenir en sa faveur, et la beauté pouvait témoigner qu'elle le reconnaissait pour son élu. Et Ali Vif-Argent, poussé par Hassan-la-Peste, s'avança devant le khalifat et embrassa la terre entre ses mains. Puis il se releva et, prenant un plateau couvert d'une étoffe de soie que tenait Dos-de-Chameau, il le découvrit devant le khalifat. Et l'on vit la tête coupée du Juif Azaria le magicien. À cette vue, le khalifat, étonné, demanda : « Quelle est cette tête ? » Et Vif-Argent répondit : « Celle du plus grand de tes ennemis, ô émir des Croyants ! Son propriétaire était un insigne magicien capable de détruire Bagdad avec tous ses palais ! » Et il raconta à Haroun Al-Rachid toute l'histoire depuis le commencement jusqu'à la fin sans omettre un détail.

Cette histoire émerveilla tellement le khalifat qu'il nomma à l'instant Vif-Argent comme intendant général de la police, avec le même rang, les mêmes prérogatives et les mêmes émoluments qu'Ahmad-la-Teigne et Hassan-la-Peste ; puis il lui dit : « Vivent les braves qui te ressemblent, ya Ali ! Je veux que tu me demandes encore quelque chose ! » Vif-Argent répondit : « La durée éternelle de la vie du khalifat, et la permission de faire venir du Caire, ma patrie, mes anciens compagnons les quarante, pour les avoir ici comme gardes, à l'exemple de ceux de mes deux collègues ! » Et le khalifat répondit : « Tu le peux ! » Puis il ordonna aux plus habiles scribes du palais d'écrire soigneusement cette histoire, et de la serrer dans les archives du règne, pour qu'elle servît de leçon à la fois et d'amusement aux peuples musulmans et à tous les futurs croyants en Allah et en son prophète Môhammad, le meilleur des hommes (sur lui la prière et la paix !).

Et tous vécurent de la vie la plus délicieuse et la plus gaie jusqu'à ce que vînt les visiter la Destructrice des Joies et la Séparatrice des Amis ! Et telle est, ô Roi fortuné, dans tous ses détails exacts, comme elle m'est parvenue, l'histoire véridique de Dalila-la-Rouée et de sa fille Zeinab-la-Fourbe avec Ahmad-la-Teigne, Hassan-la-Peste, Ali Vif-Argent et Zoraïk, le marchand de poisson frit ! Mais Allah (qu'Il soit glorifié et exalté !) est plus savant et plus pénétrant ! »

Puis Schahrazade ajouta : « Toutefois ne crois point, ô Roi fortuné, que cette histoire soit plus véridique que celle de Jouder le Pêcheur et de ses frères ! » Et, aussitôt, elle raconta :

HISTOIRE DE JOUDER LE PÊCHEUR OU LE SAC ENCHANTÉ

Il m'est revenu, ô Roi fortuné, qu'il y avait autrefois un homme marchand, nommé Omar, qui avait en fait de postérité trois enfants : l'un s'appelait Salem, le second s'appelait Salim, et le plus petit s'appelait Jouder. Il les avait élevés jusqu'à ce qu'ils eussent atteint l'âge d'homme ; mais comme il aimait Jouder beaucoup plus que ses frères, ceux-ci remarquèrent cette préférence, furent pris de jalousie et détestèrent Jouder. Aussi, lorsque le marchand Omar, qui était un homme déjà vieux d'années, eut à son tour remarqué cette haine de ses deux fils pour leur frère, il eut bien peur que, lui mort, Jouder n'eût à souffrir de ses frères. Il assembla donc les membres de sa famille et quelques hommes de science ainsi que diverses personnes qui s'occupaient des successions par ordre du kâdi, et leur dit : « Qu'on apporte tous mes biens et toutes les étoffes de ma boutique ! » Et quand on lui eut apporté le tout, il dit : « Ô gens, divisez ces biens et ces étoffes en quatre parts, selon la loi ! » Et ils les divisèrent en quatre parts. Et le vieillard donna une part à chacun de ses enfants, garda pour lui la quatrième part et dit : « Tout cela était mon bien, et je l'ai divisé entre eux de mon vivant, pour qu'ils n'aient plus rien à me réclamer ni à se réclamer entre eux, et qu'à ma mort ils n'aient point à être en désaccord. Quant à la quatrième part que j'ai prise, elle doit revenir à mon épouse, la mère de ces enfants, afin qu'elle puisse subvenir à ses besoins ! »

Or, peu de temps après, le vieillard mourut ; mais ses fils Salem et Salim ne voulurent point se contenter du partage qui avait été fait, et réclamèrent à Jouder une partie de ce qui lui était revenu, en lui disant : « La fortune de notre père est tombée entre tes mains…

À ce moment de sa narration, Schahrazade vit apparaître le matin et, discrète, se tut.

Mais lorsque fut la quatre cent soixante-sixième nuit. Elle dit :

… La fortune de notre père est tombée entre tes mains ! » Et Jouder fut obligé de recourir contre eux aux juges, et de faire comparaître les témoins musulmans qui avaient assisté au partage, et qui témoignèrent de ce qu'ils savaient : aussi le juge empêcha-t-il les deux frères de prétendre à la part de Jouder. Seulement les frais du procès firent perdre à Jouder et à ses frères une partie de ce qu'ils possédaient. Mais cela n'empêcha pas ces derniers, au bout d'un certain temps, de comploter contre Jouder qui fut encore obligé d'en appeler aux juges contre eux ; et cela, de nouveau, leur fit perdre à tous une bonne partie de leur avoir, en frais de procès. Mais ils ne s'arrêtèrent point là, et allèrent devant un troisième juge et puis devant un quatrième, et ainsi de suite, jusqu'à ce qu'ils eussent fait manger par les juges tout l'héritage, et qu'ils fussent devenus trois pauvres, sans une pièce de cuivre pour s'acheter une galette et un oignon.

Lorsque les deux frères Salem et Salim se virent dans cet état, et comme ils ne pouvaient plus rien réclamer à Jouder qui était aussi misérable qu'eux, ils allèrent comploter contre leur mère qu'ils réussirent à tromper et à dépouiller, après l'avoir maltraitée. Et la pauvre femme vint en pleurant trouver son fils Jouder et lui dit : « Tes frères m'ont fait *telle* et *telle* chose ! Et ils m'ont dépouillée de ma part d'héritage ! » Et elle se mit à proférer des imprécations contre eux. Mais Jouder lui dit : « Ô ma mère ne fais point d'imprécations contre eux ! car Allah saura bien traiter chacun d'eux selon ses actions ! Quant à moi je ne puis plus les attaquer devant le kâdi et les autres juges, puisque les procès demandent des dépenses et que j'ai perdu en jugements tout mon avoir. Il vaut donc mieux nous résigner tous deux au silence. D'ailleurs, ô mère, tu n'as qu'à demeurer chez moi ; et le pain que je mangerais, je te le laisserai ! Toi seulement, ô mère mienne, fais des vœux pour moi, et Allah m'accordera le nécessaire pour te nourrir ! Quant à mes frères, laisse-les recevoir du Souverain Juge la récompense de leur action, et console-toi avec ces paroles du poète :

« Si l'insensé t'opprime, supporte-le patiemment ; et ne compte que sur le temps pour te venger.

Mais évite la tyrannie ! car une montagne qui opprimerait une montagne serait à son tour brisée par plus solide qu'elle et volerait en éclats. »

Et Jouder continua à dire de bonnes paroles à sa mère, à la caresser et à l'apaiser, et réussit ainsi à la consoler et à la décider à demeurer chez lui. Et lui, pour gagner leur nourriture, se procura un filet de pêche et se mit à aller tous les jours pêcher soit dans le Nil à Boulak, soit dans les grands étangs, soit dans les autres endroits remplis d'eau ; et il faisait de la sorte un gain tantôt de dix cuivres, tantôt de vingt, tantôt de trente ; et il dépensait le tout sur sa mère et sur lui-même ; et de la sorte ils mangeaient bien et buvaient bien.

Quant à ses deux frères, ils n'avaient rien : ni métier, ni vente, ni achat. La misère, la ruine et toutes les calamités les accablèrent ; et, comme ils n'avaient pas tardé à dissiper ce qu'ils avaient enlevé à leur mère, ils furent réduits à la plus misérable condition et devinrent de malheureux mendiants nus manquant de tout. Aussi ils se virent obligés de venir recourir à leur mère et s'humilier à l'extrême devant elle et se plaindre à elle de la faim qui les torturait. Or le cœur de la mère est compatissant et pitoyable ! Et leur mère, émue de leur misère, leur donnait les galettes qui restaient et qui souvent étaient déjà toutes moisies ; et elle leur servait également les restes des repas de la veille, en leur disant : « Mangez vite et partez avant que votre frère ne revienne ; car de vous voir ici il ne serait point content et son cœur durcirait contre moi ; et de la sorte vous me compromettriez vis-à-vis de lui ! » Et eux se hâtaient de manger et de s'en aller. Mais, un jour d'entre les jours, ils entrèrent chez leur mère qui, selon son habitude, mit devant eux des mets et du pain pour qu'ils mangeassent ; et soudain Jouder fit son entrée. Et la mère fut très honteuse et bien confuse ; et, dans sa peur qu'il se fâchât contre elle, elle baissa les yeux vers la terre, avec des regards bien humbles du côté de son fils. Mais Jouder, loin de se montrer contrarié, sourit au visage de ses frères, et leur dit : « Soyez les bienvenus, ô mes frères ! Et bénie soit votre journée ! Qu'est-il donc arrivé pour que vous vous soyez enfin décidés à venir nous voir en ce jour de bénédiction ? » Et il se jeta à leur cou, et les embrassa avec effusion, en leur disant : « En vérité, que c'est mal à vous de m'avoir fait ainsi languir de la tristesse de ne plus vous voir ! Vous n'êtes plus venus chez moi pour avoir de mes nouvelles et des nouvelles de votre mère ! » Ils répondirent : « Par Allah ! ô notre frère, le désir de te voir nous a fait également bien languir ; et nous n'avons été retenus loin de toi que par la honte de ce qui s'était passé entre nous et toi ! Mais nous voici repentants à l'extrême ! Et d'ailleurs tout cela était l'œuvre de Satan (qu'il soit maudit par Allah l'Exalté !) et maintenant nous n'avons d'autre bénédiction que toi et notre mère ! » Et Jouder, bien ému de ces paroles, leur dit :

« Et moi je n'ai d'autre bénédiction que vous deux, frères miens ! » Alors la mère se tourna vers Jouder et lui dit : « Ô mon enfant, qu'Allah blanchisse ton visage et augmente ta prospérité, car tu es le plus généreux de nous tous, ô mon enfant ! » Et Jouder dit : « Soyez les bienvenus et demeurez chez moi ! Allah est généreux, et les biens abondent dans la demeure ! » Et il acheva de se réconcilier avec ses frères qui soupèrent avec lui et passèrent la nuit dans sa maison.

Le lendemain ils prirent tous ensemble le repas du matin, et Jouder, chargé de son filet, s'en alla confiant en la générosité de l'Ouvreur, tandis que ses deux frères de leur côté s'en allaient et restaient absents jusqu'à midi, pour alors revenir déjeuner avec leur mère. Quant à Jouder, il ne revint que le soir, apportant avec lui de la viande et des légumes, toutes choses achetées avec son gain de la journée. Et ils vécurent de la sorte l'espace d'un mois, Jouder pêchant du poisson pour le vendre et en dépenser le produit pour sa mère et ses frères qui mangeaient et se divertissaient. Or un jour d'entre les jours…

À ce moment de sa narration, Schahrazade vit apparaître le matin et, discrète, se tut.

Mais lorsque fut la quatre cent soixante-septième nuit. Elle dit :

… Or un jour d'entre les jours Jouder jeta son filet dans le fleuve et, l'ayant ramené, le trouva vide ; il le jeta une seconde fois, et le ramena vide ; alors il se dit en lui-même : « Il n'y a pas de poisson en cet endroit-ci ! » Et il changea de place, et, ayant jeté son filet, le ramena vide encore ! Il changea de place une seconde fois, une troisième fois et ainsi de suite depuis le matin jusqu'au soir sans réussir à pêcher un seul goujon. Alors il s'écria : « Ô prodiges ! N'y aurait-il plus de poissons dans l'eau ? Ou bien la cause serait-elle autre chose ? » Et, comme le soir tombait, il chargea son filet sur son dos et s'en revint bien peiné, bien triste, et portant avec lui le chagrin et le souci de ses frères et de sa mère, sans savoir comment il allait leur donner à souper ; et il passa de la sorte devant une boutique de boulanger où il avait coutume, en rentrant, d'acheter le pain du soir. Et il vit la foule des clients qui se pressaient pour acheter le pain, leur monnaie à la main, sans que le boulanger leur prêtât grande attention. Et Jouder s'arrêta tristement à l'écart, en regardant les acheteurs et en soupirant. Alors le boulanger lui dit : « La bienvenue à toi, ô Jouder ! As-tu besoin de pain ? » Mais Jouder garda le silence. Le boulanger lui dit : « Si tu n'as point sur toi d'argent, prends tout de même ce dont tu as besoin, et je te donne du délai pour me payer ! » Et Jouder lui dit alors : « Donne-moi du pain pour dix cuivres, et prends chez toi mon filet en gage ! » Mais le boulanger répondit : « Non, ô pauvre ! ton filet est la porte de ton gain, et si je le prenais je fermerais sur toi la porte de la subsistance. Voici donc les pains que tu prends d'ordinaire ! Et voici de ma part pour toi dix pièces de cuivre dont tu pourrais avoir besoin. Et demain, ya Jouder, tu m'apporteras du poisson pour vingt cuivres ! » Et Jouder répondit : « Sur ma tête et sur mes yeux ! » et, après avoir beaucoup remercié le boulanger, il prit le pain et les dix cuivres avec lesquels il alla acheter de la viande et des légumes, en se disant : « Demain le Seigneur saura me procurer les moyens de m'acquitter ; et Il dissipera mes soucis ! » Et il revint à sa maison où sa mère fit la cuisine comme à l'ordinaire. Et Jouder soupa et s'endormit.

Le lendemain il prit son filet et voulut sortir ; mais sa mère lui dit : « Tu sors sans manger ton pain du matin ! » Il répondit : « Toi, ô mère, mange-le avec mes frères ! » et il s'en alla au fleuve où il jeta son filet une première, deuxième et troisième fois, en changeant plusieurs fois d'endroit, et cela jusqu'à l'heure de la prière de l'après-midi, mais sans rien pêcher. Alors il reprit son filet et s'en revint désolé à l'extrême ; et il fut obligé, n'ayant point d'autre route pour rentrer chez lui, de passer devant la boutique du boulanger qui l'aperçut et lui compta dix nouveaux pains et dix cuivres, et lui dit : « Prends cela et va ! Et si ce que le sort a décidé n'arrive pas aujourd'hui, il arrivera demain ! » Et Jouder voulut s'excuser ; mais le boulanger lui dit : « Allons, ô pauvre, tu n'as point d'excuses à me faire ! Si tu avais pêché quelque chose, tu aurais eu de quoi me payer ! Et si demain aussi tu ne pêches rien, tu viendras ici sans honte ; et tu as tout délai et tout crédit ! »

Or justement le lendemain Jouder ne pêcha rien du tout, et fut encore obligé de se rendre chez le boulanger ; et il eut la même malchance pendant sept jours de suite, au bout desquels il fut dans une grande angoisse de cœur, et se dit en lui-même : « Aujourd'hui je vais aller pêcher au lac Karoun. Peut-être est-ce là que se trouve ma destinée ! » Il alla donc au lac Karoun, situé non loin du Caire, et se disposait à y jeter son filet, quand il vit venir à lui un Moghrabin monté sur une mule. Il était vêtu d'une robe extraordinairement belle, et était si bien enveloppé dans son burnous, et son foulard de tête qu'on ne lui apercevait qu'un œil. La mule également était caparaçonnée et harnachée de velours d'or et de soieries, et sur sa croupe il y avait une besace en laine de couleur.

Lorsque le Moghrabin fut tout près de Jouder, il descendit de sa mule, et dit : « Le salam sur toi, ô Jouder, ô fils d'Omar ! » Et Jouder répondit : « Et sur toi le salam, ô mon maître le pèlerin ! » Le Moghrabin dit : « Ô Jouder, j'ai besoin de toi ! Si tu veux m'obéir, tu recueilleras de grands avantages et un bien immense ; et tu deviendras mon ami ; et tu régleras toutes mes affaires ! » Jouder répondit : « Ô mon maître le pèlerin, dis-moi ce que tu as dans l'esprit, et moi je t'obéirai sans restriction ! » Alors le Moghrabin lui dit : « Commence donc par réciter le chapitre liminaire du Kôran ! » Et Jouder récita avec lui la fatiha du Korân. Alors le Moghrabin tira de sa besace des cordons en soie et lui dit : « Ô Jouder fils d'Omar, tu vas m'attacher les bras avec ces cordons de soie, le plus solidement que tu pourras ! Après quoi tu me jetteras dans le lac, et tu attendras un certain temps. Si tu vois paraître au-dessus de l'eau ma main avant mon corps, hâte-toi de jeter ton filet et de me ramener sur le rivage ; mais si tu vois paraître mon pied hors de l'eau, sache que je suis mort. Alors ne t'inquiète plus de moi, prends la mule avec la besace, et va au souk des marchands où tu trouveras un Juif nommé Schamayâa. Tu lui remettras la mule, et il te donnera cent dinars que tu prendras pour t'en aller en ta voie !

Mais seulement garde le secret sur tout cela…

À ce moment de sa narration, Schahrazade vit apparaître le matin et, discrète, se tut.

Mais lorsque fut la quatre cent soixante-huitième nuit. Elle dit :

… Mais seulement garde le secret sur tout cela ! » Alors Jouder répondit : « J'écoute et j'obéis ! » et il attacha les bras du Moghrabin qui lui disait : « Plus solidement encore ! » et, lorsqu'il eut bien fait la chose, il le souleva et le jeta dans le lac. Puis il attendit quelques instants pour voir ce qui allait arriver.

Or, au bout d'un certain temps, il vit soudain sortir et émerger de l'eau les deux pieds à la fois du Moghrabin. Alors il comprit que l'homme était mort, et, sans plus s'inquiéter de lui, il prit la mule et alla au souk des marchands où, de fait, il vit le Juif en question assis sur une chaise à l'entrée de sa boutique, et qui, à la vue de la mule, s'écria : « Il n'y a plus de doute ! L'homme a péri ! » Puis il ajouta : « Il a péri victime de son avidité ! » Et, sans ajouter un mot, il prit la mule des mains de Jouder, et lui compta cent dinars d'or, en lui recommandant de garder le secret. Jouder prit donc l'argent du Juif, et se hâta d'aller trouver le boulanger auquel il prit du pain comme à l'ordinaire, et, lui tendant un dinar, lui dit : « Voici pour te payer ce que je te dois, ô mon maître ! » Et le boulanger fit son compte et lui dit : « Il te reste chez moi du pain pour deux jours ! » Et Jouder le quitta et alla trouver le boucher et le vendeur de légumes et, leur donnant à chacun un dinar, leur dit : « Donnez-moi ce qu'il me faut, et gardez chez vous, en compte, le reste de l'argent ! » Et il prit la viande et les légumes, et porta le tout à la maison, où il trouva ses frères bien affamés et sa mère qui leur disait de prendre patience jusqu'au retour de leur frère. Alors il mit devant eux les provisions, sur lesquelles ils se précipitèrent comme des ghouls, et commencèrent, en attendant la cuisson, par dévorer tout le pain.

Le lendemain, avant de partir, Jouder remit tout l'or qu'il avait à sa mère, en lui disant : « Garde-le pour toi, et pour en donner à mes frères afin qu'ils ne manquent jamais de rien ! » Et il prit son filet de pêche, et retourna au lac Karoun ; et il allait commencer son travail, quand il vit un second Moghrabin, qui ressemblait au premier, s'avancer de son côté, bien plus richement vêtu, et monté sur une mule plus somptueusement harnachée. Il mit pied à terre et dit : « Le salam sur toi, ô Jouder fils d'Omar ! » Il répondit : « Et sur toi le salam, ô mon seigneur le pèlerin ! » Il dit : « As-tu vu hier venir à toi un Moghrabin monté sur une mule comme celle-ci ! » Mais Jouder, qui eut peur d'être accusé de la mort de l'homme, se dit qu'il valait mieux nier absolument, et répondit : « Non ! je n'ai vu personne ! » Le second Moghrabin sourit et dit : « Ô pauvre Jouder, ne sais-tu donc que je n'ignore rien de ce qui s'est passé ? L'homme que tu as jeté dans le lac, et dont tu as vendu la mule au Juif Schamayâa pour cent dinars, était mon frère ! Pourquoi chercher à nier ? » Il répondit : « Du moment que tu sais tout cela, pourquoi me le demandes-tu ? » Il dit : « Parce que, ô Jouder, j'ai besoin que tu me rendes le même service qu'à mon frère ! » Et il tira de la besace précieuse de gros cordons de soie qu'il remit à Jouder, en lui disant : « Attache-moi aussi solidement que tu l'as attaché, et jette-moi à l'eau ! Si tu vois sortir mon pied premier, je serai mort ! Tu prendras alors la mule et tu la vendras au Juif pour cent dinars ! » Jouder répondit : « Avance alors ! » Et le Moghrabin s'avança, et Jouder lui attacha les bras et, le soulevant, le jeta dans le lac, où il coula à fond.

Or, au bout de quelques instants, il vit deux pieds sortir de l'eau ! Et il comprit que le Moghrabin était mort ; et il se dit : « Il est mort ! Qu'il ne revienne plus ! Et qu'il aille en calamité ! Inschallah ! puissé-je tous les jours voir venir à moi un Moghrabin que je jetterai à l'eau et qui me fera gagner cent dinars ! » Et il prit la mule et s'en alla trouver le Juif qui, en le voyant, s'écria : « Il est mort, le second ! » Jouder répondit : « Puisse ta tête vivre ! » Et le Juif ajouta : « Telle est la récompense des ambitieux ! » Et il prit la mule et donna cent dinars à Jouder qui se rendit auprès de sa mère et les lui remit. Et sa mère lui demanda : « Mais, ô mon enfant, d'où te vient tout cet or ? » Alors il lui raconta ce qui lui était arrivé ; et elle, bien effrayée, lui dit : « Tu feras bien de ne plus retourner au lac Karoun ! J'ai grand peur pour toi des Moghrabins ! » Il répondit : « Mais, ô ma mère, je ne les jette à l'eau qu'avec leur consentement ! D'ailleurs comment ne point agir de la sorte quand le métier de noyeur me rapporte cent dinars par jour ? Par Allah ! je veux maintenant me rendre quotidiennement au lac Karoun, jusqu'à ce que le dernier des Moghrabins soit noyé par mes mains, et qu'il ne reste plus trace de Moghrabins ! »

Le troisième jour, Jouder retourna donc au lac Karoun, et, au même instant, il vit venir un troisième Moghrabin qui ressemblait étonnamment aux deux premiers, mais les surpassait encore par la richesse de ses habits et la beauté des harnachements dont était ornée la mule qu'il montait ; et, derrière lui, dans la besace, il y avait, de chaque côté, un grand bocal en verre avec un couvercle. Il s'approcha de Jouder et lui dit : « Le salam sur toi, ô Jouder fils d'Omar ! » Il lui rendit le salam, en pensant : « Comment se fait-il donc que tous connaissent mon nom ? » Le Moghrabin lui demanda…

À ce moment de sa narration, Schahrazade vit apparaître le matin et, discrète, se tut.

Mais lorsque fut la quatre cent soixante-neuvième nuit. Elle dit :

… Le Moghrabin lui demanda : « As-tu vu passer des Moghrabins par ici ? » Il répondit : « Deux ! » Il demanda : « Où sont-ils allés ? » Il dit : « Je leur ai attaché les bras, et je les ai jetés dans ce lac où ils se sont noyés ! Et, si leur sort te convient, je le tiens en réserve pour toi également ! » À ces paroles le Moghrabin se mit à rire, et répondit : « Ô pauvre, ne sais-tu que toute vie a son terme fixé d'avance ? » Et il descendit de sa mule, et ajouta tranquillement : « Ô Jouder, je souhaite que tu me fasses ce que tu leur as fait ! » Et il tira de sa besace de gros cordons de soie et les lui remit ; et Jouder lui dit : « Alors tends-moi tes mains pour que je te les attache derrière le dos ; et fais vite, car je suis très pressé, et le temps presse ! D'ailleurs je suis bien au courant du métier ; et tu peux avoir confiance en mon habileté de noyeur ! » Alors le Moghrabin livra ses bras. Jouder les lui attacha derrière le dos ; puis il le souleva et le lança dans le lac, où il le vit plonger et disparaître. Et, avant de s'en aller avec la mule, il attendit que les pieds du Moghrabin fussent sortis de l'eau ; mais, à sa surprise extrême, ce furent les deux mains qui trouèrent l'eau, suivies de la tête du Moghrabin entier qui lui cria : « Je ne sais point nager ! Hâte-toi de m'attraper avec ton filet, ô pauvre ! » Et Jouder jeta sur lui le filet, et réussit à le ramener sur le rivage. Alors il vit dans ses mains, chose qu'il n'avait pas d'abord remarquée, deux poissons de couleur rouge comme le corail, un poisson dans chaque main. Et le Moghrabin se hâta d'aller à sa mule, prit les deux bocaux de verre, mit un poisson dans chaque bocal, referma les couvercles, et replaça les bocaux dans la besace. Après quoi il revint vers Jouder et, le prenant dans ses bras, se mit à l'embrasser avec une grande effusion sur la joue droite et sur la joue gauche ; et il lui dit : « Par Allah ! sans toi je ne serais plus vivant, et je n'aurais pas pu attraper ces deux poissons-là ! »

Tout cela !

Or Jouder, qui ne remuait plus dans sa surprise, finit par lui dire : « Par Allah ! ô mon maître le pèlerin, si tu crois vraiment que je suis pour quelque chose dans ta délivrance et la capture de ces poissons-là, hâte-toi, pour toute gratitude, de me raconter ce que tu sais au sujet des deux Moghrabins noyés, et la vérité sur les deux poissons en question et sur le Juif Schamayâa du souk ! » Alors le Moghrabin dit :

« Ô Jouder, sache que les deux Moghrabins qui se sont noyés étaient mes frères. L'un s'appelait Abd Al-Salam et l'autre s'appelait Abd Al-Ahad. Quant à moi, je m'appelle Abd Al-Samad. Et celui que tu crois être un Juif, n'est point juif du tout, mais un vrai musulman du rite malékite : son nom est Abd Al-Rahim, et il est également notre frère. Or, ya Jouder, notre père, qui s'appelait Abd Al-Wadoud, était un grand magicien qui possédait à fond toutes les sciences mystérieuses, et il nous enseigna, à nous ses quatre fils, la magie, la sorcellerie et l'art de découvrir et d'ouvrir les trésors les plus cachés. Aussi nous nous appliquâmes vivement à l'étude de ces sciences, où nous atteignîmes un tel degré de savoir que nous finîmes par soumettre à nos ordres les genn, les mareds et les éfrits.

« Lorsque notre père mourut, il nous laissa de grands biens et d'immenses richesses. Alors nous partageâmes entre nous, selon l'équité, les trésors laissés, les talismans divers et les livres de science ; mais sur la possession de certains manuscrits nous ne tombâmes pas d'accord. Le plus important de ces manuscrits était un livre intitulé *Annales des Anciens*, et vraiment inestimable de prix et de valeur, et tel qu'il ne pouvait être payé même avec son pesant de pierreries ! En effet là-dedans on trouvait des indications précises sur tous les trésors cachés au sein de la terre, et sur la solution des énigmes et des signes mystérieux. Et c'était justement dans ce manuscrit que notre père avait puisé toute la science qu'il possédait.

« Comme la discorde commençait à se confirmer entre nous, nous vîmes entrer dans notre maison un vénérable cheikh, celui-là même qui avait élevé notre père et lui avait enseigné la magie et la divination. Et ce cheikh, qui s'appelait le Très-Profond Cohen, nous dit : « Apportez-moi ce livre ! » Et nous lui apportâmes les *Annales des Anciens* qu'il prit et nous dit : « Ô mes enfants, vous êtes les fils de mon fils, et je ne puis favoriser l'un de vous au détriment des autres ! Il faut donc que celui de vous qui désire posséder ce livre aille ouvrir le trésor appelé Al-Schamardal, et m'en apporte la sphère céleste, la fiole de kôhl, le glaive et le sceau ! Car tous ces objets sont contenus dans ce trésor. Et leurs vertus sont extraordinaires ! En effet le sceau est gardé par un genni dont le nom seul est effrayant à prononcer : il s'appelle l'Éfrit Tonnerre Tonitruant ! Et l'homme qui devient le possesseur de ce sceau peut affronter sans crainte la puissance des rois et des sultans ; et il peut, quand il veut, être le dominateur de la terre en large comme en long. Le glaive ! celui qui le possède peut, à sa guise, détruire les armées rien qu'en le brandissant : car aussitôt des flammes et des éclairs en sortent qui réduisent à néant tous les guerriers. La sphère céleste ! celui qui la possède peut, selon son désir, voyager sur tous les points de l'univers sans se déranger de sa place, et visiter toutes les contrées de l'Orient à l'Occident ! Pour cela il n'a qu'à toucher du doigt le point où il veut aller et les régions qu'il désire parcourir, et la sphère se met à tourner en lui faisant passer sous les yeux toutes les choses intéressantes des pays en question ainsi que leurs habitants, tout comme s'ils étaient entre ses mains. Et si, des fois, il a à se plaindre de l'hospitalité des indigènes d'un pays quelconque ou de la réception d'une ville d'entre les villes, il n'a qu'à tourner vers le soleil le point où se trouve la région ennemie, et aussitôt elle devient la proie des flammes et brûle avec tous ses habitants. Quant à la fiole de kôhl ! celui qui se frotte les paupières avec le kôhl qu'elle contient voit à l'instant tous les trésors cachés dans la terre ! Voilà ! Toutefois le livre ne reviendra de droit qu'à celui qui réussira dans son entreprise ; et ceux qui auront échoué ne pourront faire aucune réclamation. Acceptez-vous ces conditions ? » Nous répondîmes : « Nous les acceptons, ô cheikh de notre père ! Mais nous ne savons rien au sujet de ce trésor de Schamardal ! » Alors il nous dit : « Sachez, mes enfants, que ce trésor de Schamardal se trouve…

À ce moment de sa narration, Schahrazade vit apparaître le matin et, discrète, se tut.

Mais lorsque fut la quatre cent soixante-dixième nuit. Elle dit :

… Sachez, mes enfants, que ce trésor de Schamardal se trouve sous la domination des deux fils du roi Rouge. Votre père autrefois avait essayé de s'emparer de ce trésor ; mais, pour l'ouvrir, il fallait auparavant s'emparer des fils du roi Rouge. Or, au moment où votre père allait mettre la main dessus, ils lui échappèrent et allèrent se jeter, transformés en poissons rouges au fond du lac Karoun, près du Caire. Et comme ce lac est lui-même enchanté, votre père eut beau faire, il ne put arriver à attraper les deux poissons. Alors il vint me trouver et se plaignit à moi de l'insuccès de ses tentatives. Et moi aussitôt je fis mes calculs astrologiques et tirai l'horoscope ; et je découvris que ce trésor de Schamardal ne pouvait être ouvert que par l'entremise et sur le visage d'un jeune homme du Caire, nommé Jouder ben-Omar, pêcheur de son métier. On peut rencontrer ce Jouder sur les bords du lac Karoun. Et l'enchantement de ce lac ne peut être dénoué que par ce Jouder-là, qui devra attacher les bras de celui dont la destinée est de descendre dans ce lac ; et il le jettera à l'eau. Et celui qui aura été jeté, aura à lutter contre les deux fils enchantés du roi Rouge ; et si son sort est de les vaincre et de s'en emparer, il ne se noiera pas, et sa main viendra surnager la première au-dessus de l'eau. Et ce sera Jouder qui le pêchera avec son filet ! Mais celui qui périra, remontera sur l'eau les pieds les premiers, et devra être abandonné ! »

« En entendant ces paroles du cheikh Le Plus Profond Cohen, nous répondîmes : « Certes ! nous voulons tenter l'entreprise, même au risque de périr ! » Seul notre frère Abd Al-Rahim ne voulut point de l'aventure, et nous dit : « Moi, je ne veux pas ! » Alors nous le décidâmes à se déguiser en marchand juif ; et nous convînmes ensemble de lui envoyer la mule et la besace, pour qu'il les achetât du pêcheur, dans le cas où nous péririons dans notre tentative !

« Or tu sais, ô Jouder, ce qui est arrivé ! Mes deux frères ont péri dans le lac, victimes des fils du roi Rouge ! Et moi à mon tour, lorsque tu m'eus jeté au lac, je faillis succomber dans ma lutte contre eux ; mais, grâce à une conjuration mentale, je réussis à me défaire de mes liens, à dénouer l'enchantement invincible du lac et à m'emparer des deux fils du roi Rouge, qui sont ces deux poissons couleur de corail que tu m'as vu enfermer dans les bocaux de ma besace. Or ces deux poissons enchantés, fils du roi Rouge, sont tout simplement deux éfrits puissants ; et c'est grâce à leur capture que je vais pouvoir enfin ouvrir le trésor de Schamardal.

« Seulement, pour ouvrir ce trésor, il est absolument nécessaire que tu sois toi-même présent, puisque l'horoscope tiré par Le Plus Profond Cohen prédisait que la chose ne pouvait être que sur ton visage !

« Veux-tu donc, ô Jouder, accepter de venir avec moi au Maghreb, dans un endroit situé non loin de Fas et de Miknas, afin de m'aider à ouvrir le trésor de Schamardal ? Et moi je te donnerai tout ce que tu me demanderas ! Et tu seras pour toujours mon frère en Allah ! Et, après ce voyage, tu reviendras le cœur joyeux au milieu de ta famille ! »

Lorsque Jouder eut entendu ces paroles, il répondit : « Ô mon seigneur le pèlerin, moi j'ai à mon cou ma mère et mes frères ! Et c'est moi qui m'occupe de les faire vivre ! Si donc je consens à m'en aller avec toi, qui leur donnera le pain qui les nourrit ? » Le Moghrabin répondit : « Le motif de ton abstention n'est que de la paresse ! Si vraiment ce n'est que le manque d'argent qui t'empêche de partir et le souci de ta mère, moi je suis disposé à te donner de suite mille dinars d'or pour les dépenses de ta mère, en attendant ton retour au bout d'une absence de quatre mois à peine ! » À ces mots de mille dinars, Jouder s'écria : « Donne, ô pèlerin, les mille dinars pour que j'aille les porter à ma mère et que je parte ensuite avec toi ! » Et le Moghrabin lui remit aussitôt les mille dinars qu'il alla donner à sa mère, en lui disant : « Prends ces mille dinars pour tes dépenses et celles de mes frères ; car moi je vais partir avec un Moghrabin pour un voyage de quatre mois au Maghreb ! Et toi, ô mère, fais des vœux pour moi, pendant mon absence, et je serai comblé de bienfaits par ta bénédiction sur moi ! » Elle répondit : « Ô mon enfant, comme ton absence va me faire languir de tristesse ! Et que j'ai peur pour toi ! » Il dit : « Ô mère mienne, il n'y a rien à redouter pour quelqu'un qui est sous la garde d'Allah ! Et puis le Moghrabin est un très brave homme ! » Et il lui loua beaucoup le Moghrabin. Et sa mère lui dit : « Qu'Allah incline vers toi le cœur de ce Moghrabin de bien ! Pars avec lui, mon fils ! Peut-être qu'il sera généreux envers toi ! » Alors Jouder fit ses adieux à sa mère et s'en alla trouver le Moghrabin.

En le voyant arriver, le Moghrabin lui demanda : « As-tu consulté ta mère ? » Il répondit : « Oui, certes ! et elle a fait des vœux pour moi et m'a béni ! » Il lui dit : « Monte en croupe derrière moi ! »

Et Jouder monta derrière le Moghrabin sur le dos de la mule, et voyagea de la sorte depuis midi jusqu'au milieu de l'après-midi. Or le voyage donna un grand appétit à Jouder qui eut extrêmement faim…

À ce moment de sa narration, Schahrazade vit apparaître le matin et, discrète, se tut.

Mais lorsque fut la quatre cent soixante et onzième nuit. Elle dit :

Or le voyage donna un grand appétit à Jouder qui eut extrêmement faim. Mais comme il ne voyait point de provisions dans le sac de voyage, il dit au Moghrabin : « Ô mon seigneur le pèlerin, je crois bien que tu as oublié de prendre des provisions pour en manger durant le voyage ! » Il répondit : « Aurais-tu faim ? » Il dit : « Eh ! ouallah ! » Alors le Moghrabin arrêta la mule, mit pied à terre, ainsi que Jouder, et dit à celui-ci : « Apporte-moi ici le sac ! » Et, Jouder lui ayant apporté le sac, il lui demanda : « Que souhaite ton âme, ô mon frère ? » Il répondit : « N'importe quoi ! » Le Moghrabin dit : « Par Allah sur toi ! Dis-moi ce que tu souhaites manger ? » Il répondit : « Du pain et du fromage ! » Il sourit et dit : « Ô pauvre, du pain et du fromage ? C'est vraiment peu digne de ton rang ! Demande-moi donc quelque chose d'excellent ! » Jouder répondit : « Moi, en ce moment-ci, je trouverai tout excellent ! » Le Moghrabin lui demanda : « Aimes-tu les poulets rôtis ? » Il dit : « Ya Allah ! oui ! » Il lui demanda : « Aimes-tu le riz au miel ? » Il dit : « Beaucoup ! » Il lui demanda : « Aimes-tu les aubergines farcies ? les têtes d'oiseaux aux tomates ? les topinambours au persil et les colocases ? les têtes de moutons au fours ? l'orge pilée et gonflée et habillée ? les feuilles de vignes farcies ? les pâtisseries *telle* et *telle* et *telle* chose ? » Et il énuméra de la sorte vingt-quatre espèces de mets, pendant que Jouder pensait : « Serait-il donc fou ? Car d'où va-t-il m'apporter les mets qu'il vient d'énumérer, alors qu'il n'a ici ni cuisine ni cuisinier ? Je vais lui dire maintenant que c'est vraiment assez ! » Et il dit au Moghrabin : « C'est assez ! Jusqu'à quand vas-tu me faire désirer ces différents mets sans m'en montrer aucun ? » Mais le Moghrabin répondit : « La bienvenue sur toi, ô Jouder ! » Et il plongea sa main dans le sac et en tira un plat d'or avec deux poulets rôtis bien chauds ; puis il plongea sa main une seconde fois et tira un plat d'or avec des brochettes d'agneau, et ainsi de suite, l'un après l'autre, les vingt-quatre plats qu'il avait énumérés, exactement !

À cette vue Jouder fut stupéfait. Et le Moghrabin lui dit : « Mange, mon pauvre ami ! » Mais Jouder s'écria : « Ouallah ! Ô mon seigneur le pèlerin, foi tu as sans aucun doute placé dans ce sac une cuisine avec sa batterie et des cuisiniers ! » Le Moghrabin se mit à rire et répondit : « Ô Jouder, ce sac est enchanté ! Et il est servi par un éfrit qui, si nous le voulions, nous apporterait à l'instant mille mets syriens, mille mets égyptiens, mille mets indiens, mille mets chinois ! » Et Jouder s'écria : « Oh ! que ce sac est beau ! et quels prodiges il contient et quelle opulence ! » Puis ils mangèrent tous deux jusqu'à satiété et jetèrent ce qui resta de leur repas. Et le Moghrabin remit les plats d'or dans le sac ; puis il plongea sa main dans l'autre poche de la besace et en tira une aiguière d'or pleine d'eau fraîche et douce. Et ils burent et firent leurs ablutions et récitèrent la prière de l'après-midi, pour ensuite remettre l'aiguière dans le sac à côté des bocaux, le sac sur le dos de la mule, et monter eux-mêmes sur la mule et continuer leur voyage.

Au bout d'un certain temps, le Moghrabin demanda à Jouder : « Sais-tu, ô Jouder, combien nous avons fait de chemin depuis Le Caire jusqu'ici ? » Il répondit : « Par Allah ! je ne sais pas ! » Il dit : « Exactement, en ces deux heures, nous avons parcouru un espace qui exige pour le moins un mois de chemin ! » Il demanda : « Et comment cela ? » Il dit : « Sache, ô Jouder, que cette mule que nous montons est tout simplement une gennia d'entre les genn ! En un jour elle parcourt d'ordinaire l'espace d'une année de chemin ; mais aujourd'hui, pour ne point te fatiguer, elle a marché lentement, au pas ! » Et là-dessus ils poursuivirent leur chemin vers le Maghreb ; et tous les jours, matin et soir, le sac subvenait à tous leurs besoins ; et Jouder n'avait qu'à souhaiter un mets, fût-il le plus compliqué et le plus extraordinaire, pour qu'aussitôt il le trouvât au fond du sac, tout préparé et arrangé sur un plat d'or. Et ils arrivèrent de la sorte, au bout de cinq jours, au Maghreb, et entrèrent dans la ville de Fas et de Miknas.

Or, tout le long des rues, chaque passant reconnaissait le seigneur Moghrabin, et lui souhaitait le salam, ou bien venait lui baiser la main, jusqu'à ce qu'ils fussent arrivés à la porte d'une maison où le Moghrabin descendit frapper. Et aussitôt la porte s'ouvrit, et sur le seuil apparut une jeune fille, tout à fait comme la lune, et belle et svelte comme une gazelle languissante de soif, qui leur sourit d'un sourire de bienvenue. Et le Moghrabin, paternel, lui dit : « Ô Rahma, ma fille, hâte-toi d'aller nous ouvrir la grande salle du palais ! » Et la jeune fille Rahma répondit : « Sur la tête et sur l'œil ! » et les précéda à l'intérieur du palais en balançant ses hanches. Et la raison de Jouder s'envola ; et il se dit en lui-même : « Il n'y a pas ! cette jeune fille est certainement la fille de quelque roi ! »

Quant au Moghrabin, il commença d'abord par retirer le sac de sur le dos de la mule, et dit : « Ô mule, retourne là d'où tu es venue ! Et qu'Allah te bénisse ! » Et voici que soudain la terre s'entrouvrit et reçut la mule dans son sein, pour se refermer sur elle immédiatement. Et Jouder s'écria : « Ô Protecteur ! Louanges à Allah qui nous a délivrés et nous a gardés pendant que nous étions sur son dos ! » Mais le Moghrabin lui dit : « Pourquoi t'étonnes-tu, ô Jouder ? Ne t'avais-je pas prévenu qu'elle était une gennia d'entre les éfrits ? Mais hâtons-nous d'entrer dans le palais et de monter à la grande salle ! » Et ils suivirent la jeune fille. Lorsque Jouder eut pénétré dans le palais, il fut ébloui…

À ce moment de sa narration, Schahrazade vit apparaître le matin et, discrète, se tut.

Mais lorsque fut la quatre cent soixante-douzième nuit. Elle dit :

Lorsque Jouder eut pénétré dans le palais, il fut ébloui par l'éclat et la multitude des richesses qu'il renfermait et par la beauté des lustres d'argent et des suspensions d'or ainsi que par la profusion des pierreries et des métaux. Et, une fois qu'ils se furent assis sur le tapis, le Moghrabin dit à sa fille : « Ya Rahma, va vite nous apporter le paquet en soie que tu connais ! » Et la jeune fille courut aussitôt apporter le paquet en question et le donna à son père qui l'ouvrit et en tira une robe qui valait au moins mille dinars et, la donnant à Jouder, lui dit : « Habille-t'en, ô Jouder, sois ici l'hôte bienvenu ! » Et Jouder la revêtit et en devint si splendide qu'il était semblable à quelque roi d'entre les rois des Arabes occidentaux !

Après quoi le Moghrabin, qui avait le sac devant lui, y plongea sa main et en tira une multitude de plats, qu'il rangea sur la nappe tendue par la jeune fille, et ne s'arrêta que lorsqu'il eut rangé de la sorte quarante plats de couleur différente et de mets différents. Puis il dit à Jouder : « Avance la main et mange, ô mon maître, et sois indulgent à notre égard pour le peu que nous te servons ; car vraiment nous ne savons point encore tes goûts et tes préférences quant aux mets ! Tu n'as donc qu'à nous dire ce que tu aimes le mieux et ce que ton âme souhaite, et nous te le présenterons sans retard ! » Jouder répondit : « Par Allah ! ô mon maître le pèlerin, moi j'aime tous les mets sans exception et je n'en déteste pas un ! Ne m'interroge donc plus sur mes préférences, et apporte-moi tout ce qui te viendra à l'idée ! Car moi ! manger c'est tout ce que je sais ! Et c'est ce que j'aime le plus au monde ! Je mange bien ! Voilà ! » Et il mangea bien ce soir-là, et d'ailleurs tous les jours, sans que jamais pour cela on vît fumer la cuisine. En effet le Moghrabin n'avait qu'à plonger sa main dans le sac, en pensant à un mets, et aussitôt il l'en tirait sur un plat d'or ! Et il en était ainsi pour les fruits et les pâtisseries. Et Jouder vécut de la sorte dans le palais du Moghrabin, pendant vingt jours, en changeant de robe chaque matin ; et chaque robe était plus merveilleuse que sa sœur !

Au matin du vingt et unième jour, le Moghrabin vint le trouver et lui dit : « Lève-toi, ô Jouder ! Voilà le jour fixé pour l'ouverture du trésor de Schamardal ! » Et Jouder se leva et sortit avec le Moghrabin. Et lorsqu'ils furent arrivés hors des murailles de la ville, soudain apparurent deux mules qu'ils enfourchèrent, et deux esclaves nègres qui marchèrent derrière les mules. Et ils cheminèrent de la sorte jusqu'à midi, où ils arrivèrent aux bords d'un cours d'eau ; et le Moghrabin mit pied à terre, et dit à Jouder : « Descends ! » Et lorsque Jouder fut descendu, il fit un signe de la main aux deux nègres, en leur disant : « Allons ! » Aussitôt les deux nègres emmenèrent les deux mules qui disparurent, puis revinrent sur les bords du fleuve chargés d'une tente et de tapis et de coussins, et dressèrent la tente et la tapissèrent et rangèrent tout autour les coussins et les oreillers. Après quoi ils apportèrent le sac et les deux bocaux où se trouvaient enfermés les deux poissons couleur de corail. Puis ils tendirent la nappe et servirent, l'ayant tiré du sac, un repas de vingt-quatre plats. Après quoi ils disparurent.

Alors le Moghrabin se leva, plaça devant lui les deux bocaux, sur un escabeau, et se mit à marmotter dessus des formules magiques et des conjurations jusqu'à ce que les deux poissons se fussent mis à crier de l'intérieur : « Nous voici ! ô souverain magicien, fais-nous miséricorde ! » Et ils continuèrent à le supplier, pendant qu'il formulait les conjurations. Et soudain les deux bocaux éclatèrent à la fois et volèrent en pièces, tandis que devant le Moghrabin apparaissaient deux personnages, les bras croisés humblement, qui disaient : « La sauvegarde et le pardon, ô puissant devin ! Quelle est ton intention à notre sujet ? » Il répondit : « Mon intention est de vous étrangler, de vous brûler ! à moins que vous ne me promettiez d'ouvrir le trésor de Schamardal ! » Ils dirent : « Nous te le promettons ! et nous t'ouvrirons le trésor ! Mais il faut absolument que tu fasses venir ici Jouder le pêcheur du Caire. Car il est écrit dans le livre du Destin que le trésor ne peut être ouvert que sur le visage de Jouder ! Et nul ne peut entrer dans ce lieu où il se trouve si ce n'est Jouder fils d'Omar ! » Il répondit : « Celui dont vous parlez, je l'ai déjà amené ! Il est présent ici même ! Le voici ! Il vous voit et vous entend ! » Et les deux personnages regardèrent Jouder avec attention et dirent : « Maintenant tout obstacle est levé ! Et tu peux compter sur nous ! Nous te le jurons par le Nom ! » Aussi le Moghrabin leur permit d'aller là où ils devaient aller. Et ils disparurent dans l'eau du fleuve.

Alors le Moghrabin prit un grand roseau creux sur lequel il plaça deux plaques de cornaline rouge ; et sur ces plaques il mit une cassolette d'or remplie de charbon, sur laquelle il souffla une seule fois. Et aussitôt le charbon prit feu et devint de la braise ardente. Alors le Moghrabin répandit de l'encens sur la braise et dit : « Ô Jouder, voici que les fumées de l'encens s'élèvent, et je vais de suite réciter les conjurations magiques de l'ouverture. Mais comme une fois que j'aurai commencé les conjurations je ne pourrai plus les interrompre sans risquer de rendre vaines les puissances talismaniques, je vais auparavant t'instruire de ce que tu as à faire pour atteindre le but que nous nous sommes proposé en venant au Maghreb ! » Et Jouder répondit : « Instruis-moi, ô maître souverain ! » Et le Moghrabin dit : « Sache, ô Jouder…

À ce moment de sa narration, Schahrazade vit apparaître le matin et, discrète, se tut.

Mais lorsque fut la quatre cent soixante-treizième nuit. Elle dit :

… Sache, ô Jouder, que lorsque je commencerai à réciter les formules magiques sur l'encens fumant, l'eau du fleuve se mettra à diminuer peu à peu et le fleuve finira par se dessécher complètement et à faire voir son lit à nu. Alors tu verras t'apparaître, sur la pente du lit à sec, une grande porte d'or aussi haute que la porte de la ville, avec deux anneaux du même métal. Toi, dirige-toi vers cette porte et heurte-la très légèrement avec l'un des anneaux qui forment battant, et attends un instant. Puis frappe un second coup plus fort que le premier, et attends encore ! Ensuite frappe un troisième coup plus fort que les deux autres, et ne bouge plus. Et lorsque tu auras ainsi frappé les trois coups successifs, tu entendras de l'intérieur quelqu'un s'écrier : « Qui frappe à la porte des Trésors, et ne sait point dénouer les enchantements ? » Tu répondras : « Je suis Jouder le pêcheur, fils d'Omar, du Caire ! » Et la porte s'ouvrira et sur le seuil t'apparaîtra un personnage qui, le glaive à la main, te dira : « Si vraiment tu es cet homme, tends le cou pour que je te tranche la tête ! » Et toi, tu tendras ton cou sans crainte ; et il lèvera le glaive sur toi, mais pour tomber aussitôt à tes pieds ; et tu ne verras plus qu'un corps sans âme ! Et toi tu n'auras aucun mal. Mais si, par crainte, tu refuses de lui obéir, il te tuera à l'heure et à l'instant.

« Lorsque de la sorte tu auras rompu ce premier charme, tu pénétreras à l'intérieur et tu verras une seconde porte où tu frapperas d'un seul coup, mais très fort. Alors t'apparaîtra un cavalier portant sur son épaule une grande lance, et qui te dira, en te menaçant de sa lance soudainement brandie : « Quel motif t'amène en ces lieux que ne hantent ni ne foulent jamais les hordes des humains et les tribus des genn ? » Et toi, pour toute réponse, tu lui présenteras hardiment ta poitrine à découvert pour qu'il te frappe ; et il te frappera de sa lance. Mais toi, tu n'en auras aucun mal ; et lui, il tombera à tes pieds et tu ne verras qu'un corps sans âme ! Mais si tu recules, il te tuera !

« Tu arriveras alors à une troisième porte, d'où sortira à ta rencontre un archer qui tendra contre toi son arc armé de la flèche ; mais toi, présente-lui hardiment ta poitrine comme point de mire, et il tombera à tes pieds corps sans âme ! Or, si tu hésites, il te tuera !

« Tu pénétreras plus loin et tu arriveras à une quatrième porte d'où s'élancera sur toi un lion à la face effroyable qui, la gueule large ouverte, voudra te manger. Toi, n'aie point peur de lui ne le fuis pas ; mais tends-lui ta main ; et à peine l'aura-t-il eue entre ses lèvres, qu'il tombera à tes pieds, sans te faire de mal.

« Dirige-toi alors vers la cinquième porte d'où tu verras sortir un nègre noir qui te demandera : « Qui es-tu ? » Tu diras : « Je suis Jouder ! » Et il te répondra : « Si tu es vraiment cet homme, essaie alors d'ouvrir la sixième porte ! »

« Aussitôt, toi, tu iras droit à la sixième porte et tu crieras : « Ô Jésus, ordonne à Moïse d'ouvrir la porte ! » Et la porte devant toi s'ouvrira et tu verras t'apparaître deux énormes dragons, l'un à droite et l'autre à gauche, qui, la gueule ouverte, bondiront sur toi. N'en aie point peur ! Et tends-leur à chacun une de tes mains, qu'ils essaieront de mordre, mais en vain : car déjà ils auront roulé impuissants à tes pieds. Et surtout ne fais point mine de les redouter : sinon ta mort est certaine.

« Tu arriveras enfin à la septième porte et tu y frapperas. Et la personne qui t'ouvrira et t'apparaîtra sur le seuil sera ta mère ! Et elle te dira : « Sois le bienvenu mon fils ! Approche-toi de moi pour que je te souhaite la paix ! » Mais tu lui répondras : « Reste là où tu es ! Et déshabille-toi ! » Elle te dira : « Ô mon enfant, je suis ta mère ! Et tu me dois quelque reconnaissance et quelque respect en retour de l'allaitement et de l'éducation que je t'ai donnés ! Comment penses-tu me faire mettre nue ? » Tu lui répondras, en criant : « Si tu n'enlèves pas tes habits, je te tue ! » Et tu saisiras un glaive que tu trouveras suspendu à droite sur le mur, et tu lui diras : « Allons ! commence ! » Et elle, elle essaiera de t'émouvoir et cherchera à te tromper en s'apitoyant sur elle-même. Mais toi, prends garde de te laisser toucher par ses manières, et chaque fois qu'elle enlèvera une pièce de ses vêtements, tu lui crieras : « Enlève le reste ! » et tu continueras à la menacer de mort jusqu'à ce qu'elle soit tout à fait nue ! Mais alors tu la verras s'évanouir et disparaître.

« Et de cette façon, ô Jouder, tu auras rompu tous les charmes et dissous les enchantements, tout en ayant assuré ta vie. Et il ne te restera plus qu'à recueillir le fruit de tes labeurs.

« Dans ce but, tu n'auras qu'à franchir cette septième porte, et tu trouveras à l'intérieur l'or amassé en monceaux. Mais n'y prête aucune attention, et dirige-toi droit à un petit pavillon, au centre du trésor, sur lequel sera tendu un rideau. Soulève alors ce rideau, et tu verras, couché sur un trône d'or, le grand magicien Schamardal, celui-là même à qui appartient ce trésor ! Et près de sa tête tu verras étinceler quelque chose d'arrondi comme la lune : c'est la sphère céleste. Tu le verras ceint du glaive en question, avec le sceau au doigt et, suspendue à son cou par une chaîne d'or, la fiole de kôhl ! Toi alors n'hésite pas ! Empare-toi de ces quatre objets précieux, et hâte-toi de sortir du trésor pour venir me les remettre !

« Mais, ô Jouder, prends bien garde d'oublier quoi que ce soit de ce que je viens de t'enseigner, ou d'agir autrement que selon mes recommandations. Sinon tu t'en repentiras, et il y aura beaucoup à craindre pour toi ! »

Et lorsqu'il eut ainsi parlé, le Moghrabin réitéra ses recommandations à Jouder une première, deuxième, troisième et quatrième fois, pour les lui bien faire entrer dans l'esprit, et cela jusqu'à ce que Jouder de lui-même eût dit : « J'ai bien retenu à présent ! Mais quel est l'être humain qui...

À ce moment de sa narration, Schahrazade vit apparaître le matin et, discrète, se tut.

Mais lorsque fut la quatre cent soixante-quatorzième nuit. Elle dit :

... J'ai bien retenu à présent ! Mais quel est l'être humain qui pourra affronter ces redoutables talismans dont tu parles, et supporter ces terribles dangers ? » Le Moghrabin répondit : « Ô Jouder, n'aie donc aucune crainte à ce sujet ! Les divers personnages que tu verras aux portes ne sont que de vains fantômes sans âme ! Tu peux donc vraiment être bien tranquille ! » Et Jouder prononça : « Je mets ma confiance en Allah ! »

Aussitôt le Moghrabin commença ses fumigations magiques. Il jeta de nouveau de l'encens sur la braise de la cassolette, et se mit à réciter les formules conjuratoires. Et voici que l'eau du fleuve diminua peu à peu et s'écoula, et le lit du fleuve apparut à sec avec la grande porte du trésor.

À cette vue Jouder, sans plus hésiter, s'engagea dans le lit du fleuve et se dirigea vers la porte d'or qu'il frappa légèrement une première, deuxième et troisième fois. Et de l'intérieur une voix se fit entendre qui disait : « Quel est celui qui frappe à la porte des Trésors, sans savoir rompre les enchantements ! » Il répondit : « Je suis Jouder ben-Omar ! » Et aussitôt la porte s'ouvrit et sur le seuil apparut un personnage qui, le glaive nu à la main, lui cria : « Tends le cou ! » Et Jouder tendit son cou ; et l'autre abaissa son glaive, mais pour tomber au même moment. Et il en fut de même pour les autres portes jusqu'à la septième, exactement comme le lui avait prédit et recommandé le Moghrabin. Et chaque fois Jouder rompit tous les enchantements, avec un grand courage, jusqu'à ce que sa mère lui fût apparue, sortant de la septième porte. Elle le regarda et lui dit : « Tous les salams sur toi, ô mon enfant ! » Mais Jouder lui cria : « Et qui es-tu, toi ? » Elle répondit : « Je suis ta mère, ô mon fils ! Je suis celle qui t'a porté neuf mois dans son sein, qui t'a allaité et t'a donné l'éducation que tu as, ô mon enfant ! » Il lui cria : « Ôte tes vêtements ! » Elle répondit : « Tu es mon fils, et comment me demandes-tu d'être nue ? » Il dit : « Ôte ! ou sinon je jetterai ta tête avec ce glaive ! » Et il tendit la main vers la muraille, saisit le glaive qui y était suspendu, et le brandit en criant : « Si tu ne te déshabilles, je te tue ! » Alors elle se décida à ôter quelque peu de ses vêtements ; mais il lui dit : « Encore ! » et il continua à la harceler jusqu'à ce qu'elle eût ôté tous ses vêtements, et qu'elle n'eût plus sur elle que le caleçon, et que, honteuse, elle lui eût dit : « Ah ! mon fils, tu m'as frustrée de tout le temps que j'ai employé à t'élever ! Quelle déception ! As-tu donc un cœur de pierre ! Et veux-tu me mettre dans une position honteuse en m'obligeant à montrer ma plus intime nudité ! Ô mon enfant, n'est-ce point une chose illicite et un sacrilège ? » Il dit : « Tu dis vrai ! Tu peux en effet garder sur toi le caleçon ! » Mais à peine Jouder eut-il prononcé ces mots, que la vieille s'écria : « Il a consenti ! Frappez-le ! » Et aussitôt de tous les côtés des coups lui tombèrent sur les épaules, drus et nombreux comme les gouttes de pluie, assenés par tous les gardiens invisibles du trésor. Et vraiment ce fut pour Jouder une raclée sans précédents, et telle qu'il ne devait l'oublier de sa vie ! Puis les éfrits invisibles en un clin d'œil le chassèrent, à force de coups, hors des salles du trésor et hors de la dernière porte qu'ils refermèrent comme avant !

Or, le Moghrabin le vit, alors qu'il venait d'être jeté hors de la porte, et se hâta de courir le ramasser, car déjà les eaux, revenues à grand fracas, envahissaient le lit du fleuve et reprenaient leur cours interrompu. Et il le transporta évanoui sur le rivage, et se mit à réciter sur lui des versets du Korân jusqu'à ce qu'il eût repris ses sens. Alors il lui dit : « Qu'as-tu fait, ô pauvre ? Hélas ! » Il répondit : « J'avais déjà surmonté tous les obstacles et rompu tous les charmes ! et il a fallu justement que ce fût le caleçon de ma mère qui m'occasionnât la perte de tout ce que j'avais gagné, et fût pour moi la cause de cette raclée dont je porte les traces ! » Et il lui raconta tout ce qui lui était arrivé dans le trésor.

Alors le Moghrabin lui dit : « Ne t'avais-je pas recommandé de ne point me désobéir ? Tu vois ! Tu m'as fait du tort à moi et tu t'en es fait à toi-même, et tout cela parce que tu n'as pas voulu l'obliger à ôter son caleçon ! C'est fini pour cette année-ci ! Et nous devons attendre jusqu'à l'année prochaine pour répéter notre tentative ! D'ici là tu vas habiter chez moi ! » Et il héla les deux nègres qui apparurent aussitôt et plièrent la tente et ramassèrent ce qui était à ramasser, et disparurent un moment pour revenir avec les deux mules sur lesquelles montèrent Jouder et le Moghrabin, pour rentrer immédiatement dans la ville de Fas.

Jouder habita donc chez le Moghrabin une année entière, en revêtant chaque jour une robe nouvelle, de grande valeur, et mangeant bien et en buvant bien de tout ce qui sortait du sac, selon ses souhaits et ses désirs. Or, le jour arriva, qui était fixé au commencement de la nouvelle année, pour la tentative ; et le Moghrabin vint trouver Jouder et lui dit : « Lève-toi ! Et allons-nous-en là où nous devons aller ! » Il répondit : « Certainement ! » Et ils sortirent de la ville, et virent les deux nègres qui leur présentèrent les deux mules qu'ils enfourchèrent aussitôt et ils poussèrent dans la direction du fleuve sur les bords duquel ils ne tardèrent pas à arriver. La tente fut dressée et tendue et servie comme la première fois. Et, après qu'ils eurent mangé, le Moghrabin prit le roseau creux, les tables de cornaline rouge, la cassolette remplie de braise et l'encens ; et, avant de commencer les fumigations magiques, il dit à Jouder : « Ô Jouder, j'ai une recommandation à te faire ! » Jouder s'écria : « Ô mon seigneur le pèlerin, vraiment ce n'est pas la peine ! Si j'avais oublié la raclée, j'aurais oublié aussi…

À ce moment de sa narration, Schahrazade vit apparaître le matin et, discrète, se tut.

Mais lorsque fut la quatre cent soixante-quinzième nuit. Elle dit :

… Si j'avais oublié la raclée, j'aurais oublié aussi tes excellentes recommandations de l'année dernière ! » Il lui demanda : « Alors vraiment tu t'en souviens ? » Il répondit : « Ah ! certes oui ! » Il dit : « Eh ! bien, Jouder, conserve ton âme ! Et surtout ne va pas encore t'imaginer que la vieille femme est ta mère, alors qu'elle n'est qu'un fantôme qui a pris l'image de ta mère pour t'induire en erreur ! Or, si la première fois tu es sorti de là avec tes os, cette fois-ci, si tu te trompes, tu es sûr de les laisser dans le trésor ! » Il répondit : « Je me suis trompé ! Mais si cette fois je me trompe encore, je mériterai d'être brûlé ! »

Alors le Moghrabin jeta l'encens sur la braise et formula ses conjurations. Et aussitôt le fleuve se dessécha, et permit à Jouder de s'avancer vers la porte d'or. Il frappa à cette porte qui s'ouvrit ; et il réussit à rompre les enchantements divers des portes jusqu'à ce qu'il fût arrivé devant sa mère qui lui dit : « Sois le bienvenu, ô mon enfant ! » Il répondit : « Et depuis quand et comment suis-je ton fils, ô maudite ? Ôte tes vêtements ! »

Alors elle se mit, tout en cherchant à le tromper, à ôter lentement et pièce par pièce ses vêtements, jusqu'à ce qu'elle n'eût plus sur elle que le caleçon. Et Jouder lui cria : « Ôte-le, ô maudite ! » Et elle ôta son caleçon, mais pour aussitôt s'évanouir, fantôme sans âme !

Jouder pénétra alors sans difficulté dans le trésor, et vit les monceaux d'or accumulés en rangs serrés ; mais, sans y prêter la moindre attention, il se dirigea vers le petit pavillon et, ayant soulevé le rideau, il vit le grand devin Al-Schamardal couché sur le trône d'or, ceint du glaive talismanique, le sceau au doigt, la fiole de khôl suspendue à son cou par la chaîne d'or, et, au-dessus de sa tête, la sphère céleste brillante et arrondie comme la lune.

Alors, sans hésiter, il avança et défit le glaive du ceinturon, retira le sceau talismanique, détacha la fiole de khôl, prit la sphère céleste, et recula pour sortir. Et aussitôt un concert d'instruments se fit entendre, invisible, autour de lui, et l'accompagna triomphalement jusqu'à la sortie, alors que de tous les points du trésor souterrain les voix des gardiens s'élevaient, qui le félicitaient en criant : « Grand bien te fasse, ô Jouder, de ce que tu as su gagner ! Compliments ! Compliments ! » Et la musique ne cessa de jouer et les voix ne cessèrent de le féliciter que lorsqu'il fut hors du trésor souterrain.

En le voyant arriver chargé des talismans, le Moghrabin cessa ses fumigations et ses conjurations, et se leva et se mit à l'embrasser en le serrant contre sa poitrine et en lui faisant des salams cordiaux. Et lorsque Jouder lui eut remis les quatre talismans, il appela du fond de l'air les deux nègres qui arrivèrent, serrèrent la tente et amenèrent les deux mules que Jouder et le Moghrabin enfourchèrent pour rentrer dans la ville de Fas.

Lorsqu'ils furent arrivés au palais, ils s'assirent autour de la nappe tendue et servie d'innombrables plats tirés du sac, et le Moghrabin dit à Jouder : « Ô mon frère, ô Jouder, mange ! » Et Jouder mangea, et se rassasia. On remit alors les plats vides dans le sac, on enleva la nappe, et le Moghrabin Abd Al-Samad dit : « Ô Jouder, tu as quitté ta terre et ton pays à cause de moi ! Et tu as mené à bien mes affaires ! Et moi de la sorte je te suis redevable des droits que tu as acquis sur moi ! Tu n'as qu'à fixer toi-même l'estimation de tes droits ; car Allah (qu'Il soit exalté !) sera généreux à ton égard par notre entremise ! Demande-moi donc tout ce que tu souhaites ; et fais-le sans honte, car tu es méritant ! » Jouder répondit : « Ô mon seigneur, je souhaite seulement d'Allah et de toi que tu me donnes le sac ! » Et le Moghrabin lui mit aussitôt le sac entre les mains en lui disant : « Tu l'as certes mérité ! Et si tu avais souhaité n'importe quoi d'autre, tu l'aurais eu ! Mais, ô pauvre, ce sac ne pourra t'être utile que pour manger ! » Il répondit : « Et que pourrais-je souhaiter de mieux ? » Il dit : « Tu as supporté bien des fatigues avec moi ; et je t'avais promis de te reconduire dans ton pays le cœur content et satisfait. Or ce sac ne peut fournir qu'à ta nourriture ; mais il ne t'enrichira pas ! Et moi je veux, en plus, t'enrichir ! Prends donc ce sac pour en tirer tous les mets que tu souhaites ; mais je vais te donner, en outre, un sac rempli d'or et de joyaux de toutes sortes, pour que, une fois de retour dans ton pays, tu deviennes un grand marchand, et que tu puisses subvenir, et au-delà, à tous tes besoins et à ceux de ta famille, sans jamais te préoccuper d'économiser ! » Puis il ajouta : « Pour ce qui est du sac de la nourriture, je vais t'apprendre comment t'en servir pour en tirer les mets de ton désir ! Tu n'as pour cela qu'à y plonger la main, en formulant : « Ô serviteur de ce sac, je te conjure par la vertu des Puissants Noms Magiques qui ont tout pouvoir sur toi, de m'apporter *tel* mets ! » Et à l'instant tu trouveras au fond du sac tous les mets que tu auras souhaités, fussent-ils chaque jour mille de couleurs différentes et de goût différent ! »

Ensuite le Moghrabin fit apparaître l'un des deux nègres, avec l'une des deux mules, prit un grand sac à deux poches, semblable au sac de la nourriture, et en remplit l'une des poches avec de l'or monnayé et en lingots, et l'autre poche avec des joyaux et des pierreries, le mit sur le dos de la mule, le couvrit avec le sac de la nourriture qui avait l'air d'être tout à fait vide, et dit à Jouder : « Monte sur la mule ! Le nègre marchera devant toi et te montrera la route à suivre, et te conduira de la sorte jusqu'à la porte même de ta maison, au Caire. Et lorsque tu y seras arrivé, prends les deux sacs et livre la mule au nègre qui me la ramènera ! Et ne mets personne au courant de notre secret ! Et maintenant je te fais mes adieux en Allah…

À ce moment de sa narration, Schahrazade vit apparaître le matin et, discrète, se tut.

Mais lorsque fut la quatre cent soixante-seizième nuit. Elle dit :

… Et maintenant je te fais mes adieux en Allah ! » Jouder répondit : « Qu'Allah augmente ta prospérité et tes bienfaits ! Je te remercie bien ! » Et il monta sur le dos de la mule, ayant les deux doubles sacs au-dessous de lui, et il se mit en route, précédé du nègre.

Or la mule se mit à suivre fidèlement le nègre conducteur, tout le long du jour et de la nuit ; et il ne lui fallut cette fois qu'un jour seulement pour effectuer le voyage du Maghreb au Caire ; car le lendemain, Jouder se vit devant les murs du Caire, et il entra dans sa ville natale par la Porte de la Victoire. Et il arriva à sa maison. Et il vit sa mère assise sur le seuil, la main tendue aux passants, qui demandait l'aumône en disant : « Quelque chose, pour Allah ! »

À cette vue, la raison de Jouder s'envola, et il descendit de la mule et s'élança, les bras ouverts, vers sa mère qui, en le voyant, se mit à pleurer. Et il l'entraîna dans la maison, après avoir pris les deux sacs et confié la mule au nègre afin qu'il la ramenât au Moghrabin : car la mule était une gennia et le nègre un genni ! Lorsque Jouder eut fait rentrer sa mère dans la maison, il la fit s'asseoir sur la natte, et, comme il était bien péniblement affecté de l'avoir vue mendier sur la route, il lui dit : « Ô ma mère, mes frères sont-ils bien portants ? » Elle répondit : « Ils sont bien portants ! » Il demanda : « Pourquoi mendiais-tu sur la route ? » Elle répondit : « Ô mon fils, à cause de ma faim ! » Il dit : « Comment cela ? Je t'avais donné avant de partir cent dinars le premier jour, cent dinars le second jour, et mille dinars le jour de mon départ ! » Elle répondit : « Ô mon enfant, tes frères ont imaginé une ruse contre moi et ont réussi à me prendre tout cet argent, pour ensuite me chasser de la maison. Et moi je fus obligée, pour ne point mourir de faim, de mendier par les rues ! » Il dit : « Ô ma mère, tu n'as plus rien à souffrir, puisque je suis revenu et que je suis là ! N'aie donc plus aucun souci ! Voici un sac plein d'or et de joyaux ! Et le bien est en abondance dans la demeure ! » Elle répondit : « Ô mon enfant, toi tu es vraiment né béni et fortuné ! Qu'Allah t'accorde ses bonnes grâces et augmente ses bienfaits sur toi ! Va, mon fils, va nous chercher à tous deux un peu de pain pour manger, car je me suis couchée hier sans avoir pris aucune nourriture, et je suis encore à jeun ce matin ! » Et Jouder, à ce mot de pain, sourit et dit : « La bienvenue sur toi, ô ma mère et la largesse ! Tu n'as qu'à me demander les mets que tu souhaites, et je te les donnerai à l'instant, sans avoir besoin d'aller les acheter au souk ou de les cuire à la cuisine ! » Elle dit : « Ô mon enfant, je ne vois pourtant rien de tout cela avec toi ! Et tu n'as apporté pour tout bagage que ces deux sacs, dont l'un est vide ! » Il dit : « J'ai tout ce que tu veux, et de toutes les couleurs ! » Elle dit : « Mon enfant, n'importe quoi fera l'affaire et calmera la faim ! » Il dit : « Tu dis vrai ! Dans la nécessité l'homme se contente de la moindre chose ! Mais lorsqu'il y a abondance de tout on aime bien faire son choix et ne manger que les choses les plus délicates ! Or j'ai avec moi une abondance de tout, et tu n'as qu'à faire ton choix ! » Elle dit : « Mon enfant, je désire alors une galette chaude et un morceau de fromage ! » Il répondit : « Ô ma mère, cela n'est point digne de ton rang ! » Elle dit : « Toi tu sais mieux que moi ce qui est convenable ! Tu n'as donc qu'à faire ce que tu juges convenable ! » Il dit : « Ô ma mère, moi je juge convenable et digne de ton rang un agneau rôti, et aussi les poulets rôtis et le riz assaisonné de piment ! Je juge également de ton rang les tripes farcies, les courges farcies, les moutons farcis, les côtes farcies, la kenafa préparée avec des amandes, du miel d'abeille et du sucre, les bouchées soufflées farcies de pistaches et parfumées à l'ambre, et les losanges de baklaoua ! » En entendant ces paroles, la pauvre femme crut que son fils se moquait d'elle ou avait perdu la raison, et s'écria : « Youh ! Youh ! Que t'est-il arrivé, ô mon fils, ô Jouder ? Rêves-tu ou bien es-tu devenu fou ? » Il dit : « Et pourquoi donc ? » Elle répondit : « Mais parce que tu me cites là des espèces étonnantes et si chères et si difficiles à préparer qu'il serait bien malaisé de les avoir ! » Il dit : « Par ma vie ! il me faut absolument te faire manger de toutes les choses que je viens d'énumérer à l'instant ! » Elle répondit : « Mais je ne vois rien de cela nulle part ici ! » Il dit : « Apporte-moi le sac ! » Et elle lui apporta le sac, et le palpa et le trouva vide. Elle le lui donna pourtant ; et lui, aussitôt, il y plongea la main et en tira d'abord un plat d'or où s'étageaient, odorantes et moites et nageant dans leur sauce appétissante, les tripes farcies ; puis il plongea la main une seconde fois et une quantité d'autres fois, pour en tirer au fur et à mesure toutes les choses qu'il avait énumérées et d'autres mêmes qu'il n'avait pas énumérées. Et sa mère lui dit : « Mon enfant, le sac est bien petit et tout à fait vide, et tu en as tiré tous ces mets et tous ces plats ! Où donc était tout cela ? » Il dit : « Ô ma mère, sache que ce sac m'a été donné par le Moghrabin ! Et ce sac est enchanté ! Il a comme serviteur un genni qui obéit aux ordres qui lui sont donnés d'après la formule *telle* ! » Et il lui dit la formule. Et sa mère lui demanda : « Alors si, moi, je plonge ma main dans ce sac en demandant un mets d'après la formule, je le trouverai ? » Il dit : « Certainement ! » Alors elle y plongea la main et dit : « Ô serviteur de ce sac, par la vertu des Noms Magiques qui ont tout pouvoir sur toi, je te conjure de m'apporter encore une seconde côte farcie...

À ce moment de sa narration, Schahrazade vit apparaître le matin et, discrète, se tut.

Mais lorsque fut la quatre cent soixante-dix-septième nuit. Elle dit :

… Je te conjure de m'apporter encore une seconde côte farcie ! » Et aussitôt elle sentit le plat sous sa main et le tira du sac. Et c'était une côte farcie merveilleusement, et aromatisée de clous de girofle et d'autres épices fines ! Alors elle dit : « Je désire encore, tout de même, une galette chaude et du fromage ; car j'y suis habituée et rien ne peut m'en distraire ! » Et elle plongea la main, prononça la formule, et les retira ! Alors Jouder lui dit : « Ô ma mère, il faut, lorsque nous aurons fini de manger, remettre dans le sac les plats vides ; car le talisman comporte ce soin ! Et surtout n'en divulgue pas le secret ; et cache bien ce sac dans ton coffre, pour ne le sortir qu'au moment du besoin. Mais ne te gêne point pour cela ; sois généreuse envers tout le monde, envers les voisins et les pauvres ; et sers de tous les mets à mes frères, aussi bien en ma présence qu'en mon absence ! » Or, Jouder avait à peine fini de parler que ses deux frères entrèrent, et virent le repas merveilleux !

En effet, ils venaient d'apprendre la nouvelle de l'arrivée de Jouder par un homme d'entre les fils du quartier, qui leur dit : « Votre frère vient d'arriver de voyage, monté sur une mule, précédé d'un nègre, et vêtu d'habits qui n'ont point leurs pareils ! » Et eux se dirent alors : « Plût à Allah que nous n'eussions jamais maltraité notre mère ! Car elle va sans doute lui raconter maintenant ce que nous lui avons fait éprouver ! Et alors, ô notre confusion vis-à-vis de lui ! » Mais l'un ajouta : « Notre mère est pitoyable ! En tout cas si tout de même elle racontait la chose, notre frère est encore plus pitoyable qu'elle et plus indulgent ! Et si nous alléguons un prétexte quelconque à notre conduite, il admettra notre prétexte et nous excusera ! » Et ils décidèrent alors d'aller le trouver.

Donc lorsqu'ils furent entrés et que Jouder les eut vus, il se leva aussitôt en leur honneur et leur fit les souhaits de paix avec les plus grandes marques d'égards, et leur dit : « Asseyez-vous et mangez avec nous ! » Et ils s'assirent et ils mangèrent. Et ils étaient bien affaiblis et amaigris par la faim et les privations !

Lorsqu'ils eurent fini de manger et se furent rassasiés, Jouder leur dit : « Ô mes frères, prenez ces restes du repas et distribuez-les aux pauvres et aux mendiants de notre quartier ! » Ils répondirent : « Ô notre frère, il vaut peut-être mieux les garder pour notre souper ! » Il leur dit : « À l'heure du souper, vous trouverez bien plus que tout cela ! » Alors ils ramassèrent les restes et sortirent les distribuer aux pauvres et aux mendiants qui passaient, en leur disant : « Prenez et mangez ! » Après quoi ils rapportèrent les plats vides à Jouder qui les remit à sa mère en lui disant : « Mets-les dans le sac ! »

Le soir, à l'heure du repas, Jouder prit le sac et en tira quarante espèces de plats que sa mère rangea l'un après l'autre sur la nappe ; puis il invita ses frères à entrer manger. Et lorsqu'ils eurent fini, il leur tira des pâtisseries pour qu'ils s'en dulcifiassent ; et ils s'en dulcifièrent. Alors il leur dit : « Prenez les restes de notre repas et distribuez-les aux pauvres et aux mendiants ! »

Puis le lendemain il leur servit d'aussi splendides repas ; et il en fut de même pendant dix jours consécutifs.

Or, au bout de ce temps, Salem dit à Salim : « Comprends-tu, toi, comment fait notre frère pour nous servir de si splendides repas tous les jours, une fois le matin, une fois à midi, une fois le soir, et une fois des pâtisseries pendant la nuit ? Vraiment les sultans ne font point autrement ! D'où ont pu lui venir une telle fortune et tant d'opulence ? Et nous ne nous demandons point d'où il tire tous ces mets étonnants et ces pâtisseries, alors que nous ne le voyons acheter jamais rien, ni allumer de feu, ni s'occuper de la cuisine, ni posséder de cuisinier ! » Et Salim répondit : « Par Allah ! je n'en sais rien ! Mais connais-tu, toi, quelqu'un qui puisse nous renseigner sur la vérité de cette affaire-là ? » Il dit : « Seule notre mère pourra nous renseigner à ce sujet ! » Et à l'instant même ils imaginèrent une ruse et entrèrent chez leur mère, pendant l'absence de leur frère, et lui dirent : « Ô notre mère, nous avons bien faim ! » Elle répondit : « Réjouissez-vous, car vous allez tout de suite être satisfaits ! » Et elle entra dans la salle où se trouvait le sac, plongea la main dans le sac en demandant au serviteur quelques mets bien chauds, et les retira aussitôt pour les porter à ses fils qui lui dirent : « Ô notre mère, ces mets sont chauds, et nous ne te voyons jamais cuisinier ni souffler sur le feu ! » Elle répondit : « Je les tire du sac ! » Ils demandèrent : « Et qu'est-ce donc que ce sac ? » Elle répondit : « C'est un sac enchanté ! Et toutes les demandes qu'on lui fait sont exécutées par le genni serviteur du sac ! » Et elle leur expliqua la formule et leur dit : « Gardez-en le secret ! » Ils répondirent : « Sois tranquille. Le secret sera gardé ! » Et, après avoir éprouvé eux-mêmes les vertus du sac et réussi à en tirer plusieurs mets, ils se tinrent tranquilles ce soir-là.

Mais le lendemain Salem dit à Salim : « Ô mon frère, jusqu'à quand allons-nous continuer à demeurer chez Jouder dans cette situation de domestiques, en mangeant de ses aumônes ? Ne penses-tu pas qu'il vaut mieux que nous imaginions une ruse pour prendre ce sac et l'avoir à nous tout seuls ? » Salim répondit : « Quelle ruse pourrions-nous combiner ? » Il dit : « Vendre tout simplement notre frère Jouder au chef-capitaine de la mer de Suez ! » Il demanda : « Et comment ferons-nous pour le vendre ? » Salem répondit : « Nous irons, toi et moi, trouver ce chef-capitaine, qui est en ce moment au Caire…

À ce moment de sa narration, Schahrazade vit apparaître le matin et, discrète, se tut.

Mais lorsque fut la quatre cent soixante-dix-huitième nuit. Elle dit :

… Nous irons, toi et moi, trouver ce chef-capitaine, qui est en ce moment au Caire, et nous l'inviterons, lui et deux de ses matelots, à venir prendre un repas avec nous ! Et tu verras ! Tu n'auras seulement qu'à confirmer les paroles que je dirai à Jouder, et tu verras ce que j'aurai fait avant la fin de cette nuit ! »

Lorsqu'ils furent tombés bien d'accord sur cette vente projetée de leur frère, ils allèrent trouver le chef-capitaine de Suez et lui dirent, après les salams : « Ô capitaine, nous venons te voir pour une chose qui te réjouira certainement ! » Il répondit : « Bon ! » Ils dirent : « Nous sommes deux frères ; mais nous avons un troisième frère, un garnement bon à rien. Lorsque notre père mourut, il nous laissa un héritage que nous nous partageâmes entre nous trois ; et notre frère prit sa part et se hâta de la dépenser dans le libertinage et la corruption ! Et lorsqu'il fut réduit à la misère, il se mit à nous traiter avec une injustice extraordinaire, et finit par nous citer devant les juges, gens iniques et oppresseurs, en nous accusant de l'avoir frustré de sa part d'héritage ! Et les juges iniques et corrompus ne tardèrent pas à nous faire perdre en frais de procès tout l'héritage de notre père ! Mais il ne se contenta point de ce premier méfait ! Il nous cita une seconde fois devant les oppresseurs, et réussit de la sorte à nous réduire à la dernière misère !

Et maintenant nous ne savons point ce qu'il complote encore contre nous ! Nous venons donc te trouver pour te demander de nous délivrer de sa présence en l'achetant de nous pour t'en servir comme rameur sur l'un de tes navires ! »

Le chef-capitaine répondit : « Pourriez-vous trouver un stratagème quelconque pour me l'amener jusqu'ici ? Et moi, dans ce cas, je me charge de le faire transporter jusqu'à la mer, sans retard ! » Ils répondirent : « Ce nous sera bien difficile de l'amener jusqu'ici ! Mais toi accepte d'être notre invité ce soir ; et amène chez nous avec toi deux de tes hommes, sans plus. Et lorsqu'il sera endormi, à nous cinq ensemble nous nous saisirons de lui, nous lui mettrons un bâillon dans la bouche, et nous te le livrerons ! Et toi, à la faveur de la nuit, tu le transporteras hors de la maison et tu en feras ce que tu voudras ! » Il leur répondit : « De toute ouïe et obéissance ! Voulez-vous me le céder pour quarante dinars ? » Ils répondirent : « C'est vraiment trop peu ! mais pour toi nous le voulons bien. À la tombée de la nuit tu viendras donc à *telle* rue, près de *telle* mosquée, où tu trouveras l'un de nous dans ton attente ! Et n'oublie point d'amener avec toi deux de tes hommes ! » Et ils s'en allèrent trouver leur frère Jouder, s'entretinrent avec lui de choses et d'autres, et, au bout d'un certain temps, Salem lui baisa la main avec l'air d'un demandeur. Et Jouder lui dit : « Que souhaites-tu, ô mon frère ! » Il répondit : « Sache, ô mon frère, ô Jouder, que j'ai un ami qui m'a invité bien des fois à sa maison, pendant ton absence, et m'a toujours traité avec beaucoup d'égards, et m'a rendu ainsi son obligé. Je suis donc allé lui rendre visite aujourd'hui pour le remercier, et il m'a invité à rester dîner avec lui ; mais je lui dis : « Moi, je ne puis vraiment laisser mon frère Jouder tout seul à la maison ! » Il me dit : « Amène-le ici avec toi ! » Je répondis : « Je ne crois pas qu'il accepte ! Mais toi tu pourrais bien accepter notre invitation ce soir, avec tes frères ! » Or justement ses frères étaient présents, et je les invitai aussi, croyant à part moi qu'ils n'accepteraient pas l'invitation et que je m'en tirerais de la sorte poliment ; mais malheureusement ils ne firent aucune difficulté, et leur frère, voyant qu'ils acceptaient, accepta également et me dit : « Tu m'attendras à l'entrée de ta ruelle, près de la porte de la mosquée, et je viendrai te trouver là, avec mes frères ! » Or moi maintenant, ô mon frère Jouder, je crois bien qu'ils doivent être déjà là, et tu me vois bien honteux vis-à-vis de toi à cause de cette liberté que j'ai prise ! Et si tu voulais vraiment me rendre ton obligé à jamais, accepte-les pour hôtes ce soir ! Tes bienfaits nous ont déjà comblés, et l'abondance est dans ta demeure, ô mon frère ! Mais si, pour une raison ou pour une autre, tu ne veux point d'eux pour hôtes dans la maison, permets-moi de les inviter dans la maison de nos voisins où je les servirai moi-même ! » Jouder répondit : « Et pourquoi donc les inviter dans la maison de nos voisins, ô Salem ! Notre maison serait-elle si étroite et si inhospitalière ? Ou bien n'aurions-nous pas de quoi leur donner à souper ? Vraiment n'as-tu point honte de me consulter à ce sujet ? Tu n'as qu'à les faire entrer, et à leur servir en abondance les mets et les douceurs, sans parcimonie, de façon à ce qu'il y en ait de reste ! Et désormais si tu invitais de tes amis, pendant mon absence, tu n'aurais qu'à demander à notre mère tous les mets nécessaires et le superflu ! Vas donc chercher tes amis de ce soir ! Les bénédictions sont descendues sur nous à travers de tels hôtes, ô mon frère ! »

À ces paroles, Salem baisa la main de Jouder, et alla à la porte de la petite mosquée trouver les gens en question qu'il se hâta d'amener à la maison. Et Jouder se leva en leur honneur et leur dit : « La bienvenue sur vous ! » Puis il les fit s'asseoir à côté de lui, et se mit à les entretenir amicalement, sans se douter de ce qui était caché pour lui dans le destin dont ils étaient l'instrument ! Et il pria sa mère de leur tendre la nappe et de leur servir un repas de quarante plats de couleur différente, en lui disant : « Porte-nous telle couleur, et telle couleur, et encore telle couleur ! » Et ils mangèrent et se rassasièrent, en croyant que ce splendide repas était dû à la générosité de ses frères Salem et Salim. Puis, lorsque le tiers de la nuit se fut écoulé, on servit les douceurs et les pâtisseries ; et l'on mangea jusqu'à minuit. Alors, à un signe de Salem, les matelots se précipitèrent sur Jouder et, tous à la fois, le maîtrisèrent, le bâillonnèrent, lui attachèrent solidement les bras, lui garrottèrent les pieds et le transportèrent hors de la maison, à la faveur des ténèbres, pour aussitôt se mettre en route pour Suez où, dès leur arrivée, ils le jetèrent au fond de l'un de leurs navires, avec les fers aux pieds, au milieu des autres esclaves et des forçats, et le condamnèrent à servir sur le banc des rameurs, une année entière. Et voilà pour Jouder...

À ce moment de sa narration, Schahrazade vit apparaître le matin et, discrète, se tut.

Mais lorsque fut la quatre cent soixante-dix-neuvième nuit. Elle dit :

Et voilà pour Jouder !

Quant à ses frères, lorsqu'ils se réveillèrent le matin, ils entrèrent chez leur mère, qui n'avait rien su de la chose, et lui dirent : « Ô notre mère, Jouder n'est pas encore réveillé ! » Elle dit : « Allez le réveiller ! » Ils répondirent : « Où est-il couché ? » Elle dit : « Dans la chambre des invités ! » Ils reprirent : « Il n'y a personne dans cette chambre ! Peut-être est-il parti la nuit avec ces marins ! Car, ô notre mère, notre frère Jouder a déjà goûté aux voyages lointains ! Et d'ailleurs nous l'avons entendu parler avec ces étrangers qui lui disaient : « Nous t'emmènerons et tu ouvriras des trésors cachés que nous connaissons ! » Elle dit : « Il est probable alors qu'il sera parti avec eux, sans nous avertir ! Nous pouvons être tranquilles à son sujet ; car Allah saura le diriger dans la bonne voie ; et comme il est né fortuné et favorisé du destin, il nous reviendra bientôt avec d'immenses richesses ! » Puis, comme tout de même l'absence est chose dure pour une mère, elle se mit à pleurer. Alors ils lui crièrent : « Ô maudite scélérate, tu aimes donc Jouder d'un tel amour, alors que si nous, tes fils, nous venions à nous absenter ou à être de retour, tu ne t'affligerais ni te réjouirais ! Ne sommes-nous donc point tes fils comme Jouder est ton fils ? » Elle répondit : « Vous êtes aussi mes fils, mais vous êtes deux misérables, deux méchants ! Depuis le jour de la mort de votre père vous ne m'avez fait aucun bien, et je n'ai pas eu un jour heureux avec vous ni un soin quelconque de votre côté ! Quant à Jouder, j'ai eu de lui beaucoup de bonté ; et il a toujours eu à cœur de me faire plaisir et de me montrer du respect et de me traiter avec générosité. Certes celui-là mérite bien que je pleure sur lui, car ses bienfaits sont sur moi et sur vous deux également ! » En entendant ce langage de leur pauvre mère, les deux misérables se mirent à l'injurier et à la frapper ; puis ils entrèrent dans l'autre chambre et cherchèrent partout le sac enchanté et le sac aux choses précieuses ; et ils finirent par mettre la main dessus et les prirent, en enlevant du second tout l'or qui se trouvait dans l'une des poches et tous les joyaux de pierreries qui se trouvaient dans la seconde poche ; et ils dirent : « Cela est le bien de notre père ! » Mais elle s'écria : « Non, par Allah ! c'est le bien de votre frère Jouder ! Et il l'a apporté du pays des Moghrabins ! » Ils lui crièrent : « Tu mens ! c'est le bien de notre père ! Et nous avons le droit d'en user à notre guise ! » Et aussitôt ils ne purent tomber d'accord sur la possession du sac enchanté ; car Salem disait : « Moi je le prends ! » et Salim disait : « Moi je le prends ! » et la discussion s'établit entre eux et la querelle ! Alors leur mère dit : « Ô mes enfants, vous avez partagé entre vous deux le sac de l'or et des joyaux ; mais ce sac-ci ne peut guère être partagé ni divisé, sinon son charme serait rompu et il perdrait ses vertus. Mais laissez-le-moi plutôt ; et moi, tous les jours, j'en tirerai les mets que vous désirerez et autant de fois que vous le désirerez. Et pour ce qui me regarde, je me promets de me contenter du morceau de pain ou de la bouchée que vous me laisserez. Et si vous voulez bien me donner, en outre, ce qui me serait nécessaire comme vêtements, ce serait par pure générosité de votre part, et non point par obligation. De la sorte chacun de vous pourra, sans nul empêchement, faire le commerce qui lui plaît ! Je n'oublie point que vous êtes mes deux enfants, et que je suis votre mère. Restons unis et d'accord, pour que, au retour de votre frère, vous n'ayez rien à vous reprocher ni n'ayez honte devant lui de vos actions ! » Mais ils ne voulurent point accepter ses conseils, et passèrent leur nuit à discuter entre eux à haute voix et à se quereller si fort qu'un archer du roi, qui était invité dans la maison voisine, entendit tout ce qu'ils disaient et comprit point par point le motif du litige. Aussi dès le lendemain il se hâta d'aller au palais demander une audience au roi d'Égypte, qui s'appelait Schams Al-Daoula, et lui raconta tout ce qu'il avait entendu. Et le roi envoya aussitôt chercher les deux frères de Jouder et leur fit subir la torture jusqu'à ce qu'ils eussent fait des aveux complets. Alors le roi leur prit les deux sacs, et les jeta eux-mêmes dans le cachot. Après quoi il fit à la mère de Jouder une pension qui suffisait à ses besoins quotidiens. Et voilà pour tous ceux-là !

Quant à Jouder ! Comme il était depuis déjà une année esclave à bord du navire appartenant au chef-capitaine de Suez, une tempête s'éleva un jour contre le navire, et le désempara et le jeta contre une côte escarpée, si bien qu'il se fracassa et que tous les gens se noyèrent, excepté Jouder qui put à la nage gagner le rivage. Et il put pénétrer à l'intérieur du pays ; et il arriva de la sorte au milieu d'un campement de Bédouins nomades qui l'interrogèrent sur son état, et lui demandèrent s'il était marin. Et il leur raconta qu'en effet il était marin à bord d'un navire qui avait fait naufrage ; et il leur donna des détails sur son histoire.

Or il y avait, de passage dans le campement, un homme marchand, natif de Jedda, qui fut ému de compassion sur le sort de Jouder, et lui dit : « Veux-tu entrer à mon service, ô Égyptien ? Et moi, en retour, je te fournirai des vêtements et je t'emmènerai avec moi à Jedda ! » Et Jouder accepta d'entrer à son service et partit avec lui et arriva à Jedda, où le marchand le traita généreusement et le combla de bienfaits. Puis, quelque temps après, le marchand alla en pèlerinage à La Mecque et l'emmena également avec lui. Lorsqu'ils furent arrivés à La Mecque…

À ce moment de sa narration, Schahrazade vit apparaître le matin et, discrète, se tut.

Mais lorsque fut la quatre cent quatre-vingtième nuit. Elle dit :

… Lorsqu'ils furent arrivés à La Mecque, Jouder se hâta d'aller se mêler à la procession autour de l'enceinte sacrée de la Kaâba, pour accomplir les sept tours rituels, et juste voici qu'il rencontre, au milieu des pèlerins de la procession, son ami le cheikh Abd Al-Samad le Moghrabin, qui faisait également ses sept tours. Et le Moghrabin le vit, de son côté, et lui jeta un salam fraternel et lui demanda de ses nouvelles. Alors Jouder pleura. Puis il raconta ce qui lui était arrivé. Et le Moghrabin le prit par la main et le conduisit à la maison où il était descendu, le traita généreusement, l'habilla d'une robe splendide et sans pareille, et lui dit : « Le malheur s'est tout à fait éloigné de toi, ô Jouder ! » Puis il lui tira son horoscope, vit par là tout ce qui était arrivé à ses frères, et lui dit : « Sache, ô Jouder, qu'il est arrivé *telle* et *telle* chose à tes frères, et qu'ils sont à l'heure actuelle emprisonnés dans le cachot du roi d'Égypte. Mais tu es le bienvenu dans ma maison où tu vas rester jusqu'à l'accomplissement des rites prescrits ! Et tu verras désormais que tout ira bien ! » Jouder répondit : « Permets-moi, ô maître, d'aller trouver le marchand avec lequel je suis venu, pour lui demander son bon plaisir et prendre congé de lui ! Et je reviendrai tout de suite auprès de toi ! » Il lui demanda : « Es-tu son débiteur en argent ? » Il répondit : « Non ! » Il dit : « Va donc lui demander son bon plaisir et prendre congé de lui, sans tarder ; car, en vérité, le pain que l'on a mangé a des titres réels chez les honnêtes gens ! » Et Jouder alla trouver son maître, le marchand de Jedda, lui demanda son bon plaisir et lui dit : « Je viens de retrouver mon ami qui m'est plus cher qu'un frère ! » Il répondit : « Va le chercher et nous donnerons un festin en son honneur ! » Jouder dit : « Par Allah ! il n'a que faire des festins ! Il est un d'entre les fils de l'opulence, et il a beaucoup de serviteurs ! » Alors le marchand lui donna vingt dinars en lui disant : « Prends-les et libère ma conscience et ma responsabilité ! » Jouder répondit : « Qu'Allah t'acquitte de tout ce que tu me dois ! » Et il prit congé de lui et sortit pour aller retrouver son ami le Moghrabin. Mais il rencontra sur son chemin un pauvre homme et lui donna en aumône les vingt dinars ; puis il arriva chez le Moghrabin, et demeura avec lui jusqu'à accomplissement de tous les rites et obligations du pèlerinage.

Alors le Moghrabin vint le trouver et, tirant de son doigt le sceau que Jouder avait autrefois rapporté du trésor de Schamardal, le lui donna en disant : « Prends ce sceau, ô Jouder, qui réalisera tous tes souhaits. Sache, en effet que ce sceau a comme serviteur un genni, nommé Tonnerre-Tonitruant, qui sera à tes ordres pour tout ce que tu lui demanderas. Tu n'as pour cela qu'à frotter le chaton du sceau, et aussitôt t'apparaîtra Tonnerre-Tonitruant qui se chargera d'exécuter toutes tes volontés et de t'apporter, si tu lui en fais la demande, tout ce que tu désireras des biens de l'univers ! » Et, pour lui en montrer le maniement, il le frotta devant lui avec le pouce. Aussitôt l'éfrit Tonnerre-Tonitruant apparut et, s'inclinant devant le Moghrabin, dit : « Me voici, ya sidi ! Ordonne et tu seras obéi ! Demande et tu recevras ! Veux-tu reconstuire une ville en ruine ou bien détruire une ville florissante ? Veux-tu tuer et assassiner ? Veux-tu arracher l'âme d'un roi ou seulement mettre en pièces ses armées ? Parle ! » Le Moghrabin répondit : « Ô Tonnerre, voici désormais ton maître ! Je te le recommande beaucoup ! Sers-le bien ! » Puis il le congédia, et, se tournant vers Jouder, lui dit : « N'oublie pas, ô Jouder, qu'au moyen de ce sceau tu vas pouvoir te défaire et te venger de tous tes ennemis ! Et ne sois pas ignorant du degré de ta puissance ! » Jouder dit : « Dans ce cas, ô mon maître, je désirerais bien retourner à mon pays et à ma demeure ! » Il répondit : « Frotte le sceau, et lorsque l'éfrit Tonnerre t'apparaîtra et te dira : « Me voici ! Demande et tu obtiendras ! » toi, tu lui répondras : « Je veux monter sur ton dos ! Porte-moi aujourd'hui même dans mon pays ! » Et il t'obéira ! »

Alors Jouder fit ses adieux à Abd Al-Samad le Moghrabin et frotta le sceau. Et à l'instant apparut Tonnerre-Tonitruant qui lui dit : « Me voici ! Demande et tu obtiendras ! » Et Jouder répondit : « Conduis-moi au Caire aujourd'hui même ! » Il dit : « C'est facile ! » et, se courbant en deux, il le prit sur son dos, et s'envola avec lui ! Et le voyage dura depuis midi jusqu'à minuit ; et l'éfrit déposa Jouder dans la maison même de sa mère, au Caire, et disparut. Lorsque la mère de Jouder le vit entrer, elle se leva et pleura en lui souhaitant la paix. Puis elle lui raconta ce qui était arrivé à ses frères, et comment le roi leur avait fait donner la bastonnade et leur avait enlevé le sac enchanté et le sac de l'or et des joyaux ! Et Jouder, en entendant cela, ne put être indifférent au sort de ses frères, et dit à sa mère : « Ne t'afflige pas pour cela ! Moi, à l'instant, je te montrerai ce que je puis faire, et je t'amènerai mes frères ! » En même temps il frotta le chaton ; et aussitôt apparut le serviteur qui dit : « Me voici ! Demande et tu obtiendras ! » Jouder dit : « Je t'ordonne d'aller enlever mes frères du cachot du roi pour me les amener ici ! » Et le genni disparut pour exécuter l'ordre.

Or Salem et Salim gisaient dans leur cachot en proie à de grandes souffrances et aux plus profondes angoisses et peines, à cause des tortures et des privations éprouvées, tant qu'ils souhaitaient la mort comme une délivrance et un terme à leurs maux. Et précisément ils s'entretenaient ensemble avec une grande amertume sur ce sujet, en appelant la mort, quand ils virent soudain le sol s'entrouvrir sous leurs pieds et leur apparaître Tonnerre-Tonitruant qui, sans leur laisser le temps de se reconnaître, les enleva tous deux et disparut avec eux dans les profondeurs de la terre, tandis qu'ils s'évanouissaient de terreur dans ses bras pour ne reprendre leurs sens que dans la maison de leur mère et se voir étendus sur les tapis entre leur frère Jouder et leur mère attentifs à les soigner. Et Jouder, en les voyant ouvrir les yeux, leur dit : « Que tous les salams soient sur vous, ô mes frères ! Ne me reconnaissez-vous plus et m'avez-vous oublié…

À ce moment de sa narration, Schahrazade vit apparaître le matin et, discrète, se tut.

Mais lorsque fut la quatre cent quatre-vingt et unième nuit. Elle dit :

… Que tous les salams soient sur vous, ô mes frères ! Ne me reconnaissez-vous plus et m'avez-vous oublié ? » Ils baissèrent la tête et se mirent à pleurer en silence. Alors il leur dit : « Ne pleurez pas ! Car c'est Satan et la convoitise qui vous ont contraints à agir comme vous avez agi ! Comment seulement avez-vous pu vous décider à me vendre ? Mais ne pleurez plus ! Ce m'est, en effet, une consolation de penser que je ressemble en cela à Joseph, fils de Jacob, vendu par ses frères ! D'ailleurs les frères de Joseph avaient encore bien plus mal agi à son égard que vous au mien ; car ils l'avaient, en outre, jeté au fond d'une citerne ! Demandez simplement pardon à Allah, en vous repentant, et Il vous padonnera – car Il est le Clément-sans-bornes et le Grand-Pardonnateur –, comme moi je vous pardonne ! Que la bienvenue soit donc sur vous ! Et soyez désormais sans nulle crainte et sans contrainte ! » Et il continua à les consoler et à les réconforter jusqu'à ce qu'il eût calmé leurs cœurs ; puis il se mit à leur raconter toutes les épreuves et les souffrances qu'il avait endurées jusqu'à ce qu'il eût rencontré à La Mecque le cheikh Abd Al-Samad. Et il leur fit voir également le sceau magique.

Alors ils lui répondirent : « Ô notre frère, pardonne-nous cette fois ! Si nous retournons à nos anciennes manières d'agir, tu feras de nous ce que bon te semblera ! » Il répondit : « N'ayez donc plus aucun regret ni souci ! Et hâtez-vous de me raconter ce que vous a fait le roi ! » Ils dirent : « Il nous a fait donner la bastonnade, et nous a menacés de pis ; puis il a fini par nous enlever les deux sacs ! » Il dit : « Il va voir alors ! » et il frotta le chaton du sceau ; et aussitôt apparut l'éfrit Tonnerre-Tonitruant.

À sa vue, les deux frères furent épouvantés et crurent, dans leur cœur, que Jouder ne l'avait mandé que pour les faire mettre à mort. Et ils se précipitèrent chez leur mère en lui criant : « Ô notre mère, nous nous mettons sous ta généreuse protection ! Ô notre mère, intercède pour nous ! » Elle leur répondit : « Ô mes enfants, n'ayez pas peur ! »

Pendant ce temps, Jouder qui avait dit à Tonnerre : « Je t'ordonne de m'apporter tout ce qui se trouve en fait de joyaux et de choses précieuses dans les armoires du roi, sans y rien laisser, et de m'apporter en même temps le sac enchanté et le sac des choses précieuses qui ont été tous deux soustraits à mes frères ! » Et le genni du sceau répondit : « J'écoute et j'obéis ! » et à l'instant alla exécuter l'ordre et revint déposer entre les mains de Jouder les deux sacs, intacts comme ils étaient, et les trésors du roi, en disant : « Ya sidi, je n'ai rien laissé dans les armoires ! » Alors Jouder remit à sa mère le sac des choses précieuses et les trésors du roi, en lui recommandant de les bien garder, et plaça devant lui le sac enchanté. Puis il dit au genni du sceau : « Je t'ordonne de me construire cette nuit même un palais haut et splendide, de l'ornementer avec l'eau d'or, et de le tapisser et de le meubler somptueusement. Et je veux que tout soit terminé au lever du jour ! » Et le genni du sceau, Tonnerre-Tonitruant, répondit : « Ta volonté sera faite ! » et disparut dans le sein de la terre, tandis que Jouder tirait du sac enchanté des mets délicieux qu'il mangea avec sa mère et ses frères, à la limite du contentement, pour s'endormir ensuite jusqu'au matin.

Quant au genni du sceau, il alla aussitôt rassembler ses compagnons, les éfrits souterrains, en choisissant les plus habiles parmi eux dans l'art des bâtisses ; et tous commencèrent le travail. Ils se mirent les uns à tailler les pierres, les autres à les édifier, d'autres à badigeonner, d'autres à sculpter et à graver, et d'autres enfin à tapisser et à meubler les salles, si bien qu'avant le lever du jour le palais était entièrement terminé et décoré ! Alors le genni du sceau se présenta devant Jouder, dès qu'il fut réveillé, et lui dit : « Ya sidi, le palais est achevé et sa décoration est terminée ! Si tu veux venir le regarder et l'examiner ? » Alors Jouder se leva et emmena sa mère et ses frères ; et tous ensemble examinèrent le palais et trouvèrent qu'il n'avait pas son égal, tant il confondait la raison par la beauté de son architecture et son ordonnance heureuse. Et Jouder fut enchanté en regardant sa façade imposante vraiment, et il s'émerveilla en pensant que tout cela ne lui avait rien coûté. Et il se tourna vers sa mère et lui demanda : « Veux-tu habiter ce palais ? » Elle répondit : « Je veux bien ! » et elle fit des vœux pour lui et appela sur sa tête les bénédictions d'Allah. Alors Jouder frotta le sceau talismanique, et dit au genni qui aussitôt était apparu : « Je t'ordonne de m'amener à l'instant quarante jeunes esclaves blanches bien belles, quarante jeunes négresses bien taillées, quarante jeunes garçons, et quarante nègres ! » Il répondit : « Tout cela est à toi ! » Et il s'envola, avec quarante de ses compagnons, pour les contrées de l'Inde, du Sindh et de la Perse ; et à eux tous ils se mirent à enlever toute jeune fille qu'ils trouvaient tout à fait belle et tout jeune garçon tout à fait beau. Et de la sorte ils rassemblèrent quarante de chaque espèce. Après quoi ils choisirent quarante belles négresses et quarante beaux nègres, et transportèrent tout ce lot au palais de Jouder. Et Tonnerre les fit défiler, un par un, devant Jouder qui les trouva tous à sa convenance, et dit :

« Il faut maintenant leur donner à chacun et à chacune une robe, tout ce qu'il y a de plus beau…

À ce moment de sa narration, Schahrazade vit apparaître le matin et, discrète, se tut.

Mais lorsque fut la quatre cent vingt-deuxième nuit. Elle dit :

… Donner à chacun et à chacune une robe, tout ce qu'il y a de plus beau ! » Il répondit : « Voici ! » Il dit : « Il faut encore apporter une robe pour ma mère et une robe pour moi ! » Et Tonnerre apporta le tout, et habilla lui-même les jeunes esclaves blanches et noires, en leur disant : « Allez maintenant baiser la main de votre maîtresse, la mère de votre maître ! Et suivez bien les ordres qu'elle vous donnera, et suivez-la avec vos yeux ô blanches et noires ! » Puis le genni Tonnerre alla également habiller les jeunes garçons et les nègres, et les envoya baiser la main de Jouder. Ensuite il habilla Salem et Salim, avec un soin tout particulier. Et quand tout le monde fut habillé, Jouder parut semblable, en vérité, à un roi et ses frères semblables à des vizirs.

Comme le palais était très vaste, Jouder fit habiter dans l'une des ailes son frère Salem et ses serviteurs et ses femmes, et dans une autre aile son frère Salim avec ses serviteurs et ses femmes. Quant à lui, il habita avec sa mère dans le corps même du palais. Et chacun d'eux était à sa place respective exactement comme un sultan. Et voilà pour eux !

Quant au roi ! Lorsque le chef-trésorier vint le matin pour prendre de l'armoire du Trésor quelques objets dont il avait besoin pour le roi, il l'ouvrit et n'y trouva plus rien ! Et c'était bien à cette armoire que pouvait s'appliquer ce dire du poète :

« Ce vieux tronc d'arbre était riche et beau de sa ruche d'abeilles sonores et de ses rayons de miel doré ; mais lorsque s'envola l'essaim d'abeilles et disparut la ruche, ce ne fut plus qu'un vieux creux plein de vide ! »

Et le chef-trésorier, à cette vue, poussa un grand cri et tomba sans connaissance. Et lorsqu'il revint à lui, il se précipita, les bras levés, hors de la chambre du Trésor et courut trouver le roi Schams Al-Douala auquel il dit : « Ô émir des Croyants, je viens t'informer que le Trésor a été vidé cette nuit ! » Et le roi s'écria : « Ô misérable ! qu'as-tu fait des richesses contenues dans mon Trésor ? » Il répondit : « Par Allah ! je n'en ai rien fait ! Et je ne sais ce qu'elles sont devenues, ni comment le Trésor a été vidé ! Hier au soir encore, selon mon habitude, j'ai contrôlé le Trésor et je l'ai trouvé rempli ; et ce matin je l'ai visité et l'ai trouvé vide, sans rien dedans ! Pourtant les portes n'ont point été forcées et je les ai trouvées fermées sans traces de perforation ou de brisure, avec les cadenas intacts et les serrures fermées ! Ce n'est donc point un voleur qui a vidé le Trésor ! » Le roi demanda : « Et les deux sacs ont-ils également disparu ? » Il répondit : « Oui ! » À ces paroles, la raison du roi s'envola de sa tête ; et il se leva sur ses pieds, et cria au chef-trésorier : « Marche devant moi ! » Et le trésorier se dirigea vers le Trésor ; et le roi le suivit et arriva au Trésor qu'il trouva, en effet, complètement vide à l'intérieur et intact au-dehors ; et le roi fut stupéfait et anéanti, et dit : « Voici que l'on a pillé mon Trésor sans craindre ma puissance et ma colère ! » Et il fut courroucé d'un grand courroux et alla à l'instant assembler son diwân ; et les émirs et les grands de la cour entrèrent dans le diwân et chacun d'eux se demandait avec effroi s'il n'était pas la cause du courroux du roi ! Mais le roi leur dit : « Ô vous tous, sachez que mon Trésor a été pillé cette nuit ; et je ne sais quel est celui qui a commis cette action, en me faisant un tel affront et m'outrageant d'un tel outrage, sans redouter ma colère ! » Et tous demandèrent : « Mais comment cela ? » Le roi répondit : « Vous n'avez qu'à interroger le chef-trésorier qui est devant vous ! » Et ils l'interrogèrent et il leur dit : « Hier encore le Trésor était plein, et aujourd'hui je l'ai visité et l'ai trouvé vide, sans plus rien dedans, et au-dehors sans perforation ni brisure de porte ! » Et tous furent prodigieusement étonnés et, ne sachant que répondre, ils baissèrent la tête devant les regards fulgurants du roi et gardèrent le silence. Mais au même moment entra l'archer qui avait autrefois dénoncé au roi Salem et Salim, et il dit : « Ô roi du temps, j'ai passé toute cette nuit sans dormir, tant j'y ai vu de choses extraordinaires ! » Et le roi demanda : « Et qu'as-tu donc vu ? » Il dit : « Sache, ô roi du temps, que j'ai passé toute cette nuit à me distraire et à m'amuser agréablement en regardant des maçons en train de bâtir et de manœuvrer marteaux, truelles et tous autres instruments. Et, au lever du jour, j'ai aperçu à cet endroit-là un magnifique palais entièrement achevé et qui n'a point son égal dans le monde. Moi alors j'allais aux renseignements, et l'on me renseigna, disant : « C'est Jouder fils d'Omar qui est revenu de voyage et a bâti ce palais ! Et il a amené avec lui de nombreux esclaves et beaucoup de jeunes garçons ! Et il est chargé de richesses et comblé de biens ! Et il a délivré ses frères du cachot ! Et il est maintenant dans son palais comme un sultan ! »

À ces paroles du kawas, le roi dit : « Qu'on aille tout de suite voir au cachot ! » Et l'on alla voir au cachot et l'on revint annoncer au roi que Salem et Salim n'étaient plus là ! Alors le roi s'écria : « Je tiens le voleur ! Celui qui a tiré de prison Salem et Salim, est celui-là même qui a volé mon trésor ! » Et le grand vizir demanda : « Qui donc est-il ? » Il répondit : « C'est Jouder, leur frère ! Et c'est lui qui a également volé les deux sacs ! Mais, ô mon vizir, tu vas à l'instant envoyer contre eux tous un émir avec cinquante guerriers qui vont les saisir et, après avoir mis les scellés sur tous leurs biens, me les conduire ici pour que je les pende…

À ce moment de sa narration, Schahrazade vit apparaître le matin et, discrète, se tut.

Mais lorsque fut la quatre cent quatre-vingt-troisième nuit. Elle dit :

… Me les conduire ici pour que je les pende ! » Et il augmenta encore en courroux et cria : « Oui ! et qu'on aille vite me les chercher ! car je veux les tuer ! » Le grand vizir répondit : « Ô roi, sois clément et indulgent, car Allah est clément et ne se presse pas de punir son esclave en faute et révolté ! Et puis ! L'homme qui a pu bâtir un palais en l'espace d'une nuit ne doit vraiment avoir rien à redouter de personne au monde ! Et moi j'ai bien peur pour l'émir qui sera envoyé, et je crains pour lui le ressentiment de Jouder ! Patience donc jusqu'à ce que je trouve pour toi le meilleur moyen d'arriver à connaître la vérité sur cette affaire ; et alors seulement tu pourras, sans inconvénient, réaliser ce que tu as résolu de réaliser ! » Et le roi répondit : « Alors, ô mon vizir, avise-moi de ce que j'ai à faire ! » Il dit : « Dépêche vers lui un émir pour l'inviter à venir au palais. Et moi alors je saurai comment le prendre, je lui montrerai beaucoup d'amitié et je le questionnerai habilement sur ce qu'il fait et ne fait pas ! Et alors nous verrons ! Si vraiment sa puissance est grande, nous le prendrons par la ruse ; mais si son pouvoir est faible, nous le prendrons par la force ; et nous te le livrerons. Et tu en feras ce que tu voudras ! » Le roi dit : « Qu'on l'invite ! » Et le grand vizir donna à un émir appelé l'émir Othman l'ordre d'aller chercher Jouder et de l'inviter en lui disant : « Le roi désire te voir chez lui au nombre de ses hôtes aujourd'hui ! » Et le roi lui-même ajouta : « Et surtout ne reviens pas sans lui ! »

Or cet émir Othman était un homme sot, orgueilleux et infatué de lui-même. En arrivant devant la porte du palais il aperçut un eunuque assis au seuil sur une belle chaise de bambou. Et il s'avança vers lui ; mais l'eunuque ne se leva point pour lui et ne se dérangea point tout comme s'il ne le voyait pas. Et pourtant l'émir Othman était bien visible, et avait avec lui cinquante hommes bien visibles ! Il s'approcha tout de même et lui demanda : « Ô esclave, où est ton maître ? » Il répondit : « Dans le palais ! » sans même tourner la tête, et sans se départir de son air indifférent et de sa posture nonchalante. Alors l'émir fut bien courroucé et lui cria : « Ô calamiteux eunuque de poix ! N'as-tu pas honte de rester, pendant que je te parle, étendu là dans une pose nonchalante comme un crapuleux garçon ? » L'eunuque répondit : « Va t'en ! Et ne dis pas un mot de plus ! » À ces paroles l'émir Othman fut à la limite de l'indignation et, brandissant sa masse d'armes, voulut en frapper l'eunuque. Or, il ne savait pas que cet eunuque n'était autre que l'éfrit du sceau, Tonnerre-Tonitruant, qui avait été chargé par Jouder de remplir l'office de portier du palais. Aussi quand le prétendu eunuque eut vu le mouvement de l'émir Othman, il se leva en le regardant avec un œil seulement, pendant que l'autre œil était fermé, lui souffla au visage et, de ce souffle, le renversa sur le sol. Puis il lui enleva des mains la masse d'armes, et lui en assena quatre coups, sans plus !

À cette vue, les cinquante guerriers de l'émir furent indignés et, ne pouvant supporter l'affront infligé à leur chef, tirèrent leurs glaives et se précipitèrent sur l'eunuque pour le massacrer. Mais l'eunuque sourit avec calme et leur dit : « Ah ! vous tirez vos glaives, ô chiens ! Attendez un peu ! » Et il en saisit quelques-uns et leur plongea dans le ventre leurs propres glaives, et les noya dans leur propre sang ! Et il continua à les mettre en pièces, tellement que les autres, pris d'épouvante, s'enfuirent et ne s'arrêtèrent, avec leur émir en tête, que devant le roi, tandis que Tonnerre venait reprendre sur la chaise de bambou sa pose nonchalante.

Lorsque le roi eut appris de l'émir Othman ce qui venait de se passer, il fut à la limite de la fureur, et dit : « Que cent guerriers aillent contre cet eunuque ! » Et les cent guerriers, arrivés devant la porte du palais, furent reçus par l'eunuque à coups de masse d'armes, et étrillés et mis en fuite en un clin d'œil. Et ils revinrent dire au roi : « Nous avons été dispersés et terrifiés par lui ! » Et le roi dit : « Que deux cents aillent contre lui ! » Et les deux cents descendirent et furent taillés en pièces par l'eunuque. Alors le roi cria à son grand vizir : « Tu vas maintenant toi-même descendre contre lui avec cinq cents guerriers et le traîner devant moi à l'instant ! Et tu m'amèneras également son maître Jouder avec ses deux frères ! » Mais le grand vizir répondit : « Ô roi du temps, je préfère ne prendre avec moi aucun guerrier, et aller plutôt tout seul le trouver, sans armes ! » Le roi dit : « Va ! et fais ce qui te semblera le plus convenable ! »

Alors le grand vizir jeta ses armes loin de lui et se vêtit d'une longue robe blanche ; puis il prit à la main un grand chapelet et se dirigea lentement vers la porte du palais de Jouder en égrenant le chapelet. Et il vit l'eunuque en question assis sur la chaise, et il s'approcha de lui en souriant, s'assit par terre en face de lui, avec beaucoup de politesse, et lui dit : « Le salam sur *vous* ! Il répondit : « Et sur *toi* le salam, ô être humain ! Que désires-tu ? » Lorsque le grand vizir eut entendu ce mot « être humain », il comprit que l'eunuque était un d'entre les genn, et il trembla d'épouvante. Puis il demanda humblement : « Ton maître, le seigneur Jouder, serait-il ici ? » Il répondit : « Oui, il est dans le palais ! » Il reprit : « Ya sidi, je te prie d'aller le trouver et de lui dire : « Ya sidi, le roi Schams Al-Douala t'invite à te rendre auprès de lui, car il donne un festin en ton honneur. Et c'est lui-même qui te transmet le salam et te prie d'honorer sa demeure en acceptant son hospitalité ! » Tonnerre répondit : « Attends-moi ici que j'aille lui demander son bon plaisir…

À ce moment de sa narration, Schahrazade vit apparaître le matin et, discrète, se tut.

Mais lorsque fut la quatre cent quatre-vingt-quatrième nuit. Elle dit :

… Attends-moi ici que j'aille lui demander son bon plaisir ! » Et le grand vizir attendit, dans une attitude très polie, tandis que le mared allait trouver Jouder auquel il dit : « Sache, ya sidi, que le roi t'avait d'abord envoyé un émir bien fort que j'ai battu ; et il avait avec lui cinquante guerriers que j'ai défaits ! Puis il a envoyé contre moi cent guerriers que j'ai battus, puis deux cents que j'ai défaits et mis en fuite. Alors il a envoyé son grand vizir, sans armes et vêtu de blanc, pour t'inviter à manger des mets de son hospitalité ! Qu'en dis-tu ? » Il répondit : « Va et m'amène ici le grand vizir ! » Et Tonnerre descendit lui dire : « Ô vizir, viens parler à mon maître ! » Il répondit : « Sur la tête ! » Et il monta au palais, et entra dans la salle de réception où il vit Jouder, plus imposant que les rois, assis sur un trône dont nul sultan ne pouvait posséder l'égal, avec, étendu à ses pieds, un tapis splendide tout à fait. Et il fut stupéfait et resta ahuri et ébahi et ébloui de la beauté du palais, de ses ornementations, de sa décoration, de ses sculptures et de ses meubles ; et il se vit, par comparaison, moindre qu'un mendiant à côté de si belles choses et en face du maître du lieu. Aussi il s'inclina et embrassa la terre entre ses mains et fit des vœux pour sa prospérité. Et Jouder lui demanda : « Quelle demande veux-tu me faire, ô vizir ? » Il répondit : « Ô mon seigneur, ton ami le roi Schams Al-Daoula te transmet le salam ! Il désire ardemment se réjouir les yeux de ton visage ; et, dans ce but, il donne un festin en ton honneur ! Voudrais-tu donc accepter pour lui faire plaisir ? » Jouder répondit : « Du moment qu'il est mon ami, va lui transmettre mon salam et dis-lui qu'il vienne plutôt lui-même chez moi ! » Le vizir dit : « Sur la tête ! » Alors Jouder frotta le chaton du sceau ; et, Tonnerre ayant paru devant lui, il lui dit : « Apporte-moi une robe tout ce qu'il y a de plus beau ! » Et, Tonnerre ayant apporté la robe, Jouder dit au vizir : « C'est pour toi, ô vizir ! Revêts-la ! » Et, le vizir ayant revêtu la robe, Jouder lui dit : « Va dire au roi ce que tu as entendu et vu ! » Et le vizir descendit, revêtu de cette robe dont nul au monde n'avait revêtu la pareille et alla trouver le roi, le mit au courant de la situation de Jouder, et lui dit : « Jouder t'invite ! » Le roi dit : « Allons, ô soldats ! » Et tous se levèrent sur leurs pieds ; et il leur dit : « Montez sur vos chevaux ! Et qu'on m'amène mon coursier de bataille pour que j'aille voir Jouder ! » Puis il monta à cheval et, suivi de tous ses gardes et soldats, il se dirigea vers le palais de Jouder.

Lorsque Jouder vit de loin arriver le roi avec sa suite, il dit à l'éfrit du sceau : « Je désire que tu m'amènes de tes compagnons les éfrits afin que, sous l'aspect d'êtres humains, ils fassent la haie dans la grande cour du palais sur le passage du roi. Et le roi, qui verra leur nombre et leur qualité, en sera terrifié et épouvanté, et son cœur en frémira. Et alors il saura que ma puissance dépasse la sienne ; et il en fera son profit ! » Et, à l'instant, l'éfrit Tonnerre convoqua et fit paraître deux cents éfrits sous l'aspect de gardes armés et revêtus de riches armures, et bien terribles et de taille énorme. Et le roi entra dans la cour entre les deux rangs de soldats ; et en voyant leur aspect terrible, il sentit frémir son cœur. Puis il monta au palais et entra dans la salle où se trouvait Jouder ; et il le trouva assis avec une allure et un air que vraiment n'avaient jamais eus ni roi ni sultan ! Et il lui jeta le salam et s'inclina entre ses mains et formula ses souhaits, sans que Jouder se levât en son honneur ou lui montrât des égards ou l'invitât à s'asseoir, au contraire ! Il le laissa debout, pour ainsi se faire valoir, si bien que le roi perdit toute contenance et ne sut plus s'il devait rester là ou s'en aller. Et Jouder, au bout d'un certain temps, lui dit enfin : « En vérité, est-ce là une façon de se conduire que d'opprimer, comme tu l'as fait, les gens sans défense et que de les dépouiller de leurs biens ? » Il répondit : « Ô mon seigneur, daigne m'excuser ! C'est par la convoitise et l'ambition que j'ai été poussé à agir de la sorte, et aussi parce que c'était ma destinée ! Et d'ailleurs sans la faute il n'y aurait point de pardon ! » Et il continua à s'excuser de tout ce qu'il avait pu commettre par le passé, et à le supplier pour l'indulgence et le pardon ; et même, entre autres excuses, il lui récita ces vers :

« Ô toi, caractère généreux, enfant issu d'illustres ancêtres et d'une noble race, ne me reproche pas ce que j'ai pu commettre à ton égard dans le passé !

De même que nous serions prêts à te pardonner si tu étais coupable de quelque méfait, de même, si nous sommes coupables, pardonne-nous. »

Et il ne cessa de s'humilier de la sorte entre les mains de Jouder, jusqu'à ce que Jouder lui eût dit : « Qu'Allah te pardonne ! » et lui eût permis de s'asseoir ; et il s'assit. Alors Jouder l'investit de la robe de la sauvegarde, et donna l'ordre à ses frères de tendre la nappe et de servir des mets extraordinaires et nombreux. Et, après le repas, il donna de beaux vêtements à tous les gens de la suite du roi, et les traita avec égards et générosité. Alors seulement le roi prit congé et sortit du palais ; mais ce fut pour y retourner tous les jours passer tout son temps avec Jouder ; et même ce fut chez lui qu'il assemblait son diwân et présidait aux affaires du royaume. Et l'amitié et la camaraderie entre eux deux ne fit que s'accroître et se consolider. Et ils vécurent de la sorte un certain temps. Mais un jour le roi, se trouvant seul avec son grand vizir, lui dit : « Ô vizir, moi j'ai bien peur que Jouder ne me tue et ne me dépouille de mon trône…

À ce moment de sa narration, Schahrazade vit apparaître le matin et, discrète, se tut.

Mais lorsque fut la quatre cent quatre-vingt-cinquième nuit. Elle dit :

…Ô vizir, moi j'ai bien peur que Jouder ne me tue et ne me dépouille de mon trône ! » Le vizir répondit : « Ô roi du temps, pour ce qui est de ton trône, ne crains point que Jouder t'en dépouille ! Car la puissance et l'opulence de Jouder sont de beaucoup plus considérables que celles du roi ! Que veux-tu donc qu'il fasse de ton trône ? D'ailleurs ton trône ne serait pour lui qu'un signe de déchéance, dans l'état où il se trouve ! Mais pour ce qui est de te tuer, si vraiment tu redoutes la chose, tu as une fille ! Tu n'aurais donc qu'à la lui donner en mariage, et tu partagerais de la sorte avec lui la puissance suprême ; et vous seriez tous deux dans les mêmes conditions ! » Il répondit : « Ô vizir, toi, sois l'intermédiaire entre moi et lui ! » Il dit : « Pour cela tu n'as qu'à l'inviter chez toi ; et nous passerons la soirée dans la grande salle du palais. Alors tu ordonneras à ta fille de s'orner de ses plus beaux ornements et de passer comme un éclair devant la porte de la salle. Et Jouder l'apercevra ; et comme sa curiosité en sera très excitée et que son esprit travaillera au sujet de la princesse entrevue, il en deviendra éperdument amoureux ; et il me demandera qui elle est. Alors moi je me pencherai mystérieusement vers lui et je lui dirai : « C'est la fille du roi ! » Et je me mettrai à converser avec lui à ce sujet et à prendre et à laisser des paroles et à entrer et sortir dans les paroles avec lui, sans qu'il sache que tu es au courant, jusqu'à ce que je l'aie décidé à venir te la demander en mariage ! Et lorsque tu l'auras ainsi marié avec la jeune fille, votre accord à tous deux désormais sera chose certaine ; et à sa mort tu hériteras de la majeure partie de ce qu'il possède ! » Et le roi répondit : « Tu dis vrai, ô vizir ! » Et il donna le festin et invita Jouder qui se rendit au palais, et s'assit dans la grande salle, au milieu de la gaieté et de la bonne chère, jusqu'à la fin de la journée.

Or, le roi avait envoyé dire à son épouse de parer la jeune fille de ses plus belles parures et de l'orner de ses plus beaux ornements, et de la faire passer rapidement devant la porte de la salle du festin. Et la mère de la jeune fille fit ce qu'il lui avait été ordonné de faire. Aussi lorsque la jeune fille eut passé comme un éclair devant la salle du festin, belle et parée et brillante et merveilleuse, Jouder l'aperçut et poussa un cri d'admiration et un profond soupir, et fit : « Ah ! » Et ses membres se relâchèrent, et il devint jaune de teint ! Et l'amour et la passion et le désir et l'ardeur entrèrent en lui et le dominèrent. Alors le vizir lui dit : « Loin de toi toute peine et tout mal, mon seigneur ! Pourquoi te vois-je subitement changé et souffrant et endolori ? » Il répondit : « Ô vizir, cette jeune fille ! De qui est-elle la fille ? Elle m'a asservi et m'a ravi la raison ! » Il répondit : « Elle est la fille de ton ami le roi ! Si vraiment elle te plaît, moi je parlerai au roi pour qu'il te la donne en mariage ! » Il dit : « Ô vizir, parle-lui ! Et moi, par ma vie, je te donnerai tout ce que tu me demanderas ! Et je donnerai au roi tout ce qu'il me réclamera comme dote de sa fille ! Et nous serons des amis et des parents par alliance ! » Le vizir répondit : « Je vais employer toute mon influence pour t'obtenir ce que tu souhaites ! » Et il parla au roi en secret et lui dit : « Ô roi Schams Al-Daoula, voici que ton ami Jouder désire se rapprocher de toi par l'alliance ! Et il s'est recommandé à moi pour que je te parle afin que tu lui accordes en mariage ta fille El-Sett Asia ! Ne me repousse donc point et accepte mon intercession ! Et tout ce que tu demanderas comme dot pour ta fille, Jouder te le paiera ! » Le roi répondit : « La dot est déjà toute payée et reçue ! Et la fille est une esclave à son service ! Je la lui donne comme épouse ; et en l'acceptant de moi il me fait le plus grand honneur ! » Et ils passèrent cette nuit-là sans rien préciser davantage.

Mais le lendemain matin, le roi réunit son diwân, et y convoqua les grands et les petits, les maîtres et les serviteurs ; et il fit venir le cheikh Al-Islam, pour la circonstance. Et Jouder posa sa demande de mariage et le roi l'accepta et dit : « Quant à la dote, je l'ai reçue ! » Et on écrivit le contrat.

Alors Jouder fit apporter le sac des joyaux et des pierreries, et en fit présent au roi comme dot de sa fille. Et aussitôt résonnèrent les timbales et les tambours, et jouèrent les flûtes et les clarinettes, et la fête et la noce furent en leur plein, cependant que Jouder pénétrait dans la chambre nuptiale et possédait la jeune fille. Et Jouder et le roi vécurent ensemble étroitement unis, durant des jours nombreux. Après quoi, le roi mourut.

Alors les troupes se mirent à demander Jouder pour le sultanat, et, comme il se refusait, ils continuèrent à l'importuner jusqu'à ce qu'il eût accepté. Et ils le nommèrent sultan. Or le premier acte de Jouder, comme sultan, fut d'ériger une mosquée sur la tombe du roi Schams Al-Daoula ; et il y attacha de riches donations ; et il choisit comme emplacement de cette mosquée le quartier des Boundoukaniya, alors que son palais à lui s'élevait dans le quartier des Yamaniya. Et depuis lors le quartier de la mosquée et la mosquée elle-même prirent le nom de Jouderiya.

Le sultan s'empressa ensuite de nommer vizirs ses deux frères, Salem comme vizir de Sa Droite, et Salim comme vizir de Sa Gauche. Et ils vécurent de la sorte, en paix, une seule année, pas davantage.

Au bout de ce temps, Salem dit à Salim : « Ô mon frère, jusques à quand…

À ce moment de sa narration, Schahrazade vit apparaître le matin et, discrète, se tut.

Mais lorsque fut la quatre cent quatre-vingt-sixième nuit. Elle dit :

… Au bout de ce temps, Salem dit à Salim : « Ô mon frère, jusques à quand allons-nous rester en cet état ? Passerons-nous toute notre vie comme serviteurs de Jouder, sans à notre tour jouir de l'autorité et de la félicité tant que Jouder est vivant ? » Salim répondit : « Comment pourrions-nous faire pour le tuer et lui enlever le sceau et le sac ? Toi seul pourrais combiner quelque stratagème pour arriver à le tuer, car tu es plus expérimenté et plus intelligent que moi ! » Salem dit : « Si je combinais le stratagème de sa mort, toi, accepterais-tu que je devinsse sultan, avec toi comme vizir de Ma Droite ? Et moi j'aurais ainsi le sceau et toi le sac ! » Il dit : « J'accepte ! » Et ils furent d'accord sur l'assassinat de Jouder, pour arriver au souverain pouvoir et jouir en rois des biens de ce monde.

Lorsqu'ils eurent combiné le stratagème, ils allèrent trouver Jouder et lui dirent : « Ô notre frère, nous voudrions bien que tu acceptasses de venir ce soir nous faire le plaisir de goûter à notre nappe, depuis le temps que nous ne t'avons plus vu franchir le seuil de notre hospitalité ! » Il dit : « Ne vous tourmentez plus ! Chez lequel de vous deux dois-je me rendre pour l'invitation ? » Salem répondit : « Chez moi d'abord ! Et lorsque tu auras goûté aux mets de mon hospitalité, tu te rendras à l'invitation de mon frère ! » Il répondit : « Il n'y a point d'inconvénient. » Et il se rendit avec Salem dans l'aile du palais qu'il habitait. Or, il ne savait pas ce qui l'attendait ! car à peine avait-il pris la première bouchée du festin, qu'il tomba tout entier en petites miettes, les chairs d'un côté et les os de l'autre ! Le poison avait produit son effet.

Alors Salem se leva et voulut lui arracher le sceau du doigt ; mais comme le sceau ne voulait point sortir, il coupa le doigt avec un couteau. Il prit alors le sceau et en frotta le chaton. Aussitôt apparut l'éfrit Tonnerre-Tonitruant, le serviteur du sceau, qui dit : « Me voici ! Demande et tu obtiendras ! » Salem lui dit : « Je t'ordonne de te saisir de mon frère Salim et de le tuer. Puis tu l'enlèveras et tu enlèveras Jouder, qui est là sans vie, et tu iras jeter les deux corps, celui de l'empoisonné et celui de l'assassiné, devant les chefs principaux des troupes ! » Et aussitôt l'éfrit Tonnerre, qui obéissait à tous ordres donnés par n'importe quel possesseur du sceau, alla prendre Salim et le tua ; puis il enleva les deux corps sans vie et alla les jeter devant les chefs des troupes, qui précisément étaient réunis pour le repas, dans la salle des repas !

Lorsque les chefs des troupes virent les corps sans vie de Jouder et de Salim, ils cessèrent de manger et levèrent leurs bras en l'air, épouvantés et tremblants, et demandèrent au mared : « Qui a commis cela sur la personne du roi et du vizir ? »

Il répondit : « Leur frère Salem ! » Et, au même moment, Salem fit son entrée et leur dit : « Ô chefs de mes troupes, et vous tous, mes soldats, mangez et soyez contents ! Je suis devenu le maître de ce sceau que j'ai enlevé à mon frère Jouder. Et ce mared-ci, qui est devant vous, est le mared Tonnerre-Tonitruant, serviteur du sceau. Et c'est moi qui lui ai ordonné de mettre à mort mon frère Salim, pour n'avoir point de compétiteur au trône ! D'ailleurs c'était un traître, et j'avais à craindre qu'il ne me trahît ! De plus, comme Jouder est mort, je reste le seul sultan ! Voulez-vous donc m'accepter pour roi, ou bien voulez-vous que je frotte le sceau et que je vous fasse tuer par l'éfrit, les grands et les petits, tous jusqu'au dernier ? » À ces paroles, les chefs des troupes, saisis d'une grande crainte, n'osèrent protester et répondirent : « Nous t'acceptons pour roi et sultan ! »

Alors Salem ordonna que l'on fît les funérailles de ses frères. Puis il convoqua le diwân, et lorsque tout le monde fut de retour des funérailles, il s'assit sur le trône ; et il reçut en roi les hommages de tous ses sujets. Après quoi il dit : « Maintenant je veux écrire mon contrat sur l'épouse de mon frère ! » On lui répondit : « Il n'y a pas d'inconvénient. Mais il faut attendre que les quatre mois et dix jours du veuvage soient écoulés ! » Il répondit : « Moi je ne connais pas ces formalités-là, ni autres choses semblables ! Par la vie de ma tête ! il me faut entrer cette nuit même sur l'épouse de mon frère ! » On fut alors obligé d'écrire le contrat du mariage, et l'on alla prévenir de la chose l'épouse de Jouder, El-Sett Asia, qui répondit : « Qu'il vienne...

À ce moment de sa narration, Schahrazade vit apparaître le matin et, discrète, se tut.

Mais lorsque fut la quatre cent quatre-vingt-septième nuit. Elle dit :

... Et l'on alla prévenir de la chose l'épouse de Jouder, El-Sett Asia qui répondit : « Qu'il vienne ! » Et Salem, à la tombée de la nuit, pénétra chez l'épouse de Jouder, qui le reçut avec les démonstrations de la joie la plus vive et avec les souhaits de bienvenue. Et elle lui offrit, comme rafraîchissement, une coupe de sorbet qu'il but, mais pour aussitôt tomber en miettes, corps sans âme. Et telle fut sa mort.

Alors El-Sett Asia prit le sceau magique et le cassa en morceaux, pour que personne désormais n'en fît un coupable usage, et coupa en deux le sac enchanté, rompant ainsi le charme qu'il possédait.

Après quoi elle envoya prévenir le cheikh al-Islam de tout ce qui s'était passé, et aviser les principaux du royaume d'avoir à élire un nouveau roi, en leur disant : « Choisissez, pour gouverner, un nouveau sultan ! »

Et voilà, continua Schahrazade, tout ce que je sais de l'histoire de Jouder, de ses frères, et du sac et du sceau enchantés ! Mais je sais également, ô Roi fortuné, une histoire étonnante qui s'appelle...

NOTES

Page 7
1. Le vague des noms propres et de la géographie, dans les MILLE NUITS ET UNE NUIT, est une chose admirable. Inutile donc d'approfondir.
2. *Schahriar :* le Maître de la Ville. Mot persan.
3. *Schahzamân :* le Maître du Siècle ou du Temps. Mot persan.
4. « Que la paix (ou le salut) soit avec toi ! » est le salut usité chez les musulmans.

Page 9
1. *Asr*, partie du jour où le soleil commence à décliner.
2. C'est-à-dire une source d'eau.
3. *Genni :* d'où le mot *génie.*
4. *Efrit :* le rusé. Synonyme de *genni.*

Page 11
1. *Schahrazade :* la Fille de la Cité.
2. *Doniazade :* la Fille du Monde.
3. Musulmans.

Page 12
1. Le juge.

Page 14
1. Un respectable vieillard.
2. Pluriel de *genni.*

Page 15
1. Par euphémisme, c'est ainsi que les Arabes appellent souvent leurs femmes. On ne dit pas beau-père, mais oncle : donc *la fille de mon oncle*, au lieu de *ma femme.*

Page 16
1. La séance de justice. D'autres fois, ce mot désigne la salle même où se tient la séance.

Page 17
1. Le *dinar*, près de dix francs de notre monnaie.

Page 19
1. Satan, le Malin.
2. Féminin d'*éfrit.* Diablesse.
3. Féminin de *genni.*

Page 22
1. Salomon, fils de David. Les Arabes le considèrent comme le maître des génies bienfaisants et malfaisants.
2. *Souk :* marché.
3. *Afarit* est le pluriel d'*éfrit.*

Page 24
1. Les Romains de Byzance et, par extension, tous les chrétiens et spécialement les Grecs.

Page 25
1. *Baisa la terre entre les mains du roi :* c'est-à-dire s'inclina jusqu'à terre et baisa la terre devant le roi.
2. Place consacrée aux jeux.

Page 37
1. *Bang* ou *banj* signifie ordinairement chez les Arabes anciens l'*extrait de jusquiame* ou même tout soporifique à base d'une *cannabis* quelconque.

Page 39
1. Boisson fermentée très appréciée des nègres.

Page 42
1. *Mamalik*, pluriel de *mamelouk*, esclave.

Page 43
1. *Nousrani*, c'est-à-dire *nazaréen.* C'est le nom que les musulmans donnent aux chrétiens.
2. *Artal*, pluriel de *ratl*, poids variant, selon les contrées, entre deux et douze onces.

Page 46
1. Dans le texte original : « mon ami ». Les poètes arabes emploient presque toujours, par euphémisme, le genre masculin pour parler de leurs amoureuses.
2. En arabe on emploie ce mot d'*âme* pour les mots *lui-même*, *soi-même*, *eux-mêmes*, etc.

Page 47
1. *Khân*, auberge.

Page 48
1. *Ahjam*, pluriel de *Ajami.* Ce mot désigne tous les peuples parlant une langue étrangère à l'arabe, et particulièrement les Persans et, en général, tous ceux qui parlent mal l'arabe. Mais le plus souvent on ne se sert de ce mot que pour désigner les Persans.
2. Les Persans les appellent des *kalendars* ou *calenders.* Le mot *saâlouk* donne au pluriel *saâlik.*

Page 49
1. *Al-Barmaki* ou le Barmécide.
2. Tibériade.

Page 50
1. *Hadj*, pèlerin de La Mecque.

Page 60
1. C'est-à-dire : fais le geste de saluer, en portant la main à la tête. C'est une des façons de faire le salut oriental.

Page 69
1. Sorte de pâtisserie faite avec des filets très fins de vermicelle.

Page 76
1. Formule usitée pour glorifier Dieu : « Dieu est tout-puissant ! ».

Page 84
1. C'est-à-dire de saphirs.

Page 87
1. C'est le : « C'était écrit ».
2. Bassora.

Page 89
1. *Zohal* est le nom de la planète Saturne.
2. *Mirrikh*, c'est la planète Mars.

Page 90
1. *Houtared*, c'est Mercure.

Page 94
1. *Marhaba ! Ahlan ! oua sahlan !* et *Anastina !* Souhaits de bienvenue, intraduisibles mot à mot. Que l'accueil soit cordial, amical et facile !

Page 97
1. Le Tigre.

Page 102
1. Les Barmécides, noble famille arabe.

Page 105
1. *Rihan* signifie myrthe et aussi toute plante odoriférante.

Page 106
1. Voir à la page 146, l'épilogue de cette histoire.
2. *Mesr* ou *Massr* est le nom que les Arabes donnent aussi bien à l'Égypte qu'à la ville du Caire (Al-Kahirat).
3. *Chamseddine :* Soleil de la Religion. *Noureddine :* Lumière de la Religion.

Page 112
1. *Hassan :* le Beau ; *Badreddine :* la Pleine Lune de la Religion.

Page 114
1. Même poème que celui de la page 89.

Page 115
1. Tombe.

Page 118
1. La Souveraine de Beauté.

Page 125
1. *Scham :* la Syrie ; et se dit aussi pour la ville de Damas.

Page 129
1. C'est-à-dire : Merveilleux.

Page 132
1. Les Bani-Ommiah ou Ommiades, dynastie de khalifes, à Damas.

Page 134
1. Dieu est généreux !

Page 147
1. *Halaoua :* pâte blanche faite avec de l'huile de sésame, du sucre, des noix, etc., sous forme de grands pains hémisphériques.

Page 148
1. Aaron, Josué.

Page 150
1. *Wali* : gouverneur d'une province au nom d'un sultan.

Page 152
1. *Ardeb* ou *irdab :* c'est la mesure arabe dite *des arides,* usitée encore aujourd'hui.

Page 158
1. *Nakib :* gouverneur d'une province.

Page 170
1. Expression très usitée ; elle signifie que quelqu'un n'a pas brillé dans l'accomplissement d'un acte quelconque. Au contraire, quand on dit : « Votre visage a blanchi », cela signifie que l'on s'est tiré d'une affaire fort brillamment et à son avantage.
2. *El-Saïedat :* la grande dame, la maîtresse.

Page 171
1. Formule pour prendre congé ou se retirer : « Que la paix soit sur vous ! »

Page 183
1. *El-Sâmet :* le Silencieux.

Page 186
1. *Kenafa :* pour la description de cette pâtisserie fameuse en Orient, voir l'histoire de Hassan Badreddine, page 106.

Page 192
1. *Montasser-Billah :* ou le Victorieux-avec-l'aide-d'Allah.

Page 223
1. Douce-Amie, au lieu des mots arabes : *Anis Al-Djalis*, simplement pour la facilité de la lecture.

Page 249
1. Ces mots qui signifient : « ô nuit ! ô les yeux ! » sont le leitmotiv de toute chanson arabe. Ils reviennent à tout instant, soit comme prélude, soit comme accompagnement, soit comme finale.

Page 263
1. *El-Motiv El-Massloub*, c'est-à-dire : Celui qui est réduit en esclavage par l'amour ravisseur.
2. *Fetnab*, c'est-à-dire : Charmante séduction. C'est également le nom d'une fleur jaune très odorante, la cassie *(Acacia farnesiana).*

Page 274
1. C'est-à-dire : Brise, Fleur du jardin, Aube du matin, Branche de perles, Lumière de la route, Étoile de la nuit. Étoile du matin, Délices du jardin.

Page 277
1. *Kouat Al-Kouloub :* Force des cœurs.

Page 292
1. Omar Al-Némân. Pour être plus grammatical, je devrais écrire : « en-Némân ». C'est pour ne pas troubler le lecteur européen, que j'emploierai l'article « al », au lieu de « en ». (Voir grammaire arabe : *lettres lunaires et lettres solaires.*)

Page 293
1. La Sunnat est le recueil, par la tradition, des lois, décisions et conseils oraux du Prophète, et des détails minutieux de sa vie.

Page 294
1. *Safia :* Limpide et pure comme l'eau.
2. *Kaïssaria :* Césarée de Cappadoce, peut-être.
3. Ces allitérations et assonances : par souci du texte arabe.
4. *Daoul'makân :* Lumière de l'endroit. *Nôzhatou'zamân :* Délices du temps.

Page 295
1. Constantinople.
2. Les Arabes appellent ainsi Alexandre le Grand, à cause de son cheval Bucéphale.

Page 298
1. Une des plus belles races chevalines de l'Arabie du Nord et du Centre.

Page 311
1. Nom générique donné à tous les Européens, par extension et arabisation du mot *Français.*

Page 313
1. Le parasange *(pharsakh)* correspond à peu près à cinq kilomètres.

Page 377
1. Le *Deïlam :* province de la Perse, bornée au nord par la Caspienne. Les Deïlamites appartiendraient au groupe turc-tartare plutôt qu'à la Perse proprement dite.

Page 404
1. *Kanmakân* signifie : Il fut ce qui fut.

Page 423
1. Entremets à base d'amidon, de lait et de riz concassé.
2. C'est la pâtisserie nationale de tout l'Orient. Sorte de feuilleté farci de pistaches et d'amandes.

Page 424
1. Petits pâtés, en rondelles, farcis de noix, etc.

Page 427
1. Le Job biblique. Personnage fort estimé des musulmans.

Page 436
1. Grand-voile.

Page 482
1. L'acte de foi musulman. Il suffit de te dire une fois pour prouver que l'on est musulman. Et personne ne songera à demander d'autres preuves. Quant à la *circoncision*, elle est recommandée, mais n'est pas du tout nécessaire pour devenir musulman.

Page 518
1. Soleil d'un beau jour.

Page 540
1. On remarquera qu'à partir de ce moment le récit est fait par le joaillier lui-même, sans transition.

Page 548
1. *Kamaralzamân :* la Lune du Siècle.

Page 552
1. Comme les nuits qui précèdent ne sont que de quelques lignes dans le texte arabe, j'en ai supprimé le quantième, simplement pour ne pas interrompre le récit trop souvent et de trop près. Désormais il en sera ainsi toutes les fois que le même cas se présentera (N. du T.).

Page 585
1. *Haïat-Alnefous :* Vie des Âmes.

Page 656
1. Alexandrie.

Page 692
1. *Sindbad :* mot consacré par l'usage en France, au lieu de *Sindabad*, prononciation arabe.

Page 743
1. *Zoumourroud :* Émeraude.

Page 780
1. *Mouloukhia :* plante de la famille des liliacées dont on fait une soupe verte, mets fort estimé en Égypte.

Page 850
1. Voir, pour plus de détails sur ce serment, dans l'HISTOIRE DE GRAIN-DE-BEAUTÉ, la scène du Délieur, p. 625.

Page 911
1. *Kamaralakmar* (Kamar Al-Akmar) : lune des lunes.

TABLE

DANS LA MÊME COLLECTION

HISTOIRE, PHILOSOPHIE & ESSAIS

AMOUROUX, Henri
La Grande Histoire des Français sous l'Occupation
TOME I : Le Peuple du désastre — Quarante millions de pétainistes *(16 pages de hors-texte)*
TOME II : Les Beaux Jours des collabos — Le Peuple réveillé *(8 pages de hors-texte)*
TOME III : Les Passions et les Haines — L'Impitoyable Guerre civile *(8 pages de hors-texte)*
TOME IV : Un printemps de mort et d'espoir — Joies et douleurs du peuple libéré *(8 pages de hors-texte)*

La Grande Histoire des Français après l'Occupation
Les Règlements de comptes — La page n'est pas encore tournée *(8 pages de hors-texte)*

ANTHOLOGIE MONDIALE DE LA STRATÉGIE
Des origines au nucléaire
Édition établie par Gérard Chaliand, nouvelle édition mise à jour
Préface de Lucien Poirier. Postface de Pierre M. Gallois
(16 pages de hors-texte)

ARON, Raymond
Mémoires (édition intégrale)
Préfaces de Nicolas Baverez et de Tzvetan Todorov

ATTALI, Jacques
Verbatim
TOME I : 1981-1986
TOME II : 1986-1991

Les Penseurs du monde : Pascal, Marx, Gandhi

BAINVILLE, Jacques
La Monarchie des lettres
Histoire, politique et littérature
Édition établie et présentée par Christophe Dickès

BARK, Dennis L. — GRESS, David R.
Histoire de l'Allemagne (1945-1991)
Traduction d'Odile Demange

BENNASSAR, Bartolomé
Histoire des Espagnols (VIe siècle-XXe siècle)

BENOIST-MÉCHIN, Jacques

Histoire de l'armée allemande
Préface d'Éric Roussel
TOME I : 1918-1937 — TOME II : 1937-1939

Soixante jours qui ébranlèrent l'Occident, 10 mai-10 juillet 1940

BOORSTIN, Daniel

Les Découvreurs
D'Hérodote à Copernic, de Christophe Colomb à Einstein, l'aventure de ces hommes qui inventèrent le monde
Traduction de Jacques Bacalu, Jérôme Bodin et Béatrice Vierne

Histoire des Américains
L'Aventure coloniale — Naissance d'une nation — L'Expérience démocratique
Traduction de Y. Lemeunier, M. Blanc, H. Christol, J.-C. Crapoulet, M. Gervaud, Y. Guieu et F. Boris

BOYER, Régis

Les Vikings
Histoire, mythes, dictionnaire
Qu'est-ce qu'un Viking ? — Le Mythe viking dans les lettres françaises — Dictionnaire

CLEMENCEAU, Georges

Correspondance (1858-1929)
Édition établie et annotée par Sylvie Brodziak et Jean-Noël Jeanneney

CONQUEST, Robert

La Grande Terreur
Précédé de Sanglantes Moissons
Traduction de Marie-Alyx Revellat et de Claude Seban

COURTOIS, Stéphane — WERTH, Nicolas — PANNÉ, Jean-Louis — PACZKOWSKI, Andrzej — BARTOSEK, Karel — MARGOLIN, Jean-Louis

Le Livre noir du communisme
Crimes, terreur, répression
Édition établie sous la direction de Charles Ronsac

DARU, Pierre

Histoire de la république de Venise
Édition établie par Alessandro Fontana et Xavier Tabet
TOME I : Des origines à la bataille de Lépante (1571)
TOME II : Après la bataille de Lépante jusqu'à la chute de la République (1797)
(2 volumes sous coffret)

DROYSEN, Johann Gustav

Histoire de l'hellénisme
Histoire d'Alexandre le Grand — Les Successeurs d'Alexandre
Traduction sous la direction de Auguste Bouché-Leclercq

ELLIOTT, John H.

Olivares (1587-1645)
L'Espagne de Philippe IV
Traduction de France-Marie Watkins avec la collaboration de Claire Le Ho-Devianne

L'ENFANT ET LE GÉNOCIDE

Témoignages sur l'enfance pendant la Shoah
Textes choisis et présentés par Catherine Coquio et Aurélia Kalisky

ÉRASME

Éloge de la folie — Adages — Colloques — Réflexions sur l'art, l'éducation, la religion, la guerre, la philosophie — Correspondance, *précédé d'un* Dictionnaire d'Érasme et de l'humanisme
Édition et Dictionnaire d'Érasme établis par Claude Blum, André Godin, Jean-Claude Margolin et Daniel Ménager

EUROPES

De l'Antiquité au XXe siècle. Anthologie critique et commentée
Édition établie et présentée par Yves Hersant et Fabienne Durand-Bogaert

FEBVRE, Lucien

Vivre l'Histoire
Combats pour l'Histoire — Pour une histoire à part entière
Édition établie par Brigitte Mazon
Préface de Bertrand Müller

FRANÇAIS EN RÉSISTANCE

Carnets de guerre, correspondances, journaux personnels
Anthologie établie et présentée par Guillaume Piketty

LES FRANÇAIS VUS PAR EUX-MÊMES

Le Siècle de Louis XIV
Anthologie des mémorialistes du siècle de Louis XIV
Textes choisis et présentés par Alain Niderst

Le XVIIIe Siècle
Anthologie des mémorialistes du XVIIIe siècle
Par Arnaud de Maurepas et Florent Brayard
Préface de Daniel Roche

Le Consulat et l'Empire
Textes choisis et présentés par Alfred Fierro

FRAZER, James George

Le Rameau d'or
Édition établie par Nicole Belmont et Michel Izard
TOME I : Le Roi magicien dans la société primitive — Tabou ou les Périls de l'âme
TOME II : Le Dieu qui meurt — Adonis — Atys et Osiris
TOME III : Esprits des blés et des bois — Le Bouc émissaire
TOME IV : Balder le Magnifique — *Bibliographie générale*

FUMAROLI, Marc

Le Livre des métaphores
Essai sur la mémoire de la langue française

FURET, François

Penser le XXe siècle
Un itinéraire intellectuel : l'historien journaliste, de *France-Observateur* au *Nouvel Observateur* (1958-1997) — Interventions : sélection d'articles parus dans *Le Débat* (1981-1997) et *Commentaire* (1985-1997) — Le Passé d'une illusion : Essai sur l'idée communiste au XXe siècle — Fascisme et communisme : Correspondance avec Ernst Nolte (1996-1997)
Préface de Pierre Hassner

GABORY, Émile

Les Guerres de Vendée
La Révolution et la Vendée — Napoléon et la Vendée — Les Bourbons et la Vendée — L'Angleterre et la Vendée
Édition établie par Xavier du Boisrouvray
(16 pages de hors-texte)

GALLO, Max

Jules Vallès — Jean Jaurès

GAULLE, Charles de

Lettres, notes et carnets

Présentés par l'amiral Philippe de Gaulle et préfacés par Jean-Luc Barré

Tome I : 1905-1941 — Tome II : 1942-mai 1958 — Tome III : juin 1958-novembre 1970

GIBBON, Edward

Histoire du déclin et de la chute de l'Empire romain

Édition établie par Michel Baridon

Tome I : Rome de 96 à 582 — Tome II : Byzance de 455 à 1500

GOURMONT, Remy de

La Culture des idées

Le Joujou *et trois autres essais* — La Culture des idées — Le Chemin de velours. Nouvelles dissociations d'idées — Physique de l'amour. Essai sur l'instinct sexuel — Épilogues. Réflexions sur la vie, 1895-1898 — Promenades philosophiques : Première série — Deuxième série — Troisième série — La Petite Ville, *suivi de* Paysages — Pendant l'orage — Pendant la guerre. Lettres pour l'Argentine

Préface de Charles Dantzig

GREEN, Peter

D'Alexandre à Actium

Du partage de l'Empire au triomphe de Rome

Présenté par Paul Veyne. Traduction d'Odile Demange

Dictionnaire des personnages, par Maurice Larès

Bibliographie adaptée par Bernard Legras

GRIMAL, Pierre

Voyage à Rome

La Rome antique — Vivre dans la Rome antique — L'Âme romaine — Promenades romaines — Guide : Nous partons pour Rome

Rome et l'amour

Femmes-Jardins-Sagesse

L'Amour à Rome — Les Amours des dieux — La Femme romaine — Vierges et Matrones — Images de femmes — Les Hommes et les jardins — La Littérature et les paysages — L'Art des jardins — La Sagesse romaine — Sagesse et Pouvoir — Sagesse épicurienne et sagesse stoïcienne — Le Sacré — Histoire d'un sage : Mémoires de T. Pomponius Atticus

GUEVARA, Ernesto

Combats d'un révolutionnaire

Voyage à motocyclette — Second voyage à travers l'Amérique latine — Souvenirs de la guerre révolutionnaire cubaine — Journal du Congo — Jounal de Bolivie — Justice globale

Préface de Jacobo Machover

GUICCIARDINI, Francesco

Histoire d'Italie (1492-1534)

Édition établie par Jean-Louis Fournel et Jean-Claude Zancarini

Tome I — Tome II

(2 volumes sous coffret)

GUIZOT, François

Histoire de la révolution d'Angleterre

Édition établie par Laurent Theis

HISTOIRE AUGUSTE

Les Empereurs romains des IIe et IIIe siècles

Vie d'Hadrien — Vie d'Aelius — Vie d'Antonin le Pieux — Vie de Marc Aurèle — Vie de Vérus — Vie d'Avidius Cassius — Vie de Commode — Vie de Pertinax — Vie de Didius Julianus — Vie de Septime Sévère — Vie de Pescennius Niger — Vie de Clodius Albinus — Vie de Caracalla — Vie de Géta — Vie de Macrin — Vie de Diaduménien — Vie d'Élagabal — Vie d'Alexandre Sévère — Vie des deux Maximins — Vie des trois Gordiens — Vie de Maxime et Balbin — Vie des deux Valériens — Vie des deux Galliens — Vie des trente tyrans — Vie de Claude — Vie d'Aurélien — Vie de Tacite — Vie de Probus — Le Quadrige des tyrans — Vie de Carus, Carin et Numérien
Édition bilingue latin-français établie par André Chastagnol

HISTOIRE DU MARIAGE
Sous la direction de Sabine Melchior-Bonnet et Catherine Salles

HISTOIRE ET DICTIONNAIRE
(Les titres sont classés chronologiquement)

La Préhistoire, Histoire et Dictionnaire
Sous la direction de Denis Vialou, assisté de Roger Joussaume et de Jean-Pierre Pautreau pour le Mésolithique et le Néolithique
(1 volume sous coffret)

Les Celtes, Histoire et Dictionnaire
Des origines à la romanisation et au christianisme
Par Venceslas Kruta

Alexandre le Grand, Histoire et Dictionnaire
Sous la direction d'Olivier Battistini et Pascal Charvet

Les Capétiens, Histoire et Dictionnaire, 987-1328
Par François Menant, Hervé Martin, Bernard Merdrignac et Monique Chauvin

Jeanne d'Arc, Histoire et Dictionnaire
Par Philippe Contamine, Xavier Hélary et Olivier Bouzy

La France de la Renaissance, Histoire et Dictionnaire, vers 1470-1559
Par Arlette Jouanna, Dominique Biloghi, Philippe Hamon et Guy Le Thiec

Histoire et Dictionnaire des guerres de Religion, 1559-1598
Par Arlette Jouanna, Jacqueline Boucher, Dominique Biloghi et Guy Le Thiec

France baroque — France classique, 1589-1715
Par René et Suzanne Pillorget
TOME I : Récit — TOME II : Dictionnaire
(2 volumes sous coffret)

Histoire et Dictionnaire du temps des Lumières, 1715-1789
Par Jean de Viguerie

Histoire et Dictionnaire de la Révolution française, 1789-1799
Par Jean Tulard, Jean-François Fayard et Alfred Fierro

Histoire et Dictionnaire du Consulat et de l'Empire, 1799-1815
Par André Palluel-Guillard, Alfred Fierro et Jean Tulard

Dictionnaire historique de la Résistance et de la France libre
Sous la direction de François Marcot, avec la collaboration de Bruno Leroux et de Christine Levisse-Touzé

Histoire et Dictionnaire de Paris
Par Alfred Fierro

Histoire et Dictionnaire de la police
Du Moyen Âge à nos jours
Sous la direction de Michel Aubouin, Arnaud Teyssier et Jean Tulard

JERPHAGNON, Lucien
Les Armes et les Mots
Histoire de la Rome antique. Les armes et les mots — Les Divins Césars. Idéologie et pouvoir dans la Rome impériale — Histoire de la pensée. D'Homère à Jeanne d'Arc
Préface de Jean d'Ormesson

KIERKEGAARD, Søren
Œuvres
L'Alternative *(également connu sous le titre* Ou bien… Ou bien…*)* — La Répétition *(également connu sous le titre* La Reprise*)* — Stades sur le chemin de la vie — La Maladie à la mort
Traduction de Paul-Henri Tisseau
Édition établie par Régis Boyer

LAVISSE, Ernest
Louis XIV
Histoire d'un grand règne (1643-1715)
Édition établie par René et Suzanne Pillorget

LEA, Henry Charles
Histoire de l'Inquisition au Moyen Âge
Traduction de Salomon Reinach
Préface de Bartolomé Bennassar

LÉVI, Éliphas
Secrets de la magie
Dogme et Rituel de la haute magie — Histoire de la magie — La Clef des grands mystères
Édition établie et présentée par Francis Lacassin

LEYS, Simon
Essais sur la Chine
Les Habits neufs du président Mao — Ombres chinoises — Images brisées — La Forêt en feu — L'Humeur, l'honneur, l'horreur
Préface de Jean-François Revel

MABILLON, dom Jean
Œuvres choisies
Dom Mabillon, *par dom Henri Leclercq* — Traité des études monastiques — La Règle de notre bienheureux père saint Benoît, avec les statuts de messire Étienne de Poncher, évêque de Paris — Lettre d'un bénédictin à Mgr l'évêque de Blois touchant le discernement des anciennes reliques, au sujet d'une dissertation de M. Thiers contre la sainte larme de Vendôme — Dissertation sur le culte des saints inconnus, lettre d'Eusèbe à Théophile — La Mort chrétienne — De la controverse à la définition de l'identité bénédictine — Jean Mabillon et le monachisme, *par Odon Hurel*
Édition établie par Odon Hurel

MACAULAY, Thomas Babington
Histoire d'Angleterre
Depuis l'avènement de Jacques II (1685) jusqu'à la mort de Guillaume III (1702)
Édition établie par Michel Derouard
TOME I : Chapitres I à XII — TOME II : Chapitres XIII à XXV
(2 volumes sous coffret)

MACHIAVEL

Premiers Écrits politiques — Le Prince — Discours sur la première décade de Tite-Live — L'Art de la guerre — Vie de Castruccio Castracani — Histoire de Florence — Écrits littéraires — Lettres familières, *précédé d'un* Dictionnaire de Machiavel, *par Christian Bec*
Édition et traduction établies par Christian Bec

MCPHERSON, James M.

La Guerre de Sécession (1861-1865)
Traduction de Béatrice Vierne
Préface de Philippe Raynaud

MADELIN, Louis

Histoire du Consulat et de l'Empire
Présentation et index par Johan Ranger
TOME I : La Jeunesse de Bonaparte — L'Ascension de Bonaparte — De Brumaire à Marengo — Le Consulat
TOME II : L'Avènement de l'Empire — Vers l'empire d'Occident (1806-1807) — L'Affaire d'Espagne (1807-1809) — L'Apogée de l'Empire (1809-1810)
TOME III : La Crise de l'Empire (1810-1811) — L'Empire de Napoléon — La Nation sous l'Empereur — La Catastrophe de Russie
TOME IV : L'Écroulement du grand Empire — La Campagne de France — L'Interrègne impérial — Les Cent-Jours. Waterloo
(4 volumes sous coffret)

MAISTRE, Joseph de

Œuvres
Six Paradoxes à Mme la marquise de Nav... — Considérations sur la France — Sur le protestantisme — Essai sur le principe générateur des constitutions politiques — Les Soirées de Saint-Pétersbourg — Éclaircissement sur les sacrifices, *suivi d'un* Dictionnaire *établi par Jean-Louis Darcel, Pierre Glaudes et Jean-Yves Pranchère*
Texte établi, annoté et présenté par Pierre Glaudes

MARIE-ANTOINETTE

Anthologie et Dictionnaire
Textes choisis, présentés et annotés par Catriona Seth

MASSIGNON, Louis

Écrits mémorables
Textes établis, présentés et annotés sous la direction de Christian Jambet par François Angelier, François L'Yvonnet et Souâd Ayada
TOME I — TOME II
(2 volumes sous coffret)

MAURIAC, François

Journal — Mémoires politiques
Journal, *annoté et présenté par Jean Touzot* — Le Bâillon dénoué — Mémoires politiques, *annotés et présentés par Laurence Granger*
Édition établie et présentée par Jean-Luc Barré

MICHELET, Jules

Histoire de la Révolution française
Présentation de Claude Mettra
TOME I : Livres I à VII
TOME II : Livres VIII à XXI, *suivis d'un* Dictionnaire des personnages *établi par Alain Ferrari*

Le Moyen Âge : Livres I à XVII de l'Histoire de France
Présentation de Claude Mettra
Chronologie d'Alain Ferrari

Renaissance et Réforme : Histoire de France au XVIe siècle
Préface de Claude Mettra
Chronologie de Véronique Bedin

MOMMSEN, Theodor
Histoire romaine
Édition établie par Claude Nicolet
TOME I : Des commencements de Rome jusqu'aux guerres civiles
TOME II : Fondation de la monarchie militaire — Les Provinces sous l'Empire

LE MONDE ET SON HISTOIRE
Édition dirigée par Maurice Meuleau
Le Monde antique et les débuts du Moyen Âge (vers 3000 av. J.-C.-XIIe siècle apr. J.-C.), *par Maurice Meuleau et Luce Pietri*

Les Révolutions européennes et le partage du monde (XVIIIe siècle-XIXe siècle), *par Louis Bergeron* — Le Monde contemporain (1914-1938), *par Marcel Roncayolo*

Le Monde contemporain de la Seconde Guerre mondiale à nos jours (le second XXe siècle), *par Marcel Roncayolo*

MONTESQUIEU
Pensées — Le Spicilège
Édition établie par Louis Desgraves

LES MORALISTES DU XVIIe SIÈCLE
Sentences, maximes et pensées diverses, *présentées et annotées par J. Lafond* — LA ROCHEFOUCAULD : Maximes et Réflexions diverses, *et* MME DE SABLÉ : Maximes, *présentées et annotées par A.-A. Morello* — ABBÉ D'AILLY : Pensées diverses, *présentées et annotées par J. Lafond* — ÉTIENNE DE VERNAGE : Nouvelles Réflexions, *présentées et annotées par J. Lafond* — PASCAL : Pensées, *présentées et annotées par Ph. Sellier* — JEAN DOMAT : Pensées, *présentées et annotées par J. Lafond* — Discours sur les passions de l'amour, *présenté et annoté par J. Lafond* — LA BRUYÈRE : Les Caractères, *présentés et annotés par P. Soler* — DUFRESNY : Amusements sérieux et comiques, *présentés et annotés par J. Chupeau*
Édition établie par Jean Lafond

MOUSNIER, Roland
L'Homme rouge
Vie du cardinal de Richelieu

MÜLLER, Max
Mythologie comparée
Édition établie, présentée et annotée par Pierre Brunel

NAPOLÉON À SAINTE-HÉLÈNE
Par les « quatre évangélistes », Las Cases, Gourgaud, Montholon et Bertrand
Textes choisis, préfacés et commentés par Jean Tulard

NIETZSCHE, Friedrich
Œuvres
Édition établie par Jean Lacoste et Jacques Le Rider
Notes de Peter Pütz
TOME I : La Naissance de la tragédie — Considérations inactuelles — Humain, trop humain — Aurore
Postface de Jean Lacoste
TOME II : Le Gai Savoir — Ainsi parlait Zarathoustra — Par-delà le bien et le mal — La Généalogie de la morale — Le Cas Wagner — Le Crépuscule des idoles — L'Antéchrist — Ecce homo — Nietzsche contre Wagner — Dithyrambes de Dionysos
Postface de Georges Liébert
Index des noms et des notions par Jean Lacoste et Jacques Le Rider

NOLTE, Ernst

Fascisme et Totalitarisme

Le Fascisme dans son époque : L'Action française. Le Fascisme italien. Le National-socialisme — Les Mouvements fascistes : l'Europe de 1919 à 1945. Seconde partie : Les Mouvements fascistes nationaux — « La querelle des historiens » : *sélection d'articles* (1988-1996) *et extrait de* Quand tombe la nuit (2001) — Les Fondements historiques du national-socialisme

Édition établie et présentée par Stéphane Courtois

PLUTARQUE

Vies parallèles

Traductions de Robert Flacelière et Émile Chambry

Présentations de Jean Sirinelli

TOME I : Thésée et Romulus — Lycurgue et Numa — Solon et Publicola — Thémistocle et Camille — Périclès et Fabius Maximus — Alcibiade et Coriolan — Timoléon et Paul-Émile — Pélopidas et Marcellus — Aristide et Caton l'Ancien — Philopœmen et Flamininus — Pyrrhos et Marius — Lysandre et Sylla — Cimon et Lucullus — Nicias et Crassus — Sertorius et Eumène

TOME II : Agésilas et Pompée — Alexandre et César — Phocion et Caton le Jeune — Agis et Cléomène. Les Gracques — Démosthène et Cicéron — Démétrios et Antoine — Dion et Brutus — Artaxerxès et Aratos — Galba et Othon — *Index des noms propres*

RÉAU, Louis

Histoire du vandalisme

Les monuments détruits de l'art français

Édition augmentée par Michel Fleury et Guy-Michel Leproux

REINACH, Joseph

Histoire de l'affaire Dreyfus

Préface de Pierre Vidal-Naquet

Introduction de Hervé Duchêne

TOME I : Le Procès de 1894 — Esterhazy — La Crise

TOME II : Cavaignac et Félix Faure — Rennes — La Révision

(2 volumes sous coffret)

REINACH, Salomon

Cultes, mythes et religions

Édition établie par Hervé Duchêne

RENAN, Ernest

Histoire et Parole

Œuvres diverses

Morceaux choisis de : Correspondance — Lettres intimes — Cahiers de jeunesse — Fragments intimes — L'Avenir de la science — Essais de morale et de critique — Vie de Jésus — Les Apôtres — Saint Paul — L'Antéchrist — L'Église chrétienne — Marc-Aurèle — La Réforme intellectuelle et morale — Dialogues philosophiques — Drames philosophiques — Examen de conscience philosophique — Souvenirs d'enfance et de jeunesse — Feuilles détachées — Histoire du peuple d'Israël — Conférences d'Angleterre

Édition établie par Laudyce Rétat

Histoire des origines du christianisme

Édition établie, préfacée et annotée par Laudyce Rétat

TOME I : Vie de Jésus — Les Apôtres — Saint Paul, *précédé d'un* Dictionnaire de Renan, *par Laudyce Rétat*

TOME II : L'Antéchrist — Les Évangiles — L'Église chrétienne — Marc-Aurèle

(2 volumes sous coffret)

LE RETOUR DES EXILÉS

La lutte pour la Palestine de 1869 à 1997

Édition établie et présentée par Henry Laurens

REVEL, Jean-François

Pourquoi des philosophes — Pour l'Italie — Sur Proust — La Cabale des dévots — Contrecensures — Descartes inutile et incertain

RIASANOVSKY, Nicholas V.

Histoire de la Russie (des origines à 1996)
Traduction, chronologie mise à jour et bibliographie française d'André Berelowitch

LE ROMAN VRAI DE LA IIIe ET DE LA IVe RÉPUBLIQUE (1870-1958)

Édition établie sous la direction de Gilbert Guilleminault
TOME I : 1870-1918 *(32 pages de hors-texte)*
TOME II: 1919-1958 *(32 pages de hors-texte)*

SAINTYVES, Pierre

Les Contes de Perrault et les récits parallèles — En marge de la *Légende dorée* — Les Reliques et les Images légendaires
Édition établie par Francis Lacassin

SÉNÈQUE

Entretiens — Lettres à Lucilius
Édition établie par Paul Veyne

SERGE, Victor

Mémoires d'un révolutionnaire
et autres écrits politiques
Deux Russes : Léon Tolstoï et Egor Sazonov — L'Esprit révolutionnaire russe — La Ville en danger : Petrograd, l'an II de la Révolution — Pendant la guerre civile — Les Anarchistes et l'expérience de la Révolution russe — Lénine 1917 — Les Coulisses d'une Sûreté générale — Vie des révolutionnaires — Destin d'une Révolution. URSS 1917-1937 — Mémoires d'un révolutionnaire 1905-1941 — Puissance et limites du marxisme — Pour un renouvellement du socialisme — Trente ans après la Révolution russe — Lettres à Emmanuel Mounier — Lenin's Heir ? — Entretien avec Victor Alba
Édition établie par Jean Rière et Jil Silberstein

STANISLAS LESZCZYNSKI

Édition établie et présentée par Anne Muratori-Philip

TAINE, Hippolyte

Les Origines de la France contemporaine
L'Ancien Régime — La Révolution — Le Régime moderne
Nouvelle préface de Jean-Paul Cointet
Édition établie par François Leger

TALLEYRAND, Charles-Maurice, prince de

Mémoires et Correspondances
Mémoires, *publiés avec une préface et des notes par le duc de Broglie de l'Académie française* — 135 Lettres inédites du prince de Talleyrand à la duchesse de Bauffremont (1808-1838) — Liste des écrits de Talleyrand et des traités et des actes signés par Talleyrand — *Index*
Édition intégrale établie et présentée par Emmanuel de Waresquiel

THIBAUDET, Albert

Réflexions sur la politique
Les Princes lorrains (1924) — La République des professeurs (1927) — Les Idées politiques de la France (1932) — Choix d'articles parus dans : *La Nouvelle Revue française*, la *Revue de Genève*, *L'Europe nouvelle*, *Les Nouvelles littéraires*, *La Dépêche* (1911-1936) — *Annexes*
Édition établie et présentée par Antoine Compagnon

THOMAS, Hugh

La Conquête du Mexique
Traduction de l'anglais par Guillaume Villeneuve

La Guerre d'Espagne (juillet 1936-mars 1939)
Traduction de l'anglais par Jacques Brousse, Lucien Hess et Christian Bounay

La Traite des Noirs (1440-1870)
Traduction de l'anglais par Guillaume Villeneuve

THUCYDIDE
Histoire de la guerre du Péloponnèse *précédée de* En campagne avec Thucydide, *par Albert Thibaudet* — Dictionnaire de Thucydide, *sous la direction de Jacqueline de Romilly, de l'Académie française*
Édition et traduction établies par Jacqueline de Romilly

TOCQUEVILLE, Alexis de
De la démocratie en Amérique — Souvenirs — L'Ancien Régime et la Révolution
Édition établie par James T. Schleifer, Jean-Claude Lamberti et Françoise Mélonio

TODOROV, Tzvetan
Le siècle des totalitarismes
Face à l'extrême — Une tragédie française — L'Homme dépaysé *(extraits)* — Mémoire du mal, tentation du bien

TREVELYAN, George Macaulay
Histoire sociale de l'Angleterre
Six siècles d'histoire de Chaucer à la reine Victoria
Nouvelle traduction par Odile Demange
Édition établie par Jean-Pierre Poussou

VAN GENNEP, Arnold
Le Folklore français
TOME I : Cérémonies familiales : Du berceau à la tombe — Cérémonies périodiques, cycliques et saisonnières : Carnaval-Carême, Pâques
TOME II : Cérémonies périodiques, cycliques et saisonnières *(suite)* : Cycle de mai, Cycle de la Saint-Jean, Cérémonies agricoles de l'été, Cérémonies agricoles de l'automne
TOME III : Cérémonies périodiques, cycliques et saisonnières *(fin)* : Cycle des Douze Jours : Noël, De Noël aux Rois *(rédigé par Bernadette Guichard)* — Textes inédits sur le folklore français contemporain, *présentés et annotés par Nicole Belmont* — Essais divers de folklore
BIBLIOGRAPHIES : Questionnaires — Provinces et pays — Bibliographie méthodique — Index des auteurs cités, Index des provinces — Bibliographie personnelle d'Arnold Van Gennep, *établie par Francis Lacassin*
(4 volumes sous coffret)

VENISE ET LA RÉVOLUTION FRANÇAISE
Les 470 dépêches des ambassadeurs de Venise au doge (1786-1795)
Édition et traduction de l'italien établies par Alessandro Fontana, Francesco Furlan et Georges Saro

VIEL CASTEL, Horace de
Mémoires sur le règne de Napoléon III, 1851-1864
Texte présenté et annoté par Éric Anceau

Composé par Nord Compo Multimédia
7, rue de Fives, 59650 Villeneuve-d'Ascq

Cet ouvrage a été achevé d'imprimer en mars 2013
sur les presses de Normandie Roto Impression s.a.s.
61250 Lonrai
N° d'imprimeur : 130765

Imprimé en France